MYSTERIUM SALUTIS

BAND IV/2

MYSTERIUM SALUTIS

GRUNDRISS HEILSGESCHICHTLICHER DOGMATIK

HERAUSGEGEBEN VON

JOHANNES FEINER
UND MAGNUS LÖHRER

BENZIGER VERLAG
EINSIEDELN ZÜRICH KÖLN

DAS HEILSGESCHEHEN IN DER GEMEINDE

GOTTES GNADENHANDELN

BAND IV/2

UNTER MITARBEIT VON

JOHANNES BETZ · BERNARD DUPUY
JOSEF DUSS-VON WERDT · PIET FRANSEN · HEINRICH GROSS
PETER HUIZING · MAX KELLER · OSKAR KÖHLER
RENÉ LAURENTIN · MAGNUS LÖHRER · FRANZ MUSSNER
OTTO HERMANN PESCH · RAPHAEL SCHULTE
ALOIS STENZEL · DIETRICH WIEDERKEHR
FRIEDRICH WULF

BENZIGER VERLAG
EINSIEDELN ZÜRICH KÖLN

INHALTSVERZEICHNIS

VORWORT

Umfangreicher als geplant und mit etlicher Verspätung erscheint der zweite
Teil des IV. Bandes von Mysterium Salutis, der zusammen mit den ausstehenden Kapiteln der Ekklesiologie auch die Lehre über Gottes Gnadenhandeln enthält. Auf ihren Aufbau, ihren Zusammenhang zur Ekklesiologie
und ihre Einordnung in den Gesamtplan des Werkes wird in der Einleitung
zum zweiten Teil dieses Bandes eingegangen werden. Die große Zahl der
Mitarbeiter in diesem Teilband erschwerte die Redaktionsarbeit nicht wenig,
zumal die Ablieferung einzelner Beiträge sich aus den verschiedensten Gründen immer wieder verzögerte. Für den Leser mag es nicht weniger als für die
Herausgeber tröstlich sein zu wissen, daß ein Ende des Gesamtwerkes sich
nunmehr abzeichnet, da Band V als *ein* Band erscheinen soll.

Eine Einleitung in die folgenden Kapitel der Ekklesiologie erübrigt sich,
da die notwendigen grundsätzlichen und praktischen Hinweise bereits in
der Einleitung zu Band IV/1 gegeben wurden. Mit einem gewissen Recht
kann die kritische Frage gestellt werden, ob die Ekklesiologie im Rahmen
von Mysterium Salutis nicht allzuviel Platz beanspruche. Eine kürzere Fassung des einen und anderen Beitrags wäre ohne Zweifel wünschenswert gewesen. Im Rahmen des Möglichen haben wir auch einzelne Manuskripte ge-
strafft. Zur gerechten Beurteilung des Sachverhalts wird man aber vor allem
folgendes bedenken müssen: Die Ausweitung der Ekklesiologie hängt vor
allem damit zusammen, daß ein beträchtlicher Teil der Sakramentenlehre, die
früher in einem eigenen ausführlichen Traktat entwickelt wurde, zu integrieren war. Sie ist auch dadurch bedingt, daß verschiedene Fragen, die in der
ekklesiologischen Reflexion bis jetzt kaum berücksichtigt wurden (z. B. die
Darstellung der Kirche als Ort vielgestaltiger christlicher Existenz sowie das
Kapitel über die Kirche als Geschichte), aufzuarbeiten waren. Das intensive
Bemühen um die Verarbeitung der verschiedenen ekklesiologischen Themen
ist in etwa wohl auch ein Reflex der thematischen Schwerpunktsetzung auf
dem II. Vatikanum. Mag sein, daß die Theologie später einige Akzente wieder
anders setzen wird. Eine heilsgeschichtliche Dogmatik sollte jedenfalls ihren
eigenen geschichtlichen Stellenwert kennen. Sie kann ihre geschichtliche
Relativität akzeptieren, indem sie sich die Freiheit nimmt, jene Fragen aufzuarbeiten, die heute vordringlich aufzuarbeiten sind oder an denen man
jedenfalls nicht vorbeigehen sollte, wenn man zu anscheinend dringlicheren
Fragen vorstoßen möchte. Die kritische theologische Rezeption des II. Vatikanums hat jedenfalls weitgehend in der Ekklesiologie zu erfolgen.

Dem kritischen Leser wird sowenig wie den Herausgebern entgehen, daß
gerade in der Ekklesiologie dieses Werkes beträchtliche Spannungen zwischen den Auffassungen einzelner Mitarbeiter bestehen. Dies zeigt etwa ein
Vergleich zwischen den Ausführungen über die Ehe als Sakrament und der

Darstellung der Sakramententheologie im allgemeinen. Ähnliches gilt von der Behandlung der Theologie des Laientums im Vergleich zu dem, was in anderen Beiträgen über das Amt gesagt wird. Eine Harmonisierung der Standpunkte schien uns nicht am Platz zu sein. Dies nicht nur aus Respekt vor der Überzeugung des einzelnen Mitarbeiters, der zu seinem Beitrag stehen soll, sondern auch im Blick auf den Leser, der gerade durch solche Divergenzen zum kritischen Nachdenken geführt werden kann.

Für die Hilfe bei der Fahnenkorrektur und die Herstellung des Personenregisters danken wir Dr. P. Odo Lang und P. Luzius Simonet, Einsiedeln.

Zürich, den 1. November 1973

DIE HERAUSGEBER

6. KAPITEL

TEILMOMENTE DER INSTITUTION KIRCHE

Im 4. Kapitel wurde versucht, die Kirche als Sakrament des Heils zu erfassen. Es ging dabei auch und vor allem darum, mit Hilfe der Kategorie des Sakramentalen die sichtbar institutionelle Seite der Kirche in ihrem zeichenhaften Bezug auf die innere Gnadenwirklichkeit der Kirche zu sehen. Die dort entwickelte sakramentale Schau der Kirche wird vorausgesetzt, wenn nunmehr von grundlegenden Teilmomenten der Institution Kirche die Rede ist, vom Gottesdienst der in Jesus Christus versammelten Gemeinde, von den Sakramenten als Ausgliederungen des einen Wurzelsakraments Kirche und von der Kirchenordnung. Die Zusammenfassung dieser drei Teilmomente in einem Kapitel bedeutet nicht, daß sie gleichrangig sind. Sie kommen aber darin überein, daß sie gerade in ihrer konkreten Verfassung, in ihrer Bedeutung und in ihrer Relativität dann richtig eingeschätzt werden, wenn man sie vom sakramentalen Wesen der Kirche her zu verstehen versucht. Die allgemeine sakramentale Sicht schließt nicht aus, daß in den folgenden Abschnitten die einzelnen Teilmomente der Institution Kirche in ihrer je besonderen Bedeutung dargestellt werden. Daß Gottesdienst und Sakramente ihren Platz in der Ekklesiologie im allgemeinen und in diesem Kapitel im besonderen haben, dürfte leicht ersichtlich sein. Es schien uns wichtig, auch die Frage der Kirchenordnung und des kirchlichen Rechts in diesem Zusammenhang aufzugreifen. Gerade wenn man eine fatale Verrechtlichung der Kirche überwinden will, darf die legitime theologische Frage nach der Kirchenordnung aus der Ekklesiologie nicht ausgeklammert werden. Eine Neuordnung des kirchlichen Rechts wird nur dann nicht daneben gehen, wenn die theologischen Prämissen einer Kirchenordnung in der Ekklesiologie angemessen reflektiert werden.

DER GOTTESDIENST DER IN CHRISTUS VERSAMMELTEN GEMEINDE. KULT UND LITURGIE

Vorbemerkungen

Die Ansage der Überschrift ist näher zu bestimmen. Es geht in diesem Kapitel darum, die Institution Kirche von ihren Teilaspekten her zu sichten. Hier also darum, in Christus gottesdienstlich versammelte Gemeinde als grundlegend für «Ausdruck und Offenbarung des Mysteriums Christi und des eigentlichen Wesens der wahren Kirche»[1] zu erweisen. Aufzuzeigen sind mithin vor allem der Ort der neutestamentlichen Kultgemeinde in der Heilsgeschichte, ihr Aufbau und ihre Strukturen sowie der kirchliche Ort des Gottesdienstes.

Es geht über den Rahmen dieser Ausführungen hinaus, die einzelnen gottesdienstlichen Vollzüge zu sammeln, zu beschreiben, zu werten; auf sie wird allenfalls zurückgegriffen, soweit es zur Erhellung des eigentlichen Anliegens dienlich und unumgänglich ist.

Wir scheinen soeben einigermaßen unbefangen und unreflex von den Termini Gebrauch gemacht zu haben, die in der Überschrift angeboten werden. Von «gottesdienstlich versammelter Gemeinde» war die Rede, von «Kultgemeinde», und schließlich wurde noch ein Zitat aus der Liturgiekonstitution bemüht.

Man wird Gottesdienst als den weitesten und flexibelsten Begriff nicht anfechten wollen. Man wird einsehen, daß auf Liturgie nicht verzichtet werden kann, wenn und weil es in der Gemeinde des ausgegossenen Geistes und seiner endzeitlichen Freiheit dann doch denjenigen Gottesdienst geben muß, der nicht in die christliche Existenz nivellierbar ist. Der nicht nur in Ordnung zu geschehen hat (wie sie als Grundbestand auf die Setzung durch den Stifter zurückgeht, soziologisch unverzichtbar ist und von daher auch kaum weitergehender positiver Bestimmung entraten kann), sondern darüber hinaus unter Zeichen zu vollziehen ist, die die noch nicht manifeste und doch wirklich angebrochene letzte Zeit signalisieren sollen.

Aber Kult? Man braucht die Ohren nicht einmal allzusehr voll zu haben von «religionslosem Christentum», «Säkularisierung», «weltlicher Welt» usw., um durchaus der Meinung sein zu können, daß der Begriff Kult auch durch Zusätze wie «neu» oder «christlich» nicht hinreichend für das Unterscheidende des Gottesdienstes der endzeitlichen Gemeinde anpaßbar wird. In der Tat: Wenn Kult nur um den Preis als mehr denn eine verwaschene und auf diese Weise gefährliche Worthülse genommen wird, daß er (heidnisch, aber auch alttestamentlich) heiligen Ort, heilige Person, heiligen Ritus beinhaltet, muß resolut gesagt werden, daß der «Christus Ende des Gesetzes» auch hier ein Ende gesetzt hat. Sicher folgt hieraus:

---

[1] Liturgiekonstitution des Zweiten Vatikanums «Sacrosanctum Concilium» (fortan: LitKonst) Art. 2.

Wenn eine «kultische» Terminologie noch verwendet wird, ist immer sehr bewußt auf die gemeinte Sache zu achten. Wenn also fortan der Unbefangenheit in der Benutzung gewehrt ist, bleibt zu fragen: Warum soll sie denn dann überhaupt noch gebraucht werden?

Die Antwort kann hier selbstverständlich nicht die kommenden Ausführungen vorwegnehmen. Darum vorerst nur eine andeutungsweise Rechtfertigung. – Entscheidend ist, daß man den Gottesdienst der in Christus versammelten Gemeinde nur in der heilsgeschichtlichen Perspektive unverkürzt in den Blick bekommt. Nun aber ist sicher, daß Israel im ganz gewöhnlichen Verstand des Wortes Kult hatte und Kultgemeinde war. Wenn nun das neue Gottesvolk anders denn in der Abkunft von diesem alten nicht verstanden werden kann, dann sollte man die Kultgemeinde Israel den Nullpunkt sein lassen, ohne den es kein hilfreiches Koordinatensystem geben kann, und relativ dazu die Kultgemeinde Jesu Christi zu bestimmen versuchen. Wenn man schon nicht das Vertrauen hat, daß eine sehr alte Tradition theologischen Redens wohl dafür bürgen sollte, daß dabei das Gefälle vom Gottesvolk des Alten Bundes zur endzeitlichen Heilsgemeinde unverkürzt zum Tragen kommt, dann mag man sich der Sache vergewissern. Die von der Schrift benutzte kultische Terminologie ist nämlich nicht starr. Schon das Alte Testament bezieht das Halten der Gebote sehr selbstverständlich in sein Reden von Kult ein. Wenn dann im Neuen Testament Bruderliebe und Apostolat betont mittels kultischer Termini angesprochen werden können, wird damit die Ausweitung des Gottesdienstes in das Leben hinein als Sachzusammenhang bestätigt. Und sosehr es sich um eine jeweils entschränkende Applikation kultischer Terminologie handelt – über die damit erwiesene Vertretbarkeit ihres Gebrauches sollte man auf der Suche nach ihrer positiven Funktion bleiben. Ein Hinweis nur: Zwischen dem verbal nicht genug von der christlichen Existenz abhebenden «Gottesdienst» und dem im Bereich sehr eingeschränkten «Liturgie» noch den mittleren Terminus Kult beibehalten zu können, ist wohl nicht nur deswegen angenehm, weil man dann in derselben Ebene spricht, in der das Neue Testament ungebrochen vom Priestertum Christi und der Gemeinde redet – es ist da wohl auch die Sache: Das «allgemeine Priestertum» der Gläubigen ist einerseits nicht nur eine Sache der Innerlichkeit und der Gesinnungen, sondern wirklich zeichenhaftes Priestertum sowohl durch Grundlegung wie durch Vollzüge – ist aber andererseits nicht durch die Vielzahl der Bedingungen eingeschränkt, die dem eigentlich Liturgischen seinen Raum abstecken. Die neutestamentliche Gemeinde in diesem Sinne Kultvolk zu nennen, scheint passend und hat Tradition.

1. Die Kultgemeinde des Alten Bundes

Darüber zu handeln, hat hinsichtlich unseres Themas zwar unerläßlichen Dienstwert, aber dann doch nur Dienstwert. Diese Einschränkung erlaubt für die Darstellung zweierlei. Einmal braucht nicht auf Kult im allgemeinen religionsgeschichtlichen Sinne[2] eingegangen zu werden; was Israels Kult von diesen Grundkategorien widerspiegelt, ist maßgeblich. Zum anderen

---

[2] Vgl. Art. «Kult» (E. Lengeling) u. seine Literaturangaben in: HThG I, 865–880.

erübrigt sich das Ausziehen von genetischen Linien[3]; hier und jetzt genügt «der» Alte Bund mit seinen Einrichtungen, von dem als Folie beispielsweise der Hebräerbrief Neuheit und Endgültigkeit der eschatologischen Heilsgemeinde abhebt.

Es darf also vorausgesetzt werden, daß aller Kult (also auch Israels) auf die Erfahrung des Göttlichen antwortet, in Gebet, Hymnus, Opfer. Sein Ziel ist Kontaktnahme, Begegnung, Austausch mit der Gottheit zwecks Vermittlung und Zueignung von Heil. Die Gottheit muß sich gnädig selbst gewähren, in Gegenwart und heilsamer Aktion (magische Praxen widerstreiten diesen Einsichten und Bestrebungen nicht, sondern legen noch einmal verzerrt Zeugnis für sie ab). Mag «Stiftung» auch am ehesten und eigentlichsten im Verband von Offenbarungsreligion und ihren Einrichtungen verifizierbar sein, die Sache steht hinter allen heiligen Orten und Zeiten, heiligen Personen und Riten[4]: Gott setzt die Bedingungen seiner Selbsteröffnung, ermöglicht den Zugang, bestimmt und begrenzt die Kultfähigkeit und schafft sich so seine Kultgemeinde. Wie für die vielen Kulte gelten auch für Israels Kult die Kategorien rein (unrein), sakral (profan). Sie übersetzen sich in Segen (Fluch), Leben (Tod), Nähe (Ferne), werden in der kultischen Feier durch Gottes Ermächtigung wirkkräftig heraufgeführt und können so für den Kult den übermächtigen «Sitz im Leben» begründen.[5]

---

[3] Es darf hier vernachlässigt werden, wie auf dem Wege zum reinen Monotheismus auch «Kult» zu läutern war bzw. wie die Gefahr einer Baalisierung durch die Religion Kanaans Rück- und Abfälle heraufführte und von Zeit zu Zeit Kultreformen nötig machte. Es ist hier von geringem Interesse, ob Ex 25 u. Nm 10 so früh anzusetzen sind, daß ein ausbesondertes Priestertum mit Sicherheit auf Moses zurückzuführen ist; ob die Priester es ursprünglich mit Gottesbefragung und Orakelerteilung als ihrer eigentlichen Aufgabe zu tun hatten; ob u. wie lange Opferdarbringung dem vorhierarchischen Priestertum des Königs (der in den altorient. Religionen ja zentral für das steht, was die Welt zusammenhält) bzw. dem Sippenoberhaupt vorbehalten war usw.

[4] Wie sie auch Israel hat. – Um mögliche Mißverständnisse gerade einmal zu nennen, damit sie abgetan seien: Solche «Äußerlichkeiten» besagen ebensowenig gegen die Innerlichkeit des Kulttuns (der eine geistleibliche Mensch wird nicht zerfällt) wie die lapidare Deklassierung durch den Hebr – 9, 13 f: Reinheit des Fleisches / Reinheit des Gewissens – etwas gegen die «dabei» seiende Gnade besagt (die Abwertung «bloß zeremonielle, levitische Reinheit» qualifiziert den Bund als Bund des Gesetzes, das als solches keine Gnade geben kann).

[5] In einer Zeit schon leidenschaftsloser Desakralisierung, geradezu schmerzhaften Bewußtseins dafür, Gott in dieser Welt präsent machen zu müssen durch Glaube, Hoffnung, Liebe (und nicht zuerst durch Institution) sollte man sich den Blick für zwei Sachverhalte nicht verstellen lassen: einmal dafür, daß Verfremdung, Brechung, Stilisierung usw. kaum ersetzbare Vehikel für Transzendenz sind und mithin Ingredienz jeglichen menschlichen Kulttuns (weil auch dadurch, daß in der Offenbarungsreligion Zuwendung Gottes, Heimsuchung durch ihn die entscheidenden Worte sind, Transzendenz und re-ligio nicht schlechthin negiert werden dürfen); zum andern dafür, daß eben so verstandener Kult – menschliches Tun in hiesiger Welt und doch nicht «von dieser Welt» – in dem Sinn überlegen machen kann, daß er zur Welt befreit.

a. Israel als Jahwes Sondervolk

Das ist das Ur-Credo Israels: «Ein umherirrender Aramäer war mein Vater. Er zog nach Ägypten und hielt sich dort als Fremdling mit wenigen Leuten auf. Aber er ward dort zu einem großen, starken und zahlreichen Volk. Doch die Ägypter mißhandelten uns. Sie quälten uns und legten uns harte Frondienste auf. Wir schrieen zu Jahwe, dem Gott unserer Väter. Jahwe hörte unsere Qual, unsere Mühsal und Bedrängnis. Und Jahwe führte uns aus Ägypten mit starker Hand und ausgestrecktem Arm heraus mit großen, furchterregenden Taten, mit Zeichen und Wundern. Er brachte uns an diese Stätte und gab uns dieses Land, ein Land, das von Milch und Honig überfließt.» (Dt 26, 5b–9; vgl. 6, 20–25; Jos 24, 2b–13). Jahwe ist Schöpfer und Erhalter des Alls; Jahwe ist Herr der vielen Völker, Herr ihrer Geschichte, die Heilsgeschichte ist. Aber das ist Israels Gottes- und Selbstverständnis: «Du erklärst heute von dem Herrn, er solle dein Gott sein... und der Herr erklärt heute von dir, du sollst ihm ein Volk sein» (Dt 26, 17f). Gott hat aus der Vielzahl der Völker ein Volk erwählt (und es damit gegenüber den vielen ἔϑνη zum einzigartigen λαός gemacht), und als Antwort hängen die Erwählten in dankbarer Liebe ihrem Wahlgott an (Dt 7,6; 6,4; 11,1). So realisieren sie ihr «Nationaldogma», den unlöslich völkisch-religiösen Komplex,[6] «Volk Gottes» zu sein, d. h. auf Grund der blutsmäßigen Zugehörigkeit zu diesem konkreten Volk in einer anderweitig nicht einholbaren Weise Gottes zu sein und ihn «zu haben».[7] Das ist unverdiente Vorliebe Gottes (Dt 7,7), die das erwählte Volk heilig macht; die Gott inmitten seines Eigentumsvolkes Wohnung nehmen läßt (Ex 25–40), damit er sich in ihm verherrliche, im Gefälle von ontisch-zuständlicher Heiligkeit der Berufung zum Imperativ «Seid heilig! Denn heilig bin ich, der Herr, euer Gott» (Lv 19,2; vgl. Dt 7,6; 26,19). Heiliges Volk, in einen Bund hineinerwählt (Ex 24,4–8), in dem Gott so sehr die stiftende Initiative hat, daß der Bund zuerst und zuletzt auf Jahwes Treue steht. Von hierher ist darum die Realität dieses Bundes auszubuchstabieren. Dann ist Ewigkeit darin, Unwiderruflichkeit (Ex 32,13; Lv 26,42; Dt 4,31), zumal wenn diese Treue überschritten wird zu Liebe: «Als Israel jung war, gewann ich es lieb» (Os 11,1; ähnlich wird bei Isaias Heiligkeit als Inbegriff der Göttlichkeit Grundlage für den Heils-Gott: 41, 14; 43,3; 47,4). Von diesem Gott her – nach der Theologie der Vorgeschichte Schöpfer und Herr, einziger Gott – muß dann diesem ausbesondernden Bund Universalität bleibend innewohnen. Gewiß ist die Erwählung

---

[6] Hier könnte dann ein Grund dafür liegen, daß man mit qahal bzw. ekklesia als Selbstbezeichnungen nicht gerade von Haus aus kultische Termini gewählt hat.

[7] Dafür, daß dieses wechselseitige Gehören u. Beschlagnehmen nicht unterhalb von wahrer Lebensgemeinschaft gedacht ist, ist der Bundesschluß mit Abraham (Gn 15; vgl. die ähnliche Darstellung Jr 34, 18ff) Hinweis: Im Leben der zerlegten Tiere als Vermittelndem sind die beiden Partner verbunden.

zum Sonder- und Eigentumsvolk die Wurzel dessen, was man heute Nationalität nennt. Aber nicht zu selbstgenügsamem, selbstsüchtigem Herrentum[8] wird erwählt, sondern zur Sendung an die Völker der Welt, zum Zeugnis (Is 43, 10; 49,6; 60,3; Jr 1,5). Wenn Jahwe sich so innig mit Israel einläßt, dann deswegen, damit es aufgerichtetes Zeichen der Heimsuchung sei. Das «priesterliche Königtum» (Ex 19,6) ist gewiß auch heute noch eine Aufgabe für die Exegese. Aber das besagt es dann doch: dieses Volk ist priesterlich, d.h. ist Gott nahe,[9] hat Zugang zu ihm. Es ist priesterlich durch sein Leben Gott zuliebe, im Halten seiner Gebote. Dieser existentielle Kult ist nicht zuerst geschuldete Leistung, sondern darlebendes Bejahen des Gemeinschaftswillens Gottes zu seinem Geschöpf. Der das als Auflage und Auszeichnung besagt: daß der Bundesherr Jahwe in seinem Volke Israel groß sei und sich verherrliche, den Völkern zum Zeichen und zur Einladung (Dt 4,6). Israel weiß das in Lob und Dank, weiß es in der Klage über scheinbare Gottverlassenheit, weiß es in der Theorie:[10] Es ist durch Erwählung Gott zu eigen, nicht zum Rühmen und zum Genuß, sondern zur Sendung: Angeforderte, ermächtigte Spitze des «penetranten Immanenzwillens von Jahwes Heiligkeit»;[11] für das Heil der Vielen durch die Wenigen, der Hochfahrenden und Mächtigen durch die Schwachen und Leidenden.

b. Der Kult des Bundesvolkes Israel

Eine Beschreibung Israels als Gottes eigenes Volk ist ohne kultische Termini nicht zu leisten. Seine Ausbesonderung durch Erwählung ist Heiligkeit so

---

[8] Es ist nicht erstaunlich, daß «mit uns Gott» so vielfältig degenerieren kann: zum Ausruhen von sittlicher Anstrengung, zur Begründung politischer Selbstsucht, zum massiv-mechanischen kultischen Vertrauen auf den «Gott inmitten seines Volkes». Die Kultkritik der Propheten ist beredt, und furchtbar ist die Drohung durch den Mund Osees (1,9; 2,25) «Das ‹Nicht-mein-Volk› will ich ‹Mein-Volk› benennen».

[9] Die Wurzel «nahen» steht hinter dem hebr. Wort für Priester. – Die Antworten auf die Frage «Alle Könige?» (später Nachhall 2 Makk 2,17) «Alle Priester?» (vgl. Nm 11,29) fallen bei den Exegeten sehr unterschiedlich aus. Zur Orientierung: G. Fohrer, «Priesterliches Königtum», Ex 19,6: ThZ 19 (1963) 359 – 362. Hier braucht nicht Stellung genommen zu werden; unsere Aussage bleibt in etwa diesseits der Diskrepanzen. Übrigens, wenn in Ex 19,6 die Aussage auf König und Priester zentriert ist, ist das noch einmal ein Widerschein der unauflöslichen Durchdringung von Völkischem und Religiösem in Israel. Es ist auch starke Stütze dafür, daß der König Träger messianischer Mittlerschaft blieb: auch die Propheten können sich das Heil nicht an Davids Dynastie vorbei denken.

[10] Gn 12,1 ff ist die deutlichste Aussprache einer universalistischen Heilstheorie. Dem Jahwisten kommt in der Erkenntnis, daß Israel Sakrament für das Heil der Welt sein soll, der Deuteronomist am nächsten.

[11] Eine Formulierung G. v. Rads: Theologie des Alten Testaments I (München [4]1962) 219. – Die Notwendigkeit, Proselyt zu werden, ist ein Niederschlag dieser Überzeugung. Für die konkrete Weise der Bekehrung der Heiden zu Jahwe gab es unterschiedliche eschatologische Traditionen. Dafür ist noch die Unsicherheit der christlichen Urgemeinde Beleg; «wunderbar» trifft wohl die Vorstellung mehr als der Gedanke an planmäßiges Überziehen der Heidenwelt mit Aposteln, die die Ernte einbringen.

sehr, daß sie sich wie selbstverständlich in das «Heiligkeitsgesetz» (Lv 17–26) verlängert, mit seinem Refrain «Ihr sollt heilig sein, denn Ich bin heilig, der Herr, euer Gott». «Herrlichkeit, Verherrlichung» des Bundesgottes ist die allein hinreichende Antwort auf die Frage nach dem «Warum» solcher Erwählung. Darum Priesterlichkeit des Volkes durch den Gottesdienst existentiellen Gottanhangens – akzentuiert noch durch die Beschlagnahme für Mittlerschaft vor und zu den vielen Völkern. Wenn Israel überhaupt erst durch die Erwählung Volk ist, dann ist folgerichtige Entsprechung zu diesem Sachverhalt, daß in Israel Staat, Nation, Volk «verkultlicht» werden (wohingegen als Weise der «Heiden» die Verstaatlichung von Religion und Kult anzusprechen wäre).

Über die beherrschende Stellung des Kults in diesem Volk, das recht eigentlich dazu geworden ist durch die Gnädigkeit und freie Selbstbindung Gottes, kann kein Zweifel sein. Wenn Volk durch «Jahwe inmitten», dann ist dafür erster und währender Ort der Kult im Heiligtum. Dort wohnt Jahwe (Dt 12,5 ff; 2 Chr 7,1 ff), dort wird «Sein Antlitz geschaut» (Dt 16,16; Is 1,12), dort ist Begegnung und Umgang mit Ihm (Ex 29,42 f). Kurz – Gott wirkt das im Bund zugedachte Heil im Kult. Äußerer Beleg dafür ist, daß die Kultgesetze Moses als Auftrag Jahwes gegeben werden (Ex 40,1; Lv 1,1; Nm 5,1). Nur folgerichtig ist die Sanktion: aus dem Volk «auszuschneiden» ist, wer gegen dieses Gesetz verstößt (Gn 17,14; Ex 12,15. 19; Lv 7,20; Nm 9,13).

Einige Zitate noch aus G.v.Rads «Theologie des Alten Testaments» mögen die überragende Stellung des Kults im Leben Israels beleuchten. «P (= die Priesterschrift; sie muß durchaus als Geschichtswerk gewertet werden) soll allen Ernstes zeigen, daß der im Volk Israel historisch gewordene Kult das Ziel der Weltentstehung und Weltentwicklung ist. Schon die Schöpfung ist auf dieses Israel hin angelegt worden» (aaO. I, 247; die zuletzt angeführte Feststellung wird hinreichend legitimiert dadurch, daß der Schöpfungsbericht dieser Quelle auf den Sabbat hin ausgerichtet ist). «Am Sinai hat Jahwe den Kult Israels gestiftet» (ebd.). «Die Dispositionsgestalt des Deuteronomiums... ist (aber) ein Ganzes, denn in der Abfolge dieser Teile spiegelt sich der liturgische Fortschritt eines Kultfestes, nämlich des Bundeserneuerungsfestes von Sichem. Daran, daß der liturgische Ablauf des Kultgeschehens den Rahmen für ein großes literarisches theologisches Werk abgeben mußte, kann man wieder einmal sehen, wie schwer es Israel gefallen ist, theologische Inhalte theoretisch aus sich selbst heraus zu entfalten» (aaO. I, 233).

Es kann nicht die Aufgabe dieser Ausführungen sein, über Israels Kult zu reden, insofern er sich mittels der natur-religiösen «Grammatik» aussprechen muß und also wie andere auch mit Gebet, Hymnus, Opfer usw. auf den erfahrenen Gott reagiert, insofern er (und als eminent völkische Angelegenheit ist er das in hohem Maße) kulturellen und soziologischen Faktoren verhaftet ist. Der vorgefundene Kult der kanaanäischen Autochthonen ist hier ebenso von Einfluß wie die Tatsache, daß ein Volk von halbnomadischen Ackerbauern

ein «agrarisches» Grundmuster seiner Feste (bei Massot, [Sieben-] Wochenfest, Herbstfest doch gar nicht zu verkennen!) weder völlig verleugnen kann
noch vielleicht überhaupt will. Wenn das aber einmal als einigermaßen selbstverständlich und kaum vermeidbar zugegeben ist, muß man jedoch um so
deutlicher sagen: Israel hat seinen Kult anders fundiert als die Religionen vor
und neben ihm. Die wissen um einen zutiefst sakralen Kosmos, mit vielfach
und allerorten diffus anwesendem «Göttlichem», dessen Erfahrung man in
mancherlei Hierophanien (eine Wortprägung von M. Eliade) zu machen
meint. Eben solches gegenwärtiges übernatürliches Göttliche sucht man im
Kult gnädig zu stimmen und sich seiner Heilsgüter zu versichern. Und selbstverständlich wissen sie auch um die Sünde, die Brechungen und Verzerrun-
gen in diese Erfahrung einträgt, den Kontakt mit der Gottheit gefährlich
macht und darum Reinigung verlangt.

Solche Fundierung des Kults ist eingängig. Hier ist – jenseits des flüchti-
gen, immer und niemals verfügbaren Augenblicks – Kontaktnahme mit
dem wahren, dem Fluß der Vergänglichkeit enthobenen Leben, hier rührt
man Ewigkeit an. Neujahrsfeste versichern der Unerschöpflichkeit dieses
Lebens. Mythen vom Fruchtbarkeitsgott, der in der Unterwelt gefangen-
gehalten wird und dann doch jeweils wieder siegreich aufersteht, holen die
Zyklik der Lebenskraft heim. – Es ist hier nicht der Ort, die ganz andere
Grundlegung von Israels Kult als auf diesem Hintergrund «erstaunlich»,
als «große Leistung» usw. zu erweisen. Aber wie sollte außerhalb einer Offenbarungsreligion das überhaupt geschehen können, was in Israel geschah? Dies
nämlich: Daß in seinen Kult (und das ist bei diesem Volk nicht nur Herz des
religiösen Selbstverständnisses, sondern seines Selbstverständnisses schlechthin!) Geschichte eingeht. Vielleicht müßte pointierter geredet werden. «Geschichte», «Geschichtlichkeit» sind zwar einerseits für uns Heutige zu Aller-
welts-Chiffren geworden, die man manchmal schon nicht mehr gern unbesehen in den Mund nimmt; aber sie haben dann doch (gerade in ihrer Ausrichtung auf die Zukunft und die damit eröffneten Räume) eine so faszinie-
rende Aura um sich, daß in größerer Nüchternheit noch einmal formuliert
werden muß: Israel gründet seinen Kult (sein Heilsmittlerisches!) auf kontingente Ereignisse.[12] Das ist freilich großartig. Es besagt nicht weniger, als
daß dieses Volk – sehr sicher und gar nicht selbstverständlich – den fundamentalen Rang seiner Erwählung realisiert. Daß es sie nämlich wertet als
Übergang aus einer allgemeinen Geschichte zur ausbesonderten Geschichte
(und Heilsgeschichte), die für das Volk konstitutiv ist. Was es mit diesem

---

[12] Das nicht nur in zentralen Gehalten wie Erwählung, Bundesschluß usw., sondern in
die ganze Breite des kultischen Apparates (wenn einmal so geredet werden darf) hinein:
sowohl heilige Stätten (Gn 23; 26,23ff; 28, 10–22; 32, 1f) wie heilige Tage und Zeiten
(Pascha: Herausführung aus der Knechtschaft; Wochenfest: Bundesschluß, Landverlei-
hung; Laubhüttenfest: Führung durch die Wüste).

Sprung auf sich hat, kann an dem Wort «konstitutiv» aufgehen. Es besagt doch: Tragend für Sinn und Aufgabe dieses Volkes, für seine Anforderungen und seine Verheißungen werden kontingente Fakten. Geschehnisse also, denen man bisher jede solche sinngebende Funktion abgesprochen hat, die allenfalls als Epiphänomene dazu hilfreich sein mochten, das allein gültige Hintergründige und Bleibende zu erkennen. Nun aber erkennt Israel in ihnen – in der Herausführung aus Ägypten, in Bundesschluß, Wüstenzug, heiligem Krieg und Landnahme – Etappen eines göttlichen Tuns von schöpferischem Rang: «Seinem» Gott ist es dort begegnet und wurde so «Sein» Volk.

Das entscheidende Licht auf diese Aussage liefert die konkrete kultische Begehung; das hier einschlägige Stichwort heißt «Anamnese». Ob man nun «Erinnerung» oder «Gedächtnis» sagt – die Worte allein tun es nicht. Wenn man darauf hinweist, daß Jahwe und Israel abwechselnd Subjekt und Objekt dieses Gedächtnisses sind, daß also nicht nur Israel «erinnert» wird,[13] sondern auch Israel bei Jahwe ins Gedächtnis gebracht wird,[14] dann ist damit Jahwes Gnädigkeit beschworen und einer solchen kultischen Begehung Wirksamkeit zugesagt. Aber das Entscheidende kommt doch erst mit dem der Anamnese eigentümlichen «Heute» in ihrer Macht zur Vergegenwärtigung zur Sprache. Das formuliert der Mischna-Traktat über die Paschafeste so: «In jedem einzelnen Zeitalter ist man verpflichtet, sich so anzusehen, als ob man selbst aus Ägypten ausgezogen wäre. Denn es heißt: Und du sollst deinem Sohn an jenem Tag also erzählen: (die Paschafeier geschieht) um dessetwillen, was Jahwe mir bei meinem Auszug aus Ägypten getan hat».[15] Das geschieht, wenn in der kultischen Versammlung die Aufforderung ertönt: «Höre, Israel, die Satzungen und Rechte, die Ich euch heute verkünde; lernet sie und erfüllet sie getreulich! Jahwe, unser Gott, hat am Horeb einen Bund mit uns geschlossen. Nicht mit unsern Vätern hat Jahwe diesen Bund geschlossen, sondern mit uns hier, die wir alle heute noch am Leben sind» (Dt 5,1 ff).

Hiermit ist nämlich die stiftende Zeit über den Rang hinaus erhoben worden, nur Zeitpunkt «Nummer eins» einer wahren, verlaufenden Geschichte zu sein. Hiermit ist sie zur Ur-Zeit geworden, die schöpferischen Rang hat und die vielen Zeiten nachher tragend unterfängt. Hierauf fußt die Mächtigkeit der Anamnese als Heilsgeschehen hier und heute, in dem der Glaube erstarkt, die Hoffnung lebendig wird, die Liebe wächst (vgl. Ex 14,31; Dt 7,18 f; 6,5). Denn sie vermag eine Person oder ein Ereignis so reale Gegen-

---

[13] Wenn am nachdrücklichsten zur Sprache kommt, daß die Sinnspitze ist, Israel vor Jahwes Anspruch zu stellen und es für Seine Verherrlichung in Pflicht zu nehmen, spiegelt das die Eigenart des Gottesverhältnisses wider: Jahwe hat die souveräne Initiative und behält sie.

[14] G. v. Rad, aaO. I, 255.

[15] Ex 13,8 – Pesachim 10,5.

wart werden zu lassen[16], daß man am einmaligen Exodus, am einmaligen Bundesschluß hier und jetzt Anteil gewinnen kann.

c. Heilsgeschichtlicher Ort von Israels Kult

Es ist nicht leicht, von diesseits des Hebräerbriefs auf den Alten Bund zu schauen. Durch das Strahlenbündel von Neuheit, Fülle, Endgültigkeit schaut man in das Anheben, Bereiten, Vorlaufen des Alten Bundes nahezu wie in eine Dunkelheit hinein. Aber dann ist doch im Kontext der Heilsgeschichte so viel Positives über den Kult Israels zu sagen, was nicht einfach überblendet werden kann und auch beim Rückwärtslesen seine Bestätigung erhält.

Israels Opfer sind nicht leere Beteuerung oder der eitle Versuch einer Selbstreinigung, eines menschlichen Einwirkens auf Gott. Sie bewirken Sühne (darauf ist der Großteil des Opferdienstes ausgerichtet), sie beschwichtigen Zorn, sie erstellen Versöhnung, sie erhalten der Kultgemeinde die Bundesgenossenschaft mit Gott. Gewiß, da ist eine Kette von Einzelakten nötig, und was sie zustande bringt, ist gewissermaßen eine «schlechte Dauer». Der Hebräerbrief wird sich nicht schwertun, darauf als Folie abzuheben oder auch das herauszustellen, daß die Bedürftigkeit steter Wiederholung letztlich der Ausweis für Ungenügen und Ohnmacht ist. Aber auch so bleibt wahr: Eben dieser Kult, dieser Opferdienst ist Gottes Ermächtigung, durch Gottes Gebot und Gottes Ordnung für ununterbrochene Folge institutionalisiert. Zwar ist nicht zu übersehen, daß es die befristete Fortdauer eines ständig gefährdeten Gottesbundes ist. Eines Bundes, für dessen Bestand es keine letzte greifbare Verbürgung gibt. Dessen Hinfälligkeit und Schwäche so unübersehbar wird, daß Sehnsucht und Erwartung sich zunehmend einem «neuen» Bund zuwenden (Jr 31,31–34; Ez 36,24–31). Aber wenn es auch unausweichlich geworden ist, einen «Rest»[17] zum Träger der Hoffnung zu machen – selbst in der unerbittlichsten prophetischen Rede bleibt es der

---

[16] P. Brunner zitiert (in: Zur Lehre vom Gottesdienst. Leiturgia I, 212) W. Marxsen: «Die Tätigkeit des Objekts ist hierbei ein Überspringen, das sich sowohl in der Kategorie Raum wie Zeit vollzieht. Das Normale ist der Eintritt der Vergangenheit in die Gegenwart, aber auch die Hereinnahme der Zukunft in die Gegenwart läßt sich belegen.» – Für die schöpferische Qualität dieser Urzeit vgl. Ps 114. Es ist ersichtlich, daß hier nicht etwa ein analoger Prozeß statthat wie beispielsweise Ps 89,10–13, wo man die (nunmehr für ungefährlich erachtete) Poesie außerbiblischer Kosmogonien in die Schöpfungsberichte von Gn einträgt.

[17] Spätestens mit dem Scheitern des Versuchs von Esdras/Nehemias, gleichsam gesetzgeberisch die aus dem Exil Zurückgekehrten zur Idealgemeinde zu machen und sie so mit dem «Rest» zu identifizieren, kann die Erkenntnis nicht mehr hintangehalten werden: «Nicht ganz Israel (nach dem Fleische) ist auserwählt» führt unvermeidlich zum ergänzenden «Nicht alle Erwählten stammen aus diesem Israel» (Is 11,10; 54,5; 45,22; Zach 2,11. 15;8,22).

Rückzug auf einen Rest «Israels». So bleibt sein Kult Unterpfand eines göttlichen Ja, das mächtiger ist als Unglaube und Halsstarrigkeit und das in *einem* neuen gültigen Opfer, das kommen wird, die vielen Opfer aufgehoben sein lassen wird.

So sind Israels Priester wirklich «Mittler» (auch wenn sie – entsprechend der Eigenart dieses Bundes – mehr als Bevollmächtigte Gottes gegenüber Seinem Volk erscheinen denn als Anwälte des Volkes bei Gott). Sie sind erwählt; sie haben allein den unmittelbaren Zugang zu Jahwe (Nm 3,38; Ex 33,7–11); sie sind Ausweis dafür, daß Fürbitten und kultische Opfer nicht Menschengemächte sind, sondern gottgestiftet und damit der Annahme sicher.

2. Der Kult des Christus Jesus

Es mag scheinen, als sei unproportioniert ausführlich über den Kult des Alten Bundes gehandelt worden. Aber dem ist nicht so. Die Neuheit des endzeitlichen, endgültigen Bundes [18] wird zwar von aller Vergangenheit her unerrechenbare Fülle der Überbietung sein – sie hört nicht auf, Erfüllung eben dieses Alten Bundes und der ihm gegebenen Verheißungen zu sein. Es wurde gezeigt, daß das die Überzeugung derer war, die die schmerzhafte Erkenntnis der Vorläufigkeit schonungslos zur Aussage bringen mußten. Auch die Aufhebung des dogmatischen Indikativs «Israel nach dem Fleische = Israel Gottes» kann anders nicht begriffen werden, denn daß Israel neu wird. Dieselbe Überzeugung haben die, die rückwärts schauen und anderes nicht zu sehen vermögen als Verwirklichung von Verheißung. So der Hebräerbrief, so Paulus an vielen anderen Stellen. Wie immer auch «neu», dann doch nur in Kontinuität. Kein Versagen war stark genug: «Es ist nicht so, als ob Gottes Wort vereitelt worden wäre», «Gott hat Sein Volk, das Er sich erwählte, nicht verstoßen» (Röm 9,6; 11,2). Es geht kein Weg vorbei an «Israel – heiliger Erstlingsgabe, heiliger Wurzel, edlem Ölbaum» (Röm 11,16–24) zu Gott, zum bundestreuen Gott Abrahams, Isaaks und Jakobs. Die im Schatten und die im Licht wissen es: Das vom einen Bundesgott her eine Gottesvolk ist neu geworden, weil es eine neue Innerlichkeit erhalten hat, wie prophezeit worden war: «Ich werde Mein Gesetz in ihr Inneres legen und es ihnen ins Herz schreiben» (Jr 31,33).

Dadurch also war verlangt und ist gerechtfertigt das Eingehen auf das Kultvolk des Alten Bundes. Von dem es den Übergang zur Kultgemeinde der Endzeit nicht gibt ohne den, der Zielpunkt alles Vorläufigen ist (Röm 10,4; Gal 3,16), und so kann für alles Künftige «einen anderen Grund niemand

---

[18] Aus dem Charakter der Urzeit, den Israel Exodus und Landnahme zuerteilt hat, ergibt sich, daß der so begründete und gefüllte «Bund» Deutungskategorie nicht nur nach rückwärts ist (zwischen Gott und Abraham ist Bund, zwischen Gott und Noe ist Bund, und beidemal ist es Exodussituation), sondern auch nach vorwärts: So wahr die verheißene und erhoffte Zukunft Israels Zukunft ist, so wahr wird sie neuer Bund sein müssen (neuer Exodus, neues Gelobtes Land).

legen als den, der gelegt ist: Jesus Christus» (1 Kor 3, 11). In Jesus Christus
hat Gott Seinen Bundeswillen unüberbietbar Wirklichkeit werden lassen.
Dieser Mensch ist Gott. Gott auf menschliche Weise und Mensch auf göttliche Weise: Dieses Medium, dieser Mittler ist die Botschaft. Leibwerdung
von Gottes Gemeinschaftswillen mit Seinem Volk und mit der Menschheit
überhaupt. Hier ist ihr Heil nicht nur endgültig zugesagt (ablesbar am inner-
geschichtlichen Ereignis der Menschwerdung) – in ihrer Mitte ist es «im
Grunde», «im Prinzip», das Jesus Christus ist, schon bewirkt. In Ihm ist
das Reich Gottes da. Im Anbruch, ja; aber dann doch wirklich: von auto-
basileia sprechen die Väter. Und insofern Er der verheißene Messias ist, der
schlechthin nicht ohne Sein Volk sein kann, ist in Ihm Kirche da. Aber zu
Zeiten Seines irdischen Lebens und Wirkens ist sie nicht außerhalb der Grenzen Seines Leibes da. Das begründet die Notwendigkeit, zuerst und grundlegend von Kultmysterium Jesu Christi, des Hauptes Seines Leibes, zu
reden.

Er ist in Person die menschliche Erscheinung sowohl von Gottes Ver-
söhner- und Erlöserliebe wie auch Kulttuender auf den Vater hin im Namen
der Menschheit. Damit ist ohne Polemik oder ausdrückliche Verurteilung
alles Vorläufige «alt» und überholt. So sind die Worte und Taten Jesu zu
sehen, die das Alte abtun: Nicht (nur) Veräußerlichung wird verurteilt, im
Sinne etwa prophetischer Kultkritik. Die Heilung des Gelähmten (Mk 2,1 bis
12) ist radikale Abwertung des Opferkultes: Sündenvergebung ist nicht
mehr an das kultische Sühnopfer im Tempel gebunden. Die Aussage über
die Unreinheit (Mk 7,15) ist viel mehr als ethische Belehrung. Ein Zitat von
E. Käsemann: «Wer bestreitet, daß die Unreinheit von außen auf den Menschen eindringt, trifft die Voraussetzungen und den Wortlaut der Tora und
die Autorität des Moses selbst».[19] Die Reinigung des Tempelvorhofs (Mk
11,15–18) hat ihre Spitze nicht zuletzt darin, daß der eigentliche Opfertem-
pel schlichtweg übergangen wird: Die Unterscheidung zwischen dem heiligen Bezirk und der Profanität ist überholt.[20] Ganz ausdrücklich: «Hier ist
mehr als der Tempel» (Mt 12,6), denn hier ist mehr als nur Gnadengegenwart
Gottes am heiligen Ort, hier ist Gott leibhaftig. Und in letzter Schärfe (Mk
14,58) die Ansage vom «anderen Tempel, innerhalb drei Tagen». Das führt
ins Zentrum des Kulttuns Jesu. Wenn im Abbruch des Tempels Seines Leibes (Jo 2,19–22) der Vorhang des jüdischen Tempels zerreißt, ist die Aufhebung aller Opfer und damit des Tempels selbst offenbar.

---

[19] Das Problem des historischen Jesus: Exegetische Versuche und Besinnungen I
(Göttingen 1960) 207.

[20] Für die Deutung der Reinigung des Vorhofs der Heiden als messianische Ankündigung vgl. E. Lohmeyer, Kultus und Evangelium (Göttingen 1942) 44–51. – Das sechsfach
überlieferte Tempelwort stellt die Exegese vor manches Problem. Nicht bestritten werden
sollte, daß es sachlich mit dieser Zeichenhandlung zusammengehört; dann aber gewinnt
ἐκβάλλειν als durchhaltende Aussage ganz betont Schlüsselcharakter.

Es sind hier keine soteriologischen Aussagen um ihrer selbst willen zu erheben; es ist nur darauf zurückzugreifen. Gott (Vater) hat Gott (Sohn) ins Fleisch gesandt. Dieser Mittler, «Heiliger Gottes» (Mk 1,24) und einzig Gerechter, ist in liebendem Gehorsam «für uns» zur Sünde und zum Fluch geworden (2 Kor 5,21; Gal 3,13) und hat priesterlich das makellose, allgenügsame Sühnopfer dargebracht, das alle Todesmächte besiegt, alle Fesseln sprengt, alle Verschlossenheit öffnet. Zu seinem Ende gekommen, aufgehoben (und erledigt: Hebr 7,18; 8,13; 10,9) ist damit in Christus das levitische Priestertum (Hebr 4,14–10,18). Priesterlich ist der irdische Jesus – in Seinem Leben, in Seinem Sterben; Er selbst die Opfergabe (Mk 10,45; Röm 3,25; 2 Kor 5,19; Eph 5,2; Hebr 10,5). Priesterlich ist der Erhöhte, und Sein Priestertum bleibt (Hebr 8,1f): Unablässig für uns eintretend (Röm 8,34; Hebr 7,25; 9,24), weil für Ewigkeit vor Gottes Thron als Opfer angenommen, als Sühne gültig, als Darbringer bestätigt (Hebr 5,9f; Apk 5,6). Damit ist zu Ende gesprochen, was anhob, als das Wort Fleisch wurde: wo dieser Jesus von Nazareth der «geborene» neue Mensch Gottes wurde, der zweite Adam, in den alle Menschen eingezeichnet sind. Darin ist beschlossen, daß es an Ihm vorbei kein Heil geben kann, denn Er hat davon nicht nur geredet, Er selber ist es. Damit ist ausgesagt, daß man von Seinem Leben, Seinem Tod, Seiner Auferstehung nicht nur hören muß, um dann gehorsam eine Lehre zu beherzigen, sondern daß man darin erfunden werden muß.

Tod nämlich und Auferstehung und Himmelfahrt und Sitzen zur Rechten- das besagt, daß der Dialog zwischen Vater und Sohn zu Ende gesprochen ist. Seit der Sohn Sich durch all das hindurchgemüht hat, worin Er – stellvertretend für uns alle – «Gehorsam lernte» (Hebr 5,8), heißt die Antwort des Vaters «Bestellung zum Sohn Gottes in Kraft» (Röm 1,4; Apg 2,36), in die Kraft, als nun Erhöhter «alle an Sich zu ziehen» (Jo 12,32), «für alle Urheber des ewigen Heils» zu werden (Hebr 5,9): durch die Sendung des Geistes der Kindschaft (Jo 1,12; 16,7; Röm 8,15), in dem Er Seinen Leib erbaut. Kyrios, Herr sein ist Haupt sein in Fülle und Kraft.

Der Kult des Erstgeborenen ist am Ziel: «Gott, der uns durch Christus mit Sich versöhnt» (2 Kor 5,18). Wenn es zuvor «noch keinen Heiligen Geist gab, weil Jesus noch nicht in Seine Herrlichkeit eingegangen war» (Jo 7,39) – jetzt, wo Christus «durch den Heiligen Geist Sich selbst untadelig Gott dargebracht hat» (Hebr 9,14), ist Geist. Weil Jesus das Leben, das Er in letztmöglicher filialer Hingabe dem Vater in die Hände gelegt hatte (Lk 23, 46), in kyrialer Überhöhung zurückerhalten hat, teilhaft der Macht, den Heiligen Geist als Seinen Geist zu senden (Apg 2,33). Und das besagt: Seine Gegenwart kann Er im Pneuma schenken, Sich selbst. Diese letzte Entschränkung ermöglicht Epiphanie der Kirche auf Erden – Seines Leibes, den Sein Geist beseelt und erbaut.

3. Der Kult der Gemeinde der Endzeit

Auf Grund des Gesagten gilt: Aller Gottesdienst der Kirche steht in dem geöffneten Zugang zum Vater, den Jesu Opfer erschlossen hat. Er bleibt Subjekt des Gottesdienstes, an dem kein Weg vorbeiführt; Er, der die unüberholbare letzte Zeit heraufgeführt hat – der zweite Adam, der Pneumatiker schlechthin (Mk 1,10) und Spender des Geistes (Lk 4,18).

«In Christus», «im Herrn» bestimmt nicht nur die Existenz des einzelnen Christen, sondern auch und vorerst der Gemeinde. Bezüglich dieser Aussage sind besonders die paulinischen Briefköpfe geradezu stereotyp: 1 Kor 1,2; Eph 1,1; Kol 1,2 (vgl. Hebr 2,11, wo die Bibel von Jerusalem übersetzt: «Der Heiland und die Geheiligten bilden ein Ganzes»). Hier spiegelt sich der Vorrang von Gottes Herrschaft und Reich der synoptischen Verkündigung, die damit auf die messianische Erwartung antwortet: Sie betrifft nicht zuerst das Individuum, sondern die ganze Volks- und Kultgemeinschaft; Kirche – durch sie vermittelt erst der einzelne – ist Ziel der Heilsgedanken des Bundesgottes.

Wenn und da dem so ist, braucht nicht eigens bewiesen zu werden, daß das nämliche «In-Christus» ort- und maßgebende Bestimmung auch des Gottesdienstes der Gemeinde sein muß. In dem Christus, dessen exemplarisches Menschsein verlangt, ihn als letzten Adam anzusprechen, in dem aller Grund gelegt ist und alle Zukunft eröffnet. In dem Haupt Christus, als dessen Leib allein die Menschheit zu dem kommt, was Gottes Gedanken ihr zugedacht haben: «Ihr seid ein einziger in Christus» (Gal 3,28); höchstes Einssein ist mit unangetasteter Individualität verschränkt.[21]

Es kann also keine grundlegendere Ansprache der Eigenart christlichen Kults geben als «Versammlung im Namen Jesu» (Mt 18,20; 1 Kor 5,4; dazu die vielen Stellen mit συνάγεσθαι, συνέρχεσθαι). Zumal da die Kirche begründet ist im Heilsgeschehen, dessen Höhepunkt das Geheimnis von Ostern ist, der Exodus schlechthin: dessen Herausführen nicht ohne das Ziel sein kann und dessen Opfer nicht ohne Annahme sein kann – der im Reichtum seiner Wirklichkeit anders nicht einzufangen ist denn in der Vielzahl von Paschabegriffen wie Knechtschaft/Freiheit (Röm 8,21; Gal 2,4; 5,13), Tod/Leben (Jo 5,24), Finsternis/Licht (Kol 1,13; Apg 26,18). In diesem Exodus-Geschehen ist höchste Aktuierung des Bundes und werden darum die Erlösten recht eigentlich ihrem Kultherrn zugeeignet, werden sein Eigentumsvolk, heiliges Volk, priesterliches Volk (Apg 5,10; 1 Petr 2,5.9 nehmen

---

[21] Dieser Befund ist zentral und wird als solcher gesehen und gewertet etwa (um zu exemplifizieren) bei Teilhard de Chardin, wo die kosmische Drift daraufhin ist, jedes Ego in jenes geheimnisvolle Super-Ego hineinzunehmen, das Sozialisation und Personalisation gleicherweise wahrt, oder auch in der von H. Mühlen (Una mystica persona, ²Paderborn 1967) vorgeschlagenen ekklesiologischen Formel «Eine Person in vielen Personen».

Paschakontext auf),[22] werden «Erwählte», «Herausgerufene» usw. Wenn im NT zur Beschreibung des Christusgeschehens (und zwar des ganzen, Haupt und Leib) so bereitwillig zu kultischen Termini gegriffen wird und sie dafür auch vorbehalten sind, dann ist das durchaus sachgerecht. Bestätigt noch dadurch, daß die Kirche sie selbst ist und je neu wird herkünftig von der Feier der gottesdienstlichen Geheimnisse: in der Taufe, die in Christi Pascha-Übergang hineinstellt (Röm 6, 3 ff) und die Gemeinschaft des neuen Gottesvolkes begründet – in der Eucharistiefeier, die das «Blut des neuen Bundes» gegenwärtig setzt (Mk 14, 24 par) und damit den Bund für die feiernde Gemeinde und für die Gesamtkirche erneut Ereignis werden läßt.

Das also ist «Versammlung im Namen Jesu»: Bekenntnis zum eschatologischen Ereignis, das Jesus Christus ist – zum Kyrios als dem Wirkenden, in dessen Herrschaft und Mächtigkeitsbereich man sich begibt – zur Gemeinde als eschatologischer Erfüllung der qahal Jahwes[23] – zur Heilsamkeit solchen Sichversammelns schlechthin, weil «heilig», gottunmittelbar der einzelne nur in der Gemeinde ist (die Kapitel 10–14 des 1 Kor sind dafür beredtes Zeugnis). «Gegenwart» ist das Stichwort:[24] Gottes in Christo (Mt 18,20; 1 Kor 14,24f), so sehr, daß in der Versammlung nicht nur Wort Christi verkündet wird, sondern das Wort Christus (2 Kor 4,5). «Christologisch», «eschatologisch» sind also sicher die ersten und zuerst erkannten Kennzeichnungen des Gottesdienstes der Gemeinde. Dann kommt in den Blick, wohin diese Aussagen als zu ihrer Füllung drängen: «Pneumatisch»[25] ist der Gottesdienst der Gemeinde der Endzeit. Es ist nämlich Anliegen der Hagiographen, Neues und Letztes Bundesvolk gerade dadurch zu erweisen, daß die Verheißung von der Geistausgießung und -gegenwart erfüllt ist. Von «Angeld» wird gesprochen, und das ist gewiß eine Einschränkung; aber dann nicht auf Kosten des positiven «Geist ist da». Diese Gewißheit des Geistbesitzes «macht» die Gemeinde und ihr Selbstbewußtsein: Geist gegeben allgemein (Mk 1,8); konstitutiv für die Gemeinde (Mk 3,28ff.); nicht intermittierend, mit der Möglichkeit des Entzugs, sondern bleibend (Lk 11, 13; Apg 2,38f; 19,2). In diesem unteilbaren Geistbesitz weiß die Gemeinde

[22] Für einen Hinweis darauf, daß Apk 5,10; 1 Petr 2,5.9 wohl nicht eines Paschakontextes entbehren, vgl. J. Blinzler, Eine Bemerkung zum Geschichtsrahmen des Johannesevangeliums: Bibl 36 (1955) 30f: Er macht darauf aufmerksam, daß das Paschaopfer bis in die letzte Zeit des Tempels hinein die Ausnahme geblieben sein dürfte, wo jedem Israeliten das Recht zu schlachten belassen war.

[23] Am stärksten erfahren in der zentralen gottesdienstlichen Begehung der Eucharistie: Antizipation des Essens und Trinkens in seinem Reich, begabt mit herauführender Kraft «bis er wiederkommt» (1 Kor 11,26) und als Gedächtnis solchen Todes nicht anders zu essen denn als Freudenmahl (Apg 2,46).

[24] Ganz betont herausgestellt im Art. 7 der LitKonst.

[25] Es muß zu dieser Bezeichnung gegriffen werden. «Spiritualisierung» als Kennzeichnung ist nicht nur in sich mißverständlich, sondern auch tatsächlich verbraucht in Richtung einer (hellenisierenden) Betonung des nur Innerlich-Geistigen, einer bloßen Ethisierung.

sich befähigt als «Anbeter im Geist und in der Wahrheit» (Jo 4, 20–24; «Gott
ist Geist» ist hier nicht zuerst Wesensbeschreibung, sondern meint die
Wirklichkeit, Nähe, Erschlossenheit Gottes; vgl. Eph 2, 18); weiß in eben
diesem Geist ihren Herrn gegenwärtig; weiß sich als Tempel und damit als
Ort des Gottesdienstes (Eph 2, 21 f; 1 Kor 3, 16); weiß sich darin der kultisch-
sakralen Sphäre enthoben (wie sie Hebr 12, 18–21 beschrieben wird), überlegen sakralem Ort, sakraler Person, sakralem Ritus (Hebr 13, 13). Ort mit
Vorzug solcher Erfahrung des Geistes als der währenden Kraft der eschatologischen Heilstat Gottes in Christo ist die Versammlung, die im Namen eben
dieses Jesus zusammenkommt (Apg 5, 1–11; 15, 28). Gerade die gottes-
dienstliche Versammlung läßt den Geist erfahren, wie er als einer in den vielen
(Eph 4, 4) durch die Vielfalt seiner Gaben Kirche zu dem macht, was sie durch
Gottes Ermächtigung und Auflage sein muß: lebendiger, differenzierter Leib
der Viel-Glieder (1 Kor 12–14). Das sind also die Grunddimensionen des
Kults der Gemeinde Jesu Christi: christologisch, pneumatisch, eschatologisch als Qualitäten, die ihm zukommen von der Realität des Herrn Jesus
Christus, sitzend zur Rechten des Vaters, den Geist sendend, derselbe ge-
stern, heute und in Ewigkeit (Hebr 13, 8).

Wo und wie ist diese Kultgemeinde? Die Antwort ist im bisher Gesagten
schon gegeben worden und braucht nur noch einmal herausgehoben zu
werden. Dadurch daß und dort, wo Christi Leib wird, in dem Sein Geist die
Gemeinschaft mit dem Kultherrn herstellt. Dadurch daß und dort, wo Seine
Kultwirklichkeit[26] unsere hiesige Wirklichkeit ist und immer mehr wird. Wo
Sein Ostern und Pfingsten in Gnaden unsere Bestimmung werden: weil Sein
Vater unser Vater ist; weil wir im Erstgeborenen die vielen Brüder geworden
sind (Röm 8, 29); weil wir mit Ihm einen geschehenen Tod hinter uns haben
und eine angehobene Auferstehung unser ist; weil jetzt, wo Geist ist, von
uns gilt «Wer an mich glaubt, aus dessen Innern werden, wie die Schrift sagt,
Ströme lebendigen Wassers fließen» (Jo 7, 38 f). Das heißt von Taufe und
Firmung reden (Mt 3, 11; Lk 3, 16; Apg 19, 5 f; Mk 1, 8; Apg 1, 5; 2, 38 f), von
den Sakramenten, in denen man Christi wird, und der Gemeinde (1 Kor 12,
12 f; Gal 3, 27 f). Das heißt reden von den Initiationssakramenten für die Zeit
der Kirche, die zwischen dem Opfer, das die Welt rettet, und der Wiederkunft des Herrn steht. Wo Tod und Auferstehung Jesu nicht auch schon
faktisch Tod und Auferstehung aller Menschen sind; wo die Parusie nur erst
verborgen im mysterium paschale[27] (um diesen bevorzugten Ausdruck der

---

[26] Damit soll nicht nur die aufsteigende Linie des Sohnesgehorsams angesprochen sein,
sondern ebenso die Antwort des Vaters darauf; genehmer Kult erst ist Kult im Vollsinn,
angenommenes und die Früchte freisetzendes Opfer erst ist Opfer im Vollsinn.

[27] Für dessen Erhellung uns die Schrift ja nicht nur die Verschränkung der Pole Tod/
Auferstehung anbietet, sondern auch die Ingriffnahme gewissermaßen von der Mitte her,
durch die erstaunliche Anrede der Getauften als mit Ihm Begrabene (vgl. Röm 6, 4; Kol
2, 12; 3, 3). Eine Anrede, die sowohl alle Wirklichkeit von Neuschöpfung und Wiederge-

Liturgiekonstitution zu gebrauchen) anwesend ist. Für die Zeit also, wo die im Namen Jesu versammelte Kultgemeinde herausgenommenes Volk Gottes ist, um so in die Sendung gestellt zu sein. Damit ist ein Stichwort gefallen, das entscheidend dafür ist, ob die kulttuende Gemeinde dem sie treffenden Anspruch gerecht wird, Gegenwart des Kultes Jesu Christi zu sein, der Gesandter ist ganz und gar.

Es ist hier nicht der Ort, des langen und breiten über den wunderbaren Tausch – die Väter reden gern davon – zu handeln, der im Christusereignis statthat und der auch den Kult der Gemeinde bestimmen muß, wenn es Sein Kult sein soll und nicht ein irgendwie hinzugefügter. Da der «Gott, der in Christus die Welt mit Sich versöhnt hat» (2 Kor 5, 19), uns das dankbare Empfangen nicht nur verstattet, sondern auferlegt so unentrinnbar, daß auch unsere Geste des Darbringens anderes nicht sein kann, denn uns von Seiner gebieterischen Vorliebe ganz nehmen zu lassen. Wohl aber ist noch einmal darauf zurückzudenken, daß bei der Frage nach dem Wo und Wie der Kultgemeinde Jesu Christi von Taufe und Firmung zu reden war. Das Stichwort Sendung läßt uns vertieft und präzise erkennen, wie Taufe und Firmung Grundkonstitutiva der eschatologischen Kultgemeinde sind. Zu sprechen ist hier von dem, was die Theologie den «Charakter» dieser beiden Einweihungssakramente nennt.

Bei der Behandlung der Sakramente wird darüber mit einer Ausführlichkeit zu reden sein, die hier weder möglich noch nötig ist. Soweit die Fülle der Konzeption eines Thomas von Aquin über die Verpflichtung der kirchlichen Lehraussage hinausgeht und auch nicht Gemeingut der vielen Schultheologien geworden ist, kann sie nicht eigentlich zugrunde gelegt werden. Aber die Weise, wie er das Merkzeichen als «geistliches», «der Seele eingeprägt» (Formulierungen der Konzilien von Florenz und Trient) auffaßt – wie er es als «physisches» Vermögen der Teilhabe an Christi Priestertum interpretiert und zur Voraussetzung des Mitvollzugs christlichen Kults macht (in der Würde wahrer Werkzeuglichkeit in der Hand des Hohenpriesters Christus; die Gegenprobe bei ihm: so verstandene Bevollmächtigung zum Kult ist im AT weder nötig noch möglich), ist doch voller hilfreicher Hinweise. Darauf, daß diese beiden Initiationssakramente als charakterverleihend besonderen Bezug zur sichtbaren Kirche stiften. Der Kirche, die – auf Wort und Sakrament aufgebaut – zutiefst als Kultgemeinde anzusprechen ist: geschichtliche Erscheinung, Bleiben der Heilswirklichkeit ihres Kultherrn. Aufgerufen also, Wirklichkeit und Bleiben Seines Hohenpriestertums darzuleben, Seines Pascha und Seines Pfingsten: gestorben der Sünde, lebend für Gott in der

---

burt wahrt wie auch für die Zukunft unschwärmerisch eine noch ausstehende Erscheinungsweise zu reservieren vermag; so bietet sie Raum für die Verborgenheit von Berufung und Heiligung, für die Gebrochenheit der Herrlichkeit der Kindschaft, für die Einsamkeit und Fremdheit der Gemeinde in dieser Welt.

Kraft der siegreichen Gnade (vgl. 1 Petr 3, 18). In das priesterliche Gottesvolk also weihen diese beiden Sakramente ein, und ihr unauslöschliches Siegel zeichnet zu Gliedschaftsdienst, Verfügung und Sendung.[28] Mit einem
großen Wort: Sie geben Anteil am «gemeinsamen Priestertum» der heiligen
Gemeinde.

a. Das gemeinsame Priestertum

Vom Priestertum aller Gläubigen ist nicht nur im 1. Petr-Brief die Rede.
Aber dessen 2. Kapitel bringt die klassischen Texte (Verse 5 und 9): «Laßt
euch auch selbst als lebendige Steine aufbauen, als geistiges Haus, zu einer
heiligen Priesterschaft, um geistige Opfer darzubringen, die Gott durch
Jesus Christus wohlgefällig sind». «Ihr aber seid ein auserwähltes Geschlecht, ein königliches Priestertum, ein heiliger Stamm, ein Volk, daß es
Ihm zu eigen sei: damit ihr die Großtaten dessen verkündet, der euch aus
der Finsternis in Sein wunderbares Licht berufen hat». Texte aus einer Schrift,
die man immer wieder einmal – in unterschiedlicher Begründung und Nuancierung – als Taufschrift hat charakterisieren wollen; welche Reserven man
solchen Versuchen gegenüber auch haben mag, unterstreichen können sie
schon, nämlich: daß hier Aussagen über die neue, letzte Phase der Heilsgeschichte gemacht werden. Die durch den ausgegossenen Geist signiert ist,
die auf das neue Gottesvolk die Vorrechte des alten überträgt und mit dem
Erstelltsein des Neuen die Hinfälligkeit des Alten ansagt. Aussagen über die
Kirche also und das ihr Geschenkte (das in Israel nur Verheißung war und
nun erfüllt ist) so ungebrochen positiv, daß unter dieser Rücksicht innerkirchliche Abhebungen noch gar nicht in den Blick kommen.[29] (Vielleicht
ist es gut, gleich konkret zu werden: Was dann Amtspriestertum «bloß»
noch sein könne, darf hier noch nicht herausgelesen werden wollen; denn
damit wäre die unterfangende, dem neuen Gottesvolk deckungsgleiche
Koextension des gemeinsamen Priestertums geleugnet und es – mit welcher

---

[28] Für weitergehende Erörterungen vgl. A. Stenzel, Cultus publicus. Ein Beitrag zum
Begriff und ekklesiologischen Ort der Liturgie: ZKTh 75 (1953) 195 ff; 200 f. – Wenn dort
einigermaßen pointiert darauf hingewiesen wird, daß – wegen der Untrennbarkeit von
gültig erstelltem äußerem Zeichen und Charakter – damit die Kirche in der zeichenhaften
Dimension konstituiert wird, die spezifischer Ort für Kultgemeinde ist, dann darf natürlich
nicht vergessen werden, daß – wegen der innersakramentalen Einheit von Zeichen und
Bezeichnetem – erst die Wirklichkeit der Gnade diese Aussagen füllt.

[29] Es ist ein kleiner (aus dem Aufbau heraus schwer vermeidlicher) Schönheitsfehler,
wenn die Kirchenkonst. des II. Vatik. den Großteil der hier einschlägigen Aussagen im
Kapitel über die «Laien» bringt. Aber abgesehen von korrigierenden Sätzen (nicht Sonder-
qualität der Laien als der Hierarchie gegenüberstehend gedacht) hilft die neue Terminologie: Statt wie bisher von «Allgemeinem Priestertum» (leicht mißverständlich, weil dem
«besonderen» gegenüber aufgefaßt und vielleicht noch dazu als «verallgemeinert» im Sinne
von verdünnt, uneigentlich) spricht die Konstitution von «Gemeinsamem Priestertum».

Vorgabe an Stellenwert und Gewichtigkeit auch immer – in die Konkurrenz gedrängt). Die Weise, wie früheste Tradition diese Worte versteht, ist bestätigend. Abhebung nicht innerkirchlich, sondern entweder auf Israel bzw. levitisches Priestertum (Stichwort ist dann sachlich «ausgegossener Geist», das bisherige Unvollkommene und Vorläufige erfüllend) oder auf «Welt» (mit Stichworten dann wie «Zeugnis, Stellvertretung, Erwählung»).[30] Die aus 1 Petr zitierten Passagen sind so gesättigt mit Anspielungen auf das AT, daß von daher auch das Verständnis maßgeblich mitbestimmt wird. Aber dann auch nicht mehr als mitbestimmt. Denn so weit trägt der Nachhall prophetischer Kultkritik nicht, daß die «geistigen Opfer» (V. 5) mit «innerlich, von Herzen» oder entsprechenden aszetisch-ethischen Qualifizierungen schon ihre gebührende und erschöpfende Wertung erfahren hätten. Gewiß, das größere Mißverständnis wäre es, sich von der konzentrierten kultischen Sprache für diese Opfer die existentielle Ausweitung auf die Breite christlichen Lebens verstellen zu lassen. Aber dann doch christlichen Lebens, wie es verlangt, «geistig» vom Heiligen Geist abkünftig zu sehen. Denn eben das trägt und rechtfertigt ja erst die Aussagespitze, den Abgesang auf das Alte Gottesvolk, weil das Neue nun da ist. Wenn dieses gemeinsame Priestertum dann gleichgesetzt werden kann mit Totalvollzug des Glaubens dieser Pneumatiker, dann ist nicht mehr erlaubt, es als «uneigentlich» anzusprechen. Dann kann die Geistigkeit seiner Opfer deren Wirklichkeit, Sichtbarkeit, Sakramentalität nicht abträglich sein. Diese letzte Kennzeichnung «sakramental» muß natürlich umgreifend auf die Kirche insgesamt gegenüber der Welt bezogen werden in dem Sinn, wie V. 9 den Zeugendienst der Verkündigung über die Gemeinde hinausgreifend versteht. Damit ist neben die Aussage vom priesterlichen Charakter des Neuen Gottesvolkes seine prophetische Aufgabe zu Wort gekommen. Sein Dienst am Wort ist natürlich analog zu seinen Opfern auf die ganze Weite zu entschränken, die gemeinhin Zeugnis heißt. Die Art, wie unsere Stelle aus dem Petr-Brief Ex 19,6 über die Septuaginta mit «Königliches Priestertum» aufnimmt, erlaubt nun freilich nicht, rein aus dem Text heraus neben priesterlich und prophetisch auch königlich als innere Qualität der endzeitlichen Kultgemeinde hinzuzufügen. Aber sei dem wie immer: Wenn wir nach der Füllung des gemeinsamen Priestertums fragen, hat diese Trias – abkünftig von der Aufgliederung der messianischen Ämter – so viel Tradition, daß wir sie als Darstellungshilfe benutzen können; nicht minder unbefangen, wie es die Kirchen-

---

[30] Zwei Texte wenigstens: «Omnes sacerdotes... quoniam membra sunt unius sacerdotis» (Augustinus, De Civ. Dei XX, 10: CChr 48,720); «Omnes enim in Christo regeneratos crucis signum efficit reges, sancti vero Spiritus unctio consecrat sacerdotes, et praeter istam specialem nostri ministerii servitutem, universi spirituales et rationales christiani agnoscant se regii generis et sacerdotalis officii esse consortes» (Leo M., sermo 4, 1: PL 54, 149 A) – Als Hinweise noch: Justin, Dial. 116,3 (ed. Goodspeed 234); Tertullian, De exhort. cast. VII,3 (CChr 2,1024); Ambrosius, De sacram. IV,3 (CSEL 73,47).

konstitution des II. Vatikanums tut.[31] Mehr als eine Hilfe kann es ohnehin nicht sein, denn die existentiellen Vollzüge sträuben sich gegen schematische Vereinnahmung.

Zum prophetischen Amt des gemeinsamen Priestertums: «Zeugnis» ist das hier einschlägige Stichwort (und das wird auch gleich nachdrücklich zeigen, wie wenig die einzelnen Ämter säuberlich getrennt gefaßt werden können!). Die ganze Fülle in der Kirche gelebten Glaubens, gelebter Hoffnung, gelebter Liebe gehört hierher (eine hier sicher zu nennende Wirklichkeit heißt «Glaubenssinn» des Volkes Gottes). Gelebt auf die Welt zu, in alle Umwelt des Gläubigen hinein, in Ehe, Familie, Beruf, Gesellschaft; «Laienapostolat» mag ein Name dafür sein. Solches Laienapostolat darf dann aber nicht im Institutionellen aufgehen; es muß eine diesen Bereich unterfangende Wirklichkeit bleiben (für die die Franzosen beispielsweise «présence» sagten, als sie sich über das Experiment der Arbeiterpriester Rechenschaft gaben). Es geht darum, das Wirken Gottes in der Welt zu entdecken und es der Welt zu entdecken. Aus dem Glauben Gesellschaftskritik betreiben (und die Kirche dabei nicht aussparen). Dann aber auch sich mühen, das Wort und seine Autorität lebendig zu machen: Daß nicht nur Fragezeichen gesetzt werden oder Zweifel angemeldet werden, sondern pfadfinderisch Wege gesucht werden. Gewiß in Verantwortung, aber dann doch auch in der Gelassenheit und Überlegenheit, die Phantasie und Risiko als Vehikel des Geistes zu sehen wagt.

Natürlich ist die eigentliche priesterliche Funktion nur sehr inadäquat hiervon abzuheben (gemäß der Berechtigung, mit der Paulus – Röm 15, 16 – die Früchte seiner apostolischen Arbeit seine «προσφορά» nennt). Es soll bewußt nur beiläufig von dem geredet werden, was am eigentlichsten hier anzuführen ist und in der Liturgiekonstitution des II. Vatikanums mit allem Nachdruck gesagt wird: die «volle, bewußte und tätige Teilnahme an den liturgischen Feiern» als Recht und Pflicht kraft der Taufe; «die unbefleckte Opfergabe darbringen nicht nur durch die Hand des Priesters, sondern auch gemeinsam mit ihm und dadurch sich selber darbringen lernen».[32] Es soll auch nicht eigens gehandelt werden vom gottesdienstlich-sakramentalen Vermögen in gewöhnlichen und außergewöhnlichen Verhältnissen.[33] Das sind unangefochtene, zentrale Taten, wenn priesterlich das Stichwort ist. Aber diese der Kirche-Heilsanstalt sehr nahen Funktionen sollen uns den Blick nicht für die Ausweitung verstellen, wie sie in der Schrift etwa verdeutlicht werden als Mitwirkung an der Seelsorge und Erbauung (Apg 8, 4; Röm 16, 3 ff; 1 Kor 12), als Ermächtigung und Angefordertsein zu gegen-

---

[31] Vgl. Kirchenkonst. «Lumen Gentium» Art. 31; 34 ff; Missionsdekret «Ad gentes» Art. 15.

[32] LitKonst. Art. 14; 48.

[33] ebd. Art. 79.

seitiger Fürbitte, gegenseitiger Vergebung (Kol 1,24; 3,13; Eph 6,18f; Jak 5,16). Vor allem aber sollten die Aufgaben nicht verkürzt werden, die der priesterlichen Gemeinde als «für das Leben der Welt» (Jo 6,52) mittlerisch gestellt sind. «Consecratio mundi»[34] mag uns heute nicht mehr das unmißverständlichste Leitwort sein, durch geschichtliche Engführungen belastet und verbal hart sich stoßend mit «Säkularisierung». Aber es ist dann doch gültig, wann immer die Kirche als Richtschnur ihrer Arbeit versteht, nicht ihr «Sakrament» in die Welt durchzusetzen, sondern ihre «Sache» (res): Die Menschen und ihre Welt mit Glaube, Hoffnung und Liebe zu erfüllen. Durch Darlebung als «Salz der Erde», «Stadt auf dem Berge», die nicht Arroganz und Selbstgenuß ist, sondern Sendung und Stellvertretung; die sich müht in der Verständigung und der Versöhnung, um Miteinander und Mitmenschlichkeit. Die als Zeichen der Wende, die geschehen ist, als Sakrament der Einheit[35] aufscheint – als Angeld, das Hoffnung begründet.

Der königliche Dienst des gemeinsamen Priestertums hat natürlich seine innerkirchlichen Aspekte.[36] Hierher gehört das Wissen und die entsprechende Praxis, daß das Amtspriestertum um seinetwillen da ist – Recht und Pflicht, bei Gestaltung und Verwaltung des kirchlichen Lebens mitzuwirken, von den Gemeinden angefangen bis hin zu den Konzilien. Einübung ist zweifellos vonnöten, aber andererseits ist auch zu sagen, daß die bestehende Praxis nicht schon die Grenzen absteckt. Aber wiederum: Das Mittlerische dieses Priestertums kommt doch dann stärker in sein Eigentliches, wenn die Signatur «Weltdienst» heißt. Es ist also nicht zufällig, wenn dieser Aspekt in der Kirchenkonstitution vor dem eben genannten zur Sprache kommt; mit den Schlüsselworten Freiheit, Selbstverleugnung, heiliges Leben. Dienst an der Welt, damit sie befreit werde zu dem, was sie ist; damit sie als von Gott herkommende Schöpfung auf Ihn hin zu sein vermöge (Röm 11,36; 1 Kor 8,6; Phil 3,20f). Die Faszination der Selbstmächtigkeit als Illusion, als tatsächliche Selbstverschlossenheit und damit Heillosigkeit erkennen helfen. Wie eh und je den königlichen Dienst leisten – gemäß dem Beispiel des Herrn in der Wüste, gemäß dem Martyrium der frühen Kirche –, nicht anzubeten die politische Macht, die Lust, das Brot. Diese pompösen Götzen dann auch erkennen in den mannigfachen «man» und «es», in den vielfältigen bald subtilen, bald kleinstiligen «geheimen Verführern» unserer Zeit und überlegene Distanz zu ihnen gewinnen; auch wenn «Selbstverleugnung» die allein pas-

---

[34] Die Formulierung Pius' XII. auf dem 2. Weltkongreß des Laienapostolats: AAS 49 (1957) 927; lehramtlich bestätigt durch die Aufnahme in die Kirchenkonst. «Lumen Gentium» Art. 34; vgl. M.-D. Chenu, Die Laien und die «consecratio mundi»: G. Baraúna (Hrsg.), De Ecclesia II, 289–307.

[35] Diese cyprianische Formel ist in Art. 1 von «Lumen Gentium» thematisch. Der Sache nach vgl. auch die Art. 7. 13. 17; herkünftig und verweisend auf das, was Paulus mit «Leib, Pleroma Christi» meint.

[36] Angedeutet in «Lumen Gentium» Art. 37.

sende Weise sein sollte, solche Freiheit der Kinder Gottes zu realisieren.
Wissend, daß es keine unbesiegten und unbesiegbaren Gegner mehr gibt,
seit der Kyrios Jesus Mächte und Gewalten besiegt hat und seine Jünger am
Sieg, der die Welt überwindet, teilhaben durch den Glauben (1 Jo 5,4). Der
ihnen dann, wenn sie so Christi sind, sagt «alles ist euer» (1 Kor 3,23), diese
ganze Welt Gottes, zur stetigen Gestaltung, denn «gloria Dei – vivens homo».[37]

b. Das Amtspriestertum

Daß nach dem gemeinsamen Priestertum auch über das besondere zu reden ist,
sollte nicht begründet werden müssen. Umgekehrt sollte auch nicht verwundern,
wenn erst jetzt davon gesprochen wird. Wenn es Priestertum im NT nur gibt als
Teilhabe am Priestertum des einen Hohenpriesters Christus, wenn solche Teilhabe
zuerst gegeben ist (der Sache nach und der Erkenntnis nach; die Verwendung der
kultischen Terminologie ist dafür Erweis) in der priesterlichen Würde des neuen
Gottesvolkes, im gemeinsamen Priestertum aller Gläubigen, dann mußte darüber
an erster Stelle gehandelt werden. Aber es ist nicht zu übersehen, daß Kult bzw.
Kultgemeinde damit noch nicht hinreichend unter dem Aspekt behandelt worden
sind, der für diesen Beitrag maßgeblich ist, insofern sie nämlich für die Institution
Kirche konstitutiv sind. Hier bedarf es des Eingehens auf das Amtspriestertum
(und wird dann auch das Stichwort Liturgie auf den Plan kommen).

Nicht das Amt schlechthin in der Kirche steht hier zur Frage; es geht um
seine priesterliche Komponente. Aber als Teilvollmacht des einen Amtes
kann auch sie der Gesamtdimension nicht entnommen sein, die von den Dokumenten des II. Vatikanums so emphatisch herausgestellt worden ist:
Dienst.[38] Damit ist Relativität zum Ganzen der Kirche gesagt, das die Maßstäbe setzt. Konkret: Bezogenheit auf ihr gemeinsames Priestertum, das
allen Gliedern der priesterlichen Gemeinde Unmittelbarkeit und Zutritt zu
Gott gibt (Röm 5,2; Eph 2,18; Hebr 4,16; 10,19–22). Der Amtspriester
kommt nicht als Vertreter des Heiligen Gottes zu einem unheiligen Volk.
Der eine Hohepriester, in dem und durch dessen Werk alles aufgehoben und
damit erledigt ist, was das levitische Priestertum enthielt, läßt seinem Tun
keinen Raum für eine Funktion an der Kirche analog der, die das levitische

---

[37] Irenäus, Adv. Haer. IV 20,2: PG 7, 1037 B.

[38] Es braucht hier nicht vergessen zu werden, daß damit Kritik an geschichtlich abweichenden Weisen von Selbstverständnis und Praxis geübt wird, für die Zukunft Programm beteuert wird. – Dienst, der sich dann doch nicht unterhalb von Vollmächtigkeit
verstehen darf; freilich, es wird dann sicher je und je soviel Ringen notwendig sein, daß
man sich der theoretischen Eleganz der Zuordnung beinahe etwas geniert, aber deswegen
muß uns ihre Aussprache doch verstattet bleiben. Für «Dienst» als Grundbestimmung vgl.
Kirchenkonst. «Lumen Gentium» Art. 18. 20 u.a. Eine schöne Formulierung verdient
erwähnt zu werden: aus der «Botschaft der Konzilsväter an die Welt», die sie richten an
Brüder, «... denen wir als Hirten dienen» (AAS 54 [1962] 824).

Priestertum für Israel und seinen Bund hatte. Wo ist der unterschiedene, eigene Raum? Es kann nicht eigentlich ein Priestertum gegenüber der Kirche sein, sondern nur in ihr. Es kann zum gemeinsamen Priestertum nicht in Konkurrenz stehen, wenn und weil es mit ihm zusammen anders denn als Teilhabe am einzigen Priestertum des Neuen Bundes nicht verstanden werden kann. Es verbietet sich auch eine solche Dissoziierung, hinter die man käme mit Fragen wie «Was ist dem Priester vorbehalten? Was kann auch der Nicht-Priester?». Es bleibt also nur: Das Eigene dieses Amtspriesters des Neuen Bundes kann nur eine besondere Weise der Bevollmächtigung zum Vollzug dessen sein, was Kirche als ganze ist.[39] Es kommt also in die Dimension des Sakramentes Kirche zu liegen,[40] nicht aber ist es irgendein Plus in der Macht, Kinder Gottes zu sein. Vielleicht darf als Bestätigung noch auf das hingewiesen werden, was Augustinus als Lösung für die Spannungen anbot, die Jahrhunderte lang in der frühen Kirche zwischen Charismatikern und Amtsträgern da waren: Der wahre Spender der Sakramente ist der ganze Christus, d.h. Christus zusammen mit denen, die durch Glaube, Hoffnung und Liebe Heilige sind; sie tragen und ermöglichen die Zudienung durch den Amtspriester.

Das nun ist die besondere Weise des Vollzuges dessen, was die Kirche als ganze ist: Vollmächtig wird im Namen Christi die Rolle des Hauptes wahrgenommen und im Namen aller Glieder repräsentativ gehandelt in eben der Dimension, wo in amtlicher Gültigkeit das Urzeichen der Kirche zu erstellen ist. Der Kirche, die über die Brücke «mittelhafte Notwendigkeit» auch für die «Sache» belangreich wird, ohne daß dadurch angetastet würde, daß die «Sache» direkt dem gemeinsamen Priestertum zugeordnet ist und amtliche Bevollmächtigung nicht den Dienstbezug für dieses Priestertum in Glaube, Hoffnung, Liebe, in Arbeit und Leid, in Danksagung und Zeugnis aufhebt.

---

[39] Daß die als ganze priesterliche Kirche erst den besonderen Dienst ermöglicht, erhellt aus der Notwendigkeit, vor der Weihe zum besonderen Amt getauft zu sein; ein Ansatz nur von der Christus-Haupt-Repräsentanz her würde das kaum einsichtig machen.

[40] Damit ist ein Unterschied «dem Wesen und nicht bloß dem Grade nach» (Kirchenkonst. «Lumen Gentium» Art. 10) begründet. Nicht so also, als würde hiermit verkappt «Dienstamt» wieder zurückgenommen! Gerade diesen Dienstaspekt unterstreicht ein Text der LitKonst (Art. 48) ebenso unauffällig wie selbstverständlich: «Sie sollen Gott danksagen und die unbefleckte Opfergabe Gott darbringen nicht nur durch die Hände des Priesters, sondern auch gemeinsam mit ihm und dadurch sich selber darbringen lernen». K. Rahner sagt also mit Recht (Kleines theol. Wörterbuch 300): «Das allgemeine Priestertum ist, von einem letzten Maßstab her gesehen, das Höhere». – Mit dieser Ortsangabe verträgt sich nicht, das gemeinsame Priestertum schlechthin als nichtsakramental, bloß innerlich, passiv usw. zu qualifizieren; daß wachsend Laien Funktionen zugewiesen werden in Verfassung und Verwaltung der Kirche, korrigiert hier ebenso wie die außer Diskussion stehende aktive Teilnahme an der Liturgie: in der Enzyklika «Mediator Dei» schon lehramtlich verbürgt und in der LitKonst (Art. 79) in die Spendung von Sakramentalien konkretisiert. – Zur Problematik vgl. Y. Congars hier einschlägigen Artikel in LThK VIII (1963) 754ff.

Wort und Sakrament sind die großen Konstitutiva des Urzeichens Kirche.
Mit Vorzug sind die unverzichtbaren[41] Funktionen des Amtspriesters dort
zu Haus. Wort als vollmächtig ist aber nicht auf kultisch-sakramentale Voll-
züge einzuschränken, sondern steht der Hirtengewalt zur Verfügung. In der
Heilsanstalt Kirche; eine Kennzeichnung, die nicht allen Ohren gut klingt.
Die aber darauf hinstoßen soll, daß diese gesellschaftlich verfaßte, geschichtliche Erscheinung der Heilswirklichkeit (ungeachtet dessen, was in ihr an
Kontingenz, positiver Setzung usw. unvermeidlich mitgegeben ist) immer
dann unter Preis eingeschätzt wird, wenn man sie nicht sakramental wertet.
In der Konstitution «Lumen gentium» jedenfalls bekennt sich die Kirche mit
allem Nachdruck zu diesem Selbstverständnis. Damit wird dann auch das
heute zuweilen ärgerlich behende Reden von einem «bloß soziologischen»
Stellenwert, von einer reinen Ordnungsfunktion des kirchlichen Amtes als
ungenügend erwiesen. Nicht «Ordnung» ist der Kirche dienlich, sondern
nur die Ordnung Christi, wo der, der Meister und Herr ist, die Füße wäscht
(Jo 13, 14). Wie sehr das Geschenk und Charisma ist, sollte einzusehen sein;
wenn nicht anders, dann durch einen Blick in die Kirchengeschichte.

c. Liturgie

Mit dem Priestertum des Amtsträgers ist das zur Sprache gekommen, was
von den Institutionen des neuen Gottesvolkes – gerade unter der Rücksicht,
wie es eine kultische Größe ist – noch zu behandeln war. «Der Priester ist der
auf eine – wenigstens potentiell gegebene – Gemeinde bezogene, im Auftrag
der Kirche als ganzer und so amtlich redende Verkünder des Wortes Gottes
derart, daß ihm die sakramental höchsten Intensitätsgrade dieses Wortes anvertraut sind».[42] D.h. es ist nun nach dem Ort der Liturgie zu fragen. Liturgie
selbstverständlich nicht in einem Sinn, dem Formulierungen wie «das ganze
christliche Leben ist Gottesdienst, ist Liturgie usw.» gerecht würden, sondern so, wie sie in Zuordnung zum Sakrament Kirche das priesterliche Wirken Christi in und durch und für die Kirche unter Zeichen aktuiert und in der
Ordnung vollzieht, wie sie von der Gemeinschaft gefordert wird und diese
wiederum mitträgt.[43] Wir versuchen, ihren kirchlichen Ort zu bestimmen.

---

[41] Wer «unverzichtbar» mit Animosität in «nicht jeder kann jedes» weiterdenkt, sollte
sich bewußt machen, daß dieser Sachverhalt zuerst und zutiefst in den recht verstandenen
Charismen im einen Leib der vielen Glieder seinen Grund hat und nun auch aufscheint in der
Zäsur zwischen gemeinsamem Priestertum und amtlichem Priestertum.

[42] K. Rahner, Der theologische Ansatzpunkt für die Bestimmung des Wesens des Amtspriestertums: Concil 5 (1969) 196.

[43] An dieser Stelle unserer Ausführungen braucht nicht mehr darüber gehandelt zu werden, wie sehr diese Zeichen Ausdruck des Glaubens sind und Einstieg zur Kommunikation
in Liebe sein sollen. Mag der Begriff der Liturgie auch manche Wandlungen durchgemacht
haben (darüber unterrichtet der Art. «Liturgie» v. E. J. Lengeling: HThG. II, 75–97), dieser
Wesenszusammenhang zwischen Zeichen und Bezeichnetem steht außer Frage.

Das Ursakrament Kirche ist «da» erst in der Entfaltung. Die dieser Notwendigkeit entsprechenden vielen Zeichen sind nicht nur so unverzichtbar, wie die Frohe Botschaft ohne Taufe und Eucharistie nicht gehabt werden kann, sondern auch so vorrangig, wie die Kirche vor den einzelnen Gliedern ist. Liturgie ist also mehr als eine dem Heilskollektiv geschuldete Staatsaktion.

Ist damit auch schon eingeholt, was die Liturgiekonstitution des II. Vatikanums mit einiger Emphase sagt: «Die Liturgie ist der Gipfel, dem das Tun der Kirche zustrebt, und zugleich die Quelle, aus der all ihre Kraft strömt» (Art. 10)? Wäre es erlaubt, das in der Definition der Liturgie als «Aktuierung unter Zeichen» gebrachte Element hier stillschweigend zu vernachlässigen, könnte die Berechtigung für eine solche Formulierung leicht vom Bezeichneten her bezogen werden. Nichts gibt uns aber eine solche Erlaubnis, und so ist es eine erstaunliche Aussage. «Quelle und Gipfel» zweifellos im kirchlichen Leben diesseits der Taufgrenze. Diese konziliäre Aussage ist also durchaus nicht der Meinung, daß Unter-dem-Evangelium-sein hieße, mit dem Gesetz auch schon jeglichen Kult hinter sich gelassen haben. Und auf den ersten Blick scheint sie auch nicht ganz zu einem der großen Anliegen des Konzils zu passen, nämlich alles Institutionelle an seinen zweiten Ort zu rücken. Wenn man also diese Aussage nicht bloß eine vollmundige Beteuerung sein lassen will, wird man sie mit Sorgfalt abhören müssen.

Nun, an einen hohen Stellenwert der Liturgie kommt man zweifellos heran. Hier wäre in der jeweiligen Wichtigkeit unverkürzt zu werten, was der Dimension der Bezeichnung an Bedeutung zuwächst von der Leib-Seele-Verfaßtheit des Menschen her – von der Tatsache her, daß «Glaube» jeglicher Art für Selbstgewinnung und Ausdruck unvermeidlich in die Ebene des «Religiösen» hinverwiesen ist – von der inkarnatorischen Ingredienz aller Zeit der Kirche her – vom heilsgeschichtlichen Ort eben dieser Kirche her, der ihr den Kult der Zwischenzeit verstattet: das Eschaton anzeigend und präsentsetzend, eben weil effektive, exhibitive Zeichen gesetzt werden dürfen, die abgehoben sind von den Vollzügen «wie andere auch». Vielleicht darf hier auf die neuralgische Paarung «sakral/profan» verzichtet werden; es kommt auf die Sache an. Daß man nicht meint, «letzte Zeit» in gefährliche Nähe zu einer Apokalyptik bringen zu dürfen, die mit einer weiterlaufenden Geschichte nicht genug Ernst macht; daß man weiß, wie wenig Zeugesein ohne Repräsentation zu sein vermag, die dem struktur- und gestaltlosen Anonymat wehrt. Glaubenszeichen als Epiphanie, wie sie ihren Grund haben in der Wirklichkeit Jesu Christi, des Urzeichens des Heilandgottes (Tit 2,11; 1 Jo 1,1 ff), und in großem Duktus in die Schau hinüberweisen (1 Kor 13,12) – wie es in aller Klarheit die Einsetzungsworte der Eucharistie aussagen (Mk 14,25): Kirche und Kommen des Reiches in Endgestalt fallen nicht zusammen; es gibt das Zwischen der Zeit der Kirche, zwischen letztem Abendmahl und neuem Mahl im Reiche Gottes.

Was hier gedrängt angedeutet wurde, sagt viel über eine grundlegende Wichtigkeit der Liturgie. Es ist wohl auch zu sehen, daß man diesen gelegten Grund nicht auswächst und auf diesen Titel hin der Liturgie eine präsentische Bedeutsamkeit zuweisen muß. Aber die Formulierung «Quelle und Gipfel», die die Liturgie zu einer so superlativischen Dauerdimension des Vollzugs christlichen Lebens macht, verlangt wohl noch zusätzliche Verdeutlichung. Dafür ist der bereiteste – und wegen der eminenten Kirchlichkeit dieses Tuns der unverdächtigste – Einstieg die eucharistie-feiernde Gemeinde. Es muß nicht eine gerundete Theologie geboten werden. Es genügt, das aufzuzeigen, was ersichtlich macht, wie sehr Kirche bei diesem Kernvollzug eigentlich und bei sich ist (christliches Leben von ihm her, auf ihn hin – das gehört ja zu den vertrautesten und unbestrittensten Topoi der Theologie!). Wenn der Artikel 7 der Liturgiekonstitution sehr zu Recht (und mit kaum überhörbarer Rhetorik) die «Gegenwart» des Kultherrn Jesus Christus in seiner Gemeinde herausstellt, von der alles Priestertum der Gemeinde in Grundlegung und Vollzug lebt: hier ist sie in unüberbietbarer Dichte. Hier in der Versammlung ist Kirche exemplarisch da. Als Herausgerufene, als für die Dauer dieser Zeit abgehobenes, aufgerichtetes Zeichen der hiesigen Gnädigkeit Gottes; als Versammelte, als Leib, der angeldhaft das allumfassende Heilsangebot Gottes darlebt;[44] als Tischgemeinschaft, hinter der das Essen mit Zöllnern und Sündern steht und das Hereinholen von den Straßen und Gassen, von den Wegen und Zäunen (Lk 14, 21 ff.). So als «offene» Mahlgemeinschaft, die sich in Sendung gestellt weiß und nicht in den Genuß, «für das Leben der Welt» (Jo 6, 51; dazu das augustinische Echo – De Civ. Dei X, 20: CChr 47. 294: «... quae cum ipsius capitis corpus sit se ipsam per ipsum discit offerre»). Kirche, die von diesem exhibitiven Wort «Leib für euch» als ihrem Herzwort alle Verkündigung der Frohen Botschaft abkünftig und kräftig weiß.[45] Die weiß, daß sie hier nicht nur das mächtigste Sakrament der Kirche vollzieht, sondern die Kirche selber gegenwärtig macht. Dadurch, daß sie

[44] An Belegen dafür ist kein Mangel. Hierher gehört das Reden der Schrift von der Gemeinde, die nicht nur Tempel hat, sondern Tempel ist (2 Kor 6,16; Eph 2,21; vgl. 1 Kor 14,23 ff); vom Gesetz der Brüderlichkeit, das Spaltungen fernhalten muß, «wenn ihr euch als Gemeinde versammelt» (1 Kor 11,18.20). – Zur ecclesia als Ort des Geistes hat Hippolyt in seiner «Apostolischen Überlieferung» den schönen Text (41; ed. Botte Münster 1963, 88): «tunc dabitur ei qui loquitur ut dicat ea quae utilia sunt unicuique, et audies quae non cogitas, et proficies in iis quae spiritus sanctus dabit tibi per eum qui instruit... Propterea unusquisque sollicitus sit ire ad ecclesiam, locum ubi spiritus sanctus floret.» – Einschlägig (und auf gottesdienstlichen Kontext hin gesprochen) ist auch das Wort Augustinus' (De Civ. Dei X, 6: CChr 47, 279): «Hoc est sacrificium Christianorum: multi unum corpus in Christo.»

[45] Vgl. die Bestätigungen im «Dekr. über Dienst u. Leben der Priester ‹Presbyterorum Ordinis›»: Art.6 «Die christliche Gemeinde wird aber nur auferbaut, wenn sie Wurzel und Angelpunkt in der Feier der Eucharistie hat»; Art.5 «Eucharistie, Quelle und Höhepunkt aller Evangelisation».

im unüberholbaren Exodus des Paschamysteriums ihr perfectum praesens lebt und im «Verkünden, bis Er wiederkommt» (1 Kor 11, 26) ihre Zukunft, die schon begonnen hat, heraufführt: Feiernd die gloria crucis, aber dann doch die «gloria» crucis und aufscheinen machend die eschatologische Wirklichkeit.

Das ist die Einsicht, die für die Ekklesiologie der Väter maßgeblich war. Die in großartiger Einheitlichkeit (und gewiß nicht ohne die Gefährdung, die aller Einbahnigkeit innewohnt) auf die Eucharistie gegründet ist. Kernzelle der Kirche die gottesdienstlich versammelte Gemeinde; Gemeinschaft im einen Kelch und im einen Brot, Gemeinschaft mit dem Leib Christi: «So sind wir viele ein Leib»; das ist die Aussage von 1 Kor 10, 16f, von einem Text, der – wie alle, die diese innerste Mitte zur Sprache bringen – gar nicht umhin kann, die Vertikale des Gottesdienstes von der Horizontalen der Menschengemeinschaft unabtrennbar zu erweisen. Das heißt, es ist ganz sachgerecht, wenn der Name ecclesia (und das ist der häufigste Gebrauch in der Schrift) der Ortsgemeinde zugeteilt wird; denen, die – aus der Teilhabe an den sancta sancti geworden – das Gesetz dieser Feier als «Kirche am Ort» zu leben trachten. Dann braucht es den Schritt zur Gesamtkirche nur noch dadurch, daß man sie begreift als Fülle derer, die, vom gleichen Quell[46] herkünftig, untereinander Kommunion halten. So, daß nicht nur der Satz einsichtig ist: «Es gibt Eucharistie, weil es Kirche gibt», sondern auch der andere: «Es gibt Kirche, weil es Eucharistie gibt.»

Es ist sehr vordringlich von der Eucharistie her der Ansatz genommen worden. Nicht etwa nur, weil es hier leichter wäre – es ist die Gewichtigkeit der Wirklichkeit: Weil es die Kirche gibt, die von der Taufe herkommt und in der Eucharistie gefeiert wird, darf und muß es Verkündigung geben, darf und muß es Leitegewalt geben. Der ausweitende Nachweis für die konkrete Breite der Liturgie göttlicher und kirchlicher Einsetzung braucht hier nicht im einzelnen geführt zu werden;[47] auf den Titel hin, daß er beispielsweise bei der Behandlung der Sakramente zur Sprache kommen und das bisher schon Gesagte bestätigen wird. Erhellender kann vielleicht sein, die Rechtfertigung für den hohen Stellenwert der Liturgie im Leben der Kirche (und damit des einzelnen) noch einmal den Einsichten und Forderungen auszusetzen, die von dem herkommen, was man heute unter «Säkularisierung» begreift. Über ihr grundsätzliches Recht braucht hier nicht geredet zu werden. Zu gemeinplätzig ist die Einsicht, daß biblisches Denken ihr den Raum frei gemacht hat, daß sie sehr wohl vom Pathos des je größeren Gottes befördert und eine Entschränkung des Geistes, der weht, wo er will, sein kann. Was

---

[46] Vgl. den immer lesenswerten Beitrag von F. Kattenbusch, Der Quellort der Kirchenidee: Festgabe A. v. Harnack (Tübingen 1921) 143–172.

[47] Für weitere Ausführungen vgl. etwa A. Stenzel, Cultus publicus: ZKTh 75 (1953) 204–213.

immer an Nachholbedarf aufzuarbeiten war und was auch heute noch
schmerzlich sein kann, darf die Einsicht nicht verstellen, daß Gott (der
Transzendente) nirgendwo ist und Gott (der sich Mitteilende) überall. Aber
Recht und Raum dessen, wo Anbetung und Gebet, Proklamation des Wortes
und Bekenntnis zu seiner Autorität thematisch geschieht, kann sie nicht
verkürzen. Das hieße «Weltlichkeit», «Mitmenschlichkeit» (und wie die
Leitworte sonst heißen mögen) ihrer letzten Offenheit und Selbstlosigkeit
berauben, hieße sie in eine (vielleicht unbewußte und uneingestandene) Arroganz der Selbstbehauptung verschließen und damit philiströs machen.

Jesus Christus ist die Zusage Gottes an die Welt, immer und überall und
unwiderruflich. Wenn man so «diffus» (caritas Dei diffusa in cordibus nostri
– Röm 5,5) die Hauptfunktion des Menschgewordenen beschreiben darf und
Inkarnation kein gegen «Geist» ausschließliches Kennwort sein kann, muß
es das «Zeichen» geben durch die Länge dieser Zeit – eben das Zeichen, in
dem das überall anwesende Letzte leibhaft und so erst ganz da ist. So, daß
Sein Geist, die Vermittlung schlechthin, immer schon Gegenwart ist, aber
dann doch darüber hinaus Gegenwart in einer Aktualität gewinnt, wie sie vor
der Kirche und ihrem Ereignis in Wort, Sakrament und Kult insgesamt nicht
gegeben war. Auch Pfingsten kann nicht einfachhin gegen das tertulliani-
sche «caro cardo salutis» ausgespielt werden. Liturgie-Zeichen ist der Ort,
wo das Bezeichnete (das dann freilich «Liturgie» des Profanums nicht nur
ermöglichen wird, sondern fordern) unter seinem Namen versammelt ist,
durch die Erhebung in Wort und Zeichen zu sich selber kommt und so die
Begegnung zwischen Gott und Welt gefaßt, faßbar und so dann vollmensch-
lich macht. Diese liturgischen «Feiern gehen den ganzen mystischen Leib der
Kirche an, machen ihn sichtbar» (Liturgiekonstitution Art. 26), sind Selbstmitteilung Gottes im Zeichen. So ist es nur ein Offenbarwerden des Sachverhaltes, wenn von der οἰκοδομή, der Erbauung des Leibes, am häufigsten
die Rede ist im Verband der kultisch versammelten Gemeinde. Hier ist der
eigentliche Sitz der Kirche, ereignet sich die Begegnung der Welt mit Gott
und Seiner Gnade.

ALOIS STENZEL

BIBLIOGRAPHIE

Bonsirven J., Le judaïsme palestinien I (Paris 1934).

Broglie G. de, Du rôle de l'Eglise dans le sacrifice eucharistique: NRTh 70 (1948) 449–460.

Brunner P., Zur Lehre vom Gottesdienst der im Namen Jesu versammelten Gemeinde: Leiturgia, H.d.ev. Gottesdienstes I (Kassel 1954) 84–361.

Carré A.M., Das Priestertum der Laien (Graz 1964).

Cerfaux L., Regale sacerdotium: RSPhTh 28 (1939) 5–39.

Chenu M.-D., Die Laien und die «Consecratio mundi»: G. Baraúna (Hrsg.), De Ecclesia. Beiträge zur Konstitution über die Kirche II (Freiburg 1966) 289–307.

Congar Y., Jalons pour une théologie du laïcat (Paris 1953), dt: Der Laie (Stuttgart 1958).

Dabin P., Le sacerdoce royal des fidèles dans la tradition ancienne et moderne (Brüssel 1950).

Durst B., Dreifaches Priestertum (Neresheim ²1947).

Elliot J.H., The Elect and the Holy. An exegetical examination of I Peter 2,4–10 and the phrase βασίλειον ἱεράτευμα = Suppl. to Nov. Test. vol. XII (Leiden 1966).

Kraus H.J., Gottesdienst in Israel (München ²1962).

Lengeling E.J., Kult: HThG I, 865–880; dtv II (München 1970) 512–527.

– Liturgie: HThG II, 75–97; dtv. III (München 1970) 77–100.

Löhrer M., Die Feier des Mysteriums der Kirche. Kulttheologie und Liturgie der Kirche: HPTh I (Freiburg i. Br. ²1970) 317–356.

Oepke A., Das neue Gottesvolk (Gütersloh 1950).

Rad G.v., Theologie des Alten Testaments (München ⁴1962).

Schürmann H., Neutestamentliche Marginalien zur Frage der «Entsakralisierung»: Der Seelsorger 38 (1968) 38–48; 89–104.

De Smedt E.J., Über das allgemeine Priestertum der Gläubigen (München 1963).

Söhngen G., Symbol und Wirklichkeit im Kultmysterium = Grenzfragen zw. Theol. u.Philos. 4 (Bonn ²1940).

– Der Wesensaufbau des Mysteriums = Grenzfr. zw. Theol. u. Philos. 6 (Bonn 1938).

Stenzel A., Cultus publicus. Ein Beitrag zum Begriff und ekklesiologischen Ort der Liturgie: ZKTh 75 (1953) 174–214.

Vaux R. de, Les institutions de l'Ancien Testament, 2 vol. (Paris 1958/60), dt: Das Alte Testament und seine Lebensordnungen, 2 Bde. (Freiburg 1960/62).

Vorgrimler H., Das allgemeine Priestertum: Lebendiges Zeugnis (1964) Heft 2/3, 92–113.

DIE EINZELSAKRAMENTE ALS AUSGLIEDERUNG DES WURZELSAKRAMENTES

I. VORÜBERLEGUNGEN

1. Zur Problematik dieses Abschnittes

Die Darlegungen des folgenden Abschnittes sind, um sie recht zu verstehen, unter den Voraussetzungen zu betrachten, die in den Einleitungen jeweils des ersten und dieses vierten Bandes zum Ausdruck gebracht sind. Wie dort näher begründet, so hat der Grundplan dieser Dogmatik von einer geschlossenen Darbietung der dogmatischen Sakramententheologie Abstand genommen. Damit sollte «das Übergewicht in etwa korrigiert werden, das der herkömmliche Sakramententraktat im Gesamtaufbau der Dogmatik eingenommen hat».[1] Wie immer man dazu stehen mag, die folgenden Ausführungen sind unter dieses einmal vorbestimmte Prinzip gestellt, ohne daß dieses damit als das allein sachgerechte erklärt werden soll; nicht anders will ja auch der heilsgeschichtliche Grundaspekt, dem sich dieses Gesamtwerk verpflichtet hat, verstanden sein.[2] Damit ist ein einschränkender Rahmen vorgegeben, nach dem es sich auszurichten gilt. Dieser Abschnitt muß daher nicht wenige, an früherer Stelle dieses Gesamtwerkes stehende Ausführungen voraussetzen und für anderes, vielleicht hier schon Erwartetes auf die weiteren Beiträge dieses Teilbandes wie auch des folgenden fünften Bandes verweisen, ohne daß an den betreffenden Stellen immer wieder darauf aufmerksam gemacht werden kann. Näherhin ist hier zunächst an das 4. Kapitel «Das neue Gottesvolk als Sakrament des Heils», speziell an dessen 2. Abschnitt «Die Kirche als Sakrament des Heils» gedacht;[3] das dort Entfaltete ist hier nicht mehr zu wiederholen, aber stets zu bedenken. Das darf freilich nicht hindern, bestimmte Aussagen zu artikulieren, ohne die das gesteckte Ziel dieses unseres Abschnittes nicht erreicht werden kann. Ferner – auch darüber sollte sogleich Klarheit herrschen – darf hier nicht das, oder gar das *alles* erwartet werden, was früher unter dem

---

[1] Band IV/1 S. 18.

[2] «Eine heilsgeschichtlich orientierte Dogmatik entspricht so sicher den theologischen Perspektiven (des II. Vaticanums) ..., auch wenn damit weder eine Vorentscheidung darüber getroffen ist, wie eine heilsgeschichtliche Theologie auszusehen hat, noch eine legitime Pluralität der Theologien in Frage gestellt wird»: Einleitung, Band I, S. XXIII.

[3] Band IV/1, 287–356 bzw. 309–356.

Titel «De sacramentis in genere» geboten zu werden pflegte oder was man füglich an eine Sakramententheologie, die als solche erschöpfend durchgeführt ist, *heute* als Forderung stellen darf. Letzteres darzubieten, erlaubt weder das angeführte Aufbauprinzip im Zusammenhang dieses Werkes noch der hier zur Verfügung stehende Raum.

Die Sicht der Kirche als Sakrament des Heils ist, zumal in der Formel, die die Kirche als Ur- oder Wurzelsakrament (Grundsakrament) begreift und bezeichnet, eine jüngere Errungenschaft und Rückbesinnung dogmatisch-systematischer Bemühung der Ekklesiologie. Sie kann sich heute, wie schon ausführlich dargelegt wurde,[4] auf die Verlautbarungen des II. Vatikanums berufen. Tatsächlich vermag die sakramentale Schau der Kirche «den heilsgeschichtlich bedeutsamen Zusammenhang zwischen Christus, dem Sakrament der Gottbegegnung, und den einzelnen Sakramenten als Ausgliederungen und Aktualisierungen der Kirche als Wurzelsakrament»[5] und noch weitere wichtige Aspekte ins rechte Licht zu rücken. Doch darf dabei nicht übersehen werden, daß wohl alle formalen ekklesiologischen Grundansätze immer unzulänglich sind, solange die lebendige Kirche selbst Glaubensmysterium bleibt. Daher ist auch eine «Überstrapazierung der Idee des Sakramentalen»[6] gerade in bezug auf ein umfassendes und vollgültiges Kirchenverständnis zu vermeiden. Das fordert für uns hier neben anderem, das Thema dieses Abschnittes nicht mißzuverstehen, nämlich so, als wäre die Kirche aus einer schon zuvor gewonnenen theologischen Einsicht in ihr Wesen und ihren Lebensvollzug längst als Sakrament oder Grundsakrament verstanden und begriffen, so daß jetzt von daher, eher deduktiv-entfaltend, abzuleiten wäre, was die einzelnen «Sakramente» als Ausgliederungen oder Aktualisierungen dieser so schon zuvor begriffenen Kirche sind. Wir haben hier gerade jene Ausführungen im 4. Kapitel genau zu berücksichtigen,[7] ja sie noch zu ergänzen, die von dem (nur) *analogen* Charakter des Begriffs «Sakrament» sprechen, wenn dieser sinnvoll auf Christus, auf die Kirche und dann auch auf die speziell «Sakramente» genannten (und vielleicht auf noch andere) Vollzüge des Lebens dieser Kirche angewendet wird. Jede Verabsolutierung eines Ordnungsprinzips, so fruchtbar es sich auch in seinem Bereich erweisen mag, wäre gerade hier besonders folgenschwer. Denn es geht ja spätestens in diesem Abschnitt darum, den so angedeuteten Analogiecharakter näherhin zu beleuchten, soll seine Nennung nicht einfach eine billige Ausflucht sein. Kirchenverständnis und Sakramentenverständnis implizieren und explizieren sich gegenseitig. Es ist hier nicht viel anders als in der Frage der gegenseitigen Beleuchtung und Durchdringung

---

[4] Vgl. IV/1, 309–356.
[5] Band IV/1, 17.
[6] Ebd.
[7] Band IV/1 318–322. Vgl. auch den gesamten Abschnitt dort.

des Trinitätstraktates mit der Christologie.[8] So kann das rechte Kirchenbild nicht gewonnen werden ohne einen hinreichend tiefen Einblick in die Lebensvollzüge dieser Kirche, zumal in die Handlungen, die wir Sakramente in einem engeren Sinne nennen (aber nicht *nur* in sie!); und das umfassende Begreifen dieser Vollzüge selbst kann nicht gelingen, es sei denn im Lichte eines gültigen, wenn auch immer noch vorläufigen Kirchenbildes.

Nun läßt sich freilich nicht übersehen, daß dieses Verständnis der Kirche als Ur- oder Wurzelsakrament, so wie es tatsächlich, theologiegeschichtlich gesehen, neu (wieder) gewonnen wurde und meist dargeboten wird, bei näherem Zusehen bestimmte Schwächen und Grenzen aufweist, die gerade in diesem Abschnitt deutlich gesehen werden sollten. Man kann sich nämlich nicht des Eindrucks erwehren, wonach die Aussagen über die Kirche als Ursakrament mehr, als es sinnvoll und sachgerecht ist, von einem vorgegebenen, beinahe als selbstverständlich vorausgesetzten und nicht mehr genügend kontrollierten Sakramentsbegriff her gewonnen und dargestellt werden, so nämlich wie er in einer gewissen Engführung in den letzten Jahrhunderten auf die (Einzel-)Sakramente angewendet zu werden pflegt(e). Darin liegt eine gewisse, doch unverkennbare Problematik und die Wurzel mancher Schwierigkeiten und Unzulänglichkeiten. Bewußt oder unbewußt geht man allzu schnell von einem zuvor schon ziemlich fest begriffenen, vermeintlich hinreichend klaren Sakraments-Grundbegriff aus. Dabei wird es natürlich schwierig, einem (in dieser Form nicht berechtigten) Zirkel auszuweichen, der die theologische Erkenntnis in keineswegs sachgerechter Weise auf den (wie sich noch zeigen wird) unzulänglichen, weil in den letzten Jahrhunderten zu eng gefaßten Sakramentsbegriff festgelegt hält. Denn was Kirche als Ur- oder Wurzelsakrament bedeuten soll, wird tatsächlich, mehr oder weniger bewußt, mit Hilfe des zuvor als schon hinreichend klar angenommenen Sakramentsbegriffs, wenn auch mit bestimmten Vorkehrungen gegen Mißverständnisse, dargelegt, um dann die (Einzel-)Sakramente von dem so (vermeintlich jetzt gültiger) begriffenen Wesen der Kirche her in deutlicheres und sachgerechteres Licht zu rücken.[9] Die hier vorliegende Problematik ist längst erkannt; sie zu überwinden, ist noch Aufgabe heutiger Ekklesiologie und Sakramententheologie. Nicht anders verhält es sich übrigens auf einem anderen, freilich auch uns hier angehenden Gebiet, näm-

---

[8] Vgl. dazu R. Schulte, Band III/1, 49–57.
[9] Die meisten bisher vorgelegten Versuche einer Erfassung der Kirche als Ur- oder Grundsakrament tragen etwas von dem Bemängelten an sich. Dabei darf man freilich nicht vergessen, daß es ja (fast) bis jetzt darum ging, diese Sicht der Kirche *wieder*zugewinnen. In einem solchen Unterfangen war es kaum anders möglich, als vom «Bekannten» auszugehen. Freilich ist die Not eines solchen Vorgehens heute offensichtlich, zumal die entsprechenden, verantworteten biblischen und dogmengeschichtlichen Forschungsergebnisse meist noch ausstehen.

lich in der Frage nach dem Verhältnis von Wort und Sakrament, zumal
wenn beide von der Kirche her begriffen werden sollen.[10]

Wir müssen hier diese Frage wenigstens sehen wollen, ob nämlich von
den Sakramenten alles gesagt werden kann, wenn sie als Aktualisierungen
und Selbstvollzüge der Kirche, diese als Wurzelsakrament verstanden, begriffen werden, und *nur* so. Es ist unmittelbar einsichtig, wie hier alles davon
abhängt, was man in den Begriff «Sakrament» sinnvollerweise einbringen
möchte, wenn er analog, wie auch immer, auf Christus, dann auf die Kirche,
und schließlich auf die sieben (Einzel-)Sakramente (und vielleicht noch auf
anderes hin) anwendbar gemacht werden soll. Daß hier natürlich biblische,
geistes- und dogmengeschichtliche wie auch gegenwärtig-anthropolo-
gische Erkenntnisse etwas mitzusprechen haben, braucht zunächst nur eben
angedeutet zu werden. Es könnte sich nämlich zeigen, daß ein solcher, kritisch neu zu gewinnender, dabei jedoch sachgerechter Sakramentsbegriff,
analog auf die Kirche angewandt, entschieden mehr hergibt oder einfängt,
als es jetzt noch den Anschein haben mag. Man bedenke etwa die alte und
noch gegenwärtige Frage um «Wort und Sakrament» (wobei wir hier offen-
lassen, was es um dieses «und» ist). Andererseits könnte sich diese, jetzt tiefer erfaßte Sakramentalität der Kirche als eine solche erweisen, die sich in
entschieden mehr aktualisiert, als nur in den sieben, freilich heute speziell
«Sakramente» genannten Vollzügen. Weiter könnten sich diese ekklesialen
Lebensausprägungen, die «Sakramente» nämlich, auf das ihnen *gemeinsame*
eigentümliche Wesen hin *neu* befragt, als umfassender und komplexer darstellen, als es erfaßbar ist, wenn sie (nur) als Selbstvollzüge der *Kirche* angeschaut und begriffen werden. Es bleibt ja noch die Frage offen, ob das
(einigermaßen gemeinsame) Wesen der (sieben) Sakramente, also deren
«Sakramentalität», voll in den Blick kommen kann, wenn man sie als Lebensvollzug nur der Kirche begreift. Zumindest wäre deutlich zu sagen, was da
genau «Kirche» meint. Dann ist aber die Frage nach der «Beteiligung»
Gottes, Christi, des Heiligen Geistes, der (oder einzelner) Menschen wie der
«Welt» noch gar nicht angegangen. Sie kann aber nicht verschwiegen werden. Wir haben uns im folgenden der hier nur eben angedeuteten Fragen
stets bewußt zu bleiben, wenngleich wir uns, wie dargelegt, an das Thema
dieses Abschnittes zu halten und also keine (heutige) *vollständige* Sakramententheologie (im Sinne nämlich eines in sich abgerundeten, eigenständigen
Traktates «De sacramentis in genere») auszuarbeiten haben.

2. *Zur Problematik einer allgemeinen Sakramententheologie heute*

Aus dem Gesagten ergibt sich unmittelbar auch schon, vor welche konkreten Aufgaben und Schwierigkeiten sich die Ausarbeitung einer allgemei-

---

[10] Vgl. dazu W. Kasper, Wort und Sakrament, in: Glaube und Geschichte (Mainz
1970) 285–310, bes. 289–295.

nen Sakramententheologie gerade heute gestellt sieht. Neu andrängende
christologische und ekklesiologische Fragestellungen und deren Lösungsversuche müssen, wie jetzt nicht mehr bewiesen zu werden braucht, einen
direkten Einfluß auch auf das Verständnis jener Heilshandlungen haben, die
ekklesial das durch Person und Werk Jesu Christi gewirkte Heil «für die
vielen» je heute weiter-verwirklichen und zeichenhaft-wirksam vermitteln.
Dazu kommt der allgemeine Aufbruch und Umbruch in der Theologie
heute überhaupt, zumal in der katholischen Kirche vor, während und vor
allem nach dem Zweiten Vatikanischen Konzil. Dadurch, wie auch aus all-
gemein-geistesgeschichtlichen Momenten heutiger Zeit, die vielfältig und
allzuoft einseitig durch die Technik und diesseitig-vordergründiges Funk-
tionalitätsdenken geprägt erscheint, ist die Sakramententheologie überhaupt, zumal in ihren Fundamenten, in die Diskussion geraten. Das ist von
um so größerer und unmittelbarer Tragweite, als die Sakramente ja in der
«theoretischen» ebenso wie in der «praktischen» Theologie verantwortet
zu behandeln sind. So waren ja und sind die liturgischen Erneuerungsbewe-
gungen seit den zwanziger Jahren genauso Anlaß geworden zu neuer Reflexion auf die Sakramententheologie – man braucht in diesem Zusammenhang
nur an die «Mysterientheologie» zu erinnern, mit allem, was sie an vielfältiger Diskussion nicht nur auf liturgischem oder sakramententheologischem
Gebiet ausgelöst hat –, wie auch die Ergebnisse neuerer anthropologischer,
religionswissenschaftlicher, exegetischer, dogmengeschichtlicher wie dogma-
tisch-spekulativer Forschungen. Es ist unverkennbar, daß die christliche
Sakramentenlehre heute mehr denn je in einer Krise steckt, die eben nicht
nur einer einzigen Wurzel entstammt. Ohne daß hier eine vollständige
Reflexion darauf beabsichtigt sein könnte, mag für unseren Zweck etwa auf
folgendes aufmerksam gemacht werden.

Dem allgemein von der heutigen Technik her geprägten Zeitgeist, von sich aus
einem sakramental-personalen Verständnis der Wirklichkeit eher abhold, steht
heute auch ein (freilich oft unartikuliertes) Wissen und eine vielfach unterdrückte,
doch auch immer wieder hervorbrechende Sehnsucht nach dem gegenüber, was
zum Grundbestand des christlichen Glaubens und seiner personalen, individuellen
wie gemeinschaftlichen Aktuierung eben auch in sakramentalen Vollzügen gehört.
In diese allgemein geistesgeschichtlichen, nicht selten widersprüchlich erscheinenden Tendenzen haben die Ergebnisse neuerer biblischer Exegese wie auch dogmengeschichtlicher und heutig-philosophischer Bemühungen hineingewirkt, ohne
daß man sagen könnte, die dadurch entstandenen praktischen wie theologisch-
spekulativen Probleme seien schon bewältigt. So fällt es immer schwerer, die vielleicht noch vor einigen Jahrzehnten einigermaßen in Ruhe besessene, vergleichs-
weise einheitliche Sakramentenlehre unbesehen weiterzutradieren, ohne sie zuvor
einer theologisch tiefgreifenden Neubesinnung zu unterziehen. Ein Blick auf die
mannigfaltigen Schwierigkeiten in der theologischen Erfassung der einzelnen
Sakramente, wie sie sich uns heute zeigen, kann uns darüber hinreichend belehren.

Die Fragen zur Theologie der Eucharistie sind dabei vielleicht die hervorstechend-sten. Doch ist es auch längst im Blick auf die Taufe nicht viel anders; von den Sakramenten, die seitens der protestantischen Kirchen gar nicht anerkannt werden, ganz zu schweigen. Diese theologischen Diskussionen um die einzelnen Sakra-mente müssen sich aber notwendig auf eine verantwortete *allgemeine* Sakramenten-lehre hin auswirken.

Will man die Sakramente (auf deren Zahl wir hier noch gar nicht reflektieren wollen, die aber eben doch von einem theologischen Prinzip her verstanden sein will und daher für eine auszuarbeitende allgemeine Sakramententheo-logie von vornherein nicht gleichgültig sein kann) weder dem theologisch zu rechtfertigenden Begriff noch ihrem praktischen Gebrauch nach auf-geben, in Erkenntnis nämlich ihrer inneren und wesentlichen Zugehörig-keit zu dem, was Kirche Jesu Christi grundsätzlich ist, dann ist die Sakra-mententheologie auch als *allgemeine* (wie immer man die sogenannten Einzel-sakramente auch verstanden wissen will) fundamental in die Frage gestellt, die in heutiger theologischer Besinnung auf der Grundlage der Geschichte des Lebens wie der Theologie dieser Kirche zu beantworten gesucht werden muß.

Offensichtlich gelingt es heute nicht mehr so unbesehen, den Sakramententraktat in der bisherigen Weise und Ordnung durchzuhalten. Die Aufteilung in die bei-den Grundkapitel «De sacramentis in genere» und «De sacramentis in specie» ist äußerst problematisch geworden, zumal auch, was diese Reihenfolge angeht. Durch die neueren exegetischen und dogmen- wie liturgiegeschichtlichen For-schungsergebnisse, aber auch auf Grund systematischer Überlegungen, ist es schon nicht mehr ungewöhnlich, zumal im protestantischen Bereich, die einzelnen Sakramente nicht mehr an *einem* Ort der Dogmatik geschlossen abzuhandeln, sie vielmehr einzelnen Traktaten zuzuweisen, wo sie, gemäß solchen Auffassungen sachgerechter zu stehen kommen. Oft wird dann eine allgemeine Abhandlung «De sacramentis in genere» ganz unterlassen. Will man nun aber nicht dem irgendwie doch noch gemeinsamen Sakramentsbegriff als einem christlich-theologisch be-rechtigten, ja notwendigen ganz entsagen, dann bleibt die Behandlung der allge-meinen Sakramententheologie weiterhin dringlich, wenngleich sie sich vielleicht eine grundlegende Neugestaltung gefallen lassen muß. Sie kann ja durch die Ver-teilung der Besprechung der einzelnen Sakramente auf andere Traktate so lange nicht einfach umgangen werden, wie der Sakramentsbegriff selbst noch als theo-logisch berechtigt, relevant und notwendig anerkannt und auf mehrere ekklesial-heilvolle Vollzüge anwendbar bleiben soll. Das gilt um so mehr, wenn wir uns daran erinnern, wie heute wieder mehr als früher «Sakrament» auch für Jesus Christus selbst wie für die Kirche als theologisch aufschlußreicher Begriff ange-wendet wird.

Mit diesen Überlegungen ist aber erkennbar, wie sehr für uns heute auch die Frage nach dem *Ort der allgemeinen Sakramententheologie* innerhalb der Gesamtdogmatik gestellt ist. Diese Frage scheint sich auf den ersten Blick relativ leicht beantworten zu lassen. Wenn es nämlich feststeht, daß die Sakramente in der ihnen eigenen Weise das Heil Jesu Christi in der Kirche als deren Lebensvollzüge an die einzelnen Menschen vermitteln – hier zunächst einmal die einfache und gängige Sakramentsdefinition vorausgesetzt–, dann hätte die *allgemeine* Lehre über die Sakramente, wenigstens sie, den ihr sachlich entsprechenden Ort innerhalb der Ekklesiologie, welche selbst sinnvoll und sachlich auf die Christologie (mit der Soteriologie) folgt. Bei näherem Zusehen wird sich jedoch herausstellen, daß durch diese ihre Plazierung innerhalb der Ekklesiologie der allgemeinen Sakramentenlehre nur dann theologisch voll Genüge getan werden kann, wenn *zuvor* in den (sachlich) vorausgehenden Traktaten der systematisch-dogmatischen Theologie an allen Stellen auch ausdrücklich die erst später thematisch darzustellende Sakramententheologie die ihr gebührende Berücksichtigung tatsächlich erfahren hat. Denn nur dann, wenn das für eine umfassende und theologisch hinreichend tiefe Darstellung der allgemeinen Sakramententheologie Vorbereitend-Notwendige am gegebenen Ort auch ausdrücklich erschlossen wurde, kann die Einordnung in die Ekklesiologie gelingen. Andernfalls würde das, was verantwortet zu den Sakramenten im allgemeinen zu sagen ist, diesen ekklesiologischen Rahmen sprengen. Der Grund dafür liegt offensichtlich darin, daß die Sakramente (wie immer sie verstanden und näherhin gezählt sein mögen) nicht zuerst Lehre, sondern konkretes Leben sind, und das entschieden mehr und «handgreiflicher», als es vom «Objekt» anderer systematischer Traktate gesagt werden kann.

Aus allem folgt, daß das Anliegen und die Aufgaben der an gegebener Stelle eben speziell und geschlossen durchzuführenden allgemeinen Sakramententheologie notwendig schon in allen anderen Traktaten gegenwärtig sein und ausdrücklich wirksam werden muß. Es ist, wohl viel mehr als es tatsächlich schon geschieht, mit den sakramental-ekklesialen Lebensvollzügen der Kirche (wie der Liturgie überhaupt) als einem locus theologicus voll Ernst zu machen. Und zwar darf es dabei ja gerade nicht einfach darum gehen, liturgische und in diesem Sinne sakramentale *Texte*, etwa als «Beweise aus der Tradition» für bestimmte Lehren, vorzulegen (was an gegebener Stelle natürlich auch zu geschehen hat). Vielmehr muß das tatsächlich gelebte ekklesiale *Leben* in den Vollzügen, die wir Sakramente nennen, auch, neben anderem, einen Verständnishorizont und ein Licht abgeben für die christlich-theologische Einsichtnahme in das Mysterium, das Gott und Mensch sind, in dem Gott und Mensch sich begegnen, und um dessen intellectus sich ja die Theologie bemüht.

Ein Blick auf eines der heute besonders dringlichen Probleme der allgemeinen Sakramententheologie, nämlich die Frage nach einem möglichen, gültigen und verantworteten Sakraments*begriff*, läßt das unmittelbar erkennen. Denn er ist auf eine ganz neue Weise frag-würdig geworden. Daß er überhaupt schon immer ein eigentümlich offener, nie eindeutig und ausschließlich definierter oder auch nur durch den christlich-allgemeinen Sprachgebrauch festgemachter Begriff gewesen ist, das zeigt die historische Forschung je länger, um so deutlicher. Verschärft wird diese Problematik durch die kontroverstheologischen und ökumenischen Fragestellungen ebenso, wie durch die schon öfter erwähnte neue oder wiedergewonnene Verwendung des Begriffs «Sakrament» für Jesus Christus und für seine Kirche, wobei diese Anwendung des Begriffs jetzt der anderen, für die besonderen Heilsvollzüge charakteristischen, sachlich vorgeordnet wird und auch wohl vorgeordnet werden muß. Tatsächlich könnte sich dieser (neue oder wiedergewonnene) Gebrauch von «Sakrament» eher auf den biblischen Sprachgebrauch berufen, als es jener vermag.

Die Problematik der Verwendung des Wortes oder Begriffs «Sakrament» für Jesus Christus, für die Kirche und für jene (sieben) Heilshandlungen (in) der Kirche (und vielleicht noch für anderes wie etwa das Wort) wird dann sichtbar, wenn wir, was not tut, auf die wesentlichen Unterschiede achten, um eben nicht zu Ungereimtheiten zu gelangen. Wenn Jesus Christus als Ur-Sakrament unseres Heils bezeichnet wird, so ist ja tatsächlich an ihn persönlich gedacht, in seiner die göttliche und menschliche Natur vereinenden Person, im Sinne der andernorts erklärten hypostatischen Union, und sein Heilswirken für uns. Demgegenüber ist die Kirche schon abgeleitetes «Sakrament». Denn sie ist πλήρωμα Χριστοῦ, aber eben doch «nur» als sein Leib, dem er als das Haupt gegenübersteht, besser: von dem her und mit dem zusammen sie ja nur «Sakrament» sein kann. Die Kirche ist als das Volk Gottes (des Vaters) und der Leib Christi aus vielen Personen als den Gliedern gebildet, zwar nicht einfach als Summe von vielen, aber eben doch aus vielen Personen bestehend. Vom *einen* (Gott-)Menschen Jesus Christus als dem Ur-Sakrament des Heils her gesehen, ist die Kirche *Wurzelsakrament in Partizipation* am Sein ihres Hauptes und Herrn *derart*, daß sie eben nicht eine *andere* Person neben oder unter Christus darstellt, sondern eben das, was hier Leib Christi oder Volk Gottes meint: die (freilich als Mysterium zu begreifende) Gemeinschaft vieler Personen als Glieder dieser Kirche, die selbst *mit* Christus *zusammen* ihre Lebens-Aufgabe zu erfüllen hat, die Weiter-Verwirklichung des vom Herrn (schon) Verwirklichten. Der Analogiecharakter und die Differenz in der Verwendung des Sakramentsbegriffs in diesen «beiden» Fällen kommt deutlich zum Vorschein (ohne daß wir ihn hier schon weiter zu entfalten hätten). Noch einmal anders ist die Anwendung, wenn weiter auch Kirche und «*Sakramente*» (diese jetzt im Plural verstanden, im herkömmlich-gängigen Sinne jener sieben Heilsvollzüge) unter diesen einen Begriff «Sakrament» fallen sollen. Denn auf den ersten Blick mag es ja nicht problematisch erscheinen, diese Handlungen, die Sakramente, als Lebensvollzüge oder Aktuierungen der Kirche zu beschreiben, so daß die Einzelsakramente ihren Begriffsnamen von der Kirche selbst, von ihrem Wesen und ihrer (einen) «Grundfunktion» herleiten: Was die Kirche selbst ist, was ihr Leben und ihre Lebensfunktion ausmacht, das vollzieht sich und ist enthalten in ihren Einzelhandlungen, so daß vom *einen* Ganzen her diese (wieder und nochmals partizipativ) «Sakramente» heißen können, freilich dann eben je nur, insofern sie für ihren Teil das aktuieren, was «Kirche» als Grund-Sakrament (in und mit Christus) immer schon ist und als Einzelvoll-züge ihres *einen* Lebens je ausprägt und wirken läßt. So einsichtig dies auch erscheinen mag, und sosehr hier Richtiges zum Ausdruck kommt, so wenig kann doch übersehen werden, daß «Ungereimtheiten» übrigbleiben. Denn es wäre doch z. B. zu fragen, von woher man das Kriterium nehmen soll, *welche* Einzelvollzüge des Lebens der Kirche «Sakramente» sind und daher so heißen können und welche nicht. Denn es ist unbezweifelt, daß die Kirche nicht nur in den sieben Sakramenten ihr eigenes Wesen aktuiert. Man braucht ja nur an das Problem «Wort und Sakrament» in diesem Zusammenhang zu erinnern. Weiter wird nach wie vor für die Sakramente eine bestimmte Wesenskonstitution herausgestellt, deren eine Komponente (wenigstens und gerade bei den Hauptsakramenten) ein «Materielles» ist. Gehören diese Komponenten aber wesentlich zum Sakrament als solchem, dann steht zur Frage, wie diese materiellen Komponenten als (Teil-)Aktuali-sierungen der *Kirche* zu begreifen sind. Es wäre also nicht mehr nur zu fra-gen, *wer*, sondern auch *was* zur Kirche gehört. Bedient sich die Kirche in ihren sakramentalen Vollzügen fremder Güter oder Werte, um sich darin auszudrücken, ja darin sogar das Heil zu vermitteln, oder aber ist ihr die materielle Welt längst zu vollmächtiger Verfügung übergeben, so daß die materielle Welt eben auch schon längst mit Kirche wäre? Die Frage soll hier nur eben gestellt sein. Daß ihre Beantwortung ihre theologische Relevanz für die Theologie der Welt hat, dürfte unmittelbar einsichtig werden. Es bleibt aber eben zu entscheiden, was denn nun «Sakrament» als Begriff um-fangen soll.

Aber auch dann, wenn man den Sakramentsbegriff nur auf jene (sieben) Heilsvollzüge (in) der Kirche hin einigermaßen festlegen will, bleiben die Probleme erhalten. Denn die Bibel kennt diesen Begriff noch nicht als einen gemeinsamen Oberbegriff für einzelne Vollzüge. Er ist also ein seitens der Kirche bzw. der Theologie ausgebildeter Begriff, und er hat sich daher immer aufs neue die kritische Frage nach seiner tatsächlich verantwortbaren Berechtigung gefallen zu lassen. Wir werden im folgenden noch versuchen müssen, bestimmte Entscheidungen auf ein gemeinsames Verständnis des Sakramentsbegriffs hin anzubahnen. – Die Problematik einer allgemeinen Sakramententheologie dürfte jedenfalls hinreichend klar geworden sein. Weiteres wird passend am gegebenen Ort in den folgenden Überlegungen besprochen.

3. Zur Möglichkeit einer Hinführung zum Verständnis der Kategorie des Sakramentalen

Es ist nicht zu verkennen, daß dem heutigen Menschen das Sakramentale, so wie es christlich rechtens zu verstehen ist, fremd geworden zu sein scheint. Er hat seine Schwierigkeiten mit dem (früheren Zeiten vielleicht eher möglichen) unbefangenen Erkennen und Werten der ekklesial-sakramentalen Symbolwirklichkeit. Die Gründe dafür sind mannigfaltiger Art. Zum Teil wird es sich einfach um Mißverständnisse handeln; das kann man schon deswegen vermuten, weil es auch manche Erscheinungen gibt, die eher eine besondere Sehnsucht nach dem bekunden, was letztlich im sakramentalen Geschehen, auch als Erlebniswert, enthalten ist. Gewichtiger freilich dürfte das einerseits unumgängliche, andererseits aber eben immer aufs neue problematische Gebundensein an geschichtlich Gewordenes im konkreten sakramentalen Leben der Kirche sein, bei dessen Weitergabe an die je folgende Generation mit den Riten und Ausdrucksformen nicht auch immer in gleicher Weise der entsprechende Geist, das unabdingbare «Einsehen» und Einverständnis mitüberliefert wurde. Wenn wir die Schwierigkeiten heutigen Verstehens des Sakramentalen näher betrachten, so lassen sie sich vielleicht auf folgende zurückführen.

Ohne Zweifel kommt die Hauptschwierigkeit aus der *Not des Gottesglaubens* überhaupt, wie sie für unsere Zeit charakteristisch ist. Sakramentales Leben kann ja nur dann einigermaßen begriffen und lebendig mitvollzogen werden, wenn ein hinreichend waches Bewußtsein von dem persönlichen Gott vorhanden ist, von einem Gott, der einen persönlich, wie auch in der Gemeinschaft wirklich angeht, der als in diese unsere Welt hineinwirkend und mit dem Menschen in persönlichem Kontakt stehend – wie geheimnisvoll auch dessen «Erklärung» sein mag – zu erfahren und zu begreifen ist. In dem Maße, wie ein solches Gottesbewußtsein fehlt, wird es mit der Annahme des christlich-sakramentalen Lebens um so mehr seine besonderen Schwierigkeiten haben. Wir können hier auf diese wohl tiefste Wurzel heutiger Verständnisschwierigkeit dem Sakramentalen gegenüber natürlich nicht weiter eingehen; sie ist aber in ihrer ganzen Schwere zu bedenken.

Doch auch wenn das Dasein und Wirken Gottes nicht eigentlich geleugnet wird, dann steht heute doch – die nächste hier zu bedenkende Schwierigkeit – ein bewußter oder meist sogar unbewußter *Spiritualismus* oder *moderner Gnostizismus* dem Sakramentsverständnis, ja dem gültigen Wesen von Religion und Gottesbewußtsein entgegen. Gott wird so sehr in seiner Transzendenz erfahren oder gedacht, daß kaum noch Raum zu bleiben scheint für ein solches Da-Sein und Wirken Gottes *in* Kirche und Welt, wie es das überlieferte christliche Glaubensbewußtsein für die Sakramente meint festhalten zu sollen. Allzuleicht ist man geneigt, zumal die für wesentlich erklärte

Beteiligung von Materiellem, wie Wasser, Brot und Wein, Öl, oder von
bestimmten Gesten und leiblichen Ausdrucksformen, eher in den Bereich
der Magie zu verlegen, als zu glauben, der überweltliche Gott habe sich zum
Heil der Menschen an so diesseitig-nichtige Dinge (wie man sagt) gebunden.
Hierher fallen dann auch jene Schwierigkeiten, die sich aus dem Gebundensein an Historisch-Gewordenes, Geschichtlich-Wirksames herleiten, an das
unser Leben und Heil von Gott her geheftet sein soll: die Annahme des in
den Sakramenten vermittelten Heils, das Jesus, der Christus, nicht anders
als gerade durch sein historisch-wirkliches, konkretes Leben und Sterben
gewirkt hat. Auch auf diese heute nicht weniger bedrängenden Fragen kann
hier nicht weiter eingegangen werden. Gleichwohl ist die Glaubens-An-
nahme *dieses* Heilsgeheimnisses nach 1 Kor 1–2, eben die Annahme der sich
im Kreuz Christi offenbarenden und auswirkenden Weisheit Gottes, für die
Sinn-Annahme des Christlich-Sakramentalen unabdingbar.

Schließlich gibt es Schwierigkeiten, die freilich nicht so schwer auszu-
räumen sind wie die zuvor genannten. Sie betreffen die *Sakramente als
zeichenhaft-wirksame, ekklesial-personale Vollzüge*. Sie beruhen letztlich auf
einer gewissen Uneinsichtigkeit der Wirklichkeit überhaupt gegenüber, auf
einer Vordergründigkeit und Oberflächlichkeit menschlichen Daseins- und
Lebensverständnisses in den «alltäglichen», aber gerade eminent humanen
Lebensvollzügen, die ihren Grund in der Hektik und Mußelosigkeit unserer
Zeit haben werden. Es fällt schwer, die Welt, die geschaffenen Dinge und
Menschen, einzeln wie in ihrem «Natur»-Zusammenhang von Welt und
Geschichte, in ihrer inneren Strukturiertheit zu erkennen und zu schauen:
als wirklich und zugleich zu Verwirklichendes, als (schon) sinn-habend wie
auch noch immer aufs neue mit Sinn und Bedeutung zu erfüllend. Hier berühren wir wiederum Fragen, die an dieser Stelle nicht gelöst werden können, aber im Blick auf unsere Zeit, zumal deren inhumane Mußelosigkeit,
von dem nicht verschwiegen werden dürfen, der sakramentales Leben für
lebens- und bedenkenswert hält.

Ausgehend von diesem zuletzt Genannten werden wir versuchen, einen
vorläufigen und wohl auch heute gangbaren Weg zur Hinführung in die
Welt des Sakramentalen in aller gebotenen Kürze anzuzeigen – wobei
diese Welt des Sakramentalen ja unserem christlichen Glauben gemäß die
eine Welt ist, in der wir leben, mag sie auch auf ihre eschatologische Vollendung harren. Zu diesem Zweck kann man das Sakrament christlichen
Verständnisses vorläufig, ohne daß dabei schon *alle* seine Wesensmomente
auszusprechen wären, folgendermaßen umschreiben: Bei den Sakramenten
handelt es sich um ein zwischenpersonales, unter zeichenhafter Verwendung
von Dingen, Symbolen, Gesten und Worten vollzogenes personal-ekkle-
siales Geschehen, in welchem die innere Gesinnung der Beteiligten so manifest und bekundet wird, daß die verwendeten Media den in ihnen zum Ausdruck gebrachten Willens- (und Herzens-) Entschluß auch personal-lebens-

bedeutsam sich auswirken lassen. Die beteiligten Personen, um die es im sakramentalen Geschehen geht, sind letztlich Gott und Mensch. Es findet darin freilich eine gewisse Stellvertretung statt. Durch diese personale wie eben auch dinghaft-materiale Mediation wird die personale Kommunikation zwischen Gott und Mensch zu dessen Heil gerade nicht gehindert; das Sakrament ist vielmehr eine der in diesem Leben intensivsten Möglichkeiten personaler Gottbegegnung. Freilich zeigt es unübersehbar das bedrängende Noch-Nicht des eigentlich ersehnten und zugesagten Heils und Lebens in der Gottesgemeinschaft an, bringt aber auch den Glauben eschatologisch-sieghafter Hoffnung zum Ausdruck.

Bei dem Versuch, die Kategorie des Sakramentalen christlichen Sinnes für das Verständnis zumal des heutigen Menschen (wieder-) aufzuschließen und sie in ihren wesentlichen Komponenten vorläufig zu entfalten, kann berechtigterweise zunächst von bestimmten, wohl allgemein unumstrittenen, weil alltäglich praktizierten personalen Verhaltensweisen ausgegangen werden. Das Bewußtmachen dieser immer schon alltäglich vollführten und auch schon immer erkenntnis- wie empfindungsmäßig erfahrenen und in diesem Sinne «gewußten» Weisen, das personale Leben zu vollziehen und zum Ausdruck zu bringen oder das eigene Sein durch Welt und andere Menschen auf mannigfaltige Art beeinflussen und prägen zu lassen, gibt tatsächlich ein mögliches, zugleich aber auch notwendiges Vorverständnis für wesentliche Momente dessen ab, was sich speziell in den christlichen Sakramenten ereignet, mag ihnen auch darüber hinaus etwas eignen, was im bloß «natürlichen» Leben (noch) nicht vor-kommt. Es kann hier jetzt allerdings nur um die Angabe der Grundzüge einer möglichen Einführung in das Verständnis des Sakramentalen gehen. Alle damit verbundenen, nicht unwichtigen anthropologischen, gnoseologischen und philosophischen Implikationen können hier nicht entfaltet oder gar einsichtig gemacht und gelöst werden. Wir können uns jedoch darin auf die Darlegungen in den entsprechenden Abschnitten dieses Gesamtwerkes stützen, wo ausdrücklich das hier nur eben mit der genannten Zielsetzung Anzudeutende reflektiert wird.

Es ist offensichtlich auch dem heutigen Menschen ohne weiteres klar und bewußt, daß er nicht einfach «da-ist», daß sein Leben, es selbst, nicht einfach «von selbst» und ohne alle ihm mitgeteilte Bedeutungstiefe «abläuft», es vielmehr «Sinn hat» bzw. einer Sinngebung bedarf. Er weiß um die Gegebenheit und Notwendigkeit, daß menschliches Leben je *gestaltet* sein will, vom Einzelnen wie von der Gemeinschaft, in vielfältigen Formen. Die Redewendung, daß jemand «mit seinem Leben etwas (oder nichts) *anzufangen* wisse», spricht das deutlich aus. Und gerade die Erfahrung der Not des drohenden Abhandenkommens eigentlich-menschlicher Gestaltungsmöglichkeit und personaler Sinn-Erkenntnis wie Sinn-*Gebung* für das Leben in seinen einzelnen Vollzügen und Erscheinungsweisen ist längst als unheimliche Gefährdung des Menschlichen überhaupt erkannt. Die Sinnfrage, heute vielleicht mehr denn je gestellt, die es nicht bei der puren Existenz von Welt und

Mensch bewenden sein lassen kann noch mag, deckt unabweisbar, gerade schon als immer bewußter gestellte *Frage*, das vorliegende Wissen um die Unmöglichkeit eines Nicht-Sinnes der Welt wie der einzelnen Dinge und Geschehnisse im Gesamt der realen und personalen Wirklichkeit auf. Nur ein schon irgendwie «vernommener», wenn auch noch nicht strahlend-deutlich geschauter Sinn weckt überhaupt berechtigte und zuversichtliche Hoffnung, «in» und gleichsam «hinter» dem Vordergründig-Erscheinenden der Welt und des Daseins, ja auf Grund dieser und *durch* diese Erscheinung, «Bedeutung» und «Sinn» erahnen und daher danach fragen zu dürfen und zu sollen. Der Mensch weiß um diesen seinen Mut zur Sinn-Annahme und deshalb zum Vertrauen der Welt und den Dingen gegenüber.

Gilt dieses alles schon für das Dasein, für die Welt und die Dinge überhaupt, so kennt und erfährt der Mensch seinen eigenen, d. h. den eigentümlich-menschlichen Bereich um so intensiver als «selbst-verständlich» *und* geheimnisträchtig-bedeutungsvoll, *beides zugleich* und in eins. Mag hier an das Angerührtsein beim Anblick der «Natur», etwa einer Landschaft, oder irgendeines Geschehens gedacht sein oder, viel intensiver, an das, was Spiel und dann Kunst sind und bedeuten. Überall weiß der Mensch um offenkundige oder noch verborgene, aber eben auf das Ent-deckt-Sein hindrängende «Bedeutung» all dessen, also um ein Etwas, auf das hin ein Geschautes und Erfahrenes immer noch befragt werden kann und will. Offensichtlich lebt dieses, im Alltag allenthalben betätigte und bestätigte Bewußtsein von einem personal (vom Individuum wie in Gemeinschaft) gewonnenen «Wissen» und Bewußtsein, das auf dem Grund eines längst erfahrenen «Angesprochen-» und «Angerührtseins» aufruht. Was «nichts zu sagen hat», nichts bedeutet, ist letztlich Nichts. Alles aber, was ist, hat offenbar etwas zu sagen. Andernfalls gingen wir ihm nicht fragend nach, noch würden wir, es ausschöpfend-auskostend, bei ihm in Muße ausharren.

Dabei sind wir auch davon überzeugt, daß es hier nicht nur, ja nicht einmal zuerst um das Signifikativ-Informative bloß äußerlicher Daten oder «Nachrichten» geht. Vielmehr ist dieses die Erfahrungstatsache: Wir lassen die Welt, die Dinge, vor allem die anderen Personen, *indem* wir sie (bewußt) *erfahren* und «*vernehmen*», auf uns *wirken*. Dabei wissen wir um das Untrennbare des «Bedeutens» und des «Einwirkens». Wessen Bedeutung wir nicht wenigstens erahnen, dem setzen wir uns auch nicht vertrauend aus, damit es auf uns wirke. Was nichts *ist* und nichts bedeutet, das *beeindruckt* uns auch nicht, das macht uns nicht lebendig. Und übrigens *werden* wir nicht nur auf mannigfaltige Weise rein passiv und apersonal-materiell beeindruckt, sondern wir erwarten und wünschen auch, daß es auf unsere bewußt aktuierte Offenheit hin geschehe, von den Dingen, von der «Wirklichkeit» und vor allem von anderen Menschen. Dabei geht es um ein waches Beteiligtsein, um ein personales Aufeinanderhin im Teil-geben und Teil-nehmen des vernehmbar und verstehbar Beeindruckenden. Nichts mehr als vom Anderen zum Ausdruck Gebrachtes vernehmen können oder wollen, und sich nicht mehr beeindrucken lassen, das ist ein und dasselbe: es ist Bruch und Ende des Personalen, Siechtum und Tod menschlich-personalen Lebens.

Diesem, hier nur eben anzudeutenden, lebendig-alltäglich Erfahrenen mannigfaltiger Art (weil ja für *alle* von uns gewußte Wirklichkeit gültig) entspricht ein anderes, das aber eben nur die andere Seite desselben Sachverhaltes ist. Wir meinen das auch heute noch unverschüttete, weil einfach zum Menschen selbst (wie «unmenschlich» er sich auch verhalte oder in welch «unmenschlicher» Situation er sich auch befinde!) gehörende Wissen um die ursprünglich gegebene, allenthalben erfahrbare und auch ständig aktuierte Möglichkeit und daher Tatsächlichkeit, *sich selbst «auszudrücken»*, d.h. sich selbst persönlich, gleichsam über das pure Schon-längst-Dasein hinaus, zu aktuieren und zum Ausdruck zu bringen. Leben «äußert sich»; und wo keine Lebensäußerungen mehr erfahren werden, da ist Tod. Das eigene Personsein, die eigenen «inneren», daher zunächst verborgenen Gedanken und Willensregungen verlangen, um selbst sein zu können, nach ihrem Ausdruck *in* einem und *durch* ein «anderes». Die Seele, das, was geistig oder seelisch oder wie immer zunächst ein «rein Inneres» ist, «verleiblicht» sich, wirkt sich aus, indem es sich ausprägt im «anderen», im (eigenen!) Leib. Wir wissen, wie sehr ein ausdrucksloses Gesicht wegen des Fehlens personaler Prägung beunruhigt. Und ein «vergeistigtes» Antlitz ist mehr, als es rein material-anatomisch betrachtet sein mag. Es ist Ausdruck eines reichen Inneren und beeindruckt daher personal. Seelische und geistige Haltungen, Empfindungen und Willensregungen sind erst dann wirklich und personal-wirksam, wenn sie sich in Gesten und Worten, dann auch in anderen Dingen ausdrücken und erst so beeindrucken. Damit ist das angesprochen, was in einem echten und umfassenden Sinn «Symbol» oder Zeichen heißen kann. Bei tieferer Einsicht lassen sich, neben dem Leib als vornehmstem menschlich-personalem Symbol, eine Vielzahl anderer Symbole erkennen, die schlechthin zum konkreten Menschen, als Individuum wie als Gemeinschaft verstanden, gehören. Hier ist an ausgezeichneter Stelle die menschliche Sprache in ihren ungezählten Ausdrucksformen personalen Seins zu nennen, die Rede, das Wort als das die Person bezeichnende, sie enthaltende und wirksam-werden lassende Symbol. Weiter wären die verschiedenen Körperhaltungen zu erwähnen, die «Sprache» der Hände wie des Antlitzes. Man kann dann auf die vielen Formen hinweisen, wie der Mensch sich mittels vieler Dinge seiner Umwelt Ausdruck verschafft. Das fängt an bei der Ausgestaltung seines Lebensraumes mit verschiedenen Dingen, mittels derer er ja *sein* Leben pflegt, gestaltet und zum Ausdruck seines Ichs werden läßt, so daß es von anderen dadurch und darin erkannt zu werden vermag.

Eine besondere Weise ist hier ohne Zweifel das *Geschenk*, das Aufgreifen von schon Vorhandenem, das selbst längst schon «etwas» ist, das aber nun «zusätzlich» mit Eigenem des Geistes und des Herzens, ja mit der schenkenden Person in ihrem Wohlwollen selbst erfüllt wird. So will und so kann der Schenkende *selbst*, *durch und in* dem zum Geschenk Gemachten, beim anderen «ankommen». Der Rosenstrauß, zum Geschenk bei besonderem Anlaß mit entsprechender Absicht des Herzens überreicht, mag botanisch-naturwissenschaftlich eine Menge eindeutig erfaßbarer Naturwesen sein (und bleiben); als Geschenk trägt er etwas in sich, von einer Person herkommend, das ihn zu mehr macht, als er «an sich und aus sich» ist. Trägt er doch *vernehmbar und wirksam* die schenkende Person im Maße des Willens ihrer Herzensstimmung in sich, auf daß sie *durch* dieses Medium vom anderen gerade in dieser Gestimmtheit des Wohlwollens *erkannt* werde und personal-beeindruckende *Wirkung* hervorrufe. Die Einladung zu einem Mahl, das gemeinsame Mahlhalten im Sinne einer Freundschaftsbezeugung «bedeutet» etwas, und zwar eben nicht das Vordergründige, die Not der Nahrungsaufnahme oder eine Erklärung von Bedürftigkeit, die man lindern möchte. Vielmehr soll in dem gemeinsamen Tun, durch das Mahlhalten, *wenngleich* dieses «von sich aus» schon

eine (gar naturnotwendige, also nicht beliebige, immerhin schon menschliche)
Sinn- und Wirksamkeitsfülle *hat*, noch ein «anderes», Eigentümlich-Personales,
«Ausdruck finden» und es bewirken, nämlich das «rein geistig» nicht sein kön-
nende, sondern erst in lebendigen Vollzügen sich ausprägende «Wesen» der
Freundschaft. Wir wollen hier auch bemerken, wie es sich dabei um ein Geschehen
handelt, an dem *beide* Personen durch *ein gemeinsames* Zeichen beteiligt sind: der
«Geist» beider trifft sich zeichenhaft im selben Medium, z. B. im Mahl, findet darin
seinen Ausdruck, nach Maßgabe gerade des je Beteiligt-Seins. Und es «geschieht
etwas», *durch* dieses zeichenhaft-gemeinsame Tun: nach einem solchen Geschehen
geht man «anders» auseinander, als man zusammengekommen war; besser noch:
nachher ist man auf Grund solchen Zeichens auch in der Ferne mehr «eins», als es
vor einem solchen «Ausdrücklich-werden» des Geistes der Freundschaft der Fall
war: das Zeichen *wirkt* etwas in den beteiligten Personen.

Weiter können wir hier darauf hinweisen, daß sich das bisher Angedeutete auch
in den mannigfaltigen menschlichen *Gemeinschaften* zeigt. Es gibt kollektiv-perso-
nale Haltungen, die sich gleichfalls individuell und multipersonal ausprägen und
verleiblicht Ausdruck geben. Man braucht heute nur auf sehr massive Formen solchen kollektiven Ausdrucksgeschehens wie etwa Demonstrationsveranstaltungen
hinzuweisen, in denen z. B. durch ein gemeinsames Marschieren eine «geistig-
personale», gemeinschaftliche, in Wirkungen sich durchsetzende Haltung und
Gesinnung zum Ausdruck kommen soll. Dabei läßt, das wissen wir, das Marschieren als solches ja «von sich aus» keineswegs vernehmen und zur Wirkung kommen,
was mit ihm «gemeint» ist: das muß erst «hinzugesagt» und deklariert werden,
wobei andererseits und bezeichnenderweise das *reine* Sagen eben als nicht genügend und unwirksam empfunden wird. Solcherart Beispiele ließen sich vermehren.
Erinnern wir uns bei dieser Gelegenheit auch der vielfältigen Weisen personaler
und wirksamer *Stellvertretung*. Eine Gemeinschaft kann ein einzelnes ihrer Glieder
zu ihrem verantwortlichen und wirkbefugten Sprecher machen, wie auch viele das
Anliegen eines einzelnen vertreten und zur Durchführung bringen können.

Ohne das erst noch zu entfalten, soll sodann auf das Wirksamwerden auch des
geschichtlich bestimmten Wesens des Menschen hingewiesen werden. Der Mensch
existiert nicht einfach als Individuum, sondern als *Person in Gemeinschaft*; auch ist
die je «heutige» Gemeinschaft nicht einfach eigenständig, in sich, für sich und
von sich aus. Vielmehr ist das menschliche Sein und Leben wesentlich auch durch
das bestimmt, was wir Generationenfolge in Geschichtlichkeit nennen können. Die
jeweilige Generation wird nicht nur durch das sich je zum Ausdruck bringende
und sich so in Gegenseitigkeit auswirkende Leben der individuellen Angehörigen
dieser Generation geprägt, sondern auch durch die vorausgegangenen Generationen und deren wirkmächtige Geschichtsprägungen menschlichen Lebens. Neben
vielem anderen bedeutet das für unseren Zusammenhang folgendes, auf das hier
aufmerksam gemacht werden soll: Wie menschliches Leben überhaupt empfangen
und weitergegeben wird, von Generation zu Generation, und zwar letztlich, zugleich und untrennbar damit, von Person zu Person, so werden – wir erfahren es
so – auch die *Ausdrucksformen* und Gestaltungsweisen dieses *einen*, sich jedoch in
vielen Personen *und* Generationen präsentierenden menschlichen Lebens weitergegeben, übermittelt und tradiert. Die Geschichtlichkeit menschlichen *Lebens* und
die Geschichtlichkeit menschlicher Lebens-«*Äußerungen*» und -*Formen* sind nicht

zwei verschiedene Dinge, sondern ein und dasselbe. Es gibt kein menschliches Leben in seinen (hier in vielfältiger, wenn auch keineswegs erschöpfender Weise angedeuteten) konkreten Vollzügen, es sei denn in schon geschichtlich-gewordenen, menschlich-willentlich und personal «erfundenen» und geformten Symbolen und Äußerungsweisen, ob man nun an das Individuum denkt oder an die mannigfaltigen Kollektivformen menschlicher Gemeinschaft. Geschichtlichkeit menschlichen Seins heißt somit auch sogleich Geschichtlichkeit menschlicher Lebensäußerungen, menschlicher Symbole und Ausdrucksformen, mit allem, was das mit sich bringt.

Das impliziert freilich einiges, das nicht übersehen werden darf. Zunächst einmal wird aus dieser Beobachtung deutlich, daß mit dem Leben und mit den Ausdrucksformen dieses Lebens offensichtlich auch die «Aufdeckung» oder «Erklärung» des je gemeinten «Sinnes» von tradierten Ausdrucks- und Wirkweisen menschlichen (Miteinander)Lebens mit-tradiert werden muß. Wann immer es wahr ist, daß Symbol oder Ausdruck jeweils von einer Person her auf eine Person hin «gemeint» ist, also den «Geist» dieser Personen und das personale Miteinander in sich trägt, dann darf es nie das Tradieren des «reinen» Symbols geben. Vielmehr muß in der Weitergabe des Symbols auch der in dieses hineingegebene Geist mit-vermittelt werden und umgekehrt. Mit anderen Worten: Die eine Generation kann der folgenden nicht einfach «das Leben» weitergeben, noch auch dieses zusammen mit den inzwischen «eingespielten» Ausdrucksformen und Symbolen menschlich-personalen Miteinanderlebens. Vielmehr muß die eine Generation der anderen *in* der Lebens-*Gabe* und Lebens-*Form* auch den prägenden *Geist* mitgeben. Nur die Übernahme desselben Geistes erlaubt das Übernehmen der ursprünglich geist-erfüllten Symbole und Ausdrucksweisen. Freilich bleiben darin das Personsein aller Menschen und ihre je eigene geistige Freiheit erhalten, auch in Hinsicht auf die hier gemeinte Tradition menschlichen Lebens in personal-verfügten Formen der Lebensäußerungen. Wie das Sich-Äußern der Person immer in Verantwortung und Wahrheit, unbeschadet aller personal-menschlichen Spontaneität der Selbstmitteilung, zu geschehen hat, so auch die *Annahme* personalen Lebens wie des Geistes der schon vor-verfügten Ausdrucksweisen. Von daher ist der Weg offen für ein rechtes Verständnis dessen, was hier Tradition (im doppelten Sinne) *und* eben auch freiheitlich-*eigen*verfügtes Sich-selbst-Leben und Sich-neu-Gestalten heißen kann. In jedem Falle ist hier die Möglichkeit eröffnet, die Tatsache von Lebens-Ausdrucksformen zu verstehen und in Freiheit zu bejahen (in verantworteter Übernahme oder auch entsprechend verantworteter Abänderung), die schon Generationen lang bestehen mögen, oder die, andererseits, geschichtliche Veränderungen erfahren oder die sich, schließlich, als allgemein-menschliche und folglich unaufgebbare Ausdrucksweisen menschlichen Lebens zu erkennen geben. Die Bedeutsamkeit dieser Überlegungen für das konkrete ekklesial-sakramentale Leben in Geschichtlichkeit ist offensichtlich.

In diesem gerade Besprochenen ist allerdings auch eine Voraussetzung impliziert, die hier nicht weiter verfolgt zu werden braucht, die freilich theologisch an gegebener Stelle reflektiert wird, nämlich daß das menschliche Sein, überhaupt und insgesamt gesehen, grundlegend in einen Sinn hineingestellt ist, es also «Sinn hat» (was philosophisch heute nicht ohne Problem ist). Denn nur wenn das gilt, kann auch, wie wir es taten, von dem einen «Geist» gesprochen werden (hier si-

cher nicht im Sinne eines Idealismus zu verstehen), der menschliches Miteinander-
und Aufeinanderhin-Leben prägend gestaltet, so sehr, daß die Weitergabe des
(zunächst rein biologischen) Lebens begleitet sein muß und kann von der «Tradition» des menschlichen Geistes, der sich in den vielfältigen Ausdrucksformen
personal-verfügten Lebens ausprägte und weiter ausprägt, wie es etwa in der
menschlichen Sprache unübersehbar deutlich wird.

Ein weiterer Ansatzpunkt, von dem her bestimmte Momente des Sakramentalen, wie es für das Christentum charakteristisch ist, dem Verständnis erschlossen
werden können, vermag das Wissen um die Eigenart und Einmaligkeit bestimmter
Lebensvollzüge, Lebenstage und -abschnitte sein, die unaufgebbar zum Menschen
und seinem Dasein gehören. Diese sind zunächst als solche schon Wirklichkeit,
werden dann aber auch (weil es für den Menschen nicht einfach nur ein physikalisches In-Raum-und-Zeit-Sein gibt) in gedenkender Repräsentation oder Reakti-
vierung und wiederholender Bestätigung aufs neue je heute deklariert und wirksam werden. Man kann hier an Geburt und Tod, dann an das Mahl und Gespräch,
an Ehe, Familie und sonst individuell oder sozial-gesellschaftlich verfügte Tage,
Zeiten, Lebens-phasen und -institutionen denken. Diese alle sind Lebensformen
und -äußerungen, die je ihren bezeichneten und bezeichnenden, ermächtigten und
wirksamen Charakter haben, zugleich oft mit ihren je sie ausprägenden und in
Wirkung bringenden Dienstaufträgen und Bevollmächtigungen. Was hier angesprochen wird, gilt übrigens, wie für das individuelle, so in großem Maße auch
für das gemeinschaftlich-strukturierte Leben. Volksgemeinschaftlich und staatlich
verfügte Geschichts-Geschehnisse sind nicht nur Sache der betreffenden Generation; sie prägen vielmehr, in welcher Form auch immer, das menschliche Leben
der folgenden Generationen. Und sogar das zunächst eher «nur» staatlich-gesell-
schaftlich vollzogene «Gedenken» bei Erinnerungs- und Gedächtnisfeiern, wie
großen Jubiläen, kann und soll, solange es personalverantwortlich gemeint und
vollzogen wird (alles andere wäre eben nicht menschliches Gedenken!), ein Vernehmen des Geschichts-Sinnes sein, wie auch Aufruf zu weiterer personal-aus-
drucksvoller Geschichtsgestaltung menschlichen Daseins und somit *als Zeichen*
wirksam werden. Daß hier gewichtige Fragen hinsichtlich des Sinnes menschlicher
Geschichte überhaupt wie auch in bezug auf erfahrbaren (ursprünglich nicht sein
sollenden) Un-Sinn menschlicher Geschichtsgestaltung laut werden, ist nicht übersehen. Aber gerade das hat etwas mit dem Wesen christlicher Sakramente, weil
überhaupt mit unserem Glauben an den Sinn Gottes in der Geschichte zu tun, des
Gottes, der *über* allem Sinn *und* Un-Sinn menschlichen Geschichtsgestaltens ist,
der sogar das Unsinnige mit neuem Sinn, eben gerade auch mit Heilswirksamkeit
zu erfüllen vermag (vgl. 1 Kor 1–2). Hier ist das Kreuz als Zeichen *und* Wirkkraft
des Heils, und somit das sakramentale Geschehen in die Mitte des Blickfeldes
gerückt.

Die christlichen Sakramente sind nun solche Lebensausdrucksformen, besonderer Art zwar, aber doch solche, die sich in das bisher Reflektierte un-
schwer einordnen lassen und also nicht schlechthin auf Verständnisschwie-
rigkeiten oder gar Unverständnis stoßen müßten. Sie sind gemeinsame *Ausdrucksformen* des einen, sich mannigfaltig ausprägenden und aktuierenden
Lebensgeschehens «*zwischen*» *Gott und Mensch*, Ausdrucksformen, die in

ihrer Komplexheit als sowohl ursprünglich (im Schöpfungsgeschehen) gegeben (und insofern eigentlich «selbstverständlich»), wie auch geschichtlich-freiheitlich verfügt begriffen und aufgegriffen werden – und in diesem letzteren liegt das *Mysterium* beschlossen, das Gottes zunächst, dann aber auch das des Menschen und seiner Freiheit. Die hier gemeinten sakramentalen Lebensausdrucksformen werden geprägt von dem *einen* Geist gottgestifteter Lebensgemeinschaft. Dieser eine Geist tut auch kund, was wirklich und wirkmächtig gegeben ist (vgl. 1 Kor 2, 12–16); er vernimmt, was in offenbarer Wirklichkeit und Wirksamkeit letztlich je *vermittelt* sein soll: die eigene Person, ausdrucksvolles, zu vernehmendes Leben, das, als solches zum Bewußtsein gebracht, sich antwortend-ausdrücklich selbst-verwirklicht. Daß die so gemeinten ekklesialen Lebensausdrucksformen, die christlichen Sakramente, wesentlich von einem ganz bestimmten historisch-geschichtlichen, personal verfügten Geschehen her unaufgebbar geprägt sind, nämlich vom Kreuz des Herrn, *das* macht ihre unersetzbare Eigen-Art aus, über die im folgenden noch ausführlich die Rede sein wird. Der anzuzeigende Weg einer möglichen *Einführung* in das Verständnis des Christlich-Sakramentalen mündet hier notwendig in die eigentliche-theologische Besprechung, die selbst freilich wieder auf einer personalen, allerdings nicht mehr rational-beweislich aufrechenbaren Annahme beruht, nämlich auf der Annahme des gott-geschenkten Glaubens.

II. ZUR GESCHICHTE DES LEBENS DER KIRCHE IN IHREN SAKRAMENTEN UND DER SICH DARAUS ENTFALTENDEN THEOLOGIE DER SAKRAMENTE

In diesem Teil unserer Überlegungen wollen wir versuchen, die Kategorie des Sakramentalen theologisch zu erschließen, soweit es Aufgabe dieses Abschnittes ist. Mit dieser Kategorie kann hier nach allem, was schon besprochen wurde, nur eine spezifisch christliche gemeint sein. Wie immer es möglich und sinnvoll sein mag, auch eine eher religionswissenschaftliche Kategorie des Sakramentalen zu erarbeiten (die dann sicher viele Elemente enthalten wird, die auch im Christlichen verifizierbar sind), hier geht es von vornherein und ausdrücklich um das Eigentümlich-Christliche, ohne daß diese Erklärung das Recht einer Religionswissenschaft bestreiten oder sogleich schon einen Dualismus, einen Supranaturalismus oder dergleichen implizieren würde.

Wenn es um das Christlich-Sakramentale geht, so können wir nicht von irgendeinem Apriori ausgehen, wir haben vielmehr das konkret in den Blick zu nehmen und zu erkennen zu trachten, was im Leben der Kirche und *als Leben der Kirche* von Anfang an erscheint und in einem noch näher zu bestimmenden Sinn (später) «Sakramente» genannt wird. Die so gemeinte

Betrachtung hat freilich christlich-theologisch zu erfolgen. Das impliziert für uns an dieser Stelle bestimmte Momente theologischer Bemühung, denen wir durch die folgendermaßen gegliederte Überlegung Rechnung tragen möchten: Weil das vielfältig-reiche ekklesiale Geschehen, sakramentales Leben oder «Sakramente» genannt, nicht eigentlich und nicht zuerst Idee oder Lehre, keine Theorie noch ein Gedankengebäude, sondern seit Beginn des Daseins der Kirche aktuelles, lebendiges Ereignis ist, das in mannigfaltigen, unterscheidbaren Vollzügen geschieht, *vor* aller theologischen Besinnung (wenn auch nie ohne sie), so wird ein erster Punkt gerade dieses kurz darzulegen haben: das Leben der Kirche in ihren Sakramenten als Quelle und Ausgangspunkt jeglicher Sakramententheologie und somit der Erarbeitung der christlich-gültigen Kategorie des Sakramentalen. Wie andere, lebendig-vollzogene Glaubenswirklichkeiten, so ist dann auch das sakramentale Leben zum «Objekt» christlicher Verkündigung und theologischer Reflexion geworden. Das implizierte von Anfang an das Aufgreifen von vorliegenden geeigneten, wie auch das Entwickeln von entsprechend neuen Wörtern, Begriffen und sprachlichen Ausdrucksformen. So werden wir zweitens einen Blick auf die Wort- und Begriffsgeschichte von μυστήριον und sacramentum in bezug auf unser Ziel werfen. Was dabei sichtbar wird, erfordert dann den nächsten Schritt, nämlich den Versuch eines Nachzeichnens der Entstehung und Entfaltung der Theologie der Sakramente im Hinblick auf ihre Eigentümlichkeit als Lebensvollzüge und Aktualisierungen der Kirche. Es soll dann noch ein kurzer Blick auf die historischen und kirchenamtlichen Entwicklungslinien geworfen werden.

1. Zur Geschichte des Lebens der Kirche in ihren Sakramenten

Wie schon angedeutet wurde, ist die Erkenntnis der Tatsächlichkeit sakramental-ekklesialen Lebens seit dem Existenzbeginn der Kirche grundlegend für jede gültige christliche Sakramententheologie. Faktisch wird das in der üblichen Darbietung des Traktates «De sacramentis in genere» meist übersehen oder übergangen, jedenfalls unkontrolliert vorausgesetzt. Man verfolgt zwar die Wort- und Begriffsgeschichte von μυστήριον und sacramentum auf das sich entwickelnde Sakramentenverständnis im allgemeinen hin; der mindestens ebenso wichtigen, ja vordringlichen Einsichtnahme in das konkrete Leben und Tun der Kirche und in das sich dokumentierende christliche Bewußtsein von dem, *was* da eigentlich und von wem her und auf wen hin es geschieht, wird jedoch kaum der ihr zukommende Platz eingeräumt. Hiermit sind übrigens gar nicht sogleich oder nur liturgie- und frömmigkeitsgeschichtliche Tatsachen und Entwicklungen gemeint, wie bald erkennbar sein wird.

Wie die *Tatsache* der Erschaffung, und also die Wirklichkeit des Daseins der Schöpfung, einer Theologie des Schöpfergottes und der Welt wie der

Menschen als geschaffenen Wesen vorausliegt; und wie das Christusereignis selbst der Christologie und dann auch der Trinitätslehre vorausgeht, so ist auch der tatsächliche Vollzug der Sakramente seit Beginn der Kirche, als real-konkretes Leben gerade dieser Kirche, als Ursprung und Begründung der Sakramententheologie zu verstehen und anzuerkennen, wie immer deren Anfänge gewesen sein mögen. Es soll mit dieser zunächst recht trivial anmutenden Feststellung nicht das wesentliche und berechtigte Ineinander und je Aufeinander-Einwirken von Theologie und Lebenspraxis (und also auch Kultpraxis) unterbewertet oder gar geleugnet werden. Doch ist die Tatsache in ihrer fundamentalen Wichtigkeit zu erkennen, daß nämlich der lebendige Vollzug der später «Sakramente» genannten Handlungen und Riten deren theologischer Durchdringung von Anfang an vorausliegt. Soll also die Kategorie des Sakramentalen geklärt, vielleicht gar neu- oder wiedergewonnen werden, so sind entsprechende Untersuchungen auch dieser angedeuteten Art, neben den wort- und begriffsgeschichtlichen, vordringlich, dazu dann auch eine sachgerechte Zusammenschau der Ergebnisse beider Untersuchungsstränge. Erst dann können gültigere Aussagen zum biblischen und patristischen Grund einer sachgerechten Sakramententheologie gemacht werden.

Auf die Geschichte der «Entstehung» und ersten Ausprägung der einzelnen ekklesialen Vollzüge, die später Sakramente heißen, können und brauchen wir hier nicht näher einzugehen; das wird mit Aufgabe der jeweiligen Einzelabhandlung der Sakramente sein. Hier sei nur auf das hingewiesen, was für eine sachgerechte Erarbeitung einer allgemeinen christlichen Sakramententheologie unumgänglich erscheint.[11]

Zunächst einmal ist das Faktum als solches festzustellen, daß es nämlich vom Anfang der Kirche an den als lebendigen, zum Leben der Kirche als selbstverständlich *und* unabdingbar innerlich dazugehörend begriffenen Vollzug dessen gibt, was später, aus welchen Gründen immer, emphatisch unter den Begriff «Sakramente» gestellt wurde. Wie uns die Quellen, aus denen wir überhaupt unsere (theologische) Kenntnis des Lebens der frühen Kirche schöpfen, berichten *und* deuten, so gehört seit den ersten Tagen zum eigentlich ekklesialen Lebensgeschehen gleichsam als selbstverständlich der Vollzug z.B. dessen, was «Taufe» (und «Firmung») christlich (!) meint; dann dessen, was später (oder bald) das «Brotbrechen» oder Eucharistie genannt wurde.[12] Wir haben an dieser Stelle nicht über die Rechtmäßigkeit oder Unrechtmäßigkeit dieses Tuns der Kirche zu verhandeln (es gab ja

---

[11] Vgl. hier nochmals das zur Problematik einer allgemeinen Sakramententheologie Gesagte, oben S. 49–54.

[12] Vgl. dazu schon unter den frühesten ntl. Schriften besonders 1 Kor. In der Apg wird dieser Sachverhalt schon in theologischer Besinnung vorgestellt. Vgl. etwa Apg 2 und öfter.

zweifellos auch manches im Leben der frühen Kirche, das irgendwie zunächst übernommen und als noch geboten empfunden, später jedoch abgelegt wurde). Hier geht es um die Tatsache von solchen Lebensvollzügen, die
später «Sakramente» heißen und von derselben Kirche eine geschichtlich-
«endgültige» Bestätigung erfahren haben,[13] nicht unähnlich etwa dem Fall
der im Kanon zusammengeschlossenen Bücher der Heiligen Schrift. (Die
Zahl solcher Vollzüge, d. h. der Sakramente, jetzt schon bestimmen oder
diskutieren zu wollen, wäre *hier* völlig abwegig und unserer jetzigen Überlegung abträglich, weil dadurch gerade das wieder verstellt werden könnte,
worauf es jetzt ankommt. Auf jeden Fall kann hier paradigmatisch auf
Eucharistie und Taufe hingewiesen werden. Weiteres wird am gegebenen
Ort zu besprechen sein.)

Rein äußerlich gesehen, kann man zunächst darauf verweisen, daß die
junge christliche Gemeinde, offensichtlich nicht anders als sonstige Reli-
gionsgemeinschaften damaliger (wie jeder) Zeit, gewisse religiöse Riten,
Verhaltens- und Ordnungsweisen von woanders her annahm oder selbst
neu entwickelte, sie jedenfalls besaß. Darin läge nichts Besonderes. Dieser
Sachverhalt würde seitens einer zu Recht bestehenden Religionswissenschaft, zumal der Religionsphänomenologie, abzuklären sein. Die später
dann Sakramente genannten Lebensvollzüge dieser Religionsgemeinschaft,
der Christenheit nämlich, wären, so und nur so gesehen, dann nicht viel
mehr oder anderes als eben individuell und gemeinschaftlich ausgebildete
Ausdrucks- und Lebensformen, Symbole und Symbolhandlungen, in denen
sich Anliegen und «Lebendigkeit» einer solchen Gruppe selbst Ausdruck
verschaffen.

Daß es aber im Leben der jungen Kirche, in welcher ja das hier gemeinte
Sakramentale seinen Anfang nahm, um entschieden mehr ging (und bis
heute und weiterhin geht), kann schon daraus mit Recht vermutet werden,
daß sich diese Kirche als die Erfüllung dessen verstand, was und wozu
Israel, also auch, mehr oder weniger treu und erleuchtet, das damalige
Judentum als religiöse Gemeinschaft, zu *sein* und zu *wirken* glaubte. Somit
sind, über Jesus als den, auf den sich die Christen als ihr Haupt berufen, für
den tatsächlich gemeinten Daseins- und Lebens-Sinn dieser christlichen
Gemeinschaft, auch und vor allem in ihren wesentlichen Lebensgemein-
schaftsvollzügen, schon jene Momente irgendwie mitenthalten, die Daseins-
und Lebenssinn Israels ausmachten. Denn die junge Kirche verstand sich
ja als das Neue Israel, d. h. als das *wahre* Israel, neu zwar, doch in Erfüllung
und in Verlängerung der ununterbrochenen, wenn auch jetzt abgeschlosse-
nen geschichtlichen Linie einer einzigen (Heils-)Geschichte, die als letztlich
von Gott selbst gelenkt und verwirklicht im Alten *und* im Neuen Israel be-

---

[13] Vgl. dazu im folgenden die Behandlung der Frage der Einsetzung der Sakramente
durch Christus, besonders S. 134–139.

griffen und geglaubt wurde. Von daher wäre einsichtig, daß manche religiöse Gemeinschaftsvollzüge, Frömmigkeitsübungen und kollektiv wie privat bedeutsame Riten übernommen oder aber, wegen der Neuheit, wesentlich weitergebildet oder gar abgelegt wurden.[14]

Das alles ist hier zwar zu bedenken, berührt aber noch gar nicht das, worum es hier eigentlich geht. Denn bei aller Tatsächlichkeit von übernommenen religiösen Anschauungen, Lebens- und Ausdrucksformen, wie immer sie historisch feststellbar sind, ist ja zunächst einmal eher das historische Faktum einer sehr bezeichnenden, zum Teil ersatzlosen Ablösung von Riten und religiösen Gemeinschaftsvollzügen offenkundig. Man braucht da nur eben an so wesentliche Dinge wie Beschneidung und Tempel zu erinnern. Aber hier könnte es sich immer noch, so gesehen, vielleicht doch nur um das Aufgeben dieser, und um das Annehmen neu erfundener oder auch aus anderen religiösen Gemeinschaften erstmals übernommener Formen handeln (und auch das gab es ja), zugleich natürlich mit deren belassener oder variierter *Ausdeutung*.

Doch genau an diesem Punkt muß das einzig Entscheidende gesehen werden. Tatsächlich geht es hier gar nicht bloß und zuerst um das pure Konstatieren des Vorhandenseins jener später einmal «Sakramente» zu nennenden Handlungsgeschehen, als ob nämlich das schlichte Dasein solcherart Riten die hier gemeinte und zu verantwortende theologische Besinnung auslösen, erklären und rechtfertigen könnte. Denn *nicht* ist entscheidend, *daß* es so etwas wie Sakramente gab (und gibt), ob nun in Nachahmung schon vorhandener Riten oder nicht, sondern *was* da geschieht, *was* da als in solchem Tun und Geschehen sich-ereignend geglaubt, bezeugt und verkündet wird. Es muß deutlich in den Blick kommen, *was* man seit dem Ursprung der Kirche, von Anfang an, als unter bestimmten Symbolgeschehen sich ereignend begriffen hat, und *dann* freilich auch, *daß* man dieses Tun oder Geschehen als für das Leben der Kirche und somit *für das Heil unabdingbar* ansah und dementsprechend vollzog. Nochmals dasselbe mit anderen Worten: Es ist (für unseren Überlegungsansatz hier) ungenügend zu sagen, in der Kirche sei z. B. von Anfang an «getauft» worden. Vielmehr muß gesehen und gesagt werden, daß hier zwar ein gar nicht so unbekannter «äußerer» Ritus aufgenommen, aber gerade in einem ganz eindeutig-klaren Bewußtsein eines *ganz Neuen* und mit *dem*entsprechender Zielsetzung vollzogen und begriffen wurde, nämlich: Teil-Geben und Teil-Nehmen an dem als *das* Heil schlechthin verkündeten, schon geschehenen Kreuzestod des Herrn Jesus Christus «für die vielen» und seiner Auferweckung (um es vorläufig nur eben so anzudeuten).[15] Und ähnlich für die Eucharistie: Daß es religiö-

---

[14] Vgl. dazu etwa das «Thema» des Apostelkonzils, Apg 15, 1–35.
[15] Vgl. dazu, beispielhaft, 1 Kor; Röm (z. B. 6 u. ö.); Jo 2; Apg 2; u. ö.

ses Mahlhalten in mannigfaltigen Formen und Motivierungen gab, die vielleicht aufgegriffen wurden, ist gar nicht der springende Punkt, sondern daß man *genau dieses* darunter verstand, vollzog und hochschätzte, nämlich: «Sooft ihr dieses Brot eßt und den Kelch trinkt, verkündet ihr feierlich (nicht so sehr durch Reden als durch das zeichenhaft-worthafte *Tun*) den *Tod des Herrn*, bis er kommt» (1 Kor 11,26). Dabei ist ungemein aufreizend-konkret (vgl. 1 Kor 1,18–25 u. ö) an das *Kreuzes*geschehen und seine absolute Heilsbedeutsamkeit gedacht.

Um also das Anliegen unserer Überlegung hier überhaupt zu treffen – die Geschichte des Lebens der Kirche in ihren Sakramenten, zumal in den Anfängen dieser Kirche, für eine auszubildende christlich-vollgültige Sakramententheologie in den Blick zu nehmen und auszuwerten –, ist dieses zu bedenken: Was uns aus den uns zur Verfügung stehenden Quellen entgegenspricht, ist doch dieses: Die frühe Christenheit wußte um ein *Geschehen seitens Gottes;* sie wußte, daß Gott selbst etwas einmalig-endgültig, offenbarend-wirkend, getan und geschaffen hatte, als Erfüllung eines Zuvorverkündeten, und zwar historisch-geschichtlich greifbar «in diesen Tagen» des Jesus.[16] Das, genau das ist zu glauben, zu verkünden, zu verwirklichen, eben auch in zeichenhaftem Geschehen zur Auswirkung kommen zu lassen. Das, was also der eigentliche und wesentliche Glaubensinhalt, *das εὐαγγέλιον*, ist, genau das *ist* und *lebt* diese junge Gemeinschaft; besser: genau das *hat* Gott so gewirkt, daß diese Gemeinschaft das von Gott Gewirkte *ist*, *lebt*, und weiter (mit)*verwirklichen* soll.[17] Gott, Jahwe, der Gott Abrahams, Isaaks und Jakobs, der Gott und Vater unseres Herrn Jesus Christus, hat durch diesen seinen Sohn, in Kreuz und Auferweckung, das Heil der Menschen und der Welt *so* gewirkt, daß die Verwirklichung *jetzt* – die Kirche sei. Und diese Kirche verwirklicht ihr Sein und ihren darin liegenden Auftrag, indem sie, als ihren Anteil an diesem *einen* Heilswirken Gottes des Vaters, durch und mit ihrem Haupt als dessen σῶμα und πλήρωμα dieses eine Heil, *ihr* gottverliehenes Leben nämlich, lebendig lebt und vermittelnd-heilbringend ausströmt. Und genau dieses geschieht in dem, was dann später Sakramente heißen wird (wobei hier nicht weiter auf *andere* Weisen solcher Heilsvermittlung, die es auch gibt, eingegangen zu werden braucht; das wird andernorts zu besprechen sein). Das also, worum es *letztlich* geht, ist nicht eine Idee, ist nicht die Erfindung oder Pflege von Ausdrucksformen *menschlichen* (und in *dem* Sinne ekklesialen) Geistes oder was immer. Vielmehr ist das entscheidende überhaupt dieses: Gott hat *das* Heil gewirkt, und die-

---

[16] Vgl. dazu die schon theologisch motivierte Zusammenschau in der Petrusrede am Pfingstfest, wie sie in Apg 2,14–47 vorgestellt wird.

[17] Vgl. dafür wie für die folgenden Überlegungen dieses Punktes die Erschließung des ntl. mysterion-Begriffs im folgenden, S. 75–82. Was dort erst im einzelnen zu entfalten sein wird, findet hier in dieser grundlegenden Besinnung schon seine erste Auswertung.

ses *ist* verwirklicht, und *als* ein Verwirklichtes ist es *zu verwirklichen*. Dabei stellen wir fest (und es geht hier zunächst einmal nur um die Feststellung eines geschichtlich Greifbaren, gemäß dem Thema dieses Punktes), daß das Heil, als «Kirche» verwirklicht, als Leben dieser Kirche lebendig-wirkend, sich in «greifbaren», «vernehmbaren» oder wie immer zu benennenden menschlichen Ausdrucksformen, in konkret erfahrbaren Vollzügen also, in der Zeit der Kirche ereignet. Daß es dabei zuinnerst um das εὐαγγέλιον, das Heil, um Gottes Leben geht, das, als schon verwirklicht, sich *in* diesem ekklesialen Geschehen und *durch* dieses ausströmend offenbaren und ver-wirklichen soll, das ist von allem Anfang an klar und auch ausgesprochen,[18] bei aller Unzulänglichkeit der Erkenntnis und (vor allem) ethischen Reali-sierung.[19]

Von daher gesehen sind die Geschehens-*Weisen*, die Ausdrucksformen selbst, von Anfang an in ihrer Relativität und Nachrangigkeit begriffen und behandelt worden (wie die Geschichte der Sakramente eindeutig bezeugt), ohne daß freilich je auf sie grundsätzlich verzichtet wurde. Das, *was* sich er-eignet, ist das entscheidende; das, worin es zum bezeichnenden und bewir-kenden Ausdruck kommt, kann verschieden gestaltet sein und werden. Von hierher ist dann auch klar verständlich und abgesichert, daß die Sakramente nicht zuerst Menschenwerk auf Gott hin sind, sondern ursprünglich Gottes Werk auf den Menschen hin, freilich nicht (mehr) ohne das Beteiligtsein von Menschen. Von hierher ist übrigens auch das eigentümliche «Gefälle» oder die Diskrepanz zu begreifen, die zwischen dem im Sakrament «schon» Wirklichen und Verwirklichten einerseits, und dem «Nachhinken» der ethisch-personalen *Erfüllung* des sakramental verliehenen Seins sichtbar wird. Wir brauchen hier nur an den aus dem Indikativ stets hervortretenden Imperativ, vor allem in den Schriften des Paulus, zu erinnern.[20]

Worauf es also hier ankommt, ist dieses: Es ist zu sehen, daß das, was zwar erst im Nachhinein theologisch tiefer und entfaltend reflektiert wird, schon längst *geschieht*, und zwar *von Gott her*, als *sein* μυστήριον, gemäß *seinen* Dispositionen. Daß er in diesen Dispositionen seines μυστήριον gerade auch die Kirche mit-ermächtigt hat, ihr auch anvertraut haben mag, die *Weisen* der Vermittlung dieses einen Heils ihrerseits näher zu bestimmen, ist am tat-sächlichen Heilsgeschehen in der Zeit der Kirche abzulesen, jedenfalls nicht eine Frage eines zuvorgewußten Apriori. In diesem Sinne dürfte auch klar

---

[18] Nämlich in den ntl. Schriften, wie wir es in den folgenden Abschnitten noch sehen werden.

[19] Daß mit diesen Überlegungen in nicht unähnlicher Weise auch schon das «Wort», die Wortverkündigung, miterfaßt ist, das dürfte schon jetzt einleuchten. Wir werden dar-auf noch zurückkommen.

[20] Vgl. dazu Röm; 1 Kor; Kol; Eph etc. passim. – Näheres etwa bei R. Schnacken-burg, Neutestamentliche Theologie (München 1963), bes. 102 ff mit der dort angegebenen Literatur.

geworden sein, daß es in dieser Überlegung nicht um den Überblick über
die Tatsachen einer ersten Liturgie und somit über die erste Entstehung
liturgisch-kultischen Geschehens in der Kirche geht. Auch solcherart Untersuchungen sind theologisch relevant und notwendig. Aber das Anliegen
dieses Punktes ist es eher, die Ereignis-Wirklichkeit festzustellen, die sich
von Gott und von der Kirche her in liturgisch-kultischem, d. h. sakramentalem Geschehen (neben anderen Weisen) Ausdruck verschafft. Von dem
her, was *ist* und geschieht, ist zu verstehen und zu erklären, was dessen *Ausdruck* ist. Nicht wurde, auf Grund eines schon vorliegenden Modells, so
etwas wie Sakramente konstruiert, um mittels ihrer sich Heil zu verschaffen;
auch versteht sich die junge Kirche nicht als philosophische Schule, noch ist
das NT eine Philosophie oder Gnosis, die von sich Ausdruck gibt, um *sich*
mitzuteilen.[21] Vielmehr erscheint die Kirche als das von Gott selbst her
Seiende und (Mit)Wirkende. Mit einem Wort: Ohne *Glauben* an das *von Gott
her* im Kreuzesereignis Geschehene und immer noch, *als* Verwirklichtes,
Geschehende kann nicht gesagt werden, was die Kirche, ihrem eigenen, ihr
verliehenen Geist und Verständnis gemäß (im NT manifest faßbar)[22] *ist*,
sein soll, lebendig-wirksam vollzieht. Wenn wir also erkennen, daß in der
frühen Kirche (und dann immerfort) Taufe geschieht, Eucharistie geschieht, usw., dann muß das verstanden werden als das *eine*, sich mannigfaltig ausprägende und auswirkende Heilsgeschehen, das (schon) verwirklicht *ist* und als solches sich weiter von Gott Vater her durch Jesus Christus
in der vom Heiligen Geist belebten und beseelten Kirche ausbreitend verwirklichen soll. Genau dieses Geschehen muß hier gesehen – geglaubt werden, um den Schlüssel für theologisch relevante Untersuchungen wort- und
begriffsgeschichtlicher wie auch liturgie- und ekklesiologiegeschichtlicher
Art zu haben, nicht minder dann für die darauf folgenden theologisch-
systematischen Überlegungen.

2. Zur Wort- und Begriffsgeschichte von μυστήριον und sacramentum im Hinblick auf die Sakramententheologie

Vorbemerkungen

Im folgenden sollen nur die entscheidenden Grundlinien der Wort- und
Begriffsgeschichte verfolgt werden. Außerdem dürfen wir, wie wir sehr bald
bemerken werden, gegenüber den Ergebnissen dieser Untersuchungen
keine unsachlichen und übertriebenen Erwartungen hegen.

[21] Vgl. dazu die Problematik der Christen in Korinth und die Reaktion des Paulus
darauf, besonders in 1 Kor.
[22] Vgl. dazu etwa 1 Kor 2; 10–11; Kol; Eph. Sodann im folgenden die Entfaltung der
ntl. Mysterion-Stellen.

Es ist zunächst einmal als historisches Faktum festzustellen, daß, wenn auch in sehr unterschiedlicher Weise, im Laufe der Geschichte des Lebens der Kirche und der christlichen Theologie das Wort und der Begriff μυστήριον und vor allem *sacramentum* in einer eigentümlichen, noch näher zu bestimmenden Weise als gemeinsamer Begriff für jene, heute speziell «Sakramente» genannten Vollzüge oder Riten verwendet wurde, ohne daß er freilich *nur* dafür eingesetzt erscheint. Die bis heute noch keineswegs abgeschlossene Erforschung dieser Geschichte dürfte uns, zumal im Verein mit anderen wort- und begriffsgeschichtlichen Erkenntnissen, vorsichtig machen gegenüber voreiligen Aussagen, andererseits aber auch hellhörig für manche Nuancen, die oft allzu schnell übergangen werden.

Wir wollen so vorgehen, daß wir uns zunächst einmal das für uns hier Entscheidende dieser Wort- und Begriffsgeschichte vor Augen führen, um dann die sich aufdrängenden Folgerungen für unsere heutige Sakramententheologie daraus zu ziehen. Es geht zunächst um die beiden Wörter bzw. Begriffe μυστήριον und *sacramentum*. Damit wir uns jedoch nicht unnötig in Einzelheiten philologisch-historischer Forschung verlieren, bemerken wir sogleich das entscheidende Faktum: Es zeigt sich, daß wir hier keineswegs vor einem ausgesprochen biblischen oder auch nur in der Bibel besonders beachteten Wortfeld stehen. Vielmehr kommt der uns hier interessierende Ausdruck in der Heiligen Schrift nur ganz selten vor, und das durchaus nicht in einem Sinne, wie wir ihn von unserer üblichen Sakramententheologie, was das Wort «Sakrament» angeht, vielleicht zunächst erwarten würden. Dasselbe gilt sogar noch für die ersten Jahrhunderte der Kirche. Wir stehen also – das ist für unsere Überlegungen wort- und begriffsgeschichtlicher Art, wenn sie hier überhaupt Sinn haben sollen, äußerst wichtig – vor dem bedenkenswerten Tatbestand, daß ein im hellenistischen Bereich häufig und einigermaßen deutlich faßbar verwendeter Ausdruck in der Bibel äußerst selten, dabei aber an den für uns entscheidenden Stellen mit durchaus eigentümlicher Sinngebung vorkommt, später dann aber eigenartigerweise zu einem christlich-theologischen terminus technicus erhoben wurde. Das geschah zudem in einer Weise, die diesen Begriff bis heute nicht eindeutig definiert, ihn vielmehr ständiger Diskussion ausgesetzt hat, bis hin zum Vorschlag, diesen Terminus ganz fallenzulassen.[23] Außerdem bleibt derselbe Ausdruck (sacramentum; Mysterium) auch noch immer in anderer Bedeutung erhalten. Von daher gesehen, drängt sich sogleich die Frage auf, ob es überhaupt gelingen kann, terminologisch-geschichtlich glaubwürdig angeben zu können, wieso man erstens diesen Ausdruck aufgriff, und zweitens ihn in so eigentümlicher Weise, neben bleibender anderer Verwendung,

[23] Vgl. dazu etwa A. Skowronek, Sakrament in der evangelischen Theologie der Gegenwart (Paderborn 1970) 57 (über K. Barth); E. Jüngel, Das Sakrament – Was ist das, in: E. Jüngel-K. Rahner, Was ist ein Sakrament? (Freiburg 1971) 11–35.

auf ganz bestimmte, allerdings erst nach einem Jahrtausend genau gezählte
ekklesiale Lebensvollzüge besonders ansetzte, aber eben doch nicht für sie
reservierte. Bei der Beantwortung dieser Frage darf man sich nicht, wie es
offensichtlich allzuoft geschieht, der Illusion einer aufrechenbaren Logik
hingeben. Wie in vielen anderen Fällen, so ist hier sprachgeschichtlich wohl
manches Faktum festzustellen, für das aber eben keine zwingende und ein-
sehbare Logik der Entwicklung mit aufgewiesen werden kann. Das bleibt
freilich im Hinblick auf die Geschichte des Sakramentsbegriffs allzuoft unbeachtet. Im Anblick der bisherigen Ergebnisse der Forschung (auf die wir
sogleich zu sprechen kommen) läßt sich der Gedanke nicht ganz abweisen,
ob es nicht hier, zumal mit *sacramentum*, eine ähnliche Bewandtnis hat, wie
wir sie schon viel deutlicher, doch nicht weniger bedrängend, etwa für
missa oder für προσωπον – persona -Person kennen.[24] Diese Termini mit ihrer
Geschichte *und* mit dem, *was* sie *eigentlich* ansagen wollen, beides zusammengesehen, mögen uns daran erinnern, wessen die lebendige Sprache und die
theologische Begrifflichkeit, jenseits aller vermeintlichen Logik, fähig sind.
Damit ist jedes Ergebnis einer Wort- und Begriffsgeschichte relativiert, zugleich aber doch auch die Unausweichlichkeit von deren Ergebnissen ausgesprochen, da Sprache eben – Leben ist.

Vom Interesse, das uns im folgenden Überblick an sich leitet, nämlich die
Herkunft *unseres* Begriffs «Sakrament», verwendet gerade für die speziell
so genannten Lebensvollzüge der Kirche, geschichtlich zu beleuchten, wäre
es sachlich berechtigt und in der dogmengeschichtlichen Forschung, der es
um den Sprachgebrauch geht, vielleicht gar am sinnvollsten, zuerst dem
Wort und Begriff *sacramentum* nachzugehen. Doch haben wir uns aus Gründen der Kürze dazu entschlossen, das für uns Entscheidende in der folgenden Gliederung zu bieten; andernfalls wären Wiederholungen nicht zu
vermeiden.

a. Μυστήριον im Griechentum und Hellenismus

Es ist vielleicht doch recht bezeichnend, daß das Wort μυστήριον schon etymologisch geheimnisvoll ist.[25] Noch besteht keine letzte Einmütigkeit hinsichtlich der Herkunft, wenngleich die Ableitung von μύειν = (den Mund,
die Lippen) verschließen, am wahrscheinlichsten sein dürfte. Jedenfalls er-

---

[24] Zu «missa» vgl. J.A. Jungmann, Messe I: LThK 7 (1962) 321 mit der angegebenen
Literatur. – Zu «prosopon – persona – Person» vgl. MS II, 349–365; 383–393; 637–655.
Dazu außerdem die Christologie, III/1.

[25] Wir werten in der folgenden wort- und begriffsgeschichtlichen Darstellung vor allem
und weitgehend die Zusammenstellungen aus, die G. Bornkamm, mysterion: ThWNT IV
(1942) 809–834, bietet. Vgl. zudem die einschlägigen Artikel in LThK und RGG mit der
jeweils angeführten Literatur. Außerdem fügen wir an gegebener Stelle eigene Beobachtungen hinzu, soweit es der Raum hier zuläßt.

scheint μυστήριον von Anfang an in fester Prägung als eigentlich religiöser
Begriff. Die Verwendung dieses Ausdrucks läßt sich für das Griechentum
und den Hellenismus folgendermaßen zusammenfassen. Wegen unseres
Zusammenhangs hier sei zuerst auf den *kultischen* Mysterium-Begriff hingewiesen. Fast ausschließlich im Plural verwendet, bezeichnet er die «Mysterienkulte», näherhin die kultische Feier insgesamt, aus ihr auch besonders
die Einweihung (Initiation). Diese Mysterien verheißen oder verleihen den
Initiierten Heil (σωτηρία). Den Mysten ist, ein wesentliches Moment, absolute Schweigepflicht auferlegt, so daß die Mysterien grundsätzlich eine
Scheidung von Eingeweihten und Nicht-Eingeweihten kennen. Das
Schweigegebot richtet sich freilich nicht auf die Preisung der durch die Mysterien vermittelten Jenseitshoffnung der Mysten noch auf die Kultsagen
der Mysteriengötter, vielmehr auf das eigentliche Geschehen und die Riten
in den Mysterienfeiern selbst, zumal diese als Begegnung mit der Gottheit
begriffen wurden, wie auch auf die Deutung dieser Mysterien.

Neben der Verwendung der Mysterienterminologie weiterhin im *Zauber*
(für die magische Handlung selbst; für die Zauberformel; für die beim Zauber benutzten Mittel) läßt sich ein anderer Gebrauch von μυστήριον in der
Philosophie erkennen, wo es seit Platon bewußt eingesetzt wird. Das entscheidende Moment liegt hier nicht mehr so sehr im Kultischen als vielmehr
in der Lehre. Die Verbindung beider Weisen der Anwendung liegt im gemeinsamen Anliegen, zur Schau des Göttlichen und damit zur Vergöttlichung zu verhelfen. Dabei umfaßt das dabei gemeinte Erkennen oder
Schauen gemäß damaligem Verständnis und Sprachgebrauch entschieden
mehr, als es uns heute vordergründig erscheinen möchte. Bezeichnend für
unser Anliegen hier ist, daß bei Platon eher noch von einer Entlehnung der
Terminologie gesprochen werden kann, die aber letztlich eben das mensch-
lich-philosophische Bemühen (wenn auch im hohen Sinne Platons) zum
Ausdruck bringt. In der späteren, zumal neuplatonischen Zeit werden jene
(alten) Mysterienkultlehren und die Philosophie mehr zusammenschmelzen;
beide gehen eine gewisse Einheit ein.

Schließlich ist auch ein eher *profaner* Sprachgebrauch festzustellen. Vom
religiösen Verständnis her (das nie ganz untergeht) wird μυστήριον auch für
das intime, das Familien- oder sonstige private Geheimnis gesetzt, schließlich für das Geheimnis überhaupt. Freilich ist diese Verwendung doch relativ selten anzutreffen. Wichtig dürfte sein zu sehen, wie also der Weg der
Verwendung vom Kultisch-Religiösen zum Allgemein-Profanen verläuft,
nicht umgekehrt; dem religiösen Begriff blieb sein eigentliches Gewicht erhalten.

In der *Gnosis* findet sodann eine Umdeutung der Mysterien auf den Mythos vom himmlischen Urmenschen statt. Das Verständnis der μυστήρια ist
jetzt durch diesen Erlösungsmythos bestimmt. Die μυστήρια sind daher als
allumfassend begriffen, mit dem Nachdruck freilich auf die jenseitige, ver-

borgene Himmelswelt wie auf den Ursprung und die Erlösung des Menschen. Auf Grund des der Gnosis eigenen Synkretismus verwundert es
nicht weiter, wenn wir auch hier μυστήρια für heilige Bücher, für Riten und
Beschwörungsformeln wie auch für Lehren verwendet sehen.

b. Μυστήριον im Alten Testament

Auf dem Hintergrund, den das Griechentum und der Hellenismus abgeben,
erscheint die Verwendung von μυστήριον im AT in bezeichnendem Licht.
Rein theoretisch betrachtet könnte ja, aus offensichtlichen Gründen, μυστήριον an sich nur in den ursprünglich griechisch verfaßten Büchern des AT
(Weish und 2 Makk) und dann eben in der LXX vorkommen. Eigenartigerweise findet es sich nun nicht etwa (in der LXX) auf das gesamte AT verteilt, sondern nur in den Schriften, die der hellenistischen Zeit entstammen,
nämlich in Tob, Jdt, Weish, Sir, Dn und 2 Makk, zudem recht selten (insgesamt ca. 20mal). Daß μυστήρια (Plural!) auf die in der Heiligen Schrift
verurteilten Mysterienkulte und von daher auf allen Götzendienst bezogen
erscheint, verwundert nicht weiter. Bezeichnend ist übrigens, daß μυστήριον
später von den Rabbinen als Lehnwort ins Hebräische übernommen wird,
wie es ja ähnlich auch im Lateinischen (Mysterium) geschehen ist (schon bei
Cicero findet es sich). Neben dem genannten Gebrauch erscheint auch die
oben verzeichnete profane Sinngebung: Geheimpläne des Königs, Kriegs-
geheimnisse, Geheimnisse des Freundes, sodann das vertrauliche Gespräch
wie auch der Kreis der Vertrauten und die Beratung selbst, all das wird gelegentlich μυστήριον genannt, doch eben nur in den ganz spät verfaßten
Schriften.

Wichtiger ist die Stelle Weish 6, 22 wegen des Aufgreifens von Mysterienauffassungen wenigstens in der Sprechweise. Die Belehrung über Ursprung
und Wesen der Weisheit wird als Mysterienoffenbarung geschildert. Freilich läßt sich Entscheidendes, im Vergleich nämlich zum griechisch-helle-
nistischen Gebrauch, nicht übersehen: Die Weisheit (die Mysterien der
Weisheit) «von Anfang der Schöpfung an» wird laut verkündet, so daß es
von ihr her gesehen gerade keine Nichteingeweihten gibt bzw. nicht geben
soll. Auch ist nichts von kultischen Riten, nichts von einem Erlösungsmythos gesagt. Der Besitz der (Mysterien der) Weisheit ist letztlich nicht
Ergebnis menschlichen Bemühens; sie wird vielmehr, auf Gebet und Sich-
Öffnen hin, von Gott selbst als Geschenk zuteil (vgl. Weish 6–7; 8, 19–9, 18).

Im Buch Dn kommt ein neues Moment zum Vorschein, nämlich das
eschatologische. Μυστήριον hat hier an bestimmten Stellen den Sinn eines
eschatologischen Geheimnisses; es ist verhüllte Ankündigung der von Gott
bestimmten zukünftigen Ereignisse. Für unseren Zusammenhang sind vor
allem folgende Elemente zu beachten: Das Eschatologische wird unter
Sinnbildern verhüllt offenbart; Enthüllung und Deutung gehen ausschließ-

lich vom frei verfügenden Gott aus. Er ist schlechthin «der Offenbarer der Geheimnisse», ein Titel, der wie ein Gottesname erscheint (vgl. Dn 2,28. 29.47). Der Zusammenhang, auch in den sprachlichen Aussageweisen, zwischen Geheimnis (μυστήριον; μυστήρια) und Offenbarungsgeschehen (ἀποκαλύπτειν) ist stets gegeben. Schließlich ist auf die von Gott verfügte menschliche Vermittlung der Mysterienoffenbarung in Dn zu achten (vgl. 2,27–30.46–48). – Für *Qumran* gilt, soweit wir feststellen konnten, im wesentlichen dasselbe wie für das späte AT.[26]

In der *Apokalyptik* finden wir einen gewissen engeren Zusammenhang und -klang mit den Mysterienkulten und der Gnosis. Doch ist wieder das Eigentümliche nicht zu übersehen, das sich durchhält: Die Mysterien haben hier nicht Bezug auf das Schicksal der Gottheit selbst, sondern auf das, was diese verfügt und bestimmt. Der Empfang der Mysterien wird zudem nicht als Vergottung verstanden. Dazu erscheint die Ausrichtung auf die eschatologische Offenbarung.

Halten wir fest, daß also μυστήριον im AT nur an zwei Stellen (Weish 6,22 und Dn 2) einen für uns hier bedenkenswerten Bedeutungsinhalt besitzt.

c. *Μυστήριον* im Neuen Testament

Im Anblick der Ergebnisse, die wir für den Gebrauch von μυστήριον im Griechentum, Hellenismus und im AT sammeln konnten, lassen sich für das NT beachtenswerte Feststellungen treffen. Zunächst einmal: μυστήριον kommt auch darin an nur wenigen Stellen vor; die von ihnen wirklich entscheidenden sind zudem solcher Art, daß es nur schwer gelingen kann, das letztlich Gemeinte klar auszusprechen. Es sei auch sogleich auf das Ergebnis der Forschung aufmerksam gemacht, daß nämlich die hier gemeinten Stellen im NT auch kaum als vom besprochenen Gebrauch im AT herrührend oder aus ihm weiterentwickelt anzusprechen sind; die Verwendung des Ausdrucks μυστήριον ist recht eigenständig. Freilich ist die Tatsache zu konstatieren, daß die betreffenden Verfasser die Vokabel als für ihr Anliegen besonders brauchbar erachtet haben. – Wieder sei im folgenden auf das für unseren Zusammenhang Wichtige aufmerksam gemacht; den gesamten Komplex von μυστήριον im NT erschöpfend darzubieten, kann hier nicht das Anliegen sein.[27]

In den Evangelien kommt μυστήριον nur in dem geheimnisvollen, sich

[26] Vgl. dazu E. Vogt, Mysteria in textibus Qumran: Bibl 37 (1956) 247–257; B. Rigaux, Révélation des mystères et perfection à Qumran et dans le Nouveau Testament: NTS 4 (1957/58) 237–262; R. E. Brown, The Pre-Christian Concept of Mystery: CBQ 20 (1958) 417–443; J. Gnilka, Die Verstockung Israels = StAuNT 3 (München 1961) 177–179.

[27] Neben der schon angeführten Literatur verwerten wir besonders auch die Kommentare zu 1 Kor, Kol, Eph; bes. H. Schlier, Der Brief an die Epheser (Düsseldorf ³1962); J. Gnilka, Der Epheserbrief = HThKNT X.2 (Freiburg 1971).

einer voll begreifenden Erschließung entziehenden Wort Jesu in Mk 4,11f par vor (Mk: μυστήριον; Mt und Lk: μυστήρια). Es bezeichnet «das Geheimnis der Gottesherrschaft», zwar im Zusammenhang mit dem Sämannsgleichnis, doch offensichtlich überhaupt gemeint. Das μυστήριον τῆς βασιλείας τοῦ Θεοῦ ist letztlich Jesus selbst als der Messias. Dieses μυστήριον selbst (Mk) oder dessen Erkenntnis (Mt; Lk) wird bzw. ist den Jüngern gegeben (δέδοται); es ist reines Gnadengeschenk Gottes (des Vaters) (theologisches Passiv!), also nicht Ergebnis einer menschlichen Bemühung, welcher Art sie auch immer sei. Es ist nicht unangebracht, hier auch an den Jubelruf Jesu zu erinnern (vgl. Mt 11,25–30 par). Weiter ist der Entscheidungscharakter (Gerichtscharakter) zu beachten und daher das μυστήριον auch als Aufruf zur Glaubensentscheidung zu begreifen. Wir gehen nicht fehl, wenn wir in diesem Aussagenkomplex einigermaßen das eingefangen sehen, was Jesus selbst nach Mk 1,15 ausspricht: das Angekommensein der Gottesherrschaft in ihm und durch ihn bei denen, zu denen Jesus gesandt ist (letztlich *alle* Menschen, da er zu den Sündern gesandt ist) und die sein Wort, ja ihn selbst bei sich ankommen lassen, weil es ihnen gegeben ist. Der ihm eigentümliche Wirklichkeitscharakter des μυστήριον, das gegeben und zur Erkenntnis gegeben wird, sei hier auch schon notiert: die Wirklichkeit des Geschehens des Geheimnisses, das *als solches* offenbar gemacht und vermittelt wird, wobei die Wirklichkeits*weise* (wenn man so sagen kann) gerade die des Jesus ist, seiner Person, seines Lebens, seines Werkes.[28]

In den paulinischen und deuteropaulinischen Schriften des NT ist die in den Evangelien angedeutete Linie zum Höhepunkt geführt: Μυστήριον erscheint hier fest mit dem Christus-Kerygma verbunden, gleichsam mit ihm eins geworden und theologisch entsprechend entfaltet. Jesus Christus ist *das μυστήριον τοῦ Θεοῦ, das* Geheimnis Gottes (des Vaters!): Kol 2,2; vgl. 1,27; 4,3; sodann 1 Kor 2,1 (v.l.) mit 2,7; dazu überhaupt 1 Kor 2,1–16; Eph 3,3ff; 1 Tim 3,16. Die feste Verbindung zwischen μυστήριον und Christuskerygma ist vor allem und ganz konkret im λόγος τοῦ σταυροῦ (vgl. 1 Kor 1–2) greifbar und ausdrücklich gemacht. Dort liegt das letztlich Entscheidende.

Dieser so angedeutete Inhalt des Begriffs μυστήριον wird noch zu entfalten sein. Wir werfen jedoch zuvor kurz noch einen Blick auf den sonstigen, eher allgemeineren Gebrauch von μυστήριον im NT. Denn das Wort wird auch so verwendet, daß es offensichtlich nicht ausschließlich, direkt und unmittelbar die eigentliche Christus-Heilsoffenbarung und das Geschehen ihrer Verwirklichung ausdrückt und also nicht schlechthin identisch ist mit dem Christuskerygma. Das gilt etwa von 1 Kor 14,2 und dem dort angesprochenen Glossolalie-Phänomen. In einem

---

[28] Aufs Ganze gesehen, ist auch hier schon eine biblisch-neutestamentliche Grundlegung für die theologische Bezeichnung Jesu Christi als des Sakraments der Gottbegegnung in ihren entscheidenden Momenten offenkundig.

inneren Zusammenhang zum Christusgeheimnis steht, weil dessen «Anteil», natürlich das in Röm 11,25 ff bezeichnete Mysterium Israels und speziell das seines (eschatologischen) Heiles. Ähnliches gilt von der Auferstehung der Toten nach 1 Kor 15. Doch wird das dort Enthaltene, für unseren Zusammenhang Wichtige dieser und ähnlicher Stellen bei der Besprechung des Christus-Mysteriums mit zur Sprache kommen können. Auch auf die apokalyptisch zu verstehenden Anwendungen des Wortes μυστήριον (vgl. etwa 2 Thess 2,3 ff; Apk 17,5.7) brauchen wir hier nicht weiter einzugehen.

Die Stellen, welche gleichsam emphatisch Christus und das Heilshandeln Gottes in und durch Christus als *das* μυστήριον Gottes ansprechen, finden sich vor allem in 1 Kor, Kol, Eph (vgl. auch Röm 16,25 ff). Wir werden freilich im folgenden schon eine Zusammenfassung der exegetischen Erhebungen bringen, auch auf Grund anderer, die eigentlichen μυστήριον-Stellen sachlich erläuternder Aussagen des NT. Das μυστήριον ist, so können wir vorläufig sagen, die in Gott, dem All-Schöpfer vorbereitete, zunächst noch verborgen gehaltene, in der Fülle der Zeiten in Jesus Christus zur Erfüllung gebrachte Geschichte. Diese umfängt also als *das* μυστήριον Gottes die Schöpfung, die Erlösung und die eschatologische Vollendung, wobei zumal letztere beiden Heilsveranstaltungen schon vor der Erschaffung der Welt bereitet, jedoch noch in dem Schöpfergott vor den Aionen verborgen waren. Gott selbst führt das μυστήριον durch und offenbart es, indem er es verwirklicht. Es ist also kein innerweltliches, d.h. ein Geschehen, das sich schon aus der ursprünglich in der Erschaffung mitverliehenen Eigengesetzlichkeit der Welt und der Menschen entfaltet. Vielmehr ist es offenbar gemacht und wirksam als ein Geschehen, das von Gott her wirklich Neues bringt.[29] Es ereignet sich wohl *in* der Welt und sogar *durch* Mithereinnahme des Geschaffenen, ja sogar des verunstalteten Geschaffenen (Inkarnation im Fleisch der Sünde; Kreuz; Tod) in das konkrete μυστήριον; es ist aber dabei eben doch unbegreiflich frei verfügtes, nicht einmal vorausahnbares (vgl. 1 Kor 2,7 ff), gnadenhaft-machtvolles Handeln Gottes (des Vaters) selbst. Dabei geht es gerade nicht um ein Rätsel, das gelöst und folglich aufgelöst wird, dessen «Geheimnis»-Charakter also durch Verwirklichung und Offenbarung aufgehoben und abgelegt wäre. Vielmehr wird es gerade *als solches* offenbart. Genau das ist das Anliegen von 1 Kor 2, wo Paulus das μυστήριον Gottes ganz konkret bezeichnet: Es wird machtvoll-wirksam verkündet,

---

[29] Es sollte freilich nicht allzu schnell darüber hinweggesehen werden, daß in das *eine* mysterion Gottes eben auch die Schöpfung als ursprünglich-göttliches Handeln hineingehört, ein Handeln, das den Anfang setzt *und sich durchhält* (vgl. Gn 1,1 und Jo 1,1–18 und die darin offenkundige theologische Aussage). Daß natürlich im NT, zumal in Kol und Eph, das ausgesprochene *Heils*handeln Gottes, als Neues, im Vordergrund des Interesses und der Verkündigung steht, ist damit nicht geleugnet. Doch will ja z.B. gerade der Eph-Brief keinen anderen als den Schöpfergott als den Heilsgott erkannt und anerkannt wissen (vgl. bes. Eph 3,9 u.ö.).

glaubend erkannt und aufgenommen im λόγος τοῦ σταυροῦ, im Kreuz des
Κύριος τῆς δόξης. *Das* ist die Weisheit Gottes. Die allumfassende Wirklichkeit – Gott und das All, mit den Menschen und aller Geschichte – ist also
erst dann «vernommen», d.h. erkannt, anerkannt und verkostet, wenn *diese*,
eben die im Kreuz des Herrn als μυστήριον geoffenbarte und verwirklichte
Weisheit Gottes im Geiste eben dieses Gottes (vgl. 1 Kor 2,10–16) aufgenommen, d.h. geglaubt *und* glaubend vollzogen und gelebt wird. Erst in
der Glaubensannahme, im Aufgreifen dieses μυστήριον ist «begriffen», was
es um das Geschaffen-Sein des Alls und seine letzte Bestimmung, was
es um den Menschen ist, was um die Wirklichkeit und den Wirklichkeits-
Sinn des göttlichen Welt-Geschehens, der «Geschichte» nämlich; mit
einem Wort: was uns von Gott her gnadenhaft-schenkend zugedacht
und zuteil geworden ist (vgl. 1 Kor 2,12 im Zusammenhang von Kp. 1–2;
Mk 4,11 par).

Weiter gehört es zu diesem μυστήριον, daß es von Gott (Vater) in Jesus
Christus verwirklicht *ist* (vgl. die ständigen Aoristformen, z.B. in Eph 1
und 3), jedoch zugleich so, daß es *noch* wirken soll (vgl. Eph 3,10 und
2,11–22). Auch in *diesem* Sinne ist seine Offenbarung und Verwirklichung
eben nicht dessen Auflösung und Aufhebung oder Beendigung. Es heißt ja
nicht, das, was einmal μυστήριον *war*, sei jetzt offenbar und Wirklichkeit und
in *diesem* Sinne eben *nicht mehr* μυστήριον. Vielmehr ist das bisher in Gott
verborgene μυστήριον *jetzt* ein *offenbares* μυστήριον, und es gehört zu ihm, daß
es, gerade *als das* (schon) *offenbargemachte und verwirklichte* (man bedenke
nochmals den Aorist), weiter offenbart, d.h. wirkmächtig verkündet, weiter
verwirklicht und somit wirksam werden soll: Es gehört innerlich zu diesem
μυστήριον, daß es eine οἰκονομία, vom selben Gott verfügt, gibt, in der es
gerade *als das* offenbart-verwirklichte durchgeführt und noch zur Vollendung zu bringen ist.

Genau an diesem Punkt tritt die *Kirche* in ihrem ihr eigentümlichen Wesen
in Erscheinung. Sie ist nämlich gerade die schon in den Machtbereich der
Himmel (vgl. Eph 3,10; 2,6 im dort gemeinten Sinn) versetzte (Aorist!)
Reichtumsfülle Christi (Kol 2,3) als das (schon) offenbarte und doch eben
noch wirken und wirksam-werden sollende μυστήριον. Was Gott, dieses
wirkend, offenbart hat, das *ist* die Kirche, und *das* soll sie als das in ihr
(schon) wirkliche und geoffenbarte, der Welt und den Mächten noch zu
offenbarende μυστήριον sein, *verkünden, vermitteln.* Die Kirche ist, so können
wir das mit unseren Worten zusammenfassen, das im konkret-geschicht-
lichen Geschehen *gewordene* μυστήριον Gottes, das jetzt, in der «Zeit der
Kirche», dieses *gewordene* μυστήριον gerade als *ein zu offenbarendes* und *zu verwirklichendes* sein soll, um dann, in der endgültig-eschatologischen Vollendung, auf Grund ihres Wachsens (vgl. Eph 2,20ff) wie der voll-endeten
Allzusammenfassung im Haupte, Jesus Christus (Eph 1,10), das unerschöpf-
liche Erbe und Eigentum Gottes (des Vaters) (Eph 1,14) zu sein, zur eigenen

Fülle der Lebensfreude (vgl. Jo 15,11; 16,24; 17,13; 10,10), zur Herrlichkeit Gottes des Vaters (Eph 1,14; vgl. 1 Kor 15,24–28).

Wichtig ist zu sehen, daß nach Kol und Eph (vgl. hier bes. Eph 3,1–12) tatsächlich der Kirche eine besondere Funktion im *einen*, alles umfassenden μυστήριον Gottes zugewiesen ist. Dies gehört – das ist entscheidend – mit in die Unbegreiflichkeit (vgl. 1 Kor 1,17–2,16) oder, was dasselbe ist, in den unergründlichen Reichtum (Eph 3,8) des μυστήριον Gottes wesentlich hinein, entstammt demselben einen Huldratschluß Gottes (vgl. Eph 1,19; 3,10ff). Die Kirche als realisiertes, in Christus gewirktes Mysterium – die Kirche aus Juden und Heiden gebildet (vgl. Eph 2,11–19) und auf der Seite Christi als dessen σῶμα (Eph 1,23 u.ö.) und πλήρωμα (Eph 1,23; 4,13) der Welt und ihren Mächten gegenübergestellt (vgl. Eph 3,9ff u.ö.) – soll auf die ihr verliehene, eigentümliche Weise, *mit* Christus und in Abhängigkeit von ihm (als sein σῶμα!), als das ihr zugeteilte Los (vgl. Eph 1,11) das μυστήριον *sein* und das Offenbaren und Wirken desselben mit-übernehmen. Seitdem und weil Jesus Christus sein historisch-heilsgeschichtliches (vgl. den steten Nachdruck auf Leiden und Kreuz Jesu) Werk geleistet und sich die Kirche gebildet *hat*, ist ein neubegründetes *Jetzt* (vgl. das νῦν in Eph 3,10) von Gott her eröffnet, die (Wirk)Zeit der Kirche als des der Weltöffentlichkeit gegenüber offenbarten *und* zu offenbarenden, des bewirkten *und* zu verwirklichenden *einen* μυστήριον Gottes (Eph 3,9f), ohne daß dabei (was nicht übersehen werden sollte) Gott (Vater) und Christus ihrerseits aufhörten, das von ihnen her begonnene Mysterium frei und souverän fortzuwirken.[30] Der Kirche ist «das Los zuteil geworden» (vgl. Eph 1,11, zusammen mit 3,9f); das heißt: sie hat Anteil erhalten, ist *beteiligt* worden am μυστήριον Gottes, in diesem soeben angedeuteten Sinn. Daß hier die (sich später entwickelnde) Kategorie des Sakramentalen der Kirche im Vollverständnis ihren legitimen, christlichen Ansatzpunkt wie ihre Begründung hat, dürfte schon klar sein, ist aber später noch deutlicher zu entfalten.

Es ist auch noch auf ein Weiteres aufmerksam zu machen. Zur οἰκονομία des μυστήριον, wie sie von Gott tatsächlich frei verfügt und verwirklicht ist (wird), gehört, «neben» und in der Kirche (gemäß dem Eph eindeutig als die Universalkirche verstanden) auch die Beauftragung des einzelnen oder einzelner. Das ist zunächst für die Aufgabe des Apostels Paulus nach der Theologie und Redeweise von Kol und Eph ganz offenkundig (vgl. Kol

---

[30] Darauf sollte sehr geachtet werden, zumal im Hinblick auf die auszubildende Sakramententheologie. Allzuleicht wird ja gelegentlich der unerleuchtete Vorwurf erhoben, man bemühe die Sakramente oder auch die Kirche deswegen zu Unrecht, weil man durch sie Gott ein Alibi zuschreibe. Die Souveränität Gottes ist in Eph 3,1–12 ganz klar gewahrt, und doch heißt es, daß er (!) *durch* die Kirche (und also nicht mehr ohne sie) *sein* mysterion offenbaren und verwirklichen will. Die Frage der (theologisch-ontologischen) «Erklärung» dieses «Zusammenwirkens» ist nochmals ein anderes Problem, das besteht, was aber die ursprüngliche Aussage des NT deswegen nicht hinfällig macht.

1,23–29; Eph 3). Ihm ist dieser besondere «Auftrag der Gnade Gottes» (Eph 3,3) zum Verkündigungsdienst auf die anderen hin zuteil geworden (3,2 mit 3,7f).[31] Doch werden in entsprechendem Sinne auch die «Apostel und (wohl ntl.) Propheten» genannt (vgl. Eph 2,20; 3,5; Kol 1,6ff. 23–29). Weiter kann an das vielfältig verstandene Wir erinnert werden (vgl. 1 Kor; Kol u. Eph passim), das nicht einfach nivelliert und gleichmacherisch ein christliches Sein und Sollen erfährt, sondern sich in besonderen Dienst- funktionen ausprägt, gleichsam über das «allgemeine» Christ-Sein hinaus (vgl. Eph 4,1–16). Dabei ist zu sehen, daß es einerseits in concreto offen- sichtlich kein Glied der Kirche ohne seine ihm ganz eigene Position gibt, andererseits doch auch bestimmte besondere Dienstfunktionen und Dienst- funktionsgruppen festzustellen sind.

Schließlich ist auf den Zielpunkt des μυστήριον und folglich des Seins und der Aufgabe der Kirche hinzuweisen. Die Vollendung des Alls (vgl. Kol 1; Eph 3,9), das In-Christus-alles-(wieder)-Zusammenfassen (vgl. Eph 1,10) und das endgültig-glorreiche Ankommen beim Vater (vgl. 1 Kor 15,24–28; Kol; Eph) ist eschatologische Zukunft (vgl. schon Eph 1,10 u.ö.). Die δόξα ist, bei aller schon erfolgten (und in *dem* Sinne unüberbietbaren) Offen- barung und Verwirklichung im Christusereignis, doch noch in ihm ver- borgen (vgl. Kol 1,27; 2,3). Noch gilt auch für die Kirche als *Aufgabe*, was Christus in sich als sein Werk für die Kirche vollbracht hat (vgl. Kol 1,18ff; Eph 1,17; 2,14ff; 5,25), nämlich ihrerseits genau dieses an- und auf sich zu nehmen (vgl. 1 Kor 1,17f. 26; 2,8. 12–16), zu vollbringen und somit in den ϑλίψεις (vgl. Kol 1,24f; Eph 3,13) auf Hoffnung hin auszuhalten, freilich jetzt schon *kraft* des in Christus verwirklichten μυστήριον Gottes des Vaters. Auch dieses, das Kreuz aktuierende eschatologische Moment am einen Mysterium Gottes, insofern es die Kirche ist, bleibt in unserem Zusammen- hang noch zu bedenken.

Diese nur eben anzudeutenden Beobachtungen zu μυστήριον im NT vor- läufig abschließend, kann auf folgendes noch aufmerksam gemacht werden. Für die Probleme der Wort-, Begriffs- und Theologiegeschichte dürfte wichtig sein, daß also offensichtlich nicht von einem vorliegenden, schon einigermaßen festumrissenen und deswegen sich der Anwendung *von sich aus* schon anbietenden Begriffsinhalt von μυστήριον ausgegangen wird, wenn da- mit in den ntl. Schriften gerade das Christusereignis zur Sprache gebracht werden soll. Natürlich muß das Wort etwas an sich (gehabt) haben, daß es als geeignet befunden wurde. Doch ist festzuhalten, daß offensichtlich vom zuvor erfahrenen und verkündeten Christusgeschehen selbst her in das Wort

---

[31] Auf die Tatsache, daß in Eph 3, 1–11 dem Apostel Paulus eine ganz einmalige Beauf- tragung im Hinblick auf *das* mysterion Gottes und somit für die Kirche zuteil wurde (wo- bei ja nicht schon mitgesagt ist, daß *nur er* allein eine einmalige Aufgabe hatte), haben wir an dieser Stelle nicht näher einzugehen.

und den Begriff das hineingelegt wurde, was wir jetzt mühevoll aus ihm herauszulesen vermögen. Dabei darf ja auch nicht vergessen werden, wie dasselbe Ereignis in seiner Fülle auch in anderen und zwar mannigfaltigen Wortprägungen und Formulierungsweisen verkündet, begriffen und zur Sprache gebracht wird. Denn ausgegangen wurde eben von den erlebten, also historischen Ereignissen des Jesus. *Diese* sind zunächst das, was dann (und zwar nie voll-begreifend!) erkannt und ins Wort gebracht wird. Auch das für das Verstehen der Entwicklung des μυστήριον-Begriffs als *Sakraments*-begriffs immer mitzubedenken, darf nie versäumt werden.

Weil μυστήριον als Wort und Begriff einerseits bereit, andererseits aber auch ganz offen war, so ist es nicht uneinsichtig, wenn auch einzelne Momente dessen, was in der Fülle im NT μυστήριον heißt, mit diesem Terminus bezeichnet werden konnten, ohne die Einheit aufzuheben. So mag die Auferstehung der Toten nach 1 Kor 15,51 μυστήριον heißen, eben als «Teilmoment» des *einen* Heilsmysteriums; so auch das eine Heil von Juden *und* Heiden oder das eschatologische Heil Israels nach Röm 11. Wir finden hier den ntl. Schlüssel für das noch zu besprechende Faktum, daß nämlich bald auch einzelne Ereignisse des Lebens und Wirkens Jesu, in denen er gerade als Messias offenbar wurde und wirkte, je als μυστήριον bezeichnet werden. Ähnlich verhält es sich übrigens mit εὐαγγέλιον, das im NT sich als sachlich identisch mit dem beschriebenen einen μυστήριον erweist. So ist auch leichter einzusehen, wie sich das Wort μυστήριον von der Bedeutung «Gottes geheimnisvolles Handeln zum Heil» auch zu «*Kunde* des Heils» entwickeln konnte. Das ist zudem ja auch nicht nur oder eigentlich eine mehr sprachlich-begriffliche Weiterentwicklung, sondern in der Sache selbst begründet. Das μυστήριον, die Gotteswirklichkeit und -wirksamkeit, ist ja auf Glauben hin zu verkünden, und dieses Verkünden aus Ermächtigung trägt zur Verwirklichung bei, bewirkt sie mit.[32]

Insgesamt gesehen halten wir also dieses fest: *Μυστήριον* ist im NT ein seltener Begriff, der vom tatsächlichen Heilsereignis her seinen eigentümlich-neutestamentlichen Sinn erhält und dabei keinerlei Beziehungen zu den Mysterienkulten erkennen läßt.[33] Aus allem Besprochenen ist nicht mehr unverständlich, was dann die weitere Begriffsgeschichte zeigt: Wann immer das ganze Werk Gottes in und durch Jesus Christus oder ein wesentliches Moment von ihm zu bezeichnen ist, auch in seiner Verwirklichung in der Zeit der Kirche als Beteiligtsein dieser Kirche, dann *kann* μυστήριον stehen, wobei immer offen bleibt, zunächst, was dieses Wort, *wenn* es überhaupt gesetzt wird, am gegebenen Ort herausstellen und zum Ausdruck bringen

[32] Vgl. dazu etwa die hymnische Christus-mysterion-Aussage in 1 Tim 3,16.

[33] «Aufs Ganze gesehen, ist mysterion ein im NT seltener Begriff, der nirgends Beziehungen zu den Mysterienkulten erkennen läßt. Wo solche Beziehungen erkennbar sind (wie z. B. in den Sakramentstexten), findet sich der Begriff nicht; wo er aber begegnet, fehlen sie»: G. Bornkamm, ThWNT 4 (1942) 831.

will. Außerdem bleiben – auch das darf nie übersehen werden – genauso jene anderen Bedeutungsinhalte in Gebrauch, so daß zunächst alles offenbleibt, was die weitere Begriffsgeschichte angeht. Diese haben wir jetzt kurz zu verfolgen.

d. Der Bedeutungsinhalt von μυστήριον und sacramentum in der frühen Väterzeit

Für die Väterzeit fehlen uns leider immer noch einschlägige und vor allem detailliert-umfassende Untersuchungsergebnisse hinsichtlich des tatsächlichen Begriffs- und Bedeutungsinhalts von μυστήριον bzw. sacramentum.[34] Trotz aller schon geleisteten wertvollen Arbeit bleiben entscheidende Fragen immer noch offen. Die meisten der schon vorliegenden Forschungsergebnisse beruhen nämlich eben doch auf Untersuchungen, die, bewußt oder unbewußt, von einem schon vorgefaßten, dazu dem recht späten, eingeengten Begriff «Sakrament» her konzipiert waren, wie er, auf Grund seiner Fixierung seit dem späten Mittelalter, für die heute speziell Sakramente genannten Riten ausgebildet worden war. Im Anblick dieser Tatsache kann das Folgende nur unter dem Vorbehalt neuer Ergebnisse dringlicher Forschung geboten werden.

Insgesamt ist nochmals zu bedenken, daß μυστήριον wie sacramentum mit den entsprechenden Wiedergaben in den nachklassischen und modernen Sprachen *bis heute* keine eindeutige, unangefochtene Begriffsfestlegung erlangt haben. In viel größerem Maße gilt das jedoch für die frühe Zeit der Kirche. Dort haben beide Vokabeln eine Vielfalt von Bedeutungsinhalten und -nuancen, die in unseren Sprachen ja meist durch die mannigfaltige Übersetzungsmöglichkeit überdeckt und daher allzuleicht übersehen wird. Würde aber darauf nicht hinreichend geachtet, dann übersähe man auch bei dem folgenden Versuch der Nachzeichnung der Bedeutungslinien allzu leicht die inneren Zusammenhänge zwischen einzeln aufzuführenden «verschiedenen» Inhalten. Die uns hier natürlich hauptsächlich interessierende Verfolgung der theologiegeschichtlichen Linie der Entstehung des speziellen Sakramentsbegriffs darf nicht über die innere Verquickung dieses Begriffsinhalts mit den anderen, hier nicht weiter zu verfolgenden hinwegsehen lassen. In diesem Sinne ist auch die Gliederung des folgenden Überblickes zu verstehen, der ja nicht eigentlich patristisch-dogmengeschichtliche oder begriffsgeschichtliche Anliegen verfolgt, sondern im Hinblick auf die Aufgabe dieses Abschnittes der Ekklesiologie geboten wird. Daher behandeln wir, aus Gründen, die noch einsichtig werden, ausführlicher nur die frühe Väterzeit.

---

[34] Vgl. für das Folgende die einschlägigen Artikel in LThK; RGG; ThWNT; dann A. Kolping, Sacramentum Tertullianeum (Münster 1948) und die jeweils angegebene Literatur. Auf Weiteres wird an gegebener Stelle aufmerksam gemacht.

aa. Μυστήριον

Die Verwendung von *μυστήριον* in der unmittelbar nachapostolischen, frühen Zeit der Kirche zeigt zunächst dasselbe Bild, wie wir es für die Heilige Schrift erkannten. Das Wort wird tatsächlich selten gebraucht, und es läßt sich keine Bedeutungsfixierung feststellen, die etwa schon auf unsere «Sakramente» hinausliefe. Wegen des Fehlens von vollständigen Wortstatistiken muß auch vorläufig noch jede Wertung im Sinne der Vorrangigkeit einer bestimmten Bedeutung unterlassen bleiben. Die Analyse des je an den einzelnen (wenigen!) Stellen anklingenden Begriffsinhaltes von *μυστήριον* (soweit er überhaupt eindeutig erhebbar ist) läßt einige Linien erkennen, die hauptsächlich im NT (und AT) ihre ersten Ansätze zeigen, später dann auch mehr von außen kommende Einflüsse aufweisen.

Zunächst einmal begegnet – was an sich unmittelbar verständlich ist – *μυστήριον*, und zwar fast durchweg im Plural, in den Werken der ersten christlichen Schriftsteller als Fachterminus für die heidnischen Mysterienkulte oder für die abgelehnten Geheimlehren, vor allem der Gnostiker. Besonders in apologetischen Schriften greifbar, wird dieser Sprachgebrauch auch zum Anlaß von Vergleichen und Gegenüberstellungen zwischen dem eigentlich Christlichen und den religiös-philosophisch-gnostischen und mysterienkultischen Lehren und Riten. Es bleibt offen, wieweit ein entsprechender Sprachgebrauch oder gar die eigenständige, nicht ursprünglich biblische Denk- und Verstehensweise *innerhalb* der Christenheit zur gleichen Zeit schon üblich war, d.h. in der christlichen Katechese etwa, in Liturgie und Theologie. Nur langsam scheint der Begriff im christlichen Sprachgebrauch selbst wachsende Bedeutung gewonnen zu haben, die sich dann auf bewußtere und immer deutlicher sich herausschälende Begriffsverwendungen hin entwickelt. Die Gründe für diesen späteren Wandel dürften, soweit sie überhaupt noch angebbar sind, darin gelegen sein, daß die Scheu vor der Verwendung spezifisch heidnisch-religiöser und philosophischer Terminologie abgebaut wurde.

Hinsichtlich der spezifisch christlichen Verwendung von *μυστήριον* geht die angedeutete Entwicklung dahin, daß das Wort bald, doch offenbar ausgehend vom Verständnis des *einen* Mysteriums Gottes im Heilshandeln durch Jesus Christus gemäß den ntl. Schriften, besonders von 1 Kor, Kol und Eph, auch auf die einzelnen Geschehnisse des Lebens und Wirkens Jesu angewandt wird, insofern in ihnen nämlich spezielle Heilsbedeutung gesehen wird. *Μυστήριον* meint – das sollte nicht unbeachtet bleiben – auch dann immer das konkrete Heilshandeln Gottes des Vaters durch Christus an uns, also nicht nur ein dem menschlichen *Begreifen* geheimnisvoll-mysteriös Erscheinendes. Hier wäre *Ignatius*, Eph 19,1 zu nennen, wo die «Jungfräulichkeit Mariens», «ihr Gebären» und der «Tod des Herrn» *μυστήρια* heißen, eine Sprechweise, die im Zusammenhang auf dem Gedankengut des

NT, besonders von 1 Kor und Eph, als Grund aufruht. Wenngleich hier Anklänge an gnostische Sprechweise vorliegen mögen,[35] so ist bei Ignatius wegen seiner sonstigen Aussagen hier eher der ntl. Inhalt von μυστήριον zu suchen. Ähnliches gilt, insgesamt gesehen, auch von Justin. Besonderer Erwähnung wert ist IgnMg 9, 1, ein für unser Anliegen ungemein reicher Text, auf den wir später nochmals zurückkommen müssen.[36] Hier wird nämlich das Ereignis des «Aufgangs unseres Lebens durch ihn (Jesus Christus) und seinen Tod» μυστήριον genannt, ein Mysterion, mit dem wesentlich der Herrentag zu tun hat und *durch das* die Christen zum Glauben gekommen sind, den Glauben empfangen haben. Mit letzterer Formel ist ohne Zweifel (Aorist!) auf die Taufe hingewiesen. Mit einem Wort: Wir finden hier die Hauptmomente des μυστήριον von Eph 1, 3–14 und 3, 1–12 in *einem* Satz wieder.

In diesem Zusammenhang können sogleich auch jene Stellen angeführt werden, deren tatsächlicher Sinn nach wie vor schwer erhebbar ist. Es geht um IgnTr 2, 3 und Did 11, 11. Wie immer sie aber näherhin begriffen werden müssen,[37] sie ordnen jedenfalls Kirche und μυστήριον zusammen: Bei gegebenem Anlaß klingt an, daß die Kirche als jene Präsenz (passiv-empfangend und aktiv-mitwirkend) des μυστήριον Gottes in Christus, auch in ekklesial-individueller Repräsentanz, begriffen ist, wie sie schon in 1 und 2 Kor, Kol, Eph und 1 Tim, nicht weniger aber dann auch z. B. in IgnSm 1, 2 und an ähnlichen Stellen verstanden wird. Insgesamt bleibt die Seltenheit der Begriffsverwendung bezeichnend, wie auch das völlige Fehlen echter Anklänge an (heidnische) Mysterienauffassungen und deren Terminologie, wenngleich sie, etwa in IgnMg 9, 1, nahegelegen hätte.

Ein anderer Bedeutungszweig, aus demselben im NT gebotenen (eigenständigen) Verständnis des einen μυστήριον Gottes herauswachsend, setzt dieses Wort für die Angabe alttestamentlicher typologischer Figuren und Geschehnisse an. So ist für *Justin* der Alte Bund εἰς μυστήριον τοῦ Χριστοῦ.[38] Μυστήριον ist in diesem Sinne mehr oder weniger synonym mit παραβολή, σύμβολον, τύπος. Dieses Verständnis und die entsprechende Verwendung von μυστήριον (wie dann auch mysterium und sacramentum im Lateinischen) soll auf Jahrhunderte hin sich durchhalten. In der frühen Zeit bleibt dabei

---

[35] Vgl. dazu H. Schlier, Religionsgeschichtliche Untersuchungen zu den Ignatius-Briefen (Gießen 1929).

[36] G. Bornkamm (ThWNT 831) dürfte die Bedeutung dieses Textes nicht bemerkt haben. Vgl. unsere weitere Auswertung unten S. 103 f.

[37] Die Texte lauten: «Aber auch die, die Diakone der Geheimnisse Jesu Christi sind, müssen sich auf jede Weise allen gefällig machen. Denn sie sind nicht Diakone für Speisen und Getränke, sondern der Kirche Gottes Diener» (IgnTr 2, 3; nach J. A. Fischer, Die Apostolischen Väter [München 1956]). – «Jeder wahre und bewährte Prophet, der bei seinem Handeln auf das irdische Geheimnis der Kirche abzielt, der aber nicht lehrt, alles, was er tut, solle getan werden, der soll eurem Urteil entzogen sein...» (Did 11, 11).

[38] Justin, Dial. 44.

der Ereignischarakter vorrangig: die atl. Personen oder Heilsgeschehnisse waren schon gewisse Voraus*verwirklichungen* des *einen* Ratschlusses Gottes zum Heil bzw. seiner endgültigen Verwirklichung in Jesus Christus. Von diesem letztgenannten Bedeutungsinhalt von μυστήριον ist dann kein weiter Weg mehr zu der anderen Verwendung, die zumal in der alexandrinischen Theologie vorherrschend wird. Wie diese ja auch sonst durch die ihr eigentümliche Nähe zu gnostisch-neuplatonischem Gedankengut charakterisiert ist, so ist begreiflich, wie in diesem Bereich die entsprechende(n) Mysterienkategorie(n) in dem Sinne aufgegriffen wird (werden), daß die Lehren bzw. die Wahrheiten des Christentums als Mysterium – Mysterien aufgefaßt werden. Auch diese Verwendung von μυστήριον soll für die Zukunft der Kirche von großer Bedeutung werden. Bis in unsere Sprache hinein hat sich das Wort erhalten, im Sinne des Geheimnisses, das nur glaubend erkannt und erfaßt werden kann. Daß hier der Weg vom «Mysterium» zum «Dogma» christlicher Lehre weiterbeschritten wurde, ist nach allem nicht mehr verwunderlich. Doch sollte auch hier wieder nicht übersehen werden, daß in der alten Kirche die innige Einheit von Heil, Leben und Lehre selbstverständlich war. Der Herr ist Heiland auch *als* Lehrer, und als solcher Lehrer der Heilbringer (vgl. schon IgnMag).[39] Daß hier eher nur die eine Seite des paulinischen Vollverständnisses von μυστήριον besonders entwickelt erscheint, soll natürlich nicht übersehen werden. Es wird ja keine Zeit der Kirche je um ihre «Einseitigkeit» in der Erkenntnis und Auswertung des unbegreiflichen μυστήριον herumkommen. – Besonderer Beachtung wert ist hier noch die Konzeption des *Origenes*, der das *eine* große μυστήριον (nämlich die dreifache Manifestation des Logos: durch die Inkarnation, in der Kirche, in der Schrift!) von den μυστήρια unterscheidet, die an jenem («nur») partizipieren.[40] Hier konnte ja sogar eine relative Geringerschätzung der Sakramente, zumal auch der Eucharistie, gegenüber etwa dem «geistigeren» Wort der Schrift u. ä. vermutet werden.

Schließlich ist auf die kultisch-gottesdienstliche Verwendung des μυστήριον-Begriffs hinzuweisen, wie auch der Terminologie der Mysterienfeiern im allgemeinen. Der gesamte Komplex der Entwicklung ist noch längst nicht vollständig untersucht. Manche Beobachtungen mahnen dazu, mit Zusammenfassungen und Festlegungen von Ergebnissen eher vorsichtig zu sein. Doch läßt sich dieses schon sagen: Wohl weil überhaupt die Scheu der Christen gegenüber heidnisch-religiöser (formaler) Begrifflichkeit in der ersten Zeit vorherrschte, wurden die christlichen Kultriten innerhalb

---

[39] Bezeichnend in IgnMg 9,1f die innere Verbindung zwischen dem «gemäß Jesus Christus leben», «gemäß dem Herrentag leben» und «gemäß dem Mysterion leben, durch das wir den Glauben empfangen haben», «um als Jünger Jesu Christi, unseres einzigen Lehrers, erfunden zu werden» (vgl. Mt 23, 8).

[40] Vgl. H. U. v. Balthasar, Le mystère d'Origène, in: RSR 26 (1936) 513–562; 27 (1937) 38–64.

des griechischen Sprachbereichs zunächst nicht mit μυστήριον, μυστήρια benannt. Justin ist dafür ein klares Beispiel. Obwohl die Mysterienkategorien
bei ihm eine große Rolle spielen, wendet er sie nicht für die christlichen
Feiern selbst an.[41] Erst die spätere Entwicklung bringt hierin eine Änderung. Sie gehört aber nicht mehr in die Zeit, auf die wir hier zunächst
schauen.

bb. sacramentum

Die frühe Wort- und Begriffsgeschichte von sacramentum hat hier unser
besonderes Interesse auch schon deswegen, weil sich ja unser heutiger
Fachterminus von ihm herleitet. Das ist nämlich deswegen beachtenswert,
weil ja das Lateinische das in der (griechischen) Bibel verwendete μυστήριον
auch als Lehnwort (mysterium) übernommen hatte, schon bevor ein christliches Interesse an diesen Begriffen wachgeworden war. Auch im lateinischen Raum hätte also durchaus μυστήριον – mysterium stehenbleiben können. Es stellt sich folglich die Frage, was der Anlaß gewesen sein mag für
die Bevorzugung von sacramentum für die gemeinsame Bezeichnung jener
Lebensvollzüge der Kirche (wenngleich dieses selbe Wort, wie es für μυστήριον gilt, auch für manches andere Jahrhunderte hindurch stehen kann).

Was den klassischen Gebrauch von sacramentum angeht,[42] so sei kurz ein
Wort zur Etymologie gesagt, weil auch sie für die (neuartig-spezifische)
christliche Verwendung von sacramentum mit verantwortlich sein dürfte.
Der Stamm sacr- drückt einen Bezug zum Göttlich-Numinosen aus; sacrum,
sacrare, consecrare heben zudem immer auch das öffentlich-rechtliche Moment hervor, wogegen etwa res religiosa ein privat Geweihtes meint. Sacramentum kann, weil -mentum vor allem Bezeichnung für das Mittel oder
Werkzeug ist, für das Mittel stehen, das weiht (sacrat) bzw. *durch* das jemand
weiht: aktiv-etymologischer Sinn; dann für das, was geweiht wird oder
geweiht ist (sacratum – sacrum): passiv-etymologische Bedeutung; schließlich für die Weihe*handlung* (sacratio, consecratio). Ausgehend von bzw. gründend in dieser, in der Etymologie schon sichtbar werdenden Grundbedeu-
tung, ist sacramentum semasiologisch Fachausdruck besonders für den
Fahneneid der Soldaten geworden. Dabei erscheint es in dieser Bedeutung
als besonderer Fall des iusiurandum. Es hat etwas mit dem Bereich des
Göttlichen und des Rechtlich-Öffentlichen zu tun. Daher ist sacramentum
in diesem Sinne auch das Weihe*mittel* der als Weihe empfundenen Vereidi-
gung – Eidesablegung. Sodann kann sacramentum auch die vor Beginn
eines Zivilprozesses an sakralem Ort zu hinterlegende Geldessumme bedeuten, die dort zum Gebrauch im sacrarium verbleibt, falls der Prozeß ver-

---

[41] Vgl. dazu A. Kolping, Sacramentum Tertullianeum 105 f.

[42] Vgl. für das Folgende bes. A. Kolping, Sacramentum Tertullianeum (Münster
1948); Chr. Mohrmann, Sacramentum dans les plus anciens textes chrétiens, in: HThR 47
(1954) 141–152.

loren wird. Es handelt sich also gleichsam um eine Weihe(gabe) im Sinne
der Selbstverfluchung für den Fall der Untreue oder Unwahrhaftigkeit.
Beide Sinngebungen, Soldateneid und Prozeßhinterlage, gründen letztlich
in demselben, nämlich in der öffentlich-rechtlichen sakralen Eidesweihe
mittels einer Selbstverfluchung für den Fall des Eidbruchs. Aus den einzelnen, in der Etymologie wie Semasiologie mitschwingenden Momenten ist
nicht uneinsichtig, daß sacramentum in der Antike gegebenenfalls in Texten
stehen kann, die mysterienkultische und ähnliche Sachverhalte, darlegend
oder auch ablehnend, besprechen. Das brauchen wir hier aber nicht näher
zu verfolgen.

Für den christlichen Gebrauch von sacramentum ist als erstes festzustellen, daß schon *vor Tertullian*, der als erster lateinischer Schriftsteller sacramentum in mannigfaltiger Weise als *theologischen* Ausdruck verwendet, die
Vokabel längst im christlichen Bereich benutzt wurde. Sacramentum war
in den frühen (afrikanischen) Bibelübersetzungen durchweg das Übersetzungswort für μυστήριον. Das ist ein beachtenswertes Faktum, weil es ja das
Lehnwort mysterium längst gab und dieses später in der Itala häufig, in der
Vulgata sogar mit Vorrang (29:16) eingesetzt wird. Es ist nicht mehr eindeutig zu erheben, weshalb in der Frühzeit sacramentum und nicht mysterium für μυστήριον gesetzt wurde. Die vorherrschende Meinung geht dahin,
daß zunächst überhaupt griechische Fremdwörter gemieden wurden (vgl.
auch verbum und sermo für λόγος u. v. a.), außerdem man aber offensichtlich μυστήριον (μυστήρια) wegen seiner eigentümlich-heidnischen Bedeutung
vermeiden wollte (wie übrigens auch andere, ein heidnisch-kultisches o. ä.
Verständnis allzuleicht suggerierende Termini). Außerdem wird man auch
wohl nicht umhinkönnen, das Irrationale einer von eher Ungebildeten getroffenen «spontanen» Wortwahl mitzubedenken, wie es auch sonst nicht
selten der Fall ist.[43]

Mit sacramentum als Übersetzung von μυστήριον in den Bibelübersetzungen ist ein erster christlicher Bedeutungsgehalt greifbar. So wird es zunächst auch einfach das bezeichnet haben, was man zur Zeit dieser Übersetzungen unter μυστήριον an den gegebenen Stellen in der Bibel verstand.
Bei *Tertullian* wird nun eine erste christlich-theologische, bewußte und
epochemachende Verwendung von sacramentum sichtbar. Natürlich bezeichnet es bei ihm an entsprechenden Orten zunächst weiterhin das in den
Bibelübersetzungen damit Wiedergegebene. Es bleibt freilich noch offen, ob
nicht hier schon Nuancierungen erkennbar werden. Außerdem verwendet
er, was natürlich ist, das Wort im (klassisch-) üblichen Sinn seiner Zeit. Was
die uns hier interessierenden Stellen angeht, so stehen sie allermeist im Rahmen des von der Bibel her eröffneten Verständnisses. So bezeichnet sacramentum die Heilsveranstaltung Gottes überhaupt, und darin besonders den

---

[43] Vgl. dazu Chr. Mohrmann im Artikel der vorstehenden Anm.

ordo personarum in Gott, insofern nämlich dieser Ordo innerlich mit der
oikonomia salutis zusammenhängt (Tertullian beläßt hier den griechischen
Ausdruck!). Wenn es um verborgene Heilsgeheimnisse geht, so nennt er
sie sacramentum (–a), übrigens auch wenn häretische res sacrae arcanae zur
Sprache stehen. Weiter setzt er sacramentum für das messianische Heil, wie
(und weil) es in den Geschehnissen und in den figurae des Alten Bundes, im
AT greifbar, verborgen vorbereitet war, dann auch im irdischen Leben Jesu
sich in einzelnen Geschehnissen unscheinbar-verborgen manifestierte. Von
dieser (letztlich schon in 1 Kor, Kol und Eph u. ä. grundgelegten) entfalteten
Verwendungsweise von sacramentum (über μυστήριον im biblisch-christ-
lichen Sinn) ist der Weg offenkundig, der auch zu sacramentum als Glau-
bensregel und Glaubensbekenntnis führte.

Besonders zu nennen ist die Anwendung von sacramentum auf kultische
Riten. Auch hier ist die Übersetzung von μυστήριον mit sacramentum aus-
schlaggebend. Tertullian findet diesen Usus längst vor. Tatsächlich wird im
Hinblick auf die Taufe wie auch die Eucharistie, insofern sie als kultische
Heilsgeschehen gesehen werden, sacramentum (–a) angewandt. Es kann
hier für uns nicht darum gehen, den sich zeigenden, höchst komplexen
Sachverhalt nachzuzeichnen; das wird bei der Besprechung der einzelnen
Sakramente zu geschehen haben. Für unser Anliegen hier ist dieses wichtig:
Auf die Eucharistie als Kultgeschehen wird bei Tertullian der Ausdruck
sacramentum angewendet nicht bloß, insofern sie Manifestation des Heils
ist (welche ja schon im Alten Bund auf mannigfaltige Weise stattfand), vielmehr auch insofern sie aktiv daran Anteil vermittelt. Es tritt also die Anwendung des aktiven etymologischen Grundcharakters von sacramentum
hervor. Ähnliches gilt für die Taufe. Für beide Sakramente muß allerdings
hinzugefügt werden, daß Tertullian für sie noch keine «Sakramententheologie» bietet. Er reflektiert ja nicht etwa je über die Eucharistie und die
Taufe, um dann, eines Gemeinsamen bei ihnen ansichtig, sie bewußt unter
die Kategorie «Sakrament» zu stellen. Denn diese gibt es so noch nicht,
und er entwickelt sie auch nicht (das wird erst bei Augustinus der Fall sein).
Somit kann man nicht einfach sagen, bei ihm stände sacramentum für Taufe
und für Eucharistie. Vielmehr verwendet er im Hinblick auf diese beiden
«Kultgeschehen» gegebenenfalls diese Vokabel, um ein Wesentliches von
ihnen herauszustellen, ohne daß aber sichtbar würde, er wolle *die* Eucharistie
oder *die* Taufe im vollen, ihm verfügbaren theologischen Verständnis mit
diesem Terminus belegen. Er reflektiert nirgends über beide Heilshandlungen im Lichte dieser Kategorie, am wenigsten über beide *als* «Sakramente».
Das zu sehen, dürfte wichtig sein.

Für die Taufe kommt bei Tertullian dann noch eine andere spezifische
Verwendung von sacramentum in Sicht. Er gebraucht nämlich das Fahnen-
eid-Bild für das christliche Tauf*versprechen* (= sacramentum), insofern dieses
eine Verpflichtung zur Dienstleistung an Gott darstellt.

Was hier bei Tertullian erstmals greifbar wird, insgesamt gesehen, das findet sich ähnlich noch bei *Cyprian* und anderen lateinischen Kirchenschriftstellern, ohne daß schon eine *wesentliche* Weiterentwicklung erkennbar würde. So brauchen wir hier auch nicht weiter darauf einzugehen. Was die aufkommende Sakramententheologie angeht, so speist sie sich aus vielen Quellen, wenn wir die in ihr angewendete Begrifflichkeit und die apologetisch-rechtfertigenden Darlegungen im Auge haben. Umgekehrt haben dann auch die verwendeten Begriffe und Vokabeln ihrerseits einen wachsenden Einfluß ausgeübt, was bei Tertullian erstmals erkennbar wird, indem er sich zum Beispiel aufs neue der etymologisch-ursprünglichen Bedeutung von sacramentum erinnert.

Bei *Augustinus*[44] wird nun tatsächlich erstmals ein Interesse faßbar, das ein *sakramententheologisches* genannt werden kann, wenngleich es sich immer noch fast ausschließlich auf Taufe und Eucharistie beschränkt. Allgemein ist zunächst zu sagen, daß Augustinus weiterhin sacramentum und mysterium (beide ohne eigentliche gegenseitige Abgrenzung) für vielerlei verwendet, und das oft synonym mit figura, prophetia, velamen, allegoria, symbolum u. ä. Schon näher auf unseren Fragepunkt hin betrachtet, treten aus dem allgemeinen Gebrauch von sacramentum drei Bedeutungsgruppen hervor. So heißen zahlreiche Riten und Heilshandlungen sacramenta, zumal die des Alten und Neuen Bundes. Unter letzteren erscheinen Taufe, Eucharistie, ordinatio, unctio, das Pascha, aber auch die Mönchsprofeß, das Glaubenssymbolum, die Heilige Schrift u. ä. Sodann ist sacramentum oft synonym mit figura oder symbolum. Und schließlich kann es, wie vor allem auch mysterium, das Geheimnis und sogar das christliche Dogma in seinem Glaubens- und Verpflichtungscharakter meinen. Insgesamt gesehen bleibt eine Vielzahl von Bedeutungen und Verwendungen, die sich schwer eindeutig klassifizieren lassen.

In bezug auf das sakramententheologische Interesse Augustins ist dieses kurz zu sagen: Er bestimmt – wie bei ihm wohl erstmals so deutlich faßbar – das Sakrament als ein *sacrum signum*, als signaculum oder visibile verbum. Tatsächlich ist diese Bestimmung von sacramentum für die folgende Geschichte der Sakramententheologie maßgeblich geworden, wenngleich von Augustinus diese «Sakramentalität» eigentlich nur in bezug auf die Taufe und die Eucharistie näher reflektiert wird. Doch die so einmal entwickelte Sichtweise, Begrifflichkeit und auch wohl (von Augustinus selbst nicht intendierte) Blickpunktverengung wird theologiegeschichtlich bedeutsam. Daher ist es sinnvoll, die für die Zukunft entscheidenden (wenn auch vielfältig interpretierten) Aussagen Augustins zusammenzustellen, soweit es hier möglich ist.

[44] Vgl. für das Folgende die Zusammenstellungen (mit Literaturangaben) bei G. Van Roo, De Sacramentis in genere (Roma 1966) 21–35.

Der zukunftsträchtigste Beitrag ist ohne Zweifel das Verständnis und die Erschließung des Sakraments als *sacrum signum* oder *visibile verbum* (sacrum). Hierzu gehört die Spezifizierung des Sakraments als eines Zeichens, das gerade im kultischen Geschehen (celebratio) eine heilige Sache bezeichnet, enthält und vermittelt. Wichtig in diesem Zusammenhang dürfte sein zu sehen, daß das Verständnis der Sakramente als *visibilia verba* bei Augustinus zunächst noch nicht die eigentlich *theologische* Definition meint. Vielmehr gründet seine Auffassung des Sakraments *als Zeichen* zunächst in seiner ihm eigentümlichen philosophisch-metaphysischen und erkenntnistheoretischen Position. «Zeichen» ist für ihn erst einmal auf diesem Hintergrund zu verstehen. Den Zeichen ist gemeinsam, daß sie res (significantes) sind, die etwas anderes ins Bewußtsein treten lassen, nämlich die res significata. Für die Sakramente sind sodann besonders die signa *data* bezeichnend, die unter Lebewesen zur Bezeichnung und Bewirkung von Gemütsregungen und Gedanken ausgetauscht werden. Da dies für den Menschen vornehmlich über die Sprache, also über den Gehörsinn und, wenn auch weniger, über den Gesichtssinn geschieht, so ist der Ausdruck «verbum visibile» gerade von daher zu begreifen: Das Wort ist (reines) Zeichen für Vermittlung über den Gehörsinn. Alle anderen Zeichen sind als Zeichen auch gleichsam verba. Operieren sie durch Einschalten des Gesichtssinns, so können diese Zeichen sinnvoll «verba visibilia» heißen.

Wenn Augustinus nun die *Sakramente* als signa beschreibt, so ist die Erklärung des signum als verbum visibile schon vorausgesetzt. *Daß* bestimmte signa sogar sacramenta sein und heißen können, vermag erst ein bestimmtes (gleichsam zusätzliches oder spezifisch ausdeutendes) verbum zu bewirken. Dieses hier gemeinte verbum ist das der (Heils-)Offenbarung streng verpflichtete Wort, das als Wesensbestandteil in die sacramenta als signa *sacra* eingeht. So erst ist die «Definition» von sacramentum verständlich, die Augustinus bietet: signum sacrum oder sacrae rei signum oder gar invisibilis gratiae visibilis forma. Das dem *so* verstandenen verbum im Sakrament gegenüberstehende «Element» ist also von sich aus schon eine res significans, ein signum; doch dieses wird erst mit einem verbum, das der Dimension des Offenbarungs- oder Heilswortes zugehört, zu sacramentum. Das zu sehen, ist für das innere Strukturverständnis des Sakraments bei Augustin – elementum-verbum – entscheidend.

Als weitere Aussagen über die sacramenta sind etwa noch folgende zu erwähnen. Augustinus verlangt vom Zeichen auch eine gewisse «Ähnlichkeit» oder Zuordnung zu dem zu Bezeichnenden. Dieses, die res sacramenti, wird wohl noch nicht immer eindeutig bestimmt, ist aber letztlich die Heilsgnade, die vermittelt werden soll bzw. wird. Diese res enthält bzw. ist das, was in diesem Zusammenhang (nicht selten übrigens synonym mit res) *virtus* und *effectus* besagen wollen. Weiter fordert Augustinus für die Sakramente als charakteristisch die Einsetzung durch Christus bzw. die apostolische disciplina. Denn im Sakrament wirkt Christus selbst; er ist es, der tauft. Der Heilige Geist bewirkt innerlich die Gnadengabe. Somit ist die Frage

nach der Notwendigkeit oder Nichtnotwendigkeit der persönlichen Heiligkeit des minister sacramenti schon in eine Lösungsrichtung gewiesen: Die
Wirkkraft der Sakramente ist unabhängig von dem persönlichen Heilig-
keitszustand des Spenders. Nicht ohne große Auswirkung blieb schließlich
die Unterscheidung, die Augustinus im antidonatistischen Streit für die
Taufe und deren Gnadenwirkungen ansetzen zu sollen glaubte, die in der
Lehre vom sakramentalen Charakter ihren Niederschlag fand.

e. Ergebnis

Die Beobachtungen zur tatsächlichen Verwendung von μυστήριον und sacramentum in der frühen Zeit der Kirche und der frühen Väter, soweit sie uns
hier angeht, läßt es als kaum berechtigt oder doch als allzu pauschal formuliert erscheinen, wenn es oft einfach heißt, μυστήριον bzw. scaramentum
würden zu festen Bezeichnungen der christlichen Sakramente.[45] Denn was
«Sakrament» in *solcher* Aussage heißen soll, ist ohne alle Absicherung voreilig von unserem heutigen (eigentümlich-christlichen oder dem erweiterten
religionswissenschaftlichen) Begriff her angesetzt. Tatsächlich werden, soweit sich bisher sehen läßt, in diesem Sinne in den ersten Jahrhunderten
faktisch nur Taufe und Eucharistie je μυστήριον oder sacramentum genannt,
besser noch: diese Termini werden auf sie in bestimmtem Zusammenhang
angewandt. Dabei bleibt der nähere Sinn dieses Wortgebrauchs jedoch
offen; denn allermeist wird ja nur ein Einzelaspekt dieser «Sakramente»,
z. B. das Wasser, das Taufversprechen, Brot und Wein, usw., sacramentum
genannt. Gelegentlich, und zwar von Anfang an, heißt auch die Ehe, neben
Taufe und Eucharistie, und doch anders, μυστήριον – sacramentum, und dieses durchaus in christologisch-soteriologischem bzw. ekklesiologischem
Kontext. Wie wir sehen konnten, bringt erst die Theologie Augustins hier
eine wesentliche Änderung.

So wäre vor allem noch zu fragen, ob man μυστήριον und sacramentum in
diesem Zusammenhang in der Zeit bis Augustinus schon bewußt als eine
solche Kategorie empfunden und angewendet hat, die das als solches erkannte und reflektierte «*Gemeinsame*» auszudrücken imstande war, und zwar
gerade auf der Linie der später tatsächlich gemeinten Sakramentalität der
Sakramente. Denn das würde ja voraussetzen, daß schon jetzt wenigstens
Eucharistie *und* Taufe daraufhin einigermaßen *reflex* überdacht worden wären, auf eine «gemeinsame» Sakramentalität hin, was dann in der bewußten
gemeinsamen Verwendung von sacramentum seinen Niederschlag gefunden
hätte. Das aber dürfte gemäß den Aussagen der uns zur Verfügung stehenden Quellen nicht der Fall gewesen sein. Freilich sollte es dann nicht mehr

---

[45] So etwa G. Bornkamm in seinem Artikel μυστήριον: ThWNT 4 (1942) 832 und viele
Autoren mit ihm.

lange dauern, bis es zu diesem neuen theologischen Interesse kam, nämlich bei Augustinus.

Es bleibt in allen Fällen, aufs Ganze gesehen, noch genauer zu untersuchen, welchen Sinn exakt die Verwendung von μυστήριον und sacramentum in *kultischem* Kontext hat. Daher sollte auch nicht pauschal und verallgemeinernd (als Nachklang von μυστήρια der Mysterienkulte) einfach von «*den* christlichen Kultfeiern» gesprochen werden; sie wären genau anzugeben. Dann stellt man nämlich fest, daß es in dieser frühen Zeit fast ausschließlich nur um Taufe und Eucharistie geht, wenn μυστήριον bzw. sacramentum im Blick auf kultisch-«sakramentales» Geschehen gesetzt wird. Darüber hinaus bleibt dann immer noch die Aufgabe gestellt, den Zusammenhang zwischen dem unter Verwendung von diesen Vokabeln je wirklich besprochenen kultischen Geschehen und den in diesem tatsächlich, im Verständnis der frühen Kirche!, «repräsentierten» oder wie immer «gefeierten» «Heilstatsachen» oder «Heilsgeschehnissen» herauszuarbeiten. Zwar stimmt es, daß nicht selten (wie wir schon sahen) eine Reihe von Ereignissen im Leben Jesu (Hervorgang des Logos aus Gott; Inkarnation; Empfängnis und Geburt; Taufe durch Johannes; Leiden; Kreuzestod; Auferstehung; Erhöhung; usw.) μυστήρια heißen. Aber dann ist eben gerade nicht an ein kultisches Geschehen gedacht, sondern an die Ereignisse *selbst* (bei Ignatius z. B. mit Nachdruck sogar auf dem Historisch-Wirklichen), in ihrer Offenbarungs- und Heilswirksamkeit. Bezeichnenderweise gibt es gerade keine (voreilig in einem allgemeinen Plural so genannten) kirchlich-kultischen «Begehungen der Heilstaten des Herrn», die sich also auf einzelne Ereignisse des Lebens Jesu (und entsprechend Ähnliches) beziehen und, weil *diese* μυστήρια genannt werden, auch selbst, als kultische Repräsentationen, so heißen können. Wenn überhaupt von Kultfeiern der Christen gesprochen werden soll, dann können gemäß den uns vorliegenden Quellen, konkret nur Taufe (mit Firmung) und Eucharistie gemeint sein.[46] Doch ist für sie bezeichnend, daß in ihnen, je auf die ihnen eigentümliche Art, «nur» das *eine* μυστήριον feiernd vollzogen wird. Und mit ihm ist, aufs Ganze gesehen, das eine, im NT emphatisch μυστήριον genannte Christus-Heilsereignis gemeint, mit eigentlichem Nachdruck gerade auf Kreuz und Tod und dessen Frucht (Auferstehung), aber als Heilstat (umfassenden Sinnes) *Gottes* des Vaters an uns. Genau hier liegt das eigentümlich Christliche kultischer Feier im Bewußtsein der Kirche jener Zeit, um die es hier geht. Bedenken wir das ganz andere Anliegen der Mysterienkulte; aber auch, als Kontrast im christ-

---

[46] Es hat seinen Sinn, wenn wir hier die Firmung so mitbenennen, wenngleich zur Einheit des (der) Initiationssakramentes (–e) an gegebenem Ort noch einiges zu sagen sein wird. – Die Ehe, wenngleich μυστήριον im oben angegebenen Sinn durchaus vom Christus-Kirche-Geheimnis her genannt (vgl. die Darlegungen oben S. 78 ff und die Abhandlung des Ehesakraments selbst), gehört nicht in *diesen* Zusammenhang. Wir werden auf sie *als* Sakrament noch zu sprechen kommen.

lichen Bereich, die Absicht etwa des Mittelalters mit seinen «Mysterien-spielen»: diese wollen gerade herausragende Einzelereignisse des Lebens Jesu «schau-spielend» darstellen! Es mag auch im ersten und zweiten Jahrhundert erste Anfänge der «Feier» des Kirchenjahres geben. Ohne Zweifel «gedenkt» man der einzelnen Geschehnisse im Leben Jesu als Heilsereignisse, aber es gibt dafür schlechterdings (noch) keine «Gedächtnisfeiern», sondern eben nur das eine Gedächtnis des einen μυστήριον. Fest- und Gedächtnistage für einzelne Ereignisse kommen erst in späterer Zeit auf, und, was wichtiger ist, sie werden begangen gerade durch die eine Eucharistie-feier, wenngleich diese als Mitte der Feier unter das «Tagesthema» gestellt wird. Werden diese und ähnliche Beobachtungen fruchtbar gemacht, dann können erst weitergeführte und gar neu angesetzte Untersuchungen größere Klärung in der Frage nach der Herkunft unseres Sakramentsbegriffs aus der Tatsache der Verwendung von μυστήριον für bestimmte, erst später speziell Sakramente genannte christliche Kultgeschehen erbringen.

3. Zur Entstehung und frühen Geschichte der Theologie der Sakramente im allgemeinen

Im Anblick der vorstehenden Ergebnisse stellt sich für unser Anliegen die Frage, wie es *theologisch* zu dem Glaubenswissen kam, das sich in der frühen Geschichte des ekklesial-sakramentalen Lebens und seines Verständnisses wie auch (zum Teil!) in der Wort- und Begriffsgeschichte niedergeschlagen hat und darin für uns, wenn auch mühevoll und bruchstückhaft, greifbar wird. Im Vorausgehenden sind manche Entwicklungsanstöße schon angedeutet worden. Wir haben sie jetzt einigermaßen systematisch in den Blick zu nehmen. Dabei kann es sich, wie aus den bisherigen Ergebnissen hinreichend verständlich sein dürfte, zunächst nur um den Versuch eines einsehenden, allgemein andeutenden Nachzeichnens der frühen Verstehens- und Theologiegeschichte auf eine werdende Sakramententheologie hin handeln. An dieser Stelle hat dieses Unternehmen freilich den «praktischen» Zweck der systematischen Theologie dieses Abschnittes der Dogmatik.

Das Faktum, vor dem wir stehen, ist ja dieses: Was viel später einmal (in einem allerdings noch näher anzugebenden Sinne) «Sakrament» heißen wird, das gibt es seit den ersten Tagen der Kirche als deren Lebensvollzüge, für einige dieser (schließlich sieben) Sakramente sogleich aufs deutlichste sichtbar, für andere erst im Laufe der Zeit näher faßbar. Der spätere terminus technicus «Sakrament» kommt erst nach einigen Jahrhunderten, etwa bei Augustinus klar sichtbar, für bestimmte ekklesiale Vollzüge mit einem solchen Inhalt in Gebrauch, daß man sagen kann, in ihm als in einem *Fachausdruck* kristallisiere sich allmählich irgendwie eine, die (besser: einige!) Sakramente reflex als solche betrachtende Theologie. Dabei ist noch ganz offen, ob dieser so ausgebildete Fachausdruck das, was jene

Vollzüge in ihrer lebendigen *Ganzheit* ausmachen, überhaupt *total* einfangen will. Andererseits existieren aber Wort und Begriff μυστήριον (und sacramentum) mit ausgesprochen christlichem Inhalt längst vorher, nämlich seit Abfassung der neutestamentlichen Schriften, ohne aber in diesen schon auf das angewendet zu werden, was erst später «Sakramente» heißt. So ist die Frage gestellt, ob beide, zunächst unterschiedlich erscheinenden Bedeutungen innerlich etwas miteinander zu tun haben und worin näherhin der Zusammenhang, falls er da ist, besteht. Diese an sich sprach- und begriffshistorisch anmutende Frage hat für uns heute deswegen ihre besondere Wichtigkeit, weil von ihrer Beantwortung abhängt, wieviel *theologisches* Recht unserem heutigen (oder einem vielleicht aufs neue und in größerer Fülle wiederzugewinnenden) Sakramentsbegriff von der Schrift und dem lebendigen Leben der Kirche her zuerkannt werden kann: Ist unser Sakramentsbegriff theologisch legitim entwickelt und festzuhalten, auch wenn klar ist, daß er in der Bibel so (noch) nicht vorkommt? Enthalten die betreffenden ekklesialen Handlungen, ohne schon von Anfang an μυστήριον – sacramentum *genannt* zu werden, dieses doch in sich? Oder: Können die Sakramente sich, was ihren (gemeinsamen) Namen angeht, auf das μυστήριον des Neuen Testaments berufen? Solange Theologie, zumal systematische Theologie, auch eine kritische Aufgabe hat, kann diesem Problem hier nicht ausgewichen werden. Denn das Vorhandensein der Sakramentskategorie, aber auch deren heutige Problematik können nicht geleugnet werden. Das Problem ist ja kein anderes als dieses: Es muß bibeltheologisch und theologisch-systematisch wenigstens als nicht unberechtigt aufgewiesen werden, diese eine Kategorie auf Christus, auf die Kirche und auf die «Sakramente» theologisch-einsichtig, sinnvoll und sachgerecht weiterhin anzuwenden.

Wir setzen unsere Überlegung hier sogleich mit dem Blick auf das Ziel dieses Abschnitts an; eine vollständige Behandlung des zur Frage Stehenden kann und soll nicht die Absicht sein. Weil es in diesem Abschnitt darum geht, die «(Einzel)Sakramente als Ausgliederungen und Aktualisierungen des Wurzelsakraments, der Kirche», zu erfassen und vorzustellen, so wählen wir passend die neutestamentlichen Aussagen, die zumal in 1 Kor, Kol und Eph greifbar sind, als offensichtlich auch sachlich berechtigten Ansatz der Überlegungen. Wir werden sehen, daß wir damit genau ins Zentrum des hier zu besprechenden Sachverhaltes vorstoßen. Das Entscheidende ist hier ja nicht das Vorkommen einer bestimmten Vokabel noch auch die schon *reflexe* Betonung eines «Gemeinsamen» in bestimmten ekklesial vollzogenen Heilshandlungen. Es geht vielmehr um das Deutlichwerden jenes *einen* Ereignisses, in Kol und Eph emphatisch μυστήριον (aber nicht nur so!) genannt, als des eigentlich, wenn auch ekklesial-mannigfaltig Realisierten, des konkreten Heils Gottes also, das sich als schon verwirklichtes verwirklicht, wie immer das terminologisch zunächst ausgesprochen sein mag; das μυστήριον, das als *das* Ereignis sich immer noch ereignet und gemäß Gottes Heilsratschluß eben *durch* die Kirche, und *in ihr* offensichtlich auch *durch* und *in* bestimmten «Zeichenhandlungen» ereignen soll, also in der Zeit der Kirche gleichsam «Ereignis in (ekklesialen) Ereignissen» ist. Wir stellten ja

auch schon den terminologischen, christlich-eigentümlichen Befund fest:
Das Wort (der Begriff) μυστήριον (und so dann auch sacramentum) wird in
der nach-ntl. Zeit, *wenn* es eine von dem *einen* (besonders in 1 Kor, Kol und
Eph emphatisch so gefaßten) μυστήριον *Gottes* her weitergeführte oder «abgeleitete» Anwendung findet, gelegentlich gleichsam «rückschauend» für
bestimmte heilsentscheidende Einzelereignisse im (irdischen) Leben Jesu
Christi gebraucht, *insofern* nämlich in ihnen das *eine* μυστήριον schon mit-
entscheidend manifest wurde; und ebenso wird es, gleichsam nach vorn, in
die Zeit der Kirche hineinschauend, auf solche Geschehenshandlungen im
Leben der Kirche angesetzt, in welchen sich dasselbe *eine* und selbe μυστήριον
auf besondere Weise manifestierend aus-wirkt. Wir werden sehen, daß es
tatsächlich von Anfang an im Bewußtsein der Kirche solche Vollzüge gab,
die auch so verstanden wurden, und zwar gerade *nicht* in einer *beliebigen* Vielzahl. Wenn man sich also einmal von dem (heute sich allzu schnell aufdrängenden, aber eben doch unberechtigten) Gedanken löst, solche Geschehen
im Leben der Kirche müßten, *wenn* sie so vom bezeichneten μυστήριον Gottes
her verstanden und vollzogen wurden, sogleich auch «μυστήριον – sacramentum» *heißen*, wenn man also die Frage der vordergründigen Begrifflichkeit zunächst beiseite läßt und zuerst einmal auf die Sache schaut (wie immer sie bezeichnet sein mag), dann kommt etwas in den Blick, das deutlich
genug erkennen läßt, daß hier eine nicht illegitim entwickelte christlich-
theologische Kategorie vorliegt, eben die der Sakramentalität. Die gestellte
Aufgabe lautet also: das neutestamentliche Fundament für die tatsächliche
spätere theologie- und begriffsgeschichtliche Entwicklung aufzudecken, und
zwar sogleich auf die Weise, daß wir die möglichen und notwendigen Elemente für einen gültigeren Sakramentsbegriff sammeln.

Tatsächlich haben wir in den Ergebnissen unserer obigen Untersuchungen zur
frühen Geschichte des Lebens der Kirche in ihren Sakramenten wie zur biblischen
Begriffsgeschichte von μυστήριον den Schlüssel für das ntl.-christliche Verständnis
sowohl Jesu Christi als des μυστήριον Gottes des Vaters, wie auch der Kirche als
«Sakrament» schon gefunden, insofern diese als σῶμα und πλήρωμα Christi das
μυστήριον Gottes in der oben genauer bezeichneten Weise ist. Darauf können wir
jetzt aufbauen, zumal die Entfaltung dieses Sachverhaltes Aufgabe des betreffenden Abschnittes im anderen Teil dieses Bandes war. Nichtsdestoweniger haben wir
jetzt im Blick auf die Einzelsakramente das Notwendige zum Verständnis herauszuarbeiten. Wir müssen die biblisch-theologische Brücke schlagen vom ntl. Verständnis Christi und der Kirche als μυστήριον Gottes hin zu der theologischen
Berechtigung, jene Heilsriten *von ihm her* gerade *auch* μυστήρια zu nennen, wie es
faktisch im Laufe der Theologiegeschichte, mit welcher Nuancierung auch immer,
geschehen ist. Wir wissen inzwischen, daß wir nicht mehr oder jedenfalls nicht
zuerst nach Begriffen suchen dürfen, sondern die *Sache* ins Auge zu fassen haben,
wie immer diese auch begrifflich gefaßt sein mag. Und hier stellen wir fest, daß es
eine tragfähige Brücke gibt zwischen *dem* μυστήριον und dem, was später «Sakra-

mente» heißen wird, auch wenn der (von uns zu voreilig erwartete oder gar geforderte) *Terminus* dabei nicht verwendet wird.

Der hier gemeinte und zu entfaltende Sachverhalt kann sicher auf verschiedene Weise angegangen werden. Aus praktischen Erwägungen setzen wir jetzt die schon oben gebotene Auslegung von Eph 3 als Ausgangspunkt an, zumal wegen des ausdrücklichen und emphatischen Gebrauchs von μυστήριον. Die Exegese [47] erkennt nun *dieses* μυστήριον auch an anderen Stellen desselben Briefes großartig beschrieben und unter verschiedenen Gesichtspunkten entfaltet, wenngleich dort diese Vokabel keineswegs verwendet wird. Ist das einmal gesehen und anerkannt, so sind wir, ohne daß die Berechtigung für diesen Schluß hier jetzt im einzelnen aufgezeigt werden müßte, auch schon auf das verwiesen, was jene ekklesialen Ereignisvollzüge sind, die dann kurz «Taufe» und «Eucharistie» genannt werden (können). Ist aber einmal ein solcher Schritt vollzogen und als sachlich berechtigt *und* theologisch notwendig erkannt, dann beginnen auch eine Anzahl anderer Texte des NT auf unsere Frage hin antwortend zu sprechen, nämlich zunächst wenigstens jene grundlegenden ntl. Aussagen, die anerkannterweise auf die Taufe und auf die Eucharistie hin zu begreifen sind bzw. die uns das im NT grundgelegte und bezeugte Verständnis dieser «Riten» seitens der frühen Kirche, d.h. der ntl. Zeit, kundtun.

Es ist nun nicht unsere Aufgabe, hier für die (unsere heutigen) einzelnen Sakramente näherhin zu zeigen, wie sie sich je als Ereignis des einen μυστήριον Gottes und somit als Geschehen dessen, was Kirche ist, zeigen und so zu verstehen sind; das wird Aufgabe der Besprechung eines jeden Sakramentes am gegebenen Ort sein. Hier wollen wir die einzelnen Momente insofern zu erfassen suchen, als es dem in diesem Abschnitt gemeinten *allgemeinen* Sakramentsbegriff entspricht.

Wie die Exegese aufweist, wird das in Eph 3,3–12 wörtlich benannte μυστήριον Gottes schon in Eph 2,14ff großartig entfaltet, ohne daß dort freilich die Vokabel selbst aufgegriffen wäre. Gleicherweise ist das in Eph 3 bzw. in Eph 2 Ausgeführte schon grundlegend, doch wieder in einer anderen Terminologie, in den feierlichen Einleitungsworten dieses Briefes (1,3–14) zum Ausdruck gebracht. Wir dürfen folglich so sagen: Wo das ist, wo das geschieht oder, wie immer, zum Ausdruck gebracht wird, was emphatisch *das* μυστήριον Gottes, seinem eigentlichen Inhalt nach, heißt, da ist auch diese selbe Benennung, nämlich μυστήριον, von der Sache her berechtigt und möglich, auch wenn es die betreffenden ntl. Autoren ihrerseits noch nicht selbst so getan haben. Nun ist aber, mit einem Wort gesagt, jenes eine Mysterium

---

[47] Für die folgenden Überlegungen stützen wir uns auf die heutigen Kommentare zu den einschlägigen ntl. Schriften. Vgl. für das Folgende bes. J. Gnilka, Der Epheserbrief = HThKNT X/2 (Freiburg 1971).

sachidentisch (auf eine noch näher zu bezeichnende Weise) mit dem, was in anderen Sprechweisen z. B. *der* Segen Gottes des Vaters heißt (vgl. Eph 1, 3 ff)[48] oder, an anderer Stelle, das Ereignis der Taufe oder das Ereignis dessen, was das Brotbrechen genannt wird, und so fort. Das sei beispielhaft aufgezeigt.

Wir rückerinnern uns an den ganz eigentümlichen und eigenständig christlichen, ungemein reichen, dabei aber einheitlich-komprehensiven μυστήριον-Begriff, wie er in Kol und Eph zusammen mit 1 Kor etwa greifbar wird. Das oben im einzelnen Entfaltete halten wir uns klar vor Augen und schauen jetzt auf die Aussagen, die sich *im selben Kontext* als sachlich kongruent erweisen mit dem, was μυστήριον einfängt. Wir erinnern uns des ganz eigentümlichen Seins der Kirche wie ihres Daseins-Sinnes nach Eph: Als real-präsentes μυστήριον Gottes in der Welt mit der Aufgabe, von ihrem Haupte her selbst weiterzuwachsen zum endgültig-vollendeten Tempel Gottes, dabei jedoch dieses eine μυστήριον weiter mitzuoffenbaren und mitzuverwirklichen, auf die Welt und ihre Mächte, auf die Noch-nicht-Christen hin, zur Allzusammenfassung, die Gott beschlossen hat, die er durch Jesus Christus und sein Blut, doch «jetzt» (vgl. Eph 3, 10 und die oben gegebene Erklärung) eben mit Einbeziehung der Kirche als des μυτήριον τοῦ Θεοῦ, in dieser verwirklichen will. Die Kirche ist – so können wir das alles zusammenfassend sagen – das μυστήριον Gottes, das realisiert ist, und zwar im Alten und aus Altem *neu*geschaffen, in der Verwirklichung *des* μυστήριον Gottes, das Jesus Christus und sein Werk *ist* : die Kirche, das realisierte Mysterium, das aber *als solches* «in der Zeit» weiterverwirklicht werden soll bis zur Vollendung.

Die Kirche, von der hier die Rede ist, ist in Eph ganz klar als Universalkirche (unbeschadet der einzelnen Gemeinden als ἐκκλησίαι!) begriffen, das σῶμα und πλήρωμα Christi. So gesehen, ist die Kirche aber gerade keine Abstraktion, keine ideelle Hypostase oder sprachliche oder sonstige Personifikation. Denn – und darauf kommt es jetzt an – dieselben Aussagen, die sie betreffen, finden sich, in eigenartig-gleicher und dabei doch nuancierter Sprechweise, auch in der Wir-Form (und gegebenenfalls in der Ihr-Form). Anders ausgedrückt: Kirche ist nicht einfach der erlöst-zu-erlösende Kosmos; auch nicht die Mächte und Gewalten; desgleichen nicht schon einfach die Menschen als Menschen. Kirche ist vielmehr ganz genau die neu-geschaffene, aus dem Alten herüber- und (wieder) zusammen-

---

[48] Für das Verständnis des «Segens, mit dem er (Gott Vater) uns in Christus im Himmel gesegnet hat» (Eph 1, 3) schreibt Gnilka: «Da aber der Segen die Konzentration der gesamten Eulogie ist und sich so als ein Weg darstellt, der von der Erwählung über Begnadung, Offenbarung eines Geheimnisses, Predigt, Glaube bis zum Versiegeltwerden mit Heiligem Geist reicht, hat man bei der letzten Station dieser langen Reihe anzusetzen (nämlich um «den Segen» im Aorist zu verstehen). Mit der Versiegelung ist auf die Taufe hingewiesen. Sie ist der geschichtliche Ort, an dem der Segen erfahren wurde, wenn er in der Eulogie auch in seiner bis in Gott zurückweisenden Dimension eröffnet wird. Glaube und Taufe als Besiegelung sind die Begründung der christlichen Existenz. Es läßt sich darum sagen, daß die Eulogie thematisch eine von der Christwerdung her begründete Selbstbesinnung der christlichen Gemeinde darstellt, die Gottes Handeln an ihr preisend-bekennend rühmt» (Komm. 61; vgl. vorige Anm.).

geführte Menschengemeinschaft aus «Juden und Heiden». Zwar ist es, vom ursprünglich-ewigen Heilsratschluß Gottes her gesehen, klar, daß dieses sich auf alle Menschen (und Welt) richtet. Gottes Heilsplan stellt ja, so gesehen, ein großes Postulat auf: daß alle Menschen und damit alle Welt (wieder) ins Heil geführt werden. Das Werk Christi war also, um es mit anderen Worten zu sagen, ausgerichtet konkret auf die Wiederversöhnung und Zusammenführung der durch die Sünde bewerkstelligten «unnatürlichen» Trennung von «Juden und Heiden», wobei diese ja nur die Manifestation der Verfremdung und Trennung der Menschen von Gott überhaupt darstellt(e). Aber *Kirche* ist nun eben nicht (mehr) nur das rein eschatologische *Postulat* und Ziel, gerade und nur dieses; noch ist sie schon das vollendete Ergebnis des göttlichen, in Geschichte sich verwirklichenden Heilswillens. Denn das ist ja das «Reich Gottes» der Vollendung, auf das hin überhaupt Kirche ist. Kirche ist vielmehr genau das als (schon) realisiertes «jetzt» zu verwirklichende μυστήριον Gottes (vgl. nochmals Eph 3, 10). Und das heißt an dieser Stelle: Kirche ist dort, wo Heilsgemeinde genau dieses Charakters ist. *Leben* dieser Kirche geschieht, als solches, genau dort, wo dieses μυστήριον in dieser bezeichneten Weise sich ereignet. Und das heißt, wieder mit anderen Worten und den Gedankenkreis schließend: Kirche besteht aus konkreten Menschen, «Juden und Heiden», für die so, wie wir es für das μυστήριον Gottes selbst als eigentümlich erkannt haben, schon der Aorist *wie auch* noch der sakramental-eschatologische Imperativ *zugleich* gilt: Kirche, das sind die als Gemeinde von Gott gesammelten Menschen, *an* denen sein μυστήριον *schon* wirksam geworden ist und an denen und *durch* die es noch (weiter)verwirklicht werden soll bis zur allumfassenden Vollendung. Kirche, das sind die Christen, also jene, für die nicht nur gilt, daß Jesus Christus *für sie* gestorben ist und auferweckt wurde, sondern für die gilt, daß sie schon *mit* ihm gestorben *sind*, den Segen empfangen *haben*, in die Höhe auf die Seite Christi und daher der Welt und den Mächten gegenübergestellt *sind* (vgl. dazu wieder Eph 1, 3–14), um allerdings *noch mit* ihm heilswirksam sterbend (= das μυστήριον Christi in sich kraft des ihnen verliehenen neuen Vermögens realisierend!) das *eine*, ganze Heilswerk mit-zu-vollziehen. Christen, das sind die, für die und an denen sich auch persönlich bereits etwas ereignet hat, und zwar eben nicht einfach schon in dem Sinne, daß das Kreuzesgeschehen selbst, als solches, stattgefunden hat, mit all seiner offenbarend-wirkkräftigen Fülle «für die vielen». Denn *das* gilt ja doch für alle Menschen und alle Welt. Die Menschen sind aber, gemäß dem «vor den Aionen in Gott verborgenen Heilsratschluß», nicht einfach, *weil* Menschen, auch deshalb schon Kirche, auch nicht allein schon auf Grund des («unter Pontius Pilatus» geschehenen und in *diesem* Sinne den Aorist erfordernden) allen Menschen das Heil endgültig bereitenden Kreuzesgeschehens. Die Menschen müssen vielmehr in einem sie auch persönlich treffenden Geschehen erst Kirche *werden*, besser: zu «Kirche» gemacht werden. Das jedenfalls ist das, was im Leben der Kirche von Anfang an und dann weiterhin ständig sichtbar wird und was sich dann auch schon in der ntl. Reflexion niedergeschlagen hat, deutlich in Kol, Röm, Eph, aber eben auch an zahlreichen anderen Stellen.

Für die zu «Kirche» gemachten Menschen, für die Christen also, gilt daher ein entscheidendes Mehr: An ihnen und mit ihnen ist persönlich etwas «Zusätzliches» geschehen, von Gott selbst her, ein Geschehen, das, wenn es im Blick auf diese schon zu Christen *Gewordenen* zur Sprache gebracht werden soll, nochmals einen besonderen Aorist «neben» und «nach» dem fordert, der das Kreuzesereignis unter Pontius Pilatus ausdrückt. Das ist das etwa in Eph 1,3 angedeutete Geschehen des «Segens, mit dem wir gesegnet sind» (vgl. die Besprechung dieser Stelle oben). Das hier nach dem ntl. Zeugnis Gemeinte ist also gleichsam, «nach» und kraft des Kreuzesereignisses, als ein «weiteres» Ereignis an den zu Christen Gewordenen und mit ihnen persönlich geschehen; ein «anderes» Ereignis zwar, dessen Eigentümlichkeit aber gerade darin besteht, daß es in seinem Kern genau jenes *eine* und «erste» ist, nämlich das μυστήριον Gottes. Und wenn wir schon jetzt fragen, welches nach dem ntl. Verständnis dieses hier gemeinte Geschehen sei, sind wir ohne Zweifel zuallererst auf das verwiesen, was «Taufe» heißt (wobei wir nach unserer heutigen Aufzählung der Sakramente schon die Firmung mit eingefangen wissen dürfen). Ein kurzer Blick auf die entscheidenden Texte macht das ganz offenkundig. Wir brauchen da nur an die Stellen des Epheserbriefes zu erinnern, die nach Aussage der Exegeten in eindeutigem Bezug zur Taufe stehen. Sie sind für uns hier deswegen besonders sprechend, weil gerade diese Stellen die schon besprochene Sachidentität mit dem, was im selben Brief emphatisch μυστήριον Gottes heißt, zu Tage treten lassen. Erwähnt seien: Eph 1,3–14, wobei wir den Sinn des «Segens» schon beschrieben haben; die Versiegelung in v. 13 f deutet wieder auf die Taufe (von der Beschneidung her); dazu Kol 2,11 f und Eph 4,30. Nicht anders ist Eph 2,4–7 zu begreifen, und von daher kann dann auf 1 Petr 1,3; Kol 2,13 ff; Tit 3,5 und auch IgnTr 12,3 hingewiesen werden. Dasselbe bringt nochmals Eph 5 in anderer Nuancierung. Von diesen Texten her ist dann 1 Kor 10 und 12 für unser Anliegen genauso sprechend wie Röm 6. Auf Weiteres können wir hier nicht eingehen; es sei dazu auf die Besprechung der Taufe selbst verwiesen (vgl. Band V).

Wir wollen hier aber nicht überstürzt die Folgerungen ziehen. Bedenken wir vielmehr noch dieses: Gott (Vater) selbst läßt also – der Epheserbrief (aber nicht nur er) spricht das klar aus, wie wir sahen – noch «nach» dem Kreuzesereignis unter Pontius Pilatus, also noch «nach» der Verwirklichung seines Heilsmysteriums, dieses *eine, verwirklichte* μυστήριον sich *weiter*-verwirklichen; er läßt, was dasselbe ist, Menschen dieses selbe μυστήριον erfahren, als Offenbarung *und* neue, zugeteilte (Heils)wirklichkeit, und zwar so, daß diese Menschen auf diese Weise «Kirche» mit den genannten Wesenszügen *werden*, es *sind*, und dann auch auf Vollendung hin mit-*vollziehen*. Nochmals dasselbe: Gott läßt kraft des Kreuzesereignisses gerade dieses selbst weiterhin «Ereignis» werden, je jetzt und hier in der Zeit der Kirche, ein Geschehen, in dem auf ihm eigentümliche Weise für bestimmte, persönlich und namentlich angesprochene und beanspruchte Menschen dieses verwirklichte μυστήριον Offenbarungs- und Heilswirklichkeit *wird*, und zwar vom Vater her durch Jesus Christus als Aktuierungen der Kirche, seines Leibes. Und Gott läßt, nachdem so einmal «Kirche» geworden ist und immer «neu» wird, das *eine*, immer wieder selbe μυστήριον dann *durch* diese Kirche und ihre Glieder sich weiter-verwirklichen, eben auch und gerade als Mit-Vollzug des Mysteriums im Ereignis des Lebens der Kirche. Denn das im Kreuzesgeschehen offenbar gewordene und verwirklichte Gottesgeheimnis wird, *nachdem* es geschehen ist, an die Menschen erst herangetragen, kommt bei ihnen persönlich an, wird ihnen zuteil, als Offenbarung und als Wirklichkeit zugleich. Und dieses so zuteil *gewordene* Offenbarungs- und Wirklichkeitsgeheimnis ist, wie wir nun wissen, ein solches, das dann von diesen «Teil-Nehmenden» (die Glieder der Kirche, also Kirche sind) auch weiter-geoffenbart und weiter-verwirklicht werden soll. Dieses im doppelten Sinne, den wir schon erkannten: Auf die Noch-nicht-Christen und auf die Welt hin (vgl. Eph 3,6–11 mit 1,3 und die Erklärung bei J. Gnilka aaO.), wie auch auf die Verherrlichung Gottes des Vaters hin (vgl. z. B. Eph 1,14 zusammen mit 2,18 und 1,3).

Daß also das μυστήριον Gottes in der Zeit, im Leben der Kirche von Gott selbst her «Ereignis in Ereignissen» sein soll, und daß diese Vollzüge dann vom einen μυστήριον her theologisch berechtigt auch je μυστήριον (sacramentum) heißen dürfen oder vielleicht gar sollen, dürfte nach allem jetzt hinreichend klar sein. *Welche* Geschehnisse dieses sind, kann freilich von uns theologisch *nicht a priori* festgestellt und erklärt werden. Das vermag nur die theologische Einsicht in den tatsächlichen Verlauf des Lebens der Kirche nachzuzeichnen, wie wir schon betonten. Ohne damit schon Vorentscheidungen zu fällen, wenden wir uns hier natürlich nur *den* ekklesialen Geschehen zu, die Thema dieses Abschnittes sind. Die Frage nach anderen ekklesialen Geschehen oder Vollzügen, die in der Folgerichtigkeit unseres Ansatzes eventuell auch zu Recht «Sakramente» heißen könnten, ist nicht übersehen, kann aber hier nicht behandelt werden. Einiges wird freilich noch zu sagen sein, wenn die Frage «Wort und Sakrament» wie auch die «Sakramentalien» zur Sprache kommen.

Ein Blick in die Zeit der neutestamentlichen Kirche läßt das für uns jetzt Entscheidende sichtbar werden. Wir können es hier so kurz andeuten: Nach Vollbringung des Heilswerkes durch Jesus Christus (Kreuz – Auferstehung – Geistsendung) gab es «Erste», solche, denen das μυστήριον allererst persönlich zugewendet worden ist; wir können dabei ruhig an die Apostel, jedenfalls an die Urgemeinde im engsten Sinne denken, ohne hier in die weitere Problematik einzusteigen. Und seitdem es «Erste» gibt (vgl. auch Eph 2,19f; 3,5 und Kol 1,26), sind diese erstmals «Kirche», so daß jedenfalls von da ab das gilt, was z. B. der Epheserbrief über Sein und Aufgabe der Kirche aussagt. Und von da an geschieht das verwirklichte und zugleich weiterzuverwirklichende μυστήριον Gottes nicht mehr ohne «Kirche», d. h. es geschieht jetzt unter Mithineinnahme der (schon) Christ-gewordenen Menschen, der Glieder der Kirche, als stets (empfangend) Teil-Nehmende *und* (ermächtigt) Mitbeteiligte am μυστήριον Gottes. Wem also dieses Mysterium des Heils zuteil werden soll, persönlich in konkretem Aufruf, der empfängt es «jetzt» unter Mit-Wirken der schon in dieses Mysterium hineingestellten und mit ihm beauftragten Menschen als Gliedern der Kirche.[49] Wir sind damit bei dem, was die «*Taufe*» christlich meint. Wir können dazu auf Apg 2,38ff als einen Text für viele andere

---

[49] Vgl. Eph 1,13. – «Der Zutritt zur Hoffnung ist wie die Ermöglichung des Geistempfangs verknüpft mit dem Zutritt zur Gemeinde» (J. Gnilka, Der Epheserbrief 91). Dieser Zutritt geschieht aber, wie wir noch sehen werden, durch die Taufe, ist also tatsächlich ein Aufgenommenwerden in die Gemeinde. Vgl. auch 1 Kor 12,12f.

verweisen: «Was sollen wir tun? Petrus erwiderte ihnen: Bekehrt euch, und ein jeder (!) von euch *lasse sich taufen* auf den Namen Jesu Christi, auf daß ihr Vergebung der Sünden und die Gabe des Heiligen Geistes empfanget» (vgl. dazu auch Apg 8, 26–40, in der offenkundigen Theologie des Verfassers). Wir brauchen das nicht weiter zu entfalten.[50] Daß wir hier sogleich auch schon die *Firmung* mitberücksichtigt wissen dürfen, wurde oben schon einmal erwähnt.

Ähnliches wie für die auf das Taufsakrament hin zu interpretierenden Texte dürfte auch in Bezug auf jene ntl. Aussagen gelten, die auf die *Eucharistie* hin zu lesen sind.[51] Wenn das μυστήριον Gottes, von dem in Eph 3 die Rede ist, gerade auch im Blut des Herrn Jesus Christus (vgl. Eph 1, 7; 2, 13), in seiner Dahingabe (5, 25), im Kreuzestod (vgl. 1 Kor 1, 18–2, 16; Eph 2, 16 u. ö.) gelegen ist, dann ist der Schritt zur Aussage in 1 Kor 11, 25 f nicht mehr fern: «Dieser Kelch ist der Neue Bund in meinem Blut ... Tut dieses zu meinem Gedächtnis ... Sooft ihr dieses Brot eßt und diesen Kelch trinkt, verkündet ihr (solches in Feierhandlung vollziehend) den Tod des Herrn, bis er kommt.» Es braucht an dieser Stelle nicht weiter entfaltet zu werden, daß es folglich theologisch berechtigt ist, auch die Eucharistie(feier) als eine solche Aktuierung des *einen* μυστήριον zu erkennen, die daher selbst den Namen «mysterium fidei» tragen kann. Das Unterschiedensein zur Taufe (wenngleich in dieser ja schon das eine μυστήριον je «jetzt» Wirklichkeit wird) und folglich die Möglichkeit des Sprechens von zwei «Sakramenten» sind offenkundig. Ist die Taufe die Aktuierung des einen μυστήριον durch die Kirche auf neu einzugliedernde Menschen hin, denen das Erbe erst zuteil werden soll (vgl. Eph 1, 14), im Sinne des grundlegend-rechtfertigenden, initiativ das neue Leben spendenden Segens (Eph 1, 3), so ist die Eucharistie je Aktuierung eben desselben μυστήριον, doch jetzt im Sinne der «Selbst-Verwirklichung» dieses verwirklichten μυστήριον, der Kirche, unter und mit ihrem Haupt, auf die Verherrlichung Gottes des Vaters hin (Eph 1, 14; 2, 18. 22; 5, 1 f), nicht ohne das persönliche Sich-mit-Dahineingeben der betreffenden Glaubenden selbst. Der Segen in Eph 1, 3 (Taufe) ist noch nicht Erfüllung, sondern Aufgabenstellung auf Gott hin. Die Taufe wird zudem nur einmal, «am Anfang» christlicher Existenz, gespendet. Was dort verliehen ist, muß verwirklicht werden. Denn das μυστήριον *ist* ja die Dahingabe Jesu Christi, und *daran*, als dem verwirklicht-zu-verwirklichenden, nehmen die schon Glaubenden, d.h. die Getauften, und also mit diesem μυστήριον Beauftragten, zur Verherrlichung Gottes des Vaters teil, da gerade das ihr Erbteil ist, ihr Auftrag (vgl. Eph 1, 11 ff u. ö.). So ist dieses so aktuierte μυστήριον Weg und Wegzehrung zugleich, in der Zeit der Kirche, als eine nicht nur einmalig-anfanghaft, sondern in häufigem Vollzug zu begehende Feierhandlung als Lebens-Ausdruck der Kirche. Es ist das Sich-Gott-Anheimgeben im Empfang der Kraft von oben zur Erbauung des Tempels Gottes (vgl. Eph 4, 1–16 und 1, 11–14; 2, 19–22).

Wofern, weiterhin, die Aussagen in 1 Kor 6–7 zur wesentlichen Christus-Gebundenheit der menschlichen Leiblichkeit und Geschlechtlichkeit gerade auf Grund des Erlösungsgeheimnisses, zusammen mit den Erwägungen in Eph 5 und anderen ähnlichen Stellen, zu Recht bestehen und theologisch voll ausgewertet

---

[50] Vgl. dazu die Darlegungen zum Taufsakrament im folgenden Bd. V.

[51] Wir verweisen für die einschlägigen Texte und deren Entfaltung auf den betreffenden Abschnitt dieses Bands, unten S. 186–209.

werden, ist wiederum eine im NT selbst vorgezeichnete «Ableitung» eines «Sakraments» vom *einen* μυστήριον her hinreichend einsichtig:[52] die Ehe als Sakrament.

Oben wurde sodann auch schon auf die innerlich zum μυστήριον gehörende Dienstvergabe des Herrn in seiner Kirche (vgl. Eph 4, 7–17) hingewiesen.[53] Von daher wird die auf dem NT aufruhende Sakramententheologie den Weg aufzuweisen haben vom *einen*, eben auch in Beauftragung einzelner Kirchenglieder als solcher zu verwirklichenden Gottesmysterium zu dem, was spätere Zeiten dann das Weihesakrament nannten.

Wenn weiterhin es zum wesentlichen Sinnbestand des μυστήριον, und das heißt des Kreuzesgeheimnisses gehört – um wieder aus den angegebenen Gründen immer von unserem Grundtext auszugehen –, daß es die Erlösung, die Vergebung der Sünden (Eph 1, 7) und den Frieden mit Gott (Eph 2, 11–22) bewirkt hat, so zwar, daß dieses auch noch *durch* die Kirche *in* der Kirche, also in entsprechendem Gegenüber der betreffenden Glieder der Kirche geschehe, dann wird der Blick auf das Bußsakrament grundsätzlich geöffnet sein.

Schließlich kann auch auf die Krankensalbung hingewiesen werden, wie sie in Jak 5, 13 ff vorgezeichnet ist: Das kirchliche Engagement bestimmter Glieder auf den betreffenden Einzelnen hin zu dessen Heil.

Daß diese kurzen Andeutungen hier nur eben einen möglichen Weg des Aufweises der theologischen Berechtigung dessen angeben, was eine gültige Sakramententheologie von ihrem ntl. Fundament her zu entwickeln hat, ist aus der Zielsetzung dieses Abschnittes klar. Es bleibt hier nach wie vor jedes bewußte oder unbewußte Apriori auszuschließen. Doch im Anblick der tatsächlich erfolgten Geschichte des Lebens der Kirche und eben auch ihres theologischen Bewußtseins läßt sich ein solcher Weg nicht mehr als unbegehbar bezeichnen.

---

[52] Ohne daß hier näher darauf eingegangen werden kann, sei auf folgendes aufmerksam gemacht. Paulus verwendet in 1 Kor 6, 13–7, 4 den Ausdruck σῶμα in ganz spezifischem Sinne. Wir können in unserer Sprechweise sagen: zur Bezeichnung des Menschen mit ausdrücklichem Einschluß seiner Leiblichkeit und Geschlechtlichkeit. Daß letztere angesprochen ist, unterliegt im Zusammenhang keinem Zweifel. Die zugleich angeführte Auferweckung dieses σῶμα weist u. a. auch auf das 15. Kapitel hin. Von diesem σῶμα wird dann weiter gesagt, es gehöre dem Herrn, es sei der Tempel des Geistes. Für den Menschen wurde aber, zu seiner Erlösung, hier gerade auch im ausdrücklichen Blick auf die Leiblichkeit und Geschlechtlichkeit, «ein teurer Preis» gegeben, und das sei Grundlage für die Verpflichtung der Gottesverherrlichung in diesem σῶμα. Das gegenseitige Zueinander von Κύριος und σῶμα in v. 13 ist nicht zu übersehen, erhält aber durch 7, 4 eine eigentümliche Nuancierung. Beide Verse zusammengeschaut, im Anblick des erwähnten Loskaufpreises – Erlösungsgeheimnisses, wollen schließlich darauf hinweisen, daß der Mensch *ganz des Herrn* ist, nicht zuletzt eben auch in seiner Leiblichkeit und Geschlechtlichkeit, *und* daß die in 7, 4 gemeinte Ehe diesem eben nicht widerspricht (anders als das in 6, 15 f Ausgesprochene). Zusammen mit Eph 5 spätestens wird der Hinweis auf das Verständnis der Ehe als Sakrament vom einen μυστήριον der Erlösung her einsichtig.

[53] Vgl. oben S. 79 f.

Diese Überlegungen abschließend sei auf einen Text der Ignatiusbriefe hingewiesen als Beispiel für die sehr frühe Situation, was unsere Frage nach der Entstehung einer ersten Sakramententheologie unter Einführung von μυστήριον in
spezifischer Begrifflichkeit angeht, ein Beispiel für das «noch nicht» und zugleich
«doch schon» der möglichen sakramentalen Begriffsentwicklung für das (im ntl.-
vollen Sinne verstandene) sakramental-gestaltete Leben der Christen vom μυστήριον
etwa des Epheserbriefes her auf «Sakrament» hin. Wir erinnern uns des oben gebotenen Ergebnisses der wort- und begriffsgeschichtlichen Forschungen. In Ign
Mg 9, 1, einer der äußerst wenigen μυστήριον-Stellen bei den Apostolischen Vätern,
wird von dem μυστήριον gesprochen, «durch das wir das Glauben empfangen
haben».[54] Die Aoristform deutet ein bestimmtes Ereignis an, wie auch schon zuvor
die andere Formulierung: «die zu neuer Hoffnung gelangt sind». Beide Aussagen
wollen die Christen bezeichnen, die den Juden oder «Sabbat-Haltern» gegenübergestellt werden. Die Christen sind also solche, die durch ein Geschehen (Aorist)
in ihren jetzigen, nämlich den Christen-Stand versetzt sind. Für die Christ-*Gewordenen* ist charakteristisch und gefordert, daß sie «gemäß dem Herrntag leben», oder,
wie es zuvor hieß, «gemäß Jesus Christus» (IgnMg 8, 2) bzw. «gemäß dem Chri-
stianismus» (10, 1), was alles sachlich dasselbe meint. Der Herrentag selbst wird
durch den Satz «an dem auch unser Leben aufging durch ihn (Jesus Christus) und
seinen Tod» in seiner Besonderheit bestimmt. Der Aufgang unseres Lebens durch
Jesus Christus und seinen Tod bezeichnet sicher zunächst das Kreuzesereignis, das
den Herrentag als solchen bestimmt. Es wird aber zugleich als μυστήριον angesprochen, und zwar als das, durch das als in einem bestimmten (einmaligen) Ereignis der
Christ zum Christen wurde. Die im Blick auf die Christen gemeinten Aorist-Stellen
beziehen sich ja nicht (einfach und bloß) auf das Ereignis des Todes Jesu Christi
selbst.[55] Damit dürfte aber hinreichend klar sein, daß an die Taufe gedacht ist. So
erscheint das «gemäß dem Herrentag leben» hier als gleichbedeutend mit «gemäß
dem μυστήριον leben». Das geschehnishaft das (den) Glauben vermittelnde μυστήριον
geht auf das «zur Zeit der Präfektur des Pontius Pilatus» geschehene μυστήριον zurück (IgnMg 11), wobei wir aus unserer bisherigen Analyse sogleich sagen dürfen:

[54] «Wenn nun die, die in alten Bräuchen wandelten, zu neuer Hoffnung gelangten
(ἦλθον) und nicht mehr den Sabbat halten, sondern nach dem Tag des Herrn leben, an dem
auch unser Leben aufging (ἀνέτειλεν) durch ihn (Jesus Christus) und seinen Tod – was
einige leugnen (μυστήριον), ein Geheimnis (μυστήριον), durch das wir den Glauben (besser: das Glauben: δι' οὗ μυστηρίου ἐλάβομεν τὸ πιστεύειν) empfangen haben und wegen dessen wir ausharren,
um als Jünger Jesu Christi, unseres einzigen Lehrers, erfunden zu werden –, wie werden
wir leben können ohne ihn…» (IgnMg 9, 1 in der Übersetzung von J. A. Fischer, Die
Apostolischen Väter 168 ff).

[55] Von diesem Ereignis selbst heißt es etwas weiter: «… daß ihr vollkommen überzeugt
seid von der Geburt, dem Leiden und der Auferstehung, die während der Regierungszeit
von Pontius Pilatus erfolgt ist; wirklich und gewiß wurde dies vollbracht von Jesus Christus, unserer Hoffnung, von der niemand unter euch abwendig gemacht werden möge»
(IgnMg 11: Fischer 169). Bezeichnend, daß hier *nicht* μυστήριον steht. Auch ist durch diese
Stelle erhärtet, daß in 9, 1 nicht einfach «Tod und Auferstehung Christi genannt wird», wie
Bornkamm es sieht (ThWNT 4 [1942] 831). Das Wort ἀνατέλλω kommt bei Ignatius für die
Auferstehung Jesu nicht vor. Damit ist freilich nicht geleugnet, daß der «Aufgang unse-
res (!) Lebens durch ihn» am Tag, der zum Herrentag wurde, seine innere Wesensbezie-
hung zur Auferstehung Christi hat. Die Nuancen sind hier aber eben nicht zu übersehen.

dieses, das Kreuzesereignis nämlich, ist das verwirklichte μυστήριον, das sich je an denen verwirklichen soll, die zu Christen gemacht werden sollen. Alles in allem gesehen, dürfte hier μυστήριον, ohne daß es im letzten Sinn expressis verbis schon so formuliert wäre, einerseits das Heilsereignis selbst meinen (etwa im Sinne des Eph), andererseits dasselbe, insofern es dem einzelnen in einem, nochmals den Aorist fordernden Geschehnis zuteil gegeben wird und auch im Leben und in lebenslänglichem Ausharren (9, 1) zu verwirklichen ist. Wenn wir dann noch überdenken, wie der Herrentag als solcher konkret gefeiert wurde, so ist die Möglichkeit der Bezeichnung nicht nur der Taufe, sondern auch der für den Herrentag besonders charakteristischen Feier, nämlich der Eucharistie, als μυστήριον auch nicht mehr fern.

Wenn die bisher angestellten Überlegungen zu Recht bestehen, so können wir dieses als Ergebnis festhalten: Im NT ist eine anfängliche Sakramententheologie grundgelegt, wenngleich sie sich erst sehr implizit abzeichnet. Wichtig ist dabei zu sehen, wie sich vom *einen μυστήριον* her, wie es im NT selbst eigenständig begriffen und formuliert erscheint, die Berechtigung und mögliche Entwicklung auf die namentliche Bezeichnung verschiedener Heilsriten als μυστήριον-sacramentum – Sakrament herausstellt. Im Hinblick auf die tatsächliche wort- und begriffsgeschichtliche Entwicklung von μυστήριον (sacramentum) *und* auf die Geschichte der Theologie der einzelnen «Sakramente» selbst, soweit wir sie schon sehen konnten, bleibt freilich der je verschiedene, abgeleitete Sinn der Verwendung dieses Begriffs zu beachten. Wir werden im systematischen Teil manche entscheidenden Momente berechtigter, aber eben neu einzubringender oder doch aufs neue zu betonender Forderungen an einen gültigen Sakramentsbegriff noch zu bedenken haben. Darunter wird nicht zuletzt zu beachten sein, daß in dem vom ntl. μυστήριον her konzipierten Sakramentsbegriff die Aktivität Gottes (des Vaters), der das Heil durch seinen Sohn Jesus Christus wirkte und wirkt, thematisch bleiben muß. Das Entsprechende gilt sodann von Jesus Christus, und von ihm her von der Kirche als seinem σῶμα und πλήρωμα. Dieses und anderes wird dann am gegebenen Ort zu besprechen sein.

4. Wesentliche Momente der weiteren Entwicklung und kirchenamtliche Aussagen

Wir haben jetzt auf Grund des wort- und begriffsgeschichtlichen Überblicks, den wir ja zunächst bis Augustinus durchführten, und durch die Überlegungen zur Entstehung einer ersten Theologie der Sakramente im NT (im Sinne des vorigen Abschnittes) eine klarere Einblicksmöglichkeit in die tatsächliche weitere Entwicklung der allgemeinen Sakramentenlehre gewonnen. Hier geht es uns ja nicht um diese Geschichte als solche. Vielmehr soll erkennbar gemacht werden, welchen Weg jenes spezifische theologische Interesse nahm, das sich gerade der «Sakramentalität» der Sakramente zuwandte. Die Theologie der Einzelsakramente selbst ist dabei ja nochmals ein anderes Kapitel.

Es dürfte nun in Rekapitulation der Ergebnisse schon der beiden vorigen Abschnitte klar sein, daß durch Augustinus (spätestens) – vielleicht ohne daß er das selbst wollte – faktisch eine Blickeinengung stattgefunden hat. Denn seit ihm (jedenfalls für uns seit ihm deutlich faßbar) wird immer mehr auf das Sakrament als ein ekklesial vollzogenes *Zeichen* geschaut. Der in der älteren Theologie noch sehr lebendige, vom Kreuzesereignis her verstandene Geschehnis-Charakter der Sakramente als Lebensvollzug der Kirche im Sinne etwa des Epheserbriefes tritt in den Hintergrund. Mehr und mehr konzentriert man sich auf das Verständnis der rituellen Handlung. Eine gewisse Sonderstellung nahmen in der Zeit bis ins Mittelalter, neben den von Augustinus initiierten Reflexionen (die bei ihm freilich noch nicht ausschließlich vorliegen), die «Definitionen» Isidors von Sevilla ein. Bei ihm kommt der Anamnese-Charakter der Sakramente noch deutlich zum Zuge, wie auch der des Mysteriums.[56] Nach wie vor entzünden sich die theologischen Disputationen hauptsächlich an der Erschließung der Taufe und der Eucharistie als Sakramente, wenngleich dann im angehenden Mittelalter auch immer mehr die anderen Sakramente thematisch auch in der *allgemeinen* Sakramententheologie berücksichtigt werden. Das Interesse dieser sich so ausbildenden Sakramentenlehre konzentriert sich immer mehr und in einem verengenden Sinne auf folgende Themenkreise:

Zunächst einmal bemüht man sich immer mehr, einen auf alle Sakramente anwendbaren allgemeinen *Sakraments-Begriff* zu erarbeiten, ein Bemühen, das verschiedene, mehr oder weniger umfangreiche Definitionen hervorbringt. Bezeichnend ist für

---

[56] «Eo modo agimus Pascha, ut non solum mortem et resurrectionem Christi in memoriam revocemus, sed etiam cetera (quae circa eum attestantur) ad sacramentorum significationem inspiciamus. Propter initium enim novae vitae, et propter novum hominem, quem iubemur induere, et exuere veterem, expurgantes vetus fermentum, ut simus nova conspersio, quoniam Pascha nostrum immolatus est Christus; propter hanc ergo vitae novitatem primus mensis in anni mensibus celebrationi paschali attributus est» (Etym. 6, 17, 13–14: PL 82, 248 AB). – «Sacramentum est in aliqua celebratione, cum res gesta ita fit ut aliquid significare intelligatur, quod sancte accipiendum est. Sunt autem sacramenta baptismus et chrisma, corpus et sanguis. Quae ob id sacramenta dicuntur, quia sub tegumento corporalium rerum virtus divina secretius salutem eorumdem sacramentorum operatur unde et a secretis virtutis, vel a sacris sacramenta dicuntur. Quae ideo fructuose penes Ecclesiam fiunt, quia sanctus in ea manens Spiritus eumdem sacramentorum operatur effectum. Unde seu per bonos seu per malos ministros intra Dei Ecclesiam dispensantur, tamen qui Spiritus sanctus mystice illa vivificat, qui quondam apostolico tempore visibilibus apparebat operibus, nec bonorum meritis dispensatorum amplificantur, quia neque qui plantat est aliquid, neque qui rigat, sed qui incrementum dat Deus; unde et Graece mysterium dicitur quod secretam et reconditam habeat dispositionem» (Etym. 6, 19, 39–42: PL 82, 255 CD). Für die Probleme, die das Sakramentenverständnis Isidors u.a. aufgibt, vgl. auch R. Schulte, Die Messe als Opfer der Kirche. Die Lehre frühmittelalterlicher Autoren über das eucharistische Opfer = LQF 35 (Münster 1959) 13–28.

unseren Zusammenhang etwa die von Hugo von St. Victor vorgebrachte: sacramentum est corporale vel materiale elementum foris sensibiliter propositum ex
similitudine repraesentans, et ex institutione significans, et ex sanctificatione con-
tinens aliquam invisibilem et spiritualem gratiam.[57] Danach ist ihm für ein Sakrament wesentlich, daß es einmal «quandam similitudinem ... ad ipsam rem cuius
est sacramentum» aufweisen muß, sodann die Einsetzung (durch Christus), gemäß
der das Zeichen die Gnade darstellt, und schließlich die Heiligung des Zeichens, so
daß es bei Anwendung durch den Priester die Gnade tatsächlich spendet. Für uns
ist bedeutsam, daß also ein wesentlicher Rückbezug zum Kreuzesereignis nicht
mehr ausdrücklich genannt wird. Bei *Thomas von Aquin* finden wir dann einen so
weiten Sakramentsbegriff, daß er alle (von ihm angenommenen) alttestamentlichen
und neutestamentlichen Heilsriten einzufangen gestattet. Dabei geht es ihm vornehmlich auch darum, besonders den Zeichen- und Heiligungs-Charakter der
Sakramente herauszustellen. Daß außerdem bei Thomas auch das heilsgeschichtliche Moment mehr als vielleicht sonst zu seiner Zeit üblich herausgestellt erscheint, ist daran zu erkennen, wie er für die Sakramente als charakteristisch das
memorative, heils-präsentische und das prognostische Moment beachtet.

In den Fragen um die *Einsetzung der Sakramente durch Jesus Christus,* die als wesentlich verlangt wird, spielt sicher noch das Bewußtsein um die notwendige
Rückbindung der Sakramente an das Heilswerk Christi mit, wenngleich diese
nicht mehr so deutlich und konkret thematisch wird, wie es zu fordern wäre. Die
Schwierigkeiten, die sich dem konkreten Nachweis der Einsetzung der Sakramente
durch Jesus Christus entgegenstellen, wurden von Anfang an gesehen und auf verschiedene Weise zu lösen versucht. Für uns ist bezeichnend, daß die vom NT her
eher angeregte Rückbindung gerade an das Kreuzesereignis, und somit eben auch
an die Aktivität Gottes (des Vaters) zwar nicht vergessen, aber sakramententheo-
logisch nicht mehr sonderlich artikuliert wurde. In diesem Zusammenhang ist
auch auf die Frage nach der *Zahl der Sakramente* hinzuweisen. Sie wird anfangs
kaum reflektiert; bei Petrus Damiani zeigt sich das Bemühen um eine möglichst
große Zahl: er nennt einmal zwölf Sakramente. Erst in der Hochscholastik wird
die Siebenzahl zur Selbstverständlichkeit, so daß man sich sogar um die Angabe
von Konvenienzgründen für diese Zahl bemüht. Allerdings werden die Schwierigkeiten dieser Frage nicht übersehen.

Ein besonderes Augenmerk wird sodann auf das äußere Zeichen des Sakraments
in seiner Struktur gerichtet. Die Entwicklung, von Augustinus schon angebahnt
(wenngleich mit ziemlich anderer Intention), nahm durch die Rezeption des Aristotelismus ihren Weg zur ausdrücklichen und bis in unsere Zeit gültigen Verwendung der Ausdrücke *materia* und *forma,* in Anwendung (wenigstens formal-ver-
ständnishafter Art) der Grundkonzeption des Hylemorphismus. Bei aller Fruchtbarkeit dieses Gedankens und dieser Ausdrucks- und Verstehensweise wurde aber
auch sogleich die Schwierigkeit sichtbar, diese konstitutiven Elemente, materia
und forma, für die einzelnen Sakramente tatsächlich näher anzugeben. Hier hat
sich im Laufe der Zeit ein in bestimmter Hinsicht mögliches Verstehensmodell
unbemerkt zu einem (unberechtigterweise) als wesentlich angesehenen Sach- und

---

[57] De sacr. christianae fidei I. 9, 2: PL 176, 317 C.

Strukturmoment umgebildet, mit allen negativen Folgen für die theologischen Bemühungen um das allgemeine Verständnis der Sakramente.

Weiters wurde im Mittelalter auch die Lehre über das *opus operatum* und das *opus operantis* in der Sakramententheologie aufgebaut. Bezeichnend ist, daß diese Sicht- und Ausdrucksweise von der Christologie und der Lehre über das Verdienst Christi her in die Sakramententheologie hinübergeholt wurde. Darin dürfte sich u. a. doch auch das (vielleicht zu wenig ausdrücklich festgehaltene und betonte) Bewußtsein aussprechen, daß die Sakramente sich von Jesus Christus als dem eigentlichen «Sakrament Gottes» herleiten. Dasselbe dürfte auch dem zugrunde liegen, was theologisch für die *Sakramente als causae gratiae* erarbeitet wird. Schon Petrus Lombardus hatte neben dem Zeichencharakter auch den der Gnaden-Ursächlichkeit der Sakramente betont. In der Frage dieser Ursächlichkeit ex opere operato gab es keine eindeutige oder allseits akzeptierte Lösung, sobald es darum ging, die nähere *Weise* dieser Ursächlichkeit zu bestimmen. Bezeichnend ist die Lösung, die Thomas von Aquin vorlegt. Er differenziert die Weise des kausalen Wirkens. Für ihn ist Gott selbst die causa principalis der Sakramentsgnade. Die Sakramente sind causae instrumentales in der Hand Gottes. Das wird näher im Vergleich zu (und auch in Ableitung von) Christus erklärt: Dessen menschliche Natur ist das instrumentum coniunctum, die Sakramente aber instrumenta separata der zu vermittelnden Gnade. Bei aller Unzulänglichkeit, die man vielleicht in dieser Konzeption sehen mag, bleibt die Aktivität Gottes (des Vaters) im sakramentalen Geschehen in einer Weise gewahrt, die zu dieser Zeit selten ist. Das wurde in der Folgezeit anders. Immer mehr sah man bei der theologischen Behandlung der Sakramente diese nur mehr in ihrer (wenn auch Instrumental-)Ursächlichkeit, ohne daß das Handeln Gottes selbst noch wesentlich thematisch geblieben wäre, zumal im Sinne des Kreuzesereignisses. Auch kann auf das eigentümliche Faktum hingewiesen werden, daß im Gefolge der immer eingeengteren Sicht der allgemeinen Sakramententheologie es dazu kommen konnte (und so gesehen, vielleicht auch mußte), im Verständnis des Haupt-Sakraments, der Eucharistie, zu der unglücklichen Unterscheidung zwischen sacramentum und sacrificium zu gelangen, eine Unterscheidung, deren Folgen wir heute noch kaum überwunden haben.

Die sich so abzeichnende, hier nur in groben Zügen vorgestellte Sakramentenlehre[58] erfuhr erst seit dem Mittelalter bei gegebenen Anlässen kirchenamtliche Festlegungen. Vor allem das Konzil von Trient hat sich in einem größeren Umfang mit dieser Materie befaßt und bestimmte Verlautbarungen erlassen. Wir bedenken im Blick auf diese Definitionen und sonstigen Festlegungen den Sinn solcher Aussagen, die also nicht als ausführliches theologisches Kompendium der Sakramentenlehre der Kirche mißdeutet werden dürfen. Da sie aber doch für die Folgezeit bis in unsere Tage maß-

---

[58] Für einen umfassenderen Einblick in die Geschichte der Lehre über die Sakramente im allgemeinen müssen wir, da der Raum hier nur eine äußerst gedrängte und daher ziemlich unvollständige Darstellung erlaubt, auf die älteren dogmatischen und dogmengeschichtlichen Handbücher verweisen. Außerdem: G. Van Roo, De sacramentis in genere (Rom ³1966).

gebend geblieben sind, seien die wichtigsten Momente dieser tridentinischen Abgrenzungen hier genannt.

Wenngleich die Kirche selbst auch von (zu ihrer Zeit gültigen und auf ihre Weise
heilswirksamen) alttestamentlichen Sakramenten spricht (DS 1348, 1602), so gilt
für die Sakramente der Kirche Jesu Christi, daß sie von diesem eingesetzt sind
(DS 1601, 1864, 2536, 3439f), und zwar der «Substanz» nach (DS 3857). Was diese
Substanz ausmacht und wie die Einsetzung näher zu verstehen sei, bleibt offen.
Jedenfalls hat die Kirche keine Macht über jene Substanz der Sakramente (DS
1728, 3857), was also ihre grundsätzliche Abhängigkeit in der Heilszuwendung
vom Herrn betont. – Ihrem *Wesen* nach sind die Sakramente, wenngleich innerlich
je eine Einheit, aus «Materie» (Element, res) und «Form» (Wort) zusammen-
gesetzte (DS 1262, 1312, 1671, 3315) «sichtbare» Zeichen (DS 3315, 3857f) oder
Symbole der «unsichtbaren» Gnade (DS 1639). Sie sind Gnadenmittel, die als
«heiligende Kraft» (DS 1639) bzw. «Instrumentalursache» (DS 1529) die ihnen
eigentümliche Gnade so bezeichnen und «enthalten» (DS 3858), daß sie diese
«ex opere operato» (DS 1608, 3544ff), also nicht wegen des eigenmächtigen Verdienstes des Spenders oder Empfängers, vermittelnd hervorbringen. Die genauere
Weise dieses «instrumentalen» Gnaden-«Wirkens» ist nicht erklärt. Doch scheint,
wegen der gelegentlich ausgesprochenen Heilsnotwendigkeit der Sakramente
(DS 1604), die Aussagerichtung eher auf eine wirkliche (Instrumental-)Ursächlich-
keit zu gehen. Das «opus operatum» ist nicht dahin zu verstehen, daß die Sakramente die ihnen je eigentümliche Wirkung «automatisch-mechanisch», noch auf
eine wie immer verstandene magische Weise hervorbringen. Vielmehr ist die
Gnadenmitteilung in ihrer Tatsächlichkeit wie in ihrem «Maß» auch wesentlich
von der Disposition des Empfängers (als Bedingung, nicht als Ursache), d.h. von
dem sich der sakramentalen Gnade öffnenden und anheimgebenden Glauben, wie
auch von der Intention des Empfängers (DS 782, 1606, 1677) und der des Spenders
abhängig. Hier wird übrigens das Bewußtsein von der Christus- und Kirchen-
abhängigkeit aller Gnade, zumal auch der sakramentalen, sichtbar. Dafür steht die
Formel, daß der Spender wenigstens die Absicht haben muß, «zu tun, was die
Kirche tut» (DS 1611f, 1617).
   Die durch die Sakramente vermittelte Gnade entspricht dem, was das jeweilige
Sakrament symbolkräftig bezeichnet und enthält und ist eigentliche, wenn auch
instrumentalursächlich hervorgebrachte Wirkung des Sakramentes. Die sakramentale Gnade ist die Rechtfertigungsgnade (DS 1604, 1696) oder deren Entfaltung und Wachstum (DS 1638, 1310–1313), also Gnade gemäß der je spezifischen
Symbolwirksamkeit des einzelnen Sakramentes (DS 1310–1313). Einige Sakramente bringen zudem einen besonderen, *sakramentalen Charakter* hervor (DS 1313,
1609) und können deshalb nicht wiederholt werden. – Den Sakramenten kommt,
was die Kirche insgesamt angeht, Heilsnotwendigkeit zu (DS 1604), die sich im
einzelnen Kirchenglied gemäß seinem spezifischen Gliedsein konkretisiert. – Gemäß dem Wesen der Sakramente als durch Jesus Christus, dem Gott (Vater) alle
Macht übergeben hat, eingesetzter und der Kirche als solcher anvertrauter Heilsmittel, vermag ein einzelnes Glied der Kirche ein jeweiliges Sakrament nur auf
Grund eigentlicher, von Christus bzw. der Kirche stammender Vollmacht zu spenden (DS 1610, 1684, 1697, 1710, 1777). Zur gültigen und wirksamen Spendung des

Sakraments ist zudem die Richtigkeit des Vollzugs nach «Materie» und «Form» sowie die rechte Intention, nicht aber der Stand der Gnade und Rechtgläubigkeit notwendig (DS 1310, 1612, 1617). Entsprechend gilt für den Empfänger die hinreichend bewußt gemachte Intention, das Sakrament zu empfangen, als notwendig (von speziellen Fällen, wie Kinder-Taufe abgesehen), wobei für die einzelnen Sakramente verschiedene Bedingungen gefordert sind. – Die *Zahl* der ntl.-kirchlichen Sakramente beträgt «nicht mehr und nicht weniger als sieben» (DS 1601). Diese haben jedoch unterschiedliche Würde und Heilsnotwendigkeit und Heilsbedeutung (DS 1603, 1639).

Aus allem, was diese Definitionen und sonstigen Festlegungen bringen, ist auch unmittelbar der Abstand ersichtlich, der zwischen einer eingebürgerten Sakramentenlehre, die sich vornehmlich von diesen Festlegungen «über die Sakramente im allgemeinen» her versteht und nur darauf aufzubauen geneigt ist, und einer sich aufs neue am NT und der frühen Väterzeit besinnenden Sakramententheologie besteht. Das ist schon längst empfunden worden. So gibt es (spätestens) seit den Anfängen dieses Jahrhunderts ein Bemühen um die Wiedergewinnung der größeren Fülle sakramentalen Lebens wie dessen Verständnisses. Die je zeitgebundenen, für uns heute allenthalben spürbaren (uns *heute* so anmutenden) Einseitigkeiten mancher Formulierungen wie Problemstellungen sind auf eine dem heutigen Verständnis des ekklesial-sakramentalen Lebens entsprechende Lehre hin zu überholen. Die dafür in der neueren Theologie schon vorhandenen Ansätze haben ja schon im Zweiten Vatikanischen Konzil ihre Beglaubigung erfahren. Die dabei wiedergewonnenen Einsichten sind folglich in unsere heutige allgemeine Sakramententheologie einzubringen und diese auch von den Ergebnissen der neueren Exegese her weiterzuführen. Nur die Integration aller als wesentlich und notwendig erkannten Momente, das Einbringen auch des je Besonderen der Einzelsakramente, wie schließlich die Ausmerzung aller unsachgemäßen Problemstellungen können unsere heutige Sakramententheologie aus einer gefährlichen Sackgasse herausführen helfen.

III. DIE SAKRAMENTE ALS EKKLESIALES HEILSGESCHEHEN
VERSUCH EINER SYSTEMATISCHEN EINSICHTNAHME

Vorbemerkungen

Auf Grund unserer bisherigen Ergebnisse und Überlegungen haben wir jetzt nicht nur einfach die nicht zu leugnende, heute sehr bedrängende Tatsache der Unzulänglichkeit und Klärungsbedürftigkeit des gängigen Sakramentsbegriffs nochmals zu betonen; wir vermögen vielmehr auch schon genauer anzugeben, was eine *allgemeine* Sakramententheologie (noch) zu leisten hat, um auf dem Wege zu einem gültigeren und dem heutigen Stand

der Exegese wie der Systematischen Theologie besser entsprechenden allgemeinen Sakramentsverständnis weiter voranzukommen. Die folgenden
Überlegungen dieses dritten Abschnittes können daher nicht einfach nur
Bekanntes wiederholen noch gar an dem vorbeisehen wollen, was in den
ersten beiden Abschnitten schon erkannt und was dort an Ansätzen für eine
berechtigte, vollere Sakramententheologie mehr oder weniger ausdrücklich
herausgestellt wurde.

Die theologische Notwendigkeit der bewußt zu vollziehenden Rückbindung unseres (gegebenenfalls auch aufs neue zu gewinnenden) Sakraments-
begriffs an das neutestamentliche μυστήριον dargelegten Sinnes dürfte nach
allem Gesagten keinem Zweifel mehr unterliegen. Damit ist die wesent-
lichste Vorentscheidung für das Folgende gefallen: Die Sakramente, insofern sie als Zeichenhandlungen im Leben der Kirche in ihrer Besonderheit
begriffen werden, sind von *dem* Wesen dieser Kirche her zu verstehen, wie
dieses im NT *als* μυστήριον Gottes aufgedeckt erscheint, wobei dieses nochmals vom μυστήριον Gottes, das Jesus Christus in seiner Fülle ist, sein Sein,
seine Aufgabe wie auch sein Verständnis herleitet. Der so angedeutete Weg
des Verstehens kann nicht umgekehrt werden. Es ist folglich deutlich zu
machen, daß die (Einzel)Sakramente und folglich das «Sakramentale» allgemein sich von jenem μυστήριον herleiten und ihr Verständnis allein von
daher erfahren können und müssen. Mit dieser Feststellung sind sogleich
auch bestimmte Desiderata angemeldet, auf die hin sich die allgemeine
Sakramententheologie auszustrecken hat, auch wenn es in diesem oder
jenem Punkt (noch) ungewohnt erscheinen mag.[59] Als solche Desiderata
lassen sich etwa folgende kurz benennen, die dann auch für die weiteren
Überlegungen maßgebend sein werden.

Gemäß dem μυστήριον-Begriff, wie er sich an den für uns entscheidenden Stellen
des NT darbietet, geht es in dem grundlegenden Heilsereignis, das in dem Wort
μυστήριον im oben ausgebreiteten Sinn seinen Ausdruck findet, darum, daß Gott

---

[59] Wie sehr es heute allenthalben, nicht zuletzt auch im protestantischen Raum empfunden wird, die Sakramententheologie aufs neue und von wirklich grundsätzlichen Überlegungen und Klärungen her zu bedenken, mag folgendes Zitat zeigen: «Die Theologie
kommt aber ... nicht darum herum, sich um einen exegetisch hinreichend gerechtfertigten
und systematisch verantworteten Sakramentsbegriff zu bemühen. Denn es geht im
Sakramentsbegriff ja zugleich um die Entscheidung nicht nur über das religionsgeschichtliche Verhältnis von Christentum und Mysterienreligion, sondern auch über das funda-
mentaltheologische Verhältnis von Offenbarung und Natur bzw. Gott und Welt und
schließlich um die Entscheidung darüber, ob in der Eschatologie die Ontologie oder aber
in dieser jene ihren Grund findet. Ein Blick in die Theologiegeschichte verrät, daß im
Sakramentsverständnis Eschatologie und Schöpfungslehre in den engsten, strengsten,
aber auch problematischsten Zusammenhang gerückt sind...» (E. Jüngel, Was ist ein
Sakrament. Erster Vortrag, in: E. Jüngel-K. Rahner, Was ist ein Sakrament [Freiburg
1971] 28 f). – Der so angedeuteten Problematik kann also eine verantwortete Sakramententheologie nicht ausweichen wollen.

(Vater) *das* Heil stiftet und wirkt. Und dieses ist genauer bestimmt als ein Ereignis, in welchem der vor allen Aionen in Gott verborgen gewesene Heilsratschluß auf die Wieder-Versöhnung und Wieder-Zusammenführung der durch die Sünde Auseinandergerissenen hinauswollte und -will. Dabei wird mit Nachdruck gerade auch von *dem* Gott gesprochen, der (schon) das All erschaffen hat, einerseits, und der, andererseits, dieses (wieder- und neuzugestaltende) Heil und Leben gerade im Kreuzestod seines Sohnes Jesus Christus wirkt und es im Heiligen Geist sich (weiter) auswirken läßt. Damit sind wir innerlich notwendig zunächst darauf ver- wiesen, den *trinitarischen Grundaspekt* des sakramentalen Geschehens gebührend zu bedenken, und zwar nicht nur irgendwie grundsätzlich (und so vielleicht äußerlich bleibend), sondern gerade wegen und im Sinne des tatsächlich-konkreten Han- delns Gottes des Vaters durch seinen Sohn Jesus Christus in dessen Dahingabe im Heiligen Geist «für die vielen», und somit wegen des (weiterhin) tatsächlichen Haupt-Beteiligtseins dieser göttlichen Personen auch im konkreten sakramentalen Geschehen hier und jetzt (das ja eben nichts «anderes» enthält als jenes!).

Weiter kann eine gültige Sakramententheologie heute nicht mehr einer hinrei- chend tief bedachten *Schöpfungstheologie* entraten, die sich schon bewußt auch auf die theologische «Einsicht» in das Wesen sakramentalen Geschehens hin entfaltet. Das gilt ja schon wegen der Einzigkeit des Gottes, der Schöpfung *und* Heil (sofern man diese enger definiert und, so gesehen, unterscheidet) als *sein*, als das *eine* μυστήριον wirkt. Von daher muß dann auch eine grundlegende Einheit alles Ge- schaffenen und seiner Geschichte, sei es «natürlicher» oder «übernatürlicher» Art, vom *einen* Urheber her einsichtig gemacht werden. Der μυστήριον-Begriff des NT umfaßt ja tatsächlich Schöpfung, Erlösung und eschatologische Vollendung. Na- türlich ist im NT aus verständlichen Gründen der Nachdruck auf das mittlere Moment, auf die Erlösung, gelegt. Das Entscheidende ist aber die Zuwendung des konkret-gewirkten Heils im Geschaffenen auf die in dem historischen Erlösungs- geschehen grundgelegte eschatologische Vollendung hin. Allem Gott Gegenüber- stehenden (= Geschaffenen) und somit aller Geschichte liegt ja doch ein einziger «Plan», d.h. der göttliche (Heils)Ratschluß der endgültig-eschatologischen, aber eben in der Schöpfung schon real und konkret-wirksamen grundgelegten Com- munio zwischen Schöpfer und Geschöpf, Gott und Mensch zugrunde, wie immer der Gang der Geschichte verlaufen mag, im Sinne eben jenes μυστήριον, wie es in Kol 1,4–5.10–23 und Eph 3 (u.ö.) benannt ist. – Darüber hinaus ist die Schöp- fungstheologie gebührend einzubringen auch deswegen, weil im Geschehen des Erlösungs- oder Heilsereignisses und folglich der Sakramente nicht eine Neu- schöpfung absoluten Charakters stattfand und stattfindet, sondern das ganz eigen- tümliche Geschehnis des Handelns Gottes (des Schöpfers und Vaters) durch Jesus Christus im Heiligen Geist gerade unter Mit-Einbeziehung des (schon) Ge- schaffenen, ja sogar des durch die Sünde verunstalteten Geschaffenen. Schon hier wäre ein Platz, über das offensichtlich gerade für das sakramentale Geschehen we- sentliche Moment des Kreuzesmysteriums gemäß 1 Kor 1–2 nachzudenken. – So- dann hat überhaupt das Mit-Beteiligtsein von Menschen (auf Grund des göttlich- gestifteten, realen Teil-Nehmen-Lassens) im Geschehen des weiterzuverwirk- lichenden μυστήριον ausreichend bedacht zu werden, und dieses eben auch schon unter dem Gesichtspunkt des Geschöpfseins des Menschen in seiner ihm eigentüm- lichen Besonderheit. – Und schließlich (und wahrscheinlich erst dann) gilt es, das

Einbezogensein sogar «materieller» Dinge, das bei einigen Sakramenten wesentlich erscheint, theologisch, zumal schöpfungstheologisch zu entfalten und einzusehen zu trachten.

Mit diesen Andeutungen ist aber auch schon ein Weiteres als Aufgabe für sakramententheologische Überlegungen sichtbar geworden. Es ist die Frage nach dem, was *Geschichte Gottes mit dem Menschen* heißen kann, in besonderer Berücksichtigung eben des sakramentalen Geschehens. Denn für das Heilsmysterium Gottes, in ganz besonderer Weise eben im Kreuzesereignis «unter Pontius Pilatus» gewirkt, gelten ja bestimmte Momente, denen entsprechend Rechnung getragen werden muß. Es sind das näherhin: der *Anamnese-Charakter* des sakramentalen Geschehens, der ja weder dem historischen Faktum des Kreuzesereignisses noch der aktuellen Präsenz des μυστήριον im ekklesialen Geschehen Gewalt antun darf, sondern theologisch einsichtig gemacht zu werden erheischt. Nicht viel anders steht es mit dem *eschatologischen* Moment.

Wird dieses (und noch anderes, hier nicht mehr im einzelnen Aufzuführendes) bedacht, so kann im Blick gerade auf die ekklesialen Zeichenhandlungen, die Sakramente, auf folgende unmittelbare Grundaspekte als bedenkenswerte Momente hingewiesen werden. Zunächst dieses: Es geht in den Sakramenten letztlich um die Kommunikation, ja Communio zwischen Gott und Mensch; die Sakramente *sind*, auf die ihnen je eigentümliche Weise, Kommunikationsgeschehen zwischen Gott und Mensch. Die darin beteiligten Personen haben in diesem Geschehen persönlich ihren Anteil, wobei diese Kommunikation in einer für die Sakramente typischen, von jenem einen neutestamentlichen μυστήριον her abgeleiteten Weise der Vermittlung statthat. Das vermittelnde Medium zwischen Gott (Vater) und Mensch ist ursprünglich und letztlich der Gottes-Logos, und von ihm her die durch ihn ermächtigten «weiteren» media. Das gilt bis hin zu dem Geschaffenen, materieller oder personaler Art, das von Christus her sein medium-Sein empfängt. Dieses jeweils Vermittelnde ist in diesem Sinne Zeichen, das nicht nur kognitiv, sondern auch wirksam-effektiv zu begreifen ist. Es geht also im sakramentalen Geschehen sowohl um Offenbarung wie auch um Wirksamkeit des einen μυστήριον. Das Wirksam-Sein Gottes in der sakramentalen Vermittlung bedeutet daher in seiner Wirkung auch ein Werden und somit ein (vermitteltes, «neues») Sein, dazu auch Wachstum der schon anfänglich mitgeteilten Teilhabe. Sodann ist auch auf den *Geschichtszusammenhang* hinzuweisen, immer in grundsätzlicher Zusammenschau aller dieser hier angeführten Momente: Die Sakramente leiten sich vom Kreuzesereignis «unter Pontius Pilatus» her. Dieses selbst hat von Gott (Vater) her die Eigentümlichkeit verliehen bekommen – das gehört wesentlich zu ihm gerade als dem konkreten μυστήριον Gottes –, «repräsentierbar» zu sein, d. h. *obwohl* es gewirkt *ist*, eben doch noch (weiter)verwirklicht werden zu können je im «Jetzt» des Lebens der Kirche. Diese Eigentümlichkeit ist ja nicht einem jeden Geschehen im irdischen Leben Jesu Christi zuteil geworden (wie etwa der Inkarnation nicht, den Wundern, der Verklärung Jesu nicht, usw.). Das μυστήριον Gottes, im historischen Kreuzesereignis verwirklicht, ist also von ihm her «repräsentierbar», «applizierbar» am Einzelnen und sogar «lebbar» durch den Einzelnen, in der Kirche, je «jetzt».

Die schon genannte gebührende Einbeziehung der Schöpfungstheologie wie auch der theologischen Besinnung auf die konkret sich auswirkende Geschichts-

mächtigkeit und -präsenz Gottes wird sodann zur Vermeidung auch nur des An-
scheins eines an sich vielleicht doch magischen oder dualistischen Ansatzes der
Sakramententheologie beitragen. Der «Schöpfergott» und «Erlösergott» ist ein
und derselbe, wie daher auch seine Handlungsweise in ihrer Einheit begriffen sein
will. So gesehen, kann dann auch jeder übertriebene «Ausnahme»-Charakter des
sakramentalen Geschehens im Vergleich zum «normalen» Leben des einzelnen
wie der Gemeinschaft ausgeschlossen bleiben. Was dem Sakramentalen als ihm
eigentümlich anhaftet, kann hinreichend deutlich angegeben werden. Sein μυστήριον-Charakter ist alles andere als ein Mirakel-Sein oder -Geschehen. Freilich
sollte hier gleichfalls deutlich herausgestellt bleiben, wie gerade wieder die Sakramente am μυστήριον-Charakter Gottes selbst wie seines ewigen (Heils-)Planens und
Handelns partizipieren. Das sollte aber nicht dazu führen, die Sakramente so einfachhin in ihren Wesenselementen und Strukturen als schlechthin außerordentliche
und «rein übernatürliche» Geschehnisse zu begreifen oder darzustellen. Nicht
wenige ihrer Wesensmomente werden sich als gar nicht *unterscheidend*-spezifisch
und *nur* für sie geltend erweisen, sondern als Momente des überhaupt schon im
Schöpfungsgeheimnis grundgelegten Seins und seiner Daseins- und Verwirk-
lichungsweisen. Natürlich sind damit die sakramentalen Geschehen nicht einfach
nivellierend als irgendwelche Ereignisse im Leben bezeichnet. Sie sind ja sogar
innerhalb des Gesamtlebensvollzuges der Kirche mit Gott besonderen Charakters.

Dieses alles in eins gesehen, wird auch die berühmte Frage nach «Wort und
Sakrament» einer neuen Besinnung unterzogen werden müssen, und zwar schon
als gestelltes Problem. Spätestens hier wird erkennbar, daß bestimmte Vorentscheidungen schon philosophisch-begrifflicher wie auch fundamentaltheologi-
scher Art fallen müssen. Es muß um eine Einigung (wenigstens allgemeiner Art)
über Begriffe wie «Wort», «Symbol», «Sprache», «Zeichen» u. ä. gerungen werden. Die Notwendigkeit einer neuen, auch anthropologischen Erschließung des
Sakramentalen wird hier noch einmal sichtbar. Die Antworten auf fundamental-
theologisch zu behandelnde Fragen werden entsprechende Berücksichtigung finden müssen. Was, so ist z. B. zu fragen, heißt das eigentlich: «Gott spricht»; «Gott
handelt geschichtlich»; «Die Kirche verkündet Gottes Wort»? Die (nach heuti-
gem theologischem Stand verantworteten) Antworten auf dieserart Fragen werden
ihre wesentlichen Folgen eben gerade in der Sakramententheologie zeitigen. – Im
Anblick dieser vielfältigen Problematik kann das Folgende nur ein Versuch einer
verstehenden Einsichtnahme in das Wesen des Sakramentalen sein. Er soll angestellt werden im Blick auf das für diesen Abschnitt gestellte Thema der (Einzel-)
Sakramente als Aktualisierungen des Wurzelsakraments, der Kirche.

1. Schöpfungstheologische Voraussetzungen

Die Verwirklichung des μυστήριον vollzog und vollzieht sich, wie es in der
Besprechung des Epheserbriefes und ähnlicher Stellen klar wurde, zwar
nicht *aus* der der Welt schon eigenen Macht und deren Wirkkraft, doch *in*
der Welt und auch *mittels* des Geschaffenen. Damit sind wir aber darauf verwiesen, eine erste Grundlegung des Sakramentalen schon in dem (heute ja
nicht selten als ursprüngliches Heilshandeln Gottes verstandenen) Schöp-

fungshandeln Gottes zu sehen. Von daher ergibt sich der Sinn der folgenden Überlegungen, die die Schöpfungswirklichkeit biblisch und theologisch auf das Sakramentale hin beleuchten wollen. Das ist auch deswegen berechtigt und notwendig, weil sich ja das Geschaffensein, d.h. die Kreaturalität allen geschaffenen Seins, eben auch das des Menschen, auch das des Menschen Jesus Christus, in Ewigkeit durchhält und dem wie immer eschatologisch-neugestalteten gottgeschenkten Sein zugrundeliegend bleibt. Denn die einmal von Gott her gewordene Grundbeziehung Schöpfer–Geschöpf bleibt ja schlechthin bestehen, mit Einschluß natürlich der unüberholbaren Unterschiedenheit von Gott und dem Von-Gott-her-Seienden. Das hier jetzt zu Bedenkende wird in seinen entscheidenden Komponenten natürlich in anderen Traktaten dieses Gesamtwerkes ausführlich zu besprechen sein. Das kann uns aber nicht davon dispensieren, hier die wichtigsten Momente auf das Verständnis des Sakramentalen hin geschlossen, wenn auch relativ knapp, zu benennen und ins Licht zu rücken. Wir wollen das versuchen in einer Weise, die möglichst kein vorlautes Präjudiz philosophischer oder sonstiger Art aufweist, wodurch ja der Versuch dieses Abschnittes schon bald zum Scheitern verurteilt wäre. Die philosophischen und wohl auch theologischen Implikationen sind andernorts thematisch zu entfalten.

Wir haben also das Schöpfer-Sein Gottes wie das Geschaffen-Sein seiner Kreatur, zumal des menschlichen Seins, auf die Sakramentalität hin zu befragen. Wir tun dieses hier sogleich in einer an dieser Stelle schon berechtigten, weil andernorts begründeten, einheitlichen Sicht, aus dem Wissen, daß alles Geschaffene und seine Geschichte von dem einen Gott her ins Dasein gerufen und auf seinen Plan der Durchführung seines μυστήριον hin angelegt ist, von Gott, der sich offenbart hat als Gott der Vater, der Sohn (Logos), der Heilige Geist. Wenn wir uns in diesen Überlegungen sogleich an die genannte Grundsicht des NT, wie sie in diesem Zusammenhang etwa besonders aufschlußreich in Kol und Eph greifbar wird, anschließen wollen, so haben wir in allem sogleich die personalen Kategorien mitanzuwenden. Im Epheserbrief wird nun in einer emphatischen Weise das μυστήριον als von dem Gott her geoffenbart und gewirkt gefeiert, der der Schöpfer des Alls und zugleich der Vater unseres Herrn Jesus Christus ist. Dadurch sind wir angewiesen, die *Einheit* Gottes und seines Werkes insgesamt wie auch den *einen* «Grund» für das *ganze* Gotteswirken zu bedenken und in unseren Einzelaussagen sich auswirken zu lassen. Dieser eine «Grund» allen göttlichen Wirkens ist in Eph 1,3–14, zumal in v. 5 (und 10) angegeben: «*aus Liebe*». Diese knappe, doch alles sagende Formel wird emphatisch an den Anfang des Satzes gestellt, als «Eingeständnis, es mit einer undurchdringlichen Tatsache zu tun zu haben».[60] Am Geheimnis dieser Gottesliebe partizipiert *alles*, was das μυστήριον Gottes ist, Schöpfung, Erwählung, Prädesti-

---

[60] J.Gnilka, Der Epheserbrief, S. 72, zu Eph 1,5.

nation, Erlösung und Vollendung. Wollen wir also das Sakramentale auf-
schließen auf die «Entdeckung» des in Eph 1 hochgepriesenen μυστήριον τοῦ
Θεοῦ hin, so müssen wir also auch schon das Schöpfungsgeschehen und somit alles aus ihm Gewordene und durch es als zu Geschehendes Initiierte, mit
Einschluß *aller* Geschichte (oder wie immer man das Lebens-Geschehen
zwischen Gott und seiner Kreatur, vorab den Menschen, nennen mag) unter
diese Grundkategorie gestellt begreifen. Erst dann ist auch von Anfang an
aller Anflug eines Mirakulösen oder Magischen, das man immer wieder im
Sakramentalen vermuten zu sollen meint, abgewiesen, was immer sich als
dessen Spezifikum herausstellen mag (da ja nicht einfach *alle* Wirklichkeit
von Gott her – will man sich nicht in leeren Tautologien bewegen – als
sakramental angesprochen werden darf).

a. Zur Wort- und Symbolhaftigkeit des Geschaffenen

In der Besprechung des neutestamentlichen μυστήριον-Begriffs, zumal des
Kol und Eph, hatten wir erkannt, daß das eine μυστήριον Gottes zugleich
Wirklichkeit *und* Offenbarung in eins bedeutet. Das μυστήριον, das geoffenbart wird und daher offenbar ist, ist Tat und Gewirktes; es ist Verwirklichtes
Gottes (des Vaters) *so*, daß es als gewirkte Wirklichkeit zugleich auch Offenbarung desselben Gottes, seiner selbst wie auch des «Anliegens» seines Willens, nämlich seiner Liebe ist (Eph 1, 3 ff). Weiter haben wir erkannt, daß
das so verstandene, verwirklichte Offenbarungs- und (Heils)Wirklichkeits-
Mysterium von Gott selbst her noch auf weitere Offenbarung, d. h. auf Verkündigung, und auf weitere Wirksamkeit, d. h. Verwirklicht-*Werden* hin
disponiert ist,[61] bis einmal die (eschatologische) Vollendung sein wird.
Schließlich war erkannt worden, daß dieses so geartete *eine* μυστήριον alles
Handeln Gottes, Schöpfung, Erlösung und eschatologische Vollendung,
umfaßt. Wir richten jetzt unser Augenmerk zunächst auf das zuerst Genannte, die Schöpfung. Um in der Besinnung auf die schöpfungstheologischen Momente der Sakramente nicht von einem zwar auch berechtigten,
aber vielleicht noch verdächtigen anderen Ansatz her auszugehen, nehmen
wir also dieselben Schriftstellen zum Ausgangspunkt, die uns bisher immer
schon begleitet haben. Da kommt dann sogleich auch das andere (oder gar
besser: dasselbe) in den Blick, das allenthalben in der Schrift das Grund-
verhalten Gottes beschreibt: Gottes Wirken und Handeln ist immer zugleich als Wort, als «Rede» begriffen; und Gottes Offenbarungs- und Wei-
sungs-*Wort* ist immer zugleich auch *Wirken* in Macht. Es ist hinlänglich
bekannt, wie sich dieses biblische Glaubensbewußtsein in der Vokabel

---

[61] Hier sei auf das schon oben Besprochene hingewiesen, vgl. S. 75–82. Das dort Entfaltete soll jetzt freilich mit thematisch interessiertem Blick auf das Schöpfungsgeheimnis ausgewertet werden.

dabar und seiner Verwendung greifen läßt: es bedeutet Wort und Tat
(Wirklichkeit) zugleich, wobei letzteres sowohl das Geschehen (Ereignis)
wie auch das verwirklichte Sein meint. Weiter ist es ein geläufiges Datum,
wie gerade auch Gottes Schöpfungshandeln immer im Wort und durch das
Wort geschieht: Gott spricht, und es ist da. Wir haben also diese, hier freilich nur eben anzudeutenden, andernorts ausführlich dargestellten biblischen
Daten auf unser Anliegen hin zu erschließen. Wir übersehen dabei keineswegs, daß es in diesem Sachverhalt um etwas geht, das theologisch (und
auch philosophisch) zwar stets weiter befragbar, aber nie überholbar ist.[62]

Wir können das hier Gemeinte thesenhaft kurz so aussprechen: Alles Geschaffene ist, als solches, sogleich und zugleich Gott-Verwirklichtes *und*
Wort, Ausdruck, «Rede» Gottes. Wie immer man das Geschaffene als solches näherhin definieren mag, es trägt als seinen wesentlichen, unüberholbaren und schlechthin geltenden Grundcharakter dieses an sich, stets «von-
einem-ganz-anderen-her» zu sein, im absoluten theologischen Sinn dieses
Ausdrucks, als Wirklichkeit wie eben auch als Wort. Das impliziert mehreres, das es zu bedenken gilt.

Im Blick auf Gott als den Urheber des μυστήριον und also alles Geschaffenen ist dieses zu sagen: Das Schöpfungshandeln Gottes ist schon im AT
als ein absolut analogieloses Tun Gottes verstanden und deckt somit den
μυστήριον-Charakter schon dieses Handelns auf, ohne ihn je aufzuheben. Das
spricht sich u. a. in dem ausschließlich für Gott verwendeten Verb bara aus.
Davon findet sich auch in Eph 2, 10 (gelesen im Gesamtkontext der feierlichen μυστήριον-Aussagen dieses Briefes) insofern nochmals ein Anklang,
als das Erlösungsgeheimnis in Schöpfungsterminologie vorgestellt wird.[63]
Die absolute Souveränität und initiative Macht Gottes im Schöpfungsakt
wie folglich in seinem wirkenden Gegenüber zu Welt und Mensch, die er
erschaffend in Sein und Geschichte rief (und ruft), spricht sich in der Formel
aus, daß Gott rein durch seinen Willens-Ausspruch Welt und Mensch erschafft (und erhält). Dabei ist zu bedenken, wie schon Israel das (theolo-

---

[62] Wir brauchen hier die schon andernorts entfalteten biblischen Aussagen in dieser
Frage schöpfungstheologischer Art nicht zu wiederholen. Sie können am gegebenen Ort
eingesehen werden.

[63] Vgl. dazu J. Gnilka, Der Epheserbrief 130. Das Erlösungsgeheimnis bedeutet ja eben
(und offenbart es), daß Gott zu seiner Schöpfung steht. In diesem Zusammenhang sei auch
auf folgendes verwiesen: «Am Begriff τὰ πάντα (Eph 1, 10 u. 3, 9) dokumentiert sich die
prinzipiell einheitlich konzipierte Vorstellung des Eph von der Welt. Diese Einheit ist
ermöglicht im altbiblischen Schöpfungsglauben. Gott hat das All erschaffen (3, 9). Auf die
Neugewinnung der Einheit drängt die mit Christus eingeleitete Entwicklung hin (1, 10).
... Es ist nachdrücklich darauf aufmerksam zu machen, daß das auf die Überwindung des
faktischen Dualismus orientierte Interesse eine statische Weltbetrachtung hinter sich läßt,
so daß die Dynamik des Weltbildes des Eph hier als dessen bemerkenswertestes Charakteristikum angesehen werden muß» (J. Gnilka, ebd. 65). Die Bedeutung dieses Sachverhaltes
für die Sakramententheologie muß entsprechend gewertet werden.

gische Glaubens-)Bewußtsein gewonnen hat, daß also die Welt gerade nicht nur *nicht aus sich selbst*, auch nicht aus *ihrer* Notwendigkeit existiert, sondern eben auch nicht aus einer wie immer verstandenen, *in Gott* selbst gelegenen necessitas. Gottes Schöpfertat ist auch nicht *seine* Natur-Notwendigkeit, die sich naturhaft hätte auswirken müssen, sondern absolut freier Willensentschluß seiner unbegreiflichen Liebe.[64] Das Geschaffene, was immer es sei, ist also durch Gottes freies Sprechen aus Liebe geworden, so daß es, da *dieses* sein Geschaffensein sich ständig durchhält, auch stets das in *diesem* Sinne von Gott her Gesprochene *ist*, und zugleich auch dieserart «Rede», *Offenbarungsausdruck* dieser Liebe Gottes. Das Geschaffene als «Rede» Gottes ist biblisch nicht so verstanden, als ob Gott habe einfach reden wollen oder gar müssen, im Sinne eines monologischen Mit-sich-selbst oder Vor-sich-hin-Sprechens. Vielmehr ist das Geschaffene Gottes «Rede» auf jemanden hin; es ist *zugedacht*, zunächst (Eph 1,4), und dann eben wirksam-wirklich *zu*gesprochen (vgl. etwa Is 41,1.25). Gottes Rede ist stets Anrede an jemanden. Gott erschafft nicht, um in sich und für sich Schöpfer zu sein. Das Schöpfungswort Gottes, artikuliert und existent in dem je Geschaffenen, ist nicht um seiner selbst willen. Nicht um zu reden, spricht Gott – das wäre Emanatismus und Monismus oder Pantheismus –, sondern um gehört und vernommen zu werden. Das Geschaffene ist als gewirkte Wirklichkeit immer schon ein auf einen Jemand hin *Zugesprochenes*, in dem Gott selbst als im μυστήριον sich selbst zuspricht. Das «reine» Gesprochensein ist, eine weitere Folgerung, nicht schon das eigentlich Intendierte. Das Geschaffene ist als Gesprochenes erst dann voll existent und zur Sinn-Erfüllung gelangt, im Sinne der Ur-Intention Gottes, wenn es, als Rede *und* Wirklichkeit, an das Ziel gekommen ist, dem es zugedacht ist, d.h. wenn es personal vernommen und aufgenommen ist.

Es bedarf hier keiner weiteren Entfaltung, daß jedes Geschaffene, und das geschaffene Universum insgesamt, weil durch Gottes Sprechen entstanden *und* im Sein erhalten, eben auch Ausspruch Gottes ist. Dieser hier gemeinte Sachverhalt kann in vielfältiger Weise artikuliert und begrifflich gefaßt werden. Jedenfalls offenbaren sich die geschaffenen Dinge als «von-Gott-her seiend», und so sprechen sie, sich selbst ausdrückend, auch dieses ihr Von-Gott-her-Sein aus, und in diesem Sinne «reden» sie von Gott. Die Dinge *sind*, so gesehen, was sie sind, und machen dieses auch offenkundig. Aber weil sie nicht von sich und aus sich selbst reden, sondern von Gott her, so haben die Dinge stets «mehr» zu sagen, als sie in sich und aus sich sind. Neben dem, was sie «an-und-für-sich» sind, künden sie ja gerade auch ihr Von-Gott-her-Sein *und* ihr Auf-Vernehmen-hin-Sein, über ihr Sein-an-sich hinaus. Damit ist aber in der Worthaftigkeit geschaffener Wirklichkeit auch

---

[64] Eph 1,5 gilt, alles in allem gesehen, also mit demselben Gewicht wie für die Erlösung, so auch schon für die Schöpfung.

schon deren gott-gewirkte und von Gott her wirksame *Vermittleraufgabe* sichtbar geworden. Denn – und das brauchen wir hier nicht erst aufzuweisen – das Schöpfersein Gottes ist ja nicht seine naturale Notwendigkeit, wie auch das auf Angenommen-werden hin Verwirklichte als Ausdruck Gottes zu personaler Entscheidung des Aufnehmens und Wahrhaben-Wollens gegeben ist. Auch das Geschaffensein des Menschen ist ja gerade nicht *seine* naturale Notwendigkeit, ist vielmehr von Gott her über alle Notwendigkeit hinausweisendes, als aus Liebe stammend geglaubtes, in personaler Entscheidung vor Gott in Freiheit anzunehmendes. Kreatur ist von Person her auf Person hin. Somit haben wir also auch alles Geschaffene als Tat und Wort des persönlichen Gottes zu begreifen (wenn auch zuerst «noch» und «nur» im Sinne des *Anfangs* des μυστήριον), als dessen persönlichen Ausdruck. In dieser Hinsicht trägt jedes Geschaffene als solches schon einen personalen Charakter von Gott her, da nichts aus ihm durch «unbewußte» oder «unbeabsichtigte», also a-personale Notwendigkeit existiert.

Dieses Grund- und Ursprungsverhältnis (= Schöpfungsverhältnis) hält sich nun aber durch, solange Geschaffenes ist. Bleibt, so gesehen, alles Geschaffene in göttlicher wie kreatürlicher Nicht-Notwendigkeit (das ens contingens bleibt contingens) und also unter der von der Liebe inspirierten Macht Gottes, so ist einsichtig, daß der «Inhalt» und «Gehalt» des schöpferisch Verwirklichten als Ausdruck Gottes in Gott selbst begründet *bleibt:* die Verwirklichung und Offenbarung des μυστήριον ist ja, wie wir längst wissen, gerade nicht seine Aufhebung. Somit bleibt der Sinn und die «Bedeutung» des je Geschaffenen auch noch nach seiner Verwirklichung in Gott geborgen, da nichts aus seinem grundlegenden Gottesverhältnis entlassen wird noch werden kann. Als Ausdruck Gottes ist das Geschaffene noch nicht *endgültiges* Wort. Es ist, zunächst je in sich gesehen, erst «Vokabel» für (weiteres) mögliches Sprechen Gottes. Wie das einzelne Wort (Vokabel) nicht schon aus sich oder allein letzten Sinn hat, vielmehr erst in seinem ihm vom Sprechenden her bestimmten Satzzusammenhang den ihm zugedachten Sinn verliehen bekommt (ohne dadurch *ver*braucht zu werden!), so gilt es auch für das je einzelne Geschaffene. Wir sind damit auf das gewiesen, was wir *Geschichte*, Weltgeschehen oder wie immer nennen, auf das wir noch näher einzugehen haben. Hier genügt es, auf die jetzt schon sichtbar gewordene, im Schöpfungs-Mysterium grundgelegte Möglichkeit zu je weiterer Sinn-Gebung des Geschaffenen als Ausdrucks- und Wirk-Mittel Gottes aufmerksam geworden zu sein. Das Geschaffene ist als «Rede» Gottes nicht Einmalig-Endgültiges, sondern partizipiert (schon) an dem μυστήριον Gottes als dem Verwirklicht-noch-zu-Verwirklichenden. Das Geschaffene hat nicht nur seine (einmalig-abgeschlossene) *Herkunft* von Gott, sondern zeigt sein *stetes Herkommen* von ihm, solange es nur existiert, und das im Sinne eines Geschehens, eines «Gespräches», in welchem das einzelne Erschaffene als (gelegentlich oder auch vielfältig verwendete) «Vokabel» gemäß dem personalen Willen Gottes (oder dann auch der dazu ermächtigten Kreatur) in einen je jetzt gemeinten Sinn-Zusammenhang gestellt wird – bis schließlich die All-Zusammenfassung des in der Geschichte überhaupt seitens Gottes wie der Kreatur je Gesprochenen im *einen* Wort vollzogen werden wird.[65] Von hierher gesehen, verbietet sich übrigens, theologisch-ontologisch gesprochen, jede «endgültige» Definition des je einzelnen Geschaffenen. Oder zumindest dürfte die Definition nur angesehen werden als Mindest-«Maß» des je gemeinten Seienden. Die Offenheit auf die im μυστήριον grundgelegte Möglichkeit zu größerer Seins-«Erfüllung», und das heißt: die Offenheit der Ontologie für die Eschatologie muß schon vom Ursprung her, vom Schöpfungsmysterium her gewahrt bleiben.

b. Zur Potentialität des Geschaffenen als Möglichkeit zur Gestaltwerdung und als Wirkermächtigung

Das hier kurz Anzudeutende ergibt sich unmittelbar aus dem Vorigen, das wir im Blick auf das Schöpfungsgeheimnis aus dem Begriff des neutestamentlichen μυστήριον entwickelt haben. Zunächst ist einmal zu sehen, daß jedes Geschaffene wie das Universum insgesamt auf Grund seiner Verwirklichung offenbarer Macht-Erweis Gottes ist (vgl. Röm 1, 20). Kreatur ist «potentia» als verwirklichte und zugleich offenbare Macht Gottes, und das genau im Sinne des im vorigen Punkt Besprochenen. Weil Kreatur nicht aus sich ist, sondern von-Gott-her, so *kann* sie, *vermag* sie also nur zu sein, weil Gott mächtig ist, und zwar gerade zu dem, was wir als das Charakteristische des Schöpfungsgeheimnisses vorhin herausgearbeitet haben (was jetzt und stets angewandt zu werden verlangt). Das Sein-Können, die Potentialität zum Sein, das Vermögen dazu, zu sein, ist auch von Gott verliehen, und insofern wirklich und wirksam. Indem Gott in der beschriebenen Weise erschafft, verleiht er aus seiner Nicht-Notwendigkeit dem zu Erschaffenden, das ihm zugedachte, aber nicht notwendig sein müßende Sein, tatsächlich selbst sein zu können, das Vermögen also *und* die Tatsächlichkeit, dieses Bestimmte zu sein. Das Vermögen der Kreatur ist also die von Gott verliehene Macht, das ihr von Gott her zukommende Sein auch wirklich selbst zu sein. Das Verhältnis Schöpfer–Geschöpf hält sich, so sahen wir schon mehrfach, immer durch, solange Kreatur ist. So ist das Sein der Kreatur stets immer und zugleich Empfang*end*-Sein und Empfang*enes*-Sein zugleich. *Beides* ist ihm von Gott her. Das Geschaffene als Verwirklichtes ist also immer von Gott geschenktes Imstande-Sein zum eigenen Von-Gott-her-Sein, Ermächtigung und Macht (potentia), von Gott her wirklich zu sein und, weil

---

[65] Vgl. Eph 1, 10. Das ἀνακεφαλαιοῦσθαι, das Rekapitulieren ist tatsächlich ursprünglich aus dem Bereich der Rhetorik übernommen, wenngleich es hier den unvergleichlich tiefen Sinn bekommen hat. Genau den meinen wir jetzt allerdings.

es dieses ja kündet, von Gott her sprechend und wirkend zu sein, gemäß dem ihm von Gott her selbst oder anderen Zugedachten. Dem Geschaffenen, als dem Nicht-Notwendigen und aus sich gar nicht sein Könnenden, verleiht Gott durch sein wirkmächtiges Schöpfungswort, von ihm her es selbst (also «ganz anderes» und keine göttliche Emanation oder dergleichen) zu sein.

Daraus folgt sogleich ein Weiteres. Diese Potentialität des Geschaffenen als solchen von Gott her darf nicht statisch-definitiv angesehen werden. Was die Kreatur an Potentialität «besitzt», liegt nicht in ihr, sondern in Gott als dem Schöpfer begründet. Was sie ausmacht an Möglichkeits-Fülle, kann nicht von der Kreatur her eigen-mächtig gewußt oder berechnend eingesetzt werden, da es *solche* kreatürliche Eigen-Macht nicht gibt. Das Vermögen liegt im μυστήριον Gottes beschlossen. Nur was als potentia schon offenbar geworden ist – auf Grund von Verwirklichung oder auch durch göttliches Versprechen und Vorankündigung –, das kann angegeben und festgestellt werden, nämlich a posteriori im Sinne der notwendigen Offenbarungswirksamkeit Gottes. Weil das μυστήριον aber dieses bleibt, wie wir sahen, so bleibt die Potentialität der Kreatur als göttliche Allmacht eschatologisch offen. In der von uns gewählten Sprechweise kann man sagen: Als «Vokabeln» sind die Kreaturen für weitere göttliche (und dann auch kreatürlich-menschliche, wie wir noch sehen werden) personale Selbstmitteilung geschaffen, zu je neuem Ausdruck im Geschehen des Gesprächs, so daß gelegentlich auch schon verwendete Wörter im bestimmten Augenblick noch ganz Unausgesprochenes vermitteln können, dazu vom Sprechenden her ermächtigt. Aus dem längst vorliegenden Wörterbuch, aus der schon vorhandenen Sprache kann der Dichter ein ganz neues Gedicht mit bisher Unerhörtem als personaler Mitteilung gestalten.

Nun gehört es aber offensichtlich zum Wesen *personaler* Kreatürlichkeit, also speziell des Menschen, nicht nur solcher grundlegender Sinn-Gebung und Potentialisierung durch Gott (passiv) zu unterliegen, sondern sogar verliehen bekommen zu haben, aus geschenkter Potentialität auch *selbst aktiv* neuen Sinn stiften, Vermögen aktivieren und Potentialität weitervermitteln zu können. Damit ist zunächst einmal die verliehene Freiheit zur Selbstverfügung gemeint. Der Mensch hat diese Vollmacht und Ermächtigung mitgeschenkt bekommen, das μυστήριον seines Von-Gott-Geschaffen-Seins auch selbst mitzuentfalten. Er besitzt von Gott her die freiheitliche Macht, personal-persönlich verantwortet das zu aktuieren, zu dem er in potentia, mächtig ist. Von hierher wäre der Weg zu beschreiten für die Erschließung des letzten Sinnes der dem Menschen verliehenen Schaffensfreude, der vielfältigen Fähigkeiten und Begabungen, durch die der Mensch das ihm als Vermögen potentiell eröffnete Sein und Leben erkennt, entfaltet, gestaltet und zum Ausdruck bringt. Hier muß dieser Hinweis genügen. Zu bedenken bleibt hier für unser Anliegen, daß also der Mensch offensichtlich «Mensch» ist, in einem Grund-Verständnis; was er aber je *tatsächlich-verwirklicht* sein *wird*, ist in seine Macht gestellt, ist noch offen im Sinne des geschenkten Vermögens von Gott her. Die Frage, was denn der Mensch sei, kann also nicht beantwortet werden ohne Blick auf die Geschichte des Menschen von Gott her, vor Gott und mit Gott, im Ablauf der Aktuierungen der verliehenen Daseins- und Lebensmacht in Geschichte.

Hier ist dann schließlich noch auf ein Weiteres aufmerksam zu machen. Zu der hier gemeinten Potentialität der Kreatur, zumal des Menschen, gehört auch die Möglichkeit und Ermächtigung, sich selbst in *anderem* zum wirksamen Ausdruck zu bringen. Das, was wir schon oben näher ausgebreitet haben, wäre hier unter diesem Gesichtspunkt nochmals zu bedenken.[66] Personal aktuiertes Miteinander von Personen, aktuiert durch die vielfältigen Mittel der Kommunikation – Gespräch, Gesten, sonstige Ausdrucksweisen, zu Geschenken gemachte «materielle» Dinge – bedeutet ja, so gesehen, nichts anderes als gegenseitig vermitteltes Sein, neues (weil erstmals aktuiertes) Sein, daher vielfältige Seinsbereicherung, kurz das, was auch als grundlegend für die Sakramente als media und Zeichen personaler Kommunikation zu gelten hat. In diesem Zusammenhang ist dann auch jene Tatsache zu bedenken, daß es in die personale Potentialität des Menschen mithineingelegt ist, sich selbst persönlich in «Dingen» zum Ausdruck zu bringen, die nicht nur nicht er selbst, sondern sogar «an sich» Nicht-Menschliches sind. Mit anderen Worten: Dem Menschen ist als Person die Macht verliehen, die passive Potentialität dinghafter Kreatur in solchem Maße zu aktuieren, daß sie Eigentümlich-Menschliches zu vermitteln vermag: In dem so vom Menschen selbst ermächtigten Zeichen kommt dieser selbst bei dem an, auf den hin er dieses Ausdrucksmittel einsetzt. Er vermag dem an sich Dinghaften eine Kunde *und* Wirkmacht mitzuteilen, die dieses an sich Dinghafte aus sich selbst gar nicht besitzt, in der ihr verliehenen Ermächtigung aber machtvoll kundtut und zur Auswirkung kommen läßt. Von den vielen möglichen Beispielen sei hier nur eben an die Musik, an die bildenden Künste, dann aber eben auch an das gesprochene Wort usw. erinnert. Worauf es hier ankommt, ist, zu sehen, daß sich offensichtlich das «Maß» der in einem solchen personalen Medium eingegebenen und eben auch herauslesbaren seinshaften Mitteilungs- und Wirkungsfülle nicht von dem herleitet, was das verwendete Medium «aus sich und an und für sich» ist, sondern von dem her, der die Macht (verliehen bekommen) hat, sich selbst nach Maßgabe seines Willensentschlusses in das Medium hineinzugeben, um so vermittelt beim anderen anzukommen. Es liegt an der gewollten und also bewußten Aktuierung der eigenen Potentialität, auf diesem Wege sich personal zum anderen hin mitzuteilen. Und es liegt dann freilich auch an der Aktuierung der korrespondierenden Potentialität des anderen,

---

[66] Vgl. oben S. 57–62.

ob und in welchem Maße er den sich ihm Mitteilenden bei sich wirklich und wirksam ankommen *läßt;* nur das Sich-bewußt-Öffnen für die (Selbst-)Mitteilung des anderen, d. h. das bewußt-gewollte Ermöglichen der Anteil-Gabe des anderen läßt es zur wirklichen Anteil-Nahme am Sein des anderen kommen. Der Durchblick auf die sakramententheologische Frage nach den Bedingungen der Möglichkeit des jeweiligen effectus der Sakramente ist offenkundig.

c. Zum trinitarischen Grundaspekt des Geschaffenen

Nicht allein auf Grund der Aussagen über das μυστήριον τοῦ θεοῦ des Epheserbriefes, sondern auch wegen zahlreicher anderer Stellen des NT sind wir gehalten, auch schon für die Schöpfungswirklichkeit den trinitarischen Grundaspekt wirksam in den Blick zu nehmen. Das hat nicht erst von dem Erlösungsgeschehen her seine innere Berechtigung, wenngleich dieses uns erst konkret den vollen Einblick darin eröffnet hat und es selbst ja zudem unerhört Neues bringt (über das noch zu sprechen sein wird). Schöpfungstheologisch ist für unser Anliegen dieses kurz herauszustellen.

Die bekannte Aussage, daß die «operationes divinae ad extra communes sunt tribus personis», kann nicht allein schon als umfassende und vollständige Sentenz über den hier gemeinten Sachverhalt gelten; es muß im Gefolge der Schrift auch dem Unterschiedensein der göttlichen Personen schöpfungstheologisch hinreichend Rechnung getragen werden.[67] So dürfen wir thesenhaft Folgendes sagen: Alles Geschaffene ist in einem besonderen, im verwirklichten und offenbaren Schöpfungsmysterium auch entsprechend offenkundigen Sinn *aus Gott Vater.* Er ist die ἀρχή, der ἐξ οὗ τὰ πάντα (1 Kor 8,6) schlechthin. Die schon vorgestellten Aussagen über das Schöpfer–Geschöpf–Verhältnis sind in diesem Sinne besonders auf Gott Vater hin zu lesen, nicht viel anders, als ja bekanntlich θεός im NT in spezifischer Weise auf Gott Vater angewendet wird. Sodann ist im Anschluß an die Heilige Schrift auch schon die Schöpfungswirklichkeit mit allen ihren Implikationen aus der ἀγάπη oder εὐδοκία Gottes des Vaters zu begreifen. Der μυστήριον-Charakter dieses Sachverhaltes enthält nach Eph 1 und 3 (und anderen Stellen) wieder jenes Doppelte in Einheit, das wir an dieser Stelle so formulieren möchten: Das Geschaffene ist in einer ihm eigentümlichen (nämlich schöpfungsmäßig-grundlegenden, dann freilich geschichtlich zu entfaltenden) Weise schon verwirklichte ἀγάπη und εὐδοκία Gottes des Vaters, reale *Aus-Wirkung* und folglich auch schon (erste und grundlegende) *Manifestation* dieser göttlich-wohlwollenden Liebe. Das heißt in unserer

---

[67] Es kann hier auf die entsprechenden Ausführungen in Band II verwiesen werden. Sodann vgl. auch R. Schulte, MS III/1, 51–57 (zum patrogen[n]etischen, christozentrischen und pneumatischen Aspekt in aller Theologie).

Sprechweise: Auch schon das Geschaffene «rein als solches», die «Natur», ist schon absolut nicht-notwendige, d.h. ungeschuldete, gratis gegebene Realität, also *Geschenk* Gottes. Geschaffenes Sein ist in seiner von Gott (Vater) her seienden Wirklichkeit reales Geschenk, das dieses sein Aus-göttlicher-Liebe-Geschenk-Sein auch *kundtut* und auf diese Weise Gottes ἀγάπη (schon anfanghaft) vermittelnd sich auswirken und manifestieren läßt. (Nur so ist ja die Argumentation von Röm 1,16–23 überhaupt sinnvoll und schlüssig.) Daß hier sehr Bedeutsames für die Schöpfungstheologie, zumal auch in bezug auf den Menschen, impliziert ist, dürfte klar sein, ohne daß wir es hier weiter entfalten können. Jedenfalls findet, so gesehen, die Formel für das geschaffene Sein als solches, nämlich ens ab alio, eine nicht zu übersehende Möglichkeit vertiefter Einsicht. Das um so mehr, wenn das hier gerade Genannte mit dem zum Logos und Geist zu Sagenden zusammengeschaut wird.

Diese Aussagen können noch weitergeführt werden durch einen Blick auf den tieferen Sinn der Formel «creatio ex nihilo». So unbeholfen sie auch sein mag, sie kann an sich eminent Positives zum Ausdruck bringen. Nicht das Nicht-Vorhanden-Sein von Materie ist das eigentlich Gemeinte, sondern das Unbegreiflich-Unaussprechbare der Schöpfungstat Gottes. Nicht, daß zuvor «nichts» da war, soll betont werden, sondern daß *alles* aus *Gott* ist, und also neben ihm niemand und nichts, aus dem *auch* etwas wäre. Schon von hierher ist an sich jeder Dualismus und jeder magische Aspekt, gerade auch für das sakramentale Geschehen, überwunden und ausgeschaltet, wenngleich er sich im Verständnis immer wieder, zu Unrecht, einschleichen mag. Wichtiger aber ist es, die Ur*sache*losigkeit eben auch in Gott in dieser Formel zu erkennen. Wenn überhaupt etwas angegeben werden kann, «aus dem» Geschaffenes ist, dann nur Gott selbst und das ihm ursprünglichste Verhalten, die ἀγάπη Gottes des Vaters (Eph 1,5). Damit *ist* schon das μυστήριον des Ur-Ratschlusses Gottes des Vaters genannt, das hier seine (erste!) «Aus-Wirkung» *und* Offenbarung erfährt. Die Glaubensaussage von der creatio ex nihilo will ja doch (auch) dieses aussprechen: Die Kreatur ist nicht ein Aus-nichts-Sein. Die Herkunft des Geschaffenen ist nicht das Nichts, vielmehr Gottes des Vaters Liebe. Als «Rede» Gottes weist also das Geschaffene nicht auf das Nichts zurück, gibt somit nicht Nichts zu verstehen, sondern Gottes des Vaters ἀγάπη und εὐδοκία. Das freilich im Sinne des μυστήριον. Das «ex nihilo» meint das «umsonst», d.h. gratis und absolut ungeschuldet und unverursacht Geschenkte vom Ursprung selbst her, der Gott Vater schlechthin *ist*.

Sodann ist alles Geschaffene als *durch den Logos* geschaffen thematisch zu erfassen, zumal auf die zu erarbeitende Sakramententheologie hin. Es seien da folgende Momente für unseren Zweck herausgestellt. Alles Geschaffene ist Ausdruck Gottes (des Vaters und seiner ἀγάπη) *durch sein Wort*. Alles Geschaffene ist daher «Rede» Gottes im *einen* Wort Gottes, Partizipation am Logos-Sein dieses einen Wortes Gottes. Vom Logos her trägt also alles Geschaffene «Logizität» in sich; es ist in *diesem* Sinne «logisch». Von hierher bekommen die schon weiter oben reflektierten Wesenszüge der Kreatur als «Rede» Gottes ihren besonderen Stellenwert. Die Geschöpfe sind durch den Logos – das heißt: sie sind gerade auf Grund des personalen Verhältnisses Gottes zu seinem Logos aus Liebe Zugesprochenes und Zugesagtes. Nichts, was ist, ist ohne den Logos, d.h. eben auch: Es trägt (nicht einen, «irgend»einen, sondern) den Logos-Charakter. Von daher schon dürfte das grundsätzlich *Zusagende* des Geschaffenen zu verstehen und zu entfalten sein. Oder, um mit Jo 1,4.5.9ff zu sprechen, das Geschaffene ist, weil aus Gott *durch* den Logos, der *das* Licht ist, auch schon immer von-Gott-her-licht. Und nochmals anders ausgedrückt: Das Geschaffene ist, weil durch das Wort, so auch grundlegend von Gott selbst behauptet und affirmiert, so daß, wer immer wahrhaftig sein will, das Geschaffene in seiner Offenkundigkeit auch im Logos behaupten muß; ja, das (personale) Geschaffene kann und darf sich im Logos selbst-behaupten.[68] Denn das Wahrhaben-Wollen heißt ja nichts anderes, als Gott bei seinem Wort nehmen, sein Wort an- und aufnehmen und, was wirklich ist, verkünden.

Weiter dürfen wir hier sehen, daß das Geschaffene also auch an dem πρὸς τὸν Θεόν des Logos auf ihm zugesprochene Weise partizipiert: Das Ausdruck-Sein göttlicher Liebe, das der grundlegende Wesenszug der Kreatur ja gerade durch *das* Wort ist, heißt ja eben nicht ein Entsandtsein im Sinne einer Entfremdung von Gott noch von dem eigenen Sein, sondern ein Angesprochen-Sein auf Entsprechung hin, wahres und wahrhaftiges Dasein zur Geschenk-Eigenständigkeit *mit* Gott auf Gott (Vater) hin, in antwortendem Ausdruck seiner selbst durch eben denselben Logos, der ja der «πρὸς τὸν Θεόν» par excellence ist. Die οἰκονομία der ἀγάπη Gottes geht ja darauf hin, daß das Geschaffene (natürlich besonders der Mensch) gerade als verwirklicht-wahres (schöpferisch-geschenktes) Selbst *vor* Gott, *auf* Gott *hin* durch das Wort und im Wort in die innere Lebenssphäre Gottes selbst aufgenommen werde.[69] Indem die Kreatur sich selbst annimmt und begreift, begreift und ergreift sie ja das durch das göttliche Wort Gegebene und Ausdrücklich-Gemachte. Das bedeutet dann nicht ein eigen-sinniges

---

[68] Hier darf sicher, wenn auch unter Beachtung des Unterschiedes, auf Jo 8,54f hingewiesen werden: «Jesus antwortete: ⟨Wenn ich mich selbst ehre, ist meine Ehre nichts. Mein Vater ist es, der mich ehrt, von dem ihr sagt: Er ist unser Gott. Doch ihr habt ihn nicht erkannt, ich aber kenne ihn. Und wenn ich sagte: ich kenne ihn nicht, so wäre ich ein Lügner ähnlich wie ihr. Aber ich kenne ihn und halte sein Wort.⟩» Im Namen Gottes hat Jesus sich selbst zu behaupten, um das Wort (Gottes) zu halten, d.h. zu behaupten. Entsprechendes soll hier für die Wirklichkeit als von Gott her behauptete und von der Kreatur her aus Wahrhaftigkeit gleichfalls zu behauptende Wahrheit betont sein. *Diese* Selbstbehauptung ist nicht hochmütige Eigenmacht, sondern Gottesdienst.

[69] Vgl. dazu Eph 1,4 (vgl. dazu den Kommentar von J. Gnilka); Jo 14–17.

und eigen-mächtiges Selbständig- und Selbstverständlichsein noch solcherart Selbstbehauptung. Indem sich Kreatur durch den göttlichen Logos versteht und sich so selbst als «Begriff» ausdrückt und personal-persönlich ausspricht, bringt sie ja das von Gott her durch dessen Wort Seiende, freilich nun als das Angenommene, das als Wahrheit Aufgenommene, in wahrhaftiger, d. h. wahr-haben-wollender Antwort-Rede zum (Dankes-)Ausdruck.

Schließlich ist alles Geschaffene «*im Geiste Gottes*», d. h. in und nach dem Sinn und Geist Gottes. Vom Grundverhältnis des Vaters und des Sohnes (Logos) her, dem Geist der Liebe, Einheit und personaler Harmonie, ist die ἀγάπη Gottes des Vaters durch den Logos im Geschaffenen zum Ausdruck gebracht. Das *Zugedachte* und *Zugesprochene* des Geschaffenen, das *Zusagende* der Kreatur als solcher, ist ja gerade vom Sinn und Geiste Gottes getragen, der die Liebe ist. So gesehen, ist alle Kreatur auch, wie «logisch», so «pneumatisch».[70] Das kann etwa in folgenden Momenten geschöpflichen Seins erkannt werden. Das «aus Liebe», das dem μυστήριον Gottes überhaupt eignet, bezeichnet auch das «im Geiste Gottes» des Schöpfungsgeheimnisses, also auch das Grundverhältnis Schöpfer–Geschöpf. Das *Zueinander* von Gott und Kreatur ist das eigentümliche «Werk» des Geistes Gottes «nach außen». Damit ist das von Gott her grundgelegte Sich-Entsprechen, das Sich-nicht-fremd-Sein angesprochen. Das «Ausgehen» der Schöpfung von Gott bedeutet kein Entfremdet-werden oder ein Entlassen in die Ferne, sondern die Begründung eines göttlich-schöpferischen Miteinander im Geiste. Das Geist-volle und die Ermöglichung zur Vergeistigung der Kreatur unter der verliehenen Machtausübung der Potentialität des Menschen wären unter diesem selben Gesichtspunkt zu sehen. Weiter kann auf das grundlegende Sich-Entsprechen der vielen geschaffenen Wesen im gesamten Universum hingewiesen werden: Das Sich-nicht-Verweigern der Kreatur in bezug auf die Naturgesetze, das Miteinander der Geschöpfe als Universum und eben nicht als unverbindlicher oder gar feindlicher Haufen (Chaos), die ursprüngliche Kommunikationsmöglichkeit unter den Kreaturen, zumal unter personalen Wesen, sogar mittels «materieller» Dinge, denen Geistiges eingegeben werden kann; kurz der consensus universalis des Universums dürfte als Manifestation dessen angesehen werden, was hier gemeint ist. Weiter und vielleicht wichtiger wäre das Begeisternde des Geschaffenen, das sich etwa in Liedern, zumal in den Psalmen, vor Gott und auf Gott hin ausspricht. Auch kann auf das aufmerksam gemacht werden,

---

[70] Das Wort «pneumatisch» wird hier gesetzt, weil im Deutschen die Bildungen «geistig» oder «geistlich» schon so vergeben sind, daß das hier Gemeinte nicht mehr erkennbar wird. Auch «spiritual» oder «spirituell» haben ähnliche Schwierigkeiten, die natürlich für «pneumatisch» auch nicht ganz fehlen. Jedenfalls soll hier das gemeint sein, was allem Geschaffenen zukommt, und zwar deutlich auch vor (und nach) aller weiteren Unterscheidung in «Geistiges» und «Materielles». Das hier herausgestellte «Pneumatische» eignet aller Kreatur, auch der «materiellen».

was man das Ur-Vertrauen in das Sein nennen mag, d.h. das Grundver-
trauen, daß Sein und Leben Sinn haben. Es handelt sich dabei ja immer zunächst und zuletzt um das «Begreifen» eines Unbegreiflichen: das Sich-im-
Geiste-Gegenüberstehen von Gott und Kreatur, wie auch das Eines-Sinnes-
Sein. Dieses Vertrauen aus dem einen Geiste bringt ja dann auch die Offen-
heit und Begeisterung für den ewig neuen Sinn und solcherart Sinn-
Gebung seitens des Ursprungs des im Geiste ergriffenen und begriffenen
Lebens mit sich. So gesehen, und das alles zusammen in den Blick genom-
men, wäre der Mensch als Geistwesen gar nicht so sehr zu definieren als
Bei-sich-Sein(-Können), als vielmehr: geschaffenes personales Selbst im
Mit-sein-dürfen mit Gott im einen Geist.

Der Geist wird sodann auch wohl noch als die δύναμις Gottes, aus der
Kreatur ist und in dem sie selbst im Sinne Gottes δύναμις zu sein vermag,
anzusprechen sein. Diese δύναμις als Geist Gottes nimmt nichts Eigenmäch-
tiges noch suggeriert sie nichtige Eigensinnigkeit oder Eigenmächtigkeit.
Vielmehr läßt dieser Geist das eigene, schöpferisch-verliehene Sein in allen
seinen Dimensionen als *Charismata* erkennen, die es, vom selben Gottes-
geist getrieben, zur Auswirkung zu bringen gilt.

Damit können wir diese kurze Einsichtnahme in grundlegende, schöpfungstheologisch zu entfaltende Sachverhalte abschließen. Sie müssen ihre
notwendige Ergänzung durch die folgenden Überlegungen zur Geschichtlichkeit und zum tatsächlichen Verlauf der Geschichte des Lebens-Geschehens zwischen Gott und Kreatur erfahren.

2. Heilsgeschichtliche Momente

Nachdem im Vorausgehenden das μυστήριον Gottes in seiner Grundlegung
betrachtet wurde, wie es sich als Schöpfungsgeheimnis ausspricht und auswirkt, so haben wir jetzt das andere Moment zu besprechen, das nicht eigentlich etwas anderes ist, als vielmehr die Entfaltung des Grundgelegten als
ermöglichtes Lebens-Geschehen. Dabei ist zunächst auf «Geschichte» überhaupt hinzuweisen, dann auf deren konkreten Verlauf mit den entscheidenden Lebens- und Geschichtsereignissen, insofern es für unser Anliegen
bedeutsam ist.

a. Zur Geschichtsträchtigkeit personaler Wirkmächtigkeit

Es ist heute klarer im Bewußtsein als vielleicht zu anderen Zeiten und es
braucht nicht erst entfaltet zu werden, daß geschöpflich-menschliches Sein
und somit das Sein des Universums von Gott her auf «Geschichte» angelegt ist (sosehr mit dieser Feststellung ein Problem angesprochen ist, das
noch vielfältiger Erschließung bedarf, zumal wenn man «Geschichte» von
dem tiefer unterscheiden muß, dem sich Protologie wie dann auch Escha-

tologie zuwenden). Das pure Faktum der Geschichtlichkeit ist hier nicht erst aufzuzeigen. Desgleichen haben wir schon deren Grundlegung in der von Gott verliehenen Potentialität zumal personalen Geschöpfseins betrachtet.[71] Für unseren Zusammenhang ist jedoch wichtig, sogleich hier schon mit Nachdruck darauf aufmerksam zu machen, wie alle im vorausgehenden Abschnitt eingesehenen schöpfungstheologischen Gegebenheiten jetzt nicht nur nicht übersehen werden dürfen, sondern gerade konkret anzuwenden sind. Es kann also von vornherein nicht angehen, das Lebensgeschehen menschlichen Daseins, das wir «Geschichte» nennen, sei sie nun als Personal- oder insgesamt als Menschheitsgeschichte verstanden, nun doch unversehens und vielleicht unbemerkt zunächst einmal «in sich» zu betrachten, nämlich als in sich und aus sich geschehend und daher auch so schon in einem letzten Sinn verständlich. So berechtigt es sein mag, innerhalb dessen, was das Gebiet der sogenannten («profanen») Geschichtswissenschaft angeht, diesen (für sie sachlich berechtigten) eingeengten, d.h. «innerweltlichen» Gesichtspunkt anzusetzen, so ist theologisch sogleich festzustellen, daß menschliches Sein grundsätzlich, von Anfang an und immer, Sein-von-Gott-her und Sein-vor-Gott im besprochenen Sinn darstellt, ja sogar immer Sein-*mit*-Gott, eben nicht ohne daß Gott «persönlich» von Anfang an und ständig präsent und wirkend wäre, wenngleich freilich *als* Gott. Es ist also absolut Ernst zu machen, von Anfang an und durchhaltend, mit dem, was jenes μυστήριον Gottes, das ja Ur-Ratschluß, Erwählung, Schöpfung, Erlösung und eschatologische Vollendung, alles in einem umfängt und bedeutet.

Ist das einmal bewußt gemacht und bleibt es beachtet, dann kann eben kurz auf Folgendes hingewiesen werden. Geschichte und Geschichtsbewußtsein, d.h. das Wissen um Geschichte als wesentlich zum Menschen gehörend, impliziert, daß der Mensch nicht nur individuell zu sehen ist, sondern auch als Gemeinschaftswesen. Das gilt sowohl hinsichtlich der Gesamtmenschheit als einer Größe, die nicht nur die (addierte) Summe aller Menschen (aller Orte und Zeiten), sondern wesentlich mehr ist, wie auch hinsichtlich einzelner menschlicher Gemeinschaften, die sich mannigfaltig konstituieren. Gott ist zu begreifen als das (göttliche) Gegenüber des Individuums *in* der Gemeinschaft, wie auch als Gegenüber der Gemeinschaft (biblisch: Volk), die aus Personen besteht. So gesehen, kann und muß also auch von einer Personal- oder Individualgeschichte gesprochen werden, sofern der Blick auf das gemeinsame Leben Gottes mit dem Individuum gerichtet wird, wie dann von einer Geschichte Gottes mit seinem Volk, wobei beides eine unlösbare, weil ursprüngliche Einheit bildet.

Hier gilt es nun, im Blick auf die vom neutestamentlichen μυστήριον her zu erschließende Sakramentalität, zu sehen, daß die je einzelnen, menschlich-personal verfügten Aktuierungen geschöpflichen Daseins (die actus humani) nicht einfachhin geschehen, um dann vergangen zu sein und in ein absolutes praeteritum zu ver-

---

[71] Vgl. dazu oben S. 119–122.

fallen. Geschichte baut sich vielmehr gerade daraus auf, daß personal verfügte Akte, als geschehene, verwirklichte Wirklichkeit konstituieren. Sie gestalten und prägen das Jetzt. Geschichte ist also nie etwas Gewesenes, sondern Gewordenes, Verwirklichtes, das für die sogenannte Gegenwart, ja sogar für die Zukunft konstitutiv ist und bleibt. In der von uns schon vorgelegten Sprechweise können wir denselben Sachverhalt auch so formulieren: Personal verfügte Akte (actus humani) konstituieren, indem sie die ihnen vor-gelegenen Potentialitäten aktuieren, das Potential der Gegenwart auf Zukunft hin. Wenngleich also das historisch Geschehene nicht einfach Gegenwart ist, so bildet es eben doch nicht ein schlechthin Vergangenes, sondern als *aktuierte* personal-menschliche (individuell-gemeinschaftliche) Potentialität die je jetzige Wirklichkeit, die dann für die «Heutigen» Potentialität für *deren* geschichtswirksame Verfügungen und Aktuierungen darstellen. Denn der je heutige Mensch tritt ja nie einer Welt reiner und ganz unbestimmter Möglichkeit gegenüber, sondern einer Welt, die vielfältig geschichtlich gestaltet ist. Die dem Menschen als solchen eigentümliche geschöpfliche Potentialität wird ja seitens der Individuen wie der Gemeinschaften so aktuiert, daß gerade diese eigenartige Kontinuität von möglichem und ausgeführtem Geschehen statthat, die wir Geschichte nennen, die ja nicht einfach die Summe oder gar nur Aufeinanderfolge von angebbaren vergangenen Akten ist, sondern das Menschlich-personal-Gestaltete des Mensch- und Welt-Seins als je heutige Wirklichkeit, die selbst wieder die Möglichkeit und das Vermögen der Zukunft ist. Menschlich-Gestaltetes wird immer aufgehoben in dem geschichtlichen Sein der Menschheit in der Welt. Was nämlich das menschliche Dasein *heute* tatsächlich ist, wird wesentlich geprägt von dem, was «gestern» in freier Verfügung aus dem Vorliegenden nach Wirklichkeit und Möglichkeit gestaltet wurde: Tradition im besten Sinne des Wortes als das «gestern» gestaltete Vermögen der Gegenwart für die Zukunft. Daraus folgt unter anderem dieses: Menschliches Sein (und damit das der «Welt») kann wesensmäßig nicht ausschließlich unter ontisch-*abstraktem* Gesichtspunkt in den Blick kommen. Menschliches Sein existiert in seiner wirklichen Konkretheit gemäß den geschichtlichen Aktuierungen des Potentials menschlicher Geschöpflichkeit. Freilich, wenngleich jeder actus humanus auf seine Weise Geschichte gestaltet, so ist doch auch zu sehen, daß es vielfältige *Bedeutsamkeit* solcher Akte gibt. Doch ist eben kein wahrer actus humanus irgendwann a-historisch oder ungeschichtlich.

Menschliches Dasein und menschlich-personale Wirksamkeit stehen daher immer in einer Verflochtenheit und Eingebundenheit in die schon «ablaufende» Geschichte und sind, so gesehen, auch immer schon auf *diese* Weise prädeterminiert. Allein der absolute Anfangspunkt der hier gemeinten Geschichte entstammt reiner Potentialität: Der Schöpfungsakt Gottes im Sinne des principium des geschaffenen Seins in Geschichte überhaupt. Schon der erste wahre actus humanus (was immer er gewesen sein mag) kann nicht mehr ohne diese zuvorliegende Entscheidungstat Gottes verstanden und gesetzt werden. Und von da an wird das jeweilige Heute in allen seinen Dimensionen geprägt von dem schon Verfügten wie der sich durchhaltenden, weil im Schöpfungsgeheimnis begründeten Geschichtsfreiheit der je lebenden geschichtsmächtigen Personen.

Hier ist freilich sogleich auf Entscheidendes, zumal auch für unser Anliegen der Sakramententheologie, hinzuweisen: Aus dem konkreten Verlauf des gemeinsamen Lebens-Geschehens Gottes und des Menschen (den wir allerdings nur im Lichte der Offenbarung selbst «einsehen» können) erkennen wir, daß Gott selbst sich an diese, letztlich von ihm selbst verfügte Wesens-Gesetzmäßigkeit der Geschichte hält, besser: er selbst hat sich daran gebunden. Was das AT den Bund Gottes mit den Menschen nennt, ist ja genau dieser Sachverhalt (in seiner formalen Hinsicht): Das Handeln Gottes in Geschichte in Partnerschaft mit dem Menschen, unbeschadet der Göttlichkeit Gottes wie der Geschöpflichkeit des Menschen. So sind tatsächlich spätere Geschichtsakte Gottes jeweils schon prä-determiniert durch alle zuvorliegenden Akte, die Gott selbst, aber eben auch die Menschen inzwischen gesetzt haben. Der Blick auf die Heilsgeschichte in ihrer unbegreiflichen, konkreten Tatsächlichkeit – Inkarnation im Fleisch der Sünde, Kreuzestod, usw. – macht das unmittelbar offenkundig. Es gehört somit wohl innerlich mit in das μυστήριον Gottes, von dem Eph 1 und 3 spricht, daß Gott in seinem Bund mit den Menschen sich auch an diese Geschichtsgesetzlichkeit durch sein Wort gebunden hat, ohne damit die Macht zu schöpferischer, freier, von derselben Liebe angetriebener Wirksamkeit durch *dasselbe* Wort preisgegeben zu haben. Das Verhältnis des Alten zum Neuen Bund als unerhört Neues bei wirklicher Kontinuität ist dafür das Offenbarungszeichen und erfahrene Wirklichkeit zugleich. In unserer schon einmal verwendeten Sprechweise dürfen wir so sagen: Das am Schöpfungsmorgen begonnene Gespräch Gottes mit seiner Kreatur trägt in sich einen von Gott her ermächtigten *Gesprächszusammenhang*, in dem *spätere* Sätze und Äußerungen der beteiligten Personen nie früher Gesprochenes als Ungesagtes erklären oder es verschweigen. Selbst Widerspruch (Sünde) wird gehört; und Gott hat die Macht seiner Liebe offenbart, in der er durch sein eigenes und selbes Wort diesen Widerspruch aus- und durchhält (das Sterben dessen, der das Leben ist), um so *in* der *einen* Geschichte, und nicht unter Umgehung des (wenngleich zur Ungestalt) Gewordenen, die endgültige Rekapitulation alles Gesprochenen in seinem «letzten», allumfassenden, weil das πλήρωμα Gottes *und* das (gewordene) Menschsein in sich tragenden Wort als eschatologische Erfüllung des *ersten* Gedankens seiner Liebe zu verwirklichen.[72] Die Bedeutsamkeit dieser Gegebenheiten für das Verständnis des sakramentalen Lebens dürfte einleuchten.

b. Sünde und Erlösung als geschichtlich-gewirkte und geschichtlich-wirksame Konkretisationen geschöpflicher und göttlicher Wirkmächtigkeit

Die im Vorausgehenden eher noch formalen (freilich schon am konkreten Geschehen abgelesenen) Gesichtspunkte sind nun durch den Blick auf den tatsächlichen Geschichtsverlauf des gemeinsamen Lebensgeschehens Gottes und des Menschen auf das eigentliche Anliegen hin zu konkretisieren. Wir haben dabei mehreres zu beachten. Das Erschaffen Gottes als Ursprung und Beginn der hier gemeinten Geschichte ist schon hinreichend besprochen. Wichtig ist jetzt zu sehen, daß damit die tatsächliche konkrete Geschichte

---

[72] Vgl. dazu Eph 1,3–14, bes. 1,10; dazu J.Gnilka, Der Epheserbrief 80f.

eröffnet worden ist, ohne daß sie am Beginn schon einen deterministisch-fixierten Ablaufsplan aufgewiesen habe. Sowohl die göttlich-schöpferische, wie auch die menschlich-geschöpfliche Freiheit und Geschichtsmächtigkeit haben voll gewertet zu sein. Das bedeutet: Gott selbst hat sich in seinem Schöpfungswort nicht schon erschöpft, sich nicht schon «ausgeredet» oder seine Selbstmitteilung schon zu endgültigem Ausdruck gebracht, so daß er also gar nicht eigentlich in dieser hier gemeinten Geschichte handle und nach Maßgabe seines Willens auch gegebenenfalls Neues bewirke. Das zeigt der tatsächliche Verlauf des göttlichen Geschichtshandelns deutlich genug. Somit ist von vornherein klar, daß das Geschaffene gerade nicht Ausrede Gottes, der Mensch als Gleichnisbild Gottes eben nicht dessen Alibi in der Geschichte wäre, auch nicht für eine bestimmte Zeit: Das alles wäre faktisch Deismus. So gesehen haben wir also vom Schöpfungsmorgen an die göttliche Präsenz Gottes in der Geschichte anzuerkennen, mit allen ihren Implikationen. Diese göttliche Präsenz Gottes ist auch schon erkannt worden als trinitarisch-«differenziert». In dieser Hinsicht sind die Aussagen etwa in Eph 1, 10 und 3, 9 (zu Gott Vater), in Jo 1 (zum Logos) und entsprechende Stellen, schon im AT, (zum Geist) voll zu werten. Der Mensch selbst ist, wie wir auch schon sahen, von seinem Ursprung her als Gleichnis- und Ebenbild Gottes zum gemeinsamen Lebensgeschehen mit Gott erschaffen und berufen. Gottes Freiheit hat sich durch diese Erschaffung des Menschen in den *Bund* und seine Geschichte verfügt, so daß von da an eben auch jede menschlich-personale Verfügung, auf Grund der mitgeteilten Ermächtigung, ihre geschichtliche Auswirkung auf diesen Bund und seine geschichtlich-geprägte Erscheinungsweise hat. Denn Gott hat den Menschen ja nicht schon als *(verwirklichte)* Entsprechung seines Schöpfungswortes gebildet, sondern zu freiem, personalem Entsprechen, d.h. in das Vermögen frei-personaler, tätiger (Dankes-)Antwort gerufen und bestellt.

Von daher (erst) erschließt sich der «Sinn» der Unheils- wie Heilsgeschichte in ihrem konkreten Ablauf. Dieser selbst braucht hier nicht ausgebreitet zu werden. Die entscheidenden «Phasen» können mit dem Ereignis der (Ur)Sünde und dem des Kreuzesgeschehens in Kürze angegeben werden. Für unser Anliegen ist hier auf die Implikationen dieser Ursünde und der Sünde überhaupt für das Lebensgeschehen Gottes und des Menschen zu schauen, insofern es für das Verständnis des Erlösungsgeheimnisses und folglich der Sakramente entscheidend ist. Was es in dieser Hinsicht um die Sünde ist, kann für unseren Zusammenhang am deutlichsten abgelesen werden an dem, was der Mensch von seinem Ursprung her *ist* und folglich als Lebens-*Aufgabe* zugesprochen bekommen hatte, und was an Folgen der Sünde der Gotteslogos angenommen und zum Mysterium des Heils hat werden lassen.

Das ursprüngliche Sein des Menschen als Gabe und Aufgabe von Gott her ist in seiner Gottebenbildlichkeit zu sehen, die selbst am klarsten, ihrem inneren Wesen nach, mit der anderen Formulierung dieses selben Sachverhaltes, wie sie etwa in

Ps 8,6 greifbar wird, zu bezeichnen ist: Der Mensch ist in die Herrlichkeit und Hoheit (kabod und hadar) Gottes eingesetzt, er *ist* dieses durch die Verleihung von Gott her. Unbeschadet also der bleibenden Unvergleichlichkeit göttlicher Würde, ist der Mensch auf Grund des Schöpfungshandelns Gottes in *das μυστήριον* Gottes gestellt und damit beauftragt: In der kabod und hadar steht er, wenngleich Geschöpf, der «Welt» gegenüber. Die Welt ist, so gesehen, der Geschichtsraum des Lebensgeschehens Gottes und des Menschen. Sie ist Welt Gottes *und* des Menschen, als medium, in welchem sich Gott *und* Mensch «ausdrücken» und vermitteln, zu gegenseitiger, personaler Kommunikation. Diese gegebene Würde des Menschseins ist *die* Aufgabe der von ihm zu gestaltenden Geschichte: einmal im Sinne der anerkennenden und wahrhaben-wollenden Annahme als Geschenk Gottes, somit auf die Herrlichkeit Gottes (des Vaters) hin (vgl. Eph 3,14 u.ö.), wie dann auch im Sinne der gottverliehenen Herrscher-Macht gegenüber der Welt, im schon erklärten Verständnis. Es geht hier nicht um einen Herrschafts*anspruch*, sondern um einen Herrschaftszuspruch, der von Gott her erstrahlen soll, widerstrahlen vom Geschöpf über die Welt auf Gott hin.

Das menschliche Geschichtsverhalten, das Sünde heißt, bedeutet nun, auf unseren Zusammenhang geschaut, dieses: Widerspruch zum göttlichen Schöpfungswort als Ausdruck seiner Liebe; das Nicht-wahrhaben-Wollen und folglich das Sich-nicht-verwirklichen-lassen-Wollen der verliehenen Menschenwürde; damit aber sogleich die Verunstaltung der Herrlichkeit und Hoheit (kabod und hadar), die Gott ursprünglich zu gott- und menschenwürdiger, frei-personaler Entfaltung verliehen hatte. Darin eingeschlossen sind sodann das Abweisen und Nicht-Annehmen des Geschenkes, das der Mensch von Gott her ist. Mit der Aufkündigung der von Gott her angebotenen Freundschaft und Lebensgemeinschaft ist unmittelbar Leid und Tod, mit allen ihren Implikationen, vom Menschen verfügte, geschichtliche Wirklichkeit geworden. Somit ist seitdem menschliches Dasein die geschichtlich gewordene, ursprünglich so nicht sein sollende Wirklichkeit, die kurz durch Sünde als Gottentfremdung, durch Leid und Tod als Unheil und Nicht-Leben zu charakterisieren ist.

Das *μυστήριον* der Erlösung besteht nun nach dem einmütigen Zeugnis der Heiligen Schrift, zumal des NT, gerade nicht in einem Überspielen, Überhören und Übersehen des menschlich Verfügten in dem Geschehen, das Sünde heißt. Wenngleich dieses Entfremdung und Verunstaltung bedeutet(e), so vermochte Gott durch die Annahme gerade dieses Verunstalteten, nämlich durch die Annahme des Fleisches der Sünde durch sein eines und selbes Wort, also unter geschichtlicher Beachtung und Fortführung des von dieser menschlichen Antwort geprägten Gesprächs oder Weges, doch seinen Ur-Ratschluß *ἐν τῷ μυστηρίῳ* durchzuhalten. Das ist hier nicht in seinen einzelnen Momenten zu entfalten. Wir werden nur das für unser Anliegen Wichtigste herausstellen.

Auf Gott Vater gesehen, wäre hier zunächst das unbegreifliche Eingehen auf das Menschlich-Verfügte, wenngleich auf Grund sündigenden Verhaltens, zu erwähnen, die Dahingabe des einziggeborenen Sohnes in das Fleisch der Sünde (vgl. Röm 8,3 u.ä.) und in den Tod, und das als Offenbarung und zugleich Wirkmacht seiner heilvollen Liebe. Die *οἰκονομία* des vor den Aionen in Gott verborgenen *μυστήριον* ist also nicht in die Notwendigkeit gestellt, einen absoluten Neuanfang zu setzen. Das Erlösungsgeheimnis vollzieht sich im selben Wort Gottes, freilich

eben, auf Grund der unsagbaren Allmacht der Liebe Gottes (vgl. Eph 1,5 ff), unter
Annahme des vom Menschen geschichtlich Verfügten. Der Vater läßt das Heil
nicht durch seinen göttlichen Logos als solchen, und nur durch ihn, begründen,
sondern durch den im Fleisch der Sünde inkarnierten. Damit ist aber wenigstens
für diesen Logos eine ganz neue Weise seiner Geschichtspräsenz geschaffen. Daß
der Logos schon immer in der Welt und somit in der hier gemeinten Lebens-
Geschichte Gottes und des Menschen war, haben wir schon betont. Unbeschadet
dieses Faktums, und gleichsam «zusätzlich» und neu, tritt der Gotteslogos als
Mensch-Gewordener in die Geschichte ein, eine Gegenwart, wie sie zuvor nicht
statthatte und eben gerade ein Menschenleben lang dauern sollte. Das impliziert
mehreres, das zu beachten ist, zumal ja gerade dieser konkret in die Geschichte ein-
getretene und in ihr wirksam gewordene Gottessohn, Jesus Christus, von diesem
Ereignis an, *das μυστήριον* des Heils, das Heilssakrament schlechthin und in Person ist.

Im Blick auf die Sakramententheologie können wir den Sachverhalt so vorstellen: Das dem Menschen auf Grund des *Erlösungs*ratschlusses von Gott Vater zugedachte Heil und Leben, d.h. das Menschsein unter der Erlösungsgnade, soll ein
Gleichgestaltet-Werden nach dem Bilde *dieses* Jesus Christus sein (vgl. Röm 8,29;
1 Kor 15,47; 2 Kor 3,18; 4,4ff; Phil 3,20f; jeweils mit den Nuancen der angeführten Stellen). Dieses Gleichgestaltet-Werden soll nun eben nicht nur gemäß dem
Gottes-Logos als dem (nur) Göttlichen geschehen, sondern gerade in der Partizipation an dem *μυστήριον* Gottes, das durch und in Jesus Christus im *Kreuzes*-
ereignis offenbar und wirksam wurde. Dabei ist an dieser Stelle zu beachten, daß
der Gotteslogos das Menschsein gerade nicht in seiner ursprünglichen, vom
Schöpfergott erschaffenen Gestalt angenommen und *dieses* dann zum Sakrament
des Heils bestellt hat. Vielmehr ist der Gotteslogos in das durch die Sünde verunstaltete Menschsein eingetreten. Er hat das menschliche Sein nicht in der Gestalt
angenommen, in der es «nach dem Bilde Gottes» geschaffen, sondern zu der es
geschichtlich durch die Sünde *geworden* war. Durch diese Annahme des geschichtlich geprägten Menschseins und durch das Ereignis in Geschichte, das diesem
Menschgewordenen auf Gehorsam hin widerfuhr, ist *das* Heil gewirkt, d.h. das
μυστήριον Gottes des Vaters *als* Erlösungsgeheimnis offenbar geworden und verwirklicht. Die sakramententheologischen Implikationen liegen auf der Hand und
brauchen hier nicht im einzelnen aufgeführt zu werden; das hat bei der Besprechung der Einzelsakramente zu geschehen. Doch sei eben noch auf dieses aufmerksam gemacht: Wenngleich wir schon das Schöpfungshandeln Gottes und daher das
Geschaffene als solches «Rede», Ausdruck, ja auch ein Sich-Äußern Gottes nannten, so darf darin noch nicht die *Ent*-äußerung gesehen werden, die in Phil 2 vom
Gott-gleich-Seienden (dem Gottessohn) ausgesprochen wird. Das Schöpfungswort und das ursprünglich gemeinte Wirken Gottes ist dessen Äußerung aus Liebe
auf Herrlichkeit hin. Das Geschöpfliche darf daher, wenngleich es «unter» Gott
steht, nicht als göttliche Defizienz und in diesem Sinne als *Ent*äußerung Gottes
angesprochen werden. Anders verhält es sich mit der in Phil 2 gemeinten Kenosis
des Gottessohnes im Auftrag des Vaters. Dort, im Christusgeschehen, ist tatsächlich die *Selbstentäußerung*, der Eintritt in die *μορφὴ δούλου* im Sinne des Eintritts in
das verunstaltete Menschsein zu erkennen und zu bekennen. Sakramententheolo-
gisch folgt daraus: Das Kenotische in den Sakramenten (wie überhaupt in der

Gnadenordnung) ist nicht begründet schon in dem Zeichen- oder Wort-Charakter (als Äußerung und Selbstmitteilung), sondern in dem menschlich-sündigend-verfügt Gewordenen, auf das Gott eingeht, indem er seinen Sohn herabsteigen läßt ins Fleisch der Sünde und durch ein *solches* Ereignis als vollbrachtes das Erlösungsgeheimnis verwirklicht.[73]

Schließlich ist auf die Sendung des Heiligen Geistes als dem heilsgeschichtlichen Ereignis, das (historisch-geschichtlich) auf das (historische) Kreuzesereignis folgt, freilich als ein zu ihm wesentlich hinzugehöriges Moment, hinzuweisen. Die Präsenz dieses Geistes als des Geistes Jesu Christi des Auferweckten, den er vom Vater her sendet, ist ja gerade die eigentümliche Dynamis der Erkenntnis- und Wirk-Kraft der Kirche in ihrem von Gott Vater her ihr verliehenen Sein als μυστήριον in der Zeit zwischen dem (historischen) Christusereignis und der Parusie oder Anakephalaiosis. Wir wollen hier beachten, daß es wesentlich darauf ankommt, die Eigentümlichkeit dieses Geistes wie seiner Präsenz zu bedenken. Ähnlich wie der Logos, so war auch der Geist Gottes schon immer, seit dem Schöpfungsmorgen, auf seine Weise in der Welt, als Geist Gottes.[74] Und *so* ist er auch *immer* präsent. Auf Grund des (historischen) Pfingstereignisses als dem zum Kreuzes- und Auferweckungsgeschehen hinzugehörigen, aber doch auf seine Weise «abgetrennten» Ereignis hat er vom Vater und von (menschgewordenen im Fleisch der Sünde, am Kreuz gestorbenen und daraufhin vom Vater auferweckten!) Sohn her eine Sendung erfahren zu einer Präsenz in der «Kirche» (und damit in der Welt), wie sie *so* zuvor nicht gegeben war. Die Entsprechung zur Inkarnation im Fleisch der Sünde als historisch-geschichtlicher Präsenzweise ist nicht zu übersehen, wenngleich auch entscheidende Unterschiede da sind. Jedenfalls ist zu sehen, daß der Geist, der die Kirche gerade als das μυστήριον Gottes beseelt, *der* Geist ist, den der gestorbene und auferweckte Gottessohn vom Vater her sendet, auf daß er von *diesem* (Heils-)Ereignis her und in der davon geschichtlich geprägten Weise ganz neu präsent sei. Diese Gegenwart des Gottesgeistes Jesu Christi macht die Kirche zu dem, worum es geht, wenn sie als die Präsenz des christusgewirkten Heils und somit als «Sakrament» bezeichnet werden muß, mit allen Implikationen. Es ist der Geist, der das μυστήριον und σκάνδολον des Kreuzes gerade nicht aufhebt, sondern

---

[73] Von diesen Gedanken her wäre auch die Möglichkeit gegeben, auf die Schwierigkeiten zu antworten, die K. Barth vorgebracht hat, wenn er meint, die Sakramente wären (nach katholischem Verständnis) ein «Gefangennehmen und Einschließen Gottes ins Objekt» (Die Lehre von den Sakramenten 467). Zunächst wäre, wie oben ausgeführt, zu antworten, daß das Sich-Hineingeben ins Zeichen, das Sich-Ausdrücken sogar mittels materieller Dinge, gerade nicht ein Gefangen-werden bedeutet. Das Sich-Ausdrücken ist eher das Sich-frei-Machen auf den anderen hin. Sodann sollte an das Inkarnationsgeheimnis wie das des Kreuzes erinnert werden, in ihrer wirklichen Konkretheit. Hier dürfen wir ohne Zweifel sogar von einem «Sichgefangen-*Geben*» Gottes sprechen! *Er selbst* tut es, im Bund mit den Sündern, am Kreuz durch seinen Sohn. Das Sich-gefangen-Geben Gottes in der Dahingabe des Sohnes ist, wenn wir es im Glauben aufnehmen und wahrhaben wollen, unser Gefangensein in Christus zu unserem Heil in der Freiheit der Kinder Gottes. Ein vornehmer Ort dieses Geschehens ist das Eingehen auf und in diese Gabe Gottes selbst, «eingefangen» im Wort und sakramentalen Zeichen, das selbst ja «nur» Teilhabe an dem ans Kreuz genagelten μυστήριον Gottes *und* unseres Lebens ist.

[74] Vgl. dazu oben S. 124ff und Band II 63–82.

es als solches erkennen und wirken läßt (vgl. 1 Kor 1–2!). Dieser Geist und die Weise seines Verliehenseins und also seiner Präsenz machen sodann auch das eigentümlich eschatologische Moment des gewirkten Heils und seiner Präsenz in der Kirche als dem Sakrament dieses Heils aus. Die Kirche ist die Präsenz und das Sakrament des Heils, aber nicht schon selbst das Reich Gottes. Sie hat, als Gemeinde, den *Geist als Angeld* empfangen (vgl. Eph 1,13 f). Auch das gehört zur heilsgeschichtlichen Verwirklichungsweise des μυστήριον Gottes, das dann in den Sakramenten seine spezifische Auswirkung und Offenbarung erfährt. Das verwirklichte μυστήριον ist die schon gewirkte Anakephalaiosis der Geschichte der Menschheit mit Gott, doch eben noch auf Vollendung hin.

3. Zur Frage nach der Urheberschaft, nach Einheit und Vielfalt (Zahl) der Sakramente

In diesem, wie dann auch in den folgenden Abschnitten, wollen wir versuchen auf einige Früchte aufmerksam zu machen, die aus den bisherigen Erkenntnissen für eine heutige Sakramententheologie gesammelt werden können, ohne daß hier der Raum ist, ausführlich darauf einzugehen.[75] Wir halten uns immer an das Thema dieses Kapitels. Es stellt sich als erste die bekannte Frage nach der *Einsetzung* der Sakramente, wie dann auch nach deren *Zahl*. Nach allen unseren Überlegungen dürfte schon unmittelbar einsichtig sein, daß das Problem der Einsetzung der Sakramente auf eine neue und breitere Grundlage zu stellen ist. Wenn einfach mit dem Tridentinum wiederholt werden sollte (was sicher nicht die Absicht dieses Konzils noch der kirchlichen Lehräußerungen überhaupt sein wollte), daß alle Sakramente als «a Iesu Christo Domino nostro instituta» zu gelten haben (DS 1601; vgl. DS 1864; 2536), so bliebe eben alles davon abhängig, was man jetzt genauer unter «Sakramente» verstehen will, was unter «Einsetzung», und schließlich, wer mit Jesus Christus, unserem Herrn, näherhin gemeint ist, da er ja eben nicht einfach ein «Religionsstifter» im vordergründigen Sinne war, sich vielmehr als von einem anderen gesandt *und* beauftragt erklärte. Wenn unser bisheriger Ansatz und die aus ihm entwickelten Gedanken richtig sind, so können wir zu diesem Fragenkomplex folgendes vorbringen: Sollen die Einzelsakramente vom einen μυστήριον im neutestamentlichen Verständnis als dessen ekklesiale Einzelaktuierungen begriffen bleiben, so ist die allgemeine, jetzt einzuschlagende Denkrichtung aufgewiesen. Es dürfte dann schon unmittelbar klar sein, wie sehr der Blickwinkel erweitert werden muß, um zu sachgerechten und nicht voreilig einengenden Aussagen zu gelangen. Da die relativ spät erfolgten kirchenamtlichen Festlegungen aus ihrem eigenen historischen Kontext heraus zu begreifen sind, so können wir, ohne ihnen zu widersprechen, auf Folgendes aufmerksam machen.

---

[75] Die Frage nach dem sakramentalen Charakter besprechen wir in Band V im Zusammenhang mit der Taufe.

Es gilt, die Sakramente (wieder) innerhalb der *einen* göttlichen οἰκονομία, des *einen* μυστήριον Gottes zu betrachten. So gesehen, weitet sich der Blick, der allzu sehr auf die Einsetzung nur des jeweiligen sakramentalen *Zeichens* fixiert wurde. Wir haben inzwischen erkannt, daß bei aller Berechtigung bestimmter Abstraktionen bzw. partieller Gesichtspunkte das Ganze nicht aus dem Auge verloren werden darf, will man nicht zu einseitigen, das wirkliche, von Gott uns zukommende Leben nicht voll erfassenden Aussagen kommen. Das erfordert an dieser Stelle, die Sakramente als konkrete Einzelgeschehen des *einen* μυστήριον zu betrachten, das selbst den ganzen (heils)-geschichtlichen Komplex umfängt, der das Lebensgeschehen Gottes und des Menschen in seinen vielfältigen Ausprägungen ausmacht. Da das μυστήριον Offenbarung und Wirklichkeit in eins meint, so verbietet sich auch eine voreilige Unterscheidung zwischen dem Zeichen selbst und dessen Inhalt, wenn man glaubt, diesen der Institution durch Jesus Christus, jenes aber in seiner Struktur der Kirche zuschreiben zu können, um damit die Frage als gelöst anzusehen. Die Heilsgnade ist ja genausowenig von dem zu trennen, in dem sie sich manifestiert und auswirkt, wie Leben von dem getrennt betrachtet werden kann, worin es sich ausprägt und ausdrückt. Darüber wurde schon hinreichend gesprochen.[76] Entscheidend wird jetzt sein, mit dem μυστήριον und folglich mit den Sakramenten, in denen es sich ja offenbarend auswirkt, als einem *Geschehen* Ernst zu machen, an dem *wesentlich* Gott *und* Mensch, in gemeinsamem Vollzug sich je «zum ereignishaften Ausdruck bringend», beteiligt sind. Die Frage nach dem Urheber der Sakramente darf sich nicht sogleich und ausschließlich darauf konzentrieren wollen, wer ein bestimmtes, integrierendes Zeichenelement unmittelbar verfügt hat oder wer unmittelbarer Bildner der formalen Struktur oder des Handlungs-*Schemas* einer solchen Zeichenhandlung war. Es wird gut sein, hier auf die wichtige Unterscheidung aufmerksam zu machen zwischen *Leben*, Leben*sausdruck* und Lebensausdrucks-*Formen*. Leben drückt sich in konkretem Geschehen aus; es kann sich dabei «vorliegender» Formen bedienen. Die Sakramente sind nun aber offensichtlich zuerst konkretes *Geschehen, Leben* in mediativem (offenbarend-mitteilendem und beeindruckend-wirkendem) Ausdruck. Die Ausdrucks*formen* stellen, so gesehen, etwas Sekundäres dar und können aus Vorliegendem entwickelt sein, ohne daß der Ursprünglichkeit und auch Einzigartigkeit des vermittelten Lebens-*Geschehens* dadurch Abbruch getan würde. Wir haben also deutlich zu unterscheiden zwischen dem, was das Eigentliche des Sakraments ist, nämlich das hier und jetzt zu verwirklichende verwirklichte *eine* μυστήριον,[77] als reales Lebensgeschehen hier und jetzt zwischen Gott und diesem konkreten Menschen in

---

[76] Vgl. besonders oben S. 57–63 und 93–104.
[77] Vgl. für diese Formulierung unsere neutestamentlichen Ergebnisse oben S. 79ff und 97–102.

dieser seiner Heilssituation, einerseits, und dem «Sakrament», insofern es als ermöglichte Handlungs*form* «vorliegt» und zuhanden ist, andererseits. Letzteres drückt sich z. B. in der (fragwürdigen) Formel aus, die Kirche «besitze» Sakramente (zu möglichem Vollzug); ersteres meint aber das Leben der Kirche in *konkretem* Ausdrucks*geschehen.*

Auf das sakramentale *Geschehen* im konkreten Vollzug gesehen, fällt also die Frage nach der Urheberschaft der Sakramente zusammen mit der nach dem Urheber des μυστήριον selbst; denn beides ist ein und dasselbe. So gesehen ist ohne Zweifel zunächst *Gott Vater* als *der* Ursprung schlechthin, innertrinitarisch wie auf das Geschaffene hin, eben auch als der konkrete und alleinige Urheber des μυστήριον anzusprechen, der freilich gerade anderen verleiht, auf ihre, ihnen von ihm her zukommende Weise an dem einen, sich geschichtlich entfaltenden Lebensgeschehen auch aktiv-mitwirkend beteiligt zu sein. Das ist ja schon aufgezeigt worden, ist also hier nur noch sinngemäß anzuwenden. Mit anderen Worten: Wir können die Frage der Urheberschaft und Einsetzung der Sakramente nicht (mehr) rein statisch, losgelöst von aller heilsgeschichtlichen Betrachtungsweise, zu entscheiden trachten. Was auf Grund der neuen (besser: wiedergewonnenen) Sichtweise erkennbar wird, widerspricht nicht nur nicht den Aussagen etwa des Tridentinums, geht vielmehr auf dessen Anliegen besser ein, zumal unter Beachtung seiner Zeitgebundenheit (die ja *auch* zum μυστήριον Gottes dazugehört!).[78]

Wir haben also auch in dieser Frage Ernst zu machen mit der göttlichen Urheberschaft alles Geschaffenen wie aller Geschichte, mit Einschluß der vom selben Gott her verliehenen, wirklichen und wirkmächtigen Verfügungskraft der Geschöpfe zu dem ihnen je zukommenden Sein, also somit auch zu geschichtlich wirksamen Verfügungen des Menschen *innerhalb* des einen μυστήριον Gottes, so nämlich, daß Gott selbst sich durch seinen, von ihm frei gestifteten *Bund* sogar an solche geschöpfliche Entscheidungen gebunden hält, ohne darin auch nur irgendwie seine göttliche Freiheit preiszugeben. Ein wesentliches Mit-Beteiligtsein der Kreatur in der Festlegung bestimmter *Ausdrucksformen* des gemeinsamen, gottgestifteten, geschichtlich verlaufenden Lebens ist also nicht nur nicht auszuschalten, sondern eher zu erwarten. Ein Blick auf das tatsächliche μυστήριον des Kreuzesgeschehens, von dem her ja die Sakramente überhaupt sind, kann das unmittelbar zeigen: Die wesentliche Bestimmung dieses Geheimnisses, das Kreuz, ist ja doch nicht auf Grund ursprünglich-göttlicher, sondern menschlich-geschichtlicher (allerdings

---

[78] Die Aussage des Tridentinums, die Sakramente seien alle durch Jesus Christus eingesetzt, will ja sicher nicht die Aktivität, ja Urheberschaft Gottes des *Vaters* ausklammern! *So* darf die entsprechende Festlegung nicht verstanden werden. Ähnlich verhält es sich übrigens mit den Aussagen über die Gnadenwirksamkeit der Sakramente: Wenn diese als Gnadenmittel angesprochen werden, so soll damit ja keineswegs, auch nicht implicite, behauptet werden, sie seien die *alleinigen* Mittel, deren sich Gott bedient, um seine bzw. die Gnade Christi und somit sich selbst mitzuteilen.

eben sündiger) Verfügung geprägt worden.[79] Was aber so für das (historisch verwirklichte) μυστήριον selbst gilt, kann dann für die in den ekklesialen Aktuierungen
verwendeten Ausdrucks-*Formen* nicht mehr befremdlich sein. Freilich kann hier
nicht mehr von einem Apriori her, sondern nur aus der Einsichtnahme in die historischen Tatsachen der Heilsgeschichte Näheres zu den einzelnen Sakramenten gesagt werden, was bei deren Besprechung zu geschehen hat.

Was hier schon hinsichtlich des Wirkens Gottes des Vaters in bezug auf die
«Einsetzung» der Sakramente herausgestellt wurde, gilt in entsprechender Weise
von Jesus Christus, vom Heiligen Geiste, wie von der Kirche als dem von Gott her
ermächtigten und beauftragten μυστήριον, ohne daß das hier entfaltet werden kann.
Nur sei eben noch auf dieses aufmerksam gemacht: Auf Grund des geschichtlichen
Handelns Gottes im oben ausgeführten Sinn kann es nicht angehen, die Einsetzung
der «Sakramente» ohne alle weiteren Erklärungen einfach Jesus Christus zuzuschreiben, und das vielleicht gar in allen ihren Elementen. Unsere Überlegungen
haben uns eher dahin geführt, den Sinn sogar der sogenannten «außerbiblischen»
Einflüsse auf die (äußere, formale) Gestaltung der Handlungs-*Formen* im sakramentalen Geschehen (falls solche Einflüsse nachgewiesen sind) anzuerkennen und
in ihrem tieferen Sinn zu begreifen. Es kann aus der Einsicht in das geschichtliche
Heilshandeln Gottes kein Apriori abgeleitet werden, dem gemäß Gott wie dann
auch die Christen an sich kein geschichtlich schon Vorgestaltetes hätten aufgreifen
können, um das aufzubauen, was das «Schema» des sakramentalen Handlungs-
geschehens ausmacht. Freilich sollte von hierher auch die andere, nicht selten vor-
kommende theologische Redeweise überprüft und überwunden werden, gemäß
der Jesus oder die Kirche dieses oder jenes Element von woanders her «aufgegriffen» oder «übernommen» haben, als sei es gleichsam ein grundsätzlich Fremdes
und daher Verfälschendes. Das μυστήριον des im Fleisch der Sünde in einen ganz
begrenzten Raum menschlichen Daseins eingetretenen Gotteslogos zur Erlösung
der Welt bedingt auch die Gebundenheit des sakramentalen Geschehens, zumal in
seinen Ausdrucks*formen*, an die Begrenztheit zeitgeschichtlich und territorial ge-
prägter Verfügungen.

Aus den bisherigen Überlegungen dürfte sodann auch die Frage nach der
Zahl der Sakramente ins rechte Licht gerückt werden können. Wieder ist ja
von dem *einen* μυστήριον Gottes auszugehen, das in den speziell «Sakramente» genannten Heilsgeschehen in der angegebenen Weise zur Auswirkung hier und jetzt kommt. Im Blick auf dieses einzige Heilsmysterium hat
es seine Berechtigung, von Jesus Christus persönlich als dem einen und einzigen «Sakrament» zu sprechen. Der neutestamentliche Befund ließ, wie wir
gesehen haben, die Möglichkeit und den Sinn dessen erkennen, daß später
sowohl die Kirche, als das σῶμα und πλήρωμα Christi, «Sakrament» heißen
konnte, wie dann auch bestimmte (nicht beliebig viele) Heilshandlungen
innerhalb des Lebens der Kirche. Von diesem Faktum ist hier auszugehen.
Der Zusammenhang zwischen dem einen, im Kreuzesereignis verwirklich-

---

[79] Vgl. dazu nochmals oben S. 129–134.

ten μυστήριον Gottes und den «Sakramenten» als deren ekklesialen Verwirklichungen ist aufzudecken und zu wahren.

Insgesamt gesehen dürfte zu beachten sein, daß das eine μυστήριον Gottes, und das heißt hier: das Leben der Kirche, sich *nicht nur* in dem auswirkt und offenbart, was speziell «sakramentales Leben» heißen mag. Dieses ist eine besondere, aber deshalb nicht einzige wirkmächtige Manifestation des Christusgeheimnisses. Von daher betrachtet, wie auch auf Grund des historischen Befundes kann schon erkannt werden, daß es menschlich-christlich-ekklesialer (freilich von Gott selbst her konstituierter) Verfügungsmacht zugekommen ist, welche besonderen Lebensvollzüge der Kirche nun näherhin auch die *Bezeichnung* «Sakrament» vom einen μυστήριον her erhalten sollten und erhalten haben. Mit der Vergabe des Terminus «Sakrament» und der entsprechenden Festlegung ist an sich zunächst noch gar nichts über diese, wie auch nicht über andere Lebensvollzüge der Kirche, die diese Bezeichnung nicht erhielten, ausgesagt; denn es gab ja Zeiten der Kirche, in denen zwar das hier gemeinte Leben und seine Vollzüge schon Wirklichkeit waren, ohne daß aber eine entsprechende begriffliche Fixierung stattgefunden hätte. Es muß also im Blick sowohl auf die einzelnen Vollzüge, die «Sakrament» genannt wurden, wie auch, und vordringlich, auf das eine, im NT so bezeichnete μυστήριον Gottes versucht werden, den inneren sachlichen Zusammenhang zu erschließen, der zwischen *dem* Sakrament und *den* «Sakramenten» herrscht. So gesehen, ist die Feststellung der Zahl *als solcher* zweitrangig.

Wird das einmal gesehen, so wird deutlicher erkannt, wie sehr es stets das eine und einzige μυστήριον ist, das verschiedene Aktuierungsweisen erfährt, ohne dabei auf diese einzeln «aufgeteilt» zu werden. Das eine μυστήριον ist ja eben nicht «zu einem Teil» in dem offenbar und wirklich, was das Taufsakrament heißt, und «zu einem anderen Teil» in dem, was Eucharistie meint, usw. Wenngleich die von den im sakramentalen (Einzel-)Geschehen Beteiligten je beabsichtigte Wirklichkeit des konkreten Lebensvollzuges «verschieden» ist – einmal das Eingegliedertwerden in die Kirche als das μυστήριον Gottes; dann etwa die Verwirklichung des Mysteriums Christus-Kirche im Sakrament der Ehe; dann die Feier der Offenbarheit und Wirklichkeit des Kreuzesmysteriums in der persönlich-aktiven Teilnahme (Eucharistie); usw. –, so ist immer das *ganze* μυστήριον gemeint und auch «da», und nicht in Teilen. Desgleichen sollte auch folgendes beachtet sein: Wenngleich es viele einzelne ekklesiale *Taufgeschehen* – nämlich an jedem einzelnen, in die Kirche einzugliedernden Individuum! – gibt (auf die also auch der Aorist im oben angegebenen Sinn anzuwenden ist), so ist es doch stets die *eine* Taufe, d.h. jenes eine μυστήριον *als* Taufe. Die vielen Taufgeschehen in der Gemeinde multiplizieren weder das Taufsakrament noch jenes eine μυστήριον noch wiederholen sie es; die vielen einzelnen Taufgeschehen *sind* das *eine* Mysterium. Dasselbe für die Eucharistie: Die vielen Messen *sind* das *eine* Kreuzesgeschehen in der Form des Abendmahlsereignisses. Und nicht anders für die weiteren, auch «Sakrament» genannten

Aktuierungen des einen Mysteriums. Auch gibt es also, so gesehen, nicht die vielen Ehen (als Sakrament), sondern das *eine* Mysterium Christus-Kirche in den einzelnen Aktuierungen, und in ihnen immer ganz.

Werden diese Beobachtungen sinngemäß weitergeführt und auf die Erschließung der Einzelsakramente angewendet, so dürfte es auch ökumenisch gesehen keine unüberwindlichen Schwierigkeiten mehr machen, der «Zahl» der Sakramente das ihr zukommende theologische Gewicht, nicht mehr und nicht weniger, zukommen zu lassen; und das unbeschadet anderer ekklesialer Lebensvollzüge, die diese Bezeichnung nicht erhalten haben, ohne daß dadurch schon eine eindeutige und vor allem einsichtige Wertung festläge. Über die Gründe der Anwendung des Ausdrucks «Sakrament» wurde schon gesprochen, wobei sichtbar wurde, wie wenig hier aprioristisch noch aposterioristisch historisch-ekklesiale Verfügungen «nachgerechnet» werden können. Die Einzelbesprechung der Sakramente muß das Weitere erbringen.

4. Über das göttlich-personale und menschlich-personale Beteiligtsein in den Sakramenten als ekklesialen Handlungsgeschehen

Von den Erkenntnissen, die wir im biblisch-patristischen Teil unserer Überlegungen, wie auch in den vorausgehenden, eher systematischen Einsichtnahmen gewonnen haben, können wir jetzt auch entscheidende Momente für das Verständnis des personalen Beteiligtseins derer erfassen, «zwischen» denen das sakramentale Geschehen sich ereignet. Denn es dürfte schon jetzt unmittelbar klar sein, wie wenig es genügt, hier nur die Frage nach dem «Spender» und dem «Empfänger» des Sakramentes im gängigen Sinne zu verhandeln. Wir wollen kurz auf folgendes aufmerksam machen.

Da es immer wieder darum geht, die Erkenntnisse über das *eine* Heilsmysterium Gottes vor Augen zu behalten, so muß zunächst betont werden, daß es zu wenig wäre, nur die *menschlich*-ministerielle Seite sakramentalen Geschehens vorzubringen, und dieses (wie es meist geschieht) nur nach seinen «Minimalbedingungen» hin zum Problem zu stellen. Es wird daher gut sein, die neutestamentlichen Aussagen voll zur Wirkung zu bringen.

Da gilt für die Sakramente, gerade weil in ihnen nichts anderes stattfindet als die Verwirklichung des *einen* verwirklichten μυστήριον Gottes, genau dieses: Kundgabe und Verwirklichung des Heilsmysteriums ist gerade auch in der je jetzigen sakramentalen Verwirklichungsweise an die Initiative und an das Handeln Gottes (des Vaters) gebunden. Das gilt nach dem Epheserbrief auch dann und dort, wann und wo es in und durch Christus und somit durch die Kirche offenbar gemacht und verwirklicht wurde und wird. Das Gesandtsein des Sohnes ist gerade nicht das Ruhen des Vaters. Die von Paulus sehr oft verwendete Formel, daß Gott Vater «in Christus» handelt, will gerade dieses herausheben. Das «in Christus» bezeichnet, neben anderem, die Aktivität Gottes zur Rettung der Menschen; es will das durch Christus vermittelte Heilshandeln des Vaters an der Gemeinde herausstellen.[80] Sogar sprachlich ist das eingefangen, wenn in dem ἠγαπημένος von Eph 1,5 die Bewegung von Gott Vater her auf Jesus Christus, und durch ihn weiter auf uns zum Ausdruck gebracht wird.[81] Was so für das μυστήριον überhaupt sichtbar wird, gilt folglich auch für die «Ereignisse» im Leben der Kirche, in denen sich diese als das μυστήριον Gottes von ihm her aktuiert (vgl. Eph 3,6–11), also gerade auch in den (später so genannten) Sakramenten (vgl. dazu schon Eph 1,3–14). Diese Aktivität Gottes des Vaters auch im sakramentalen Geschehen wird z. B. in Eph 1,3; 2,4–7; Kol 2,13 ff und anderen Stellen deutlich. Eine auf dem NT aufruhende, wenn auch sich weiter entfaltende Sakramententheologie kann der angemessenen Betonung dieser Offenbarungs- und Heilstatsache des steten Handelns Gottes des Vaters gerade in und durch die Sakramente nicht entsagen. Der bloße Rekurs auf die Transzendenz und allgemeine Wirk-Gegenwart Gottes kann zur Erschließung nicht ausreichen. Die im Kreuzesereignis gemeinte konkrete Offenbarungs- und Wirkweise Gottes des Vaters ist im entsprechenden Sinne auf das sakramentale Leben anzuwenden.

Dasselbe ist sodann, mit den entsprechenden, hier nicht erst zu entfaltenden Nuancen, im Hinblick auf Christus und die Kirche zu bedenken. Christus ist und *bleibt* das Haupt der Kirche, das diese *immer* aktiv erfüllt, so daß sie in dieser Weise stets von ihm her σῶμα Christi ist. Christus ist der Kirche als Haupt *gegeben*, Eph 1,22, als stete Gnade, der dieses sein Haupt-Sein zumal in den Sakramenten aktiv ausübt. Wenn Christus κεφαλή und die Kirche σῶμα heißt, dann auch, um die Individualität Christi der Kirche gegenüber zu wahren: Eph 2,16; 5,2.25. Er überläßt nicht seine Aktivität einfachhin der Kirche. So wird z. B. in Eph 5 auch die Aktivität Christi über das Taufgeschehen hinreichend deutlich. Nicht anders verhält es sich bei den anderen Sakramenten. Das Teilnehmen und Beteiligtsein der Kirche am μυστήριον ist immer, zuerst und zuletzt, *Gabe*, freilich dieser besonderen Art, daß die Gabe als solche gerade dieser Kirche als Leib Christi die Eigen-Ständigkeit und Eigen-Wirksamkeit (unbeschadet der bleibenden Aktivität Gottes und Christi, von der eben die Rede war!) *verleiht*, die im Auftrag und in der Ermächtigung zur *Mit*-Verwirklichung des einen μυστήριον Gottes begründet liegt. Das ist das «Erbe», der Anteil am Los Jesu Christi und seinem Kreuz, im «passiv»-empfangenden und aktiv-mitwirkenden Sinne.

---

[80] Das betont J. Gnilka in seinem Eph-Kommentar immer wieder: «Das gilt für den Präexistenten in gleicher Weise wie für den Menschgewordenen und Erhöhten. Denn in ihm faßt Gott den Entschluß zur Rettung (1,9; 3,11), in ihm hat er uns vor der Schöpfung erwählt (1,4). In ihm haben wir die Erlösung (1,7), wie wir in ihm mit dem Geist versiegelt wurden (1,13). ... Christi ganzes persönliches Sein ist von Gott her zugeordnet auf uns» (68).

[81] Vgl. dazu J. Gnilka, Der Epheserbrief, z. St.

Wenn folglich die Sakramente als «*Selbst*verwirklichungen» der Kirche, als «Selbstvollzug» ihres eigenen Wesens begriffen werden sollen, so kann es nur unter diesem wesentlichen Vorbehalt geschehen, daß sie dabei eben als σῶμα und πλήρωμα Christi, und somit mit ihm vereint, verstanden wird, da ihr gerade auch in den sakramentalen Handlungen dieses ihr Mit-Wirk-Vermögen verliehen wird, indem Christus sein Haupt-Sein aktuiert.

Entsprechendes wird dann, wenn auch nochmals in anderer Nuancierung, vom Verhältnis der Kirche zu ihren Gliedern, und umgekehrt, zu beachten sein. Im Blick auf jene z. B., die erst zu Christen gemacht werden sollen, ist «Kirche» immer schon «zuvor» das verwirklichte μυστήριον Gottes, das nun auch an ihnen verwirklicht werden soll. Sie ist ihnen Sakrament des Heils. Sie ist ja nach dem Epheserbrief (und anderen Stellen des NT) σῶμα und πλήρωμα Christi und von ihm her das Dynamische, Lebendige und Lebenvermittelnde, das die Mittlerstellung zwischen Christus und τὰ πάντα, zu den Noch-nicht-Christen und der noch nicht heilen Welt, einnimmt (vgl. Eph 1,3–14 und 3,5–13). Die Kirche ist dabei aber, wie wir schon betonten,[82] keine irgendwie gefaßte Personifikation, sondern die aus lebendigen Menschen (die als *schon* Glaubende und durch die Taufe Glieder der Kirche und schon persönlich Teil-Nehmende und Mit-Beteiligte am μυστήριον sind) bestehende Christus- bzw. Gottesgemeinde (vgl. wieder Eph 1,3–14). Der erhöhte Herr stiftet vielfältige charismatische Ämter in der Kirche, seinem Leib (Eph 4,11 ff).[83] Diese wirken unter ihm und in ihr zur Auferbauung dieses seines Leibes, auf daß dieser zur Vollendung gelange (4,13–16). Das bedeutet aber: Das μυστήριον Gottes, das die Kirche *ist* und als das sie sich verwirklichen, das sich also durch sie weiter ereignen soll, wird nicht offenbar und wirkt sich nicht aus, es sei denn durch dementsprechendes Tätigwerden einzelner Glieder (oder Gliedgruppen) der Kirche, auf Grund des ihnen *in* der Kirche vom Haupt mitgeteilten Vermögens des Mitwirkens am μυστήριον Gottes des Vaters. So gehören in die Verwirklichung des μυστήριον, also in die Sakramente als dessen hier und jetzt statthabende «Ereignisse», wesentlich die je «jetzt» und hier in *diesem* Sinne und in dieser Zielsetzung in Auftrag und Ermächtigung sakramental-ekklesial *und* persönlich tätigwerdenden Menschen mit hinein. Das «Wesen» des Sakraments, das vom *einen* μυστήριον neutestamentlichen Verständnisses her theologisch begriffen werden soll, kann also ohne die persönlich und konkret aufgerufenen und mitbeteiligten Menschen als Gliedern der Kirche bzw. Christi gar nicht er-

---

[82] Vgl. oben S. 97–102.

[83] Hier wird noch ganz offengelassen, welcher Art diese hier bewußt so genannten charismatischen Ämter sind und ob es unter ihnen wesentliche Unterschiede gibt. Hier geht es nur um die Feststellung, daß jedes Glied der Kirche und Christi seine gnadenhafte, unersetzbare und unverwechselbare «Position» im Leib Christi, im Tempel Gottes hat. Die konkrete Beauftragung und deren Erfüllung je im bestimmten Kairos der Kirche und dieses einzelnen Gliedes ist eine weitere, hier nicht zur Diskussion stehende Frage.

faßt werden. Sie bzw. ihr Tätigsein, dem jeweiligen Sakrament entsprechend (aktiv-mitwirkend oder «passiv»-empfangend), gehören folglich auch in eine gültige Sakraments-«Definition» hinein. Daß sich von hierher der Sinn, die Tragweite wie auch die Grenzen der üblichen Aussagen über «Spender» und «Empfänger» des Sakraments entfalten lassen, braucht nur eben angedeutet zu werden. Ins einzelne Gehendes muß bei den Einzelsakramenten vorgetragen werden.

5. Zur Struktur des sakramentalen Zeichens

Es ist schon mehrfach betont worden, daß wir die Sakramente vom μυστήριον des NT her (wieder) als Heils-*Ereignisse* zu begreifen haben, so daß sie als solche je das eine, im Kreuzesereignis verwirklichte und offenbar gemachte μυστήριον in je jetziger Verwirklichung sind. Es wurde auch schon einige Male angedeutet, wie von daher der Sakramentsbegriff selbst notwendig eine wesentliche Erweiterung oder besser Vertiefung erfahren müßte. Dasselbe gilt es zu beachten, wenn jetzt einiges zur Struktur der Sakramente gesagt werden soll, wieder insofern sie ekklesiale Aktuierungen des einen Heilsmysteriums sind. Dabei ist freilich die Entscheidung fällig, ob man sich mit dem engen bisherigen Sakramentsbegriff, der ja eher das reine (sakramentale) Zeichen oder die Zeichenhandlung meint, zufriedengeben will, oder ob man die sichtbar gewordene Fülle des personalen Kommunikationsgeschehens zwischen Gott und Mensch im besprochenen Sinn erfassen möchte. Es dürfte einsichtig sein, daß dieses Letztere zu erfolgen hat. So gehören offensichtlich in die innere Struktur des sakramentalen Vollzugs als eines Kommunikationsgeschehens zwischen Personen, Gott und Mensch (um es hier nur eben so kurz anzudeuten), zunächst einmal diese Personen selbst in ihrem dazu verfügten und *ausdrücklich-gemachten* Beteiligtsein mit hinein; sodann die bestimmte konkrete Weise ihres personalaktiven Beteiligtseins (das ja jeweils anders ist bei Gott Vater, Christus, Kirche, minister, «Empfänger», wobei ohne diese wirkliche und wirksame Konkretheit ja gerade kein Geschehen stattfindet); weiter sind die Gestalt des jeweiligen Geschehens (die ja für jedes Sakrament «anders» ist) und schließlich auch die gegebenenfalls verwendeten Zeichen oder Zeichenhandlungen und deren eigentümliche Strukturierung zu bedenken. Alle diese Andeutungen lassen erkennen, daß klar sein muß, ob man jetzt mit «Sakrament» das konkrete Heilsgeschehen meint, oder aber nur die «zuvorliegende», vor-geformte, möglicherweise zu aktuierende und zu vollziehende sakramentale Ausdrucks*form* in ihrer (zeremoniellen oder sonstigen) «Vorgeschriebenheit».[84] Jedenfalls dürfte dieses klar sein: Mit dem, am gegebenen

---

[84] Es sollte nicht übersehen werden (es wurde schon einmal darauf aufmerksam gemacht), daß «Sakrament» meist abstrakt, als «vorliegender» möglicher Heilsritus, als «ver-

Ort sinnvoll erscheinenden, theoretisch in bestimmter Hinsicht fruchtbaren Schema materia – forma wird man kaum dem hier gemeinten Sachverhalt in seiner gesamten Struktur beikommen können. Es wird auch nicht genügen, nur auf die Sakramente als Zeichen oder Zeichenhandlungen zu reflektieren, unter Ausschluß der beteiligten Personen, Gott und Mensch, und der *in ihnen* selbst gelegenen «actus», ohne die doch die Zeichen schlechterdings leer sind.

Hier wäre also darauf hinzuweisen, wie das Sakrament als solches, d. h. als je «jetziges» Ereignis des verwirklichten μυστήριον, gar nicht «zustande kommen» kann, es sei denn durch daraufhin bewußt in einem personalen Akt gefällte Entscheidung der Beteiligten. Was mit «Intention» des «Spenders» und «Empfängers» eben angedeutet ist, ist in Wirklichkeit konstitutiv für die Tatsächlichkeit des Geschehens, wenn es nur recht begriffen ist: Ohne daß die jeweils wesentlich Beteiligten tun wollen, was es um dieses μυστήριον ist, ohne daß der Spender seinerseits leisten will, was von ihm als minister verlangt ist, und ohne daß der «Empfänger» gerade dieses Ereignis von Gott her (durch Vermittlung) an sich geschehen lassen will, kann sakramentales Geschehen als personale Kommunikation gar nicht werden, geschweige denn fruchtbar sein. Damit ist das angesprochen, was *Glauben* heißen kann, sofern dieses Glauben nicht vordergründig verstanden wird. Es ist hier nicht zu entfalten, was der Glaube und das Glauben als personale *Gabe* und personales *Entscheidungsgeschehen* ausmacht; das ist andernorts geschehen. Jedenfalls ist klar, daß dieser (dieses) Glaube(n) für das tatsächliche sakramentale Geschehen mit konstitutiv ist. Andernfalls würde es ja gar nicht stattfinden, da sich niemand dem Anruf ermöglichten Mitbeteiligtwerdens (aktiv) oder Teilnehmens (empfangend) an dem einen, längst verwirklichten, doch immer noch auf Verwirklichung hin von Gott bereitgehaltenen μυστήριον stellt.

Was hier gemeint ist, läßt sich an einem wesentlichen Moment sakramentalen Geschehens, an der (sakramental-spezifischen) *Anamnese* aufweisen. Es dürfte klar sein, daß zum Zustandekommen sakramentalen Geschehens notwendig dazugehört, daß die Beteiligten – Gott, Kirche, Einzelmensch – sich bewußt dazu «präsentieren», sich selbst und ihre eigene Lebens-«Geschichte» vor Gott re-präsentieren, um so selbst, mit ihrem *ganzen* (geschichtlich-gewordenen und gestalteten) Sein in das μυστήριον einzutreten oder an ihm beteiligt zu werden. Genau das meint aber die Anamnese. Seitens Gottes (und Christi) bedeutet diese Anamnese: ihrerseits das (schon)

waltetes» und im gegebenen Augenblick auszuteilendes Gut der Kirche reflektiert wird. Der wesentlich zu ihm gehörende Geschehens-Charakter mit allen seinen notwendigen konkreten Momenten wird dadurch meist unzulänglich gesehen und mit eingebracht. Wird diese eingeengte Sicht der Sakramente überwunden, so dürften sich nicht wenige Probleme der Sakramententheologie als Scheinprobleme erweisen.

verwirklichte und offenbargemachte μυστήριον *als* gestaltete, gewordene Gegenwart zur Teilnahme *jetzt*, auf Zukunft und auf das eschaton hin, gnadenhaft anzubieten. Das ruft den Angesprochenen in den Kairos des dadurch *jetzt* ermöglichten Heilsgeschehens. Dieser selbst hat sich dazu als der einzubringen, der er tatsächlich ist. Das geschieht im Sich-Erinnern dessen, was man tatsächlich (in seiner eigenen Lebensgeschichte geworden) *ist*. Das alles findet «jetzt» seinen Platz in dem einen μυστήριον, das Verwirklichtes, Anamnese, Wirklichkeit und eschatologisches Angeld zugleich ist. Nach allem, was wir von dem einen, emphatisch so genannten μυστήριον Gottes, das dann die Kirche *ist*, und das *als* verwirklichtes in der Kirche und durch die Kirche weiter-verwirklicht werden soll, jetzt wissen, dürfte klar sein, welche Bedeutung dieses, hier Anamnese genannte (Teil-)Moment sakramentalen Geschehens hat. Dabei sollte auch noch auf dieses geachtet bleiben: Das memorative oder «erinnernde» Moment des sakramentalen Geschehens ist gerade kein rückwärtsschauendes. So wenig nämlich, wie der historisch-geschichtliche Charakter des eigentlichen Kreuzesereignisses «unter Pontius Pilatus» geleugnet wird oder werden kann, so wenig handelt es sich in den Sakramenten um ein Gedenken im *rück*schauenden, *rück*-erinnernden Sinn, wie es etwa bei einem Jubiläum oder bei ähnlichen Feiern, in welch hohem Sinn auch immer, der Fall sein mag. Das (ohne allen Zweifel historisch-geschichtlich) verwirklichte μυστήριον Gottes, um das es hier, in den Sakramenten, geht, ist ja gerade *kein praeteritum*. Die eigentümlich-sakramentale Anamnese ist unvergleichlich wie das μυστήριον selbst. Sie lebt aus dem *Jetzt* des verwirklichten und auf Gottes eschata hin zu verwirklichenden μυστήριον. Das liegt (neben anderem) darin begründet, daß von Gott Vater her die Kirche eben dieses sein μυστήριον *ist*, in einer steten real-präsentischen Weise, die ihren Grund gerade in jenem Ratschluß zu der eigentümlichen Verwirklichungs*weise* des vor den Aionen in Gott (schon) verborgenen μυστήριον hat, nämlich dieses sein Mysterium *als solches* kundzutun und zu verwirklichen.[85] So partizipiert es gleicherweise an dem «Ewigkeits-Charakter» wie auch an dem gegenwärtiger Geschichte, die so verläuft, daß wohl der Aorist, nie jedoch eine ein praeteritum ausdrückende Aussageform möglich erscheint. Das wird auch nochmals erkenntlich an dem, was Paulus von diesem einen μυστήριον aussagt, wenn er von der ἀνακεφαλαίωσις spricht. Auch diese ist ja verwirklichte Wirklichkeit auf Erfüllung hin.[86] Das Sakrament bedeutet aber gerade die Anteilgabe und Anteilnahme auch an dieser Anakephalaiosis, an dieser «Zusammenfassung» alles dessen, was (bis «jetzt» geworden) ist, im Individuum, das in das sakramentale Geschehen eintritt, wie auch in der Kirche als Gemeinschaft

---

[85] Vgl. dazu oben die Entfaltung des neutestamentlichen Mysterium-Begriffs, S. 77 ff.
[86] Vgl. dazu die ausführlichen Darlegungen in diesem Verständnis bei J. Gnilka, Der Epheserbrief 81 f.

der Glaubenden, das heißt die Großtaten Gottes zur Verherrlichung Gottes des Vaters verkündenden und feiernden.[87]

Weiter gehört es wohl zur wesentlichen und inneren Struktur der Sakramente, falls sie vom einen μυστήριον her berechtigt so heißen sollen, daß sie «jetzt», in ihrem Ereignis, an dessen Offenbarungs- und Wirksamkeitscharakter, an beidem, Anteil haben. Sakrament als je jetziges Ereignis des einen, verwirklicht-zu-verwirklichenden Heilsmysteriums trägt in diesem Sinne immer *Offenbarungs-*, d.h. Verkündigungscharakter oder, was bei rechter Interpretation dasselbe ist, Wort-Charakter. Zugleich partizipiert das sakramentale Geschehen an der *Wirkmacht* des vollbrachten Mysteriums: So, wie dieses ja für das schon Verwirklichte den Aorist fordert, so auch, wie wir sahen, das sakramentale Ereignis in nochmaliger Weise: Das ekklesiale Ereignis ruft hier und jetzt Wirklichkeit hervor, so, daß von dieser als einem im μυστήριον «jetzt» Verwirklichten gesprochen werden muß.[88] Das ist bei der Erschließung der inneren Struktur dieses Geschehens mit zu bedenken. Nicht viel anders verhält es sich dann auch mit solchen Elementen des sakramentalen Geschehens, die aus der materiellen Welt mit in das Geschehen einbezogen werden, wie etwa das Wasser (zusammen mit dessen Applizierung: Untertauchen oder Abwaschen), Brot und Wein u.ä. Das dazu im einzelnen Darzulegende wird passend bei der Besprechung der einzelnen Sakramente vorgestellt, weil die mehr schematische Behandlung in der Weise des Traktates «De sacramentis in genere» eher vom Eigentlichen ablenkt, als daß sie tiefere Einsichtnahme gewährt.

6. Zur Besonderheit der Sakramente als Offenbarungs- und Wirkgeschehen. Opus operatum. «Wort und Sakrament»

Von der Erschließung des neutestamentlichen μυστήριον-Begriffs her, insofern er rechtens und in umfassender Weise auf die «Sakramente» hin Anwendung findet, lassen sich auch Einsichten gewinnen, die in den Fragen um das «opus operatum» und um «Wort und Sakrament» weiterführen können. Daß alles davon abhängen wird, ob und wie man «Sakrament» (wieder) als ekklesiales Kommunikationsgeschehen zwischen Gott und Mensch im dargelegten Sinn versteht, dürfte auch hier klar sein. Aus unseren bisherigen Überlegungen ergeben sich einige Ansätze für den Weg zur Lösung der angesprochenen Probleme. Der Versuch einer umfassenden Darlegung des Problems und seiner Lösungsmöglichkeit kann hier nicht geboten werden, da er sinnvollerweise nicht angegangen werden kann, ohne entsprechende historisch-dogmengeschichtliche und systematische

---

[87] Vgl. dazu Eph 1,3–14; 2,18–22; 3,20f; 1 Petr 2,4–10 u.ö.
[88] Vgl. Eph 1 und 3; dazu J. Gnilka, ebd. 166f.

Untersuchungen und Entfaltungen. So seien nur einige Aspekte genannt, die zum Thema dieses unseres Abschnittes gehören.

Wir wenden uns zunächst der Frage nach der Wirkweise der Sakramente zu. An sich sind im Vorausgegangenen schon mehrmals Aussagen gemacht, die hier von Bedeutung sind; sie brauchen jetzt nicht wiederholt zu werden. Es ist einsichtig, daß die Frage nach der Wirkweise der Sakramente schon einen einengenden Gesichtspunkt hat, da ja nur *ein* Moment des sakramentalen Geschehens herausgegriffen wird, das selbst in seiner Fülle doch wirksam-offenbarende Verwirklichung des (schon im Kreuzesereignis) verwirklichten μυστήριον ist. Es ist zu sehen, wie die eingeengte Fragestellung, die mit der Formel «ex opere operato» umschrieben ist, auch schon bestimmte Schwierigkeiten heraufbeschwört. Das Problem hat zudem seine historisch-theologischen Momente. Denn rein historisch-dogmengeschichtlich betrachtet, stammen Frage und Formel aus dem Bereich der Soteriologie. Sie wurden im Hinblick auf den Tod Jesu Christi am Kreuz und seine soteriologische Wirksamkeit gestellt bzw. ausgeprägt. Schon da fällt auf (im Blick auf die neutestamentliche Erschließung des Kreuzesereignisses als μυστήριον *Gottes*), wie sehr nur gerade auf die Tat Christi geschaut wird. Die Sicht und die entsprechende Begrifflichkeit wurden sodann auf die Sakramente übertragen. Wir wollen nicht übersehen, wie immerhin der innere Zusammenhang zwischen Jesus Christus und seinem Werk und den Sakramenten darin doch seinen (wenn auch nicht mehr hinreichenden) Ausdruck fand. Die Aussage-Absicht der Formel «ex opere operato», zumal in ihrer Gegenüberstellung zu «ex opere operantis», kann für die Sakramente folgendermaßen kurz angegeben werden (wobei wir uns zunächst notwendig in den eingeengten Gesichtskreis begeben müssen): Negativ will gesagt werden, die Sakramentengnade werde nicht gewirkt auf Grund einer (eigenständigen) Tat des Spenders oder Empfängers. Hier gilt es, mit allem Nachdruck das zu wahren, was für die eigentliche Rechtfertigung klar herausgearbeitet ist. Positiv soll die Formel ausdrücken, daß bei einer gültigen Setzung des sakramentalen Zeichens oder der sakramentalen Zeichenhandlung auch die göttliche Garantie der entsprechenden Wirkung gegeben ist. – Auf den Grund der Schwierigkeiten dieser Formel und ihrer gängigen Erklärung wurde schon hingewiesen. Von unserem allgemeinen wiedergewonnenen Ansatz her können folgende Momente zur Beachtung herausgestellt werden: Es ist schon hinlänglich herausgearbeitet worden, daß sakramentales Geschehen in keiner Weise die Aktivität und konkrete Wirksamkeit Gottes (des Vaters) wie auch Christi im konkreten sakramentalen Geschehen ausschaltet. So gesehen, ist es auch nicht glücklich, wenn zur Erklärung des opus operatum darauf verwiesen wird, daß im Sakrament der Spender «nur Stellvertreter Christi» sei. Das *kann* richtig verstanden, aber auch gründlich mißverstanden werden, dann nämlich, wenn damit eine wie immer verstandene Abwesenheit Christi (und um so mehr Gottes des Vaters) ausgedrückt sein soll. Wenn der minister des Sakraments als «nomine Christi et Ecclesiae» handelnd erklärt wird, so ja gerade nicht, weil diese selbst als *Abwesende* sich vertreten lassen. Das ist schon entfaltet worden.[89] Somit ist also auch hier aller Ernst zu machen mit Gott (Vater) als dem Initiator des μυστήριον *auch* in dessen sakramentaler Realisation. Nun hat Gott aber, wie schon expliziert, den Menschen sein Heil auch mittels des sakramentalen Kommunikationsgeschehens *angeboten* und eben nicht aufgezwungen. Das Sakrament ist, so gesehen, zunächst ein mögliches und vermögendes Zeichengeschehen, das seitens Gottes, nämlich auf Grund des schon verwirklichten μυστήριον im Kreuzesereignis, die Zusicherung der Wirksamkeit hier und jetzt in sich hat, *bevor* der Mensch es seinerseits aufgreift, d.h. seinerseits in dieses Geschehen sich hineinrufen läßt. *Wenn* er dieses tut, je an der ihm zugedachten Stelle in diesem angebotenen Kommunikationsgeschehen, dann hat er nicht von sich aus etwas eigenständig gewirkt, sondern ist auf den zuvorkommenden Ruf Gottes *glaubend* eingegangen. Ohne das Zeigen und Bezeugen dieser (Glaubens)Überzeugung würde ja seitens der Menschen gar kein Akt gesetzt, der auf sakramentales Geschehen hin sich öffnen würde. Das so gemeinte Eingehen auf den Anruf Gottes ist die Bedingung für das Verwirklichen des verwirklichten μυστήριον an den genau gemeinten, hier und jetzt sich dazu einfindenden Menschen. Dieses Sich-Einfinden ist das Aufgreifen des von Gott längst bereiteten Ausdrucksgeschehens als göttliche Möglichkeit und Macht. Die Formel «ex opere operato» will also letztlich, falls sie ihre gültige Erklärung erfahren soll, gerade das herausstellen, was im NT in den Begriff μυστήριον hineingelegt wurde (ohne daß er, wie wir sahen, schon von sich aus Entsprechendes zum Inhalt gehabt habe). Das Vertrauen in das opus operatum richtet sich also gerade nicht auf die Zeichenhandlung als solche (wenngleich genau und vertrauensvoll in sie eingetreten wird), sondern auf Gott Vater selbst als den, der *in* und *durch* dieses Zeichenereignis die betreffende Kommunikation zwischen sich und dem Menschen offenbar und wirksam sein lassen will.

Von unserem schon mehrfach herausgestellten Ansatzpunkt her kann nun auch zur immer noch offenen Frage nach «Wort und Sakrament» einiges gesagt werden, ohne daß dieses Problem schon zur Gänze gelöst werden könnte. Daß auch diese Frage ihre historisch-dogmengeschichtlichen und kontroverstheologischen Implikationen hat, ist hinreichend bewußt. In den meisten Fällen wird die Lösung dieses Problems angegangen in der unbewiesenen Voraussetzung, zu Beginn der Diskussion sei schon klar, was z.B. genau «Wort» in diesem Zusammenhang meint oder, auf der anderen Seite, was unter «Sakrament» in dieser Diskussion zu verstehen ist. Allzu schnell wird auch schon nach einem gemeinsamen Oberbegriff gesucht, der etwa

---

[89] Vgl. dazu besonders oben S. 96–102 und 139–142.

in «Heilmittel» oder in «Verkündigungsweise» gesehen wird. Doch bleibt alles nach wie vor problematisch. Das hat zum Teil seinen Grund in einer nicht hinreichend aufgearbeiteten Terminologie. So ist doch schon zu fragen, was in der Formel «Wort und Sakrament» denn genau jeweils mit «Wort», was mit «Sakrament» gemeint ist. Wird z. B. «Wort» sehr konkret als «Predigt», als konkret gesprochenes Verkündigungswort in Beauftragung vor der Gemeinde hier und jetzt, verstanden, dann kann man logischerweise nicht mehr einfach von «Sakrament» (das ja dann doch ein Abstraktum ist) sprechen, sondern müßte auf derselben Konkretheitsstufe etwa von diesem Taufgeschehen hier und jetzt, von dieser Eucharistiefeier, usw., sprechen. Wenn so nicht mehr einfach Wort und Sakrament, sondern z. B. Predigt und Taufe, je als konkretes Geschehen, gegenübergestellt werden, dann dürften schon bestimmte Gesichtspunkte hervortreten, die das Problem auf der richtigeren Ebene besprechen lassen. Es wird sich dann überhaupt zeigen müssen, ob die Frage je nach dem Proprium von Wort und Sakrament sinnvoll gestellt ist. Lassen sich beide überhaupt adäquat (wie es meistens den Anschein hat) unterscheiden, und woher nimmt man eigentlich den Unterscheidungsgrund und dessen Berechtigung? Könnte es nicht eher sein, daß beides, «Wort» und «Sakrament», in gewissem übereinkommen, in anderem Unterschiede aufweisen? Ist also nicht lieber eine Denkmöglichkeit zu suchen, die beiden Gegebenheiten in ihrer (sich doch wohl zeigenden) Einheit *und* Verschiedenheit hinreichend Rechnung trägt? Auch die gängige Unterscheidung in der Struktur des sakramentalen Zeichens nach «Wort» und «Element» trägt zu manchem Mißverständnis bei. Denn die dort gemeinte, sinnvoll angebrachte Strukturunterscheidung ist ja doch beim (Predigt-)Wort auch gegeben, wenn auch in einer anderen Weise.

Von unseren Überlegungen her, die wir im Anschluß an den im NT dargebotenen μυστήριον-Begriff entwickelt haben und unter Voraussetzung der Berechtigung der gewonnen Erkenntnisse, zumal im Abschnitt über die schöpfungstheologischen Voraussetzungen des ekklesial-sakramentalen Lebens, läßt sich nun wohl folgendes sagen: Das Geschaffene und seine (geschichtlich sich entfaltende) Wirklichkeit wurden schon als «Rede» Gottes begriffen. Zumal das personhaft Geschaffene vermag, weiterhin, aus mitgeteilter Ermächtigung sich selbst im «anderen» zum Ausdruck zu bringen und somit durch anderes zu sprechen. Personales Leben geschieht gerade in ausdrücklichen, «sprechenden» und sich auswirkenden Ausdrucksgeschehen mannigfaltiger Art. So gesehen ist personales Leben immer ausdrucksvoll, also «Wort». Unter *diesen* «Wort»-Begriff fallen freilich *alle* Ausdrucksgeschehen. Ein besonderes unter ihnen ist ohne Zweifel das, was wir *Sprache* nennen, wenngleich sie nicht alleiniges personales Ausdrucksgeschehen ist. Wird für das Sprachgeschehen in besonderer (und wohl auch ursprünglicher) Hinsicht der Ausdruck «Wort» gesetzt, dann ist damit zwar den anderen Ausdrucks- und Mitteilungshandlungen nicht ihr «Wort»-Charakter abgesprochen, aber man sollte diese *dann* eben nicht mehr «Wort» nennen, zumal wenn es gerade darum geht, das eine vom anderen zu unterscheiden. Nun gibt es freilich auch solche Ausdrucksgeschehen, die «zusammengesetzt» sind, z. B. aus («sprechenden») Gesten *und* artikuliert-begleitendem Reden. Die Sakramente sind offenbar dieser Gruppe zuzurechnen. Eine Gegenüberstellung von «Wort» und «Sakrament» hat das folglich hinreichend zu beachten.

Soll nun aber genauer ein Unterschied zwischen Wort und Sakrament angegeben werden, so wäre zunächst genau und auf derselben Stufe der Konkretheit anzugeben, *was* gemeint ist, also z. B. Gemeindepredigt einerseits, Taufgeschehen andererseits, und so ähnlich für andere Wort-Geschehen (speziellen Verständnisses) und sakramentale Geschehen. Das auf diese Weise klarer herausgestellte Problem wird sich sicher leichter bewältigen lassen, als es in der bisherigen Diskussion erscheinen mochte. Weiter müßte in dieser Frage wieder vom neutestamentlichen μυστήριον her erkennbar gemacht werden, daß das ekklesiale Leben *eines* ist, das sich mannigfaltig offenbart und auswirkt. Jedes Unterscheiden kann hier nicht anders denn inadäquat sein. Was immer also ekklesial vollzogen wird, *ist* das geschehende μυστήριον, da Kirche-im-Vollzug. *So* gesehen, ist also (noch) kein Unterschied zwischen diesen und jenen Handlungen anzusetzen. Ein wesentliches Moment der (möglichen) Unterscheidung dürfte in Folgendem zu sehen sein: Im Sakrament, besser jetzt: in diesem bestimmten sakramentalen Geschehen, etwa der Taufe, wird der Einzelne als solcher (wenn auch in einer Gruppe oder in der Gemeinde stehend, aber eben doch *als* Individuum) in seiner Individualität (unbeschadet und mit Einschluß seiner «Position» in der Gemeinschaft!), in der er auch als Glaubender (und Sterbender!) feststeht, *in* dieser seiner, jetzt genau gemeinten Situation und Existenz angesprochen. *Sein* jetziges existentielles Sein wird genau daraufhin angesprochen, das er (auf Grund des schon an ihn ergangenen Wortes!) zu *diesem* Geschehen bewußt einbringt. In der Verkündigung, die sich ja an die Gemeinde richtet und *in* ihr an den einzelnen, bleibt dieses letzte persönliche Moment in obliquo, nicht-ausdrücklich. Im konkreten Beispiel: Das Verkündigungswort lautet: Tut Buße und laßt euch taufen (vgl. Apg 2,38 im sachlichen Zusammenhang dort); in der Taufe aber heißt es: Ich taufe Dich..., unter Nennung des Eigennamens und entsprechendem sakramentalem Ritus. Oder: Als Verkündigungsruf heißt es: Tut Buße und bekennt euch als Sünder! Im sakramentalen Geschehen jedoch geschieht dieses: Der einzelne sagt seine tatsächlichen Sünden, bringt sie also offenbarend zum Ausdruck, und stellt sich gerade als diesen Sünder mit *diesen* im Bekenntnis ausdrücklich vor Gott gebrachten Sünden dem vergebenden Gericht Gottes. Und so für die anderen Sakramente. Das Verkündigungswort ist ohne Zweifel auch an die einzelnen Hörer in der Gemeinde gerichtet. Nur bleibt es von ihm her noch offen, ob und wie sich der Angesprochene für das (mögliche) Heilsgeschehen bereitmachen läßt. Im sakramentalen Geschehen jedoch ist diese Entscheidung schon gefällt, wird zum Ausdruck gebracht, indem sich der Betreffende, durch das (Predigt)Wort schon angesprochen, genau auf *dieses* nun an ihm und mit ihm zu vollziehende Ereignis hin aktuiert und diese ausdrücklich gemachte Aktuierung seiner selbst in dieses Geschehen mit eingeht. Ohne diese Entscheidung und dieses Ausdrücklichwerden würde das Sakrament ja gar nicht vollzogen.

Mit diesen Erwägungen ist natürlich noch keineswegs alles erfaßt, was zur Problematik «Wort und Sakrament» gehört.[90] Hier muß es aber genügen, auf die inneren Zusammenhänge hingewiesen zu haben, die in dem *einen* Lebensgeschehen der Kirche, besser: zwischen Gott und Mensch in bezug auf die vielfältigen Ausdrucksgeschehen dieses einen Lebens herrschen. Ein isolierendes Betrachten des einen oder anderen Geschehens würde nicht nur der Einheit des Lebens widersprechen, sondern auch die vielfältige innere und wesentliche Verklammerung, Hinordnung und Harmonie zwischen den (durchaus unterscheidbaren) Lebensvollzügen der Kirche zum Schaden der gültigen theologischen Einsicht übersehen.

7. Über die Sakramentalien

Wenn hier jetzt noch ein Wort zu den *Sakramentalien* gesagt werden soll, so kann es nicht anders gemeint sein, als es vom Thema *dieses* Abschnittes angezeigt erscheint. Wir haben uns in unseren bisherigen Erkenntnissen darum bemüht, vom Neuen Testament her das gültiger in den Blick zu bekommen, was dort mit μυστήριον bezeichnet wird und was sich dann als Leben der Kirche in der Zeit der Kirche verwirklichen und offenbaren soll. Es war Aufgabe dieses Abschnittes, dieses *eine* Leben der Kirche in den Blick zu nehmen, insofern es sich (vornehmlich) in den Sakramenten realisiert. Wir haben bei dieser Gelegenheit in vielfältiger Weise erkannt, welche Fülle dieses Leben der Kirche ausmacht, die dann auch entsprechend reiche und mannigfaltige Vollzüge kennt. Wir hatten unser Augenmerk bewußt auf jene besonderen Heilshandlungen zu richten, die als Aktuierungen des einen Lebens der Kirche speziell «Sakramente» genannt werden. Den Sinn dieser Benennung und ihre Tragweite haben wir herauszustellen versucht. Bei aller Vielfalt der Einsichten war schon einige Male zu betonen, wie die so genannten Sakramente zwar wesentliche und auch unersetzbare Lebensäußerungen der Kirche darstellen, aber deshalb nicht sogleich auch als solche anzusprechen sind, die *allein* als Lebensausdrucksformen der Kirche zu gel-

---

[90] Zur Problematik «Wort und Sakrament» vgl. aus der Fülle der Literatur: W. Kasper, Wort und Sakrament, in: Glaube und Geschichte (Mainz 1970) 285–310. – A. Skowronek, Sakrament in der evangelischen Theologie der Gegenwart (München 1971) (Lit.).

ten haben, neben denen also nichts mehr als wahres, wirkliches und auch wohl wesentliches Leben der Kirche anzusehen sei. Wir können das auch so formulieren: Das μυστήριον, das die Kirche *ist* und zu verwirklichen hat, vollzieht sich zwar in besonderer Weise in den Sakramenten, doch nicht ausschließlich in ihnen. Wenn somit die Sakramente betrachtet und dargestellt sind, so ist damit nicht schon *das* Leben der Kirche schlechthin in seiner Fülle und in allen seinen Ausfaltungen vor die Augen gestellt. Es braucht da an dieser Stelle nur eben auf das hingewiesen zu werden, was in Mt 25 den Christen gerade als Christen (wenn nicht gar schon als Menschen) als Lebensverpflichtung vorgehalten wird. So könnte noch auf vieles andere hingewiesen werden, wie z. B. (und nicht zuletzt) auf das mannigfaltige Gemeindeleben in Predigt, Katechese, Diakonie u. ä.

Im Zusammenhang mit den Sakramenten, als Lebensvollzügen der Kirche in einem besonderen Sinne, sind nun auch an dieser Stelle jene Ausdrucksformen personal-ekklesialen Charakters zu erwähnen, die auf Grund bestimmter Erwägungen und Entscheidungen *Sakramentalien* genannt werden. Wir können hier nicht auf historische, kirchenamtlich-dogmatische und kirchenrechtliche oder ähnliche Fragen eingehen, die sich heute ohne Zweifel auf diesem Gebiete in Fülle stellen. Für diesen Abschnitt kann der Hinweis auf die Sakramentalien dafür stehen, auf die Fülle ekklesialen Ausdrucksvermögens aufmerksam zu machen, die sich im Laufe der Jahrhunderte entfaltet hat. Das ist auch insofern von besonderem Interesse, weil ja doch im Laufe der Zeit erst für bestimmte, und nicht beliebig viele Heilsriten der Ausdruck «Sakrament» festgelegt wurde, wobei eben für manche andere, die gelegentlich auch schon so genannt wurden, diese Bezeichnung wieder fallengelassen wurde. Die gegenseitige Abgrenzung von Sakramenten und Sakramentalien ist also keine von vornherein festgelegte Sache gewesen.

Wie wir schon in unseren vorausgehenden Überlegungen, zumal zu einer möglichen Einführung zum Verständnis der Kategorie des Sakramentalen,[91] wie auch zu den schöpfungstheologischen Vorbedingungen sakramentalen Lebens herausstellen konnten, so gehört es zum menschlich-personalen wie -gemeinschaftlichen Leben wesentlich mit hinzu, daß der Einzelne wie auch die Gemeinschaft sich in vielfältigen Formen zum Ausdruck bringt und so das Leben gestaltet. Das braucht hier jetzt nicht wiederholt zu werden, ist aber der Schlüssel zu einem Verständnis auch der sinnvoll eingesetzten und anzuwendenden Lebensausdrucksformen, die dann Sakramentalien genannt worden sind. Auch dürfte durch die genannten Überlegungen schon hinreichend erschlossen sein, was zur Berechtigung, Ausdrucksformen zu gestalten und ihre «Bedeutung» und Wirkmächtigkeit festzulegen, zu sagen ist, sowohl im Blick auf die Tatsächlichkeit wie auf die Grenzen.

[91] Vgl. besonders oben S. 55–63.

Was unter solchen vielfältigen ekklesialen Ausdrucksformen nun speziell
«Sakramentale» genannt wird, ist ohne Zweifel aus kirchlicher Übereinkunft bestimmt.[92] Wenigstens hier handelt es sich also um menschlich-
ekklesiale, positive Verfügungen und Festlegungen, die selbst freilich immer
offen sind auf Abänderungen aller Arten wie auch auf Neugestaltung. So ist
jüngst durch die Liturgiekonstitution des II. Vatikanischen Konzils einigermaßen definiert worden, was kirchlich unter «Sakramentale» verstanden
sein soll: «Zeichen, durch die, in einer gewissen Nachahmung der Sakramente, vor allem geistliche Wirkungen bezeichnet und durch die Fürbitte
der Kirche erlangt werden» (n. 60). Man rechnet allgemein etwa folgende
Zeichen oder Handlungen zu den Sakramentalien: Weihungen und Segnungen, Exorzismen, geweihte Gegenstände wie Weihwasser. Insgesamt gesehen dürfte auch die Formulierung «in gewisser Nachahmung der Sakramente», da wenig glücklich, auf eine vertiefte Einsicht hin zu überwinden
sein. Eher sind die, speziell jetzt Sakramentalien genannten ekklesialen Riten, Gebräuche, Segnungen und Gegenstände von den schon eingeengten,
nur noch auf das Zeichen als solches hin erschlossenen Sakramenten her
(und in *dieser* Hinsicht «in Nachahmung») mit diesem Terminus belegt und
dann hauptsächlich in Abgrenzung zu den «eigentlichen» Sakramenten
theologisch interpretiert worden. Es dürfte aus unseren Überlegungen klar
sein, daß sich von dem einen Leben der einen Kirche her, das sich schon in
der im NT greifbaren Zeit in mannigfaltigen Vollzügen auswirkte und
offenbarte, besser der Ansatz gewinnen läßt, den Sinn, die Möglichkeit, aber
auch die Kriterien für eine wirklich ekklesial-verantwortete «Verwaltung»
solcherart Ausdrucksformen, wie nicht zuletzt auch deren jeweils zeit- und
ortsgebundenen Entfaltungs- und Gestaltungsmöglichkeiten zu erschließen.
Das kann freilich nicht geschehen, ohne daß neben den hier versuchten Einsichtnahmen in die Sakramente auch die Liturgie wie dann das christliche
Leben überhaupt daraufhin theologisch bedacht werden, um dann aus einer
Synthese heraus, d. h. vom eingesehenen Leben und seinen Möglichkeiten
her, gültige Aussagen über die Offenbarungs-, Bezeugungs- und Ausdrucksformen christlichen Lebens zu gewinnen.

RAPHAEL SCHULTE

---

[92] Vgl. für die «Sakramentalien» besonders M. Löhrer, Sakramentalien: LThK IX (Freiburg ²1964) 233–236; SM IV (Freiburg 1969) 341–347.

BIBLIOGRAPHIE

In Auswahl. Es sei ausdrücklich auch auf die in den hier aufgeführten Werken angegebene Literatur verwiesen.

I. Lexika

HThG	I	790–827:	Kirche (J. Schmid, Y. Congar, H. Fries, H. Küng) (Lit.)
	II	451–465:	Sakrament (P. Neuenzeit, H. R. Schlette)
		606–612:	Symbol (H. R. Schlette)
LThK	IX	218–232:	Sakrament (K. Prümm, R. Schnackenburg, J. Finkenzeller, K. Rahner, E. Kinder) (Lit.)
		232f:	Sakramentale Gnade (P. Lakner)
		233–236:	Sakramentalien (M. Löhrer) (Lit.)
		240–243:	Sakramententheologie (K. Rahner)
		1205–1208:	Symbol (F. Herrmann, F. Mayr)
RGG	V	1321–1329:	Sakramente (E. Kinder, E. Sommerlath, W. Kreck)
ThW	IV	809–834:	Mysterion (G. Bornkamm)
SM	IV	327–341:	Sakrament(e) (R. Schulte) (Lit.)
		341–347:	Sakramentalien (M. Löhrer) (Lit.)

II. Dogmatische und andere Handbücher

Auer J., Allgemeine Sakramentenlehre...: Kleine Katholische Dogmatik (Regensburg 1971) (Lit.).

HPTh, Band I (Freiburg 1964).

Sacrae Theologiae Summa (ed. Patres Soc. Iesu Fac. Theol. in Hispania Prof.) IV (Madrid ²1962) (Lit.).

Schmaus M., Katholische Dogmatik, IV/1 (München ⁶1964).

– Der Glaube der Kirche I u. II (München 1969/70).

III. Einzelwerke

Alfaro J., Cristo, Sacramento de Dios Padre: La iglesia, Sacramento de Cristo glorificado, in: Greg 48 (1967) 1–27.

Asmussen H., Das Sakrament (Stuttgart 1954).

Atzel G., L'unaminità di Cristo come fondamento della struttura sacramentaria = Coll. Corona Lateran. (Rom 1969).

Baciocchi J. de, La vie sacramentaire de l'Eglise = Coll. «Foi vivante» (Paris 1959).

Baraúna G. (Hrsg.), De Ecclesia. Beiträge zur Konstitution «Über die Kirche» des Zweiten Vatikanischen Konzils (verschiedene Beiträge) (Freiburg i. Br. 1966).

Biser E., Das Christusgeheimnis der Sakramente (Heidelberg 1950).

Brunner P., Zur katholischen Sakramenten- und Eucharistielehre, in: ThLZ 88 (1963) 169–186.

Casel O., Das christliche Kultmysterium (Regensburg 1960).

Cooke B. J., Christian Sacraments and Christian Personality (New York 1965).

Ebeling G., Worthafte und sakramentale Existenz, in: Wort Gottes und Tradition (Göttingen 1964) 197–216.

– Erwägungen zum evangelischen Sakramentsverständnis, in: Wort Gottes und Tradition (Göttingen 1964) 217–226.

Jorissen J., Materie und Form der Sakramente im Verständnis Alberts des Großen (Münster 1961).

Jüngel E.-Rahner K., Was ist ein Sakrament? Vorstöße zur Verständigung (Freiburg i. Br. 1971).

Kasper W., Wort und Sakrament, in: Glaube und Geschichte (Mainz 1970) 285–310.

Kinder E., Zur Sakramentenlehre, in: Neue Zschr. f. System. Theol. 3 (1961) 141–174.

Kolping A., Sacramentum Tertullianeum (Münster 1948).

Kruse L., Der Sakramentsbegriff des Konzils von Trient und die heutige Sakramententheologie, in: ThGl 45 (1955) 401–412.

Kühle H., Sakramentale Christusgleichgestaltung. Studie zur allgemeinen Sakramententheologie (Münster ²1964).

Küng H., Die Kirche (Freiburg 1967).

Landgraf A. M., Dogmengeschichte der Frühscholastik III/1 (Regensburg 1954).

Leeming B., Principles of Sacramental Theology (London ²1961).

McNamara K., The Church, Sacrament of Christ. Sacraments, the gestures of Christ. (New York 1964).

Monden L., Symbooloorzakelijkheid als eigen Causaliteit van het Sacrament, in: Bijdragen 13 (1952) 277–285.

Mühlen H., Entsakralisierung (Paderborn 1971).

Neunheuser B., Sakramentenlehre = HDG IV/4b (Freiburg 1963).

O'Callaghan D. (ed.), Sacraments. The gestures of Christ (New York 1965).

O'Connel M., The Sacraments in Theology today, in: The Encounter with God. Aspects of modern Theology (New York 1962).

Piault B., Was ist ein Sakrament? (Aschaffenburg-Zürich 1964).

Pieper J., Zustimmung zur Welt. Eine Theorie des Festes (München 1963).

Pinsk J., Die sakramentale Welt (Freiburg i. Br. ²1941).

Piolanti A., I Sacramenti (Florenz 1956).

Rahner K., Kirche und Sakramente (Freiburg i. Br. 1961).

– Schriften zur Theologie II–X (Einsiedeln ⁶1962–1972) (passim).

Schillebeeckx H., Sakramente als Organe der Gottbegegnung, in: Fragen der Theologie heute (Einsiedeln 1957) 379–401.

– Christus Sakrament der Gottbegegnung (Mainz 1960).

Schlette H. R., Kommunikation und Sakrament (Freiburg i. Br. 1959).

Schulte R., Kirche und Kult, in: Mysterium Kirche II (Salzburg 1962) 713–813 (Lit.).

Seemann M., Heilsgeschehen und Gottesdienst. Die Lehre Peter Brunners in katholischer Sicht (Paderborn 1966).

Semmelroth O., Die Kirche als Ursakrament (Frankfurt 1953).

– Vom Sinn der Sakramente (Frankfurt 1960).

Skowronek A., Sakrament in der Evangelischen Theologie der Gegenwart. Haupttypen der Sakramentsauffassungen in der zeitgenössischen, vorwiegend deutschen evangelischen Theologie (München 1970).

Tillard J. M. R., Le sacrement, événement de salut (Brüssel 1964).

Tyciak J., Gegenwart des Heils in den östlichen Liturgien (Freiburg 1968).

Van der Leeuw G., Sakramentales Denken (Kassel 1959).

Van Roo A., De Sacramentis in genere (Rom ³1966).

— Reflexions on Karl Rahner's «Kirche und Sakramente», in: Greg 44 (1963) 465–500.

Villette L., Foi et sacrement I + II (Paris 1964).

Weber M.J., Wort und Sakrament. Diskussionsstand und Anregung zu einer Neuinterpretation, in: MThZ 23 (1972) 241–274.

DIE KIRCHENORDNUNG

1. Gesellschaftliche Verfassung

a. Sakramentale Glaubensgemeinschaft

Die Eigenart der katholischen Kirchenordnung entspricht der Eigenart der katholischen Kirchengemeinschaft. Schon in der Schrift werden die Menschen, die die Gemeinschaft mit dem gestorbenen und auferstandenen Herrn als Erlösung und Heil annehmen, auch untereinander als Gemeinschaft betrachtet. Sie bilden geordnete Gemeinden, die ebenfalls miteinander in Gemeinschaft stehen. Die im Glauben erfahrene sakramentale Gemeinschaft mit dem Herrn in Taufe und Eucharistie ist gleichzeitig der Nährboden, aus dem die Gemeinschaft miteinander entspringt. Zu Taufe und Eucharistie können denn auch nur jene Menschen zugelassen werden, die den einen Glauben bekennen und die ihr Leben nach dem einen Evangelium gestalten und Einheit und Frieden mit allen Brüdern und Schwestern bewahren wollen. Menschen, die diese Ordnung verletzen, müssen aus der Gemeinschaft ausgeschlossen werden. Wiederaufnahme kann nur stattfinden, wenn die Bereitschaft offensichtlich ist, die Ordnung des Bekenntnisses, des am Evangelium ausgerichteten Lebenswandels und des Friedens miteinander von neuem zu bejahen. Die Hinwendung zu dieser Bereitschaft muß erprobt und durch Buße erwiesen werden.

Diese sakramentale Glaubensgemeinschaft ist zunächst eine Gemeinschaft aller Brüder und Schwestern im Herrn, eine Gemeinschaft «aller Heiligen». Schon kurz nach der apostolischen Zeit tritt in allen Kirchen der Bischof als personales Zeichen und persönlicher Hüter der Gemeinschaft innerhalb dieser Kirchen auf. Die Gemeinschaft der Kirchen untereinander drückt sich besonders in der Gemeinschaft der Bischöfe aus. Immer deutlicher stützt sich diese Einheit auf die Gemeinschaft mit dem Bischof von Rom. Der Bischof ist an erster Stelle der Vorsteher der Liturgie. Er geht deshalb auch voran in der Verkündigung des in der Liturgie gefeierten Glaubensmysteriums. Er steht auch der Beurteilung vor, wer zur liturgiefeiernden Gemeinde zugelassen werden soll oder nicht, wer davon ausgeschlossen werden muß, wer nach Buße wieder in sie aufgenommen werden kann. Sein Vorangehen schließt die aktive Teilnahme der ganzen Gemeinde bei Erfüllung all dieser Aufgaben nicht aus, sondern setzt diese Teilnahme gerade voraus. Diese verschiedenen Funktionen sind später als verschiedene «Gewalten» angesehen worden, als «Weihegewalt», «Lehrgewalt» und «Leitungsgewalt». Auch die Einheit und der besondere Charakter dieser Funktionen entsprechen der Eigenart der sakramentalen Gemeinschaft der Gläubigen.

Diese Ordnung der sakramentalen Glaubensgemeinschaft ist der Kern der ganzen Kirchenordnung und wird es auch immer bleiben. Im Laufe der Jahrhunderte, mit dem Heranwachsen der kleinen Kirche zur Weltkirche, wurden der Aufgaben und Dienste immer mehr; sie haben sich außerdem weiter differenziert. Nach und nach umfaßte damit die Kirchenordnung: die Organisation der päpstlichen Kurie mit ihren Kardinalskongregationen, ihren Büros und ihren Sekretariaten, ihre Rechtsprechungsorgane und ihre Vertretungen in der ganzen Welt; ferner die Organisation der Diözesan-leitung, der Dekanate, der Pfarren; die Organisation der kollegialen Kirchen-leitungsformen wie ökumenische Konzilien, Bischofssynoden, Provinzial- und Regionalkonzilien, Bischofskonferenzen, Priesterräte und Seelsorge-räte; die Organisation des Ordenslebens und des kirchlichen Vereinslebens; Normen für den Gottesdienst, für die Verwaltung der Sakramente, für das Vermögen von Kirchen, Klöstern, Seminarien und anderen kirchlichen Gütern; für die Aufrechterhaltung der kirchlichen Disziplin; für die Organisation der Rechtsprechungsorgane, und manch andere Dinge mehr. Aber diese ganze Kirchenordnung hat als einzigen Sinn und einziges Ziel den Schutz des Lebens und des Wachstums der sakramentalen Glaubensgemeinschaft. Das entscheidende Kriterium für die Kirchenordnung als Ganzes und für jeden ihrer Abschnitte bleibt auf immer, wie weit Institutionen und bindende Normen der Glaubensverkündigung, dem sakramentalen Leben, dem Glaubensleben und der Sendung der Kirchengemeinschaft in die Welt wirklich dienen.

Diese Sicht auf die Kirchenordnung als Ordnung der *communio*, d. h. der aus der Eucharistie lebenden und wachsenden Gemeinschaft, wirkt in allen Aspekten dieser Kirchenordnung weiter. Von dieser Sicht her fällt auch Licht auf die Eigenart der Kirchenordnung in ihrem Unterschied zu anderen, rein innerweltlichen Normen und Rechtsordnungen. Der fundamentalste Unterschied ist wohl, daß die Beziehungen zwischen den Gläubigen der Kirchengemeinschaft – die Verantwortlichkeiten, die Ansprüche, die Verpflichtungen, die Autorität, der Gehorsam – niemals, wie übrigens auch nicht in der Eucharistiefeier selbst, von der Verbundenheit aller im Herrn und aller durch den Herrn gelöst werden können.

b. Rechtskirche – Liebeskirche

Daraus ergibt sich als erste Einsicht, daß in der Kirchenordnung die Gegensätze zwischen Rechtskirche und Liebeskirche, Gesetz und Geist, Bindung und Freiheit, Gemeinschaft und Person, Gemeininteresse und persönlichem Interesse, Institution und Inspiration und anderen analogen Kategoriepaaren grundsätzlich aufgehoben sind. Wo diese Gegensätze trotzdem zu erstehen drohen, ist es gerade die Aufgabe der Kirchenordnung, sie aufzuheben.

Wer im Namen von Liebe, Geist, freier Inspiration usw. die Aufhebung der Kirchenordnung fordern würde, verlangte faktisch die Aufhebung der Kirchengemeinschaft selbst. Jede Gemeinschaft, die ohne irgendeine bindende Ordnung bestehen wollte, höbe sich selbst auf. Wir sahen, daß schon der Kern der ganzen Kirchenordnung (die sakramentale Glaubensgemeinschaft) Ordnung voraussetzt, wenn sie sich in ihrem Dasein, mit ihrer eigenen Art behaupten will. Zudem ist aber auch auf religiösem Gebiet keine bleibende Zusammenarbeit ohne eindeutige Verteilung und Festsetzung von Verantwortungen, Kompetenzen, Ansprüchen und Verpflichtungen möglich. So wäre es z.B. sinnlos, dogmatische Thesen über bischöfliche Kollegialität oder Verantwortung der Laien in der Kirche zu verkündigen, wenn man gleichzeitig ablehnen würde, diese Kollegialität oder diese Verantwortung so zu organisieren, daß diese auch praktiziert werden können. Um das zu erreichen, kann man nicht ohne Institutionen und Regeln auskommen, die alle Betroffenen respektieren und einhalten müssen.

Anderseits ist es in der Kirchenordnung grundsätzlich unzulässig, die Institution und die Regel so absolut zu setzen, daß sie die Freiheit des Gehorsams gegen den Herrn und die Leitung seines Geistes unterdrücken oder auch nur hemmen. Das ausschließliche Ziel von Institution und Regel ist gerade, diese Freiheit zu schützen und zu fördern. Die Kirchenordnung ist also niemals selbst letzte und absolute Norm des Handelns. Auch in den kirchlichen Institutionen und im Rahmen der geltenden kanonischen Normen ist sowohl das Handeln des einzelnen wie auch das gemeinschaftliche Handeln immer gleichzeitig ein Handeln aus unmittelbarer Verbundenheit eines jeden persönlich und aller zusammen mit dem Herrn. Letzteres steht sogar an erster Stelle. Diese Verbundenheit kann niemals (auch nicht bei einem einzigen Menschen!) einem «allgemeinen Interesse» geopfert werden. Die Kirchenordnung selbst muß für die Möglichkeit offen sein, daß diese Verbundenheit vom Menschen verlangen kann, sich unter bestimmten konkreten Umständen außerhalb der Institution und außerhalb der Norm der positiven Kirchenordnung stellen zu müssen. Der Geist des Herrn ist nicht eine dann und wann ausnahmsweise auftretende, sondern die stete, prinzipiell letzte kritische Instanz in der Kirchenordnung. Letzte Norm ist niemals das Gesetz, sondern die Unterscheidung der Geister.

c. Geschmeidigkeit der Kirchenordnung

Dieser Grundsatz ist derart grundlegend, daß er in die Kirchenordnung selbst eingebaut sein muß. Man hat schon des öfteren auf die Geschmeidigkeit des kirchlichen Rechts, auf seine Anpassungsfähigkeit an die verschiedensten Umstände als seinen ureignen Charakter hingewiesen, der es vom staatlichen Recht unterscheidet, und das mit Recht. Im Laufe der Jahrhunderte sind verschiedene «Techniken» entwickelt worden, die bei Bedarf ein

Manipulieren mit den positiven Kirchenvorschriften legitimieren, sowohl für die Obrigkeit wie auch für den einzelnen Gläubigen. Die älteste «Technik» ist wohl die *oikonomia* (lateinisch *dispensatio*), ein allgemeiner Ausdruck für die Freiheit, das Gesetz ganz oder teilweise aus höheren Beweggründen, die von konkreten Umständen gefordert werden, außer Kraft zu setzen. In der mittelalterlichen scholastischen Kanonistik wurde dieser weite Begriff spezifiziert: *dispensatio* ist die Entscheidung der Obrigkeit, die Verpflichtung einer Vorschrift für bestimmte Fälle aufzuheben; *dissimulatio* ist das Nichteingreifen in eine dem Gesetz widerstreitende Situation, indem man die Existenz dieser Situation ignoriert; *tolerantia* ist die Zulassung von etwas, was man nicht für legitim hält; *licentia* ist die Erlaubnis, von einer allgemein geltenden Norm abzuweichen; *excusatio* ist die Haltung, in der man sich unter bestimmten Umständen von der Verpflichtung einer Vorschrift für befreit erachtet. Die für die Kirchenordnung ebenso charakteristische Unterscheidung von Rechtsbereich und Gewissensbereich macht eine Anpassung der kirchlichen Normen an die individuelle Gewissenssituation möglich. In diesem Zusammenhang verdient auch die *consuetudo contra legem* erwähnt zu werden: die Gewohnheit gegen das Gesetz, die das Gesetz aufhebt oder ändert. Dadurch wird die von einer Gemeinschaft faktisch gewählte Verhaltensregel über die gesetzliche Norm gestellt. Diese und andere für die Kirchenordnung bezeichnenden «Techniken» sind Ausdruck des Grundsatzes, daß das Heil der Gläubigen, auch das Heil eines jeden einzelnen, schwerer wiegt als die Institutionen und Normen, ohne daß dabei die notwendige Funktion von Institutionen und Normen preisgegeben wird.

d. Kollegialität

Die Sicht auf die Kirchenordnung als Ordnung der *communio* erhellt auch den Eigencharakter der gesellschaftlichen Kirchenstruktur als typisch kirchliche Kollegialität. Das Typische dieser Kollegialität ist nicht, daß die Gläubigen in der Ortskirche, die örtlichen Kirchen untereinander, der Bischof mit seinen Priestern, die Bischöfe untereinander Gemeinschaft bilden: als Gleichgesinnte oder als Menschen mit einem gemeinsamen Auftrag. Es liegt vielmehr darin, daß ihr Ursprung und bleibendes Band die sakramentale Verbundenheit aller und jedes einzelnen mit dem Herrn ist. Eine Kirchenordnung kann Vorschriften für die Zulassung zur Gemeinschaft der Gläubigen aufstellen, kann Bedingungen dafür festlegen und kann bestimmen, wer kompetent ist, über diese Zulassung zu entscheiden. Die Aufnahme selbst in diese Gemeinschaft ist trotzdem kein eigenmächtiger Akt der Gläubigen oder der Obrigkeit; sie ist der sakramentale Akt der Taufe, der im Namen und mit der Gewalt des Herrn gesetzt wird. Die Kirchengemeinschaft oder die kirchliche Obrigkeit kann über die Gliedschaft nicht eigenmächtig verfügen. Wer in dieses Kollegium eintritt, tut das als persönlich und unmittelbar von Christus Gesandter und Ermächtigter. Gerade dadurch steht er in der Gemeinschaft aller, die auf dieselbe Art und Weise in Christus getauft sind.

Dasselbe gilt für die Kollegialität im Amt. Auch hier kann die Kirchenordnung Vorschriften für Bedingungen und Kompetenzen bei der Einsetzung in ein Amt erlassen. Aber die Einsetzung selbst ist wiederum der sakramentale Akt der Weihe. Der Geweihte tritt auf: unmittelbar von Christus gesandt und ihm unmittelbar verantwortlich – wie all seine Brüder im Amt. Auch die Einsetzung ins Amt ist kein eigenmächtiger Akt des Bischofs oder des Bischofskollegiums oder des Papstes. Damit wird konkreter und vollständiger ausgedrückt, was mit dem abstrakten Ausdruck gemeint ist, daß die Bischöfe ihre Kirchen «kraft göttlichen Rechts» leiten. Konkret bedeutet dies, daß die Bischöfe zwar auf Grund ihrer kanonischen Sendung in der Kirchenordnung einen bestimmten Platz im Bischofskollegium haben; daß damit ihre Verpflichtungen, ihre Verantwortung, ihre Befugnisse im Verhältnis zu den Gläubigen, zu den Geistlichen und Ordensleuten, zu ihren Mitbischöfen und zum Papst festgelegt sind – daß aber in ihrer Amtsausübung trotzdem ihre persönliche Sendung vom Herrn und ihre persönliche Verantwortung unmittelbar gegenüber Ihm primär bleibt. Die Sendung durch den Herrn geht keineswegs ganz in der Sendung durch den Papst auf und fällt damit auch nicht zusammen, so daß die Sendung vom Herrn her an der Sendung durch den Papst gemessen werden müßte. Im Gegenteil: Die Sendung durch den Papst bleibt der Sendung durch den Herrn untergeordnet; erstere steht im Dienste der zweiten. Der Bischof erhält seine Sendung vom Papst, um seine Sendung durch Christus wahrmachen zu können. Und das gilt nicht allein von den Bischöfen. Man kann ebensogut und mit demselben Inhalt sagen, daß Priester und Diakone ihr Amt «kraft göttlichen Rechts» ausüben, daß die Laien «kraft göttlichen Rechts» in der Welt von ihrem Glauben Zeugnis ablegen, und daß die verheirateten Christen «kraft göttlichen Rechts» ihren Kindern eine christliche Erziehung geben.

In dieser Sicht ist das Sakrament nicht nur eine persönliche Begegnung mit dem Herrn, sondern das entscheidende Moment in den Beziehungen der Gläubigen zueinander. Vom Sakrament her erhält die Kirchenordnung ihr Dasein, ihre Eigenart, ihre Geltung und ihre Finalität; aber auch ihre Relativität: nämlich auf Grund der immer freien, niemals durch kirchliche Normen zu umfassenden Inspiration des Herrengeistes. Wo die Kirchenordnung diesen lebendigen Nährboden verliert, bleibt nichts als toter Formalismus übrig.

e. Vollkommene Gesellschaft?

Die gesellschaftliche Verfassung der Kirche als sakramentaler Glaubensgemeinschaft, die gleichzeitig die theologische Fundierung der Kirchenordnung ist, unterscheidet sich beträchtlich von der bis vor kurzem in der Fundamentaltheologie und in den Traktaten über das öffentliche Recht der Kirche gängigen Konstruktion der *societas perfecta*, der «vollkommenen Gesellschaft». Nach dieser Konstruktion habe Christus eine übernatürliche vollkommene Gesellschaft gestiftet, die unabhängig neben und über der natürlichen vollkommenen Gesellschaft des Staates stehe. In dieser übernatürlichen vollkommenen Gesellschaft habe er dem Petrus die volle und höchste Rechtsgewalt verliehen: gesetzgebende, richterliche und strafrichterliche Gewalt, und den andern Aposteln dieselbe Gewalt, jedoch in Unterordnung unter Petrus. Diese Rechtsgewalt sei auf den Papst bzw. die Bischöfe übergegangen. Diese regierten deshalb die Kirche mit einer letztlich auf Christus zurückgehenden Gewalt und erließen so die Gesetze der Kirche.

Es ist hier nicht der Ort, die auf Grund von Schriftexegese und Kirchengeschichte an dieser Konstruktion zu übende Kritik darzulegen. Für eine Begründung der Kirchenordnung reicht diese Konstruktion nicht aus, zunächst weil sie die Geltung der Kirchenordnung auf eine abstrakte Rechtsgewalt stellt, die von der vorrangigen Sendung der Apostel als Zeugen und Verkünder des Herrn und Mittler seiner heiligen Kraft losgelöst ist; und damit wird die Kirchenordnung von ihrem Mutterboden, der sakramentalen Glaubensgemeinschaft, gelöst. Das hat seine Konsequenzen für die Auffassung von der bindenden Kraft der Kirchenordnung, sowohl bezüglich der Menschen, die an sie gebunden sind, wie bezüglich der innerweltlichen Rechtsordnungen.

f. Wer ist durch die Kirchenordnung gebunden?

Nach dem kirchlichen Gesetzbuch und der (wenigstens bis vor kurzem allgemeinen) Lehre von Theologen und Kanonisten ist die katholische Kirchenordnung grundsätzlich für alle Getauften bindend. Die Kirchenordnung selbst kann eventuell nichtkatholische Christen von bestimmten Regeln entbinden. Das ist im kirchlichen Gesetzbuch selbst lediglich für solche Christen geschehen, die niemals zur katholischen Kirche gehört haben und zwar bezüglich der kanonischen Form der Eheschließung und des trennenden Ehehindernisses der Religionsverschiedenheit. Die übrigen Vorschriften, z. B. die Ehehindernisse des Altersunterschieds, der Blutsverwandtschaft und Schwägerschaft usw., werden für alle Christen als bindend betrachtet.

Abgesehen von dem ernsten Bedenken, Vorschriften der Kirchenordnung für Menschen als bindend zu betrachten, die diese Ordnung gar nicht kennen und jedenfalls nicht einsehen können, wieso für sie diese Ordnung bindend sein könnte, ist dieser Standpunkt auch grundsätzlich unannehmbar. Gründet man die bindende Kraft der Kirchenordnung allein auf eine von Christus empfangene Gewalt der Hierarchie, die sich mit Rechtsansprüchen an alle in Christus Getauften richtet, dann folgt daraus tatsächlich eine solche allgemein verbindliche Kraft der Kirchenordnung. Übrigens scheint dieser Standpunkt auch mit einer stark materialjuristisch gefärbten Theologie der Taufe zusammenzuhängen. Die Taufe wird hier als ein Mittel betrachtet, durch das der Seele ein unauslöschliches Siegel aufgeprägt wird. Damit wird diese Seele unwiderrufliches Eigentum Christi, und damit fällt sie natürlich auch unter jene Gewalt, die sich als Stellvertreterin der Gewalt Christi betrachtet.

Sieht man die Kirchenordnung aber nicht als eine für sich stehende Gegebenheit, sondern als Ordnung der vorgegebenen katholischen *communio*, dann muß für die bindende Kraft der Kirchenordnung der Glaube an die *communio* vorausgesetzt werden. Autorität und Befugnis gibt es in der katholischen Kirchengemeinschaft nur auf Grund der sakramentalen Glaubensgemeinschaft, für die sie ja aus der Hand des Herrn empfangen wurde. Wer daran nicht glaubt, oder wer daran nicht teilzunehmen wünscht, macht dadurch die kirchliche Autorität und die kirchliche Kompetenz gegenüber sich selbst buchstäblich machtlos und inkompetent. Eine Kirchenordnung für Menschen bindend machen zu wollen, die sich selbst außerhalb dieser Ordnung stellen, hat nicht den geringsten Sinn, bestimmt keinen wirklich kirchlichen Sinn.

g. Kirche und Staat

Die Konstruktion der vollkommenen übernatürlichen Gesellschaft, die für ihr Recht gegenüber den Rechtsordnungen der natürlichen vollkommenen Gesellschaft und eventuell noch darüber hinaus Gültigkeitsanspruch erheben könnte, kann zudem auf die Wirklichkeit nicht angewendet werden. Merkwürdigerweise datiert diese Konstruktion etwa aus der Mitte des 19. Jahrhunderts, als sie schon durchaus irreal war. In der mittelalterlichen religiös einheitlichen Gesellschaft, in der von einem Unterschied zwischen Kirche und Staat noch kaum die Rede war, sondern lediglich *eine* Gesellschaft bestand, in der kirchliche und weltliche Obrigkeiten unterschieden wurden, war die Kirchenordnung von selbst allgemein akzeptiert. Gegenüber der heutigen pluriformen Gesellschaft und erst recht gegenüber den überwiegend nichtkatholischen und nichtchristlichen Staaten ist ein Anspruch auf Anerkennung und Geltung der katholischen Kirchenordnung sowohl faktisch wie grundsätzlich sinnlos. Sogar die Geltung der Kirchenordnung in der Rechtsordnung eines überwiegend katholischen Landes könnte nicht auf der Autorität der kirchlichen Obrigkeit beruhen, sondern nur auf dem politischen Willen des Volkes. Überall wird jedoch die katholische Kirchengemeinschaft, wie jede andere Kirchengemeinschaft, auf Grund des allgemein anerkannten Menschenrechts der Religionsfreiheit, ein absolutes Recht auf freie interne Organisation verlangen können. Im Dekret über das Laienapostolat hat das Zweite Vatikanische Konzil erklärt, indem es auf den Grundsätzen der dogmatischen Konstitution über die Kirche und der pasto-

ralen Konstitution über die Kirche in der Welt von heute aufbaut, daß die
Durchführung christlicher Prinzipien in Staatsregierung, Politik und auf
anderen innerweltlichen Gebieten der autonomen Aktivität der Katholiken
als Staats- und Weltbürger anvertraut ist. Damit ist die Bindung an eine
innerkirchliche Ordnung für diese Bereiche ausgeschlossen.

h. Eigene Gewalt – stellvertretende Gewalt?

In diesem Zusammenhang kann auch darauf hingewiesen werden, daß die
hier entwickelte Sicht die Anwendung der bekannten Unterscheidung zwischen zwei verschiedenen Arten kirchlicher Gewalt, nämlich der «eigenbe-
rechtigten Gewalt» (*potestas propria*) und der «stellvertretenden Gewalt»
(*potestas vicaria*) auf die katholische Kirchenordnung und ihre theologische
Begründung nicht zuläßt. Die eigenberechtigte Gewalt käme den kirchlichen Obrigkeiten zu, wie allen Autoritätsträgern in einer Gesellschaft
Gewalt zukommt. Auf Grund dieser Gewalt könnten sie das tun, was die
Autorität jeder anderen Gesellschaft auch tun kann: Gesetze geben, Verwaltungsmaßregeln treffen, rechtsprechen, von allgemeinen Vorschriften dispensieren und dergl. mehr. Die stellvertretende Gewalt käme ihnen kraft
einer Vollmacht Christi zu, mit der sie in seiner Person auftreten könnten.
Auf Grund dieser Gewalt könnten sie Sünden vergeben, Weihen spenden,
von Gelübden entbinden, Ehen lösen usw. Aus der oben gezeichneten Sicht
auf die Kirchengemeinschaft und die in ihr bestehende Ordnung wird jedoch
genügend klar, daß es einen Unterschied zwischen eigenberechtigter Gewalt
und von Christus empfangener Gewalt in Wirklichkeit nicht geben kann.
Keine einzige Funktion oder Befugnis oder Gewalt und kein einziges Recht
in dieser Gemeinschaft ist «eigen» und «nicht von Christus». Der Obere, der
Prediger, der Vorsteher in der Eucharistiefeier, der Spender des Sakraments, alle die diese Leitung annehmen und die Wort oder Sakrament empfangen – sie alle stehen niemals «allein» und «in eigenem Namen» dem andern gegenüber, auch nicht auf der sogenannten juridischen Ebene der
Kirchenordnung. Verantwortungen, Befugnisse, Ansprüche, Verpflichtungen, ja alle Rechtsverhältnisse in der Kirchenordnung sind zugleich Verhältnisse zu den Mitchristen *und* zu Christus und haben ihre Geltung einzig
und allein aus der sakramentalen Verbundenheit mit ihm. Das soll nicht
heißen, daß die ganze Kirchenordnung und alle in dieser Ordnung bestehenden Verhältnisse in strengem Sinn sakramental wären, wohl aber, daß sie
letztlich aus der sakramentalen Verbundenheit mit Christus hervorgehen
und auf dieselbe Verbundenheit mit ihm gerichtet sind. Sie lassen sich davon
keinen einzigen Augenblick und in keiner einzigen Hinsicht wie eine selbständige, eigene, menschliche oder innerweltliche Ordnung lösen, wenn sie
nicht ihren eigenen Inhalt, ihr Ziel und ihre Geltung verlieren wollen.

2. Göttliches und menschliches Recht

a. Problemstellung

In der klassischen Theologie und Kanonistik besteht das «göttliche Recht» aus einer Reihe von Normen, die durch göttliche Autorität gesetzt wurden. Diese bilden auch den festen, unveränderlichen Kern der Kirchenordnung. Von diesem göttlichen Recht unterscheidet man das «menschliche Recht»: Vorschriften, die von (oder wenigstens mit Zustimmung) der kirchlichen Autorität erlassen werden. Diese können von derselben Autorität eventuell geändert oder für gewisse Zeit, wenn nicht und auch für immer, aufgehoben werden. Beim göttlichen Recht unterscheidet man für gewöhnlich Naturrecht und positives göttliches Recht. Naturrecht wird dann als die Gesamtheit der Normen verstanden, die aus der von Gott geschaffenen Natur des Menschen abgeleitet und also auch mit der natürlichen Einsicht in diese Natur ohne Offenbarung verstanden werden können. Das kirchliche Gesetzbuch qualifiziert nur sehr selten eine bestimmte Norm ausdrücklich als naturrechtliche Norm. So erklärt z. B. Kanon 1068 § 1, daß vorhandene und bleibende geschlechtliche Impotenz eine Eheschließung kraft Naturrecht nichtig macht. Kanon 1405 § 1 bestimmt, daß die Erlaubnis zum Lesen verbotener Bücher keineswegs von dem naturrechtlichen Verbot befreit, Bücher zu lesen, die für Glauben und Sitten eine Gefahr bedeuten. Kanon 1935 § 2 stellt fest, daß man kraft Naturrecht verpflichtet ist, Übertretungen kirchlicher Strafgesetze bei den ordentlichen Obern anzuzeigen, wenn diese Übertretungen eine Gefahr für Glauben und Religion enthalten oder der Kirchengemeinschaft auf andere Weise schaden können.

Das positive göttliche Recht wird als die Gesamtheit bindender Normen verstanden, die in der Offenbarung enthalten sind. Im kirchlichen Gesetzbuch wird dieses positive göttliche Recht vor allem als das unveränderliche Grundgesetz der hierarchischen Verfassung der Kirchengemeinschaft gesehen. Kanon 1322 § 2: Durch göttliches Gesetz sind alle Menschen verpflichtet, das Evangelium gläubig anzunehmen und der Kirche Gottes beizutreten. Kanon 107: Nach göttlicher Anordnung sind in der Kirche die Kleriker und die Laien voneinander verschieden, wenn auch nicht alle Kleriker göttlicher Einsetzung sind. Kanon 948: Der Unterschied zwischen Klerikern und Laien ist eine Wirkung der Weihe und beruht damit, wie die Weihe, auf einer von Christus getroffenen göttlichen Anordnung. Die Kleriker unterscheiden sich von den Laien, um die Gläubigen zu leiten und den Gottesdienst zu vollziehen. Kanon 196: Die Jurisdiktions- oder Leitungsgewalt, die durch göttliche Einsetzung in der Kirche besteht, ist entweder eine Gewalt des Rechtsbereichs oder eine Gewalt des Gewissensbereichs; diese ist entweder sakramental oder nichtsakramental. Kanon 108 § 3: Kraft göttlicher Einsetzung besteht die Hierarchie auf Grund der Weihe aus Bischöfen,

Priestern und «ministri», auf Grund der Jurisdiktionsgewalt aus dem obersten Pontifikat und dem untergeordneten Episkopat. Kanon 109: In das oberste Pontifikat wird man durch das göttliche Recht selbst eingeführt, wenn die Bedingungen rechtmäßiger Wahl und der Annahme dieser Wahl erfüllt sind. Kanon 219: Der gültig gewählte Papst erhält sofort vom Augenblick der Annahme der Wahl an kraft göttlichen Rechts die volle höchste Jurisdiktionsgewalt. Kanon 329 § 1: Kraft göttlicher Einsetzung werden an die Spitze der Ortskirchen Bischöfe gesetzt. Kanon 100 § 1: Die Katholische Kirche und der Apostolische Stuhl haben den Charakter moralischer Personen kraft göttlicher Anordnung selbst; andere moralische Personen niederen Ranges in der Kirche haben ihre moralische Persönlichkeit kraft kirchlicher Bestimmung, entweder durch eine allgemeine gesetzliche Anordnung oder durch ein formelles Dekret des zuständigen kirchlichen Oberen.

In der Kirchenordnung ergeben sich bezüglich des göttlichen Rechts mehrere Probleme. Vor allem meldet sich bezüglich des Naturrechts die Frage, wie weit die kirchliche Autorität befugt ist, zum Naturrecht bindende Erklärungen abzugeben. Bezüglich des positiven göttlichen Rechts erhebt sich die Frage, inwieweit die erwähnten Bestimmungen des kirchlichen Gesetzbuches tatsächlich eine kraft göttlicher Autorität angeordnete unveränderliche Organisation der Kirchengemeinschaft einschließen.

b. Kirchliche Autorität und Naturrecht

Wir gehen hier nicht aus von dem statischen scholastischen Begriff einer sich stets gleichbleibenden menschlichen Natur, aus der eine Reihe sich ebenfalls stets gleichbleibender Naturrechtsregeln abgeleitet werden könnte, sondern von der fundamentalen Forderung des Menschseins, daß die Menschen sich in ihrem bewußten Dasein in der Welt behaupten und entwickeln müssen. *Wie* sich die Menschen in ihrem Dasein behaupten und *wie* sie sich entwickeln sollen, hängt von den konkreten Möglichkeiten ab, über die sie verfügen, *und* von ihrer freien Wahl. Die konkreten Möglichkeiten, über die sie verfügen, werden vor allem vom Entwicklungsgrad bestimmt, den der Mensch erreicht hat. Die Wahl wird desto freier sein, je mehr es um die Entwicklung des Menschen selbst geht. Je mehr der Mensch die Natur durch seine eigene Natur beherrschen lernt, desto mehr verfügt er über die Freiheit, sich selbst zu entwickeln.

Damit sind auch die Forderungen von Recht und Gerechtigkeit, die an den Menschen gestellt werden, in ständiger Entwicklung begriffen. Normen, die als Naturrecht angesehen werden, wie «Du sollst nicht stehlen» oder «Du sollst nicht töten», haben in unserer heutigen Welt einen viel weiterreichenden Inhalt als im alten Israel. Soziale Gerechtigkeit, Rassengleichheit, Entwicklungshilfe, Streben nach Abrüstung, Religions- und Weltanschauungsfreiheit, Freiheit der Meinungsäußerung und noch vieles andere bieten sich heute als notwendige Forderungen für Existenz und Entwicklung der Menschheit an. Man könnte sie «naturrechtliche» Postulate nennen, die heute dem Menschen gestellt werden. In früheren Zeiten wurden diese Postulate *nicht* erhoben; sie konnten noch nicht erhoben werden. Und bis heute haben diese Postulate in den verschiedenen Teilen der Welt noch einen sehr unterschiedlichen konkreten Inhalt.

Eine Rechtsordnung ist dazu da, die Zusammenarbeit, die für die Existenz und Entwicklung der Menschheit notwendig ist, verbindlich zu organisieren. Die «naturrechtlichen» Postulate können nicht anders als in einem System verbindlichen positiven Rechts verwirklicht werden. Diese Postulate werden erst Recht *im* positiven Recht. Und das positive Recht ist wirkliches Recht nur, wenn es diesen Postulaten entspricht. Einen Unterschied zwischen rein positiven Rechtsnormen und reinen Naturrechtsnormen gibt es nicht.

Bei Beantwortung der Frage nach der Kompetenz der kirchlichen Autorität für bindende Erklärungen zum «Naturrecht» muß man zwischen der Aufgabe dieser Autorität innerhalb und außerhalb der Kirchengemeinschaft unterscheiden.

Die Entwicklung der Menschheit, auch in Hinsicht auf die Forderungen der Gerechtigkeit, geht ebenfalls innerhalb der Kirche vor sich. Die Entwicklung einer stark hierarchisch und sozial gebundenen Gesellschaft zur grundsätzlichen Gleichheit aller Menschen, zu den Menschenrechten, zu persönlicher Verantwortung, Autonomie, Subsidiarität, zu demokratischen Formen der Zusammenarbeit usw. kann auch an einer Kirche nicht unbemerkt vorübergehen. Eine Kirchenordnung hat gerade in Hinsicht auf diese Entwicklung exemplarisch zu sein. Es gehört zur innerkirchlichen Aufgabe zu entscheiden, wie weit diese sich neu ergebenden Postulate in einer Kirchenordnung verbindliche Normen verlangen. In mehrfacher Hinsicht hat die Kirchenordnung sich tatsächlich exemplarisch entwickelt: z. B. hinsichtlich des Postulats nach Gleichwertigkeit der Rassen beim Aufbau des einheimischen Klerus und der Hierarchie und hinsichtlich des Postulats nach Entwicklungshilfe beim Aufbau von Missionen und Missionswerken. In anderen Bereichen, zumal bezüglich der Forderungen für die Verwaltungsorganisation, läßt sich zwar eine Entwicklung feststellen, die jedoch sichtlich hinter der außerkirchlichen Entwicklung zurückbleibt.

Das Postulat der absoluten Gleichheit aller wird u. a. zum Recht, wenn sich jeder, der sich in seinem Recht verletzt fühlt, an den Richter wenden kann – auch wenn die Oberen diese Verletzung verschuldet haben. Die Kanonisten fordern immer dringender eine kirchliche Gerichtsbarkeit über die Verwaltung. Bis heute kann man gegen Verwaltungsmaßregeln von Oberen, die man gegenüber dem eigenen Recht als im Unrecht ansieht, nur vor einer höheren Verwaltungsinstanz, nämlich vor einer römischen Kardinalskongregation angehen. Bis vor kurzem gab es gegen das Urteil einer Kardinalskongregation kein anderes Rechtsmittel als den Antrag auf eine neue Verhandlung bei derselben Kongregation. Vor nicht langer Zeit hat die Kurienreform mit einer kirchlichen Gerichtsbarkeit über die Verwaltung einen bescheidenen Anfang gemacht, indem sie die Möglichkeit eröffnete, gegen das Urteil einer Kardinalskongregation bei der Apostolischen Signatur Berufung einzulegen, wenn man sich durch dieses Urteil in seinen Rechten verletzt fühlt. Ein Vorwurf bleibt jedoch: daß nämlich dieses Kollegium aus Kardinälen besteht, die ebenfalls Mitglieder mehrerer Kongregationen sind. Richterliche Organe müssen von Verwaltungsorganen unabhängig sein. Damit ist nicht gemeint, die Verwaltungsspitze durch Richter kontrollieren zu lassen; es geht vielmehr darum, die Achtung der Rechte eines jeden zu sichern, auch gegenüber den Oberen.

Die Entwicklung weltlicher Rechtsordnungen liegt außerhalb kirchlicher Kompetenzen, nicht aber außerhalb jeden kirchlichen Einflusses. Zum eigentlichen Apostolat der katholischen Laien gehört auch der Beitrag einer christlichen Sicht auf die Entwicklung der Menschheit und damit auch auf die Entwicklung des Rechts. Das schließt nicht aus, daß die Kirchengemeinschaft als ganze «offiziell» zu Fragen des Rechts und der Politik Stellung nehmen kann, wie es z. B. in päpstlichen Sozialenzykliken geschieht. Solche Enzykliken haben auch außerhalb der katholischen Kirche vielen Millionen Menschen etwas zu sagen, jedoch nicht durch die Autorität des kirchlichen Lehramtes (des *magisterium ecclesiasticum*), dessen eigentliche Aufgabe als getreue Überlieferung und Auslegung der geoffenbarten Lehre (der *doctrina revelata*) bestimmt wird (Kanon 1322). Die Quellen der Offenbarung behandeln keine Probleme nationaler und internationaler Gesetzgebung und Rechtsprechung. Die Autorität solcher Sozialenzykliken u. a. Verlautbarungen stützt sich auf das Ansehen, das der Leiter einer weltumspannenden Kirchengemeinschaft, die sich prinzipiell *über* nationale und andere Gruppeninteressen stellt, allgemein genießt. In diesem Falle könnte man von einer moralischen Eigenautorität sprechen, da sie nicht im Glauben an die Sendung durch Christus besteht und anerkannt wird, sondern ihren Einfluß aus menschlichen gesellschaftlichen Verhaltensweisen erhält.

c. Positives göttliches Recht

Was über das Verhältnis «naturrechtlicher» Postulate zum positiven Recht gesagt wurde, gilt analog auch für die Postulate der Offenbarung in ihrem Verhältnis zum positiven kirchlichen Recht. Ein fundamentales Postulat ist, daß die kanonische Sendung im Amt gleichzeitig eine sakramentale Sendung durch Christus ist. Übrigens wird aus Exegese und Kirchengeschichte klar, daß Institutionen wie das päpstliche Amt, das Bischofsamt, das Amt der Priester und Diakone in der konkreten Gestalt, mit der sie heute da sind, nicht schlechthin und als ganze von Christus eingerichtet und für Jahrhunderte festgelegt wurden. Der jetzt bestehende konkrete Inhalt dieser Ämter und ihr Verhältnis zueinander sind sowohl die Verwirklichung einer schon in der Schrift vorhandenen Gegebenheit als auch das Ergebnis historischer Entwicklung. Übrigens sind auch die in der Schrift vorhandenen Gegebenheiten bezüglich Sendung und Autorität – auch wenn sie unmittelbar auf Christus selbst zurückgehen – nicht schlechthin «göttlichen» Rechts. Sie sollten vielmehr gottmenschliches Recht genannt werden: ein Handeln Gottes mit den Menschen in Formen, die für die Menschen verständlich, also geschichtlich und gesellschaftlich bestimmt sind. Heute können wir ohne Hilfe der Exegese – also einer Wissenschaft – nicht verstehen, was es bedeutet, etwa jemandem «die Schlüssel des Himmelreiches zu geben»; für Petrus aber wäre es unverständlich gewesen, hätte Jesus ihm «die höchste Jurisdiktion über alle Bischöfe und alle Kirchen gegeben».

Für eine Theologie der Kirchenordnung und für die rechte Einsicht in die Kirchenordnung selbst ist es, auch beim Gespräch mit anderen christlichen Kirchengemeinschaften, wichtig, die Folgen klar herauszustellen, die sich aus dieser Geschichtlichkeit ergeben. Man kann akzeptieren, daß das heute bestehende Kollegium der Bischöfe, unter Vorsitz des Bischofs von Rom, nach der gläubigen Erkenntnis der katholischen Kirche die «Nachfolge» des Apostelkollegiums ist, in dem Petrus eine Vorrangstellung hatte; mit andern Worten: daß das Bischofskollegium die heutige Konkretisierung der biblischen Tatsache der Apostel und des Petrus ist und daß es in diesem Sinne «göttlichen Rechts» oder «göttlicher Einsetzung» genannt werden kann; aber es ist nicht möglich, den ganzen Inhalt der bestehenden Kirchenordnung bezüglich Papst und Bischöfe als unveränderliches «göttliches Recht» hinzustellen. Der katholische Glaube kann in der Sendung von Papst und Bischöfen eine von Christus ausgehende Sendung sehen, die in einer geschichtlichen Kontinuität mit der ursprünglichen Sendung des Petrus und der andern Apostel verbunden ist; aber dieser Glaube kann nicht einsehen, daß in Zukunft dieselbe Sendung in ein und derselben geschichtlichen Kontinuität nicht auch in anderen konkreten Formen verwirklicht werden kann.

Als die erste Bischofssynode (im Oktober 1967) das Schema über die Grundsätze für die Revision des kirchlichen Gesetzbuches behandelte, wurde darauf hingewiesen, daß man äußerst vorsichtig damit sein solle, den Ausdruck «göttliches Recht» auf konkrete Normen der Kirchenordnung anzuwenden. Es ist tatsächlich unmöglich, wie es im Handeln Christi selbst unmöglich ist, im Handeln der Kirche, also auch in der Kirchenordnung, das «rein Göttliche» vom «rein Menschlichen» zu trennen. Das Eigentliche Christi und der aus seinem Geist lebenden Gemeinschaft ist gerade, daß das Göttliche mit dem Menschlichen eins ist. Man hat darüber diskutiert, ob die Bischofssynode nur ein beratendes Kollegium für den Papst sein dürfe, oder ein *mit ihm* entscheidendes Organ. Zu Unrecht wurde dabei von «göttlichem Recht» gesprochen: *für* die Kollegialität der Bischöfe, *gegen* den päpstlichen

Primat. Es gibt jedoch vom göttlichen Recht her auf diese Alternative keine Antwort. Das einzig brauchbare Kriterium ist die größere oder geringere Zweckmäßigkeit für eine wirksame Leitung der Kirche.

Bei konkreten Fragen der Kirchenordnung muß man sich klar darüber sein, daß die ganze Kirchenordnung in der Kirchengemeinschaft einen relativen Wert und eine relative Funktion hat. Die Aufgabe des Petrus und der anderen Apostel war an erster Stelle nicht der Auftrag, ein System bindender Normen aufzubauen. Zunächst müssen sie als ihr Recht erfahren haben, was der Herr selbst als sein Recht gelebt hatte: die vollkommene Freiheit, von der Wahrheit Zeugnis zu geben, und den Anspruch auf Anerkennung der Wahrhaftigkeit dieses Zeugnisses. Es konnte dabei gelegentlich geschehen, daß mit Autorität aufgetreten werden mußte und Vorschriften gegeben werden mußten, wenn es zur Sicherung der Wahrhaftigkeit des Evangeliums notwendig erschien: im Bekenntnis, im Lebenswandel, in der Einheit miteinander. Diese Autorität, eine Ordnung zustande zu bringen, und die Anerkennung dieser Autorität beruhten auf der Wahrhaftigkeit der Verkündigung und standen in deren Dienst. Petrus muß sich zunächst zu einer besonderen Verantwortung im Dienst seiner Brüder berufen gefühlt haben. Ob er dafür bindende Vorschriften ausarbeiten mußte, hatte er selbst auszumachen. Die Sendung der Zwölf durch Christus ist nicht zunächst und direkt eine Art verfassungstiftender Rechtsnorm. Amtsrecht wie auch das Kirchenrecht im allgemeinen sind nicht für sich da, als in sich geschlossenes Ganzes mit einer auf sich selbst beruhenden Geltung, sondern nur als mögliches Instrument im Dienste der Verkündigung des Heils im Herrn.

Damit wird keineswegs das göttliche Moment geleugnet, das im kirchlichen Amt vorhanden ist. Obwohl sich die konkreten Erscheinungsformen des Amtes im Lauf der Jahrhunderte ändern können, obwohl sie sich sogar notwendig ändern werden und müssen – daß das Amt nicht lediglich eine Anstellung durch das Kirchenvolk ist, sondern ebenso eine Weitergabe der Sendung durch Christus, bleibt trotzdem immer bestehen. Die Kirchengemeinschaft kann über das Amt nicht eigenmächtig verfügen. Eine Bewegung, die in die bestehenden Amtsstrukturen revolutionär eingreifen wollte, wäre in der katholischen Kirchengemeinschaft unannehmbar. Entwicklungen in der Kirchenordnung empfangen ihre Legitimität aus ihrem Zusammenhang mit den vorher geltenden Strukturen. Es kann geschehen – und es ist leider nicht selten geschehen –, daß Gruppen von Christen, die mit dem Herrn nicht brechen wollen, sich von der organisatorischen Einheit der katholischen Kirche faktisch lösen. Oft war diese Trennung dem Umstand zuzuschreiben, daß die Organisation nicht mehr oder nicht mit genügender Deutlichkeit im Dienst der Verkündigung stand. Die Trennung hat niemals einen Rechtsgrund im Evangelium. Vor dem christlichen Gewissen ist sie Schuld und Unrecht.

Im Streben nach der Ökumene ist es den christlichen Kirchen denn auch

zunächst nicht darum zu tun, letzten Endes zu einer praktischen Zusammenarbeit in Frieden und gegenseitiger Wertschätzung zu kommen, die jedoch
unverbindlich ist, so daß sie rechtlich getrennt bleiben. Sie streben nach
einer verbindenden, rechtlich existierenden Einheit. Auch dieser Auftrag
zur Wiederherstellung einer rechtlich existierenden Einheit ist ein Postulat
«göttlichen Rechts». In welchen Formen diese Einheit jemals verwirklicht
werden wird oder werden kann, läßt sich heute noch nicht erkennen. Bezeichnend ist, daß das tiefste und entscheidendste Moment in diesem Bemühen der Wunsch nach einer nicht nur faktischen, sondern rechtens gemeinsamen Eucharistie- oder Abendmahlsfeier ist. Hier erscheint Kirchenordnung von neuem als Ordnung der eucharistischen Gemeinschaft mit dem
Herrn und dadurch miteinander.

3. Kirchlicher Gehorsam

Die Eigenart der Kirchengemeinschaft als sakramentaler Glaubensgemeinschaft bestimmt den besonderen Charakter der Kirchenordnung und damit
die Eigenart der Geltung dieser Kirchenordnung. Die bindenden kirchlichen
Vorschriften verpflichten einerseits weitergehend als die Gesetze des weltlichen Rechts, anderseits aber haben sie eine weniger weitgehende oder besser: eine weniger absolute Geltung.

a. Gehorsam gegenüber den kirchlichen Vorschriften

Die Gesetze des weltlichen Rechts erheben keinen Anspruch auf «Gehorsam». In dieser Rechtsordnung gibt es keine Forderung nach Gehorsam,
sondern verlangt wird, daß die Gesetze gehalten oder nicht übertreten werden. Die innere Zustimmung – sosehr sie auch aus andern Gründen er-
wünscht ist – gehört nicht zum Inhalt dieser Rechtsordnung selbst. Der
Grundsatz «finis legis non cadit sub lege» (die Absicht des Gesetzes fällt nicht
unter das Gesetz) bezieht sich auf dieses Verhältnis.

   In der Kirchenordnung gilt dieser Kernsatz nicht. In der Kirchenordnung
verlangt die Ordnung der Gesellschaft und der Zusammenarbeit durchaus
innere Zustimmung und bewußtes Jasagen. Die ganze Kirchenordnung ist,
wenigstens in der hier vorausgesetzten Vorstellung, gerade darauf ausgerichtet. Das «Auferlegen» und «Erzwingen» des äußerlichen Haltens oder
Nichtübertretens einer Vorschrift, ohne Berücksichtigung der inneren Haltung ihr gegenüber, ist in der Kirche sinnlos. Kirchenrecht muß von allen
Gliedern als Recht erfahren werden, aber nicht als erzwingbares Recht. Seine
Geltung beruht auf seiner freien Bejahung durch die Gemeinschaft im Glauben.

   Das beeinflußt die Art und Weise, wie in der Kirchenordnung Einrichtungen und bindende Vorschriften zustande kommen sollen. Ein rein for-

males Verfahren, bei dem die Vorschrift einfach auferlegt wird, ohne gleichzeitig alle Mittel anzuwenden, für sie die Zustimmung aller Betroffenen zu finden, ist in einer Kirchenordnung ungut. Das gilt nicht nur für diktatorische Regierungsformen oder für oligarchische Verwaltungs- und Regierungsstrukturen; es gilt ebenfalls für sogenannte demokratische Systeme. Eine Methode der Beschlußbildung, bei der die Hälfte plus eins einfach die Hälfte minus eins überstimmt, ohne sich um die Zustimmung dieser Hälfte minus eins zu kümmern, ist in der Kirche ebenso verwerflich. Es ist eine alte kanonistische Regel, die auch im kirchlichen Gesetzbuch noch immer erhalten ist, daß Vorschriften, die alle persönlich angehen, auch von allen persönlich akzeptiert werden müssen. Die Kirchengemeinschaft ist sich bewußt, erst dann gut zu handeln, wenn sie mit *consensus*, d. h. mit moralischer Übereinstimmung aller handelt.

Eine Kirchenordnung muß denn auch nach bester Möglichkeit garantieren, daß Beschlüsse erst nach vorhergehender Beratung mit allen Betroffenen gefaßt werden; daß alle dafür die notwendige Information erhalten; daß die zu ergreifenden Maßregeln klar motiviert werden; daß bei Erneuerungen alle berücksichtigt werden, auch solche, die mit diesen Erneuerungen weniger leicht zurechtkommen können; daß Einrichtungen und Vorschriften differenziert und an die Bedürfnisse, Einsichten und Bräuche der verschiedenen Ortskirchen angepaßt werden.

b. Relative Geltung der Kirchenordnung

Die sakramentale Glaubensgemeinschaft ist nicht an erster Stelle eine hierarchische Pyramide, in der alle Gaben des Geistes nur von der Spitze her, über die hierarchische Weihe- und Rechtsgewalt, auf die Menge herabkommen. Sie ist in erster Linie eine brüderliche Gemeinschaft aller im Herrn, in der alle – als seine Brüder und Schwestern – grundsätzlich gleich sind. Allen gibt sein Geist seine Gaben, wie er es will. Er handelt im sakramentalen und regierenden Handeln der Hierarchie. Aber er handelt ebenso in denjenigen, denen er die Gabe des Wortes gibt oder die Gabe der Prophetie oder der Wissenschaft oder des Rates oder des Organisationstalents oder welches andere der vielen Talente auch immer. Alle sollen das Wirken des Geistes in den Gaben der Weihe und der Regierung anerkennen, und eben deshalb sollen sie auf Personen hören, denen diese Gaben geschenkt wurden. Aber alle, auch die Hierarchie, müssen ebenso auf das Wirken des Geistes in jenen Menschen hören, denen er eine der vielen anderen Gaben zugeteilt hat. Die einseitige Darstellung von Papst, Bischof oder Priester als «eines anderen Christus auf Erden» kann auch in Kirchenordnung und Kirchenorganisation die Verhältnisse schief zeichnen. Jeder Christ ist berufen, «ein anderer Christus» zu sein: in dem Sinne, daß er sich durch den Geist Christi leiten lassen will. Im Gehorsam aller gegenüber dem Geist, ob dieser nun in Weihe und Regierungsgewalt oder in einer der vielen anderen Gaben wirkt, lebt jeder den letztlich einzigen Gehorsam gegenüber dem letztlich einzigen Papst und Bischof und Priester und Charismatiker, unserm Herrn Jesus.

Nun kommt es immer wieder vor, daß dieser letztlich einzige Gehorsam mit bestimmten Vorschriften oder Einrichtungen der Kirche in Konflikt gerät. Es wurde deshalb schon darauf hingewiesen, daß für das persönliche Gewissen der Gehorsam gegenüber dem Geist immer *über* dem Gehorsam gegenüber dem Gesetz steht, und daß die Kirchenordnung für diesen höheren Gehorsam notwendig offen sein muß. Es kann auch sein, daß dieser letztliche Gehorsam in Widerspruch mit bestimmten kirchlichen Einrichtungen oder mit bestimmten Formen der Amtsausübung gerät. Die Geschichte hat viele Beispiele dafür, daß wahrhaft inspirierte Menschen in einer echten Inspiration durch das Evangelium zu solchem Widerstand kamen. Die uralte Lehre von der brüderlichen Zurechtweisung gibt schon eine Legitimation für derartigen Widerstand, den die Obrigkeit nicht einfach ignorieren darf, nur weil er ein Widerstand gegen die Obrigkeit oder gegen «das Recht» wäre. Man darf sogar erwarten, daß Impulse zu Erneuerung und weiterer Entwicklung in der Kirche im allgemeinen, nicht von den Regierenden und Verwaltern ausgehen, die mehr Bewahrer der bestehenden und gefestigten Ordnung sein müssen und deshalb neuen Inspirationen eher abweisend oder wenigstens mißtrauisch gegenüberstehen werden. Kirchlicher Gehorsam schließt Konfliktsituationen nicht aus. Solche Situationen sind für eine gesunde Entwicklung sogar notwendig. Neue Einsichten und neue Formen der Glaubenserfahrung bieten sich meistens mit einer Intensität und Anziehungskraft an, die leicht zu Einseitigkeit und einer zu radikalen Verwerfung des Vergangenen und Bestehenden führen können. Um das Neue, gemeinsam mit dem, was am Bestehenden gut ist, zur gleichgewichtigen Reife wachsen zu lassen, ist eine Konfliktperiode meistens unvermeidlich. Auch hier können wir auf die kanonische Tradition der gegen das Gesetz gerichteten Gewohnheit hinweisen, welche die Situation eines Konflikts zwischen neuer Ordnung und bestehender Ordnung voraussetzt. Der Konflikt wird nicht von vornherein abgelehnt. Vielmehr bekommt die Gewohnheit im Laufe der Zeit Gesetzeskraft und verdrängt die vormals bestehende Ordnung. Nach derselben Tradition beruht die gesetzliche Geltung der Gewohnheit auf der Zustimmung der rechtmäßigen kirchlichen Oberen. Die neue Ordnung muß also schließlich von allen akzeptiert werden und darf nicht aus der Einheit der Kirchengemeinschaft herausführen, deren Hüter die Hierarchie ist. Ein Kennzeichen authentischen und legitimen Widerstandes in der Kirche ist gerade, daß es dabei nicht um Gruppeninteressen oder Parteipositionen geht, sondern man sich bewußt ist, der ganzen Kirchengemeinschaft in wesentlichen, alle betreffenden Belangen zu dienen.

Nichtsdestoweniger verlangt die schnelle Entwicklung von Denk- und Lebensformen auch in den Kirchen eine größere Offenheit für Entwicklung und eine größere Geschmeidigkeit. Das geeignetste Mittel dazu ist eine möglichst breite Information und Kommunikation und eine möglichst breite Beratung.

c. Gemeinsamer Gehorsam

Es gibt heute in der Kirchenordnung schon eine deutliche Tendenz nach breiterer Information und Kommunikation und breiterer Beratung. Auf der Ebene der zentralen Kirchenregierung gibt es die Bischofssynode; auf nationaler und internationaler Ebene arbeiten viele Bischofskonferenzen; auf der Ebene der Diözesen, Dekanate und Pfarren arbeiten Priesterräte, Seelsorgeräte, Pfarräte (Diözesankomitees). In mehreren Ländern haben bereits weitergehende Experimente begonnen. Bis jetzt sind diese neuen Organe – mit Ausnahme der Bischofskonferenzen – beratende Körperschaften. Es ist eine Frage der praktischen pastoralen Führung, ob sie auch die Befugnis zur Entscheidung erhalten sollen. Es geht hauptsächlich darum, daß diese Institutionen für die verschiedenen Strömungen in den eigenen Kirchen wirklich repräsentativ sind und daß jeder in vollkommener Freiheit seinen Beitrag zum Dialog und zur Beschlußbildung beibringen kann. Es liegt nahe, daß die Festsetzung von Zeit und Ort der Zusammenkunft, die Abfassung der Agende, die Leitung der Versammlungen usw. bestimmten Personen anvertraut werden müssen. Es ist auch klar, daß endgültige Entscheidungen nicht gegen die rechtmäßigen Oberen getroffen werden können. Aber diese, an sich vernünftigen Bestimmungen können auch dazu mißbraucht werden, um den freien Einfluß dieser Organe und ihrer Glieder wieder zu beschränken; um dem notwendigen Dialog über brennende Fragen doch wieder aus dem Wege zu gehen; um unter dem Schein der Kollegialität doch wieder absolutistisch weiterzuregieren. Wenn *das* geschieht, führen diese Einrichtungen nicht zur Eintracht, sondern zu heftigeren Konflikten.

Kommunikation und Beratung kann in den Kirchen erst gut funktionieren, wenn die alte Auffassung vom vertikalen Gehorsam (also vom Gehorsam der Menge gegenüber der hierarchischen Spitze) der Überzeugung von der Notwendigkeit und Richtigkeit des horizontalen Gehorsams Platz gemacht hat, d. h. dem gemeinsamen Gehorsam aller gegenüber dem Herrn. Es ist nicht die Aufgabe der Hierarchie, allen die eigene Einsicht, die eigene Inspiration und die eigene Frömmigkeit aufzuerlegen oder vorzuhalten. Der Geist des Herrn kann Erkenntnis und Inspiration und Frömmigkeit und noch vieles mehr geben – wo und wem er will. Und diesem Geist, wo und in wem er sich auch offenbart, werden alle Kirchenglieder, in und außerhalb der Hierarchie, Gehör schenken müssen. Zur Regierung der Kirche als der eigentlichen Aufgabe der Hierarchie gehört vor allem die Sorge, die Gaben des Geistes (aller und überall!) so viel wie möglich zu entwickeln und zur Blüte zu bringen, und allem, was nicht aus dem Geiste stammt, was nicht aufrichtig ist, was eigennützig ist, was Zwang ist, was unwahr und unwahrhaftig ist, entgegenzutreten. Das ist der Dienst der Hierarchie für alle, damit alle eins seien und die Gaben aller der Einheit dienen. Der Dienst aller an der Hierarchie ist, daß sie sie als das vom Herrn gesetzte Zeichen und als Garanten der Einheit aller anerkennen und ehren. So entwickelt sich der einseitige unmündige, kindliche Gehorsam zu einem gemeinsamen Gehorsam füreinander, in dem einen entscheidenden Gehorsam gegenüber dem Geist des Herrn.

d. Kirchenordnung und persönliches religiöses Leben

Die innerkirchliche Entwicklung zum gemeinsamen Gehorsam entspricht Postulaten des Evangeliums und der Theologie. Aber sie ist nicht unabhängig von den demokratisierenden Tendenzen in der heutigen Gesellschaft. Sie setzt eine gesellschaftliche Selbständigkeit voraus, ohne die es eine solche Entwicklung auch in der Kirche nicht geben könnte. Das Zweite Vatikanische Konzil stellte mit der Forderung nach mündigem und verantwortlichem Christentum notwendig zugleich auch die Forderung nach einer viel gründlicheren religiösen Bildung und Schulung. Patriarchalische Regierungsformen sind in einer Gemeinschaft von Unmündigen unvermeidlich, ja sogar notwendig. Es ist gut sich klarzumachen, daß wir im Reifungsprozeß der Kirchengemeinschaft zur Mündigkeit erst ganz am Anfang stehen. Es ist nicht verwunderlich, wenn wir feststellen müssen, daß die Kirche in eine Reifungskrise gekommen ist; und noch weniger verwunderlich ist, daß sich diese Reifungskrise am deutlichsten bei Priestern und Ordensleuten zeigt. Einerseits empfindet man den Drang nach Befreiung von patriarchalischer Autorität und zwingendem Recht, anderseits aber ist man noch nicht mündig genug, um Glauben und Berufung selbständig zu verantworten und zu leben.

In dieser Situation darf die Kirchenordnung vor allem auf dem Gebiet des persönlichen religiösen Lebens nicht mehr mit bindenden Vorschriften operieren, sondern müßte viel mehr Sorge für Aufklärung und Bildung tragen. Mehrere jüngere Änderungen in der Kirchenordnung weisen schon in diese Richtung. Die Vorschriften für die Nüchternheit vor der Kommunion sind stark vereinfacht worden; die Vorschriften für Fasten und Abstinenz wurden auf ein Minimum reduziert; das Bücherverbot ist keine kanonisch bindende Vorschrift mehr, sondern eine Richtlinie für persönliches ethisches Verhalten; diesbezügliche kirchliche Dokumente legen den Akzent mehr auf Unterweisung als auf Vorschriften; Ordensgemeinschaften streben nach größerer Geschmeidigkeit in der Handhabung der Regelvorschriften über Tagesordnung, Stillschweigen, Gebetszeiten und dergleichen mehr. Daneben läßt sich eine Art Gewohnheitsbildung feststellen, in der sich dieselbe Tendenz zeigt. So wird die Verpflichtung zum Messebesuch an Sonn- und Feiertagen mit der Zeit immer weniger als strikt bindende kanonische Vorschrift empfunden; auch unter Priestern, die die Notwendigkeit des regelmäßigen persönlichen Gebets ernst nehmen, trifft man immer mehr solche, die ihre Gebete, Psalmen und Lesungen für das tägliche Gebet selbst auswählen und die offiziellen Vorschriften darüber mehr als Richtlinien denn als bindende kanonische Gesetze betrachten; die gesetzliche Kasuistik über derartige Dinge gehört endgültig der Vergangenheit an. Bei den Bischöfen und Priestern, die für die Entkoppelung von Amt und Zölibat eintreten, zeigt sich ebenfalls der Wunsch, eine so sehr das persönliche Leben berührende Wahl von bindenden kanonischen Vorschriften loszumachen.

Ohne über all diese Symptome zu urteilen, muß doch wohl festgestellt werden, daß eine neue Kirchenordnung mit dieser Tendenz noch ernsthafter wird rechnen müssen. Das eigentliche Gebiet der Kirchenordnung (und des Rechts überhaupt) ist die Ordnung gesellschaftlicher Verhältnisse und interpersonaler Beziehungen, nicht die Ordnung des individuellen persönlichen Lebens. Auf letzterem Gebiet können bindende kanonische Normen einen pädagogischen Wert haben: für religiös Unmündige und für Menschen, die noch nicht erwachsen sind. Wo man mit erwachsenen Christen zu tun hat, haben bindende Vorschriften für dieses Gebiet ihren Sinn verloren. Die These, daß Kirchengemeinschaft und Recht einander ausschließen, ist offenbar falsch, wo es die Ordnung des gemeinsamen Handelns betrifft; aber nicht ganz falsch ist die These, wo es um das individuelle persönliche religiöse Tun geht. Religiös handeln ist etwas anderes als einem positiven kirchlichen Gesetz gehorchen. Wenn jemand am Sonntag zur Kirche geht, weil es eben Vorschrift ist, handelt er damit noch nicht religiös. Er handelt nur religiös, wenn dieses Tun außerdem eine Äußerung seiner persönlichen Ehrfurcht vor Gott und seiner Treue zu ihm ist. Für einen religiös Unmündigen kann allerdings der Gehorsam gegenüber einem Gesetz, dessen inneren Wert er selbst nicht einsieht, das er aber auf Autorität der kirchlichen Obrigkeit hin hält, die er als eine Gegenwärtigsetzung der göttlichen Autorität bejaht, implizit ein religiöser Akt sein. Viele haben ihre Religiosität so erlebt, und es wird noch viele geben, die so handeln und gar nicht anders können. So war für viele der Gehorsam gegenüber dem Kirchengebot zum Messebesuch an Sonntagen eine echte Äußerung ihrer Religiosität und wird es weiter sein, auch wenn sie nicht viel vom Wert der Eucharistie für ihr Glaubensleben verstehen. Für den erwachsenen und mündigen Christen aber, der den Wert dessen einsieht, was das Gesetz vorschreibt, ist das Gesetz überflüssig geworden. Wer den Wert der Eucharistiefeier für das katholische Glaubensleben begreift, wird daraus zugleich seine eigene Verantwortung für die Teilnahme begreifen.

Die konsequente Anwendung des hier vorgelegten Grundsatzes würde bedeuten, daß sich die Kirchenordnung sowohl bei ihren bindenden Vorschriften wie bei ihren Strafen stets mehr auf die Ordnung des öffentlichen Gemeinschaftslebens der Kirche beschränkt und das ganze Gebiet des persönlichen Gewissens und des persönlichen religiösen Lebens der Katechese, der Predigt und der Seelsorge überläßt, eventuell mit Vorschriften für diese Tätigkeit. Persönliches Gebet, Buße, Fasten und Abstinenz, Häufigkeit der Eucharistiefeier und Beichte, kurz das ganze persönliche religiöse Verhalten fiele dann nicht mehr unter die kanonische Ordnung. Dann könnten auch nicht mehr kirchliche Disziplinmaßnahmen für geheime Übertretungen kirchlicher Vorschriften verordnet werden, sondern nur für jene Verhaltensweisen, die die kirchliche Gemeinschaft in ihrer Existenz oder in ihrer Tätigkeit bedrohen.

4. Recht als Dienstrecht

Aus der Grundkonzeption der Kirchenordnung als bindender Ordnung für die sakramentale Glaubensgemeinschaft von Menschen, die in und aus ihrer Verbundenheit mit dem Herrn auch miteinander verbunden sind, und deren Verbundenheit miteinander Ausdruck und Zeichen sein will für den Zusammenhang eines jeden persönlich und aller gemeinsam mit Ihm, wird auch die Sicht auf die in dieser Ordnung bestehenden Verhältnisse von Ansprüchen aneinander und Verpflichtungen füreinander bestimmt. Diese Sicht könnte mit dem Stichwort *Dienstrecht* bezeichnet werden.

a. Funktionalität der Kirchenordnung

Zunächst kann es in der Kirchenordnung kein Recht geben, das jemand für sich allein besitzt, allein *gegenüber* einem anderen, so daß es einen Riß und einen Konflikt in die religiösen Belange hineintragen könnte. Die Geistesgaben, die jedem gegeben werden, dienen dem Aufbau des Leibes, der Kirche, und nur hierin und hierdurch der Entfaltung der eigenen Persönlichkeit. Die kirchlichen Vorschriften sind dazu da, die Geistesgaben so viel und so gut wie möglich zu ihrem Recht kommen zu lassen. Es geht nicht nur um den Aufbau perfekt funktionierender Organisationen, sondern weit mehr darum, daß die Organisationen sich dem religiösen Leben der Menschen als nützlich und dienstbar erweisen. In der Kirchenordnung selbst müssen Vorkehrungen für eine ununterbrochene Kontrolle des wirklichen Funktionierens ihrer Einrichtungen und Vorschriften eingebaut werden.

Man kann natürlich darüber streiten, ob eine kanonische Vorschrift ihre «Geltung» allein aus der Autorität des Gesetzgebers herleitet oder ob für sie außerdem ihre Annahme durch die Gemeinschaft erforderlich ist, für die diese Vorschrift gelten soll. Das wäre aber eine ziemlich theoretische und abstrakte Beschäftigung. Auch wenn man an der Theorie festhält, daß die formale Geltung nur von der Autorität abhange, hat man die Frage damit praktisch noch nicht gelöst. Die Vorschrift hat praktisch und wirklich ihre Aufgabe erst erfüllt, wenn es möglich ist, sie tatsächlich auszuführen, dafür also auch die Bereitschaft der betroffenen Personen vorhanden ist. Solange das nicht der

Fall ist, und bestimmt wenn man das Gegenteil voraussagen kann, ist der Erlaß einer «gültigen» Vorschrift reiner Formalismus. Damit ist niemandem gedient. Vielmehr entkräftet man damit die wirkliche Geltung der Kirchenordnung in ihrem Ganzen. Vorschriften von rein formaler Geltung sind nicht nur nutzlos, sondern schädlich. Ein Beispiel dafür ist eine «wissenschaftlich» juridisch perfekt ausgedachte richterliche Organisation, für die das dazu benötigte Personal in weitaus den meisten Kirchenprovinzen nun einmal fehlt. Ein anderes Beispiel ist eine an sich berechtigte und logisch vernünftige Vorschrift für die Kirchenzucht, deren Aufrechterhaltung bei den heutigen soziologischen Strukturen aber unmöglich ist. Auch überzeugte Verteidiger des Priesterzölibats geben zu, daß ein Festhalten an der grundsätzlichen Geltung dieses Gesetzes in einem Gebiet, wo die meisten Priester das Gesetz nicht halten können (und es ihnen in ihrer konkreten Situation auch moralisch unmöglich ist, das Gesetz zu halten), ohne die Absicht, an dieser Situation etwas zu ändern, das Gegenteil von einer Ordnung ist, mit der man den Menschen wirklich dient. Damit stellen die Oberen sowohl diese Priester wie auch sich selbst außerhalb des Gesetzes.

b. Kirchliche Disziplin

Ein echtes Dienstrecht stellt deshalb die Forderung, daß man Vorschriften auch ernsthaft zur praktischen Geltung bringen will: Eine Kirchenordnung ist nicht dazu da, abstrakte Ideale zu formulieren und im übrigen das wirkliche Leben Zufall und Willkür zu überlassen. Prinzipielle Forderungen nach Teilnahme an der Eucharistie und am übrigen kirchlichen Leben müssen auch in der Praxis aufrechterhalten werden. Für die Bewahrung der katholischen Kirchengemeinschaft wird es immer deutlicher notwendig, daß die Ortskirchen, und zwar zuerst die Pfarreien, wo die Menschen am unmittelbarsten ihre katholische Gemeinschaft erleben und vertreten, wahrhaft sakramentale Glaubensgemeinschaften sind und als solche nach außen ausstrahlen. Unter dieser Perspektive kann der überall festzustellende Rückgang der Kirchlichkeit auch positiv gewertet werden. Menschen, die aus anderen Motiven als aus persönlicher Glaubensüberzeugung zu diesen Gemeinschaften gehören und an ihrem Leben teilnehmen wollen, erweist man keinen Dienst, wenigstens keinen echt kirchlichen Dienst, wenn man ihnen nicht klarmacht, daß eine solche Mitgliedschaft und Teilnahme sinnlos und sogar unwahrhaftig ist. Noch weniger tut man damit der Gemeinschaft selbst einen Dienst. Auch hier müssen heute andere Maßstäbe als früher angelegt werden. Eine Kirche, die aus Geistlichen und Ordensleuten besteht, denen die Sorge für die Laien anvertraut ist, stellt andere und geringere Forderungen als eine Kirche, die sich bewußt wird, daß alle Gläubigen als Zeugen des Evangeliums in die Welt gesandt sind. Daß die katholische Kirche sich für letzteres entschieden hat, ist in mehreren Dokumenten des Zweiten Vatikanischen Konzils genügend deutlich und mit Nachdruck erklärt worden. Wir wiesen schon auf positive Forderungen hin, die dadurch an die Kirchenordnung bezüglich der Organisation von Information aller und bezüglich des Einspracherechts aller gestellt werden. Hier kann dem eine negative Forderung hinzugefügt werden, nämlich die nach einer besseren Ordnung der kirchlichen Disziplin. Will eine Kirche ihre Sendung in der Welt von heute wahr machen, wird sie der Wahrhaftigkeit ihres christlichen Zeugnisses in Wort *und* Tat kritisch gegenüberstehen müssen. Das fünfte Buch des kirchlichen Gesetzbuches «Von Delikten und Strafen», das noch ganz auf der Fiktion von einem kirchlichen Strafrichter und einer kirchlichen Rechtsprechung fußt, würde besser einer Disziplinarordnung mit ganz anderer Funktion Platz machen. Da ist dann keine Rede mehr von Strafen, die Vergeltung für Gesetzesübertretung und Besserung der Gesetzesübertreter beabsichtigen, wohl aber von Maßnahmen, die die Aufrechterhaltung und den Schutz der Kirchengemeinschaften als sakramentaler Glaubensgemeinschaften und die Sicherung ihres Zeugnisses in der Welt im Auge haben. Es geht dann nicht mehr darum, die Gewissen und die moralische Verantwortlichkeit von Übertretern kirchlicher Gesetze zu beurteilen, sondern darzutun, daß die Kirchen sich von bestimmten Überzeugungen oder Verhalten distanzieren und die dahinter stehenden Personen nicht als ihre Vertreter anzusehen wünschen, weil sonst die Eigenart der Kirche und ihr eigenes Zeugnis Gefahr laufen, ihren Inhalt und ihre Kraft zu verlieren. Auch hier wird es besonders wichtig sein, daß die Kirchenordnung für solche Angelegenheiten die Beschlußbildung organisiert, so daß sich die Gemeinschaft darin klar offenbart und nicht ein Verfahren aufrechterhalten wird, das den Eindruck erweckt, einige könnten ihre persönliche Überzeugung allen aufzwingen.

c. Dienstleistung

Der Dienstcharakter einer Kirchenordnung verlangt auch, daß die Ausübung von Leitungsfunktionen oder anderer Ämter sich tatsächlich als Dienstleistung für die Menschen anbietet, die damit zu tun bekommen. So macht man Menschen, die in Eheschwierigkeiten geraten sind, nicht klar, daß man ihnen helfen will, indem man in regelrechten Prozessen, mit Verhören, Zeugen- und Sachverständigenaussagen und dickleibigen Aktenbündeln feststellt, ob eine Nichtigkeitserklärung oder eine Lösung der Ehe möglich ist. Damit erweist sich das kirchliche Urteil den Menschen nicht als brüderlicher Dienst, sondern als eine Gewalt, die aufgrund ihrer Macht Forderungen stellt, und der sie unterworfen sind. Als Dienst an ihrem persönlichen religiösen Leben kann den Menschen die kirchliche Bemühung nur erscheinen, wenn sie sich in ihren Problemen persönlich verstanden fühlen und wenn sie erfahren, daß diejenigen, die namens der Kirchengemeinschaft mit ihnen zu tun haben, an ihrer Lage persönlich Anteil nehmen und ihnen helfen möchten, selbst zu Entscheidungen zu kommen, die vor Gott, vor ihrem Gewissen und vor der Kirche verantwortbar sind.

Allgemein kann gesagt werden, daß in einer Kirchenordnung die unpersönliche, formalistische «Behandlung» sehr persönlicher Situationen prinzipiell vermieden werden sollte. Man denke dabei nicht nur an Fälle von Eheschwierigkeiten, sondern vor allem auch an Schwierigkeitsfälle in Zusammenhang mit Zölibat und Ordensgelübden. Die erste Sorge der Kirche muß es sein, Menschen, die in solche Situationen geraten sind, in ihrer Not wirklich beizustehen und ihnen zu helfen, selbst zu verantwortlichen Entscheidungen zu kommen. Und ist die Entscheidung gefallen, tatsächlich um Dispens zu bitten, dann hat es keinen Sinn, diesem Antrag noch monate- und jahrelange Prozesse zu widmen. Es wird wichtig sein, daß von der zentralen Kirchenleitung Grundsatzrichtlinien erlassen werden, die bei diesen Entscheidungen zu beachten sind, sowohl bezüglich des sachlichen Inhalts wie des Verfahrens. Ebenso wird akzeptabel sein, daß die zentrale Kirchenleitung eine allgemeine Kontrolle über diese Verfahren für wünschenswert hält. Jedoch ist kaum einzusehen, wie es heute noch wünschenswert sein könnte, daß sich die zentrale Kirchenleitung in diesen und ähnlichen Angelegenheiten für die ganze Welt die letzte Entscheidung vorbehält, was notwendig Zeitverlust, unnötige Kosten durch Aktenversendung und häufig auch Aktenübersetzung und vor allem eine unpersönliche Behandlung sehr persönlicher Angelegenheiten bedeutet. Ein bürokratisches System ist gerade bei solchen Vorgängen oft die Ursache für den viel vorkommenden Zustand, daß die Seelsorger, die mit den Menschen unmittelbar zu tun haben und sich gegenüber diesen Menschen auch persönlich verantwortlich fühlen, ihnen den «offiziellen» Weg einfach nicht mehr zu zeigen wagen und dann einfach selbst entscheiden: mit mehr oder weniger schlechtem Gewissen und in der Gefahr, die notwendigen Grundsätze aus dem Auge zu verlieren. Es ist dann noch eine verhältnismäßig günstige Lösung, wenn der Bischof oder die Bischofskonferenz für das eigene Gebiet eine Regelung trifft, die wenigstens garantiert, daß solche Angelegenheiten von eigens dazu bestimmten sachkundigen Personen wahrgenommen werden. Diese können dann auch dafür sorgen, daß die Zeit, die die formellen Vorschriften verlangen, auf ein Minimum beschränkt wird. Es wäre aber ein besserer Dienst, wenn die zentrale Kirchenleitung selbst zu einer Dezentralisierung dieser Verfahren überginge.

Die Kirchenordnung müßte heute die Forderung verwirklichen, daß die Ortsseelsorger und pastoralen Mitarbeiter mit den Menschen persönlich handeln können, für die sie verantwortlich sind, ohne dabei an nutzlose Formalitäten und Prozesse gebunden zu sein. Dabei wird gleichzeitig dafür gesorgt werden müssen, daß sie genügend geschult sind, jeder auf seinem Gebiet, um die Verantwortung tragen zu können. Wenigstens eins muß absolut klar sein, daß nämlich in der Diskussion um derartige Kirchenordnungsprobleme ausschließlich Argumente eines echten, wirksamen Dienstes an der Seelsorge gelten. Sollten auch Motive der Aufrechterhaltung von Machtpositionen, von Büros und Ämtern oder bestimmter Einkünfte eine Rolle spielen, sollte man dessen sicher sein, daß eine solche kirchliche Politik nicht nur enormen geistlichen Schaden anrichtet, sondern auch der schnellste Weg zum eigenen Untergang ist.

d. Dienst am Menschen

Im vorhergehenden wurde versucht, eine dem heutigen Kirchenbegriff angepaßte theologische Fundierung einer Kirchenordnung zu geben und wenigstens auf einige wichtige Konsequenzen hinzuweisen, die dieser Kirchenbegriff für eine Revision der Kirchenordnung mit sich bringt. Die Kirchenordnung ist letztlich Organisation geistlicher Dienstarbeit für einzelne Menschen; deshalb muß zunächst die örtliche Gemeinde die eigentliche Dienstarbeit frei organisieren können. Kirchenordnung beginnt an der Basis, nicht an der Spitze der Hierarchie. Das Bistum wird die Dienstarbeit innerhalb der Pfarreien nicht *mehr* organisieren, als es für die Einheit des Bistums notwendig oder wünschenswert ist, und im übrigen die eigene Dienstarbeit an der Pfarrei frei ordnen. Derselbe Grundsatz gilt im Verhältnis der Bistümer zu den Kirchenprovinzen bzw. den Bischofskonferenzen, und für diese in ihrem Verhältnis zur zentralen Leitung der lateinischen Kirche. Es müßte eines der Kriterien für ein revidiertes Gesetzbuch der lateinischen Kirche sein, daß es nur bindende Normen enthalten dürfte, die für die Einheit aller Kirchen des lateinischen Ritus notwendig oder wünschenswert sind. Übrigens wird auf dem Gebiet der Kirchenordnung die Aufgabe der zentralen Instanzen in fachlicher Dienstleistung an den Ortskirchen für ihre eigene Organisation bestehen können, soweit diese dafür Bedarf haben. Ein neues, bis ins einzelne gehendes uniformes Kirchenrecht für alle Kirchen des lateinischen Ritus muß angesichts der Unterschiede in Art und Entwicklungsstand der Kulturen, auch der religiösen Kulturen, für ausgeschlossen betrachtet werden. Gleichzeitig spielt hier auch die große Unterschiedlichkeit von Kontakten mit anderen christlichen Kirchen und mit anderen Religionen eine Rolle, für die eine kirchliche Organisation ebenfalls offen sein muß und für die von anderen katholischen Kirchengemeinschaften, die diese Kontakte nicht haben und nicht aus Erfahrung kennen, wenigstens keine unnötigen Hindernisse in den Weg gelegt werden sollen.

Auch innerhalb der Ortskirchen wird sich die Kirchenordnung bewußt bleiben müssen, daß sie Organisation von Dienstleistung für einzelne Menschen ist. Auch da wird die Möglichkeit zur Pluriformität offenbleiben müssen. Wenn dem religiösen Erlebnis und der vom Glauben inspirierten Aktivität einer bestimmten Gruppe von Gläubigen mit einer eigenen, neuen Organisationsform gedient wäre, die von einheitlich vorgeschriebenen Formen abweicht oder nicht in den Rahmen schon bestehender Einrichtungen paßt, wird für die neue Form Raum geschaffen werden müssen. Eine schon lange bekannte, aber jetzt mehr und mehr angewandte und hierzu geeignete kanonische Form ist das «Experiment». Vom Standpunkt der Kirchenordnung aus ist jedes Experiment zulässig, wenn es nicht die fundamentale Einheit aller gefährdet. Eine Zeit schneller Entwicklung wie die unsre verlangt einerseits ein hohes Maß an Offenheit für neue Organisationsformen; andererseits aber auch eine besondere Vorsicht, damit Menschen, die diese Entwicklung nicht mehr oder nicht so schnell mitmachen können, den Rahmen kirchlicher Gemeinschaft nicht verlieren, an die sie gebunden sind und die sie noch brauchen. Auch hier läßt sich die Basis für eine Lösung unvermeidlicher Konflikte nur im Geist gegenseitigen Dienstes finden. Wenn die neuen Formen wirklich authentisch sind, werden die darin enthaltenen Werte von den weiter fortgeschrittenen Gläubigen auch allen mitgeteilt; und wenn die Bindung an bestehende Formen echt ist, wird man die darin ausgedrückten Werte auch für alle bewahren wollen. Wo dieser positive Wille zur Mitteilung und Verbindung fehlt, wo Parteien einander entgegentreten und ausschließen, ist man nahe am Schisma. Treue zur einen Kirchenordnung (trotz aller Spannungen, die es darin geben, ja legitim geben kann) ist Treue zur alle verbindenden Einheit. In der sakramentalen Glaubensgemeinschaft ist diese Einheit nicht nur eine freie Entscheidung jedes gläubigen Katholiken, sondern ebenso der fundamentale Auftrag des Herrn, in dem und durch den diese Einheit besteht, für jeden einzelnen und für alle zusammen. Der erste und letzte Dienst der Kirchenordnung ist der Dienst an Seinem Testament, daß alle eins seien: nicht nur tatsächlich, aus der freien und für andere nicht verbindlichen Wahl des Menschen, sondern auch rechtens, aus Seinem Auftrag an jeden persönlich und für alle zusammen, nämlich in der Einheit des Sakramentes, in dem alle im Gedenken an Ihn verbunden sind.

Eine ideale Kirchenordnung kann es nur in einer idealen Kirchengemeinschaft geben. Deshalb wird es sie nie geben. Die obigen Überlegungen sind sehr leicht dem Vorwurf ausgesetzt, daß sie zu idealistisch sind und mit der Wirklichkeit nicht rechnen. Vor allem wird man dagegen vorbringen können, daß sie zu hohe Forderungen an die persönliche Glaubensüberzeugung und Glaubenserfahrung jedes einzelnen Katholiken stellen und viel zu wenig Wert auf gesellschaftlich-religiöse Bindungen legen. Es wurde schon gesagt, daß wir tatsächlich erst am Beginn der Entwicklung stehen. Die Verwirklichung der Postulate, die heute an eine Kirchenordnung gestellt werden, verlangt Zeit und Geduld; bis dahin sind noch viele Spannungen und Konflikte zu überwinden. Ideale müssen mit der Wirklichkeit rechnen, wenn sie nicht zur Schwärmerei werden wollen. Aber wahr ist auch, daß die Ordnung der Wirklichkeit sich grundsätzlich am Ideal auszurichten hat. Das gilt besonders und radikal für eine Kirchengemeinschaft. Eine Kirchenordnung kann nur wirklich Kirchenordnung sein, wenn es ihre Grundrichtung bleibt, jenen Zielen zu dienen, die der Glaube an den Herrn als Ideale hinstellt; sonst fällt sie zur einen oder anderen Form des pharisäischen Formalismus ab.

PETER HUIZING

BIBLIOGRAPHIE

I. *Allgemein:*

Barth K., Die Ordnung der Gemeinde: KD IV/2, 765–824.
Böckenförde W., Das Rechtsverständnis der neueren Kanonistik und die Kritik Rudolf Sohms (Münster 1969).
Dombois H., Das Recht der Gnade (Witten 1961).
– Hierarchie. Grund und Grenze einer umstrittenen Struktur (Freiburg i. Br. 1971).
Fedele P., Introduzione allo studio del diritto canonico (Padova 1963).
Heimerl H., Das Kirchenrecht im neuen Kirchenbild: Ecclesia et Ius (München 1968) 1–24.
Küng H., Strukturen der Kirche (Freiburg ²1963).
La Hera A. de, Introduccion a la ciencia del derecho canónico (Madrid 1967).
Mörsdorf K., Zur Grundlegung des Rechtes der Kirche: MThZ 3 (1952) 329–348.
– Wort und Sakrament als Bauelemente der Kirchenverfassung: Archiv für katholisches Kirchenrecht 134 (1965) 72–79.
Müller A. – Elsener F. – Huizing P., Um eine neue Kirchenordnung – Vom Kirchenrecht zur Kirchenordnung? = Offene Wege 7 (Einsiedeln 1968).
Rouco-Varela A. M., Allgemeine Rechtslehre oder Theologie des kanonischen Rechtes. Erwägungen zum heutigen Stand einer theol. Grundlegung des kanonischen Rechtes: Archiv für katholisches Kirchenrecht 138 (1969) 95–113.
Steinmüller W., Evangelische Rechtstheologie, Zweireichelehre – Christokratie – Gnadenrecht, 2 Bde. = Forschungen zur kirchlichen Rechtsgeschichte und zum Kirchenrecht 8 (Köln 1968).
– Rechtstheologie und Kirchenrecht als theologische Disziplinen mit juristischer Methode: Ius Sacrum (München 1969) 53–67.
Vitale A., Sacramenti e diritto (Rom 1967).

II. *Über Naturrecht und Kirche:*

David J., Theologische und naturrechtliche Gesichtspunkte zur Beurteilung ethischer Fragen: Naturwissenschaft vor ethischen Problemen = Münchener Akademie-Schriften 49 (München 1969) 55–87.
Delhaye Ph. – Böckle F. – Rahner K. – Hollerbach A., Naturrecht: LThK VII (1962) 821–829.
Huizing P., Göttliches Recht und Kirchenverfassung: StdZ 183 (1969) 162–173.
Rahner K., Über den Begriff des «Ius divinum» im katholischen Verständnis: Schriften zur Theologie V, 249–277.

III. *Über den Gehorsam:*

Müller A., Das Problem von Befehl und Gehorsam im Leben der Kirche (Einsiedeln 1964).

7. KAPITEL

EUCHARISTIE ALS ZENTRALES MYSTERIUM

Das Mysterium, das die Kirche ist, gewinnt in der Eucharistie seine größte Dichte. Da erscheint die Kirche als das versammelte Volk Gottes auf seiner Pilgerschaft durch die Zeit, das sich auf seinem Wege an Christus selbst als Weg-zehrung stärkt. Im Abendmahl vollzieht die Kirche ihr Wesen als der universale und sakramentale Leib Christi am tiefsten, geschieht die volle Integration vom Christus individualis zum Christus totalis, zur raumzeit-lichen Erscheinungsweise des Erhöhten. So wird gerade in diesem Sakra-ment die bleibende Verankerung der Kirche in Christus sichtbar. In ihm verwirklicht er seine Gegenwart bei der Kirche in reichstem Maße. Als der Erhöhte ist er mit seiner Person der versammelten Gemeinde unsichtbar gegenwärtig. In ihrem anamnetischen Wort und Tun wird auch sein ein-stiges Heilswerk in pneumatischer Dichte präsent. In den Mahlgaben setzt er sich leibhaftig gegenwärtig und gibt sich zum Genuß dar. Die substan-tielle Gegenwart seines Leibes und Blutes macht das Proprium der Eucha-ristie aus und macht sie zur Krone der Sakramente. Sie trägt freilich noch den Interimscharakter der heilsgeschichtlichen Zeit, in der wir leben, sie dauert, «bis er wiederkommt» (1 Kor 11,26). Sie bringt uns den Herrn, aber nicht in seiner Doxa, sondern in zeichenhafter Verhülltheit. So zeigt sie das Mitsammen von Schon und Noch-nicht. Bei der Eucharistie spiegelt sich auch die hierarchische Grundstruktur der Kirche wider; das Gegen-über von Christus und Kirche stellt sich dar im Gegenüber von Priester und Volk. Auch der Doppelcharakter der Kirche als Heilsmittel und Heils-gemeinschaft leuchtet in der Eucharistie auf. Diese wenigen Andeutungen mögen zunächst genügen; sie zeigen zur Genüge, wie sehr die Eucharistie zentrales Mysterium ist.

BIBELTHEOLOGISCHE GRUNDLEGUNG

Wesen und Wirklichkeit der Eucharistie gründen in der «Stiftung» Jesu, wie sie vom Neuen Testament verkündet wird. Die nachfolgende Liturgie und Theologie der Kirche versteht sich im Grunde nur als Entfaltung der neutestamentlichen Grundaussagen.

1. Das Abendmahl Jesu nach den ntl. Einsetzungsberichten

a. Zu den Einsetzungsberichten

Es gibt deren vier:

1 Kor 11,23–26: Denn ich habe vom Herrn (her) empfangen, was ich euch auch überliefert habe: Der Herr Jesus nahm in der Nacht, da er dahingegeben wurde, das Brot, 24 sagte darüber Dank (εὐχαριστήσας), brach es und sprach: «Das ist mein Leib, der für euch (gegebene). Dies tut zu meinem Gedächtnis!» 25 Gleicherweise den Kelch nach dem Mahle mit den Worten: «Dieser Kelch ist der Neue Bund in meinem Blute. Dies tut, so oft ihr trinkt, zu meinem Gedächtnis!» 26 Denn so oft ihr dieses Brot esset und den Kelch trinket, verkündet ihr den Tod des Herrn, bis er wiederkommt.

Lk 22,15–20: Und als die Stunde kam, legte er sich zu Tisch und die Apostel mit ihm. Und er sprach zu ihnen: 15 «Sehnsüchtig habe ich verlangt, dieses Pascha mit euch zu essen, ehe ich leide. 16 Denn ich sage euch: Ich werde es nicht mehr essen, bis es seine Erfüllung findet in der Herrschaft Gottes.» 17 Und er nahm einen Becher, sagte darüber Dank und sprach: «Nehmet ihn und teilt ihn unter euch; 18 denn ich sage euch: Ich werde von jetzt an nicht mehr vom Gewächs des Weinstockes trinken, bis das Reich Gottes kommt.»

19 Und er nahm Brot, sagte darüber Dank, brach es und gab es ihnen mit den Worten: «Dies ist mein Leib, der für euch hingegeben wird. Dies tut zu meinem Gedächtnis!» 20 Und (er nahm) den Kelch in gleicher Weise nach dem Mahle mit den Worten: «Dieser Kelch ist der Neue Bund in meinem Blute, das für euch vergossen wird.»

Mk 14,22–25: Und da sie aßen, nahm er (das) Brot, sprach den Segen darüber (εὐλογήσας), brach es und gab es ihnen und sagte: «Nehmet! Dies ist mein Leib.» 23 Und er nahm einen Kelch, sagte darüber Dank (εὐχαριστήσας) und gab ihn ihnen, und sie tranken alle daraus. 24 Und er sagte zu ihnen: «Dies ist mein Bundesblut, das für die Vielen vergossen wird. 25 Amen sage ich euch: Ich werde nicht mehr vom Gewächs des Weinstockes trinken, bis zu jenem Tage, da ich es neu trinke im Reiche Gottes.»

Mt 26,26–29: Da sie aber aßen, nahm Jesus Brot, sprach den Segen darüber,

brach es und gab es den Jüngern und sagte: «Nehmet, esset! Dies ist mein Leib.»
27 Und er nahm einen Kelch, sagte darüber Dank und gab ihn ihnen mit den Worten: «Trinket alle daraus! 28 Denn dies ist mein Bundesblut, das für die Vielen
vergossen wird zur Vergebung der Sünden. 29 Ich sage euch aber: Ich werde von
jetzt an nicht mehr von diesem Gewächs des Weinstockes trinken bis zu jenem
Tage, da ich es mit euch neu trinken werde im Reiche meines Vaters.»

aa. Überblick

Ein erster Überblick über die Berichte[1] zeigt, daß sich alle vier Perikopen auf ein
und dasselbe Ereignis beziehen, auf Jesu letztes Mahl vor seiner Passion. Dieses
wird von den Synoptikern (Mk 14,16; Mt 26,19; Lk 22,13.15) als Paschafeier
angekündigt, in seinem Verlauf aber nicht als eine solche näher beschrieben. Vielmehr heben die Berichte nur zwei typisch jüdische Mahlriten hervor, nämlich Jesu
Aktionen mit Brot und Wein, deren Segnung und Austeilung an die Jünger.
Dabei begnügt sich Jesus nicht mit den üblichen jüdischen Segensformeln, er gibt
vielmehr dem dargereichten Brot einen Bezug auf seinen in den Tod dahingegebenen Leib, dem Wein einen Bezug auf sein vergossenes Blut, und er aktualisiert
den dadurch gewirkten neuen und eschatologischen Bund Gottes mit den Menschen; schließlich schlägt er von seinem letzten Mahl eine Brücke zum zukünftigen Reich-Gottes-Mahl als der vollendeten Einigung von Gott und Menschen.
Das macht die gemeinsame Grundsubstanz aller vier Berichte aus.[2]

Doch müssen auch die Verschiedenheiten in den Texten beachtet werden. Außer
kleineren stilistischen fallen folgende sachliche Differenzen auf: Was den äußeren
Mahlritus betrifft, so erfolgt nach Paulus die Brothandlung vor der Hauptmahlzeit, die Kelchhandlung nach derselben. Bei Mk/Mt sind die beiden zusam-
mengezogen und allem Anschein nach wohl als Ende der Paschafeier (14,17–21)
gedacht. Der lukanische Text weist beim ersten Eindruck auf die paulinische
Reihenfolge hin, doch könnte die Nachstellung des ὡσαύτως möglicherweise auch
die (markinische) Lozierung des Brotes nach dem Mahle andeuten und zu ihr
überleiten. Was Jesu Worte anlangt, so haben die Zusätze zum Brot- und Kelch-

---

[1] Aus der reichen Literatur sei genannt: J. Jeremias, Die Abendmahlsworte Jesu (Göttingen 1935, [4]1967); H. Lessig, Die Abendmahlsprobleme im Lichte der ntl. Forschung seit
1900 (fotomech. Diss. Bonn 1953); H. Schürmann, Der Paschamahlbericht Lk 22, (7–14)
15–18 (Münster 1953); ders., Der Einsetzungsbericht Lk 22,19–20 (Münster 1955); ders.,
Der Abendmahlsbericht Lk 22,7–38 (Leipzig [3]1960); ders., Jesu Abendmahlsworte im
Lichte seiner Abendmahlshandlung: Concilium 4 (1968) 771–776; J. Betz, Die Eucharistie
in der Zeit der griechischen Väter. Band I/1 (Freiburg 1955) 1–81; 140–156; Band II/1
(Freiburg [2]1964); E. Schweizer, Das Abendmahl im NT: RGG I ([3]1957) 10–21; P. Benoit,
Die euch. Einsetzungsberichte und ihre Bedeutung, in: Exegese und Theologie (Düssel-
dorf 1965) 86–109; J. Coppens, Die Eucharistie. Sakrament und Opfer des Neuen Bundes:
Fundament der Kirche, in: J. Giblet, Vom Christus zur Kirche (Wien 1966) 159–201; F.
Hahn, Die alttestamentlichen Motive in der urchristlichen Abendmahlsüberlieferung:
EvTh 27 (1967) 337–374; B. Sandvik, Das Kommen des Herrn beim Abendmahl im NT
(Zürich 1970).

[2] Dementsprechend erscheinen die entscheidenden Termini: κλᾶν ἄρτον, εὐχαριστεῖν/εὐλο-
γεῖν, (διδόναι), σῶμα, ποτήριον, αἷμα, διαθήκη, ὑπέρ, οὐκέτι, βασιλεία.

spruch den gleichen inhaltlichen Sinn, aber in den verschiedenen Berichten eine verschiedene Lozierung; Paulus bringt eine (verkürzte) Beifügung beim Brot, Mk/Mt beim Kelch, Lk bei beiden. Die Kelchformel sodann hat in allen Texten die gleichen prädikativen Termini, aber bei Pls/Lk einerseits und Mk/Mt andererseits eine verschiedene gegenseitige Zuordnung. Schließlich fehlt der bei Paulus zweimal, bei Lk einmal stehende Wiederholungsbefehl völlig bei Mk und Mt. So läßt ein erster Überblick erkennen: Die vier Einsetzungsberichte erzählen das gleiche Begebnis. Von ihnen gehören der paulinische und lukanische einerseits, der markinische und matthäische andererseits eng zusammen und stellen jeweils Variationen zweier Traditionsströme dar, hinter denen eine Urtradition aufleuchtet. Paulus und Markus sind die voneinander unabhängigen Hauptausprägungen der beiden Ströme.

bb. Liturgischer Charakter

Nach ihrem literarischen Charakter sind die Abendmahlserzählungen als liturgische Gemeindetradition aus mancherlei Anzeichen zu erkennen.

1) Der Bericht hebt sich durch einen deutlichen Einsatz, nämlich durch die konkurrierende Wiederholung von $\varkappa \alpha i \ \dot{\epsilon} \sigma \vartheta \iota \acute{o} \nu \tau \omega \nu$ in Mk 14,22 verglichen mit 14,18 (Mt 26,26/21), bei Paulus durch das emphatische Kultprädikat $\acute{o} \ \varkappa \acute{v} \varrho \iota o \varsigma$ vom Vorausgehenden ab. 2) Die Farblosigkeit der Darstellung, die nur das für alle Wiederholungsfeiern Gültige hervorkehrt, die geschichtlichen einmaligen Details des Stiftungsmahles Jesu aber weithin (wenn auch nicht völlig) übergeht, erklärt sich gut aus liturgischer Kündung. 3) Zu dieser passen auch unmittelbar die direkten Akklamationen an die Teilnehmer «Nehmet! Esset! Trinket!»[3] in der synoptischen Überlieferung, die paulinisch/lukanische Wendung «für euch», der Wiederholungsbefehl, die Darstellung des Kelches als einer bekannten Größe ($\tau \dot{o}$ $\pi o \tau \acute{\eta} \varrho \iota o \nu$). 4) Auf liturgischen Gebrauch weist auch die Prägnanz und Abgeschliffenheit mancher Formulierungen, besonders der Deuteworte zurück, vor allem aber die in allen Berichten konstatierbare Tendenz zur Parallelisierung, die bei Paulus im jedesmaligen $\dot{\epsilon} \sigma \tau \acute{\iota} \nu$ der Einsetzungsworte und im zweimaligen Wiederholungsbefehl, bei Lk im zweimaligen $\lambda \acute{\epsilon} \gamma \omega \nu$ und den partizipialen Zusätzen zu Brot- und Kelchwort, am stärksten bei Mk/Mt in der Angleichung des Kelchritus an den Brotritus, des Kelchwortes an das Brotwort zum Vorschein kommt. 5) In 1 Kor 11,23 ff verrät der (unpaulinische) Stil, bei Mk die feierlich hieratische anstatt der schlichten markinischen Erzählweise die Herkunft der Texte aus dem Kult. Wo deren Heimat zu suchen ist, erweist das semitisierende Sprachgewand. Sie sind nicht auf hellenistischem, sondern auf judenchristlichem Boden gewachsen. 6) Paulus kennzeichnet denn auch seinen Bericht mittels des die rabbinische Tradierungstechnik widerspiegelnden Begriffspaares $\pi \alpha \varrho \alpha \lambda \alpha \mu \beta \acute{\alpha} \nu \epsilon \iota \nu$ – $\pi \alpha \varrho \alpha$-$\delta \iota \delta \acute{o} \nu \alpha \iota$ ausdrücklich als Paradosis; dabei zeigt das $\varkappa \alpha i$ vor $\pi \alpha \varrho \acute{\epsilon} \delta \omega \varkappa \alpha$ an, daß der Empfang der Tradition auf gleiche Weise wie die Weitergabe erfolgt, also im Rahmen einer menschlichen Tradentenkette. Sie hat ihren Ursprung im historischen Menschen Jesus; doch mag ein Hinweis auf den die Tradition durchherr-

---

[3] Doch kann die Aufforderung zum Essen und Trinken auch auf Jesus selbst zurückgehen.

schenden erhöhten Herrn mitklingen in dem ἀπὸ τοῦ Κυρίου. Aus alledem ergibt sich: Die ntl. Einsetzungsberichte sind nicht erst von ihren Bezeugern formuliert, sondern ein – und sogar das älteste – Stück Evangelium vor den Evangelien, stammen aus dem Gemeindekult und reichen nach Ausweis ihres Sprachkolorits bis in die palästinensische Gemeinde zurück. Sie schildern Jesu Abendmahl nicht historiographisch mit allen wissenswerten Einzelheiten, sondern vereinfachend im Lichte und in der Perspektive des für die liturgische Gemeindefeier Gültigen.

cc. Alter der Berichte

Ist die sprachliche Formulierung der ntl.en Abendmahlserzählungen weithin aus dem Gemeindekult übernommen, so erhebt sich die Frage, ob etwa auch ihr Inhalt von daher stammt, hier erst geschaffen wurde, oder ob dieser in der historischen Wirklichkeit des letzten Mahles Jesu wurzelt. Zur Klärung dieser Frage müssen wir *Alter und Entwicklung* der Überlieferung untersuchen. Ein erster Ansatzpunkt für die Altersbestimmung der Texte ist deren Niederschrift im Neuen Testament. Paulus schärft seine Abendmahlsparadosis in 1 Kor 11 um 54–57 ein; er hat sie um 51 erstmals den Korinthern übermittelt, einige Jahre vorher bei seinem Eintritt in die Christengemeinde empfangen als eine zwar nicht in allen Einzelheiten, aber im wesentlichen feststehende Formel. Sie reicht wohl bis in den Anfang der vierziger Jahre zurück. Demgegenüber schreiben die Synoptiker ihr Evangelium erst später, Markus um 70, Lukas und Matthäus noch nachher. Allein sie übernehmen ja – was man nicht übersehen darf – bereits vorformuliertes Gut, sozusagen «Fertigbauteile». Wie alt diese schon sind, das ist nicht aus dem Datum der Niederschrift, sondern an sachlichen Kriterien abzulesen. Manche Forscher gehen nun auf philologischem Wege vor und sehen denjenigen Bericht als den frühesten an, der die meisten Semitismen und daher größte sprachliche Nähe zur aramäischen Urgestalt hat. Man kommt so auf den markinischen als ältesten.[4] Indessen sagt der Grad der aramäischen Sprachfärbung eher etwas aus über die Kunst der Übersetzung als über Alter und Zustand der übersetzten Vorlage und erweist nicht unbedingt eine größere oder geringere sachliche Nähe zum Ursprung des Abendmahls. Einen Schritt weiter führt die redaktionsgeschichtliche Betrachtung, die die literarische Komposition der eucharistischen Einsetzungsverse mit den alten Paschamahlversen ins Auge faßt. Die Verse Lk 22,15–18 meinen (wie auch die Parallele Mk 14,25) nicht das alte jüdische, sondern das umgestiftete christliche Pascha, die Eucharistie.[5] Daß der Paschakelch von Lk 22,17f eschatologisch und damit letztlich eucharistisch gemeint ist, ist in der lukanischen Komposition durch die erläuternde Anfügung der Einsetzungserzählung mehr angedeutet als klar ausgesprochen, in Mk 14,24–25 hingegen ist die Identifizierung eindeutiger und kunstvoller. Die markinische Komposition darf daher wahrscheinlich als jünger gelten, so daß dieser Text mehr Zeit zur Ausreifung hatte. Noch aufschlußreicher sind die rituellen Angaben der Berichte. In diesem Punkt bieten Paulus und Lukas

---

[4] Vertreten von J. Jeremias, Abendmahlsworte 165–183; ebenso P. Benoit, Einsetzungsberichte 87; J. Dupont, «Ceci est mon corps»: NRTh 80 (1958) 1027; weitere Namen bei J. Betz, Eucharistie II/1 S. 25.

[5] Das hat H. Schürmann, Der Paschamahlbericht, nachgewiesen.

mit ihrer Notiz «nach dem Mahle» die merkwürdige Reihenfolge: Brot – Hauptgericht – Kelch. Sie ist als Nachahmung des Stiftungsmahles Jesu und als Mahl-
verlauf einer Paschafeier verständlich, demnach alt. Hingegen sind bei Mk/Mt die
beiden eucharistischen Aktionen zu einer Einheit zusammengefaßt und wenigstens ideell vom Sättigungsmahl abgesetzt. Sie rücken damit mehr und mehr ans
Ende der Feier (vgl. auch Did 10,6). Auf diese Praxis deutet vielleicht auch die
Umstellung des ὡσαύτως bei Lk 22,20 hin. Schon im Midrasch des Paulus zum
alten Einsetzungsbericht wird die Tendenz zur Trennung von Sättigungsmahl und
sakramentaler Kommunion greifbar (vgl. 1 Kor 11,21.33 f). Jedenfalls ist der
synoptische Mahlbericht stärker von der liturgischen Entwicklung geprägt, die
zur Zusammenfassung, Angleichung und Vereinheitlichung der beiden eucharistischen Handlungen drängt. So ist denn in ihm auch die sprachliche Parallelisierung weiter vorangeschritten. Die Kelchhandlung wird nun analog der Brothandlung stilisiert. Vor allem aber ist das markinische Kelchwort «Dies ist mein
Blut des Bundes» so weit als möglich dem Brotwort «Dies ist mein Leib» ange-
glichen. Das läßt sich nur als nachträgliche Parallelisierung begreifen. Wäre eine
parallele Gestalt der Segensworte die Ausgangsform gewesen, so hätte sie die un-
gleichartige Formulierung gar nicht erst aufkommen lassen und hätte vermutlich
das eigentliche Begriffspaar σάρξ/αἷμα statt σῶμα/αἷμα geboten. Nach alledem ist
die paulinisch-lukanische Traditionsform im ganzen, wenn auch nicht in allen
Einzelheiten, die ältere. Dafür spricht auch noch, daß sich in ihr stärker die sehr
frühe Gottesknechtschristologie zu Wort meldet.

Aus Paulus und Lukas läßt sich eine frühe Form des Abendmahlsberichtes
rekonstruieren, die etwa folgende Gestalt hat: [6]

Der Herr Jesus nahm in der Nacht, da er dahingegeben wurde, Brot, sagte darüber Dank, brach es und gab es ihnen mit den Worten: «Dies ist mein Leib, der
für euch hingegeben wird. Dies tut zu meinem Gedächtnis!» Gleicherweise auch
den Kelch nach dem Mahle mit den Worten: «Dieser Kelch ist der Neue Bund in
meinem Blute, das für euch vergossen wird. Dies tut zu meinem Gedächtnis!»

Diese Berichtsform, die wohl bis in die frühen vierziger Jahre zurückreicht, bedarf
einiger begründender Hinweise. Sie enthält mehrere interessante Züge. Bedeutsam
sind in ihr z. B. die partizipialen Zusätze zum Brot- und Kelchwort; ohne dieselben wäre der Sinn der Handlung nur schwer verständlich. In der paulinischen
Brotapposition fehlt allerdings das bei Lk stehende διδόμενον, so daß eine für den
Stil des Apostels typische, im Aramäischen aber unmögliche Kurzformel entsteht;
das Partizip dürfte daher ursprünglich sein. Paulus läßt dann auch die lukanische
Kelchbeifügung «vergossen für viele» weg, die sachlich aus Is 53,10.12 stammt,
ihr Pendant auch bei Mk/Mt hat. Sie dürfte ebenfalls ursprünglich und nicht nur
sekundäre Symmetriebildung oder Übernahme aus Mk sein.[7] Die paulinische Verdoppelung des Stiftungsbefehls könnte an sich formal liturgische Parallelisierung,
sie könnte aber auch durchaus originär und durch die rituelle Trennung von
Kelch und Brot bedingt sein. Ideenmäßig ist dieser Stammbericht stark von der
Gottesknechtschristologie geprägt, die sprachlich signalisiert ist durch die Termini

---

[6] Leicht variierende Rekonstruktionsversuche bei H. Schürmann, Einsetzungsbericht
81; J. Betz, Eucharistie II/1 S. 16; J. Coppens, Eucharistie 168.

[7] So J. Coppens 167 f.

παρεδίδοτο, διδόμενον, ὑπὲρ πολλῶν, διαθήκη, ἐκχυννόμενον. Auch die markinische Überlieferungsform, die sich im ganzen in einer jüngeren Gestalt darbietet, weist noch Beeinflussung durch die Gottesknechtchristologie auf, so die Kelchbeifügung. Darüber hinaus enthält dieser Bericht einige uralte Formulierungen. Da ist neben dem εὐλογεῖν (statt εὐχαριστεῖν) die hebräische Wortstellung in der partizipialen Kelchapposition, vor allem aber der ausgesprochene Semitismus ὑπὲρ πολλῶν statt ὑπὲρ ὑμῶν zu nennen. Er hat seine Wurzeln in Is 53,12, hat universale (inklusive) Bedeutung (für die Vielheit, d.i. für alle), darf als alt gelten, während das ὑπὲρ ὑμῶν eher als sekundäre liturgische Akklamation und sprachliche Verdeutlichung verständlich wird. Auch die Aufforderung λάβετε kann alt sein und von Jesus stammen, wenn er selber vom Brot nicht aß. Ein besonderes Problem wirft das Fehlen des Wiederholungsbefehls bei Mk auf. Es darf nicht dahin gedeutet werden, daß Jesus gar keine Stiftungsabsicht hatte, daß die Eucharistie letztlich nur aus der allgemeinen Mahlpraxis der Gemeinde erwachsen sei. Dagegen spricht, daß gerade die älteste Überlieferungsschicht bei Paulus und Lukas das ausdrückliche Logion enthält. Außerdem impliziert der Charakter des Abendmahls als neues Pascha die Idee der Wiederholung, ebenso tut dies der eschatologische Ausblick in Mk 14,25, da er den eucharistischen Trank als überbrückende Vorwegnahme des Reich-Gottes-Mahles kennzeichnet. Ferner könnte bei Mk die Einfügung des Kultberichts in die Passionsgeschichte den Akzent verlagert haben, auf der anderen Seite die Feier für den Evangelisten so selbstverständlich gewesen sein, daß ihm die ausdrückliche Zitation des Befehls als überflüssig erschien.

dd. Zur Urgestalt der Abendmahlsüberlieferung

Die enge sachliche und sprachliche Verwandtschaft der paulinischen und markinischen Tradition berechtigt dazu, eine gemeinsame Ausgangsüberlieferung anzunehmen. Sachlich enthielt dieselbe die Segnung und Austeilung von Brot und Kelch (während eines Mahles), deren Beziehung auf Jesu Leib und Blut und seinen sühnenden Tod, die Konstituierung des neuen Bundes, den Ausblick auf das Reich-Gottes-Mahl und den Wiederholungsbefehl. Die sprachliche Gestalt der Urtradition läßt sich natürlich nicht restlos rekonstruieren; sie war, auch wenn als Paradosis (1 Kor 11,23) weitergegeben, keine bis zur letzten Silbe wortwörtlich festgelegte Größe. Sicherlich kommt die von uns ermittelte gemeinsame paulinisch-lukanische Stammform der Urtradition nahe; in diese sind aber auch die uralten markinischen Elemente wie εὐλογεῖν, ὑπὲρ πολλῶν, wohl auch die Aufforderung zum Genuß einzusetzen.

Aufmerksamkeit verdient noch die Ur- und Ausgangsform des Kelchwortes. Seine paulinische Version τοῦτο τὸ ποτήριον ἡ καινὴ διαθήκη ἐστὶν ἐν τῷ ἐμῷ αἵματι erschien uns älter, weil sie weniger parallelisiert ist; zudem kommt die Wendung ἐν τῷ αἵματι öfter formelhaft wie ein Zitat im Neuen Testament vor (Röm 3,25; 5,9; Eph 2,13; 1 Jo 5,6; Apk 7,14; 22,14), ist also alt. Hingegen wird die markinische Formulierung τοῦτό ἐστιν τὸ αἷμά μου τῆς διαθήκης erst spät in Hebr 9,20; 10,29; 13,20 aufgegriffen. Sie gibt sich deutlich genug als Nachbildung und relecture der Modellstelle Ex 24,8 zu erkennen, spricht die Identität von

Kelch und Blut unverhohlen aus und läßt sich als Verdeutlichung der paulinischen Version verstehen. Denn schon für diese gilt: Ob man die Aussage ἐν τῷ αἵματι unmittelbar nur auf den «Bund» oder auf den Kelch oder auf deren (durch das ἐστίν betonte) Gleichsetzung bezieht, in jedem Fall wird der Kelchinhalt letztlich durch das Blut bestimmt und als Verkörperung und Verwirklichung des Bundes dargestellt. Die alte paulinische Kelchformel könnte man sich als originär im Munde Jesu vorstellen; sie könnte aber – wer wollte es leugnen? – auch eine vom kultischen Gebrauch zugeschliffene Kurzformel sein. Es läßt sich nämlich sogar eine Urgestalt des Kelchwortes erschließen, aus der wie aus einem Mutterschoß die beiden Versionen sich entfalten konnten. Man braucht nur die kausal gemeinte Angabe ἐν τῷ αἵματι (bedami) nominativisch als τὸ γὰρ αἷμά μου (ki dami) zu formulieren, so erhält man eine Aussage, aus der sich verhältnismäßig leicht sowohl die paulinische als auch die markinische Formulierung des Kelchspruches ableiten, ja sogar das ganze lukanische Kelchwort mit seiner sonderbaren Divergenz zwischen der nominativischen Beifügung und seinem dativischen Beziehungswort αἵματι erklären ließen. Diese letzte Urgestalt des Kelchspruches könnte etwa gelautet haben: τοῦτο τὸ ποτήριον ἡ καινὴ διαθήκη, τὸ γὰρ αἷμά μου τὸ ἐκχυννόμενον ὑπὲρ πολλῶν.

Die im vorausgehenden umrißhaft ermittelte Urüberlieferung des Abendmahls ist immer noch im Raume der Kirche angesiedelt, kann noch nicht ohne weiteres mit dem Wortlaut der Aussagen Jesu identifiziert werden. Ohnehin stammt ja die Schilderung der Handlung von der Gemeinde; aber auch die Worte Jesu sind durch das Medium ihres Glaubens und ihrer Liturgie hindurchgegangen. Die Frage erhebt sich: Haben sie dabei wesentliche Veränderungen erlitten? Ist da etwa ein an sich verhältnismäßig einfaches Abschiedsmahl Jesu nachträglich und im Lichte von Ostern mit christologischem und soteriologischem Gehalt aufgefüllt worden, wie dies manche Kritiker annehmen, so daß das neutestamentliche Herrenmahl nicht Stiftung Jesu im eigentlichen und strengen Sinn, sondern nur eine Nachwirkung von ihm, die Auffassung der nachösterlichen Gemeinde von seiner Bedeutung für ihre Existenz, der Ausdruck eines christologisch artikulierten Selbstverständnisses des Urchristentums wäre?[8]

In diesem Zusammenhang erscheint die Bemerkung nicht als überflüssig, daß der Dogmatiker nicht unter allen Umständen auf eine explizite Einsetzung des Abendmahls durch den historischen Jesus und eine wortgetreue Überlieferung seiner Aussagen, auf eine institutio in specie immutabili angewiesen ist. Er könnte noch mit einer institutio in genere auskommen, diese in der Gründung einer Heilsgemeinde impliziert finden und die Ausgestaltung des Abendmahls dem Heiligen Geist zuschreiben. Doch hat die obige Frage ihr eigenes Gewicht und spezifisches Interesse auch für den Dogmatiker wie für jeden Glaubenden.

Bevor wir über den historischen Zusammenhang zwischen dem ältesten biblischen Abendmahl und dem historischen Jesus urteilen, müssen wir den theologischen Sinn und Gehalt jener Feier untersuchen. Wir müssen daher zunächst uns dem theologischen Anspruch der Berichte stellen, um dann über ihre historische Glaubwürdigkeit zu befinden.

---

[8] Das ist die Erklärung der rein existenzialen Interpretation, wie sie symptomatisch vorliegt bei W. Marxsen, Das Abendmahl als christologisches Problem (Gütersloh 1963).

b. Sinnerschließung des Abendmahls Jesu nach den neutestamentlichen Einsetzungsberichten

aa. Das Abendmahl im Rahmen seiner Mahlpraxis überhaupt

Jesu letztes Abendmahl ist als sein Selbstvermächtnis in Gestalt eines Mahles letztlich ein Phänomen sui generis. Doch steht es nicht völlig beziehungslos in seinem Leben und in seiner Zeit da. Es gibt Tatsachen, die einen Zugang zu seinem besseren Verständnis eröffnen. Es ist nicht Augenblickseinfall, sondern seit langem bedacht (Lk 22,15; vgl. Jo 6,51ff), nicht vereinzeltes Faktum, sondern wächst als markanter Abschluß aus einer eifrig geübten *Mahlpraxis* Jesu hervor. Er pflegt nicht nur tägliche Tischgemeinschaft mit seinen Jüngern, er setzt sich mit den Menschen überhaupt, ja demonstrativ und zum Entsetzen der Pharisäer sogar mit den Sündern und Zöllnern (Mk 2,16) an einen Tisch. Mahlgemeinschaft bedeutet nach jüdischer Anschauung Solidarisierung mit den Tischgenossen. Als der eschatologische Bote Gottes dokumentiert er dadurch Gottes Interesse an ihnen. Sein Mahlhalten ist bereits Verwirklichung des Messiasmahles, «da der Bräutigam bei ihnen ist» (Mk 2,19), ist eschatologisches Zeichen dafür, daß die Königsherrschaft Gottes hereindrängt und in seinem Tun bereits gegenwärtig ist, ist zugleich Vorverweis und Vorwegnahme des eschatologischen Hochzeitsmahles im Reiche Gottes (Mt 22,1–14; 25,1–13; 8,11).

Messiasmahl ist erst recht die wunderbare Speisung der Tausenden, die an sich wohl ein einmaliges Geschehnis, im Neuen Testament aber gleich sechsmal, bei Mk und Mt in traditionsverschiedenen Doppelberichten erzählt wird.[9] Bestimmte Züge der Darstellung, wie ihre Konzentration ganz auf Jesu Tun, die Erwähnung des «einsamen Ortes» und der Lagerung der Menge in Gruppen, lassen die Tat als das erneuerte Mannawunder der Wüstenzeit, Jesus als den neuen Mose erscheinen, was Johannes (6,14.32) am deutlichsten zum Ausdruck bringt. Nicht zufällig wird Jesu Tun in eucharistischen Farben gezeichnet. Er übt – wie im Abendmahl – die Rolle des jüdischen Hausvaters aus: Er spricht den Segen, bricht das Brot in Stücke und läßt es austeilen. Diese Schilderung – und besonders deutlich der Terminus εὐχαριστεῖν in Mk 8,6; Mt 15,36; Jo 6,11 – lenkt die Gedanken auf das letzte Mahl Jesu, wo nun der neue Mose sein neues Bundesmahl begeht und den Seinen hinterläßt.

Dessen Sinn und Gehalt wurde und wird oft und gern mit Hilfe der *Pascha*idee tiefer erschlossen.[10] Denn nach den Synoptikern beging Jesus sein letztes Mahl als Pascha (Mk 14,16f; Lk 22,15), nach Jo 18,28 allerdings einen Tag vor diesem Fest. Darum ist der Paschacharakter des Stiftungs-

---

[9] Mk 6,31–44; Mt 14,14–21; Lk 9,11–17; Mk 8,1–10; Mt 15,32–39; Jo 6,1–15.
[10] Eindrucksvoll hat dies J. Jeremias, Abendmahlsworte 35–82, getan.

mahles Jesu bis zur Stunde heftig umstritten.[11] Wie immer es aber um die kalendermäßige Gleichsetzung von Pascha und Abendmahl stehen mag, so sprechen doch klare Anzeichen dafür, daß die Nähe des jüdischen Pascha-brauches auf Jesu Feier eingewirkt hat. Er bot rituelle Strukturen und ideelle Kategorien an, in die Jesus seinen neuen Inhalt eingießen konnte. So benutzt er das Brotbrechen vor der Hauptmahlzeit und den (dritten) «Segens»-Becher nach derselben zur Stiftung seiner «Eucharistie».[12] Dabei bot die jüdische Deutung der typischen Pascha-Elemente (Mazzen, Bitter-kräuter, Lamm) Anknüpfungspunkte für die Erläuterung seiner Gaben. Inhaltlich sind diese freilich etwas völlig Neues, das das alte jüdische Pascha ablöst,[13] aber doch auch wieder an diesem anknüpft. Es war intensivstes Gedächtnis Israels an Jahwes erlösendes Heilshandeln in Ägypten (Ex 12,14), mahlhafte Aktualisierung seines Bundes, zugleich hoffnungsvoller Ausblick auf das eschatologische Heil, Erwartung des Messias und seines Reiches gerade in dieser Nacht.[14] Jesus nimmt die auf Gottes Heilshandeln gerichtete Erinnerung und Erwartung auf und gibt ihr Erfüllung: Er macht die Darreichung seiner eucharistischen Gaben zur Darstellung der neuen Heilswirklichkeit, die in seiner Person und seiner Hingabe in den Sühnetod konstituiert wird, den neuen Bund darstellt und die Heilsvoll-endung der Basileia vorwegnimmt. Wie das alte jüdische, so ist auch das von ihm umgestiftete neue Pascha nicht nur subjektive Erinnerung der Feiern-den, sondern objektive kultische Aktualisierung der eschatologischen Heils-wirklichkeit. Als neues Pascha ist das Abendmahl Jesu aber zu wiederholen – auch ohne ausdrücklichen Befehl.

Schließlich wird Jesu letztes Mahl noch aufgehellt durch seinen Charakter als *Abschiedsmahl*. Ein solches sagt das Spätjudentum von Patriarchen und Gottesboten nach dem Vorbild Isaaks in Gn 27 aus.[15] Es bedeutet nicht einfach das letztmalige Essen, sondern einen besonderen testamentarischen Akt. Angesichts des Todes schöpft der Gottesmann nochmals Lebenskraft im Mahle und spendet einen Segen, in den er gleichsam sein ganzes Leben einsammelt und hineinlegt. Das Abschiedsmahl ist sonst einmalig, unwie-

---

[11] R. Feneberg, Christliche Passafeier und Abendmahl (München 1971), erklärt die Streitfrage für überholt, da der Einsetzungsbericht Niederschlag der christlichen Festfeier ist.

[12] Den genaueren Verlauf des jüd. Pascha zeichnet J. Jeremias, Abendmahlsworte 79f.

[13] Das tritt am deutlichsten bei Mk zutage, der ein Paschamahl ankündigt (14,16), aber dann die Eucharistiestiftung erzählt (14,22–25). Es gilt aber auch für Lk 22,15–20; denn das in V. 15–18 gemeinte «Pascha» ist nicht das jüdische, sondern das umgestiftete (um-funktionierte) christliche, nämlich die Eucharistie, wie J. Schürmann richtig erkannt hat.

Nach F. Hahn, Alttestamentliche Motive: EvTh 27 (1967) 354f, liegt in Lk 22,15–20 eine judenchristliche Paschafeier zugrunde ohne Lamm und mit nur einem Becher, deren abschließender Höhepunkt die Eucharistie ist.

[14] Belege bei J. Jeremias, Abendmahlsworte 50–56.

[15] Vgl. Jub. 22,1–9; 31,22f; Test. Nepht. 1,2.

derholbar, der Abschiedssegen gilt den unmittelbar Anwesenden. Jesus sprengt die gängigen Kategorien. Er selbst ißt wohl nicht von den eucharistischen Mahlgaben, verdichtet aber in diesen seinen Segen und wendet ihn allen kommenden Geschlechtern zu als bleibende Stiftung, da er für alle das Heil erwirbt. Jesu Abendmahl erfüllt den Sinn des Abschiedsmahles, die Segensvermittlung.

bb. Abendmahl und Königsherrschaft Gottes

Wie sehr das Abendmahl aus dem Ganzen des Lebens und Wirkens Jesu hervorwächst und nur von daher verständlich wird, wie sehr Jesus selbst seine tiefsten Intentionen im Abendmahl zusammenfaßt und ausdrückt, zeigt sich auch darin, daß er dasselbe ausdrücklich auf die Königsherrschaft Gottes, die Mitte seiner Botschaft, bezieht. Schon seit langem hatte sich die jüdische Frömmigkeit das Reich Gottes unter dem Bild des eschatologischen Festmahles vorgestellt.[16] Jesus griff darauf in seiner Verkündigung zurück (Mt 8,11; 22,1–14) und tut es nochmals im Abendmahl: Da rückt er im sog. eschatologischen Ausblick dasselbe in die Perspektive und die Dynamik der hereindrängenden Basileia. Diese ist der Horizont, in dem das eucharistische Geschehen möglich, für uns verständlicher wird. Diesen eschatologischen Aspekt überliefern uns drei Logien, der Doppelspruch Lk 22,16 und 18, der dem Einsetzungsbericht vorausgeht, und das dem eucharistischen Kelchwort angehängte Einzellogion in Mk 14,25, das wohl die sprachlich ursprünglichere Fassung darstellt. In diesen Versen versichert Jesus feierlich, er werde nicht mehr essen und trinken. Er spricht damit nicht ein Entsagungsgelübde, eher den Verzicht auf Mitgenuß beim eucharistischen Mahle, sicher eine Todesprophetie aus. Aber diese bleibt nicht sein letztes Wort: In triumphaler Siegeszuversicht kündigt er auf das Nicht-mehr ein eschatologisches Wieder-Trinken in der (vollendeten) Gottesherrschaft an. Es wird also eine Fortsetzung seines letzten Mahles geben. Sein Tod und die Basileia stehen aber nicht nur äußerlich nacheinander; vielmehr führt ihn gerade die Übernahme des Todes, den er auf die Basileia hin stirbt, in diese hinein, wo er mit den Seinen den neuen eschatologischen Wein trinken wird. In dieser Verheißung meldet sich Auferstehungshoffnung zu Wort und die Überzeugung, daß durch seinen Tod, den er auf die Basileia hin stirbt, eine neue Verwirklichungsstufe derselben heraufgeführt werde. Das wird aus den übrigen Aussagen Jesu noch deutlicher, die wir im einzelnen untersuchen müssen. Er setzt in diesem Mahlgeschehen seinen Tod bereits gegenwärtig, nimmt ihn kultisch vorweg. Und er reicht Mahlgaben ganz neuer und eigener Art, sich selbst, wie die Segenssprüche zu Brot und Wein offenbaren. Denn das ganze Mahlgeschehen ist in den Sog, die Dynamis der

---

[16] Vgl. Is 25,6; 65,13; äth. Hen. 62,14; syr Apk Bar 29,8; Pirqe Ab 3,20.

Basileia gestellt, hat von daher seine Realität, ist Vorausereignung der vollendeten Gottesherrschaft. Wenden wir uns nun dem Neuen und Eigentlichen zu, das Jesus uns im Abendmahl schenkt.

cc. Sinn- und Wesensgehalt der eigentlichen Eucharistie

Als eucharistische Substanz des ganzen Geschehens hebt sich in allen Berichten der Doppelakt der Segnung und Darreichung von Brot und Kelch heraus. Damit nimmt Jesus zwei typische jüdische Mahlgesten auf, das Brotbrechen und die Kelchausteilung, den Eröffnungs- und Abschlußritus jedes jüdischen Festmahles, nicht nur des Pascha. Der komplexe Begriff des «Brotbrechens» umfaßt das Nehmen und Emporheben des Brotes vom Tisch, das Sprechen des Segens (der Berakha), die Zerreißung des Brotfladens und die Darreichung an die Mahlgenossen. Der hautpsächliche Sinn des Ritus ist die Vermittlung des mit dem Brot verbundenen Segens an die Teilnehmer und deren Zusammenfassung zur Mahlgemeinschaft. Das gleiche will die Austeilung des «Segenskelches». Als ein Hauptmoment des Mahlgeschehens tritt so ein Gebe- oder Darreichungsakt hervor. Mit ihm ist aber jedesmal eine Segnung, das Sprechen der Berakha, verbunden. Diese meint den erinnernden und dankenden Lobpreis Gottes für sein Heilshandeln, das sich in der betreffenden Gabe objektiviert. Die Mahlhandlung und in ihr speziell auch die Darreichung ist nicht nur ein rein technisches, unentbehrliches und bloß akzidentelles Moment, sondern bekommt theologische Sinngeladenheit, sakramentale Bedeutung. Jesus wählt das Wort der Berakha und den in der Darreichung gipfelnden Mahlgestus zum anamnetischen Ausdruck seiner Heilstat. Dabei spricht er den Gaben einen besonderen Sinn und Gehalt zu. So ergeben sich drei grundlegende Aspekte:

1. die Ansage der neuen Heilswirklichkeit im prophetischen Wort;
2. die zeichenhafte Darstellung der Heilstat Jesu durch die Mahlhandlung;
3. die Konkretisierung der Heilswirklichkeit «Jesus» in den Mahlgaben.

Diese Verbindung von Handlung und Wort erinnert unwillkürlich an das biblische Phänomen des prophetischen Zeichens (ōt), das ein zukünftiges Handeln Gottes im Wort ansagt und in einer Handlung symbolisiert. Das ōt will aber nicht nur informieren, sondern führt das zukünftige Geschehen in göttlicher Kausalität herauf. Der Prophet nimmt es ansagend und anzeigend vorweg, vollzieht es bereits in gewissem Maße, so daß man von einem «sakramentalen Band» zwischen Zeichen und gemeinter Wirklichkeit gesprochen hat, sofern sich letztere mit der Ausführung der Handlung unwiderruflich einstellt.[17] Die Kategorie des ōt kann die Realitätsfülle des

---

[17] Vgl. G. Fohrer, Die symbolischen Handlungen der Propheten (Zürich ²1968) 93.

Abendmahls mit aufhellen,[18] aber vielleicht doch nicht sicher und total ausloten. Jedenfalls zeigt die eucharistische Darreichung eschatologische Wirklichkeit nicht nur an, sondern bietet sie dar, setzt sie gegenwärtig. Das Abendmahl Jesu ist die überbietende Aufgipfelung des öt.

1. Jesu Wort als Proklamation seines Todes und der dadurch begründeten Heilswirklichkeit

Das Heilshandeln Jahwes in Vergangenheit und Zukunft war schon der beherrschende Inhalt der jüdischen Paschafeier. Jesus aber proklamiert und aktualisiert in seinen eucharistischen Handlungen die neue eschatologische Heilswirklichkeit, die er als endgültiger Heilbringer mit seinem Tod heraufführt. Er stellt, wie wir bereits sahen, sein Abendmahl in den Horizont der vollendeten Gottesherrschaft, macht es zur Vorausereignung derselben. Die Möglichkeit dazu eröffnet sein Tod. So rückt er im eindeutigen und eindringlichen Wort sein Sterben in den Mittelpunkt seiner Abendmahlsfeier. Er knüpft an die von Haus aus schon anamnetische Berakha zu Brot und Kelch an und formuliert sie neu, erklärt beim Brot, sein Leib werde «hingegeben für» die Menschen (Lk 22,19; vgl. 1 Kor 11,23; Jo 6,51), beim Kelch, sein Blut werde «vergossen für die Vielen» (Mk 14,24; vgl. Lk 22,20). Die beiden Aussagen wurzeln sachlich in Is 53,10ff, künden seinen Tod als bevorstehend an – die Partizipien haben futurische Bedeutung –, kennzeichnen sein Geschick als blutiges Martyrium oder martyriales Lebensopfer (wobei der Begriff Opfer in einem weiteren, nichtkultischen Sinn verstanden ist), als universalen Sühnetod. Sich selbst gibt er damit verhüllt als leidenden Gottesknecht oder auch als leidenden Gerechten zu erkennen. Auf Blutvergießung weist schon der bloße Begriff Blut, erst recht der Ausdruck «Bundesblut» (Mk 14,24), der von Ex 24,8 her das Blut als kultische, vom Leib getrennte Opfergabe und damit den Tod Jesu als kultische Opferschlachtung vorstellt, hin; im Zusammenhang damit erhält dann die ursprünglich martyrial aufgefaßte Beifügung «vergossen für die Vielen» sekundär eine kultische Note. Jesu Sterben geschieht $\acute{v}\pi\grave{e}\varrho\ \pi o\lambda\lambda\tilde{\omega}v$ (Mk 14,24), es ist wie das des Gottesknechtes von Is 53,10ff Sühnetod für die gesamte Menschheit. Für das zeitgenössische Judentum hatten alle kultischen Opfer, ebenso das Leiden des Gerechten, besonders das Martyrium sühnende Kraft für die eigenen und die fremden Sünden,[19] hatten diese aber durch Gottes gnädigen Annahmewillen.

---

[18] So J. Dupont, «Ceci est mon corps»: NRTh 80 (1958) 1033f; J. Betz, Eucharistie II/1 S.42; 211; kritische Reserve bei H. Schürmann, Jesu Abendmahlsworte: Concilium 4 (1968) 774.

[19] Belege s. E. Lohse, Martyrer und Gottesknecht (Göttingen ²1963), dazu F. Hahn, Alttestamentliche Motive: EvTh 27 (1967) 360.

Jesu Tod wirkt Versöhnung, Gemeinschaft mit Gott, begründet die neue Diatheke, das unwiderrufliche eschatologische Heilsverhältnis Gottes zur Menschheit. Diatheke aber ist per definitionem Gottes Tat. Nach 2 Kor 5, 19 ist es Gott selbst, der die Versöhnung und Gemeinschaft schafft. Sühne ist also von Gott gestiftete Sühne. Das kommt in Jesu Worten dadurch zum Ausdruck, daß seine Lebenshingabe durch die Passiva διδόμενον, ἐκχυννόμενον umschrieben wird. Sie stellen einen Semitismus dar und deuten ehrfürchtig Gottes Handeln an, wollen also Jesus nicht als passives Werkzeug, sondern als Organ des Handelns *Gottes* vorstellen. Im Gehorsam gegen den Auftrag des Vaters übernimmt er den Tod an unserer Statt und uns zugut, zelebriert und dokumentiert Gottes Versöhnung mit uns, konstituiert so die neue Diatheke.

2. Die Mahlhandlung als symbolische Darstellung der Heilstat Jesu

Mit dem prophezeienden Wort verbindet Jesus die symbolische Handlung, die das Gesagte verdeutlicht und vergegenwärtigt. Er wählt dazu die jüdischen Mahlgesten für Brot und Kelch. So nimmt er das Brot, hebt es empor, spricht den Segen darüber, bricht es in Stücke auseinander und teilt es aus. Der primäre Sinn des Brechens ist nicht eigentlich die Zerstörung, sondern die Austeilung des Brotfladens. Ebenso hebt er den Kelch (handbreit über den Tisch) empor, spricht den Segen und läßt ihn kreisen. Segnung und Darreichung sind die symbolträchtigen Akte. Der Sinn der Darreichung ist klar. Was aber will die Segnung, die Berakha?[20] Sie ist dankender Lobpreis Gottes für diese Gaben, macht deren Wesen als objektivierte Guttat Gottes deutlich. Dankend anerkennt sie die Gabe als Gottes Werk und Wohltat, leitet sie von ihm als Ursprung her und *im Prinzip*, in der Gesinnung auf ihn zurück. So hat sie eine anamnetische und zugleich opferhafte Grundstruktur. In den beiden genannten Mahlgesten symbolisiert und aktualisiert Jesus seinen bevorstehenden Sühnetod. Er macht ihn an dem, was mit den Gaben geschieht, transparent. Das opferhafte Dankgebet über den Gaben spiegelt seine Selbstüberantwortung an den Vater zur Durchführung des Heilswerkes wider. Was das faktisch für ihn bedeutet, bringt der andere Gestus zur Darstellung: Die Darreichung der Mahlgaben an die Menschen zum Genuß symbolisiert die Hingabe seines Lebens in den Tod für sie, zeigt an, wie restlos er sich an die Menschen verschenkt. Jesu symbolische Mahlhandlung hat (in ihren beiden Phasen) die durchgehende Grundstruktur eines Gebeaktes und macht seine Heilstat transparent und anwesend, welche Hingabe an den Vater und Hingabe an die Menschen in einem ist. Und nicht allein der Akt des Gebens, sondern auch die Art der Gabe als Speise

---

[20] Dazu vgl. J.-P. Audet, La Didachè (Paris 1958) 376–400, und seine Aufsätze in RB 65 (1958) 371–399 und in Studia evangelica = TU 73 (Berlin 1959) 643–662.

und Trank charakterisieren ihn und sein Tun. Wie die Speise ganz und gar
für den Menschen da ist, dazu bestimmt, ihr Eigensein aufzugeben und ins
Sein der Menschen aufgenommen und «aufgehoben» zu werden, deren
Existenz aufzubauen, so ist er für die Menschen da, so gibt er sein irdisches
Leben im Tode hin, nicht um sein Eigensein zu verlieren, sondern es neu
bei Gott zu gewinnen und den Menschen zu ihrer Rettung zu geben. In der
Darreichung der Speise enthüllt Jesus sein tiefstes Wesen: Er ist Sein für
Gott und Sein für die Menschen, bei ihm fallen Sein und Tun zusammen.
Die Gaben sind aber nicht nur Symbol seiner Person, sie sind seine
Person selbst.

3. Die Identifizierung der Mahlgaben mit Jesu Heilsperson

Jesus spricht das neue Wesen seiner Mahlgaben in den sog. «Deutesätzen»
aus, die besser Segens- oder Bestimmungsworte heißen. Er nennt das Brot
schlicht seinen (Lk: dahingegebenen) «Leib», den Kelchinhalt «die neue
Diatheke in seinem Blute» (1 Kor 11,24; Lk 22,20), bzw. sein «für die
Vielen vergossenes Bundesblut» (Mk 14,24). Diese Prädikatsbestimmun-
gen[21] sind die Herzmitte der Eucharistieaussagen. Die Begriffe «Leib» und
«Blut» dürfen nicht dichotomistisch als Teile des Menschen, sondern müssen im Sinne der semitischen Anthropologie genommen werden, für die der
Mensch nicht einen Leib hat, sondern Leib ist. $\sigma\tilde{\omega}\mu\alpha$ bezeichnet daher wie
das entsprechende hebr./aram. Grundwort (wahrscheinlich basar/bisra;
nach manchen guph/gupha) die leibhaftige, konkrete Person. Auch der Be-
griff $\alpha\tilde{\iota}\mu\alpha$ hat einen reichen Inhalt. Im hebräischen AT meint er oft das Blut
als «Ereignis», die Blutvergießung. Bei dieser zeigt sich aber, wie sehr das
Leben an das Blut gebunden, in ihm verankert ist. Dieses gilt darum im AT
als Lebenssubstrat (Dt 12,23; Lv 17,11.14), ja es kann auch für die lebendige blutgebundene Person besonders im Zustand der Blutvergießung stehen (Gn 4,10; 2 Makk 8,3; Mt 27,4). Als Lebenssubstanz bleibt es der
Verfügungsgewalt Gottes vorbehalten, dient als vorzügliche kultische
Opfergabe, ist menschlicher Verfügung entzogen, darf nicht verzehrt
werden.

---

[21] Für ihre richtige Interpretation ist ihre Stellung im Verlauf des Stiftungsmahles nicht
ohne Belang. Brot- und Kelchwort sind durch das dazwischenliegende Hauptgericht getrennt; deshalb mußte jedes aus sich selbst und nicht erst in Verbindung mit dem anderen
verständlich sein. Von daher legt sich für das Prädikatsnomen ein synonymer oder auch
klimaktischer Parallelismus, nicht ein synthetischer nahe, also nicht ein korrelatives Be-
griffspaar (wie z. B. $\sigma\acute{\alpha}\varrho\xi-\alpha\tilde{\iota}\mu\alpha$); ein solches hätte zudem die ungleichen Begriffe bei Pls/Lk
wohl kaum aufkommen lassen. Die Doppelung der Gaben erklärt sich einmal aus dem
Charakter des Festmahls, das auf die Basileia weist, deutet also die Fülle des eschatologischen Heils an; zum anderen unterstreicht sie als semitischer Rechtsbrauch die Gewichtigkeit und Rechtskräftigkeit der Stiftung.

Der Kelch(inhalt) wird als die neue Diatheke in Jesu Blut proklamiert. Ob man das ἐν τῷ αἵματι unmittelbar auf die Diatheke oder auf den Kelch bezieht, in jedem Fall wird eine Identifizierung von Kelch, Blut und Bund ausgesagt. Der neue Bund, in Jr 31,31 verheißen, ist in Jesu Blut begründet, im Kelch objektiviert. Der Bund ist Gottes souverän-gnädige Gewährung seiner persönlichen, ja allerpersönlichsten Gemeinschaft an sein Volk, für die der genossene Trank treffendes Symbol ist. Zur Begründung des Bundes bedient sich Gott eines Mittlers. Einst war es Mose. Aber auch der deuterojesaianische Gottesknecht von Is 42,6 und 49,8 trägt den Hoheitstitel «Bund des Volkes», d.i. Bundesmittler. In Jesu Person hat sich Gott grundsätzlich und unwiderruflich an die Menschheit gebunden. Jesus ratifiziert diesen Bund in seinem Tode und gibt zum Zeichen dessen sich selbst als Trank.

Er begnügt sich nicht mit der chiffrehaften Andeutung der bloßen Prädikatsbegriffe Leib, Blut, Bund, sondern verdeutlicht sie in den partizipialen Beifügungen. So erklärt er, sein Leib werde «dahingegeben» (Lk 22,19), sein Blut werde «vergossen» (Lk 22,20; Mk 14,24). Diese Angaben weisen zurück auf Is 53,10ff und stellen seine Person als den leidenden Gottesknecht vor Augen, der aber nach den gleichen Versen und noch deutlicher nach Is 52,13.15 eine triumphale Rehabilitation bei Gott erfährt, nach 42,6 und 49,8 den Bund verkörpert. Die Erwartung der Erhöhung hegt Jesus auch für sich, sonst könnte er gar nicht über seinen Leib und sein Blut in dieser Weise verfügen; er spricht diese Zuversicht im eschatologischen Ausblick (Mk 14,25; Lk 22,16.18) aus. Somit verkünden die Segensworte der ältesten (bei Paulus und Lukas tradierten) Berichtsform: Die Gabe des Abendmahls ist Jesus als der einen Sühnetod sterbende Gottesknecht, der totus Christus passus, der zum eschatologischen Sieg ausholt.

Einen anderen theologischen Hintergrund für das gleiche Grundthema verrät das markinische Kelchprädikat «mein Bundesblut». Es ist unverkennbar Ex 24,8 nachgebildet, wo Moses den Sinaibund einweiht, indem er das Blut der geschlachteten Opfertiere zur Hälfte an den Altar für Jahwe, zur Hälfte über das Volk sprengt und so die Bundesgemeinschaft zwischen beiden symbolisiert. Das Blut fungiert hier als vom Leib getrennte kultische Opfergabe, es setzt die Tötung der Opfertiere voraus, wird aber zur Opfergabe erst durch die kultische Darbringung.[22] Analog wird auch Jesu Blut als kultischer Opferbestandteil in Trennung vom Leib, gleichwohl als Repräsentation der Gesamtperson (die im Brotwort auch im Begriff σῶμα immer noch erscheint) gesehen. Diese Sicht schließt die Konsequenz in sich, daß auch der Tod Jesu als kultische Opferdarbringung, nicht mehr als martyriales Lebensopfer aufgefaßt wird. Jesus selbst erscheint als der neue Mose und – als Hoherpriester. Der Hebräerbrief hat diese Konzeption

[22] Billerbeck II 368.

durchreflektiert und explizit gemacht: Jesus ist der neue Hohepriester, der mit seinem eigenen Blut in das himmlische Heiligtum eintritt (Hebr 9,12). Gegenüber dem paulinisch-lukanischen Kelchprädikat «der neue Bund in meinem Blute» ist das markinische «mein Bundesblut» zeitlich später anzusetzen, nicht nur wegen der fortgeschrittenen Parallelisierung in der Formulierung, sondern auch wegen der inhaltlichen Liturgisierung des berichteten Geschehens.

Die behandelten Prädikatsaussagen der Definitionssätze verkünden für sich genommen Jesus als den sich opfernden Heilbringer, beziehen sich aber tatsächlich auch auf das Subjekt der Sätze und charakterisieren damit konkret die Mahlgaben, so daß sich deren Identität mit Jesu Heilsperson ergibt. Aus Paulus und Johannes ersehen wir, daß diese Identität von Anfang an als eine realontische verstanden wurde, die die Gegenwart Jesu in den Mahlgaben aussagt. Dieser realpräsentischen Interpretation steht freilich eine idealistische gegenüber, die eine nur gedankliche und symbolische Gleichsetzung der Gaben mit Jesu Leib und Blut anerkennt; ihr zufolge sollen die Elemente Jesu Leib und Blut bedeuten, bezeichnen oder versinnbilden. Ihren klassischen Ausdruck hat diese Auffassung in der modernen protestantischen Gleichnistheorie gefunden.[23] Jesus, der Meister der Gleichnisrede, habe im Abendmahl eine Gleichnishandlung hinterlassen, nach den einen für seinen Tod, nach anderen für sein Leben.[24] In dieser Auffassung rückt das Tun Jesu beim Mahle wie von selbst in den Vordergrund. Nun haben auch wir den Mahlgesten Jesu hohe signifikative Bedeutung beigemessen. Die Gleichnistheorie aber begründet ihre Auffassung mit den Deuteworten, die sie symbolisch auslegt. In diesem Sinne erklärt man, das gebrochene oder auch das dargereichte Brot versinnbilde Jesu Tod oder der ausgegossene Wein bzw. dessen rote Farbe die Blutvergießung. Dagegen meldet sich das Bedenken an, daß mit der Brechung des Brotes gar nicht die Vorstellung von dessen Zerstörung verbunden, daß der Wein nicht ausgegossen, sondern getrunken, daß dessen rote Farbe nicht betont wurde. Die Wahl dieser Vergleichspunkte entspricht mehr modernem als damaligem Empfinden. Vor allem aber ist, wie sich zeigen wird, der Wortlaut der besagten Sätze nicht bloß symbolisch zu deuten.

Das Neue Testament selbst bietet deren authentische Erklärung in der realpräsentischen Auffassung des Paulus und Johannes. Diese aber hat weder in der persönlichen Theologie der genannten Zeugen, noch im Judentum, noch im Hellenismus ihren Ursprung, muß daher letztlich von Jesus stammen. Freilich ist sie nicht schon durch den bloßen Wortlaut der Sätze gesichert. Auch das früher viel beru-

---

[23] Die Grundidee stammt von C. v. Weizsäcker; sie wurde seit A. v. Jülicher entfaltet und ausgestaltet.

[24] Vertreter bei H. Lessig, Abendmahlsprobleme 310ff; 501ff; J. Betz, Eucharistie I/1 S. 59–64; II/1 S. 48ff.

fene ἐστίν ist kein stichhaltiger Beweis, weil es in der Bibel auch metaphorisch gebraucht wird, wie etwa aus Mt 13,37f; Lk 8,21; Jo 8,12 hervorgeht. Doch sind unsere Logien durchaus offen für die Realidentität, sie haben sogar eine sprachliche Affinität nach dieser Richtung. 1. Ausgangspunkt ist die Tatsache, daß τοῦτο – wie τοῦτο τὸ ποτήριον deutlich macht – Subjekt ist und nicht auf die Mahlhandlung, sondern auf die Mahlgaben geht. Auch beim jüdischen Pascha wurden die besonderen Mahlelemente (Mazzen, Bitterkräuter) gedeutet. 2. Nicht zu übersehen ist: Die Definitionssätze weisen eine andersartige sprachliche Struktur als die üblichen metaphorischen Aussagen in der Schrift auf. Es fehlt die für die expliziten Parabeln charakteristische Vergleichsanzeige wie ὡς (Mk 4,31), οὕτως – ὡς (Mk 4,26) oder ὅμοιόν ἐστιν (Mt 13,31 u.ö.). Sollte nämlich, wie es die Gleichnistheorie will, die Person oder das Heilswerk Jesu durch einen Vergleich mit Brot und Wein erläutert werden, so müßten sie auch als Subjekt der Sätze, nicht als deren Prädikat stehen. Ebenso unverkennbar ist der sprachliche Unterschied der Abendmahlsworte gegenüber den einfachen Metaphern, z. B. dem Spruch von Lk 8,21: «Meine Mutter und meine Brüder sind die das Wort Gottes Hörenden», oder dem von Mt 13,37: «Der Acker ist die Welt.» In diesen Metaphern werden die Vergleichsgrößen beim Namen genannt, aber nicht als konkrete Verwirklichung (als Dieses-da), sondern nach ihrem idealen Begriffsgehalt und in übertragenem Sinn anvisiert. Auch in den Selbstaussagen des johanneischen Jesus: «Ich bin das Brot des Lebens» (6,48), «das Licht der Welt» (8,12), ist die Vergleichsgröße nach ihrem allgemeinen und übertragenen Sinngehalt, nicht als konkretes Ding genommen. In den Abendmahlsworten aber erfolgt die Identifizierung eines Konkretum mit einem Konkretum. Das macht ihre Besonderheit aus. 3. Ein dritter zu beachtender Punkt ist die Darreichung der Gaben. Sie könnte für sich allein genommen noch als bloßes Symbol für Jesu Lebenshingabe gelten, in Verbindung mit den klaren Definitionssätzen unterstreicht sie aber die Realität des so und nicht anders ausgesagten Inhalts. Die Darreichung des so Charakterisierten und die Charakterisierung des Dargereichten zusammen deuten auf einen realistischen Sinn. In dieselbe Richtung weist auch der Genuß bzw. der Speisecharakter der Gaben.[25] Eine Speise will nicht zuerst als Bild angeschaut oder als Idee aufgefaßt, sondern gegessen werden. Wenn Jesus seine Heilsbedeutung für uns darstellen wollte, war gerade die Form der Speise ein geeignetes Mittel dazu. 4. Der entscheidende exegetische Grund für die realistische Interpretation der Segensworte Jesu ist der älteste Glaube der Kirche, wie er im NT bei Paulus und Johannes begegnet. Die Realpräsenz ist religionsgeschichtlich unableitbar, sei es aus dem Judentum, sei es aus dem Hellenismus. Im Judentum war jegliche Verfügung über das Blut, vollends dessen Genuß dem Menschen entzogen. Das radikale Judenchristentum macht denn auch Front gegen den Blutkelch[26] und bestätigt damit nochmals den realpräsentischen Glauben der ältesten Zeit. Dieser ist aber ebensowenig als hellenistisches Interpretament zu erklären. Denn für hellenistisches Denken besteht das Heil nicht in der Bindung an die Leiblichkeit, sondern gerade in der Loslösung von dieser. Wie könnte da die allgemein zugegebene Leibfeindlichkeit des Helle-

[25] Vgl. P. Benoit, Einsetzungsberichte 101. B. beleuchtet die «physische» und «wirkliche» Gegenwart des Herrn exegetisch (100–105).
[26] Dazu vgl. J. Betz, Eucharistie I/1 S. 27–35; II/1 S. 142; 219f.

nismus ausgerechnet den Glauben an die Realpräsenz bewirkt haben? Die Realpräsenz ist weder aus dem Judentum, noch aus dem Hellenismus, auch nicht aus einem Vulgärmagismus abzuleiten. Ihr Ursprung kann nur beim historischen Jesus liegen. Nach dem Wortlaut der Segensworte identifiziert er die dargereichten Mahlgaben konkret mit seiner sich opfernden Person. Die Logien sind daher nicht metaphorisch, sondern buchstäblich und realistisch aufzufassen. Er reicht sich den Seinen als Speise zum Genuß dar. So ist das Abendmahl Jesu Selbstvermächtnis und Selbstverteilung in Gestalt von Mahlspeisen.

c. Der Ursprung des realpräsentischen Abendmahls beim historischen Jesus

Als Jesu Selbstvermächtnis und Selbstverteilung in Gestalt von Mahlspeisen besitzt das Abendmahl einen einzigartigen Sinn, einen unerhörten Inhalt. Es erhebt sich aber die Frage: Paßt ein solcher Sinn und Gehalt überhaupt zur Gestalt des historischen Jesus, wie sie aus der synoptischen Überlieferung hervorleuchtet?

Die Rückführung der äußeren Abendmahlshandlung, der Mahlgesten um Brot und Wein, auf Jesus bereitet keine Schwierigkeit. Die Frage dreht sich um den Inhalt des Abendmahls. Da fügt sich der Bezug des Mahles auf Jesu Tod und ebenso auf die Basileia gut in seine Botschaft ein. Verhüllte Todeshinweise durchziehen ja die synoptische Verkündigung (Mk 2,20; Lk 12,50; 13,33); den drei berühmten entfalteten Leidensweissagungen (Mk 8,31; 9,31; 10,32ff) liegt wohl ein schlichtes Wort nach Art von Lk 9,44 zugrunde. Auch Andeutungen seiner kommenden Erhöhung gibt Jesus, so im ursprünglichen Spruch vom Jonaszeichen (Lk 11,32),[27] im Logion von der Wiedererrichtung des abgebrochenen Tempels (Mk 14,59 mit Jo 2,19), in der Aussage vor dem Synedrium, er werde zur Rechten der Kraft sitzen (Mk 14,62). Im Abendmahl kündigt Jesus das Neutrinken des Weines in der Basileia an, und er verdichtet seine Überzeugung und Gewißheit von der Sinn- und Sieghaftigkeit seines Todes sowie von der Heilsbedeutung seiner Person zu einem Zeichen, das auf diese Wirklichkeit nicht nur hinweist, sondern sie als Heilsgabe und Heilsmittel enthält. Die Realpräsenz ist nur als eschatologisches Geschehen verständlich.

Jesus rückt in seiner Eucharistie auf unerhörte Weise seine Person in den Mittelpunkt des Heils, hinterläßt sie als Heilsgabe in Gestalt einer Speise. Dieser Gedanke steht aber nicht völlig abrupt und beziehungslos in seiner Gesamtbotschaft, ist vielmehr die Sakramentalisierung, Verdichtung und Aufgipfelung seines auch sonst erhobenen Exusia-Anspruchs. Gewiß ist dessen mahlhafte Einkleidung neuartig. Doch der Anspruch, der absolute Heilbringer zu sein, durchzieht seine ganze Verkündigung. Denn er weiß

---

[27] Dagegen dürfte die Formulierung von Mt 12,40 mit der Ankündigung der Auferstehung nachösterliche Verdeutlichung sein.

sich als letzten und entscheidenden Herold der Basileia, des alles ergreifenden und umfassenden, heiligen und heilmachenden Herrschaftswillens Gottes. Er kündigt die Basileia nicht nur an; erfüllt vom heiligen Geist (Lk
4,18), macht er sie in seinen Wundern (Mt 11,4f), in der Brechung der
Dämonenherrschaft (Mt 12,28), in seiner Person (Lk 10,23f; 17,21) bereits
gegenwärtig. Er ist das endgültige, unwiderrufliche Heilsangebot Gottes
an die Menschen. Darum hält er Tischgemeinschaft mit Sündern und Zöllnern (Mk 2,15f), vergibt er Sünden (Mk 2,5). Und er ist weiter die absolute
Entscheidungssituation für die Menschen; so fordert er denn unbedingten
Glauben für sich und sein Evangelium (Mk 1,15), droht unerbittliches
Gericht den Ungläubigen an (Mt 11,20–24), macht vom Bekenntnis zu ihm
das ewige Heil abhängig (Mk 8,38; Lk 12,8), ruft Menschen in seine
bedingungslose Nachfolge (Mt 4,19; Mk 10,21). Das alles impliziert einen
absoluten Anspruch, den er mit letzter Sicherheit («Amen sage ich euch»)
vorträgt. Dieser entspringt aus seinem besonderen Verhältnis zu Gott, das
in der intimen Anrede «Abba» (Mk 14,36) sich Ausdruck verschafft, in dem
absoluten Namen «*der* Sohn» (Mt 11,27; Mk 12,6; 13,32) sich widerspiegelt,
in seiner Stellung zur Tora sich niederschlägt. Nicht nur, daß er traditionelle
Auslegungen dieser Tora, die Überlieferungen der Alten, kritisiert und
korrigiert (Mk 2,25f; 7,8–13) und selber eine neue und verbindliche Interpretation der Tora gibt (Mk 2,27; 3,4f; Mt 5,21–48), er bringt auch mit
dem Verbot der Ehescheidung (Mt 5,28; 19,8f) und der Rache (Mt 5,38f),
mit der Ethisierung der kultischen Reinheit (Mk 7,15) Änderungen an der
Tora an. Er tut damit, was nur Gott zusteht, er stellt sich auf Jahwes Seite.
Im Abendmahl führt er diese Linie zur Kulmination. Da nimmt er ebenfalls
göttliche Hoheitsrechte in Anspruch, wenn er überhaupt seinem Leib und
Blut noch nach seinem Tod Bedeutung, ja Heilsbedeutung beimißt, wenn
er insbesondere mit Vollmacht über sein Blut verfügt und eine Gott vor-
behaltene Gabe zur Heilsgabe an die Menschen macht. Damit hat er in der
Tat eine neue Diatheke, d. i. Gottesordnung gesetzt – und die alte abgetan.
Die hier faßbare heilsgeschichtliche Kehre hatte Jesus aber grundsätzlich
schon in dem Rätselwort vom Abbruch des bestehenden und vom Aufbau
eines neuen Tempels vorausgesagt (Mk 14,58; vgl. 13,2). Mag auch der
genaue Wortlaut der Aussage im Munde Jesu nicht mehr rekonstruierbar
sein, so steht doch soviel fest, daß er das Ende des alten Tempels und die
Wende zu einer neuen Gottesordnung ankündigt. Der Tempel war die ausgezeichnete Stätte der besonderen Gegenwart Gottes. Jesus aber ist in seinem Selbstbewußtsein «mehr als der Tempel» (Mt 12,6), er ist in seiner
Leiblichkeit der Ort, an den die Gegenwart Gottes eschatologisch unwiderruflich fixiert ist. Im Abendmahl nun institutionalisiert er diese leibhaftig
fixierte Gegenwart. War er vorher als der absolute Entscheidungsfall aufgetreten, so hinterläßt er sich nun den für ihn Entschiedenen als Unterpfand des Heils. Seine leibhaftige Person bleibt dessen Angelpunkt. So

wächst das Abendmahl bei aller Unerwartetheit seines Gehaltes doch organisch aus der Botschaft des historischen Jesus heraus. Nur er selber ist der hinreichende Erklärungsgrund für diesen Gehalt. Er macht sich im Abendmahl zur lebendigen Mitte der Kirche.

2. Das Abendmahl nach dem übrigen NT

a. Älteste Zeit

Aus dem NT und der Didache wird die starke eschatologische Ausrichtung des ältesten Abendmahls[28] ersichtlich. Nach Apg 2,46 brachen die ersten Christen «in den Häusern reihum das Brot und nahmen die Speise in (eschatologischer) Freude zu sich». Ihr Blick ist nach vorwärts gerichtet. Das bezeugt auch die vielsagende Bekenntnisformel «Maranatha» (1 Kor 16,22; Did 10,6; vgl. Apk 22,20). Rein sprachlich kann sie sowohl indikativisch («Unser Herr ist gekommen») als auch imperativisch («Unser Herr, komm!») verstanden werden. Apk 22,20 und der Kontext in Did 10,6 sprechen für die zweite Bedeutung, auch sonst sind ja die ältesten Bekenntnisformeln oft in Gestalt von Akklamationen gehalten. Der Ruf ergeht in Did 10,6 angesichts der Eucharistie, der sich nur Heilige nahen dürfen. Demgemäß darf man das Maranatha wohl dahin interpretieren, daß es nicht nur das Kommen Christi am Ende, sondern auch hier und jetzt beim Mahle,[29] ja in den Mahlgaben aussagt. Dafür spricht der in Did 10,6 beigefügte Jubelruf an den Messias «Hosanna»,[30] auch die uralte bekenntnishafte Bezeichnung der kultischen Speise und des Trankes als «pneumatisch» (1 Kor 10,3f; Did 10,3). Die Eucharistie gehört also wie der Auferstandene (Röm 1,4; 1 Kor 15,45; 2 Kor 3,17) der pneumatischen Sphäre, der Auferstehungssphäre, an. In dieser gibt es nach 1 Kor 15,44 noch das $\sigma\tilde{\omega}\mu\alpha$, aber nicht mehr als irdisches ($\psi\upsilon\chi\iota\varkappa\acute{o}\nu$), sondern als $\pi\nu\epsilon\upsilon\mu\alpha\tau\iota\varkappa\acute{o}\nu$. Es ist nicht mehr den raumzeitlichen Gesetzen unterworfen, sondern offen für die Möglichkeiten Gottes, mitteilbar an alle (vgl. Jo 6,62f; 7,39; 16,7).

Älteste Eucharistievorstellungen werden auch in den Mahlgebeten der Didache 9–10 erkennbar. Sind auch die Verse 9,2ff; 10,2–5 im jetzigen Zustand wohl Agapetexte, so waren sie doch vordem wohl eucharistische.[31]

---

[28] Dazu E. Kilmartin, Das letzte Abendmahl und die frühesten Eucharistiefeiern der Kirche: Concilium 4 (1968) 733–739.

[29] So auch O. Cullmann, Die Christologie des NT.s (Tübingen ²1958) 218; B. Sandvik, Das Kommen des Herrn beim Abendmahl (Zürich 1970) 13–36.

[30] Sandvik 37–40.

[31] Die Texte Did 9,1–10,5 spiegeln in ihrer vorliegenden Gestalt wohl eine Agape wider, an die sich in 10,6 eine sakramentale Eucharistie anschließt; so mit den meisten Erklärern auch J. P. Audet, La Didachè (Paris 1958) 410ff; 423. Doch haben m. E. die Texte auch eucharistisches Gut aus einer entsprechenden früheren Verwendung aufbewahrt. Näheres s. J. Betz, Die Eucharistie in der Didache: ALW 11 (1969) 10–39.

Wenn sie für das Leben, die Erkenntnis und die Unsterblichkeit danken (9,3; 10,2), dann sind damit nicht hellenistische Heilsgüter angesprochen, sondern die Paradiesesgaben von Gn 2,9 und 3,22, die auch in Apk 2,7; 22,2 14 19 anklingen. Gemäß dem berühmten Urzeit-Endzeit-Schema erwartet die spätjüdische Frömmigkeit im eschatologischen Aion die Erneuerung der Paradiesesgabe. Als solche wird hier die Eucharistie verstanden. Sie erscheint demnach schon in der ältesten Zeit allenthalben als eine Größe mit einem neuen pneumatischen Sein und wird entsprechend realistisch aufgefaßt.

b. Paulus

Bei Paulus,[32] dem frühesten Zitator und dem bedeutsamen Interpreten des Einsetzungsberichtes, fungiert die Eucharistie als Index der ganzen christlichen Heilswirklichkeit. Sie ist Herren-Mahl (1 Kor 11,20), Mahl also, das der erhöhte Kyrios mit seiner Heilsmächtigkeit durchwirkt und erfüllt. Ohne die Feier um ihre eschatologische Ausrichtung und Dimension zu verkürzen (11,26), hebt der Apostel die seiner Kreuzestheologie entsprechenden Wesenszüge an ihr heraus: Sie hat ihren unübersehbaren Orientierungspunkt im Christus crucifixus. Das Brot ist ja Jesu in den Tod gegebener Leib, der Kelch die neue in seinem Blute, d.i. in seinem Tode konstituierte Heilsordnung (11,24f). Dieses Essen und Trinken bedeutet daher eine anamnetische Verkündigung des Herrentodes (11,26); denn solcher Genuß setzt den Tod Jesu voraus und hält ihn gegenwärtig, das begleitende Wort (καταγγέλλειν) proklamiert diesen Bezug ausdrücklich. Ähnliche Ideen liegen der Stelle 10,18–22 zugrunde. Da bezeichnet Paulus die Eucharistie als τράπεζα Κυρίου nach Mal 1,12 und damit als Opferaltar Gottes (Ez 44,16) und setzt sie förmlich in Parallele mit jüdischen und heidnischen Opfermahlzeiten, stellt sie also selbst als Opfermahl vor,[33] das das diesem vorausliegende Opfergeschehen ins Spiel bringt. Besonderes Interesse verdient der Gehalt der Mahlgaben. Anders als die Götzenopfer (10,18) sind sie eine seinshaft qualifizierte und belangvolle Realität. Sie sind pneumatische Speise und ebensolcher Trank (10,3f), zuerst und zuletzt aber Teil-

---

[32] Aus der Literatur sei verwiesen auf H. v. Soden, Sakrament und Ethik bei Paulus, in: Urchristentum und Geschichte I (Tübingen 1951) 239–275; G. Bornkamm, Herrenmahl und Kirche bei Paulus, in: Studien zu Antike und Christentum II (München ²1963) 138–176; E. Käsemann, Anliegen und Eigenart der paul. Abendmahlslehre, in: Exeget. Versuche und Besinnungen I (Tübingen 1960) 11–34; P. Neuenzeit, Das Herrenmahl. Studien zur paul. Eucharistieauffassung (München 1960); J. J. Meuzelaar, Der Leib des Messias (... in den Paulusbriefen) (Assen 1961); L. Dequeker–W. Zuidema, Die Eucharistie nach Paulus: Concilium 4 (1968) 939–944; J. Betz, Eucharistie II/1 S. 102–129; H. Schlier, Das Ende der Zeit (Freiburg 1971) 201–215.

[33] So auch S. Aalen, Das Abendmahl als Opfermahl im NT: Novum Test. 6 (1963) 128–152, hier 130–143.

habe an Jesu Leib und Blut (10,16), womit im Endeffekt ihre Identifizierung mit Jesu geopfertem und nun verklärtem Leib und Blut, den Erscheinungsweisen seiner Person, ausgesagt sein soll. Derselbe Tatbestand ergibt sich auch daraus, daß unwürdiger Genuß ein Schuldigwerden an Jesu Leib und Blut darstellt und das Gericht Gottes nach sich zieht (11,27–30). Krankheits- und Todesfälle in Korinth sind ein solches Gericht (11,30ff), in dem sich der Charakter des Herrenmahls als Paradiesesspeise widerspiegelt. Die Eucharistie ist aber überall nur ein einziges Brot, mit dem der Kyrios die Vielen zu seinem ekklesialen Leib in einem real-sakramentalen Sinne auferbaut (10,17), niemals freilich magisch; denn das Sakrament schließt Glaube und Ethos nicht aus, sondern ein (10,1–11; 11,27–34).

c. Johannes

Johannes bringt nicht die Einsetzung des Abendmahls, stattdessen Abschiedsreden mit Anklängen an dieses (13,34f; 15,1–8.12; 17,17.19), bietet aber dafür in der großen Brotrede 6,26–63 eine tiefe Erschließung des Sakraments.[34] Dabei spricht der johanneische Jesus so offen vor allem Volk über dieses und über sein Leiden, wie es der synoptische nie getan, wie es aber der Erhöhte durch den Mund der inspirierten Verkünder der Kirche tun kann. Die Rede ergeht im Anschluß an das Brotwunder, das schon stark auf die Eucharistie hin stilisiert ist.[35] Die Präambel der Rede schlägt die Brücke vom vergänglichen zu dem eigentlichen, eschatologischen, für das aionische Leben bleibenden Brot, das der Menschensohn geben wird (V. 27). Von ihm handelt dann die eigentliche Rede 6,31–63. Ihr literarisches Genus wird heute mit Recht als christologisch gestalteter Midrasch zu dem Schriftwort in V. 31 «Brot vom Himmel gab er ihnen zu essen» und dem dahinterstehenden heilsgeschichtlichen Ereignis angesehen.[36] Die zitierte Stelle begegnet in diesem genauen Wortlaut nicht im AT, sie ist wohl aus (Ps 78,24 und) Ex 16,4 und 16,15 kombiniert und läßt als Hintergrund das Mannawunder von Ex 16 aufscheinen. Von daher steht schon im ersten Teil der Rede (6,26–51) ein wirkliches Essen und in entfernterer Weise auch ein

---

[34] Aus der Literatur: X. Léon-Dufour, Le mystère du pain de vie: RSR 46 (1958) 481–523; H. Schürmann, Joh 6,51c – ein Schlüssel zur großen joh. Brotrede: BZ 2 (1958) 244–262; ders., Die Eucharistie als Repräsentation und Applikation des Heilsgeschehens nach Joh 6,53–58: TThZ 68 (1959) 30–45; 108–118; R. Schnackenburg, Die Sakramente im Johannesevangelium: Sacra Pagina II (Paris 1959) 235–254; ders., Das Joh-Evangelium II (Freiburg 1971) 41–102; J. Betz, Eucharistie II/1 S. 167–200; J. Giblet, Die Eucharistie im Johannesevangelium: Concilium 4 (1968) 744–749; H. Klos, Die Sakramente im Joh-Evgl. (Stuttgart 1970); ferner Anm. 36.

[35] Vgl. 6,4: Pascha; 6,11 (23): Danksagung und Austeilung; 6,12: Sammlung der übriggebliebenen Stücke.

[36] P. Borgen, Bread from Heaven (Leiden 1965).

wirkliches Trinken, nämlich das der Wasserspende von Ex 17 (Jo 6,35; vgl.
4,14; 7,38) im Hintergrund, so daß die Bezugnahme auf das tatsächliche
Essen und Trinken der Eucharistie (6,53–58) nicht nur nicht einen Fremdkörper und Gegensatz in der Rede,[37] sondern deren konsequente Vollendung darstellt. Der erste Teil der Rede ist für den eucharistischen zweiten
Teil (51c–58) mindestens offen, nach manchen Exegeten von vornherein auf
die Eucharistie entworfen (vgl. V 28.31.35.48–51b).

Die Rede entfaltet die Idee des Himmelsbrotes. Diesen Namen verdient
nicht schon ein Brot, das (nur) seine äußere Herkunft aus dem Himmel hat
wie das Manna, sondern erst jenes Brot, das aionisches Leben wirkt (V.33.
50f. 53f. 57f). Jesus selbst in seiner konkreten Menschlichkeit – so arbeitet
der erste Teil der Rede heraus (32–51b) – ist das vom Himmel herabgekom-
mene Lebensbrot in Person, das man sich im Glauben aneignen muß. Nach
V.6,51c aber *gibt* Jesus zukünftig ein Brot, nämlich «sein Fleisch für das
Leben der Welt». Diese Aussage bezieht sich einerseits auf Jesu Tod und
bringt die christologische Bildrede zum Abschluß, anderseits bringt sie als
Echo eines Einsetzungsberichtes die Eucharistie ins Spiel und bildet so den
Knotenpunkt der ganzen Rede. Verkörpert Jesu Person nach dem ersten
Abschnitt der Rede (6,32–51b) die Idee des Lebensbrotes, so verwirklicht
er sie nach dem zweiten Abschnitt (51c–63) in realer sakramentaler Weise
in der Eucharistie. Ob der charakteristische Begriff σάρξ von Johannes
übernommen oder erst geschaffen wurde, bleibt ungewiß. Er bezeichnet,
auch in Verbindung mit αἷμα (V.53ff), nicht den beim Opfer vom Blut getrennten Bestandteil Fleisch, sondern, wie das hebräische Begriffspaar
«Fleisch und Blut», den ganzen Menschen Jesus (vgl. 1,14), wie die Weiterführung durch das Personalpronomen «mich» in V.57 bestätigt. Der Terminus fängt die Katabasis-Aussagen der Bildrede ein. Außerdem enthält
die Benennung der Eucharistie als Fleisch speziell des Menschensohnes
(V.53) deren Bezug auf Inkarnation und Erhöhung. Erstere macht auch die
Sendungsidee V.57 eigens ausdrücklich. Nach Johannes zielt aber die Inkarnation auf den Opfertod (3,16; 12,27; 1 Jo 4,9f) ab. Die Eucharistie bringt
diesen zur Geltung, weil sie das «für das Leben der Welt» dahingegebene
Fleisch ist (6,51), weil dieses gegessen und das Blut getrunken wird, was
immer den Tod voraussetzt. Letztlich aber ist es die für den Menschensohn
charakteristische Erhöhung (1,51; 3,13ff; 8,28; 12,32), die das Abendmahl
allererst ermöglicht (6,62). Denn sie schafft die Voraussetzung für die Sendung des (in Jesus wesenden) Geistes (7,38f; 16,7) und macht Jesu Fleisch
mitteilbar und lebenspendend. Denn das Pneuma ist, wie das Göttliche an

---

[37] R. Bultmann, Das Ev. des Johannes (Göttingen 1963) 162, und ihm folgend G. Bornkamm, H. Köster, E. Schultz, E. Lohse betrachten die eucharistischen Verse 6,51c–63 als
Einfügung eines kirchlichen Redaktors. Gegen diese These wendet sich E. Ruckstuhl, Die
literarische Einheit des Johannesevangeliums (Fribourg 1951) 220ff.

Jesus (Röm 1,4; 1 Kor 15,45; 2 Kor 3,17; 1 Petr 3,18), so auch das Eigent-liche und Lebenspendende an der Eucharistie. Lebenspendend ist nicht schon das Fleisch für sich allein genommen, sondern das Pneuma, das aller-dings an die sarx gebunden ist (6,63).[38]

Dasselbe gilt auch für das Blut Jesu, wie Jo 19,34 und 1 Jo 5,6–8 ergibt. Aus der aufgerissenen Seite des toten Jesus, der als das wahre Paschalamm zur gleichen Stunde stirbt, da im Tempel die Osterlämmer geschlachtet werden, fließen, wie bei einem Lebendigen, Blut und Wasser hervor, weil sie vom Pneuma durchwirkt sind (7,38f; 19,36 zusammen mit Zach 12,10), und sie fließen weiter in den Sakramenten Taufe und Abendmahl. Es zeigt sich, daß der Tod Jesu nicht Ende ist, sondern neue Möglichkeiten eröffnet, daß Jesus als Gottessohn nicht allein im Wasser, sondern gerade auch im Blut des Abendmahls kommt und immer auf Grund des Geistes (1 Jo 5,6ff). Der vierte Evangelist bringt so in der Eucharistie nicht nur den Tod, son-dern ausdrücklich auch Inkarnation und Erhöhung zur Geltung für die Eucharistie. Diese ist caro Christi incarnata, passa et glorificata und als Fleisch und Blut des Menschensohnes die sakramentale Gegenwart des Heilsereignisses Jesus.

---

[38] Die anthropologische Deutung von V.63, wonach nur der gläubige Geist des Men-schen, nicht der sarkische Sinn die Eucharistie erfasse (Johannes Chrysostomus, J. Pa-scher, H. Kahlefeld, G. Bornkamm), zerreißt den Zusammenhang der johanneischen Dar-legung.

DOGMENGESCHICHTLICHER ÜBERBLICK

1. Die apostolischen Väter und Apologeten

Das Herrenmahl war von Anfang an die Herzmitte des christlichen Lebens und nicht zuerst Gegenstand der Spekulation, sondern der liturgischen Übung und gläubigen Erfahrung. Der Glaube suchte unter dem Schleier der Symbole die lebendige Begegnung mit Christus; so war es nur konsequent, daß das Herrenmahl vom Sättigungsmahl losgelöst und mit dem von der Synagoge angeregten Wortgottesdienst verbunden wurde, in dem Christus den Gläubigen im Wort begegnete. Die Kirche bemüht sich schon früh um eine Erschließung der Stiftung Jesu. Eine solche geschieht grundlegend in der bald einsetzenden Auffassung und Bezeichnung des Herrenmahls als *Eucharistie*. Darin artikuliert sich eine umfassende und tiefe Theologie des Herrenmahls. Der Terminus hat seine Grundlage in den ntl. Einsetzungsberichten, die Jesu Berakha mit εὐλογεῖν (so Mk/Mt beim Brotwort), mehr aber mit εὐχαριστεῖν (Pls/Lk überhaupt und Mk/Mt beim Kelchwort) wiedergeben. Der Wortgebrauch[1] wird dann erweitert: εὐχαριστία bezeichnet nicht nur das Gebet über den Gaben, sondern auch die ganze Handlung, schließlich die geweihten Elemente.[2] Ausgangs- und Anknüpfungspunkt ist die Idee der jüdischen Berakha.[3] Sie meint den dankenden, anerkennenden Lobpreis Gottes für seine Tat und Gabe, besagt die Herleitung eines Gutes von Gott und seine bleibende Rückbezogenheit auf ihn. Im christlichen Bereich wird dieser Sinngehalt noch verdeutlicht. Stärker als im profanen Griechisch bezeichnet hier εὐχαριστία nicht nur die dankbare Gesinnung, sondern deren äußere Bekundung. Wörtlich bedeutet ja auch das griechische εὐχαριστ-έω ich verhalte mich als Wohlbeschenkter. Dabei tritt wie von selbst die gewährte charis als Gottes Werk in den Vordergrund. Daher meint dann εὐχαριστία das Bedenken, das Gedächtnis der Heilstat Gottes. Die anamnetische Funktion der Eucharistia wird von den Vätern eigens und deutlich herausgestellt.[4] Diese Grundüberzeugung faßt am knappsten Theodor von Mopsuestia zusammen: εὐχαριστία ist die Auslegung der Gaben

---

[1] Dazu Th. Schermann, εὐχαριστία und εὐχαριστεῖν in ihrem Bedeutungswandel bis 200 n.Chr.: Philologus 69 (1910) 375–410.

[2] Stellenbeleg s. J. Betz, Eucharistie I/1 S. 157.

[3] Vgl. die Arbeiten von J.-P. Audet (oben S. 198, Anm. 20).

[4] So Barnabasbrief 5,3; Justin, Dial. 117,3 (Corp. Apol. II 418); Klemens Al., Strom. VII 79,2 (GCS III 56,17); Johannes Chrysostomus, In Mt. hom. 23,3 (PG 57,331): «Die schauervollen Mysterien werden eucharistia genannt, weil sie das Gedächtnis vieler Wohltaten sind.»

Gottes.[5] Beim Abendmahl bezieht sich das Danken primär auf die Erlösungstat Jesu, seit Irenäus aber auch auf die Schöpfungstat Gottes, die durch den Logos geschah.

Ist die eucharistia als Herleitung einer Gabe von Gott Gedächtnis, so ist sie als deren Rückführung zu Gott Opfer. Das hatte schon Philon herausgearbeitet,[6] und die Väter des zweiten Jahrhunderts vollziehen mit allem Nachdruck die Gleichung: eucharistia = Opfer. Für Justin sind Gebete und Dankungen die einzigen vollkommenen und Gott gefälligen Opfer,[7] und nach Irenäus opfern wir, indem wir seinem Wohltun (donatio) danken und seine Schöpfergabe heiligen.[8] Dieses dankende Opfer ist nicht autarke Leistung des Menschen an Gott, sondern geistiges Opfer ($\vartheta v\sigma i\alpha\ \lambda o\gamma\iota\varkappa\acute{\eta}$) des Lobes und der Anerkennung Gottes, das allerdings die sichtbare Gabe nicht aus-, sondern einschließt. Die dankende Darbringung rückt die Gaben in die Sphäre Gottes, wie dies auch das dankende Wort tut, indem es die Heilstat über sie und in sie hinein ausruft. So werden dieselben von der erinnerten Gottestat innerlich bestimmt, werden deren Objektivation und übernehmen die Bezeichnung: eucharistia. Damit tritt dann eine weitere Seite des Dankens ans Licht: die konsekratorische Funktion. Symptomatisch hierfür ist auch der transitive Gebrauch des Verbums. So leuchtet im urchristlichen Verständnis des Herrenmahls als Eucharistia eine tiefe Gesamtschau auf. Es erscheint als dankende Übernahme und opferhafte Anerkennung der Heilstat Gottes in Jesus Christus, als deren kultische Aktuierung. Auf diese Grundidee hin denken die griechischen Väter.

Das zeigt sich besonders bei Ignatius von Antiochien (gest. um 110).[9] Für ihn ist das Herrenmahl Einigung mit Jesus Christus selbst (Eph 20,2; Mg 1,2; 7,2), dem Leben schlechthin (Tr.pr.). In Christus ist, aller gnostischen Leugnung zum Trotz, Gott im Fleisch gekommen (Eph 7,2) und hat uns in seinem Blut erlöst (Eph 1,1; Sm 2). Die Eucharistie aber ist – und damit schlägt Ignatius ein Leitmotiv an, das die ganze griechische Patristik durchzieht – die Verifizierung der Christologie. Darum kann der Bischof seine innige mystische Sehnsucht nach Christus in eucharistischen Farben schildern. «Gottes Brot will ich, das ist Fleisch Jesu Christi, und als Trank will ich sein Blut, das ist unvergängliches Liebesmahl» (Röm 7,3). Das Mahlsakrament ist ihm «das Fleisch unseres Erlösers Jesus Christus, das für unsere Sünden gelitten, das der Vater in seiner Güte auferweckt hat»

---

[5] In Ps 34,18 (ST 93, 188, 14f).
[6] De spec.leg.I 195; 224; 297; 298; De vict.4; 9. Vgl. De plant. 130f.
[7] Dial.117,2 (Corp.Apol.II 418).
[8] Adv.haer.IV 18,6 (SourcesChr 100,612).
[9] Zur Literatur vgl.: W. Bieder, Das Abendmahl im christlichen Lebenszusammenhang bei Ignatius von Antiochien: EvTh 16 (1956) 75–97; H. Köster, Geschichte und Kultus im Johannesevangelium und bei Ignatius von Antiochien: ZThK 54 (1957) 56–69; S.M. Gibbard, The Eucharist in the Ignatian Epistles = TU 93 (Berlin 1966) 214–218.

(Sm 7,1), ist «das eine Fleisch unseres Herrn Jesus Christus und der eine
Kelch zur Einigung mit seinem Blut» (Phld 4), verbindet also mit dem
historischen und nun verherrlichten Christus. Immer sucht Ignatius durch
das Mittel der Eucharistie letztlich Jesus Christus selbst zu begegnen (Mg
1,2; 7,2). Sie ist ihm nämlich «Unsterblichkeitsarznei und Gegengift, daß
man nicht stirbt, sondern immerdar lebt in Jesus Christus» (Eph 20,2).
Hier kehrt in einem stärker hellenistischen Sprachkleid die uns aus der
Didache bekannte Vorstellung von der erneuerten, Leben und Unsterblichkeit vermittelnden Paradiesesspeise wieder.[10]

Das zweite Jahrhundert greift bewußt das johanneische Theologumenon
auf, das die eucharistische Fleischwerdung als sakramentale Fortsetzung der
Sendung Jesu ins Fleisch (Jo 6,57f) faßt, und erklärt demzufolge das Sakrament von der Inkarnation her. Diese Sicht gewinnt in der griechischen
Patristik große Bedeutung. Sehr klar wird sie bereits von Justinus dem
Martyrer (gest. um 165) zur Geltung gebracht.[11] Das Herrenmahl ist ihm
Gedächtnis nicht nur der Passion Jesu,[12] sondern auch seiner Inkarnation,[13]
ja er macht letztere zum Verstehensmodell für die Eucharistie. In Apol.I,66
schreibt er:[14]

«Nicht wie gewöhnliches Brot und gewöhnlichen Trank nehmen wir sie. Vielmehr: Auf die gleiche Weise wie der durch den Logos Gottes Fleisch gewordene
Jesus Christus, unser Erlöser, Fleisch und Blut (angenommen) hatte, so ist – wie
wir belehrt sind – auch die Speise, die durch ein Gebet um den von ihm (Gott)
stammenden Logos (oder durch ein von ihm stammendes Gebetswort) zur
Eucharistie geworden ist, eben jenes fleischgewordenen Jesus Fleisch und Blut, wie
denn (überhaupt) Fleisch und Blut aus Speise auf Grund der Nahrungsumwand-
lung gebildet wird.»

Justin will damit sagen: Wie die heilsgeschichtliche, so die eucharistische
Fleischwerdung. Das Ergebnis ist in jedem Fall ein und dasselbe Fleisch
und Blut Jesu. Die innere Möglichkeit der eucharistischen Fleischwerdung
erläutert der Apologet[15] vermittels der natürlichen Nahrungsassimilation.
Dieser Vergleich schließt ein, daß der Logos die Mahlgaben ergreift, sich
einverleibt und anverwandelt. Gerade in der Vermittlung des Logos liegen
Wert und Würde des Sakraments.

---

[10] Hingegen haben die Häretiker in ihren separaten Feiern (vgl. Sm 7,1; Eph 5,3; Mg
7,1; Phld 4) eine Todesarznei nach Trall.6,2.
[11] O.Casel, Die Eucharistielehre des hl. Justinus Martyr: Der Katholik I 94 (1914)
153ff; Otilio del N. Jesús in: Rev.Esp. de Teol.4 (1944) 3–58.
[12] Dial. 41,1 (Corp.Apol.I 138); 70 (ebd. 254).
[13] Dial. 70 (ebd.).
[14] Apol.I 66 (Corp.Apol.I 180/2).
[15] Zur Exegese der Stelle vgl. J.Betz, Eucharistie I/1 S.268ff; O.Perler, Logos und
Eucharistie nach Justinus I.Apol.c.66: DTh 18 (1940) 296–316.

Ähnlich beschreibt auch Irenäus[16] von Lyon das Abendmahlsgeschehen nach Analogie der Inkarnation. Die Elemente «empfangen den Logos Gottes hinzu und werden zur Eucharistie, zum Leib und Blut Christi».[17] Diese besteht denn auch «aus zwei Realitäten, einer himmlischen und irdischen».[18] Sie vermittelt nämlich letztlich den Logos, den man «als Arznei des Lebens» nehmen,[19] den man «als Brot der Unsterblichkeit essen und trinken»[20] muß. Durch ihn erlangen dann die mit der Eucharistie genährten Leiber die Auferweckung.[21] So garantiert das Abendmahl die von der Gnosis geleugnete Einbeziehung des Leibes ins Heil, wie es mit der Darbringung der Gaben die Gutheit der Schöpfung erweist.[22]

Das Beste, was das zweite Jahrhundert geleistet hat, ist die Ausgestaltung der eucharistischen Liturgie. Wenn in den später greifbar werdenden Hochgebeten feste Gestaltungen und Formulierungen begegnen, so erklärt sich dies am besten aus vorausgehenden Bemühungen auf breiter Basis, verstand sich doch die frühe Kirche wesentlich als Kommuniongemeinschaft. Welche Reife die Liturgie um 200 erreicht hatte, ersehen wir beispielhaft aus dem Hochgebet in der Kirchenordnung Hippolyts. Es bietet traditionelles[23] und allgemein verbreitetes Gut in durchaus individueller Auffassung und Formulierung. Unter dem Motto εὐχαριστῶμεν besingt es das Heilswerk Gottes in Christus, das seine Zusammenfassung in der Einsetzung der Eucharistie erfährt. Darauf folgt ein theologisch reflektierender Teil. Das Ganze[24] lautet:

«Wir sagen dir Dank, o Gott, durch deinen geliebten Knecht Jesus Christus, den du uns in den letzten Zeiten gesandt hast als Heiland und Erlöser und Boten deines Ratschlusses. Er ist dein Logos, mit dir untrennbar verbunden; durch ihn hast du alles geschaffen. Nach deinem Wohlgefallen hast du ihn vom Himmel in den Schoß der Jungfrau gesandt, und in ihm wurde er Fleisch und ward als dein Sohn erwiesen, geboren aus dem heiligen Geiste und der Jungfrau. Deinen Willen zu erfüllen und dir ein heiliges Volk zu erwerben, spannte er im Leiden die Hände aus, um die vom Leiden zu erlösen, die an dich glauben. Und da er sich dem freiwilligen Leiden überlieferte, um den Tod zu entmachten, die Fesseln des Teufels

---

[16] Dazu zuletzt J. P. de Jong, Der ursprüngliche Sinn von Epiklese und Mischungsritus nach der Eucharistielehre des hl. Irenäus: ALW 9 (1965) 28–47.

[17] Adv. haer. V 2,3 (SourcesChr 153,36); vgl. auch IV 18,5 (SourcesChr. 100, 611f).

[18] Adv. haer. IV 18,5 (SourcesChr. 100, 611f).

[19] Adv. haer. III 19,1 (Harvey II 102).

[20] Adv. haer. IV 38,1 (SourcesChr 100, 946/8). Auch nach der Epideixis 57 (BKV II 625) trinken die Gläubigen den Herrn und empfangen sein Pneuma.

[21] Adv. haer. V 2,3 (SourcesChr 153, 36).

[22] Adv. haer. IV 18,4 (SourcesChr 100, 606).

[23] Die Kirchenordnung will traditio apostolica bieten. Einige Verszeilen über Jesu Heilswerk finden sich auch im Barnabasbrief 5,3; vgl. J. Betz, Eucharistie II/1 S.166.

[24] Lateinische Version, abgedruckt in A. Hänggi-I. Pahl, Prex eucharistica (Fribourg 1968) 81. Die Heimat der Anaphora ist umstritten. Manche Forscher (wie J. A. Jungmann) suchen sie in Rom, andere (J. M. Hanssens) in Ägypten, andere (G. Dix) mit wohl mehr Recht in Syrien.

zu sprengen, die Unterwelt niederzutreten, die Gerechten zu erleuchten, einen
Markstein zu setzen und die Auferstehung kundzutun, nahm er das Brot, sagte
Dank und sprach: Nehmet hin und esset! Das ist mein Leib, der für euch gebrochen wird. Ebenso den Kelch, indem er sagte: Dies ist mein Blut, das für euch vergossen wird. Sooft ihr dies tut, tut es zu meinem Gedächtnis!

Eingedenk also seines Todes und seiner Auferstehung bringen wir dir das Brot
und den Kelch dar, indem wir dir Dank sagen, daß du uns für würdig befunden
hast, vor dir zu stehen und dir den Dienst zu tun. Und wir bitten dich: Sende deinen heiligen Geist auf diese Darbringung der Kirche. Indem du sie zur Einheit
versammelst, gib allen Heiligen, die davon genießen, Erfüllung mit dem heiligen
Geist zur Stärkung des Glaubens in Wahrheit, auf daß wir dich loben und preisen
durch deinen Knecht Jesus Christus, durch den dir Ruhm und Ehre ist, dir dem
Vater und dem Sohne mit dem heiligen Geiste in deiner heiligen Kirche, jetzt und
in alle Ewigkeit. Amen.»

Hier haben wir eine klassische, unüberbietbare Leistung vor uns. Besondere
Bedeutung hat für uns der auf den Einsetzungsbericht folgende reflektierende
Passus, der die dogmatische Überzeugung der Zeit um 200 ausspricht. Er faßt das
ganze Geschehen in den Blick und hebt als dessen ersten Grundzug in dem
«memores» die Anamnesis hervor. Dieselbe geschieht aber nicht punktuell erst an
dieser Stelle, sondern schon in der vorausgehenden Proklamation des Heilswerkes
Gottes in Christus. Das Gedächtnis erfolgt aber nach Weise einer kultischen Darbringung: memores offerimus. Und auch die Darbringung geschieht nicht erst
hier, sondern im ganzen Eucharistievollzug. So ist derselbe gesehen als das selbst
opferhafte Gedächtnis des Heilswerkes Jesu. Das ist die «Meßerklärung» der frühen Zeit. Schließlich wird noch ein anderer Grundzug des ganzen Geschehens in
der Epiklese bewußt gemacht. Ihre Sinnspitze geht wohl nicht so sehr auf die
Wandlung, als vielmehr auf eine fruchtbare Kommunion, die im ekklesialen Horizont gesehen wird. Diese Grundeinsichten in den Charakter der Eucharistie als
Anamnesis, Prosphora, Epiklese kehren in den übrigen (späteren) Liturgien wieder. Die Epiklese wird mehr und mehr zur Wandlungsepiklese fortgebildet. Sie
steht in Ägypten vor dem Einsetzungsbericht.

2. Die Eucharistie in der alexandrinischen Theologie

Die Alexandriner[25] erblicken Wesen und Würde des Christentums in der
Teilhabe am göttlichen Logos, der uns in Jesus Christus zugänglich wurde.
Vorzügliches, wenn auch nicht einziges Mittel der Logoskommunion ist
ihnen die Eucharistie. Mit der Gesamtkirche bekennen sie, auch die spiritualistisch eingestellten frühen Denker Klemens und Origenes, dieselbe als
Christi Leib und Blut und letztlich als den totus Christus.[26] Was ihnen aber
das Abendmahl so wertvoll macht, ist die Tatsache, daß es letztlich Leib und

[25] Dazu P.Th.Camelot, L'Eucharistie dans l'école d'Alexandrie: Divinitas 1 (1957)
71–92.
[26] Belege unten S. 291 f.

Blut *des Logos*,[27] dessen sakramentale Erscheinungsweise und Objektivation ist. Nach Klemens ist «die Speise der Kyrios Jesus, der Logos Gottes, Fleisch gewordenes Pneuma, geheiligtes himmlisches Fleisch»,[28] nach Origenes ist sie «das substantielle Brot» der Vaterunserbitte und also «die wahre Speise, nämlich das Fleisch Christi, dem Sein nach der Logos, der Fleisch geworden ist».[29] Hier wird deutlich: Der Logos wird gegenwärtig auf Grund der Inkarnationsanamnese, die tragendes Fundament alexandrinischer Eucharistielehre bleibt. So denken Eusebius von Caesarea, Athanasius, Serapion von Thmuis, Didymus, Cyrill, ferner die Kappadozier Basilius, Gregor von Nazianz, Gregor von Nyssa.

Der Empfang des Logos in Gestalt leibhaftiger Speise ist in Alexandrien aber nicht die einzige und nicht die höchste Kommunionweise. Er ist vielmehr typisch für die einfachen Christen, die Pistiker (für die Klemens den «Erzieher» schreibt). Der vollendete Christ hingegen, der Gnostiker, kommuniziert noch auf eine mehr geistige Weise. Der Logos ist ja vor allem Offenbarer und Lehrer von Ideen, seine Gabe Erkenntnis und Wahrheit, und diese Größen eignet man sich stilgerecht auf geistige Weise an. Diese Lösung vertritt bereits Klemens in den Stromata. Da ist des Gnostikers Speise die höchste unmittelbare Schau, Fleisch und Blut des Logos sind für ihn die Erfassung der göttlichen Macht und Wesenheit, Essen und Trinken des göttlichen Logos ist die Erkenntnis dieser göttlichen Wesenheit, die Logosmitteilung eine mehr geistige.[30] In diesem Zusammenhang zitiert Klemens bezeichnenderweise – Platon! Diese spiritualistische Auffassung, nicht die realpräsentische stellt denn auch die wahre Hellenisierung der Eucharistie dar! Für die frühen Alexandriner ist das vollendete Abendmahl die geistige Aneignung des Logos, wie jede geistige Aneignung des Logos zu einem Abendmahl wird.

Noch radikaler geht Origenes diesen Weg. Gelegentlich stellt er den leiblichen Empfang des Leibes und Blutes Christi und die geistige Aufnahme des Wortes nebeneinander,[31] prinzipiell aber gibt er der zweiten Kommunionweise als der der «Klügeren» und «tiefer Hinhörenden» eindeutig den Vorrang.[32] Folgerichtig rückt das Wort zum eigentlichen Sakrament des Logos und zum wahren Gehalt der Eucharistie auf, wie seine Exegese des

---

[27] Klemens, Paed. I 6,42,3 (GCS I 115, 20–22); Origenes, In Ex hom. 13,3 (GCS VI 274, 13); In Lev hom 9,10 (GCS VI 438,18); In Num hom. 7,2 (GCS VII 39f); In Mt ser. 86 (GCS XI 199,21).

[28] Paed. I 6,43,3 (GCS I 116, 2–4). Der Logos erscheint als sakramentale Nahrung auch 41,3; 42,2f; 47,2.

[29] De oratione 27,4 (GCS II 365, 22–24).

[30] Stromata V 10,66 (GCS II 370, 20).

[31] In Ex hom. 13,3 (GCS VI 274, 5–13); In Num hom. 16,9 (GCS VII 152, 4f); In Jo tom. 32,24 (GCS IV 468, 13–16).

[32] In Lev hom. 13,6 (GCS VI 477, 15ff); In Mt ser. 86 (GCS XI 198, 15); In Jo tom. 32,24 (GCS IV 468, 15).

Einsetzungsberichts zeigt. Das Brot und der Trank, die Jesus als seinen Leib bzw. sein Blut bekannte, seien nicht die Realitäten gewesen, die er in Händen hielt, «sondern das *Wort*, das die Seelen nährt und die Herzen berauscht», «in dessen Sakramentalität jenes Brot gebrochen, jener Trank vergossen werden soll».[33] Noch weiter treibt Origenes die Abwertung der sichtbaren Abendmahlsgabe, wenn er auf diese Jesu Aussage Mt 15,11 («Nicht, was in den Mund eingeht, verunreinigt den Menschen, sondern was aus dem Munde hervorgeht»), ferner Röm 14,23 und 1 Kor 8,8 anwendet, um so das Problem der unwürdigen Kommunion zu bewältigen. Was den Menschen heilige, sei nicht die konsekrierte Speise – sonst würde ja auch der unwürdige Empfänger geheiligt –, sondern das Gewissen des Menschen und sein Ethos (das von ihm auch als Nahrung der Seele bezeichnet wird). Der Genuß als solcher nütze nicht, der Nichtgenuß schade nicht. Wenn etwas Nutzen bringe, so sei es das über den Elementen gesprochene Gebet, das hellsichtig macht.[34] Diese Auffassung, die zunächst alle Wirkung des Sakraments von der subjektiven Seite des Empfängers herleitet, dann aber als objektives Wirkmoment das Wort anerkennt, muß als Versuch verstanden werden, die schwierige Frage der unwürdigen Kommunion zu bewältigen und die subjektive Disposition des Empfängers zur Geltung zu bringen; sie ist fernerhin Ausdruck eines hellenistischen Spiritualismus. Sie hat aber auch eine positive Seite: In der Betonung des Wortes als Gehalt des Sakraments meldet sich ein genuin christliches Anliegen an, nämlich die Sakramentalität des Wortes; leider wird sie auf Kosten der sichtbaren Elemente betont.

Die Idee der geistigen Kommunion spricht eine richtige Erkenntnis aus. Sie aber gegen die mündliche Kommunion auszuspielen, wie Origenes es tut, bedeutet eine Verkürzung der Stiftung Jesu. Die weitere alexandrinische Theologie und Frömmigkeit hat die Übertreibung des Origenes stillschweigend korrigiert und die geistige Kommunionweise neben und zusammen mit der mündlichen praktiziert. Die Grundaussage bleibt, daß das Abendmahl den Logos, die Nahrung der Geistwesen[35], vermittle. Athanasius bringt eine soteriologische Vertiefung. Der Logos ist ihm nicht Vermittler von Ideen, sondern des Heils, der Erlösung. Diese besteht in der Vergöttlichung des Menschen, auch seines Leibes, kann nur durch den Logos geschehen und setzt dessen Leibwerdung voraus. «Wir werden vergöttlicht nicht durch die Teilhabe am Leibe eines Menschen, sondern indem wir den Leib *des Logos* empfangen».[36] Weil die Eucharistie Leib des Logos ist, darum

---

[33] In Mt ser. 85 (GCS XI 196, 19–197, 6).
[34] In Mt tom. 11,14 (GCS X 57,11–58,14).
[35] Vgl. Eusebius, Comm. in Ps 77,25 (PG 23,920); De eccl. theol. I 20,34f (GCS IV 86, 31–87,1); Athanasius, Festbrief 7 (Larsow 101).
[36] Athanasius, Epistula ad Maximum phil. (PG 26,1088C); vgl. auch Ps.-Chrysostomus, Hom. de pascha 2,18 (SourcesChr 36,91).

ist und vermittelt sie letztlich Pneuma.[37] Diese pneumatisch-soteriologische Sicht wird dann von Cyrill von Alexandrien,[38] einem Höhepunkt patristischer Abendmahlstheologie, voll entfaltet. Die «mystische Eulogie», wie er das Sakrament gern nennt, hat als Proprium die göttliche Prärogative «lebenspendend», weil sie Leib des Logos ist. Denn der Leib Christi, sei es der historische, sei es der eucharistische, ist mit dem Logos, dem Inbegriff des Lebens, geeint;[39] und zwar ist er unmittelbar[40] und substantiell[41] mit ihm geeint, ja einer mit ihm[42] und ihm (direkt) zugehörig, wie der Leib eines Menschen diesem zugehört und von ihm besessen wird.[43] Cyrill greift dafür die Formel σὰρξ ἰδία τοῦ λόγου auf,[44] die auch im 11. Anathematismus von Ephesus (DS 262) wiederkehrt. Die Aussagen bedeuten, daß der historische wie eucharistische Leib Christi nicht sich selbst gehört, seinen Selbstand, seine Subsistenz nicht in sich, sondern im Logos besitzt. Das hat zur Folge, daß die dargebrachten Gaben in Leib und Blut Christi, näherhin in die Kraft und Wirkmächtigkeit (δύναμις καὶ ἐνέργεια) des Logos verwandelt, lebenspendend werden.[45] Cyrill übernimmt die andernorts längst gebräuchliche Wandlungsidee. Er erhellt auf der Basis des eucharistischen Inkarnationsprinzips die ontische Struktur der konsekrierten Gaben, faßt deren Verhältnis zum Logos unter dem Gesichtspunkt der Subsistenz.[46] Dies besagt, daß die Elemente vom Logos getragen und durchherrscht, sein Leib und Blut werden. Cyrill beschreibt diese Wandlung vornehmlich als dynamische, als Wandlung in die Wirkmächtigkeit des Logos. Die totale ontologische Auslotung seines Ansatzes im Sinne der Wesenswandlung hat er noch nicht, er bleibt im dynamischen Wesensbegriff stecken. Zusammenfassend läßt sich von der alexandrinischen Spiritualität sagen, sie suche im Herrenmahl den Logos. Sie kann ihn ergreifen, weil er hier eine sakramentale Inkarnation vollzieht. So bleibt in dieser Sicht die Menschheit Jesu noch im Blickfeld, sie wird allerdings von der Logosidee überstrahlt.

---

[37] Ps.-Athanasius, wahrscheinlich Marcell von Ancyra, De incarnatione et contra Arianos 16 (PG 26, 1012): «Lebenspendendes Pneuma ist das Fleisch des Herrn, weil es aus dem lebenspendenden Pneuma stammt. Alles nämlich, was aus dem Pneuma stammt, ist Pneuma.» Cyrill v. Al., In Jo (6, 64) comm. 4, 3 (PG 73, 604).

[38] A. Struckmann, Die Eucharistielehre des hl. Cyrill von Alexandrien (Paderborn 1910).

[39] In Jo comm. 4, 2 (PG 73, 576) u. ö.

[40] Quod unus sit Christus (PG 75, 1360).

[41] καθ᾽ ὑπόστασιν: Contra Nest. 1 prooem. (ACO I 1, 6 pg. 15, 37).

[42] In Jo (6, 54) comm. 4, 2 (PG 73, 576. 580CD).

[43] Apol. contra Orient. 96/97 (ACO I 1, 7 pg. 58/9); Apol. contra Theodoretum 86 (ACO I 1, 6 pg. 143, 15 ff).

[44] Viele Belegstellen, bes. in den antinest. Werken.

[45] Fragment zu Mt 26, 26 (TU 61, 255); vgl. auch Fragment zu Lk 22, 19 (PG 72, 912).

[46] Ähnlich Marcus Eremita, Adversus Nestorianos 8. 23 (ed. G. Kunze 11. 24).

3. Die vorephesinischen Antiochener

Ungleich stärker wurden Menschheit und Heilswerk Jesu in der orientalischen Theologie beachtet, die in Antiochien einen eigenständigen Typus entwickelte, in dem Motive des semitisch-palästinensischen Denkens stärker nachwirkten. Diese Theologie will bewußt Schrifttheologie sein, aber nicht Eisegese in kühner Allegorie, sondern Exegese des Literalsinnes. Sie ist auf das Konkrete und Geschichtliche ausgerichtet, ihr besonderes Interesse gilt daher der vollen Menschheit Jesu und seinem Heilswerk. Das zeigt sich gerade auch wieder bei der Eucharistie,[47] die hier vor allem als Sakrament der Menschheit Jesu gilt. Dabei wird nun die Idee der Anamnesis entfaltet. Was den Umfang der erinnerten Heilstaten anlangt, so wird auch hier die Inkarnation gesehen, der Nachdruck liegt aber auf der Durchführung und Vollendung des Heilswerkes, also auf Tod und Auferstehung Jesu. Auch solche Theologen, die wie Eusebius von Caesarea und die drei Kappadozier in der alexandrinischen Logostheologie beheimatet sind, betonen stärker als die Alexandriner das Todesgedächtnis, wohl auch auf Grund lokaler liturgischer Traditionen. Ist so das ganze Erlösungswerk Jesu von der Inkarnation bis zur Erhöhung Gegenstand der Anamnesis, so ist deren Verwirklichung das ganze Abendmahlsgeschehen nach seiner Grundstruktur. Darum heißen die Mahlelemente und der liturgische Vollzug mit und an ihnen Symbol und Typus des Heilswerks.[48] Das bedeutet, daß das Abendmahl seine innere Prägung und eigentliche Bestimmtheit von letzterem wie ein Abbild vom Urbild erhält, das Urbild in ihm zum Ausdruck, zur Erscheinung, zur Gegenwart kommt, sich jetzt in ihm ereignet. Das hat mit letzter Klarheit Johannes Chrysostomus,[49] der Theologe der Anamnesis, in einem klassischen Text herausgestellt, der die Abschaffung der alttestamentlichen Opfer so kommentiert:

«Opfern nicht auch wir jeden Tag? Jawohl, auch wir opfern (täglich), aber indem wir ein Gedächtnis seines Todes begehen; und dieses ist eines, nicht viele. Wieso eines und nicht viele? Weil er nur einmal dargebracht wurde, wie jenes ins Allerheiligste gebrachte Opfer. Dieses ist ein Typus von jenem, und ebenso ist das unsrige ein Typus von jenem. Denn wir opfern immer denselben (Christus), nicht heute dieses und morgen jenes Lamm, sondern immer dasselbe. Also ist es nur ein einziges Opfer (Opfergabe). Sind es nun deshalb, weil vielerorts dargebracht wird, viele Christusse? Keineswegs! Vielmehr ist es überall der eine Christus, hier in seiner Ganzheit und dort in seiner Ganzheit, ein einziger Leib. Wie nun der vielerorten Dargebrachte (nur) *ein* Leib ist und nicht viele Leiber, so ist es auch nur ein

---

[47] Zur antiochenischen Eucharistielehre vgl. L. Lecuyer, La théologie de l'anaphore selon les Pères de l'Ecole d'Antioche: L'Orient Syrien 6 (1961) 385–412.

[48] Belege s. J. Betz, Eucharistie I/1 S. 217–242.

[49] A. Naegle, Die Eucharistielehre des hl. Johannes Chrysostomus (Freiburg 1900); G. Fittkau, Der Begriff des Mysteriums bei Johannes Chrysostomus (Bonn 1953).

einziges Opfer (*ϑυσία* = Opferhandlung). Unser Hoherpriester ist jener, der das uns reinigende Opfer (am Kreuz) dargebracht hat. *Jenes* bringen wir auch *jetzt* dar, das einst dargebrachte, das unausschöpfliche. Das jetzige geschieht nämlich zum Gedächtnis des einst geschehenen. Denn er sagt: Tut dies zu meinem Gedächtnis! Nicht ein anderes als der Hohepriester damals, sondern dasselbe bringen wir allezeit dar, oder vielmehr: Wir vollziehen ein Gedächtnis des Opfers.» [50]

Chrysostomus behauptet die Identität nicht nur der einen Opfergabe Christus in allen Messen, sondern auch die Identität unserer Opferdarbringung mit Jesu Opferhandlung am Kreuz; das Wort *ϑυσία* umschließt beide Aspekte. Auch Theodoret wiederholt, daß wir nicht ein anderes Opfer (als Jesus) darbringen, sondern ein Gedächtnis desselben. [51] Zustande kommt diese Identität durch das Band der Anamnesis. Ihr zufolge gewinnt die vergangene Heilstat Jesu in der Liturgie ein «Jetzt». [52] Das bekennt auch Theodor von Mopsuestia; [53] nach ihm wird Jesus geopfert vermittels der Symbole, er stirbt, steht von den Toten auf und steigt in den Himmel empor. [54] Theodor aber tut ein Weiteres: Er ordnet bestimmte Teile der Messe bestimmten Ereignissen des Heilsweges Jesu zu (Kat. 15,9 ff). Dabei rückt er den Akzent ganz auf die Epiklese des Heiligen Geistes, die er mit der Auferstehung parallelisiert. In beiden Fällen macht der Geist den vorher toten Leib Jesu (15,26) lebendig, verbindet ihn endgültig und innigst mit der Gottheit, verleiht ihm Unsterblichkeit und die Macht, auch andere unsterblich zu machen. [55] Damit verzeitlicht Theodor das Mysterium und verleitet zur allegorischen Meßerklärung sowie zur Auffassung der Epiklese als dem eigentlichen Konsekrationsakt.

Die Betonung der Anamnesis wirkt sich im Bannkreis der antiochenischen Theologie dann auch auf die Auffassung der konsekrierten Mahlgaben aus. Diese werden hier nämlich viel ausdrücklicher mit dem geopferten Leib und Blut des historischen Jesus identifiziert. Auf eine solche Gleichsetzung deutet im Grunde die Wertung der Eucharistie als das Pascha. Dieselbe Gleichsetzung geschieht auch da, wo die Eucharistie als Beweis für die Wirklichkeit des Menschseins Jesu angeführt wird. [56] Am deutlichsten setzt das Gleichheitszeichen zwischen historischem und eucharistischem Leib Johannes Chrysostomus, deshalb «Doctor eucharistiae»

---

[50] In Hebr hom. 17,3 (PG 63,131); zur Exegese vgl. J. Betz, Eucharistie I/1 S.191.

[51] In Hebr 8,4–5 (PG 82,736).

[52] Andere Zeugnisse s.unten S. 279.

[53] Dazu F. J. Reine, The Eucharistic Doctrine and Liturgy of the Mystagogical Catecheses of Theodore of Mopsuestia (Washington 1942); J.Quasten, The Liturgical Mysticism of Theodore of Mopsuestia: Theolog.Studies 15 (1954) 431–439.

[54] Kat. 15,20 (ST 145, 497); 16,11 (551).

[55] Kat. 15,10 (475); 12 (479); 16,11 (551).

[56] Adamantius, De recta in Deum fide (GCS 184,14); Ephräm, Adv.haer., 47,8 (BKV 61 Rücker 166); Johannes Chrysostomus, In 1 Cor hom. 24,5 (PG 61,204).

genannt. Ihm ist das Sakrament der Leib, der in der Krippe lag, den Jesus bei seinem letzten Mahle reichte, den Judas verriet, der angenagelt und durchstochen ward, den aber der Tod nicht behielt, der jetzt in der Höhe thront. Der Kelch enthält das aus der Seite Jesu geflossene Blut.[57] Um dieser Identität willen lehnt dann Theodor von Mopsuestia die Bezeichnung der konsekrierten Elemente als Symbole ab; sie sind wirklich der Leib und das Blut Christi,[58] zunächst nach dem Einsetzungsbericht der leblose, im Grab ruhende Leichnam,[59] nach der Epiklese der auferstandene, mit dem Geist erfüllte, unsterbliche und unsterblich machende Leib.[60] Auch die Thomas-akten (158), die Apostolischen Konstitutionen (VII 25,4), Ephräm[61] und Theodoret[62] bekennen die Identität des sakramentalen und des geschicht-lichen Leibes. Gregor von Nyssa, der sich um eine Synthese zwischen alexan-drinischer und antiochenischer Auffassung bemüht, unterstreicht die Sel-bigkeit des eucharistischen Leibes mit dem inkarnierten. Daß auch in der antiochenischen Theologie im ersteren der totus Christus gesehen wird, ist auf einem semitisch beeinflußten Sprachboden gut verständlich.[63]

Die vom Glauben erspürte Gleichsetzung des sakramentalen mit dem wirklichen Leib Christi wird denkerisch abgesichert durch die Idee der Wandlung. Die Mahlgaben sind nicht bloße Naturdinge mehr, sondern vom Heiligen Geist erfüllt und verwandelt. Denn die Wandlung geschieht da-durch, daß der Heilige Geist – nach Gregor von Nyssa der Logos selbst – die Elemente berührt, ergreift, umdirigiert, zu Leib und Blut Jesu macht. Die verwendeten Wandlungstermini $\mu\varepsilon\tau\alpha\beta\dot{\alpha}\lambda\lambda\varepsilon\iota\nu$, $\mu\varepsilon\tau\alpha\pi\omega\iota\varepsilon\tilde{\iota}\nu$ usw.[64] und ähnliche drücken eine Umordnung hinsichtlich Besitz, Funktion und Mäch-tigkeit aus. Der Wandlungsbegriff wird also genau wie das Wesen vorwie-gend dynamisch-funktionell gefaßt, noch nicht bis zur letzten ontologischen Tiefe vorgetrieben. Wandlung und Wesen der Eucharistie sind nicht den Sinnen zugänglich, sondern nur vom gläubigen Denken erkennbar, sie sind nach Johannes Chrysostomus wesentlich $\nu o\eta\tau\acute{o}\nu$.[65] Diese Kennzeichnung will aber nicht einer Spiritualisierung und Reduzierung des Sakraments das Wort reden, sondern seinen verborgenen übernatürlichen Mehrwert

---

[57] Viele Belege, massiert In 1 Cor hom. 24 (PG 61, 200–205).

[58] Fragment zu Mt 26, 26 (TU 61, 133 f).

[59] Kat. 15, 26 (ST 145, 505/7).

[60] Kat. 15, 10 (475); 12 (479); 16, 11 (551).

[61] De fide 19, 2. Vgl. noch E. Beck, Die Eucharistie bei Ephräm: Oriens Christ. 38 (1954) 41–67.

[62] In 1 Cor 11, 28 (PG 82, 317).

[63] Belege unten S. 292. Der Kommunionempfang wird als Begegnung mit Christus emp-funden, so Cyrill v. Jerusalem, Cat. myst. 5, 21 (Sources Chr. 126, 170); Theodor v. M., Kat. 16, 28 (ST 145, 579); Ephräm, In diem nat. Dom. (BKV Zingerle 42). Ganzheitlich lautet auch die Aussage des Johannes Chrysostomus, Christus liege geschlachtet auf dem Altar; so De sacerd. 3, 4 (PG 48, 642) u. ö.; vgl. auch Cyrill, Cat. myst. 5, 10 (160).

[64] Belege unten S. 300, Anm. 109. Vgl. J. Betz, Eucharistie I/1 308–318.

[65] In Mt hom. 82, 4 (PG 58, 713).

sicherstellen. Ihn spricht auch das Eucharistieattribut «schauervoll» (φριχτός, φοβερός) aus.

4. Die griechischen Väter nach Ephesus

Nach dem Ephesinum verblaßt die große, tiefe und umfassende Sicht des Mysteriums. Selbst bei den Antiochenern tritt die christologisch-anamnetische Schau zurück. Symptomatisch hierfür ist, daß dort und fast überall[66] die Wandlungsaussagen verschwinden, ja direkt abgelehnt werden. Die Losung hierzu geht überraschenderweise von den Antiochenern Nestorius, Eutherius von Tyana, Theodoret von Cyrus und dem Briefautor ad Caesarium aus.[67] Sie machen geltend: Brot und Wein bleiben, was sie sind, erfahren keine Wandlung der Natur (φύσις, οὐσία), wohl aber einen Namenswechsel, den der Glaube bejaht. Die Elemente heißen Leib und Blut Jesu, wie umgekehrt Christus sich Brot des Lebens und Weinstock nennt. Doch ist das Geschehen nicht reine Namensänderung und bloßes Sprachereignis. Nach Eutherius, Theodoret und anderen empfangen die in ihrer Natur bleibenden Elemente dazu die Gnade des Geistes, also einen übernatürlichen Zuwachs, heißen darum Leib und Blut Christi.[68] Der Grund aber, warum man die Wandlung leugnet, ist nicht allein der Augenschein und ein ungeklärter Wesensbegriff, sondern primär die Christologie. Gegen einen Monophysitismus, der die Menschheit Jesu in seiner Gottheit aufgehen läßt, machen diese Antiochener den unverwandelten Fortbestand der beiden Naturen in Christus auch nach seiner Auferstehung geltend – und erhärten den christologischen Dyophysitismus durch einen eucharistischen, weil der Fortbestand der Gestalten ihnen als ein brauchbares Demonstrationsmodell erscheint. Denn grundsätzlich gelten ja Christologie und Eucharistiefeier als Analogiefälle. Das Argument besticht auch andere. Um der zwei Naturen in Christus willen lehnen nämlich sogar die strengen Chalcedonianer Papst Gelasius (gest. 496),[69] Ephräm von Antiochien (gest. 545)[70] und implizit auch Leontius von Jerusalem[71] die Wandlung der Natur der Elemente ab, ja sogar der Monophysit Philoxenus von Mabbug stimmt in dieses Lied ein.[72]

---

[66] Ausnahmen Severus v. Ant., Epist. ad Misael (Brooks II/2, S. 238); Apophtegmata Patrum (PG 65, 160: Christus verwandelt seinen Leib in Brot!).

[67] Nestorius, Liber Heraclidis I/1, 41 (Driver-Hodgson 32); II/1 (327). Eutherius v. Tyana, Antilogien (Tetz 12f); Epistola ad Caesarium (PG 52,570); Theodoret, Eranistes I (PG 83,56); II (168).

[68] Nach Nestorius, Lib. Heracl. I 1,58 (D.-H55), sehen wir im Brot den Leib, weil es Christus als sein prosopon (Erscheinungsweise) genommen hat.

[69] De duabus naturis in Christo tr. III (Thiel 541).

[70] Bei Photius (PG 103,980).

[71] Adv. Nestorianos 53 (PG 86,1728).

[72] Tract. de trinitate et incarn. (CSCO 2/27,100).

Die Zeit nach Chalcedon bringt keine nennenswerten Fortschritte mehr. Die namhaften Monophysiten Timotheus Aelurus, Severus und Philoxenus, die materialdogmatisch eher nominelle als tatsächliche Monophysiten waren, aber auch die (von ihnen beeindruckten) Chalcedonier Leontius von Byzanz, Kaiser Justinian und Maxentius konzentrieren ihr ganzes Interesse auf die Teilhabe am Logos. Gegenüber der Meinung des Nestorius,[73] Leib und Blut Jesu hätten schon an sich wegen des erlösenden Leidens erlösende Bedeutung, wiederholen sie unablässig, daß alles Heil vom Logos stamme, und wenn die Eucharistie als heilswirksam geglaubt werde, dann nur deswegen, weil sie den *Logos* vermittelt. Monophysiten und Chalcedonier bestehen auf der Formel: Leib des *Logos*[74] bzw. *Gottes*.[75] Wenn einmal Tod und Auferweckung erwähnt werden, dann werden sie nicht direkt mit dem eucharistischen Leib (wie bei Johannes Chrysostomus), sondern mit dem Logos verbunden (Leib des Logos, des Inkarnierten, Gekreuzigten, Auferstandenen).[76] Die Gottheit des Logos überstrahlt alles, die Menschheit Jesu tritt in den Hintergrund. Demgegenüber schafft sich der immer von der realistischen Verkündigung der Liturgie genährte, von der abstrakten Theologie unbefriedigte Volksglaube einen Ausgleich: In massiven ultrarealistischen Wunderberichten wird – auch bei Monophysiten – dargetan, daß das Herrenmahl wirklich und buchstäblich Jesu geopferter Leib und sein vergossenes Blut ist.[77] In der Theologie betonen Ps-Caesarius von Nazianz und nachhaltiger Anastasius Sinaita die Realpräsenz mit der Formel αὐτὸ τὸ σῶμα τοῦ Χριστοῦ (ἀληϑινόν)[78]. Der letztere führt sogar einen christologischen Beweis für die Verweslichkeit des Fleisches Jesu vor der Auferstehung mit Hilfe der Verweslichkeit der Hostie.[79] So verfehlt der Beweis ist, weil er den Unterschied zwischen natürlicher und sakramentaler Seinsweise nicht achtet, so eindeutig bestätigt er den realistischen Glauben seines Autors.

Eine Zusammenfassung der vorausgehenden Bemühungen versucht am Ende der patristischen Ära Johannes von Damaskus in der Schrift De fide orthodoxa 4,13. Zunächst bestimmt er den Stellenwert des Sakraments im Rahmen der christlichen Wirklichkeit. Es trägt den gefallenen Menschen zu

---

[73] Liber Heraclidis I 1,38 f. 41 (Driver-Hodgson 29.30.32 f.).

[74] Chalcedonier: Leontius v. Byzanz, Adv. Nest. et Eutychianos (PG 86,13 84); Justinian; Ep. gegen die Drei Kapitel (BAA Schwartz 52); Conf. rectae fidei (Schwartz 74); Maxentius, Dial. contra Nestorianos (ACO IV/2 Schwartz 30 f.).

[75] Timotheus Aelurus macht sie zur Spendeformel!

[76] Vgl. Severus, Fragm. zu Lk 22,19 (Mai Class. Auct. X 438 f.); Epist. ad Victorem (PO 12,262 f.).

[77] Vgl. u.a. Apophtegmata Patrum; Johannes Rufus, Plerophoriae; Anastasius Sinaita, Ennarrationes utiles; Cyrill v. Scyth., Vita Euthymii; u. a. m.

[78] Ps.-Caesarius (PG 38,1132); Anastasius, Viae Dux 23 (PG 89,297). Übrigens hat die Formel schon Severus, Fragment zu Lk 22,19 (Mai 438).

[79] Viae Dux 23 (PG 89,297).

Gott empor, entspricht seiner leibgeistigen Natur, nährt als pneumatische Speise die Seele,[80] unterliegt daher nicht den Bedingungen der Verdauung (PG 94,1152). Die Idee der Anamnesis reflektiert er nicht ausdrücklich, wendet sie aber in Gestalt des Inkarnationsprinzips an. Dagegen greift er bewußt die Wandlung wieder auf, die nach ihm durch die Herabkunft des Heiligen Geistes auf die Elemente geschieht (1145). «Gott verbindet mit ihnen seine Gottheit und macht sie zu Leib und Blut» (1141). Das Kommunionbrot ist «nicht gewöhnliches Brot, sondern mit der Gottheit geeintes» (1149), ist der Leib aus der Jungfrau (1141), der Leib des Gekreuzigten (1149). Johannes läßt also keinen Zweifel an der Identität des eucharistischen mit dem wirklichen Leib Christi.[81] Er überträgt nun die christologischen Grundsätze auch auf den eucharistischen Leib und das Blut und erklärt, daß sie «hypostatisch mit der Gottheit geeint und daß zwei Naturen in dem von uns empfangenen Leib Christi hypostatisch geeint»[82] seien. Beschreibt er hier das Ergebnis der Eucharistie als hypostatische Einigung mit der Gottheit, so wird er sich auch das Zustandekommen derselben als hypostatische Verbindung der Elemente mit dem Logos gedacht haben, zumal er sie allgemein als Verbindung mit der Gottheit kennzeichnet. Er scheut sich ausdrücklich, den letzten Schleier vom Wie des Mysteriums wegzuziehen (1145), gibt uns aber Anstöße, in der von ihm eingeschlagenen Richtung zu suchen.

5. Die lateinischen Väter

Die Eucharistielehre der Lateiner ist nicht so geschlossen und perspektivenreich wie die der Griechen. Auch in ihr lebt die Grundidee der memoria des Erlösungswerkes, die Gegenwärtigsetzung besagt. Das besondere Interesse des Westens gilt aber den Mahlgaben. Bereits Tertullian identifiziert sie erstaunlich klar mit Jesu Leib und Blut. Christus macht durch das Brot seinen Leib gegenwärtig (repraesentat),[83] nichts davon darf auf die Erde fallen,[84] frevlerische Hände verunehren ihn.[85] Wenn Tertullian das Herrenmahl Adv. Marc. 4,40 «figura corporis» nennt, so will diese Bezeichnung die Realität des Leibes in keiner Weise symbolistisch verflüchtigen, sondern im Gegenteil unterstreichen und garantieren, soll sie doch die gnostische These von der Irrealität und Scheinhaftigkeit des historischen Leibes Jesu widerlegen.

---

[80] PG 94, 1137.

[81] Letztlich ist die Eucharistie «unser Herr Jesus Christus, der vom Himmel herabgekommen ist» (1137).

[82] De imaginibus 3, 26 (PG 94, 1348).

[83] Adv. Marc. 1, 14 (CC 1, 455).

[84] De cor. mil. 3 (CC 2, 1043).

[85] De idol. 7 (CC 2, 1106). Zu den Mahlgaben vgl. noch De orat. 6 (CC 1, 261); De pudic. 9, 16 (CC 2, 1298); De spect. 13 (CC 1, 239); De res. mort. 8 (CC 2, 931); Ad ux. 2, 4f (CC 1, 388f).

Eine «figura» sei kein Phantom (vacua res), sondern setze als konkret Erscheinendes ein corpus voraus,[86] wobei «corpus» die Wirklichkeit überhaupt bedeutet.[87] So sehr ist also die Eucharistie auf den historischen Leib Jesu bezogen, daß sie dessen Wirklichkeit erweist. Aber auch – so lautet die Fortsetzung – die «substantia» corporis, die konkrete Wesensart dieser Realität habe Jesus kundgemacht, und zwar durch die Beifügung des Blutes. So erweise das Fleisch die Wirklichkeit des corpus, das Blut aber dessen Fleischcharakter. Damit werden Fleisch und Blut als einander zugeordnete *Teile*, also im Grunde dichotomistisch, verstanden: Ein für das Abendmahl folgenschweres Problem meldet sich hier schon an. Tertullian bezeugt auch die andere Wesensseite der Eucharistie, ihre Opferhaftigkeit: Er nennt sie sacrificium[88] und oblatio[89] und spricht ihren inneren Konnex mit dem Opfer Jesu in dem Satz aus: «rursus mactabitur Christus».[90]

Cyprian wendet sich gegen Eucharistiefeiern, die von gewissen Leuten nur mit Wasser, ohne Wein begangen wurden.[91] Jesu Erlösungsblut sei aber nur im Kelch, wenn dieser Wein enthält, der als Jesu Blut schon im Alten Testament angezeigt und deutlich gemacht wird (ostendi).[92] Denn das ist unbezweifelter Glaube sowohl Cyprians als auch der «Aquarier», daß sie im Abendmahl Jesu Leib und Blut empfangen.[93] Der Gebrauch von Brot und Wein ist schon in der Schrift vorbestimmt. Der Wein weist speziell auf Jesu Leiden hin, wie dies auch seine natürliche Symbolik tut: Er setzt ja Kelterung voraus, Jesu Blut die Kelter seines Leidens.[94] Unser Vollzug ist oblatio und sacrificium und hat einen wesentlichen Bezug auf Jesu Leiden: «Das Opfer, das wir darbringen, ist die Passion des Herrn»,[95] «Christi Blut wird geopfert».[96] Das Opfer Christi vergegenwärtigt sich demnach im Opfer der Christen; so verdeutlicht Cyprian die Idee der memoria.

Die Mahlelemente symbolisieren nicht nur Christi Leiden, sondern auch das christliche Volk. Das eine Brot aus vielen Körnern, der aus vielen Trauben gepreßte Wein stellen das in Christus eins gewordene Volk, die Mischung von Wasser und Wein dessen Verbindung mit Christus dar.[97]

[86] Adv. Marc. 4, 40 (CC 1, 656).
[87] So auch De carne Chr. 11 (CC 2, 894 f); auch von Gott wird corpus ausgesagt Adv. Prax. 7, 8 (CC 2, 1166).
[88] De orat. 19 (CC 1, 268); De cultu fem. 2, 11 (CC 1, 366).
[89] De cor. mil. 3 (CC 2, 1043); Ad ux. 2, 8 (CC 1, 393).
[90] De pud. 9, 11 (CC 2, 1298).
[91] Ep. 63 (CSEL 3, 701–717), die erste euch. Monographie.
[92] Ep. 63, 2 (702); 63, 13 (711).
[93] Ep. 63, 15 (714); 57, 2 (652); 58, 1.9 (657.665); vgl. noch Ep. 15, 1 (514); 16, 2 (519); De laps. 15 f (CSEL 3, 248).
[94] Ep. 63, 7 (705).
[95] Ep. 63, 15 (713).
[96] Ep. 63, 9 (708).
[97] Ep. 63, 13 (711 f); vgl. auch 69, 5 (754).

Bemerkenswert ist, daß die Einheit des Volkes der Kirche nicht erst Frucht, sondern Voraussetzung des Herrenmahls ist und in ihm sich ausdrückt. Diese Konzeption bedeutet, daß die Gegenwart Christi schon in seiner Gemeinde Ausgangsmoment der Eucharistie und Wesensvollzug der Kirche ist. Augustinus wird diese Sicht entfalten. Außerhalb der Kirche gibt es keine gültige Taufe und Eucharistie.[98]

Auch Ambrosius geht es in seinen Katechesen De Mysteriis (M) und De Sacramentis (S) vornehmlich um die Realität von Jesu Leib und Blut. Im Sakrament ist der aus der Jungfrau stammende und gekreuzigte Leib,[99] der Leib Gottes, ja Christus selbst[100] zugegen. Gegen allen Augenschein ist dem so auf Grund des Wortes Jesu,[101] das auch heute noch in seiner Person ergeht,[102] in dem die Elemente eine neue Bezeichnung (significari, nuncupari)[103] erhalten, die aber Wirklichkeit ausspricht. Denn das Wort (sermo) Christi wandelt – wie bei Johannes Chrysostomus – die Gaben, was Ambrosius mit einer reichen Terminologie[104] entfaltet. Wenn Christi Wort Nichtseiendes schafft, kann es auch Schonseiendes ändern, kann Naturen begründen und wandeln.[105] Allerdings werden Leib und Blut Jesu nicht in ihrer konnaturalen Erscheinung (species),[106] sondern nur in einer similitudo gegenwärtig,[107] damit nicht der Schauder vor menschlichem Blut vom Sakrament abhalte. Man empfängt aber die Gnade und Kraft der (neuen) Natur,[108] worunter er die dynamische Wirkmacht, noch nicht das metaphysische Wesen eines Dinges versteht.[109] Wie die Wandlung ontologisch vor sich geht, diese Frage stellt er noch nicht. Seine Position ist der «Metabolismus». Ambrosius bezeugt auch den Opfercharakter. Die Darbringung des Opfers ist die Deutlichmachung (significari) des Todes, der Auferstehung und der Himmelfahrt Jesu.[110]

Unter den Lateinern kennt Hieronymus, der fleißige Leser des Origenes, neben der realistischen auch eine spiritualistische Kommunion, eine «nicht nur im Sakrament, sondern auch in der Lesung der Schrift»[111] geschehende. Im Abendmahl wird Christus immer geopfert.[112] Der von griechischer

---

[98] Ep. 70, 2 (768); De unit. 8 (CSEL 3, 217).
[99] M 9, 53 (CSEL 73, 112).
[100] M 9, 58 (115).
[101] S 4, 5, 23 (CSEL 73, 56).
[102] S 4, 4, 14 (52).
[103] M 9, 54 (CSEL 73, 113).
[104] Näheres s. unten S. 303.
[105] M 9, 52 (112).
[106] M 9, 54 (113); S 4, 4, 20 (54).
[107] S 4, 4, 20 (54); 6, 1, 3 (73).
[108] S 6, 1, 3 (73).
[109] S 6, 1, 3 (72f); M 9, 52 (112).
[110] S 5, 4, 25 (69).
[111] In Eccl. 3, 12 (CC 72, 278).
[112] Ep. 21, 26 (CSEL 54, 129).

Theologie berührte Hilarius von Poitiers erklärt das Herrenmahl vornehmlich von der Inkarnation her[113] und als objektives (naturalis), nicht nur willensmäßiges Mittel der Einung mit Gott. Es ist ihm «der im Fleisch bleibende Christus»,[114] das Verbum caro, das im Sakrament seine fleischliche und ewige Natur verbindet.[115]

Problemgeladen und bis zur Stunde umstritten ist die Lehre Augustins, der sich zwischen Realismus, Symbolismus und Spiritualismus bewegt.[116] Als Bischof bezeugt er den traditionellen realpräsentischen Glauben der Kirche. So erklärt er, das Brot auf dem Altar und der Kelchinhalt seien durch Gottes Wort geheiligt und Leib und Blut Christi.[117] «Das Fleisch, in dem Christus gewandelt, hat er uns zu essen gegeben; wer es ißt, betet es zuvor an.»[118] «Christus selbst trug bei den Worten ‹Dies ist mein Leib› zweifellos seinen eigenen Leib in seinen Händen».[119] Er ist im Abendmahl Priester und Opfergabe.[120] Dieser Realismus[121] erfährt aber eine merkwürdige Brechung und Abschwächung, wo der Theologe Augustin das Mysterium ausdeutet. Es ist bezeichnend, daß er – was im Lichte des allgemeinkirchlichen Glaubens noch angeht – oft den modalen Unterschied zwischen sakramentalem und natürlichem Leib Jesu betont,[122] nicht aber deren Identität. Denn das Abendmahl ist ihm primär und wesentlich Zeichen. Er nennt es signum,[123] figura,[124] similitudo[125] des Leibes und Blutes, im gleichen Sinne versteht er auch den Terminus sacramentum.[126] Das Zeichen

[113] De Trin. 8,13.15 (PL 10,246.247f); 10,18 (PL 10,356f).

[114] Ebd. 8,16 (PL 10,249).

[115] Ebd. 8,13 (PL 10,246).

[116] Protestantische Forscher (z. B. Harnack, Loofs, Seeberg, Holl u. a.) deuten Augustin als reinen Symbolisten. Ältere katholische Autoren deuten ihn im Sinne des Realismus und Metabolismus, so Schanz und Lecordier. Die neuere katholische Forschung (K. Adam, G. Rauschen, F. Hofmann, J. Ratzinger) sucht seine Mittelstellung, seine «schwebende Mitte» (M. Schmaus) zu orten. Literatur: K. Adam, Die Eucharistielehre des hl. Augustinus (Paderborn 1908); F. Hofmann, Der Kirchenbegriff des hl. Augustinus (München 1933) 390–413; J. Ratzinger, Volk und Haus Gottes in Augustins Lehre von der Kirche (München 1954); W. Gessel, Eucharistische Gemeinschaft bei Augustinus (Würzburg 1966); W. Simonis, Ecclesia visibilis et invisibilis (Frankfurt 1970) 109ff.

[117] Sermo 227 (PL 38,1099); 234,2 (PL 38,1116); 272 (PL 38,1246f); s. Guelf. 7,1 (Misc. Agost. I, ed. G. Morin, 462).

[118] En. in Ps 98,9 (PL 37,1264).

[119] En. in Ps 33,1.10 (PL 36,306).

[120] Civ. Dei 10,20 (CSEL 40,1,481).

[121] Weitere Belege K. Adam 62f. Die Sermones Denis 3 und 6 mit ihren realistischen Aussagen sind wohl unecht.

[122] Vgl. Sermo 57,7 (PL 38,389); 71,11.17 (PL 38,455); 112,4 (PL 38,645); 272 (PL 38,1246f); In Jo tr.25,12 (PL 35,1602); 27,2.3.5 (PL 35,1616f); Civ. Dei 21,20.25 (CSEL 40,2,552f.564–567); In Ps 98,9 (PL 37,1264f).

[123] C. Adim. 12 (CSEL 24,140).

[124] In Ps 3,1 (PL 36,73); vgl. Doctr. chr. 3,16,24 (CSEL 80,94).

[125] Ep. 98,9 (CSEL 34,530).

[126] Bes. Civ. Dei 10,5 (CSEL 40,1,452).

weist in Augustins platonisierender Sicht auf die eigentliche Wirklichkeit
(res) hin wie das konkrete Ding auf die Idee, bleibt aber hinter deren Seinsdichte wesentlich zurück. Die Namensidentität zwischen Zeichen und
Bezeichnetem beruht nicht auf Identität (des Wesens), sondern nur auf
Ähnlichkeit (similitudo), so daß «secundum quendam modum das Sakrament des Leibes Christi Leib Christi, das Sakrament des Blutes Christi Blut
Christi ist».[127] Daß die eigentliche Wirklichkeit (res), Leib und Blut Jesu,
nicht direkt in den konsekrierten Zeichen enthalten ist, sondern außerhalb
ihrer bleibt, lehrt Augustin auch dadurch, daß nach ihm die Bösen, Häretiker und unwürdige Katholiken, Fleisch und Blut Christi nur im Zeichen,
nicht in der Wahrheit, solo sacramento, nicht aber re ipsa,[128] re vera,[129]
empfangen.[130] Jesu Gegenwart bei uns nach seiner Auffahrt sieht er in seiner
Majestät, seiner Vorsehung, seiner Gnade gegeben, nicht in seinem
Fleisch.[131] Anderseits aber weitet unser Kirchenvater die res der Eucharistie
auch aus: Als diese gilt ihm nicht nur der individuelle, sondern der universale, ekklesiale Leib Christi, der totus Christus caput et corpus, die Viel-
Einheit der Christen in Christus,[132] (letztlich) die societas der Prädestinierten
in der ecclesia sancta.[133] Wir empfangen, was wir sind,[134] und wir sind, was
wir empfangen.[135] Als biblische Begründung hierfür dient die Formulierung
von 1 Kor 10,17: Unus panis, unum corpus multi sumus. Das Abendmahl
ist somit Wesensvollzug der Kirche als Leib Christi, Aktuierung der Einheit zwischen Christus und den Christen, wobei der Seinsbezug auf Christus
und die Mitchristen nicht auf verschiedenen Ebenen, einmal auf der realistischen, das andere Mal auf der symbolhaften verläuft, sondern eine in Christus zentrierte Einheit ist.

Die Einheit mit Christus und den Mitchristen, die res ipsa des Sakraments,
ist letztlich personal-geistiger Natur – und darauf steuert Augustinus ge-
radewegs los. Realisiert wird sie in Glaube, Hoffnung, Liebe.[136] So verlagert sich der Schwerpunkt von den konsekrierten Mahlgaben weg auf den
Vollzug, auf das *geistige* Tun der Teilnehmer, das konstitutive Bedeutung
erhält. Unermüdlich predigt Augustinus das *geistige* Verständnis der Eucha-

[127] Ep. 98,9 (CSEL 34,531).
[128] Ep. 185, 11,50 (CSEL 57,43).
[129] Civ. Dei 21,25 (CSEL 40,2,567).
[130] Civ. Dei 21,25 (CSEL 40,2,567); In Jo tr. 26,18 (PL 35,1614); 27,11 (PL 35,1621);
Sermo 131,1 (PL 38,729); Ep. 185,11,50 (CSEL 57,43).
[131] In Jo tr. 50,13 (PL 35,1763).
[132] Sermo 227 (PL 38,1100f); 272 (PL 38,1247); Guelf. 7 (Misc. Ag. I 463); Ep. 187,6.20
(CSEL 57,99); In Jo tr. 26,15 (PL 35,1614); Civ. Dei 22,10 (CSEL 40,2,614). Dazu vgl. die
Arbeiten von W. Gessel und W. Simonis.
[133] In Jo tr. 26,15 (PL 35,1614).
[134] Sermo 272 (PL 38,1247).
[135] Sermo 227 (PL 38,1101); Guelf. 7 (Misc. Ag. I, 463).
[136] So gibt der wohl unechte Sermo Denis 6,2 (vgl. Sermo 229) Augustins Idee treffend
wieder.

ristie und meint damit nicht nur – wie andere Väter – die Anerkenntnis ihres empirisch unbeweisbaren Wesens als Leib und Blut Jesu, sondern deren innere volle Aneignung mit dem Herzen, nicht nur mit dem Munde,[137] die liebende Verbindung mit Christus und den Mitchristen. Fleisch und Blut Jesu genießen heißt «in Christus bleiben und ihn bleibend in sich haben».[138] Es gilt das berühmte Axiom: crede et manducasti.[139] Damit rückt aber von selbst das Opfermoment in den Vordergrund. Denn jedes Werk, das der Gottgemeinschaft dient, alle liebende Selbsttranszendenz auf Gott, Christus und die Menschen hin ist Opfer, und das sichtbare äußere Opfer ist Objektivation, Zeichen, sacramentum des inneren Opfers.[140] So wird auch «die Kirche in dem, was sie darbringt, selber dargebracht».[141] Zugleich hat aber das Opfern der Kirche auch einen wesentlichen Bezug auf das einmalige Kreuzesopfer Christi, ist dessen memoria,[142] dessen sacramentum,[143] dessen Aktgegenwart, denn Christus wird täglich für das Volk geopfert,[144] vergießt täglich sein Blut.[145] Die Opfertat des Hauptes Christus west an im Tun der Kirche, die als sein Leib sich selbst durch ihn zu opfern lernt.[146]

Die Kirche objektiviert ihre Selbstdarbringung und das Opfer Jesu in den Gaben von Brot und Wein, gibt ihnen die Richtung auf Gott. Allerdings werden sie für Augustinus nicht identisch mit Christi Leib und Blut, sondern sind nur deren sacramentum, Zeichen. Was sind sie aber damit letztlich? Aliud videtur, aliud intelligitur.[147] Sie sind mehr als Naturdinge, sind Symbole, Hinweise für den Glauben, sich mit Christus und den Mitchristen geistig zu verbinden, sind auch mehr als nur didaktisch-noetische Hilfsmittel und subjektive Merkzeichen. Sie erhalten nämlich durch das Wirken des Heiligen Geistes[148] eine Heiligung,[149] werden etwas Neues und vermögen, was sie vorher nicht vermochten,[150] erquicken den Geist,[151] entfalten einen fructus spiritualis,[152] sind ein Mittel, wovon man lebt,[153] spiri-

---

[137] In Jo tr. 26, 12 (PL 35, 1612).
[138] In Jo tr. 26, 18 (PL 35, 1614).
[139] In Jo tr. 25, 12 (PL 35, 1602).
[140] Civ. Dei 10, 5–6 (CSEL 40, 1, 452–456).
[141] Civ. Dei 10, 6 (CSEL 40, 1, 456).
[142] C. Faust. 20, 18 (CSEL 25, 559).
[143] Civ. Dei 10, 20 (CSEL 40, 1, 481).
[144] Ep. 98, 9 (CSEL 34, 531).
[145] Sermo 216, 3 (PL 38, 1078).
[146] Civ. Dei 10, 20 (CSEL 40, 1, 481).
[147] Sermo 272 (PL 38, 1247).
[148] Trin. 3, 4, 10 (PL 42, 874).
[149] Sermo 227 (PL 38, 1101); 234, 2 (PL 38, 1116); Guelf. 7 (Misc. Ag. I, 462); C. Faust. 20, 13 (CSEL 25, 552).
[150] S. Guelf. 7 (Misc. Ag. I, 462).
[151] Sermo 57, 7 (PL 38, 389).
[152] In Jo tr. 26, 11. 12 (PL 35, 1601f).
[153] In Jo tr. 26, 13 (PL 35, 1602f).

tualis alimonia.[154] Der Leib Christi kann aber nur vom Geiste Christi leben.[155] Wenn auch Augustinus nicht offen sagt, der Geist (bzw. die Gnade) ergreife die Gaben und verbinde sich mit ihnen, so besteht doch ein bestimmter Zusammenhang zwischen ihnen. Vielleicht kommt man der Auffassung unseres Kirchenvaters nahe, wenn man annimmt, die sakramentalen Gestalten erhielten durch die Darbringung und Konsekration einen *objektiv-intentionalen* Bezug auf die res ipsa, auf Jesu Leib und Blut und auf die Gemeinschaft mit Christus und den Mitchristen, einen Bezug, der aber nicht nur im gläubigen Bewußtsein der Teilnehmer besteht, sondern eine objektive Realität ist, die Elemente qualifiziert, so daß sie eine Anwartschaft auf Christusgemeinschaft erwirken, die dann nach Maßgabe der subjektiven geistigen Aneignung wirksam wird. Darum essen die Unwürdigen nicht den Leib Jesu, sondern das Gericht.

Nach alledem bleibt der Lehrer von Hippo in Sachen Realpräsenz hinter dem vollen Glauben der Catholica zurück. Fragen wir nach den Gründen, so wirkt sich hier wohl eine platonische Grundhaltung aus, die das Sichtbare gegenüber dem Unsichtbaren abwertet, sodann eine verengte Christologie, die die prinzipielle Bedeutung der Inkarnation als solcher nicht gebührend beachtet und in Jesus zu exklusiv den Lehrer sieht, ferner die typisch abendländische Anthropozentrik, die auf den Ertrag für den Menschen und die zu erbringende Leistung schaut. Einen wichtigen, vielleicht den entscheidenden Grund für die Entleerung des objektiven Sakramentsgehalts aber dürfte die einseitige Ekklesiologie Augustins bilden, die die Zuwendung jeglicher Gnade und damit auch des Leibes Christi an die Häretiker außerhalb der Kirche nicht zugeben will und die Kirche auf die Heiligen beschränkt. Nicht zufällig hat Augustinus gerade in der antidonatistischen Polemik besonders spiritualistisch argumentiert. So begegnet uns in Afrika, bei Origenes im Osten und bei Augustinus im Westen, ein merkwürdiger Spiritualismus, der teils aus gleichen, teils aus verschiedenen theologischen Wurzeln genährt wird. Bleibende Bedeutung hat die augustinische Verflechtung der Eucharistie im Sein der Kirche.

Augustinus hat mit seinem Symbolismus, der das Zeichen (sacramentum) scharf von der bezeichneten Wirklichkeit (res) trennt, der weiteren Entwicklung der Folgezeit eine schwere Hypothek aufgebürdet. Seine Position machte Eindruck. Fortan werden augustinischer Symbolismus und ambrosianisch-liturgischer Realismus teils miteinander sich verschlingen, teils in Spannung zueinander treten. Zunächst hat man die augustinischen Gedanken einfach realistisch interpretiert und aufgefüllt. So tun etwa Faustus von Riez und Gregor der Große. Ersterer bringt besonders die Wandlungsidee zur Geltung,[156] letzterer den Opfercharakter. Christus, der als Auf-

---

[154] Sermo 57, 7 (PL 38, 389).   [155] Ebd.

[156] Ps.-Hieronymus, Hom. 38 (PL 20, 271–276); überliefert auch als Ps.-Caesarius in PL 67, 1052–1056 und unter dem Namen Isidors in PL 83, 1225–1228.

erstandener in sich nicht mehr stirbt, leidet auf Grund unserer Darbringung im Mysterium wiederum für uns. Sooft wir ihm sein Passionsopfer darbringen, sooft stellen wir seine Passion wieder hin (reparamus).[157] Auf eine Synthese von Realismus und Symbolismus ist auch Isidor von Sevilla bedacht.[158] Im Sakrament haben wir unter der Hülle körperlicher Dinge die virtus divina am Werk.[159] Isidor gibt eine doppelte Kennzeichnung des Herrenmahls, die dann Geschichte macht. Es ist sacrificium (= sacrum factum), insofern es durch die prex mystica als Gedächtnis des Herrenleidens gefeiert wird, und ist Sakrament, insofern es durch den Heiligen Geist zu Leib und Blut Christi und damit zur Eucharistie, d.i. zur bona gratia wird, da es nichts Besseres als Jesu Leib und Blut gibt.[160] So rückt die Realpräsenz wieder in den Vordergrund. Allein Harmonisierung konnte die sachliche Spannung zwischen Realismus und Symbolismus auf die Dauer nicht lösen. Sie drängte zum Kampf, der im Mittelalter ausgetragen wurde.

6. Zwischen Patristik und Scholastik: der erste Abendmahlsstreit

Im ganzen Mittelalter herrscht unbestritten der Glaube, daß der Christ in der Eucharistie am Opfertod Christi teilnehme. Zeuge hierfür ist die Blüte der «rememorativen Meßallegorese»,[161] die die einzelnen Riten und Gebete der Messe bestimmten Ereignissen des Lebens Jesu zuordnet, die Messe zum dramatischen Nacherlebnis des Schicksals Jesu macht. Der diese Konzeption dem Mittelalter schenkte, war Amalar von Metz.[162] Sie hat sich gegen den vereinzelten Widerspruch des Florus von Lyon und später Alberts des Großen überall durchgesetzt. Das große Problem des frühen Mittelalters[163] aber wurde die Frage nach dem Wesensgehalt der konsekrierten Elemente, die Frage um Recht oder Unrecht des Realismus und Symbolismus. Zunächst finden beide Richtungen ihre Anhänger; den ersteren vertreten Alkuin und Amalar, in etwa auch Florus und Hincmar von Reims, den letzteren Beda und extrem Johannes Skotus Eriugena. Die Spannung zwischen den beiden Tendenzen führt zum ersten Abendmahlsstreit, den der Abt von Corbie Paschasius Radbertus 844 auslöst. Das Herrenmahl ist ihm nicht nur eine göttliche Kraft, sondern das, als was es

---

[157] Gregor, Hom. in Evang. 2,37,7 (PL 76, 1279 A); ähnlich in Dial. 4, 58 (PL 77, 425 D).

[158] Dazu vgl. J. R. Geiselmann, Die Abendmahlslehre an der Wende der christlichen Spätantike zum Frühmittelalter (München 1933).

[159] Etym. 6,19,40 (PL 82, 255 C).

[160] Etym. 6,19,38 (PL 82, 255 B).

[161] Klassische Darstellung bei A. Franz, Die Messe im deutschen Mittelalter (Freiburg 1902, Darmstadt 1963) 351–740. Vgl. noch R. Schulte, Die Messe als Opfer der Kirche = LQF 35 (1959).

[162] A. Kolping, Amalar von Metz und Florus v. Lyon: ZKTh 72 (1951) 424-462.

[163] Vgl. dazu J. R. Geiselmann, Die Eucharistielehre der Vorscholastik (Paderborn 1926); ders., Die Abendmahlslehre (Index).

verkündet wird. Das sakramentale Fleisch ist kein anderes als das aus Maria geborene und am Kreuz gestorbene.[164] Durch die Wandlung werden die Elemente zur figura, die als similitudo die geistliche Realität *in sich* enthält. Wie der Metabolismus bleibt Paschasius beim «Daß» der Wandlung stehen, nach dem Wie fragt er noch nicht.

Die behauptete Identität des eucharistischen und historischen Leibes Jesu ruft erregten Protest hervor, so bei Hrabanus Maurus, Gottschalk, am heftigsten bei Rathramnus, ebenfalls Mönch aus Corbie. Er insistiert auf dem Unterschied zwischen dem Zeichen und dem Bezeichneten und charakterisiert ihn mit den Begriffen veritas – imago. Die geweihten Gaben sind Leib und Blut Christi in gewisser Weise, nicht im konkreten (corporaliter), sondern im geistigen (spiritualiter) Verständnis.[165] Sie sind Symbole (figura, similitudo) und haben als solche in der platonisierenden Sicht des Mönches einen deutlichen ontischen Abstand von der veritas, aber doch auch eine gewisse Teilhabe an ihr. Und dies um so mehr, als sie durch die Konsekration eine göttliche potentia empfangen und mit dieser eine Einheit, eben Leib und Blut Jesu werden (Kap. 16). Sie haben daher nicht eine signifikative, sondern auch eine reale Mächtigkeit. Rathramnus spricht in diesem Zusammenhang auch von Wandlung durch den Logos (Kap. 25), leugnet aber ausdrücklich eine innere Veränderung des Seinsbestandes der Elemente ab und bekennt nur einen Zuwachs an virtus. Er denkt etwa wie Theodoret und Papst Gelasius, also noch nicht absolut antimetabolistisch (Geiselmann), sondern steht meines Erachtens noch mit einem Fuß im Metabolismus,[166] schickt sich aber an, diesen aufzusprengen, da er nach dem Sein der Elemente fragt und deren seinshafte Wandlung ausdrücklich ablehnt.

Den Realismus betonen (nach Rathramnus) in der Folgezeit[167] Haymo von Halberstadt, Rather von Verona, Responsio cuiusdam anonymi, Atto von Vercelli, Heriger von Lobbes, Fulbert von Chartres, Gerard von Cambrai.

7. Der zweite Abendmahlsstreit unter Berengar und die Sicherung der Realpräsenz in der Scholastik

Den entscheidenden Abschnitt der Lehrentwicklung eröffnet Berengar von Tours (gest. 1088),[168] der mit einer sensualistischen Ontologie und scharf-

---

[164] Liber de corpore et sanguine Domini 1,2 (PL 120,1269B); 12,1 (1310C); 21,9 (1340C).

[165] De corpore et sanguine Domini 74 (PL 121,158BC).

[166] Vgl. noch J.F.Fahey, The Eucharistic Teaching of Ratramn of Corbie (Mundelein, Ill. USA 1951).

[167] Näheres s. Geiselmann, Vorscholastik 258–281.

[168] Seine Schrift De sacra coena ist ediert von W.H.Beekenkamp ('s Gravenhage 1941). Vgl. noch P.G.Meuß, Die Abendmahlslehre Berengars (masch. Diss. Tübingen 1955); P.Engels, De Eucharistieleer van Berengarius v. T.: Tijdschr. v. Theol. 5 (1965) 363–392.

sinnigen Dialektik die Eucharistie rationalistisch ausdeuten will. Ausgehend vom augustinischen Sakramentsbegriff signum gratiae scheidet er scharf Zeichen und Bezeichnetes. Leib und Blut Christi sind die res sacramenti, nicht aber das sacramentum selbst (d.h. die zeichenhaften Elemente), sind auch nicht in diesem real enthalten, aber für den inneren Menschen geistig da. Die Elemente ihrerseits erfahren durch die Konsekration nicht einen Seinswandel, sondern einen Bedeutungswandel; sie werden zu Symbolen (figurae), zum sacramentum des Leibes und Blutes Christi und damit zum Anregungsmittel für den Geist, sich letztlich mit dem himmlischen totus Christus geistig zu vereinen. So wird dann durch sie die virtus divina in den Teilnehmern wirksam. Berengar lehnt also Realpräsenz und Wandlung strikt ab, weil sie die Herabrufung des Leibes Jesu vom Himmel, dessen Vervielfältigung oder auch Teilung in viele portiunculae carnis Christi, bezüglich der Elemente die Vernichtung ihrer Substanz und den subjekt-losen Fortbestand von Akzidenzien nach der Wandlung bedeuten würde: nach Berengar lauter Unmöglichkeiten selbst für Gott.

Damit war in aller Schärfe die Frage nach dem Wesensgehalt der Abendmahlsgaben gestellt. Berengar stieß mit seiner Lösung auf heftigen Widerspruch, besonders bei Adelmann von Lüttich, Hugo von Langres und Durandus von Troarn. Sie betonen, die konsekrierten Gaben seien objektiv identisch mit Jesu Leib und Blut, seien deren species, d.i. Erscheinungsweise. Berengar wurde denn auch mehrmals verurteilt (1050 zu Vercelli, 1051 zu Paris, 1054 zu Tours). Auf der Lateransynode 1059 mußte er ein von Kardinal Humbert von Silva Candida verfaßtes Bekenntnis unterschreiben, das sich an den Wortlaut seiner Kritik hält, klar und hart die besagte Identität enthält und dialektische Ausflüchte versperren will: «Brot und Wein, die auf dem Altar niedergelegt werden, sind nach der Konsekration nicht nur sacramentum, sondern auch der wirkliche Leib und das wirkliche Blut unseres Herrn Jesus Christus und (diese) werden sinnenfällig, nicht nur im (leeren) Sakrament, sondern in Wahrheit von den Händen der Priester berührt und gebrochen und von den Zähnen der Gläubigen zerrieben» (DS 690). Diese Formel muß in ihrem literarischen Genus als confessio (nicht als Traktat), als bewußte Gegenaussage gegen Berengars Leugnung der Realpräsenz gesehen werden.[169] Nur so ist ihr massiver, überspitzter Realismus zu verstehen. Sie behandelt die konsekrierte Gabe als eine undifferenzierte Einheit von Zeichen und Inhalt, sagt vom corpus Domini Affizierungen nach Art des raumzeitlich Gegebenen aus. Die confessio ist richtig als Zeugnis für die *Tatsache* der Realpräsenz des Leibes Christi in den Zeichen, aber mißverständlich und irrig, würde sie als Aussage über dessen Gegenwarts*weise* verstanden.

Berengar gab sich nicht geschlagen. Seine erneute Kritik stellte unausweichlich vor die Frage, wie denn die (unaufgebbare) Identität des eucharistischen corpus

---

[169] K.-H. Kandler, Die Abendmahlslehre des Kardinals Humbert und ihre Bedeutung für das gegenwärtige Abendmahlsgespräch (masch. Diss. Leipzig 1966) 75–92; L. Hödl, Die confessio Berengarii von 1059: Scholastik 37 (1962) 370–394.

Domini mit dem Leib aus Maria angesichts der Verschiedenheit der Erscheinungsweisen aufrechtzuerhalten und ontologisch zu erklären sei. So hebt nach 1059 die
ontologische Durchleuchtung des Sakramentes an. Lanfranc von Bec und Guitmund von Aversa finden die Lösung: Jesu Leib ist gegenwärtig nach seiner
essentia oder substantia. Lanfranc erklärt, terrenas substantias converti in essen-
tiam Dominici corporis.[170] Guitmund charakterisiert die eucharistische Wandlung
als die eines bestehenden (Dinges) in ein schon bestehendes und als ein substantialiter transmutari der Elemente.[171] Die ganze Substanz der Elemente wird unter
Zurückbleiben der Akzidenzien in die ganze Substanz des Herrenleibes gewandelt.
Dabei meint substantia (nicht wie bei Berengar das empirische Naturding, sondern) das subiectum, den metaempirischen Träger des Seins des Dinges. Die Identität des eucharistischen Leibes Christi mit dem historischen wird also eingeschränkt auf die Substanz, die nicht raumzeitlich circumscriptiv, sondern definitiv,
als ganze in jedem Teil der Zeichen gegenwärtig ist. Die so erreichte Klärung
fand ihren Niederschlag in der zweiten Berengar vorgelegten römischen Eides-
formel von 1079. Sie unterstreicht die Identität der konsekrierten Elemente mit
dem historischen Kreuzesleib und -blut Jesu auf Grund substantialer Wandlung.
Diese Identität besteht nicht nur im Zeichen und in der Wirkmächtigkeit, sondern
«in der Eigentlichkeit der Natur und Wirklichkeit der Substanz» (DS 700), also
im Sein.

Lanfranc und Guitmund haben der Sache nach bereits die Idee der Transsubstantiation konzipiert. Sie will in ihrem Ausgang nichts anderes als eine
ontologische Sicherung und Verdeutlichung der Realpräsenz sein. Der formelle terminus technicus Transsubstantiation[172] begegnet allerdings erst um
1140/42 in den Sentenzen des Roland Bandinelli (ed. Gietl 231) in der merkwürdigen Wendung transsubstantiatio sanguinis(!), die die unhaltbare
Vorstellung von der Herbeiführung des Blutes Christi impliziert. Um den
korrekten Wortgebrauch, der seit 1160 bei Stephan von Tournai und der
Bamberger Glosse (Cod. Patr. 128) beginnt, hat sich die auf sprachliche
Genauigkeit bedachte Porretanerschule (Simon von Tournai, Radulfus
Ardens, Magister Simon) bemüht. Transsubstantiation besagt, daß irdische
Substanzen in eine schon vorgängige höhere Substanz in einem einzigen
Moment übergeführt werden. In diesem Sinne spricht das I. Lateranum wie
selbstverständlich von transsubstantiatis pane in corpus et vino in sangui-
nem (DS 802). Es will damit nur die Tatsache der seinshaften Wandlung
aussprechen.

Mit dem Rekurs auf die Substanz war ein gewisser Einblick in die Innen-
struktur des Sakraments gelungen. Jedenfalls war dadurch die geglaubte

---

[170] De sacramento corporis et sanguinis Christi (PL 150, 430C).

[171] De corporis et sanguinis Christi veritate (PL 149, 1444 B 1450 B 1481 B). Dazu P.
Haugnessy, The Eucharistic Doctrine of Guitmund of Aversa (Rom 1939).

[172] Vgl. dazu L. Hödl, Der Transsubstantiationsbegriff in der scholastischen Theologie
des 12. Jahrhunderts: RThAM 31 (1964) 230–259.

Realidentität der Abendmahlsgaben mit Jesu Leib und Blut logisch zu rechtfertigen. Die «Substanz» wurde von da an der Schlüsselbegriff für das Verständnis des Mysteriums. Aber – man hatte zunächst noch gar keinen genauen und befriedigenden Begriff von der Substanz, nur eine vage Vorstellung und Spur. Der Erhellung der Substanz und der Vorgänge um sie galt fortan das besondere Interesse. Bevor wir aber dieses Thema weiter verfolgen, sei eine andere Beobachtung erwähnt. Die Frühscholastik starrte nämlich nicht wie gebannt nur auf die ontologische Seite des Abendmahls, sah vielmehr noch dessen Bezogenheit auf die Heilsgeschichte, konkret auf die Kirche als den umgreifenden Horizont. In diesem Zusammenhang wurde nun der augustinische Doppelaspekt «sacramentum – res sacramenti» durch das Mittelglied «res et sacramentum» zu einer Trias weitergebildet:[173] sacramentum tantum sind die Spezies und was mit ihnen geschieht; res sacramenti ist primär die von den Spezies bezeichnete und enthaltene Wirklichkeit, Leib und Blut Christi, sekundär aber die Leibeinheit der Kirche, auf die sowohl die Elemente wie auch Christi Leib und Blut hinweisen. Zur Unterscheidung wurde nun der sakramentale Herrenleib und sein Blut als «res et sacramentum» kategorisiert; die Inkorporation in die Kirche wird dann zur «res tantum», die nur bezeichnet, nicht enthalten ist, vielmehr vom Empfänger immer erst gläubig-ethisch verwirklicht werden muß. Die Ausdehnung der res sacramenti auf die Kirche hatte zur Folge, daß die ursprüngliche Eucharistiebezeichnung corpus mysticum immer mehr zum Kirchenattribut wurde.[174] Der eben entfaltete Ternar sacramentum tantum – sacramentum et res – res tantum wird von der Summa Sententiarum (vor 1141) eingeführt, von Petrus Lombardus verbreitet,[175] von Papst Innozenz III. lehramtlich sanktioniert (DS 415/793); er macht ein Charakteristikum der frühscholastischen Abendmahlslehre aus.

Wenden wir uns nun der Entfaltung des Substanzbegriffes zu.[176] Berengar hatte bereits von materia und forma gesprochen, darunter das Subjekt und die Ganzheit der Eigenschaften verstanden. In dieser Richtung dachte man weiter. Die Frühscholastiker erblickten – abgesehen von Gilbert von Poitiers – in der materia noch nicht eine reine Potenz, sondern das noch körperlich aufgefaßte Subjekt und Substrat, den Träger der Eigenschaften, in der

---

[173] Zum folgenden L. Hödl, Sacramentum et res – Zeichen und Bezeichnetes. Eine begriffsgeschichtliche Arbeit zum frühscholastischen Eucharistietraktat: Scholastik 38 (1963) 161–182.

[174] Genaueres: F. Holböck, Der eucharistische und mystische Leib Christi (Rom 1941); H. de Lubac, Corpus mysticum (Paris ²1959, dt.: Einsiedeln 1969).

[175] Summa Sent. 6,3 (PL 176,140); Petrus Lombardus, IV. Sent. d. 8 c. 7 (ed. Quaracchi 791 f). Hugo v. St. Viktor hat den Dreischritt species (Zeichen) – veritas (Wirklichkeit) – virtus (Mächtigkeit). Zu Hugo H. R. Schlette, Die Eucharistielehre Hugos von St. Viktor: ZKTh 81 (1959) 67–100; 163–210, hier 168.

[176] Zum folgenden H. Jorissen, Die Entfaltung der Transsubstantiationslehre bis zum Beginn der Hochscholastik (Münster 1965).

forma substantialis noch phänomenalistisch den Inbegriff und die Ganzheit der wesentlichen Eigenschaften. Die beiden Begriffe boten aristotelische Terminologie, aber damit nicht schon die wirklich aristotelische Substanzauffassung, in der ja die Materie als reine Potenz, die Form als tieferer Seinsgrund der Proprietäten, die Substanz als Einheit aus den zwei Momenten gedacht wird. Doch bot die besagte aristotelische Terminologie einen guten Anknüpfungspunkt für eine volle Aristotelisierung, die nur schrittweise vor sich ging und mit der Rezeption der peripatetischen Naturphilosophie nach 1200 zur Vollendung gedieh. Das Verständnis der Wandlung richtete sich natürlich nach dem Verständnis der Substanz.

Eine erste Ansicht erklärte diese wesentlich als hypostasis-materia, als (körperliches) Subjekt, Substrat und als Träger der Akzidenzienganzheit. In der Eucharistie wird nach dieser Theorie nun in direktem Gegensatz zu den natürlichen Wandlungen das Subjekt verwandelt, während die forma substantialis als Summe der Proprietäten erhalten bleibt, besteht doch die Wirk- und Nährkraft der konsekrierten Elemente weiter. Diese Richtung fand in Petrus Cantor (um 1195) ihren repräsentativsten Vertreter, im ausgehenden 12. und beginnenden 13. Jh. einige Verbreitung.[177] Diese partiale Wandlung konnte nicht befriedigen. Sie wurde überwunden durch eine zweite Theorie, die die Substanz umfassender und schon stärker aristotelisch als Einheit aus materia und forma substantialis, demzufolge die Transsubstantiation als Verwandlung dieses Wesensganzen faßt. Weil nun anfänglich die substantiale Form noch (sensualistisch) als undifferenzierte Akzidenzienganzheit aufgefaßt, zugleich aber als verwandelt geglaubt wurde, wurde der Fortbestand der Eigenschaften in den konsekrierten Elementen manchmal als Schein deklariert, so von den Sententiae Divinitatis (um 1145) und dem porretanischen Korintherbrief-Kommentar (Cod. Paris. Ars. 1116, um 1150). Diese unhaltbare Lösung erledigte sich, als eine Unterscheidung zwischen wesentlichen und nichtwesentlichen Proprietäten gemacht, die forma substantialis von der forma accidentalis abgehoben wurde. Dies geschieht grundsätzlich schon im erwähnten Kommentar, wird aber für die Eucharistie erst fruchtbar gemacht durch Alanus von Lille (um 1185/90). Die Transsubstantiation betrachtet er als Wandlung der Materie *und* der substantialen Form, während die Akzidenzien erhalten bleiben.[178] Die Theorie von der totalen Wandlung gewinnt rasch an Boden. Sie wird dann vervollkommnet durch die Rezeption des aristotelischen Hylemorphismus nach 1200. Die Materie wird ihrer Körperlichkeit entkleidet, entmaterialisiert, die sub-

---

[177] Zu Petrus Cantor vgl. H. Jorissen 87–95. Weitere Anhänger sind Innozenz III. (PL 217,860ff), die Pseudo-Poitiers-Glosse, Petrus von Poitiers (PL 211,1246), Simon von Tournai, Radulfus Ardens, Magister Martinus, die Summa «Breves sint dies hominis» (Jorissen 95–114), ferner Robert Courson (Jorissen 117–120). Auch Roland von Cremona beschränkt die Transsubstantiation auf die substantia-materia, versteht aber die forma schon in einem fortgeschrittenen Sinn als Seinsgrund (nicht bloß Summe) der Proprietäten (Jorissen 123–135).
[178] Alanus, De fide cath. 1,58 (PL 210,360C); Regulae theol. 107 (PL 210,678 BC). Vgl. Jorissen 75–87. An Alanus schließen sich an Stephan Langton, Gaufried von Poitiers, Guido von Orchelles, Wilhelm von Auxerre (Jorissen 137–142) und die Hochscholastiker.

stantiale Form von den substantialen Proprietäten als deren Seinsgrund abgehoben. Diese Aristotelisierung tritt im Sentenzenkommentar des Alexander von
Hales um 1225 klar zutage. Transsubstantiation ist die Wandlung der *ganzen* Substanz (also der Materie *und* der Form) und *nur* der Substanz, während die (substantialen und akzidentellen) Eigenschaften bleiben und subjektlos weiterexistieren. Diese Überzeugung teilen Albertus Magnus, Thomas, Bonaventura, Richard
von Mediavilla, Herveus Natalis.

Die Konzentration auf die primäre res sacramenti brachte dann eine deutliche Christologisierung des Abendmahls mit sich. Sie zeigt sich in folgendem: Während bis dahin die Gnadenwirkung im Empfänger auf den Heiligen Geist zurückgeführt und das corpus Christi (nur) als dessen Heilsmittel betrachtet wurde, schränkt Kardinal Humbert die Wirksamkeit des
Geistes bzw. der Trinität auf die Konsekration ein, faßt als res sacramenti
das corpus Christi singulare und leitet von ihm unmittelbar die Heilswirkung im Empfänger ab.[179] Außerdem trat immer stärker als letzter eigentlicher Sakramentsgehalt der *totus* Christus ins Bewußtsein.[180] Die Schwierigkeit bestand darin, daß im Abendland die Begriffe corpus, caro und sanguis
als Teile des Organismus verstanden wurden. Und doch hat der instinctus
fidei die Kommunion immer als Begegnung mit der ganzen Person Christi
empfunden. Berengar proklamierte die *geistige* Vereinigung mit dem totus
Christus im Abendmahl, während er den realpräsentischen Glauben als
unziemliche Annahme von portiunculae (particulae) carnis Christi verschrie.
So war die Frage neu zur Debatte gestellt. Auch für Lanfranc ist der totus
Christus nur in geistiger Kommunion erreichbar, nur in der Seele zugegen.
Aber die Idee der Transsubstantiation half weiter. Guitmund bemerkt, daß
der Leib nach seiner ganzen Substanz in jedem Teil der Hostie zugegen ist,
durch die Brechung nicht geteilt wird (PL 149,1450C). Vom Teil Christi
zum ganzen Christus führt der Gedanke, daß zum corpus auch die Bele-
bung durch Blut und Seele gehört und Jesu Menschheit mit der Gottheit
hypostatisch vereinigt ist. Wilhelm von Champeaux (gest. 1122), der Begrün-
der der Viktorinerschule, nennt erstmals alle zum Sakramentsgehalt «totus
Christus» gehörenden Momente namentlich: Leib, Blut, Seele, Gottheit[180a].
Damit ist dessen Materialprinzip beschrieben. Die Folgezeit arbeitet auch
das Formalprinzip heraus, d.h. die Weise, wie die einzelnen Momente gegenwärtig werden. Sie werden es nämlich nicht auf gleiche Weise, vielmehr
zeigt sich eine Differenziertheit und Strukturiertheit des Inhalts. Per se
(Alger von Lüttich) und vi verborum (Hugo von St. Viktor) wird das Brot

---

[179] Dial. 31; dazu Geiselmann, Abendmahlslehre 75 f; Kandler 102 f; 106 f. In den 4
Jahre später erschienenen Libri tres adv. Simon. II 39 denkt Humbert wieder pneumato-
zentrisch.
[180] Zum folgenden s. J. J. Megivern, Concomitance and Communion (Fribourg 1963).
[180a] J. J. Megivern aaO. 107.

nur in den Leib, der Wein *nur* in das Blut verwandelt, u. z. secundum substantiam. Die anderen Realitäten werden wegen ihrer Verbindung mit Leib und Blut *mitgesetzt, mitvergegenwärtigt*. Für das Mitgegebensein des nur folgeweise Gegenwärtigen (Wilhelm von Auxerre um 1220) im direkt Gegenwärtigen setzt sich als terminus technicus der Begriff *concomitantia*[181] durch, der bei Richard Fishacre (vor 1245) erstmals auftaucht, von Thomas exklusiv gebraucht wird. Die Konkomitanzlehre baut auf der Transsubstantiation auf, entfaltet und sichert die objektive Gegenwart des totus Christus. Sie hat aber die Kommunion nur unter der Brotsgestalt nicht hervorgebracht, auch nicht direkt bezweckt, wohl aber gefördert, indem sie deren Berechtigung dartat.[182]

Als Nebenfrucht dieser Bemühungen ergab sich auch eine Klärung der Konsekrationsform,[183] der Frage also, welche Worte wesentlich sind für die Vergegenwärtigung der sakramentalen res. Das Altertum hatte das ganze eucharistische Hochgebet als eine anamnetisch-konsekratorische Einheit empfunden. Sie wurde von Isidor von Sevilla in die Präfation (oratio quinta) und den konsekratorischen Kanon (oratio sexta vom Te igitur bis zum Pater noster) aufgespalten, wobei der Kanon noch immer ein organisches Aktgefüge blieb, das sowohl die Vergegenwärtigung des Herrenleibes und -blutes als auch deren Geisterfüllung zum heilvollen Empfang als Inhalt hatte. Es war nur natürlich, daß aus diesem Gefüge die Herrenworte besonders herausgehoben (so z. B. vom Ambrosius, Radbertus u. a.), wenn auch noch lange im Verbund des Kanons belassen wurden. So schreibt z. B. die Confessio von 1079 die Wandlung der sacra oratio und den verba Redemptoris zu. Je mehr aber in der Folgezeit die Christologisierung des Abendmahls voranschritt, die direkte res sacramenti auf Leib- und Blutsubstanz eingekreist und die Heilswirkung unmittelbar von dieser, nicht mehr vom Heiligen Geist abgeleitet wurde (Humbert), je deutlicher (seit Anselm von Canterbury) in der Debatte mit den Griechen zwischen wesentlichen und unwesentlichen Momenten an den Sakramenten unterschieden, je klarer die Konsekration in einen einzigen Augenblick verlegt wurde,[184] desto eindeutiger heben sich die Herrenworte als das Prinzip der Vergegenwärtigung heraus. Sie werden dann ausdrücklich als die forma consecrationis charakterisiert.[185] Petrus von Poitiers wertet sie schließlich als die ausschließliche Konsekrationsform, die auch ohne Verbindung mit den übrigen

---

[181] Es werden zunächst noch andere Begriffe verwendet wie connexio, coniunctio, unio (Hugo v. St. Cher), associatio, coniugatio (Alexander von Hales); vgl. Megivern 183 ff–190.

[182] J. J. Megivern, Concomitance 243.

[183] Den dogmengeschichtlichen Prozeß zeichnet nach J. R. Geiselmann, Abendmahlslehre 86–156; J. Brinktrine, Zur Lehre der mittelalterlichen Theologen über die Konsekrationsform: ThGl 46 (1956) 188–207; 260–275.

[184] So Hugo von Langres, Johann Fecamp, Bruno v. Asti; Hildebert von Tours u. Stephan von Autun sehen in der levatio den Augenblick der Wandlung, vgl. Geiselmann 119 f.

[185] Ivo von Chartres, Summa Sententiarum, Schule Anselms von Laon, Sententiae Divinitatis; vgl. Geiselmann 121 ff.

Kanongebeten, also ohne Epiklese, ihre volle Wirkung entfaltet. Damit wird nun jedes andere Konsekrationsprinzip, wie z. B. die consecratio per contactum,[186] ausgeschaltet, zugleich aber auch das organische Gefüge des Kanons aufgesprengt.[187] Um 1180 waren «die Einsetzungsworte als die wesentliche, einzige und ausschließliche Konsekrationsform bestimmt.»[188]

Die Gegenwart des Christusleibes per modum substantiae mußte auch die Frage nach seinem Gegenwärtig*werden* wachrufen. Wie sollte man sich die «Transsubstantiation» vorstellen? Was wird aus den natürlichen Substanzen von Brot und Wein? Darauf hat die Frühscholastik sehr konkrete Antworten versucht, über die Petrus Lombardus[189] kurz referiert. Wir können sie mit den Stichworten Transformation, Konsubstantiation, Annihilation, positive Substanz*wandlung* (Transsubstantiation im engeren Sinn) charakterisieren.

a. Eine erste Theorie erklärt, die Substanzen von Brot und Wein würden «in praeiacentem materiam resolvi» (ebd. c. 2), in die Grundbestandteile aufgelöst. Diese gingen dann, so ist diese Theorie zu ergänzen, in den Leib Christi über, erhielten dessen Form. Die Materie ist also das Gemeinsame zwischen Ausgangs- und Endpunkt. Die Wandlung besteht darin, daß die gemeinsam bleibende Grundmaterie eine neue Form erhält. Diese «Transformationstheorie» wird in der Frühscholastik nur von Wilhelm von Thierry (gest. 1149) vertreten, der die Wandlung des Brotes in den Leib Christi mit dem Schicksal eines in den Ozean geschütteten Weintropfens vergleicht, der aufgesogen wird (PL 180, 350f). Erst nach Thomas macht diese Lösung mehr Schule.

b. Eine totale Erhaltung der Substanzen von Brot und Wein nimmt die Konsubstantiationstheorie an. Sie lehrt eine Impanation des Logos und die Koexistenz des Leibes und Blutes Jesu mit den bleibenden Substanzen der Elemente. Diese Lösung wird in der Frühscholastik nur von anonymen Autoren (vgl. PL 149, 1430. 1492), von keinem bekannten[190] vertreten, von manchen toleriert, von den meisten abgelehnt, so von Petrus Lombardus, Hugo von St. Viktor (De Sacr. II 8, 9), Petrus von Capua, von den Hochscholastikern (Wilhelm von Auxerre, Alexander von Hales) entschieden zurückgewiesen. Albertus Magnus und Bonaventura halten sie für offenbarungswidrig, Thomas (S. Th. III q. 75. a. 2) und Richard von Mediavilla für häretisch. Doch bekommt sie nach diesem wieder Auftrieb.

---

[186] Die Theorie, daß die Vermischung eines konsekrierten Elementes mit einem unkonsekrierten dessen Verwandlung bewirke, taucht bei der Missa Praesanctificatorum (Karfreitag) auf und findet sich bei Amalar von Metz, Ps-Alkuin, Bernold von Konstanz, Rupert von Deutz und einigen Glossatoren des Decretum Gratiani wie Stephan von Tournai, Johannes Faventin, Rufinus; s. dazu Geiselmann, Abendmahlslehre 152ff.

[187] Geiselmann, ebd. 131.

[188] Geiselmann, ebd. 255.

[189] IV. Sent. d. 11 c. 1.2 (ed. Quaracchi 802f).

[190] Sie wird den Amalrikanern zugeschrieben, als Vorwurf gegen Rupert von Deutz erhoben; dieser Vorwurf wird zurückgewiesen von G. Gerberon (PL 167, 23–194) und neuerdings von R. Haacke in RThAM 32 (1965) 20–42.

Denn für Johannes Duns Skotus [191] ist sie nicht schriftwidrig, angesichts der göttlichen Allmacht philosophisch an sich vertretbar, aber als nicht real abzulehnen auf
Grund der Entscheidung der vom Heiligen Geist geleiteten Kirche. So denken
dann auch die Nominalisten.

c. Im Gegensatz dazu erklären andere Scholastiker die Transsubstantiation damit, daß die Substanzen der Elemente vergehen, vernichtet, von der Substanz des
Leibes und Blutes Jesu abgelöst werden. Diese Annihilationstheorie findet im 12.
und beginnenden 13. Jh. eine beachtliche Anhängerschaft,[192] allerdings auch schon
früh heftigen Widerspruch,[193] der sich nach 1200 noch steigert. Die Hochscholastiker[194] lehnen sie nicht als häretisch, wohl aber als theologisch falsch ab; nach
Thomas (S. Th. III q. 75 a. 3) widerspricht Vernichtung dem Begriff der Wandlung,
die Gemeinsamkeit der beiden Termini an der Natur des Seins besagt (ebd. ad 3).
Nach Duns Skotus wäre das Aufhören der Substanz der Elemente für sich betrachtet annihilatio, die Wandlung ist jedoch keineswegs annihilatio, weil nur das
substantiale Sein des Brotes (als Brotsein: simpliciter esse *eius*), nicht aber das
substantiale Sein überhaupt (esse simpliciter) aufhört und das Hiersein (hic esse)
des Leibes Christi folgt.[195] Hingegen feiert die Annihilation im Nominalismus
fröhliche Urständ. Wilhelm Ockham kann sich die Transsubstantiation, die er
nur auf Grund der kirchlichen Bestimmung hält, nur als Destruktion der einen und
Sukzession der anderen Substanz vorstellen,[196] da andernfalls immer neue Substanz
zum Leib Christi hinzukäme. Auch für Gabriel Biel ist die Transsubstantiation ein
Aufhören der Brotsubstanz und insofern Annihilation, aber keine Annihilation,
insofern eine positive Entität nachfolgt.[197]

d. Die Vernichtung von Substanzen will ja nicht zum Wesen Gottes passen.
In Wirklichkeit ist, so betont daher eine vierte Erklärung, die eucharistische
Wandlung nicht ein negativer, sondern ein durch und durch positiver Akt
Gottes, nämlich Überführung von Sein in ein präexistentes Sein, ihr Ziel

---

[191] In IV. Sent. d. 11 q. 3 n. 9. 14. 15 (ed. Vivès 17,357. 375 f).

[192] Nach Jorissen (26–55) sind folgende Namen zu nennen: (wahrscheinlich Petrus
Abälard), Roland Bandinelli, Magister Udo, die Glossa ordinaria zum Decretum Gratiani,
Huguccio, die Schule des Petrus Cantor, Robert Courson, Gaufried von Poitiers, die Er-
langener Quaestionensammlung (Cod. lat. 260), Wilhelm von Auvergne (in Gestalt der
Sukzessionstheorie) und Roland von Cremona.

[193] Die Annihilation lehnen fast alle die Autoren ab, welche die positive Wesenswandlung vertreten, ihre Namen s. Anm. 198 S. 240; nur Innozenz III. und die Summa «Ne
transgrediaris» verzichten auf ausdrückliche Ablehnung.

[194] Albertus Magnus hält die Annihilationstheorie an sich für die wahrste Erklärung,
folgt ihr aber nicht, weil sie von den sancti abgelehnt wird (In IV. Sent. d. 11 a. 7: Borgnet
29,285). Später in De corpore Domini d. 3 tr. III c. 1,8 (Borgnet 38,312) lehnt er sie entschieden ab.

[195] Ox. IV d. 11 q. 4 n. 15 (ed. Vivès 17,376); etwas anders E. Iserloh, Gnade und Eucharistie in der philosophischen Theologie des Wilhelm von Ockham (Wiesbaden 1956) 162.

[196] In IV. Sent q. 6 L.

[197] Canonis Missae Expositio, lect. 41 f. 98 c/d; ähnlich In IV. Sent. d. 11 q. 1 a. 3 dub. 6 N,
zit. bei R. Damerau, Die Abendmahlslehre des Nominalismus insbesondere des Gabriel
Biel (Gießen 1965) 210.

nicht das Nichts, sondern im Gegenteil ein esse melius, wie Hugo von
St. Viktor (De sacr. II 8,9) bemerkt. Sie ist daher nicht nur Wesensänderung
oder Transsubstantiation im weiteren Sinne, sondern eigentliche Wesens-
wandlung, d. i. Transsubstantiation im engeren Sinn, die einen inneren Nexus
zwischen terminus a quo und terminus ad quem impliziert, also nicht nur
Aufeinanderfolge (successio,) sondern eine – natürlich nur durch Gottes
Allmacht verwirklichte – Auseinanderfolge, eben die Emporführung der
Substanz der Elemente in die des Leibes und Blutes Christi. Diese positive
Transsubstantiationstheorie findet im 12. Jahrhundert immer mehr Anhänger; auch die großen Denker der Hochscholastik Alexander, Albert, Bonaventura und erst recht Thomas folgen ihr.[198] Nur sie wird der eucharistischen Wandlung gerecht. Deren Eigenart und Besonderheit gegenüber
natürlichen Wandlungen sieht der Aquinate darin, daß die ganze Substanz,
nicht nur die Form verwandelt wird, und zwar in eine präexistente Substanz,
daß kein gemeinsames Subjekt für den Ausgangs- und Endpunkt besteht,
daß die Akzidenzien der Elemente nach der Konsekration subjektlos weiterexistieren (S. Th. III q. 75 a. 4 und 8). Konkret geht die Vorstellung des
Aquinaten dahin, daß die Materie des Brotes in die des Leibes Jesu verwandelt wird, die Form des Brotes in die Form des Leibes, das heißt aber
nach thomanischer Anthropologie in die Seele Christi, allerdings in die
Seele, insofern sie das esse corporeum, nicht insofern sie das esse animatum
verleiht (q. 75 a. 6 ad 2). Hier setzt dann später die Kritik der Nominalisten
ein.

Aus der Gegenwart Christi secundum modum substantiae weiß Thomas
interessante Folgerungen abzuleiten. Der Leib Christi ist prinzipiell mit seinen ihm innerlich zugehörigen Eigenschaften (intrinseca accidentia), einschließlich der Ausdehnung (q. 76 a. 1 a. 4 a. 5 ad 3) vi realis concomitantiae
zugegen. Er ist aber nicht nach Weise der ortshaften Ausdehnung da, sondern eben per modum substantiae (q. 76 a. 3), d. h. im Ganzen und ganz in
jedem Teil (q. 76 a. 4 ad 1). Christi Leib ist auch nicht wie am Ort, weder
definitive noch circumscriptive, da die Beziehung zum Ort eine äußere
Eigenschaft ist. Auch die Substanz des Brotes ist an sich nicht localiter in
diesem, ist aber Träger ihrer Ausdehnung und durch deren Vermittlung
dann doch am Ort, während die Ausdehnung des Leibes Christi nur durch

---

[198] Aus Jorissen (25–64) lassen sich folgende Namen erheben: Robert von Melun, die
Pseudo-Poitiers-Glosse, die Bamberger (Cod. Patr. 128) und die Münchener (Clm 22288)
Glosse, Simon v. Tournai, Radulfus Ardens, Magister Martinus, Innozenz III. (Lothar von
Segni), die Summa Ne transgrediaris des Gerard von Novara, Stephan Langton, Guido von
Orchelles, Wilhelm von Auxerre, Hugo von St. Cher, Herbert von Auxerre, Johannes von
Treviso, Sentenzenabbreviation Filia magistri, Sentenzenkommentar Par. Nat. lat. 3032,
Richard Fishacre, Alexander von Hales, Richard von Melitona, Lectura super quartum
Sententiarum, Albertus Magnus in seinem Spätwerk De corpore Domini, Thomas, Bona-
ventura.

Vermittlung der Substanz und nach Weise der Substanz zugegen ist, folglich nicht örtlich (q. 76 a. 5). Daher ist Christus streng genommen auf unbewegliche Weise im Sakrament, er wird in diesem an sich nicht bewegt, sondern nur indirekt und per accidens bezüglich der species. Das Sein Christi unter dem Sakrament ist nicht dasselbe wie sein esse secundum se, sondern eine gewisse Beziehung (habitudo) zwischen ihm und dem Sakrament. Hören die Gestalten auf, so hört auch die Beziehung zu ihnen und damit die Gegenwart Christi im Sakrament auf (q. 76 a. 6).

Die Erhellung der Transsubstantiation nach Vorgang und Ergebnis ist *das* große Thema und *die* große Leistung der Scholastik. Die bleibende Grundidee ist die substanzielle Identität der konsekrierten Gaben mit Jesu leibhaftiger Person, also die *Tatsache* der Realpräsenz und Substanzwandlung; damit verbunden ist die Einsicht, daß es eine Tiefendimension der Elemente gibt, die allein für Gottes kreatives Wirken offensteht. Wenn manche Autoren mit Thomas und Bonaventura die substantiale Wandlung als implizite Offenbarungswahrheit und als Glaubensartikel ausgeben,[199] so meinen sie damit die schlichte Tatsächlichkeit der Wesenswandlung. Hingegen wird hinsichtlich des Vergegenwärtigungsmodus, also für die metaphysische Ausdeutung des Vorgangs, nicht im gleichen Maße die Glaubenspflicht geltend gemacht. Petrus von Capua stellt ihn ausdrücklich frei;[200] Thomas von Aquin lehnt zwar die Konsubstantiation als häretisch ab (S. Th. III q. 75 a. 2c), beschwört aber für die positive Ausdeutung des Wandlungsvorgangs nicht den Glauben, sondern die Vernunft (q. 75 a. 3). Die Nachfolgenden urteilen über die Konsubstantiation noch milder.

Die scholastische Erschließung der Realpräsenz mittels der Ontologie kommt uns Heutigen stark zeitbedingt und einseitig vor. Es darf aber nicht übersehen werden, daß sie der Sicherung der Realpräsenz dient. Die große Scholastik hat sich aber – im Gegensatz zum nachfolgenden Nominalismus – nicht in den naturphilosophischen Argumentationen verloren, sondern die großen heilsgeschichtlichen und soteriologischen Bezüge des Sakraments gewahrt. Beweis dafür ist die schon erwähnte Tatsache, daß als res sacramenti die Inkorporation des Kommunikanten in den ekklesialen Christusleib betrachtet wurde. Eindrucksvoll stellt die heilsgeschichtlichen Perspektiven z. B. Rupert von Deutz, ein namhafter Vertreter der monastischen Theologie, heraus. Ihm ist das Abendmahl Gegenstück und Wiedergutmachung der Urkatastrophe, des sündhaften Essens der verbotenen Para-

---

[199] Jorissen (12–24) nennt als deutliche Zeugen dieser Auffassung Alanus von Lille, Balduin von Ford, die Summa de paenitentia iniungenda, als weniger deutliche Stephan von Tournai, Petrus Manducator, Präpositin, die Summa contra haereticos, Garnerius von Rochefort. Zu Thomas vgl. S. Th. III q. 75 a. 2c und Script. super IV. Sent. d. 10 d. 8 q. 2 a. 1; Bonaventura, In IV. Sent. d. 11 p. 1a. un. q. 1 f. 1 (Quaracchi IV 241a); (vgl. Jorissen 50ff.).

[200] Text aus seiner Summe (München Clm 14508) bei Jorissen 24.

diesesfrucht, wodurch Adam sich das Gottgleichsein erraffen wollte.[201]
Gegen die Todesspeise von damals setzt Gott jetzt das Brot des Lebens, das
wirklich vergöttlicht.[202] Christus weitet sein Fleisch, das bis zu seinem Tode
ihm allein gehört, auf die Kirche aus und führt so die Menschen zu Gott
empor.[203] Ist die Eucharistie für Rupert die große göttliche Korrektur der
gestörten Weltordnung, so ist sie in der mehr heilsindividualistischen Sicht
Alberts des Großen[204] Sinnerfüllung des ganzen Lebens,[205] weil Erlangung
des höchsten Gutes und Vorgeschmack der Seligkeit.[206] Denn sie wirkt
unseren Zutritt zum Vater durch den Sohn[207] und kann dies, weil sie
descensus des Logos ist, der die Transsubstantiation des Brotes in den Leib
Christi wirkt, die Empfänger sich inkorporiert und so zu sich emporführt.[208]
Diese neuplatonisch schillernde Descensus-Ascensus-Perspektive findet
Albertus schon in dem als Wesensbegriff empfundenen Namen «missa», den
er als missio der hostia vom Vater zu uns und von uns zum Vater[209] auslegt.
Diese ausgesprochen heilsgeschichtliche Vorstellung von «missa» stammt
aber nicht erst von Albertus, sondern aus der Tradition, die bei Hugo von
St. Viktor und Papst Innozenz III. greifbar wird,[210] nachher auch bei Tho-
mas anklingt (S. Th. III q. 83 a.4 ad 9).

Die fundamental heilsgeschichtliche Einstellung tritt auch zutage in dem
betonten Opfercharakter der Eucharistie, welche für das Mittelalter (drama-
tisches) Miterleben des Lebens und Leidens Christi ist. Dieser Glaube liegt
auch und gerade der weit verbreiteten «rememorativen Meßallegorese» zugrunde. Der Meßteil vor dem Kanon wurde gerne auf das verborgene
Leben und das öffentliche Lehren Jesu, der Kanon dann auf sein Leiden, die
Riten von der fractio an auf Auferstehung und Himmelfahrt gedeutet. Papst
Innozenz III. festigt diese Tradition, auch Thomas kann sich ihr nicht entziehen (vgl. S. Th. III q. 83 a. 1 a. 3 a. 5), sein Zeitgenosse Wilhelm Durandus
faßte sie in seinem Rationale divinorum officiorum zusammen. Erfolglos
protestieren Florus von Lyon und Albertus Magnus gegen sie. Ihre Grundidee ist aber die Anamnesis, die Allegorese ist nur zeitbedingte Methode der

---

[201] Dial. III (PL 170, 595 ff). .
[202] In Cant. IV (PL 168,905 ff).
[203] Div. Off. II 11 (PL 170, 43). Weitere Belege bei W. Kahles, Geschichte als Liturgie –
Die Geschichtstheologie des Rupertus von Deutz (Münster 1960) 67–84; 232.
[204] De Mysterio Missae (ed. Borgnet 38); De corpore Domini (ed. Borgnet 38); In IV.
Sent. d. 8–13 (ed. Borgnet 29, 173–399). Dazu vgl. A. Kolping, Eucharistia als Bona gratia =
BGPhThMA Suppl. IV (Münster 1952) 249–278.
[205] De myst. missae tr. III c. 1, 1 (Borgnet 75).
[206] Ebd. prol. 8 (B. 5).
[207] Ebd. III 13, 2 (B. 124).
[208] De corp. Dom. d. 3 tr. IV c. 3 (B. 325); d. IV c. 2 (B. 332).
[209] De myst. missae III 23,3 (B. 165); De corp. Dom. d. 6 tr. I c. 2,4 (B. 358).
[210] Hugo, De Sacr. II 8, 14 (PL 176,472 AB); Innozenz, De sacri altaris mysterio 6, 12
(PL 217,913 B).

Ausgestaltung. Albertus hält sich lieber an den Wortlaut der Meßtexte; auch er betont mit allem Nachdruck den Opfercharakter des Geschehens. Die sakramentale Darbringung der Gaben ist ihm eine Repräsentation der blutigen Darbringung Jesu am Kreuz.[211] Das Tun des Priesters ist aber auch immolatio, und dieses Wort hält ebenfalls den Bezug auf Jesu Opfertod fest; denn immolatio ist die oblatio occisi ad cultum Dei.[212] Diese kultische Darbringung eines Getöteten besagt nicht nur die Repräsentation, sondern Hinstellung und Ergreifung und Selbstanwendung der Opfertat Christi. Rituell findet die oblatio ihren Ausdruck in der ganzen eucharistischen Handlung vom Offertorium bis zur Kommunion, sie verdichtet und verdeutlicht sich im Offertorium, hört aber mit diesem nicht auf, sondern erstreckt sich über den ganzen Kanon, wie das memores offerimus nach der Konsekration beweist.[213] Zur Synthese großen Stils schreitet Thomas weiter. Macht er den Opfercharakter auch nicht zum ausdrücklichen Thema einer quaestio, so doch zu einem durchgängigen Strukturprinzip des Eucharistietraktates. Die Messe ist Repräsentation und Partizipation der passio Christi (S.Th.III q.83 a.1 a.2), aber auch in sich selbst ein Opfer, insofern sie dargebracht wird (q.79 a.5c; q.83 a.4c). Auf die Passion weisen nicht nur viele rituelle Einzelheiten, besonders die Kreuzzeichen (q.83 a.5 ad 3–9), sondern vor allem die Konsekration und die ganze ontische Grundstruktur des Sakramentes hin. Indem vi sacramenti je und je nur die einzelne Substanz des Leibes und Blutes getrennt von der anderen gegenwärtig wird, wird damit die Trennung der beiden Realitäten im Tode Jesu vergegenwärtigt, festgehalten und im Sein der Gaben verankert.[214] Daher verlegt denn auch Thomas den entscheidenden Darbringungsakt in die Konsekration (q.82 a.10). Hingegen wird der Opfercharakter der Messe in der Theologie des Spätmittelalters weithin vernachlässigt. Um so eifriger werden die naturphilosophischen Fragen um die Eucharistie behandelt.

8. Das Spätmittelalter nach Thomas

Thomas bildet den unbestreitbaren Höhepunkt, aber nicht den Endpunkt der scholastischen Abendmahlslehre. Die Zeit nach ihm hält die Realpräsenz als unbestrittene Tatsache fest. Aber in der ontologischen Ausdeutung gehen manche Theologen andere Wege als Thomas. Auch das Wesen der Transsubstantiation wird weiter debattiert. Johannes Duns Skotus führt neue Aspekte ins Feld. Ist für Thomas die Transsubstantiation der *direkte* Wandel und Übergang der Brot- in die

---

[211] De corp. Dom. d. 6 tr. II 4,4 (Borgnet 408). Zur oblatio vgl. den Aufriß bei A. Kolping aaO. 265 ff.

[212] In IV. Sent. d. 13 F a 23 (Borgnet 29, 371).

[213] De corp. Dom. d. 6 tr. II 4,4 (Borgnet 408).

[214] S. Th. III q. 74 a. 1; q. 76 a. 2; q. 78 a. 3; Script. s. IV. Sent. d. 11 q. 2 a. 1 qc1.1.2.

Leibsubstanz bzw. der direkte Hervorgang der letzteren aus der ersteren – wofür der wenig glückliche Begriff productio gebraucht wird –, so ist sie dies nicht im eigentlichen und strengen Sinn für Duns Skotus, der den Zusammenhang zwischen den beiden Termini nicht so eng sieht. Christozentrisch eingestellt geht er von dem präexistenten Leib Christi im Himmel aus. Dieser erhält im Altarssakrament nicht ein neues esse simpliciter, sondern ein neues esse hic, das das Hiersein der Brotsubstanz ersetzt und auf sie folgt.[215] Darum trägt die Transsubstantiation bei Duns Skotus das kennzeichnende Attribut adductiva – allerdings soll die adductio nicht örtlich aufgefaßt werden –, und sie besteht wesentlich in einer successio substantiarum. Was aber wird aus der Brotsubstanz? Duns Skotus lehnt die Annihilation ausdrücklich ab, weil Zielpunkt der Wandlung nicht das Nichts, sondern positiv der Leib Christi ist. Im Grunde gibt er, wenn er Vernichtung und direkte Wandlung des Brotes ablehnt, keine Lösung in dieser Frage. Die Idee des esse hic und der successio übernehmen die Nominalisten[216] wie Wilhelm Ockham, Petrus von Ailly, Gabriel Biel.[217] Damit wird dem eucharistischen Leib Christi Örtlichkeit zugeschrieben, wie dies die liturgische Sprache ohne Scheu tut, was aber Thomas eigentlich vermieden wissen will. Das Hiersein des himmlischen Leibes besagt an sich eine Beziehung desselben zu den konsekrierten Elementen. Übrigens hat schon Thomas en passant die Kategorie «Beziehung» verwendet und das Sakrament als habitudo Christi zu den Gestalten erklärt (S. Th. III q. 76 a. 6c u. ad 3). Diesen Aspekt stellt dann außer Jakob von Metz vor allem Durandus von St. Pourçain klar heraus, der förmlich von einer relationalen Gegenwart des Leibes Christi spricht: Der himmlische Leib Christi erhält in der Transsubstantiation durch Gott eine neue Beziehung als Substanz (nicht als Quantität) zu den sakramentalen Species, so daß er mit seiner Substanz (nicht mit seiner Quantität) unter diesen real gegenwärtig wird. Quantität würde die Gegenwart des Leibes verunmöglichen.[218] Gegen diese Tendenzen und Positionen verteidigt Herveus Natalis die Lehre des Aquinaten[218a].

Überhaupt beherrscht das Verhältnisproblem Substanz und Quantität die

[215] Ox. IV d. 11 q. 3 n. 23 f (ed. Vivès 17, 389). Zu Duns Skotus vgl. H. J. Storff, De natura transsubstantiationis iuxta I. Duns Scotum (Firenze-Quaracchi 1936); A. Eickler, Die Transsubstantiationslehre in der Schau des Duns Skotus: ThGl 39 (1949) 138–145; E. Iserloh, Gnade und Eucharistie 160 ff (weit. Literatur).

[216] Zur Literatur: G. Buescher, The Eucharistic Teaching of William of Ockham (Washington 1950); E. Iserloh (s. Anm. 195); ders., Der Wert der Messe in der Diskussion der Theologen vom Mittelalter bis z. 16. Jhdt: ZKTh 83 (1961) 44–79; R. Damerau, Die Abendmahlslehre des Nominalismus insbesondere des Gabriel Biel (Gießen 1963); H. A. Oberman, Spätscholastik und Reformation I (Zürich 1965) 252–262; K. Plotnik, Transsubstantiation in the Eucharistic Theology of Giles of Rome, Henry of Gent and Godfrey of Fontaines: Wahrheit und Verkündigung, Festschrift f. M. Schmaus II (Paderborn 1967) 1073–1086; ders., Hervaeus Natalis OP and the Controversies over the Real Presence and Transsubstantiation (Paderborn 1970).

[217] Vgl. die Kommentare zu Sent. IV. d. 11 c. 1 bei Wilhelm Ockham, In II–IV Sent. reportatio (Lyon 1495); Petrus de Alliaco, Quaestiones super libros sententiarum (Straßburg 1490); Gabriel Biel, Commentarium in IV libros sententiarum (Tübingen 1501).

[218] In IV. Sent. d. 11 q. 1 (Lyon 1563) f. 274 vb.

[218a] K. Plotnik, Hervaeus Natalis, s. Index.

Abendmahlslehre seit Thomas in einem unvorstellbaren Ausmaß.[219] Und gerade in diesem Punkt wird der Aquinate kritisiert und modifiziert. Er hatte die Quantität als absolutes, zur Substanz erst hinzutretendes Akzidens gefaßt. In der eucharistischen Wandlung bleibt die Quantität der Elemente mit den anderen Akzidenzien erhalten, wird sogar zum Subsistenzgrund der letzteren nach der Wandlung der Substanz. Die unverlierbare Quantität des himmlischen Leibes Christi aber wird gegenwärtig nicht modo quantitativo (extensivo), sondern im Gefolge (concomitanter) und nach Weise der Substanz, daher also unausgedehnt. Dagegen behaupten die Nominalisten, die Substanz sei *an sich* (schon) quantitativ, die Quantität sei also eine unlösliche Seinsweise der Substanz, weshalb sie Ockham als einen konnotativen Begriff zur selben auffaßt;[220] Substanz und Quantität seien also letztlich real identisch, wenn auch logisch unterscheidbar. Nun wird in der Eucharistie der Leib Christi seiner Substanz nach gegenwärtig, aber ohne Ausdehnung. Wie löst der Nominalismus diese Aporie? Bereits Ägidius von Rom unterscheidet eine innere Funktion der Quantität, die die Substanz grundsätzlich zur quanta macht, und eine äußere, die ihr die Ausdehnung im Raum verleiht. In der Eucharistie nun übt die Quantität nur ihre erste Funktion aus.[221] Man spricht von quantitas in se und quantitas extensa, die das Auseinandersein der Teile und ihre Erstreckung im Raum meint. Der eucharistische Leib Christi ist (als Substanz) quantum (in se), aber nicht quantum extensum. Zur Erklärung dessen konzipiert Ockham eine bemerkenswerte Idee: Er denkt sich die quantitas des Dinges der Substanz zusammengedrängt, «kondensiert» auf einen Punkt. Damit bleibt die Substanz grundsätzlich quantitativ, bleibt auch circumscriptiv im Raum gegenwärtig, ihre Ausdehnung, das Auseinandersein ihrer Teile aber entfällt.[222] Solchen Argumentationen wird man die Note «beachtlich» nicht versagen dürfen. Was aber bedenklich stimmt, ist die Tatsache, daß diese naturphilosophischen Argumentationen die ganze Eucharistie überwuchern und die anderen Aspekte, so die Opfer- und Anamnesisidee, verdrängen.

Noch andere Positionen der Hochscholastik finden Kritik und Modifizierung. So wird die Auffassung des Thomas, die Transsubstantiation sei positiver Übergang der aufhörenden Brotsubstanz in die Leibsubstanz, als im Grunde versteckte Annihilation bewertet, die zu vermeiden sei. Und gegen die thomanische These, die Brotform werde in die Seele Christi übergeführt, wird der Einwand erhoben, daß eine Wandlung des Materiellen in Geistiges unmöglich sei; dann aber muß man den terminus ad quem im Materiellen suchen. So lehrt denn auch Heinrich von Gent (gest. 1293), die Materie des Brotes werde in die des Leibes, die Form des Brotes aber in jene von der geistigen Seele Christi verschiedene Form verwan-

---

[219] Z. B. nimmt in Iserlohs Darstellung der Lehre Ockhams dieses Problem 79 Seiten (174–253) ein. Zur Reserve mahnt G. Biel, der mehr die existenzielle Seite an der Eucharistie betont; dazu H. A. Oberman 254.

[220] In IV. Sent. q. 4 L ad 5 (nach E. Iserloh 195 f); vgl. G. Buescher 67 ff; 143.

[221] Ägidius, Theoremata de corp. Christi, Theor. 6 (Venedig 1502) f. 91 vb; Texte bei K. Plotnik, Hervaeus Natalis 21.

[222] Vgl. R. Damerau 183; E. Iserloh 190 ff. Die Bedeutung dieser Idee kommt bei Iserloh wohl zu kurz. Wenn ich recht sehe, liegen in ihr die Wurzeln der Infinitesimalrechnung, die dann bei Nikolaus Cusanus, Newton und Leibniz entfaltet wird.

delt, die das esse corporeum verleiht.[223] Der Augustinertheologe Ägidius von Rom
(gest. 1316) läßt die ihrer Form entkleidete, aber mit Quantität affizierte Materie
des Brotes nur in den als materiellen Teil des Menschen verstandenen Leib (corpus pars) verwandelt werden, und zwar durch die Informierung von seiten der
Seele Christi, die die Materie des Brotes und des Leibes eins werden läßt.[224] Noch
deutlicher werden die folgenden Autoren. Nach Gottfried von Fontaines (um
1290) setzt die eucharistische Wandlung bei beiden Termini eine communicatio in
materia voraus, wie dies bei Brot und Leib der Fall sei. Die Materie des Brotes
aber wird nicht annihiliert, sondern bleibt aliquo modo non quidem in se, sed in
alio, bleibt auch unter der neuen Form.[225] Diese Linie setzt Durandus von St.
Pourçain fort. Auch er geht von der communicatio in materia aus und deutet die
Transsubstantiation dahin, daß die Materie des Brotes ihre Form verliert und unter
die Form des Leibes Christi subsumiert werde, wie die Nahrung unter die des
Essenden. Von den natürlichen Wandlungen unterscheide sich die eucharistische
nur durch ihre Weise, nämlich durch die Plötzlichkeit, nicht hinsichtlich der Substanz.[226] Damit haben wir eine bloße Transformation und eine Naturalisierung und
Rationalisierung des Mysteriums. Eine weitergehende letzte Konsequenz aus solchen Voraussetzungen zieht dann Johannes Quidort von Paris: Er vertritt die
Konsubstantiation, weswegen er 1305 seinen Lehrstuhl in Paris verliert. Die
Eucharistie ist ihm ein festum de impanatione. Die Substanz des Brotes bleibt unter ihren Akzidenzien, aber nicht in ihrem eigenen suppositum, wird vielmehr in
das (Sein und das) Suppositum Christi gezogen. Dieser nimmt die paneitas an, u. z.
vermittels seines corpus (caro) pars, so daß diese beiden corporeitates ihre Idiomata
austauschen, voneinander ausgesagt werden können (panis est corpus Christi und
umgekehrt). Es besteht aber nur *ein* corpus caro, und das ist das Suppositum
Christi, das die corporeitas besitzt.[227] Überhaupt gewinnt die Konsubstantiation
jetzt erhöhte Sympathien. In Gegensatz zu Thomas und im Anschluß an Duns
Skotus[228] hält man sie im Nominalismus für nicht schriftwidrig und an sich möglich, Ockham sogar für rationabilior,[229] Heinrich von Langenstein für schriftgemäßer.[230] Für sie spricht in den Augen der Nominalisten das Ökonomieprinzip,
da sie nicht den wunderhaften Fortbestand der Akzidenzien ohne Subjekt fordert;
denn die Zahl der Wunder sei möglichst klein zu halten, die Vorgänge seien möglichst natürlich zu erklären. Gleichwohl halten aber die Nominalisten an der Transsubstantiation fest wegen der konziliaren Entscheidung der Kirche auf dem
IV. Lateranum; so denken außer Ockham und Thomas von Straßburg viele an-

---

[223] Quodl. IX q. 9 (ed. Paris 1518) f. 370 v, zit. bei K. Plotnik, Hervaeus Natalis 33.
[224] Theoremata de corp. Christi, Prop. 26–34; Textbelege bei K. Plotnik 27 ff.
[225] Quodl. IX q. 2, 11; Texte bei K. Plotnik 38.
[226] In IV. Sent. d. 11 q. 2, Texte bei Plotnik 53–57. Durandus hat einen Vorläufer in dem
anonymen Schüler des Jakob von Metz, dem Autor des Ms. Vat. lat. 122, und einen Gesinnungsgenossen in dem anonymen Kommentator aus der Schule des Jakobus von Metz,
dem Autor des Ms. Vat. lat. 985.
[227] Texte aus der «Determinatio» bei K. Plotnik 57–59.
[228] In IV. Sent. d. 11 q. 3 n. 9.13–15 (ed. Vivès 17,357.372–375).
[229] In IV. Sent. q. 6 C–E.
[230] Text bei R. Damerau 41 Anm. 27.

dere.[231] Radikaler denkt Johannes Wyclif. Er lehrt wohl, daß die konsekrierten Gaben in ihrem natürlichen Zustande verblieben, concomitanter und sacramentaliter den Leib Christi und das Blut Christi enthielten, die spiritualiter zu empfangen seien. Das Konzil von Konstanz hat als Irrtümer Wyclifs den «Remanentismus»,[232] die Leugnung des subjektlosen Fortbestandes der Akzidenzien und die Verneinung der Realpräsenz verurteilt (DS 1151 ff).

Ein Gesamturteil über die Abendmahlslehre des Spätmittelalters darf dahingehend lauten, daß nicht nur und nicht so sehr einzelne Aufstellungen unbefriedigend sind und zu Kritik Anlaß geben, sondern die Gesamthaltung: Das Interesse der Theologie ist auf Realpräsenz und Transsubstantiation reduziert, und zwar – was noch schlimmer ist – auf die naturphilosophische Seite dieser Realitäten. Die heilsgeschichtliche und religiöse Bedeutung der Eucharistie tritt demgegenüber zurück. Der Opfercharakter der Messe spielt keine nennenswerte Rolle, wenn er auch nicht total verschwiegen wird.[233] In der Theologie ist die Eucharistie zu einem Spielfeld metaphysischer Spekulationen geworden – und in der Praxis entartet. Die große theologische Synthese fehlte. Es mußte sich der Eindruck aufdrängen, daß die Kirchenlehre eigentlich unvernünftig sei und nur durch Repression aufrechterhalten werde. So war der Boden für die Reformation bereitet.

9. Die Lehre der Reformatoren

Die Eucharistie, die auch noch in der veräußerlichten Übung des Spätmittelalters das Herz der Kirche und ein Knotenpunkt ihres Dogmas war, wurde in der Reformation zum Gegenstand erbitterten Streites. Es war nicht nur die verlotterte Meßpraxis, es war die katholische Grundidee von der Messe als Opfer, die den Protest der Reformatoren von ihrem Grundprinzip sola gratia aus erregte. Das Altarssakrament als Opfer betrachten, das die Kirche darbringt, heißt nach Luther, aus einer Gabe und dem Testament Gottes ein «gutes Werk» der Christen, eine menschliche Leistung machen. Wie Luther lehnen auch Zwingli und Calvin den Opfercharakter der Messe und deswegen den römischen Kanon und besonders die Privatmesse und ihre Zuwendung an Lebende und Tote entschieden ab. Dagegen konnten die Reformatoren[234] sich nicht einig werden über den positiven Gehalt der Abendmahlsgaben, ja an dieser Differenz scheiterte die Einheit der Refor-

---

[231] So Marsilius von Inghen (R. Damerau 57 f), Petrus von Ailly (ebd. 62), Heinrich von Hessen (ebd. 68 f), Nikolaus von Dinkelsbühl (ebd. 89), Gabriel Biel (ebd. 205 ff), Johannes Wesel.

[232] Gegen Hus wird der Vorwurf des Remanentismus zu Unrecht erhoben.

[233] Z. B. hat selbst Biel lange Ausführungen über Quantität, Qualität, Räumlichkeit der Hostie, er erwähnt aber nur kurz den Opfercharakter, den er in einer quaedam imago passionis Christi repraesentativa (Lect. 85 F bei R. Damerau 225 Anm. 184) sieht.

[234] Zur Abendmahlskontroverse der Reformatoren s. W. Köhler, Zwingli und Luther I (Leipzig 1924), II (Gütersloh 1953); E. Bizer, Studien zur Geschichte des Abendmahlsstreites im 16. Jahrhundert (Gütersloh 1940); H. Graß, Die Abendmahlslehre bei Luther und Calvin (Gütersloh ²1954); W. H. Neuser, Die Abendmahlslehre Melanchthons in ihrer geschichtlichen Entwicklung (1519–1530) (Neukirchen 1968).

mation. Für den Laienkelch treten alle ein. An ihm demonstriert die Reformation nicht nur ihre Treue zur Stiftung Jesu, sondern auch das Priestertum
aller Getauften, den Abbau der hierarchischen Struktur der Kirche. Er
wurde so zum Signum für das neue Kirchenverständnis und zu einem emo-
tionell aufgeladenen Problem.

Huldrych Zwingli[235] entwirft seine Theologie von der Gottunmittelbarkeit des Menschen her. Christus ist gegenwärtig im Wort, und der Heilige
Geist wirkt unmittelbar den Glauben. In diesem System vermitteln die
Sakramente nicht die Gnade, sie sind (Pflicht)zeichen des Glaubens der
Gemeinschaft. Das «Nachtmahl» ist positiv «Wiedergedächtnis» und öffent-
liche Danksagung für Jesu einmalige Opfertat, die keine Wiederholung
duldet und eine Opferhaftigkeit der Eucharistie ausschließt. Da Jesu Leib
durch die Himmelfahrt im Himmel lokalisiert ist, kann er nicht realiter auf
Erden im Brot sein.[236] Er wäre nach Jo 6,63 auch gar nicht als Nahrung der
Seele geeignet.[237] Das Brot ist nicht der Leib Christi, sondern bezeichnet
ihn nur. Das ‹est› der Einsetzungsworte ist tropisch zu verstehen. Der
Christus totus wird in der Seele (unmittelbar) gegenwärtig durch den Glauben: edere corpus heißt für Zwingli credere corpus caesum.[238] Wie Zwingli
denken Oecolampadius, Butzer und Karlstadt.

Martin Luther[239] betrachtet die Eucharistie als summa et compendium
Euangelii,[240] als deren Wesensgehalt aber die leibliche Gegenwart Christi
pro nobis, die er als Fortsetzung seiner Inkarnation versteht. Anfangs nimmt
er die substantielle Realpräsenz des Leibes Christi einfach hin und wertet sie
nur als Mittel des Sündennachlasses, den er als eigentliche Gabe des Abendmahls faßt; dann aber im Kampf gegen das Schwärmertum seit 1526 rückt
er sie als Proprium des Sakraments in die Mitte. Sie hat ihren unentrinnbaren Grund im Wort Gottes, in der Schrift, deren ‹ist› er nur als reale
Identifikation verstehen kann.[241] Die biblischen Termini «Leib» (Fleisch)

[235] Zu Zwingli vgl. außer Köhler C. Gestrich, Zwingli als Theologe (Zürich 1967) 137ff.
[236] Subsidium sive coronis de eucharistia (CR 91, 467.477).
[237] Amica exegesis, id est: expositio eucharistiae negocii ad Martinum Lutherum (CR 92,673).
[238] Subsidium (CR 91,467).
[239] Eine Liste der zahlreichen Äußerungen Luthers zum Abendmahl bei H. Peters, Realpräsenz. Luthers Zeugnis von Christi Gegenwart im Abendmahl (Berlin ²1966) 207ff. Aus
der Literatur sei noch angeführt: H. Wenschkewitz (Hrsg.), Lutherische Abendmahlslehre
heute (Göttingen 1960); J.Diestelmann, Konsekration. Luthers Abendmahlsglaube in
dogmatisch-liturgischer Sicht (Berlin 1960); H.B.Meyer, Luther und die Messe (Paderborn 1965); L.Hausammann, Realpräsenz in Luthers Abendmahlslehre: Studien zur Geschichte und Theologie der Reformation, Festschrift f.E.Bizer (Neukirchen 1969) 157–
173; C.Fr.Wislöff, Abendmahl und Messe. Die Kritik Luthers am Meßopfer (Berlin 1969).
[240] De captivitate babylonica ecclesiae praeludium (1520) (WA 6,525).
[241] Ein Brief an die Christen zu Straßburg wider den Schwärmergeist (1524) (WA 15,
394); Daß diese Worte Christi «Das ist mein Leib» noch fest stehen (1527) (WA 23,157);
Kurzes Bekenntnis vom heiligen Sakrament (1544) (WA 54,156f).

und «Blut» deutet er (wie üblich) als «Stücke» Christi.[242] Zum totus Christus schreitet er weiter mittels der Ubiquitätslehre: Der erhöhte Leib Christi ist unzertrennlich mit der Gottheit verbunden und partizipiert an deren Allgegenwart kraft der Idiomenkommunikation zwischen beiden Naturen.[243] Im Altarsakrament nun bindet Christus seine Leiblichkeit an Brot und Wein und macht so deren Omnipräsenz *für uns* greifbar, gewiß und heilsam.[244] Von der katholischen Konkomitanzlehre rückt er ab, weil sie inzwischen zur Rechtfertigung der Kommunionpraxis sub una herhalten mußte. Ebenso distanziert er sich von der Transsubstantiation,[245] er läßt sie aber meist als private theologische Meinung, nicht aber als Dogma gelten.[246] Am liebsten möchte Luther der Frage nach der Ontologie der Abendmahlsgaben ausweichen, er kann sie aber nicht ganz umgehen. Er selber denkt in Richtung der damals favorisierten Konsubstantiation. Jedenfalls bleiben Brot und Wein in ihrem Bestande erhalten. Sie werden aber mit dem Leib und Blut eine sakramentliche Einigkeit, werden ein Fleischsbrot und Blutswein und ein sakramentlich Wesen und Ding.[247] Diese unio sacramentalis, die wesentlich ist, vergleicht Luther mit der christologischen Union, in der die Naturen unverwandelt bestehen.[248] In diesen Zusammenhang gehört auch die berühmte Formel «im Brot, mit Brot, unter Brot».[249] Die Solida Declaratio VII 35 erklärt dieselbe im Sinne der Konsubstantiation, während Luther selbst dieses Stichwort niemals bringt. Dies legen neuere Forscher nicht als spekulatives Unvermögen Luthers aus, sondern als eine Zurückhaltung in dieser Frage.[250] An der ontologischen Analyse der Realpräsenz ist er auch deswegen nicht sonderlich interessiert, weil für ihn das Sakrament wesentlich actio und usus ist, Geschehen um das «Nehmet-esset!». Die Verheißung Christi gelte für den usus. Daher seien Aufbewahrung und Anbetung der Hostien zu vermeiden. Die Dauer der Realpräsenz erstreckt sich auf den usus vom Sprechen der Einsetzungsworte bis zur sumptio bzw. dem Verzehren der nicht benötigten Partikel.[251] Ein entschiedenes und schroffes Nein spricht Luther zum Opfercharakter der Messe. Dieser verkehre den Grundcharakter und die Sinnrichtung der Stiftung, verfälsche

---

[242] Vom Abendmahl Christi, Bekenntnis (1528) (WA 26, 282f).

[243] Daß diese Worte Christi... (WA 23, 133); Auslegung des dritten und vierten Kapitels Johannis (in Predigten 1538–1540) (WA 47, 76f).

[244] Daß diese Worte Christi... (WA 23, 151).

[245] Contra Henricum Regem Angliae (1522) (WA 10/11, 208).

[246] De capt. bab. (WA 6, 508); Vom Abendmahl Christi (WA 26, 461f).

[247] Vom Abendmahl Christi (WA 26, 445).

[248] Ebd. (WA 26, 440).

[249] Ebd. (WA 26, 447). «Im Brot» oft; «in» u. «unter Brot»: Vom Abendmahl Christi (WA 26, 264f); Großer Katechismus (WA 30 I, 223).

[250] J. Grünewald und U. Asendorf in «Lutherische Abendmahlslehre heute» 21 und 25; A. Peters, Realpräsenz 97f; L. Hausammann, Realpräsenz 168.

[251] Brief Nr. 3894 (WA Br. 10, 348); Sol. Decl. VII, 86 (BSLK 1001).

die Gabe Gottes an uns zu einem Werk des Menschen für Gott.[252] Darum gilt die Messe allen Reformatoren als Lästerung und Beeinträchtigung des Kreuzesopfers. Sie könnte höchstens Dankopfer sein, insofern sie neben der Annahme einer Gabe auch Gedächtnis ist.[253]

Johannes Calvin[254] bemüht sich um einen Brückenschlag zwischen Luther und Zwingli. Auf dem Wege Augustins wandelnd, nimmt er nicht eine substanzielle Identität, wohl aber eine Entsprechung (analogia) zwischen Zeichen und Wahrheit an, behauptet aber eine wirkliche Teilhabe an Christi Leib und Blut vermittels des Sakraments. Dieses ist kein «Gnadenmittel»,[255] aber auch kein leeres Zeichen und kein bloßes Merkzeichen, sondern gewißmachende Anzeige des mit ihm verbundenen Handelns Gottes durch den Heiligen Geist. Dabei spricht Calvin realistisch wie die Bibel vom Empfang des Leibes und Blutes Christi, die auch ihm die Abendmahlsgabe bilden und den totus Christus in seinem Tod und seiner Auferstehung meinen.[256] Aber Calvin versteht diesen Empfang nicht als mündlichen Genuß Christi in und unter den Elementen: Eine solche Art von Realpräsenz dünkt ihn perversa superstitio,[257] verdrehter Irrtum.[258] Das «ist» der Einsetzungsworte ist nur bildlich zu verstehen.[259] Vielmehr bleibt der Leib Christi seit und wegen der Himmelfahrt an seinem himmlischen Ort; Multilokation würde ihn zerstören.[260] Christus «wird nicht bis dahin erniedrigt, daß er unter vergänglichen Elementen eingeschlossen würde».[261] Die Teilhabe am himmlischen Leib Christi aber stellt der Heilige Geist her. Er ist das vinculum communicationis, die Verknüpfung zwischen Kom-

---

[252] De capt. bab. (WA 6, 520).

[253] Vermahnung zum Sakrament des Leibes und Blutes Christi (1530) (WA 30/II, 614).

[254] Hauptsächliche Zeugnisse über das Abendmahl sind die Confessio Fidei de Eucharistia (1537) (OS 1, 435 = CR 37, 711); Petit Traicté de la Saincte Cene (1541) (CR 33, 429–460); Institutio christiana IV, 17 (OS 5, 342–417 = CR 30, 1002–1051); Stellungnahme zu den Art. 5–9 der Sorbonne (1544) (CR 35, 14f).
Zur Literatur vgl. außer H. Graß (A. 234): W. M. Niesel, Calvins Lehre vom Abendmahl (München ²1935); ders., Die Theologie Calvins (München ²1957) 210–225; H. Gollwitzer, Coena Domini (München 1937); H. Chavannes, La présence réelle chez s. Thomas et chez Calvin: Verbum Caro 13 (1959) 151–170; W. F. Dankbaar, Johannes Calvin (Neukirchen 1959) 175 ff; H. Janssen, Die Abendmahlslehre Johannes Calvins: Die Eucharistie im Verständnis der Konfessionen, hrsg. v. Th. Sartory (Recklinghausen 1961) 204–220; M. Thurian, Eucharistie (Mainz 1963) 254–255; P. Jacobs, Pneumatische Realpräsenz bei Calvin: Rev. d'Hist. et de Phil. rel. 44 (1964) 389–401; K. Mc. Donnell, John Calvin, the Church and the Eucharist (Princeton N. J. 1967); J. Gottschalk, Die Gegenwart Christi im Abendmahl (Essen 1966) 48–64.

[255] Consensus Tigurinus, Art. 17 (CR 35, 740).

[256] Inst. IV, 17, 11 (OS 5, 354 = CR 30, 1010).

[257] Cons. Tig., Art. 21 (CR 35, 741).

[258] Inst. IV, 17, 22 (OS 5, 372f = CR 30, 1021).

[259] Ebd.; ebenso Cons. Tig., Art. 22 (CR 35, 741f).

[260] Inst. IV, 17, 29 (OS 5, 384–387 = CR 30, 1028–1030).

[261] Petit Traicté de la Saincte Cene (CR 33, 460).

munikant und Christus, gleichsam ein Kanal, durch den alles, was Christus ist und hat, zu uns geleitet wird.[262] So werden wir durch den Geist zu Christus emporgezogen und empfangen nicht die caro Christi ipsa, aber das Leben aus der Substanz seines Fleisches.[263] Die Wirkung aber ist so, als ob Christus mit seinem Leibe zugegen wäre.[264] Das gilt jedoch nur für die erwählten Gläubigen, eine manducatio impiorum hat nicht statt.[265] Wenn heute Calvin eine «pneumatische Realpräsenz Christi beim Abendmahl» nachgerühmt wird, so ist der Unterschied gegenüber dem katholischen und lutherischen Verständnis des Begriffes Realpräsenz nicht zu übersehen: Nach letzterem ist nicht nur die durch den Heiligen Geist vermittelte Personalpräsenz Christi, sondern die wirkliche Gegenwart der Substanz des Leibes und Blutes Christi in und unter den Elementen gemeint.

10. Das Konzil von Trient

Die katholische Reaktion[266] auf die Lehren der Reformatoren befaßte sich vordringlich mit dem Meßopfer, in zweiter Linie mit der Realpräsenz (Eck). Den Weg wies der reformatorische Vorwurf, die Messe sei Lästerung und Herabsetzung des Kreuzes Christi. Demgegenüber galt es, die Einheit von Kreuz- und Meßopfer herauszustellen. Aber nun rächte sich wieder das Fehlen einer brauchbaren Opfertheologie. Zwar herrschte über den Opfercharakter der Messe kein Zweifel; aber anzugeben, worin er bestehe, tat man sich schwer. Man verwies natürlich auf das Moment der commemoratio des Todes Christi, allein das Gedächtnis wurde weithin als subjektive Bewußtseinsangelegenheit verstanden. Darum erklärte Eck, die Messe sei Gedächtnis und dazu ein Opfer. Unter den vortridentinischen Theologen

---

[262] Inst.IV,17,12 (OS 5,355f = CR 30,1010f); Inst.IV,17,22.33 (OS 5,372f.391–394 = CR 30,1021.1033f).

[263] Inst.IV,17,32 (OS 5,391 = CR 30,1032f).

[264] Inst.IV,17,18 (OS 5,365 = CR 30,1016f).

[265] Inst.IV, 17,33 (OS 5,391–394 = CR 30,1033f).

[266] Von den frühen Kontroverstheologen seien genannt: Thomas Murner, Hieronymus Emser, Johannes Eck, Johannes Cochlaeus, Ambrosius Pelargus, Berthold Pürstinger vom Chiemsee, Michael Helding, Johann Gropper, Eberhard Billick, Georg Witzel; außerdeutsche Autoren: Girolamo von Monopoli, Giovanni Antonio Pantusa, Jodokus Chlichtovaeus, John Fisher. Aus der Literatur sei genannt: N.M.Halmer, Die Meßopferlehre der vortrid. Theologen (Fribourg 1944); E.Iserloh, Die Eucharistie in der Darstellung des Johannes Eck (Münster 1950); ders., Der Kampf um die Messe in den ersten Jahrzehnten der Auseinandersetzung mit Luther (Münster 1952); F.X.Arnold, Vorgeschichte und Einfluß des Trienter Meßopferdekrets, in: Die Messe in der Glaubensverkündigung, Festschrift f. J.A. Jungmann (Freiburg ²1953) 114–161; J.Mohr, Der Opfercharakter der Messe in der «Apologia» und im «Hyperaspismus» des Ambrosius Pelargus (Speyer 1965); J. Kötter, Die Eucharistielehre in den Katechismen des 16. Jahrhunderts bis zum Erscheinen des Catechismus Romanus (Münster 1969).

ragen Kaspar Schatzgeyer [267] und Kardinal Kaietan heraus. Besonders der letztere betont, die Messe sei mit dem Kreuzopfer Christi identisch, sei nicht dessen Wiederholung, sondern Fortdauer, nicht dessen Ergänzung, sondern Zuteilung. [268]

Die überfällige große Antwort der Kirche brachte das Konzil von Trient, das die Eucharistie von Anfang an zu seinen Hauptpunkten rechnete. Es behandelte aber ihre einzelnen Wesensseiten zum Nachteil für die Sache isoliert, nicht als Einheit. Zunächst wurde die Realpräsenz erhärtet. Zwei voneinander unabhängige Ansätze (1547, 1551) führten zum gleichen sachlichen Ergebnis und im Endeffekt in der 13. Sitzung 1551 zum Eucharistiedekret. [268a] Die ihm vorausgehende konziliare Arbeit hatte sich, dem theologischen Stil der Zeit entsprechend, ganz auf die definitorischen Canones konzentriert; ihnen wurden in letzter Minute 8 Lehrkapitel (DS 1635–50) vorausgeschickt, die ohne lange Debatte gutgeheißen wurden. Sie haben nicht die gleiche Aussagekraft wie die Anathematismen, bilden mehr ein «pastorales Dokument» (Jedin), lassen aber die Grundtendenzen der Konzilsväter deutlich erkennen. Im Dekret geht es vorrangig um die Tatsache der Realpräsenz. Canon 1 (DS 1651) definiert das wahrhafte, wirkliche und substantielle, nicht nur zeichenhafte, bildliche und bloß wirkhafte Enthaltensein des Leibes und Blutes Christi mitsamt seiner Seele und Gottheit im Altarsakrament. Canon 2 deckt den ontologischen Grund und die denknotwendige Voraussetzung der Realpräsenz auf, indem er die Wandlung der ganzen Brotsubstanz in den Leib und der ganzen Weinsubstanz in das Blut Christi lehrt, dabei die Fortdauer der Gestalten der Elemente und das Nichtbleiben ihrer Substanz bekennt und den Begriff Transsubstantiation als geeignete Aussagekategorie bezeichnet. Wie Erläuterungen im Lehrkapitel 4 (DS 1642) und die Äußerungen maßgeblicher Konzilsväter [269] erkennen lassen, wollte das Konzil mit diesem Begriff nur die schlichte Tatsache, nicht aber das weitergehende Theologumenon über das naturphilosophische Wie der Wandlung dogmatisieren, zumal es den Glauben gegen den Irrtum abgrenzen, nicht aber innerkatholische Schulfragen entscheiden wollte. Auch wenn die Konzilsväter als Kinder ihrer Zeit die Transsubstantiation nur in aristotelischen Denkvorstellungen gedacht haben, so ist doch diese

---

[267] Von dem heiligsten Opfer der Meß (1525). Dazu E. Komposch, Die Messe als Opfer der Kirche. Die Lehre Kaspar Schatzgeyers (Diss. masch. München 1962).

[268] Opuscula omnia (Lyon 1538) 341 f. Vgl. W. Baum, The Teaching of the Cardinal Caietan on the Sacrifice of Mass (Rom 1958).

[268a] Einzelheiten bei H. Jedin, Geschichte des Konzils von Trient III (Freiburg 1970) 32–52 und 268–291.

[269] Der traditionsbetonte Bischof Tommaso Campeggio von Feltre möchte 1547 den bei den Protestanten odiosen Begriff Transsubstantiation durch den einfacheren der conversio ersetzen (CT V 1009 ff; Jedin 45). Melchior Cano hält den Terminus an sich für berechtigt, aber nicht zum Glaubensinhalt gehörig, wenn nur die eucharistische Wandlung bekannt wird (CT VII/1, 124 ff; Jedin 271).

philosophische Substruktur ihres Denkens nicht mitkanonisiert.[270] Des
weiteren zieht das Konzil die sachlogischen Konsequenzen aus der Realpräsenz: Es definiert die Gegenwart des totus Christus in jedem Teil der
beiden Gestalten (c. 3), die Fortdauer derselben extra usum (c. 4), die Anbetungswürdigkeit und Aufbewahrung der konsekrierten Gestalten (c. 6–7),
den nicht nur geistigen, sondern auch sakramentalen (leiblichen) Genuß
Christi in der Kommunion (c. 8), die Erlaubtheit der Selbstkommunion des
Priesters (c. 10). Ferner verurteilt es die Einschränkung der Frucht der
Eucharistie auf Sündennachlaß (c. 5), verlangt würdige Vorbereitung durch
die Beichte (c. 11) und jährliche Kommunion als Mindestforderung (c. 9).

Schon 1551 mitverhandelt, aber erst 1562 entschieden wurde die kirchen-
politisch brisante Frage der Kommunion unter beiden Gestalten oder des
Laienkelches.[271] Die 21. Session anathematisiert die Behauptung von der
Heilsnotwendigkeit der Doppelkommunion (c. 1: DS 1731) und der Kommunion der unmündigen Kinder (c. 4) und definiert das Recht der Kirche
zur Einführung der communio sub una (c. 2) sowie deren dogmatische
Grundlage, die concomitante Gegenwart des totus Christus unter der Brotsgestalt (c. 3).

Schließlich wurde 1562 in der 22. Sitzung auch das Dekret über das Meßopfer[272] verabschiedet, nachdem sich das Konzil schon 1547 und 1551/2
mit der Materie befaßt hatte. Die tragende Grundidee ist die Einheit von
Kreuz- und Meßopfer. Von diesem her entwickeln auch die (diesmal aus-
giebiger behandelten) Lehrkapitel das Meßverständnis. Sie gründen die
Identität von Kreuz und Meßopfer in der Identität des Opferpriesters und
der Opfergabe (Kap. 2: DS 1743). Die Identität der Opferhandlung wurde
wegen des Unterschiedes blutig-unblutig nicht explizit ausgesprochen –
dies geschah aber durch den Catechismus Romanus II 4,76 –, ist jedoch
impliziert; denn die Messe wird als Vergegenwärtigung, als fortdauerndes
Gedächtnis und als Zueignung (repraesentatio, memoria, applicatio) des
Kreuzesopfers verstanden (Kap. 1: DS 1740). Das Abendmahl war kultische
Selbstdarbringung Jesu (ebd.). Die 9 Canones definieren in antireformatorischer Schärfe die Tatsache, daß die Messe ein wahres und eigentliches
(proprium) Opfer (c. 1: DS 1751), aber keine Lästerung und Herabsetzung
des Kreuzes sei (c. 4). Der Stiftungsbefehl Jesu bedeutet zugleich die Einsetzung des Priestertums, so bringen die Priester den Leib und das Blut
Jesu dar (c. 2). Die Messe ist nicht nur Lob- und Dankopfer, auch kein

---

[270] Dazu K. Rahner, Die Gegenwart Christi im Sakrament des Herrenmahles: Schriften IV, 362–380; E. Schillebeeckx, Die eucharistische Gegenwart (Düsseldorf 1967) 15–49.
[271] Dazu H. Jedin, Krisis und Abschluß des Trienter Konzils 1562/63 (Freiburg 1964)
43 f.
[272] H. Jedin 46 ff; E. Iserloh, Das tridentinische Meßopferdekret in seinen Beziehungen
zu der Kontroverstheologie seiner Zeit, in: Il Concilio di Trento e la Riforma tridentina
(Rom 1965) 401–439.

bloßes Gedächtnis des Kreuzesopfers, sondern Sühnopfer für Lebende und Verstorbene (c. 3). Weitere Anathematismen definieren die Erlaubtheit der Privatmesse (c. 8), der Messe zu Ehren der Heiligen (c. 5) und verteidigen den Kanon sowie die Meßgestalt der katholischen Kirche (c. 6, 7, 9).

11. Die Jahrhunderte nach Trient

Die Dogmatik der nächsten Jahrhunderte wird bestimmt vom Tridentinum und von der Hochscholastik, ferner von der antiprotestantischen Polemik, am wenigsten vom konkreten liturgischen Leben. Die auch in Trient praktizierte Dreiteilung des Traktates in Realpräsenz–Sakrament–Opfer macht Schule, eine Integration dieser Teilaspekte in einen umfassenden Wesensbegriff wird kaum versucht. In der Frage der Transsubstantiation werden die aus dem Mittelalter bekannten Positionen und Ansätze spekulativ weiter ausgebaut. Die Thomisten (von Billuart bis F. Diekamp), ferner Suarez, Lessius, Franzelin u. a. betrachten die Wandlung als productio bzw. re-productio des schon bestehenden Leibes Jesu ohne dessen Vervielfältigung, die Skotisten und die Jesuitentheologen Bellarmin, Toletus, Vasquez und Gregor von Valencia hingegen halten an der adductio desselben, aber ohne Ortsveränderung, fest. Voll befriedigen wird keine dieser Theorien, die an die Grenzen des Geheimnisses stoßen.

Zum heftig diskutierten Thema wurde der Opfercharakter der Messe.[273] Das Tridentinum hatte diese einerseits als memoriale Repräsentation und Applikation des Kreuzesopfers (DS 1740) und damit als relatives Opfer gelehrt, andererseits aber auch als verum et proprium sacrificium definiert und damit zu so etwas wie einem «absoluten» Opfer erklärt, besser gesagt zu einem echten und eigentlichen Opfer in sich, also im zeichenhaften Vollzug (was nicht heißt zu einem eigenständigen Opfer). Nun wurde gefragt: Worin gründet der Opfercharakter der Eucharistie? Die Frage setzte einen Opferbegriff voraus; den aber entnahm man der Religionsphänomenologie. Großen Einfluß gewann Gabriel Vasquez (gest. 1604) mit seiner Idee, daß zum Wesen des Opfers außer der Oblation der Opfergabe auch noch deren Destruktion gehöre, weil nur so die absolute Verfügungsgewalt Gottes über Leben und Tod zum Ausdruck komme. Vasquez selbst machte das Moment der Vernichtung nur für das historische Kreuzesopfer geltend. Den Opfercharakter der Messe erblickte er darin, daß diese aufgrund der Doppelkonsekration und der Trennung von Leib und Blut Jesu eine kommemorative Darstellung des einen wirklichen Schlachtopfers ist. Allein das Abbild eines Opfergeschehens ist selbst nicht ohne weiteres schon opferhaft. Darum suchten andere Theologen weiter nach realen opferhaften Zügen in der Messe. Suarez sah in der getrennten Gegenwärtigsetzung von Leib und Blut Jesu nicht nur eine Symbolik,

---

[273] Ausführliche Darstellung bei F. X. Renz, Die Geschichte des Meßopfer-Begriffes II (Freising 1902) 203–506; M. Lepin, L'idée du sacrifice de la Messe d'après les theologiens depuis l'origine jusqu'à nos jours (Paris 1926); vgl. noch H. Lais, Gedanken zu den Meßopfertheorien: Theol. in Geschichte und Gegenwart, Festschrift M. Schmaus (München 1957) 67–88. Brauchbares Material findet sich auch in den dogmatischen Lehrbüchern, bes. F. Diekamp-K. Jüssen, Kath. Dogmatik III (Münster 1954) 207–216; I. Filograssi, De ss. Eucharistia (Rom ⁶1957) 373–395.

sondern selbst ein Opfergeschehen auf der sakramentalen Ebene. Man suchte aber vor allem eine Destruktion, sei es an den eucharistischen Gestalten, sei es am eucharistischen Christus selber. Suarez fand sie im Aufhören der natürlichen Substanzen der Elemente, Cano in der Brechung der Hostie; de Lugo und später Franzelin sahen sie darin, daß Christus zum niedrigen Zustand einer Speise sich herabneige (status declivior) unter Verzicht auf sinnliche Funktionen, welches Moment dann auch A. de Cienfuegos herausstellt; Bellarmin schließlich sieht die destructio im Verzehrtwerden des Sakraments in der Kommunion. Der Doppelkonsekration mit ihrer Trennungstendenz schreibt Lessius eine solche Kraft zu, daß sie vi verborum und an sich die wirkliche Tötung Jesu bewirken würde, wenn nicht diese per accidens durch die Impassibilität des Verklärten verhindert würde. Man konnte sich also in der Realistik der Opfervorstellung nicht genug tun und achtete nicht auf das Selbstverständnis der Liturgie.

Mehr als die Destruktion macht Suarez[274] die Oblation der Gaben geltend. Er schlägt damit die Brücke zur Oblationstheorie, die das Wesen des Opfers nicht in der Zerstörung, sondern in der Darbringung der Opfergabe erblickt. Auf dieser Linie bewegen sich die Meister der École française (wie P. de Bérulle, Olier und Lebrun), die die Messe als Teilhabe an der Hingabe Jesu an seinen Vater sehen. Der klassische Zeuge dieser Theorie wird V. Thalhofer.[275] Er verkündet mit großer Wärme ein himmlisches Opfer Christi, das seinen Opferakt am Kreuz fortsetzt und das in der Messe zeiträumliche Gestalt annimmt, da Christus in der Konsekration denselben Opferakt wie einst am Kreuz und jetzt im Himmel vollzieht. Mehr und mehr wird ein eigenes himmlisches Opfer Christi statuiert und zum Bindeglied zwischen Kreuz- und Meßopfer. Manche Anhänger nehmen für jede Messe einen eigenen aktuellen Opferakt des verklärten Christus an,[276] als ob das eine Opfer Jesu nicht ein für allemal gälte. Nach M. de la Taille sodann ist das Erlösungsopfer Jesu konstituiert aus seinem ausdrücklichen Oblationsakt im Abendmahl und der blutigen Immolation auf Golgotha. In der Eucharistie setzt die Kirche die Abendmahlsoblation fort, bringt den durch die Transsubstantiation gegenwärtiggesetzten Christus dem Vater dar.[277] Im ganzen erblicken immer mehr Theologen in der Doppelkonsekration eine «mystische», d.h. sakramentale Schlachtung Christi (mit L. Billot) und zugleich seine Aufopferung an den Vater.

Der dogmatischen Grundhaltung entspricht in jenen Jahrhunderten auch die eucharistische Praxis. Auch da steht die Realpräsenz beherrschend und isoliert im Vordergrund. Die Frömmigkeit ist auf die Anbetung des gegenwärtigen Herrn gerichtet, wesentlich Anbetungskult; der Tabernakel gewinnt eine dominierende Stellung in der Architektur und im Kult. Die Kommunion wurde – vor allem im Jansenismus – nur selten und außerhalb der Messe empfangen. In antireformatori-

---

[274] De Missae sacrificio, disp. 75 s. 2. Näheres s. Renz II 300ff.

[275] Das Opfer des alten und des neuen Bundes (Regensburg 1870). Weitere Vertreter dieser Theorie sind J. A. Möhler, H. Klee, H. Simar, P. Schanz, G. Pell, M. ten Hompel, M. Lepin.

[276] So schon Suarez, die Salmantizenser, ferner M. Lepin; R. Garrigou-Lagrange, De Eucharistia (Turin 1944) 290–300; I. Filograssi, De ss. Eucharistia 395 ff; I. A. de Aldama, Sacrae Theol. Summa IV (Madrid ⁴1962) 315 f.

[277] Mysterium Fidei (Paris ³1931).

scher Polemik wurde die letztere allein als Werk des konsekrierenden Amtspriesters gesehen. Daß auch die Gläubigen auf Grund des allgemeinen Priestertums mitopfern, entschwand dem Bewußtsein.

12. Neubesinnung im 20. Jahrhundert

Die verengte, schematische nachtridentinische Sicht wurde in unserem Jahrhundert aufgebrochen. Die erste und nachhaltigste Korrektur kam nicht von der Spekulation, sondern von der aus dem Raum der Kirche aufbrechenden Liturgischen Bewegung, die zu einer Neubesinnung auf die Grundidee des Gottesdienstes, des Sakraments, ja der ganzen christlichen Wirklichkeit führte. Dann brachte auch die gesteigerte exegetische, liturgie- und dogmengeschichtliche Forschung wertvolle Förderung. Ein wichtiger Schritt auf praktischem Gebiet war das Kommuniondekret Pius' X. (1905), das als Hauptzweck der Eucharistie nicht deren Anbetung, sondern die Heiligung der Gläubigen verkündete und die Christen zur täglichen Kommunion ermunterte. Wollte die Liturgische Bewegung eine erhöhte aktive Teilnahme der Gläubigen am Kult erreichen, so mußte sie sich um ein besseres Verständnis und um eine sinnvollere Gestaltung desselben bemühen.[278] Sie grub tiefer und deckte die verschüttete Wahrheit auf, daß das Sakrament nicht nur objektives Gnadenmittel ist, sondern personales Heilshandeln Christi an uns, Begegnung mit dem Erlöser und seinem Heilswerk, Mitvollzug der Erlösung. Diese zugleich heilsgeschichtliche wie personale Sicht, deren Bedeutung für Kirche, Leben und Theologie kaum überschätzt werden kann, brachte wie kein anderer Odo Casel zur Geltung. Er lehrte die Liturgie als die Gegenwart göttlicher Heilstat unter dem Schleier der Symbole verstehen.[279] Nun kam auch wieder zum Bewußtsein, daß die Gläubigen aktiv mitopfern und dieses Tun seine rechte Vollendung findet in der Kommunion, die denn auch wieder in die Messe integriert wurde. Ihre kirchenamtliche Sanktion erhielten diese Bemühungen durch Pius XII. in seiner Enzyklika «Mediator Dei» (1947) und mehr noch durch das Zweite Vatikanische Konzil. Es verkündet in seiner Liturgiekonstitution die Eucharistie als Fortdauer des Kreuzesopfers Christi, als Gedächtnis seines Todes und seiner Auferstehung (§ 47), mit alledem als Teilhabe am Pascha-Mysterium (§ 6) und erstrebt ganz allgemein eine größere Transparenz und Aussagekraft der liturgischen Gestaltungen.

Die theologischen Bemühungen richteten sich nicht nur auf die verschiedenen einzelnen Zeichen, sondern auf *das* Zeichen als solches. Und das be-

---

[278] Anregung und Hilfe erfuhr die Liturgische Bewegung auch von der aufblühenden Phänomenologie, vor allem in der Person R. Guardinis.

[279] Mysteriengegenwart: JLW 8 (1929) 145; vgl. auch O. Casel, Das christliche Kultmysterium (Regensburg ⁴1960) 79. Bibliographie von und über Casel s. O. D. Santagada: ALW X/1 (1967) 7–77.

sondere Interesse kam nicht nur von der Liturgik und der theozentrischen Mysterienlehre, die das sakramentale Symbol als Ausdruck und Vergegenwärtigungsmittel der einstigen göttlichen Heilstat ansah. Es kam auch von der anthropozentrisch orientierten Richtung, dem theologischen Existenzialismus, der die Bedeutung des Symbols für den Menschen tiefer bedachte. Dasselbe ist nicht nur ein gnoseologischer Hinweis auf Nichtgegenwärtiges, sondern vor allem eine Selbstaussage der Person, die nur im Umgang mit den Dingen und mittels ihrer sich aussagen, auslegen und mitteilen kann. Das Symbol ist ein anthropologisches Grundphänomen. Der Ring, den der Mann seiner Braut an den Finger steckt, ist mehr, als dessen materieller und künstlerischer Wert ausmacht; er ist Ausdruck der Liebe, Zeichen der Selbstschenkung und unvergeßliche Erinnerung an eine bestimmte Stunde. Im Geschenk gibt sich der Schenkende intentional dem Beschenkten. So sind Symbole Wesensausdruck der Person und Mittel der Begegnung. Das wird nun auch für die Sakramente neu bedacht, für die das thomanische Grundprinzip lautet: sacramentum est in genere signi (S. Th. III q. 60 a. 1–3). Sie sind Symbole, in die Gott seine Selbstmitteilung an den Menschen kleidet. Daher erhalten die als Zeichen verwendeten Dinge im Sakrament eine neue Bedeutung und Funktion, erfahren einen Bedeutungswandel, eine Transfunktionalisierung, Transfinalisation oder Transsignifikation, wobei diese Ausdrücke im Grunde das gleiche besagen. Die traditionelle Schuldogmatik hatte die Bedeutung der Zeichen Brot und Wein im Abendmahl nur unter naturontologischem Aspekt, nur nach ihrem statischen Sein vor und nach der Konsekration betrachtet. Nun wird ihre Funktion im Gesamt des Geschehens ins Auge gefaßt. Waren sie von sich aus bloße biologische Nahrungsmittel, so werden sie in der Eucharistie zu Zeichen und Mitteln der Selbsthingabe Christi an die Seinen in seinem Fleisch und Blut. Ontisch werden sie zu bloßen Akzidenzien, aber funktional zu Zeichen der personalen Begegnung Christi mit den Seinen. Ohne Zweifel stellt diese Auffassung eine Bereicherung dar. Der erste, der sie geltend machte, war J. de Baciocchi.[280] Er machte Schule, besonders in Holland.[281] In diesem Zusammenhang wurde die Frage nach Sinn und Bedeutung der Transsubstantiation und ihrem Verhältnis zur Transsignifikation erneut diskutiert.

Noch von anderer Seite her geriet das Thema Transsubstantiation in Bewegung. Da stand schon länger die Problematik des Substanzbegriffs zur Debatte. Die moderne Physik hatte erbracht, daß er im streng naturwissenschaftlichen Sinn nicht auf Brot und Wein anwendbar sei. Man brauchte dabei gar nicht so weit zu gehen wie manche Naturwissenschaftler, die ihn nur

---

[280] Le mystère eucharistique dans les perspectives de la Bible: NRTh 77 (1955) 561–580; ders., Présence eucharistique et transsubstantiation: Irénikon 33 (1959) 139–164.

[281] Dazu E. Schillebeeckx, Die eucharistische Gegenwart (Düsseldorf 1967); J. Powers, Die Eucharistie in neuer Sicht (Freiburg 1968).

personalen Wesen vorbehalten, oder wie andere, die nur das Gesamt der materiellen Welt als Substanz gelten lassen. Selbst wo man ihn auch für materielle Einzelsubstanzen zuläßt, dann doch nur für solche atomaren und molekularen Gebilde, die eine homogene Struktur und konstante chemisch-physikalische Eigenschaften aufweisen. Aber Brot und Wein sind in diesem Sinne keine Substanzen, sondern Konglomerate, also eine Mischung von Substanzen. Die Frage erhob sich: Was ist dann die Transsubstantiation? Etwa gar eine Vielzahl von Substanzwandlungen? Während nun die eine Richtung mit F. Selvaggi die vom Dogma gemeinte Substanz der Elemente für eine physikalisch relevante Größe, die Transsubstantiation für ein physikalischer Beleuchtung (wenn auch nicht Begründung) zugängliches Geschehen hielt,[282] erklärte eine andere Richtung im Gefolge von J. Ternus und C. Colombo,[283] daß die «Substanz» in der Eucharistie nichts Physikalisches, sondern etwas Metaphysisches sei, nämlich die metaempirische, daher physikalisch nicht zu fassende innerste Wirklichkeit der Sinngebilde Brot und Wein. Transsubstantiation wäre demnach ein transphysikalisches Geschehen, verläuft nicht auf der Ebene chemisch-physikalischer Strukturen, weshalb eine eucharistische Physik sich erübrigt. Diese Meinung setzte sich weithin durch.

Ist der Substanzbegriff auch nicht im streng naturphilosophischen Sinne auf die eucharistischen Elemente anwendbar, so bleibt er doch wertvoll, ja unerläßlich zur Kennzeichnung der eigentlichen und letzten Wirklichkeit. Diese kann aber nicht nur metaphysisch gesehen werden, sie wurde von anderen ausgesprochen theologisch betrachtet. Nach dem reformierten Theologen F. J. Leenhardt[284] ist das Wesentliche der Dinge oder ihre letzte nur im Glauben erkennbare «Substanz» der sich in ihnen verwirklichende Wille Gottes. Dieser mache im Abendmahl Brot zum wirklichen Leib Christi, so daß Leenhardt ohne Scheu von einer Transsubstantiation spricht. Diese Prägung des Begriffes hat auch auf katholische Autoren abgefärbt.[285] So sieht z. B. J. de Baciocchi die Substanz der Dinge in dem, was sie für Christus sind, der der universale Bezugsmittelpunkt aller Kreaturen ist und der (allein) Brot und Wein transsubstantiieren kann.[286] Hier war eine volle Theologisierung des Wortes erreicht.

[282] F. Selvaggi schrieb zwei Aufsätze über das Substanzproblem in der Eucharistie in Gregorianum 30 (1949) 7–45 und 37 (1956) 16–33. Ihm folgen in etwa R. Masi, M. Cuervo, J. C. Torner. Über die Diskussion vgl. C. Vollert, The Eucharist: Controversy in Transsubstantiation: Theol. Studies 22 (1961) 391–425.

[283] J. Ternus, Dogmatische Physik in der Lehre vom Altarsakrament?: StdZ 82 (1937) 220–230; C. Colombo, Teologia, filosofia e fisica nella dottrina della transustanziazione: La Scuola cattolica 83 (1955) 89–124.

[284] Ceci est mon corps (Neuchâtel-Paris 1955), bes. 31.

[285] Zu nennen sind außer J. de Baciocchi auch A. Vanneste (nach J. Powers 125 f) und E. Schillebeeckx aaO. 50 ff.

[286] Présence eucharistique: Irénikon 33 (1959) 151.

Die theologische Umprägung des Begriffes Substanz blieb nicht die einzige. Fast noch intensiver geschah eine anthropologische. Brot und Wein sind ja Kulturprodukte, vom Menschen für den Menschen aus Naturdingen gestaltet. Er nimmt die Dinge nicht einfach in ihrem An-sich hin, sondern bearbeitet sie, gibt ihnen neue Sinn- und Zweckbestimmungen, schafft immer neue Bezugszusammenhänge, die ihren geheimen Orientierungspunkt in ihm selber haben. Er entwirft so seine Welt. Von da aus erklärt B. Welte,[287] der Bezugszusammenhang der Dinge auf den Menschen mache das Sein des Seienden aus, sei, wenn man die Dinge von ihm her versteht, das primär Konstituierende, könne Substanz heißen. Bezugszusammenhänge gebe es viele und unterschiedlichen Ranges, sie unterlägen geschichtlichen Veränderungen, die man dann auf dem Boden dieser Voraussetzungen als eine Art geschichtlicher Transsubstantiation bezeichnen könnte. Solche Veränderungen des Bezugszusammenhanges und Sinnes können nach Welte tiefer, d.h. seinsbestimmender als je eine chemisch-physikalische Veränderung sein. Im Falle der Eucharistie sei der göttlich gestiftete und darum schlechthin verbindliche und seinsbestimmende Bezugszusammenhang das Mahl. Als Wandlung der chemisch-physikalisch gedachten Grundlagen der Elemente brauche die eucharistische Wandlung nicht gedacht zu werden.[288] Ähnlich erklärt der Holländische Katechismus: «Das Eigentliche, das Wesentliche der Dinge ist für uns das, was sie – auf je eigene Weise – für den Menschen sind und bedeuten. So ist für uns das Wesentliche am Brot, daß es irdische Nahrung für den Menschen ist. Bei der Verwendung des Brotes in der Meßfeier wird dieses Wesentliche etwas ganz anderes: Jesu Leib als Nahrung für das ewige Leben.»[289] Auf dem Boden dieser anthropologisch bestimmten Substanzauffassung[290] können einschneidende Veränderungen des Sinnes, des Zweckes, der Bedeutung, des Bezugszusammenhangs, also Transsignifikationen (Transfinalisationen) leicht als «Transsubstantiationen» ausgegeben werden, ohne daß eine innere *Seins*wandlung der Dinge geschieht. Die Begriffe werden denn auch von manchen Autoren[291] als äquivalent gebraucht.

Dieser so gefaßte Substanzbegriff drängt zum Vergleich mit dem alten der klassischen Schultheologie. Der transzendentale Bezug der Substanz auf den Menschen ist hier thematisiert, sie selber dynamischer, mehr funktional,

---

[287] Der Diskussionsbeitrag aus dem Jahr 1959 findet sich in M. Schmaus (Hrsg.), Aktuelle Fragen zur Eucharistie (München 1960) 190–195 und in: B. Welte, Auf der Spur des Ewigen (Freiburg 1965) 464–467.

[288] Welte stellt – das sei ausdrücklich bemerkt – seine Sicht als Arbeitshypothese zur Diskussion. Er will die Lehre der Kirche, insbesondere des Tridentinums gewahrt wissen.

[289] Glaubensverkündigung für Erwachsene (Nijmegen 1968) 385.

[290] Sie wird auch vertreten von R. Sonnen, Neubesinnung auf die Eucharistie als Sakrament: Kat. Blätter 90 (1965) 490–501, hier S. 491. Für J. Powers aaO. 189, meint die Substanz «die Bedeutung und Wirkung» eines Seienden.

[291] So P. Schoonenberg in Concilium 3 (1967) 311.

humaner gesehen. Das ist kein Nachteil. Bei vielen hinterläßt der sachhaft-statische Charakter des scholastischen Begriffes ein Unbefriedigtsein, weil er gar nicht die in der Eucharistie aufbrechende Liebe und Aktivität Gottes andeutet. Aber der neue Begriff hat auch seine Tücken und Gefahren. Er suggeriert die Vorstellung, als sei die Substanz nur im Bereich der menschlichen Sinngebungen, Bedeutungszuweisungen, Zweckbestimmungen anzusiedeln, in jenem Bereich des Seins also, der menschlicher Verfügungsgewalt offensteht, im Dimensionsbereich des Funktionalen und Phänomenalen. Hier sind Veränderungen der (so verstandenen) Substanz in der Tat nichts anderes als Transsignifikationen oder Transfinalisationen. Aber dieser Substanzbegriff, der ein wenig nach Pragmatismus («nach dem Ende der Metaphysik») riecht, bedeutet gegenüber der klassischen Auffassung eine Verdünnung. Das Sein besitzt eine Tiefe, die der Mensch erahnen kann, die aber seiner Bewältigung entzogen ist, dem souveränen schöpferischen Wirken Gottes jedoch offensteht. Nicht von ungefähr und offensichtlich zur Korrektur der anthropologischen Substanzauffassung betont E. Schillebeeckx, daß schon die natürliche Wirklichkeit, so sehr sie auch von uns gestaltet wird, kein Gemächte des Menschen ist und daß erst recht die Wirklichkeit der Eucharistie allein Tat Gottes ist, objektive Vorgegebenheit für den Glauben, daß daher die Transsubstantiation sich nicht in der Transsignifikation erschöpft,[292] sondern in die Tiefe des Seins hinabreicht.

Noch ein anderer eucharistischer Schlüsselbegriff erfuhr eine anthropologische Beleuchtung und Bereicherung. Der holländische Theologe P. Schoonenberg[293] hat eine Analyse des Phänomens «Gegenwart» gegeben und damit viel Anklang gefunden.[294] Gegenwart besagt nach ihm mehr als nur räumliche Anwesenheit und Vorfindlichkeit, nämlich auch eine Bezogenheit auf andere Gegenstände, und impliziert Handeln. Eigentliche Gegenwart ist personal, bedeutet Bezogenheit auf Personen, freie Selbstmitteilung der Person und Offenheit für andere; sie ist letztlich auf Gegenseitigkeit angelegt, besagt Intersubjektivität und beruht auf Interkommunikation. Diese bedient sich der Leiblichkeit, kann aber auch bei Abwesenheit geschehen. Die personale Gegenwart hat verschiedene Abstufungen; als Grundformen erscheinen die nur angebotene und die als Geschenk auch angenommene Gegenwart. Ihre vollendete Gestalt ist die gegenseitig angenommene und unmittelbare Selbstmitteilung, das Zusammen von räumlicher und personaler Gegenwart. Es gibt aber auch eine durch ein Medium (Brief, Geschenk) vermittelte Gegenwart, bei der das Medium zum Zeichen

---

[292] Die eucharistische Gegenwart 84–107.

[293] Grundlegend sind Schoonenbergs Abhandlungen über «De tegenwoordigheid» in Verbum 26 (1959) 148–157; 314–327; 31 (1964) 395–415; Heraut 89 (1959) 106–111. Dazu vgl. Herder-Korrespondenz 19 (1965) 517; R. Sonnen, Neubesinnung 496 ff; E. Schillebeeckx, Die euch. Gegenwart 78 ff; J. Powers, Eucharistie 132–136; 146–153.

[294] Vgl. de Haes (Powers 145), R. Sonnen 496; E. Schillebeeckx 86.

der Kommunikation und dabei nach Schoonenberg «fast … transsubstantiiert» wird. In der Eucharistie sei der auferstandene und verklärte Herr personal gegenwärtig, und zwar von allem Anfang an vor der Konsekration in der feiernden Gemeinde wie auch im Wort und sakramentalen Handeln. Diese seine personale Gegenwart mache Christus noch inniger und tiefer wirksam durch seine Gegenwart unter den Gestalten von Brot und Wein, die aber nicht die höchste Form der Gegenwart ist, sondern Mittel. Er werde gegenwärtig nicht nur als Geber, sondern auch – was nur er kann – als Gabe. Brot und Wein würden dabei zu bloßen Zeichen, in denen er seine Selbsthingabe vollziehe. An den Elementen geschehe keine physische Wandlung, sondern vielmehr eine «Zeichenwandlung». Nach Schoonenberg ist daher die Transsubstantiation eine Transfinalisation oder Transsignifikation, aber dann in einer Tiefe, die nur Christus erreicht, wobei der Autor die «Gegenwart Christi unter den Gestalten ganz und gar in seine Gegenwart in der Gemeinde verlegt».[295] Der holländische Theologe sieht also die eucharistische Gegenwart Christi wesentlich als die personale, pneumatische Gegenwart Christi in der Gemeinde als Geber, die intensiviert wird durch «die Zeichen, die seine Selbstgabe verwirklichen».[296] Ähnlich sprechen L. Smits und J. Powers.[297]

Diese als Annäherung an das heutige Lebensgefühl sich verstehende Position legt einen Vergleich mit der traditionellen Ansicht nahe. Ohne Zweifel bedeutet die personale Fassung der Gegenwart anstatt der bisherigen kosmologisch orientierten einen Fortschritt. Auch die transsignifikative Funktion der konsekrierten Elemente als Zeichen der Selbsthingabe Christi an seine Kirche ist ein förderlicher Gedanke. Die Frage ist aber, ob das eucharistische Geschehen, näherhin die ontische Wandlung der Mahlgaben als Transsignifikation und Transfinalisation erschöpfend und klar genug beschrieben ist. Hier wird zu sagen sein: Die beiden genannten Begriffe sprechen für sich allein genommen nicht die von der Tradition unterstrichene realontische Identität der Mahlgaben mit dem leibhaftigen Christus aus, jenes Moment also, das gerade der Begriff Transsubstantiation sichern will. Was die personale Gegenwart Christi in der Eucharistie betrifft, so ist er fürs erste als Geber in der feiernden Gemeinde gegenwärtig. Er kommt aber auch als Gabe, und zwar nicht nur intentional, wie unter Menschen der Geber in seiner Gabe kommt, sondern realiter und corporaliter, wie dies nur Christus kann. Diese Tatsache klingt bei Schoonenberg auf, wird aber nicht von den Begriffen Transsignifikation und Transfinalisation gedeckt. Sie bedürfen daher der Ergänzung durch die Transsubstantiation, soll das

---

[295] Zitate aus Schoonenberg bei E. Schillebeeckx 80.
[296] Vgl. Herderkorrespondenz 19 (1965) 518; E. Schillebeeckx 80f.
[297] L. Smits, Vragen rondom de Eucharistie (Roermond 1965); J. Powers aaO. 189–197.

eucharistische Geschehen zureichend beschrieben werden. Wenn in einer «neuen Sicht» die Bedeutung der Eucharistie mit der Formel «Christus im Gottesdienst in der Gemeinde» angegeben und die Kommunion dahin beschrieben wird, daß Christus sich im Bande des *Geistes* mit der Gemeinde vereinigt,[298] so bleibt solche Auffassung hinter der katholischen Tradition zurück. Diese bekennt die wesenhafte Identität der Gabe mit Christus und darüber hinaus die opferhafte Gegenwart seiner Opfertat, wovon in der neuen Sicht kaum die Rede ist.

Im Blick auf solche Tendenzen schärfte Papst Paul VI. in der Enzyklika «Mysterium fidei» (1965) Sache und Begriff der Transsubstantiation ein. Er wehrt sich dagegen, daß diese auf Transsignifikation und Transfinalisation reduziert werde (Nr. 11). Vielmehr sei sie der Grund für die neue Bedeutung und den neuen Zweck der Elemente (Nr. 46). Somit werden die neuen Begriffe als ergänzende Aspekte anerkannt. Es ist aber mit Recht bemerkt worden, daß die Transsubstantiation nicht nur den Grund für die neue Bedeutung und den neuen Zweck darstellt, sondern daß auch umgekehrt sie dadurch erfolgt, daß Brot und Wein eine neue Bedeutung und einen neuen Zweck von Gott erhalten.[299] So müssen Transsubstantiation, Transsignifikation und Transfinalisation in unlöslicher Verflochtenheit gesehen werden.

[298] J. Powers, Eucharistie 119. 195.
[299] O. Semmelroth, Eucharistische Wandlung (Kevelaer 1967) 19 ff.

SYSTEMATISCHE EINSICHTNAHME

1. Dogmatischer Bezugszusammenhang und Gesamtbegriff der Eucharistie

Die Dogmatik hat die Eucharistie allseitig zu beleuchten und einen umfassenden Wesensbegriff von ihr zu erarbeiten. Ausgangspunkt kann nur deren Charakter als Testamentum, Vermächtnis, Stiftung des Herrn sein, wie ihn die ntl. Einsetzungsberichte bezeugen. Dem entspricht als Grundakt des Menschen das Hören, Entgegennehmen, gehorsame Tun. So sieht sich die Dogmatik bei ihrer Erklärung immer auch auf den Vollzug des Testaments und die dabei gemachten Glaubenserfahrungen verwiesen. Sie darf dabei nicht im Vordergründigen, im Funktionalen und Phänomenalen steckenbleiben, muß in die Tiefe des Wesens vordringen. Im Umgang mit der Sache haben die Kirche und ihre Theologie auf ihrem Weg durch die Jahrhunderte unter dem Licht Heiligen Geistes Einsichten gewonnen, die wir ohne innere Verarmung nicht übergehen dürfen. Die inkarnatorische Struktur des Herrenmahls nach Johannes und den Vätern, seine ekklesiale Dimension nach Augustinus, die anamnetische heilsgeschichtliche Schau der Griechen, der Opfergedanke des alten römischen Kanons, die ontologische Auslotung der Realpräsenz in der mittelalterlichen Scholastik, die anthropologisch-personale Sicht der jüngsten Theologie anstelle einer bloß sachhaft-statischen, das alles sind Momente, die in eine dogmatische Synthese eingebracht werden müssen. Freilich genügt es nicht, die Formeln der Tradition nur zu wiederholen. Eine jede Generation tritt ja mit einem bestimmten Vorverständnis an das Sakrament heran, stellt aus ihrem jeweiligen Lebenszusammenhang bestimmte Fragen und versucht Antworten. Damit kommt ein existentielles Moment, kommt Geschichtlichkeit und Bedingtheit ins Spiel. In einem hermeneutischen Zirkel gilt es, die eigene Existenz im Lichte der Eucharistie, die Eucharistie im Lichte der eigenen Existenz zu verstehen. Dies muß aber auf eine theologisch legitime Weise geschehen. Oberste Norm bleibt der Stiftungswille Jesu. Maßgebend sind nicht die Anschauungen eines einzelnen Individuums, und hieße es Augustinus, auch nicht das Lebensgefühl einer einzelnen Generation, und fühle sie sich so reformfreudig wie die unsrige, auch nicht die philosophischen und weltbildhaften Vorstellungen einer Epoche. Richtmaß kann vielmehr nur der durchgehaltene Glaube der (noch nicht an ein Ende gekommenen) Jahrhunderte sein, der von der Schrift, der Verkündigung und der Erfahrung der Kirche lebt.

Das Abendmahl ist nach der Schrift die restlose Selbstschenkung Jesu an

den Vater und an die Menschen, das Selbstvermächtnis und damit die bleibende Gegenwart seiner Person und seines Werkes, des einen Heilsereignisses Jesus Christus. Es stellt eine analogielose Konzentration des
Heiles in seiner Person dar. Darum ist umgekehrt die Christologie der
nächste Verstehenshorizont für die Eucharistie. Nicht als ob wir aus der
ersteren automatisch glatte eucharistische Sätze deduzieren könnten, vielmehr gilt es, der Eigengesetzlichkeit des Testaments Jesu zu achten, mit
einer «eucharistischen Brechung» der Christologie zu rechnen; z.B. kann
das ἀτρέπτως von Chalkedon nicht automatisch auf das Herrenmahl übertragen werden. Wohl aber bietet die Christologie den Hintergrund, vor dem
die Konturen des Sakraments klarer erscheinen.

a. Ein erster hilfreicher Aspekt ist die sog. «kosmische Christologie»,[1]
der geheime Christusbezug der Gesamtwirklichkeit. Der ganze Weltentwurf
konvergiert letztlich in Jesus Christus (Kol 1,15 ff; Eph 1,10 u.ö.). Ist schon
der Logos asarkos der lebendige Inbegriff aller Schöpfungsideen und der
Schöpfungsmittler, durch den alles geworden ist (Jo 1,3), so ist der Logos
ensarkos das absolute Woraufhin aller Dinge, besonders der Menschen
(Kol 1,17), und zwar als der inkarnierte, gekreuzigte und zur Rechten
Gottes erhöhte Mensch Jesus. Als der bei der Parusie wiederkehrende
Richter ist er der Endpunkt aller Geschichte (Mk 14,62; Mt 25,31 ff), als der
Auferstandene der Erstling und das Urbild aller Sterbenden (1 Kor 15,23),
als der Anführer des Lebens (Apg 5,31; Hebr 2,10) wird er alle nach sich
ziehen. In Christus sind alle Dinge und erst recht die Menschen vorher-
bestimmt (Eph 1,5.10). Weil Gott Christus wollte, wollte er alles andere.
Im Altarsakrament wird nun die geheime Christozentrik der ganzen
Schöpfung aufgedeckt. Materielle Dinge werden von Christus ergriffen und
in seinen Leib verwandelt, zur Höchstform der Christusbezogenheit empor-
geführt, die nur er wirken kann. Die Eucharistie ist daher die Zelebration
des verborgenen Welt- und Geschichtsgeheimnisses. Im eschatologischen
Ausblick (Mk 14,25) hat sie Jesus selbst als Vorausereignung des Basileia-
mahles verkündigt.

b. Ihr Wesen wird noch durch andere christologische Grundtatsachen
beleuchtet. Die Inkarnation ist die personale unwiderrufliche Selbstmitteilung Gottes an einen Menschen, die Erscheinung Gottes in Menschen-
gestalt, die Einbeziehung einer vollen Menschheit in die Person des Logos.
So intensiv ist diese Selbstzusage Gottes, daß der Logos Subsistenzgrund
dieser Menschheit wird, ihr seine Subsistenz verleiht. Das Herrenmahl aber
ist das Selbstvermächtnis Christi. Darum betrachteten es griechische Väter
als sakramentale Inkarnation, als eine Inbesitznahme und seinshafte Trans-
formierung der Mahlgaben durch den Logos, wodurch und wobei diese ihr
natürliches Sein verlieren, sein Leib und Blut werden, die von ihm hypo-

---

[1] Vgl. auch J. de Baciocchi, Présence eucharistique: Irénikon 33 (1959) 160, 162 ff.

statisch getragen sind. Die Analogie zwischen Christologie und Eucharistie geht noch weiter. Der berühmte urkirchliche Christushymnus Phil 2,6–11 verkündet die Menschwerdung als Erniedrigung Gottes, der, ohne sein Wesen zu verlieren, auf die äußere göttliche Würde verzichtet und gerade dadurch seine Herrlichkeit kundtut und endgültig erlangt; fast möchte man dabei von einem «Opfer» Gottes sprechen (vgl. Hebr 10,5 ff). Als Erniedrigung zur Speise läßt sich nun das Herrenmahl verstehen – das Theologumenon vom status declivior[2] sieht etwas Richtiges. Der tiefste Punkt der Erniedrigung Jesu aber ist nicht schon die Inkarnation, sondern sein Tod am Kreuz; gewiß übernimmt Jesus bereits mit dem Menschsein auch das Sterbenmüssen, aber die Annahme des Kreuzestodes als Sühne für die Menschen, mit denen er sich solidarisiert, war seine freie Tat. Denn Jesus verwirklicht sein Sein in vollendetem Maße, er *ist* sein Tun, die Einheit von Sein und Akt, von Person und Werk. Analog symbolisieren und repräsentieren die Mahlelemente sowohl sein Sein als auch seine Heilstat. Diese nun hat ihr Signum darin, daß er seine Einbeziehung in Gott, sein Angenommensein von Gott mit seinem ganzen Wesen bejaht und restlos auslebt in der radikalen Hingabe an den Vater und an die Menschen. Er hält diese Liebe durch selbst in den Qualen der Kreuzesfolter (Lk 23,34) und den noch größeren der Gottverlassenheit (Mk 15,34; Lk 23,46). Dieser Tod ist entgegen allem äußeren Anschein nicht Trennung von Gott, sondern Heimgang zu ihm, opfervolle Übergabe an ihn. Der Vater nimmt dieses von ihm provozierte Selbstopfer seines Sohnes an, er kann es wegen der Vollkommenheit des Subjektes, der Opfergabe und der Opfertat gar nicht zurückweisen. Das bedeutet, daß er den Gekreuzigten auferweckt zu einem verklärten Leben, das den raumzeitlichen Einschränkungen nicht mehr unterworfen ist, in dem Jesus auf eine neue ungeahnte Weise über seinen Leib verfügt. Das tut er gerade im Abendmahl.

c. Der Tod Jesu stellt daher nicht nur die ewige Besiegelung seines persönlichen Geschickes, sondern die Schicksalswende für die gesamte Menschheit dar. Denn Jesus ist nicht nur Privatperson, sondern Repräsentant aller Menschen, mit denen er sich denn auch solidarisiert, an deren Statt und zugunsten derer er den Kreuzestod auf sich nimmt. So ist er Stammvater einer neuen Menschheit (1 Kor 15,20ff. 45), er zieht als Erstling (V.23) und Anführer des Lebens (Apg 5,31; Hebr 2,10) uns nach sich, nimmt uns mit sich zum Vater. Dies geschieht aber nicht automatisch. Zwar hat er die Erlösung allein, ohne uns vollbracht. Die Zuwendung derselben aber an uns geschieht nicht ohne unsere Zustimmung, sie muß und will von uns ratifiziert sein. Der Ort, an dem der Erhöhte die eschatologische Gültigkeit und Universalität seines Heilswerkes entfaltet, ist die Kirche. Sie ist die Integration des Christus individualis zum Christus totalis, zum augustinischen Christus

---

[2] Vgl. de Lugo und Franzelin, oben S. 254f.

caput et corpus. Und erst von diesem Christus universalis her entbirgt sich
das Wesen der Eucharistie. Sie und die Kirche sind so innig verflochten, daß
sie einander konstituieren. Nicht zufällig kommen sie beide in der Bezeichnung «Leib Christi» überein. Dieser Begriff spricht das Wesen der Kirche
am tiefsten aus, beschreibt sie als die Einheit der Vielen in und durch Christus, als die sichtbare Erscheinung des Erhöhten. Der Ausdruck gilt von
der Kirche nicht nur in einem metaphorisch-soziologischen Sinn, sondern
in einem viel realeren. Sie ist das Gottesvolk, das von Christi Wort gläubig
bewegt, mit seinem Heilswerk in den Sakramenten bezeichnet und geprägt,
von seinem Heiligen Geist beseelt, ja schließlich sogar mit seinem Leib und
Blut ernährt und so zu seinem Leib aufgebaut wird. Wenn nicht alles
täuscht, ist gerade der Zusammenhang mit der Eucharistie der ideen-
geschichtliche Ursprung des paulinischen Theologumenons von der Kirche
als Leib Christi. Jedenfalls ist das Herrenmahl der intensivste und tiefste
Wesensvollzug der Kirche als Leib Christi. Denn da verleiblicht sich Christus in sakramentalen Zeichen und gibt sich den Christen anheim, um diese
nicht nur geistig, sondern leiblich-total sich einzuverleiben, sie zu seinem
Leib zu machen und sie so in seine Opferbewegung einzugliedern und zum
Vater emporzutragen. Daher ist das Altarsakrament die *volle* Integration des
Christen in das Opferereignis Jesus Christus. Das ist nun der eigentliche
Bezugszusammenhang, in dem die Eucharistie gesehen werden muß, den
freilich nicht die bloße liturgische Phänomenologie, den nur eine dogmatische Ausleuchtung erschließt. Es zeigt sich, daß das Herrenmahl ein kom-
plexes Gebilde ist. Seine Sinnrichtung ist nicht einfach nur die von Gott
zum Menschen (wie Luther meint), so daß der Mensch Endpunkt wäre,
sondern ist immer auch die Bewegung vom Menschen zu Gott, der immer
der letzte Zielpunkt bleibt. Es ist ein Opferaufschwung, den wir aber nicht
allein aus eigener Kraft beginnen und vollführen, sondern es ist die Opferhingabe Jesu Christi, die die Kirche mitvollzieht, an der sie partizipiert, und
zwar im Auftrag Jesu und in der Kraft des Heiligen Geistes. Darum muß
einer immer schon getauft, im Leib Christi befindlich sein, will er vollgültig
an der Eucharistie teilnehmen. Die Kirche lebt hier ihr Sein als Leib Christi
aus. Und deshalb sind die Mahlgaben Brot und Wein nicht nur sakramentale
Symbole des Selbstopfers Christi, sondern immer auch der Kirche selber.
So «gehört die Teilnahme der Kirche am Kreuzesopfer formal oder quasi-
formal in das Meßopfer hinein».[3] Die Eucharistie ist die selbst opferhafte
Integration der Kirche in das Opfer Christi, die Kirche nicht erst Wirkung
der Eucharistie, sondern bereits deren Voraussetzung als Mitvollzieherin.
Das hat keiner so klar gesehen und so eindringlich betont wie Augustinus.
Im sermo 272 erklärt er: «Wenn ihr Christi Leib und seine Glieder seid, so

---

[3] M.Schmaus, Katholische Dogmatik IV/1 (München [6]1964) 416f; ders., Der Glaube
der Kirche II (München 1970) 368.

ist es euer Geheimnis (Mysterium), das auf den Altar gelegt wird: Ihr emp-
fangt euer Geheimnis. Zu dem, was ihr seid, sagt ihr ‹Amen›».

Das Abendmahl ist das opferhafte Selbstvermächtnis Jesu zur Heimholung der Welt zum Vater. Er selbst mit seiner Person und seinem Werk
ist der Inhalt. Er allein ist nicht nur der historische Stifter, sondern der
dauernde Urheber jeden Vollzugs, da er allein die Verfügungsgewalt über
sich behält. Die Kirche kann nur in seiner Kraft und in seinem Namen handeln. Er bleibt bei den Seinen gegenwärtig als Urheber und als Inhalt seines
Testaments, als Opfersubjekt und Opfergabe. Mithin ist der Begriff *Gegenwart* geeignet, die ganze Wirklichkeitsfülle des Sakraments zu entfalten.
Dabei darf seine personale Vertiefung in der jüngsten Theologie nicht außer
acht gelassen werden. Gegenwart im Vollsinn des Wortes bedeutet ja nicht
bloß lokales Anwesendsein, sondern *auf* den anderen warten und *ihn* warten,
d. h. hegen und pflegen, wie dies in Eph 5, 29 von Christus gegenüber der
Kirche verkündet wird. Der Begriff impliziert beides: die vorrangige primäre Aktivität Christi und deren Annahme durch die Kirche, wodurch
gegenseitige Mitteilung geschieht. Die Gegenwart Christi in der Eucharistie
läßt sich in drei Aspekte aufgliedern:
1. die personale, pneumatische Wirkgegenwart (Aktualpräsenz) des erhöhten Christus als principalis agens im Sakramentsvollzug (die prinzipale
Aktualpräsenz);
2. die anamnetische Gegenwart seines einmaligen Heilswerkes (anamnetische, memoriale Aktualpräsenz);
3. die substantiale Gegenwart der leibhaftigen Person Christi unter den
Gestalten von Brot und Wein, in der Schultheologie einfachhin als Realpräsenz bezeichnet.

Zur begrifflichen Klärung sei noch bemerkt: Alle drei Gegenwartsweisen
sind pneumatisch und sind real, nicht nur gedacht. Während aber die
Schultradition die an dritter Stelle genannte somatische einfachhin als Realpräsenz bezeichnete, sprechen neuerdings Autoren von der unter 1) genannten Aktualpräsenz als von Realpräsenz. Diese Sprechweise ist in sich
nicht unmöglich, da jene Aktualpräsenz real ist. Die Sprechweise darf aber,
will sie den Verdacht einer tendenzhaften Uminterpretation vermeiden, den
Unterschied zwischen den Gegenwartsweisen nicht verdecken, sondern
sollte ihn aufdecken. Weil die substantielle somatische Gegenwart Christi
unter den Gestalten das Proprium der Eucharistie ausmacht, können wir sie
mit der Tradition als «*die*» Realpräsenz fassen.

2. Die prinzipale Aktualpräsenz Christi

Daß der erhöhte Christus selbst als principalis agens in der Eucharistie
gegenwärtig und wirksam ist, ist die uralte Überzeugung der Jahrhunderte,
die in der Neuzeit verdunkelt war, von der Mysterientheologie wieder mehr

ins Bewußtsein gehoben wurde.[4] Sie hat ihre gute Grundlage in Schrift,
Tradition und Lehramt.

a. Schrift

Der irdische Jesus hält Tischgemeinschaft mit seinen Jüngern, aber auch
mit Sündern und Zöllnern, fungiert als Mahlspender und demonstriert so
die Hinwendung Gottes zu den Verlorenen. Auch die vollendete Gottesherrschaft, die totale Durchsetzung des Willens Gottes, verkündet er unter
dem Bild des eschatologischen Mahles, das Gott veranstaltet (Mt 8,11;
22,1–14), bei dem der Herr selber bedienen wird (Lk 12,37). Bei seinem
letzten Mahl kündigt er im sog. eschatologischen Ausblick das Nicht-mehr
des Essens und Trinkens, zugleich aber auch eine Erfüllung (Lk 22,16.18)
und somit ein Wieder-Trinken (Mk 14,25) in der Basileia an. Wenn nun dieser Verheißung bei Lk (22,19f) die eucharistischen Einsetzungsversuche
angefügt, bei Mk (14,22ff) vorangestellt sind, so deutet die Verbindung je
auf ihre Weise an, daß die Eucharistie eine Antizipation des eschatologischen Mahles darstellt, bei dem Jesus als Gastgeber fungiert. Sodann ist das
Essen und Trinken des Auferstandenen mit den Seinen (Lk 24,30.41;
Jo 21,9–14) zwar nicht als eucharistische Aktion erweisbar, es stellt aber die
Tatsache ans Licht, daß der Erhöhte die Mahlgemeinschaft mit den Seinen
fortsetzt. Paulus bezeugt Christi Wirkgegenwart im Herrenmahl, indem er
diesen als den pneumatischen Fels proklamiert, der schon der Exodus-
generation pneumatischen Trank spendete (1 Kor 10,4). Und daß Christus
dies noch heute tut, ergibt sich aus dem nahtlosen Übergang vom Stiftungsmahl Jesu in Jerusalem zur Feier in Korinth (1 Kor 11,26). Die daran Teil-
nehmenden werden 1 Kor 10,18–22 als «Genossen des Altars» vorgeführt,
weil sie «am Tisch des Herrn» als einer vom Kyrios[5] präsidierten Tafel teilhaben. Der johanneische Jesus betont, daß das wahre Himmelsbrot nur von
Gott stamme (Jo 6,32f), daß er selber eine Speise für das ewige Leben spenden werde (6,27.51), die aber erst durch seine Erhöhung ermöglicht wird
(6,62). In Apk 3,20 wartet Jesus darauf, mit den Menschen Abendmahl zu
halten. Die Wirkgegenwart Christi in dem (wesentlich eucharistischen) Kult
der Kirche ist schließlich enthalten in der Idee vom Hohenpriester Jesus,
wie sie der Hebräerbrief proklamiert. Wesen und Aufgabe des Priesters ist
es, Gott Opfer darzubringen (Hebr 5,3). Gerade dazu hat der präexistente
Sohn Gottes sich einen Leib bereiten lassen, daß er ihn Gott als Opfergabe
darbringe (10,5–10). Er hat denn auch ein für allemal sein Selbstopfer voll-

---

[4] Sie wird heute manchmal mit dem Etikett «Realpräsenz» als neue Sicht des Abendmahls ausgegeben.

[5] Überhaupt fällt der Kyrios-Titel ins Gewicht, insofern er eine kultische Stellung Jesu
wiedergibt. Als Kyrios empfängt Jesus Anrufung (Röm 10,12f; 1 Kor 1,2; 16,22) und wirkt
die gottesdienstlichen Charismen (vgl. 1 Kor 12,4f; Eph 4,11f; Apg 19,5f), auch die Danksagung (Eph 5,20; Kol 3,17).

zogen (7,27; 9,14), ist mit seinem eigenen Blut ins himmlische Heiligtum eingetreten (9,12), und bleibt dort Priester in Ewigkeit (7,3.24), um dauernd für uns als Mittler einzutreten (7,25; 9,24; 12,24), so daß alle anderen Opfer außer Kurs gesetzt sind (10,9–14), hat doch Jesu Opfer Gültigkeit und Gestalt der Ewigkeit angenommen. Damit zeichnet der Autor des Hebr den dogmatischen Hintergrund des christlichen Kultes.

b. Tradition

Die alte Kirche entfaltet den Glauben an die eucharistische Aktualpräsenz Jesu nach zwei Seiten: Sie erblickt in ihm den eigentlichen Spender und Veranstalter ihres sakramentalen Mahles und den Hohenpriester ihres Opfers.[6] Für die erste Idee fand sie in Spr 9,1–5 einen Schriftbeweis.[7] Sie bezeugt auch Irenäus, wenn er erklärt, daß « Jesus den Kelch als sein eigenes Blut bekannte, mit dem er unser Blut tränken wird, das Brot als seinen eigenen Leib zusicherte, mit dem er unsere Leiber stärkt».[8] Die Aktualpräsenz wird dann ein Lieblingsgedanke der Alexandriner. Da für sie der eigentliche Inhalt der Abendmahlsgaben der Logos ist, kommt als ihr Spender auch nur dieser selbst in Frage. Klemens verkündet ihn begeistert als unseren Ernährer, der uns sein Fleisch und Blut, sich selber, als geeignete Nahrung und als Trank der Unsterblichkeit darbietet.[9] Nach Origenes übt Jesus seine Tätigkeit wie bei seinem letzten Mahl immer, also auch für die jetzt Feiernden aus.[10] Mit besonderer Wärme trägt Theophilus von Alexandrien unsere Idee vor: «Christus bewirtet uns heute, Christus bedient uns heute, Christus der Menschenfreund bietet uns Erholung... Der König der Herrlichkeit läßt zu sich bitten, der Sohn Gottes hält Empfang, der Fleisch gewordene Gott-Logos ermuntert uns zu kommen.»[11] Eindrucksvoll wie keiner bringt Johannes Chrysostomus in Antiochien die Aktualpräsenz Christi im Herrenmahl zur Geltung. Dieses wird ihm zur personalen Begegnung des Christen mit dem Christus als Mahlveranstalter. Es hat den gleichen Rang wie Jesu einstiges Stiftungsmahl, denn in beiden Fällen weiht und reicht der gleiche Jesus die gleiche Opfergabe, stillt so die gegenseitige Sehnsucht.[12] Ein Text

---

[6] Vorephesinische Zeugnisse der griechischen Väter s. J. Betz, Eucharistie I/1 S. 86–139.

[7] Zeugen sind z. B. Cyprian, Athanasius, Didymus, Theophilus und Cyrill von Alexandrien (PG 73,588), Basilius, Makarius von Magnesia.

[8] Adv. haer. V 2,2 (SourcesChr 153,32).

[9] Paed. I 6,42,3 (GCS I 115,20–24); Protrept. XII 120,3 (ebd. 85,4f).

[10] In Mt. comm. ser 86 (GCS XI 198,22ff). Origenes sagt weiter (199,17–21): «Er aber, der den Kelch nimmt und spricht: Trinket alle daraus, weicht nicht von unserer Seite, da wir trinken, sondern er trinkt mit uns (da er in den einzelnen ist); wir können nämlich nicht allein und ohne ihn von jenem Brote essen und von der Frucht des wahren Weinstockes trinken.»

[11] Ps.-Cyrill, Hom. 10 in coen. myst. (PG 77, 1017A).

[12] Vgl. u. a. In Mt hom. 50,3 (PG 58,507); In Mt hom. 82,5 (PG 58,744).

möge dies noch verdeutlichen: «Gegenwärtig ist Christus auch jetzt. Der jenen Tisch einst bediente, bedient auch diesen jetzt. Denn nicht ein Mensch ist es, der bewirkt, daß die Opfergaben Leib und Blut Jesu werden, sondern er selbst, der für uns gekreuzigte Christus. Seine äußere Gestalt ausfüllend steht ein Priester da und spricht die Worte von einst. Aber die Kraft und die Gnade kommen von Gott. ‹Das ist mein Leib› sagt er. Das Wort verwandelt die Gaben.» [13] Bemerkenswert ist die personale Sicht, die in dieser Konzeption vorliegt.

Die Wirkgegenwart Christi im Abendmahl kommt auch noch dadurch zur Aussprache, daß er als der *Hohepriester* der kirchlichen sakramentalen Feier geglaubt, als solcher im allgemeinen Gebetsschluß bekannt wird. Klemens von Rom nennt Jesus den «Hohenpriester unserer Darbringungen» (Kap. 36). Nach Ignatius von Antiochien ist Jesus als Hoherpriester die Tür zum Vater, durch die die Kirche eingeht (Phil 9,1), der irdische Bischof aber Abbild und Stellvertreter des unsichtbaren Bischofs Christus (Magn. 3,2; Eph 6,1). Auf fruchtbaren Boden fiel die Idee in Alexandrien, wo schon Philo den Logos als den wahren Hohenpriester proklamiert hatte. Die christlichen Theologen übernehmen die Formel ἀρχιερεὺς λόγος und betrachten Jesus als Mittler der menschlichen Gebete an Gott und der göttlichen Gaben an uns. Dann aber münzt Arius diese Konzeption unter Berufung auf Hebr 3,2 (Gott hat ihn zum Hohenpriester gemacht) für seine Lehre vom Geschaffensein des Logos aus, seine Anhänger berufen sich dafür auch auf die alte Gebetsformel «durch Christus». Die katholische Abwehr ging zwei Wege. In der Liturgie des Ostens änderte man den alten Gebetsschluß in eine koordinierende Form um und betete von da an zum Vater *und* zum Sohn *und* zum Geiste, nicht mehr wie vorher durch den Sohn im Geiste. In der Theologie aber besann man sich auf die Schrift und verlegte das Hohepriestertum Jesu in seine Menschheit, was das Ephesinum bestätigte (DS 261). Hoherpriester ist der Logos also auf Grund seines Menschseins, dessen Austragung in Tod und Auferstehung macht seine hohepriesterliche Tätigkeit aus. Sie nun beschränkt Johannes Chrysostomus auf Jesu irdisches Heilswerk und spricht dem Erhöhten, der zur Rechten Gottes sitzt, eine erneute Tätigkeit ab. [14] Gleichwohl bleibt er Hoherpriester dem Sein nach, da wir jetzt sein einmaliges Opfer als Gedächtnis vollziehen, [15] wobei der Priester als sein Abbild fungiert. Die Gegenwart und Wirksamkeit des Erhöhten ist so eine vermittelte, relative. Ebenso denkt Theodor von Mopsuestia in dieser Richtung weiter. Christus ist nach ihm Hoherpriester im Himmel, ist es aber geworden durch seinen Tod und seine Auferstehung. [16] Er übt im Himmel keine neue interzessorische Tätigkeit

---

[13] Hom. de prod. Judae 1,6 (PG 49,380).
[14] In Hebr. hom 13,3 (PG 63,107).
[15] In Hebr. hom 17,3 (PG 63,131); Text oben S. 218f.
[16] Kat.15,15f (ST 145, 487–489).

aus, sondern zieht die Menschen nach sich mit Hilfe des Heiligen Geistes vermittels der Sakramente, die die Christus-Wirklichkeit anzeigen und abbilden (Kat. 12,2). In der Eucharistie vollzieht der Priester, der selber Abbild des himmlischen Hohenpriesters ist, ein Abbild des hohepriesterlichen Weges Jesu.[17] Weil die Gegenwart Christi eine durch die Kirche vermittelte ist, rückt als Bindeglied zwischen ihm und ihr der Heilige Geist in den Vordergrund. Er wirkt denn auch die Konsekration.[18] So hat die arianische Krise zur Besinnung auf die Vermitteltheit – was nicht bedeutet Uneigentlichkeit – der Gegenwart Christi geführt.

c. Lehramt

Auch das kirchliche Lehramt bezeugt die prinzipale Aktgegenwart Christi. Das Tridentinum beschreibt das Verhältnis zwischen Kreuz und Meßopfer so: «Es ist ein und dieselbe Opfergabe und ein und derselbe, der jetzt durch den Dienst der Priester opfert, der sich selbst einstens am Kreuze opferte» (DS 1743). Ohnehin bekennt die Kirche die wirksame Gegenwart ihres Herrn unablässig in der Liturgie; sie tut es nicht nur dadurch, daß sie ihre Gebete «durch Christus» als Mittler an Gott richtet. Deutlich tut sie es auch durch den Ruf «Dominus vobiscum», womit sie alle kultischen Aktionen und seit alters[19] auch die Eucharistie eröffnet. Er spricht nicht nur einen frommen Wunsch aus, sondern eine Zusage, die Verheißung und Versicherung, daß Christus bei seiner Gemeinde wirklich ist. Die Antwort der Gemeinde «et cum spiritu tuo» offenbart, wie Christus gegenwärtig ist: Er ist es durch den Geist, der die ganze Gemeinde, aber als Amtscharisma den Priester in besonderer Weise erfüllt. Nur in der Kraft des Geistes können die Christen an Christi Selbsthingabe an den Vater teilhaben. Nur durch den Geist wird möglich, was Pius XII. – ein Anliegen der Mysterientheologie aufnehmend – in seiner Enzyklika Mediator Dei vom Christus praesens sagt: «Ipse est, qui per Ecclesiam baptizat, docet, regit, solvit, *offert, sacrificat*» (DS 3806). Zuletzt hat noch das II. Vatikanum die aktuale Gegenwart Christi im gesamten Kult in der Liturgiekonstitution Sacrosanctum Concilium Art. 7 eindrucksvoll ins Licht gestellt:

«Christus ist seiner Kirche immerdar gegenwärtig, besonders in den liturgischen Handlungen. Gegenwärtig ist er im Opfer der Messe sowohl in der Person dessen, der den priesterlichen Dienst vollzieht – denn derselbe bringt das Opfer jetzt dar durch den Dienst der Priester, der sich einst am Kreuz selbst dargebracht hat – wie vor allem unter den eucharistischen Gestalten. Gegenwärtig ist er mit seiner Kraft in den Sakramenten, so daß, wenn immer

---

[17] Kat. 15,21 (497–499).
[18] Kat. 15,10–12 (475–481); 16,11 (551–553).
[19] So schon in der Eucharistia Hippolyts, vgl. Hänggi-Pahl, Prex euch. 80.

einer tauft, Christus selbst tauft. Gegenwärtig ist er in seinem Wort, das er
selbst spricht, wenn die hl. Schriften in der Kirche gelesen werden. Gegenwärtig ist er schließlich, wenn die Kirche betet und singt, er, der verspro-
chen hat: ‹Wo zwei oder drei in meinem Namen versammelt sind, da bin ich
mitten unter ihnen.›

In der Tat gesellt sich Christus in diesem großen Werk, in dem Gott
vollkommen verherrlicht wird und die Menschen geheiligt werden, immer
wieder die Kirche zu, seine geliebte Braut. Sie ruft den Herrn an, und durch
ihn huldigt sie dem ewigen Vater.

Mit Recht gilt also die Liturgie als Vollzug des Priesteramtes Jesu Christi;
durch sinnenfällige Zeichen wird in ihr die Heiligung des Menschen bezeichnet und in je eigener Weise bewirkt und vom mystischen Leibe Jesu
Christi, d. h. dem Haupt und den Gliedern, der gesamte öffentliche Kult
vollzogen.

Infolgedessen ist jede liturgische Feier als Werk Christi, des Priesters,
und seines Leibes, der die Kirche ist, in vorzüglichem Sinn heilige Handlung, deren Wirksamkeit kein anderes Tun der Kirche an Rang und Maß
erreicht.»

d. Systematische Verdeutlichungen

Die Aktualpräsenz Christi besagt nicht nur den historischen, sondern den
bleibenden Ursprung unseres Heils in Christus. Dieser ist allem Tun der
Kirche gegenwärtig, besonders dem sakramentalen. Das hat die Eucharistie
mit den anderen Sakramenten gemeinsam. Sie hat aber noch ein Proprium:
In ihr wird das Selbstopfer Christi mitsamt der Opfergabe auf eine selbst
opferhafte Weise gegenwärtig (was wir noch eingehender untersuchen müssen). Gegenwärtig wird Christus als Opfersubjekt, also als Opfer- und
Hoherpriester, aber auch als Opfergabe, als $\sigma\tilde{\omega}\mu\alpha\ \delta\iota\delta\acute{o}\mu\varepsilon\nu o\nu$. Er wirkt aber
nicht ein neues Opfer. Duns Skotus hat die Frage gestellt, ob in der Messe
der erhöhte Christus selbst einen neuen Akt der Darbringung an den Vater
vollziehe, und diese Frage mit Recht verneint.[20] Denn eine solche Annahme
würde das $\dot{\varepsilon}\varphi\acute{\alpha}\pi\alpha\xi$ der Kreuzestat aufheben, die Messe aus einer Anamnesis
zu einer neuen und absoluten Opfertat Jesu machen und das Kreuzesopfer
verdunkeln. In Wirklichkeit ist dieses die entscheidende absolute Schicksalswende, der grundsätzliche Hinübergang des Repräsentanten der Menschheit aus Gottverlassenheit in die Gottesgemeinschaft. Jesus opfert sich daher im Himmel nicht mit einem neuen Akt dem Vater, wohl aber hat sein
Opferakt von Golgotha Ewigkeitsgestalt gewonnen und prägt sein ganzes
Sein. Und alles weitere Heil besteht in der Integration der Menschen in diese
einmalige Heilstat und Heilsperson. Das eben geschieht im Herrenmahl.

---

[20] Quaest. quodlib. XX 22. 24 (ed. Vivès 26, 312 f.).

Wenn daher von einer oblatio actualis des erhöhten Herrn in der Messe gesprochen wird, darf sie nicht als neuer Akt, sondern nur als die Perennität der einstigen Opfertat verstanden werden.[21]

Die Integration in das Opferereignis Jesus Christus wird verwirklicht grundlegend im Glauben (der als Übergabe an Gott selber opferhafter Art ist), sakramental-seinshaft im Menschen bewirkt in der Taufe, die in den Leib Christi eingliedert und im character indelebilis eine unauslöschbare Bezogenheit des Menschen auf Christus stiftet, ethisch aktuiert durch das Lebensopfer der Christen (Röm 12, 1), am intensivsten aktuiert durch die Eucharistie, die – wie wir noch genauer sehen werden – beides zugleich ist: vergegenwärtigtes Opfer Christi und vergegenwärtigendes Opfer der Christen. Christus gibt sein Opfer uns in die Hand, daß wir es mitvollziehen. Wir werden so durch die Taufe seinshaft und durch die Eucharistie tathaft Priester. Nach 1 Petr 2, 5. 9 sind die Christen eine heilige und königliche Priesterschaft, um Gott geistige Opfer darzubringen. Kraft des gemeinsamen Priestertums opfern alle Gläubigen in der Messe mit. Die ganze Kirche, repräsentiert in der lokalen Kultgemeinde, opfert, alle Getauften nehmen teil am Opfer, und besonders die Anwesenden opfern mit dem Priester, der sie vertritt nicht nur kraft Delegation von unten, sondern als Vertreter Christi, des Hauptes der Gemeinde. Die dargebrachten Mahlgaben Brot und Wein sind Zeichen auch des Opfers der Kirche.

Daß aber die Opfergabe der Kirche identisch werde mit der Opfergabe Jesus, daß sie in Jesu Leib und Blut gewandelt werde, das zu bewirken steht nicht in der Macht der opfernden Gläubigen, dazu bedarf es einer besonderen Bevollmächtigung, die nur der Ordo verleiht. Das IV. Lateranum 1215 definiert gegen die Waldenser und Fratizellen, die jedem guten Christen die Konsekrationsgewalt zusprachen, als Dogma, daß «nur der gültig geweihte Priester dieses Sakrament vollziehen könne» (DS 802). Und gegenüber den Reformatoren, die nur das gemeinsame Priestertum aller Getauften, nicht aber das Amtspriestertum gelten lassen, dogmatisiert das Tridentinum, daß «Christus durch die Worte ‹Tut dies zu meinem Gedächtnis!› die Apostel zu Priestern bestellt und die Opferung seines Leibes und Blutes durch sie angeordnet hat» (DS 1752; vgl. auch 1740). Man wird zugeben, daß eine rein philologische Exegese die Einsetzung des Priestertums im Stiftungsbefehl nicht finden wird. Im Umgang mit dem heiligen Sakrament hat die Kirche mit ihrem Tiefblick erkannt, daß die im Stiftungsbefehl ausgesprochene Konsekrationsgewalt so etwas wie eine Verfügungsgewalt über den Leib Christi bedeutet. Eine solche aber setzt eine besondere Christusbezogenheit und Bevollmächtigung, ein besonderes Christusgepräge voraus. All dies wird durch den Ordo verliehen. Er bewirkt, daß der Ordi-

---

[21] In diesem Sinne R. Garrigou-Lagrange, An Christus non solum virtualiter sed actualiter offerat missas: Angelicum 19 (1942) 105–118, hier 114ff; I.A. de Aldama, Sacrae Theol. Summa IV 316.

nierte in persona (forma, nomine) Christi fungieren und dessen Leib gegen-
wärtigsetzen kann.[22] Und kaum entspricht es dem neutestamentlichen
Ordnungsdenken, daß jeder Getaufte ohne besondere Befugnis die Rolle
Christi als Mahlherr, als pater familias in der eucharistischen Versammlung
übernehmen könne.[23] In dem Gegenüber von Priester und Volk spiegelt
sich das Gegenüber von Christus und Mensch, leuchtet die Grundstruktur
des Heils, nämlich dessen Ursprung extra nos auf. Daher wird Christus
eigens im Priester gegenwärtig, was das Zweite Vaticanum in der Liturgiekonstitution Sacrosanctum Concilium (Art. 7) ausdrücklich bekennt. Doch
ist die Gegenwart des Opfersubjektes und Hohenpriesters Christus im irdischen Priester eine andere als die der Opfergabe Christus in der Hostie.
Letztere begründet eine realontische und substantielle Identität, die erstere
nur eine dynamische, relationale und juridische Identität, welch letztere auf
der im sakramentalen character indelebilis begründeten besonderen Christusbezogenheit beruht und eine ethische Christusangleichung fordert.

3. Die memoriale Gegenwart des Opfers Christi: Der Opfercharakter der Eucharistie

Die prinzipale Aktualpräsenz des himmlischen Hohenpriesters Christus besagt nicht Untätigkeit: Er handelt durch den Heiligen Geist in den Christen
und in besonderer Weise im Priester, entfaltet so sein einstiges Heilswerk.
Denn in letzterem hat er sich restlos und radikal ausgesagt und ausgegeben,
das Heil ein für allemal erworben. Und so kann denn die Folgezeit nur
Entfaltung der einen Heilstat bzw. die Einbeziehung der Menschen in diese
sein. Wo nun die Schrift die Eigenart und Fülle der Erlösungstat Jesu knapp
mit einem einzigen Wort anzeigen will, spricht sie von ihr als *Opfer*.

a. Einleitende Vorbemerkungen zum Opferbegriff

Hier mag eine kurze Besinnung auf diesen Begriff hilfreich sein. Opfer ganz
allgemein ist die Hingabe (nicht der Tausch) eines Gutes für einen höheren

---

[22] Konsekrations- und Absolutionsgewalt bestimmen am tiefsten, aber nicht ausschließlich, Wesen und Funktion des Priestertums. Zur Frage vgl. Schreiben der deutschen Bischöfe über das priesterliche Amt (Trier 1969) Nr. 31.

[23] Das genannte Schreiben der deutschen Bischöfe begründet den Ordo vor allem damit,
daß die Leitung des Herrenmahls der Höhepunkt der von Christus ausgehenden Sendung
des Amtsträgers, die Vergegenwärtigung des Abendmahlshandelns die intensivste Repräsentation Christi ist (Nr. 47). Ob die Ordination in den Kirchen der Reformation die
Bedingungen der apost. Sukzession erfüllt, ist noch nicht ausdiskutiert. Vgl. P. Bläser, Zur
Diskussion um die Bedeutung des Amtes für den Vollzug der Eucharistie: Catholica 26
(1972) 86–107; J. Hamer, Die ekklesiologische Terminologie des Vaticanums II und die
protestantischen Ämter: ebd. 146–153; W. Averbeck, Gegenseitige Anerkennung des
Amtes?: ebd. 172–191; W. Beinert, Amt und Eucharistiegemeinschaft: ebd. 154–171;
Reform und Anerkennung kirchlicher Ämter (München 1973).

Wert, vor allem für eine Person. Es gründet also in der Transzendenz des Menschen und verwirklicht sich vielfältig (z. B. im Leben der Mutter, im Einsatz des Soldaten usw.). Seine eigentliche Rolle spielt es in der Religion. Hier kann es mit Augustinus[24] verstanden werden als die grundsätzliche Hingabe des Menschen an das absolute Geheimnis, das wir Gott nennen, als das Bestreben, mit Gott Gemeinschaft zu gewinnen und so aus der Heillosigkeit und Ungeborgenheit des Daseins herauszukommen. Opfer im Vollsinn aber ist die Verleiblichung, die Sichtbarmachung dieser Hingabe in einer Handlung oder einem Erlebnis. Höchstform ist die martyriale Lebenshingabe zur Anerkenntnis der absoluten Souveränität Gottes. Die normale Gestaltwerdung der Hingabe an Gott ist allerdings das Kultopfer, die Übereignung oder Darbringung einer Gabe, die für den Geber steht und seine Haltung dokumentieren soll. Für echte Religiosität ist diese Darbringung Rückgabe eines empfangenen Gutes an den Ursprung, sie hat daher Dankcharakter, wie umgekehrt der Dank als Herleitung eines Gutes aus dem Ursprung opferhafte Züge an sich trägt.[25] Das Opfer lebt von der Erwartung, daß Gott die Gabe annimmt und seine Gemeinschaft gewährt, sei es daß er sie neu schenkt (Sühnopfer) oder bestätigt und befestigt (Lob- und Dankopfer). Demnach ist der Grundsinn des Opfers die Übereignung zunächst einer Gabe, letztlich aber des Gebers an Gott. Darum wird die Gabe menschlicher Verfügung entzogen, wird zerstört (getötet, verbrannt, versenkt, ausgegossen). Allein die Destruktion als solche ist nicht die Hauptsache, sondern nur Mittel zum Zweck. Dieser besteht in der Erlangung der Gemeinschaft. Ihr dient in besonderer Weise das Opfermahl, in dem der Mensch die Gott geschenkte und ihm gehörige Opfergabe genießt, um so sein Leben von neuem im Ursprung zu verankern.[26]

Der Begriff Opfer ist weit genug, um das ganze Heilswerk Jesu zu umspannen. Seinen Kulminationspunkt erreicht das Opfer Jesu in der Kreuzestat. Der Autor des Hebräerbriefs (10,5–10) und Johannes (3,16; 12,27) fassen aber bereits die Inkarnation als Hingang zum Opfer. Vollends die Auferstehung ist als inneres Moment der Kreuzestat deren Bestätigung und Beglaubigung durch Gott. Der Hauptakzent beim Begriff Opfer liegt natürlich auf dem Tod. Ihn charakterisiert das NT bei Jesus sowohl als martyriale Ganzhingabe wie als Kultopfer. Im ersteren Sinn spricht der Einsetzungsbericht der älteren paulinisch-lukanischen Tradition; das Brotwort und in diesem Zusammenhang auch die Wendung von der Blutvergießung lauten martyrial nach Is 53. Die martyriale Formel von der «Hingabe» bzw.

---

[24] Civ. Dei 10,6 (CSEL 40/1,454): Verum sacrificium est omne opus, quod agitur, ut sancta societate inhaereamus Deo.

[25] Vgl. oben S. 210f.

[26] Dazu V. Warnach, Vom Wesen des kultischen Opfers, in: B. Neunheuser, Opfer Christi und Opfer der Kirche (Düsseldorf 1960) 29–74.

«Selbsthingabe» Jesu findet sich auch sonst im NT[27] und beschreibt umfassend die ganze Heilstat Jesu. Zum anderen wird dessen Tod nach Art eines Kultopfers dargestellt. So führt ihn das markinische Kelchwort mit der Formel vom «Bundesblut» nach Analogie von Ex 24,8 als das große kultische Weltopfer auf, implizit Jesus selbst als den Hohenpriester der Welt. Ebenso fungieren kult-opferhaft die Begriffsgruppen πάσχα, θυσία, προσφορά.[28] Doch steht dabei nicht die technische Vollzugsweise des Opfers, die Trennung der Opferteile Leib und Blut beherrschend im Blickfeld, sondern die grundsätzliche Überantwortung an Gott; das zeigt besonders der ganzheitliche Ausdruck «*sich* darbringen» (Hebr 9,14.25) an.

Sein einmaliges unerschöpfliches Opfer hat Jesus als Testament in Gestalt eines Mahles den Seinen hinterlassen. Apriori ist nun einleuchtend: Das Mahl wird um so eher sich als wesenhafte Anamnesis des Opfers Jesu erweisen, je mehr es selber in der Sphäre des Vollzugs dem Opfer Jesu korrespondiert, opferhafte Züge annimmt, Mahlopfer ist. Und in der Tat ergibt sich – wofür im einzelnen der dogmatische Beweis im folgenden zu führen ist –, daß die Eucharistie nicht nur das Opfer Christi vergegenwärtigt, sondern selbst im zeichenhaften Vollzug kult-opferhafte Darbringung ist. Damit ergeben sich für uns folgende Schritte, die den Opfercharakter der Messe ausmachen:

1. die Eucharistie als das vergegenwärtigte Opfer Christi oder als die memoriale Aktualpräsenz des letzteren;
2. die Eucharistie als selbst opferhafter anamnetischer Vollzug der Kirche oder als vergegenwärtigendes Opfer der Kirche;
3. das Verhältnis der beiden Aspekte, das nicht als Nebeneinander, nicht als Nacheinander, sondern als In- und Miteinander zu kennzeichnen ist. Wir können hier schon kurz formulieren: Die Messe ist die selbst opferhafte Aktgegenwart des Opfers Christi.

b. Die Eucharistie als das vergegenwärtigte Opfer Christi

Daß die Eucharistie die memoriale Aktualpräsenz des Opfers Christi ist, stellt die Grundaussage jeder Meßlehre dar. Dafür zeugen Schrift, Tradition, kirchliches Lehramt.

aa. Schrift

Bei seinem letzten Mahl sagt Jesus im Worte seinen Tod an, sei es als martyriale, sei es als kultopferhafte Hingabe. Ebenso symbolisiert er ihn durch die Mahlhandlung. Hat die Berakha als Herleitung der Gaben von Gott und

---

[27] Mk 10,45; Jo 3,16; Gal 1,4; 2,20; Eph 5,2.25; 1 Tim 2,6; Tit 2,14.
[28] πάσχα: 1 Kor 5,7;
θυσία/θύειν : 1 Kor 5,7; Eph 5,2; Hebr 9,23.26; 10,12;
προσφορά/προσφέρειν: Eph 5,2; Hebr 5,7; (7,27); 9,14.25.28; 10,10.12.14.

deren Rückführung auf Gott immer schon irgendwie opferhafte Züge, so erst recht in diesem Fall, da Jesus vermittels der Gaben seine Opferexistenz, seine Herkunft vom Vater und Überantwortung an ihn erläutert. Speziell das gegenwärtiggesetzte Blut ist Realsymbol des Todes (1 Kor 11,25; Mk 14,24). Noch deutlicher enthüllt Jesus durch die Selbstverteilung als Speise sein Geschick: Indem er seinen Leib und sein Blut zum Genuß weggibt, setzt er seinen Tod gegenwärtig, aber auch seine Auferstehung, da er ja neu über sich verfügt. Durch die Hingabe zur Verzehrung versinnbildet er seinen Sühnetod ὑπὲρ πολλῶν, d. i. anstatt und zugunsten der Vielen, erweist er sich als Aufbauprinzip unsrer Existenz vor Gott, nimmt er die Kommunizierenden in seine Opferhingabe an den Vater hinein. So ist das Abendmahl in der Einheit von Wort und Tat die memoriale Aktualpräsenz, die «effektive Repräsentation»[29] des Opfers Christi und – das können wir hier schon gleich mitsagen – als Handlung selbst opferhaft. Der Wiederholungsbefehl charakterisiert sodann das Abendmahl als Anamnesis und damit als Aktualpräsenz des Christusereignisses und garantiert die ontische Inhaltsgleichheit der Wiederholungsfeiern mit Jesu Gründungsmahl.

Nach Paulus ist mit dem eucharistischen Essen und Trinken die Proklamation (καταγγέλλειν) des Herrentodes verbunden (1 Kor 11,26). Dieser wird als gegenwärtiges Ereignis im Wort ausgerufen, in der Handlung bezeichnet. Ferner läßt die Parallelisierung des Altarsakraments mit jüdischen und heidnischen Opfermahlzeiten in 1 Kor 10,18–22 erkennen, daß auch ersteres als eine solche zu werten ist. Eine Opfermahlzeit aber setzt den Tod des Opfers voraus, hält ihn fest und wendet ihn zu. Wenn dann der Hebräerbrief Jesu Tod als Kultopfer des Hohenpriesters stärker thematisiert (9,11–28), dann ist dies wohl kaum ohne den Blick auf die konkrete Liturgie geschehen. Der den Anhängern des alten Zeltes verwehrte Opferaltar (13,10: θυσιαστήριον) meint wohl den Abendmahlstisch, der stets auch auf das Kreuz verweist. Das Johannesevangelium spricht den Opfertod Jesu nicht schon in den Termini σάρξ und αἷμα (6,53) aus, da diese hier nicht kultopferhaft, sondern anthropologisch zu verstehen sind, wohl aber in anderen Einzelaussagen. Als Jesu Fleisch, das für das Leben der Welt dahingegeben ist (51c), zeigt die Eucharistie seinen Tod an, der wiederum durch den Genuß des Fleisches und Blutes erinnert wird. Nach 19,33 ff stirbt Jesus als das wahre Paschalamm. Das aus seiner Seite verströmende Blut fließt weiter im Abendmahl und zeigt dessen Ursprung im Tode Jesu an.

bb. Tradition

Auch sie bezeugt das Herrenmahl als memoriale Aktualpräsenz des Opfertodes Jesu. Schon Ignatius von Antiochien nennt es «das Fleisch unseres

[29] So P. Brunner, Grundlegung des Abendmahlsgesprächs (Kassel 1954) 55 ff unter Verweis auf R. Otto.

Heilandes, das für unsere Sünden gelitten, das der Vater in seiner Güte auferweckt hat» (Sm 7,1), betrachtet es demnach als eine durch Tod und Auferweckung gezeichnete Größe. Nicht nur menschlich ergreifend, sondern auch dogmatisch gewichtig ist seine Aussage in Röm 4,1: «Weizen Gottes bin ich und muß von den Zähnen der Bestien zermahlen werden, um als reines Brot Christi erfunden zu werden.» Das Bild von dem Christusbrot, das durch das Martyrium bereitet wird, ist von der Eucharistie abgelesen, von der es primär gilt. Deren Bezug auf Jesu Opfertod ist sodann mitgegeben in ihrer weitverbreiteten Bezeichnung als «Pascha»;[30] er tritt deutlich zutage in der etymologisch falschen, dogmatisch aber vielsagenden Ableitung des Begriffs vom griechischen πάσχειν.[31] Das innere Band zwischen dem Opfertod Jesu und der Abendmahlsfeier der Kirche knüpft die von Jesus selbst begründete Idee der Anamnesis. Die Liturgie hat sie ausdrücklich aufgegriffen. Viele Anaphoren des Ostens proklamieren (kürzer oder länger) das Christusmysterium vor dem Einsetzungsbericht,[32] die Präfationen des Westens das jeweilige Festmysterium. In dem unmittelbar folgenden, reflexiv-interpretativen Teil gibt sich die Liturgie Rechenschaft über ihr Tun, deklariert es ausdrücklich als Anamnesis mit der fast überall vorkommenden Formel μεμνημένοι προσφέρομεν – memores offerimus – und nennt als Gegenstand des Gedenkens primär Tod und Auferstehung.[33] Die Väter, als Mitgestalter auch die berufenen Interpreten der Liturgie, unterstreichen nicht weniger deutlich die Anamnesis,[34] so z. B. Justin (Dial. 41), Eusebius (Dem. ev. I 10,18.25.28.37), besonders die Antiochener Johannes Chrysostomus und Theodor. Nach Cyprian ist die Eucharistie Gedächtnis der Opferdarbringung Christi (Ep. 63,14.17), ja direkt Darbringung der passio Domini,[35] für Gregor von Nazianz Teilhabe an Christi Leiden (or. 4,52). Und wenn die Patristik die sakramentalen Elemente «Symbole» des Leibes und Blutes Jesu nennt, so versteht sie diese Aussage nicht bloß in einem statisch-ontischen, sondern vor allem in einem funktional-ereignis-

---

[30] Belege s. J. Betz, Eucharistie I/1 S. 186f.

[31] Vorgetragen von Melito v. Sardes, Pascha-Homilie 46 (SourcesChr 123,84); Irenäus, A. h. IV 10,1 (SourcesChr 100,492) und Demonstratio 25 (Weber BKV II 601); übernommen von Tertullian, Adv. Jud. 10 (CC 1,1380); Hippolyt, Fragment (SourcesChr 36,35).

[32] So vor allem die Hochgebete der westsyrisch-antiochenischen, der byzantinischen, aber auch der ostsyrischen Liturgien. Besonders nachdrücklich die Anaphora Hippolyts, die Klementinische Lit. der Apost. Konstitutionen (VIII 12,30–34), die ägyptische Basiliusliturgie. Beste Textsammlung der Liturgien A. Hänggi-I. Pahl, Prex eucharistica (Fribourg 1968).

[33] Diese «spezielle» Anamnesis fehlt in den ostsyrischen Liturgien, die den Gedanken aber kennen.

[34] Vgl. J. Betz, Eucharistie I/1 S. 156–196.

[35] Ep. 63,17 (CSEL 3,714):... passionis eius mentionem in sacrificiis omnibus facimus, passio est enim Domini sacrificium quod offerimus.

haften Sinn.[36] Das Geschehen mit und an den Elementen versinnbildet das Schicksal Jesu. In augustinischer Begrifflichkeit heißt dies, daß die Eucharistie sacramentum des Opferereignisses Jesus ist, für das gilt: ipse offerens, ipse et oblatio.[37] Daß die Anamnesis in der alten Kirche buchstäblich als Aktualpräsenz und nicht nur als historisierende Reminiszenz verstanden wurde, tritt in jener stattlichen Aussagereihe hervor, die als Widerhall der Liturgie erklärt, das einstige Opferschicksal Jesu werde heute wieder Ereignis.[38] Den gleichen Sinn hat der Satz, daß wir das Opfer Christi oder den geopferten Christus darbringen.[39] Nach alledem besteht zwischen der Opfertat Christi und dem Opfer der Kirche wesenhafte Identität. Und hier ist zu verweisen auf Johannes Chrysostomus, der diesen Tatbestand am deutlichsten ausgesprochen hat an der uns bekannten Stelle im Hebräerkommentar, wenn er erklärt, daß «wir auch jetzt das einst dargebrachte Opfer des Hohenpriesters darbringen, ... kein anderes, sondern dasselbe immerdar», weil wir ein Gedächtnis jenes Opfers begehen.[40]

Das Mittelalter lebt nicht weniger von dem Glauben, in der Messe an Christi Leben und Leiden aktiv teilzunehmen. Er findet seit Amalar von Metz einen zugespitzt historisierenden Ausdruck in der allegorischen Meßerklärung, die nur die zeitbedingte Einkleidung der richtigen dogmatischen Grundidee von der kommemorativen Aktualpräsenz ist. Daß es sich nicht um eine Wiederholung (reiteratio)

[36] S. J. Betz, Eucharistie I/1 S. 217-242; vgl. auch Gaudentius v. Brescia, Tr. pasch. 2, 11: vinum... in figura passionis offertur.

[37] Civ. Dei 10, 20 (CSEL 40/1, 480f).

[38] So Tertullian, De pud. 9 (CC 2, 1298): «Christus wird wiederum geschlachtet, und er wird bei jenem Gastmahl zu Tische sitzen.» Methodius von Olymp, Symp. 3, 8 (GCS 35, 21 f): «Der Logos steigt auch jetzt noch zu uns hernieder und tritt aus sich heraus beim Gedächtnis seines Leidens... Christus entäußert sich, steigt hernieder und stirbt». Theophilus von Alexandrien, Hom. de coena myst. (PG 77, 1017): «Der Sohn wird freiwillig geopfert, heute nicht von den Widersachern Gottes, sondern von ihm selbst, um sein heilbringendes Leiden kundzutun.» Theodor von Mopsuestia, Kat. 15, 20 (ST 145, 497): «Christus, der im Himmel ist, der für uns gestorben, auferstanden und in den Himmel aufgefahren ist, wird auch jetzt vermittels der Symbole geopfert. Wenn wir im Glauben mit unseren Augen die jetzt geschehenden Gedächtnishandlungen betrachten, kommen wir dazu zu sehen, daß er noch stirbt, aufersteht und in den Himmel emporsteigt, was einst für uns stattfand.» Augustinus, Ep. 98 (CSEL 34, 530f): «Ist Christus nicht in eigener Person einmal geopfert worden, und wird er nicht dennoch im Sakrament (Zeichen) an allen Osterfesten, ja täglich für das Volk geopfert?» Gregor der Große, Dial. 4, 58 (PL 77, 425 CD): «Der in sich unsterblich und unverweslich lebt, wird dennoch in diesem Mysterium heiliger Darbringung wiederum geschlachtet.» In der römischen Liturgie der Hochfeste (Weihnachten, Epiphanie, Himmelfahrt, Pfingsten) begegnet ein charakteristisches «hodie».

[39] Vgl. Cyprian, Ep. 63, 17 (CSEL 3, 714): Das Leiden Christi ist das Opfer, das wir darbringen. (Ps.-) Cyrill v. Jerusalem, Cat. myst. 5, 10 (SourcesChr 126, 15): «Wir opfern den für uns geschlachteten Christus.»

[40] In Hebr hom. 17, 3 (PG 63, 131); ganze Stelle s. oben S. 218 f.

des Leidens Christi handelt, schärft das Decretum Gratiani ein.[41] In ihrer wahren
Gestalt tritt die gedächtnishafte Aktualpräsenz bei den großen Meistern der Hochscholastik zutage. Für Albertus Magnus ist die Eucharistie memoriale amarissimae
passionis Christi et transitus Christi ex hoc mundo ad Patrem,[42] ferner spiritualis
mactatio und immolatio.[43] Am klarsten spricht Thomas. Das Opfer in der Kirche
ist für ihn kein anderes als das Opfer Christi, vielmehr dessen commemoratio.[44] Er
findet in den vielen rituellen Einzelheiten, besonders in den Kreuzzeichen allegori-
sierende Hinweise auf die Passion.[45] Es gelingt ihm aber, den Tod Jesu ontisch zu
verankern in der Konsekration als der vi verbi getrennten Gegenwärtigsetzung
des Leibes und Blutes.[46]

cc. Kirchliches Lehramt

Das kirchliche Lehramt spricht das Verständnis der Messe als anamnetisches
Opfer Christi unablässig im «*memores* offerimus» der Liturgie aus und hat
dies in konziliarer Deutlichkeit in Trient gegen die Reformatoren getan.
Diese ließen nur ein subjektives Dank- und Gedächtnisopfer gelten, wollten
aber vom Sakrament selbst als einem reinen Gebeakt Gottes alle Opfergedanken ferngehalten haben.[47] Demgegenüber definiert das Tridentinum
auf der 22. Sitzung, die Messe sei ein wirkliches und eigentliches Opfer (c. 1:
DS 1751) und nicht nur ein Lob- und Dankopfer oder ein leeres Gedächtnis
des Kreuzesopfers, vielmehr ein Sühnopfer für Lebende und Verstorbene
(c. 3: DS 1753). Das Meßopferdekret beschreibt das Wesen der Eucharistie
dahin, daß Jesus «seiner geliebten Braut, der Kirche, ein sichtbares Opfer
(wie es die menschliche Natur will) hinterlassen hat. In ihm sollte jenes blutige, einmal am Kreuz dargebrachte Opfer gegenwärtiggesetzt (repraesentari), sein Gedächtnis bis zum Ende der Zeiten bewahrt und seine heil-
bringende Kraft zur Vergebung der alltäglichen Sünden zugewendet werden» (Kap. 1: DS 1740). Die Messe ist nicht nur nicht «Schmähung und
Beeinträchtigung des Kreuzesopfers» (c. 4: DS 1754), vielmehr wird sie als
identisch mit diesem gesehen. Ausdrücklich wird die Identität des Opferpriesters und der Opfergabe für Kreuz und Altar gelehrt (Kap. 2: DS 1743).
Die eigens erwähnte phänomenale Verschiedenheit der Opferweise jedoch
verhinderte, die Identität auch der Opferhandlung explizit zu behaupten.
Diese ist aber impliziert und wird dann vom Catechismus Romanus (II 4, 76)

[41] P. III De consecr. dist. 2 c. 71 (Friedberg I 1341).
[42] De corpore Domini d. 2 tr. II c. 4, 2 (Borgnet 38, 2 24f); d. 6 c. 1 (Borgnet 352).
[43] Ibd. d. 3 tr. III c. 2, 3 (Borgnet 319).
[44] S. Th. III q. 22 a. 3 ad 2; vgl. noch außerdem III q. 73 a. 4 c und ad 3; a. 5 c; q. 79
a. 2 c; a. 7 c; q. 80 a. 10 ad 2; a. 12 ad 3; q. 83 a. 1 c.
[45] S. Th. III q. 83 a. 1 (ad 2. 3); a. 3 ad 1. 7; a. 5 ad 3–9.
[46] S. Th. III q. 74 a. 1; q. 76 a. 2 ad 1; q. 78 a. 3 ad 1. 2; Scr. s. IV. Sent. d. 11 q. 2 a. 1
qcl. 1. 2.
[47] Vgl. Luther WA 30 II 614.

ausdrücklich ausgesprochen. Zudem stand in den nicht promulgierten Lehr-
kapiteln von 1552, daß die Messe das Kreuzesopfer nicht nur abbildet, sondern in sich enthält.[48] Der Scopus der tridentinischen Aussagen ist die
Identität von Kreuz- und Meßopfer.[49] Das II. Vaticanum unterstreicht die
Wesensaussagen von Trient, wenn es in der Liturgiekonstitution die Eucharistie als Gegenwärtigung (repraesentari, Art. 6), als Fortdauer (perpetuare)
und als Gedächtnisfeier (memoriale) des Todes und der Auferstehung Jesu
(Art. 47) prädiziert.

dd. Systematische Verdeutlichung

Aus dem Gesagten folgt: Das grundlegende Wesen der Eucharistie ist die
Aktualpräsenz des Opfertodes Jesu. Demnach ist die Messe ein relatives
Opfer, sie hat ihre innere Entelechie in der absoluten Kreuzestat Jesu und
bringt diese zur Gegenwart. Wie aber wird nun die vergangene Heilstat
präsent? Die Antwort muß lauten, daß sie nicht absolut und in sich, sondern
relativ und im Symbol präsent wird. Das Symbol ist ja dadurch gekennzeichnet, daß in ihm eine geschöpfliche Gegebenheit zu ihrem physischen
Sein einen neuen Sinn, eine neue Bedeutung und Dimension hinzuerhält,
eine Transsignifikation und Transfinalisation erfährt. Dem Abendmahl hat
Jesus selbst die neue Bedeutung als Gegenwärtigung seiner Kreuzestat ein-
gestiftet, und der Erhöhte realisiert sie in analogieloser Seinsdichte. Die
einstige Heilstat wird gegenwärtig nicht nur im gläubigen Bewußtsein der
Teilnehmer, sondern objektiv im sakramentalen Geschehen an und mit den
Elementen, belebt dieses gleichsam als dessen Seele. Daß und wie ein vergangenes Ereignis ohne Wiederholung objektive Gegenwart, wesenhaft
identisch mit diesem werden kann, bleibt Mysterium, läßt sich aber über die
bereits genannten Gründe (des Symbol- und Stiftungsmoments) hinaus
noch etwas erhellen. Die Erlösungstaten Jesu sind nicht schlechthin vergangen, vielmehr reichen sie als Handlungen des Logos in die Ewigkeit,
haben Perennitätscharakter.[50] Ja auch als menschliche Entscheidungen Jesu
sind sie restlos und radikal auf die Ewigkeit gerichtet und bezogen, begründen – wie z. B. auch der Tod des Menschen – Ewigkeitsverhältnisse. Die
Ewigkeit aber umschließt gleichzeitig alle vergehenden Zeitmomente. Die
Heilstaten Jesu bleiben im Verklärten lebendige Gegenwart und haben nach
Thomas an der virtus divina teil.[50a] Zur tatsächlichen Aktualisierung der-

---

[48] CT VII 478, 18 f: «Memoriam renovat iam peracti (sc. sacrificii) nec illud figurat tantum quemadmodum vetera, sed re ipsa in se comprehendit.»

[49] Dazu B. Neunheuser, Die numerische Identität von Kreuzesopfer und Meßopfer, in:
(ders.,) Opfer Christi und Opfer der Kirche (Düsseldorf 1960) 139–151.

[50] Vgl. E. Schillebeeckx, Christus – Sakrament der Gottbegegnung (Mainz 1960) 66 ff.
Vgl. auch M. Schmaus, Kath. Dogmatik IV/1 (München ⁶1964) 73; F. X. Durrwell, Geleb-
tes Pascha (Bergen-Enkheim 1965) 11. 14.

[50a] S. Th. III q. 56a. 1; dazu P. Wegenaer, Heilsgegenwart (Münster 1959) 9–86; 120f.

selben bedarf es allerdings der Kirche, die als Leib Christi Anteil bekommt
an den Möglichkeiten des Erhöhten und deren sakramentales Wirken bereits von Kräften der Basileia lebt; die Kreuzestat Jesu selbst ist ja, allem
Schein zum Trotz, Basileiageschehen, Durchsetzung des erlösenden Gottes-
willens unter widrigsten Umständen.[51]

c. Die Eucharistie als Opfer der Kirche

Die Eucharistie ist, so fanden wir, das aktual präsente Opfer Jesu Christi,
mit diesem nicht phänomenal, aber wesenhaft identisch. Ihr Sinn und Zweck
ist die Integration der Christen in die Opfertat Christi, deren Mitnahme zum
Vater, die höchstmögliche «Durchchristung» der Menschen. Das impliziert
Angleichung an Christus, an seine Opferhaltung. Sie geschieht grundsätzlich
bereits im Glauben, der in seiner Grundgestalt als Gläubigkeit Hingabe an
Gott besagt. Die innere Opferhaltung der Kirche wird nun in der Eucharistie verleiblicht in einem ebenfalls opferhaften äußeren Geschehen, einer
kultischen Darbringung. Das Moment des Opferhaften nun unterscheidet
das Abendmahl von den anderen Sakramenten. Beispielsweise sind auch
Taufe und Buße Anamnesis des Todes und der Auferstehung Jesu, aber sie
sind kein Opfer. Zwar kann die Beichte sogar ein großes inneres Opfer sein
oder voraussetzen, aber ihr äußeres Zeichen der Buße ist nicht ein Opfer,
sondern ein Gerichtsverfahren, Nachbild und Vergegenwärtigung des an
Jesus vollzogenen Gerichts über Sünde und Sünder. In der Eucharistie hingegen wird die Opferhingabe Jesu am Kreuz an den Vater in der ihr angemessenen zeichenhaften Gestalt einer kultischen Opferdarbringung aktualisiert, in deren weiterem Verlauf die Opfergabe Jesus selbst substantial
präsent wird. So haben wir im Altarsakrament eine besondere Dichte der
Wirklichkeit. Das blutige Opfer Christi gewinnt im kultischen Opfer der
Kirche eine neue raumzeitliche Erscheinungsweise, entfaltet so seine Fülle,
wirkt so die Integration der Menschheit in den Christus totalis. Im folgenden
beleuchten wir die Eucharistie als (anamnetisches) Opfer der Kirche.

aa. Schrift

Die biblische Erhellung ist teilweise schon im vorausgehenden Abschnitt
miterfolgt; sie kann wenigstens Ansätze opferhaften Denkens freilegen,
indem sie entsprechende Züge in der Abendmahlshandlung Jesu sucht, die
auf Grund des Stiftungsbefehls dann auch für die Feier der Kirche gelten.
Jesus stellt seine Opferhingabe an den Vater durch die Eulogisierung von
Brot und Wein dar, die damit stärker als die jüdische Berakha Darbringungs-

---

[51] Zum Problem J. Betz, Die Gegenwart der Heilstat Christi, in: Wahrheit und Verkündigung, Festschrift für M. Schmaus II (Paderborn 1967) 1807–1826.

charakter bekommt. Weiter symbolisiert er seine Hingabe für die Menschen durch seine Selbstverteilung in Gestalt der Speisen. In beiden Aktionen kann eine tiefer lotende Betrachtung opferhafte Züge finden.[52] Der Wiederholungsbefehl gebietet, daß auch die Kirche wie ihr Herr Mahlgaben darbringen, an ihnen sein Opfer symbolisieren und sie als seinen Leib und sein Blut austeilen soll, und er meint nicht nur das äußere kultische Tun, sondern die es tragende innere Opfergesinnung. Auch auf Paulus muß nochmals verwiesen werden. Er spricht in 1 Kor 10, 18–22 von Opfern der Juden und Heiden und dem Genießen ihrer Opfermahlzeiten, setzt das christliche Herrenmahl in Parallele dazu und somit ebenfalls als eine solche voraus.

bb. Tradition

Die Tradition bietet gerade am Anfang einen interessanten und divergenten Tatbestand. Auf der einen Seite betont das Neue Testament im Hebräerbrief die Einzigkeit und forthinnige Exklusivität des Kreuzesopfers Jesu, das alle anderen kultischen Opfer außer Kurs setzt (Hebr 8, 13; 10, 9–19). So gelten denn auch im Christentum nur noch Opfer geistig-existentieller Art (Röm 12, 1f; 1 Petr 2, 5; Hebr 13, 15 f), und die frühen Theologen der Kirche lassen nur die λογικὴ θυσία zu. Umso erstaunlicher ist, daß auf der anderen Seite die an materielle Gaben gebundene Eucharistie uneingeschränkt als Opfer verstanden wird. Schon früh und allenthalben wurde Mal 1, 10f als Weissagungsbeweis auf das Abendmahl bezogen,[53] dieses als «das reine Opfer» deklariert, und ohne Scheu wird auch die ganze sonstige Opferterminologie auf das Herrenmahl angewendet.[54] In der Abwehr der Gnosis wird die Darbringung der Gaben sogar noch unterstrichen, als Bekenntnis zur Schöpfertätigkeit Gottes und zur Güte seiner Werke gewertet.[55] Ein Widerspruch zwischen der geforderten Geistigkeit der Opfer und der Materialität der eucharistischen Mahlgaben aber wurde deswegen nicht empfunden, weil die eucharistische Darbringung grundsätzlich als Anamnesis des Opfers Christi und als eucharistia galt. Sie war nicht Ausdruck einer Eigenfrömmigkeit, nicht Aufrichtung eines eigenen Opfers, sondern diente der Vergegenwärtigung des einen Opfers Christi, war dessen Aufleuchten hier und jetzt. Diese

---

[52] Patristische Zeugen wie Cyprian (Ep. 63, 4) und manche Einsetzungsberichte mit ihrem ἀναδείξας betrachten Jesu letztes Mahl als opferndes Tun.

[53] Belege sind Did 14, 3; Justin, Dial. 28, 5; 41, 2; 117, 1; Irenaeus, A. h. IV 17, 5; Klemens von Al., Strom. V 14, 136; Tertullian, Adv. Jud. 5; Adv. Marc. 3, 22.

[54] θυσία: Did 14, 1f; Justin, Dial. 40, 1; Dial. 117, 1f; Irenaeus, A. h. IV 17, 5;
προσφορά: Klemens v. Rom, Ep. I 36, 1; 40, 2.4; (44, 4); Cornelius v. Rom bei Eusebius, H. e. VI 43, 18;
oblatio: Irenaeus, A. h. IV 17, 5; 18, 1. 4; Tertullian, Ad. ux. 9; De cor. mil. 3;
sacrificium: Irenaeus, A. h. IV 17, 5; 18, 1. 4; Tertullian, De cultu fem. 2, 11; De orat. 19;
Cyprian bringt oft oblatio u. sacrificium.

[55] Vgl. Irenaeus, A. h. IV 18, 5 (SourcesChr. 100, 610).

Überzeugung ist knapp zusammengefaßt in der weitverbreiteten Formulierung der Liturgie «μεμνημένοι προσφέρομεν – memores offerimus». Ein opferhafter und anamnetischer Sinn liegt auch im εὐχαριστεῖν, das die Rückführung der Gaben auf Gott meint. Die Formel memores offerimus, eine Großtat der frühen Theologie, zeigt, daß die ganze Gemeinde Opfersubjekt ist, daß ihr Tun Opfer, ihr Opfer aber Gedächtnis ist. Das Gedächtnis Jesu geschieht nach Weise eines Opfers. So ist die Messe Opfergedächtnis (Jesu) als Gedächtnisopfer (der Kirche). Der besagten Formel liegt der Glaube zugrunde, daß die Messe nicht ein anderes Opfer, sondern das Opfer Jesu Christi ist. Das sagt mit aller Deutlichkeit Johannes Chrysostomus, nämlich daß wir täglich opfern, aber indem wir ein Gedächtnis vollziehen, daß wir kein anderes als das eine Opfer Jesu Christi darbringen, eben weil wir sein Gedächtnis begehen.[56] Wie sehr die Eucharistie Opfer der Kirche und dieses Teilhabe am Opfer Christi ist, kommt sehr klar zum Ausdruck in dem Satz, daß wir Christen den geopferten Christus opfern.[57] Mit besonderem Nachdruck betont Augustinus, daß im Herrenmahl die Kirche sich selbst opfert und ihre Opfergesinnung im äußeren Zeichen ausdrückt.[58] Das Mittelalter ist ihm in diesem Aspekt willig gefolgt. Es sieht das Sakrament als Opfer Christi und Opfer der Kirche in einem. Für Albertus Magnus ist oblatio nicht nur eine einzelne Zeremonie, sondern die ganze eucharistische Handlung vom Offertorium bis zum Schluß.[59] Sie ist zugleich immolatio, d. h. Darbringung eines Getöteten.[60] Nach Thomas ist die Messe sacrificium, in quantum offertur (S. Th. III q. 79 a. 5 c; q. 83 a. 4 c). Mit scharfem Blick erkennt er, daß der Oblationsakt wesentlich in der Konsekration besteht: consecratione sacrificium offertur (q. 82 a. 10). Denn oblatio besagt Übereignung der Gaben an Gott, die Konsekration aber ist die Aktion, die dieselben zu Jesu Leib und Blut wandelt, sie in seinen innersten Besitz überführt bzw. die Inbesitznahme durch Jesus ausspricht. So werden das memoriale Opfer Christi und das Opfer der Kirche, weiter der Opfercharakter und die Realpräsenz zusammengebunden in einem Akt. Thomas konkretisiert damit die Aussage memores offerimus.

cc. Kirchliches Lehramt

Das kirchliche Lehramt hat in Trient gegen den strikten Widerspruch der Reformatoren den Charakter der Messe gerade als Opfer der Christen definiert; denn nach Canon 1 (DS 1751) in missa offeri Deo verum et proprium

---

[56] In Hebr hom. 17, 3 (PG 63, 131), s. oben S. 218 f.
[57] Stellen Anm. 39 S. 279.
[58] Civ. Dei 10, 6.
[59] Vgl. die Überschrift über tract. 3 der Meßerklärung De Mysterio Missae (Borgnet 38, 75): De oblatione.
[60] In Sent. IV d. 13 F a. 23 (Borgnet 29, 371).

sacrificium. In antireformatorischer Zuspitzung erklärt Canon 2, daß die Priester Leib und Blut Christi darbringen (DS 1752), während die Liturgie mit ihrem «offerimus» als Opfersubjekt die ganze Kultgemeinde faßt. Das Zweite Vaticanum erklärt, daß alle Gläubigen die göttliche Opfergabe darbringen, daß aber die Priester «auf sakramentale Weise das Opfer Christi darbringen».[61]

d. Verdeutlichung des Verhältnisses zwischen Opfer Christi und Opfer der Christen

Der Opfercharakter der Eucharistie ist demnach komplexer Natur. Diese ist das gegenwärtige Opfer Jesu Christi, aber auch das Opfer der Kirche. Wenn die Anamnesis nach Liturgie und Tradition letztlich wesenhafte Identität mit der erinnerten Tat Christi besagt, dann wird sie selbst weitgehend sich der letzteren angleichen, wird selber opferhafte Qualität haben. Und in der Tat ist nach Ausweis der Liturgie der Vollzug des Gedächtnisses Opfer: memores offerimus. Als Darbringung der Kirche ist die Messe ein eigentliches Opfer (DS 1751), aber kein eigenständiges, ist selbst ein Opfer, aber kein selbständiges, vielmehr ein relatives und anamnetisches. Das absolute Opfer ist und bleibt die Kreuzestat. Diese wird in Gestalt eines Mahles vergegenwärtigt, das zugleich Opfer ist, demnach Mahlopfer und Opfermahl. So ist die Messe Opfergedächtnis als Gedächtnisopfer, sacrificium Christi repraesentatum und sacrificium ecclesiae repraesentans. Man könnte sie auch oblatio oblationis Christi nennen.[62] Das Verhältnis der beiden Aspekte ist aber nicht ein Nacheinander (so daß die Messe zuerst Opfer der Christen, in einem späteren Teil Opfer Christi würde), sondern das Ineinander. Das sakramentale Mahl ist mit seinen beiden Strukturelementen, der Mahlhandlung und dem Mahlgebet, wie auch nach seinem ganzen Umfang (Mahlvorbereitung, Mahlbereitung, Mahlgenuß) auf die Aktualisierung der Kreuzestat ausgerichtet:

aa. Bereits die Mahlvorbereitung, das sog. Offertorium, ist vom Opfergedanken und insgeheim auch vom Gedächtnis bestimmt. Die Gläubigen bringen durch den Mund des Priesters Gott Brot und Wein als Opfergaben und in ihnen sich selbst

---

[61] Dekret über Leben und Dienst der Priester Art. 5; vgl. auch Art. 2 und Kirchenkonstitution Art. 28, wonach die Priester das Opfer Christi vergegenwärtigen und zuwenden.

[62] Die alten Meßopfertheorien wollen den Opfercharakter erklären, berücksichtigen aber zu wenig die komplexe Struktur des Sakraments. Die Destruktionstheorie hat zudem eine unglückliche Hand, wenn sie als Wesen und Hauptsache die Zerstörung der Opfergabe sieht und eine solche in der Messe finden will. Die Oblationstheorie wählt ihren Ansatzpunkt richtiger. Wo sie aber einen neuen Opferakt des himmlischen Christus annimmt, statuiert sie ein neues Opfer, schmälert das Kreuzesopfer, verkennt die Kirche als Christus vertretendes Opfersubjekt.

dar. Die Kirche konstituiert sich als Opfersubjekt, das sie aber nur *ἐν Χριστῷ* als Leib des Hauptes Christus sein kann, und besinnt sich auf das rechte Opferethos. Die Opfergaben symbolisieren die Hingabe der Kirche, wollen aber keineswegs ein eigenständiges Opfer der letzteren aufrichten, sondern von vornherein die Opferhingabe Jesu vergegenwärtigen,[63] was dann im folgenden Eucharistiegebet thematisiert wird, und weisen schließlich als Elemente eines Mahles auf Gemeinschaft hin. So erfahren sie von vornherein eine Transsignifikation.

bb. Die eigentliche Mahlbereitung geschieht durch das sakramentale Wort. Im großen Eucharistiegebet wird das Opfer Christi über den Gaben und in sie hinein ausgerufen. Östliche Liturgien (antiochenisch-byzantinischer Herkunft) weisen allgemein auf das Christusereignis, die römischen Präfationen auf ein bestimmtes Festgeheimnis. Alle Liturgien[64] aber bringen als entscheidenden Höhepunkt den Einsetzungsbericht vom letzten Mahl Jesu, in dem dieser sein Heil zusammenfaßt und als Testament hinterläßt. Die Einsetzungsworte Jesu spricht der Priester in der direkten Redeweise des Herrn, in nomine et persona Christi, da er durch den Ordo ein besonderes Christusgepräge erhalten hat. Die Sätze rücken die Opfergabe radikal in den Bezugszusammenhang der Opferhingabe Jesu. Die Doppelkonsekration, ob als totale Verfügung Jesu über seinen Leib und sein Blut, ob als Trennung dieser Realitäten verstanden, erinnert in jedem Fall Jesu Tod, setzt sein Opfer mitsamt seiner Opfergabe gegenwärtig. Die Einsetzungsworte sind, wie Thomas[65] bemerkt, der eigentliche Akt der Darbringung und Übereignung an Gott. Dieser nimmt sie an, weil er keine andere Opfergabe als seinen Sohn will.

cc. Unmittelbar nach der Konsekration gibt sich die Kirche im memores offerimus Rechenschaft über ihr Tun, charakterisiert es als Opfer, demnach als Mahlopfer, vollzogen auf Geheiß Christi zum Gedächtnis seines Todes und seiner Auferstehung. Dasselbe Prinzip «memores offerimus» gilt aber auch noch für das abschließende Opfermahl, zu dem das Mahlopfer drängt. Schon früher vermerkten wir, daß der Mahlgenuß die Opferhingabe Jesu gut zu symbolisieren vermag. Wie die Speise ihr Eigensein aufgibt und in den Menschen eingehend dessen Existenz aufbaut, so gibt Jesus seine irdische Existenz dahin, um in uns einzugehen und Gemeinschaft mit ihm zu ermöglichen. Zum anderen bringt der Mahlgenuß unser Opfern und uns selbst letztlich ans Ziel; denn alles Opfern hat als endgültigen Zweck die Gemeinschaft mit Gott. Der einzige Weg zu Gott aber ist Jesus Christus. Darum wurde unsere Opfergabe in die Opfergabe Jesus verwandelt. Ihr werden wir in der Kommunion integriert und inkorporiert und so zum Vater mitgenommen, ins Ziel alles Opferns gebracht. Daher ist die Kommunion überhaupt nicht nur als ein integrierender Bestandteil der Messe – wie die sententia communior der Dogmatiker sagt –, sondern als ein wesentlicher anzusehen.[66]

---

[63] In den alten römischen Offertoriumsgebeten klang die memoria passionis zu Recht auf.

[64] Das Fehlen des Einsetzungsberichtes in späten Handschriften der Addai-Mari-Liturgie wirft ein heute noch unlösbares Problem auf.

[65] S. Th. III q. 82 a. 10: consecratione sacrificium offertur.

[66] Für die Kommunion als wesentlichen (nicht nur integrierenden) Teil der Messe treten ein: R. Bellarmin und J. de Lugo (in Konsequenz der Destruktionstheorie), H. de Tournely, die Salmantizenser, Alphons M. di Ligouri, F. S. Renz, J. Kramp, J. M. Reuß, C. Henze.

e. Der Opfercharakter der Eucharistie und die evangelische Theologie[67]

Gerade als Opfer hatte die katholische Messe den schärfsten Protest der Reformatoren erregt. Dieser richtete sich nicht allein gegen die damaligen Mißstände in der Praxis, sondern viel grundsätzlicher gegen das dogmatische Opferprinzip als solches. Für Luther sind die Sakramente wesentlich Empfangshandlungen, das Abendmahl Gabe Gottes an den Menschen, Testament, niemals aber Gabe des Menschen an Gott und damit Opfer.[68] Ein solches würde die Messe zum «Werk» machen, zur Abgötterei. Die Gabe des Abendmahls sei die Sündenvergebung, die Austeilung der Versöhnung, deren Siegel und Unterpfand der reale Leib Jesu und sein Blut sind. Luther anerkennt zwar auch im Zusammenhang mit dem Altarsakrament Glauben und Danken als geistige Opfer und als Antwort des Menschen; allein er will diese streng aus dem Sakrament herausgehalten wissen.[69] Der tiefste theologische Grund dieser Konzeption ist das reformatorische Urprinzip «Solus Deus», das auch in der Christologie und im Abendmahl gilt. Nach ihm wirkt Gott allein das Heil. So sei denn auch von Jesus alle Werkgerechtigkeit und jeglicher Legalismus fernzuhalten. Auch das Kreuzesopfer habe seinen Wert nicht von Jesus als Menschen, sondern sei Werk und Erweis der schenkenden Barmherzigkeit Gottes gegen uns, der Christus zur Sünde machte, um so Versöhnung zu wirken.[70] Diese christologische Verkürzung läßt für ein Opfern des Menschen Jesus keinen Raum.

Die heutige evangelische Theologie ist freilich auf weite Strecken über Luthers Engführung hinausgeschritten. Exegetische Erkenntnisse, liturgische Erneuerungstendenzen, vertiefte Theologie, ökumenische Anregungen, ja auch Ansätze der Theologie Luthers selbst, besonders sein Glaube an die Realpräsenz, führten eine stattliche Reihe von evangelischen Theologen[71] dazu, nicht nur die Repräsentation des Christus passus, sondern auch der passio Christi zu bejahen, die als Gedächtnis gegenwärtig wird.

---

[67] Vgl. V. Warnach, Das Meßopfer als ökumenisches Anliegen: Liturgie und Mönchtum 17 (1955) 65–90; ders., Abendmahl und Opfer: ThR 58 (1962) 74–82; E. J. Lengeling, Der gegenwärtige Stand der liturgischen Erneuerung im Protestantismus: MThZ 10 (1959) 83–101; 200–225; O. Karrer, Die Eucharistie im Gespräch der Konfessionen, in: Th. Sartory (Hrsg.), Die Eucharistie im Verständnis der Konfessionen (Recklinghausen 1961) 355–383; J. Betz, Der Opfercharakter des Abendmahls im interkonfessionellen Gespräch: Theologie im Wandel (München 1967) 469–491; W. Averbeck, Der Opfercharakter des Abendmahls in der neueren evangelischen Theologie (Paderborn 1967) mit reicher Dokumentation und weiteren Literaturhinweisen.

[68] De captivitate babylonica ecclesiae (WA 6, 526. 516).

[69] Vgl. WA 30 II 614.

[70] Vgl. V. Vajta, Die Theologie des Gottesdienstes bei Luther (Göttingen 1952) 99 ff.

[71] Genannt seien u. a. Vertreter der Hochkirchlichen Bewegung wie F. Heiler und J. O. Mehl; des Berneuchener Kreises und der Michaelsbruderschaft wie W. Stählin, K. B. Ritter, W. Thomas, K. Plachte; Anhänger der ehemaligen «Sammlung»: H. Asmussen, E. Fincke, M. Lackmann; dann die Lutheraner P. Brunner, E. Schlink, E. Kinder, R. Prenter;

Das ist ein auch ökumenisch bedeutsamer Fortschritt. Interessant ist, daß er noch auf dem Boden der streng lutherischen Grundkonzeption vom Sakrament als exklusiver Empfangshandlung vorgetragen werden kann. Die Anamnesis des Kreuzesopfers Christi wird nämlich gerne als dessen *Selbst*vergegenwärtigung[72] aufgefaßt. Gibt man die Gegenwart des Opfers Christi zu, so heißt das noch lange nicht ein Opfern auch der Christen zugeben. Im Gegenteil! Von den meisten der genannten Theologen wird ein solches strikt abgelehnt. Das katholische «offerimus» verstoße – so lautet eine symptomatische Argumentation[73] – gegen das Prinzip Solus Deus-Solus Christus, das in Sachen des Heils unbedingt zu wahren sei, verstoße auch gegen die Grundstruktur des Kreuzesgeschehens, das nach seinem Wesen nicht als Selbstaufopferung Jesu, sondern als dessen Hingabe durch den Vater zu bestimmen sei; schließlich bedeute ein Opfern der Christen, besonders als Sühnopfer verstanden, den Versuch erneuter Sühne und einer Ergänzung des allgenugsamen Kreuzesopfers, mit alledem «Werk».

Diese Argumentation verzeichnet die katholische Auffassung und den biblischen Tatbestand. Es kann nur immer wieder gesagt werden: Das Opfer der Christen will das Kreuzesopfer nicht ergänzen, sondern vergegenwärtigen, aktualisieren, seine innere Dimension hier und jetzt entfalten. Das Kreuzesopfer selbst aber ist nicht nur Erleidnis, sondern auch Tat des Menschen Jesus (Mk 10,45; 14,24; Lk 9,44; 22,20; Jo 10,18 u.ö.). So sehr auch alles auf die Heilswirksamkeit Gottes ankommt, sie schließt eine Eigentätigkeit des geistigen Geschöpfes im Heilsakt nicht aus, sondern ein, kommt ihr mit der Gnade zuvor, so daß die Bewegung nach oben immer erst ermöglicht wird durch eine Bewegung von oben. Im Falle der Eucharistie legitimiert der Stiftungsbefehl «Tut dies!» das opfernde Mittun der Kirche. In dem offerimus und besonders in dem Satz, daß wir Christus darbringen, artikuliert sich das Selbstverständnis der Kirche am stärksten. Es ist das Selbstbewußtsein des Leibes, der seiner Einheit mit dem Haupte gewiß ist, aber bitten muß, daß Gott sein Opfer gnädig annehmen möge. Ein Hoffnungszeichen ist, daß einige evangelische Theologen für eine Darbringung des Opfers Christi durch die Kirche aufgeschlossen sind.[74]

außerdem R. Otto, W. Hahn, A. Rehbach, G. Voigt, R. Stählin, H. Chr. Schmidt-Lauber, P. Meinhold; von außerdeutschen Theologen seien genannt M. Thurian, J. Plooj, V. Vajta, J.-J. von Allmen; ferner die nordamerikanischen Lutheraner P. C. Empie, A. Carlson, B. E. Gartner, K. S. Knutson, F. Kramer, G. Lindbeck, P. Opsahl, A. C. Piepkorn, W. Quanbeck, J. Reumann, J. Sittler, K. Stendahl (vgl. hierzu Lutherans and Catholics in Dialogue. III The Eucharist as Sacrifice [Washington-New York 1968]). Bibliographie s. J. Betz aaO. 477f und vor allem W. Averbeck passim.

[72] Vgl. P. Brunner, Zur Lehre vom Gottesdienst, in: Leiturgia I (Kassel 1954): ders., Zur kath. Sakramenten- und Eucharistielehre: ThLZ 88 (1963) 169–188.

[73] P. Brunner, Zur kath. Sakramenten- und Eucharistielehre 180 ff.

[74] So die Theologen der Hochkirchlichen Vereinigung, der Michaelsbruderschaft und der Sammlung; vgl. W. Averbeck 781. Dazu kommen der Bund für evangelisch-katholische Wiedervereinigung, M. Thurian, J.-J. von Allmen.

4. Die substantiale Realpräsenz des Leibes und Blutes Jesu

a. Ihre Einordnung in den eucharistischen Gesamtzusammenhang

Vorausgehend wurde klar: Die Eucharistie ist die selbst opferhafte Aktualpräsenz des Kreuzesopfers Christi, nicht nur ein symbolischer Hinweis auf
dieses, sondern letztlich wesenhaft identisch mit ihm. Diese Tatsache begründet Johannes Chrysostomus mit der Identität der Opfergabe Jesus damals und heute.[75] Jesus wird ja im Rahmen des Geschehens gegenwärtig als
σῶμα διδόμενον, als Opfergabe. Deren Realpräsenz gibt dem Glauben die
letzte Gewähr und Gewißheit für die Aktualpräsenz der Opfertat Jesu.
Denn eine Opfergabe setzt eine Opfertat voraus. In der objektiven Seins-
und Geschehensordnung ist denn auch die Aktualpräsenz der Opferhingabe
Jesu der tragende Grund für die Realpräsenz der Opfergabe, diese die
Krönung der ersteren.

Die somatische Realpräsenz Jesu darf nicht isoliert und wie ein Mirakel
angesehen werden. Sie wächst vielmehr organisch aus dem Gesamtgeschehen heraus. Als Gegenwart der Opfergabe Jesus Christus ist sie ein inneres
Moment im Opfergeschehen. Sie ist auch die Besiegelung der Eucharistie,
wenn diese als Gegenwärtigung Christi betrachtet wird. Denn letztere ist
vielschichtig. Gegenwärtig ist Christus in der versammelten Gemeinde
(Mt 18,20), in besonders dynamischer Weise im konsekrierenden Priester.
Sodann macht er seine Kreuzestat gegenwärtig in der sakramentalen Mahlhandlung, und er verdichtet seine Gegenwart als Sühnopfer in den Opfergaben der Kirche. Wenn wir diese Gegenwart mit dem traditionellen
Sprachgebrauch schlechthin Realpräsenz nennen, so soll damit nicht geleugnet werden, daß alle genannten Gegenwartsweisen auch real und pneumatisch sind, sondern gesagt sein, daß die somatische Realpräsenz Jesu die
Besiegelung des Geschehens ist. Sie ist aber doch nicht letzter Zweck, wie
schon der Speisecharakter zeigt, dient vielmehr der innigsten personalen
Vereinigung Christi mit uns, vermittelt dessen Opferhingabe für uns und
an uns. In diesem Zusammenhang leuchtet wieder die Transsignifikation
auf, die die Mahlelemente erfahren, da sie aus natürlichen Nahrungsmitteln
zu Mitteln der Selbsthingabe Christi werden. Um dieser Bedeutung willen
geschieht denn auch die Transsubstantiation, die die Transsignifikation zur
Vollendung führt, somit fortsetzt. Gerade die verwandelten Gaben tun Jesu
Opferhingabe kund, der sich am Kreuz für uns verzehrte und nun von uns
verzehrt werden will. Sie wollen personale Vereinigung wirken. Transsignifikation und Transsubstantiation schließen sich also nicht aus, sondern verschlingen sich miteinander. Der Bedeutungswandel geschieht in einer Tiefe,
die durch die Transsubstantiation und Realpräsenz ausgesprochen wird.

---

[75] In Hebr hom. 17,3 (PG 63,131).

b. Tatsache, Subjekt und Grundweise der Realpräsenz

aa. Die Lehre der Schrift

Aus dem Schriftbefund, wie er uns im biblischen Teil beschäftigte, gilt es hier die realpräsentischen Aspekte und Akzente herauszuheben. Fragen wir zunächst nach dem *Subjekt* der Gegenwart! Gegenwärtig wird der Christus totus. Denn σῶμα meint in allen Einsetzungsberichten den Leib nicht als Teil des Menschen, sondern als dessen Vollerscheinung. Noch genauer profiliert die älteste Berichtsform bei Paulus/Lukas die gegenwärtige Person als die sich hinopfernde Gestalt des deutero-jesaianischen Gottesknechtes, auf den auch das Kelchprädikat διαθήκη paßt und ebenso das αἷμα im Sinne der Person im Zustand des Martyriums.[76] Hingegen ist das Blut im markinischen Kelchwort nach dem Vorbild von Ex 24,8 als kultischer (isolierter) Opferteil vorgestellt, Jesus als der Hohepriester angedeutet, der mit seinem Blut sein Selbstopfer darbringt. Letztlich meint auch hier αἷμα als pars pro toto die ganze Person.

Die *Tatsache* der somatischen Realpräsenz wird bezeugt durch das Maranatha (Did 10,6; 1 Kor 16,22), ferner durch Paulus und Johannes. Nach 1 Kor 10,16f macht das eine Brot die Vielen allerorten in der ganzen Welt zu dem einen Leib, weil es eben die reale Teilhabe an Christi Leib ist. In 1 Kor 11,27–34 führt Paulus das Gerichtsmotiv als Erfahrungsbeweis für die behauptete Identität von Herrenmahlspeise und Jesu Leib und Blut an: Krankheits- und Todesfälle in Korinth als Folgen unwürdiger Kommunion zeigen die sakrale Mächtigkeit der eucharistischen Gaben. Johannes spricht in 6,51–58 so realistisch vom Essen des Fleisches und Trinken des Blutes Jesu, daß er nicht anders als buchstäblich genommen werden darf. Die Ausflucht in eine angebliche Unechtheit der Verse ist unerlaubt. Die Begriffe σάρξ und αἷμα meinen auch hier die Ganzperson. Für eine realpräsentische Deutung stehen aber auch schon die Einsetzungsberichte offen, ja sie enthalten sogar unübersehbare Hinweise in dieser Richtung. Die stilistische Form der Deuteworte ist anders als die metaphorischer Sätze, und Darreichung und Genuß der Gaben bedeuten eine Unterstreichung ihres Realitätscharakters. Und grundsätzlich gilt: Wenn Jesus sein Opfer präsent machen wollte, konnte er es besser als durch Gegenwärtigsetzung seiner selbst als Opfergabe?

bb. Tradition

Erstaunlich klar wird von Anfang an die Realpräsenz Christi bezeugt. Ignatius von Antiochien identifiziert das Herrenmahl schlicht mit dem «Fleisch unseres Erlösers Jesus Christus, das für unsere Sünden gelitten, das der

---

[76] Siehe oben S. 197 f.

Vater in seiner Güte auferweckt hat».[77] Er empfindet sie nicht als etwas Dingliches, sondern gemäß seiner Christusmystik als «Arznei der Unsterblichkeit und Gegengift, daß man nicht stirbt, sondern immerfort lebt in Jesus Christus» (Eph 20, 2). «Unsterblichkeitsarznei» ist aber trotz des hellenistischen Begriffskleides keine Sachanleihe aus dem Hellenismus, sondern meint die eschatologisch erneuerte Paradiesesspeise, die auch in den eucharistischen Gütern Leben, Erkenntnis und Unsterblichkeit der Didache (9,3; 10,2) aufleuchtet als Erfüllung von Gn 2,9.17. Nach Justinus, der das Herrenmahl als sakramentale Parallele zur Inkarnation versteht, ist dieses das Fleisch und Blut eben des inkarnierten Jesus.[78] Wenn der Gnostiker Markus bei seiner Eucharistie den Inhalt der Kelche rot aufschäumen läßt, so zerstört er naturalisierend das Mysterium, bestätigt aber mit seinem Trick indirekt den Glauben der Kirche.[79] Über das Blut macht sich auch Irenäus Gedanken. Er und ebenso Tertullian verstehen es – bezeichnend für den westlichen Dichotomismus – als bloßen Teil; aber sofort stellt er es in den Zusammenhang mit dem Gesamtorganismus.[80] Hier kündigt sich das Problem an, das die abendländische Theologie noch lange beschäftigt, wie man von den als Teilsubstanzen aufgefaßten Größen corpus und sanguis zum Christus totus komme. Im übrigen bekennt Irenäus, daß die Eucharistie Jesu Leib und Blut ist und dies dadurch wird, daß Brot und Kelch den Logos Gottes (sakramental-inkarnatorisch) empfangen.[81] Die Gaben vermitteln daher den Logos, das Brot der Unsterblichkeit und Pneuma des Vaters.[82]

Den Schritt von den Teilsubstanzen caro und sanguis zum Ganzen der Person Christi tut Irenäus unwillkürlich. Denn wie selbstverständlich sucht der Glaube im Herrenmahl den totus Christus. Diese Überzeugung begegnet uns im Osten und Westen. Die einfachste Aussage lautet, Christus gebe sich selbst uns zur Speise.[83] Sie stellt nicht nur eine flüchtige und verkürzende Formulierung dar, sondern wird zur ausdrücklichen Identifizierung des Sakraments mit Christus entfaltet.[84] Schließlich wird die Einheit und Ganz-

---

[77] Sm 7,3; vgl. noch Röm 7,3; Phld 4 und oben S. 211 f.

[78] Apol. I 66 (Corp. Apol. I 182).

[79] Irenaeus, Adv. haer. I 13, 1 (Harvey I 115).

[80] Adv. haer. V 2,2 (SourcesChr. 153,32): «Blut kann nur von den Adern, dem Fleisch und der übrigen menschlichen Substanz kommen, die der Logos geworden ist.» Zu Tertullian, Adv. Marc. 4,40, vgl. unten.

[81] Adv. haer. V 2,3 (SourcesChr. 153,36).

[82] Adv. haer. IV 38, 1 (SourcesChr. 100,946/8).

[83] So Klemens von Alexandrien, Protrept. 120 (GCS I 120,3) und Quis dives salvetur (GCS III 175,11 f); Didymus, In Ps. 36,4 (PG 39,1336); oft bei Johannes Chrysostomus, besonders dicht in den Mt-Homilien 25,3 f (PG 57,331 ff); 50,2 (PG 58,500 ff); 82,4 f (PG 58,742 ff); Theophilus v. Alex., Hom. in coenam myst. (PG 77,1017 D).

[84] Für Klemens von Alexandrien ist die Eucharistie nach Paed. I (6), 43, 1 (GCS I 115,27 f) einfach der Christus (ebenso 46, 1: 117, 20) und der Heiland, nach 43, 2 f (116,1 ff) der Kyrios (Jesus), nach Exc. ex Theod. 13,3 (GCS III 111,8) der Sohn. Nach Origenes, In Mt. comment. ser. 10 (GCS XI 175,11 f), essen die Christen als Pascha «den für uns geopferten

heit Christi in allen Eucharistien klar thematisiert. «Überall ist der eine Christus, hier ganz und dort ganz», erklärt Johannes Chrysostomus in Antiochien.[85] Und in Alexandrien sekundiert Cyrill: «Der Eingeborene ist ganz und ungeteilt in allen (= Empfängern) überall einer.»[86]

Wie ernsthaft die griechischen Väter das Herrenmahl mit Christus gleichsetzen, ersieht man auch daraus, daß sie ihr Eucharistieverständnis entsprechend ihrer Christologie gestalten. Wir haben davon im dogmengeschichtlichen Teil gehandelt; hier seien nur einige Züge herausgehoben. Die Alexandriner richten ihre Aufmerksamkeit auf den Logos, der in Jesus sichtbar erschienen ist. Und die Würde unseres Sakraments beruht darin, daß es – wie eine bezeichnende Formel sagt – Fleisch und Blut «*des Logos*» ist,[87] der hier seine Inkarnation mysterienhaft aktuiert. Des Origenes Gleichung: «wahre Speise = Fleisch Christi = Logos, insofern er Fleisch geworden ist»,[88] darf als symptomatisch für Alexandrien gelten. Nun meinen allerdings Klemens und Origenes, der Gnostiker, der Vollchrist könne den Logos noch auf eine andere, bessere, nämlich auf geistige Weise durch das Wort empfangen, das eigentlicher Leib des Logos sei.[89] Gegenüber dieser Abwertung der sichtbaren Kommunion betonen Athanasius und sehr nachdrücklich Cyrill, daß der allein Leben spendende Logos gerade durch sein Fleisch und heute durch die Eucharistie uns zugänglich wird. In dieser inkarnationisch strukturierten Sicht bleibt noch der Blick auf die Menschheit Jesu gewahrt.

Ungleich stärker ist die Gleichsetzung des Sakraments mit der historischen Erlösergestalt Jesu bei den Antiochenern,[90] deren Tendenz sich mit der Liturgie enger berührt. Der ausgesprochene Zeuge ist Johannes Chrysostomus; er identifiziert wie kein anderer den eucharistischen mit dem historischen Leib Jesu, der in der Krippe lag und am Kreuz verblutete. Die-

---

Christus». Die Gleichung Eucharistie = Christus begegnet auch bei Eusebius v.Caes., Comm.in Is. 3,2 (PG 24,109 BC) und oft bei Cyrill v.Alexandrien; so De ador. 3 (PG 68,289C); 7 (501B); 12 (793C); Glaph. 2 in Ex (PG 69,428 AB); In Cant. 7,4 fragm. (PG 69, 1292A); In Jo evang.comment. 3,6 (PG 73,521C); 4,2f (564C 576B 580C 581 BC 584A 585A); 10,2 (PG 74,341B); 11,11 (560B). Beachtenswert ist Cyrills eucharistische Formel «Christus in uns, wir in Christus», so In Jo evang.comm. 4,2 (PG 73, 584BC); 10,2 (PG 74,341D). Im Westen Cyprian, De dominica orat. 18 (CSEL 3,280); Ambrosius, De Myst. 9,58 (CSEL 73,115); Hilarius, De Trin. 8,17 (PL 10,249).

[85] In Hebr hom. 17,3 (PG 63,131). Ähnlich Ephräm, Hymni de eccl.et virg. 38,1 (Lamy IV 624): Totus ipse nobis totis se immiscuit. Theodor v.Mops., Cat. 16,19 (SteT 145,561): in jedem Teil der ganze Christus (vgl.auch 16, 20. 28).

[86] In Jo evang.comm. 12 (PG 74,660C).

[87] Belege bei Origenes s.oben S. 214f; Eusebius, In Ps 73 (PG 23,864B); Athanasius, Epist.ad Maximum (PG 26,1088C); Theophilus spricht vom Leib und Blut Gottes (PG 77,1028), Gregor von Nazianz, Or. 45 (PG 36,649) vom Blute Gottes.

[88] De oratione 27,4 (GCS II 365,22 ff).

[89] Vgl.oben S. 215 f.

[90] Vgl. auch oben S. 218 ff.

ser Befund ist nicht sinnlich verifizierbar, er ist nur im gläubigen Denken erfaßbar (*νοητόν*) und beruht auf einer Wandlung, die als Herabkunft des Geistes auf die Gaben, also inkarnatianisch beschrieben wird. Nach dem Ephesinum lassen sich Antiochener wie Theodoret und Eutherius, aber auch Neuchalcedonenser wie Papst Gelasius zu falscher systematisierender Konsequenzmacherei und zu einer totalen äußeren Angleichung der Eucharistie an die Christologie verleiten, lehnen unter Berufung auf die unverwandelte Menschheit Jesu eine Wandlung der Elemente ab und verstehen das Sakrament als Vereinigung des Geistes oder der Gnade mit diesen Elementen (s. S. 221). Die Anamnesis der Menschheit Jesu verblaßt stark im Neuchalcedonismus, der das Sakrament wesentlich als Leib *des Logos* faßt.[91] Die volle anamnetische Sicht wird aber von der Liturgie aufrechterhalten. Am Ende der Patristik erneuert Johannes von Damaskus die alte Wandlungslehre und erklärt das Herrenmahl als den mit der Gottheit hypostatisch geeinten Leib Christi.[92]

Eine Einzelheit muß noch geklärt werden: Wie verhält sich zu der behaupteten Realpräsenz die im Osten wie im Westen übliche Bezeichnung der Elemente als Symbole[93] des Leibes und Blutes Christi? Diese will – so müssen wir antworten – die Realität des Leibes und Blutes nicht abschwächen, will nicht symbolistisch im modernen Sinn verstanden werden. Vielmehr will der Begriff im Sinne der altkirchlichen Theologie nicht die Abwesenheit, sondern gerade die Anwesenheit der Urwirklichkeit aussagen. Und zwar will er primär funktional die Erinnerung an das Heils*geschehen* festhalten. Erst Theodor von Mopsuestia lehnt es ab, die verwandelten Gaben in statisch-ontischer Hinsicht Symbole des Leibes und Blutes zu nennen.[94]

Das *Abendland* vertritt einen Realismus mehr antiochenischer Prägung. Tertullian bezeugt, wie wir sahen (S. 223 f), die Wirklichkeit des Leibes und Blutes Christi im Herrenmahl. Christen, die nach Blut (bei den Schauspielen) verlangen, verweist er auf Christi Blut.[95] Die Bezeichnung der Eucharistie als figura corporis will die Wirklichkeit des Herrenleibes nicht einschränken, sondern gerade unterstreichen; denn nur ein corpus, eine «Wirklichkeit», kann eine figura haben. Die Beschaffenheit des sakramentalen corpus ergibt sich ihm aus den Begriffen caro und sanguis, die er als einander zugeordnete Teile, aber – typisch abendländisch – eben als Teile versteht.[96] Realpräsentische Überzeugung spricht ebenso aus Cyprian (vgl. oben). Im

---

[91] Dazu vgl. oben S. 222.

[92] De imaginibus 3, 26 (PG 94, 1348); vgl. auch Expositio fidei 86 (PG 94, 1141).

[93] Verwendet werden die Termini σύμβολον, τύπος, ἀντίτυπος, εἰκών, ὁμοίωμα, figura, signum, sacramentum; dazu s. J. Betz, Eucharistie I/1 S. 217–242.

[94] Fragment zu Mt 26, 26 (PG 66, 713).

[95] De spectaculis 29 (CC 1, 252).

[96] Adv. Marcionem 4, 40 (CC 1, 655–657).

Abendmahl trinken wir das Blut Christi,[97] wird Christus dargebracht,[98] allerdings nur, wenn das Blut durch das entsprechende heilsgeschichtliche Realsymbol Wein dargestellt wird.[99] Die weitere Geschichte der Realpräsenz wird einerseits nachhaltig beeinflußt von Ambrosius, insofern er letztere durch die Idee der Wandlung absichert und für das Denken annehmbar macht, anderseits von Augustinus, dessen theologisches Interesse gerade nicht ihr, sondern einem spiritualistischen Symbolismus gilt. Nicht daß der Bischof von Hippo sie strikte ablehnen würde, er bezeugt sie vielmehr als Tradition der Kirche, wie wir bereits oben konstatierten. Die Elemente empfangen nach ihm sogar eine Heiligung[100] und entfalten eine Effizienz, sei es zum Guten, sei es zum Bösen.[101] Aber sie sind ihm nicht schlechthin, sondern nur in gewisser Weise Leib und Blut Christi, sind vielmehr deren sacramentum und erwirken, wenn wir ihn recht auslegen, eine Anwartschaft auf die Gnadengemeinschaft mit Gott. Sie symbolisieren und aktuieren aber die Liebesgemeinschaft der Kirche als Leib Christi, die er als eigentlichen Inhalt des Sakraments betrachtet. Es konnte nicht ausbleiben, daß von Augustinus her eine mehr symbolistische Auffassung (die dieser wegen des extra ecclesiam nulla eucharistia vertrat) Glanz und Auftrieb bekam. Immerhin hat er die Frage nach der Wirklichkeit, inneren Möglichkeit und Reichweite der Realpräsenz akuter gemacht und so die schließliche Lösung vorangetrieben. Die Spannung zwischen Realismus und Symbolismus, zwischen Ambrosius und Augustinus drängte zur Entladung. Sie wurde in zwei Abendmahlskontroversen des Mittelalters ausgetragen.[102]

Als Paschasius Radbertus die volle Identität des sakramentalen mit dem historischen Leib Jesu unterstrich, hob Rathramnus den Unterschied zwischen beiden hervor. Die Eucharistie ist letzterem nur in gewisser Hinsicht Leib Christi, insofern sie kraft Wandlung eine göttliche Potenz enthält. Das eigentliche enfant terrible in Sachen Realpräsenz wird dann Berengar. Er leugnet rundweg dieselbe. Brot und Wein sind ihm sacramentum (Zeichen), verweisen als dieses symbolisch auf die res sacramenti, auf Christi Leib und Blut im Himmel, enthalten aber diese nicht, sondern behalten ihre Eigenschaften und damit auch ihre Substanz, die ihm als Summe der letzteren gilt; die Elemente werden also nicht seinshaft verwandelt. Der Widerspruch

---

[97] Epist. 58,1 (CSEL 3,657); vgl. auch Ep. 57,2 (652): das Blut Christi verweigern, den Kelch des Herrn trinken.

[98] Ep. 63,9 (CSEL 3,708).

[99] Ep. 63,2 (702); vgl. auch 63,13 (ostendi) (711).

[100] Belege s. S. 226; De Trinitate 3,4,10 (PL 42,874); Sermo 227 (PL 38,1099); Sermo 234,2 (PL 38,1116); Sermo Guelf.7 (Misc. Agost. I 462); Contra Faust. 20,13 (CSEL 25,1,552).

[101] Geistiger Gewinn: In Jo tr. 26,13 (PL 35,1613); Sermo 57,7 (PL 38,389). Gericht bei unwürdiger Kommunion: Sermo 227 (PL 38,1101); Sermo 229 (PL 38,1103).

[102] Auch für das Folgende sei bezüglich Einzelheiten auf die obigen Ausführungen im dogmengeschtl. Teil verwiesen.

gegen ihn (vorgetragen von Adelmann von Lüttich, Hugo von Langres, Durandus von Troarn) verdichtet sich in der von Kardinal Humbert verfaßten Bekenntnisformel von 1059 (DS 690), die eine allzu globale Identität des sakramentalen mit dem historischen Christusleib aussagt. Als Berengar weiter deren Unterschied übertreibt, finden Lanfranc von Bec und Guitmund von Aversa die befreiende Idee: Der Leib Christi wird gegenwärtig nach seiner essentia bzw. substantia. Die römische Synode von 1079 spricht die Identität auf Grund substantieller Wandlung aus (DS 700). Damit war der Blick auf die Substanz als das metaphysische Prinzip der Identität zwischen sakramentalem und historischem Leib Christi gelenkt. Substanz hieß fortan das Losungswort. Der Begriff war freilich noch lange nicht geklärt, wurde dies erst nach intensiven Bemühungen.[103] Es bildeten sich zwei Richtungen heraus. Die eine, repräsentiert von Petrus Cantor, sieht die Substanz im Träger (materia, hypostasis, subiectum) der Eigenschaften. Sie wird überholt von einer umfassenderen Sicht, deren Bannerträger Alanus von Lille ist und die die Substanz als Einheit aus Materie *und* Form, letztere aber nicht mehr als Summe, sondern als inneres Prinzip der Eigenschaften sieht. Ausgereift war diese Vorstellung erst, als Materie und Form im Sinne der aristotelischen Naturphilosophie als reine Potenz bzw. innerer Seinsgrund der Eigenschaften begriffen wurde. Diese Stufe ist bei Alexander von Hales erreicht. Die großen Hochscholastiker bauen darauf auf.

Im Zusammenhang mit der substantiellen Gegenwart wird in der Scholastik die Gegenwart des totus Christus debattiert. Im Westen stellte sich diese letztere als Problem, weil corpus, caro und sanguis nach ihrem Begriffsgehalt als Teile des Menschen empfunden wurden. Berengar hatte die Realpräsenz auch deswegen abgelehnt, weil sie zu lauter Teilstücken des Fleisches Christi (portiuncula carnis Christi) führen würde. Dagegen war der Glaube überzeugt, den ganzen Christus zu empfangen. Die Gegenwart per modum substantiae wird nun als Brücke zum totus Christus benutzt. Die Scholastiker erklären: vi verbi oder vi sacramenti wird im Brot nur die Substanz des Leibes, im Kelch nur die Substanz des Blutes gegenwärtig. Da aber ein lebendiger Leib und ebensolches Blut nur im Verband der Person bestehen können, wird kraft natürlichen Zusammenhangs und kraft Beifolge (vi concomitantiae) mit dem Leib auch das Blut, mit dem Blut auch der Leib, mit beiden die Seele und die Gottheit Jesu *mit*vergegenwärtigt. Damit war die berühmte Konkomitanzlehre etabliert.[104]

cc. Lehramtliche Äußerungen

Das kirchliche *Lehramt*, das in der Liturgie unablässig die Realpräsenz verkündet, hat diese mit besonderer Deutlichkeit herausgestellt:

---

[103] Einzelheiten s. oben S. 233 ff.
[104] Einzelheiten s. oben S. 237.

Gegen Berengar macht die römische Synode von 1059 in ultrarealistischer Sprechweise (DS 690), die von 1079 unter Hinweis auf die substantiale Wandlung (DS 700) die Identität des eucharistischen und historischen Leibes Jesu geltend. Das IV. Lateranum betont gegen Katharer und Albigenser, daß Christi «Leib und Blut unter den Gestalten von Brot und Wein enthalten sind»[105] (DS 802). Den Irrtum John Wyclifs, der die Realpräsenz leugnet, zurückweisend, bekennt das Konzil von Konstanz die identische, reale und leibliche Gegenwart Christi im Sakrament (DS 1153). Das Tridentinum definiert sodann gegen die bloß zeichenhafte Gegenwart Christi nach Zwinglis Vorstellung und gegen die bloß dynamische Gegenwart Christi nach Calvins Auffassung, Leib und Blut Christi seien vere realiter et substantialiter unter den Gestalten enthalten (Can. 1: DS 1651).[106] Das Trienter Eucharistiedekret betrachtet als die Grundaussage in den Abendmahlsworten Jesu die Identität des Dargereichten mit Jesu Leib (DS 1640). Die Gegenwart des totus Christus in jeder Gestalt lehren das Konstanzer Kommuniondekret (DS 1199; vgl. noch DS 1257), das florentinische Decretum pro Armenis (DS 1321) und der tridentinische Kanon 3 (DS 1653); die beiden letzteren Lehräußerungen verkünden auch die Gegenwart des totus Christus in jedem Teil einer konsekrierten und gebrochenen Hostie. Die Konkomitanzlehre greift das Tridentinum ausdrücklich auf im Lehrkapitel 3 (DS 1640), bezeichnet sie als alten katholischen Glauben, definiert sie aber nicht. Das Lehramt trägt noch weitere Konsequenzen aus der Realpräsenz vor: Das Konstanzer Konzil erklärt gegen Wyclif, daß die materiellen Substanzen des Brotes und Weines nicht bleiben (DS 1151; vgl. noch 1256), daß hingegen die Akzidenzien des Brotes ohne (natürliches) Subjekt fortbestehen (DS 1152). Weitere tridentinische Canones dogmatisieren das Nichtbleiben, also Aufhören der Brot- und Weinsubstanz (c. 2: DS 1652), die Fortdauer der Gegenwart Christi von der Konsekration an auch in den nicht genossenen Hostien (c. 4: DS 1654), die Anbetungswürdigkeit Christi in der Eucharistie, auch zu öffentlicher Verehrung (c. 6: DS 1656), die Erlaubtheit der Aufbewahrung konsekrierter Hostien (c. 7: DS 1657), den wirklichen und sakramentalen, nicht nur geistigen Genuß Christi (c. 8: DS 1958). Pius XII. (1950) in der Enzyklika «Humani generis» (DS 3891) und Paul VI. (1965) in der Enzyklika «Mysterium fidei» (35 f) unterstreichen die Realpräsenz und wollen sie vor aller symbolistischen Verflüchtigung geschützt wissen.

---

[105] Das typische «contineri in» kehrt wieder im Konstanzer Kommuniondekret (DS 1199), im Dekret Eugens IV. für die Armenier (DS 1322) und im tridentinischen Canon 1 (DS 1651).

[106] Wiederholt in DS 2629.

dd. Inhaltliche Verdeutlichung der substantiellen Seinsweise

Der Substanzbegriff dient der Theologie und dem Lehramt dazu, die Identität der konsekrierten Elemente mit dem Leib und Blut Jesu sowohl zu sichern, als auch einzuschränken auf den Wesenskern, da die Erscheinungsweise von Brot und Wein ja erhalten bleibt und den Glauben auf Christus als Nahrung hinweisen soll. Die Kirche hat den Substanzbegriff aus der abendländischen Philosophie in einer zeitbedingten Einkleidung übernommen; ihm liegt aber eine bleibende überzeitliche Idee zugrunde, ohne die der Mensch die Welt geistig gar nicht bewältigen könnte. Freilich ist der Terminus als solcher keineswegs eindeutig; in verschiedenen Sprachspielen bedeutet er Verschiedenes. In naturwissenschaftlicher Sprechweise ist Substanz eine konkrete, kompakte, gleichwertig strukturierte und konstante Masse. Typisch dafür ist der Satz: Ein Ding *ist* eine Substanz. Die Naturphilosophie sodann versteht die Substanz als den Selbstand eines Seienden, als das ens in se et per se (subsistens). Nach heutiger Auffassung sind aber Brot und Wein in diesem Sinne keine Substanzen, da ihnen die Homogenität der Struktur und die Konstanz fehlen, sie sind vielmehr Agglomerate aus Molekülen und elementaren Substanzen, also akzidentelle Einheiten und anthropologische Sinngebilde. Noch einen etwas anderen Aspekt bietet der allgemein philosophische Begriff Substanz. Schon das vorphilosophische Denken sucht hinter dem Wechsel der Erscheinungen das diese Begründende und Tragende und eine letzte Wirklichkeit der Dinge. Es sucht damit nach der «Substanz» der Dinge, nach ihrem eigentlichen Wesenskern. Wir müssen nämlich sagen: Wenn auch Brot und Wein keine Substanzen im naturphilosophischen Sinne *sind*, so haben sie doch eine Substanz im philosophischen Sinne, die ihr Wesen bestimmt. Dieses Wesen besteht nicht bloß in den natürlich-materiellen Faktoren, bei denen ein rein statisches Denken oft stehenbleibt, sondern auch aus der menschlichen Bearbeitung, die die Naturdinge erfahren. Brot und Wein sind kulturelle Sinn-Gebilde, vom Menschen zu bestimmten Zwecken und Bedeutungen gestaltete Dinge. Weder das materiell Vorgegebene, noch die menschliche Gestaltung und Zwecksetzung dürfen als Wesensfaktoren übersehen werden. Was daher nicht mehr gestalthaft und erscheinungshaft als Brot oder als Brotbissen anzusprechen ist, auch wenn es chemisch-materiell Brotmasse darstellt (z. B. kleine Partikel), ist nicht mehr Zeichen für die sich verzehrende und verzehren lassende Liebe Christi. Die Theologen der Hochscholastik und des Tridentinums haben als Kinder ihrer Zeit die Substanz im aristotelisch-hylemorphistischen Sinn als Einheit von materia prima und forma substantialis verstanden. Wir Heutigen denken sie in einem mehr allgemeinen und überzeitlichen Sinn als die Tiefe des Seienden, als den eigentlichen Wesenskern der Dinge, der eine Doppelfunktion ausübt, nämlich einmal der Träger des Seinsaktes oder Subsistenzgrund der Eigenschaften, zum anderen deren washeitlicher Bestimmungsgrund zu sein. Demgegenüber ist die Erscheinungsform (species) das Geflecht der Akzidenzien, die Summe der chemisch-physikalischen Eigenschaften, in denen sich das Wesen, die Substanz ausspricht. Die Naturwissenschaft erreicht mit ihren Methoden und Fragestellungen nie die Substanz, sondern immer nur die Erscheinungen, so daß die Konzeption der Substanz im obigen Sinne unabhängig ist vom naturwissenschaftlichen Weltbild. Die Unterscheidung von Substanz und Erscheinung ist aber dem vorurteilsfreien Denken objektiv nachvollziehbar. Eine reale Scheidung freilich von Substanz und Spezies oder die Erscheinung der Substanz in einer ihr fremden Spezies ist in der natürlichen Erfahrung nicht bekannt. Da erscheint die Substanz in der ihr konnaturalen Weise. In der Eucharistie hingegen werden die Substanzen von Brot und Wein gewandelt in die Substanzen von Leib und Blut Jesu, die Erscheinungsweise von Brot und Wein der Elemente bleibt aber erhalten, unter ihnen wird nun Leib und Blut Jesu gegenwärtig. Die Akzidenzien von Brot und Wein werden nicht zu Akzidenzien des Leibes und Blutes Christi, sie bleiben und bestehen daher ohne natürliches (!) Inhäsionssubjekt weiter, was das Konzil von Konstanz (DS 1152) unterstreicht; sie werden nach gewöhnlicher Anschauung von Gott direkt im Sein erhalten. Nach Thomas (S. Th. III q. 77 a. 2) fungiert die Ausdehnung, die quantitas dimensiva als Grundlage und Inhäsionssubjekt für die anderen Eigenschaften.

Die Erklärung, die Realpräsenz Christi im Abendmahl geschehe per modum substantiae, vermag diese Gegenwartsweise auf weite Strecken ontologisch aufzuhellen. Dieselbe ist ja nicht nur die pneumatisch-prinzipale Aktualpräsenz, wie sie auch in den anderen Sakramenten, ja im Gottesdienst überhaupt statthat, sondern einmalig, analogielos. Die Kennzeichnung als substantiell macht die differentia specifica der Eucharistie innerhalb der verschiedenen Gegenwartsweisen Christi aus. Der Grundgedanke ist die Identität der konsekrierten Elemente mit dem leibhaftigen verklärten Christus. Freilich dürfen über dieser Identität nicht die Verschiedenheiten zwischen der sakramentalen und der natürlichen Seinsweise Christi übersehen werden. Dazu erklärt Thomas (S. Th. III q. 76 a. 6c): «Für Christus ist das Sein an sich (secundum se) nicht dasselbe wie das Sein unter diesem Sakrament. Mit dem Sein unter diesem Sakrament wird ein Verhältnis (habitudo) Christi zu diesem Sakrament bezeichnet.»

Die Gegenwart Christi per modum substantiae ist ein Schlüssel für das Verständnis der eucharistischen Besonderheiten:

1.) Da ist zunächst die Totalität Christi im Altarsakrament zu nennen. Es ist tridentinisches Dogma, daß der totus Christus unter jeder der beiden Gestalten und unter allen Teilen jeder Gestalt nach erfolgter Trennung zugegen ist (DS 1653). Die theologische Vernunft schließt daraus weiter, daß Christus auch vor der Trennung (Brechung) in jedem Teil ganz zugegen ist. Wie könnte er es sonst nachher sein? Die Totalität Christi beruht auf der substantiellen Präsenz seines Leibes und seiner konkomitanzhaft verbundenen Teile; die Substanz trägt und bestimmt das Ganze eines Seienden.

2.) Die substanzhafte Seinsweise impliziert zugleich die Unräumlichkeit, Unausgedehntheit und Unkörperlichkeit der Gegenwart Christi. Dieser ist durch das Konsekrationswort an die Raum ausfüllenden Elemente gebunden, ist genau da, wo diese sind, aber er ist in und unter diesen nicht in räumlicher Weise, auch nicht in der Weise eines punktuell zusammengepreßten Miniaturleibes, wie cartesianisch orientierte Theologen meinten. Christus ist also nicht auf circumscriptive Weise zugegen, so daß Teile seines Leibes Teile des Raumes ausfüllen würden, sondern eben wie die Substanz, die tota in toto et in omnibus partibus ist, ohne vervielfältigt zu werden. Die substantielle Gegenwart Christi ist vergleichbar mit der definitiven Gegenwart der Seele im Leibe, die als die eine ohne Vervielfältigung im ganzen Leibe und allen Gliedern anwesend ist, ohne selbst Raumteile auszufüllen (die freilich nicht in jedem Teil nach seiner Abtrennung weiterexistiert wie Christus in der Eucharistie). Christi Leib wird gegenwärtig ohne Ausdehnung, ohne Körperlichkeit. Seine realen Akzidenzien werden nach Thomas (S. Th. III q. 76 a. 7) per modum substantiae, insofern sie im substantiellen Wesenskern angelegt sind, mitgesetzt, also potenziell, nicht aktuell. Die Realität des Leibes Christi ohne Ausdehnung, ohne Körperlichkeit hat eine Analogie in der Eigenart unserer geistigen Vorstellungen: Die plastische Vorstellung einer Fläche ist selbst nicht flächenhaft, die Vorstellung einer Spitze nicht spitz, die Vorstellung eines knallroten Gegenstandes nicht rot. Christi eucharistische Gegenwart ist geistanalog und mehr seiner verklärten als seiner geschichtlichen Seinsweise verwandt.

3.) Da Christi Leib «nur» per modum substantiae, nicht mit seinen realen Akzidenzien real präsent wird, kann er als solcher nicht wahrgenommen werden. Er bleibt seinerseits auch ohne Sinnestätigkeit. Christus leidet nicht in der Hostie oder im Tabernakel, er empfindet nicht Schmerz und Betrübnis. Tabernakelfrömmigkeit hat gleichwohl ihren Sinn als Lob, Dank und Preis für die in der Eucharistie sich zeigende Erlöserliebe Christi und als Anregung zur personalen Einigung mit Christus.

4.) Die substanzhafte Realpräsenz Christi macht auch die Vielörtlichkeit des Leibes Christi ohne Vervielfältigung eher verständlich. Er ist «im Himmel» und in so vielen Gestalten, als gültig konsekriert wurden. Die Vielörtlichkeit ist kein Widerspruch, weil Christi Leib nicht in seiner natürlichen Seinsweise mit den Akzidenzien, sondern nur in der substantial-sakramentalen Seinsweise präsent wird. Letztere beruht – um mit Thomas (S. Th. III q. 76 a. 6c) zu sprechen – auf einer Beziehung des verklärten Leibes zu den Gestalten. Das wird noch deutlicher werden bei der Beschreibung der Transsubstantiation.

5.) Ein weiterer Punkt betrifft die Fortdauer (permanentia) der substantialen Realpräsenz über die Dauer der Messe hinaus. Die Wirkkraft des im Namen Christi gesprochenen sakramentalen Wortes ergreift die Elemente bedingungslos und wandelt sie von Grund auf um, beläßt aber ihre äußere Gestalt, so daß sie nun als Angebot Christi zum mündlichen Genuß seiner selbst fungieren können. Solange diese Funktion andauert, solange sind sie auch terminus ad quem der eucharistischen Beziehung Christi zu ihnen. Verlieren sie aber die Genießbarkeit und Anzeigekraft, so hört diese Beziehung auf.

6.) Wenigstens erwähnt werden muß die Anbetungswürdigkeit Christi in der Eucharistie, die das Tridentinum eigens definiert (DS 1656). Wenn Christus wirklich substantiell gegenwärtig ist, dann verdient er göttliche Verehrung, die freilich den letzten Sinn des Sakraments, die Teilhabe an der Opferhingabe Christi, nicht vergessen sollte.

c. Das ontische Zustandekommen der Realpräsenz: die Wandlung der Mahlelemente

Der Begriff Wandlung tauchte schon im vorigen Abschnitt bei der Untersuchung der Realpräsenz auf. Er war gar nicht zu umgehen; denn Brot und Wein sind ja nicht von sich aus und nicht figürlich Jesu Leib und Blut, sondern werden es erst im eucharistischen Geschehen. An ihnen tritt eine Änderung, ein Wandel ein. Die Annahme einer Wandlung ist unerläßlich zur Sicherung der Realpräsenz und will zunächst weiter nichts als deren Tatsache unterstreichen. Eine andere Frage ist das Wie des Wandlungsvorgangs. Die beiden Aspekte, Tatsache der Wandlung und Weise derselben, sind deutlich zu unterscheiden.

aa. Tradition

Der formelle Begriff Wandlung taucht für die Eucharistie erstmals als Zitat bei Klemens von Alexandrien auf,[107] spielt in Alexandrien aber erst wieder bei Cyrill[108] eine Rolle. Hingegen hat er in der griechischen Theologie außerhalb Alexandriens etwa zwischen 350 und 450 große Bedeutung, wie schon die Vielfalt der Wandlungstermini zeigt.[109] Die sachliche Vorstellung von einem Wandel in der Eucharistie aber ist schon früh da. Ihre einfachste Formulierung lautet: Brot und Wein «werden» Leib und Blut Jesu.[110] Ja

---

[107] Exc. ex Theodoto 82 (GCS III 132,12).

[108] Belege siehe nächste Anm.

[109] μεταβάλλειν: Klemens v. Al., Exc. ex Theod. 82 (GCS III 132,12); Ps.-Cyrill v. Jer., Cat. myst. 4,2; 5,7 (SourcesChr 126,136; 154); Theodor v. Mops., Fragment zu Mt 26,26 (PG 66,713); Theodoret, Eranistes, dial. I (PG 83,53.57); II (168).

μεταποιεῖν: Gregor v. Nyssa, Or. cat. 37,3 (Srawley 143; 149f); Theodor v. Mops., Fragment zu 1 Kor 10,3f (Staab 186); Cyrill v. Al., Fragment zu Mt 26,26 (TU 61,255); Johannes v. Damaskus, De fide orth. 4,13 (PG 94,1145).

μεθιστάναι: Gregor v. Nyssa, Or. cat. 37,2 (Srawley 147); Cyrill v. Al., Fragm. zu Mt 26,26 (TU 61,255).

μεταρρυθμίζειν: Johannes Chrys., Hom. de prod. Judae 1,6 (PG 49,380).

μετασκευάζειν: Johannes Chrys., In Mt hom. 82,5 (PG 58,744); Johannes v. Dam., Vita Barlaam (PG 96,1032).

μεταστοιχειοῦν: Gregor v. Nyssa, Or. cat. 37,3 (Srawley 152).

μεταπλάσσειν: Cyrill v. Al., Fragm. zu Mt 26,26 (TU 61,255).

Dazu J. Betz, Eucharistie I/1,300–318.

[110] Irenaeus, Adv. haer. V 2,3 (SourcesChr 153,34).

erstaunlich früh bemüht man sich um eine theologische Erklärung dieses eucharistischen Geschehens. Grundlegend ist die Auffassung, die Eucharistie sei eine sakramental-anamnetische Inkarnation des Gottessohnes. Diese Idee ist bekanntlich schon im Johannesevangelium vorhanden, wenn es einerseits die Eucharistie als σάρξ (6,51) bezeichnet wie den inkarnierten Logos (1,14), andererseits den letzteren als das Brot, das vom Himmel herabgekommen ist (6,42.50) wie die Eucharistie selber (6,58). Zudem wird nochmals in 6,57 die Linie von der Inkarnation zum Sakrament durchgezogen. Es ist dann Justin, der das «eucharistische Inkarnationsprinzip» in aller Form ausschreibt.[111] Wie der Logos damals aus Maria, so nimmt er jetzt Fleisch und Blut aus der Speise an, gibt es doch auch in der Nahrungsassimilation eine Wandlung von Speise in Fleisch und Blut. Indirekt ist damit der formelle Begriff μεταβολή auf die Eucharistie angewandt. Die Betrachtung der Eucharistie von der Inkarnation her durchzieht die ganze griechische Theologie.[112] Dabei wurde ursprünglich der Logos selbst als der unmittelbare Träger und Auslöser der Menschwerdung, mit der Entwicklung der Trinitätslehre dann der Heilige Geist als Inkarnationsmittler angesehen. Entsprechendes gilt auch für die Eucharistie. Die Grundvorstellung geht dahin, daß der göttliche Logos bzw. Geist auf die Gaben herabkommt, sie ergreift, in Besitz nimmt und zu Jesu Leib und Blut macht. Darin wird eine Wandlung gesehen. Von einer solchen sprechen im Osten ausdrücklich (Ps-) Cyrill von Jerusalem, Gregor von Nyssa, Johannes Chrysostomus, Theodor von Mopsuestia, Cyrill von Alexandrien, später Johannes von Damaskus.[113] Die Liturgie spricht die Bitte um Wandlung in Gestalt der Epiklese aus, die den konsekratorischen und metabolischen Sinn des ganzen Eucharistiegebetes freilegt und zusammenfaßt. Beispielhaft erklärt (Ps.-) Cyrill von Jerusalem: «Wir rufen den barmherzigen Gott an, er möge den Heiligen Geist auf die Gaben herabsenden, daß er das Brot zum Leib Christi, den Wein zum Blut Christi mache; denn grundsätzlich ist das, was der Heilige Geist berührt, geheiligt und gewandelt.»[114]

Die griechische Grundvorstellung von der Wandlung, die hier sichtbar wird, ist die, daß Gott die dargebrachten Gaben ergreift, in Besitz nimmt, durchdringt, sie in den Logos einbezieht, zu Jesu Leib und Blut macht. Dem entspricht auf seiten der Menschen die Übereignung der Gaben in der Prosphora, die Bitte um ihre Annahme in der Epiklese und Eucharistia. Der Grundaspekt der Wandlung ist also die Aneignung der Gaben durch Gott, der Besitzwechsel,[115] der mit sich bringt, daß die Dinge von einer

---

[111] Apol. I 66; Wortlaut der Stelle s. oben S. 212.

[112] Belege s. J. Betz, Eucharistie I/1, 267–300.

[113] Belegstellen s. Anm. 109.

[114] Cat. myst. 5,7 (SourcesChr 126,154).

[115] Die Wandlungstermini μεταβάλλειν und μεταποιεῖν zeigen auch im profanen Bereich Besitzwechsel und Tausch an.

neuen Macht beherrscht werden und selber eine neue Mächtigkeit erhalten.
Das Wesen der Dinge und ihr Wandel wurde nicht philosophisch anvisiert,
sondern primär dynamisch und funktional gesehen. Dabei war die Frage
maßgeblich, von wem das Ding letztlich «innegehabt», besessen und durch-
formt wird. Gerade dieser Aspekt bot einen trefflichen Ansatz für das Verständnis der Eucharistie. Wenn man die Frage, wem letztlich ein Ding gehört, in die Tiefe vortreibt, stößt man auf die Frage der Subsistenz. Die
eucharistische Wandlung gründet darin, daß die Opfergaben nicht mehr
sich selber angehören, sondern dem Logos in intensivster Weise zu eigen
werden und in ihm subsistieren. Das hat besonders Cyrill von Alexandrien
deutlich gemacht. Er führt Würde und Wirkung der Eucharistie an vielen
Stellen darauf zurück, daß sie ἰδία σάρξ des Logos sei, das Fleisch, das sich
dieser zu eigen gemacht habe.[116] Er gebraucht auch die Formel, daß die
Eulogie καθ' ὑπόστασιν mit dem Logos geeint sei.[117] Johannes Damascenus
spricht am Ende der Väterzeit die griechische Zusammenschau von sakramentaler Inkarnation und Wandlung nochmals aus: «Der (eucharistische)
Leib ist wahrhaft mit der Gottheit geeint, jener aus der Jungfrau stammende
Leib, nicht etwa, weil der aufgefahrene Leib wieder aus dem Himmel herab-
käme, sondern weil das Brot und der Wein in Gottes Leib und Blut gewandelt werden. Fragst du aber nach der Art und Weise, wie dies geschieht, so
genügt dir zu hören: durch den Heiligen Geist geschieht es, wie der Herr
auch eine Fleischexistenz aus der heiligen Jungfrau durch den Heiligen Geist
für sich und in sich annahm.»[118] An anderer Stelle wird das Altarsakrament
der mit der Gottheit hypostatisch geeinte Leib und das Blut Christi genannt.[119]

Die griechische Wandlungslehre hat unverkennbare Vorteile. Da ist zunächst ihr klarer theozentrischer Ansatz: Gott selbst wandelt die Gaben,
indem er sie in Besitz nimmt und mit dem Logos eint. Indem sodann das
Wandlungsgeschehen als sakramentale Inkarnation verstanden wird, bleibt
es der anamnetisch-heilsgeschichtlichen Gesamtsicht des Sakraments eingefügt. Es tritt – das ist ein drittes Plus – nicht unvermittelt und mirakelhaft
ein, sondern wächst organisch aus dem Fluß der Handlung: Die Aneignung
der Opfergaben durch Gott ist dessen positive Antwort auf unsere Übereignung in Prosphora und Epiklese. Schließlich trifft die griechische Wand-
lungsauffassung das Sein der Elemente an der entscheidenden Stelle, in ihrer
innersten Beziehung zu Gott. Zwar sagt die griechische Patristik nicht, das
ganze Wesen oder die Substanz der Elemente werde gewandelt. Sie hat
nämlich die Frage, worin denn dieses Wesen und die Substanz besteht, gar

---

[116] ἰδιοποιεῖσθαι: Comm. in Lc 22, 19 (PG 72, 908 oder 912).
  [117] Contra Nestor. 1 prooem. (ACO I 1,6 p. 15, 37). Ähnlich Marcus Eremita, Adv.
Nestorianos 23 (ed. J. Kurze, Marcus Eremita [1895] 24, 17f).
  [118] De fide orth. 4, 13 (PG 94, 1141).
  [119] De imaginibus 3, 26 (PG 94, 1348).

nicht formell gestellt, hat sich vielmehr mit einer mehr alltäglichen, mehr dynamischen und funktionalen Betrachtung begnügt und die Auswirkung der konsekrierten Gaben, ihre vergöttlichende Kraft, ins Auge gefaßt. Aber sie hat doch mit ihrer Grundkonzeption, die Wandlung sei eine inkarnatianische Inbesitznahme der Elemente durch den Logos, einen richtigen, ja entscheidenden Ansatzpunkt getroffen, von dem aus die Wandlung auch des wirklichen und ganzen Wesens der Elemente verständlich wird.

Im Westen ist Ambrosius der beredte Anwalt der Wandlung,[120] die er wie etwas Bekanntes erwähnt. Er bringt hierfür ein reiches Vokabular, die einfacheren Begriffe esse, fieri, efficere, conficere, die spezifischen mutare, convertere und transfigurare.[121] Die Wandlung der Gaben erklärt er einfach mit der schöpferischen Kraft des Wortes Christi. Es meint, was es sagt, und begründet Leib und Blut Christi als Wirklichkeit, an der der Glaube unentwegt festhält. Da es Nicht-Seiendes schafft, kann es auch Schon-Seiendes in etwas Neues wandeln,[122] es kann die species (Art) der Elemente und die Naturen ändern.[123] Mit diesen Aussagen ist aber nur die Setzung der neuen Wirklichkeit betont, nicht deren Werden genauer beschrieben, etwa als innere seinshafte Wandlung der Wesenheit. Wichtig ist ihm aber, daß wir die Gnade und Kraft der (neuen) Natur empfangen.[124] Auch Ambrosius hat noch einen mehr funktionalen und dynamischen Dingbegriff. Sein Metabolismus betont das «Daß» der Wandlung, erklärt noch nicht ihre genauere Weise. Ein wichtiger Zeuge in der Geschichte der Wandlungsidee ist ein unter verschiedenen Namen überlieferter Text, der wohl Faustus von Riez zuzuschreiben ist. Nach ihm wandelt Christus als Priester Brot und Wein «in die Substanz», d. i. in die Wirklichkeit des Leibes und Blutes Christi um.[125] Es ist ein mutare in melius, vergleichbar der Wandlung des Menschen bei der Taufe.[126] Die eucharistische Wandlung wird also auch hier vornehmlich als Überhöhung und Bereicherung mit göttlicher virtus betrachtet. Sie hat zur Folge, daß der Leib Christi in jedem Teil von jedem Kommunikanten ganz empfangen wird.[127]

Wer die Identität des sakramentalen und naturalen Leibes Jesu so stark betont wie Paschasius Radbertus, wird auch auf die Wandlungsidee zurück-

---

[120] Vgl. G. Segalla, La conversione eucaristica in S. Ambrogio: Studia Patavina 14 (1967) 3–55; 161–203.

[121] Hauptstellen f. mutare: Sacr. 5, 4, 15. 16. 17; 6, 1, 3; Myst. 9, 50. 52; convertere: Sacr. 4, 5, 23; 6, 1, 3; Myst 9, 52; transfigurare: De Fide IV 10, 124; De incarn. 4, 23.

[122] Myst. 9, 52 (CSEL 73, 112).

[123] Sacr. 6, 1, 3 (CSEL 73, 72 f.).

[124] Ebd. (73).

[125] Ps.-Hieronymus, Ep. 38, 2 (PL 30, 272); (vgl. PL 67, 1052 ff–1056; PL 82, 1225–1228).

[126] Ebd. (275).

[127] Ebd. (273).

greifen.[128] Er geht aber nicht über den Metabolismus hinaus. Sein Gegen-
spieler Rathramnus analysiert die möglichen Arten der Wandlung, nämlich
den Übergang vom Nichtsein zum Sein, vom Sein zum Nichtsein und vom
Sein zum Sein.[129] Er nimmt eine Wandlung in der Eucharistie an (Kap. 25),
sie betrifft aber nicht die «Substanz», die physische Wirklichkeit der geschöpflichen Dinge, sondern bedeutet das Hinzutreten einer verborgenen
virtus.[130] Die Eucharistie ist Leib Christi non in specie, sed in virtute.[131]
Der entscheidende Anstoß zur genaueren Bestimmung der Wandlung
kommt von Berengar. Wie die Realpräsenz so leugnet er auch die reale
Wandlung der Elemente. Diese würde nach ihm eine Vernichtung von Brot
und Wein mitbedingen, was sowohl gegen die Güte Gottes als auch gegen
den Augenschein spricht, würde außerdem eine Neuwerdung des Leibes
Christi bedeuten, die unmöglich ist. Berengar läßt nur einen Bedeutungswandel der Elemente zu, indem sie zu Symbolen des Leibes und Blutes
Christi werden.[132] Die Aufgabe, die vom Glauben bejahte Identität des
eucharistischen Leibes Christi mit dem natürlichen logisch befriedigend zu
erklären, wurde dadurch erreicht, daß man eine Wandlung der Substanz der
Elemente in die Substanz des wirklichen Leibes Christi annahm. Lanfranc
und Guitmund von Aversa waren die Bahnbrecher dieser Idee. Der Wandel
betrifft nicht die äußere Erscheinung (species), auch nicht bloß die innere
Kraft, sondern die innere und metaempirische Tiefe des Seins. Zwei Fragen
waren nun auszutragen, deren Geschichte wir schon oben skizziert haben:
Was wird gewandelt, was ist die sich wandelnde Substanz? Und wie geht
die Wandlung vor sich, was passiert dabei an den irdischen Elementen?
Die Antwort auf die erste Frage richtet sich nach dem zugrundeliegenden
Substanzbegriff. Die eine von Petrus Cantor repräsentierte Richtung, die die
Substanz im Träger der Eigenschaften erblickt, faßt dementsprechend die
Transsubstantiation auf «als Verwandlung nur des materialen Substrates bei
Zurückbleiben der Wesensform, d.h. der Wesenseigenschaften».[133] Diese
partiale Sicht wird verdrängt durch die andere Auffassung, die von Alanus
von Lille angeführt wird und die Substanz als Einheit von Materie und
Form, die Transsubstantiation demzufolge «als Verwandlung des ganzen
Wesensbestandes, d.h. des materialen Subjektes samt seinen wesentlichen
Eigenschaften»[134] betrachtet. Diese Sicht konnte aber erst befriedigen, als
die Begriffe Materie und Form in einem unaufhaltsamen Prozeß immer mehr
im Sinne der aristotelischen Naturphilosophie als die inneren Seinsgründe

---

[128] Liber de corpore et sanguine Domini 8, 2 (PL 120, 1287C); 20, 2 (1330C).
[129] De corpore et sanguine Domini 12 (PL 121, 132 B).
[130] Ebd. 54 (148f).
[131] Ebd. 56 (150).
[132] Vgl. J. R. Geiselmann, Eucharistielehre der Vorscholastik 292 ff.
[133] H. Jorissen, Die Entfaltung der Transsubstantiationslehre 156.
[134] Ebd.

von den konkreten Eigenschaften abgehoben wurden. Diese Stufe ist bei Alexander von Hales erreicht. Von da an ist die Transsubstantiation die Wandlung der *ganzen* aus Materie und Form konstituierten Substanz.

Eine zweite Frage lautet: Wie geht der Wechsel der Substanzen vor sich? Was geschieht konkret mit den Substanzen von Brot und Wein? Darauf wurden, wie wir bereits oben (S. 235 f) skizzierten, verschiedene Antworten gegeben. Die erste meint, daß die irdischen Substanzen sich in ihre Grundmaterie auflösen, die in den Leib Christi übergeht.[135] Sie verkennt den immateriellen Charakter der Substanz, die Totalität der Wandlung und würde einen Zuwachs des Leibes Christi mit sich bringen. Eine zweite Lösung, die Konsubstantiationstheorie,[136] besagt, daß nicht nur die physische Erscheinungswirklichkeit (species), sondern die Substanzen selbst in den Elementen bestehenbleiben, und daß zu diesen die Substanzen des Leibes und Blutes Christi treten. Sie wird dem Wortlaut der Einsetzungsworte und der darin ausgesagten vollen Identität der konsekrierten Gaben mit Jesu Leib und Blut nicht gerecht. Die Lehre wurde auf den Konzilien von Konstanz (DS 1151; vgl. 1256) und Trient (DS 1652) verurteilt. Hingegen erklärt eine dritte Auffassung, die Substanzen von Brot und Wein würden vernichtet werden. Diese Meinung, die im 12. Jahrhundert viele Anhänger hatte, lehramtlich bis heute nicht zensuriert ist, paßt aber nicht zu Gottes Wesen und Walten, der Sein nicht zerstört, sondern schafft und vollendet. Darum verdient den Vorzug die vierte Theorie, die die Transsubstantiation als positive Überführung der niederen irdischen Substanzen in die des Leibes und Blutes Christi durch Gottes schöpferische Allmacht versteht.[137] Sie ist die Ansicht der großen Meister der Scholastik, von Alexander, Thomas, Bonaventura und den meisten folgenden Theologen.

bb. Lehramtliche Entscheidungen

Die von der Theologie gesicherte Grundaussage von einer substantiellen Wandlung der Elemente wurde von der Kirche (zur Sicherung des realpräsentischen Glaubens) in Lehräußerungen aufgegriffen. So sprechen das vierte Konzil vom Lateran (DS 802), das zweite von Lyon (DS 860), das Florentinum (DS 1321; 1352), ferner Papst Innozenz III. (DS 784) davon, daß das Brot in Jesu Leib, der Wein in Jesu Blut «transsubstantiiert» werden (vgl. noch DS 1018). Sie lehren damit die einfache *Tatsache* der substantiellen Wandlung, nicht mehr und nicht weniger, nicht aber die genauere naturphilosophische, etwa hylemorphistische Erklärung derselben. Das

---

[135] Vertreten in der Frühscholastik und besonders im Nominalismus.
[136] Vertreten in der Frühscholastik, ferner von Wyclif, (Luther), Osiander, im Nominalismus mit besonderem Wohlwollen behandelt, wenn auch nicht direkt behauptet.
[137] S. oben S. 235 f.

Konzil von Konstanz 1418 weist Wyclifs Irrtum zurück, daß die Substanz der Brotmaterie und der Weinmaterie im Sakrament zurückblieben (DS 1151). Ebenso anathematisiert das Tridentinum ein konsubstantianisches «Bleiben der Brot- und Weinsubstanz mit Jesu Leib und Blut» als häretisch und definiert «die Wandlung der ganzen Brotsubstanz in den Leib und der ganzen Weinsubstanz in das Blut Christi, eine Wandlung, die die katholische Kirche sehr treffend ‹Transsubstantiation› nennt» (DS 1652). Grundlage, Sinn und Reichweite der dogmatisierten Transsubstantiation werden aus dem dazu gehörigen Lehrkapitel 4 ersichtlich, das auf die in den Einsetzungsworten Jesu ausgesprochene Identität der dargereichten Abendmahlsgabe mit Jesu Leib und Blut verweist (DS 1642). Der dogmatische Transsubstantiationsbegriff besagt also nicht mehr und nicht weniger als die Tatsache der substantiellen Wandlung der Elemente und ihrer daraus hervorgehenden Identität mit Jesu Leib und Blut. Weitergehende Schulfragen sind nicht entschieden.[138]

Die substantielle Wandlung schärft das Lehramt auch weiterhin ein; so im tridentinischen Glaubensbekenntnis (DS 1866), im Bekenntnis für die Orientalen (DS 2535), in der Ablehnung der These der Synode von Pistoja, die Transsubstantiation sei eine quaestio mere scholastica (DS 2629). Die interessante Theorie von J. Bayma, der eine «Transsubstantiation» der Elemente ohne Wandlung ihrer Natur konstruierte (DS 3122ff), und die von A. Rosmini (DS 3229f) werden zurückgewiesen. Pius XII. nimmt in der Enzyklika «Humani generis» die Transsubstantiation in Schutz gegen den Vorwurf des Veraltetseins und gegen eine symbolistische Verflüchtigung (DS 3891), Paul VI. in der Enzyklika «Mysterium fidei» gegen eine Reduktion auf bloße Transsignifikation.[139] Die mit dem Holländischen Katechismus befaßte Kardinalskommission sieht gerade in der ontischen Transsubstantiation den Grund für die Transsignifikation der Elemente auf Christus hin.[140]

cc. Systematische Erhellung

Der Dogmatik obliegt es, das Offenbarungsgut zu wahren und dem Glaubensverständnis von heute zu erschließen. Nun ist die substantielle Wandlung der Elemente in der Schrift nicht explizit ausgesagt, sie ist aber nichts anderes als eine notwendige ontologische Entfaltung und Sicherung des

---

[138] Dazu vgl. außer den oben S. 253 Anm. 270 genannten Untersuchungen von K. Rahner und E. Schillebeeckx noch G. Ghysen, Présence réelle et transsubstantiation dans les définitions de l'Église catholique: Irénikon 33 (1959) 420–435; P. Schoonenberg, Inwieweit ist die Lehre von der Transsubstantiation historisch bestimmt?: Concilium 3 (1967) 305–311, bes. 307f.

[139] AAS 57 (1965) 766.

[140] Ergänzung zur Glaubensverkündigung für Erwachsene (Freiburg 1970) 11.

Inhaltes der Einsetzungsworte, daß das Dargereichte der Leib Jesu sei, also letztlich nicht mehr bloßes Brot, sondern bei Wahrung der äußeren Brotsgestalt wirklich der Leib Christi. Die Grundaussage der Transsubstantiation[141] ist daher einfache Auslegung des Wortes Gottes, Dogma und damit eine Wahrheit, die weder aufgegeben werden kann noch aufgeweicht werden darf. Dieser Anspruch gilt aber nur für das Daß der Wandlung. Die weitergehende philosophische und theologische Erklärung ihres genaueren Wie kann nicht den gleichen Anspruch erheben, weist auch beträchtliche Variationen der Meinungen auf und gehört in den Bereich nicht des Dogmas, sondern der Spekulation, die soviel wert ist wie ihre Gründe.

Die Begriffe Substanz und demzufolge auch Transsubstantiation betreffen die Tiefe des Seins von Brot und Wein. Diese Elemente sind zwar keine Substanzen im naturwissenschaftlichen und auch nicht im naturphilosophischen Sinn des ens per se et in se, sondern akzidentelle Agglomerate; sie sind aber auch nicht bloß Substanzen im rein (!) anthropologischen Sinn der Bezüglichkeit und Zwecksetzung. Vielmehr sind sie zu nehmen als geschlossene Sinngebilde aus physisch Vorgegebenem und menschlicher Gestaltung. Diese Sinneinheiten werden einer metaphysischen Betrachtung unterworfen, dabei wird ein ihr Dasein und Sosein bestimmender Wesenskern erschlossen. Die Verwandlung bezieht sich auf diesen metaempirischen Wesenskern, den wir Substanz nennen können, nicht bloß auf den funktionalen Bereich menschlicher Zweckbestimmungen. Freilich ist der Begriff Substanz und folglich auch Transsubstantiation heute im Sprachgebrauch nicht mehr eindeutig, er bedarf auf alle Fälle der Erläuterung; ob er ersetzt werden sollte, ist angesichts der Bedeutung einer einheitlichen und kontinuierlichen Glaubensaussprache nicht leicht zu sagen. Eindeutiger wäre der griechische Begriff μετουσίωσις, dem lateinisch transessentiatio (Schillebeeckx: transentatio) entspräche. Die deutsche Sprache verfügt über den guten Begriff Wesenswandel.

Der fragende Geist macht nicht halt beim Daß der Wandlung; er fragt auch nach ihrem Wie und ihrer Ermöglichung. Die Vergangenheit hat auch dieses Wie theologisch und ontologisch aufzuhellen versucht. Im Blick auf Gottes Wesen und Walten wird die gläubige Vernunft die eucharistische Wandlung nicht nur als ein Nacheinander von Zuständen (Brotsein – Leibsein), noch viel weniger als eine Annihilation der irdischen Substanzen betrachten, vielmehr als ein innerlich zusammenhängendes Geschehen, als direkte Überführung der natürlichen Substanzen in die des Leibes und Blutes Christi, als conversio positiva. Außerdem hat die Spekulation den Transsubstantiationsvorgang noch vom Aspekt des Leibes Christi her beleuchtet. Die einen, wie Johannes Duns Skotus, R. Bellarmin und J. B. de

---

[141] Dazu vgl. K. Rahner, Die Gegenwart Christi im Sakrament des Herrenmahls: Schriften IV 357–386, bes. 372 ff.

Lugo, erklären das Geschehen als Herbeiführung des verklärten Leibes Christi, jedoch ohne Ortsveränderung. Eine Herbeiführung ohne Ortsveränderung aber ist im Grunde keine hilfreiche, sondern eine selbst hilfsbedürftige Konstruktion. Zudem faßt diese Ansicht den inneren Zusammenhang zwischen Brot und Leib, Wein und Blut nicht ins Auge. Ihn stellt besonders eine zweite, von den Thomisten sowie von F. Suarez, L. Lessius und Fr. Franzelin vertretene Theorie heraus. Sie nimmt eine sakramentale Erzeugung oder Hervorbringung (productio) des Leibes Christi aus dem Brot an oder auch, da dieser schon präexistiert, eine Wiedererzeugung bzw. Wiederhervorbringung (reproductio). Diese Sprechweise löst Unbehagen aus, riecht nach «Wiederholung» der Fleischwerdung, macht den Bezug zum himmlischen Leib nicht deutlich, die Auffassung befriedigt nicht. Gegen beide Meinungen läßt sich noch einwenden, daß sie die Transsubstantiation zu wenig organisch aus dem sakramentalen Gesamtgeschehen herauswachsen lassen.

Indessen Kritik allein genügt nicht. Der Dogmatik bleibt immer die Aufgabe, Verstehenshilfen für den Glauben zu bieten. So wollen wir versuchen, die Transsubstantiation noch ein wenig zu beleuchten und vielleicht ein wenig verständlicher zu machen. Wir beschreiten dabei keine bisher unbegangenen Wege, sondern greifen auf Intentionen der großen Tradition des Ostens und Westens zurück, ziehen gewisse Linien stärker nach und fügen sie zu einer Synthese zusammen. Das Charakteristische und Unaufgebbare der scholastischen Tradition ist das Bekenntnis, daß das Sakrament substantielle Identität mit Jesu Leib und Blut besagt und diese Identität auf einer Wandlung der Elemente in der Tiefe ihres Seins beruht, auf einer ontischen Wandlung, nicht nur einer dynamischen. Diese Tatsache wird überall geglaubt, im Westen deutlicher ausgesprochen. *Wie* aber die Wandlung der Elemente zu erklären ist, das sagt die scholastische Theologie nur unzureichend. Hier bietet die griechische Patristik mit ihrem eucharistischen Inkarnationsprinzip eine willkommene Anknüpfung, Ergänzung und Begründung. Das eucharistische Geschehen ist anamnetische Vergegenwärtigung des Inkarnationsgeschehens und hat in diesem sein Erklärungsmodell. In seiner Inkarnation ergreift der Logos eine menschliche Natur und macht sie sich so innig zu eigen, daß sie nicht im natürlichen personalen Selbstand existiert, sondern im Logos ihren Subsistenzgrund hat, von ihm in hypostatischer Relation und Einheit gehalten wird, zu seinem Sakrament, seiner Erscheinungsweise wird. Nun stellt die Eucharistie eine heilsgeschichtliche Erinnerung und Analogie dazu dar. In ihr ergreift denn der Logos in Erinnerung seiner Menschheit die Gott dargebrachten, übereigneten Opfergaben und nimmt auch sie so innig zu eigen an, daß sie aufhören, eigenständige geschöpfliche Gebilde zu sein, zu seinem Sakrament, zur anamnetischen Erscheinungsweise seines Leibes und Blutes, ja sogar substantiell sein Leib und Blut werden. Der Wandlung der Gaben liegt also eine besondere Aneignung, eine besonders intensive Inbesitznahme durch Christus zugrunde. Diese Vorstellung wird schon durch die allgemeine Bedeutung der griechischen Wandlungstermini μεταβάλλειν und μεταποιεῖν angedeutet, sie klingt auf in der Epiklese, wird gestützt von den Väteraussagen, die die Eucharistie inkarnatorisch beschreiben, wird besonders von Cyrill von Alexandrien und Johannes von Damaskus ins Licht gerückt, wenn sie von einer hypostatischen Einigung des eucharistischen Leibes Christi mit dem Logos reden.[142] Diese Idee wird in deprekativer Form, aber sehr eindeutig und nachdrücklich bezeugt von den alten römischen Kanonbitten «Quam oblationem ... benedictam, adscriptam, ratam, rationabilem acceptabilemque facere digneris» und «(Quae) digneris accepta habere».

Denn daß der Logos die Gaben annehme und sich zu eigen mache, das bedeutet ins Ontologische übersetzt, daß er sie in ihrem Wesenskern ergreift, seine Subsistenz auf sie ausdehnt, sie substantiell mit sich eint und sie nun so erhält und trägt, daß sie ihren Selbstand verlieren, in ihm gründen, ja substantiell zu seinem Leib und Blut werden. Als Dinge der natürlichen Schöpfung hat Gott sie gedacht, geschaffen, aus sich herausgestellt und in ihre Substantialität entlassen. Nun aber, da sie in Erinnerung an die Opferhingabe seines Sohnes ihm dargebracht werden, nimmt Gott sie an und bezieht sie in seinen Sohn hinein, eint sie mit ihm hypostatisch vermittels des Heiligen Geistes. Gott erhält auch weiterhin die Gestalten, seine erhaltende Tätigkeit wird überhöht und verklärt vom subsistierenden Akt des Logos, so daß die Konsekration nicht eine Vernichtung, sondern Überhöhung und Verklärung der natürlichen Substanzen ist. Die Substanz der Elemente wird demnach zunächst als Trägerin, Subsistenzgrund des Seinsaktes ergriffen. So stellt sich die Wandlung wesentlich als neue Relation, u. z. als hypostatische Relation des Logos zu den Gaben dar. Weil der Logos mit dem gleichen Subsistenzakt, mit dem er seine menschliche Natur umfängt und trägt, auch die Opfergaben umfängt und trägt, werden diese identisch mit seinem Leib und seinem Blut. Der Subsistenzwandel weitet sich aus zum Wesenswandel. Der Gedanke, die Eucharistie als Relation zu sehen, ist nicht neu. Thomas faßt in S.Th.III q.76 a.6 (c und ad 3) das Sakrament als habitudo Christi zu den Gestalten, Durandus von St.Pourçain spricht von relationaler Gegenwart. Im 19.Jahrhundert haben die Dogmatiker Giovanni Perronne und Albert Knoll[143] die Transsubstantiation wesentlich als Relation erklärt.

Allein dagegen erhebt sich ein Bedenken: Bedeutet die besagte hypostatische Einigung des Logos mit dem Brot nicht Impanation und Konsubstantiation, eine Lehre also, die von der Kirche verworfen wurde? In der

---

[142] Stellen s. oben S. 217, 223.
[143] G. Perronne, Praelectiones theologicae (Rom 1835 ff); A. Knoll, Institutiones theol. theoreticae (Turin ²1893 f).

Tat, haben die Theologen, die in dieser Richtung dachten wie Johannes Quidort von Paris, Wyclif, Luther, Osiander, zuletzt auch Bayma, nicht die Zustimmung der Kirche, sondern ihre Ablehnung erfahren. Und das mit Recht. Denn bloße Impanation und bloße hypostatische Union der Elemente mit dem Logos oder eine Wandlung, die nur das esse in se betrifft,[144] stellt nur eine partikuläre, nicht aber die vom Glauben bejahte, vom Tridentinum definierte *totale* Wandlung der irdischen Substanzen dar. In Wirklichkeit wird die Substanz ergriffen und geändert nicht nur insofern sie Träger der Subsistenz und der Eigenschaften ist, sondern auch insofern sie Bestimmungsgrund des Soseins der Elemente ist. Gott bewirkt eine totale Wesenswandlung bei Aufrechterhaltung der äußeren Erscheinungsweise, eine transessentiatio.

In dieser Sicht ist nun auch das heute so stark unterstrichene Anliegen der *personalen* Begegnung zwischen Gott und Mensch gewahrt.[145] Die Wandlung der Elemente erfolgt hier nicht unvermittelt, nicht mirakelhaft, sie wächst organisch aus dem Geschehen hervor. Sie ist die Antwort Gottes auf die Darbringung der Menschen, Aneignung der Gaben durch Gott nach Übereignung durch die Menschen. Die Gaben selber sind einerseits Ausdruck der menschlichen Hingabe an Gott, aber in Erinnerung der Hingabe Jesu; dann aber werden sie von Gott ergriffen und zu einem Mittel seiner Hingabe an uns, seiner Einung mit uns. So werden sie Mittel der persönlichen Begegnung zwischen Gott und Mensch, erfahren dabei einen Bedeutungswandel. Gott ergreift die Gaben in einer solchen Tiefe und ändert sie von Grund auf um, daß sie nicht nur eine neue Bedeutung, sondern ein neues substantielles Sein erhalten. Die unleugbare Transsignifikation vollendet sich in der ontischen Transsubstantiation, wie diese um jener willen geschieht.

Auf Grund ihres Inhaltes ist die Eucharistie die Summe des Christentums, das unergründbare Angebot Christi, zugleich die unerwartete Erfüllung tiefster menschlicher Sehnsüchte. Sie vereinigt uns leibhaftig mit Christus, bringt uns durch ihn zum Vater, aber auch zu den Mitmenschen, ja zu uns selbst.

---

[144] So J. Bayma, DS 3122.

[145] Um eine Überwindung der rein sachhaft-statischen Betrachtung der Transsubstantiation zugunsten einer mehr personalen Gegenwart bemühen sich J. Galot, La Théologie de la présence eucharistique: NRTh 85 (1963) 19–29; J. R. Sonnen, Neubesinnung auf die Eucharistie als Sakrament: Kat. Bl. 90 (1965) 490–501; L. Smits, Vragen rondom de Eucharistie (Roermond 1965); E. Gutwenger, Das Geheimnis der Gegenwart Christi in der Eucharistie: ZThK 88 (1966) 185–197; J. Ratzinger, Das Problem der Transsubstantiation und die Frage nach dem Sinn der Eucharistie: ThQ 147 (1967) 129–158; W. Beinert, Die Enzyklika «Mysterium fidei» und neuere Auffassungen über die Eucharistie: ebd. 159–176; O. Pesch, Wirkliche Gegenwart Christi: Wort und Antwort 8 (1967) 78–83; O. Semmelroth, Eucharistische Wandlung (Kevelaer 1967).

Als sakramentales Mahl ist sie intimste Begegnung mit Christus. Er wird mit uns eins in einer Weise, wie sie unter Menschen nicht möglich ist, wie sie höchstens in der ehelichen Vereinigung eine gewisse Analogie hat. Das Abendmahl ist der anamnetische Nachvollzug der Opferhingabe Jesu Christi am Kreuz für uns. Diese gibt er uns in die Hand, daß wir daran teilhaben, uns in seinen Hinübergang zum Vater hineinbegeben. In der Kommunion kommt unser opfernder Mitvollzug zur Vollendung: Sie bringt uns vor den Vater, das wahre und letzte Ziel alles menschlichen Transzendierens. Gott bleibt nicht in unerreichbarer Ferne, er wird uns nahe im eucharistischen Christus. So erfüllt die Eucharistie unseren Drang nach dem Absoluten. Sie bringt uns aber auch zu den Mitmenschen und erfüllt so unser Mitsein mit den anderen. Zunächst bringt sie uns zu Jesus, dem exemplarischen Menschen, bei dem Sein und Tun eins ist, dem absolut verlässigen Du, nach dem wir unbewußt immer Ausschau halten. Sie verweist uns aber auch auf die Brüder. Sie ist selbst in ihrem Wesen Vollzug der Leib-Christi-Gemeinschaft der Kirche, realisiert und aktualisiert die Verbundenheit aller in Christus und untereinander und entläßt uns zu erhöhter Brüderlichkeit und Nächstenliebe.

Weiter trägt die Eucharistie auch unserer Verflochtenheit in die Welt, unserem Sein-bei-den-Dingen Rechnung. Sie nimmt Welt und Dinge ins Heil auf. Materielle Dinge des täglichen Bedarfs werden zur Erscheinungsweise Christi, zu Mitteln des Heils. Sie erfahren eine Verklärung und lassen erkennen, daß die volle Erlösung nicht in der Auslöschung, sondern in der Verherrlichung der Welt liegt.

Mit alledem verhilft uns die Eucharistie zu echtem Existenzvollzug und bringt uns zu uns selbst. Wenn sich das Dasein nach heutiger Existenzanalyse als «Sich-selbst-geschenkt-Werden» empfindet, dann ist gerade die aktive Verwirklichung der Eucharistie echter und rechter Vollzug der Existenz, nämlich «Verhalten als Wohlbeschenkter». In der Eucharistie nimmt der Mensch Dasein und Schöpfungsgaben an; er nimmt an, was noch mehr ist als diese, die Erlösung in Jesus Christus als Geschenk. Er nimmt aktiv teil an der Opferhingabe Christi, die ihn zu Gott führt. In der Eucharistie wird das Grundgesetz alles Seins deutlich, das «von Gott her und zu Gott hin».

So erweist sich die Eucharistie als Summe des Christentums. Sie bleibt ein Geheimnis, dessen Fülle und Reichtum wir nie ausloten. Es wird sich uns in dem Maße erschließen, als wir es gläubig hören, beharrlich bedenken und tätig mitvollziehen.

JOHANNES BETZ

BIBLIOGRAPHIE

Außer den in den Anmerkungen der Darstellung genannten Werken sei noch auf folgende Literatur verwiesen:

1. Allgemeine Werke

Biffi I., Enciclopedia eucaristica (Milano 1964).
Jungmann J. A., Missarum Sollemnia I–II (Wien ⁵1962).
– Messe im Gottesvolk (Freiburg 1970).
Piolanti A. (Hrsg.), Eucaristia (Rom 1957).
Pro mundi vita. Festschrift hrsg. von der Theologischen Fakultät München (München 1960).

2. Bibeltheologische Werke

Kilmartin E. J., The Eucharist in the Primitive Church (Englewood Cliffs 1965).
Sandvik B., Das Kommen des Herrn beim Abendmahl im Neuen Testament (Zürich 1970).
Schürmann H., Der Paschamahlbericht Lk 22,(7–14)15–18 (Münster 1953).
– Der Einsetzungsbericht Lk 22,19–20 (Münster 1955).

3. Dogmengeschichtliche Werke

Batiffol P., L'Eucharistie. La présence réelle et la transsubstantiation (Paris ⁵1913).
Betz J., Die Eucharistie in der Zeit der griechischen Väter. Band I/1: Die Aktualpräsenz der Person und des Heilswerkes Jesu im Abendmahl nach der vorephesinischen griechischen Patristik (Freiburg 1955).
   Band II/1· Die Realpräsenz des Leibes und Blutes Jesu im Abendmahl nach dem Neuen Testament (Freiburg ²1964).
Boeckl K., Die Eucharistielehre der deutschen Mystiker des Mittelalters (Freiburg 1924).
Bonano S., The Concept of Substance and the Development of Eucharistic Teaching in the 13th Century (Washington 1960).
Browe P., Die Verehrung der Eucharistie im Mittelalter (Rom ²1967).
Convivium Dominicum (Catania 1959).
Maccarone M., Innocenzo III. teologo dell'Eucaristia: Divinitas 10 (1966) 362–412.
Massa W., Die Eucharistiepredigt am Vorabend des Mittelalters (Siegburg 1966).
Neunheuser B., Eucharistie in Mittelalter und Neuzeit: HDG IV/4b (Freiburg 1963).
Rauschen G., Eucharistie und Bußsakrament in den ersten sechs Jahrhunderten der Kirche (Freiburg ²1910).
Renz F. S., Die Geschichte des Meßopferbegriffs I–II (Freising 1901/1902).
Solano J., Textos eucaristicos primitivos I–II (Madrid 1952/54).

Steitz E., Die Abendmahlslehre der griechischen Kirche in ihrer geschichtlichen Entwicklung: Jahrbücher für Deutsche Theologie 9 (1864) 409–481; 10 (1865) 64–152; 399–463; 11 (1866) 193–253; 12 (1867) 211–286.

Struckmann A., Die Gegenwart Christi in der hl. Eucharistie nach der vornizänischen Zeit (Wien 1905).

4. Systematische Werke

Bouyer L., L'Eucharistie (Paris 1966); ital. (Torino 1969).

Casel O., Das christliche Opfermysterium (Graz 1968).

Doronzo E., De Eucharistia I–II (Milwaukee 1947f).

Eucaristia. Aspetti e problemi dopo il Vaticano II (Assisi 1968).

Fandal D. C., The Essence of the Eucharistic Sacrifice (River Forest 1961).

Filograssi I., De sanctissima Eucharistia (Rom ⁶1957).

Galot J., Eucharistie vivante (Brügge 1963).

Gottschalk J., Die Gegenwart Christi im Abendmahl (Essen 1966).

Heris C.-V., Le mystère de l'Eucharistie (Paris 1952).

James E. O., Sacrifice and Sacrament (New York 1962).

Jong J. P. de, Die Eucharistie als Symbolwirklichkeit (Regensburg 1969).

Lash N., His Presence in the World: A Study of Eucharstic Worship and Theology (London 1968).

Lecuyer J., Le sacrifice de la Nouvelle Alliance (Le Puy 1962).

Mistero eucaristico, Il, (Rom 1968).

Piolanti A., Il mistero Eucaristico (Firenze ²1958).

Rahner K.-Häußling A., Die vielen Messen und das eine Opfer = QD 31 (Freiburg 1966).

Righetti M., La Messa (Milano 1966).

Schmaus M. (Hrsg.), Aktuelle Fragen zur Eucharistie (München 1960).

Spiazzi R., Il mistero eucaristico nella Communità cristiana (Napoli 1968).

Studi eucaristici (Orvieto 1966).

Tarte R. A., The Eucharist today (New York 1967).

Thurian M., L'Eucharistie (Neuchâtel 1959); dt. (Mainz 1963).

Tillard J. M. R., L'Eucharistie, Pâque de l'Église (Paris 1964).

Volk H.-Wetter F., Geheimnis des Glaubens (Mainz 1968).

Vonier A., Das Geheimnis des eucharistischen Opfers (Berlin 1929).

Vossebrecher R., Transsubstantiation et présence réelle face aux problèmes modernes (Fribourg 1963).

Wengier F. J., The Eucharistic Sacrament (Stevens Point 1960).

Winklhofer A., Eucharistie als Osterfeier (Frankfurt 1964).

8. KAPITEL

KIRCHLICHE EXISTENZFORMEN UND DIENSTE

In der systematischen Entfaltung der Ekklesiologie war nach den grundlegenden Ausführungen über die Kirche als Sakrament des Heils zunächst die Rede von den Wesenseigenschaften der Kirche (Kap. 5). Daran schlossen sich die Betrachtung der verschiedenen Teilmomente der Institution Kirche (Kap. 6) und die Ausführungen über die Eucharistie, in der sich das Mysterium der Kirche am dichtesten verwirklicht (Kap. 7). Offen geblieben ist eine Frage, die nunmehr in diesem Kapitel anzugehen ist. Die Kirche verwirklicht sich konkret in verschiedenen Existenzformen und Diensten. Sie ist nicht einfach ein Zusammenschluß von vielen Einzelnen, sondern wird dadurch strukturiert, daß christliche Existenz in bestimmten Lebenssituationen, «Ständen» und Aufträgen verwirklicht wird.

Aufgabe dieses Kapitels ist es, die Kirche in ihrer Gliederung schärfer zu reflektieren. Die Unterscheidung in verschiedene «Stände», die sich als Darstellungsprinzip anbietet, wird durch den grundlegenden Abschnitt über «Die Kirche als Ort vielgestaltiger christlicher Existenz» hinterfragt und relativiert. Die Thematik der einzelnen Abschnitte entspricht im übrigen weitgehend den Kapiteln von «Lumen gentium», auch wenn die Fragen in anderer Reihenfolge angegangen werden. Die zentralen Aussagen über die Kirche als Volk Gottes finden sich bereits in den Kapiteln über die atl. und ntl. Ekklesiologie. Die Thematik des 8. Kapitels von «Lumen gentium» («Die selige jungfräuliche Gottesmutter Maria im Geheimnis Christi und der Kirche») wird an den Anfang gestellt, insofern Maria Urbild und Vorbild der Kirche ist. Im Zusammenhang mit der Frage nach dem Laien in der Kirche wird die Ehe als Sakrament behandelt. Vom Amt ist an letzter Stelle die Rede, damit auch von der Systematik her die Dienstfunktion des Amtes unterstrichen wird.

MARIA ALS URBILD UND VORBILD DER KIRCHE

Über Marias Stellung und Mitwirkung im Christusereignis wurde im 11. Kapitel des Bandes III/2 dieses Werkes ausführlich gehandelt. Wenn hier nochmals von ihr die Rede ist, so geschieht es unter dem bestimmten Gesichtspunkt, daß sie geschichtlich gesehen das erste Glied des mystischen Leibes ist: die erste, die physisch, moralisch und übernatürlich in Christus einverleibt wurde, die erste, die der Gnade des Neuen Bundes entsprechend gelebt hat. Sie behält diesen ersten Platz in der Gemeinschaft der Heiligen. Deshalb ist von ihr im Zusammenhang mit der Frage nach der Gliederung der Kirche an erster Stelle die Rede. Diese Einordnung entspricht der Konstitution «Lumen Gentium» des II. Vatikanums. Es ist für die Konzeption der Mariologie nicht ohne tiefe Bedeutung, daß das Konzil nach harter Auseinandersetzung die Integration des ursprünglich separaten marianischen Schemas in die Konstitution über die Kirche vorgenommen hat.

Der Bezug Marias auf die Kirche wird hier unter drei Gesichtspunkten herausgestellt: geschichtlich, strukturell und funktional.

1. Geschichtliche Entwicklung des Zusammenhangs zwischen Maria und der Kirche

Maria gehört den drei Phasen der Heilsgeschichte an: der Zeit vor Christus, der Periode des irdischen Lebens Jesu, der Zeit nach Christus.

Sie gehört zu diesen drei Phasen in formeller, signifikanter Weise; ja, sie spielt eine Rolle im Übergang von der einen zur andern Phase. Darum hat ihr Schicksal eine geschichtliche Tragweite erster Ordnung; es ist eminent heilsgeschichtlich.

a. Marias Dasein ist zunächst die letzte Etappe der Ansätze des Alten Bundes. Sie gehört zwar keineswegs den hierarchischen Strukturen der Regierung und des Priestertums Israels an, diesen irdischen und somit vorübergehenden Wirklichkeiten; dafür nimmt sie einen einzigartigen Platz in der Lebens- und Gnadenordnung ein, welche die alttestamentlichen Formen anbahnen, vorherbilden, herbeiführen sollten. Sie hat ihren Platz auch im Prophetentum, wie die Väter dies unter Verweis auf Lk 1,46–55 anerkennen. In ihr vollenden sich Erneuerung und Vorbereitung, die sich in Israel auf dem Gebiet des Glaubens und der Sittlichkeit vollzogen.

Maria steht am Abschluß der Geschichte des auserwählten Volkes als die Entsprechung zu Abraham. Er, «der Vater der Gläubigen» (Röm 4,11; vgl. Gn 15,6), war der Keim und Prototyp des Glaubens an den Rettergott.

Sein Glaube war zwar noch undifferenziert, aber der Intensität und Intention nach vollkommen. Noch mehr als Abraham ist Maria persönlich hineingenommen in das Heilsgeschehen. Ihr kommen die Fortschritte zustatten, welche die Offenbarung in nahezu zweitausend weitern Jahren gemacht hat. Es liegt eine ganze Welt zwischen dem Gegenstand der Hoffnung Abrahams, die stark auf das Irdische, auf Wohlergehen und Nachkommenschaft ausgerichtet war, und dem, worauf sich der Glaube Marias richtete.

Noch weiter auseinander stehen sie in ethischer Hinsicht. Die Sitten Abrahams sind noch roh. Er lebt polygam. Manche Aspekte des «natürlichen Sittengesetzes», die seitdem in den Blick gekommen sind, kennt er noch nicht (Gn 12, 11–20; 20, 1–18 usw.). In der Jungfräulichkeit, in der sie ausschließlich Gott angehört, erhebt sich Maria bis zur Höhe der Heiligkeit. Der geistige Aufstieg auf den langen Wegen der Wüste und des Exils, der schließlich sich auf den Rest Israels, auf das Geschlecht der Armen, Schlichten, Geprüften konzentrierte, findet in ihr seinen Abschluß.

Doch dieser Abschluß ist nicht einfach das Zuendegehen dessen, was sich vorher angebahnt hatte. Er überflügelt alles vorher Dagewesene. Gott verwirklicht hier aus reinem Wohlwollen eine Etappe, die das Werk einer ebenso unverhofften wie harmonischen Vollendung krönt. Es kommt zum Beginn der durch die Propheten in Aussicht gestellten neuen Schöpfung. Dies ist es, was der analytische, schwerfällige, auf Abstraktionen bedachte lateinische Geist in den Ausdruck «Unbefleckte Empfängnis» zu fassen gesucht hat: «Maria blieb im ersten Augenblick ihrer Empfängnis... von jedem Fehl der Erbsünde bewahrt.»[1] Diese Formulierung des im Jahre 1854 promulgierten Glaubenssatzes irritiert die Ostkirche, von der doch die abendländische Kirche – übrigens reichlich spät (im 12. Jh.) – das Fest der Empfängnis (7./8. Jh.) übernommen hat. Die Formel Pius' IX., der in letzter Stunde von subtileren und leichter angreifbaren Formulierungen, welche die Empfängnis als den «Zeitpunkt der Eingießung der Seele in den Leib» bestimmten, abgesehen hat, will zum Ausdruck bringen, was die Theologen der Ostkirche in positiveren Begriffen aussagen: die Wiederaufnahme der Schöpfung, damit sie den Rettergott aus sich hervorgehen lasse; das Gnadengeschenk, wodurch Gott durch Christus und im Hinblick auf Christus die aus dem Reis Jesse hervorgegangene Jungfrau vor der Sünde bewahrt und ihr seine Huld schenkt. Die Propheten hatten dieses Mysterium in anderer Form dunkel in Aussicht gestellt. Das von weitern Textstellen übernommene und erweiterte Kap. 2 von Osee kündigte an, daß Israel, das ehebrecherische Weib, eines Tages wieder zu einer «makellosen» Braut werde, zu dieser idealen Braut, zu der Gott im Hohenlied 4, 7 paradoxerweise sagt: «Ganz schön bist du und keine Makel ist an dir.» Worin hat sich diese Verheißung erfüllt, wenn nicht in der Person Marias und deren Prolongation,

---

[1] Bulle «Ineffabilis» vom 8. Dez. 1854: DS 2803.

der heiligen Kirche? Maria ist ja die Vollendung und die Wiederaufnahme des alten Israels und der Keim zu einem neuen Volk, der Kirche: «Immaculata ex maculatis».[2]

b. Maria ist nicht der Endpunkt dieser geheimen, niemandem bekannten Erfüllung. Sie ist zur eschatologischen Tochter Sion,[3] zur religiösen Vollgestalt des auserwählten Volkes gemacht worden, damit sie Gott in sich aufnehme, der durch das Mysterium der Inkarnation ihr Bruder und Retter werden wollte.

Dies nämlich ist der Sinn von Lk 1–2, wenn wir darin die «neuverwerteten» Stellen des Alten Testaments freilegen, die in diesen Text hineinverwoben sind.[4] Fassen wir bloß jene ins Auge, die den Beginn der Verkündigungsszene filigranartig durchziehen. Die Worte, mit denen sich hier der Engel Gabriel an Maria wendet, klingen an die Worte an, mit denen der Prophet Sophonias der Tochter Sion die messianische Freude ankündigt:[5]

	Sophonias 3		*Lukas 1*
14	Juble, Tochter Sion,		
	jauchze, Israel!		
	Freue dich…,	28	*Freue dich,*
	Tochter Jerusalem!		*Begnadete*…
15b	*Der Herr* ist König über Israel		*Der Herr* ist
	in dir		*mit dir*
16	*Fürchte dich nicht,*	30	*Fürchte dich nicht,*
	… Sion!		*Maria*…
17	*In deinem Schoße (b°kirbek)*		Du wirst *in deinem Schoß*
	ist der Herr, dein Gott,		empfangen
			und einen Sohn gebären
			und ihm den Namen geben
17	der Held, der *Retter (jošiaᶜ)*		«Jahwe ist *Retter*»
15b	*König* über Israel in dir		Er wird *herrschen*

Dieses Gewebe von Anspielungen, das sich im weiteren Verlauf des Berichtes fortsetzt, schließt eine doppelte Identifikation in sich: Maria ist die von Sophonias verheißene eschatologische «Tochter Sion»; die Präsenz Jahwes,

---

[2] Zu diesem biblischen Ausblick in Os 2; Jr 31,17–22; Is 54,4–8; 61,10f; Hl vgl. R. Laurentin, Court traité de théologie mariale (Paris [4]1959) 92–93; ([5]1968) 113–114.

[3] Zum alttestamentlichen Thema der eschatologischen Tochter Sion und seiner Erfüllung in Lk 1–2 vgl. R. Laurentin, Structure et théologie de Luc 1–2 (Paris 1957), bsd. 152–162 (Zusammenfassung).

[4] Ebd. 64–91.

[5] Ebd. 64–71. Eine ähnliche Ankündigung messianischer Freude an die Tochter Sion findet sich in Joel 2,21–27; Zach 2,14 und 9,9f. Aber Soph 3 steht Lk weitaus am nächsten (ebd. 66, Anm. 8).

des Königs, im Schoß seines Volkes *(beᵏirbek)* wird zur Inkarnation: «Siehe, du wirst in deinem Schoß empfangen und einen Sohn gebären»; der Davidssohn wird mit dem Gottessohn identifiziert[6], und Maria ist die neue Bundeslade, die von der Schekinah überschattet werden soll.[7]

Exodus 40,34	*Lukas 1,35*
Eine Wolke überschattete das heilige Zelt und die Herrlichkeit des Herrn erfüllte die Wohnung	Die Kraft des Allerhöchsten wird dich überschatten Darum wird auch das Heilige, das geboren wird, Sohn Gottes heißen

Was in der ersten Bundeslade als in einem Vorherbild verwirklicht war, verwirklicht sich nun voll und ganz in der Person Marias. In beiden Fällen ist die Präsenz «oberhalb» Zeichen einer Präsenz «innerhalb». Durch die transzendente Macht Gottes wird die Jungfrau (Lk 1,27) empfangen, «ohne einen Mann zu kennen» (Lk 1,34; vgl. Jo 1,13), und der aus ihr geboren wird, wird kein gewöhnliches Kind sein, sondern «das Heilige» par exellence (Lk 1,35), «Gott mit uns» (Is 7,14; Mt 1,23; vgl. 28,20). «Der Logos ist Mensch geworden und hat unter uns gezeltet» (Jo 1,14). Die transzendente Herrlichkeit hat sich auf die zu rettende Welt verpflanzt. Zum Unterschied von den gewöhnlichen Geburten existiert dieser Sohn vor seiner Mutter.

Damit ist das neue Israel in seinen beiden ersten Gliedern vorhanden: im menschgewordenen Gottessohn und in derjenigen, die ihn in das Geschlecht und die Geschichte der Menschen hineinbringt. Der Hl. Geist ist nicht nur das Prinzip dieser Geburt, sondern auch das Band dieser physischen und geistigen Vereinigung. Die Mitwirkung Marias am Mysterium der Inkarnation – ihre Frage (Lk 1,34), ihr Fiat (Lk 1,38), ihre Betätigung als Mutter – hängt vom Wirken des Geistes ab (1,35), der alles in allen wirkt.

Es handelt sich in der Tat um eine auf dem Wirken des Geistes gründende Verbindung zwischen dem Urheber aller Gnade und derjenigen, auf

---

[6] Ebd. 71–72 und vor allem 140–148. Lk 1,32 («Sohn des Allerhöchsten»), an 2 Sam 7,14 («er wird mir Sohn sein») antönend, bleibt unbestimmt. Erst Lk 1,35 («Sohn Gottes») hebt uns auf die Ebene einer wirklichen Gottessohnschaft, der Schekinah (Gegenwart Gottes in der Bundeslade) entsprechend. Lk 1–2 ging zweifellos aus johanneischen Kreisen hervor und ist auf dem Weg zum Prolog des Johannesevangeliums, führt aber den Gedanken nicht so weit aus.

[7] Ebd. 73–79. In der Neuauflage von 1962 wurde der Schluß des ersten Alinea der S. 76 korrigiert: das Wort «Herrlichkeit», das bei Mt und Mk fehlt, wird von Lk 9,32 übernommen. Zu Maria als der neuen Bundeslade – nach Lk 1–2 – vgl. ebd. 159–162 (cf. 73–80).

die sich nach dem neuen Namen, den der Engel ihr gibt, die Huld Gottes vorzüglich richtet (κεχαριτωμένη, Lk 1,28: die «Gnadenvolle», wie die Vulgata dies wiedergibt). Der mystische Leib, der sich in der sichtbaren, universalen Kirche entfalten wird, ist bereits geheimnisvoll vorhanden in seinen beiden Urgliedern: in der «Magd des Herrn», die ihr freies Fiat gesprochen hat (Lk 1,38) und dem Herrn (2,11), der in ihr zum «Davidssohn» (1,33 und 2,11), zum Sohn des Menschengeschlechtes geworden ist, um es zu retten. Gott hat gewollt, daß diese Gemeinschaft zwischen ihm und den erlösten Menschen im Glauben (1,45), in der Liebe, in Gehorsam und Demut, im Dialog und auch im klaren Wissen (1,34) zustandekomme.

Der mystische Leib, der an Größe zunehmen soll, ist zwar noch nicht vollständig, aber bereits qualitativ vollkommen, wie dies einem bezeichnenden Prinzip der Heilsgeschichte entspricht: Gott gefällt es, auf exemplarische, aber noch beschränkte Weise zu Beginn seiner Werke das zu verwirklichen, was er durch die Wechselfälle und Prüfungen der Zeit hindurch in universaler Fülle herbeiführen wird. Die Vereinigung Christi mit der Ersterlösten ist bereits vollendet der Gabe Gottes nach, der sich ganz und unwiderruflich geschenkt hat. Sie ist vollendet dem theologalen Leben nach. Bereits liegt das Unterpfand vor für die Vollkommenheit, die im himmlischen Jerusalem in Fülle verwirklicht werden wird.

Das Leben der «Tochter Sion» wird in Armut und Demut, worin das Evangelium keimt, und auch in großmütigem Einsatz mit dem Leben des Gottessohnes verbunden sein. Sie trägt ihn zu Johannes dem Täufer, der «in messianischer Freude aufhüpft» und «im Geist» (Lk 1,41) den prophetischen Anstoß erhält, der sein ganzes Dasein bestimmen wird.[8] Sie ist für die Hirten, die aufgebrochen sind, um Christus den Herrn zu sehen, das Zeichen dafür, daß sie diesen gefunden haben (Lk 2,11).[9] Sie bringt ihn in den Tempel, in den er als die wahre Schekinah Einzug hält, als «Licht zur Erleuchtung der Heiden und als Herrlichkeit des Volkes Israel».[10] Sie setzt die menschliche Erziehung dieses Kindes fort, dessen Geheimnis über sie hinausgeht, den sie manchmal «nicht versteht» (Lk 2,50) und dessen wahre Wohnung die des himmlischen Vaters ist.[11] Sie behält alle diese Dinge in ihrem Herzen (Lk 2,19 und 51).

---

[8] Zu der Bedeutung, die Lk 2,39–56 dieser Episode im Hinblick auf 2 Sam 6,2–11 beimißt, vgl. ebd. 79–81. Seitdem sind diese Perspektiven von einzelnen Protestanten übernommen worden, vor allem von M. Thurian, Marie, Mère du Seigneur, figure de l'Eglise (Taizé: 1962); dt.: Maria (Mainz 1965).

[9] «Sie fanden Maria» (Lk 2,16).

[10] Lk 2,32. Vgl. R. Laurentin ebd. 123–124. In der Schrift wird kein Mensch, sondern einzig Jahwe als Träger von «Herrlichkeit» genannt. Vgl. z.B. Ps 3,4; Jr 2,11 (übernommen von Röm 1,23).

[11] «Ich muß *bei* meinem Vater sein», wird Jesus antworten, als er im Tempel gefunden wird (Lk 2,49). Wie wir in: Jésus au temple (Lc 2,48–50) (Paris 1966) bewiesen haben, ist dies die richtige Übersetzung. Die Übersetzung: «Ich muß für die Sache meines Vaters

c. Nachdem Maria ungefähr dreißig Jahre zurückgezogen gelebt hat, finden wir sie bei der Hochzeit von Kana an der Seite Jesu (Jo 2,1–12). Sie gibt den Anstoß zum Zeichen, mit dem das öffentliche Wirken Christi anhebt, zu einem Zeichen der Freude in einer Gemeinschaft von Menschen, die zu einer Hochzeit zusammengekommen sind. Dieses Zeichen weckt den Glauben der Jünger (Jo 2,11). Es bildet die Gewähr für das sakramentale Mysterium (Jo 2,6.10).

d. Maria ist nun von ihrem Sohn getrennt,[12] während er mit den Zwölfen, welche die Hierarchie seiner Kirche bilden werden, seinen Auftrag vollzieht. Diese äußere Trennung wird auch das Gesetz der Kirche sein, die ihren Erlöser mystisch und nicht fleischlich, durch den Glauben und nicht durch die Sinne besitzt. In dieser Trennung vertieft die Mutter Jesu ihre Gemeinschaft mit Jesus. So nimmt sie weiterhin die Situationen und Haltungen voraus, die im weitern Verlauf dieser Geschichte der Kirche zu eigen sein werden.

e. Sie nimmt ihren Platz bei ihrem Sohn wiederum ein auf Kalvaria, zur «Stunde» des Opfers, das die Erlösung vollbringt.[13] Ihre Gemeinschaft mit Christus muß hier eine weitere Prüfung, den entscheidenden Test der Liebe über sich ergehen lassen: das Leiden. Dieses Todesleiden durchdringt den, dem sie das Leben geschenkt hat, und damit auch Marias innerstes Herz (Lk 2,35). In der Stunde, in der sie ihren Sohn verliert, wird sie von neuem Mutter, Mutter der Jünger. Die Tochter Sion, die Mutter des Messias, gebiert ein neues Volk (Is 66,7ff).[14] Wie Eva «an Stelle Abels», der von Kain

dasein», die früher unbekannt war, ist seltsamerweise seit dem 16. Jh. sowohl in den katholischen als auch in den protestantischen Bibeln vorherrschend, obwohl sie sinnwidrig ist.

[12] F.M.Braun, La Mère des fidèles (Tournai ²1954) 51–55 hat diese Trennung nach Kana, die von den synoptischen Texten unterstrichen wird (ebd. 59–62), hervorgehoben. Man darf jedoch auch nicht übertreiben. Diese gewinnbringende Trennung ist vorübergehend und hat nichts Starres an sich. Denken wir an die von Braun übergangene Aussage Jo 2,12: «Danach zog er hinab nach Kapharnaum: er, seine Mutter, seine Brüder und seine Jünger. Doch verweilten sie dort nur wenige Tage.»

Etwas beeindruckt: Sobald es um seine Sendung geht, hält Jesus Maria fern und zeigt sich vor allem darum besorgt, jede Verwechslung zwischen der fleischlichen und der geistlichen Ebene zu vermeiden. Dies ersieht man schon bei der Episode des Wiederfindens (Lk 2,49f), dann zu Kana (Jo 2,4, um dessen negativen Sinn man nicht herumkommt) und schließlich wiederholt im Verlauf der Verkündigungstätigkeit Jesu: Mk 3,31–35 (und die Parallelen: Mt 12,46–50; Lk 8,19ff), Lk 11,27f und Jo 7,3–10. Diese auf katholischer Seite lange Zeit unbeachteten Texte wurden vom II.Vatikanum wieder zur Geltung gebracht (Lumen gentium 57 und 58).

[13] «Die Stunde» der Passion, die nach Jo 2,4 und 19,27 glorreich ist: F.M.Braun aaO. 55–58; A.Feuillet, L'heure de Jésus et le signe de Cana: ETL 36 (1960) 5–22.

[14] «Mutter, siehe da deinen Sohn; Sohn, siehe da deine Mutter!» (Jo 19,25ff) wurde in der Überlieferung erst spät im Sinn der geistigen Mutterschaft gedeutet (vgl. die Deutungsgeschichte in Th.Koehler, Les principales interprétations traditionnelles de Jean 19,25–27 pendant les douze premiers siècles: Etudes Mariales 16 [1959] 119–155). Diese Deutung scheint aber begründet und gewinnt bei den Exegeten an Boden. Vgl.

getötet worden war, einen andern Sohn erhalten hatte,[15] wird ihr an Stelle des sterbenden Christus das Geschlecht der «Jünger» anvertraut in der Person des typischen Jüngers, den Jesus besonders liebte. Sie nimmt so auch die Mutterschaft der Kirche voraus,[16] in der aus dem Wasser (Jo 19,34) und dem Geist (Jo 19,30) weitere Kinder geboren werden.

f. Wir finden sie sodann im Hintergrund der Apostel bescheiden eingegliedert in die zum Gebet versammelte Gemeinde, die zur Kirche werden wird (Apg 1,14). Der Geist, der auf ihr schon bei der Verkündigung geruht hatte (Lk 1,35), kommt nun auf diese ganze Gemeinde herab (Apg 1,8; 2). Wie er Maria durch die Berge Judäas getrieben hatte, um den Herrn dem Vorläufer zu bringen (Lk 1,35.39), so treibt er nun die Kirche aus der Umfriedung des Abendmahlssaals hinaus bis zu den Enden der Erde, um den gleichen Herrn dahin zu bringen (Apg 1,8 et passim; Röm 10,18). Bei dieser Ausbreitung wird Maria keine äußere, augenfällige Rolle spielen. Aber die Fülle ihrer Gnade und Heiligkeit bereichert den mystischen Leib von innen her und trägt zur wunderbaren Wirksamkeit der urchristlichen Verkündigung bei.

g. Zu einem Zeitpunkt endlich, den die Geschichte nicht verzeichnet hat, vollzieht sich das Geheimnis, dessen Wesenskern die Kirche wahrgenommen hat, auch wenn sie um das Wie nicht weiß: das Erdenleben Marias vollendet sich. Sie kehrt mit Leib und Seele für immer zu ihrem auferstandenen Sohn zurück.[17] Auch im Mysterium der geistigen und leiblichen Verherrlichung bei Christus dem Erlöser geht sie der Kirche voran. Sie wird zum «Zeichen am Himmel».[18] Sie präfiguriert die Zukunft, wo die Kirche die institutionellen Formen ablegen und in der Fülle des Lebens, worin Gott alles in allem ist, Maria einholen wird.

---

außer Braun und Feuillet, die wir bereits angeführt haben, M. de Goedt, Bases bibliques de la maternité spirituelle, ebd. 35–54, und den ergänzenden Aufsatz: Un schème de Révélation dans le quatrième Evangile: NTS 8 (1961) 141–150 usw. Heute ist in bezug auf diesen wie auf andere Punkte eine kritische Gegenbewegung im Gang.

[15] Gn 4,25. Jo 19 ist mit Anspielungen an das Alte Testament durchwoben. Enthalten die Verse 25–27 eine Anspielung an Gn 4,25 sowie an Gn 3,20 («Mutter der Lebendigen»)? Dies ist möglich, aber nicht zu beweisen, insbesondere nicht in bezug auf Gn 4,25.

[16] Jo 19,25 ff läßt sich Apk 1,17 an die Seite stellen: «die übrigen ihrer Kinder, welche die Gebote des Herrn bewahren und das Zeugnis von Jesus festhalten». Zur Deutung vgl. die in Anm. 12 und 13 genannten Aufsätze sowie A. Feuillet, Le Messie et sa Mère, d'après le chapitre 12 de l'Apocalypse: RB 66 (1959) 55–86 und die ergänzenden Untersuchungen insbesondere in: Biblica 47 (1966) 169–184; 361–380; 557–573.

[17] Bulle «Munificentissimus» vom 1. Nov. 1954: DS 3903.

[18] Apk 12,1. Dieses Kapitel, das sicher von ekklesiologischer Bedeutung ist, scheint sich auch auf die Mutter des Messias zu beziehen: «Und sie gebar einen Knaben, der herrschen soll mit ehernem Szepter über alle Völker» (Vers 5; vgl. Ps 2,9). Vgl. die Belegstellen und bibliographischen Angaben in: R. Laurentin, Court traité de théologie mariale ([4]1959) 151; vgl. 33–35; ([5]1968) 38–39 und 189.

2. *Struktureller Zusammenhang*

Diese Skizze hat wohl einen etwas summarischen und vielleicht literarischen Eindruck gemacht. Wir mußten eben von vielen Präzisierungen und Problemen absehen, um im Verlauf der Heilsgeschichte auf den Zusammenhang (den Kontrapunkt) Maria-Kirche hinzuweisen, der in seinen Leitlinien klar zutagetritt, aber verwickelt wird, wenn man ihn näher darzulegen sucht.

Die Grundstruktur dieses Zusammenhangs scheint sich nicht auf eine einfache Formel bringen zu lassen. Wenn wir ihn analysieren, kommen wir zu vier verschiedenen antinomischen Formeln:

a. Maria geht der Kirche voraus
b. Die Kirche ist in Maria
c. Maria ist in der Kirche
d. Maria ist Kirche

a. Die erste Formel drückt eine Konstante aus, die wir bereits erhoben haben: Maria geht der Kirche voraus bei dem ins Leben tretenden Christus, beim sterbenden Christus, beim verherrlichten Christus. Sie scheint ihr den Weg zu bahnen.

b. Doch diese Formel ist nicht ohne Nachteil. Sie scheint Maria und die Kirche in Gegensatz zu stellen als zwei voneinander getrennte Wirklichkeiten, während sie doch zutiefst ineins sind. Denn Maria ist Glied der Kirche. Statt zu sagen, daß Maria der Kirche vorausgeht, bevor diese offiziell gegründet wurde, würde man besser sagen: Israel wird durch den Glaubensgehorsam, wie er sich zunächst in Maria findet (Lk 1,38), zum geistigen Leib des Herrn, zur Kirche des Herrn. In der Person Marias ist die Kirche bereits bei dem ins Leben tretenden Christus, beim sterbenden Christus, beim verherrlichten Christus zugegen. So gesehen ist Maria die Urzelle, worin die Kirche virtuell bereits enthalten ist wie die Pflanze im Samenkorn, wie die Folgerung in den Prämissen. Auf dieser Linie hat Paul VI. am 20. Dez. 1964 Maria zur «Mutter der Kirche» proklamiert. Diese Formel, die er mit manchen Vorbehalten und Erläuterungen versehen hat, stellt diesen Aspekt der Dinge packend und paradox heraus.

c. Und doch kehrt sich, wenn wir zum Pfingstmysterium kommen, dieses Ineinander um. Maria ist von da an offensichtlich eines der Glieder der Kirche, die eine der hundertzwanzig (Apg 1,15), sodann der dreitausend (Apg 2,41) und schließlich der fünftausend Personen (Apg 4,4), die um die Apostel vereint sind, deren Bedeutung und Primat nicht hervortreten.

d. Dieses reziproke geistige und stoffliche (ideale und organische) Ineinander läßt uns erfassen, daß Maria und die Kirche zutiefst identisch sind in dieser gleichen Gemeinschaft mit Christus, von der aus die eigentümlichen Züge Marias und der Kirche sich abheben, bestehen doch das Leben Marias und das Leben der Kirche in dieser wesentlichen theologalen Gemeinschaft, die kein Ende haben wird. Nur auf dieser Grundlage bekommt man auch die Verschiedenheiten richtig in den Blick.

Maria geht über die Kirche hinaus durch ihre vollkommene Heiligkeit und ihre Gottesmutterschaft – sofern man nicht auch hier sagen will, daß die Kirche der Sünder in Maria zur Gottesmutterschaft und zu makelloser vollkommener Heiligkeit gelangt.

Die Kirche geht über Maria hinaus durch ihre apostolische und hierarchische Dimension. Die amtliche Kirche steht mit Christus in Gemeinschaft, vertritt ihn aber auch; sie manifestiert auf Erden sichtbar und offiziell sein Wort, seine Autorität, seine Heilstaten. Sie übt seine Gewalten aus. Sie handelt in seinem Namen, in der Person ihres Herrn. Maria hat an diesen Dienstämtern keinen Anteil. Sie steht außerhalb der Hierarchie, stellt sich in die Reihe der Gläubigen (Apg 1,14) und verhält sich gegenüber den Aposteln ganz rezeptiv. Dies ist kein Mangel, denn diese Größen sind im wesentlichen ein irdischer Dienst.[19] Sie befinden sich in einem Abhängigkeitsverhältnis gegenüber Christus; sie stehen im Dienst der Gemeinschaft. Sie sind relativ und werden mit der Gestalt dieser Welt vergehen.

Kurz, wenn man die Kirche der Erlösten in ihrer Christusgemeinschaft ins Auge faßt, so ist Maria ihr Urbild und Vorbild. Diese bis auf den Grund reichende Identifikation läßt einer doppelten Differenzierung Raum, die ihrerseits mit der hervorragenden Rolle Marias, anderseits mit den zeitlichen und institutionellen Formen der Kirche zusammenhängt, die Christus auf Erden sichtbar und offiziell repräsentieren. Das Maß dieser Relation ist die Selbsthingabe Gottes: Christus der Erlöser und der Heilige Geist, denen gegenüber Maria und die Kirche ganz relativ sind.

3. Funktioneller Zusammenhang

Auf dieser Identität, die im Grunde besteht, auf diesen Differenzierungen, in dieser Abhängigkeit von Christus und vom Geist gründen auch die funktionellen Zusammenhänge zwischen Maria und der Kirche. Die Kirche tritt mit Maria in Verbindung in ihrem Gebet und Maria steht der Kirche in ihren Schicksalen auf Erden bei.

Besehen wir diesen Dialog zunächst in aufsteigender und sodann in absteigender Richtung.

a. Maria im Kult der Kirche

Wann hat Maria in den christlichen Kult Aufnahme gefunden? Wie kam es dazu? Und welches ist der Sinn des Gebets zu ihr? Die Antwort auf die

---

[19] Y.Congar, La hiérarchie comme service selon le Nouveau Testament et les documents de la Tradition dans l'épiscopat et dans l'Eglise = Unam Sanctam 39 (Paris 1964) 66–132. Die Haupttexte sind Mk 9,34 (Mt 18,1–4; Lk 9,46); Mk 10,33 ff (Mt 20,25–28) und Jo 13,12–17. Dieser Gedanke wurde vom Konzil wieder ins Licht gestellt.

erste dieser Fragen wird die andern erhellen, denn überall sind Wurzel und Keim für die Weiterentwicklung entscheidend.

Als erste erhielten die Martyrer um die Mitte des 2. Jh.s einen Platz im christlichen Kult. Sie wurden in ihn aufgenommen, weil sie am Mysterium Christi, an seiner Passion, an seinem Hinübergang zum Vater (Jo 13,1) Anteil hatten.[20] Was man nicht unmißverständlich Heiligenverehrung nennt, bildet vor allem eine an Gott gerichtete Danksagung für die Früchte, die das Opfer Christi brachte, eine Einstimmung in das Beispiel des Heiligen, der das Mysterium des Erlösers weitergeführt hat, und somit einen herzhaften Entschluß, auch selbst in dieses Mysterium einzutreten.[21] Obwohl Maria die Erste unter den Heiligen ist, ist sie nicht die erste, deren Fürbitte man angerufen hat.

Die Christen der ersten Jahrhunderte haben nicht zu Maria gebetet. Sicherlich bot das Evangelium ihnen die ersten Anregungen, sie zu loben: «Freue dich, Gnadenvolle, der Herr ist mit dir» (Lk 1,28); «Du hast Gnade gefunden» (Lk 1,30); «Du bist gepriesen unter den Frauen und gepriesen ist die Frucht deines Leibes» (Lk 1,48). Aber die Christen haben erst spät den Brauch aufgenommen, diese Worte sich zu eigen zu machen

---

[20] Daß die Martyrer Christus an die Seite gestellt werden (was sich schon aus der Spiritualität des Martyriums ergibt), wird bereits von der Apg bezeugt. Stephanus übernimmt die Worte, die Christus in seiner Passion ausgesprochen hatte. Man vergleiche:

Apg 6,13 f	Mt 26,59 ff
Sie stellten auch falsche Zeugen,	Zwei... falsche Zeugen
die aussagten...:	sagten aus:
«Wir haben ihn sagen hören: ‹ Jesus	«Er hat behauptet:
von Nazareth wird diese Stätte zu	‹Ich kann den Tempel Gottes
Fall bringen...›»	zerstören...›»
Apg 7,56	Mt 26,64
«Ich sehe den Himmel offen	«Ihr werdet
und des Menschen Sohn zur	des Menschen Sohn zur
Rechten Gottes stehen»	Rechten der Allmacht sitzen sehen...»
Apg 7,59	Lk 23,46
«Herr Jesus,	«Vater, in deine Hände
nimm meinen Geist auf!»	übergebe ich meinen Geist»
Apg 7,60	Lk 23,34.46
Er rief mit lauter Stimme:	23,46 Jesus rief mit lauter Stimme:
«Herr, rechne ihnen diese	23,34 «Vater, vergib ihnen...»!
Sünde nicht an!»	
Nach diesen Worten entschlief er	23,46 Nach diesen Worten verschied er

Dieser Vergleich des Martyriums mit der Passion Christi ist ein vorherrschender Zug der Martyrerakten.

[21] Zum Zusammenhang der Passion Christi vgl. O. Casel, Mysterium und Martyrium: JLW 2 (Münster 1922) 28–32. Zum Ursprung der Martyrerfeste vgl. M. Righetti, Manuale di storia liturgica II, Kap. 9, Nr. 172–174 (Milano 1946) 268–272. Schon vor Ende des 2. Jahrhunderts feierte man den Jahrestag des Martyriums von Polykarp († 155) durch eine eucharistische Versammlung.

und ihrerseits an Maria zu richten. Das älteste Beispiel einer solchen Lob-
preisung ist eine Homilie von zweifelhafter Echtheit (Pseudo-Chrysosto-
mus: PG 62,763), die vielleicht auf das 4. Jh. zurückgeht. Sie wäre dann
aber der einzige Fall aus diesem Jahrhundert. Auch handelt es sich dabei
eher um eine Rede, einen Kommentar, als um ein Gebet. Im Westen kennt
Augustinus das Gebet zu Maria nicht. Dies ist ein Hinweis darauf, daß
es nicht wesentlich ist, sich an sie zu wenden. Im Westen galt lange Zeit
die Regel, Gebete nur an den Vater zu richten, wenigstens am Altar.[22] Und
die Gebete der Liturgie weisen auch heute noch diese Form auf. Sie richten
sich nie an Maria. Die klassische Gebetsweise wird stets darin bestehen,
sich durch Christus an den Vater zu wenden, wobei man sich von den Heiligen anregen oder bei Gott untersützen läßt. In der schattenlosen Freundschaft, die Gott ihnen schenkt, vereinigen sie sich mit dem Gebet der irdischen Kirche. Die «Heiligenverehrung» war also nicht etwas Abstraktes,
sondern hatte einen persönlichen Charakter. Sie führte zu Sgraffiti, zu An-
rufungen, die immer zahlreicher und weitläufiger wurden. In diesem Rahmen entwickelte sich im 4./5. Jh. das Gebet zu Maria. Es ist durch nichts
bewiesen, daß das «Sub tuum praesiduum» vor das 4. Jh. zurückgeht.[23]
Und so berechtigt und wohltuend diese Gebetsform ist, so bleibt sie doch
stets nebensächlich und fakultativ. Sie hat erst spät und nebenbei Eingang
in die Liturgie gefunden auf dem Weg über die lyrische Hymnik. Wichtig
ist allein die Tatsache, daß so Maria unter den andern Heiligen einen Platz
im Kult erhält und daß dieser Platz umso stärker hervortritt, je klarer man
sich ihrer Rolle im Mysterium Christi bewußt wird, den sie nicht einfach
leiblich geboren, sondern «den sie in ihrem Herzen empfangen hat, bevor sie
ihn in ihrem Leib empfing».[24]

[22] «...Cum altari assistitur, semper ad Patrem dirigatur oratio»: Mansi 3 (1759) col.
922, can. 21 (25); vgl. Hefele-Leclercq, Histoire des Conciles 2 (Paris 1908) 87. Diese Vorschrift, sich in der Meßliturgie nur an den Vater zu wenden, war 393 auf der Synode von
Hippo erlassen und 397 von der Synode von Karthago erneuert worden. Sie wurde zu
Rom während vieler Jahrhunderte eingehalten und scheint dort auf alle liturgischen
Gebete, selbst auf die, welche nicht am Altar gesprochen wurden, ausgedehnt worden
zu sein.

[23] H. Barré, Les premières prières mariales de l'Occident: Marianum 21 (1959) 129:
«Erst ungefähr vom 10. Jahrhundert an... kommt (im Westen) der Brauch auf, das Ave
Maria noch in der rein biblischen Form, die mit ‹ ventris tui › abschließt, zu verrichten.»
Barré studiert (S. 129–141) die ersten bekannten Formeln, die sich an Maria richten, lange
Zeit hindurch eher in Form einer Lobrede als in der eines Gebetes. Das älteste eigentliche
Gebet, das auf uns gekommen ist, das griechische «Sub tuum praesidium», läßt sich leider
nicht genau datieren (3./4. Jh.). Nach dem genannten Aufsatz hat H. Barré sein gewich-
tiges Werk veröffentlicht: Prières anciennes de l'Occident à la Mère du Sauveur (Paris
1962). Vgl. auch G. G. Meersseman, Der Hymnos Akathistos im Abendland. Akathistos-
Akoluthie und Grußhymnen = Spicilegium Friburgense 2 (Freiburg/Schw. 1958).

[24] «Fide plena, et Christum prius mente quam ventre concipiens»: Augustinus, Sermo
215, 4 (PL 38, 1074). Dieses Thema wurde mit Scharfsinn behandelt von A. Müller,
Ecclesia-Maria (Freiburg/Schw. 1951; [2]1955).

Unmerklich tritt Maria Schritt für Schritt in den Kult ein.

aa. Sie erhält in ihm Raum durch das Evangelium an den Orten, wo anläßlich der Liturgie von Epiphanie (im Orient bereits im 2. Jh.) und von Weihnachten (zu Rom gegen Ende des 3. Jh.s) das Evangelium der Geburt Christi nach Mt 1 oder nach Lk 1–2 gelesen wurde.

Um Weihnachten herum kommt seit dem 4. Jh. in Kappadozien und vor 431 im Westen in verschiedenen Formen ein Gedächtnis der Jungfrau Maria auf. Das Verkündigungsevangelium (Lk 1, 26–35), das in dieser Liturgiefeier gelesen wird, gibt den Predigern die Gelegenheit, die Rolle Marias im Heilswerk zu betonen und von neuem die Lobsprüche des Engels an sie zu richten: «Freue dich...» usw. (Lk 1, 28).

Dieser Prozeß hebt vor dem Konzil von Ephesus an, das nicht den Ausgangspunkt dazu bildet, und entwickelt sich dann stufenweise den Anstößen entsprechend, die von den Glaubensquellen selbst ausgehen. Im Westen tauchen deshalb wie im Osten im Zusammenhang mit Weihnachten verschiedentlich spontan die ersten Liturgiefeiern zum Gedenken an die Jungfrau Maria auf: um die Mitte des 5. Jh. in Norditalien am ersten Adventssonntag; am Mittwoch und Freitag des Fastens im zehnten Monat (die im 7. Jh. zu Rom zu den Quatembertagen werden); am 1. Januar, an der Weihnachtsoktav, ebenfalls zu Rom zwischen 550 und 595; am 18. Dezember, acht Tage vor Weihnachten in Spanien (656); am 18. Januar im 6. Jh. in Gallien usw.

Dem gleichen Prozeß entsprechend tritt der Platz Marias in gewissen Mysterien des Evangeliums hervor: Verkündigung (25. März) und Hypapante (unser Fest Mariä Lichtmeß am 2. Februar) werden liturgisch begangen.

bb. Eine weitere Reihe von Liturgiefeiern hängt nicht mit dem Weihnachtszyklus zusammen, sondern feiert Maria nach Art der andern Heiligen: zu Jerusalem feiert man seit dem 5. Jh., sicherlich schon vor Ephesus (431), wie bei den Martyrern einen «dies natalis» Marias. Seit dem 6./7. Jh. nennt man das Fest «dormitio – Heimgang»; «assumptio» wird man es nennen, als man sich über das mysteriöse Ende der Theotokos, nach dem sich Epiphanius 377 vergeblich gefragt hatte, klarer geworden war.

Weitere Mysterien des Lebens Marias werden ebenfalls zum Gegenstand von Festen: das Fest der Empfängnis (8. Dez.) taucht im 7. oder 8. Jh. auf im Anschluß an das Fest der Empfängnis Johannes d. T.; das Fest der Geburt (8. Sept.) kommt um die Mitte des 6. Jh.s auf; das der Darstellung Marias im Tempel (21. Nov.) im 7./8. Jh. Seit dem 7. Jh. gehen diese Feste allmählich auf den Westen über, als letztes das Fest der Empfängnis im 12. Jh.[25] In der Folge erfindet der Westen seine eigenen Marienfeste, wobei er in der Neuzeit des Guten eher zuviel tut. Rom hat seit dem 17. Jh. bis zum Zweiten Vatikanum immer wieder gegen das Wuchern von Marienfesten ankämpfen müssen. Die Ritenkongregation hat Hunderte von Festen, welche die nachtridentinische Marienfrömmigkeit in Vorschlag brachte,

[25] Zur Stellung Marias in der Liturgie und zum Aufkommen der liturgischen Gedächtnisfeiern und Feste vgl. die ausführlichere, mit Belegstellen versehene Darstellung in R. Laurentin, Court traité... ([5]1968) 54–57 und Anm. 4, S. 172 f. Einige Präzisierungen und Richtigstellungen durch die wichtige Dissertation von J. Caro sind beigefügt in R. Laurentin, Bulletin sur la Vierge Marie: RSPhTh 52 (1968) 513.

nicht zugelassen, gewisse von ihnen streng auf genau bestimmte Kreise beschränkt und schließlich mehr als hundert Marienfeste aufgehoben.

Wir haben hier nicht ein Verzeichnis der Formen von dem anzulegen, was man «die Marienverehrung» nennt. Diese hat einen objektiven (Liturgie) und einen subjektiven Aspekt (Marienandacht, Privatgebete) und weist auch Überschneidungen zwischen beiden Aspekten auf, da man dazu neigte, die besonderen Frömmigkeitsformen in die Liturgie überzuführen. Die Tendenz ist heute umgekehrt. Festzuhalten ist vor allem, daß es nicht einen Marienkult neben dem Christuskult gibt, sondern einen Platz Marias im Christuskult, der Stellung entsprechend, die sie im Mysterium Christi und in der Gemeinschaft der Heiligen einnimmt. Wir brauchen nicht zu betonen, daß zwischen dem Anbetungskult, der Gott dem Schöpfer und Erlöser erwiesen wird, und der Verehrung der Heiligen ein gewaltiger Unterschied besteht. Die Ausdrücke «dulia» und «latria», mit denen man diese beiden Arten von Verehrung bezeichnet, sind zwei griechische Wörter von sehr ähnlichem Sinn; beide besagen einen Dienst. Etymologisch scheint «dulia» eher der stärkere Ausdruck zu sein, weil er aus der gleichen Wurzel stammt wie «δοῦλος-Sklave». Die Ausdrücke haben sich durch den Sprachgebrauch differenziert und sind am Verschwinden. Das Wort «anbeten» – ein allgemeiner Ausdruck, der sowohl «dulia» wie «latria» bedeutete – hat nach und nach einen speziellen Sinn angenommen und bezeichnet den Kult, der Gott allein erwiesen wird.[26] Das Konzil hat diesen geläufigen Ausdruck den in Abgang gekommenen Subtilitäten der theologischen Sprache vorgezogen. Das Wort «Hyperdulie», mit dem man andeuten will, daß die Verehrung Marias – wenn auch in der gleichen Linie und auf der gleichen Ebene – über den Kult hinausgehe, den man den Heiligen erweist, tönt noch schulmäßiger, und deshalb hat die Theologische Kommission des Konzils sich geweigert, ihn zu verwenden.

b. Die Funktion Marias gegenüber der Kirche

Ebenso wie die Stellung Marias im Gebet der Kirche, ja in noch stärkerm Maß, wird ihre Rolle gegenüber der irdischen Kirche in einem wechselnden, wuchernden Vokabular zum Ausdruck gebracht. Die verschiedenen Begriffe, die im letzten Teil der «mariologischen Traktate» – über die Bezie-

---

[26] Das Wort «adoratio», das dem griechischen Ausdruck προσκύνησις («fußfällige Verehrung») entspricht, hatte bis in die neuere Zeit einen sehr weiten Sinn; man erwies dem Kaiser, den Heiligen, Maria «Anbetung». Dieser allgemeine Ausdruck faßte sowohl die Latria wie die Dulia in sich (vgl. z. B. DS 302). Erst seit dem 17. Jahrhundert wird die Anbetung nur als Latria verstanden, wie dies nun dem heutigen religiösen Sprachgebrauch entspricht. Dies ist wichtig für das richtige Verständnis der alten Texte, die so oft von einer «Anbetung» Marias und der Heiligen sprechen.

hung Marias zu den Menschen – verwendet werden, meinen oft das gleiche und werfen viele Fragen auf.

1. Schon seit sehr alter Zeit spricht man von einer *Fürbitte* Marias, die bereits von Irenäus «Fürsprecherin Evas» genannt wurde.[27] Sie bittet Gott mit uns und für uns.[28] Als Fürbitterin wird sie im «Sub tuum praesidium» angerufen (das wahrscheinlich aus dem 4. Jh. stammt):

«Unter den Mantel deiner Barmherzigkeit fliehen wir, Gottesmutter. Übersieh nicht unser Gebet in der Not, sondern entreiße uns aus der Gefahr, du einzig Reine und Gepriesene.»[29]

2. Von altersher spricht man auch von Maria als unserer *Königin*. Im Gottesreich ist Maria die erste derer, die «mit Christus herrschen» (2 Tim 2,12). Dieser Gedanke verbindet sich mit dem vorhergehenden. Die Fürbitte der Mutter Jesu (vgl. Jo 2,3.5) ist die der Königin beim König, der über die göttlichen Heilsgewalten verfügt.[30]

3. Seit dem 6. Jh. spricht man von der *Mittlerschaft* Marias. Dieser Begriff ist vielschichtig. Er wird seit dem 4. Jh. auf die Heiligen angewendet. Man denkt dabei an deren Fürbitte.[31] Andreas von Kreta, einer der ersten, der diesen Begriff ausdrücklich auf Maria überträgt, gibt ihm einen doppelten Sinn. Einerseits tritt Maria heute in der Gemeinschaft der Heiligen für uns ein; andererseits spielt sie bei der Verkündigung eine Mittlerrolle zwischen Gott, der sich durch die Stimme des Engels an sie wendet, und der Menschheit, die sie durch ihre Antwort engagiert.[32] Diese Benennung wird im Verlauf verschiedener Etappen stark aufkommen und an Bedeutung zunehmen. Nachdem sie dem Westen lange Zeit fremd geblieben war, erhält sie im 11./12. Jh. in der lateinischen Welt einen Platz erster Ordnung. In dieser Epoche wird Maria, die bis dahin typologisch mit der Kirche identifiziert

[27] Adv. haer. V, 19, 1 (PG 7,1175) und Epideixis (SourcesChr 62 [Paris 1959] 83-86). Der Gedanke wird von Romanos dem Meloden übernommen in Hymnos 11 zur Geburt Marias (2) Nr. 5-13 (SourcesChr 110 [Paris 1965] 100-105).

[28] Recherches sur l'intercession de Marie I-III: Etudes Mariales 23-25 (1966-1968).

[29] Der Papyrus mit diesem Gebet, der aus dem 2.-5. Jh. stammt (das Datum ist umstritten), wurde erst vor kurzem entdeckt. Vgl. F. Mercenier, L'antienne mariale la plus ancienne: Le Muséon 52 (1939) 229-233; O. Stegmüller, Sub tuum...: ZKTh 74 (1952) 76-82 (vollständigere Bibliographie in Marianum 21 [1959] 129, Anm. 5).

[30] H. Barré, La Royauté de Marie pendant les neuf premiers siècles: RSR 29 (1939) 129-162. 303-334 – eine Untersuchung, die seither von allen ausgebeutet, aber kaum ergänzt wurde –; Maria et Ecclesia 5: Mariae potestas regalis in Ecclesia (Roma 1959) (Session de la Société Française au Congrès Marial International de Lourdes 1958) – H. Barré ergänzt hier seine Untersuchung durch eine Reihe von lateinischen Texten aus dem 8. bis 12. Jh.

[31] «Die Vergöttlichung, deren Vermittler (μεσιτευούσι) die Martyrer sind»: Gregor von Nazianz, Oratio XI ad Gregorium Nyss. 5 (PG 35,837C) und der Kommentar von Niketas (ebd. col. 838, Anm. 12).

[32] Ich habe eine Monographie über diese Frage in Angriff genommen. Bis zu deren Erscheinen vgl. R. Laurentin, Court traité... (⁴1959) 54-55.

worden war, nach der berühmten Formel des hl. Bernhard systematisch
«zwischen Christus und die Kirche» gestellt. Nach 1921 wollte man auf Initiative des Kardinals Mercier aus der Mittlerschaft eine zentrale These der
marianischen Theologie machen und hoffte sogar, daß sie zum Dogma erhoben werde – eine Hypothese, die infolge des Konzils verstummt ist.[33]
Zahlreiche mariologische Traktate haben die ontologische Position Marias
und ihre Mitwirkung im Heilsmysterium um diesen Begriff herum systematisiert.

4. Der Begriff der Mittlerschaft wurde sehr bald durch einen weitern
konkurrenziert: durch den der *Miterlösung*, der Mitbeteiligung Marias am
Erlösungswerk. Um diesen Begriff herum hat die Mariologie in noch wei-
term Ausmaß die gleichen Themen in ein System gebracht der These entsprechend: Maria ist nicht nur an der Zuwendung der Erlösung (an der
subjektiven Erlösung) im Lauf der Jahrhunderte beteiligt, sondern auch
am Zustandekommen dieser Erlösung, d.h. an der Inkarnation und am
Kreuzesopfer, d.h. an der objektiven Erlösung.[34] Dabei haben die Mariologen merkwürdigerweise diese Unterscheidung zwischen objektiver und
subjektiver Erlösung auf übrigens weiten Umwegen der protestantischen
Theologie entnommen.

5. Der Anteil Marias am Heilswerk wird auch noch durch den Begriff
der *geistigen Mutterschaft*[35] verdeutlicht, der in der Lehre und Frömmigkeit
einen hervorragenden Platz erhalten hat, trotzdem die alten Quellen bis
gegen das 10. Jh. sich darüber ausschweigen oder sehr zurückhaltend
äußern.

Diese verschiedenen Begriffe bringen in unterschiedlichen – nicht scharf
voneinander abgehobenen – Einkleidungen die geschichtliche und organische Rolle Marias in der Heilsgeschichte zum Ausdruck.

1. Das Thema der Fürbitte tut dar, daß die Betätigung Marias zugunsten
der Kirche im wesentlichen ein Eintreten bei Christus ist, ein Tun, das über
ihn, den «einzigen Mittler» und Erlöser geht.

2. Das Thema des Königtums Marias macht deutlich, daß sie zutiefst an
der Verherrlichung des Erlösers teilhat, der die von ihm Erretteten einlädt,
an seiner Königsherrschaft teilzunehmen (2 Tim 2, 12). In den Gesellschaften, worin dieser Gedanke aufkam, war die Königin nicht die Quelle der
Macht, sondern die Gefährtin des Königs, der diese ausübte.

[33] R. Laurentin, Intuitions du cardinal Mercier: VS 84 (1951) 518–522.

[34] Die Bibliographie zählt Hunderte von Werken. Vgl. G. Besutti, Bibliografia Mariana, 4 Bände (Roma, Marianum), die sich auf die Jahre 1948–1966 erstrecken.

[35] Etudes Mariales 16–18 (1959–1961) La maternité spirituelle 1–3 (Paris). Eine umfang-
reichere bibliographische Auswahl habe ich herausgegeben in RSPhTh 46 (1962) 365–366.
In: La maternité spirituelle. Actes du Congrès National de Lisieux 1961 (Paris 1962) habe
ich eine Bilanz der Überlieferung aufzustellen versucht.

3. Das Thema der Mittlerschaft stützt sich auf die Stellung Marias, welche die Botschaft Gottes erhält und deren Antwort das Heil der Menschen engagiert. Doch diese geschichtliche Situation wird durch das Kommen des «einen Mittlers» (1 Tim 2,5) überholt. Der Gottmensch ist ja nicht ein Mittler, der eine Distanz bloß reduziert und dessen Werk von andern Mittlern vervollständigt werden müßte – denken wir an das Aneinanderreihen von Steinen, um einen Fluß zu überqueren –, sondern er ist die Brücke, die an beiden Ufern verankert ist und sie miteinander verbindet. Der Titel «Mittlerin» droht diese Wahrheit zu verdunkeln, und man kann die vorkonziliare Situation nur bedauern, in der viele Katholiken wohl die «Gnadenvermittlerin» kannten, nicht aber sich bewußt waren, daß Christus *der* «Mittler» ist. Darum hat Pius XII. es vermieden, Maria so zu betiteln, und in seinen letzten Jahren ganz davon Abstand genommen.[36] Johannes XXIII. hat gänzlich auf den Gebrauch dieser Benennung verzichtet. Nur mit Not und unter allerlei Vorbehalten wurde der Ausdruck in das Konzil hineingebracht (Lumen gentium 62). Das Konzil hat den Gebrauch dieses Titels erwähnt, weil er alt ist und einer Erklärung bedarf. Die «Mittlerschaft Marias» deckt sich nicht mit dem Mittlertum Christi. Sie vermittelt dieses nicht, sondern erhält von ihm ihre ganze Wirksamkeit. Wie der Lutheraner H.Asmussen sich ausdrückt,[37] handelt es sich dabei um eine Mittlerschaft in Christus. Diese Wendung figurierte in einem der ersten Schemata des II. Vatikanums, das schließlich erklärt hat:

« Jeglicher heilsame Einfluß der seligen Jungfrau auf die Menschen kommt nicht aus irgendeiner sachlichen Notwendigkeit, sondern aus dem Wohlgefallen Gottes und fließt aus dem Überfluß der Verdienste Christi, stützt sich auf seine Mittlerschaft, hängt von ihr vollständig ab und schöpft aus ihr seine ganze Wirkkraft. Die unmittelbare Vereinigung der Glaubenden mit Christus wird dadurch aber in keiner Weise gehindert, sondern vielmehr gefördert» (ebd.60).

4. Wenn man von Mitbeteiligung oder Mitwirkung Marias an der Erlösung spricht, vermeidet man gewisse Nachteile des Begriffs Mittlerschaft. Man betont damit, daß die Rolle Marias an der Erlösung mit ihrer Gemeinschaft mit dem Erlöser zusammenhängt. Der Begriff hat jedoch zu Schwierigkeiten geführt, insofern man eine manchmal gewagte «Ontologie» dieser Mitwirkung vorgelegt hat und dabei so weit ging, daß man der «Socia Christi» Attribute beilegte, die nur der – sosehr verkannten – göttlichen Wirkgemeinschaft zwischen Christus und dem Hl.Geist im Heilswerk zukommen. Das Konzil hat den von Pius XII. oft verwendeten Ausdruck

---

[36] In seinen Akten findet sich der Titel «mediatrix» äußerst selten. Die Übersetzungen täuschen oft, da sie den im Hinblick auf 1 Tim 2,5 verwendeten Ausdruck «sequestra» oft mit «Mittlerin» wiedergeben.

[37] H.Asmussen, Maria die Mutter Gottes (Stuttgart 1951) 51.

beibehalten, aber einzig auf existentieller, vitaler Ebene, um die theologale Vereinigung Marias mit Christus im Glauben, in der Hoffnung und in der Liebe zum Ausdruck zu bringen.

Während die Päpste in der Äußerung dieser Idee der Mitwirkung sehr weit gingen, blieben sie dem Begriff der Miterlösung gegenüber sehr zurückhaltend. Einzig Pius X. und Pius XI. haben in ganz unwichtigen Dokumenten diesen Begriff gelegentlich mitlaufen lassen. Pius XII., seine Nachfolger und das Konzil haben sich dieses so mißverständlichen Ausdrucks geflissentlich enthalten.[38] Im eigentlichen Sinn käme er dem Hl. Geist zu. Man hat daraus seltsamerweise ein Attribut Marias gemacht, während man das pneumatologische Verständnis gänzlich außer acht ließ. Als das Wort um 1925 von den Mariologen «lanciert» wurde, reagierten katholische Theologen mit aller Entschiedenheit. Das Suffix «Mit» schien ihnen Christus und Maria gleichzustellen, so wie die Worte Mit-erbe, Mit-arbeiter, Mit-kämpfer eine Ranggleichheit besagen. Man hatte zwar den Begriff in der Absicht geprägt, eine Differenzierung und Unterordnung zum Ausdruck zu bringen. Seit dem 10. Jh. hatten gewisse Autoren gelegentlich Maria «redemptrix» genannt, so wie sie diese «salvatrix» nannten. Man dachte dabei daran, daß sie den Erlöser, den Heiland geboren hat und daß sie in diesem Sinn Ursache der Erlösung und des Heils ist. Als der Gedanke einer aktiven Beteiligung Marias am Opfer von Kalvaria aufkam, empfand man das Bedürfnis, dieses undifferenzierte Wort zu nüancieren. So wurde im 15. Jh. der Ausdruck «corredemptrix» geprägt. Er ersetzte im Verlauf des 17. und 18. Jh.s nach und nach die früheren Benennungen. Die Absicht, die man mit der Hinzufügung des Präfixes «co-» verknüpfte, läßt sich etwa so wiedergeben: Es gibt nur einen einzigen Erlöser. Maria nimmt aus reiner Gnade an seinem göttlichen und menschlichen Werk teil. Sie ist kein weiterer, kein weiblicher Erlöser. Wenn sie am Fuß des Kreuzes steht, wenn sie an Christi Opfer teilnimmt, so geschieht dies kraft einer Gnade, die aus eben dieser Erlösung erfließt. Die Frage ist nur, ob man zuerst an dies denkt, wenn man das Wort «corredemptrix» ausspricht oder vernimmt. Dies ist zu bezweifeln, und deshalb ist es verständlich, daß der Ausdruck an Terrain verliert.

Die Vorbehalte, die man ihm entgegenbringt, haben indes noch einen zweiten, wichtigeren Grund: man war sich über die Sache selbst nicht einig. Pius XII. hat geflissentlich davon Abstand genommen, die berühmte Debatte zu entscheiden, ob Maria formell und unmittelbar an der objektiven Erlösung beteiligt gewesen sei. Die Frage schien ihm noch nicht spruchreif. Es war ihm daran gelegen, daß sie völlig offen bleibe.[39]

---

[38] R. Laurentin, Le titre de corédemptrice. Etude historique (Roma, Marianum, und Paris, Lethielleux 1951) mit chronologischem Dossier der Texte (S. 37–62).

[39] R. Leiber, Pius XII.: StdZ 163 (1938–1959) 86: «Was ... die Frage der ‹Mediatrix› und ‹Coredemptrix› angeht, hat Pius XII., noch wenige Wochen vor seinem Tod, in den

Was die geistige Mutterschaft betrifft,[40] so hat das Konzil diesen Begriff mehr als alle bereits genannten verwendet, fast in jedem Absatz, denn er ist einfach, klar, familiär und vor allem, er war kaum umstritten. Der Begriff stellt jedoch mehr Probleme, als es den Anschein macht. Das wichtigste Problem liegt darin, daß Maria nicht im gleichen Sinn Mutter Christi und Mutter der Christen ist. Mutter Christi ist sie, weil sie ihn leiblich geboren hat. Mutter der Jünger Christi ist sie auf dem Adoptivwege. Das Konzil hat dieses Problem mehr umgangen als behandelt, gebraucht es doch das Wort «Mutter» zweimal an Stellen, wo die beiden Aspekte der Mutterschaft Marias miteinander genannt werden. Während die Urfassung von Maria als der «Mater Dei et hominum» sprach, wiederholt das II. Vatikanum das Substantiv «Mutter»: «Mater Dei et Mater hominum» (Lumen gentium 54 und 69). Anderseits hat auch hier das II. Vatikanum von aller scholastischen Begrifflichkeit abgesehen und das Ontologische in das Existentielle übersetzt.

Wir werden uns davor hüten, einem dieser Ausdrücke – «Fürbitterin», «Königin» usw., ja selbst dem Begriff «Mutterschaft» – den Vorzug zu geben. Es sind nur verschiedene Umschreibungen, um auf mehr oder weniger treffende, mehr oder weniger glückliche scholastische oder symbolische Weise eine Grundwahrheit zum Ausdruck zu bringen, die in folgendem besteht:

Maria ist mit Christus mehr als jemand sonst verbunden durch die Bande der Gottesmutterschaft, die nicht bloß in der leiblichen Mutterschaft besteht, denn sie ist hineingenommen und hineinverwoben in eine gnadenvolle Vereinigung mit Christus, die bereits die des Neuen Testamentes ist.[41] Deshalb war das Werk Christi durch reine Gnade aus vielen Gründen auch ihr Werk, bevor es unser Werk wurde, weil wir Glieder seines Leibes sind.

Nach einem durchgängigen Gesetz des Heilsplans ist ein Mensch, je mehr er mit Gott verbunden und von dessen Gnade durchdrungen ist, umso mehr mit den andern Menschen verbunden und ihnen gegenüber verantwortlich, weil er ihnen gegenüber besser die Liebe zu üben vermag, welche die Triebfeder des Heils ist. Maria besaß die Liebe der Frau, die «gepriesen unter den Frauen» (Lk 1,42) ist; als Mutter des Erlösers kommt ihr eine Mutterrolle (Jo 19,25 ff; vgl. Apok 12,17) zu gegenüber ihren Brüdern (Jo 20,17), den Gliedern des Leibes, dessen Haupt ihr Sohn ist.

Tagen gleich nach Beendigung des Mariologischen Kongresses in Lourdes geäußert, die beiden Fragen seien zu ungeklärt und zu unreif; er habe in seinem ganzen Pontifikat bewußt und absichtlich vermieden, Stellung zu ihnen zu nehmen, sie vielmehr der freien theologischen Auseinandersetzung überlassen. Er denke nicht daran, diese Haltung zu ändern.»

[40] R. Laurentin, La Vierge au Concile (Paris 1966) 151–168.

[41] Die bezeichnendsten Elemente sind enthalten in Lk 1–2 (R. Laurentin, Structure et théologie de Luc 1–2 [Paris 1956] 148–152).

So hat Maria engagierter als jeder andere Mensch und einem tieferen und gefestigteren theologalen Leben entsprechend am Leben und an der Tätigkeit des Erlösers teilgenommen.

Sie hat zunächst durch ihren Glauben und den Einsatz aller ihrer Mutterkräfte am Vollzug des Geheimnisses der Inkarnation mitgewirkt.

Unter dem Kreuze stehend (Jo 19, 26), hat sie die Kräfte des Glaubens und der Liebe von neuem eingesetzt. Gewiß war ihr Mitleiden zur Erlösung nicht nötig. Ihre Stellung beim Kreuzesopfer entsprach der der Gläubigen beim Meßopfer. Anderseits ist diese Mitwirkung die Frucht einer von oben erhaltenen Gnade. Doch diese unverdiente Gabe hängt mit einem Entschluß Gottes, mit der Logik einer Liebe zusammen, die diese Frau auf weite Strecken hin in das Werk des neuen Adam einbezieht. Maria war vor der Sünde bewahrt worden, denn in die Urfundamente der Erlösung konnte nichts Fehlerhaftes integriert werden. Die Überfülle der Gnadengabe, die Qualität ihrer Liebe, ihre Mutterfunktion verbanden Maria so eng mit Christus, daß das Opfer des Erlösers aus besonders triftigen Gründen auch das ihre ist. Dieses Geschenk, das dieser Frau zuteil wurde, geht auf den Plan zurück, den Menschen so weit als möglich am Zustandekommen seines Heils mitwirken zu lassen. In dieser Linie nimmt die Mutter des Heilbringers einen äußersten und zugleich exemplarischen Platz ein. Sie vertritt auf Kalvaria gewisse Aspekte der Menschheit, die Christus persönlich nicht angenommen hat. Maria ist Frau, sie ist erlöst, sie lebt in der Dunkelheit des Glaubens. Sie ist nur eine menschliche Person. Auf Grund von all dem ist es nicht belanglos, daß sie am Opfer mitbeteiligt ist. Sagen wir aber nicht, Christus sei nicht voll und ganz Mensch gewesen und Maria habe die Lükken gefüllt. Nein, es handelt sich um nebensächliche Aspekte, die sein Menschsein nicht betreffen. Was wir negativ ausdrücken, wenn wir sagen, Christus habe diese Aspekte der Menschheit sich nicht zu eigen gemacht, hängt in Wirklichkeit mit den positiven Attributen zusammen, die ihm als Retter-Gott zukommen. Der vollkommene Erlöser konnte nicht ein «Erlöster» sein. Er mußte eine göttliche und nicht eine erschaffene Person sein. Er hatte sich zu entscheiden, ob er Mann oder Frau sein wolle. Maria trägt die harmonische Mitwirkung einer neuen Eva bei. Doch diese Mitwirkung geht keineswegs darauf zurück, daß Christus nicht Mittler im Vollsinn und nicht imstande gewesen wäre, uns zu vertreten und zu retten. Zudem handelt es sich nicht um ein Privileg, das Maria absondern und uns fern rücken würde. Sie ist ein Prototyp für diejenigen, die Christus beruft, im weitern Verlauf derselben Geschichte und den gleichen Antrieben entsprechend am Heilswerk teilzunehmen.

Maria spielt auch weiterhin eine Rolle in der Zuwendung der Erlösungsfrüchte. Wie soll man sich diese ihre Rolle vorstellen? Das Schema, das die Vertreter der «Fürbitte» vorlegen, und das Schema der Vertreter der «Mittlerschaft» sind einander entgegengesetzt:

Nach dem ersten Schema scheint die Rolle Marias sich darauf zu beschränken, daß sie bei Christus, der allein auf die Kirche wirkt, für uns eintritt. Nach dem zweiten Schema hingegen läßt Christus, zu dem Maria die Gebete der Menschen emporgetragen hat, seine Gnade durch sie wie durch einen «Kanal» oder «Aquaedukt» niedersteigen. Sie stände der Kirche näher. Wer diese Schemata, worin sich gewisse Geister verstricken, ans Licht zieht, ersieht deren Mängel und die Notwendigkeit, über sie hinwegzuschreiten. Diese materiellen Vorstellungen sind nur die unzulänglichen, in gewisser Hinsicht trügerischen Versuche, eine geistige Wirklichkeit wiederzugeben. Es handelt sich schließlich nicht um ein mechanisches Übermittlungsmodell, sondern um eine vollkommene theologale «communio», um ein gegenseitiges Ineinander gemäß der paulinischen Auffassung: wir sind «in Christus» und Christus ist «in uns». Dieses Ineinander entspricht dem erhabenen Tausch, worin Gott Mensch geworden ist, um den Menschen zu vergöttlichen. Zwischen dem Erlöser und seiner Mutter wird dies auf die vollkommenste und innigste Weise Wirklichkeit. Sie «kommuniziert», nimmt von innen her teil an allem, was Christus in seiner Kirche *ist* und wirkt. Dies ist die tiefe Sicht, in die man das Mysterium ihrer Fürsprache und ihrer universalen Mitwirkung in und durch Christus hineinstellen muß.

Von da her gesehen erscheint es lächerlich, wenn gewisse Prediger den richtenden Christus und die barmherzige Jungfrau in Gegensatz stellen. Maria ist nur der schlichte Abglanz und die Interpration der Barmherzigkeit Gottes uns gegenüber. Sie ist ein Zeichen für sie.

Und schließlich ist diese ganze Rolle, die wir beschrieben haben, eine Funktion im Leib Christi, d. h. im Hl. Geist, der die Verbindung zwischen den Erlösten und Christus herstellt und damit bei Maria beginnt. Der Geist wirkt mit Christus auf göttlicher Ebene mit, während Maria auf menschlicher Ebene mitwirkt. Wie Maria nach einer Formulierung von Grignion de Montfort ganz auf Christus bezogen ist, so ist sie auch ganz auf den Geist bezogen. Sie ist das, was sie ist, nur im Geist und durch den Geist, d. h. alles, was sie ist und alles, was sie tut, ist und tut sie im Geist und durch den Geist, der die Gemeinschaft der Heiligen und alles, was in ihr vorgeht, von innen her verwirklicht.

Wer die Beziehung zwischen Maria und der Kirche studiert, sieht sich zwei divergierenden Tendenzen gegenüber:
– die erste («ekklesiotypische») betont die Ähnlichkeit zwischen Maria und der Kirche;

– die zweite («christotypische») betont den Kontrast und hebt im Gegensatz dazu die Ähnlichkeit zwischen Maria und Christus hervor.

Wir fragen uns nicht, ob Maria mehr auf der Seite Christi als auf der der Kirche steht, sonst würden wir ein subtiles und steriles zweideutiges Spiel beginnen, das jeder seiner Optik entsprechend treiben kann.

In Wirklichkeit ist Christus der Typus, das Modell, das Urbild wie auch der Erlöser sowohl Marias als der Kirche. Und nur in Christus und im Geist kann Maria als das Urbild, die Mutter oder besser gesagt als der Beginn der Kirche in ihrer Angliederung an Christus angesehen werden.

RENÉ LAURENTIN

BIBLIOGRAPHIE

1. Akten, Kongresse, Zeitschriften

Maria et Ecclesia. Acta Congressus Mariologici-Mariani in civitate Lourdes anno 1958 celebrati, 6 Bde. (Rom 1959–1962).
De primordiis cultus Mariani. Acta Congressus Mariologici-Mariani internationalis in Lusitania anno 1967 celebrati, 6 Bde. (Rom 1970).
Études Mariales 9–11 (Paris 1951–1953): Marie et l'Église I–III.
Estudios Marianos 18 (Madrid 1957).
Marian Studies 9 (Washington 1958).

2. Bibliographien

Besutti G., Bibliographia Mariana 1952–1957: Marianum 20 (Rom 1958) 1*–356*; Bibliographia Mariana 1958–1966: Marianum 29 (1967) 266–310.
Laurentin R., Marie et l'Église: Études Mariales 9 (1951) 145–152.
– Bulletin marial et Bibliographie: VS 86 (1952) 295–304; 90 (1954) 497–512; 91 (1954) 398–404; 94 (1956) 526–531; 99 (1958) 519–534; 105 (1961) 424–433; 109 (1963) 633–649; 115 (1966) 735–750; 118 (1968) 581–602; 122 (1970) 616–642.
– Bulletin marial: RSPhTh 46 (1962) 324–375; 48 (1964) 85–128; 50 (1966) 496–545; 52 (1968) 475–551; 54 (1970) 296–318; 56 (1972) 433–491.
Müller A., Marias Stellung und Mitwirkung im Christusereignis: MS III/2 (Einsiedeln 1969) Bibliographie 505–510.

3. Grundlegende Einzelstudien

Coathelem H., Le parallelisme entre la Sainte Vierge et l'Église dans la tradition latine jusqu'à la fin du XIIe siècle = Analecta Gregoriana 74 (Roma 1954) (Dissertation von 1935).
Laurentin R., Court traité de théologie mariale (Paris 1959); dt. Kurzer Traktat der marianischen Theologie (Regensburg 1959).
Müller A., Ecclesia-Maria. Die Einheit Marias und der Kirche = Paradosis 5 (Freiburg/Schw. 1951; [2]1955).
Semmelroth O., Urbild der Kirche. Organischer Aufbau des Mariengeheimnisses (Würzburg 1950; [2]1954).

DIE KIRCHE ALS ORT VIELGESTALTIGER CHRISTLICHER EXISTENZ

Die Konkretheit der Kirche ist nur in mehreren Schritten zu erreichen; sicher bedeuten bereits die vorausgehenden Reflexionen über das Mysterium der Kirche, in der Bildhaftigkeit der biblischen Ekklesiologie, einen Fortschritt gegenüber jeder blassen und abstrakten Vorstellung der Kirche. Ebenfalls tragen auch die aktualen Selbstvollzüge der Kirche dazu bei, diese nicht in einem latenten oder statischen Zustand zu sehen, sondern da, wo sie sich als lebendige Gemeinde ereignet. Immer besteht aber möglicherweise noch der Eindruck, Kirche sei entweder ein hypostasiertes kollektives Subjekt, oder aber die einzelnen Glieder der Kirche kämen restlos in der Bestimmung überein, glaubende und zur Gemeinschaft der Kirche versammelte Menschen zu sein, die je für sich die ganze «essentia» christlicher und kirchlicher Existenz darstellten und höchstens in nebensächlichen, akzidentellen Elementen (wie Alter, Geschlecht, Zeitsituation usw.) sich unterschieden; aber auch noch die richtige Einsicht, daß jeder einzelne Glaubende eingefügt ist in die Gemeinschaft des Leibes Christi, kann diese vielfältig abgewandelte und verwirklichte Beziehung in einer Generalität belassen, die der Lebendigkeit und der Vielgestaltigkeit kirchlicher Existenz und kirchlicher Gemeinschaft nicht gerecht wird.

Nun ist allerdings diesem Mißverständnis bereits durch den vorangestellten Abschnitt über Maria als Individual-Typus der Ekklesia kritisch begegnet worden; hier ist ja die scheinbar unmögliche Spannung zwischen dem allgemeinen Wesen von Kirche und der höchst individuellen Verwirklichung christlich-kirchlicher Existenz aufgehoben. Diese beispielhafte Kongruenz kann aber nicht als Ausnahme oder Einzelfall betrachtet werden, sondern sie eröffnet eine ähnliche Möglichkeit für alle Glaubenden in der Kirche überhaupt: sie alle besitzen je für sich die ganze Fülle des Heils, das lebendige Wort Gottes, den Geist, die Gemeinschaft mit Jesus Christus; dennoch sind sie nicht auf eine blasse generelle Christlichkeit reduziert, sondern prägen mit der gleichen Gabe des Heils einen je neuen Typus christlicher Existenz aus. Ausgehend vom mariologischen Paradigma und über es hinausgehend ist darum von dieser Vielgestaltigkeit christlich-kirchlicher Existenz im Raum der Kirche zu handeln.

Diese Differenzierung ist fundamentaler und weitreichender als die Gliederung der Kirche nach den «hierarchischen» Funktionen und Stellungen; sie legt eine tiefere Schicht frei, von welcher her auch die einzelnen Aufgaben in der Kirche richtiger verstanden und verwirklicht werden können.

Wenn etwa gesagt wird, daß die Bestimmung der Kirche als Volk Gottes allen amtlichen Differenzierungen vorausliege, dann ist dieser Totalität des Volkes Gottes auch die Vielgestaltigkeit christlicher Existenz koextensiv; nur so läßt sich dem Eindruck einer Generalisierung und Nivellierung der Kirche wirksam begegnen, einem Mißverständnis, vor dem auch dieser reiche Kirchenbegriff des Volkes Gottes nicht ohne weiteres schützt. Wenn analog und zugleich als Korrektur diese Vielgestaltigkeit der Kirche und der einzelnen Glaubenstypen als «innere Hierarchie»[1] bezeichnet wird, so sind bei diesem Terminus ein Ausgleich und ein Gegengewicht gegen die amtliche Hierarchie beabsichtigt; uns scheint aber auch noch dieser Begriff zu früh die Frage nach einer möglichen Rangordnung, einer Höher- und Nieder-bewertung zu implizieren, die in die Vielfalt und Geistgewirktheit der einzelnen Glaubenstypen hinein eine störende Konkurrenzierung hineinbringt. Wir möchten einstweilen die Kirche grundsätzlich als Ort vielfältiger christlicher und kirchlicher Existenz betrachten, so daß wir einen Gesichtspunkt gewinnen, der der Auffächerung in eine äußere und innere Hierarchie vorausliegt.

Die Reflexion ist in zwei Schritten durchzuführen: zuerst ist zu handeln von der Möglichkeit und Notwendigkeit einer solchen Vielgestaltigkeit in der Kirche, nicht etwa trotz, sondern gerade wegen des gemeinsamen Glaubensgrundes. Konkretisierung und Ausprägung eines einzelnen Typus sind nicht nur möglich, sondern gefordert und jedem aufgegeben. Ähnlich wie in der Philosophie der menschlichen Person stellt sich uns die paradoxe Aufgabe, über das höchst Konkrete und Einmalige, das in der einzelnen Glaubensexistenz verwirklicht wird, eine allgemeine Reflexion und Wesensbestimmung zu geben. Zugleich sind hier auch die Öffnung und Beziehung des einzelnen Typus zu andern Konkretisierungen, sowie die Integrierung der ganzen Vielfalt in die Einheit und Gemeinsamkeit der Kirche zu bedenken.

Eine solch allgemeine Reflexion kommt nicht aus ohne ständige Vorgriffe auf konkrete Weisen christlicher Existenz, dennoch muß anschließend das Spektrum möglicher Glaubenstypen in einigen Exemplifizierungen aufgefächert werden. Dabei kommt dem überlieferten, aber zu einfachen Spektrum z. B. von Ordens- und Weltstand immer noch eine gewisse Bedeutung zu, doch muß sowohl dahinter zurück wie darüber hinaus gegangen werden. Für sich allein fehlt dieser Typisierung die theologische und näherhin ekklesiologische Ortsbestimmung, vor allem aber bleibt dabei die Möglichkeit weiterer und noch differenzierterer Typisierung unbedacht und unausgesprochen. Dabei wird eine gewisse Gruppierung und Einteilung not-

---

[1] Der Begriff der «inneren» Hierarchie in Gegenüberstellung zur amtlichen «äußeren» Hierarchie findet sich erstmals bei K. Rahner, Über den Versuch eines Aufrisses einer Dogmatik: Schriften I, 42.

wendig sein, können sich doch die einzelnen Ausprägungen nur an einem gemeinsamen Bezugspunkt und -thema sowohl verständigen wie selbständig machen. Hier wird eine solche vorläufige Gruppierung zu suchen sein, die beispielsweise innerhalb des einen Gottesbezugs oder der einen Christusnachfolge oder in der einen kirchlichen Dimension verschiedene Ausprägungen zuläßt; die eine und gemeinsame Entscheidung des Glaubens räumt Freiheit ein, die durch verschiedene Optionen auszufalten und aufzufüllen ist.

Abschließend wird diese Reflexion wiederum vor das Ineffabile der glaubenden Individualität, der charismatischen Berufung und der kirchlichen Sendung gestellt; es kann also nicht die anmaßende Zielsetzung dieser Ausführungen sein, alle möglichen Ausprägungen christlicher Existenz vorwegzuplanen, weil diese immer erst durch den Vollzug und die originale Verwirklichung überhaupt denkbar werden. Ebensowenig kann diese Reflexion beanspruchen, die bereits gegebenen und verwirklichten Ausprägungen des Glaubens, die Formen der christlichen Heiligkeit in den Heiligen, oder die bereits fruchtbar gewordenen kirchlichen Inspirationen begrifflich adäquat aufzuarbeiten. Auch eine legitime und notwendige ekklesiologische Reflexion wird die Phantasie des Geistes in der Kirche nie einholen, sondern sich immer schon von ihr überholt wissen.

I. DIE VIELGESTALTIGKEIT DER KIRCHLICHEN EXISTENZ

1. Mögliche und notwendige Konkretisierung der christlichen Individualität

Sosehr sich die Spannung zwischen der allgemeinen und gemeinsamen christlichen Existenz des Glaubens und ihrer vielfältigen Ausprägung in der Kirche als spezifisch theologisches Problem stellt, so kann zu seinem Verständnis doch auch auf philosophische Analogien zurückgegriffen werden; dabei wäre es aber zu wenig, in der ekklesiologischen Probematik nur eine subsumierte Anwendung eines allgemeinen philosophischen Problems zu sehen, eher ist dieses als die formalisierte Ausweitung einer konkreten Erfahrung zu sehen.

a. Konkretisierung als philosophisches Problem

Die Philosophiegeschichte hat sich von ihren ältesten Anfängen her mit diesem Problem befaßt, wie sich die Vielheit der Dinge zur Einheit der Welt verhalte; innerhalb dieser Spannung gab es die verschiedensten Akzentuierungen, die bald zugunsten der Einheit und Ganzheit der Welt, der Geschichte, die Eigenart und Spezifizierung der einzelnen Dinge oder Menschen vernachlässigten, bald zugunsten der Besonderheit und Unter-

schiedenheit des einzelnen Dinges, des Menschen als Person und seiner
Geschichte die Übereinkunft mit der Ganzheit der Wirklichkeit zudeckten;
diesem Problem begegnet man bei den Monismen der griechischen Philosophie, bei den verschiedenen Parteien des mittelalterlichen Universalien-
streites und bei den geschichtsphilosophischen Systemen des deutschen
Idealismus. Wem es vor allem um die Ganzheit der Welt und der Geschichte
ging, der maß der unterscheidenden Individualität nur geringe Bedeutung
bei; wem es dagegen um diese Individualität ging, der verlor nahezu den
Zusammenhang und die Kommunikation der einzelnen Wirklichkeiten aus
dem Auge.

Wie immer die Lösung ausfiel, sahen sich die Menschen doch immer mit
der Erfahrung konfrontiert, daß mit der allgemeinen Wesensaussage noch
nicht die Konkretheit des einzelnen Seienden, erst recht nicht das Einmalige
dieses einzelnen und besonderen Menschen eingeholt war. Die Wesensbestimmung läßt noch nähere Bestimmungen zu, sie ist noch *determinations-*
und spezifikations*fähig*; anschaulich wird dies etwa an der Figur des por-
phyrischen Baumes, der über die Äste von Genus und Spezies hinaus aufgefächert werden muß, wenn er überhaupt dieses einzelne Ding einholen soll.
Diese Möglichkeit erweist sich aber auch als Notwendigkeit: die allgemeine
Wesensbestimmung ist auch noch *determinations-bedürftig.* Dies gilt auch
dann, wenn die Allgemeinheit und Abstraktheit des philosophischen Begriffs bei der Benennung der je einzelnen Individualität an ihre Grenze
stößt. Was unter den vielen Bäumen einer bestimmten Art den einzelnen
Baum zu diesem, von allen andern unterschiedenen Baum machte, was aber
auch unter den vielen Menschen «Sokrates» zu dem macht, der er ist, danach wurde auch dort gefragt, wo man dafür kein näheres Individuations-
prinzip mehr angeben konnte. Auch mit der scholastischen Lösung, die
dieses Prinzip in der je einzelnen Materialität, resp. in der eigenen Beziehung
eines Wesens zu seiner je eigenen Materie lokalisierte, meinte man das
Wesen der Individualität nicht erreicht und ausgesprochen, sondern höchstens anvisiert zu haben.[2] Diese Lösung mochte zur Not im Bereich der
nur materiellen Welt hinreichen, auf der Ebene des Menschlichen blieb sie
unendlich hinter dem Geheimnis der menschlichen Person zurück. Dies
gilt nun erst recht, wenn wir der Konkretisierung der Glaubensexistenz in
der einen Kirche näherkommen wollen.

b. Konkretisierung als theologisches Problem

Das zunehmend geschärfte Bewußtsein für die Unvergleichlichkeit der je
einzelnen Person im gesellschaftlichen, kulturellen und philosophischen

---

[2] Eine knappe Übersicht über die verschiedenen philosophischen Theorien zur Individuation bietet G. Meyer, Individuation: LThK V (1960) 658.

Bereich zog auch die Aufmerksamkeit für die je eigene Ausprägung des Glaubens nach sich. Mag der Vorwurf des Essentialismus die scholastische Theologie auch nur zum Teil berechtigt treffen, so ist damit doch eine gefährliche Tendenz angesprochen: die Schwerfälligkeit und die Begriffsarmut gerade der aristotelischen Philosophie für den qualitativ neuen Bereich des Menschlichen und Personalen begünstigten die Vernachlässigung der Individualität der christlichen Existenz. Es mochte scheinen, als ob die einzelnen Christen einfach mehrfache Realisierungen der einen menschlichen Natur und des einen gemeinsamen Gnadenstandes darstellten, die sich nur in nebensächlichen, akzidentellen und theologisch kaum relevanten Außenschichten unterschieden. Essential waren denn nicht nur die Anthropologie, die Gnadenlehre, das Verständnis der theologalen Tugenden (Glaube, Hoffnung, Liebe), sondern auch die ganze christliche Ethik. Die Konkretisierung und Individuierung konnte sich nicht *innerhalb* dieser gemeinsamen Wesenszüge, nicht in einer verschiedenen Ausprägung gerade des Gemeinsamen anzeigen, sondern wurde in den *zusätzlichen* und nachträglichen Raum der Räte-Existenz abgedrängt.[3]

Diese essentialistische Uniformität in der ekklesiologischen Theorie wurde zwar in der Praxis des Lebens, der verschiedenen christlichen Lebensstile, der spirituellen Phantasie, vor allem durch die lebendige Konkretheit der Heiligen korrigiert; aber auch in der theologischen Reflexion und im Glaubensverständnis verlangt die innere Vielgestaltigkeit und Fruchtbarkeit des Heils, sowohl von der Heilsgabe her wie auf seiten der glaubenden Annahme, größere Aufmerksamkeit.

Die eine Heilsgabe des Wortes Gottes, die eine Heilsteilhabe des Geistes finden nur schon durch den glaubenden Menschen eine je eigene Rezeption. Keiner kann hier alles zugleich hören, aufnehmen, verwirklichen, was in der Offenbarungsgeschichte und in der Wirklichkeit des sich mitteilenden Gottes gegeben ist. Aber nicht nur die notwendige Wahl und die nur endliche Teilhabe an der Unendlichkeit Gottes, der das Heil selber ist, bringen eine Vielfalt mit sich, sondern auch die aktive Annahme und Entsprechung bringt in die Glaubensexistenz die je eigene Weise des Glaubens und Lebens mit ein. Diese Situation läßt sich nicht an den Rand der Glaubensexistenz verweisen, als ob nur in unwesentlichen Ergänzungen und Ornamenten die Individualität sich anzeigen dürfte, sondern sie geht unteilbar und nicht mehr unterscheidbar in die «Symbiose» ein, die aus dem mitgeteilten Wort und dem aufnehmenden Grund des glaubenden Menschen gebildet wird. Diese Vielfalt ist auch dort nicht zu übersehen, wo sich der Glaube der einzelnen Christen vereint in einem kirchlichen Bekenntnis ausspricht. Nicht nur kennt die Geschichte eine Mehrzahl dieser doch gemeinsamen und stili-

---

[3] Die Einheit von Allgemeinem und Besonderem wird pneumatologisch begründet bei H. U. v. Balthasar, Charis und Charisma: Sponsa Verbi (Einsiedeln 1961) 319–331.

sierten Glaubenssymbole; auch noch der gleiche Wortlaut erhält im Verstehen, Denken und Beten des einzelnen Christen seine eigene Interpretation, vergleichbar der wechselnden Variation des gleichen sprachlichen oder musikalischen Kunstwerkes durch verschiedene Interpretationsauffassungen.

Ja, es muß auch die bisher vorausgesetzte Vorstellung aufgegeben werden, als hätten wir je das Wort Gottes, die Gabe des Geistes, die Selbstbezeugung Christi in einer vor-individualisierten Form, sondern wir kennen diese Heilsgabe nie anders als in einer schon immer durch frühere Rezeption modifizierten und darum auch individuierten Gestalt: das Evangelium Jesu in den vier evangelischen Überlieferungen und Redaktionen, die Prophetie des Geistes in den neutestamentlichen Autoren und ihren Schriften und in den Geistzeugen der Kirchengeschichte. Hier sei von der damit unvermeidlichen Trübung und Begrenzung abgesehen und einzig auf die darin verwirklichte je neue Aneignung und Ausprägung hingewiesen. Wir werden noch weiter zurückgehen und auch die nur vermeintliche Grenze zur Unwandelbarkeit Gottes hin überschreiten müssen: die Vielgestaltigkeit ist nicht nur zurückzuführen auf die schon immer erfolgte individuierende Rezeption auf seiten der Menschen, auch auf seiten Gottes ist im Verlauf der Offenbarungsgeschichte, innerhalb und außerhalb der kanonischen Schriftinspiration, mit einer je neuen und je eigenen Anrede Gottes selber, einer je einmaligen und unvergleichlichen Wirksamkeit des Geistes zu rechnen. Sonst hätten wir doch nur auf der höheren Ebene des Personalen und Charismatischen die Individuation aus der Materie, der Situation, der Disposition des hörenden und aufnehmenden Menschen abgeleitet, was sich doch gerade hier als unzulänglich erweist, sondern die Vielfalt hat schon in der aktiven Zuteilung durch Gott ihren Grund.

c. Zwischen genereller Nivellierung und isolierender Individuation

Damit geraten wir auch in der Theologie zwischen die beiden Spannungspole, die die Philosophiegeschichte kennzeichnen. Vorerst wird es allerdings notwendig sein, in der Theologie, noch mehr im Denken der Christen und in der Öffentlichkeit der Kirche, den Essentialismus zu überwinden, als ob es innerhalb eines einheitlichen Musters nur kleine Modifikationen der Lebensform und der Lebensstile gäbe; vielmehr ist ein größerer Freiheitsraum für neue Entwürfe christlicher Existenz zu schaffen; in der Kirche ist ebenfalls für größere Toleranz gegenüber neuen und bisher nicht gekannten kirchlichen Sendungen und Aufgaben zu werben. Ähnlich, wie zu einer phantasielosen Essentialethik hinzu eine christliche Existentialethik treten muß, wobei der Verdacht der Situationsethik verfrüht wäre, sind hier die Glaubensmöglichkeiten aufzufächern, wogegen nicht schon der Verdacht

und Vorwurf der Willkür zu erheben ist.[4] Vorerst muß sich der einzelne
Glaubende aus der bisherigen Einschnürung in ein vorgegebenes Muster
der Heiligkeit befreien; er wird noch rechtzeitig genug die Gefahr der Isolation und des Kommunikationsverlustes erkennen und neu die Gemeinsamkeit und Gemeinschaft im Glauben an das gleiche Wort und im Leben aus
dem einen Geist realisieren können. Gewichtsverlagerungen lassen sich in
der Praxis und im Vollzug des Lebens, anders als in der Reflexion der Theologie, nicht in ständiger Ausgeglichenheit und Balance finden, sondern nur
in gelegentlich und notwendigerweise einseitigen Bewegungen.

2. Existenztypologien der Überlieferung

Das Leben des Glaubens in der Kirche ist früher und lebendiger als alle
nachherige Reflexion und Gliederung; dies gilt es auch bei unserer Thematik zu würdigen. Die Tradition – mit ihr ist hier mehr als nur die reflexe
und thematische Theologie gemeint, also auch die Vielfalt christlichen Lebens – hat auch um die Fülle und die unendliche Fruchtbarkeit der einen
Heilsgabe des Wortes und des Geistes gewußt und sich in einer Vielfalt von
Glaubens- und Existenztypen dargestellt. Der zeitweilige Essentialismus,
die Vernachlässigung der je einmaligen Individualität waren auf jeden Fall
mehr eine Erscheinung der Theorie als des Lebens, denn die Kirche begegnet uns schon immer als eine gegliederte und differenzierte Kirche; früher
und weiter ausgreifend als die äußere ist diese innere Hierarchie. Auch wenn
wir nachher die bisherigen Typologien relativieren und transzendieren
müssen, verdienen sie es, genannt und kurz entfaltet zu werden; sie können
mindestens die Intention dieser Reflexion konkretisieren und illustrieren.

a. Die Gliederung der Kirche als geistgewirkte Ordnung

Es ist hier nicht der Ort, um eingehend den Gestaltwandel der kirchlichen
Ordnung und der herausgebildeten Ämter zu entwickeln. Was aber hier zu
zeigen ist, ist die Ableitung der verschiedenen Dienste nicht nur aus funktionellen Notwendigkeiten einer wachsenden Organisation, noch weniger
aus den vorgegebenen Mustern der profanen gesellschaftlichen Umwelt,
sondern aus der Berufung und Sendung des Herrn und der Zuteilung seines
Geistes. Solange und sobald diese Herkunft sichtbar ist, können wir die
traditionelle Polarisierung in Klerus und Laien übersteigen und gelangen
zu einem Ursprung, in dem die Differenzierung zur Aufhebung kommt und
aus dem sie zugleich ihre Berechtigung gewinnt. Der Gehorsam gegenüber

---

[4] Bezüglich des Ungenügens des Essentialismus in der Theologie vgl. K.Rahner, Über
die Frage einer formalen Existentialethik: Schriften II, 227–246; vgl. auch K.Rahner,
Der Anspruch Gottes und der Einzelne: Schriften VI, 521–536.

dem Ruf Christi und die einweisende Sendung an die Brüder und die Kirche können offensichtlich auf verschiedene Weise angenommen und realisiert werden; diese Differenzierung mag ihren äußern Anstoß in der jeweiligen Situation und Funktionsnotwendigkeit der Kirche haben, ihren innern Grund hat sie in der individuierenden Zuteilung des Geistes. Es können und müssen nicht alle in der Kirche alles tun; und nur die Beschränkung auf den je eigenen Dienst, darin allerdings auch die Verwirklichung der je eigenen Aufgabe und Möglichkeit, bringt die Vielfalt kirchlicher Existenz und Sendung an den Tag.[5]

b. Christliches Zeugnis als Antwort auf die geschichtliche Herausforderung

Eine adäquate Scheidung der Impulse in solche aus innerer Herkunft und aus äußerer Veranlassung ist nicht möglich und, in Anbetracht der Umgriffenheit auch der herausfordernden Geschichte durch die geschichtliche Wirksamkeit Gottes, auch nicht notwendig. Es wäre daher eine unbillige Einteilung und Bewertung, wollte man die verschiedenen Verwirklichungen christlicher Existenz danach unterscheiden und qualifizieren, ob sie aus einer rein innerkirchlichen und innertheologischen Inspiration entsprungen oder aber durch eine äußere geschichtliche, gesellschaftliche oder politische Herausforderung ausgelöst wurden. Das hier wirksame Zusammenspiel ist nicht in reinlicher Scheidung zu entflechten.

So hat zwar erst die Verfolgungszeit das radikale Glaubenszeugnis des Märtyrers herausgefordert, doch ist damit zugleich eine intentional schon immer wirksame Radikalität des Glaubens und der Nachfolge des gekreuzigten und auferstandenen Herrn offenbar geworden. Ähnlich trat der sich allmählich einbürgernden Kirche in der nachkonstantinischen Zeit die Gestalt des Asketen und des Wüstenvaters entgegen, der die Freiheit des Christen gegenüber den Mächten dieser Welt anschaulich und kritisch vorlebte. Dieses Zeugnis entsprach einerseits der zeitspezifischen Gefährdung der Kirche, entsprang aber zugleich der urevangelischen Freiheit des Glaubenden, der sich vom Anspruch der Gottesherrschaft treffen läßt. Die Vermischung der kirchlichen Gemeinschaft mit der Gesellschaft verdeckte immer mehr die Neuheit der christlichen Brüderlichkeit; hier stellte das zönobitische Mönchtum das ursprüngliche Ideal der urkirchlichen Gemeinschaft wieder eindrücklich vor Augen; es bedurfte aber dieser kirchengeschichtlichen Situation und Herausforderung, bis die Worte der Apostelgeschichte über das Leben der Urgemeinde und der Anfang des Jüngerkreises um Jesus wieder diese Aufmerksamkeit und diese gelebte Erinnerung erfuhren.

---

[5] Bezüglich der Charismatik als übergreifender Einheit aller kirchlichen Wirksamkeit vgl. G. Hasenhüttl, Charisma, Ordnungsprinzip der Kirche (Freiburg 1969).

Die Typologie christlicher Existenz erfährt offensichtlich durch die geschichtliche Situation und ihren Wandel in sich selber eine beständige Veränderung und Bereicherung; nur ist in dieser Zeitgenossenschaft nicht einfach ein äußeres Zugeständnis oder eine äußerliche Abwandlung eines stets
gleichen Existenzmusters zu sehen, sondern die schöpferische Neugestaltung christlicher Existenz, die vorher so nicht gedacht und gelebt wurde.[6]

c. Verschiedene Weisen der Nachfolge[7]

So wie sich die Gefährdung der Verweltlichung und Verbürgerlichung der
Kirche im Lauf der Zeit immer wieder einstellte, gab es auch immer neue
Formen der kritischen Korrektur. Diese orientierten sich an den radikalen
Berufungs- und Nachfolgeworten Jesu an die Jünger und an zufällig ange-
troffene Hörer. Man erkannte in den evangelischen Berichten die verschiedenen Möglichkeiten und Gestaltungen, die der Ruf Jesu und der Glaube
an seine Frohe Botschaft annahmen; Jesu Ruf ließ sich nicht einseitig festlegen auf die Form der auch äußeren Lösung aus der Welt, sondern konnte
ebensogut die Hörer in die bisherigen und bestehenden Lebensverhältnisse
einweisen, ohne daß daraus eine Rangordnung oder eine Privilegierung
hätten abgeleitet werden können. Diese Verschiedenheit beruht letztlich auf
der dialektischen Beziehung zwischen der Gottesherrschaft und dieser Welt,
die einerseits auf die transzendente und eschatologische Wirklichkeit der
Gottesherrschaft hin aufgebrochen und über sich selber hinausgeführt wird,
die anderseits als ganze Welt doch Adressat und Träger der eschatologischen
Heilsverheißung ist. Wenn auch alle Hörer zum Glauben und zur Umkehr
aufgerufen sind, wenn der Anspruch und die Verheißung der Gottesherrschaft alle ohne Ausnahme treffen, so löst der gleiche Ruf doch verschiedene
Weisen des Glaubens und der Nachfolge aus, wobei die einen mehr in ihrer
bisherigen weltlichen und sozialen Stellung verbleiben, während andere
durch eine radikale Loslösung und Nachfolge zeichenhaft der Zukunft
Gottes selber entgegengehen.

Diese Verschiedenheit und Unterscheidung liegt, richtig verstanden, der
Differenzierung in Weltstand und Ordensstand zugrunde, und es wird in
einer ausführlichen Darstellung auch darauf zurückzukommen sein. Es war
daher eine mißverständliche und falsche Entwicklung, wenn die Unterscheidung in eine geringere oder größere Anforderung und einen mini-

---

[6] Vgl. K. Rahner, Das Dynamische in der Kirche = QD 5 (Freiburg ²1960).
[7] Zum Thema der Nachfolge vgl. H. U. v. Balthasar, Nachfolge und Amt: Sponsa
Verbi (Einsiedeln 1961) 80–147; St. Richter (Hrsg.), Das Wagnis der Nachfolge (Paderborn 1964); A. Schulz, Nachfolgen und Nachahmen. Studien über das Verhältnis der neutestamentlichen Jüngerschaft zur urchristlichen Vorbildethik (München 1962); ders.,
Jünger des Herrn. Nachfolge Christi nach dem Neuen Testament (München 1964);
R. Schwager, Jesus-Nachfolge. Woraus lebt der Glaube? (Freiburg 1973).

malen oder freiwillig mehr-leistenden Gehorsam verlegt wurde, wonach zwar alle Christen die Gebote Gottes zu erfüllen hätten, die Ordensleute aber zusätzlich und «über Gebühr» (supererogatorie) die evangelischen Räte der Armut, des Gehorsams und der Ehelosigkeit auf sich nähmen. Aus der Verschiedenheit der Glaubensantwort und ihrer lebensgeschichtlichen Verwirklichung wurde hier anstelle eines typologischen Unterschiedes ein Rangunterschied.

d. Die Kategorien der Heiligen in der Liturgie

Nur kurz sei hier auf die Einteilung der Heiligen in der Liturgie hingewiesen, die zwar ein «grobes» Spektrum der vielfältigen Existenzmöglichkeiten und -verwirklichungen darstellt, die aber doch erheblich zur einförmigen Schematisierung christlicher Heiligkeit und kirchlicher Existenz beigetragen hat: Märtyrer, Bischof, Bekenner, Abt, Jungfrau, Witwe usw. ... Man denke auch nur an die schematisierten Heiligenviten in Offizium und Hagiographie, bis in die Tugendkataloge der Kanonisationsprozesse hinein. An die Stelle der höchst konkreten und eigen-profilierten Zeugen des Glaubens und der Erfinder christlicher Lebensstile traten flache Klischees und Abgüsse eines einfallslosen Tugendlebens, die die einzelnen Taten und Bewährungen wie vertauschbare Versatzstücke einsetzten, wobei außerordentlichen mirakulösen Ereignissen und Phänomenen mehr Raum zugestanden wurde als den unauffälligen und tatsächlichen Lebenssituationen.[8]

Immerhin sei dieser Überlieferung zugute gehalten, daß sie versucht hat, die allgemeine und generell-abstrakte Breite christlicher Existenzmöglichkeiten aufzufächern in eine Gruppe von charakteristischen Typen. Sie hat damit doch einen ersten Schritt über die unkonturierte Christlichkeit hinausgetan und sicher wesentliche Ausprägungen eingeholt, die durch die bisherige Geschichte möglich und wirklich geworden waren. Die Klassierung und Gruppierung hat sich aber im Verlauf der Zeit verfestigt und die gemeinsame Herkunft und Hinordnung nicht mehr erkennen lassen, wo doch diese verschiedenen Lebensformen sich dem einen Wort des Evangeliums und der Wirksamkeit des einen Geistes verdanken. Ferner ist mehr die amtlich-institutionelle Stellung in der Kirche beleuchtet worden (etwa in der Heiligengruppe der Bischöfe oder Päpste), höchstens noch die institutionelle Nachwirkung des charismatischen Heiligen in seiner Ordensstiftung, aber die noch viel weiter reichende kirchliche Inspiration und Sendung wurden dabei übersehen.

Wir werden die Berechtigung und die bleibende Bedeutung der «klassischen» Ausprägungen und deren Typologie auch im folgenden nicht aus

---

[8] Zum Spektrum der Heiligen in der liturgischen Überlieferung und in ihrer Auswertung vgl. I. F. Görres, Heiligentypen: LThK V (1960) 103 f.

dem Auge verlieren (beispielsweise die Auffächerung in Welt- und Ordensstand), aber wir werden diese Typologie doch als zu unvollständig revidie-
ren müssen, und zwar in zwei Richtungen: rückwärts auf den einen Ursprung und die eine Herkunft hin, so daß die Verständigung und die gegenseitige Ergänzung der einzelnen Typen wieder sichtbar werden; vorwärts,
d. h. vor allem in einer Überschreitung der Typologie auf ein noch breiteres
und reicheres Spektrum hin, weil sich die Möglichkeiten christlicher Existenz und kirchlicher Sendung im bisherigen Rahmen nicht genügend erfassen und darstellen lassen.[9]

3. Die Strukturen der christlichen Existenz als Grund der Einheit und der Verschiedenheit der Existenztypen

Die Differenzierung der Glaubensverwirklichung innerhalb der Kirche bildet sich, wie schon eingangs erwähnt, nicht bloß von außen, durch zufällige
äußere Umstände, sondern geht aus der inneren Vielfalt und Fruchtbarkeit
der Heilsgabe und ihrer Aneignung hervor. Diese Heilsgabe ist paradoxerweise zugleich Grund für die Einheit der verschiedenen Glaubenstypen
untereinander wie für ihre Verschiedenheit; dies gilt nicht nur für die unmittelbar konstitutiven Momente des Heils, sondern auch hinsichtlich der
übrigen Strukturen und Dimensionen des Glaubens, wie des Weltbezuges
und der Kirchlichkeit. Jedesmal sind die Struktur und die Dimension uner-
läßliche Elemente des Glaubens, und dennoch lassen sie eine breite Variation von Möglichkeiten offen. Wir werden im zweiten Teil unserer Reflexion dieses Spektrum noch exemplifizierend ausfalten, doch ist schon jetzt
eine inhaltliche Veranschaulichung notwendig.

Als geradezu klassisch kann die Aussage von 1 Kor 12,4 ff gelten: einerseits wird darin die gemeinsame Struktur christlicher Existenz und kirchlicher Gemeinschaft sichtbar gemacht: im Bezug zu Gott, zu Christus dem
Herrn und in der Einheit im Geist. Über diese Existenzstrukturen kann es
keine beliebige Option geben, darin besteht die elementare Einheit des vielgestaltigen Leibes Christi. Nun entläßt aber gerade diese strikte Einheit eine
Vielfalt von Gaben, Dienstleistungen und Kraftwirkungen aus sich, die sich
nicht auf eine uniforme Gleichheit zurückdrängen lassen. Wie einer sein
Verhältnis zu Gott dem Vater, zum Herrn Jesus Christus und zum Geist
konkret realisiert, wie sich dies darstellt und anzeigt, ist noch völlig offen.
Dennoch kommen alle Glaubenden überein in der Einheit der Herkunft

---

[9] Der Heilige als eigentliches Thema der Theologie (über die Thematik der institutio-
nellen Heiligkeit der Kirche und der Sakramente hinaus) wird reflektiert etwa von H. U. v.
Balthasar, Theologie und Heiligkeit: Verbum Caro (Einsiedeln 1960) 195–225; K. Rahner,
Die Kirche der Heiligen: Schriften III, 111–126; ders., Warum und wie können wir die
Heiligen verehren?: Schriften VII, 283–303.

und des Gebers der Gabe. Bei den korinthischen Adressaten mag die Spitze der Aussage mehr auf diese Einheit gezielt haben, der gleiche Text berechtigt doch ebensosehr zu einer Betonung der vielfältigen Ausformungen.[10]

Desgleichen wird man die kirchliche Dimension zu den wesentlichen Existentialen der christlichen Existenz zählen; anderswie kann es gar nicht zur konkreten Glaubensexistenz kommen, und anderswo kann diese auch nicht – in ihrer Vollgestalt – gelebt werden. Der gleiche biblische Zusammenhang zeigt auch, daß innerhalb der Kirche verschiedenste Stellungen und Funktionen, Aufgaben und Sendungen möglich sind. Ihr Gemeinsames liegt jedoch darin, daß sie grundsätzlich in dieser Verwiesenheit an die Kirche und in dieser Angewiesenheit auf die Kirche verbleiben. Wie aber jeder einzelne seine Verbundenheit mit den andern Glaubenden, seine Wirksamkeit in der Kirche auffaßt und konkretisiert, ist mit der Bejahung der Dimension als solcher gerade noch nicht gesagt. Es wäre wiederum ein blasser Essentialismus, wenn der einzelne sich mit einer solchen profillosen und unsituierten Kirchlichkeit begnügte, anstatt seinen eigenen Standort und seine eigene Aufgabe in ihr zu suchen, wie sie ihm durch das bloße In-der-Kirche-Sein nicht vorgegeben und daraus nicht einfach ableitbar sind. Dieser Schritt hinaus über die essentielle zu einer existentialen Kirchlichkeit läßt sich gar nicht allgemein vorwegnehmen.

Dasselbe gilt auch, über den eingangs zitierten Korinthertext hinaus, von der Dimension der Welt, die zwar schon immer den Horizont des Heils bedeutet hatte, die wir aber heute deutlicher und bewußter anvisieren. Es kann nicht darum gehen, verschiedene Typen christlicher Existenz zu entwerfen, von denen die einen allein die christozentrische Mitte, die andern nur die Selbstüberschreitung auf die Welt hin leben, sondern dieser Horizont gehört wesentlich zu jedweder Gestalt christlichen Glaubens. Die verschiedene Einstellung zu Welt, wie wir sie allein schon innerhalb des NT und im Selbstverständnis der einzelnen neutestamentlichen Gemeinden finden, läßt erkennen, daß auch heute trotz gemeinsamer Bejahung und Annahme des Welthorizontes noch lange nicht über die Art und Weise des konkreten Weltbezuges entschieden ist.

Der Gottesbezug in seiner heilsgeschichtlich-trinitarischen Ordnung, die Dimension der Kirche und ihrer Gemeinschaft als Leib Christi, der Horizont der Welt, der Geschichte und des Kosmos, sie alle bilden also wesentliche Strukturen, in denen die verschiedenen Typen christlicher Existenz sich zusammenfinden, von denen aber zugleich auch die verschiedenen Wege und Weisen auseinandergehen. Diese Strukturen und Dimensionen haben zugleich bindende und befreiende Bedeutung; sie sind beim Entwurf

---

[10] Bezüglich Charisma im NT vgl. E. Käsemann, Geist und Geistesgaben im NT: RGG II (Tübingen ³1958) 1272–1279; E. Schweizer, Gemeinde und Gemeindeordnung im Neuen Testament (Zürich 1959) 164–171.

je neuer Existenztypen zu respektieren und fungieren so zugleich als Kriterien der Freiheit wie der Bindung. Wir werden sie denn auch im zweiten Teil als Ordnungskriterien und Einteilungsprinzipien benützen, wenn es gilt, die Vielfalt der Existenztypen zu ordnen.

4. Möglichkeit und Verwirklichung des je eigenen Glaubenstypus

Die bisherige Darstellung hat fast unterschiedslos von der Möglichkeit und der Verwirklichung vielfältiger Glaubenstypen gesprochen, dabei aber vernachlässigt, daß vom einen zum andern entscheidende Schritte zu tun sind, deren Gelingen nicht zum vornehcrein gesichert ist. So wie die angebotene Möglichkeit des Heils in Jesus Christus und der Verkündigung des Evangeliums noch nicht automatisch die Annahme des Glaubens findet, sondern diese erst durch die Entscheidung des Glaubens hindurch zustandekommt, so sind auch die besondere Gestalt des Rufes Gottes und die besondere Gabe des Geistes darauf angewiesen, in einem ebenso individuierend ausgeprägten persönlichen Glauben angenommen und realisiert zu werden. Daß diese Ausprägung eintritt, ist selbst dann noch nicht selbstverständlich, wenn ein Christ – gerade unter dem Einfluß eines schematischen Essentialismus – zwar die allgemeine Verbindlichkeit des Glaubens anerkennt und grundsätzlich seinen Glauben in den allgemeinen Strukturen und Dimensionen lebt, aber auf die ihn persönlich meinende und herausfordernde Eigenart und Ausprägung nicht achtet.

Die Tradition hat dieses Problem in einer etwas formalistischen Form auch gekannt, wenn sie nach der moralischen Verbindlichkeit und Verpflichtung der evangelischen Räte und der besonderen Berufung zum Leben im Rätestand fragte. Die Unterscheidung in die unter Sünde verpflichtenden Gebote und in die freigestellte Berufung der evangelischen Räte hat dann allerdings viele Mißverständnisse hervorgerufen.

a. Freiheit und Ermöglichung der Annahme

Wir stoßen bei der individuellen Ausprägung des Glaubens auf die gleiche Dialektik, wie sie auch für die Annahme des Glaubens überhaupt gilt. Ohne Zweifel will das Wort des Evangeliums in Freiheit, ohne äußern und innern Zwang angenommen werden, und Gott selber ist der treueste Garant dieser Freiheit. Ebenfalls hat der Glaubende seinen Standort erst dann richtig bezogen, wenn er sich nicht nur passiv und von außen in die Strukturen und Dimensionen des Glaubens einweisen und sich gleichsam in sie einspannen läßt, sondern sie durch die freie Einsicht, Anerkennung und Ratifizierung sich zu eigen macht. Diese Beziehungen bleiben nicht Bestimmungen, die ohne Zustimmung des so bestimmten Menschen schon gelten, sondern die von ihm in Freiheit angenommen sein sollen.

Diese Freiheit spitzt sich jetzt daraufhin zu, daß es um die persönliche Ausprägung des Glaubens geht. Zwar wohnt dem anrufenden Wort Gottes schon eine solche Ausprägung inne, weil es immer ein den konkreten Menschen, ihn mit seinem Namen und seiner Welt- und Geschichtssituation meinendes Wort ist. Ob aber diese bestimmte Anrede Gottes auch einen ebenso mit dem eigenen Namen unterzeichneten Glauben findet, liegt wiederum an der aufmerksamen und hellhörigen Freiheit des Menschen: wird er mehr heraushören als einfach die allgemeine Berufung zum Glauben, als die grundsätzliche Einweisung in die Gemeinschaft der Kirche und als die vage Verwiesenheit auf den Horizont der Welt? Oder wird er dem persönlich gemeinten Ruf auch mit einem persönlich verantworteten und ausgeprägten Glauben antworten? Wird er über eine bloße Kirchengliedschaft hinaus auch seinen eigenen Ort und Auftrag in der Kirche suchen und wahrnehmen?

Zugleich ist aber auch die andere Aussage geltend zu machen: sosehr das Wort des Evangeliums und die Berufung in die Gemeinschaft der Kirche auf die freie Antwort des Menschen warten und sich nicht über sie hinweg oder an ihr vorbei durchsetzen, ebensosehr sind nun doch diese Annahme und ihre Verwirklichung noch einmal von der befreienden Ermöglichung begleitet und vorausgeschickt. Es gibt im Verhältnis zwischen Gott und Mensch keinen partnerschaftlichen Synergismus, sondern selbst noch die menschliche Freiheit in ihrer Antwort ist umgriffen von der Macht des Geistes, dem gerade diese Ermöglichung der angenommenen Selbstmitteilung Gottes als opus proprium zukommt. Gilt dies von der Freiheit zur grundsätzlichen Glaubenszustimmung, dann noch mehr von der je eigenen individuierten Glaubenszustimmung und dem je eigenen Standortbezug in der Gemeinschaft der Kirche. Die Überlieferung hat die ursprüngliche weite Bedeutung der «Berufung» eingeschränkt gerade auf die besondere Berufung zu einem kirchlichen Dienst und zum Rätestand. Diese Einengung ist zwar zu bedauern, und das Ereignis der Berufung muß wieder auf alle Formen und Gestalten christlichen Glaubens und kirchlicher Existenz ausgeweitet werden, aber von der vorübergehenden Einengung her ist im Auge zu behalten, daß es den Ruf Gottes in die Christus- und Kirchengemeinschaft gerade nicht in essentieller Allgemeinheit gibt, sondern nur in konkreter Ausprägung und Sendung. Von jeder Ausprägung des Rufes und jeder kirchlichen Sendung gilt dann, daß auch diese «mit Namen gezeichnete» Antwort nicht nur aus der Freiheit eines wachsamen und hellhörigen Glaubens kommt, sondern noch einmal durch die «namentlich adressierte» Anrede Gottes voraus-ermöglicht ist.[11]

---

[11] Vgl. K. Rahner, Der Anspruch Gottes und der Einzelne: Schriften VI, 521–536.

b. Phasen der konkreten Verwirklichung

Der Ablauf zwischen erstmaligem Angesprochenwerden und ausgereifter Verwirklichung erstreckt sich über die ganze Lebensgeschichte des Menschen und gelangt vielleicht nie zu reflex klarer Einsicht und Gewißheit und findet auch nicht die vollendete Ausprägung. Dennoch lassen sich einige Schritte unterscheiden, in denen der Glaubende den an ihn ergehenden Ruf einholt, gerade insofern er ihm eine persönliche Verwirklichung christlicher Existenz und kirchlicher Verantwortung zuweist.

Vorausgesetzt ist bereits eine grundsätzliche Offenheit, die das Wort des Evangeliums nicht zum vorneherein auf bestimmte und schon bekannte Möglichkeiten eingrenzt und andere Möglichkeiten ausschließt. Solche Offenheit ist mehr als nur die transzendentale Offenheit des menschlichen Geistes und Erkennens, sondern in sich schon eine Verfügbarkeit, wie sie nur aus einer erlösten Freiheit hervorgeht. – Dann ist die allmähliche Erkenntnis und Einsicht in die je eigene Berufung nie nur Sache des Intellektes in seiner Unterschiedenheit vom Willen, sondern hier ist schon immer der Mensch in seiner wurzelhaften Ganzheit und Einheit beteiligt. Konkretheit, Individualität, Einmaligkeit lassen sich ja in die abstrahierenden Netze der Ratio gerade nicht einfangen, sondern nur in einem wachen Fühlen und Erfahren, wie es die Tradition in den «geistlichen Sinnen» lokalisiert hat. Ist der Mensch nicht schon frei und bereit für den je eigenen Glaubensweg, dann vermag er ihn auch nicht zu erkennen und zu sehen. Umgekehrt ist sicher seine willentliche Bereitschaft auf die klare Sicht der Unterscheidung und der Situationserfassung angewiesen.

Doch schieben sich diese logisch einander folgenden Schritte im lebendigen Vollzug ineinander, wenn es um das Verhältnis von Erkennen, Wollen und Verwirklichen geht: gerade im Bereich des Glaubens stoßen wir auf jene Evidenz, die sich nicht vorher, vom festen Boden planender Überlegung aus, finden läßt, sondern die erst dem Handelnden zuteil wird, der auch den Schritt «aufs offene Wasser» hinaus wagt. Wo der je eigene Ort des Glaubens liegt, wie eine Sendung in der Kirche auszuführen ist, das wird dem Glaubenden nicht in einer theoretischen Planung einsichtig, sondern erst im Verlauf und im Vollzug der Ausführung. Er muß sich oft mit einer erst suchenden und fragenden Einsicht auf den Weg machen, lange Strecken wagend und riskierend durchhalten, und wird erst spät oder im Rückblick der Vollendung zur verstehenden und begreifenden Einsicht gelangen.

c. Verweigerung und Verfehlung der Konkretisierung

Genauso wie mit der Möglichkeit des sich verschließenden Unglaubens und der verweigerten kirchlichen Verantwortung zu rechnen ist, wie diese dunkle Möglichkeit durch die ermöglichende Freiheit des Geistes nicht ausgeschlossen ist, so ist auch mit der Verkennung, Verfehlung und Verweigerung der je persönlichen Glaubensausprägung zu rechnen. Dabei wird man dort die größere Schuld und Trägheit sehen, wo einer sich überhaupt nicht die Mühe nimmt, seinen je eigenen Weg des Glaubens zu suchen, sondern sich mit der allgemeinen Durchschnittlichkeit begnügt; mehr Nachsicht verdient, wer den an ihn ergehenden Ruf Gottes unrichtig auslegt oder sich an eine falsche Stelle in der kirchlichen Verantwortung stellt. Immerhin hätte dieser doch nach einer Konkretisierung des Allgemeinen gesucht und sie gewagt, auch wenn sie ihm schließlich mißlang.

Das Maß der Schuldhaftigkeit ist eine Frage, die die Tradition stark beschäftigt hat, wenn sie etwa die Perikope des reichen Jünglings (Mk 10, 17–25 par.) auf versäumte Ordensberufungen anwandte. Wir werden hier nicht richten können über das Maß der Schuld, weil sich uns auch die jeweilige Einsicht und das Maß der Freiheit entziehen. Dennoch ist grundsätzlich festzuhalten, daß ein Verbleiben in der Schematik eines allgemeinen Christentums und der Durchschnittlichkeit allgemeiner Kirchenzugehörigkeit und -praxis dem verborgenen und auf Entfaltung drängenden Reichtum der Gnade Gottes Abbruch tut. Es kommt dann nicht zu einer neuen Verwirklichung des Glaubens, es bleibt ein Charisma ungenützt und eine kirchliche Zeugenschaft und Sendung ungetan. Der von Gott her persönlich gemeinte Ruf wird mit einer generellen Antwort unzureichend beantwortet; der Mensch verbleibt im Allgemeinen, wo er doch von Gott auf die Höhe seiner einmaligen Individualität gerufen und dort erwartet wird. Dabei hat der Mensch nicht Vergleiche mit andern Berufungen anzustellen, indem er etwa auf den geringern Anspruch des einen oder auf die größere kirchliche Aktionsmöglichkeit des andern neidisch ist, sondern er hat sich dem an ihn selber ergehenden Anspruch zu stellen und die ihm angebotene Möglichkeit zu realisieren. Sie bildet denn auch das Kriterium seines eigenen Gerichts.

Diese ernste Überlegung ist nicht Selbstzweck und schon gar nicht eine neue Form repressiver Einschüchterung, sondern sie soll umso mehr die Chance und das Wagnis des Glaubens neu sichtbar machen: jeder Glaubende darf von sich sagen, daß seine eigene Glaubensexistenz noch nie dagewesen ist und verwirklicht wurde, vor ihm nicht und erst recht nach ihm nicht. Auf ihm allein ruhen die Erwartung und die Verheißung Gottes, diese seine eigene Glaubensexistenz darzustellen. Er wird denn auch um das nötige Unterscheidungsvermögen bitten und für jeden gelingenden Schritt auf seinem persönlichen Glaubensweg dankbar sein. In der Dialektik von Entscheidungsernst und Gebet zeigt sich auf seiten des Menschen die gleiche Dialektik, wie wir sie vorher zwischen der eigenen Freiheit des Menschen und der diese Freiheit unterfangenden Macht des Geistes Gottes angetroffen haben: den je eigenen Glauben mit seinem Namen zu buchstabieren, ist wohl Aufgabe des mit diesem Namen angerufenen Menschen, zuerst aber Gabe des ihn mit diesem Namen anrufenden Gottes.[12]

Immerhin wird die unheimliche Einsamkeit dieser Entscheidung entschärft, wenn wir uns hier der Kirche als des Ortes und des Raumes der je eigenen Glaubensentscheidung erinnern. Sosehr die gemeinsame Glaubensberufung der Kirche den einzelnen nicht von der hellhörigen Antwort auf den je ihn meinenden Ruf entbindet, so weiß er sich doch nicht in eine kommunikationslose Einsamkeit hinausgeschickt. In der Kirche der mit ihm lebenden und glaubenden Menschen, vor allem aber auch in der Kirche der schon vollendeten Glaubenden, steht dem Christen eine Gemeinschaft zur Seite, die die gleiche Aufgabe auch gestellt erhielt und sie zu erfüllen im Begriffe steht oder sie gar schon zum Gelingen gebracht hat. Sind doch die Heiligen jene Brüder im gemeinsamen Glauben, die sich nicht mit der durchschnittlichen und schematischen Christlichkeit begnügten, die auch ihre Stellung in der Kirche wahrgenommen und – oft ohne es zu wissen – ausgeübt haben und dadurch das eigene Profil erhielten. Diese Gemeinschaft vermag auch den jetzt noch suchenden und wagenden Christen von einer unfreien und ängstlichen Profilneurose zu befreien, die in einer kommunikationslosen Selbstanalyse den eigenen Namen finden will, vielmehr wird er von dieser Gemeinschaft verwiesen an die Herkunft des Rufes, aus welchem er sich auch seinen eigenen neuen Namen zusprechen läßt. Weder das Hören des je eigenen Namens, noch die buchstabierende Verwirklichung des eigenen Glaubenstypus tragen sich in einer individualistischen Einsamkeit zu, sondern in der Gemeinschaft der Kirche als dem Ort und Raum authentischer christlicher Individuation und Personwerdung.

5. Das Verhältnis zwischen den einzelnen Typen christlicher Existenz

Nachdem zuerst der Raum freigelegt werden mußte, in dem sich die einzelne Individualität des Glaubens entfalten kann, ist nun doch wieder auszuholen auf die Gemeinsamkeit und Übereinkunft im gleichen Glauben und in der Gemeinschaft der einen Kirche. Nur kann diese Rückkehr in den gemeinsamen Raum der Kirche nicht die Absage an die vorher postulierte Individualität bedeuten. Vielmehr ist jetzt zu fragen, wie sich die einzelnen Ausprägungen zueinander verhalten, welche Kommunikation zwischen ihnen gerade durch ihre je eigene Begrenzung und Bestimmung zustande kommt.

---

[12] Vgl. H. Wulf, Unterscheidung der Geister: LThK X (1965) 533–535; K. Rahner, Löscht den Geist nicht aus: Schriften VII, 77–90.

a. Die Situierung der christlichen Individualität
in der kirchlichen Gemeinschaft[13]

Im Verlauf der persönlichen Glaubensgeschichte wird der gemeinsame Horizont der kirchlichen Gemeinschaft nicht immer gleiche Deutlichkeit und Helligkeit haben; dennoch bildet die Kirche den lebensnotwendigen Raum für die individuelle Glaubensexistenz und für die je eigene kirchliche Sendung. Die Gemeinschaft bildet nur schon die unverzichtbare *Herkunft*, aus welcher der Glaube lebt. Anderswoher als aus der Verkündigung und aus dem Vollzug der Sakramente kann sich die eigene Individualität nicht aufbauen. Auch der Verweis auf den unverfügbaren Geist und auf seine unvermittelte Inspiration führt nicht aus der sichtbaren Kirche heraus, sondern erweist seine Authentizität gerade darin, daß er sich und den einzelnen Glaubenden an das Wort und an die konkreten Vollzüge kirchlicher Gemeinschaft bindet. Diese Herkunft ist nicht nur zur erstmaligen Grundlegung notwendig, als ob sie nachher entbehrlich würde, sondern die aktuale und gegenwärtige Abhängigkeit des Glaubens vom zu hörenden Wort und vom Geist zieht auch die ständige und bleibende Verbundenheit mit der kirchlichen Gemeinschaft nach sich. Ebenso bildet die Kirche aber auch die *Bestimmung* der individuellen Glaubensexistenz. Die Ausfaltung der gemeinsamen Berufung in einzelne Berufungen endet nicht in einer Verzweigung aller einzelnen Wege, sondern mündet wieder in die Gemeinschaft ein; so wird in die Kirche die Fülle der einzelnen Glaubensgestalten und Lebensstile eingebracht und erst so werden der Reichtum und die Fruchtbarkeit der einen Heilsgabe offenbar. Nicht nur die Bedürftigkeit des einzelnen nach der Gnadengabe anderer Christen, sondern auch die überströmende Fülle eines neu entworfenen und verwirklichten Glaubens weist in diese Gemeinschaft zurück; nicht nur die Angewiesenheit auf andere, sondern auch die aktive Möglichkeit, mitzuteilen, verbietet eine Isolierung des einzelnen Glaubenden und seiner Ausprägung.

b. Gegenseitige Komplementarität der christlichen Existenztypen

Die Vielfalt christlicher Existenztypen kommt durch die persönlichen Optionen zustande, welche der einzelne Christ in seiner geschichtlichen und kirchlichen Situation trifft; daraus folgen aber auch unvermeidlich Auswahl, Begrenzung, Partikularität und Partialität, die bis zu einer gewissen Einseitigkeit führen können. Solche Einseitigkeit ist aber zu verantworten, weil einerseits nur so der gewählte Aspekt des Glaubens, die betonte Funktion in der Kirche zu einem eigenen Profil und zu eigener Wirksamkeit kommen und weil anderseits zur einzelnen Ausprägung hinzu die anders optierenden Ausprägungen treten und so eine Ergänzung und Ausgeglichen-

---

[13] Vgl. H. Schürmann, Die geistlichen Gnadengaben: G. Baraúna (Hrsg.), De Ecclesia I (Freiburg 1966) 494–519.

heit schaffen. Wir werden solche konkreten komplementären Verhältnisse nachher antreffen, wenn wir exemplifizierend das Spektrum der Existenztypen entfalten werden; zur Veranschaulichung soll aber schon hier ein Beispiel genannt werden:

Einer christologischen Spiritualität, die betont das Bild des gekreuzigten Christus vor Augen stellt, wird auch eine weiterreichende «Theologia crucis» entsprechen. Der betreffende Mensch wird in seinem eigenen Leben mehr die Erfahrung der Verborgenheit als die der Offenbarkeit von Rechtfertigung und Gnade machen. Aber auch die Sicht auf die Welt, auf die menschliche Gemeinschaft, sowie das Handeln an dieser Welt und die Begegnung mit den Menschen werden gleichfalls die Signatur des Kreuzes tragen. Die Spuren der Sünde und des Todes werden für diesen Christen nicht zu übersehen und zu vertuschen sein. Nur in einem angefochtenen Glauben vermag er in dieser paradoxen und konträren Erfahrung die Gegenwart und Wirksamkeit des Heils zu glauben. Diese Option und diese Ausprägung des Glaubens wird man nun nicht voreilig der Einseitigkeit zeihen dürfen, als ob sie die Tatsache der proleptischen Herrlichkeit im auferweckten Christus und die Verleihung des Geistes ignorierte. Aber eine so ausgeprägte Kreuzeserfahrung und Passion unter der noch mächtigen Sünde bedarf doch des Ausgleichs und des Gegengewichts. Dieser Typus kann nicht der einzige Glaubenstypus sein, sondern muß, zur gleichen Zeit oder in einer geschichtlichen Abfolge, sein aufhellendes Komplement finden. Andere Christen werden mehr das Bild des lebendigen und verherrlichten Herrn vor Augen haben und im Licht dieser realen Antizipation auch die eigene Existenz und ihr Verhältnis zur Welt und zu den Menschen anders erfahren, interpretieren und realisieren. Auf sie fällt aus der geschehenen Rechtfertigung und Befreiung bereits das Licht von Ostern, und wiederum ergibt sich daraus eine zuversichtlichere und anschaulichere Gestalt des Glaubens. Diese vereinfachende Skizzierung mag zeigen, wie verschiedene und gegensätzliche Glaubensoptionen möglich sind, deren keine für sich ausschließlich sein darf, die aber, zueinander in ein komplementäres Verhältnis gebracht, erst richtig die Spannung des Glaubens zum Ausdruck bringen, welche sowohl im gemeinsamen Glaubensgrund wie in ihrer eigenen Glaubenserfahrung ausgehalten werden muß.[14]

c. Gegenseitige Korrektur und Kritik[15]

Bereits das obige Beispiel hat die polare Spannung angezeigt, die zwischen verschiedenen Optionen und Realisierungen entstehen kann. Das komple-

[14] Zum christologischen Ursprung der Spiritualitäten vgl. H.U.v.Balthasar, Spiritualität: Verbum Caro (Einsiedeln 1960) 226–244; diesem fundamentalen Aufsatz weiß sich der vorliegende ekklesiologische Beitrag dankbar verpflichtet.

[15] Vgl. H.U.v.Balthasar, Das Evangelium als Norm und Kritik aller Spiritualität in der Kirche: Spiritus Creator (Einsiedeln 1967) 247–263.

mentäre Verhältnis wird es oft in ruhiger und ausgeglichener Gestalt geben, so daß einfach die eine Ausprägung neben die andere tritt und sie ergänzt. Dieses Zueinander kann aber auch in einem Gegensatz, in gegenseitiger Kritik und Korrektur, ausgetragen werden. In die eigene Option wird nicht wenig an persönlicher Freiheit und eigenem Willen investiert, der nicht ohne weiteres sich für die Kritik durch andere bereit zeigt. Ohne eine gewisse Eingenommenheit von der Richtigkeit der eigenen Wahl kann es gar nicht zur profilierten Ausprägung kommen; ohne eine gewisse Hartnäckigkeit wird sich diese im Raum der Kirche, angesichts der allgemeinen Nivellierungstendenz, auch nicht durchsetzen und geltend machen. Diese Hartnäckigkeit braucht nicht das bedenkliche Maß eines charismatischen Starrsinns anzunehmen; immerhin war bei vielen Heiligen eine gehörige Überzeugtheit von der eigenen Sendung anzutreffen, die sich nicht leicht der Korrektur durch andere unterzog.

Dennoch wird man gerade in dieser gegenseitigen Korrekturbereitschaft und -fähigkeit ein Kriterium echter Spiritualität sehen dürfen. Die eigene Berufung wäre in ihrer kirchlichen Bedeutung und Sendung verkannt, wollte man sie auf sich selber beschränken, anstatt ihrer Zeichenhaftigkeit für eine kirchliche und geschichtliche Stunde Raum zu geben. Das Charisma will auf andere einwirken, sie beunruhigen und bewegen. Zu dieser aktiven, korrigierenden Ausstrahlung muß aber auch die rezeptive Bereitschaft treten, Korrektur und Kritik anzunehmen. Der einzelne Christ weiß zu gut, daß er mit seiner Option zugleich andere Möglichkeiten, Aspekte, Aufgaben liegen läßt; er wird sich an diese notwendige Vernachlässigung erinnern lassen, wenn er um die Partikularität seines eigenen Typus weiß und die mögliche und drohende Einseitigkeit aus Erfahrung kennt. Schon Paulus hat in dieser Korrekturbereitschaft ein Kriterium für die Echtheit einer Geistesgabe gesehen: «Von den Propheten sollen zwei oder drei reden, und die anderen sollen beurteilen... Wenn jemand glaubt, ein Prophet oder ein Geistträger zu sein, so möge er erkennen, daß das, was ich schreibe, des Herrn Gebot ist. Wenn er es nicht erkennt, so wird Gott ihn auch nicht erkennen» (1 Kor 14, 29. 37f). Er scheint mit einer weitgehenden Selbstregulierung des Lebens in der Kirche zu rechnen, wobei wir seinen Horizont der Ortsgemeinde auch auf den Horizont der größern Kirche ausweiten dürfen. Wenn wir etwa an die so unterschiedlichen Berufungen des Weltchristen und des Ordenschristen denken, erlangt die Notwendigkeit der gegenseitigen Korrekturbereitschaft wie der Ausübung von Kritik nicht geringe Bedeutung und Aktualität; nur bei gegenseitiger Korrektur wird die Kirche als ganze den Weg finden zwischen einer distanzlosen Weltverfallenheit und einer sich distanzierenden Weltflüchtigkeit.

Es wäre eine Verharmlosung zu meinen, die Komplementarität der verschiedenen Existenztypen in der Kirche würde immer auf völlig friedliche und spannungslose Weise ausgetragen; sosehr das Wissen um die gemeinsame Herkunft und Bestimmung einen Raum des freien und brüderlichen Gesprächs schaffen soll, so sind damit entschiedene Konfrontationen und Kollisionen nicht ausgeschlossen; diese dienen dem Leben der Kirche auf jeden Fall mehr als eine essentialistische Nivellierung oder eine versuchte und doch unmögliche Integrierung aller Möglichkeiten in eine einzige Verwirklichung.

Diese gegenseitige Zuordnung hält nicht nur die eigentlich charismatische Ordnung zusammen, wie sie im engern Sinn der institutionellen Ordnung gegenübergestellt wird, sondern sie liegt nicht weniger auch der stärker institutionalisierten und stabileren Ordnung der kirchlichen Ämter und Dienste zugrunde. Diese werden denn auch von Paulus in den klassischen Leib-Christi-Texten (Röm 12, 1 Kor 12) in gleicher Weise an ihre jeweilige Partikularität und ihre gegenseitige Angewiesenheit und Verwiesenheit erinnert: «Sind sie nun alle Apostel? alle Propheten? alle Lehrer? Besitzen sie alle Wunderkräfte? Haben sie alle Heilungsgaben? Reden sie alle in himmlischen Sprachen?» (1 Kor 12,28 ff). Die Gegenüberstellung, die meistens als eine solche zwischen Amt und Gemeinde betont wird, erscheint hier als gegenseitige kirchliche Verwiesenheit, die alle Ausprägungen des Glaubens und alle kirchlichen Sendungen aneinander verweist; sie bildet die kritische Grenze jedes versuchten Alleinanspruchs, aber auch die Legitimation für das Handeln eines einzelnen in und an der je größeren Kirche.

d. Traditionelle Begründungen einer Rangordnung [16]

Bereits die Herkunft der einzelnen Glaubenstypen aus dem gemeinsamen Grund und ihre Einordnung in die umgreifende kirchliche Gemeinschaft versetzen uns den traditionellen Versuchen einer Rangordnung von Lebensformen und Ständen gegenüber in etwelche Distanz. Ähnlich wie bei der Integrierung der einzelnen kirchlichen Ämter in das Leben des Gottesvolkes bewirkt die größere Gemeinsamkeit auch für die andern Ausprägungen christlicher Existenz eine gegenseitige Annäherung und Erschließung, damit auch eine gewisse Gleichrangigkeit. Hier soll die Problematik der institutionellen kirchlichen Rangstufung ausgeklammert bleiben; wir versuchen, die bisherige Bewertung verschiedener Lebensformen und -stände in der Kirche neu zu sehen.

---

[16] Die Geschichte der evangelischen Räte und ihrer Motivierung kann hier nur abgekürzt und in ihren weniger differenzierten Begründungen dargestellt werden, wie sie allerdings im Bewußtsein der Kirche eher verbreitet waren. Für eine nähere Betrachtung vgl. H. U. v. Balthasar, Besondere Gnadengaben und die zwei Wege menschlichen Lebens – Kommentar zu S. Th. II–II q. 171–182: DThA 23 (Heidelberg 1954) 251–464. Zur moraltheologischen Unterscheidung von Gebot und Rat vgl. B. Häring, Evangelische Räte II. Moraltheologisch: LThK III (1959) 1246–1250.

Zuerst ist eine *ethisch-rechtliche Stufung* zu nennen, die zwischen dem christlichen Weltstand und dem Ordensstand die Differenz größerer und weiterreichender Verpflichtungen sah. Zusätzlich zu den allgemein verbindlichen und verpflichtenden Geboten hätten sich die Ordensleute freiwillig und über das streng Verpflichtende hinaus an die evangelischen Räte gebunden, nicht unter der gleichen ethischen Verpflichtung der Sünde, sondern nur unter der vollkommeneren Freiwilligkeit. Eine andere Bewertung stellte die *Dominanz des Welt- oder des Gottesbezugs* bei Weltchristen oder Ordenschristen gegenüber. So nebeneinandergestellt und geschieden, wurde dem Rätestand die größere Vollkommenheit zugebilligt, weil er sich direkt und möglichst ausschließlich dem Dienst Gottes selber widme, während der Dienst des Weltchristen doch indirekt und geteilt in der Welt getan werde. In gewissem Sinn konnte sich eine solche Bewertung auf Paulus und seine Bevorzugung der Jungfräulichkeit berufen; er stellt ja den ungeteilten Dienst des ehelosen Menschen dem geteilten Dienst des verheirateten gegenüber (1 Kor 7, 32 ff). Eine *christologische* Bewertung schien sich auch aus den Berufungsperikopen und den Nachfolgeworten Jesu zu ergeben, die man auf die verschiedenen Glaubensformen der Kirche übertrug. Dabei wurden die Ordenschristen den nachfolgenden, alles verlassenden Jüngern gleichgestellt, während die Weltchristen doch weniger intensiv in die Nachfolge Jesu einzutreten schienen; die Perikope vom reichen Jüngling schien diese Steigerung ausdrücklich nahezulegen (Mk 10, 17–22). Der radikaler gelebte Glaube schien sich auch in einer radikaleren Nachfolge darzustellen. Eine andere Rangordnung ergab sich aus der *heilsgeschichtlich-eschatologischen Perspektive:* unter den Christen gab es offensichtlich eine unterschiedliche, größere oder geringere Annäherung an die künftige Gottesherrschaft; diese fand in der Ordensexistenz eine adäquatere Entsprechung und Aufnahme, eine intensivere präsentische und realisierende Bezeugung als in der Existenz des Weltchristen, der nach wie vor die Bedingungen dieser Welt akzeptierte und sich stärker in sie einließ. In einer etwas verkümmerten Form war die gleiche Bewertung dort wirksam, wo man den Ordenschristen als zwar nicht mehr der eschatologischen hereindrängenden Zukunft und Vollendung, sondern dem statischen Jenseits zugewandt bestimmte. Mit dieser Bewertung berührte sich schließlich auch eine mehr *soteriologische* Sicht, die in der Kirche unterschiedlich weit vorangeschrittene Heiligung und Neugestaltung des Menschen antraf und dabei den Ordenschristen als den weiter fortgeschrittenen erlösten und geheiligten Menschen verstand, während der Weltchrist noch mehr in der soteriologischen Ambivalenz von Sünde und Heiligung, von altem und neuem Menschen zurückgeblieben wäre. Als bezeichnend dafür mag die Übertragung der Taufsymbolik auf die Ordenseinkleidung und -profeß erwähnt werden. – Diese verschiedenen Kriterien führten dazu, dem Ordenschristen einen vollkommeneren Stand zuzuschreiben als dem Weltchristen, wofür nicht zuletzt die biblischen Stufenworte und -bilder als Grundlage und Illustration dienen mochten. Unmerklich glitt dabei die Vorstellung verschiedener Wachstumsstadien ab in eine elitäre Absonderung der Ordenschristen vom gewöhnlichen christlichen Weltstand; sie bildeten die Gereiften und Vollkommenen, die die feste Nahrung ertrugen und sich dem tieferen Geheimnis zuwenden konnten, während die übrigen Christen noch im Kindesalter verblieben, mit der Milch der elementaren Glaubensbelehrung genährt wurden und auch noch nicht zur tieferen Einsicht gelangt waren (1 Kor 3, 1 f).

e. Problematik einer Rangordnung[17]

Eine Beurteilung dieser Rangordnung wird sicher die geschichtliche Situation im Auge behalten müssen, sowie die umgebende analoge gesellschaftliche Stufenordnung, die geistigen und moralischen Elitebildungen in der Christenheit. Es konnte in einer Zeit der selbstverständlichen Institutionalisierung nicht ausbleiben, daß die verschiedene Intensität christlicher Existenz sich auch in einer entsprechenden Klassenordnung darstellte. Wohl wußte man, daß die Zugehörigkeit zu einem bestimmten Stand allein nicht schon die persönliche Heiligung garantierte, aber dem Stand als solchem wurde doch größere Vollkommenheit zugestanden. Damit entstand ein vergröbertes Bild, in welchem für die individuellen Unterschiede nicht mehr die genügende Sehschärfe vorhanden war. Die elitäre Herausforderung blieb nicht, wie dies in einer beweglichen und offenen Kirche möglich ist, beim einzelnen Christen stehen, sondern verschob sich auf eine Gemeinschaft und eine verfaßte Lebensordnung. Damit wanderte das Kriterium für das größere oder geringere Maß an Glaubensverwirklichung von der persönlichen Entscheidung ab in die dienende Institution und Ordnung. Die verschiedenen Intensitäten christlicher Existenz sind gewiß zu sehen, es ist aber bedenklich, wenn diese Intensität in Lebensordnungen objektiviert wird. Als zweites geschichtliches Moment wird man sich vor Augen halten, daß die vorneuzeitliche Kirche schon früh mit der jeweiligen politischen und weltlichen Gemeinschaft koextensiv war. Im Horizont der mittelalterlichen Christenheit begegnete die Kirche nur sich selber, dem Nichtchristen aber höchstens als Randphänomen. Somit fehlte von außen her die tägliche Erfahrung des Nicht- oder Un-glaubens, dagegen waren ein minimaler Glaube und eine konforme Glaubenspraxis selbstverständlich und für die Integrierung in eine christliche Gesellschaft unerläßlich. Daß gegenüber der Durchschnittlichkeit und Mittelmäßigkeit dieses allgemeinen Christenlebens sich elitäre Bewegungen abhoben, die innerhalb der allgemeinen

---

[17] Vgl. K. Rahner, Über die evangelischen Räte: Schriften VII, 404–434; Rahner versucht, die falsche Rangordnung zu überwinden und dennoch eine rechtmäßige Höherbewertung der evangelischen Räte zu wahren.

Kirchlichkeit die Radikalität des Glaubens und die Entschlossenheit der Nachfolge vorlebten, war sicher ein Zeichen für die Wachsamkeit gegenüber dem Evangelium. In Ermangelung des ungläubigen Gegenübers und angesichts einer bereits christlichen Umwelt und Gesellschaft mußte fast unvermeidlich diese größere Intensität sich auch als das vollkommenere Leben verstehen. Die biblischen Aussagen vom Übergang vom alten zum neuen Menschen, von der Absetzung aus der sündigen Welt erhielten jetzt eine neue Anwendung. Sie konnten nicht mehr an die Taufentscheidung aller Christen appellieren, nachdem die Taufe das allgemeine Sakrament geworden war und zudem als Kindertaufe gespendet wurde. Die ursprünglichen Taufaussagen und die entsprechende Entscheidungs- und Bekehrungszäsur wurden jetzt in die neue Situation der Ordensberufung lokalisiert, was folgerichtig zu einer Abwertung des gewöhnlichen weltlichen Christentums führte, das sich durch die verlagerte Bekehrungszäsur jetzt als «sündige Welt» abqualifiziert sah. – Eine gerechte Beurteilung wird aber trotz dieser fragwürdigen unterschwelligen Motive die tatsächlich gelebte Vorbildlichkeit und Radikalität des Glaubens und der dienenden Liebe, das existentielle Pathos für die Transzendenz und Nicht-weltlichkeit Gottes, die Unbedingtheit der Jesusnachfolge respektieren, die sich in dieser zeitbedingten Stufenordnung dennoch verwirklichten und noch vorfanden.

Eine solche Rangordnung wird dann problematisch, sobald die Christen sich gemeinsam wieder aus ihrem Ursprung in Jesus Christus und seinem Geist verstehen, wenn sich die ganze Kirche als Versammlung der Glaubenden darstellt, die für alle der Raum personaler und verbindlicher Entscheidung wird. Ferner erkennen sie sich gegenseitig zu, daß viele ebenbürtige und legitime Möglichkeiten bestehen, dem Evangelium zu antworten, die eigene lebensgeschichtliche oder weltliche Situation als mögliches Charisma zu realisieren. Keiner kann allein in den begrenzten Möglichkeiten seines Lebens alle Virtualitäten des Geistes und alle Sendungen der Kirche ausüben. Die größere oder geringere Radikalität kann sich auch jetzt in einer Preisgabe bisheriger Lebensbedingungen und in der Entwerfung neuer und freierer Lebensformen äußern, aber man wird zögern, die äußere Form der Lebensordnung als solche zum Gradmesser für einen mehr oder weniger großen Glauben anzunehmen. Damit hätte es sich der institutionelle Rätestand zu leicht gemacht, und zugleich erlitte die welthafte Lebensform zum vornherein eine Disqualifizierung und Minderbewertung, die der tatsächlich anzutreffenden Heiligkeit nicht gerecht würde.

So sind alle vorher genannten Kriterien zu befragen, ob sie nicht aus einer polaren Beziehung getrennte Wirklichkeiten gemacht haben; die Beziehung zwischen Gott und Welt ist in keiner Richtung mehr auf einseitige Absolutsetzung oder auf die Alternative Gott-oder-die-Welt hin auflösbar. Kein christlicher Glaube kann sich auf einen weltlosen Gott beziehen, und ebensowenig kann sich christlicher Glaube an eine gottlose Welt verlieren.

Auch die Nachfolge Jesu ist eine Bewegung, die nicht nur die einzelne private und weltlose Existenz des einzelnen trifft, sondern die auch die menschlichen Verhältnisse und die menschliche Gemeinschaft in die Dynamik der Nachfolge mitnimmt und einbezieht und nicht mehr aus sich heraus entlassen kann. Damit besteht völlige Freiheit und Gleichwertigkeit, ob nun einer mehr für den Herrn optiert, dem nachzufolgen ist, dem aber auch die Welt in die gleiche Vollendung hinein nachzuziehen ist, oder ob ein anderer sich um diese Einbringung der Welt unter die Herrschaft und die Erlösung Christi bemüht. Die Differenz zwischen eschatologischer Zukunft und noch dialektisch verhüllter Gegenwart ist nicht auf die einfache Weise des Entweder-Oder zu überwinden, gilt doch diese Verheißung gerade der unerlösten Gegenwart; dann kann derjenige, der den Ursprung und die Herkunft der Verheißung bezeugt und an ihrer antizipierten Verwirklichung teilhat, sich nicht über den andern stellen, der in seiner eigenen Situation der Welt und seinen Mitmenschen diese Verheißung in tätiger Hoffnung ausrichtet und vermittelt. Kein Bereich dieser Gegenwart ist von der Verheißung ausgeschlossen, und jeder dieser Bereiche muß darum von den Christen verantwortlich mitgenommen und einbezogen werden; eine die Gegenwart überspringende Zuwendung zur Zukunft oder eine die Gegenwart vergessende eschatologische Existenz gerät gefährlich an einen schwärmerischen Chiliasmus heran. Dasselbe gilt schließlich für die Ambivalenz der Glaubensexistenz zwischen Sünde und Rechtfertigung. Alle Glaubenden sind in dieser Spannung gehalten; keiner darf sie nach rückwärts unterbieten, als ob er in Christus die Rechtfertigung noch nicht erfahren hätte; keiner kann sie aber auch nach vorn überbieten, als ob er eindeutig und unangefochten im Bereich der Heiligung und der Heilssicherheit stünde. Die bei den Kriterien zuerst genannte Bewertung des Rätestandes erweist sich von da aus nicht als eine zusätzliche und über-gebührliche Mehrleistung, sondern als die je eigene Gestalt der Glaubensberufung und Nachfolge: es ist Sache einer existentialen Wahrnehmung des einzelnen Christen, seinen eigenen Platz innerhalb dieser polaren Spannung zu suchen und einzunehmen. Die frühere Bewertung muß sich fragen lassen, ob sie nicht unausgesprochen diese Spannung aufgelöst hat in einen weltlosen Gott und eine gott-lose Welt, in einen vorausgehenden Christus und eine zurückgestoßene Welt, in eine eschatologische Zukunft, die aber die noch andauernde Zeit von sich zurückstößt. Wer die Spannung so auflöst, der wird konsequent diejenige Existenz höher bewerten, die sich dem Größern zuwendet, und diejenige Existenz, die sich noch den Kompromiß und die Konzession der weltlichen Existenz, der menschlichen Bindungen «erlaubt», minder bewerten. Umgekehrt muß aus einer solchen Bewertung und Rangstufung ein spannungsloses Neben- und Gegeneinander von Gott und Welt, Christus und Kosmos usw. folgen. Nachdem wir die Fragwürdigkeit eines spannungslosen und alternativen Verhältnisses freigelegt haben, dürften auch die Unmöglichkeit und Unnötigkeit einer Rangordnung innerhalb der christlichen Glaubensberufungen deutlich geworden sein.

II. DAS SPEKTRUM KIRCHLICHER EXISTENZTYPEN

Innerhalb der Gemeinsamkeit christlichen Glaubens und kirchlicher Existenz ist Individualisierung möglich und notwendig: dies dürfte aus den bisherigen Überlegungen hervorgegangen sein. Der gemeinsame Grund christlichen Glaubens kann in seiner Vielfalt gar nicht in einer einzigen Glaubensexistenz umfassend und allseitig dargestellt und verwirklicht werden, sondern ist auf jeweilige konkrete Optionen angewiesen. Diese behalten ihre Rechtmäßigkeit so lange, als sie sich innerhalb der Gemeinsamkeit bewegen und befinden. Nach den allgemeinen und grundsätzlichen Überlegungen soll nun aber das Spektrum solcher Möglichkeiten konkreter entfaltet werden, eine Aufgabe, die auch hier nur paradigmatisch und exemplifizierend behandelt, nicht aber vollständig durchgeführt werden kann; eine erstrebte Vollständigkeit machte gerade die Unableitbarkeit des existentialen Glaubens unmöglich und unwahrscheinlich. Die folgende Exemplifizierung weiß sich auch der Geschichte des Glaubens, der Frömmigkeit und der Spiritualitäten verpflichtet. Hätte es nicht von Anfang an solche Ausfaltungen und Optionen gegeben, so ließen sich diese nur blaß und abstrakt entwerfen; ihre konkrete Farbigkeit gewinnen sie erst aus der Geschichte und aus der Hagiographie im engeren und im weiteren Sinn, d. h. auch der nicht kanonisierten Gestalten christlichen Glaubens.

1. Mögliche Unterscheidungskriterien und -motive

Der gemeinsame Kern des christlichen Glaubens und der kirchlichen Existenz läßt sich auf verschiedene Weise bezeichnen; ebenso werden wir auch die vorgestellten Optionen nach den wichtigsten Einheitsmotiven aufschlüsseln: Optionen innerhalb der Gotteserfahrung, des Christusglaubens, der kirchlichen Dimension und der heilsgeschichtlichen Akzentuierung. Es kann nicht die Aufgabe der folgenden Darstellung sein, die jeweiligen Ausprägungen in ihrer theologie- und spiritualitätsgeschichtlichen Entstehung und Bedeutung zu verfolgen; wichtiger ist zu zeigen, daß dem Pluralismus der theologisch-reflektierten Gotteslehren, der Christologien, der Ekklesiologien usw. eine noch größere Vielfalt der gelebten Spiritualitäten voraus- und einhergeht. Ohne diesen gegenseitigen Bezug von Theologie und Spiritualität ist die Geschichte der Theologie, aber auch jene der Spiritualität nicht zu denken, sie sind aber nicht miteinander gleichzusetzen.

a. Optionen der Gotteserfahrung

An großen geschichtlichen Typen der Gotteserfahrung lassen sich zwei
Beispiele veranschaulichend vorausschicken. Die Quellen des Pentateuch
unterscheiden sich nicht nur nach dem verwendeten Gottesnamen, sondern
nicht weniger auch nach der jeweiligen Gottesvorstellung. Diesem vor-
christlichen Beispiel läßt sich jetzt ein viel näherliegendes anschließen:
zweifellos zeigt die Gotteserfahrung eines vorneuzeitlichen Christen andere
Züge als diejenige nach dieser nicht mehr zu schließenden Zäsur. Wir haben
nicht geringe Mühe, über diese geistes- und glaubensgeschichtliche Zäsur
hinweg eine Verständigung aufrechtzuerhalten, gerade bezüglich des
Gottesverhältnisses. Die Gotteserfahrung war hier sogar oft früher in die
neue Stunde eingetreten als die entsprechende Reflexion, diese versucht
vielmehr nachträglich die gewandelte Erfahrung zu reflektieren und zu
begründen. Die Gotteslehre etwa der Scholastik bereitet uns nicht nur ihres
zeitlichen Abstandes wegen größere Mühe, sondern noch mehr ihres andern
erfahrungsmäßigen Grundes wegen. Sie ist erwachsen aus einem weithin
unerschütterten Gefühl der Weltpräsenz Gottes, seiner nahen Wirksamkeit
in allen Geschöpfen und naturhaften Vorgängen. Die theologische Reflexion der Scholastik über die Eigenwirksamkeit der Geschöpfe zeigt sich von
heute aus zwar als eine Einleitung der Neuzeit, wurde aber zu Beginn noch
nicht in dieser Tragweite erkannt. Die Gotteserfahrung einer säkularisierten,
in ihrer Eigenwirklichkeit und -wirksamkeit erkannten und erfahrenen Welt
wird sich davon radikal unterscheiden, weil sie nicht mehr die welterfüllende
und -durchdringende Präsenz Gottes kennt, sondern zunächst auf die
Eigenwirklichkeit der Welt und auf die rationale und praktische Aktivität
des Menschen stößt. Ein solcher Unterschied im Gott-Welt-Verhältnis wird
sich unvermeidlich auch auf die persönliche Gotteserfahrung und auf das
Gebet auswirken. So stehen wir nur schon geistesgeschichtlich vor einer
Ausfaltung in verschiedene Typen, innerhalb derer es aber noch einmal eine
reiche Vielfalt von Gotteserfahrungen gibt.[18]

Wie kann z. B. Gottes Transzendenz erfahren werden? Als schöpferischer
ungeschaffener Urgrund, als geschichtsüberlegene Ewigkeit, als beanspruchende Heiligkeit und als immer neue Ziele eröffnende Zukunft. Anders
gestaltet sich das Gottesverhältnis, ob es Gott als schöpferischen Anfang
oder als künftige Vollendung, als Macht oder als Freiheit, als Gerechtigkeit
oder als Liebe versteht. Anderseits fällt die Immanenzerfahrung Gottes
nicht einfach der Säkularisierung anheim, auch wenn sie sich neu situieren
muß und größere Indirektheit erlangt. Gott wird nicht mehr in einem direkten Ausgehen in die naturhafte Welt angetroffen, sondern eher im unend-

---

[18] Zum Thema der neuzeitlichen Gotteserfahrung vgl. J. Sudbrack, Angebot und
Chance unserer Zeit für eine neue Spiritualität: GuL 41 (1968) 327–347; ders., Probleme –
Prognosen einer kommenden Spiritualität (Würzburg 1969).

lichen Ausgriff des menschlichen Erkennens und Wollens auf die Welt und
über sie hinaus, im Anspruch des Gewissens, in der Unerfüllbarkeit mitmenschlicher Begegnung und Gemeinschaft. Die Spannungen, die wir in
der theologischen Gotteslehre antreffen und die sich in der wissenschaftlichen Systematik noch eher aushalten lassen, können in der gelebten Gottesbeziehung und -erfahrung nicht mehr in einer Synthese gelebt werden,
sondern falten sich in verschiedene Erfahrungstypen auseinander. Diese
Typen lassen sich einerseits zum Teil mit der entsprechenden geistes- und
theologiegeschichtlichen Epoche gleichordnen, anderseits gibt es hier Überschneidungen, Vorwegnahmen und Erinnerungen, die die Grenzziehungen
der Geschichtssystematisierung durchkreuzen. Die Wahl eines dominierenden Aspektes des einen Geheimnisses Gottes ist nicht nur eine Maßnahme,
die das theologische Objekt oder den Glaubensgegenstand beleuchtet, sondern prägt rückwirkend und korrelativ auch das Antlitz und das Profil des
Glaubenden; auch hier ist mit einer gegenläufigen Ursächlichkeit zu rechnen,
wonach schon die Gestaltung des Gottesbildes mitbedingt ist durch die
individuelle oder geistesgeschichtliche Subjektivität. Es wäre allerdings eine
Vereinfachung, hier nur psychologische Funktionalität zu sehen, positiv-
analoge oder kontradiktorische Affinität von religiöser Psyche und religiösem Objekt. Eine konkrete Geschichte dieser Gestaltungen würde zeigen, daß auch innerhalb einer gemeinsamen zeittypischen Option noch kritische Konfrontation möglich ist und bleibt. Die hier grundsätzlich vorgestellte Entsprechung von Gottesbild und Gotteserfahrung wäre in einer
Geschichte der verschiedenen Gottes-spiritualitäten durchzuführen, die die
traditionelle Nebeneinanderreihung der Eigenschaften Gottes an Lebendigkeit und Konkretheit weit überträfe.

b. Optionen des Christusglaubens

Wiederum seien zwei geschichtliche Beispiele aus der Anfangszeit und aus
der Gegenwart des Christusglaubens vorangestellt. Einerseits ist es ein
Ergebnis der differenzierten Interpretation des NT, daß die vier Evangelien,
die Paulusbriefe und die andern Schriften eine je andere Christologie kennen,
die sich nicht nur in den jeweiligen christologischen Titeln anzeigt und die
nicht nur aus der wechselnden hermeneutischen Notwendigkeit der Verkündigung abzuleiten ist, sondern hinter welcher wir auch eine verschiedene existentielle Option des Christusglaubens und der Christuserfahrung
vermuten müssen. Bisher sind wohl zu sehr nur die theologischen und hermeneutischen Faktoren dieser Verschiedenheit behandelt worden, während
der Rückschluß auf die verschiedene Glaubensoption und -erfahrung zu
kurz kam.

Anderseits trägt auch das Christusverhältnis des neuzeitlichen Glaubens
die Züge der Säkularisierung, aber anders als die Wirklichkeit Gottes ver-

bleibt die Person Jesu konkreter im Raum der menschlichen Geschichte. Eher wird nun Jesus selber zum Exponenten und Ursprung einer negativen Erfahrung von Gottes Abwesenheit und des «Todes Gottes». Wohl erst die veränderte glaubensgeschichtliche Situation hat hier den Verlassenheitsruf Jesu am Kreuz neu verstehen und nachvollziehen gelehrt.

Zwischen diesen beiden Polen der Glaubensgeschichte wären jetzt alle christologischen Spiritualitäten aufzuzählen, wie sie in den Worten und im Lebenszeugnis der Heiligen anzutreffen sind. Eine Vielfalt, die diejenige der wissenschaftlichen Christologien wiederum an Lebendigkeit und Ausgestaltung übertrifft. Gerade hier erweisen die Klassierung und die Typisierung ihre Unzulänglichkeit gegenüber der plastischen Ausprägung des gelebten Glaubens. Hinter den bekannten altkirchlichen christologischen Modellen der antiochenischen und alexandrinischen Schule stehen nicht nur kirchenpolitische oder kulturelle Unterschiede und Eigenarten der beiden Lehrzentren, sondern nicht weniger auch unterschiedliche Glaubensformen und -stile. Sieht die eine in Christus vor allem die in die Welt und in die menschliche Sarx eintauchende Herrlichkeit des göttlichen und vergöttlichenden Logos, wahrt die antiochenische Christologie eher eine respektvolle Distanz zum gnädig einwohnenden Herrn im Tempel der menschlichen Natur. Hier sind jetzt nicht die Ansätze und Konsequenzen der christologischen Modelle zu verfolgen, sondern es war nur auf die implizierte verschiedene Christusfrömmigkeit hinzuweisen. Die spätere Geschichte der Christusfrömmigkeit ist schon stärker erforscht und erfaßt worden: die Passionsmystik des Mittelalters, die Verehrung der konkreten Geheimnisse des Lebens Jesu in den ignatianischen Exerzitien, die Reduktion Jesu auf das humane und ethische Beispiel und Vorbild, bis zur kosmisch ausgeweiteten Christusfrömmigkeit von Teilhard de Chardin. Auch hier wäre das Wechselverhältnis von Geistesgeschichte und Kulturgeschichte einerseits und Glaubensoption und -ausprägung anderseits abzulesen; darin ist aber nicht nur reduktive Angleichung, sondern mit gutem Grund auch positive Zeitgemäßheit und jeweilige Aktualisierung des Christusglaubens zu erblicken. Der ganze Weg Jesu, aus göttlicher Präexistenz, in Inkarnation, irdischem Wirken und Handeln, in Passion und Auferweckung, bis zu seiner Herrschaft und Wiederkunft, läßt sich schon rein begrifflich nur mit größter Anstrengung zugleich überblicken; noch mehr ist der Glaube genötigt und berechtigt, ein einzelnes Stadium dieses Christusgeschehens auszuwählen und darin die eigene Christusoption zu treffen.

c. Realisierungen der kirchlichen Dimension

Der Wandel des Kirchenverständnisses ist nicht nur durch innertheologische, biblische oder theologiegeschichtliche Faktoren bestimmt; Analogien und gegenseitige Abhängigkeiten zwischen der Struktur der Kirche

und derjenigen der Gesellschaft haben zu einer Relativierung und zu größerer Beweglichkeit des Kirchenverständnisses und des kirchlichen Lebens
beigetragen. So kann es nicht überraschen, wenn im Lauf der Geschichte
auch verschiedene Kirchenerfahrungen und -spiritualitäten anzutreffen sind.
Dies gilt sowohl für das Kirchenbild des einzelnen Glaubenden wie auch
für die Standortbestimmung und den Standortbezug der Kirche als ganzer.

Im Vollzug kirchlicher Existenz ist nicht immer die gleiche kritische
Distanz einzuhalten, wie sie in der Theologie mit größerem Recht erwartet
wird. So ist der Kirchlichkeit früherer Generationen und einzelner Heiliger mit geschichtlichem Verständnis und nicht nur mit ungeschichtlicher
Rückanwendung neuerer Kirchenverständnisse zu begegnen. Der kirchliche Gehorsam des Ignatius von Loyola kann zwar von einer späteren
Entwicklung aus der kritiklosen Unterwürfigkeit bezichtigt werden – wobei
erst noch der geschichtliche und biographische Befund zur Differenzierung
nötigte –, aber im Kontext des damaligen Kirchenbildes kann seiner Einstellung die geistliche Authentizität nicht abgesprochen werden. Ähnlich
wären für andere Epochen der ekklesiologischen Entwicklung die existen-
ziellen Verwirklichungen der Kirchlichkeit aufzuzeigen: die Dominanz des
Leib-Christi-Gedankens in der Frömmigkeit und in der Verkündigung des
Augustinus; der Ordnungsgedanke des mittelalterlichen Corpus-Christi-
Modells in der scholastischen Theologie, aber auch in der gelebten Kirchlichkeit jener Zeit; der polemische und apologetische Zug der gegenreformatorischen Frömmigkeit; die Stärkung der hierarchischen Einordnung zur
Zeit des Vatikanum I nicht nur in den Lehrzeugnissen der Kirche, sondern
auch in der Kirchlichkeit einfacher Christen und Glaubender; das Bewußtsein des Volkes Gottes, wie es sich im Vatikanum II aussprach, das nicht
nur aus theologischer Reflexion hervorging, sondern bereits die Aktivität
vieler Laien in der Kirche inspiriert hatte und gerade dadurch gereift war;
nicht weniger ist die Betonung der gesellschaftlichen Funktion der Kirche
und ihrer politischen Solidarität nicht erst durch die wissenschaftlichen
Publikationen wach geworden, sondern bereits im öffentlichen Engagement
einzelner Christen oder christlicher Gruppierungen eingeübt und praktiziert worden.[19]

Vielfalt der kirchlichen Optionen bestimmt das Bild der sich wandelnden
Kirchenfrömmigkeit im Verlauf der Geschichte; Vielfalt ist aber auch noch
möglich innerhalb des gemeinsamen zeitgenössischen Kirchenbildes. Zunächst scheint die feste vorgegebene Ordnung der kirchlichen Strukturen
und Funktionen für freie Optionen weniger Raum zu lassen. Nun sind aber
diese Strukturen, z. B. der Ämter, nicht so unwandelbar und nicht so vor-

---

[19] Zur Geschichte und zum Gestaltwandel kirchlicher Frömmigkeit vgl. J. Daniélou-
H. Vorgrimler (Hrsg.), Sentire Ecclesiam. Das Bewußtsein von der Kirche als gestaltende
Kraft der Frömmigkeit (Freiburg 1961); K. Rahner, Dogmatische Randbemerkungen zur
«Kirchenfrömmigkeit»: Schriften V, 379–410.

programmiert, daß in ihrem scheinbar starren Rahmen nicht noch größere Beweglichkeit denkbar wäre. Freie Wahl, die nicht institutionalisiert werden kann, besteht nur schon bezüglich des Standortes, den der einzelne Christ im Leben der Kirche einnimmt. Die charismatische Ordnung überragt und integriert sich die institutionelle mindestens dadurch, daß die Entscheidung und die Bereitschaft zu einem kirchlichen Dienst nicht noch einmal institutionalisiert werden können, mögen auch Inhalt und Auftrag des Amtes vorgegeben sein. Es gibt innerhalb der kirchlichen Dienste eine solche Vielfalt von Aufgaben, von Korrelationen zwischen dem Träger des Dienstes und den Gemeinden, denen er seinen Dienst leistet, daß es dafür keine Regeln geben kann. Freiheit besteht sodann auch in der Ausgestaltung und Verwirklichung eines Amtes. Gerade die jüngste Geschichte zeigt, wie etwa das Amt des Papstes auch bei einer starken und starren Umschreibung seiner Funktionen und Kompetenzen höchst unterschiedliche und eigentlich originale Verwirklichungen zuläßt und durch solche spontane Verwirklichung auch in einen neuen theoretischen und rechtlichen Zustand verändert werden kann. Nicht eine neue Theologie des Primates, sondern seine Ausübung durch Johannes XXIII. hat uns seither eine neues Leitbild dieses Amtes vermittelt, hinter welches die Kirche in ihrer Einstellung zum Papst nicht mehr zurückzugehen bereit ist. Die gleiche Möglichkeit kirchlicher Phantasie besteht aber auch für die andern Ämter, wie das Bischofsamt und Priestertum; wenn allerdings diese neuen Verwirklichungen wirksam weiterreichen, können sie früher oder später die überlieferte Rechtsordnung und das institutionalisierte Leitbild nicht unverändert lassen. Das reformerische «Innerhalb» solcher Erneuerung und Neugestaltung kann nicht eine bleibende Grenze und schon gar nicht die Stabilisierung bestehender Rechtsformen bedeuten; sie sollte auch nicht als solches mißverstanden und privatisiert werden. Schließlich ist die urkirchliche Gemeindeordnung gerade aus solchen noch nicht normierten Verwirklichungen hervorgegangen und lange Zeit durch eine wechselvolle Praxis in Bewegung gehalten worden.[20]

Noch ist ein drittes Feld der kirchlichen Option zu nennen: die dominierenden Vollzugs- und Existenzrichtungen der Kirche. In beeinflußter Abhängigkeit und in beeinflussender Stellungnahme zum jeweiligen geschichtlichen Trend wird auch die Kirche in eine bestimmte Zeitrichtung hin existieren: sie wird sich entweder stark auf den Ursprung, den historischen Anfang und die Überlieferung beziehen, oder sie wird sich in eschatologischer Dynamik über das Bestehende hinaus auf die eschatologische Vollendung und Aufhebung hin ausspannen; dazwischen gibt es jene Existenz-

---

[20] Bezüglich Charismatik und Heiligkeit innerhalb der Amtsstrukturen vgl. H. U. v. Balthasar, Nachfolge und Amt: Sponsa Verbi (Einsiedeln 1961) 80–147; H. Küng, Die charismatische Struktur der Kirche: Concilium 1 (1965) 282–290.

richtung der Kirche, in welcher sie sich vor allem zur zeitgenössischen
Geschichte und zur Situation der Welt und der Gesellschaft kritisch oder
kooperierend verhält. Sosehr diese drei Dimensionen der Kirche grundsätzlich immer gegeben sein müssen und nie dem Gedächtnis der kirchlichen Gemeinschaft entfallen dürfen, so sind doch epochale und individuelle Akzentuierungen nötig und möglich. So wird es Menschen geben,
die in der Kirche die Funktion des Gedächtnisses und der Treue zum Ursprung ausüben, die immer wieder die kritische Anfrage an die Brüder in
der gleichen Kirche stellen, wenn diese sich der eigenen Zeit oder der her-
aufkommenden Zukunft stellen wollen. Es wird auch die umgekehrte Korrelation geben: Christen, die im Aufbruch auf die Zukunft der Kirche und
der Welt die bestehenden Positionen kritisch in Frage stellen und eine global
kanonisierte Überlieferung einem unerbittlichen Unterscheidungs- und Aus-
leseprozeß unterwerfen. Diese Existenzrichtung kommt in jenen Christen
zum Wort, die die Kirche aus einer falschen Selbstversponnenheit und
Selbstbetrachtung befreien und ihr die Augen öffnen wollen für die bren-
nenden Fragen der Menschen und die Herausforderungen an das kirchliche
Zeugnis. In diesen Spannungen liegen die nicht organisierbaren Aufgaben und Chancen der innerkirchlichen Prophetie, des außeramtlichen oder
auch inneramtlichen Charismas. Auf diesem Gebiet kann es zu einer äußersten Strapazierung der Gemeinsamkeit kommen: wenn solche Optionen
eine kirchliche Wirksamkeit und Fruchtbarkeit ausüben sollen, werden sie
im Raum der kirchlichen Gemeinschaft verbleiben müssen und sich nicht
in ein distanziertes «Außerhalb» absondern können. Anderseits schaffen
solche prophetischen und kritischen Zeugnisse eine unvermeidliche Polarisierung in der Kirche. Grundsätzlich werden zwar alle die vorgenannten
Existenzrichtungen bejahen, aber über das Maß und die Stärke des jeweiligen Vektors gibt es kein normatives Parallelogramm der kirchlichen
Kräfte.

d. Optionen innerhalb der gemeinsamen heilsgeschichtlichen Situation

Der Zeitangabe des christlichen Glaubens sind zwei Grenzen gezogen, die
nach rückwärts und vorwärts nicht überschritten werden können, innerhalb derer aber noch vielfältige Akzentuierungen und Erfahrungen möglich sind; schon das NT weist zugleich diese Gemeinsamkeit wie diese Vielfalt auf. Christlicher Glaube weiß sich einerseits durch die Gegenwart
Gottes in Jesus über die Zeit der hinführenden Verheißung hinaus in die
eschatologische Gegenwart hereingestellt, hinter welche er nicht mehr zurücktreten darf. In Jesu Existenz und Verkündigung ist die Gottesherrschaft
angebrochen, als erhöhter Herr verleiht er durch den Geist Anteil an seiner
neuen Wirklichkeit. Anderseits ist es dem gleichen Glauben verwehrt, die

Grenze zur offenbaren und vollendeten Heilszukunft hin leichtfertig und ungeduldig zu überschreiten. Die Präsenz des Reiches Gottes wird durch die gegenteilige Erfahrung der immer noch bestehenden Macht des Todes in Frage gestellt; die Gemeinschaft mit dem auferstandenen Herrn muß in ernüchternder Leidens- und Todeserfahrung ausgehalten werden. Die Kirche selber darf sich nicht triumphalistisch mit dem Reich Gottes gleichsetzen und sich bereits aller Gefährdung und Sünde entzogen wähnen. So überlagern sich in der Existenz des einzelnen wie in der Erfahrung der Gemeinde höchst gegensätzliche Erfahrungen und Zeitbestimmungen: *schon* in der neuen Wirklichkeit, *noch nicht* in der unangefochtenen Heilsgewißheit; teilhaftig der *Gabe* des Geistes, immer noch herausgefordert durch die *Aufgabe* eines Lebens nach diesem Geist. Aus dieser zweifachen Bestimmung der Existenz ist ein Rückfall verwehrt, aber auch der Aufbruch nach vorn begrenzt. Das NT selber zeigt jetzt paradigmatisch, wie höchst verschiedene Typen des gemeinsamen Glaubens und des gemeinsamen Zeitverständnisses innerhalb dieser Zeitbestimmung möglich sind; noch im einen und selben schriftstellerischen Werk, etwa bei Paulus, lassen sich diese Spannungen aufzeigen. Durch die Geschichte der Kirche, der Spiritualität und der Kirchenerfahrung hindurch wird es die gleiche Streuung und Vielfarbigkeit geben. Einzelne Menschen, Gruppen oder Gemeinden werden an sich selber vor allem die noch auszuhaltende Unerlöstheit erfahren, in der eigenen Sünde, in der eigenen oder solidarisch geteilten Schwachheit und in der leiblichen und seelischen Passion. Die evangelische Gewißheit der geschehenen Rechtfertigung, der erfahrenen Versöhnung, des verliehenen Geistes, kann dabei bis zur völligen Verborgenheit verdunkelt und nur in einem radikalen Glauben durchgehalten werden. Man trifft solche Nachterfahrungen im Werk des Apostels Paulus an, wenn er etwa die eigene apostolische Existenz als Zeichen für die noch nicht angebrochene Erlösung anführt (1 Kor 4, 9–13), wenn er den Gegensatz zwischen dem empfangenen Geist und der noch seufzenden Schöpfung erleidet (Röm 8, 18–25). Daneben kennt er aber auch Erfahrungen, in denen die Grenze der noch ausstehenden Offenbarung und Herrlichkeit beinahe vergessen scheint, wo die künftige Herrlichkeit bereits jetzt wirksam und spürbar die Existenz des Glaubenden verändert und die Kirche ins Licht des eschatologischen Glanzes rückt (2 Kor 3, 7–18). Den verschiedenen Christologien der ntl. Schriften entspricht so auch eine Verschiedenheit der Zeitbestimmungen der christlichen Existenz, man denke nur an die Spannung zwischen der betonten Ausständigkeit der eschatologischen Vollendung in den frühen Paulusbriefen und der beinahe nur noch präsentischen Eschatologie des Johannesevangeliums.

Die jeweilige Färbung dieses heilsgeschichtlichen Zeitverständnisses ist schon im NT durch innertheologische, wie durch geistesgeschichtliche und kirchengeschichtliche Faktoren bestimmt: Naherwartung, Parusieverzögerung, Verfolgung der Gemeinde oder öffentliche staatliche Duldung, die umgebende geistige Atmosphäre, die herrschende Daseinsstimmung und das kulturelle Weltgefühl. Mit diesen Erfahrungen geht jetzt die persönliche Glaubensausprägung eine immer neue Synthese ein, die sich im und nach dem NT immer anders darstellen wird. Die Kirche als ganze bewegt sich in unberechenbaren Pendelschwingungen zwischen den beiden äußersten Grenzerfahrungen, zwischen einer enthusiastischen Antizipation des Heils und der Herrlichkeit und einer angefochtenen und paradoxen Verborgenheit in individueller und gemeinsamer Anfechtung. Zur gleichen Zeit gibt es aber auch die korrigierenden prophetischen Zeugen, die ein drohendes Übergewicht auffangen. Einer zum Triumphalismus versuchten Kirche tritt der Glaubende entgegen, der die verdrängte Sünde der Kirche, die verkannte Versuchung aufdeckt, der dies alles in seiner eigenen Existenz stellvertretend und widerlegend aushalten muß. Einer mutlosen Kirche tritt anderseits der Zeuge entgegen, dem eine antizipierende Erfahrung und Bezeugung der verborgenen Herrlichkeit und der spürbaren Nähe des Herrn gewährt sind. Beide erhalten ja diese Erfahrung nicht nur für sich selber, sondern als Auftrag an die Kirche, die durch sie im spannungsvollen Zeitverhältnis gehalten werden soll.

2. Die anthropologische Situation als potentielles Charisma

Die Differenzierung des eigenen Glaubenstypus hat nicht nur strikt innertheologische Gründe aus dem gemeinsamen Kern des Glaubens, sondern kommt in einer gegenseitigen Symbiose zwischen Situation und persönlicher Verwirklichung des Glaubens zustande. So sind auch neue Ausprägungen des Glaubens möglich, die ihre verschiedene Gestalt aus der unterschiedlichen anthropologischen Situation und Voraussetzung beziehen.

a. Negative und positive Indifferenz des Glaubens

Grundsätzlich situiert sich zwar die neue eschatologische Wirklichkeit der Glaubensexistenz jenseits der überlieferten Klassierungen der Welt und der menschlichen Gesellschaft. Diese Nicht-bedingtheit macht gerade die Freiheit des Glaubens aus, der nicht konservativ die Schemata der bestehenden naturhaften und gesellschaftlichen Klassierungen übernimmt, sondern quer durch sie hindurch die neue Gemeinde der Glaubenden bildet und gerade so zur verändernden Relativierung bestehender Unterscheidungen aufruft. Die·Kirche vermochte, aus schuldhafter Trägheit und unverschuldeter Ohnmacht zugleich, noch lange nicht alle praktischen Folgerungen aus dieser Qualität christlicher Existenz zu ziehen, die sich nicht unter die vorgefundenen Genera des Geschlechts, des Standes, des Alters, der kulturellen Zugehörigkeit subsumieren läßt, sondern sich als ein «Genus tertium et novum» neu konstituiert: «Ihr seid ja alle durch den Glauben Söhne Gottes

in Christus Jesus… Da gilt nicht mehr: Jude oder Grieche, nicht mehr: versklavt oder frei, nicht mehr: Mann oder Frau, denn alle seid ihr Einer in
Christus Jesus» (Gal 3, 26 ff).

Zunächst mußte sich diese Indifferenz wohl eher in negativer Hinsicht
freisetzen, bevor sie sich positiv zur jeweils vorgefundenen menschlichen
Situation verhalten und sie neu gestalten konnte. Man wird diese beiden
Bewegungen der gleichen Freiheit nicht miteinander verwechseln dürfen,
sie haben zu verschiedenen Zeiten, je nach der gesellschaftlichen Stabilität
oder Instabilität, ihre Notwendigkeit. Aber neben der kritischen Distanz
und dem eschatologischen Auszug aus den bestehenden anthropologischen
Situationen gibt es auch die realistische Annahme und die positive Gestal-
tung der vorgefundenen oder mitkonstituierten anthropologischen Bedingtheit: die Annahme des eigenen Daseins als Mann oder Frau, der sozialen
Beziehung in Ehe oder Ehelosigkeit, des Lebensalters, der unentrinnbaren
Begrenzungen und Gefährdungen des Daseins wie der Krankheit und des
Todes. Damit ist nicht eine fromme Resignation vor diesen verschiedenen
Determinationen gemeint. Aber neben der kritischen Veränderung und
Überwindung solcher Begrenzungen gibt es sicher auch die notwendige und
mit der Condition humaine aufgegebene Annahme dieser Konkretisierung
des menschlichen Lebens. Aus der Verbindung der Glaubensexistenz mit
solchen Situationen kann sogar eine fruchtbare und schöpferische neue
Gestalt christlichen Lebens entworfen und verwirklicht werden, die aus
dieser Vereinigung ihre Farbigkeit und ihr eigenes Profil gewinnen kann.
Eine die Schöpfung mit der Erlösung zusammendenkende Theologie wird
in dieser Durchdringung nicht nur eine äußerliche Kombination erkennen,
sondern eine intendierte und schließlich zu ihrer Erfüllung gelangte gegenseitige Zuordnung und Bestimmung, auch wenn das NT mehr den Unterschied zwischen eschatologischem Ruf Gottes und irdisch-anthropolo-
gischer Situation betont. Schon grundsätzlich wäre es eine Vereinfachung
und Verarmung, hier nur dem Typus der negativen Indifferenz, höchstens
noch demjenigen der kritischen Veränderung, nicht aber auch dem Typus
der annehmenden und durchformenden Verbindung eine echte spirituelle
Chance einzuräumen.

b. Gegenseitiges Verhältnis von Glaubensexistenz und Geschlechterrolle

Gerade gegenüber einer theologischen Interpretation der eigenen geschlechtlichen Ausprägung sind wir zurückhaltend geworden; man wird
aber in der Zurückhaltung und im vorübergehenden Verzicht auf eine theologische Sinndeutung der Geschlechterrolle nicht das einzige und letzte
Wort sehen dürfen. Die Überlieferung hat freilich mit der theologischen
Überhöhung des Mann- oder Frau-seins mitgeholfen, geschichtlich bedingte

und gesellschaftlich festgefahrene Rollenvorstellungen ideologisch zu verfestigen. Man kann im NT etwa die Einstellung des Paulus gegenüber der Frau samt seiner theologischen Motivierung von dieser Kritik nicht ausnehmen und ebensowenig ihre nachherige geschichtliche Wirksamkeit und Belastung geringschätzen. Aus solchem ideologisierendem Mißbrauch und aus dem Mangel an einer kritischen Hermeneutik der entsprechenden Schrifttexte erklärt sich die Abneigung gegen jegliche spirituelle Symbiose zwischen Glaubensexistenz und Geschlechterrolle. Dennoch ist grundsätzlich die individuelle Determination des Menschen als Mann oder Frau kein äußerliches Akzidenz neben einem «geschlechtslosen» Personkern des glaubenden Menschen, sondern mit allen übrigen menschlichen Bedingtheiten und Situierungen gehört auch die Geschlechtlichkeit zu den potentiellen charismatischen Möglichkeiten des Menschen. Nicht nur gibt es die grundsätzliche kreatürliche gehorsame Annahme oder Verweigerung dieser Existenz als Mann oder Frau, sondern davon wird auch der Typus und der Stil des christlichen Glaubens modifiziert und charakterisiert. Die Verschiedenheit des Glaubens- oder Gebetsstils sorgt gerade für das delikate Gleichgewicht in der Kirche zwischen einer maskulinen Rationalität und Organisiertheit der Glaubensgemeinschaft und der femininen Emotionalität und Spontaneität in der Kirche (wobei auch dies wiederum klischeehafte Kennzeichnungen sind).[21] Eine Spur für diese ekklesiologische Einsicht gibt es bereits in der liturgischen Überlieferung, die – allerdings eingeengt auf einen engeren Personkreis – doch den heiligen Märtyrer und die Märtyrin anders gezeichnet hat, die auch ein Leitbild des heiligen Bekenners, der heiligen Jungfrau oder Witwe kannte; dazu wäre auch die Marienverehrung zu zählen. Die tatsächliche Zeichnung der jeweiligen Leitbilder kann heute auf keinen Fall mehr übernommen werden, weil zu viele antiquierte humanwissenschaftliche und gesellschaftliche Vorurteile darin impliziert und verflochten sind. Aber die verschiedenen Muster weisen doch die Richtung, in die eine Typologie christlicher und kirchlicher Existenz von Mann und Frau gehen sollte. Die mitkanonisierten Vorurteile sollten, nach einem vorübergehenden Verzicht auf jegliche spirituelle Interpretation der Geschlechterrolle, doch über die Abstraktion einer geschlechtslosen christlichen Existenz hinaus wieder zu einer positiven, freien, kritischen und gestaltenden Annahme der jeweiligen Geschlechterrolle führen.

c. Natürliches Lebensalter und Glaubensgeschichte

Die Nivellierung der christlichen Existenz auf eine zeitlose Klischeevorstellung hat auch die Differenzen und Möglichkeiten der verschiedenen menschlichen Lebensalter vernachlässigt. Nicht nur in der Christologie, sondern

---

[21] Vgl. K. Rahner, Die Frau in der neuen Situation der Kirche: Schriften VII, 351–367.

auch in der Theologie des christlichen Lebens ist eine Art lebensgeschicht-
licher Doketismus festzustellen: bei Christus versperrte eine zeitlose Auffassung der hypostatischen Union den Blick auf eine echte und ungespielte
lebensgeschichtliche Bewegung seines Sohnverhältnisses, seines Selbstbewußtseins und seiner Zukunftsbestimmung. Beim Bild des christlichen
Heiligen galt das Ideal des Erwachsenen, das in der Hagiographie schon
durch das Kind vorweggenommen wurde und das auch selber keiner weiteren Reifung und keiner altersmäßigen Vollendung mehr fähig schien.

Spirituelle Interpretation und Realisierung des Lebensalters als Ausprägung des Glaubens können gewiß nicht heißen, jedes Lebensalter müßte je
für sich mystifiziert und ideologisiert werden. Zunächst ist überhaupt dem
Christen die Annahme des jeweiligen Lebensalters und Reifestadiums zuzugestehen und aufgegeben: vom heranwachsenden Menschen kann und soll
nicht das gleiche gefestigte Glaubensleben erwartet werden, zu welchem
der Mensch nur durch Jahrzehnte hindurch heranreift; umgekehrt sind die
Worte Jesu von der evangelischen Kindlichkeit nicht als Verpflichtung zum
Infantilismus zu mißbrauchen, wie dies in einer naiven Aszetik oft geschehen ist. Sicher soll aber die Glaubensexistenz den lebensgeschichtlichen Weg
mitgehen und diesen Weg zur eigenen Glaubensgeschichte machen. Eine
Isolierung derselben von der konkreten Geschichtlichkeit führt für beide
Teile zur Verkümmerung: die Glaubensexistenz wird ungeschichtlich und
zeitlos, die Lebensgeschichte wird nicht mehr als der eigentliche Ort der
Glaubensentscheidung und als das zu integrierende «Material» der glaubenden Person angenommen und angeeignet. Das geschichtlich sich erstreckende Leben ist dann nur noch der Schauplatz und die gesetzte Frist,
innerhalb welcher die Glaubensexistenz durchzuhalten ist. Vielmehr gibt es
die Glaubensexistenz nie anders denn in Geschichte und als Lebensgeschichte.

Damit ist dem Glaubenden das Recht zugestanden, die jeweilige Phase
seines Lebens mit ihrer eigenen Chance und Gefährdung, ihrer Verheißung
und Versuchung anzunehmen und anzueignen; zugleich ist aber auch jede
partielle Lebenszeit in ihrem Stellenwert für das Lebenstotum zu sehen und
zu verwirklichen. Die theologische Anerkennung und Aufwertung der
Lebensalter könnten nur schon die Hagiographie der bisherigen vorbildlichen Heiligen lebendiger und profilierter werden lassen, wenn nämlich
heilige Kinder, Jungmänner, Erwachsene und alte Menschen wirklich als
das gezeigt werden, was sie waren, und so an ihnen die ergriffene und verwirklichte Chance des potentiellen lebensgeschichtlichen Charismas anschaulich würde. Aber noch mehr würde dies das Bild der jetzigen Gemeinde aktivieren, wenn es nicht nur ein zeitloses Ideal des christlichen
Erwachsenen gäbe, sondern wenn sich Stile des Kindseins, der Jugendlich-
keit und des Alters ausbildeten. Was hier fehlt, sind sicher nicht pastoral-
theologische Anleitungen und pädagogische Typenlehren, wohl aber fehlt

zu diesen abstrakten Anleitungen die Kenntnis von realisierten und gelungenen Zeugnissen.[22]

d. Die charismatische Möglichkeit des Lebensstandes

Die situationslose Individualexistenz des Menschen ist eine Abstraktion, vergleichbar dem philosophischen Universale; konkrete Existenz hat nur das jeweils geschichtlich und sozial situierte Leben in einer bestimmten Lebensform, in der jugendlichen Selbständigkeit, in der ehelichen Bindung, in der familiären Gemeinschaft oder in der veränderten Lebensbeziehung des Alters. Diese verschiedenen Möglichkeiten und ihre Realisierungen lassen sich nicht unter eine allgemeine christliche Existenz subsumieren, als wären sie nur beliebige und austauschbare Applikationen und Situationen des Glaubens, die innerlich zur Substanz und zur Frucht des darin reifenden Lebens nichts beitrügen.

Für eine einzige Lebensform ist uns eine institutionelle Konkretisierung des Glaubens vorgegeben in der Sakramentalität der Ehe: an sich hätten die Kirche und die Theologie auch hier die christliche Durchformung des Lebensstandes als allgemeine Aufgabe stellen und den verheirateten Christen überlassen können; offenbar stellt aber diese Lebensform doch innerhalb der gemeinsamen Christlichkeit eine eigene Möglichkeit und Aufgabe dar. Damit ist nicht einer Vervielfachung der Sakramente oder einer analogen Sakramentalisierung der jugendlichen Selbständigkeit, der Ehelosigkeit usw. das Wort gesprochen, sowenig ja die individuelle Ausprägung ehelicher Gemeinschaft mit der sakramentalen Verfaßtheit dieses Lebens schon mitverwirklicht ist. Wenn aber die Aufgabe christlicher Reifung gleich weit reicht wie diejenige der menschlichen Reifung, dann stellen auch die andern Situationen zugleich eine Chance und eine Aufgabe des gelebten Glaubens dar, die nicht als Schicksal hinzunehmen, auch nicht als bedeutungslos auszuklammern, sondern als konkrete Nachfolge und konkreter Glaube einzuholen sind.

Ein Mißverständnis ist hier auszuschließen: auch glaubende Verwirklichung dieser Existenz kann nicht ein zufälliges Faktum oder gar eine verfehlte oder versäumte Entscheidung hinterher spirituell ideologisieren und mystifizieren, als ob auf «übernatürlichem» Weg ein «natürlicher» Irrweg gutzumachen wäre. Ebensowenig kann es heißen, daß der einzelne sich die Rolle seiner Existenz von der Gesellschaft passiv zuschicken und vorschreiben läßt und sie höchstens noch durch eine private spirituelle Sublimierung bewältigt. Vielmehr liegt hier eine Aufgabe für die Christen bereit, bei welcher sie über das individuelle Lebensproblem hinaus auch eine kirchliche und gesellschaftliche Auswirkung erzielen können. Leitbild-

---

[22] Vgl. K. Rahner, Gedanken zu einer Theologie der Kindheit: Schriften VII, 313–329.

lich können Christen die überlieferte und konventionelle Gestaltung solcher Lebensformen und -situationen sprengen und originale Neuprägungen schaffen. Wie das Ehesakrament nicht nur spiritualisierend das überlieferte gesellschaftliche und politische Eherecht rezipieren sollte, sondern es umgekehrt erneuern und kritisch verändern müßte, so sind auch die anderen Lebensstände auf neue Weise zu leben, wie dies gerade aus der persönlichen Gnadengabe und Berufung hervorgehen könnte. Eine christliche Spiritualität sollte sich hier mindestens ebensoviel einfallen lassen, wie uns aus der heutigen Gesellschaft an neuen Modellen entgegenkommt. Die Kirche sollte nicht überholte Lebensstile und Wertungen, z. B. der unverheirateten Frau, durch eine falsche Theologie noch verstärken; vielmehr sollen von ihr, von einzelnen Gruppen in ihr, weiterführende und befreiende Darstellungen hervorgehen. Früher oder später müßte dies auch in der Kirche und in der Gesellschaft zu Veränderungen der Leitbilder und Strukturen führen, die die verschiedenen Lebensstände des Menschen bestimmen; so könnte sich eine charismatische Neugestaltung einer Lebensform schließlich auch auf die Gesetzgebung oder das Familienrecht eines Staates auswirken. – Diese umgekehrte Dynamik schien uns gerade gegenüber dem Vorwurf der rezeptiven Ideologisierung notwendig zu sein.[23]

3. Individualtypische und gruppentypische Differenzierungen[24]

Bereits mit den vorher genannten Unterscheidungsmotiven und -kriterien sind nicht nur individuelle und persönlichste Glaubensverwirklichungen aufgezählt worden, sondern auch gruppentypische Zwischenformen. Als Alternative zu einem uniformierten essentiellen Christentum ohne jegliche Individualität stellt sich nicht nur die äußerste Gegenposition dar, die jeder einzelne Christ in unvertretbarer und unwiederholbarer Weise suchen und finden muß. Zwischen einem flachen Essentialismus und einem kaum mehr kommunikablen – wenn auch legitimen – Existentialismus christlicher Existenz bilden sich doch größere oder kleinere Zwischengruppen. So verschieden die Situationen, die spirituellen Optionen des Glaubens auch sein mögen, so lassen sie bei aller Vielfalt doch Gruppierungen zu, unter denen sich eine größere Zahl von Glaubenden verstehen und zusammenfinden kann. Der Umfang solcher Sammlungsbewegungen ist unterschiedlich, wie etwa die Geschichte der Ordensgründungen anschaulich macht. Der jeweilige Gründer fand bald einmal eine Gemeinschaft von Gesinnungsgenossen vor, die eine gleiche Erfahrung und Berufung erlebt hatten. Die Auswei-

---

[23] Vgl. Fr. Wulf, Priesterliche Frömmigkeit, Ordensfrömmigkeit, Laienfrömmigkeit: GuL 29 (1956) 427–439.
[24] Vgl. K. Rahner, Das Verhältnis von personaler und gemeinschaftlicher Spiritualität und Arbeit in den Orden: Schriften X, 467–490.

tung der anfänglichen Einzelberufung beruhte vor allem auf der charismatischen Ausstrahlung des Stifters, der neu und beispielhaft einen Aspekt des christlichen Glaubens und Lebens aufgegriffen hatte, zu dem sich auch andere hingezogen und aufgerufen wußten. Dazu wirkte aber auch die zeitgenössische Situation der Kirche oder des Staates mit, deren Bedürfnisse und Notwendigkeiten von verschiedenen Christen zugleich kritisch erkannt und wirksam angefaßt sein sollten. Die oft überraschende Ausstrahlung und Werbekraft einer ursprünglichen Stiftergestalt erklärt sich so nicht nur aus ihrer individuellen Originalität, sondern auch aus der Konjunktur verschiedener kirchen- und glaubensgeschichtlicher Faktoren.

Allerdings bringt eine solche Ausweitung eines zunächst individuellen Charismas bald ernste Probleme mit sich, vor die sich in der Ordensgeschichte denn auch die meisten Gründungen gestellt sahen. Die Spiritualität des Stifters ist zugleich der Vervielfältigung fähig und in ihrem Reichtum sogar einer Verteilung auf mehrere bedürftig, dennoch sind einer beliebigen Auslegung und Verwirklichung Grenzen gesetzt. So unerfreulich in der Geschichte die Richtungskämpfe etwa bei den Franziskanern oder anderen Gründungen verlaufen sind, so zeigen sie doch die Sorge der Brüder, dem ursprünglichen Ideal des Heiligen treu zu bleiben; freilich wurde diese Treue von den einen zu eng und unfrei, von anderen zu weit und beliebig aufgefaßt. Die Richtigkeit und Gemäßheit solcher Gefolgschaft kann sich auf Äußerlichkeiten beziehen und so die innere Lebendigkeit des ursprünglichen Geistes verfehlen, sie kann sich allerdings auch in einen derart verinnerlichten Spiritualismus verflüchtigen, daß die Konkretheit der anfänglichen Berufung nicht mehr erhalten bleibt, sondern in einer profillosen Allgemeinheit aufgeht. Die Leuchtkraft des Stifters bleibt doch an die konkrete Verwirklichung gebunden, die die evangelische Inspiration im Gründer gefunden hatte; davon abstrahiert, nivelliert sich eine Spiritualität meistens wieder auf eine willkürliche «Pachtung» gemeinsam christlicher Gehalte wie Armut, Nächstenliebe usw.

Es wäre aber wiederum eine Verengung, solche Gruppenbildung nur in den historischen und institutionalisierten Orden zu sehen, die die Ausstrahlung des Stifters und die Gefolgschaft in seiner originalen Auslegung des Glaubens durch die Geschichte hindurch gesichert haben. Die kirchliche Sendung einer einzelnen Berufung, die Affinität anderer zum gleichen Weg, braucht sich nicht immer in gleicher Deutlichkeit und Verfaßtheit zu zeigen, sondern läßt verschiedene Deutlichkeitsgrade und Institutionalisierungsstufen zu. Grundsätzlich wird man keine christliche Existenz in eine a-kirchliche Isolation einschließen dürfen, auch wenn sie sichtbar ohne jeden Anhang und ohne Gefolgschaft bleibt. Die Ausstrahlung und die Anregungen eines Glaubenszeugnisses lassen sich nicht kontrollieren und registrieren; keiner weiß, ob er durch sein unauffälliges Zeugnis nicht doch andere Menschen entscheidend angesprochen hat, so wie auch jeder fürchten muß, durch seine Unglaubwürdigkeit anderen den Weg des Glaubens erschwert oder versperrt zu haben. Der Funke eines beispielhaften Lebens zündet nicht nur entlang den Drähten einer institutionalisierten Ordensgründung, sondern springt auch frei über alle bewußten und organisierten Bindungen hinweg; man wäre versucht, paradoxerweise von nie-gegründeten und völlig anonymen Ordensgemeinschaften zu sprechen, wo keiner um die genaue Herkunft seines eigenen Glaubenkönnens weiß, wo er auch seine vielen Gefährten in der gleichen Richtung nicht kennt.

Sichtbare Zusammenfassung und Sicherstellung der ursprünglichen Spiritualität werden aber nötig und dringlich, wenn von solchen originalen Zeugnissen eine gezielte und geplante Wirkung auf die Kirche ausgehen soll. Erst der tatsächliche Verlauf einer solchen Bewegung bringt an den Tag, ob es sich um eine zeitgemäße und auch zeitbedingte oder aber um eine überzeitliche und übertragungsfähige kirchliche Sendung handelt. Man wird die institutionelle Stabilität und Lebensfähigkeit solcher Gemeinschaften nicht immer als pneumatische endgültige Notwendigkeit in der Kirche interpretieren können; gewordene und gewachsene Gemeinschaften haben allein schon ihr Beharrungs- und Behauptungsvermögen, das ihnen längere zeitliche Dauer verleiht. Dabei müßte es gar nicht als Geringschätzung einer kirchlichen Sendung und Gemeinschaft angesehen werden, wenn sie eine nur zeitbedingte Aufgabe und Dringlichkeit gehabt und nachher sich wieder aufgelöst und ausgelöscht hätte. Untergruppierungen in der Kirche können für sich nicht die gleiche Bestandesverheißung beanspruchen wie diese selber als die gemeinschaftliche und institutionelle Präsenz der eschatologischen Gnade Gottes.

4. Vielgestaltigkeit des Weltbezuges

Christlicher Glaube wird die Korrelation von Gott und Welt als Grundstruktur der Wirklichkeit anerkennen; dieses Verhältnis verbleibt aber nicht in deistischer Abstraktheit, sondern erfährt eine heilsgeschichtliche Konkretheit durch Gottes schöpferisches, erlösendes und vollendendes Handeln in Jesus Christus: in ihm steht Gott der Welt und steht die Welt Gott gegenüber. Hinter die Konkretisierung dieser Beziehung in Jesus Christus kann die Geschichte, aber auch der Glaube nicht mehr zurück und nicht darüber hinaus; nicht dahinter zurück in eine geschichtslos-abstrakte Beziehung, nicht darüber hinaus auf eine pantheistische Verwischung des Abstandes von Gott und Geschöpf. Dieses Verhältnis hat in Jesus Christus seinen noetischen und realisierenden Ursprung und Anfang, von dem her jetzt die Kirche in Zeugnis und Wirksamkeit existiert. Auf sie überträgt sich die Verpflichtung zur gleichen Korrelation und zu ihrer vollen Erfüllung: eine alternative Wahl zwischen Gott und der Welt ist der Kirche angesichts dieser gegenseitigen Zuordnung nicht möglich, darum gehört diese Verwiesenheit schon zum essential-gemeinsamen Inhalt des Glaubens des einzelnen Christen. Darin kann einerseits die besondere Ausprägung noch nicht liegen, doch sind innerhalb dieser gemeinsamen Grundstruktur ungezählte Variationen und Akzentuierungen möglich und über einen bloßen Essentialismus hinaus auch notwendig.[25]

a. Kulturgeschichtliche Mitbedingtheit des glaubenden Weltbezuges

Es wäre jetzt allerdings eine monokausale Vereinfachung, diese spirituelle Option nur von strikt theologischen Motiven bestimmt zu sehen; vielmehr hängt diese auch von gleichzeitigen kulturgeschichtlichen und anthropologischen Bedingungen ab. Das Verhältnis des Menschen als solches ist bereits einer großen geschichtlichen Wandlungsfähigkeit ausgesetzt, je nachdem ob es dem Menschen überhaupt einsichtig und möglich ist, theoretisch und operativ auf die Welt hin sich auszuweiten. In dieser Hinsicht hat erst die Neuzeit mit ihren technischen Möglichkeiten den Aktionsradius des Menschen über eine unmittelbare Nachbarschaft hinaus ausgeweitet. Während vorher der Mensch höchstens knapp um sich herum die Lebensbedingungen verändern konnte, sind ihm inzwischen auch die strukturellen Lebensbedingungen zugänglich und veränderbar geworden, sowohl im naturwissenschaftlichen wie im gesellschaftlichen Bereich.

Man kann sich von daher auch leicht den Wandel der glaubenden Einstellung der Welt gegenüber vorstellen und ableiten: in einer vortechnischen Zeit vermag auch eine glaubende Sicht der Welt den Kreis der aktiven Veränderung und Gestaltung nicht weiter auszudehnen, als dies den intellektuellen und praktischen Fähigkeiten des Menschen möglich ist; überhaupt wird diese Dimension der glaubenden Existenz nicht besonders im Vordergrund stehen. Anderseits wird die unerhörte Erweiterung dieser Möglichkeit neue Fragen und Aufgaben an den glaubenden Menschen stellen: er wird die Korrelation Gott–Welt, die welthafte kosmische und menschheitliche Bedeutung des Christusereignisses neu interpretieren und realisieren müssen; für die Kirche als ganze wie für den einzelnen ergeben sich daraus auch neue Imperative, die aus einer nur essentiellen und prinzipiellen Bejahung der Welt noch nicht hervorgegangen sind. Immer noch bleibt dem Glauben die Aufgabe, die allgemeinmenschliche Dimension im Glauben kritisch zu verstehen und sein Handeln in einer christlichen Inspiration zu begründen.

b. Unterschiedlicher Stellenwert des Weltbezuges

Durch den kulturgeschichtlichen Wandel und die jeweilige Betonung der Weltdimension ist allerdings die persönliche Option des einzelnen Christen

---

[25] Zur Gemeinsamkeit und zu den Differenzierungen des Weltbezugs vgl. H. U. v. Balthasar, Weltliche Frömmigkeit?: Spiritus Creator (Einsiedeln 1967) 312–321.

noch nicht völlig vorentschieden, als ob der allgemeine Trend zugleich auch den persönlichen und existentiellen Kairos bestimmte. Sicher hat die neue Sicht der Welt und der menschlichen Verhältnisse zu einer durchgehend positiveren Sicht des profanen Handelns geführt, das jetzt von Schöpfung, Inkarnation, Auferweckung und kosmischer Herrschaft Christi her als authentisch christliches Handeln aufgewertet wurde und nicht mehr bloß den äußerlichen Wert eines «verdienstlichen» Handelns besaß. Die unheilvolle Dichotomie des religiös-sonntäglichen Lebens im Gottesdienst und des profan-werktäglichen Lebens des Christen in der Welt konnte so überwunden und zur Ganzheit integriert werden. Die zunehmende Säkularisierungserfahrung und die unübersichtliche Kompliziertheit des weltlichen Handelns ziehen diese Integration aber immer mehr in die Unanschaulichkeit des Glaubens und verbieten romantische und kurzschlüssige Sakralisierungen des weltlichen Tuns. So wird eine Grenzform denkbar und aktuell, in welcher für längere Zeit im Bewußtsein und in der Erfahrung auch eines glaubenden Menschen dieser Weltbezug allein thematisch wird und seine Aufmerksamkeit voll beansprucht, während der Bezug auf Gott als Schöpfer und auf die christozentrische Mitte der Welt in der Latenz eines unausdrücklichen Glaubens verbleibt. Es wird für die Freiheit des Christen dann unerläßlich, regelmäßig die freie Distanz zur Welt und zur eigenen Aktivität zu gewinnen, um das unübersichtliche Arbeitsfeld doch in seiner Ganzheit als Welt und Schöpfung zu überblicken; Zeiten der Feier und der ausdrücklichen Glaubensreflexion sind für die Wahrung der eigenen Freiheit notwendig.

Umgekehrt erhält in dieser Sicht auch der dominierende Bezug auf Gott als Ursprung und Vollendung der Welt, auf Christus als den jetzt schon herrscherlich gegenwärtigen Herrn und als eschatologisches Ziel der ganzen Welt neue Dringlichkeit. Diese mehr kontemplative Verwirklichung und Akzentuierung der Gott-Welt-Korrelation läßt sich nicht vereinfachend einer früheren, passiven und untätigen Welteinstellung zuordnen und damit als überholt abqualifizieren. Während diese Option früher eher als Analogie und als spirituelle Sublimierung eines kulturgeschichtlichen Zustandes nahelag und entsprechend häufig gewählt wurde, erhält diese Lebensform heute gerade durch ihre Gegensätzlichkeit eine neue kritische Aktualität. Das glaubende Gedächtnis an Gott als Schöpfer, das glaubende Verständnis der Welt als seiner Schöpfung, gewinnt sich ja nicht aus sich selber und noch weniger aus der Welterfahrung, sondern ist eine höchst gefährdete und immer neu zu entscheidende Gewißheit gegenüber der autonomen Verselbständigung der Welt und einer ebenso mächtigen Autonomie des menschlichen Weltverhaltens. Soll dieses Verhalten als Dienst und als Auftrag des Christen sichtbar und erfahrbar bleiben, kann nicht auf das Zeugnis verzichtet werden für *den* Herrn, von dem der Auftrag kommt und dem der Dienst getan wird. Ebensowenig wirkt sich die Christusherrschaft mit der

Selbstverständlichkeit eines naturhaften oder evolutiven Prozesses aus, sondern ist, wie schon das begründende Ereignis von Inkarnation, Tod und Auferweckung, ein Glaubenszeugnis. Der gläubige Dienst in der Welt ist so gerade auf Bezeugung angesichts einer dieses Zeugnis keineswegs darbietenden Wirklichkeit angewiesen. Von daher kommt dem «vollamtlichen» Lob Gottes in seiner schöpferischen und eschatologischen Transzendenz, dem lebensberuflichen Dienst Christi als des kosmischen und geschichtlichen Herrn nicht weniger Dringlichkeit zu. Es ist kaum möglich, in der gleichen individuellen Glaubensexistenz diese beiden Komponenten zugleich zu realisieren; in der Kirche sind aber beide Zeugnisse notwendig und aufeinander angewiesen.[26]

c. Verändernde Actio und verzichtende Passio

Die unerwartete Ausweitung der menschlichen Möglichkeiten zur Veränderung und Umgestaltung der Welt hat zunächst das Bewußtsein und die Erfahrung der Grenzen weit über den Gesichtskreis hinausgeschoben; inzwischen haben hier auch ernüchternde Bescheidung und Unzulänglichkeit sich wieder geltend gemacht, ohne daß dies zu einer pharisäischen Schadenfreude über den enttäuschten Weltoptimismus mißbraucht werden sollte. Auf jeden Fall ist das handelnde Verhalten des Menschen an seiner Umwelt, an den gesellschaftlichen Strukturen durch eine dialektische Gegensätzlichkeit von Gelingen und Scheitern, von Über- und Unterlegenheit gekennzeichnet; das gleiche Feld bietet ihm neue Möglichkeiten an und läßt ihn zugleich an seine, wenn auch weiter vorgeschobene Grenze stoßen; in sich und vor sich erfährt er das Potential menschlicher Intelligenz und Aktivität und macht zugleich Erfahrungen seiner Kontingenz und Endlichkeit. Das genaue Mischungsverhältnis dieser Kräfte ist nun nicht theoretisch allgemein zu errechnen, sondern macht die Einmaligkeit und Unvertauschbarkeit der persönlichen Erfahrung aus. Diese nicht ableitbare Existentialität ist ganz allgemein unter den Menschen anzutreffen; sie erhält noch eine größere Vielfalt dort, wo sie sich vom Glauben inspirieren läßt. Vor allem die christologische Mitte dieses Weltbezugs läßt die Spannungsbreite ermessen: nicht ein abstraktes Zentrum bildet ja die integrative Mitte, von der her und auf die hin die Christen ihren Weltauftrag erfüllen, sondern die geschichtliche Person und das gegensätzliche Geschehen von Tod und Auferweckung Christi. Es ist nicht zum vorneherein auszurechnen, wie das Weltverhalten eines Christen gestimmt ist, der vom gekreuzigten *und* auf-

---

[26] Zur Theologie des Ordensstandes und zur ekklesiologischen Bedeutung desselben vgl. I. F. Görres, Versiegende Brunnen. Ein Selbstgespräch über Mönch und Laie: Caritas 44 (1966) 252–274 u. 293–301; S. Regli, Das Ordensleben als Zeichen in der Kirche der Gegenwart (Freiburg/Schw. 1970); Fr. Wulf, Um den Standort der Orden in Kirche und Welt: GuL 36 (1963) 302–306.

erstandenen Christus her die Welt sieht und angeht. Läßt sich schon die Ausübung der Herrschaft Christi nicht auf einen Nenner bringen (Weltunterwerfung oder -durchgeistigung einerseits, leidendes Aushalten der übermächtigen zerstörerischen und sündigen Kräfte der Welt anderseits), so ist auch beim Weltbezug des Christen ungebrochene Eindeutigkeit nicht zu erwarten. Neben der unternehmenden und ausgreifenden Mitwirkung an einer erlösten Welt gibt es auch das Zeugnis der scheiternden und nur noch hoffenden Passion, die nicht mit eigener Kraft und in einsichtigem Erfolg die neue Welt herbeiführen will, sondern dies dem gleichen Gott anheimstellt, von dem auch der Gekreuzigte sich seine eigene Zukunft geben ließ, ohne sie einsichtig voraussehen oder aktiv vorwegnehmen zu können.[27]

5. Aktualität und Permanenz der Glaubenstypen

Die unreflexe Erfahrung und Wahrnehmung der Geschichtlichkeit ist viel älter als ihre bewußte und realisierte Bedeutung, gerade im Bereich kirchlicher und individuell-christlicher Existenz. Der Bezug zum jeweiligen kirchlichen oder weltlichen *Kairos*, die Ausrichtung auf eine bestimmte Situation oder Notwendigkeit der Kirche und der menschlichen Gemeinschaft, brachte schon immer Wandel und Lebendigkeit in die Gestaltung der Glaubenstypen. Der einzelne Christ und die Glaubensgemeinschaft der Kirche dürften aber für diesen Wandel innerlich offener und freier sein, wenn sie die Geschichtlichkeit ausdrücklich und positiv als ein Existential des Glaubens und der einzelnen Glaubensindividualität anerkennen und bejahen, als wenn sie sich diesem Wandel nur unreflex und oft sogar widerstrebend unterziehen. Die Unvollständigkeit einer nur essentiellen christlichen Heiligkeit und eines nur essentiellen Glaubenszeugnisses der Kirche zeigt sich gerade auf der Koordinate der Geschichtlichkeit. Es kann noch lange nicht genügen, jederzeit und überall einen gleichen Kanon christlichen Lebens einzuhalten, die grundlegenden Wahrheiten des Glaubens zu verkündigen, die gestifteten Sakramente zu spenden und zu empfangen und die bleibenden Strukturen kirchlichen Lebens aufrechtzuerhalten. Diese scheinbare Überzeitlichkeit und Jederzeitigkeit wäre nur schon eine Täuschung, mit der höchstens eine frühere, ebenfalls geschichtlich gewordene und damit geschichtlich bedingte Form des Glaubens und Lebens stabilisiert würde. Vor allem aber ließen sich dann der Glaube und die Kirche nie voll auf die jeweilige geschichtliche Situation ein; damit verfehlten sie nicht nur die Zeichen der Zeit, die von außen her ein gezieltes Zeugnis und eine erhellende Verkündigung verlangen, sondern sie versäumten auch eine innere Chance des Glaubens und eine Möglichkeit des Geistes, sich hier und

---

[27] Vgl. K. Rahner, Zur Theologie der Entsagung: Schriften III, 61–72.

jetzt gegenüber *dieser* Erwartung und Notwendigkeit neu auszuprägen und die Fruchtbarkeit des Geistes erneut anschaulich und erfahrbar zu machen. Ein jederzeitig-sein-wollender Glaube und ein überzeitliches Heiligkeitsideal laufen Gefahr, überhaupt nie zeitgenössisch und präsent zu sein.

Mit der *Neuheit und Vorläufigkeit* einer Spiritualität und einer kirchlichen Sendung stellen sich den jeweils Berufenen und ihrer kirchlichen Gemeinschaft neue Chancen und Risiken. Ein neuer Typ des Glaubensverständnisses und -lebens kann nicht immer darauf zählen, von seinen Zeitgenossen innerhalb und außerhalb der Kirche angenommen und verstanden zu werden. So selbstverständlich, wie einzelne geschichtlich wirksame Formen der Heiligkeit uns heute erscheinen, sind sie in ihrer Zeit keineswegs angenommen worden. Daß man auch *so* das Evangelium leben könnte wie etwa Franziskus, daß auch *so* Ordensleben möglich wäre wie in der Gesellschaft Jesu und daß auch *so* Kontemplation gelebt werden könnte wie bei Charles de Foucauld, das wird erst hinterher durch den Vollzug und die Evidenz des verwirklichten Zeugnisses überzeugend; es stellt aber vorher für den Berufenen selber wie für seine Kirche ein unbekanntes Risiko dar, das der glaubende Mensch selber und seine jeweilige institutionelle Kirche nicht ohne weiteres einzugehen bereit sind. Neu ist dabei entweder die Heraushebung eines evangelischen Impulses, die Gestaltung kirchlichen Lebens oder auch die Beantwortung einer in der zeitgenössischen Gesellschaft sich stellenden Aufgabe der Kritik. Verständnis für solche prophetische Aufmerksamkeit ist umso schwieriger zu gewinnen, weil es fast unvermeidlich den Vorwurf und das Schuldgeständnis der Unaufmerksamkeit und des Versäumnisses impliziert. Man denke etwa an den Einsatz für die Sklavenbefreiung oder an das politische Engagement für die Unabhängigkeit der Kolonialstaaten; beide stießen und stoßen in der Missionskirche ihrer Zeit auf die Verquikkung politischer, wirtschaftlicher und kirchlicher Interessen, die sich nicht freiwillig zu einer Entflechtung und noch weniger zum kritischen Konflikt freimachen können. Man wird nicht sagen können, daß die katholische Kirche mit ihrer beeindruckenden Tradition des Glaubens, mit ihren stilbildenden Gestalten der Heiligen, aber auch mit der Schwerfälligkeit ihrer amtlichen Institutionen, für die jeweiligen charismatischen Ausrufer der Glaubens- und Kirchenstunde besonders offen war. Anstatt diesen prophetischen Zeugen des Glaubens und den hellhörigen Interpreten der Stunde ein präsumptives Vertrauen und sogar positive Ermutigung zu gewähren, überwälzte man auf sie die Beweislast gegenüber der bisherigen Form von Heiligkeit und Glauben, wie sie *vor* dem gelungenen Experiment gar nicht einzulösen war. In einer zeitgenössischen Kirche sollten solche Initiativen aber eine Präsumption der geistlichen Echtheit genießen dürfen.

Während sich beim Erwachen solcher neuer Glaubens- und Lebenstypen die Gefahr mehr auf seiten der institutionellen Kirche zeigt, können ihrerseits diese Individualitäten selber ihre Zeit dann verkennen, wenn sie abgelaufen ist. Noch mehr als zu Beginn ihres Zeugnisses müssen sich die einzelnen Christen vergewissern, ob und wann die Situation vorbei ist, die anfangs nach ihnen gerufen hat. Wie es die Verspätung hinter einem Kairos, einer dringlichen Situation der Kirche und der Gesellschaft, geben kann, so auch die Überdehnung und Verlängerung über den Kairos hinaus. Es macht die Versuchung prophetischer Bewegungen und einzelner prophetischer Personen aus, daß sie sich zuerst gegen das Mißtrauen und die Trägheit ihrer Zeit durchsetzen müssen, selber aber nach einiger Zeit dem Wandel der Dinge nicht mehr folgen können und nun ihrerseits zu hemmenden Bewahrern werden. Die an Wandel so reichen und bewegten letzten zwanzig Jahre der katholischen Kirche, in den Jahren vor und nach dem Konzil, böten dafür Beispiele, die nicht ohne Tragik sind. Solche Erfahrungen lassen sich aber auch in der Geschichte aufzeigen: die Notstandsmaßnahmen der Kirche gegenüber Häresie und enthusiastischer Willkür hatten ihre Berechtigung, etwa die der Stärkung des Amtes gegenüber dem Mißbrauch der Geistesgaben; sie überziehen aber diese Legitimation, wenn sie sich nachher als bleibendes Gesetz in die Kirche hinein fortpflanzen. Auch die Geschichte der Ordensgründungen kennt Berufungen, die zuerst mit größter Wachsamkeit und Beweglichkeit ein dringliches Bedürfnis aufgriffen, z. B. den Loskauf der gefangenen Kreuzfahrer, den Schutz der Armen gegenüber dem Zinswucher, die aber selber über ihren ursprünglichen Zweck hinaus und sogar allmählich an ihm vorbei und ihm entgegen sich etablierten.

Wenn es zu den Gaben des Geistes gehört, den Kairos einer fälligen neuen Verwirklichung christlicher Existenz und kirchlichen Handelns zu erkennen, so ist es nicht weniger eine Gabe des Geistes, die abgelaufene Stunde wahrzunehmen und in Bescheidung die aufgegriffene Tätigkeit wieder niederzulegen und neu nach dem Willen Gottes zu fragen. Die Gefährdungen liegen aber an verschiedenen Stellen: zuerst mehr bei der «erfahrenen» Kirche als beim neuerweckten Zeugen, nachher gerade bei diesem selber; so sind auch die Fragen kritischer Besinnung und neuer Zeitbestimmung an verschiedene Adressaten gerichtet. Letztlich läßt sich das je zeitgemäße Zeugnis nur in einem gemeinschaftlichen Hören und Suchen finden, nicht im undialogischen Alleingang.

6. Grenzfälle und Grenzüberschreitungen

Mehrmals haben wir die individuelle Glaubensoption des einzelnen Christen oder einer Gruppe mit Hilfe einer polaren Korrelation situiert: gemeinsam ist dem christlichen Glauben diese Beziehungsstruktur, etwa von Gott und Welt, zwischen den verschiedenen Ansätzen der Christusfrömmigkeit und -nachfolge, der einzelnen kirchlichen Lebensfunktionen innerhalb des Leibes Christi, der gegensätzlichen Zeitbestimmungen der Heilsgeschichte usw. Immer ging es aber darum, über diese essentielle Gemeinsamkeit hinaus einzelne Schwerpunkte und Optionen zu treffen und erst so die je einmalige christliche Existenz zu finden und zu verwirklichen. Nun lassen sich schon die einzelnen Möglichkeiten innerhalb dieses Spannungsbogens nicht zum vorneherein festlegen, sondern nur in zeitbezogener Wachheit und in unableitbarer spiritueller Phantasie entwerfen. Aber es ist auch nicht leicht, die ganze Schwingungsbreite dieser Möglichkeiten abzustecken und eindeutige, unüberschreitbare Grenzen zu ziehen. Diese Schwierigkeit besteht heute für die Kirche nicht nur im Bereich der Lehre, wo der Methodenpluralismus und die Vielfalt der verschiedenen Sprechweisen eine uniforme Sprachregelung viel problematischer machen, als dies früher sein mochte. Es gilt ebensosehr und noch mehr im Bereich des Lebens, wo keine Regelung im voraus die tatsächlichen Entwürfe und Verwirklichungen vorwegnehmen und eingrenzen kann.

a. Legitime und illegitime Einseitigkeit

Dem gelebten Glauben des einzelnen Christen ist nur schon weit mehr Einseitigkeit zuzugestehen als der Lehrüberlieferung und auch einer zeitbezogenen Theologie. Es ist dem einzelnen Glaubenden einfach nicht möglich, alle Aspekte des Glaubens, alle Formen etwa der Christusfrömmigkeit, alle Aufgaben der Kirche und alle Dimensionen der Heilsgeschichte gleichzeitig bewußt zu machen und zu realisieren. Ein solches Parallelogramm der Kräfte mag für die wissenschaftliche Theologie als dem Gedächtnis der Kirche notwendig sein, es kann aber unmöglich den Vektor der gelebten Glaubensexistenz liefern. Gerade ihre Ausgeglichenheit und Ausgewogenheit nähme ihr jede Akzentuierung und jede geschichtliche Dynamik; das persönliche Parallelogramm darf darum einzelne Vektoren betonen und verstärken und andere vernachlässigen, um wenigstens und gerade die eigene Option und die je zeitgenössische Dringlichkeit sichtbar zu machen. Legitime Einseitigkeit heißt in diesem Sinn nur schon notwendige und realistische Einseitigkeit; sie ist aber auch als erlaubte Einseitigkeit zu bezeichnen. Es bedeutet noch keine verschlossene Einseitigkeit, wenn der einzelne Glaubende sich den ihm entsprechenden Stil sucht, wenn er aus dem Reichtum der Überlieferung und aus der Fruchtbarkeit des Ursprungs seine eigene Wahl trifft, wenn er in seiner kirchlichen und gesellschaftlichen Situation den Ruf der Stunde zu vernehmen und zu interpretieren sucht, wenn er schließlich die ihm zugedachte geistliche und heilsgeschichtliche Erfahrung so annimmt, wie der Geist will.

Die Bedingung dieser legitimen Einseitigkeit liegt aber darin, daß der Christ dabei doch mehr oder weniger deutlich um die volle Gestalt und die Ganzheit des Glaubens weiß und sich für sie offenhält. Er wird seine eigene Option gerade als Wahl und Auswahl verstehen und sich selber auf das Ganze offenhalten, das er selber nicht übernehmen und noch weniger zugleich sein kann. Diese Offenheit verbleibt nicht nur auf der theoretischen Ebene, wenn etwa die Glaubensüberlieferung und die gleichzeitigen anderen Aufgaben der Kirche anerkannt werden, sondern wenn auch praktisch der einzelne Christ seinen Mitchristen die gleiche Freiheit zugesteht und sich dem Austausch und Dialog mit ihnen öffnet, indem er von ihnen zu empfangen und ihnen zu geben bereit ist.

Die Grenze zur Illegitimität wäre aber dann überschritten, wenn eine existentiale Spiritualität die Kommunikation mit dem essentiellen Ganzen und mit den anderen ebenso unableitbaren Charismen und Geistesgaben ablehnte. Wenn auch die Analogie zwischen Essential- und situativer Existentialethik nicht in jeder Hinsicht übertragbar ist auf die Nichtrückführbarkeit der Spiritualitäten und Glaubensstile, so ist doch mit ähnlichen Versuchungen zu rechnen. Der Fall der Grenzüberschreitung ist aber nicht vorschnell anzunehmen, so wie in der theologischen Ethik außerhalb der Norm noch nicht die Norm*widrigkeit* (contra legem) hart anstößt, sondern das große Feld des «*praeter* legem» betreten wird. Starre Regeln zur Unterscheidung der Geister lassen sich nicht aufstellen; als wichtiges Kriterium gilt die grundsätzliche Bereitschaft zum Dialog des einzelnen Glaubenden mit seiner ihn umgebenden Gemeinschaft, ebenso die Dialogbereitschaft mit der Vergangenheit und die Offenheit auf die unverfügbare, aber verfügende Zukunft. Erst das Fehlen dieser Offenheit berechtigt zu ernsten Zweifeln.[28]

b. Beispiele existentieller Einseitigkeit

An den bisher genannten Spektren sind kurz die jeweiligen Grenzlinien nachzuziehen, wo die Gefahr der Einseitigkeit besteht; dabei soll aber jedes Vor- oder Werturteil vermieden sein über einen Christen, der aus geistiger Berufung oder in kirchlicher Solidarität den Weg einer Grenzerfahrung geht.

Die *Gotteserfahrung* kann, wie etwa die Mystik zeigt, beinahe die Hülle der irdischen Verborgenheit durchstoßen und in eine Helligkeit hereinführen, die die Bedingungen der weltlichen Existenz zu überschreiten und zu sprengen droht. Solche Vorwegnahme einer unmittelbaren Gotteserfahrung kann, muß aber nicht die Versuchung der ungeduldigen Herrlichkeitserfahrung sein, die die Schwelle und Grenze der lebensgeschichtlichen und pilgerschaftlichen Dunkelheit überschreitet. – Ebenso kann aber auch der Gottesglaube in einem Dunkel der Gottesfinsternis verbleiben, in einer derart radikalen Welterfahrung und in konsequenter Solidarität mit dem Geschick des atheistischen Unglaubens, daß die Unterscheidung zu diesem nicht mehr leicht fällt. Die Geschichtlichkeit der Gotteserfahrung ist nicht reinlich auf eine objektive und subjektive Komponente zu verteilen; sie ist nicht nur – subjektiv – schuldhafte Geschichte menschlicher Blindheit für Gott,

---

[28] Vgl. H. U. v. Balthasar, Das Evangelium als Norm und Kritik aller Spiritualität in der Kirche: Spiritus Creator (Einsiedeln 1967) 247–263; K. Rahner, Der Glaube der Christen und die Lehre der Kirche: Schriften X, 262–285.

ebensowenig aber nur – objektiv – verfügte Schickung des sich verhüllenden und sich offenbarenden Gottes.

Die *Christusfrömmigkeit* und -nachfolge kennt im Verlauf der Kirchengeschichte höchst unterschiedliche Zugänge, wie etwa die Ikonographie zeigt: vom Kind in der Krippe zum Schmerzensmann, an dem keine Schönheit ist, bis zum auferweckten Herrn in seiner österlichen oder wiederkommenden Herrlichkeit. Der Glaube hat das gute Recht, sich jenem Antlitz zuzuwenden, von dem er sich am meisten angesprochen weiß. Problematisch wird eine solche Option erst dann, wenn er die einzelne christologische Situation aus dem Ganzen des lebensgeschichtlichen Weges Jesu Christi isoliert und trennt. Vor allem wird hier an eine Trennung von Kreuz und Auferweckung, von Tod und Leben Christi zu denken sein: in einer radikalen Identifikation mit dem Gekreuzigten in seiner Verlassenheit, daß darob die neue Zukunft des auferweckenden Gottes ausgeblendet wird; oder aber umgekehrt in einer derart enthusiastischen Vorwegnahme der eigenen Auferweckung, daß das Kreuz als überwundene Episode zurückgelassen scheint, sowohl im Christusbekenntnis wie in der eigenen Glaubenserfahrung.

Überhaupt waren die objektiven Einseitigkeiten der Christusfrömmigkeit meistens zuerst existentiell-subjektive Einseitigkeiten der heilsgeschichtlichen Erfahrung. Wenn schon im NT mit der präsentischen Eschatologie des Joh-Evangeliums die Grenze zur ungeschichtlichen Präsenz des Eschatons beinahe überschritten ist, dann ist es dem Glauben im Verlauf der Geschichte nicht zu verdenken, wenn er die Spannung des «Schon–Noch nicht» auch nicht immer auszuhalten und richtig zu treffen verstand. Die ganze Kirche in ihrem Selbstverständnis hat sich durch den reformatorischen Gegensatz auch ekklesiologisch auseinandergelebt in eine barocke Kirche der Herrlichkeit und eine sich selbst in Frage stellende Kirche des Kreuzes. Wiederum ist jedoch von außen nicht zu entscheiden, ob hier ungläubig die gottgefügte Zeit nicht angenommen wurde oder ob ein einzelner bestimmt war, zeichenhaft an sich selber und für die Kirche eine Erfahrung der Anfechtung oder eine solche der Heilsgewißheit zu machen.

Schließlich wäre in der Kirche der Gegenwart der starke Pendelausschlag zu verzeichnen, der von einer ökumenischen Übereinstimmung in der reinen Gnadenhaftigkeit des Heils zu einer ebensolchen Übereinstimmung in der *ethischen Verbindlichkeit* des Glaubens geführt hat. Katholische Frömmigkeit ließ sich im ökumenischen Dialog die Botschaft von der Rechtfertigung allein aus Gnade ausrichten und mußte von einer Werkfrömmigkeit und Leistungsethik abrücken; protestantische Theologie und Frömmigkeit erkannten die Gefahr der «billigen Gnade» und suchten die Verbindlichkeit des Glaubens in einem entsprechenden Wandel einzuholen. Inzwischen bestimmt vor allem der gesellschaftskritische und -ethische Aspekt des Glaubens das Gespräch und den Glaubensstil der Christen quer durch die verschiedenen Konfessionen hindurch. Schien es vorher, daß der Römerbrief, mißverstanden zwar oder einseitig ausgelegt, die ethische Anstrengung erlasse, so ist inzwischen der orthopraktische Jakobusbrief von seiner Ächtung als «Strohepistel» freigesprochen und unerwartet aufgewertet worden. Zugleich sind damit aber auch neue mögliche Einseitigkeiten und Ausschließlichkeiten sichtbar geworden: Sollte die zeitbedingt-imperativische und insofern legitime Einholung der ethischen Verbindlichkeit so prinzipiell werden, daß darob die paulinische Botschaft der «sola gratia» und der unmöglichen Rechtfertigung aus eigenen Werken verlassen wird? – Die Offenheit auf neue Annäherung und Integrierung hin wird es zeigen.

c. Unschärfe der Grenze

Wo wird Grenzerfahrung zur Grenzüberschreitung? – Zur Beantwortung dieser Frage müßte der Kirche oder irgend jemandem in ihr die Grenzziehung absolut eindeutig und entscheidbar bekannt sein. Nur hieße dies auch, daß innerhalb unserer Zeit und Geschichte das Urteil Gottes über das verborgene Herz des Menschen vorwegnehmbar wäre. Dies wird aber niemand in der Kirche, die sich als ganze auf der Pilgerschaft befindet und der darum als ganzer das Gericht entzogen ist, für sich beanspruchen können. Damit ist aber nicht nur der Grenzverlauf, sondern auch der jeweilige Standort des einzelnen Glaubenden oder einer kirchlichen Gemeinschaft nicht mit absoluter Sicherheit festzustellen. Die gleiche Enthaltsamkeit im Urteil über den anderen, von der etwa in 1 Kor 4, 1–5 die Rede ist, wird somit allen in der Kirche auferlegt, dem einzelnen Bruder gegenüber seinem Bruder, wie auch dem kirchlichen Amt.

In der essentiellen Theorie wäre zwar ein Urteil noch eher möglich, weil hier die geäußerten Worte und das äußere Verhalten zu beurteilen wären; doch sind wir heute angesichts der hermeneutischen Problematik und des Sprachpluralismus innerhalb der einen und selben Kirche und Theologie für solche Abgrenzungen skeptisch geworden. So losgelöste Sprache des Glaubens oder so abgetrennte ethische Urteile sind bereits ihrem eigentlichen Kontext entfremdet: Glaube ist Glaube erst als gelebter und in eigener Entscheidung verwirklichter Glaube; Ethos ist solches nur im Kontext einer konkreten Person und im Rahmen ihrer individuellen und sozialen Beziehungen. Bei den einzelnen Grenzgängern ist an existentieller impliziter Integration mehr zu vermuten, als sie selber wissen oder ausdrücklich machen können. Wovon sie nicht ausdrücklich sprechen, was vielleicht auch in ihrer Reflexion und ihrer sprachlichen Artikulation kaum vorkommt, das braucht deswegen noch nicht aus dem Glauben ihres Herzens verdrängt zu sein.

So muß man heute der Kirche als ganzer und den einzelnen Christen eine große Toleranz zumuten und möglichst lange einen solchen Grenzgänger doch noch als Bruder anerkennen und ihm die Glaubens- und Kirchengemeinschaft nicht zu früh entziehen. Frühere rigoristische Grenzziehungen dürften uns hier vorsichtig gemacht haben. Weitherzigkeit ist nicht nur dem betreffenden suchenden Christen zuzugestehen, sondern kommt auch der ganzen Kirche zugute, die auf diese Weise vielleicht um eine Erweiterung ihrer bisherigen Möglichkeiten bereichert wird und nur so in ihrer Mitte einen ursprünglichen und weiterführenden Charismatiker behält.

Schluß: «Individuum ineffabile»

Die zuletzt erwähnte Schwierigkeit einer klaren Grenzziehung bringt nur ans Licht, was auch innerhalb des ganzen Spektrums der Glaubenstypologie und der Charismen in der Kirche gilt: die einzelne Individualität des Glaubens ist nur in Annäherungen und Einkreisungen erreichbar, die, ausgehend vom essentiellen Gemeinbesitz, einzelne Akzentuierungen, Optionen und Tendenzen unterscheiden und so seine Individualität zu bestimmen suchen. Aber an die Individualität als solche kommt theoretische Reflexion nicht heran, sie muß sich – um einen philosophischen Begriff zu gebrauchen – mit dem «individuum vagum» begnügen. Das Individuum selber ist «ineffabile», unaussprechlich, nicht theoretisierbar und auf keinen – notwendig allgemeinen – Begriff zu bringen.

In der Theologie und in der Ekklesiologie ist diese Schwierigkeit noch potenziert, weil wir nicht nur die innerweltlichen und menschlichen Faktoren nicht aufrechnen können, sondern weil hier die Unaussprechlichkeit und Unbenennbarkeit ihren Grund in einem transzendenten und nun doch immanent gewordenen und in der Existenz wirksamen Geheimnis hat. Es hält schon schwer, nur essentiell den gemeinsamen Besitz des Glaubens vollständig und doch in der Hierarchie der Wahrheiten geordnet zusammenzufassen. Dazu aber ist jedes einzelne Thema des gemeinsamen Bekenntnisses in sich noch einmal unendlicher Variationen fähig, wie wir etwa an der Gotteserfahrung, an der heilsgeschichtlichen Stunde, am Weltbezug usw. gezeigt haben. Vor allem aber entzieht sich der Deskription die jeweilige Individualität des Glaubenden, und zwar von seiner menschlichen Herkunft und seiner geschichtlichen Situation her, wie in seinen gemeinschaftlichen Bezügen und in den verborgenen Kräften seines Herzens. Nicht nur für andere, auch für sich selber ist der Glaubende ein Ineffabile, für das er sich selber keinen Namen zu geben weiß.

Dann kann es nicht erstaunen, wenn diese theologische Skizzierung der möglichen Glaubenstypen, der möglichen Individuierungen christlicher und kirchlicher Existenz unvollständig und sehr annähernd aufhören muß. Nicht nur läßt sich die Vielfalt solcher Ausprägungen apriorisch nicht *voraus*-berechnen, auch post factum, angesichts der Vielfalt christlichen Lebens, das uns die Geschichte und die Gegenwart zeigen, ist die einzelne Ausprägung nicht *nach*-zurechnen, sondern bleibt auch aposteriorisch, dann vielleicht erst recht, ins Geheimnis entzogen. Wessen Geheimnis? – Letztlich erfährt der Glaubende an sich selber, nicht nur als theoretische Wahrheit, die Unbenennbarkeit *Gottes*. Durch die unmittelbare Beziehung von Gottes gnädiger Selbstmitteilung und menschlicher Selbsttranszendenz wird das Geheimnis des unbenennbaren Gottes eine Bestimmung der Glaubensexistenz selber, die den Christen über sich ins Unerkennbare und Unbenennbare Gottes hinein entführt. Ebenso kann keiner sagen, wie an den Menschen neben ihm der Ruf *Christi* ergangen ist und unter welchem Namen er in seine Nachfolge gezogen wurde; die synoptischen Berichte begleiten einzelne Berufungen Jesu zugleich mit einer neuen Namengebung und sprechen so eine Weisheit aus, die sich letztlich bei jeder Berufung ereignet; nur weiß hier jetzt auch der Gerufene und Nachfolgende selber seinen neuen Namen in dieser Weltzeit noch nicht, sondern ist ständig unterwegs, ihn zu vernehmen und zu verwirklichen. Und schon immer hat die Theologie, angefangen vom NT, die Vielfalt der Gnadengaben, der Ausprägungen des Glaubens und der Lebensstile, der Dienste in der Kirche und in der Welt auf die Freiheit des *Geistes* zurückgeführt, der einem jeden zuteilt, wie er will. So stellt sich in der geschichtlichen und gegenwärtigen Vielfalt der Glaubenstypen die Fruchtbarkeit dieses Geistes Christi dar, der mit immer neuen Entwürfen und Verwirklichungen christlicher Existenz die Kirche beschenkt, auch wenn die Kirche dieses Geschenk oft eher als Beunruhigung und Herausforderung, als Grenzüberschreitung oder als Normabweichung diskriminieren möchte. Hier zeigt es sich, ob die Kirche tatsächlich von dem Geist lebt, auf den sie sich beruft.

Die Glaubensexistenz des einzelnen und der ganzen Kirche ist ihr also ins Geheimnis des dreifaltigen Gottes hinein entzogen. Trinitarisch ist sicher auch die innere Struktur der Kirche, in der die Vielfalt der Gaben in der sichtbaren Einheit des Bekenntnisses, der brüderlichen Gemeinschaft und des glaubwürdigen Zeugnisses vor der Welt zusammengehalten sind; aber anstatt daß die Kirche die Trinität mißbraucht, indem sie sie an die engen Grenzen ihrer jeweiligen «Erfahrungen» bindet und darauf festlegt, sollte sie sich von Gottes Trinität zu noch größerer Vielfalt ins unverfügbare Geheimnis des einzelnen und ihrer Gemeinschaft hinein entführen lassen.

DIETRICH WIEDERKEHR

Albrecht B., Stand und Stände (Paderborn 1963).

Balthasar H. U. v., Besondere Gnadengaben und die zwei Wege menschlichen Lebens – Kommentar zu S. Th. II–II q. 171–182: DThA, Bd. 23 (Heidelberg 1954) 251–464.

– Theologie und Heiligkeit: Verbum Caro. Skizzen zur Theologie I (Einsiedeln 1960) 195–225.

– Spiritualität: Verbum Caro. Skizzen zur Theologie I (Einsiedeln 1960) 226–244.

– Aktion und Kontemplation: Verbum Caro. Skizzen zur Theologie I (Einsiedeln 1960) 245–259.

– Nachfolge und Amt: Sponsa Verbi. Skizzen zur Theologie II (Einsiedeln 1961) 80–147.

– Charis und Charisma: Sponsa Verbi. Skizzen zur Theologie II (Einsiedeln 1961) 319–331.

– Der Laie und die Kirche: Sponsa Verbi. Skizzen zur Theologie II (Einsiedeln 1961) 332–348.

– Das Evangelium als Norm und Kritik aller Spiritualität in der Kirche: Spiritus Creator. Skizzen zur Theologie III (Einsiedeln 1967) 247–263.

– Weltliche Frömmigkeit?: Spiritus Creator. Skizzen zur Theologie III (Einsiedeln 1967) 312–321.

Congar Y., Der Laie. Entwurf einer Theologie des Laientums (Stuttgart 1956).

Frotz A.-Linden P., Die Kirche und ihre Ämter und Stände (Köln 1960).

Hasenhüttl G., Charisma, Ordnungsprinzip der Kirche (Freiburg 1969).

Käsemann E., Geist und Geistesgaben im NT: RGG II (Tübingen ³1958) 1272 bis 1279.

Kredel E. M.-Auer A., Frömmigkeit: LThK IV (²1960) 398–405.

Küng H., Die charismatische Struktur der Kirche: Concilium 1 (1965) 282–290.

Oppen D. v., Der sachliche Mensch. Frömmigkeit am Ende des 20. Jahrhunderts (Stuttgart 1968).

Rahner K., Sendung und Gnade (Innsbruck 1959).

– Das Dynamische in der Kirche = QD 5 (Freiburg ²1960).

– Über die Frage einer formalen Existentialethik: Schriften zur Theologie II (Einsiedeln ⁶1962) 227–246.

– Zur Theologie der Entsagung: Schriften zur Theologie III (Einsiedeln ⁵1962) 61–72.

– Die Kirche der Heiligen: Schriften zur Theologie III (Einsiedeln ⁵1962) 111–126.

– Dogmatische Randbemerkungen zur «Kirchenfrömmigkeit»: Schriften zur Theologie V (Einsiedeln 1962) 379–410.

– Die Träger des Selbstvollzugs der Kirche: HPTh I (Freiburg 1964) 149–215.

– Konziliare Lehre der Kirche und künftige Wirklichkeit christlichen Lebens: Schriften zur Theologie VI (Einsiedeln 1965) 479–498.

– Der Anspruch Gottes und der Einzelne: Schriften zur Theologie VI (Einsiedeln 1965) 521–536.

Rahner K., Löscht den Geist nicht aus: Schriften zur Theologie VII (Einsiedeln 1966) 77–90.
- Warum und wie können wir die Heiligen verehren?: Schriften zur Theologie VII (Einsiedeln 1966) 283–303.
- Gedanken zu einer Theologie der Kindheit: Schriften zur Theologie VII (Einsiedeln 1966) 313–329.
- Die Frau in der neuen Situation der Kirche: Schriften zur Theologie VII (Einsiedeln 1966) 351–367.
- Zur Situation der katholischen Intellektuellen: Schriften zur Theologie VII (Einsiedeln 1966) 368–385.
- Über die evangelischen Räte: Schriften zur Theologie VII (Einsiedeln 1966) 404–434.
- Der eine Mittler und die Vielfalt der Vermittlungen: Schriften zur Theologie VIII (Einsiedeln 1967) 218–235.
- Bemerkungen über das Charismatische in der Kirche: Schriften zur Theologie IX (Einsiedeln 1970) 415–431.
- Der Glaube des Christen und die Lehre der Kirche: Schriften zur Theologie X (Einsiedeln 1972) 262–285.
- Das Verhältnis von personaler und gemeinschaftlicher Spiritualität und Arbeit in den Orden: Schriften zur Theologie X (Einsiedeln 1972) 467–490.
Regli S., Das Ordensleben als Zeichen in der Kirche der Gegenwart = Criteria – Arbeiten zur praktischen Theologie 1 (Freiburg/Schweiz 1970).
Richter St. (Hrsg.), Das Wagnis der Nachfolge (Paderborn 1964).
Schlier H.-Severus E.v.-Sudbrack J.-Pereira A. (Hrsg.), Strukturen christlicher Existenz. Beiträge zur Erneuerung des geistlichen Lebens (Würzburg 1968).
Schürmann H., Die geistlichen Gnadengaben: G. Baraúna (Hrsg.), De Ecclesia. Beiträge zur Konstitution «Über die Kirche» des Zweiten Vatikanischen Konzils, Bd. I (Freiburg 1966) 494–519.
Schweizer E., Gemeinde und Gemeindeordnung im Neuen Testament (Zürich 1959).
Semmelroth O., Stände der Kirche: LThK IX (1964) 1012–1013.
- Amt und Charisma: Sacramentum Mundi I (Freiburg 1967) 119–123.
Sudbrack J., Vom Geheimnis christlicher Spiritualität – Einheit und Vielfalt: GuL 39 (1966) 24–44.
- Angebot und Chance unserer Zeit für eine neue Spiritualität: GuL 41 (1968) 327–347.
- Spiritualität: Sacramentum Mundi IV (Freiburg 1969) 674–691.
- Probleme – Prognosen einer kommenden Spiritualität (Würzburg 1969).
Thils G., Christliche Heiligkeit (München 1961).
Vandenbroucke S., Spiritualität und Spiritualitäten: Concilium 1 (1965) 735–742.
Wulf Fr., Priesterliche Frömmigkeit, Ordensfrömmigkeit, Laienfrömmigkeit: GuL 29 (1956) 427–439.
- Um den Standort der Orden in Kirche und Welt: GuL 36 (1963) 302–306.
- Priester, Ordensleute, Laien. Wandlungen der Kirchlichen Ständeordnung: GuL 41 (1968) 60–62.
- Merkmale christlicher Spiritualität heute: GuL 42 (1969) 350–358.

THEOLOGIE DES LAIENTUMS

1. Problemstellung

a. Vorkonziliär

«Die Stellung des Laien in der Kirche gehört heute zu den meist erörterten Fragen, sei es geschichtlich-theologisch, rechtlich-pastoral oder aszetisch-praktisch.»[1] 1957 konnte A. Sustar dies mit Recht festhalten. Denn damals waren nicht nur einige sehr bedeutende Arbeiten zur Laienfrage veröffentlicht worden,[2] sondern innerhalb weniger Jahre erschien eine kaum überblickbare Zahl von größeren und kleineren Beiträgen, die aus verschiedener Sicht zum Thema Stellung nahmen.[3]

Dieses Interesse am «Laien in der Kirche», das nach dem 2. Weltkrieg ständig gewachsen war, läßt sich auf unterschiedliche Gründe zurückführen. Die Propagierung der «Katholischen Aktion», die praktische Unfähigkeit des Klerus zur Bewältigung der neuen Aufgaben, die Besinnung auf das allgemeine Priestertum der Gläubigen, die aktive Einbeziehung der Laien in die Feier des Gottesdienstes durch die liturgische Bewegung förderten das praktische und theoretische Eingehen auf den Laien. Am wichtigsten war aber das von «Mystici Corporis Christi» geprägte Kirchenbewußtsein. Die früher übliche hierarchisch-klerikale «pars-pro-toto»-Ekklesiologie wird von der «ganzheitlichen» Betrachtung der Kirche abgelöst.[4]

Zur Hierarchie tritt nun das Volk, zum Amt das Leben, zur Heilsanstalt die Heilsgemeinschaft.[5] Der Laie gilt als Voll-Glied des mystischen Leibes, er ist «Mitträger der einen Gnade».[6] Daher hat er in der Kirche das Recht,

---

[1] A. Sustar, Der Laie in der Kirche: FThh 519.

[2] Es seien hier nur die wichtigsten Werke erwähnt: Y. Congar, Jalons pour une théologie du laïcat (Paris 1952), dt.: Der Laie. Entwurf einer Theologie des Laientums (Stuttgart 1957); G. Philips, Le rôle du laïcat dans l'Eglise (Tournai 1954), dt.: Der Laie in der Kirche (Salzburg 1955); K. Rahner, Über das Laienapostolat: Schriften zur Theologie II (Einsiedeln 1955) 339–375; F. X. Arnold, Kirche und Laientum (Tübingen 1954); auch: ThQ 134 (1954) 263–289; vgl. Hochland 46 (1954) 401–412, 524–533; ders., Die Stellung der Laien in der Kirche: Una Sancta 9 (1954) 8–25; H. U. von Balthasar, Der Laie und die Kirche. Viele Ämter, ein Geist (Einsiedeln 1954) 13–30; O. Semmelroth/L. Hofmann, Der Laie in der Kirche. Seine Sendung, seine Rechte (Trier 1955).

[3] E. Schillebeeckx, Die typologische Definition des christlichen Laien nach dem Zweiten Vatikanischen Konzil: Gott – Kirche – Welt = Gesammelte Schriften II (Mainz 1970) 154 erwähnt für 1957 eine bibliographierte Gesamtzahl von 2000 Titeln.

[4] A. Sustar aaO. 521, 525–527.

[5] A. Sustar aaO. 526.

[6] A. Sustar aaO. 527.

vom Klerus «geistliche Güter» zu empfangen,[7] muß aber auch aktiv an der Sendung der Kirche mitarbeiten. Als Nichtgeweihter hat er keinen Anteil am hierarchischen Weihepriestertum und an der hierarchischen Jurisdiktionsgewalt.[8] Trotzdem ist eine Mitwirkung des Laien möglich. Dabei können aber keine Kriterien gefunden werden, um zu bestimmen, ob sich der Laie auf Grund seines laikalen Christseins als solchen oder als Mitarbeiter der Hierarchie an der Sendung der Kirche beteiligt. Erwähnt werden Rechte des Laien bei der Regierung der Kirche, etwa durch die Zustimmung zur erfolgten Wahl des geistlichen Oberhirten, durch die Annahme von Konzilsentscheidungen, durch die Beratung der Bischöfe, durch die Verwaltung der kirchlichen Güter.[9] Am autoritativen Lehramt der Hierarchie ist die Mitarbeit der Laien nicht möglich, hingegen sind Eltern und Paten am pastoralen Lehramt der Bischöfe und Priester beteiligt.[10] Wem das amtliche Apostolat übertragen wurde, ist nicht mehr Laie im eigentlichen Sinn; der Nicht-Amtsträger kann in «Verlängerung, Erweiterung, Ausdehnung des hierarchischen Apostolats»[11] mitwirken (= Katholische Aktion), aber nicht im eigentlichen Sinn an diesem hierarchischen Apostolat teilnehmen.[12] Hingegen ergibt sich für den christlichen Laien als eigenes Apostolat, «wirklich und ganz zu sein, was er ist».[13] K. Rahner versteht dieses Laienapostolat als «Apostolat der Liebe in der weltlichen Situation des Laien».[14] Als Glied der Kirche hat der Laie die «weltbleibende Welt zum Material christlichen Daseins zu machen, zu erlösen und zu heiligen».[15]

Es scheint, daß um 1957 unter den erwähnten Theologen eine weitgehende Übereinstimmung in der Begriffsbestimmung des Laien bestand. Die Autoren sind sich einig, daß die Laien volle Glieder des Leibes Christi sind, daß sie neben dem Klerus einen legitimen Platz in der Kirche beanspruchen dürfen. Als nicht-amtliche Glieder wirken sie an der Sendung der Kirche mit. Der Ort der Laienarbeit ist die Welt. Y. Congar formuliert so: «Der Laie ist der Christ, dessen Mitwirkung am Werk des Heils und am Fortschritt des Gottesreiches, also an der doppelten Aufgabe der Kirche, sich durch sein Leben und Wirken innerhalb der weltlichen Strukturen und Aufgaben vollzieht.»[16] Das Spezifische der Laien verdeutlicht K. Rahner (dem Congar ausdrücklich zustimmt: vgl. Congar, Aufriß 309): «Der

---

[7] CIC can. 682.

[8] CIC can. 948.

[9] A. Sustar aaO. 534.

[10] A. Sustar aaO. 535–537.

[11] A. Sustar aaO. 540.

[12] A. Sustar aaO. 540; vgl. Y. Congar, Aufriß einer Theologie der Katholischen Aktion: Priester und Laien im Dienst am Evangelium (Freiburg 1965) 318.

[13] A. Sustar aaO. 539.

[14] K. Rahner, Schriften II, 360.

[15] K. Rahner aaO. 362.

[16] Y. Congar, Aufriß 308.

Christ als Laie unterscheidet sich vom Nichtlaien (Kleriker und Religiosen) dadurch, daß er auch *für* sein Christsein nicht nur einen ursprünglichen Weltort hat (das gilt von jedem Christen), sondern ihn auch *als* Christ und für sein Christsein als solches *beibehält* und ihn auch im Vollzug seines Daseins nicht verläßt...».[17] Unbestritten ist also positiv die Kirchengliedschaft der Laien und negativ die nicht-amtliche Tätigkeit.

Umstritten bleibt die Frage nach der Teilnahme am Apostolat. Umfaßt diese Tätigkeit nur die Beziehung zum Innerweltlichen oder auch eine spezifisch-kirchliche Aufgabe? K. Rahner vertritt die Ansicht, daß «überall dort, wo jemand auf irgendeine Weise rechtmäßig im habituellen Besitz irgendeines (über die Grundrechte jedes getauften Kirchenmitglieds hinausgehenden) Stückes einer liturgischen oder rechtlichen Gewalt ist, ist er nicht mehr im eigentlichen Sinne Laie...».[18] Für E. Schillebeeckx hingegen ist die Prägung durch das In-der-Welt-Wirken so unterscheidend, daß der Laie Laie bleibt, auch wenn er «außerdem noch ein Apostolat auf der spezifisch-kirchlichen Ebene» ausüben würde.[19] Keine Einigkeit besteht auch in der Abgrenzung zum Ordensstand. Während die meisten Autoren den Begriff des Laien gegenüber dem Ordensstand (als «geschichtlicher Sichtbarkeit der welttranszendenten und eschatologischen Gnade Christi») abgrenzen,[20] möchte H. U. von Balthasar Laiesein und Ordensstand (unter der Form der Säkularinstitute) vereinen.[21]

Doch scheint das offene Problem nicht so sehr in diesen beiden ungeklärten Punkten zu liegen. Daß nach all den zahlreichen und zum Teil sehr gründlichen Arbeiten die Frage nach der Theologie des Laientums nicht beantwortet war, liegt in der unkritisch vorgenommenen Spezifizierung des Laien. Was heißt es, wenn gesagt wird, der Laie habe eine innerweltliche Aufgabe, eine besondere Beziehung zur Säkularität, er habe seine Heiligkeit in der Arbeit an der Welt und durch diese Arbeit zu verwirklichen, er habe in normalen weltlichen, menschlichen Situationen Christ zu sein?

---

[17] K. Rahner, Schriften II, 344.

[18] K. Rahner aaO. 340: Rahner beruft sich auf die Unterscheidung von «potestas ordinis» und «potestas iurisdictionis». Auch ohne die Übertragungsweise (der Weihe) könne jemand den Inhalt des Übertragenen (die Amtsgewalt) erhalten und sei somit nicht mehr Laie im eigentlichen Sinn: z. B. ein hauptamtlicher Laienkatechet, eine hauptamtliche Pfarrhelferin, ein hauptamtlicher Mesmer... (Rahner aaO. 340).

[19] E. Schillebeeckx, Die typologische Definition 155; vgl. E. Schillebeeckx aaO. 156.

[20] K. Rahner, Schriften II, 342. A. Sustar aaO. 532 stellt die «eschatologisch-erlösende Liebe» (repräsentiert im Ordensleben) der «kosmisch-erlösenden Liebe Gottes» (repräsentiert im Leben der Laien) gegenüber.

[21] H. U. von Balthasar, Der Laie und der Ordensstand (Einsiedeln 1948) 21: «Nur wenn dann diese Laien da sind, die in der ungeteilten Ganzheit ihrer Existenz sich dem Werke Christi zur Verfügung gestellt haben...» «Um das Apostolat im großen paulinischen Sinn zu verkörpern, wird es solcher bedürfen, die für den Dienst am Evangelium, auch mitten in der Welt und im Beruf, vollkommen frei sind.»

Solche Aussagen wurzeln in einem statischen Kirchenbegriff, in dem eine Grenzziehung zwischen Kirche und Welt gradlinig möglich ist. In einer solchen in sich ruhenden Kirchenvorstellung gelingt die Rollenaufteilung. Der Klerus übt die amtlichen Geschäfte des Priester-, des Lehrer- und Hirte-Seins in der Kirche aus. Die Laien sind zwar Glieder dieser Kirche, bleiben aber Objekte der Heilssorge und Heilstätigkeit des Klerus. Sie können in der Kirche «per participationem» am Tun der hierarchischen Amtsträger mitwirken. Ihr eigentliches Arbeitsfeld ist aber die Welt. Dort haben sie ohne direkte Beziehung zum Missionsauftrag der Kirche (an dem sie aber wiederum in besonderen Fällen partizipieren können) eine Aufgabe im christlichen Umgang mit der weltlichen Wirklichkeit.

In dieser Sicht stellen sich noch einige weitere Fragen. Wird hier nicht immer noch zu sehr mit einem Kirchenbild gearbeitet, das vor allem das Amt als Kirche versteht, während die Nicht-Amtsträger zwar auch dazugehören, aber eigentlich erst an zweiter Stelle? Versteht man die Kirche zwar nicht mehr einseitig als Kirche des Klerus, aber immer noch als Kirche, in der die Amtsträger das Zentrum bilden, während die Laien am Rande stehen?[22]

Ist diese Trennung zwischen weltlichem Leben und kirchlichem Leben nicht eine Fiktion? Wirkt sich hier nicht die alte Vorstellung der Kirche als societas perfecta neben dem Staat aus? Wird nicht von solchen Modellen her vom In-der-Kirche-Sein und In-der-Welt-Sein gesprochen? Verbirgt sich dahinter nicht die alte Selbstverteidigungsmentalität der Kirche, die sich einen souveränen Freiheitsraum erhalten möchte?

Gibt es ein anderes Christsein als in normalen, weltlichen, menschlichen Situationen? Weiter: Entspricht die Zuteilung des Eschatologischen an die Ordensleute und des Kosmischen an die Laien den evangelischen Aussagen oder lebt da nicht einfach die alte Ansicht weiter, die Mönche und Ordensleute seien die Spezialisten für die «Übernatur», die Laien für die «Natur»? Muß nicht auch das Leben in Armut, Ehelosigkeit und Gehorsam in der kosmischen Bedeutung verstanden werden? Läßt sich das Christ-Sein des Laien (etwa die Ehe oder das Für-andere-da-sein im Beruf) ohne eschatologische Ausrichtung vorstellen?[23]

---

[22] H. U. von Balthasar, Zur Theologie der Säkularinstitute: Sponsa Verbi (Einsiedeln 1961) 444–466, sieht Eschatologie (Ordensleute, Priester als eschatologische Existenz) und Inkarnation («Christen in der Welt» als inkarnatorische Existenz) nicht als Gegensatz, sondern in enger Beziehung und gegenseitiger Durchdringung. Allerdings vertritt er dann doch wieder eine drei-Kreise-Ekklesiologie: «das Besondere im Allgemeinen» im Sinne von «Radikalisierung» des Christ-Seins, von «forma informans» der Kirche bildet der Rätestand, der Christenstand als solcher (das «Allgemeine») ist wieder das Besondere gegenüber dem noch «Allgemeineren», der Menschheit außerhalb der Kirche (Balthasar aaO. 447).

[23] Solche Strömungen zeigen sich selbst in Veröffentlichungen, die sich ganz in den Dienst einer Theologie des Laientums stellen wollen. So spricht etwa G. Philips, Der Laie

Trotz dieser offenen Fragen darf nicht vergessen werden, daß in der Beurteilung des Laien ein beträchtlicher Schritt nach vorn vollzogen wurde. Ein Urteil, wie das im letzten Jahrhundert etwa Talbot gegenüber Manning äußerte, ist selten geworden: «Was ist das Gebiet der Laien? Zu jagen, zu schießen, sich zu unterhalten. Diese Dinge verstehen sie, aber sich in kirchliche Angelegenheiten zu mischen, haben sie gar kein Recht.»[24] Den Laien werden mehr Rechte eingeräumt, «als sich führen zu lassen und als folgsame Herde ihren Hirten zu folgen».[25] In den Lexika wird anders als bei Wetzer und Welte's Kirchenlexikon beim Stichwort «Laie» nicht einfach auf «Clerus» verwiesen, als ob die negative Abgrenzung genügte.[26] Vorbei sind jene Zeiten, da man unwidersprochen schreiben konnte: «Die katholische Kirche ist die Kirche des Klerus.» «Vollgenossen» sind nur die Kleriker. «Die Laien bilden lediglich das zu leitende und zu belehrende Volk...».[27]

Doch die aufgeworfenen Fragen lassen sich nicht einfach übergehen. Im Zuge der ekklesiologischen Neubesinnung wurde auch die Theologie des Laientums vor dem II. Vatikanischen Konzil beachtlich entwickelt. Neue Schritte sind aber erst durch die Klärung des Kirchenbewußtseins in «Lumen gentium» möglich geworden. Dabei ist zu beachten, daß die vertiefte Reflexion über die Kirche nicht ohne die Einbeziehung des In-der-Welt-seins des Christen geschehen kann. Die übliche Erklärung «der Sendung der Kirche in der Welt und für diese» im Sinn von «Bekehrung der Menschen, um sie zu Jüngern zu machen (Mt 28,19), also Evangelisation» und «die Welt auf Gott hin auszurichten und möglichst Gott gemäß zu ordnen, als weltliche Aktion oder Kultur»[28] muß durch eine Überprüfung der Aussagen über das Gottesreich weiter bedacht werden.

b. Im Vatikanum II

aa. Beschreibung

Die Kirchenkonstitution des Vatikanum II betont im 4. Kapitel, daß über die Laien nur im Zusammenhang einer Gesamtbetrachtung der Kirche als Volk Gottes nachgedacht werden kann. Der einleitende Abschnitt zum

---

in der Kirche (Salzburg 1955) zuerst von der Kirche als dem «Geheimnis des Glaubens» und von der «Hierarchie im Geheimnis der Kirche», um dann erst das Laientum zu behandeln.

[24] Zitiert bei O. Karrer, John Henry Newman: Hochland 40 (1947/48) 530.

[25] So urteilte noch Pius X. in der Enzyklika «Vehementer» vom 11. Februar 1906, zit. bei Y. Congar, Der Laie 387, Anm. 37.

[26] R. Scherer, Clerus: Wetzer und Welte's Kirchenlexikon III (Freiburg ²1884) 538: Laien sind «alle jene Christgläubigen, welche nicht zum Clerus gehören».

[27] U. Stutz, Der Geist des Codex iuris canonici (Stuttgart 1918) 83.

[28] Y. Congar, Aufriß 307.

Kapitel über die Laien weist eigens darauf hin: Was über das Volk Gottes (im 2. Kap.) gesagt wurde, richtet sich «in gleicher Weise an Laien, Ordensleute und Kleriker».[29] «Doch einiges gilt in besonderer Weise für die Laien, Männer und Frauen, auf Grund ihrer Stellung und Sendung.»[30]

Dies wird in der «Definition» – die im Urteil fachkundiger Kommentatoren nur eine ad hoc-Beschreibung[31] oder «typologische Definition»[32] sein will – wiederholt. Was heißt nun aber, die Laien würden «suo modo» am priesterlichen, prophetischen und königlichen Amt Christi partizipieren und «pro parte sua» die Sendung des ganzen christlichen Volkes in der Kirche und in der Welt ausüben?[33] Der folgende Absatz versucht die «differentia specifica» näher zu bezeichnen: «Den Laien ist der Weltcharakter in besonderer Weise eigen.»[34] Sie sind berufen, «in der Verwaltung und gottgemäßen Regelung der zeitlichen Dinge das Reich Gottes zu suchen» und «in besonderer Weise, alle zeitlichen Dinge, mit denen sie eng verbunden sind, so zu durchleuchten und zu ordnen, daß sie immer Christus entsprechend geschehen und sich entwickeln und zum Lob des Schöpfers und Erlösers gereichen».[35] Anders als die Kleriker, die «vor allem» «dem heiligen Dienst» zugeordnet sind, und anders als die Ordensleute, die ein «deutliches Zeugnis» ablegen, daß die Welt den Geist der Seligpreisungen braucht, leben die Laien in den «normalen Verhältnissen des Familien- und Gesellschaftslebens».[36]

Es scheint, daß selbst im Versuch einer positiven Umschreibung, die negative Abgrenzung im Sinne von Nicht-Kleriker und Nicht-Ordensmann bestimmend ist. Das «suo modo» des Laien tritt in Nr. 31 der Kirchenkonstitution noch wenig klar heraus. Auch in den folgenden Abschnitten der Kirchenkonstitution sowie in den übrigen einschlägigen Texten des Vatikanum II wird den Laien immer wieder das «alltägliche Familien- und Gesellschaftsleben» und die gewöhnliche «Berufsarbeit» zugewiesen.[37] Sie sind «in den profanen Bereichen» zuständig.[38] Es ist «dem Stand der Laien eigen, inmitten der Welt und der weltlichen Aufgaben zu leben...».[39] Der

[29] Lumen gentium 30.

[30] AaO. 30.

[31] F. Klostermann, Kommentar zum IV. Kapitel der Konstitution über die Kirche: LThK. Das Zweite Vatikanische Konzil I (Freiburg 1966) 264: «Nicht eine grundsätzliche theologische Definition», «sondern nur eine Beschreibung ad hoc».

[32] E. Schillebeeckx, Die typologische Definition. Vgl. E. Schillebeeckx, Die neue Ortsbestimmung des Laien. Rückblick und Synthese: Gott-Kirche-Welt 166: nicht «eine theologische Definition», sondern eine «phänomenologische Beschreibung».

[33] Lumen gentium 31.

[34] AaO. 31.

[35] AaO. 31.

[36] AaO. 31.

[37] AaO. 35; Ad Gentes 21; Apostolicam actuositatem 13.

[38] Lumen gentium 26.

[39] Apostolicam actuositatem 2.

Zuständigkeitsbereich wird gelegentlich auch mit «bürgerlicher Gesellschaft» näher umschrieben.[40] Aber immer sind die «gewöhnlichen Verhältnisse der Welt» gemeint in Abgrenzung zu den «heiligen Aufgaben» des Klerus.[41] «Für die weltlichen Aufgaben und Tätigkeiten» sind die Laien «eigentlich, wenn auch nicht ausschließlich, zuständig».[42] Die «rechte Erfüllung ihrer weltlichen Pflichten in den gewöhnlichen Lebensverhältnissen» wird von diesen Christen verlangt.[43] Der «Aufbau der zeitlichen Ordnung» ist ihnen als Aufgabe gestellt.[44]

An einer andern Stelle wird «vom weltbezogenen Eigencharakter des Laientums», von der Einfügung «in die Wirklichkeit der zeitlichen Ordnung» und der Präsenz «inmitten der zeitlichen Dinge»,[45] von der «Gestaltung der zeitlichen Ordnung»[46] oder des «sozialen Milieus»[47] gesprochen.

bb. Auswertung

Eine gemeinsame Aussagetendenz ist nicht zu übersehen. Den Laien wird ein eigener Kreis der Wirksamkeit zugeschrieben. In verschiedenen Variationen wird ihnen der Bereich des Zeitlichen, Profanen, Weltlichen, Gesellschaftlichen, Familiären und Sozialen zugewiesen. Das Laie-Sein scheint sich von dieser Beziehung zum Innerweltlichen her zu bestimmen. Doch drängen sich beim näheren Zusehen einige Bemerkungen auf.

Die Texte des Vatikanum II versuchen den Laien an verschiedenen Stellen näher zu bestimmen. Wie schon vermerkt wurde, findet sich keine theologische Definition. Aber auch die «typologischen» oder «phänomenologischen» Umschreibungen sind trotz der Berufung auf die besondere Beziehung des Laien zur Welt nicht auf einen Nenner zu bringen. A. Heimerl zeigt in seiner Untersuchung zu den «Laienbegriffen in der Kirchenkonstitution»,[48] daß gerade die «differentia specifica von den verschiedenen Laienbegriffen verschieden aufgefaßt wird».[49] Wichtiger als der Streit um Zahl und Abgrenzung der verwendeten Begriffe[50] scheint mir die kritische Rückfrage an die theologischen Prämissen dieser «Laien-Umschreibungen» zu

[40] Presbyterorum Ordinis 9; Ad Gentes 21.

[41] Lumen gentium 35.

[42] Gaudium et Spes 43.

[43] Apostolicam actuositatem 4.

[44] AaO. 7.

[45] AaO. 29.

[46] AaO. 17.

[47] AaO. 13.

[48] H. Heimerl, Laienbegriffe in der Kirchenkonstitution des Vatikanum II: Concilium 2 (1966) 219–224.

[49] H. Heimerl aaO. 220.

[50] Vgl. H. Heimerl aaO. 220. Dazu K. Rahner, Einige Bemerkungen zum Artikel von Hans Heimerl: Concilium 2 (1966) 225.

sein. Selbst wenn die Dokumente keine Definition bieten wollen, sondern sich mit einer «Sprachregelung mit Annäherungswerten» begnügen,[51] ist diese Überprüfung notwendig.

Es ist auffallend, daß hier mit dem Begriffspaar profan-sakral gearbeitet wird. Allerdings geschieht dies nicht in der Weise eines groben Dualismus. Denn der dem Laien zustehende Weltort wird im Blick auf das Reich Gottes gesehen. Der profane Bereich ist vom Laien auf das Lob des Schöpfers und Erlösers hin zu entwickeln. Es scheint, daß durch die eschatologischen, soteriologischen und inkarnatorischen Bezüge die Gefahr des Dualismus auf der theologischen Ebene letztlich weitgehend gebannt ist. Doch bleibt ein solcher unklarer Sprachgebrauch zweideutig und vermag auch auf nicht-theologischer Ebene kaum zu befriedigen. Denn durch solche Anspielungen wird das Gemeinsame aller Glaubenden in Frage gestellt und wenigstens teilweise wieder zurückgenommen. So erstaunt es nicht, wenn etwa der «Geist der Seligpreisungen» besonders mit den Ordensleuten verbunden wird, während eben die Laien in den «normalen Verhältnissen» leben.[52] Kann in der «Regelung der zeitlichen Dinge das Reich Gottes» gesucht werden, ohne daß man sich dabei vom «Geist der Seligpreisungen» leiten läßt? Haben es die Kleriker wirklich nur «bisweilen mit weltlichen Dingen zu tun»?[53] Leben nur Laien «in gewöhnlichen Lebensverhältnissen»?[54] Arbeiten Priester nicht auch am «Aufbau der zeitlichen Ordnung»?[55] Wo leben diese, wenn nicht «inmitten der Welt»?[56]

Die «differentia specifica» des Laien wird nicht klarer, wenn gesagt wird, «die gläubigen Laien gehören gleichzeitig ganz zum Gottesvolk und ganz zur bürgerlichen Gesellschaft».[57] Natürlich ist es im theologiegeschichtlichen Zusammenhang nicht unwichtig, daß eine Zweiteilung der Zuständigkeiten umgangen wird. Es darf nicht übersehen werden, daß nicht mehr gesagt wird: den Laien die Welt (im Sinne von «zeitlicher Ordnung»), dem Klerus die Kirche (im Sinne der «übernatürlichen Gnadeninstitution»). Aber anstelle einer auf theologischen Kriterien beruhenden Klärung wird der Ausweg in einer Überschneidung der Bereiche gesucht. So sind die Laien «eigentlich, wenn auch nicht ausschließlich, zuständig für die weltlichen Aufgaben und Tätigkeiten».[58] Ebenso haben sie «aktiven Anteil am Leben und Tun der Kirche».[59]

---

[51] H. Heimerl aaO. 222.
[52] Lumen gentium 31.
[53] AaO. 31.
[54] Apostolicam actuositatem 4.
[55] AaO. 7.
[56] AaO. 2.
[57] Ad Gentes 21.
[58] Gaudium et Spes 43.
[59] Apostolicam actuositatem 10; Lumen gentium 37.

Wer um das Ringen weiß, dem Laien seinen Platz in der Kirche zuzugestehen, der wird wohl diese Auflockerung der Grenzen als Fortschritt anerkennen müssen. Doch melden sich ernste Bedenken nicht nur deshalb an, weil das Reden von zwei Eigenbereichen oder zwei Ordnungen Verhandlungen um Bastionen sind, die von den Voraussetzungen früherer Denkmodelle her verständlich, heute aber weder rational begründbar sind noch von der Erfahrung gedeckt werden. Jede wohlwollende Interpretation hat zu bedenken, daß diese Aussagen von den ekklesiologischen Neuansätzen, die sich aus dem biblisch und heilsgeschichtlich verstandenen Volkgottesbegriff ergeben, kaum bestätigt werden, ja sehr oft eine monarchisch-hierarchische Ekklesiologie aufzeigen.

Es kann nicht übersehen werden, daß die Hierarchie sich als Mittelpunkt der Kirche betrachtet, die dann anerkennt, daß die Laien «auch» dazugehören. Zahlreiche Stellen belegen das. Dies verdichtet sich besonders dort, wo den Laien Begriffe zugestanden werden, die in früheren Theorien dem Klerus reserviert waren. Christus der Priester[60] und der Prophet[61] wirkt «auch» oder «nicht nur – sondern auch» durch die Laien. Der «Dienst des Wortes und der Sakramente» ist «in besonderer Weise dem Klerus anvertraut, an ihm haben aber auch die Laien ihren bedeutsamen Anteil...».[62]

Die Kirche kann durch die Hierarchie (allein) ihre Funktion nicht ausüben, es braucht «auch» noch die Laien.[63] Es scheint, daß manchen Konzilsvätern die Existenz der Laien «schmackhaft» gemacht werden mußte. Der Hinweis auf den «christlichen Gehorsam» gegenüber den «geweihten Hirten» eröffnet die positive Würdigung der Laien.[64] Immer wieder wird betont, daß die Laien die Arbeit der Bischöfe und Priester «ergänzen» können.[65] Der Klerus hat die «Geister zu prüfen»[66] und unter Umständen «Ämter zum Dienst der Kirche» anzuvertrauen.[67] Besonders dringlich wird dies, wenn der Klerus die Arbeit nicht mehr bewältigen kann.[68]

Ohne Zweifel können alle diese Stellen viel positiver gewürdigt werden. Der wohlwollende Ton der Bischöfe (bezeichnenderweise verfällt er immer wieder dem Paternalismus) ist nicht zu überhören.[69] Doch scheint eine kritische Würdigung nicht unwichtig zu sein: Nur so ist der Stand der Diskussion und die Richtung des Weitersuchens zu finden.

[60] Lumen gentium 34.
[61] AaO. 35.
[62] Apostolicam actuositatem 9.
[63] Lumen gentium 30.
[64] AaO. 37.
[65] AaO. 37; Apostolicam actuositatem 10.
[66] Presbyterorum ordinis 9.
[67] AaO. 9; Apostolicam actuositatem 24.
[68] Apostolicam actuositatem 1; Lumen gentium 33.
[69] Vgl. Lumen gentium 37.

Ein sehr bedeutsamer Punkt, hinter den in den weiteren Überlegungen nicht zurückgegangen werden kann, ist die prinzipielle Anerkennung der Zugehörigkeit der Laien und der Amtsträger zum Volk Gottes. Die Entstehungsgeschichte der Kirchenkonstitution weist darauf hin, daß während der Vorbereitung die Gefahr bestand, die Laien einseitig als Objekt der Hirtensorge des kirchlichen Amtes zu behandeln. Dies zeigte sich nicht nur im 1. Entwurf von 1962,[70] dem von mehreren Konzilsvätern Klerikalismus vorgeworfen wurde.[71] Auch der Entwurf von 1963 weist diese Tendenz noch auf, indem im 3. Kap. der Volkgottesbegriff auf die Laien beschränkt werden sollte.[72] Doch verlangten mehrere Konzilsväter ein Kapitel über das Volk Gottes, das Hierarchie und Laien umfassen sollte. R. Laurentin bemerkt dazu: «Cette acquisition est plus importante que la collégialité dont on a tant parlé.»[73] Während im Vatikanum I «Volk Gottes» noch unwidersprochen verwendet wurde, um die hierarchische Stufung der Kirche zu betonen,[74] überwindet «Lumen gentium» diese Engführung des Volkgottesbegriffs. Das grundlegende Kapitel über das «Volk Gottes» steht vor den Ausführungen über die «hierarchische Verfassung der Kirche» und den Darlegungen über die «Laien»: Alle Getauften gehören zu diesem «priesterlichen Volk».[75] Wenn sich auch die Einsicht von der grundlegenden Gleichheit aller im Volk Gottes nicht von traditionellen Ordnungsstrukturen freihalten kann, so ist doch der grundsätzliche Entscheid ernst zu nehmen. Auch der nicht voll befriedigende Versuch, das «Zeitliche» den Laien als «eigenes» Arbeitsfeld zuzuweisen, kann in diesem Zusammenhang positiv beurteilt werden. Denn einem traditionell hierarcho-zentrischen Kirchenbild läge wohl jene Lösung näher, aus praktischen Gründen notgedrungen anzuerkennen, daß der Klerus nicht in allen Fragen voll kompetent sei und daß Laien stellvertretend mit bestimmten Aufgaben betraut werden können. Wenn das Vatikanum II die Laien nicht nur als «Lückenbüßer» und Helfer des Klerus anspricht, sondern einen weitgehenden Zuständigkeitsbereich für die Laien sucht[76] – die Hierarchie behält sich die Lehre und die authentische Interpretation der «in den zeitlichen Dingen zu befolgenden sittlichen Grundsätze» vor[77] –, dann ist das ein Zeichen von einem neuen Kirchenverständnis.

[70] Vgl. G. Philips, Die Geschichte der dogmatischen Konstitution über die Kirche «Lumen gentium»: LThK, Das II. Vatikanische Konzil I (Freiburg 1966) 139–141.

[71] Vgl. etwa die Reden von Weihbischof Elchinger und Bischof De Smedt: G. Philips aaO. 140f.

[72] Vgl. G. Philips aaO. 146f.

[73] R. Laurentin, Bilan du Concil (Paris 1966) 215.

[74] Vgl. Mansi 51,540A; 51,549C; 51,865B; 51,868C; 51,855B.

[75] Lumen gentium 10; vgl. Lumen gentium 12,30.

[76] Gaudium et Spes 43.

[77] Apostolicam actuositatem 24.

Zudem verschließt sich das Konzil selber den Weg, den «weltbezogenen Eigencharakter des Laientums»[78] allzu einseitig auf den vollziehenden Bereich der christlichen Existenz einzuschränken. Der Versuchung wurde in der kirchlichen Praxis ja nicht immer widerstanden, dem Klerus die beschließende, die «denkende», lehrende Rolle zu reservieren und den Laien die Anwendung der gültigen Grundsätze zu überlassen. Zaghaft wird darauf hingewiesen, daß die «geweihten Hirten» den «klugen Rat» der Laien benutzen, ja sogar die Eigeninitiative der Laien fördern sollen (es gibt Fachwissen und Sachkenntnisse, die dem Klerus abgehen). Auch die Wortverkündigung bleibt nicht ein Reservat des Klerus. «Leben und Wort»,[80] «Wort und Werk»[81] sind Aufgabenbereiche der Laien.

Weiter ist zu beachten, daß der besondere Zuständigkeitsbereich der Laien von der Sendung der Kirche her durchdacht wird. Während der Textentwurf davon sprach, es sei Sache der Laien, «die zeitlichen Dinge zu verwalten und gottgemäß zu ordnen», wurde 1964 ergänzt und verbessert zum jetzigen Text: «Sache der Laien ist es, kraft der ihnen eigenen Berufung (ex vocatione propria) in der Verwaltung und gottgemäßen Regelung der zeitlichen Dinge das Reich Gottes zu suchen (regnum Dei quaerere)».[82] Es ist bedauerlich, daß diese Änderung nicht schon früher erfolgt ist und sich damit auch nicht auf die übrigen Texte auswirken konnte. Ein Eingehen auf diese Berufung, «das Reich Gottes im Umgang mit den zeitlichen Dingen zu suchen», hätte wohl weitergeführt als das Wiederholen der Selbstverständlichkeit, daß den Laien der Weltcharakter eigen sei. Diese neue Sicht geht entscheidend auch über den Kommentar der Kommission zum Schema 1962 hinaus. Dort wurde zwar schon verdeutlicht: «Die Laien sind keine profanen Menschen, sondern Glieder der Kirche in der profanen Welt».[83] Doch könnte dieser Satz statisch verstanden werden und den Dualismus Kirche-Welt untermauern. Die Einfügung von 1964 verweist eindeutig auf ein dynamisches (und damit auch eschatologisch-heilsgeschichtliches) Kirchenverständnis.

Allerdings macht das die Bestimmung des «Proprium» der Laien nicht leichter. Die Frage nach der richtigen Interpretation scheint mir noch nicht gelöst zu sein. E. Schillebeeckx etwa versteht das Eigentümliche des laikalen «Reich Gottes-Suchens» als «Hinordnung des irdischen Humanisierungsprozesses (Auftrag des Menschseins schlechthin) auf das Heil».[84] Doch bleibt der Text auch für andere Interpretationen offen.

[78] AaO. 29.
[79] Lumen gentium 37.
[80] Apostolicam actuositatem 6.
[81] Ad gentes 15.
[82] Lumen Gentium 31. Vgl. E. Schillebeeckx, Die typologische Definition 148.
[83] Vgl. E. Schillebeeckx aaO. 148.
[84] E. Schillebeeckx aaO. 152, oder: «es zu suchen in und durch die Humanisierung der Welt nach Gottes Forderungen» (aaO. 150).

Auf jeden Fall wird sich das Fragen um die Eigenart des Laien vom Bemühen um die Standortbestimmung des Laien in einer Kirche, die als geschlossene Größe der Welt gegenübersteht, umwenden müssen in Richtung eines vertieften Forschens nach der Sendung der Kirche für die Welt. Mit andern Worten gesagt: Es stellt sich nicht die Frage, «was ist der Laie in der Kirche, die der Welt gegenübersteht?», sondern: «welche Aufgabe hat der Christ in einer Kirche, die sich als Kirche für die Welt versteht?». Dann wird aber auch einsichtig, daß das «Ordnen der zeitlichen Dinge» nicht (als sekundäre Aufgabe) neben dem «Zeugnis des Evangeliums» (als primärer Funktion) steht. Die «christliche Beziehung zur Säkularität»[85] meint gerade den vom Evangelium bestimmten Umgang mit den «zeitlichen Dingen».[86] Die Sendung der ganzen Kirche (und nicht etwa nur einer bestimmten Gruppe) umfaßt diese Aufgabe.

Ein weiterer Ansatzpunkt, der beim Weiterdenken beachtet werden muß, zeigt sich bei den zurückhaltenden Hinweisen auf die Charismen und die Wirksamkeit des Heiligen Geistes. Während im 2. Kap. der Kirchenkonstitution noch unbefangen vom freien Walten des Heiligen Geistes und der Vielfalt der Charismen geschrieben wird,[87] steht das Prüfen der Charismen durch die «geweihten Hirten» im 4. Kap. im Vordergrund.[88] Auch im «Dekret über Dienst und Leben der Priester» ist das «Aufspüren der vielfältigen Charismen der Laien» mit dem «Prüfen der Geister» verbunden.[89] Trotz aller Zurückhaltung der Hierarchie und Absicherung gegen unkontrolliertes Wirken der Laien wird mehrmals bemerkt, daß der Heilige Geist dem Laien «das Bewußtsein der ihnen eigentümlichen Verantwortung schenkt»,[90] daß er allen in der Kirche «Glaube, Hoffnung und Liebe» verleiht,[91] daß er zur Mitarbeit an der Heilssendung der Kirche einlädt.[92] Wahrscheinlich muß sich manches zu selbstverständliche Verfügen und Ordnen über die Mitarbeit von Laien in der Kirche von Seiten der Bischöfe durch diese Texte kritisch befragen lassen. Denn der «Herr selbst» ruft alle «durch Taufe und Firmung» zur «Teilnahme an der Heilssendung der Kirche».[93]

---

[85] Vgl. E. Schillebeeckx aaO. 152, 158f.

[86] Vgl. E. Niermann, Laie: SM III (1969) 134: «Das ‹Ordnen der zeitlichen Dinge› und das ‹Zeugnis› (Evangelisierung) sind nicht zwei getrennte Vollzüge, sondern müssen zur gleichen Zeit in ein und demselben menschlichen Bemühen gelebt werden.»

[87] Lumen gentium 12. Nur am Schluß – im Zusammenhang mit den außerordentlichen Gaben – wird darauf hingewiesen, daß die Leitung in der Kirche die Aufgabe habe, die Echtheit der Charismen zu prüfen.

[88] Lumen gentium 30.

[89] Presbyterorum ordinis 9.

[90] Apostolicam actuositatem 1.

[91] AaO. 3.

[92] AaO. 33.

[93] Lumen gentium 33.

2. Elemente einer Theologie des Laien

a. Ausgangspunkt

Die Fragen, die sich bereits beim Eingehen auf die vorkonziliäre Laien-Renaissance stellten, haben sich im II. Vatikanischen Konzil bestätigt und zum Teil noch verschärft. Die Aussagen des Vatikanum II über den Laien stehen in einem seltsamen Zwielicht. Zukunftsweisende Neuansätze werden mit Versuchen verflochten, auch traditionellerem Denken gerecht zu werden. Kompromisse, die um das Verständnis von Minderheiten werben, bestimmen die Ergebnisse. Vielleicht wurde die Arbeit auch durch die zahllosen vorkonziliären Veröffentlichungen über den Laien behindert. Es ist ja nicht besonders dankbar, ein Thema aufzugreifen, das von den meisten als gelöst angesehen wird und das nur noch zu Akzentverschiebungen Anlaß zu geben scheint. Doch stimmt es nachdenklich, daß trotz vieler Mühe keine theologische Definition des Laien versucht wurde. Vielleicht liegt es daran, daß die wirklichen theologischen Neuansätze in der Ekklesiologie zwar in bezug auf den Laien erwähnt, aber zuwenig theologisch ausgewertet wurden. So würde jetzt die Aufgabe bestehen, von den im Konzil eröffneten ekklesiologischen Möglichkeiten her, einige ergänzende Aussagen über den Laien zu versuchen.

Es wurde vielfach festgestellt, daß in den Jahren vor dem II. Vatikanum die Stellung der Laien in der Kirche neu überdacht wurde. Viel bewußter als früher wurde die Kirche als ein Ganzes, das aus Klerikern und Laien besteht, verstanden. Diese Gesamtsicht wird gewonnen, indem zum Klerus auch das Laienelement tritt.

Das II. Vatikanum entwickelt diesen Ansatz weiter. Gibt es neben den Amtsträgern in der Kirche noch andere Glieder? Auf diese Frage wird schematisch zusammengefaßt geantwortet: 1. Es gibt den Nicht-Klerus, 2. es gibt Objekte der Hirtensorge (usw.), 3. es gibt weitgehend eigenständige Subjekte, die nicht nur «per participationem» an verschiedenen Ämtern teilhaben, sondern im sekundären Wirkungsbereich der Kirche, d.h. in den zeitlichen Dingen, ihre besondere Aufgabe haben.

Neben dieser Linie, die noch stark vom hierarchischen Kirchenmodell Christus – Hierarchie – «gewöhnliche» Gläubige bestimmt ist, findet sich auch eine andere Denkrichtung, die von der gemeinsamen Berufung aller Glaubenden ausgeht. Diese Neuorientierung, die sich in den Konzilstexten über die Laien nur beschränkt durchsetzt, gilt es weiter zu verfolgen. Das Verständnis des Laien hat sich vom «Vorbild» Klerus (das wenigstens durch die kaum zu umgehende negative Abgrenzung wirkt) zu lösen. Erst eine gesamtheitliche Betrachtung der Kirche läßt sinnvoll nach dem «Proprium» von Laie und Klerus fragen. Im Unterschied zu früheren Überlegungen soll diese Gesamtschau aber nicht durch eine (nachträgliche) Addition aller

«Stände» in der Kirche erreicht werden. Ausgangspunkt ist ein ursprünglich gegebenes umfassendes Kirchenbild.

Da in der Konzilskonstitution über die Kirche der Volk-Gottes-Begriff eine besonders wichtige Rolle spielt, soll von dieser Kirchenbezeichnung auch in der hier vorgesehenen Besinnung auf die Gesamtheit der Kirche ausgegangen werden. Dieser Kirchenbegriff empfiehlt sich, weil im Laufe der vorausgehenden Darlegungen klar wurde, daß ein statisches Verständnis der Kirche vielfach Ursache der ungelösten Fragen um das Laientum ist. Ein heilsgeschichtlich verstandener Volk-Gottes-Begriff könnte zur geforderten Dynamik führen. Dazu kommt aber auch das Wissen um das belastete Vorverständnis von «Volk Gottes», das bedauerlicherweise in der Vergangenheit immer wieder zur Rechtfertigung der hierarchischen Strukturen in der Kirche herhalten mußte. Hier würde man wieder einen Schritt hinter «Lumen gentium» zurücktreten, wenn diese zählebige Tradition eine Renaissance erzielen würde. Um von einem geklärten Vorverständnis auszugehen, soll zuerst kurz der in der Folge angewandte Volk-Gottes-Begriff umrissen werden.

Eine heilsgeschichtliche Betrachtung der Kirche auf der Grundlage des Volk-Gottes-Begriffs wird folgende Grundlinien aufweisen:[94]
– «Volk Gottes» wird als der durch die ganze Heilsgeschichte hindurchtragende Kirchenbegriff gesehen. Die Veränderungen des Volk-Gottes-Begriffs sind durch die heilsgeschichtliche Entwicklung bestimmt.
– Die Offenbarung Gottes, die Erwählung, der Glaube und Unglaube, die Gottesgemeinschaft, d. h. das geschichtlich sich ereignende Heilshandeln Gottes mit den Menschen, bilden die Grundlage dieses Kirchenverständnisses. Erst von diesem Fundament her kann nach den Strukturen der Kirche gefragt werden.
– Der letzte Grund der Kontinuität in diesem Kirchenverständnis ist weder eine Institution, die über den Stürmen der Zeit steht, noch ein Amt, das die Tradition lückenlos über alle Generationen hin sichert. Nur die voraussetzungslose Erwählung Gottes, die «ausstrahlende Mächtigkeit des anwesenden Gottes, der in solcher Erscheinung die Menschen und Dinge sichtbar und vernehmbar eindeutig auf sich versammelt und aus solcher Versammlung ihre Geschichte und darin das Geschick der Völker verfügt»,[95] schafft sich das Volk Gottes. Diese Erwählung begründet den dialogischen Charakter des Volkes Gottes. Die Entscheidung Gottes zum Volk fordert als Korrelat die Entscheidung des Volkes zu Gott. Ebenso verweist die Erwählung auf die dynamische Komponente. Die Erfahrung des erwählenden Handelns Gottes umschließt die Verheißung auf das Handeln Gottes in der Zukunft hin. An die Stelle des sicheren Besitzes tritt der Ruf zu «neuer Wander-

[94] Vgl. dazu: M. Keller, «Volk Gottes» als Kirchenbegriff (Einsiedeln 1970) 247–306.
[95] H. Schlier, Das Mysterium Israels: Die Zeit der Kirche (Freiburg 1962) 234.

schaft», die Aufforderung zum Wohnen im «Land der Fremdlingsschaft».[96]
– Diese Beziehung Gott – Volk Gottes vollzieht sich auf geschichtlicher
Grundlage. So bewirkt etwa die Erwählung Israels die besondere Situation
Israels in der Geschichte. Das Kommen Christi löst das göttliche Heilshan-
deln nicht aus der Geschichte. Der Mensch ist in der Heilsfrage auf die fakti-
schen Geschichtsereignisse verwiesen. Dies gilt auch für die Kirche als ganze.
Mit E. Brunner kann gesagt werden: Die Ekklesia «ist immer das Volk Got-
tes in der Geschichte...».[97]

– Die Geschichtlichkeit der Kirche ist von besonderer Art. Denn das «Volk
Gottes» im Neuen Testament hat in der Heilstat Christi eine «wirkliche Vergangenheit» und in der erwarteten Wiederkunft Christi eine «wirkliche Zukunft».[98] Als Gemeinde des erschienenen und wiederkommenden Messias
bleibt das neutestamentliche Volk Gottes an die ursprüngliche Offenbarung
Gottes in Jesus von Nazareth gebunden und wird zugleich von der Vollendung der Gottesherrschaft her bestimmt.

Es drängen sich an dieser Stelle – eine ausführliche Volk Gottes-Ekklesio-
logie kann hier nicht entwickelt werden – einige Hinweise auf, die für eine
Theologie des Laien hilfreich sein können:
– Die Erwählung ist das konstituierende Element von Volk Gottes. Der
entscheidende Gegensatz ist nicht Amt – Nichtamt, sondern Glaube – Unglaube; im biblischen Verständnis ist das Volk in der Gesamtheit auserwählt.
Die volle Souveränität der Führung steht Gott zu und widerstrebt jeder endgültigen institutionellen Fixierung. Die Erwählung Einzelner geschieht
primär zur Repräsentation aller und nicht zum Aufbau oder zur Festigung
einer strukturierten Institution. Von Christus her hat diese repräsentative
Erwählung nicht Ordnungs-, sondern Erlösungsfunktion. Die Konzentration auf den einen Repräsentanten öffnet sich auf alle, die in ihm erwählt sind.
– Diese Erwählung wird nicht durch eine abstrakte Gottesbeziehung begrenzt. Die Zugehörigkeit zum «Volk Gottes» entscheidet über das konkrete politische und soziale Leben.[99] Das «Irdische» ist also nicht etwa die
zweitrangige Komponente eines «geistigen» Vorgangs. «Erwählung» und
«Glaube» ereignen sich auf dieser Ebene.
– Da die Offenbarung Gottes sich geschichtlich ereignet, ist dem Volk Gottes
die Ausflucht ins Un-geschichtliche, Zeitlose verbaut. Wenn sich die neutestamentliche Kirche als «wanderndes Gottesvolk» versteht, darf das nicht
als Vorwand zur Flucht aus der menschlich-irdischen Situation vorgegeben
werden. Der «Ort» der ganzen Kirche ist das Irdische. Ebenso gehören alle

[96] P. Bormann, Das wandernde Gottesvolk – die «Exodus-Gemeinde». Die Aussagen
des II. Vat. in der Kirchenkonstitution auf dem Hintergrund des AT und NT: R. Bäumer/
H. Dolch (Hrsg.), Volk Gottes (Freiburg 1967) 538f.
[97] E. Brunner, Dogmatik III (Zürich 1960) 37.
[98] O. Cullmann, Christus und die Zeit (Zollikon 1946) 45.
[99] Vgl. M. Buber, Moses (Zürich 1948) 155.

Spannungen, die sich durch den geschichtlichen Charakter der Offenbarung und der Kirche ergeben, wesentlich zur christlichen Existenz.

– Auch der «Weltcharakter» ist dem ganzen Volk Gottes inhärent. Die Zielrichtung liegt nicht über oder hinter der Welt, sondern in der Welt. Außer dem schon erwähnten geschichtlichen Charakter der Offenbarung überhaupt (hier müßte die Christologie ihren Beitrag leisten) fordert dies der mit der Erwählung untrennbar verbundene Sendungs- oder Missionsgedanke. Die klassische Volk Gottes-Stelle im AT (Ex 19,5 f) und ähnlich auch die ntl. Stelle 1 Petr 2,9 zeigen, daß das Volk Gottes als ganzes Priester ist, d. h. in besonderer Beziehung zu Gott steht, aber auch eine besondere Funktion auszuüben hat. Man kann das als «Zum-Dienst-zur-Verfügungstehen»[100], als stellvertretenden Dienst für die ganze Menschheit,[101] als Zeugnis vor aller Welt,[102] als Offenbarungsfunktion[103] oder Zeichenfunktion[104] sehen. Allen gemeinsam ist die Ausrichtung auf die «Welt» hin, ein Sendungsbewußtsein in ein Leben «inmitten der Welt».

– Wenn gesagt wurde, daß der Ort des Volkes Gottes die Geschichte, das «Irdische», das «Zeitliche» und «Weltliche» sei, dann darf dadurch die Kirche nicht auf eine «geschichtliche» Größe reduziert werden. Eine heilsgeschichtliche Betrachtungsweise geht davon aus, daß sich das Heil, die Offenbarung Gottes, die Erwählung des Menschen durch Gott in der Geschichte, also in der Existenzweise des Menschen ereignet. Deshalb versteht sich die Kirche als «wanderndes Gottesvolk». Sie ist der eschatologischen Gottesgemeinschaft «schon» teilhaftig, aber diese ist ihr zugleich «noch nicht» in der Vollendung geschenkt. Davon wird das «In-der-Welt-sein» der Christen wesentlich bestimmt. Es ist im ganzen persönlichen, sozialen, gesellschaftlichen und politischen Sein und Handeln zu bezeugen, daß sich der Einbruch Gottes in unseren Existenzbereich durch Jesus von Nazareth erfüllt hat und daß uns im Heiligen Geist, der die «geschichtliche Erscheinung des übergeschichtlichen Geistes Christi» ist,[105] die in Christus geschaffene neue Wirklichkeit Gegenwart bleibt. Zugleich muß aber gezeigt werden, daß dieser Einbruch des Reiches Gottes in Jesus von Nazareth für uns erst vorwegnehmend und zeichenhaft erfahren und gelebt werden kann.

Die Frage nach dem Sinn und der Sendung der Kirche kann von da her etwa in folgender Richtung beantwortet werden:

---

[100] M. Buber aaO. 125.

[101] H. J. Kraus, Das Volk Gottes im Alten Testament (Zürich 1958) 59.

[102] H. Groß, Volk Gottes im Alten Testament: H. Asmussen (Hrsg.), Die Kirche – Volk Gottes (Stuttgart 1961) 87.

[103] R. Poelman, Peuple de Dieu: LumVitae nr. 20 (1965) 471.

[104] W. Bulst, Israel als ‹Signum elevatum in nationes›. Die Idee vom Zeichencharakter Israels in den Schriften des AT in Analogie zum Zeichencharakter der Kirche: ZKTh 74 (1952) 167; R. Martin-Achard, Israël, peuple sacerdotal: Verbum Caro (1964) 27.

[105] H. Mühlen, Una mystica persona. Die Kirche als das Mysterium der Identität des Heiligen Geistes in Christus und den Christen (München 1964) 420.

Bestimmt durch Jesus Christus, der in seiner irdischen Existenz Zeichen der Gottesgemeinschaft, «vivum organum salutis», «sacramentum», «germen»[106] wurde, hat die Gemeinschaft der Glaubenden selber «Zeichen», «Werkzeug», «Sakrament» «für die innigste Vereinigung mit Gott wie für die Einheit der ganzen Menschheit»[107] und «Keimzelle der Einheit, der Hoffnung und des Heils»[108] zu sein.

b. Klärungsversuche

Da es in dieser Arbeit nicht um eine allgemeine ekklesiologische Darstellung geht, ist nun nach der besonderen Stellung des Laien innerhalb des Volkes Gottes zu fragen. Doch muß beachtet werden, daß weder eine pastoralsoziologische Beschreibung der kirchlichen Funktionen, noch eine kirchenrechtliche Kompetenzbegrenzung im Mittelpunkt des Interesses stehen darf. Eine Theologie des Laien wird deshalb auf eine theologisch begründete Ekklesiologie nicht verzichten können und wird alle Aussagen über den Laien an einem theologischen Kirchenverständnis zu prüfen haben. Aus Gründen, die bereits bekannt sind, wurde in dieser Arbeit «Volk Gottes» als Ausgangspunkt gewählt. Es wird nun die Aufgabe sein, diesen Kirchenbegriff auf sein Laienverständnis hin zu untersuchen. Wie schon erwähnt wurde, hat sich in der Vergangenheit zwar auf den ersten Blick «Volk Gottes» in idealer Weise angeboten, die hierarchische Strukturierung in der Kirche zu untermauern. Wenn M. Schmaus schreibt: «Der Volksbegriff gestattet leichter als der Leib-Begriff, die hierarchische Stufung zu sehen»,[109] so kann er sich auf eine alte Tradition berufen. Während im biblischen Verständnis vom Volk Gottes und in der Interpretation der Apostolischen Väter eine hierarchistische Tendenz kaum nachzuweisen ist, findet sich seit Cyprian von Karthago und besonders seit Optatus von Mileve «Volk Gottes» zur Bezeichnung der Laien. Seither wurden mit dem Volksgedanken immer wieder die Ordnungsidee und die hierarchische Gliederung der Kirche verbunden.[110] Die Ablehnung der rechtlich-kultischen Einengung von «Volk Gottes» durch Martin Luther hat sich im katholischen Lager nur durch eine verstärkte Betonung der gesellschaftlichen Gliederung der Kirche ausgewirkt. Noch im 19. Jht. wird «Volk Gottes» weitgehend als politisch-gesellschaftliche Kategorie verstanden. Weder J. A. Möhler noch F. Pilgram noch das Vatikanum I können diesen Kirchenbegriff von den gesellschaftlichen

---

[106] Lumen Gentium 8.

[107] AaO. 1.

[108] AaO. 9.

[109] M. Schmaus, Das gegenseitige Verhältnis von Leib Christi und Volk Gottes im Kirchenverständnis: R. Bäumer/H. Dolch (Hrsg.), Volk Gottes 24.

[110] Nähere Ausführungen und Belege finden sich bei M. Keller, «Volk Gottes» als Kirchenbegriff.

Vorstellungen ihrer Zeit lösen. So erstaunt es wenig, wenn bis in die jüngste Vergangenheit bedeutende Theologen mit dem Volk-Gottes-Begriff politisch-gesellschaftliche Strukturelemente verbinden.[111] Erst eine lange und gründliche Besinnung auf die biblischen Aussagen ermöglichten ein umfassendes Volk-Gottes-Verständnis, wie das etwa in « Lumen gentium » durchbrach. Diese Sicht wurde in der Würdigung des Vatikanum II bereits dargelegt und kann hier vorausgesetzt werden. Hingegen ist die Frage nach der « differentia specifica » oder dem « proprium » des Laien noch nicht klar beantwortet.

Es wäre vom Volk-Gottes-Begriff her nicht unmöglich, eine « Theologie des Laien » durch das Eingehen auf das « allgemeine Priestertum der Gläubigen » zu entwickeln.[112] Doch scheint mir dieser Weg wenig erfolgversprechend zu sein. Da der Begriff « Priester » sehr eng an das hierarchisch-klerikale Kirchenverständnis gebunden ist, wären die Bemühungen stets von diesem Schatten begleitet. Das « sacerdotium ministeriale seu hierarchicum » würde sich mindestens psychologisch als « norma normans » vordrängen und das « sacerdotium commune fidelium » würde als das abgeleitete Priestertum der Laien mißverstanden. Aber selbst wenn das « allgemeine Priestertum der Glaubenden » als das alle umfassende und auch das ministeriale Priestertum normierende erkannt würde, wäre die besondere Funktion der Laien anhand dieses Begriffs nur mühsam zu erarbeiten.

Deshalb soll hier vom Nachdenken um die Funktion der Kirche eher auf die vielfältigen Funktionen in der Kirche eingegangen werden. Der sich dabei anbietende *Charisma-Begriff* ermöglicht, über die Martyria, Diakonia und Koinonia des ganzen Volkes-Gottes nachzudenken, ohne die Berechtigung besonderer Dienste abzuweisen.

Bevor versucht wird, die verschiedenen Charismen und die dadurch gegebenen vielfältigen Funktionen in der Kirche zusammenzufassen, darf auf zwei in unserem Kontext besonders wichtige Charakteristika hingewiesen werden: Charisma ist ein umfassender und zugleich ein dynamischer Begriff.

Umfassend aber nicht nur von der Zielrichtung des Gebers, sondern auch vom faktischen Empfänger her. Mit E. Käsemann muß festgestellt werden: « Da zunächst die Christen selber im Schatten des ἐν κυρίῳ stehen und Glieder des Christusleibes sind, sind sie alle, sofern es sich wirklich mit ihnen so verhält, auch Charismatiker? Die Frage stellen, heißt, sie zu bejahen. Das folgt schon aus der Definition vom Charisma als Konkretion und Individuation der Gnade oder des Geistes, da ja jeder Christ an Gnade und Geist

---

[111] So etwa: M. Schmaus, Das gegenseitige Verhältnis 24: «... Das Bild vom Volk Gottes ist dem Bereich des Gesellschaftlich-Politischen entnommen.» Vgl. auch Y. Congar, Esquisses du mystère de l'Eglise (Paris ²1952) 45–48; M. D. Koster, Ekklesiologie im Werden (Paderborn 1940) 95.

[112] Vgl. Lumen Gentium 10.

Anteil hat…»[113] Nach 1 Kor 7,7 «hat jeder seine eigene Gabe». Es gibt keine Norm-Charismen, an die sich alle anzugleichen und an denen alle gemessen würden. Über die Echtheit entscheidet «nicht die Faktizität, sondern die Modalität».[114] Charisma ist nur dort, wo sich der Christ «in Übereinstimmung mit dem Herrn» (1 Kor 7,39) befindet. Dieses «ἐν κυρίῳ» weist darauf hin, daß Charisma weder Schwärmerei, noch Innerlichkeit, noch Uniformierung bedeutet. «Das Maß des Charisma ist aber die Modalität des Wandels im Herrn und für den Herrn, also der Gehorsam des Christenmenschen.»[115] In diesem Sinn ist nicht nur jeder Christ Charismatiker, sondern alles kann ihm Charisma werden. Das Ziel der Dynamik der Gnade ist nicht der Christ und auch nicht die Kirche, sondern die Welt. Die «Bereiche des Natürlichen, Geschlechtlichen, Privaten, Sozialen» sind nicht aus der Machtsphäre Christi herausgenommen.[116] Es gibt keine verschlossenen oder entzogenen Bereiche. «Alles steht unter charismatischer Möglichkeit…»[117]

Schon diese ersten Bemerkungen machen deutlich, daß sich der Charisma-Begriff weder auf den Laien noch auf den Amtsträger einschränken läßt. Sicher kann keine antagonistische Beziehung vertreten werden. Doch scheint auch eine bloß additive Relation dem neutestamentlichen Charisma-Verständnis nicht gerecht zu werden.[118] «Amt» steht nicht neben «Charisma», sondern ist selber eine Kategorie des Charismatischen. Wenn nun aber das Charisma das die ganze Kirche umfassende ist, dann muß es auch zum Strukturprinzip der Kirche werden.[119] «Während es im NT kein wirkliches Aequivalent für unseren heutigen kirchlichen Amtsbegriff gibt, findet sich doch in der paulinischen und unmittelbar nachpaulinischen Theologie ein Begriff, der Wesen und Aufgabe aller kirchlichen Dienste und Funktionen theologisch präzis und umfassend beschreibt, nämlich Charisma.»[120]

Was bedeutet diese sogenannte «charismatische Struktur» für eine Theologie des Laien? Um dies beantworten zu können, muß zunächst einmal nach der Gliederung der Charismen gefragt werden.

Die Abgrenzung der einzelnen Charismen in den neutestamentlichen Schriften läßt sich kaum durch exakt definierbare Begriffe vornehmen.[121]

[113] E. Käsemann, Amt und Gemeinde im Neuen Testament: Exegetische Versuche und Besinnungen I (Göttingen 1960) 117. Weitere Definitionen von Charisma finden sich bei: G. Hasenhüttl, Charisma. Ordnungsprinzip der Kirche (Freiburg 1969) 238.

[114] E. Käsemann aaO. 116.

[115] E. Käsemann aaO. 116.

[116] E. Käsemann aaO. 116.

[117] E. Käsemann aaO. 117.

[118] Vgl. die zahlreichen Beiträge zu «Amt und Charisma», z. B.: O. Semmelroth, Amt und Charisma: Herders Theologisches Taschenlexikon 1 (Freiburg 1972) 86–89.

[119] Vgl. H. Küng, Die charismatische Struktur der Kirche: Concilium 1 (1965) 282–290; G. Hasenhüttl, Charisma.

[120] E. Käsemann aaO. 109.

[121] Vgl. J. Gewiess, Charisma: LThK II (1958) 1025–1027; E. Käsemann, Geist und Geistesgaben im Neuen Testament: RGG II (Tübingen ³1958) 1272–1279.

E. Käsemann entscheidet sich für die folgende summarische Gliederung: «kerygmatische Charismen» (Funktionen der Apostel, Propheten, Evangelisten, Lehrer und Mahner), «diakonische Charismen» (Diakone, Diakonissen, Almosengeber, Krankenpfleger, Witwen, Gaben der wunderbaren Heilung und des Exorzismus), «kybernetische Charismen» (Erstlinge, Vorsteher, Hirten, «Bischöfe»).[122]

Die von Käsemann unter dem Sammelbegriff «kerygmatische Charismen» angeführten Dienste zeigen, daß diese Gruppe nicht ausschließlich dem «Amt» zugeteilt werden darf. Diese Feststellung ist vor allem für einen breiten Strom innerhalb der katholischen Tradition nicht selbstverständlich. Verkündigung heißt in dieser Sicht zuerst oder teilweise sogar ausschließlich lehramtliche Verkündigung. Im Laufe der geschichtlichen Entwicklung wurden dem Lehramt, das die Funktion des Apostolats weiterführte, auch die Funktionen der Propheten, Evangelisten, Lehrer und Mahner untergeordnet. Wir haben es hier mit einer Konzentrierung und Institutionalisierung der Charismen zu tun. Dahinter steht ein sehr vereinfachtes hierarchisches Denken, das wohl dem «formaljuristischen Denken der Lateiner»[123] entsprach, aber die eigentliche Funktion des «Kerygmas» nicht erfaßte. So schreibt etwa L. Kösters: «Die Tatsächlichkeit des kirchlichen Lehramtes ergibt sich... synthetisch aus den Quellenzeugnissen des Neuen Testaments und der Urkirche, wonach Jesus Christus selber authentischer, d.h. von Gott gesandter und bevollmächtigter Lehrer der religiösen Wahrheit sein wollte und dieses sein Lehramt als wesentlichen Teil seiner Sendung mit der Zusicherung der amtlichen Unfehlbarkeit den Aposteln übertrug, von denen es auf ihre Nachfolger, die Bischöfe, überging...»[124] Dieses von Christus gewollte Lehramt deckte sich mit dem Prophetenamt.[125] Das doppelte Problem der Eingrenzung des Kerygmas auf Amtsträger und der Überordnung des Amtes über das Charisma zeigt sich auch noch in neueren Publikationen.[126] Wenn nun aber nicht bestimmte Ämter, sondern die ganze Kirche die Aufgabe Christi fortsetzt, dann erhält auch der Laie eine andere Funktion. K. Rahner hat innerhalb von Überlegungen, die ganz von traditionellen Auffassungen über das Lehramt ausgingen, auf einige wichtige Punkte hingewiesen.[127] Eine kirchliche Lehrentscheidung ist mehr als

---

[122] E. Käsemann, Amt und Gemeinde im Neuen Testament 114. H. Küng, Die charismatische Struktur 286 entscheidet sich im Anschluß an Käsemann für «Charismen der Verkündigung» – «Charismen der Hilfsdienste» – «Charismen der Leitung».

[123] K. Rahner, Lehramt: LThK VI (1962) 888.

[124] L. Kösters, Lehramt: LThK¹ VI (1934) 455 f.

[125] M. Rackl, Ämter Christi: LThK¹ I (1930) 378–381, schreibt: «Das Prophetenamt im Sinne eines religiösen Lehramtes...» (aaO. 380).

[126] Vgl. etwa J. Brosch, Amt und Charisma: LThK I (Freiburg 1957) 455–457. «Deshalb heben sich die Amtsträger ... von allen Charismatikern streng ab» (aaO. 456).

[127] K. Rahner, Lehramt: LThK VI (1961) 884–890.

eine «autoritative Vorlage eines von einem anderen im Glauben anzunehmenden Inhalts», sie ist selbst «Akt des hörenden Glaubens und öffentlichen Glaubenszeugnisses».[128] Damit ist wohl deutlich gesagt, daß auch die Vertreter des Lehramtes Teil der «hörenden» Kirche sind und nur im Glaubensgehorsam ihren Dienst wahrnehmen können. Ferner weist K. Rahner darauf hin, daß das Lehramt im Kerygma nicht nur auf das «Fürwahrhalten eines Satzes» hinzielt, sondern auf den «Menschen in seiner ganzen Existenz». Damit wird der gelebte Glaube der hörenden Kirche zum wesentlichen Moment einer Lehrentscheidung.[129]

Diese hörende Kirche ist nach dem Zeugnis der Kirchenkonstitution des Vatikanum II (Nr. 12) mehr als das reaktive Gegenüber des Lehramtes. Hören kann ja im Kontext des Glaubens nur Gehorsam gegenüber Gott und seinem Wort heißen. Dieser Glaubensgehorsam ist primär. Jeder Gehorsam gegenüber den Amtsträgern ist sekundär und hat sich am Gehorsam gegenüber der Offenbarung zu messen. Der «sensus fidei» ist nicht wie der «consensus fidelium» Resultat des Bemühens des Lehramtes. Der Glaubenssinn hat eigentliche «wahrheitsfindende und wahrheitsbezeugende Funktion».[130] Der Glaubenssinn ist in Verbindung zu setzen mit dem verheißenen Wirken des Geistes. Das Lehramt seinerseits hat dieses lebendige Glaubenszeugnis «authentisch-kritisch» zu interpretieren.[131] Diese Interpretation des Lehramtes ist aber immer auf den «consensus fidelium», auf das übereinstimmende Zeugnis aller Glaubenden, bezogen.

Es ist nicht zufällig, daß in Nr. 12 der Kirchenkonstitution einerseits vom «Glaubenssinn des ganzen Volkes» («von den Bischöfen bis zu den letzten gläubigen Laien»), «der vom Geist der Wahrheit geweckt und genährt wird», andererseits auch von den Charismen gesprochen wird. Hier wird deutlich, daß das ganze Volk Gottes am «prophetischen Amt» Christi teilnimmt. Wo diese fundamentale ekklesiologische Aussage beachtet wird, kann sowohl eine Verdrängung der Charismen durch das Amt als auch eine Polarisierung zwischen Amtsträgern und Nichtamtsträgern vermieden werden.

Jeder Christ wird unmittelbar vom Geist zu seiner je eigenen prophetischen Funktion befähigt.[131a] Was von allen Charismen gesagt werden kann, gilt auch für die kerygmatischen. Auch diese müssen nicht unbedingt außerordentliche, mirakulöse, sensationelle Erscheinungen sein. Das prophetische Zeugnis des Glaubens ereignet sich auch ohne auffallende Begleitumstände, aber auch ohne institutionalisierte Anerkennung. «Propheten», «Lehrer», «Evangelisten», «Mahner» verkünden die Botschaft vom herein

---

[128] K. Rahner aaO. 889.
[129] K. Rahner aaO. 889.
[130] M. Seckler, Glaubenssinn: LThK IV (1961) 947.
[131] M. Seckler aaO. 947.
[131a] Vgl. dazu H. Schlier, Ekklesiologie des NT: MS IV/1, 170f.

gebrochenen Reich Gottes auch ohne amtliche Sendung und ohne institutionalisierte Abgrenzung ihrer Funktion. Laien werden also nicht erst durch die «missio canonica» zur Verkündigung befähigt. Ihr Auftrag ist kein abgeleiteter Dienst, sondern ebenso ursprünglich wie eine amtliche Funktion. Der Bereich des Kerygmas ist nicht ein uneigentlicher, sondern direkter Arbeitsbereich des Laien. Die prophetische Funktion aller Glaubenden ist unmittelbar in der individuellen und sozialen Situation vorzunehmen. Dabei ist nicht nur der Einzelne, sondern sind auch die gesellschaftlichen Bedingungen mitmenschlicher Existenz Ziel des prophetischen Bemühens. Wahrscheinlich ist zur Zeit nichts so nötig, wie die Loslösung von der Vorstellung klar umrissener Ämterhierarchien im NT. Es wird nicht weiterführen, wenn in der Schrift «nach einer Rechtfertigung dieser etablierten Formen» gesucht wird.[132] «Was von Jesus ausging, war ein lebensmächtiger Entwurf, kein kanonisches Grundgesetz.»[133] Es geht auch heute nicht um die Restauration der biblischen «Ämter» im Bereich der Verkündigung. Entscheidend ist es, daß «unter dem Druck der Ereignisse und unter dem Antrieb des Heiligen Geistes»[134] neue Möglichkeiten prophetischen Zeugnisses gelebt werden. Vielleicht kann der Laie dieser Aufgabe besser entsprechen, weil er nicht an eine institutionalisierte Aufgabe gebunden ist.

Dabei wird es wichtig sein, daß auch der Laie darauf verzichtet, seinen freien charismatischen Dienst möglichst schnell einer institutionalisierten Form anzugleichen. Eine solche Haltung wird allerdings das gewohnte Kirchenbild verändern. Es setzt mehr glaubendes Hören des Wortes Gottes voraus und verweist den Laien direkter auf die vielfältigen Bereiche menschlicher Existenz. Seine Mündigkeit hat sich nicht so sehr innerhalb eines umschriebenen kirchlichen Auftrags zu bewähren, sondern im primären Zeugnis des Glaubens in seiner individuellen und gesellschaftlichen Situation. Daß dies nicht Vereinzelung oder individualistische Schwärmerei bedeuten muß, zeigen die zahlreichen Spontan- oder Aktionsgruppen in neuester Zeit. Das gemeinsame Suchen und das brüderliche Gespräch sind wohl Voraussetzungen zu einem Engagement für die Welt.

Es muß in diesem Zusammenhang noch einmal auf den Unterschied zu früheren Auffassungen hingewiesen werden. Auch in früheren Aussagen wurde auf die Eigenverantwortung der Laien im konkreten Entscheid aufmerksam gemacht. Die Vertreter des Lehramtes hatten die Linien des Einsatzes aufzuzeigen, die Laien diese Erkenntnisse in die Praxis umzusetzen. Dies galt vor allem für den gesellschaftlichen und politischen Bereich. Heute haben sich die Laien kraft der «wahrheitsfindenden und wahrheitsbezeu-

---

[132] R. Laurentin, Die gegenwärtige Krise der Ämter im Lichte des Neuen Testaments: Concilium 12 (1972) 709.

[133] R. Laurentin aaO. 710.

[134] R. Laurentin aaO. 710.

genden Funktion» des Glaubenssinns auch ohne spezielle lehramtliche Anweisungen den Problemen zu stellen. Das Zeugnis ihres Glaubens geschieht
primär im säkularen Bereich und kraft der charismatischen Berufung. Dieses Glaubenszeugnis – wo es wirklich geschieht und nicht einfach Interessenvertretung einer sozialen oder politischen Gruppe ist – darf nicht zum
voraus als unverbindliche Privatäußerung disqualifiziert werden. Wo ein
solches Glaubenszeugnis geschieht, ist es immer kirchliches Zeugnis. Denn
es handelt sich um die Realisierung der Gnade Jesu Christi, die im Heiligen
Geist in ihrer Dynamik gegenwärtig bleibt. Entscheidend für den kirchlichen Charakter ist also nicht ein amtliches Mandat oder eine amtliche
Direktive. Auch hier ist das entscheidende Kriterium, ob es ἐν κυρίῳ geschieht.

Daß die Prüfung der «authentischen» Sendung nicht einfach und allein
den Amtsträgern überlassen bleibt, auf diesen Punkt wird weiter unten noch
einzugehen sein. Doch kann schon jetzt gesagt werden, daß dabei das Gespräch und das gemeinsame Suchen ein wichtiger Faktor sind. Vom Amt
in der Kirche ist vor allem Ermunterung zur Gewissensentscheidung des
Einzelnen, Verzicht auf Kontrolle und Bevormundung, dann aber auch
intensives Hinhören auf den Prozeß dieser Wahrheitsfindung und Wahrheitsbezeugung zu erwarten. Wo dies geschieht, wird die besondere Funktion und Autorität des Amtes erst möglich.

Auch bei den «diakonischen» Charismen kann keine eindeutige Zuteilung
an die Laien oder die Amtsträger erfolgen. Das wird von verschiedener
Seite her deutlich. Das NT spricht im Zusammenhang der Diakonia nicht
nur von Einzelcharismen, sondern von einer umfassenden Grundhaltung
aller Charismatiker. «Alle Gnadengaben stehen immer im Zeichen des Dienens, der διακονία (1 Kor 12,4; Röm 12,6; 1 Petr 4,11).»[135] Der Dienst ist
eine Grundhaltung christlicher Existenz und kann nicht auf die Tätigkeit
oder die Gesinnung der Amtsträger eingeschränkt werden. Wenn die diakonischen Charismen im einzelnen in die Überlegungen einbezogen werden,
dann zeigt sich, daß eine Auslegung in Dienstcharismen zur «Erbauung der
Gemeinde» und «zum Nutzen der Welt» sich nicht mit der Gruppierung in
Amtsträger und Laien deckt. Der Dienst an den Armen, Leidenden und
Kranken, d.h. die Liebestätigkeit in der Gemeinde, kommt allen zu. Anderseits gibt es im NT eine Tradition, die diese Hilfsdienste einem Mitarbeiter
des Vorstehers zuordnet.[136] Aber auch dies unterscheidet sich von der spätern kirchlichen Praxis, die Menschen zu bestimmten Diensten in der Kirche
verpflichtet. Nicht mehr das Charisma entscheidet in diesem Fall, sondern
die Wahl oder kirchliche Berufung bestimmt den Träger des Dienstamtes.

Noch ausgeprägter läßt sich diese Entwicklung bei den «kybernetischen»

---

[135] G. Hasenhüttl, Charisma 159.
[136] G. Hasenhüttl aaO. 161.

Charismen feststellen. Auffallend ist, daß der in späterer Zeit so gewichtige Begriff «Hirte» im NT nur ein einziges Mal als dauernder charismatischer Dienst erwähnt wird (Eph 4, 11). «Von der Wahl eines Hirten oder von der Beauftragung durch andere Hirten wird uns in der Schrift nichts berichtet. Im Laufe der Kirchengeschichte hat sich jedoch der Titel Hirt und Oberhirt immer mehr für die Gemeindeleiter eingebürgert, während der charismatische Zug zurücktrat.»[137]

Auch die Funktion *κυβέρνησις* (Leitung) tritt bei Paulus nicht besonders hervor (vgl. 1 Kor 2, 27 ff: Die *κυβέρνησις* wird in Vers 30 nicht mehr erwähnt). H. W. Beyer erklärt das durch den Umstand, daß «jedes Gemeindeglied für den Dienst der Diakonie und der Ordnung einzuspringen hat».[138] Falls niemand in der Gemeinde das Charisma der Leitung besitzt, kann ein anderer Charismatiker für die Koordination der verschiedenen Aufgaben bestimmt werden. Bei den *ἐπίσκοποι* (Aufsehern), *προϊστάμενοι* (Vorstehern) und *ἡγούμενοι* (Führern) liegt der Schwerpunkt «auf dem Sein für andere in wahrer Sorge».[139] Damit sind aber auch die häuslichen Vorsteher mitbezeichnet. Für den Dienst der Gemeindeaufsicht kommt übrigens nur in Frage, wer richtig für seine Familie Sorge trägt (1 Tim 3, 2–5).

Wie schon bei den kerygmatischen und diakonischen Charismen, werden auch bei den kybernetischen die «Laien» nicht ausgeschlossen. Es ist auf dem Hintergrund der neuzeitlichen Diskussion um den Laienbegriff auffallend, daß auch jene Charismen, die in besonderer Weise auf den Aufbau in der Gemeinde ausgerichtet sind, von allen getragen werden. Von da her ist die Beziehung von Amt und Charisma noch einmal zu überdenken.

Amt und Charisma können identisch sein. Wenn aber ein Amt nicht mehr zur Auferbauung der Gemeinde ausgeübt wird, dann widerspricht es dem paulinischen Charisma-Verständnis. Solange ein Amt als Berufung zu einer Funktion des Verkündens, Dienens und Leitens für die Gemeinde verstanden wird, entspricht es dem Charisma. Nur Beauftragung von der Kirche, ohne funktionale Bestimmung, widerspricht dem Charisma.

Da Charisma der umfassendere Begriff ist, und die damit gemeinte Wirklichkeit allen Glaubenden zukommt,[140] besteht jetzt nicht so sehr die Aufgabe Charisma von Amt, sondern Amt von Charisma begrifflich abzuheben. Ohne dem Abschnitt über das Amt in der Kirche vorgreifen zu wollen, kann auf Grund des Charisma-Verständnisses etwa vom Amt als einem «sakramentalen» Charisma, als einem «institutionalisierten» Charisma[141] gesprochen werden. E. Schweizer erwähnt im Anschluß an 2 Tim 1, 6 auch

---

[137] G. Hasenhüttl aaO. 219.
[138] H. W. Beyer, *κυβέρνησις*: ThWNT III (1938) 1036.
[139] G. Hasenhüttl aaO. 222.
[140] Vgl. G. Hasenhüttl aaO. 234.
[141] H. Küng, Die charismatische Struktur 286.

eine Vermittlung des Charismas durch Ordination.[142] Damit ist aber keineswegs eine Herrschaft der «institutionalisierten» Charismen über die «freien» Charismen ausgesagt. Die institutionalisierten Charismen sind als ebenbürtiger Anteil am Aufbau der Gemeinde zu verstehen. Sie sind in besonderer Weise der Verhärtung und der Verschließung vor dem καιρός ausgesetzt. Anders als die freien Charismen gehen sie bei Unglauben nicht einfach verloren, sondern können – zwar nicht mehr als Charismen – aber doch als Ämter auch in Verzerrung weiterexistieren. Sie können zur herrschaftlichen Macht werden im Widerspruch zum Dienstcharakter des Charismas. Anderseits könnten die Ämter als institutionalisierte Charismen selbst dann noch eine wichtige Bedeutung für die Verkündigung, die Diakonie und die Leitung der Kirche haben, wenn die «freien» Charismen fehlen oder versagen.

Das Verhältnis von Amt und Charisma darf nicht so bereinigt werden, daß das Amt sich über das Charisma oder auch das institutionalisierte Charisma über das freie Charisma stellt. «Lumen gentium» drückt sich zu wenig differenziert aus, wenn es in Nr. 12 heißt: «Das Urteil über ihre[143] Echtheit und ihren geordneten Gebrauch steht bei jenen, die in der Kirche die Leitung haben, und denen es in besonderer Weise zukommt, den Geist nicht auszulöschen, sondern alles zu prüfen und das Gute zu behalten» (vgl. 1 Thess 5, 12 und 19–21). Dabei wird das Zitat («Löscht den Geist nicht aus, verachtet nicht Prophetengaben. Prüft alles und behaltet das Rechte.» 1 Thess 19–21), das sich auf die Gemeinde bezieht, mit einem Hinweis auf Vers 12 verbunden. Dort bittet der Verfasser um Anerkennung der Missionare und Vorsteher («um ihrer Leistung willen»). Die Prüfung der Charismen ist aber eindeutig Aufgabe der ganzen Gemeinde.[144] Daß dabei die institutionalisierten Charismen auch ihre besondere Funktion haben, ist unbestritten. Aber die Wahrnehmung dieser Aufgabe hat nicht ohne die Gemeinde zu erfolgen. Zudem scheint der Beitrag des «Vorstehers» bei der Prüfung der Charismen nicht primär und fundamental zu sein. Er dürfte sich vor allem darauf richten, die Gemeindeversammlung so zu leiten, daß die Entfaltung der verschiedenen Charismen «in guter Sitte und Ordnung geschehe» (1 Kor 14,40).

c. Ausblick

Die Frage nach dem «Proprium» der Laien ist noch einmal aufzunehmen. Nach den Überlegungen zum Volk-Gottes-Begriff und zu den Charismen muß dabei von der fundamentalen Gleichheit und Würde aller Glaubenden

---

[142] E. Schweizer, Gemeinde und Gemeindeordnung im Neuen Testament (Zürich 1959) 168.

[143] Gemeint sind die Charismen.

[144] Vgl. H. Küng, Die charismatische Struktur 288.

ausgegangen werden. Ebenso steht fest, daß alle Verantwortung für die Sendung der Kirche tragen. Unterscheidungen, die dem Klerus die Arbeit in der Gemeinde, den Laien die Arbeit in der Welt zuteilen wollen, haben keine genügende Begründung gefunden. Auch die anderen «Definitionen» oder Abgrenzungen, die im Laufe dieser Darstellung erwähnt wurden, vermögen nicht zu überzeugen. Die weiteren Bemühungen, das «Proprium» des Laien zu erfassen, müssen die Meinung jener Theologen zur Kenntnis nehmen, die wie F. Klostermann die Ansicht vertreten, daß kirchliche Standeseinteilungen nicht mehr vertretbar sind und daß deshalb vom Ende des Laienstandes gesprochen werden muß.[145] «Es müßte darum zu einem Schema kommen, das einerseits das alle Stände, besser: Dienste der Kirche Umfassende und allen Diensten Gemeinsame hervorhebt, anderseits auch die innere Nähe der einzelnen Dienste zueinander, ihre einander ergänzende, ihre komplementäre Funktion klar in Erscheinung treten läßt.»[146] Von Überlegungen zum Amt im NT ausgehend, sprechen andere Autoren vom Ende des Klerikerstandes. So stellt R. Laurentin fest: «Die Ämter des NT standen im Dienst kleiner Gemeinschaften von überschaubarer Größenordnung, vereint im Hause eines Christen (Apg 12,12; 28,30; Röm 6,5, 15,19; 1 Kor 16,19; Kol 4,15; Phlm 2) wie heute in Cuernavaca, Ponte de Carvalhos oder anderswo. Die Ämter besaßen noch keinen klerikalen Charakter: was heute z. Z. der Entklerikalisierung von Interesse ist. Sie hatten nicht einmal einen ‹priesterlichen Charakter›...»[147]

Wenn im Wissen um das Ende von kirchlichen Standeseinteilungen dennoch nach dem «Proprium» des Laien gefragt werden soll, dann muß die Beziehung Laie-Amtsträger auf dem Hintergrund des Charismaverständnisses berücksichtigt werden. Dabei sind vorerst die folgenden Punkte zu beachten:

1. Es wird eine entscheidende Aufgabe sein, die verschiedenen Dienste in der Kirche aus der geschichtlich gewachsenen Vorherrschaft des klerikalen Amtes zu lösen und neu entfalten zu lassen. Daß es auch in Zukunft Ämter in der Kirche geben wird, ist von der Aufgabe der Kirche her unbestritten. Verkündigung, Diakonie und Gemeindeleitung verlangen neben den «freien» Charismen nach geregelten Diensten. Diese Ämter sind aber nicht auf ein starres Schema festgelegt. In den Gemeinden sollte vielmehr Raum für verschiedenartige Dienste geschaffen werden.[148] Diese Ämter werden keinen alles beherrschenden Ort mehr einnehmen dürfen. Dienstcharakter heißt auch, den Weg von einer zentralen Position zur Hilfsfunktion finden. Dies geschieht am besten durch eine Entfaltung und Auffächerung der verschiedenen Charismen in der Gemeinde.

---

[145] F. Klostermann, Prinzipien, Formen, Dienste (Augsburg 1972) 77, 79.
[146] F. Klostermann aaO. 78.
[147] R. Laurentin aaO. 708.
[148] R. Laurentin aaO. 710. 712 spricht von «funktionalen Schöpfungen».

2. Mit der Trennung von «institutionalisierten» oder «geregelten» und «freien» Charismen ist nicht die alte Einteilung Klerus-Laie wieder aufgenommen. Denn es wird nicht einfach sein zu wissen, wo der Übergang zwischen diesen beiden Charismengruppen liegt. Die Grenze ist fließend. Neben einer möglichen – auch rechtlich faßbaren – Einteilung bleibt ein breiter Raum für die Berücksichtigung der geschichtlichen Entwicklung und individuellen Situation. Was gestern ein institutionalisiertes Charisma war, muß es heute nicht bleiben. Und dieselbe Begabung im Dienst der Gemeinde kann «institutionalisiert» im einen und «frei» im andern Fall sein. Ferner ist jeder Träger eines institutionalisierten Charismas zugleich Träger freier Charismen.

3. Wo nun das «freie» Charisma stärker in den Mittelpunkt rückt, können trotz aller erwähnten Einschränkungen und unter Berücksichtigung des Gesagten einige Akzente gesetzt werden. Diese Punkte würden unter der früheren Betrachtungsweise als Theologie des Laientums bezeichnet. Sie müssen jetzt besser als Impulse verstanden werden, die von einer Theologie der «freien» Charismen ausgehen.

Glaube–Unglaube wird der entscheidende Gegensatz. Der damit gegebene dialogische Charakter der Gemeinde wirkt sich auch auf die Gemeindestruktur und die besondere Existenzweise der Gemeinde aus. Die Gemeinde wird Ort des gemeinsamen Glaubensgehorsams und Glaubenszeugnisses. Es ist ein Klima der Entwicklung und Entfaltung der Charismen zu schaffen. Die konkrete Berufung zum Aufbau der Gemeinde und zum missionarischen Zeugnis wird ohne dichte Kommunikation in der Gemeinde nicht möglich sein. Die institutionelle Verkrustung ist immer wieder aufzubrechen. Der «Laie» (als Träger «freier» Charismen) vertritt in besonderer Weise das dynamische und missionarische Element und bezeugt die charismatische Freiheit in Verkündigung, Diakonie und Gemeindeleitung. Er benötigt für seinen Dienst keine amtliche Beauftragung. Die kerygmatischen und diakonischen Charismen werden im Leben des «Laien» von besonderer Bedeutung sein. Dabei geht es nicht einfach um das Wiederholen der amtlichen Lehre, sondern um das prophetische Zeugnis in der Weltsituation. Doch kann diese wahrheitsfindende und wahrheitsbezeugende Funktion nicht wahrgenommen werden ohne die Kommunikation der Gemeindeglieder unter sich und mit dem Amt. Gemeinsam sind die Geister zu prüfen. Doch versteht sich dies nicht als amtliches Verhindern neuer Initiativen, sondern als das gemeinsame Fördern missionarischer Impulse und das geduldige Reifenlassen der «Früchte». Der «Laie» verwirklicht in besonderer Weise die christliche Existenzweise des Experiments, des Neubeginns, des Vorläufigen. Der Laie versucht in der konkreten Situation in der Dynamik des Heiligen Geistes auf das Reich Gottes hin zu leben. Eine Trennung in einen primären (Kirche) und sekundären (Welt) Wirkbereich ist eine falsche Alternative. Gemeinde und Welt sind nur in Beziehung zueinander verständlich. Kirche ist auch im eigenen Lebensbezug auf die Welt ausgerichtet. Eine Theologie des Laientums will die Charismen der Glaubenden in Gemeinschaft mit den Mitchristen auf die Welt hin entfalten. Eine solche Theologie müßte vermehrt mit den konkreten Erfahrungen rechnen und auf diese eingehen. Sie treibt dabei den Christen nicht in die Vereinzelung und Haltlosigkeit. Denn sie sucht in verbindlicher Gemeinschaft mit den Glaubenden das in Jesus Christus angebrochene Reich Gottes in der jeweiligen Situation zu bezeugen.

MAX KELLER

BIBLIOGRAPHIE

Balthasar H. U. v., Der Laie und die Kirche: Sponsa Verbi (Einsiedeln 1960) 332 bis 348.

– Der Laie und der Ordensstand (Einsiedeln 1948).

– Zur Theologie der Säkularinstitute: Sponsa Verbi (Einsiedeln 1960) 434–469.

Congar Y., Der Laie. Entwurf einer Theologie des Laientums (Stuttgart 1957); frz.: Jalons pour une théologie du laïcat (Paris 1952).

– Priester und Laien im Dienst am Evangelium (Freiburg 1965), frz.: Sacerdoce et Laïcat (Paris 1962).

Duss J., Was kann der Laie ohne den Priester?: Concilium 4 (1968) 284–288.

Hasenhüttl G., Charisma. Ordnungsprinzip der Kirche (Freiburg 1969).

Heimerl H., Laienbegriffe in der Kirchenkonstitution des Vatikanum II: Concilium 2 (1966) 219–224.

Käsemann E., Amt und Gemeinde im Neuen Testament: Exegetische Versuche und Besinnungen I (Göttingen 1960).

Keller M., «Volk Gottes» als Kirchenbegriff (Einsiedeln 1970).

Klostermann F., Dekret über das Apostolat der Laien: LThK, Das II. Vat. Konzil II (1967) 585–701.

– Die Gemeinde Christi. Prinzipien – Formen – Dienste (Augsburg 1972).

– Kommentar zum IV. Kap. der Konstitution über die Kirche: LThK, Das II. Vat. Konzil I (1966) 260–283.

Kraemer H., Theologie des Laientums. Die Laien in der Kirche (Zürich 1959).

Küng H., Die charismatische Struktur der Kirche: Concilium 1 (1965) 282–290.

– Die Kirche (Freiburg 1967).

Niermann E., Art. Laie: SM III (1969) 127–137.

Philips G., Der Laie in der Kirche (Salzburg 1955).

Rahner K., Laie und Ordensleben. Überlegungen zur Theologie der Säkularinstitute: Sendung und Gnade (Innsbruck 1959) 364–396.

– Sakramentale Grundlegung des Laienstandes in der Kirche: Schriften zur Theologie VII (Einsiedeln 1966) 330–350.

– Über das Laienapostolat: Schriften zur Theologie II (Einsiedeln 1955) 339–373.

Schillebeeckx E., Die neue Ortsbestimmung des Laien. Rückblick und Synthese: Gott-Kirche-Welt = Ges. Schriften II (Mainz 1970) 162–172.

– Die typologische Definition des christlichen Laien nach dem Zweiten Vatikanischen Konzil: Gott – Kirche – Welt = Ges. Schriften II (Mainz 1970) 140–161.

Schnackenburg R., Die Kirche im Neuen Testament (Freiburg 1961).

Schweizer E., Gemeinde und Gemeindeordnung im Neuen Testament (Zürich 1959).

Sustar A., Der Laie in der Kirche: FThh (1957) 519–548.

THEOLOGIE DER EHE
DER SAKRAMENTALE CHARAKTER DER EHE

Die Theologie der Ehe ist hier im Zusammenhang der Ekklesiologie und Sakramententheologie zu behandeln.[1] Der Akzent liegt auf der Frage nach der Sakramentalität der Ehe. Diese versteht sich heute nicht mehr ohne weiteres von selbst. Bei Seelsorgern wie bei Laien läßt sich oft genug eine Verlegenheit darüber feststellen.

Wenn ihre Rückführung auf den Willen Jesu so einfach wäre, wie CIC c. 1012 § 1 es nahelegt, könnte man sich die Tatsachen schwerlich erklären, daß erst im Jahre 1139 anläßlich des 2. Laterankonzils (DS 718) der Ehe eine «religiositatis species» zugesprochen wurde (sacramentum wird da ausdrücklich nur die Eucharistie genannt); daß erst das Konzil von Verona (1184) formell von der Ehe als Sakrament spricht (DS 761) und die vollständige Liste des Septenariums erstmals 1274 auf der 2. Kirchenversammlung von Lyon ausdrücklich lehramtlich festgelegt wurde (DS 680; NR 928). Schon rein diese Feststellungen gestatten es nicht, den Ansatzpunkt für die folgenden Überlegungen einfach beim ausdrücklichsten Ergebnis einer, wie wir sehen werden, langen Entwicklung, nämlich beim Konzil von Trient, zu fixieren (DS 1797–1812: NR 721–746). Das wäre ein Treten an Ort nach dem Zirkel: die Ehe ist ein Sakrament, also ist sie ein Sakrament.

Zwar hat A. Auer recht, wenn er sagt: «Im Grunde gilt die Ehe von Anfang an als Sakrament» (HThG ²I, 277). Aber es wurde diese «Sakramentalität» im Verlaufe der Geschichte so unterschiedlich verstanden, daß das keineswegs eine eindeutige Aussage ist. Wenn die Ehe erst gegen das 13. Jh. zu den sieben und kirchenoffiziell erst seit dem Tridentinum zu den nicht mehr und nicht weniger als sieben Sakramenten gehört, bedeutet das gegenüber dem früheren sehr ungefähren Sakramentalitätsverständnis etwas Neues und stellt vor die Frage, ob hier die Analogie überhaupt noch eine Brücke zwischen den verschiedenen in der Geschichte vorgetragenen Auffassungen bilden könne. Dahinter steht das konkrete Problem, welchen Stellenwert man der Tradition beimessen soll, welche hermeneutische Option man trifft – was denn auch in unserem Problem zum Unterschied von katholischer und protestantischer Eheauffassung führte. Kann die katholische Theologie heute einfach und ausschließlich für die eigene Tradition optieren? In einem

---

[1] Zur Frage der Zweigeschlechtlichkeit und Ehe im Rahmen einer theologischen Anthropologie vgl. H. Doms: MS II, 707–747.

geschichtlich verstandenen Denken sicher nicht. Auch die Anerkennung der Tradition ist nicht dasselbe wie ein beinahe fatalistisches Geschichtsverständnis. Deshalb ist es notwendig, mit *genetischen Überlegungen* zu beginnen, also zunächst Kirchen-, Theologie- und Dogmengeschichtliches zu erinnern und erst dann nach der exegetisch-biblischen «Ausgangslage» und ihrer Stiftung von Tradition zu fragen. Diese chronologische Umkehrung ist deshalb gerechtfertigt, weil wir so besser zu einer Plattform kommen, um im 2. Teil systematische Überlegungen anzustellen.

1. Genetische Betrachtung

Wer sich auf eine genetische Betrachtung einläßt, also nicht einfach irgendwo in der Geschichte einsetzt, setzt sich von vornehrein in die Dornen. Die Implikationen der geschichtlichen Entwicklung sind in unserem Fall unübersichtlich und vielfältig. Es ist beinahe unmöglich, sie gewaltlos nachzuzeichnen. Da spielen – neben spärlichen exegetischen – liturgische, soziologische, ethnologische, geschlechter-anthropologische, religionsgeschichtliche, juristische, politische, pastorale, psychologische, moralische und spekulative Momente mit. Die exegetische Situation und Interpretation ist trotz der relativ kleinen Zahl einschlägiger Texte nicht viel weniger kompliziert. Es dürfte deshalb einiges gewonnen sein, wenn mindestens die ganze *Problemlage* einmal dargestellt wird, selbst wenn sich zuletzt eine Aporie ergäbe, aus der herauszukommen gar nicht möglich ist. Damit ist die *Beschränkung auf die hermeneutische und topische* Fragestellung angezeigt. Das ist um so nötiger, als in die Spekulationen um die Ehe und sie betreffende kirchliche Normen viele unkontrollierbare und unreflektierte Dinge einflossen, *für die kein locus theologicus nahmhaft gemacht werden kann.*

a. Geschichtliches

An der Ehe wurden immer theologische Dimensionen gesehen[2]. Sie galt nie, auch bei Luther nicht, im strengen Sinn als rein «weltlich Ding»[3]. Die evangelische Theologie ganz allgemein lehnt eine Theologie der Ehe nicht ab, anerkennt teilweise eine «sakramentale Struktur» der Ehe, ohne sie jedoch als ein Sakrament zu betrachten[4].

[2] Die m. W. gründlichste Übersicht über die Entwicklung der Ehetheologie findet sich bei E. Schillebeeckx, Het Huwelijk I. Aardse Werkelijkheid en Heilsmysterie (Bilthoven 1963); ders. Mariage I. (Paris 1967). Ferner P. Adnès, Le Mariage = Le Mystère chrétien. Théologie Sacramentaire (Tournai 1963). Ich halte mich in 1. vorwiegend an Schillebeeckx, holl. Ausgabe. Hier wird geschichtskritischer, aber auch ausführlicher vorgegangen als bei Adnès. – Vgl. auch E. Hillmann, Die Entwicklung christlicher Ehestrukturen: Concilium 6 (1970) 313–319.

[3] Vgl. O. Lähteenmäki, Sexus und Eros bei Luther (Turku 1955).

[4] H. Ott, Das Problem der Mischehe in dogmatischer Sicht: NZZ (11.3.1967).

Anfänglich galten für die Christen die gleichen Bedingungen und Gebräuche der Eheschließung, wie für ihre heidnische Umgebung. Diese kannte ebenfalls keine «profane» Eheauffassung im heutigen Sinn. Bei den Römern war die Hochzeit «divini iuris et humani communicatio» (Cod. Justiniani IX., 32,4). Gesellschaftlich stand sie unter patriarchalisch sippenmäßigen Regeln. In der hellenistischen Zeit Griechenlands finden sich Riten und Segnungen der Ehe, welche von Priestern vorgenommen werden. In den 1. Jhn. unserer Zeitrechnung sind noch keine Anzeichen dafür vorhanden, daß die Christen anders als die Heiden den vorgegebenen gesellschaftlichen Ordnungen entsprechen sollten[5]. Um sie aber von heidnisch-religiösen Gebräuchen, z. B. von Opfern für die Götter abzuhalten, erhebt sich sichtbar erstmals bei Ignatius von Antiochien die *pastorale* Sorge um die Ehe. Er empfahl im Brief an Polykarp, die Heirat «mit Gutheißung des Bischofs» zu schließen, damit sie «im Sinne Gottes» sei, *ohne damit eine jurisdiktionelle Anweisung zu geben*[6].

Auch im 4. Jh., wo die ersten Zeugnisse einer Heirat «sub benedictione sacerdotis» auftauchen, wurde der priesterliche Segen im Rahmen eines Familienfestes gegeben, zu dem Priester oder Bischof als allfällige Gratulanten oder Gäste hinzukamen[7]. Eine theologische Vertiefung findet sich allerdings schon im 3. Jh. bei Klemens von Alexandrien, welcher die Ehe von Christen mit dem Willen des Schöpfers[8] und mit der *Taufe*[9] in Zusammenhang bringt. Durch die *Taufe* ist die Ehe geheiligt und bedarf keiner besonderen Heiligung mehr. Es finden sich in seiner schon ziemlich umfassenden Lehre alle jene Elemente, die später gleichsam den thematischen Kanon der Ehetheologie ausmachen: Die Ehe ist nicht Sünde, auch wenn bereits die Stammeltern sie mißbrauchten (Ursünde als sexuelles Vergehen!) – dieser Gedanke behauptet sich besonders stark bei den Vätern des Ostens, z. B. Gregor von Nyssa –; Zeugung ist ihr Hauptziel und die «raison d'être de l'acte conjugal»[10]; Sekundärziel ist die Unterstützung des Mannes durch die Frau (!) im Haus, bei Krankheit, im Alter[11].

Die gebräuchlichen Gebete und Segnungen sind eine abwehrende Parallele heidnisch-religiöser Eheweihen, aber haben keinesfalls den Charakter von Hinweisen auf Rechtsform und Rechtskraft einer «kirchlichen Eheschließung». «Im Herrn» ehelichen sich Christen, die aus ihrem Glauben heraus schon in Christus sind. Bei Tertullian bedeutet die Formel «im Herrn» soviel wie «mit einem Christen heiraten»[12]. «Kirchlich» ist nach

---

[5] Vgl. Brief an Diognet 5, PG 2, 1173.
[6] 5, 2, PG 5, 723 f.
[7] E. Schillebeeckx aaO. 173
[8] Stromata 3, 17, PG 8, 1205.
[9] Ebd. 4,2, PG 8, 1338.
[10] P. Adnès aaO. 48.
[11] Stromata 3, 12, PG 8, 1184 und 2,23, PG 8, 1089, 1092.
[12] Ad uxorem 2,2, PL 1, 1291 f.

wie vor die im Familienverband geschlossene, innerweltlich verstandene Ehe *unter Getauften* ohne rechtswirksame Dazwischenkunft eines kirchlichen Amtsträgers. Sie wird nach Tertullian bekräftigt durch die Eucharistie («confirmat oblatio»), aber auch diese hat noch nicht die Bedeutung einer «Brautmesse»[13].

Hochzeitsmessen sind erstmals bezeugt im 4. und 5. Jh. für die Kirche von Rom. Sie sind jedoch nur für die Heirat niederer Kleriker vorgesehen und verpflichtend[14]; in den ersten zehn Jahrhunderten sind sie es gar nicht für Laien. Bis dahin wird also nicht der Ehe als solcher, sondern aufgrund der Taufe kirchliche Bedeutung zugemessen. Das ändert sich nicht, auch wenn vom 5. Jh. an in bestimmten Gegenden bereits eine Liturgie der Hochzeit deutlichere Formen annimmt. Was z. B. Paulinus von Nola beschreibt[15], bedeutet zunächst die räumliche Verlegung des bisherigen häuslichen Familienfestes in die Kirche oder vor die Kirche (in facie ecclesiae). Der Hausvater führt die Gäste dahin, und der Priester (Bischof) segnet das mit einem Schleier verhüllte Paar. Von einer fakultativen Brautmesse für Laien «mit unbescholtenem Lebenswandel» ist das erste Mal während des Pontifikats von Sixtus III. (432–440) die Rede[16]. Innozenz I.[17] verbot den Hochzeitssegen für jene, die keinen vorbildlichen Lebenswandel führten, was darauf hinweist, daß er nur bei der Erstheirat erteilt wurde, wie es übrigens auch später immer der Fall war. Zur *Gültigkeit* der Ehe war jedoch der priesterliche Segen nicht erforderlich. Der geltenden gesellschaftlichen Ordnung entsprechend war dafür ausschließlich die Zustimmung des Vaters bzw. allein der «Konsens» des Brautpaares nötig – sehr eingeschärft von Papst Nikolaus I. (558–567)[18]. Ganz allgemein wird der tatsächlich vorhandene Konsensus des Brautpaares und/oder des Vaters, je nach örtlichem Gebrauch, vorausgesetzt.

In Gallien und Spanien finden wir anstelle der Verschleierung und des priesterlichen Segens die Segnung des Ehebettes (benedictio in thalamo), denn der Eintritt in die Brautkammer gilt hier als Höhepunkt der Eheschließung, und wenn in Italien der Konsens im Vordergrund stand, war es hier die «copula». Die Verbindung beider Theorien fand schließlich ihren Niederschlag im jetzt noch geltenden kirchlichen Recht (c. 1015, § 1), welches die atl./ntl. Idee vom «einen Leib» (una caro) unbiblisch-dualistisch auf die

---

[13] Zur umstrittenen Interpretation des Satzes – aus Tertullians katholischer Zeit –, «matrimonium, quod Ecclesiae conciliat et confirmat oblatio et obsignat benedictio, angeli renuntiant, pater rato habet. Nam nec in terris filii sine consensu patrum rite et jure nubunt» (Ad uxorem 2,9, PL 1, 1302) vgl. E. Schillebeeckx aaO. 174–176.

[14] Papst Siricius (384–399), Epistola ad Himerium, c. 8, PL 13, 1141–1143; Papst Innocentius I. (404), Epistola ad Victricium, c. 4–6, PL 20, 473–477.

[15] E. Schillebeeckx aaO. 180.

[16] Anonymus, Praedestinatus, III, 31, PL 53, 670.

[17] AaO.; Synode von Pavia (850), MGH Cap., dl. 2, 119, 21–38.

[18] E. Schillebeeckx aaO. 181.

sexuelle Gemeinschaft reduziert. Für England gibt es bis zum 10. Jh. keine Zeugnisse eines kirchlichen Heiratsritus.

Parallel zu dieser allgemein vorherrschenden Auffassung, die Ehe auch der Christen sei in sich selber eine innerweltliche und nach gesellschaftlichen Regeln zu ordnende Sache, finden sich vom 9. Jh. an Ansätze, sie als eine, wie später Kanonisten sagen werden, «res mixta» zu betrachten. Sie vor dem Priester – aus zivilrechtlichen, nicht aus theologischen Gründen – zu schließen wird um 845 in den (gefälschten) pseudoisidorianischen Dekreten erstmals obligatorisch gefordert[19]. Verlobung und Übergabe des Brautgutes, bislang wirksam im weltlichen Rechtsbereich, werden «verkirchlicht» in Liturgie und kanonischem Recht. Die Ehe ist kirchlich nicht durch die Tatsache, daß zwei Getaufte sie eingehen, wie das Tertullian noch sah, sondern im Sinne ihres kirchlichen *Abschlusses*, welcher mit zur *Gültigkeit* gehört. Doch drang diese Forderung nicht allgemein durch. Unter Pippin dem Kleinen und dem Einfluß von Bonifatius[20] begann zwar im fränkischen Reich eine Entwicklung, welche (z.B. zur Verhinderung der Verwandtenheirat) eine kirchliche Kontrolle der Heiraten anzielte. Damit wurde die Ehe in den Grenzbereich von Staat und Kirche gerückt, doch wie gesagt nicht aus theologischen, sondern aus gesellschaftlichen und zivilrechtlichen Gründen. Die Kirche erhält jetzt auch zunehmend gesellschaftsformende Bedeutung. Deshalb gehen Elemente des örtlichen Rechtes ohne weiteres in das kanonische Recht ein. 802 hat Karl der Große in einem «Capitulare»[21] für das ganze Reich verbindlich erklärt, daß ein Priester vor der Heirat das Fehlen oder Vorhandensein von Ehehindernissen abkläre – als Zivilstandsbeamter. Diese Maßnahme mißglückte jedoch, weil für die Gläubigen keine entsprechende Verpflichtung bestand, die Ehe kirchlich segnen zu lassen, so daß die Priester von vielen Eheabschlüssen überhaupt nichts wissen konnten. Nicht der kirchliche, sondern der gesellschaftlich-öffentliche Charakter der Ehe sollte damit ausgedrückt werden; das gelang erst dem Konzil von Trient, und auch da nicht ohne große Schwierigkeiten, während des Konzils und nachher.

Diese Entwicklung zu einer kirchenrechtlichen Ordnung der Ehe ist keine absichtliche und gezielte Einflußnahme der Kirche in die gesellschaftlichstaatliche Sphäre, sondern unter anderem auch Ergebnis der gesellschaftspolitischen Funktion der Kirche (bes. im Frankenreich mit den Bischöfen als staatlichen Machthabern) und der Appelle von Fürsten an Bischöfe oder Synoden in Heiratssachen (z.B. Ludwig der Fromme im Zusammenhang mit dem Prozeß von Northildis gegen ihren Mann Argembert[22]). Daher ist

---

[19] Fournier – G. Le Bras, Histoire des collections canoniques en Occident depuis les Fausses Décrétales jusqu'à Gratien (Paris 1931).
[20] Synode der Bayerischen Kirche, can. 12, MGH Conc., dl 2, 53.
[21] MGH Conc. dl. II. – 1, 191.
[22] De divorcio Lotharii et Teutbergae, PL 125, 633 ff.

der genaue Sinn auch kirchlicher Regelungen aus dieser Zeit gar nicht leicht auszumachen: Die Grenzen zwischen kirchlicher und weltlicher Jurisdiktion fließen. Vom 11. und 12. Jh. an besitzt die Kirche dann die ganze Jurisdiktion über die Ehe, mitsamt den zivilrechtlichen Konsequenzen. Die Rolle des Brautvaters, dem Bräutigam seine Tochter zu übergeben, übernimmt immer mehr der Priester. Die entsprechende liturgische Formel «et ego (i.e. sacerdos, Vf.) coniungo vos» ist erst im 14. Jh. ausgewiesen[23]. Alle gebräuchlichen Symbole wie Ring, Vereinigung der rechten Hände, Schleier usw. wurden aus Volksbräuchen in die Liturgie herübergenommen. Der Grund für diese «Verkirchlichung» der Heirat war nicht der sakramentale Charakter, welcher bis jetzt auch nicht in den konstitutiven Elementen der Ehe selber (consensus und/oder copula), sondern in der priesterlichen Liturgie gesehen wurde. Diese wird allerdings, wie wir bald sehen werden, zu einem entscheidenden locus theologicus für die Spekulation über den sakramentalen Charakter der Ehe selber, welcher bis zum 11. und 12. Jh. noch nicht ausdrücklich bewußt ist.

Vorher machen wir aber noch einen Sprung nach rückwärts zu Augustinus, dem «Lehrer der christlichen Ehe» (Adnès), welcher die abendländische Ehetheologie maßgeblich beeinflußte. Ihm ging es in erster Linie um den *sittlichen Wert* der Ehe. Die Ehe ist gut[24]. Aber aus welchen Gründen? Aus dem «tripartitum bonum»: proles, fides, sacramentum[25] – Zeugung und Erziehung von Kindern, eheliche Treue, Symbolwert in Beziehung zur Einheit Christus – Kirche, mit der Einheit und Unauflöslichkeit der Ehe als Konsequenz. Obwohl dem ersten bonum eine vorrangige Stellung zukommt, steht das «sacramentum» höher: «In nostrarum quippe nuptiis plus valet sanctitas sacramenti quam fecunditas uteri»[26]. «Sacramentum» bezeichnet die ekklesiale Symbolik der Ehe im Anschluß an Eph 5,32. So sah es schon Tertullian[27]. Vor ihm gebrauchte Lactantius (3. Jh.) den Ausdruck in Annäherung an den ursprünglichsten Sinn: Sacramentum als Schwur, im Zusammenhang mit der Ehe als Verpflichtung unverletzlicher Treue[28]. Augustinus verbindet beide Momente miteinander und sieht in dieser Verbindung das Unterscheidende der Ehe von Christen[29]: Wie die Beziehung Christus – Kirche unlösbar ist, so ist es auch ihre Ehe. Vergleichbar der unzerstörbaren Wirkung der Taufe ist man für immer verheiratet[30]. Als heilige Sache und Zeichen heiliger Realität ist so für Augustinus die Ehe Sakrament in weitestem Sinn. «Aber

---

[23] E. Schillebeeckx aaO. 191.
[24] De bono conjug. 3, PL 40, 375.
[25] Ebd. 32, PL 40, 394.
[26] Ebd. 21, PL 40, 388.
[27] Adv. Marc. 5, 18, PL 2, 518; Exhort cast. 5, PL 2, 920.
[28] Epitome 61, PL 6, 1080.
[29] De bono conjug. 7, PL 40, 378.
[30] De nupt. et conc. 1, 10, 11, PL 44, 420.

ist sie es auch im strengen Sinn? Ist sie Quelle der Gnade? Ausdrücklich sagt Augustinus dies nirgends...»[31]

Die Ehe selber als Sakrament im strengen Sinn zu sehen ist Ergebnis der spekulativen Theologie vom 11.–13. Jh.: Sakrament ist ihr entsprechend eine rituelle Handlung, welche zeichenhaft Gnade darstellt und bewirkt. Was vorher an theologischen Dimensionen der Ehe eine Rolle spielte, war ihre Stiftung durch den Schöpfer und ihr ekklesiologischer Aspekt aufgrund der Taufe. Das Sakramentale kommt also nicht der Ehe selber zu, sondern stammt von der Taufe her. Tertullian z. B. zog keine Konsequenzen daraus für das *eheliche* Leben der Christen, sondern für das *christliche* Leben der Verheirateten. Auch Eph 5, 21–32 wird in den ersten Jahrhunderten kaum als Aussage über die Ehe, bzw. das Verhältnis von Mann und Frau, gelesen, sondern ausschließlich als Auslegung des Verhältnisses von Christus und der Kirche verstanden. Erst Augustinus nennt die Ehe aufgrund von Eph 5,32 sacramentum in einem doppelten Sinn: als unauflösliches Band (sacramentum-vinculum) und als heiliges Zeichen (sacramentum-signum) für die Einheit von Christus und der Kirche (also insgesamt im Rahmen der «Ekklesiologie»). Das Band (vinculum) ist eine *moralische Verpflichtung*, und nicht, wie später im Mittelalter, ein ontologisches Band[32]. Die Unauflöslichkeit der Ehe ist demnach ein «*ethischer Imperativ*», gründend auf der Symbolik der unzertrennbaren Einheit Christus-Kirche. Die Ehe *kann* zwar geschieden werden, aber *darf* es nicht. Geschieht es doch, entfällt die Verpflichtung dem Partner gegenüber nicht. Die Unauflöslichkeit wird aus dem «bonum sacramenti» abgeleitet. In der Patristik herrscht ganz allgemein der Symbolcharakter der Ehe vor: Sie ist Wegweiser auf das Heil in Christus. Die Scholastik nun sieht diesen Symbolcharakter auch, aber deutet ihn im Sinne eines selbstwirksamen Zeichens; die Ehe selber ist ein objektives Band und *kann* (physisch) nicht aufgelöst werden. Diese Auffassung kommt mit der patristischen insofern überein, als die Unauflöslichkeit mit dem sacramentum in Zusammenhang gebracht wird. Dessen inhaltliches Verständnis ist allerdings bei beiden sehr weit voneinander entfernt, wie wir noch sehen werden.

Erst nachdem die Kirche zwischen dem 10. und 11. Jh. faktisch die volle Jurisdiktion über die Ehe in die Hand bekam, setzte eine ausführliche und grundsätzliche theologisch-dogmatische Auseinandersetzung über die Ehe ein. Diese konzentrierte sich zunächst nicht auf theologische Fragen, sondern auf anthropologische und rechtliche Aspekte: Was macht die Ehe zur Ehe – der Konsensus oder die Geschlechtsgemeinschaft (copula)? Erst daraus entstand die theologische Frage, in welchem der beiden Momente das Sacramentum (bzw. die materia sacramenti) liege. Diese Fragestellung entstand

---

[31] P. Adnès aaO. 75 (Übersetzung Vf.).

[32] E. Schillebeeckx aaO. 194. Vgl. auch Ph. Delhaye, Dogmatische Fixierung der mittelalterlichen Theologie (Sakrament, vinculum ratum et consummatum): Concilium 6 (1970) 340–342.

auf dem Hintergrund zweier verschiedener Rechtssysteme, des alten römischen (consensus) und des germanisch-fränkischen (copula), welches der jüdischen Auffassung vom Fortpflanzungsprimat in der Ehe näher kam. Die Theologen neigten zum ersten, die Kanonisten zum zweiten hin. In der Frühscholastik stehen drei Lösungsversuche einander gegenüber: 1. die Ehe ist wesentlich Geschlechtsgemeinschaft, und der Wille dazu gehört zum consensus (Astenasus: coniunctio illa quae est in actu carnali)[33]; 2. die Ehe ist eine geistige Lebensgemeinschaft, der die Geschlechtsgemeinschaft nicht wesentlich ist, auf die sie sich jedoch erstrecken kann (Zeugung als «officium» der Ehe; Josefsehe als Ideal; die Ehe als «coniugium»)[34]; 3. die Ehe ist gesellschaftlich gesehen Grundlage für den Lebensraum, welchen Kinder zur Entfaltung nötig haben (die Ehe als matrimonium; Isidor von Sevilla: Matrimonium quasi matris munium, i.e. officium quod dat mulieribus esse matrem)[35].

In der Mitte des 12. Jhs. kommen die theologische und die kanonistische Richtung je für sich zu einer Synthese zwischen der Consensus- und der Copulatheorie, nämlich bei Petrus Lombardus (Auffassung der «Kirche von Gallien») und im Dekret Gratians (Auffassung der römischen Kirche)[36]. Der letzten entsprechend ist der Konsens (matrimonium ratum) die Wirkursache der Ehe, aber ihr geschlechtlicher Vollzug (matrimonium consummatum) muß noch dazu kommen, damit die Ehe unauflöslich sei. Petrus Lombardus dagegen verlegt den Akzent ausschließlicher auf den Konsens, in welchem er das Sakrament der Einheit zwischen Christus und der Kirche im Sinne einer sakralen Symbolik sieht, welche sich in der Geschlechtsgemeinschaft äußern kann, aber nicht muß. Der Konsens begründet eine unauflösliche eheliche Gemeinschaft, welche mehr als nur den Willen zur Geschlechtsgemeinschaft umfaßt. Wie Hugo von St. Viktor sieht auch Petrus in der «Einheit der Gemüter» (unio animorum) den formellen Kern der ehelichen Gemeinschaft [37]. Nun hatten sowohl die Dekrete Gratians, wie Petrus Lombardus große Autorität im Mittelalter, was denn auch praktisch ob ihrer Differenz zu großen Meinungsverschiedenheiten und Rechtsunsicherheiten führte. Die kirchlichen Rechtsinstanzen Italiens z. B. haben aufgrund Gratians geschlechtlich nicht vollzogene Ehen aufgelöst, welche in den fränkischen Kirchen als unauflöslich erklärt wurden. Erst das 13. Jh. brachte die Synthese, welche in der Ehe als einer umfassenden Realität alle genannten drei Aspekte (Geschlechtsgemeinschaft, geistige Lebenseinheit, Grundlage der Familie) integrierte.

[33] Vgl. J. Ziegler, Die Ehelehre der Poenitentialsummen (Regensburg 1956) 35 f.
[34] Hugo von St. Victor, Dig. 32, 2, 1.
[35] Etymol. IX., 8, 19, PL 82, 366.
[36] E. Schillebeeckx aaO. 202 f.
[37] IV Sent., d. 28, c. 3.

Zum Teil damit verschränkt, zum Teil parallel zu dieser Kontroverse zwischen Kanonisten und Theologen läuft die theologische Diskussion um die Sakramentalität der Ehe im Zusammenhang der allgemeinen Sakramententheologie. Auch hier sind zwischen dem 11. und 13. Jh. allerhand Ansätze versucht worden. Eine wesentliche Rolle als locus theologicus spielte dabei die kirchliche Heiratsliturgie, besonders jene von Rom, welche auch in anderen Gegenden Eingang fand. Sie machte auf einem zunächst ethnologischen Hintergrund eine sehr bemerkenswerte und interessante Entwicklung durch. Anfänglich war sie (als «Verchristlichung» des altrömischen «flammeum») konzentriert auf die Verschleierung des Paares (velatio nuptialis oder velatio amborum)[38]. Allmählich kommt als zweites Element der Brautsegen hinzu, bis schließlich nur dieser bleibt, was bis heute terminologisch in den Ausdrücken wie «Brautmesse», «Brautsegen», «Brautunterricht», «Brautexamen» nachklingt. Die Verlegung des Akzentes vom Paar auf die Braut ist dem Einfluß franko-germanischer Auffassungen zu verdanken, wo das Wesentliche der Eheschließung die Übergabe der Braut, die «traditio puellae» war[39]. Dieser völkisch-gesellschaftliche Faktor wurde mit ganz bestimmten theologischen Motiven ausgestattet: Die sponsa velanda wird in Parallele gesehen zur ancilla Dei velanda, also die Segnung der Braut mit der Jungfrauenweihe, die Braut des Mannes wird mit der Braut Christi in Zusammenhang gebracht; die Symbolik von Christus und der Kirche verbindet beide Liturgien. Die Jungfrauenweihe, welche in Anlehnung an die antik römische Tradition den roten Brautschleier benützte, ist zum Modell für die kirchliche Brautliturgie geworden. Der Mann, da «Haupt der Frau», bleibt unverschleiert. Als «Bild Gottes» bedarf er des Segens nicht, sondern nur die «schwache Frau»[40]. Diese dient im Mann gleichzeitig (mittelbar) Christus, die geweihte Jungfrau hingegen unmittelbar. Dies geschieht in bewußter Anlehnung an 1 Kor 7,32ff. Wie die Jungfrau in der Weihe, so erhält die Ehefrau durch die Heirat ihren Lebensstand in der Kirche. Weil die Jungfräulichkeit das Verhältnis von Christus zu seiner Kirche direkt ausdrückt, ist sie kein Sakrament, auch kein sacramentum-signum. Die Ehe als menschliche und irdische Wirklichkeit hingegen wird zum Zeichen, Abbild, Typus des gleichen Verhältnisses, und ist *deshalb* ein Sakrament. Jene hat keinen innerweltlichen Sinn, aber trägt die christologisch-ekklesiologische Dimension in sich, diese erhält die gleiche Dimension durch den priesterlichen Segen. Der sakramentale Charakter der Ehe wird hier somit

---

[38] K. Ritzer, Formen, Riten und religiöses Brauchtum der Eheschließung in den christlichen Kirchen des ersten Jahrtausends (Münster Westf. 1962) 173. – J. P. De Jong, Brautsegen und Jungfrauenweihe. Eine Rekonstruktion des altrömischen Trauritus als Basis für theologische Besinnung: ZKTh 84 (1962) 300–322.

[39] K. Ritzer aaO. 194.

[40] Einzelheiten bei E. Schillebeeckx aaO. 212–215.

entdeckt im Lichte (oder als Schatten) der Ehelosigkeit um des Himmelreiches willen.

Damit ist die Ehe sakramental, aber noch nicht zum siebenten Sakrament erklärt. Die Reflexion über die Liturgie und ihre theologische Deutung setzte im 11. und 12. Jh. ein. Geschichtlichen Anlaß bot die Ablehnung ehe- und sexualfeindlicher Strömungen der Katharer und Albigenser, mit welchen sich das 2. Laterankonzil 1139 befaßte. «Der konkrete Sitz im Leben einer ausdrücklichen Bewußtwerdung der ‹Sakramentalität› der Ehe liegt in der Notsituation dieser Zeit, durch welche die Kirche sich genötigt fühlte, zu einer tieferen Besinnung auf die Gutheit und Heiligkeit der Ehe zu kommen.»[41] Die gleichzeitig im Ausbau begriffene Sakramententheologie lieferte dafür das begriffliche Instrumentar.

Wenn bislang die Ehe in den Bereich des Sakramentalen einbezogen wurde, geschah dies immer im Zusammenhang mit der Liturgie. Die irdische Wirklichkeit Ehe wurde verstanden als Hinweis auf die geheimnisvolle Einheit von Christus und der Kirche. Früh- und Hochscholastik beginnen nun darüber nachzudenken, worin dieses Geheimnis im Zusammenhang der Ehe denn genau bestehe.

Man kann vier Anläufe zu einer Antwort unterscheiden:

1. Die priesterliche Einsegnung der Ehe, nicht die Ehe selber, ist das Sakrament. Der Segen ist die liturgische Konkretisierung des Schöpfungssegens Gottes (Gn 1,28). Die Ehe selber jedoch kommt nicht durch diesen Segen, sondern durch den Konsens zustande. Während Thomas von Aquin später die Liturgie als Sakramentale betrachtete[42], so sah noch lange nach ihm Melchior Cano darin die forma sacramenti[43]. Die Verlegung des sakramentalen Charakters in die liturgische Begehung kennzeichnet auch die Ostkirche, welche deshalb den Priester als den eigentlichen Spender des Ehesakramentes ansieht. Indessen hielt sich diese Ansicht im Westen nicht, auch wenn neuerdings ein Versuch in der Richtung, wenn auch unter ganz anderen Voraussetzungen, gemacht wurde[44].

2. Das Sakrament ist die Ehe selbst. Jede Ehe, auch die von Ungetauften, ist ein Sakrament, allerdings nur für die Getauften allein ein fruchtbares und gnadenspendendes; nur sie haben die «res sacramenti» (Anselm von Laon[45], Hugo von St. Victor[46]). Diese Sakramentalität ist objektiv zu verstehen als sacramentum von Christus und der Kirche, und darum kann die Ehe nicht aufgelöst werden, weil Christus seiner Kirche nicht untreu wird. Die subjektive Verwirklichung liegt in der ehelichen Liebe als Anteil an Gottes Gnade. Sie kann verschwinden, ohne daß damit die Ehe ungültig wird.

[41] Ebd. S. 216.
[42] In IV Sent., d. 28, q. 1, a. 3 ad 2; d. 26, q. 2, a. 1 ad 1.
[43] De locis theologicis VIII, c. 5.
[44] Vgl. unten S. 434.
[45] Sententiae, Tract. de sacr.
[46] Vgl. W. E. Gössmann, Die Bedeutung der Liebe in der Eheauffassung Hugos von St. Victor und Wolframs von Eschenbach: MThZ 5 (1954) 205–213.

3. Bis zum 12. Jh. steht der augustinische Gedanke vom sacramentum-signum im Vordergrund. Als Zeichen erfüllt jedoch die Ehe noch nicht den Begriff des Sakramentes im strikten Sinn der Scholastik. Sie ist noch kein gnadenwirksames Zeichen und keine Quelle des Heils. Obwohl sie nach der zweiten Hälfte des 12. Jahrhunderts unter die Siebenzahl eingereiht wurde und in der allgemeinen Sakramententheologie die Unterscheidung zwischen der sakralen Symbolik und der heiligenden Kraft eines Sakramentes ganz allgemein sich durchgesetzt hatte, wurde doch der Ehe die Heilskraft noch aberkannt. Dagegen schrieb man sie der Jungfrauenweihe und der Königssalbung zu, obwohl man diese beiden nicht ins Septenarium einreihte. Nach Schillebeeckx ist die Aufnahme der Ehe unter die Sieben Ausdruck des Glaubensbewußtseins, welches der theologischen Reflexion auf den präzisen Gehalt der Ehe als Sakrament vorauslief. Das signum sei immer schon im Anschluß an Jesu Logion von der Unauflöslichkeit mit dem sacramentum-vinculum in Zusammenhang gebracht worden, und zwar seit Augustinus[47]. Diese Ansicht vermag nicht ganz zu überzeugen, weil wir früher gesehen haben, daß das eheliche Band bei Augustinus *moralisch* und erst seit der Scholastik *ontologisch* verstanden wurde. Was es mit Jesu Forderung unauflöslicher Ehe auf sich hat, wird uns später noch beschäftigen.

4. Nachdem die Ehe einmal unter die Siebenzahl der Sakramente aufgenommen war, mußte verständlicherweise die Reflexion darüber in Gang kommen, ob nun auch der volle Sakramentsbegriff auf sie anzuwenden sei. Es geschah dies zaghaft und in kleinen Schritten. Alexander von Halès lehnte es zunächst ab, weil von einer Einsetzung durch Jesus keine Rede sein könne[48]. 1185 ungefähr brachte Rufinus moralische Gründe dagegen vor: weil die Ehe mit Sexualität zu tun habe und «solche Dinge» nicht Heilsquelle sein könnten, falle die volle Sakramentalität außer Betracht[49]. Die ersten einigermaßen positiven Anerkennungen stellen den «medizinalen Charakter» des Ehesakramentes in den Vordergrund, nämlich die Heilung der erbsündlichen Belastung der Sexualität (remedium concupiscentiae). So sagt der Schüler Abelards, Magister Hermannus: «Hoc sacramentum mali remedium est, etsi bonum non conferat»[50]. Etwas freundlicher formuliert Wilhelm von Auxerre in der Summa Aurea: Die Ehe vermittelt zwar keine Gnade, aber sie bewahrt in Gottes Gnade[51]. Wilhelm von Auvergne spricht von Vermehrung der Gnade, aber nicht durch die Ehe selber, sondern durch die Hochzeitsliturgie[52]. Obwohl Alexander von Halès der vollen Anerkennung der strikten Sakramentalität nicht sehr hold ist, aber der erreichten opinio communis über die Siebenzahl gegenübersteht, argumentiert er sehr aprioristisch: Wenn die Ehe zu den Sieben gehört, muß sie Gnaden vermitteln, denn Zeichen und Gnadenquelle zu sein ist Merkmal der sieben Sakramente[53]. Bonaventura hält am medizinalen Charakter fest, frägt sich jedoch, wie die Ehe Heilmittel sein könne, wenn sie gar keine Gnade

---

[47] AaO. 227 f.
[48] Glossa in Sent., IV, d. 26, c. 1.
[49] Summa Decretorum, Causa 32, q. 2.
[50] Epitome 31, PL 178, 1745.
[51] D. van den Eynde, Les définitions des sacrements (Rom/Leuven 1950) 108.
[52] Tract. de sacramento matrimonii. G. Le Bras, Mariage: DThC IX/2 (1927) 2209f.
[53] Glossa in Sent., IV. d. 26, c. 7.

(aliquod gratiae bonum) vermittle [54]. Albert der Große findet diese Auffassung «multum probabilis» (=beweiskräftig)[55]. Thomas von Aquin schließlich erkennt in «Contra Gentiles»[56] der Ehe positive Heilswirksamkeit zu. In der Summa Theologiae blieb die Abhandlung über die Ehe unvollendet.

Kurz: der augustinisch-ethische Imperativ der Unauflöslichkeit wird zur unbedingten metaphysischen Einheit.

Das Tridentinum hat den in der Hochscholastik erreichten Punkt der Entwicklung durch dogmatische Definitionen offiziell erklärt (DS 1801–1812; NR 725–746). Die Ehe teilt Gnade mit (DS 1801; NR 735). «Die Gnade aber, die jene natürliche Liebe vollenden, die unauflösliche Einheit festigen, die Ehegatten heiligen soll, hat uns Christus, der Stifter und Vollender der ehrwürdigen Sakramente, durch sein Leiden verdient» (DS 1811; NR 745).

Wenn die Reformation die Ehe als Sakrament im Sinne eines heilswirksamen Zeichens, des donum gratiae ablehnte, geschah dies nicht so sehr aus theologischen Gründen, sondern aus «politischen»: Man lehnte die Rechtsprechung der Kirche über die Ehe ab und sah in der Sakramentsauffassung den Versuch, diese theologisch zu begründen. Das dürfte den tatsächlichen geschichtlichen Sachverhalten nicht entsprechen, doch ist nicht von der Hand zu weisen, wie die Kirchengeschichte zeigt, daß immer wieder über die bereits geübte Praxis erst nachträglich theologisch reflektiert wurde. Deutlich sahen wir es an der theologischen Bedeutung der Heiratsliturgie. Anfänglich nur für den niederen Klerus obligatorisch und für Laien fakultativ, gewinnt sie bis zum Tridentinum keinen ehekonstitutiven, sondern bloß zivilstandsrechtlichen Sinn. Aber auch in Trient ging man nicht darüber hinaus. Man wollte durch die Formpflicht (die keine irritierende Vorschrift darstellte) Rechtsicherheit schaffen, also das, was heute die obligatorische Zivilehe tut[57]. Dabei versuchte allerdings das Konzil eine innere Verkoppelung von rechtlichen und theologischen Momenten, genauer von *Sakrament* und *Vertrag*, was dann zunehmend als Basis für die der Kirche wesentlich zukommende Rechtsprechung über die Ehe ausgegeben wurde.

Die nachtridentinische Zeit stand ohnehin stark unter dem Vorzeichen der Ausgestaltung des kanonischen Rechts. Mit der Entzweiung von Kirche und Staat rückte die Verteidigung jurisdiktioneller Vollmachten der Kirche über die Ehe dem Staat gegenüber in den Vordergrund. Das «ersessene Recht» spielte dabei keine unerhebliche Rolle, auch theologisch. Während in Trient noch die Rechtssicherheit den Hauptausschlag für die Eheordnung gab, so verlagerte sich später der Akzent auf die innere Verbindung von

---

[54] IV Sent. d. 26, a. 2, q. 2. concl.
[55] IV Sent. d. 26, q. 2, a. 3.
[56] IV, 78.
[57] F. Böckle, Das Problem der bekenntnisverschiedenen Ehe in theologischer Sicht (Freiburg 1967) 19–27.

Trauliturgie und Rechtsform, wobei die letztere mit dem heilsmittlerischen Tun der Kirche selber in engste Beziehung tritt[58]. Deshalb wird etwa von Mörsdorf die Mitwirkung des Priesters bei der Trauung zu einem «wesentlichen», also konstitutiven Element sakramental verstandener Ehe erklärt[59].

Wenn wir die ganze Entwicklung des Sakramentalitätsbegriffes für die Ehe überblicken, so ist sie exemplarisch für die allgemeine Sakramententheologie überhaupt. Bis zur Hochscholastik, die das Sakrament sehr punktuell zu fixieren begann (Vertrag = Sakrament!), ist der Sakramentsbegriff noch sehr in Bewegung. «Noch immer erscheinen die Einzelsakramente als die geschichtliche Ausfaltung des einen ‹sacramentum›, des Grundzusammenhangs der Heilsgeschichte. So bleiben die Sakramente christologisch gefaßt, denn Christus ist der eigentliche Inhalt dieser Geschichte, das eigentliche ‹sacramentum› zwischen Gott und Mensch. Aber Christus steht noch nicht, wie später, als der Gesetzgeber vor Augen, der einzelne, nebeneinanderstehende Sakramente als Akte äußerer Gnadenzuteilung eingesetzt hat. Die Bindung der Sakramente an Christus ist vielmehr gesehen als ihre Bindung an das Mysterium Christi, das die Schöpfung umgreift und das die Zeit der Geschichte hindurch, auch nach Jesus, sich entfaltet und erfüllt.»[60] Heute versucht die Theologie wieder in dieser Richtung vorzustoßen.

b. Der exegetische Befund

Bei der Aufarbeitung des geschichtlichen Materials fällt auf, wie relativ gering die Rolle biblischer Texte war, um die Ehe als Sakrament zu begründen. Sogar für den scheinbar so naheliegenden Text Eph 5,21–32 trifft dies zu. In einem Entwurf für die Ehekanones des Konzils von Trient war er zwar als ausdrückliches und festes biblisches Fundament hingestellt. Doch die Vorlage fand keine allgemeine Zustimmung und geblieben ist lediglich, daß Paulus in diesem Text die Sakramentalität der Ehe «suggeriere» (innuit – DS 1799; NR 733)[61]. Obwohl es nun gut sein wird, sich nicht in einzelne Texte zu verblicken, um daraus voreilig günstige oder negative Schlüsse für unser Thema zu ziehen, ist es nötig, mehr unter thematischen Rücksichten kurz einige Texte und ihre heutige Exegese zu befragen. Angesichts der vorherigen geschichtlichen Skizze, welche unter anderem deutlich machte, daß der sakramentale Charakter immer wieder mit der Unauflöslichkeit der Ehe in Zusammenhang gebracht wurde, ist auf diese Beziehung von Sakra-

---

[58] Am deutlichsten bei K.Mörsdorf, Der ritus sacer in der ordentlichen Rechtsform der Eheschließung: W.Dürig (Hrsg.), Liturgie, Gestalt und Vollzug (München 1963) 252 bis 266, bes. 265 f.

[59] Kritische Bemerkungen dazu bei K.Rahner, Die Ehe als Sakrament: Schriften VIII, 535 f, Fußnote 33.

[60] J.Ratzinger, Zur Theologie der Ehe: Theologie der Ehe (Regensburg 1969) 91.

[61] Vgl. E.Schillebeeckx aaO. 248.

mentalität und Unauflöslichkeit etwas näher einzugehen. Dies geschieht nicht zuletzt im Hinblick auf die heute von der Seelsorge her gegebenen Fragestellungen.

aa. *Die Exegese und die Deutung der Ehe als Sakrament.* Das bis heute umstrittene τὸ μυστήριον τοῦτο μέγα (Eph 5,32 b; Vulgata: sacramentum hoc magnum) ist immer wieder Kristallisationspunkt des Versuchs biblischer Begründung der Sakramentalität der Ehe geworden. Daß sich jedoch diese Worte auf die Ehe selber bezögen, ist nach R. Schnackenburg «sicher nicht haltbar»[62]. Er nennt drei Gründe dafür: a) Das Wort «mysterion» kann sich im Zusammenhang nur auf die in Vers 31 angeführte Stelle Gn 2,24 beziehen, da diese sonst im Kontext isoliert dastünde. Dann aber ist es nicht einzusehen, wieso die *Ehe* als Geheimnis zu bezeichnen sei. b) Ferner will 5,32b offensichtlich eine gegenüber anderen Auslegungen abgehobene Exegese betreiben («Ich aber meine oder deute...»). c) Schließlich soll nicht die Ehe Modell der christlichen Kirche sein, sondern umgekehrt sollen Christus und die Kirche Vorbild, Modell, noch mehr: bestimmende Größe für die Ehe und das Verhalten in ihr sein. Das unterstreicht auch der folgende Vers. Es gehe deshalb bei Vers 32 um eine Deutung von Gn 2,24 auf Christus und die Kirche. Schnackenburg folgert, daß Vers 31 f nicht «unmittelbar für eine sakramentale Bedeutung in Anspruch zu nehmen» sei (ebd). Es ist also nicht aus einem Satz oder gar aus einem einzelnen seiner Worte die Ehe als Sakrament zu erweisen. H. Schlier sieht nicht im Wort Mysterion den Rückhalt für die Sakramentalität der Ehe, sondern in den gesamten Ausführung von 5,21–33. Das eheliche Verhältnis werde darin nicht nur mit dem Verhalten Christi zur Kirche verglichen, sondern es würde gesagt, dieses sei Vorbild für jenes und in ihm nachzuvollziehen. Das Abbild würde durch das Vorbild zu seinem Wesen konstituiert[63]. Baltensweiler hält dem entgegen, daß somit in fragwürdiger Weise die Ehe hier irgendwie wesensgleich mit dem Christusgeschehen gesehen werde und darum das Heil in sich schließe und trage. Davon stehe aber im Text selber nichts. Es gehe darin nicht um das Wesen der Ehe selber, sondern um das Verständnis der Ehe als Lebensvollzug. Die christologisch-ekklesiologische Dimension der Ehe werde lebendig, weshalb man den Sachverhalt am besten mit dem Begriff der «*Repräsentation*» bezeichne: «In der Ehe der Christen wird das Verhältnis von Christus und seiner Gemeinde vergegenwärtigt. Darum kann sich hier an diesem Ort tatsächlich auch Heil ereignen (vgl. 1 Kor 7,12–16). Aber das alles geschieht nicht im Sinne einer christlichen Überhöhung der Ehe, sondern so, daß nun rückwirkend hier das eigentlich schon in der Schöpfungsordnung der Ehe Gemeinte sichtbar wird.»[64] In der gleichen Richtung überlegt Schnackenburg:

---

[62] R. Schnackenburg, Die Ehe nach dem NT: Theologie der Ehe (Regensburg 1969) 29.
[63] H. Schlier, Der Brief an die Epheser (Düsseldorf ³1962) 263.
[64] H. Baltensweiler, Die Ehe im NT (Zürich 1967) 234.

Die eheliche Verbindung von Christen sei mehr als eine naturhafte Ehe; «sie besitzt zum vorneherein eine andere Dimension, weil sie in den Einfluß- und Herrschaftsbereich Christi hineingezogen ist.» Es gehe deshalb um ein neues Existenzverhältnis im christlichen Bereich und somit auch hier um Fragen der Rechtfertigung, der Gnade und der Sakramente ganz allgemein. Dadurch werde aber der unmittelbare Fragehorizont des Neuen Testamentes überschritten[65]. Auch er verweist auf 1 Kor 7, 14, läßt aber offen, wie die Stelle genau zu verstehen sei. Der «heiligende» Einfluß des christlichen Ehepartners auf den nichtchristlichen oder auf die Kinder könne als Hinweis verstanden werden darauf, «daß dem *Christen* (Unterstreichung Vf.) in der Ehe eine übernatürliche Wirkungsweise zugesprochen wird, die einem nichtchristlichen Ehepartner versagt bleibt»[66].

Haben wir jedoch, und das ist nun meine weiterführende Frage, Gründe dafür, eine derartige «übernatürliche Wirkungsweise» als ausschließlich für die Ehe spezifisch anzusehen? Oder ist hier exemplarisch etwas darüber ausgesagt, was auch in anderen zwischenmenschlichen Beziehungen von Christen untereinander und mit Menschen überhaupt der Fall sein kann? Wäre das der Fall, wäre auch die Ehe *eine* der «Repräsentationen» gemeinschaftlichen Heilsgeschehens, *eine konkrete Darstellungsweise unter anderen.* Das eigentliche «Geheimnis» ist ja dem exegetischen Befund nach das Verhältnis von Christus und seiner Kirche, sowie dessen Bezug zur Schöpfung (Gn 2,24!), und *nicht* die Ehe. Die Ehe stellt *dies* dar, und *darin* liegt ihr donum gratiae, die Teilhabe an diesem Geheimnis, und das ist das «Große» daran.

Auch die katholische Exegese vertritt immer einheitlicher den gleichen Standpunkt wie die evangelische: Dem Neuen Testament entsprechend hat die Ehe einen ekklesiologischen Aspekt und damit etwas mit dem Heilsmysterium zu tun, für den Sakramentsbegriff im Sinne der Scholastik bietet jedoch das NT kein Fundament. Dadurch wird eine biblische Begründung des siebten Sakramentes fraglich. Denn dann müßte irgendwo ersichtlich sein, daß der Ehe *als solcher* heiligende Kraft zukommt. Davon ist aber weder im Epheserbrief, noch 1 Kor 7, 14 die Rede, wo dem *Christen* in der Ehe, nicht der Ehe ein «heiligender» Einfluß auf den Partner und die Kinder zugesprochen wird. Wohl erschließen läßt sich jedoch biblisch die Ehe als Zeichen und «Repräsentation des Christusgeschehens» (H. Baltensweiler). Die ntl. Ehetheologie steht nicht für sich, sondern ist ein Aspekt der Ekklesiologie.

In der Parallelisierung Christus – Kirche / Mann – Frau bei Eph 5 liegt der Gedanke des Bundes verborgen, der im AT sehr häufig vorkommt. Israel ist Braut Jahwes. Ntl. wird die Gemeinde zur Braut Christi. Daß Jahwe immer treu ist, die Braut jedoch untreu werden kann, ist dem AT geläufig. Im

---

[65] AaO. 30f.
[66] Ebd. 31.

NT hat dieser Gedanke keine ausdrückliche Ausformung erfahren. Die Ehe ist in beiden Testamenten Modell für die Beziehung der Gemeinde bzw. des Volkes zu Gott. Darin liegt die Grenze der Parallele Christus–Kirche/Mann–Frau. Der Mann kann nicht mit Christus in seiner Treue zur Kirche gleichgesetzt werden. Im ganzen Text wird ihm denn Christus als Vorbild hingestellt; er, Christus, ist nach 1 Kor 11,3 sein «Haupt», was wieder die ekklesiologische Dimension unterstreicht und sie christologisch ausweitet. Die paulinische Sicht der Ehe ist auch nicht direkt «trinitarisch».

Insofern die Ehe etwas mit der Kirche gemein hat, ist sie also einbezogen ins Heil, aber nicht Kraft ihrer selbst oder einer besonderen «Gnade», sondern in der Teilhabe an dem der Kirche zugesagten Heil.

bb. *Die Unauflöslichkeit der Ehe.* In der Predigt Jesu selber finden wir auch für die Zeichenhaftigkeit und den repräsentativen Charakter der Ehe keine Spur. Die gelegentlichen Äußerungen in der Bergpredigt, in Streitgesprächen mit den Pharisäern und Sadduzäern, sehen die Ehe als *Schöpfungsgegebenheit.* Zentrales Thema ist dabei ihre Unauflöslichkeit als Erfüllung des Schöpferwillens und deshalb als Forderung für jene, die diesem entsprechend leben wollen. Jesus findet die Ehe in bestimmten (monogamen und polygamen) Gestalten vor und nimmt sie darin an. Eine «Erhöhung» zum Sakrament ist aber nirgends faßbar.

Auf die Einzelexegese kann hier nicht eingegangen werden[67]. Nachdem aber im Verlaufe der Geschichte und auch heute Unauflöslichkeit und Sakramentalität der Ehe immer in direkten Zusammenhang miteinander gebracht wurden und die erste von der zweiten hergeleitet wird, ist nach der allgemeinen Absicht der Texte zu fragen. Die Diskussion konzentriert sich heute darauf, ob die unerbittliche Forderung unauflöslicher Ehe bei Jesus – auch wenn sie bereits bei Mt 19,9 kasuistisch abgeschwächt wird – im Sinne eines Gesetzes zu verstehen sei oder nicht. Es wird der Unterschied vorgeschlagen zwischen einem Erfüllungs- und einem Zielgebot. Die Forderung Jesu sei Zielgebot[68]. Damit dürfte eine Richtung gewiesen sein, welche uns biblische Aussagen abdecken können.

In seinen Streitgesprächen mit den Pharisäern (Mt 19,1–9) beruft sich Jesus auf die *Schöpfungsordnung*: «Habt ihr nicht gelesen, daß der Schöpfer sie von Anfang an als Mann und Frau geschaffen hat?... Von Anfang an aber ist es nicht so gewesen» (daß nämlich die Frau entlassen werden konnte) (4 und 8). Die Abwehr der Ehescheidung wird hier von der Schöpfungsordnung und nicht von einem sakramentalen Charakter der Ehe her begründet. Diese Ordnung ist aber nicht das gleiche wie eine Naturordnung; Schöpfung ist nicht dasselbe wie Natur, sofern man die Bibel biblisch und nicht griechisch liest. Der «Anfang», von dem hier die Rede ist, ist keine geschichtliche Größe,

---

[67] Dazu die z.Z. gültigste Publikation: H. Baltensweiler, op.cit.
[68] V. Steininger, Auflösbarkeit unauflöslicher Ehen (Graz 1968) 63–74.

sondern der ursprüngliche und permanente Wille, die «Stiftung» des Schöpfers. Dies will Jesus hier enthüllen. Wenn die Jünger Mt 19, 10 solches für unerhört und rigoros halten, entgegnet ihnen Jesus nicht, das sei doch eine Selbstverständlichkeit. Als selbstverständlich betrachtet er vielmehr, daß die Ehe zwar gebrochen wird, obwohl sie nicht geschieden werden kann, sofern sie dem entspricht, was Gott in sie setzt. Nicht scheiden *können* besagt aber nicht, daß die Ehe eine metaphysische Einheit darstelle, die durch nichts rückgängig gemacht werden kann. Es liegt vielmehr die Forderung vor, man *solle* nicht scheiden, da man sonst den schöpfungsmäßigen Sinn der Ehe verpasse [69]. Erst dadurch wird das ziemlich rätselhafte Wort «nicht alle fassen dies, sondern nur die, denen es gegeben ist» (V. 11) einigermaßen verständlich. Wem aber ist es «gegeben»? Wird der Text überinterpretiert, wenn man hier ein Verwiesensein auf Gottes Hilfe, und damit die Einfügung der Ehe in die Heilsordnung sieht? Es bedeutet doch auch die Schöpfung bereits Heilsordnung. Der Rahmen eines bloßen Gesetzes wird überstiegen. Unauflöslich ist die Ehe jenen, welche nach dem Willen des Schöpfers zu leben vermögen [70].

Noch an einer anderen Stelle wird dies deutlich: Lk 16, 18 a («Jeder, der seine Frau entläßt und eine andere heiratet, begeht Ehebruch») widersetzt sich einer legitimen jüdischen Rechtsauffassung, welche die Entlassung einseitig, d. h. für den Mann zuließ, auch wenn die Gründe umstritten waren. P. Hofmann sagt dazu: «Jesus kritisiert das Gesetz und deckt die Wirklichkeit der Ehe auf, die vor dem Gesetz liegt und die durch das Gesetz nie ausreichend geschützt werden kann. Dieser Aufweis enthält eine Forderung und Verheißung; er zeigt, in welchem Maße Menschen aneinander schuldig werden, aber auch welche Chance der Erfüllung ihnen geboten ist. Das Wort ist also Norm und Kriterium für jede christliche Antwort auf die Frage der Ehescheidung. Weil es aber die *Wirklichkeit* selbst zur Sprache bringt, ist es *nicht Gesetz.*» [71] Lukas gibt hier eine «ethische Weisung» wieder [72]. Es geht um den *Anspruch*, welchen eine Ehe stellt, bzw. welcher an sie gestellt ist.

Das Unauflösliche der Ehe ergibt sich nach diesen Texten aus dem «Anfang», dem stiftenden Willen Gottes. Es ist «Schöpferintention», Schöpfungsordnung, und nicht Naturordnung. Jene ist Anspruch und Verheißung in einem, *aber in der Dimension des Glaubens*. Denn Schöpfung ist die Urkategorie jüdisch-christlichen, *glaubenden* Weltverständnisses. Zu fassen gegeben, was am «Anfang» war (Mt 19, 1 ff), ist offenbar nur dem Glauben. Für ihn hängt die Unauflöslichkeit mit dem Telos der Schöpfung zusammen.

---

[69] Vgl. H. Baltensweiler aaO. 262.

[70] Vgl. G. Sartory-Reidick, Kann die katholische Kirche die Ehescheidung dulden?: Ehe. Zentralblatt für Ehe- und Familienkunde 6 (1969) 49–64.

[71] P. Hofmann, Jesu Wort von der Ehescheidung und seine Auslegung in der ntl. Überlieferung: Concilium 6 (1970) 236.

[72] Ebd. 327. – Vgl. auch J. Ratzinger aaO. 83.

Nun aber kann man nicht bloß bei diesem Streitgespräch und dem Logion aus ältester Überlieferung stehenbleiben, sondern muß beide im Gesamtzusammenhang der Botschaft Jesu sehen. Das bedeutet konkret, daß auch die Bergpredigt mit hinzugenommen werden muß. Mt 5,27f fällt auf, daß es heißt «du *sollst* nicht ehebrechen» – können tust du es und du tust es auch. Vergleicht man damit andere Forderungen des Kontextes, z. B. «du sollst nicht töten» (V. 21), «du sollst keinen Meineid schwören» (V. 33), so stehen wir vor der Frage, ob wir diese Worte buchstäblich zu verstehen haben und ob sie jemals so verstanden worden sind. Die Antwort lautet im Blick auf die ganze Kirchengeschichte negativ. Töten und schwören war immer wieder «erlaubt», das Verbot wurde also keineswegs wörtlich genommen. Kann man dann aber beim Scheidungsverbot einen anderen Maßstab anlegen? Krieg, Täuschung und Betrug, Scheitern in der Ehe sind Fakten, die mit dem konkreten Sosein des Menschen gegeben sind. Trotzdem sollten sie nicht sein. Für die Ehe nennt Mt 19,8 die «Herzenshärte» als eigentlichen «Scheidungsgrund», also eine verkehrte Grundhaltung. Auf diese zielt die Bergpredigt aber in erster Linie ab. Besonders deutlich wird dies Mt 5,27, wo vom «gedanklichen Ehebruch», dem verkehrten Begehren der Frau eines andern die Rede ist.

Die Scheidung (ntl. «Ehebruch») ist Symptom für die in Schuld verstrickte wirkliche Lage des Menschen. Jesus fordert nicht direkt ihre Abschaffung, sondern die Umkehr des verkehrten Herzens, das schuld ist am Zerbrechen einer Ehe. Das wäre die dem Evangelium gemäße «sanatio in radice» – und die Ehe würde heil. Obwohl die Bergpredigt Ansprüche für das Hier und Jetzt stellt, entwirft sie zugleich eine eschatologische Perspektive. Diese wird im Moment aufgegeben, wo man den Text gesetzlich (als Erfüllungsgebot) deutet. Versagen angesichts dieser Ansprüche läßt schuldig werden vor den Menschen und vor Gott, weil es die gestörte Ordnung nicht durchstößt, in der wir sind. Und diese ist Notordnung. Müßte nicht mindestens so etwas wie eine «Notscheidung» in Betracht gezogen werden, so gut wie es eine Tötung aus Notwehr gibt? Sobald man die Grundintention der Bergpredigt, kein Verhaltens- und Moralkodex zu sein, auch auf das Verbot der Ehescheidung anwendet, ist ein gesetzliches Verständnis nicht mehr möglich. Baltensweiler weist darauf hin, daß auch Paulus das Herrenwort gegen die Ehescheidung nicht gesetzlich verstehe und folgert für das ganze NT: «Eine gesetzliche Handhabung des Ehescheidungsverbotes im Namen des Evangeliums ist abzulehnen als eine nicht der eigentlichen Intention des Neuen Testaments entsprechende Lösung»[73]. Die ungebrochene und ungeschiedene Ehe erscheint damit als Forderung im neuen Äon, welcher mit dem Kommen Jesu angebrochen ist. Hier gelangt denn auch die Schöpfungsordnung zu ihrem immanenten Sinnziel.

[73] AaO. 263.

2. Systematische Ansätze

Eine systematische Theologie der Ehe kann nicht von einem formalen Sakramentsbegriff ausgehen, sondern muß ihre Grundlage im Zeugnis der Bibel suchen und finden. Dabei muß sie nicht in der Exegese aufgehen, sondern hat die aus dem Gesamtzusammenhang der Schrift gewonnenen Gesichtspunkte systematisch einzubringen.

Die Frage nach der Sakramentalität der Ehe ist in zweifacher Hinsicht eine ekklesiologische: einmal ist grundsätzlich alles Sakramentale mit der Kirche in Verbindung; dann wurde neutestamentlich und in der für die systematische Theologie nicht außer acht zu lassenden Geschichte der Kirche die Ehe in ihrer theologischen Dimension immer ekklesial gesehen. Für das Neue Testament ist allerdings zu unterscheiden: Das eben Gesagte gilt direkt von Paulus; in der Predigt Jesu ist die Ehe als Schöpfungswirklichkeit dargestellt. Das stellt die Aufgabe, beide Dimensionen miteinander in Beziehung zu bringen.

a. Die Ehe als «Repräsentation»

Der rote Faden der jahrhundertelangen Auseinandersetzung über das Verständnis der Ehe ist ihr signifikativer Charakter: das sacramentum-signum. Es liegt schon in der von Paulus nahegelegten Analogie Eph 5, 21–33: Mann : Frau = Christus : Kirche. Mühe macht uns dabei, daß der Mann auf die Seite Christi und nicht der Kirche verwiesen ist, daß also die Ehe zeichenhaft für das *Verhältnis* Christus-Kirche und nicht einfach für die Kirche dargestellt wird. Darin spiegelt sich der gesellschaftliche und geschlechtsanthropologische Hintergrund paulinischer Theologie, besonders jener des Mannes, wie sie in 1 Kor 11,3 näher erläutert ist. Es korrigiert zwar Eph 5, 21 selber etwas aus, indem beide Ehepartner zu *gegenseitigem* Dienst «in heiliger Scheu vor Christus» diesem gegenüber- bzw. unterstellt werden; gleich in V. 23 wird allerdings die Parallele zwischen Christus und Mann als «Haupt» der Kirche bzw. der Frau wieder deutlich betont. H. Schlier weist jedoch darauf hin, daß selbst dann noch «auf alle Fälle die Überordnung Christi» (auch über den Mann) eingeschlossen sei.[74] Deshalb ist auch der Mann auf der Seite der Kirche und damit der Frau zu sehen. Sowohl in Eph wie auch in 1 Kor 7 und Gal 3, 28 wird auf die Wechselseitigkeit in der Beziehung Mann und Frau und auf ihre «Gleichheit» in Christus Jesus hingewiesen, in Gal mit einem nicht zu übersehenden Hinweis auf die Taufe, welche die gesellschaftlich vorgegebene Über- und Unterordnung der Geschlechter außer Kraft setzt.

Daraus ergibt sich theologisch, die Ehe als Zeichen, Vergegenwärtigung – Repräsentation, also *mögliche* Darstellung der Kirche zu sehen in den ge-

[74] AaO. 253 f.

schichtlichen Bedingungen verhüllter Anwesenheit des Herrn. Die Ehe ist nicht nur «Modell» der Kirche, sondern kann selber Kirche, Gemeinde sein.

Wenn ich eben sagte, die Ehe sei eine «mögliche» Darstellung der Kirche, so geschah das mit Bedacht aus folgenden Gründen: Nicht allein die Ehe ist eine mögliche Repräsentation der Kirche, sondern sie ist eine unter anderen. Es ist hier an Mt 18, 20 zu erinnern: «Wo (= wenn) zwei oder drei in meinem Namen versammelt sind, bin ich mitten unter ihnen.» Diese gemeindliche Grundverfassung kann in der Ehe und anderswo erfüllt sein. Daß sie konditional formuliert ist, besagt, daß die Ehe nicht gleichsam von Haus aus repräsentativ für die Gemeinde Christi ist, sondern nur unter der Voraussetzung, d.h. Bedingung der «Versammlung» von Mann und Frau «in seinem Namen». Man erinnere sich in diesem Zusammenhang, was oben über die Formel, «im Herrn» eine Ehe eingehen, gesagt wurde[75]. Ehe bedeutet also nicht einfach objektive Gegebenheit der Gemeinde, bzw. der Kirche, sondern sie repräsentiert diese nur dann, wenn sie «leibhaftig-gesellschaftliches Zeichen des personalen Glaubens und Liebens... ist»[76]; Gemeinde ist in diesem Ereignis, zu dem die Ehe werden kann. Sie bleibt und ist aber auch Ehe, wenn dies nicht geschieht.

Wenn so die Ehe eine mögliche Erscheinungsform der Kirche darstellt, ergibt sich ihr «sakramentaler» Charakter daraus nicht als unüberwindliches Problem. Dieser wird im Zusammenhang mit dem, was in früheren Beiträgen dieses Bandes über die Kirche als «Wurzelsakrament» gesagt wurde, durchaus einsichtig – nicht jedoch von der Ehe, sondern von der Kirche her.

Schwierigkeiten hingegen macht die Frage, wieso die *Ehe numerisch* das siebente Sakrament und ein heilswirksames Zeichen sein soll. Daß sich hier die Geister immer wieder schieden und scheiden, ist verständlich. Was ist denn das Spezifische an der Ehe, damit sie in striktem Sinne Sakrament genannt werden kann? Die intensive und extensive Gemeinschaft, die sie menschlich sein kann, und die Nachbild wird für die ebenso breite und tiefe «Ehe» zwischen der Menschheit und Gott in Christus? Rahner/Vorgrimler sagen, «daß die liebende Lebenseinheit zweier Personen eine Beziehung zu Gott als Grund und Ziel impliziert, daß jede Gemeinschaft von Christen in Christus eine Vergegenwärtigung Christi und damit auch der Kirche einschließt (Mt 18, 20), so daß dies in besonderem Maße von der Ehe als der kleinsten, aber totalen Gemeinschaft in Christus gesagt werden muß»[77]. Die Ehe erscheint hier als «Anwendungsfall» eines viel allgemeineren Zusammenhangs. Die Liebe zwischen Menschen ist Schritt über sie hinaus in ein gemeinsames Drittes. Wo diese Liebe zwischen Ehepartnern gelebt und er-

---

[75] Oben S. 424.
[76] K. Rahner aaO. 552.
[77] Kleines theologisches Wörterbuch (Freiburg 1961) 83.

lebt wird, erweist sie sich als «Kirche bildend». Damit ist aber wieder nur das signum umschrieben und noch nicht ein spezielles donum gratiae, eine besondere «Standesgnade», eine nur der Ehe zukommende Heilswirksamkeit klargeworden. Wenn Rahner anderswo sagt, die «personale Liebe, die sich in der Ehe ihre Erscheinung schafft, ist (...) in der gegenwärtigen Heilsordnung faktisch von der Gnade Gottes getragen, die diese Liebe *immer* heilt, erhebt und auf die Unmittelbarkeit Gottes selbst öffnet»[78], muß man einwenden, daß das für jede christliche Form der Zwischenmenschlichkeit ebenso gilt. Rahner selber schreibt denn auch später: «Was eben von der Ehe als ‹Realsymbol› der so bestimmten Liebe gesagt wurde, kann nun aber auch von der *Kirche* gesagt werden»[79]. Das «Sakramentale» der Ehe besteht also darin, daß sie eine mögliche Erscheinungsform der Kirche ist, wie z. B. auch die Familie und größere Gemeinschaften. Wenn theologisch gesagt wird, Mann und Frau spendeten sich das Sakrament, so heißt das, daß sich in der «so bestimmten Liebe» Kirche vollziehe.

b. Die Ehe als Ereignis

Wann ist aber die Ehe Repräsentation der Kirche? In «*der* Liebe, die vor Gott gerät, die Ereignis der Gnade und offene Liebe zu allen ist»[80]. Die Ehe wird hier paradigmatisch für die Feststellung, wann Kirche Kirche ist! Sie ist dies nicht einfach durch die Existenz einer gesellschaftlich verfaßten Größe (Institution), die sich selbst als Kirche bezeichnet. Als solche tritt sie vielmehr erst dann in Erscheinung, wenn sie zum Ereignis der Liebe im eben qualifizierten Sinne wird. Das kann auf vielerlei Weisen geschehen. Da nach dem Bisherigen die Parallele von Kirche und Ehe, bzw. ihre fundamentale Gleichheit behauptet werden kann, ist die Folgerung für die Ehe zu ziehen: Nicht schon durch die Tatsache, daß zwei Menschen einen kirchlichen Rechtsakt vollziehen, repräsentieren sie Kirche. Ihr Tun kann eine leere Formel mit folkloristischer Gebärde sein, jedoch auch Bekundung des Willens, ihre Ehe in Glaube, Hoffnung und Liebe zu leben. Sie gerät nicht einfach vor Gott, wenn sie sich ihm nicht öffnet. Erst in dieser Öffnung ereignet sich in ihr Kirche. Den bloßen Vertrag als Sakrament zu betrachten, wird dadurch sehr prekär. Auch ist es sehr fragwürdig, die eheliche Sexualität einen «sakramentalen Liebesaustausch» zu nennen[81]. Denn Sexualität ist nicht a priori Liebesbeziehung, weder in einem psychologischen Sinn, noch im Sinne christlicher Liebe. Sie kann sogar das Gegenteil sein: Aggression, Unterdrückung und Gewalt. Der Geschlechtsakt kann deshalb keineswegs als objektives sakramentales Zeichen in Frage kommen, aber auch nicht als hei-

[78] Schriften VIII, 524f.
[79] Ebd. 529.
[80] Ebd.
[81] D. O'Callaghan, Die Sakramentalität der Ehe: Concilium 6 (1970) 351.

ligendes opus operantis. Allgemein: Das Sakramentale der Ehe kann nicht punktuell und auf eine objektive Gegebenheit fixiert werden. Was als sakramentales Zeichen vorgestellt wird, ist gerade in seiner Zeichenhaftigkeit sehr ambivalent. Daß die Ehe *als Kirche* von Gott her gegründet ist (ex opere operato), ist damit nicht in Abrede gestellt. Aber das tritt erst in Erscheinung und kommt zur Wirksamkeit in gelebtem Glauben, Hoffen und Lieben (opus operantis). Daß sich so Kirche in der Ehe immer wieder repräsentiert, kann nicht institutionell ein für allemal und unverlierbar garantiert werden. Das Christliche an der Ehe der Christen ist mit anderen Worten nicht darin gelegen, daß der Austausch des Ehekonsenses im vertraglichen Sinne oder die Sexualität mit einer theologischen Dimension «überhöht» werden, wie das bei der heute noch nicht entschiedenen und von diesen Ansätzen her nicht entscheidbaren, weil falsch angesetzten Frage nach dem Konstitutivum des Sakramentes geschieht. Das *Tun* des Glaubens, der Hoffnung und der Liebe *im* Konsens, *in* der Sexualität, *im* Alltag macht die Ehe zu einem Ereignis von Heil. Das Tun bewirkt das, was es bezeichnet. Aber nochmals: Solches gilt nicht ausschließlich von der Ehe. Die Trilogie von Glaube, Hoffnung, Liebe ist keineswegs ausschließlich an die Ehe gebunden. Man könnte, unter der Gefahr, das Wort noch mehr zu strapazieren, vom sakramentalen Charakter des christlichen Lebens in und außerhalb der Ehe reden.

Davon nicht berührt ist die Frage nach der «Gültigkeit» der Ehe, also danach, ob eine Ehe überhaupt bestehe oder nicht. Ehe wird nicht erst dann Ehe, wenn sie zur Repräsentation der Kirche wird; vielmehr wird sie ereignishaft Kirche nur, wenn sie vorher als Ehe existiert. Nachdem allerdings die Tradition das Zustandekommen der Ehe an den Konsens, also an einen freien personalen Akt gebunden hat – bei allen Verstellungen, die diese durchgehaltene Grundtendenz immer wieder erfuhr –, kann man in der genannten Trilogie eine Vertiefung dieses Aktes und seiner Verbindlichkeit sehen. In der Liebe wird der Konsens immer wieder neue Gegenwart und Wahrheit. Glaube und Hoffnung sind Vertrauen und Zuversicht, in der Lebenseinheit Heil zu erfahren. Das alles bedeutet eine Dynamisierung auch des theologischen Eheverständnisses und entfernt uns sehr von einem objektivistischen Sakramentsbegriff, der nur noch als Erinnerung an den Akt vor dem Traualtar weiterbesteht. Es wird das im Konsens letztlich Gemeinte sichtbar: «Es gibt nicht eine christliche Ehe, die so zu verstehen wäre, daß gleichsam zu der gewöhnlichen Ehe noch das Christliche dazukommen würde. Das Alte wird nicht durch das Christliche überhöht. Sondern es gibt nur eine Ehe von Christen. Sie führen genauso eine Ehe wie alle anderen Menschen, aber nun dürfen sie, eben weil sie Christen sind, ihre Ehe sehen als etwas ganz Neues. Wie der Herr in der Gemeinde lebendig ist, so ist er auch in der Ehe lebendig, und vom Christusgeschehen her wird nun auch das Ehegeschehen bestimmt. Es wird nicht ein Ideal vor uns aufgerichtet, das einer steilen Wand gleichen würde, sondern über der unvollkommenen irdischen Ehe geht die Verheißung der Vergebung und der Gemeinschaft auf, welche in Christus begründet ist. Die Ehe wird somit losgelöst aus aller nur natürlichen Betrachtungsweise und vom Christusgeschehen her neu konzipiert.»[82]

Nachdem bis jetzt die *Einheit*, d.h. Gleichheit von Ehe und Kirche im Zentrum stand, erhebt sich die Frage, ob es nicht auch eine *Differenz* gebe, gerade wenn man beide unter der Hinsicht betrachtet, die uns hier beschäftigt. Dafür nochmals zurück zu Rahner. Er weist zunächst auf einen Abstand hin zwischen der Ehe als Zeichen und dem durch sie Bezeichneten, kurz zwischen Ehe und Liebe. Als Zeichen könne die Ehe auf die Liebe verweisen, welche jedoch u. U. nicht mehr da sei. Also wieder die Ambivalenz des Zeichenhaften. Der gleiche Unterschied von Zeichen und Bezeichnetem treffe auch auf die Kirche zu, doch nicht mehr im selben Sinne wie bei der Ehe: «Die einzelne Ehe kann schuldhaft aus ihrer Zeichenfunktion eine Lüge machen, indem in ihr selbst nichts gegeben ist, was sie anzeigen und gegenwärtig setzen soll: die gnadenhaft einende Liebe. Bei der Kirche als ganzer ist durch den eschatologischen Sieg der Gnade in Christus die innere Zusammengehörigkeit von Zeichen und Bezeichnetem nicht mehr radikal zerstörbar.»[83] Das ist nun allerdings eine metabolische Aussage. Ehe und Kirche werden auf einer Ebene des nicht mehr Vergleichbaren miteinander verglichen, um eine Differenz deutlich zu machen. Die «einzelne» konkrete Ehe kann nicht mit der abstrakten Kirche als «ganzer» verglichen werden, sondern ebenfalls nur mit einzelnen Kirchen, bzw. Aktualisierungen von Kirche. Kirchen können durchaus auch schuldhaft werden und aus ihrer Zeichenhaftigkeit eine Lüge machen, sowohl faktisch wie grundsätzlich. Es geht nicht an, konkret von Ehen zu reden und abstrakt von «der» Kirche. Mit der beinahe überspannten Rede von der «casta meretrix» ist es doch eine zu ernste Sache[84]. Die wurzelhaft unzerstörbare Verknüpfung von signum und significatum gilt ob der von Rahner überzeugend klargemachten Gleichheit «Kirche = Ehe» von beiden. Auch wenn da und dort eine Ehe sich löst, auch wenn da und dort eine Kirche untreu werden kann, wird dort und da sich Kirche als Kirche, Kirche als «Ehe» und Ehe als Kirche immer wieder ereignen, weil «der Sieg der Gnade eschatologisch», jedoch nicht manifest geschichtlich ist. So gut wie die Kirche weitergeht, wird sie grundsätzlich auch immer in Ehen weitergehen. Beider Schicksal sind an dieser Stelle miteinander verknüpft. «Die Liebe der Ehegatten trägt zur Einheit der Kirche selbst bei, weil sie eine der Verwirklichungen der einenden Liebe der Kirche ist; sie ist ebenso kirchenbildend wie von der Kirche getragen.»[85]

---

[82] H. Baltensweiler aaO. 234f.

[83] AaO. 530f. Rahners «Modell» ist hier die «Liebesehe», die in der bisherigen Ehetheologie eine kleine Rolle spielte, ganz zu schweigen von ihrer völligen Bedeutungslosigkeit im Recht (Paradox von Liebe und Vertrag!).

[84] H. U. v. Balthasar, Casta meretrix. Sponsa Verbi (Einsiedeln 1960) 203–305.

[85] K. Rahner aaO. 531f.

Der nicht ausdrücklich thematisierte Hintergrund all dieser Überlegungen ist der Eheserbrief. In ihm wird bald die Ehe erhellend für die Kirche, bald diese für jene. Die Theologie der Ehe ist darin integrierter Bestandteil der Ekklesiologie und sprengt deshalb ständig ihre eigenen Grenzen, weil sie immer wieder zur Ekklesiologie wird und damit aufhört, nur sich selber zu sein. Die Gleichheit von Ehe und Kirche ist ein unerschöpfliches Thema. Es impliziert die ganze Lehre von der Kirche, ihren sakramentalen Charakter, die Spannung von «Institution und Ereignis», die Logoshaftigkeit des «Mythos» vom Hieros Gamos[86], von Evangelium und Gesetz und von Ehe und Ehelosigkeit «um des Himmelreiches willen». Auch die Ehelosigkeit müßte, das sei hier nur am Rand gesagt, mehr in ihrem ereignishaften Aspekt gesehen werden. Die Bibel weiß ebenso um ihr *Charisma* (modern «Ereignis»), wie um jenes der Ehe (Mt 19, 11 f). Was das Verhältnis von Evangelium und Gesetz betrifft, wird uns nochmals nahegelegt, gegen jede Vergesetzlichung des Evangeliums vorsichtig zu sein. Wie, wann und wo sich Kirche ereignet, läßt sich auch nicht in letzter Eindeutigkeit kodifizieren. Die Kirche ist eine «konditionale» Größe: die Bedingung ist die Sichtbarkeit der Liebe. Von einer kirchlich, d. h. als Kirche verstandenen Ehe gilt dasselbe. «Wenn wir solches in der ganzen Bedeutung zu bedenken und zu leben vermöchten, dann könnten wir etwas getroster und mutiger in wahrhaft christlicher Freiheit zu unseren drängenden und fast zu Tode geredeten ‹Ehefragen› zurückkehren»[87] – weil dann wieder eine Theologie der Ehe auf dem eigenen Holz zu wachsen begänne. Sie müßte nicht von Anleihen aus (veralteter) Biologie, ideologisiertem Naturverständnis und dem Festhalten an längst vergangenen gesellschaftsordnenden Funktionen der Kirche heraus ihr verfremdetes Dasein fristen. Die Frohbotschaft für Mann und Frau ist nicht ein besonderes, sondern das ganze Evangelium. *Dieser* Aufweis ist Sache einer Theologie der Ehe, der hier nur ansatzweise geleistet werden konnte.

c. Einige Folgerungen

aa. Eine Theologie der Ehe muß, wie alle Theologie, als Deutung der menschlichen Existenz, hier der ehelichen, erkennbar sein. Sonst ist sie ein entbehrlicher Luxus. Die geschichtliche Skizze hat gezeigt, wie die jeweiligen Gegebenheiten, Gebräuche und geschichtlichen «Notwendigkeiten» in die Ehetheologie aufgenommen wurden. Daß es dabei zu einer beinahe totalen Vereinnahmung der Ehe durch die amtliche Kirche, zu einer Verkirchlichung kam, ist erklärlich aus der gesellschaftlichen Situation und Schlüsselstellung dieser Kirche in bestimmten Zeiten. Die gesellschaftliche Komponente der katholischen Ehetheologie, genauer die Verfilzung einer bestimmten gesell-

---

[86] Dazu H. Schlier aaO. 264–275.
[87] K. Rahner aaO. 540.

schaftlichen Position der Kirche in dieser Theologie, ist nicht zu übersehen. Solange die Kirche noch keinen gesellschaftsformenden Faktor darstellte, wurde die Ehe auch der Christen geregelt nach den jeweiligen völkischen und profanrechtlichen Forderungen. Ein Anspruch kirchlicher Jurisdiktion ergab sich erst als Folge der geschichtlichen Entwicklung. Die Kirche übernahm die Funktion eines «Zivilstandsamtes», und die Theologie hat diese *nachträglich* zu begründen gesucht. Die mittelalterliche Entfaltung der Lehre von der Sakramentalität der Ehe muß auf dem Hintergrund der Gleichung Gesellschaft = Kirche gesehen werden. Das zeigt sich an der Hereinnahme der Konsens- und Copulatheorie ins Kirchenrecht. Dieses volkskirchliche Sediment haftet noch am heutigen kanonischen Verständnis der Ehe, das den exegetischen Befund nur mit Kunstgriffen zu integrieren sich bemüht. Am deutlichsten wird dies darin, daß die zivile Trauung, eine Forderung neueren Staatsrechts, immer noch veruneigentlicht wird, daß der kirchliche Rechtsanspruch unter Berufung auf Jesus erfolgt. Wie wir aber heute ohne weiteres auch an biblischen Texten über die Ehe, sowohl in denen der Evangelien wie bei Paulus, sozialgeschichtliche Bedingtheiten namhaft machen, kann und muß es auch für spätere offizielle lehramtliche Texte, z. B. für die von Trient und spätere, geschehen. Wenn es geschähe, wäre es leichter, die ekklesiologische Bedeutung der Ehe freizulegen. In der kirchlichen Praxis ist sie jedoch viel zu sehr vergraben unter gesetzlichem Ballast, welcher auf weite Strecken eine unnötige Doppelspur zum Zivilrecht darstellt. Die Kirchlichkeit der Ehe liegt nicht in ihrem institutionellen Charakter, weil dieser auch noch keine Ehe ausmacht. In ihrer gesellschaftlichen Verfassung und der jeweiligen Struktur unterliegt die Ehe geschichtlichen Bedingungen und bleibt ein «weltlicher Stand», der auch von der Theologie zu respektieren ist. Zwar gibt es Strukturen, die, wie die Monogamie, «im Gefälle des Evangeliums» (H. Thielicke) liegen. Sie sind für einen Christen, der unter Umständen in einer Gesellschaft polygamer Eheformen lebt, eine Aufforderung, die er zivilrechtlich heute nicht ohne weiteres verwirklichen kann.

Das katholische Eherecht mitsamt seiner theologischen Begründung setzt eine gesellschaftliche Position der Kirche voraus, welche diese schon längst nicht mehr innehat. Es kann keine Geltung für die Ehe ganz allgemein mehr beanspruchen. Unterdessen hat sich aber auch das in der katholischen Lehre und im Recht enthaltene Verständnis der Ehe gewandelt. Es könnte vielleicht sogar der Nachweis erbracht werden, daß dies «im Gefälle des Evangeliums» neben und außerhalb der Kirche geschah. Der Versuch eines solchen Nachweises muß nicht hier gemacht werden. Es ist bloß anzumerken, daß auch die heutigen Gegebenheiten zu integrieren und theologisch aufzuarbeiten wären.

Das alles scheint auf eine «Entkirchlichung» der Ehe hinauszulaufen. Insofern damit ihre Abhängigkeit vom Recht der Kirche hinsichtlich ihrer

Gültigkeit gemeint ist, trifft der Verdacht das Ziel. Mit dessen Erreichung käme aber der im Sinne des Glaubens getroffene Entscheid zu einer Ehe von Christen zum Vorschein. Damit würde die kirchliche Trauung ihren eindeutigeren Zeichencharakter erhalten, den sie nur in der inneren Verbindung mit dem Bezeichneten hat, in der Deckung von signum und significatum. Der Sinn kirchlicher Trauung liegt nicht auf der Ebene des Zivilrechtlichen, aber auch nicht der Gültigkeit, sondern ist ein Glaubensentscheid, nicht im Sinne einer Solidaritätserklärung gegenüber der Kirche, sondern als Selbstvollzug der Kirche durch die Ehepartner im Hinblick auf ein gemeinsames Leben in Glaube, Hoffnung und Liebe. Indem sich Kirche in der Ehe ereignet, vollzieht sich Ehe in der Kirche.

bb. Theologisch gewertet können alle Rechtsvorschriften der Kirche nicht für die Gültigkeit der Ehe als solcher konstitutiv oder irritierend sein, sondern betreffen die Kirchendisziplin. Wäre es nicht so, hätte die Kirche sich jahrhundertelang geirrt... Denn ihr Recht ist im Hinblick auf die Frage von Gültigkeit und Ungültigkeit übernommenes römisches und fränkisch-germanisches Recht. Das kanonische Recht fügte sich ein in vorgegebenes Recht und ist keine Neuschöpfung. Staatliche und kirchliche Ordnung fielen mit der Zeit zusammen. Erst die neuzeitliche Trennung von Kirche und Staat führte zu einer Parallelisierung zweier Eherechte. Je länger, je weniger ist einsichtig, weshalb die Kirche ein eigenes Standesamt und Ehegericht aufrechterhält, sich mit biologisch-anatomischen Ehehindernissen, Inzestverbot usw. abgibt.

Solange an der auf der altrömischen Rechtstradition fußenden Konsenstheorie festgehalten wird, ist die «Gültigkeit» der Ehe, des Konstitutivum der Ehe «außertheologisch». Eine Ehe rückgängig zu machen unter Berufung auf die nach wie vor kontroverse Unzuchtsklausel (Mt 19,9), ein Privilegium paulinum (1 Kor 7,12–16) oder petrinum wird dadurch fraglich. Es ist mindestens zwischen einer kirchenrechtlichen Anerkennung und einer in sich bestehenden Gültigkeit der Ehe zu unterscheiden. Das wurde weit über das Tridentinum hinaus getan, weil man sich nicht an der Anerkennung des Konsensus als Konstitutivum der Ehe zu vergreifen wagte. Erst die Entwicklung der Mischehengesetzgebung hat mit dieser Tradition gebrochen und tut dies so lange, als kirchliche Formpflicht und Gültigkeit der Ehe miteinander gekoppelt bleiben. Auch eine weitgehende Dispenspraxis, wie sie heute üblich ist, hält an diesem Prinzip fest.

cc. Die Scheidung ist für Christen immer eine Schuld, eine Sünde als Verstoß gegen den Imperativ des Schöpfers. Ihm entsprechend kann die Ehe nicht geschieden werden, sondern nur gebrochen. Deshalb ist es im Falle eines Versagens richtig, zunächst zu fragen, ob eine Ehe im gegebenen Fall überhaupt bestanden hatte. Theologisch kann man sich dabei aber nicht einfach auf das Wort berufen: «Was Gott verbunden, soll der Mensch nicht trennen», weil es nie eindeutig auszumachen, ja sogar anmaßend ist, zu dekretieren, was Gott verbunden hat. Daß Gott barmherzig ist und den Schuldigen annimmt, das wissen wir, was er verbunden hat, nicht...

dd. Von der voraufgehend gewonnenen ekklesiologischen Basis her kommt auch die bekenntnisverschiedene Ehe in ein neues Licht. Nicht das Bekenntnis-*Verschiedene*, sondern die einende Liebe, die eine Taufe, der eine Glaube, der eine Gott und Vater aller ist das Entscheidende. Dies aber kann nicht auf eine Doktrin, eine Kirchendisziplin, ein Kirchenrecht reduziert werden. Allein die Frage nach diesem Einenden ist theologisch relevant. Der Konsens kann nicht durch disziplinäre, kirchenrechtliche, doktrinäre Festlegungen als ungültig erklärt werden. Über die Ehelichkeit mindestens einer Erstehe zu entscheiden hat die Kirche keine anderen Möglichkeiten als der Staat, wenn sie es mit dem Konsens ernst nimmt, den sie mindestens grundsätzlich immer hochgehalten hat. Das sind rechtliche Fragen. Auf dem metakanonischen Hintergrund der bisherigen Ausführungen bekommen sie aber ein anderes Gesicht. Schließlich: Wieso spielt 1 Kor 7,12–16 über die heidnisch-christliche Mischehe für Theorie und Praxis in Sachen bekenntnisverschiedener Ehen keine Rolle, obwohl eine solche «Mischung» viel gravierender ist als die von Konfessionen, und doch in einem so günstigen Licht erscheint?

Im Verlaufe dieser Überlegungen hat sich die Frage darnach, was die Ehe zum Sakrament macht, verlagert: Was macht die Ehe zur Kirche? ist die angebotene neue Fragestellung. In diesem Kontext bedarf die Begründung des sakramentalen Charakters der Ehe «keines – historisch nicht nachweisbaren und nicht wahrscheinlichen *ausdrücklichen* Stiftungswortes Jesu»[88]. Nicht auf einen solchen Nachweis kommt es an, wohl aber darauf, daß der ekklesiale Stellenwert der Ehe im Zusammenhang mit dem einen Christusmysterium richtig gesehen wird.[89]

JOSEF DUSS-VON WERDT

[88] K. Rahner aaO. 533.
[89] Zum Zusammenhang von Ehe und Christusmysterium vgl. auch R. Schulte oben S. 100ff, 136–139.

BIBLIOGRAPHIE

Adnès P., Le Mariage = Le Mystère chrétien. Théologie Sacramentaire (Tournai 1963).

Baltensweiler H., Die Ehe im Neuen Testament (Zürich 1967).

Christen E., Ehe als Sakrament – neue Gesichtspunkte aus Exegese und Dogmatik = Theologische Berichte 1 (Einsiedeln 1972) 11–68.

David J., Schmalz F. (Hrsg.), Wie unauflöslich ist die Ehe? (Aschaffenburg 1969).

Gall R., Fragwürdige Unauflöslichkeit der Ehe? (Zürich 1970).

Greeven H., Ratzinger J., Schnackenburg R., Wendland D.-H., Theologie der Ehe (Regensburg 1969).

Grelot P., Mann und Frau nach der Heiligen Schrift (Mainz 1964).

Molinski W., Ehe: Sacramentum Mundi I (Freiburg 1967) 961–998 (Lit.).

Neuner-Roos, Der Glaube der Kirche in den Urkunden der Lehrverkündigung (Regensburg [8]1971).

Rahner K., Die Ehe als Sakrament: Schriften VIII, 519–540.

Rondet H., Introduction à l'étude de la théologie du mariage = Théologie, Pastorale et Spiritualité. Recherches et Synthèses 6 (Paris 1960).

Schillebeeckx E., Le Mariage I (Paris 1967) bzw. Het Huwelijk I. Aardse Werkelijkheid en Heilsmysterie (Bilthoven 1963).

Steininger V., Auflösbarkeit unauflöslicher Ehen (Graz 1968).

Volk H., Das Sakrament der Ehe (Münster 1952).

THEOLOGISCHE PHÄNOMENOLOGIE
DES ORDENSLEBENS

1. Das hermeneutische Problem

Wer heute eine Theologie des Ordenslebens schreiben will, steht gleich zu
Beginn vor einer schwierigen Frage: Was heißt eigentlich Ordensleben? Ist
das so klar, wie man gemeinhin tut? Ist das, was Ordensleben meint, so einfachhin identisch mit seinen heutigen konkreten Formen? Hat es darin nicht
sehr einschneidende Wandlungen im Laufe der Geschichte gegeben? Und
unterscheiden sich die Versuche, Ordensleben heute zu verwirklichen, nicht
so sehr voneinander, daß man sie kaum noch mit dem gleichen Namen benennen kann? Ist es angesichts der Krise, in der sich die Orden befinden –
nach vielen eine Existenzkrise[1] – überhaupt noch möglich, genau zu sagen,
worin das Wesen und darum das Bleibende, Unwandelbare, Unaufgebbare
des Ordenslebens besteht? Wird man selbst unter Ordensleuten heute darüber noch eine Übereinstimmung erzielen? Canon 487 des Kirchenrechts genügt dafür auf jeden Fall nicht mehr.[2] Schon wer danach fragt, worin das
Besondere und Wesentliche des Monastischen zu suchen sei, wird viele Antworten erhalten. Ein Blick in die Veröffentlichungen der jüngsten Zeit kann
das bestätigen.[3] Das gleiche gilt für das Ordensleben im ganzen.

Die hier angerührte Schwierigkeit ist kein Scheinproblem, nicht nur hervorgerufen von einer momentanen Desorientiertheit, sondern ist sehr real;
sie weist auf etwas Entscheidendes hin. Man muß sie darum aufgreifen, bevor
man überhaupt das Thema einer Theologie des Ordenslebens sinnvollerweise angehen kann. Der Kern des Problems liegt darin, daß das, was wir
Ordensleben nennen, kein zeitlos-abstraktes und darum unwandelbar gültiges Ideal ist, ablösbar von seiner geschichtlichen Wirklichkeit, sondern nur
im konkreten Vollzug, im je neuen Sich-Einlassen auf Gottes Verheißungs-

---

[1] F. Wulf, Die Orden in der Kirche, in: HPTh IV (Freiburg 1969) 545–572 (vor allem
550ff); J. Kerkhofs, Krise und Zukunft des Ordenslebens, in: Das Schicksal der Orden –
Ende oder Neubeginn (Freiburg 1971); R. Hostie, Vie et mort des ordres religieux. Approches psychosociologiques (Paris 1972) (bes. 254–319).

[2] Zum ersten ist das in can. 487 implizierte traditionelle Verhältnis von Gebot und Rat
heute nicht mehr haltbar (vgl. unter 3. «Das Besondere und Unterscheidende des Ordenslebens innerhalb der allgemein christlichen Berufung»), zum anderen ist der zentrale
Begriff des Ordenslebens im Licht des NT die Nachfolge Christi, in deren Horizont die
sogen. ev. Räte erst ihren Sinn erfahren (vgl. Konzilsdekret «Perfectae caritatis», n. 2).

[3] U. a.: Visioni attuali sulla vita monastica (Montserrat 1966); Mönchtum – Ärgernis oder
Botschaft? «Liturgie und Mönchtum» Heft 43 (Maria Laach 1968).

wort, auf den Ruf zur Nachfolge erfaßt werden kann. Von daher die vielen
Wandlungen, denen es von jeher unterworfen war. Diese Wandlungen betrafen nicht nur seine äußere Form und Gestalt, in denen sich ein unveränderliches Wesen ausdrückte, sondern berührten sein Wesen selbst. Deshalb
konnte auch das Selbstverständnis der Orden mehrfach eine tiefgehende
Wandlung erfahren. Die Regularkanoniker etwa des 12. Jht's, um nur einige
Beispiele zu nennen, interpretierten ihre Lebensform und ihre Ziele anders,
als die Mönche es taten, obwohl beide sich auf die Apostel und die Jerusalemer Urgemeinde als ihren Ursprung zurückführen zu können glaubten.[4]
Die Mendikanten hinwiederum, Franziskus vor allem und Dominikus, ähnlich die Klerikerorden des 16. Jht's, am bewußtesten Ignatius, waren jeweils
der festen Überzeugung, eine neue Form des Ordenslebens einzuführen, für
die sie sich auf ihre Berufungsgnade und ihr Charisma beriefen.[5] Wenn also
der christliche (biblische) Impuls, der dem Ordensleben zugrunde liegt, verschiedene und sehr unterschiedliche Möglichkeiten, sich zu artikulieren und
zu konkretisieren, in sich birgt, dann muß es auch mehrere mögliche Theologien des Ordenslebens geben, die zwar auf die gleiche Wurzel zurückgehen
mögen und im tiefsten eins sind, in ihrer konkreten Konzeption und ihren
Ideen aber, ihrer Mentalität und ihren Motivationen sehr erheblich voneinander differieren können. Das ist tatsächlich der Fall, und das gilt es zu
bedenken, wobei auch hier Theorie und Praxis sich jeweils gegenseitig bedingen und durchdringen.

Man hat dieses Problem bisher zu wenig gesehen oder zumindest zu wenig
durchdacht. Wie in der kirchlichen Überlieferung überhaupt, in ihren Lehr-
aussagen und ihren Institutionen, so ist auch im Ordensleben, in seiner theologischen Begründung und Erhellung wie auch in seiner (davon abhängigen)
Institutionalisierung, das Moment des Geschichtlichen zu wenig berücksichtigt worden.[6] Das wirkt sich gerade heute, wo die Notwendigkeit einer zeit-
gemäßen, nach manchen einer fundamentalen Erneuerung des Ordenslebens
dringend geworden ist, verhängnisvoll aus. Ein guter Teil der Schwierigkeit,
mit der Situation einer gewandelten und sich immer schneller verändernden
Welt fertig zu werden, hängt damit zusammen. Im Zentrum der vielen
Überlegungen, die gegenwärtig in den Orden und ebenso in den offiziellen

---

[4] Vgl. die beiden Streitschriften Ruperts von Deutz (Migne PL 170, 611 ff u. 663 ff) über
den Vorrang der Mönche vor den Regularkanonikern.

[5] Franziskus z. B. setzt seine Gründung, die von der Christusnachahmung, von der Brüderlichkeit und der Wanderpredigt geprägt ist, ausdrücklich und oft vom Mönchtum ab
und wehrt sich dagegen, eine monastische Lebensweise anzunehmen (vgl. Thomas von
Celano, Vita I, c. 13 [33]; Vita II, c. 141 [188], Ausg. E. Grau [Werl 1955]), ähnlich Ignatius
von Loyola.

[6] Die überlieferte Theologie des Ordenslebens, die in ihrer Substanz auf Thomas von
Aquin zurückgeht, war ungeschichtlich, statisch, auch wo sie vom konkreten Menschen
und von der göttlichen Heilsökonomie ausgeht.

kirchlichen Dokumenten zu dieser Erneuerung angestellt werden, steht immer wieder die Mahnung, das Wesentliche und Bleibende des Ordenslebens vom Sich-Wandelnden abzuheben. Aber eben das ist *so*, wie viele es sich vorstellen, nicht möglich. Wer es versuchte, hat meist schon ein festes Bild, ein festes Konzept vom Ordensleben vor sich, hat seine Auswahl der wesentlichen, für ihn unaufgebbaren Elemente des Ordenslebens schon getroffen; er ist vorgeprägt: von seiner Sicht der biblischen Inspiration wie auch der geschichtlichen Entwicklung des Ordenslebens, von dieser oder jener Theologie bzw. Theorie des Ordenslebens, von den geistigen, anthropologischen und gesellschaftlichen (auch kirchensoziologischen) Aprioris seiner Herkunft und Einstellung. Das ist das Dilemma, der hermeneutische Zirkel, in dem wir uns bewegen. Daraus hat auch das Zweite Vatikanum mit seinen Aussagen über das Ordensleben nicht herausgeführt. Es hat das Problem gar nicht oder nicht genügend gesehen und darum auch nicht reflex gestellt. Darum sind seine Aussagen oft so allgemein und teilweise sogar widersprüchlich, weil sie verschiedenen Konzeptionen des Ordenslebens entstammen; sie sind selbst wieder geschichtlich situiert, sind ein Spiegelbild der Problematik, in der die Orden, die Theologie des Ordenslebens zur Zeit des Konzils sich befanden und können daher nach dieser oder jener Richtung hin ausgelegt werden.[7] Die Frage nach dem Wesen des Ordenslebens impliziert immer schon die Voraussetzungen, von denen her sie gestellt, und den Horizont, in den hinein sie beantwortet wird.

Will man aus diesem Zirkel herauskommen, dann muß man zunächst einmal die stillschweigend gemachten, für selbstverständlich gehaltenen Voraussetzungen der Frage sowie den Erwartungshorizont des Fragenden aufdecken und bewußt machen, um sie dann kritisch zu hinterfragen. Dazu muß aber noch die *Erfahrung* des Ordenslebens kommen – im Sich-Einlassen auf den Gott der Verheißung und auf Christi Ruf in die Nachfolge –, ohne die alles Wissen tot bliebe und nicht zum Verständnis des Ordenslebens von seiner Mitte her gelangen ließe.

Zu den Voraussetzungen der Frage nach dem Wesen des Ordenslebens gehört ganz sicher, weil unverzichtbar, dessen biblische Begründung. Sie war schon für das altkirchliche Mönchtum zur Rechtfertigung seiner Lebensweise entscheidend und ist es in allen Zeiten der Ordensgeschichte geblieben. Hier hat sich im Lauf der Jahrhunderte eine ganze Serie von immer wiederkehrenden Topoi herausgebildet, die den biblischen – auf Christus, die Jünger und Apostel, die Urgemeinde verweisenden – Ursprung des Mönchtums und der Orden unbezweifelbar zu machen schienen.[8] Vieles davon, vor allem

---

[7] Vgl. den Kommentar des Vf.'s zum Dekret «Perfectae caritatis»: LThK, Das Zweite Vatikanische Konzil II (1967) 250ff, Einführung, vor allem 263, 265 (jeweils linke Sparte).

[8] Der Locus classicus in der Perikope vom Reichen Jüngling nach Mt: «Wenn du vollkommen sein willst...» (19,21). Nach überlieferter und von niemand bestrittener (anders

die ständig begegnende Auslegung von Mt 19,21 im Sinne eines allgemeinen Rates und einer Vorbedingung für christliche Vollkommenheit überhaupt hat einer Überprüfung durch die neuzeitliche kritische Exegese nicht standhalten können.[9] Die meisten Versuche, bestimmte Daten des tatsächlichen Ordenslebens auf Einzelstellen des Neuen Testamentes zurückzuführen und so zu deuten, erwiesen sich als untauglich.[10] Dennoch sind die Grundworte des überlieferten Ordenslebens: Gott allein dienen, Jüngernachfolge und Jüngergemeinde, die «apostolische Lebensweise»,[11] insbesondere auch Armut, Ehelosigkeit und Gehorsam und vieles andere urbiblisch. Sie müssen aber exegetisch neu erhoben werden und können meist nur aus dem Kontext heraus in ihrem Vollsinn verstanden werden; oft erweisen sie ihre «Wahrheit» erst in einem größeren Zusammenhang, in einer Zusammenschau vieler, sogar gegensätzlich scheinender Schriftaussagen (analogia fidei[12]). Eben *so* aber führen sie aus jener Enge und Fixierung heraus, auf die sie das traditionelle Ordensleben häufig festgelegt hatte.

Ähnlich wie ein bestimmtes Vorverständnis der für das Ordensleben klassischen Schrifttexte, fließt meist auch eine schon vorgegebene Theologie des Ordenslebens in die Frage nach seinem Wesen mit ein. Entwürfe einer solchen Theologie, die eine notwendige Reflexion des eigenen Tuns, der eigenen Erfahrung darstellen, hat es vom Beginn des Mönchtums an gegeben. Dabei waren aber die theologischen Ansätze, von denen aus man die «conversatio monastica», die «aszetische Lebensweise» in einen größeren Heilszusammenhang hineinzustellen suchte, voneinander sehr verschieden. Geht es im

---

schon die Reformatoren) Lehre hat Christus selbst den Ordensstand eingesetzt (so zu lesen bei Franciscus Suarez, De Religione II, Tractatus Septimus: De statu perfectionis et religionis [Ed. Vivès, Paris, Bd. XV], Lib. III, c. 2), und für jeden der drei Räte bezog man sich auf (bisweilen mehrere) Herren- und Apostelworte (vgl. Enchiridion de statibus perfectionis I, Documenta ecclesiae sodalibus instituendis [Rom 1949] nn. 1–8; Thomas von Aquin, S.Th. II/II q. 186 a. 3–5). Die meisten dieser Belege für den «göttlichen Ursprung» des Ordenslebens fanden sich auch noch in den ersten Entwürfen der das Ordensleben betreffenden Dokumente des II. Vatikanischen Konzils, und zwar in der traditionellen Auslegung, d. h. im Horizont der Lehre von den «Zwei Wegen», dem der Gebote und dem der Räte, und von den Werken der Übergebühr (vgl. LThK. Das Zweite Vatikanische Konzil I, 285 f; II, 252 ff).

[9] S. Légasse, L'appel du riche. Contribution à l'état religieux (Paris 1966); W. Pesch, Ordensleben und Neues Testament, in: Dienst an der Welt, hrsg. v. H.Claaßens (Freiburg 1969) 35–67 (mit reichen Literaturangaben, 70–72); J.M.R.Tillard, Le fondement évangélique de la vie religieuse: NRTh 91 (1969) 916–955; A.Schulz, Von der neutestamentlichen Grundlage der sogen. klösterlichen Armut: Ordenskorrespondenz 10 (1969) 1–13.

[10] J.M.R.Tillard, Le fondement... aaO. 917 f; 923–925.

[11] Gemeint ist mit der sogen. «vita apostolica» in der monastischen und nachmonastischen Tradition das Leben in freiwilliger Armut, wie man es bei den Aposteln und in der Urgemeinde (Apg) vorgebildet sah; vgl. M.-H. Vicaire, L'imitation des apôtres. Moines, chanoines, mendicants (IVe–XIIIe siècles) (Paris 1963); J.Leclercq, Études sur le vocabulaire monastique du moyen âge = SA 48 (Rom 1961) 38.

[12] Über den kath. Sinn der «analogia fidei» vgl. E.Przywara: LThK I (1957) 473–476.

einen Fall mehr um eine Antizipation des Zukünftigen: um die «Theoria», die «contemplatio», die Gottschau und Gotteinung, so im anderen mehr um den Weg dahin: um die Erfüllung des Willens Gottes, um das Bekenntnis der eigenen Armut und Schuld, um das Verlangen und die Sehnsucht nach dem Ewigen, nach der Vollendung in der Liebe; ist ein Entwurf mehr theozentrisch, so ist ein anderer mehr christozentrisch bestimmt. Es gab, wenn das Wort nicht zu hoch greift, verschiedene «Theologien» des monastischen Lebens.[13] Noch in der Mönchsspiritualität des frühen, vorscholastischen Mittelalters begegnet man dieser Vielfalt, wenngleich, wie schon bei der biblischen Begründung des Ordenslebens, sich immer stärker feste Schemata herausbilden und ein bestimmter Sprachschatz vorherrschend wird, der nur noch um Gott und seine Erkenntnis (Kontemplation) kreist.[14]

Systematisiert wurde die Theologie des Ordenslebens aber erst in der Hochscholastik, vor allem durch Thomas von Aquin. Er hat nicht nur die theologischen Entwürfe monastischer Spiritualität in eine begriffliche Einheit gebracht, sondern alles, was nach der exklusiven Periode des Mönchtums (die rund das erste Jahrtausend umfaßt) an neuen Ideen hinsichtlich einer vita apostolica, evangelica,[15] religiosa[16] aufkam, in den monastischen Grundansatz hinein integriert und umgekehrt diesen Ansatz im Horizont der neuen, vom Evangelium und den Zeitumständen inspirierten spirituellen und apostolischen Impulse weiterentwickelt.[17] Seine Ordenstheologie hat sich in der Kirche durchgesetzt. Stationen auf diesem Weg waren die nachtridentinische Scholastik, die sie aufnahm und fortsetzte,[18] und zuletzt die Neuscholastik, die ihr ihre endgültige, bis in kirchenrechtliche Konsequenzen hinein wirksame Gestalt gab. Mit der Erhebung des Aquinaten zum all-

---

[13] Vgl. Théologie de la vie monastique. Études sur la tradition patristique (Paris 1961).

[14] Vgl. J. Leclercq, Études sur le vocabulaire monastique du moyen âge (Rom 1961); ders. Études sur le vocabulaire de la contemplation au moyen âge (Rom 1963).

[15] Mönchsleben und Ordensleben gelten einfachhin als ein Leben nach dem Evangelium; Armut im Ordensleben ist darum einfachhin «evangelische Armut». Vgl. M.Chenu, Moines, clercs, laics au carrefour de la vie évangélique (XII. Jht.): RHE 49 (1954) 59–89.

[16] Die Gleichsetzung von Mönchtum (Ordensleben) und «vita religiosa» begegnet schon in der Patristik. Die Begründung dafür bei Thomas S. Th. II/II q. 81 a. 1 ad. 5; ebd. q. 186 a. 1 c.

[17] S. Th. II/II qq. 184, 186–189; De perf. vitae christianae c. 16.

[18] Das maßgebende Werk der Zeit: Franciscus Suarez (1548–1619), De Religione II, Tractatus Septimus: De statu perfectionis et religionis aaO. – Suarez folgt Thomas so eng, daß es ihm nicht gelungen ist, die originären Neuansätze einer mehr dynamischen, an der Heilsgeschichte orientierten Theologie des Ordenslebens, wie sie dem Konzept seines Ordensvaters Ignatius entsprochen hätte (vgl. die Spiritualität der Exerzitien, das «contemplativus in actione» u.a.), herauszuarbeiten; in seinem Traktat «Der Orden der Gesellschaft Jesu» (De Religione II, Tractatus decimus Ed. Vivès, Bd. XVI) zählt er die SJ, ganz der Systematik des hl. Thomas entsprechend, zu den Orden der sogen. «gemischten Lebensweise» (vita mixta), die (wie die Mendikanten) die Kontemplation mit der Aktion verbinden (actio ex abundantia contemplationis).

gemeinen Lehrer der katholischen Theologie durch Leo XIII. (1880) erhielt auch dessen Theologie des «Standes der Vollkommenheit»[19] offizielle Geltung. Man braucht daraufhin nur einmal die römischen Dokumente der letzten hundert Jahre, vor allem die Schreiben der Päpste in diesem Zeitraum durchzusehen.[20] Noch auf dem Zweiten Vatikanischen Konzil tritt bei den Aussagen über das Ordensleben – anfangs wenigstens – immer wieder Thomas als Kronzeuge auf.[21]

Aber gerade auf dem Konzil zeigt sich ein Umschwung, wird ein schon lange vorhandener Mentalitätswandel sichtbar, äußert sich heftige Kritik an der durch den Aquinaten zur Allgemein- und Alleingültigkeit gelangten Ordenstheologie. Zwar könnte Kap. VI der Kirchenkonstitution, «De Religiosis», den Eindruck erwecken, als stehe diese Theologie noch unangetastet da. Doch dieser Eindruck täuscht. Denn das vorausgeschickte Kap. V über die Berufung *aller* Christen zur Heiligkeit ist gerade aus einer Opposition gegen sie, jedenfalls gegen gängige Konsequenzen, die man aus ihr zog, entstanden[22] und gibt darum auch den Schlüssel zur Interpretation von Kap. VI in die Hand. Noch offenkundiger wurde diese Opposition bei der Erarbeitung des Dekrets «Perfectae caritatis». Hier wurde die traditionelle Ordenstheologie, weil sie die Norm für vieles im konkreten Ordensleben abgab, in ihren entscheidenden Voraussetzungen angegriffen.[23] Was man ihr vorwarf, war in erster Linie eine undifferenzierte Lehre von den «Zwei Wegen», dem der Gebote und dem der Räte, weil diese so, wie sie vorgetragen werde, die Christen in zwei wertmäßig unterschiedene Klassen einteile, einer Zweistufenmoral Vorschub leiste. Sie operiere mit einem Begriff des «Rates», der weder exegetisch noch moraltheologisch haltbar sei und verkürze damit auch die neutestamentliche Gebotsethik. Eng damit verbunden ging der Vorwurf

---

[19] Über den Begriff «Stand der Vollkommenheit» bei Thomas S.Th.II/II q.184 a.4. – Der Terminus wurde aber erst anläßlich der kanonischen Errichtung der Säkularinstitute (1948) wieder in den offiziellen Sprachgebrauch der Kirche eingeführt. Der CIC gebraucht ihn noch nicht.

[20] Vgl. Enchiridion de statibus perfectionis I. Documenta ecclesiae sodalibus instituendis (Rom 1949); G. Courtois, Les États de perfection. Documents Pontificaux de Léon XIII à nos jours (Paris 1958); J. B. Tse, Perfectio christiana et societas christiana iuxta magisterium Pii Papae XII (Rom 1963), über den «Stand der Vollkommenheit» vor allem S. 109 bis 117; 166–173; 229–238.

[21] Siehe in Kp. VI der Kirchenkonstitution, «De Religiosis», die Anmerkungen 122, 125, 132, 133, 141.

[22] LThK, Das Zweite Vat. Konzil I, Kommentar zu Kp. V u. VI der Dogmat. Konstitution über die Kirche, 284–287.

[23] LThK, Das Zweite Vat. Konzil II, Einführung und Kommentar zum Dekret «Perfectae caritatis», 250–265, vor allem 252–259. Die meisten Kommentare zu diesem Dekret, u.a. auch der große französische Kommentar (Vatican II, L'adaptation et la rénovation de la vie religieuse [Paris 1967]), haben kaum genügend deutlich gemacht, wie umfassend und in welcher Tiefe hier Kritik an der traditionellen Begründung und Deutung des Ordenslebens geübt wurde.

gegen das Ziel des Räteideals. Der einseitige Vorrang der Kontemplation
vor dem Handeln, der den Christen des Rätestandes direkt und unmittelbar
auf Gott ausrichte, schließe einen Rückzug aus der Welt, die größtmögliche
Entsagung zeitlicher Güter ein und werde damit weder dem Gebot der Nächstenliebe noch überhaupt der alle Christen verpflichtenden Weltverantwortung gerecht. Ein solches Ideal sei heilsegoistisch und widerspreche dem
Evangelium.

Zwar kam es auf dem Konzil selbst, d.h. im Dekret «Perfectae caritatis»,
noch zu vielen Kompromissen: der theologische Hintergrund des Dekrets
ist nicht einheitlich, es erscheinen darin Elemente einer traditionellen und
solche einer neuzeitlich-kritischen Theologie auf, oft im gleichen Abschnitt. Aber nachdem einmal der kritische Blick geschärft worden war, hat
die Diskussion nicht mehr aufgehört. Mag sich darin auch manches finden,
das eher zerstörerisch als aufbauend genannt werden muß und am Kern der
Sache des Ordenslebens vorbeigeht, so ermöglichen uns doch viele Erkenntnisse der letzten Jahrzehnte, ungehinderter und mit größerer Offenheit von
neuem eine Theologie des Ordenslebens zu versuchen.[24]

Und noch ein Letztes, das bei der Frage nach dem Wesen des Ordenslebens kritisch bedacht werden muß: die gegenwärtige Situation des Fragenden im Gesamt des geistigen und gesellschaftlichen Lebens. Auch diese bestimmt unbewußt sowohl das Woher wie auch das Wohin der Frage mit. Hier
wäre vieles aufzuzählen, was bewußt gemacht werden müßte. Ein kleiner
Hinweis möge zeigen, in welcher Richtung hier u.a. gefragt werden muß.
E. Schillebeeckx hat vor einigen Jahren einmal untersucht, welche Bedeutung das neue Gottes- und Menschenbild, das sich aus einem neuen Fragen
nach Gott als Geheimnis, nach dem Sprechen mit Gott und über Gott wie
auch aus den Erkenntnissen der modernen Anthropologie ergeben hat, für
eine Neugestaltung des Ordenslebens habe und haben müsse.[25] Die Frage
ist auch für eine Theologie des Ordenslebens relevant, wenn diese nicht abstrakt, eine allgemein und für alle Zeiten gültige Deduktion bleiben will, sondern den konkreten Menschen als geschichtliches Wesen und die konkrete
Ordensgemeinschaft in den fälligen Strukturen der Gegenwart zu treffen
beabsichtigt. Wahrscheinlich kann die Bewältigung einer so umfassenden
Aufgabe, wie sie hier angedeutet wird, nicht auf einmal gelingen. Sie wird
eine ganze Generation in Anspruch nehmen.

[24] Wenn etwa «die im Evangelium dargelegte Nachfolge Christi» im Dekret «Perfectae
caritatis» (Art. 2a) als «letzte Norm des Ordenslebens» bezeichnet wird, dann ist dadurch
der Blick frei geworden für eine tiefere, weil heilstheologisch begründete Sicht der «Evangelischen Räte» unter der Voraussetzung, daß der biblische Sinn von «Nachfolge» wirklich
gesehen und ausgeschöpft und nicht einseitig auf der Ebene der Moral angesiedelt wird.

[25] «Das Ordensleben in der Auseinandersetzung mit dem neuen Menschen- und Gottesbild» (niederl. Titel: «Het nieuwe mens- en Godsbeeld in conflict met het religieuze leven»):
Tijdschrift vor Theologie 7 (1967) 1–27; deutsche Übers.: Ordenskorrespondenz 9 (1968)
105–134; nachgedruckt in: Dienst an der Welt, hrsg. v. H. Claaßens (Freiburg 1969) 77–116.

So wird denn auch die hier versuchte Arbeit sehr bescheiden sein müssen. Wir werden aus dem im Vorhergehenden aufgewiesenen Horizont heraus ganz schlicht fragen: Wo hat das, was sich als Ordensleben in der Kirche entwickelt hat, seinen Ort in der Heilsgeschichte, vor allem im Neuen Testament, in der Person und im Werk Christi? Weiterhin aber auch – als notwendige Ergänzung dazu: Wo hat es seinen «Sitz im Leben», in der Erfahrung des Glaubenden, in der Verwirklichung der christlichen Botschaft? Nur aus diesem zweifachen Fragehorizont heraus läßt sich der hermeneutische Zirkel, von dem wir oben gesprochen haben, auflösen. Nur so läßt sich sinnvollerweise eine Theologie des Ordenslebens versuchen, die Anspruch darauf erheben kann, aus dem Leben zu kommen und in das Leben hineinzuwirken. Man wird dann aber eher von einer theologischen Phänomenologie des Ordenslebens sprechen.

2. Die theologisch-spirituellen Grundlagen des Ordenslebens

Fragen wir zunächst einmal ganz konkret: Was hat Christen zu allen Zeiten bewogen, ihr Zuhause zu verlassen, vom «Normalen» eines menschlichen Lebensweges abzuweichen und einen «Beruf» zu erwählen, der von seinem Kern her im gewöhnlichen gesellschaftlichen Leben nicht mehr unterzubringen ist? Am Grunde und im Ursprung alles Ordenslebens, vom altkirchlichen Mönchtum bis zu den tätigen Genossenschaften unserer Tage, liegt ein Angerührt- und Betroffensein vom Glauben her.[26] Mag das für den einzelnen bewußtseinsmäßig noch so verschieden zur Erfahrung kommen, mag der konkrete Anlaß für den Entschluß des Gerufenen auch unmittelbar einsichtig sein – eine missionarische oder caritative Aufgabe – und vielleicht im Vordergründigen bleiben. In der Tiefe ist es immer das umfassende, hinter allem stehende unsagbare Geheimnis des Lebens, das sich im Herzen des gläubigen Menschen zu Wort meldet. Von daher auch das Absolute, Drängende und Unbedingte des Rufes.[27] Es geht nicht um dieses oder jenes Gut, um diese oder jene Forderung oder Aufgabe, sondern um das Ganze des mensch-

---

[26] Über die religiöse Betroffenheit u. a. E. Schillebeeckx in der Auslegung des Eunuchenspruchs Mt 19, 12c: Betroffenheit als Folge der Erfahrung des einbrechenden Reiches Gottes kann dazu führen, daß einer gar nicht mehr heiraten kann (Der Amtszölibat [Düsseldorf 1967] 17–20); C. Bamberg schildert in ihrem Buch: «Was Menschsein kostet» (Würzburg 1971, 13–29: «Der betroffene Mensch») die Betroffenheit als Grunderfahrung des altkirchlichen Mönchtums.

[27] O. du Roy glaubt, dieser Absolutheitscharakter komme am eindeutigsten in der monastischen Berufung zum Ausdruck; er nennt daher den Mönch einen «Menschen des Absoluten» (Das monastische Leben heute: GuL 43 [1970] 205, 196f; der gleiche Aufsatz im Sammelband des Vf.'s: Moines aujourd'hui. Une expérience de réforme institutionelle [Paris 1972] 369, 362f). Zum Absolutheitscharakter von Gottes Anruf in der Verkündigung Jesu vgl. E. Neuhäusler, Anspruch und Antwort Gottes. Zur Lehre von den Weisungen innerhalb der synoptischen Jesusverkündigung (Düsseldorf 1962).

lichen Lebens, um den geheimnisvollen, nur im Glauben erfaßbaren, übergreifenden Sinn dieses rätselhaften Daseins, und darum um das Heil und die Erfüllung und das Ende von allem. Wer dieserweise angerührt ist, betroffen wird, für den gibt es nur eine einzig mögliche Antwort. Sie besteht in der Hergabe seiner selbst und darum alles dessen, was er hat und worüber er verfügt.[28] Er will sein Leben nicht mehr selbst, selbstmächtig in die Hand nehmen, sondern sich bei der Hand nehmen lassen, nicht mehr selbst, nach eigenen Plänen und Wünschen verfügen, sondern sich verfügen lassen. Denn er begreift, daß er unter einem größeren Geheimnis steht; er weiß mit dem Wissen des Glaubenden, daß ihm und allen Menschen, der Welt im ganzen, Heil nur von diesem Geheimnis her kommen kann.[29] Das heißt konkret: Nur wo Gott selbst sich dem Menschen und der Welt mitteilt und das Gottgeheimnis von Mensch und Welt erfahren wird, kann es im tiefsten Sinn, Erfüllung, Vollendung, Heil geben.

Dieses Grundereignis im Ursprung des Ordenslebens, das Angerührt- und Betroffensein vom Ganzen des Glaubens und seiner Unbedingtheit, kann sich, wie schon oben bemerkt, je nach den Anlagen eines Menschen, nach den geistigen, theologisch-religiösen und gesellschaftlichen Vorgegebenheiten einer Zeit, den konkreten Umständen eines Lebens oder auch einer außergewöhnlichen individuellen Berufung in sehr verschiedener Weise artikulieren und hat es im Lauf der Ordensgeschichte getan.

a. Da kann ein Mensch ganz unmittelbar auf Gott stoßen, auf den im Grund des Herzens geheimnisvoll Rufenden, Lockenden und doch nicht Faßbaren, immer wieder Sich-Verschweigenden, auf den alles Umfassenden, den Tragenden, Bergenden, Fordernden und Liebenden. Es hat ganze Perioden in der Geschichte der christlichen Spiritualität gegeben, da wurde das «Gott allein» in einer Ausschließlichkeit verkündet, daß die Welt dahinter versank, da glaubte man, alles leibhaft und sinnenhaft Irdische sei nur ein Hindernis zum Einswerden mit Ihm, weil Zerstreuung, Versuchung und Versklavung.[30] Man suchte den geradesten, kürzesten Weg in die Vollendung, indem man alles Vergängliche drangab, die Welt verließ, in die Einsamkeit ging, der

---

[28] Das Petrus-Wort bei Mk 10,28: «Siehe, wir haben alles verlassen und sind dir gefolgt» ist die gemäße Antwort auf Gottes unbedingten Anruf in Jesus und dessen Botschaft. Sie bringt «die Ganzheit des Genommenwerdens und Sichnehmenlassens» zum Ausdruck (vgl. H. U. v. Balthasar, Klarstellungen. Zur Prüfung der Geister = Herder-Bücherei 393 [Freiburg 1971] 129). – Daß jeder Christ von der Unbedingtheit des göttlichen Rufes aus der Tiefe so betroffen sein kann, daß er sich ganz, ohne Vorbehalt herzugeben bereit ist, wird damit nicht geleugnet.

[29] Aus dieser Sicht heraus ist das «Gott suchen» als Inbegriff der monastischen Berufung zu verstehen, vgl. J. Leclercq, Wissenschaft und Gottverlangen. Zur Mönchstheologie des Mittelalters (Düsseldorf 1963) (Der Originaltitel: L'amour des lettres et le désir de Dieu [Paris 1957]), Sachindex unter dem Stichwort: «Suche» (Gottsuche) 338.

[30] Zur Bedeutungsgeschichte des «Gott allein» in der geistlichen Überlieferung vgl. F. Wulf, Gott allein. Zur Deutung eines christlichen Grundwortes: GuL 44 (1971) 162–169.

Entsagung lebte, den Tod gleichsam beschleunigte, in der zuversichtlichen Hoffnung, Gott schon hier, in der Zeit, im seligen Licht des dunklen Glaubens zu schauen, ihm in der erfahrenen Liebe, über alle Sinne hinaus, geeint zu werden. Besonders der monastische Aufbruch der frühen Kirche ist davon geprägt, ähnlich die eremitische Bewegung des 12. Jht's. Hier hat man am radikalsten damit ernst gemacht. Aber als Ideal stand es über dem Ordensleben in der Kirche ganz allgemein,[31] wenn auch die konkrete Wirklichkeit maßvoller, komplexer und reicher war, und man sich immer stärker Aufgaben missionarischer, caritativer und erzieherischer Art zuwandte.

Heute ist dieses Ideal als solches der Kritik ausgesetzt. Läßt sich in einer weltlichen Welt, die in ihrer Weltlichkeit von Gott gewollt ist und darum ihre Forderungen an den Glaubenden stellt, Gott noch so direkt anzielen, wie es im überlieferten kontemplativ-monastischen Leben – wenigstens dem Programm nach – und in der christlichen Spiritualität überhaupt geschah? Ist Gott in einer solchen Welt für den Glaubenden trotz Christi Erlösungstat nicht in erster Linie ein Gott der Hoffnung, ein «Gott-vor-uns», wie man gern sagt, ein Gott, dessen Offenbarwerden wir nach der zweiten Vaterunserbitte erst noch erwarten und dessen Reich wir durch unsere Mühen um die Vollendung der Welt entgegenarbeiten sollen?[32]

Keine Frage, daß das Bewußtsein der Christen um die Verantwortung für die Welt und die menschliche Gesellschaft geschärft worden ist und daß sich niemand dieser Verantwortung entziehen kann. Schon von daher erhält das «Gott allein» der geistlichen Überlieferung seine Begrenzung.[33] Dazu kommt aber noch folgendes: Hat Gott sein Angesicht den Menschen durch ihre Leibgebundenheit nicht verhüllt, und wirkt sich das nicht um so stärker aus, je mehr sich die Welt menschlichen Tuns und menschlicher Erfahrung in ihrer Eigenmächtigkeit entfaltet? Und macht der Mensch es sich selbst nicht immer schwerer, Gott wenigstens im Bild seiner Schöpfung zu erkennen, da er die Zeichen, die auf Gottes «Macht und Göttlichkeit» hinweisen (vgl. Röm 1, 20), zunehmend für sich und *sein* Können in Anspruch nimmt? Ja, noch weiter: Muß in einer solchen Situation Gott, der sein Heil an den Menschen und an der Welt nur im Zeichen des Kreuzes – «sub contrario», sagt

---

[31] So schreibt etwa Leo XIII. ohne nähere Differenzierung über das Ordensideal – und er wiederholt nur, was alle vor ihm und nach ihm in ähnlicher Weise gesagt haben –, Christus wende sich in der Verkündigung der Evangelischen Räte «an tapfere und hochherzige Seelen, die durch Gebet und Kontemplation, durch heilige Strengheiten und die Befolgung einer bestimmten Lebensordnung sich bemühen, zu den höchsten Gipfeln der christlichen Vollkommenheit emporzusteigen» (Acta Leonis XIII, vol. XX, 340).

[32] Es dürfte wohl nicht zufällig sein, daß man als Generalthema des 1973 durchgeführten Äbtekongresses in Rom die «Gotteserfahrung» gewählt hat. Man ruft allenthalben nach ihr, aber sie versteht sich für die heutige Christengeneration nicht mehr so selbstverständlich und muß darum in ihren Möglichkeiten und Weisen, auch für das monastische Leben, genauer dargelegt und interpretiert werden.

[33] Vgl. «Gott allein», F. Wulf aaO. 166–169.

Luther[34] – wirkt, selbst für den Glaubenden nicht noch verborgener und dunkler erscheinen? Dennoch bleibt die Gottbezogenheit des Menschen als eine Uranlage.[35] Sein Wesen ist nicht nur In-der-Welt-sein, sondern darüber hinaus ausgespannt auf das die Welt übersteigende, umfassende und sinngebende Geheimnis alles Seins, angelegt auf das Betroffenwerden von diesem nicht-weltlichen Geheimnis, von Gott, und offen dafür.[36] Aus einem Urantrieb heraus verlangt es ihn darum unaufgebbar nach Gott, wenn auch oft verfremdet (wo der Zugang zu ihm verschüttet ist), in einer innersten Sehnsucht nach Befreiung von der Zerrissenheit seiner Natur, nach Gegründetsein im überweltlichen und geheimnisvollen Urgrund des Daseins, nach Selbstverwirklichung in der Gemeinschaft mit dem Anderen und Größeren, dem geheimnisvollen «Fremden».[37] Christi Erlösungsgnade hat diese Anlage und dieses Verlangen noch verstärkt und ihre Erfüllung in überreichem Maße ermöglicht. Sie gibt dem Glaubenden Anteil an der innergöttlichen Gemeinschaft zwischen Vater und Sohn, wie sie im Geheimnis Jesu für alle Menschen offen geworden ist.[38] Aber nicht der Mensch kommt hier zu Gott, in einem ekstatischen Selbstüberstieg, wie es manche Meditationsmethoden nahelegen könnten,[39] sondern Gott kommt zum Menschen; er selbst teilt sich ihm mit: «Wir werden zu ihm kommen und Wohnung bei ihm nehmen» (Jo 14,23). Darum gibt es im Neuen Bund eine noch viel tiefere Gotteserfahrung als schon im Alten, die aber auch dort, wo sie wie in der Mystik, weil bild- und weiselos, als unmittelbare Berührung empfunden wird, immer nur ein Erkennen der «Rückseite» (Ex 33,21; 1 Kg 19,13), der *wirkenden* Ge-

[34] Vgl. O.H. Pesch, Luther – Vergangenheit oder Zukunft? In: W. Seibel u. O.H. Pesch (Kevelaer 1969) 22–37; hier: 37f.

[35] Die theologische Überlieferung spricht hier seit Thomas von Aquin vom «desiderium naturale in visionem Dei» (LThK III [1959] 248–250).

[36] Spekulativ hat das in unserer Zeit mit am überzeugendsten K. Rahner von der Transzendentalität des menschlichen Geistes her dargestellt (u.a. in: Schriften I, 323–345: Über das Verhältnis von Natur und Gnade); ebenso: J. Alfaro, Trascendencia e immanencia de lo sobrenatural: Gr 38 (1957) 5–57; zur psychologischen Frage nach der Unmittelbarkeit der Gotteserfahrung vgl. C. Albrecht, Das mystische Erkennen (Bremen 1958) 368.

[37] An zwei Symptomen vor allem scheint in der Gegenwart ein (verfremdetes) Verlangen nach Erfahrung des transzendenten Geheimnisses von Welt und Mensch aufzuscheinen, einmal in einem immer größeren Zuspruch zu dem, was man die «transzendentale Meditation» nennt, zum zweiten (als Sehnsucht, Hoffnung usw.) in den Sozialutopien, von denen ein großer Teil der heutigen jungen Generation fasziniert ist.

[38] Christliche Gotteserfahrung hat darum, wo sie echt ist und vor Täuschungen bewahrt bleiben will, immer das Christusgeheimnis in ihrer Mitte, auch wenn das Bewußtsein davon verschieden ist und verschiedene Grade hat; Mystik im Verständnis des Christentums ist von ihrem Wesen her in Person und Werk Christi begründet.

[39] Nicht in den klassischen Meditationsübungen der östlichen Hochreligionen, z.B. im Zen, in denen die Erfahrung des transzendenten, all-einen Grundes alles Seins immer als Geschenk der «Gnade» empfunden wird (vgl. Karlfried Graf Dürckheim, Werk der Übung – Geschenk der Gnade: GuL 45 [1972] 363–382), wohl aber in vielem, was heute an Meditationsmethoden angeboten wird.

genwart Gottes im Geschöpf ist.[40] Hier, in der ganzen Breite gnadenhaft geschenkter Gotteserfahrung, liegt jenes Phänomen einer Glaubensbetroffenheit von Gott, das immer wieder Anlaß und Anfang einer Ordensberufung sein kann.

b. Das gleiche Phänomen gibt es als Betroffenheit von Christus. Auch sie liegt mancher Ordensberufung als erstes und ausdrückliches Motiv zugrunde, sogar noch viel häufiger. Sie ist aber von ersterer nicht getrennt zu sehen; schließt sie diese doch mit ein. In Person und Wort Jesu kommt das Gottgeheimnis für den Glaubenden am unmittelbarsten und dichtesten zur Erscheinung: «Wer mich gesehen hat, hat den Vater gesehen» (Jo 14,9). Jesus und der Vater sind eins. Das Johannesevangelium wiederholt es in immer neuen Variationen; es ist die Grundlage johanneischer Verkündigung. In Jesus tritt das Umfassende, Gründende und Absolute Gottes konkret vor den Menschen hin, begegnet der Mensch ihm in sichtbarer und greifbarer Weise, kann er ihm nicht mehr so leicht ausweichen, wenn er sich überhaupt der Jesusfrage stellt.[41] Jesus tritt mit einem Anspruch auf, der nicht mehr mit menschlicher Autorität gedeckt werden kann. «Ihr habt gehört, daß zu den Alten gesagt worden ist..., ich aber sage euch» (Mt 5,21 f). Er identifiziert sich mit dem, der allein gut, der Gute schlechthin ist (vgl. Mk 10,18 par) und der Sünden vergibt (vgl. Mk 2,5 par). Nur in diesem Horizont sind die Forderungen der Nachfolgeworte zu verstehen: die Absage an alles um Jesu und seiner Botschaft willen (vgl. Mk 10,28 ff; Lk 9,57–62; 14,33), die Begleitung auf Jesu Lebensweg, der ein Weg in den sicheren Tod ist (vgl. Mk 8,34 ff; 10,32 ff).[42]

Von Anfang an hat man die Nachfolgeworte in der Christenheit als für jede Generation geltend gehalten.[43] Antonius, der «Vater des Mönchtums», ver-

---

[40] Darum gibt es Gotteserfahrung nicht nur im Gebet, sondern auch im tätigen Leben, im vom christlichen Glauben getragenen Umgang mit der geschöpflichen Welt (vgl. Teilhard de Chardin), insbesondere in der mitmenschlichen Begegnung, wo diese in den Tiefengrund der Liebe vorstößt. In der biblischen und christlichen Überlieferung wurde von jeher die Geschichte als Ort der Epiphanie Gottes angesehen, gleich wie man diese Epiphanie genauer deuten mag und welche Kriterien man dafür im einzelnen aufstellt (vgl. mit gewissen Einschränkungen R. Schlette, Epiphanie als Geschichte [München 1966]; W. Kasper, Glaube und Geschichte [Mainz 1970], vor allem das Kp. «Möglichkeiten der Gotteserfahrung heute», 120–158).

[41] Über den Absolutheitsanspruch Gottes in Person und Botschaft Jesu, siehe E. Neuhäusler, Anspruch und Antwort Gottes aaO.

[42] Über den unbedingten Anspruch der Nachfolgeworte Jesu siehe M. Hengel, Nachfolge und Charisma. Eine exegetisch-religionsgeschichtliche Studie zu Mt 8,21 f und Jesu Ruf in die Nachfolge (Berlin 1968).

[43] Daß die Nachfolge Jesu bei den Synoptikern aus der Sicht der nachösterlichen Kirche zu verstehen ist und darum die historische Jüngernachfolge als Paradigma für alle Christen gilt, machen überzeugend deutlich: H. Zimmermann, Christus nachfolgen. Eine Studie zu den Nachfolge-Worten der synoptischen Evangelien: Theol 53 (1963) 241–255; R. Pesch, Berufung und Sendung, Nachfolge und Mission. Eine Studie zu Mk 1,16–20: ZKTh 91

nahm in einer Predigt das Evangelium vom Reichen Jüngling und verstand es ganz selbstverständlich als Wort Jesu hier und heute.[44] Es machte ihn so betroffen, daß er hinging und alles verkaufte, um nur noch Gott zu suchen und dem Ewigen nachzusinnen. Für Franz von Assisi war alles, was «in illo tempore» («in jener Zeit») mit Christus geschehen war, Gegenwart;[45] er nahm es darum ganz wörtlich. Kierkegaard hat die Transposition der geschichtlichen Vergangenheit des Christusereignisses in das jeweilige Jetzt eines Christenlebens mit der göttlichen «Gleichzeitigkeit» begründet, die Christus und die Christen miteinander verbindet.[46] An all dem hat es im gelebten christlichen Leben niemals einen Zweifel gegeben. Es war Gemeingut der geistlichen Überlieferung.[47]

Was besagte aber für diejenigen, die in der Geschichte des Ordenslebens von Jesus betroffen wurden, genauer Nachfolge? Zunächst ganz einfach Jesus selbst, das Bei-ihm-şein, das ihm Gleich-sein-wollen, die Schicksalsgemeinschaft mit ihm, das Hören-auf-sein-Wort. Das war der Kern, nicht dieser oder jener konkrete Dienst.[48] So wie man sich einem Menschen hinschenkt, der Vertrauen ausstrahlt und liebenswert ist. Und noch mehr: Von Jesus erwartete man Sinnerhellung des Lebens, einen sicheren Grund in dem

---

(1969) 1–31; M. Hengel, Nachfolge und Charisma aaO.; daß aber «die Jünger *als eine engere Gruppe*, von Jesu Anhängerschaft im weiteren Sinn unterschieden» (G. Bornkamm, Jesus von Nazareth [Stuttgart 1956] 136, und andere), auch für die nachösterliche Nachfolge im Sinne des Mönchtums und des Ordenslebens von entscheidender Bedeutung sind, vertritt H. Schürmann, Der Jüngerkreis Jesu als Zeichen für Israel (und als Urbild des Rätestandes), in: ders., Ursprung und Gestalt (Düsseldorf 1970) 45–60, ergibt sich *konsequenterweise* aber ebenso aus H. Zimmermann, R. Pesch und vor allem aus M. Hengel, wenn wirklich die historische Nachfolge Jesu in ihrer «charismatisch-eschatologischen Eigenart» (Hengel) für die spätere Nachfolgevorstellung maßgebend geblieben ist und sich u. a. in einem besonderen «Apostelamt», das Hengel «die eigentliche Frucht von Jesu Ruf in die Nachfolge» nennt (92), ausgewirkt hat.

[44] Athanasius, Vita S. Antonii, c. 2.

[45] Die Krippenfeier im Wald von Greccio (1223) macht das besonders eindrucksvoll deutlich (Thomas v. Celano, Vita I, Lib. 1, c. 30; Bonaventura, Legenda maior, c. 10).

[46] In: Einübung im Christentum, Ausg. W. Rest (Köln 1951) 117–123; Philosophische Brosamen (Köln 1959) 67–85.

[47] Daß die Gleichzeitigsetzung eines religiös bedeutsamen geschichtlichen Ereignisses mit dem Je-Jetzt aller Zeit ein religionsgeschichtlicher Topos ist (vgl. M. Eliade, Die Religionen und das Heilige [Salzburg 1954] 448 ff), besagt nichts für einen mythischen Charakter dieses Vorgangs im Christentum; es bedeutet hier mehr und anderes als das urmenschliche Verlangen, «die profane Zeit aufzuheben und in der heiligen Zeit zu leben» (ebd. 462).

[48] Das gilt selbst noch für Ignatius von Loyola, der nach seiner Bekehrung die Heiligen Stätten in Palästina aufsuchte, um näher bei seinem Herrn zu sein und ihn greifbar vor sich zu haben (vgl. seine «Lebenserinnerungen» = Der Bericht des Pilgers [Freiburg i. Br. 1956]); dazu das Wort des Heiligen, er würde es als eine besondere Gnade ansehen, jüdischer Abkunft zu sein, weil er so gleichsam durch Blutsverwandtschaft Jesus ähnlicher wäre; «das sagte er mit solcher Ergriffenheit, daß ihm die Tränen kamen» (Mon. Hist. SJ, Mon. Ignat., ser. IV, Scripta de S. Ignat. Bd. I, Dicta et facta n. 32, S. 398; vgl. A. Huonder, Ignatius von

von Täuschungen erfüllten Dasein, Hilfe in der eigenen Ohnmacht und Heil über den Tod hinaus, so wie es die Verheißung Gottes im Munde Jesu versprach. Ohne es immer reflex zu haben, stand Jesus für sie an Gottes Statt. So suchten sie im betenden und liebenden Umgang mit ihm, in der Betrachtung seines Lebens und seiner Passion zur tieferen Erkenntnis der Liebe Gottes zu kommen, sich in allen Schickungen in den Willen des Vaters hineinzugeben, ja stellvertretend für die Brüder mit Christus das Leid dieser Welt auf sich zu nehmen. Vor allem die Frömmigkeit der Mendikanten ist davon geprägt.

Natürlich wollte man auch dem Herrn dienen,[49] ihm auf jedwede Weise, wie es nottat, zur Verfügung stehen, das Reich Gottes verkünden und es zuerst einmal selbst verwirklichen, den Vater im Himmel preisen, Armen und Notleidenden helfen, Sünder bekehren. Mußte man nicht weitergeben, was man empfangen hatte?[50] Aber die Weisen dieses Dienstes waren nicht festgelegt, sie ergaben sich aus den jeweiligen Umständen und Forderungen. So wie im Evangelium: neben den Aposteln, die zur Verkündigung ausgesandt wurden, gab es in der Gefolgschaft Jesu die galiläischen Frauen, die ihm auf ihre Weise «dienten» (vgl. Mk 15,41 par). Der *geplante* und *gezielte* Dienst der Orden in der Nachfolge Christi, das *Sich-Festlegen* auf diese oder jene konkrete Aufgabe blieb im ganzen erst der Neuzeit, vor allem der Reorganisation des Ordenslebens nach der Französischen Revolution und den Neugründungen des 19. Jhts. vorbehalten. Im Vordergrund der Berufung stand das Betroffensein von Christus selbst. Ihm und seiner Botschaft galt darum in erster Linie der Dienst und erst dann den Aufgaben und Notständen in der menschlichen Gesellschaft.

Und noch eines war den Ordensleuten, die sich als von Christus Betroffene und in die Nachfolge Gerufene verstanden, gemeinsam: die Erkenntnis,

Loyola [Köln 1932] 20). – Nach M. Hengel, Nachfolge und Charisma, aaO. 80, ist die «Schicksalsgemeinschaft» mit Christus ein wesentliches Element der «Nachfolge»: «Nachfolge bedeutet zunächst die uneingeschränkte *Schicksalsgemeinschaft*, die auch Entbehrung und Leiden im Gefolge des Meisters nicht scheut, und sie ist nur möglich auf Grund des völligen Vertrauens des Nachfolgers: Er hat sein Schicksal, seine Zukunft in die Hand des Meisters gelegt.»

[49] Der *Dienst* gehört, wie auch neuere exegetische Untersuchungen über die historische Jüngernachfolge (vgl. Anm. 43) gezeigt haben, zum Wesen der Nachfolge Christi; er ist «Dienst an der Sache des nahen Gottesreiches» (M. Hengel, Nachfolge und Charisma aaO. 81). In der Geschichte des Ordenslebens hat der Gedanke des Dienstes in der Nachfolge Christi zum ersten Mal in aller Ausdrücklichkeit bei der Gründung der Mendikantenorden Pate gestanden, nicht nur bei Dominikus, sondern auch bei Franziskus. Als dieser am Fest des hl. Mattias (24.2.1209) während der Messe das Evangelium von der Aussendung der Jünger vernahm (Mt 10,5 ff), erkannte er darin auch seine eigene Berufung (Thomas von Celano, Vita I. Lib. 1, c. 9).

[50] Den untrennbaren Zusammenhang zwischen dem «Hören» und «Lernen» in der Nachfolge Christi und der «verkündigenden und bekräftigenden Mitarbeit» betont H. Schürmann, Der Jüngerkreis Jesu, aaO. 47–51.

daß ihre Berufung Gemeinschaft fordere. Sie wußten sich von jeher in sichtbarer und ausdrücklicher Weise als Jüngergemeinde: nach dem Vorbild der Apostel und der Jerusalemer Urgemeinde. Jesus war ihre Mitte und ihr Herr; um ihn hatten sie sich geschart; nur von ihm her hatten sie als engere Gruppe darum Sinn und Bestand. Schon die Benediktusregel interpretiert das Koinobium als «Schule des Herrendienstes»[51]; Franziskus orientiert seine Gemeinschaft an der Aussendung der Jünger «zu je zweien»[52]; Ignatius nennt seine Stiftung «Compañia de Jesús», «Gesellschaft (Gefolgschaft) Jesu». Mit Recht taten sie so. Die kritische Exegese unserer Tage hat sie darin bestätigt.

c. Der Betroffenheit von Gott und der Betroffenheit von Jesus läßt sich noch eine dritte Betroffenheit als Anlaß und Ausgangsmotiv einer Ordensberufung hinzufügen: Die Betroffenheit von der Unheilssituation der Welt. Auch sie ist nicht isoliert von den beiden anderen Betroffenheiten zu sehen. Immer ist es der in Jesus an der Welt und an den Menschen handelnde Gott des Heils und des Gerichts, der religiös betroffen macht.

Worin zeigt sich die Unheilssituation der Welt? Zunächst im vielfältigen Leid, das Menschen schicksalhaft überkommt und dem niemand entgeht: in Armut, Not, Unglück, Mißerfolg, Krankheit, Hilflosigkeit, Vereinsamung und schließlich im Sterben. Der Glaubende weiß, daß Leid, so wie es konkret in dieser Welt vorkommt und erfahren wird, etwas mit Sünde zu tun hat, meist nicht nachweislich der des einzelnen, wohl aber mit der Schuldverflochtenheit der Menschheit im ganzen.[53] Offenkundig und eindeutig wird diese Schuldverfassung der Welt in jeder Art von Selbstsucht und Lieblosigkeit, bis zum Haß, des einzelnen wie der Gemeinschaft und der Völker: in Ungerechtigkeit, Diskriminierung, Unterdrückung, Krieg und Ausrottung ganzer Volksgruppen. Das Bewußtsein der zivilisierten Welt wächst, daß die wirtschaftliche und gesellschaftliche Lage vieler Völker der Dritten Welt aufs engste mit eklatantem Unrecht verknüpft ist. Und auch die Leistungsgesellschaft einer technisierten und verwalteten Welt in den Industrienationen wird immer stärker als heillos und eine Quelle ständigen Unrechts empfunden.

Viele sind von der Unheilssituation unserer Zeit betroffen. Die Folge solcher Betroffenheit ist nicht nur ein wachsender Pessimismus hinsichtlich der Zukunft der Welt und eine zunehmende Verurteilung der Unrechtszustände. Die Zahl derer nimmt zu, die sich für eine bessere Welt einsetzen und sich für die Notleidenden, Wehrlosen, Unterdrückten und Ausgestoßenen der Ge-

---

[51] «dominici schola servitii» (Regula, Prolog).
[52] Spec. Perf., III Buch., c. 28.
[53] In dieser Richtung liegen die Versuche einer neudurchdachten «Erbsündenlehre» in der kath. Theologie (P. Schoonenberg, H. Haag, J. Scharbert, K. Schmitz-Moormann, U. Baumann, H. Weger u. a.). Zum gegenwärtigen Diskussionsstand vgl. Herderkorrespondenz 21 (1967) 76–82; 25 (1971) 485–490.

sellschaft engagieren. Das braucht aber noch nicht jene Betroffenheit zu sein, von der wir hier sprechen, und ist es oft nicht. Ein christliches Betroffensein von der Unheilssituation der Welt hat ihre tiefsten Wurzeln im Glauben, auch wenn dies nicht immer ausdrücklich bewußt ist. Das Ausmaß der Heilsbedrohtheit des Menschen und seiner Verfallenheit an die Unheilsmächte erkennt man nur im Licht der Heilsgeschichte, die zugleich eine Unheilsgeschichte ist. Aus ihr wird ersichtlich, wie Gott und wie Jesus die Heilsverfassung der Welt beurteilen und was sie über die Schuld sowie die Schuldhaftung des Menschen, der Menschheit, des Volkes der Erwählung denken.[54] Und erst dort, wo Gott in seinem menschgewordenen Sohn, in Jesus, den Glaubenden aus der heillosen Welt heraus anruft, wo der Glaubende im Leid und in der Erniedrigung der Brüder den leidenden und erniedrigten Herrn erkennt, kann es zu jener Betroffenheit von der Unheilssituation der Welt kommen, die einen Lebensweg im Sinn der Ordensberufung zu begründen vermag und sinnvoll macht.[55]

Wo solcherart Betroffenheit vorliegt und Entschlüsse daraus erwachsen, da solidarisiert sich der Betroffene mit Gott. Er sieht diesen Gott mit den Augen der Heilsgeschichte: wie er mit seinem Volk und mit jedem einzelnen ringt, wie er sie mit seiner Liebe lockt und sie trägt, sie aber auch ihre Ohnmacht erfahren läßt, ja züchtigt, wenn sie in der Verfolgung ihrer selbstsüchtigen Pläne die Erinnerung an ihn zu verschütten suchen. Es ist nicht in erster Linie der zürnende und verurteilende, sondern der geduldige und zuwartende Gott, der den wenn auch nur noch schwach glimmenden Docht nicht verlöschen läßt und wie ein Vater auf sein Kind, das ihn nicht mehr kennt, wartet; mit einem Wort: *ein Gott für die Welt und die Menschen.*[56] Von diesem Gott will er sich rufen lassen, in seinen Dienst treten, sein Werkzeug sein, damit er über ihn verfüge für das Heil der vielen. Manche Ordensberufung unserer Tage hat hier ihren Ursprung, ist von diesem Gottesbild geprägt, ihr Programmwort könnte lauten: «Im Einsatz Gottes leben»,[57] für die Erlösung und Vollendung der Welt, für die Befreiung des Menschen.

[54] Dennoch müßte auch in einem *christlichen* Betroffensein von der Unheilssituation der Welt die ganze Breite der Erfahrung des Schuldigwerdens am Mitmenschen, an der menschlichen Gesellschaft und an der Entwicklung der Welt (bis zu den «Sünden» der Umweltverschmutzung), wie wir sie in der technisierten und verwalteten Welt immer bedrückender machen, miteinbeschlossen sein, soll dieses Betroffensein nicht einseitig spirituell und eschatologisch befangen bleiben, wie es in der kirchlichen Überlieferung meist der Fall war.

[55] Aber auch hier ist die religiöse, von der Christusverbundenheit bestimmte Betroffenheit nur dann katholisch, wenn sie eine menschliche Betroffenheit bleibt, die aus der Kompassion mit den Menschen hervorgeht.

[56] Bisweilen begegnet man hier heute einem etwas einseitigen, wenn auch notwendigen, der Zeiterfahrung entsprechenden Gottesbild, das der Ergänzung durch das prophetische und eschatologische Element bedürfte.

[57] So der Titel eines Buches von H. U. von Balthasar (Einsiedeln 1971), der darin eine einseitig von der Weltaufgabe bestimmte christliche Spiritualität in den Primat der göttlichen Initiative zur Befreiung der Welt und des Menschen rückzubinden sucht.

Die gleiche Betroffenheit führt aber ebenso zu einer Solidarisierung mit den Brüdern. Was der Betroffene aus eigener Erfahrung kennt: in der Spannung zu leben zwischen Heil und Unheil, nimmt hier Weltdimension an. Er sieht sich in den Weinenden, den Versuchten, den Schuldiggewordenen, den Von-Gott-Abgewandten, den Scheiternden wieder. Er steht auf ihrer Seite; ihr Schicksal ist das seine.[58] Er erfährt den rätselhaften Gott, den man nicht mehr versteht, den fernen Gott, der in der Welt mit ihren Möglichkeiten und Kräften nicht mehr unterzubringen ist oder überflüssig geworden zu sein scheint. Er muß, stellvertretend für viele, diesen Gott neu begründen und ihn zu rechtfertigen suchen, um ihn glaubwürdig bezeugen zu können. Und auf jeden Fall muß er für die Welt und für die Menschen Partei ergreifen, sich für ihre Zukunft verantwortlich wissen, seine ganze Kraft für sie einsetzen. Das kann bis dahin führen, daß einer, wie Teilhard de Chardin, das Hohe Lied der Materie singt und Gottes Größe in den verborgenen und offenen Kräften der evolutiven Welt aufscheinen sieht, ja zwischen dem Heilswirken Gottes und der Entwicklung der Welt als Schöpfung Gottes eine Konvergenz zu entdecken glaubt.[59] Von hier her gesehen könnte man fast von Welt- und Menschen-«besessenen» sprechen, die es aus religiösen Gründen, um Gottes willen sind, so wie man im altkirchlichen Mönchtum von Gott-«besessenen» und im Mittelalter von Christus-«besessenen» sprach. So einseitig und mißverständlich eine solche Formel klingt, sie hat an ihrem Ort eine Berechtigung. Man braucht dafür nur auf Christus hinzuweisen. Für ihn gilt im übrigen alles, was hier über die von der Unheilssituation der Welt Betroffenen gesagt wurde, in eminenter Weise. Eine Berufung, die sich an einer solchen Sicht orientiert, kann heute auf Zustimmung hoffen.

Fassen wir zusammen. Am Grunde des Ordenslebens, das theologisch und spirituell begründet sein will, liegt ein Betroffensein vom Gottgeheimnis der Welt und des Lebens, vom Absoluten und Unbedingten, von der Sorge um Heil und Unheil. Konkret begegnet dieses Betroffensein vor allem in drei Formen: als Betroffensein von Gott, als Betroffensein von Jesus Christus und als Betroffensein von der Unheilssituation der Welt. Dabei handelt es sich um Idealtypen, die nur Schwerpunkte aufzeigen, aber nie in reiner Form existieren. Sie sind von der Sache, das heißt von der christlichen Offen-

---

[58] Gestalten wie Mutter Teresa von Kalkutta oder der südamerikanische Mönch Ernesto Cardenal (Nicaragua) geben dieser Haltung in unserer Zeit durch ihre Tat und auch literarisch (E. Cardenal, Zerschneide den Stacheldraht. Lateinamerikanische Psalmen [Wuppertal 1970]; Gebet für Marilyn Monroe und andere Gedichte [Wuppertal 1972]) in großartiger Weise Ausdruck.

[59] Die «Hymne an die Materie» in: Lobgesang des Alls (franz.: Hymne de l'Univers) (Olten 1964) 87–90; zum Begriff der Konvergenz bei Teilhard vgl. A. Haas, Teilhard de Chardin-Lexikon. Grundbegriffe und Erläuterungen (2 Bde.), Bd. I-Z = Herderbücherei 408, 67 ff. Die darin sich ausdrückende spirituelle Haltung Teilhards kommt in eindrucksvoller Weise in einem Gebet aus dem Buch: Der göttliche Bereich. Ein Entwurf des Inneren Lebens (franz.: Le Milieu Divin) (Olten 1962) 35 f zum Ausdruck.

barung her aufs engste miteinander verbunden. Eine Betroffenheit von Gott, die nicht die entscheidende Mittlerschaft und Erlöserrolle Jesu sowie die Verantwortung für das Heil der Welt und der Mitmenschen miteinschlösse, wäre ebensowenig christlich, wie eine Betroffenheit von der Unheilssituation der Welt, die nicht den in Jesus offenbar gewordenen Gott unseres Heils zum Mittelpunkt hätte. Wer eine weltlose Kontemplation und Mystik zum Ziel seines Lebens erwählte, soweit man hier überhaupt selbst wählen kann, machte sich ebenso einer wesentlichen Verkürzung der christlichen Heilsbotschaft schuldig, wie derjenige, der seine apostolische Berufung nur als funktionalen Dienst auffaßte. Akzente, Vorrangigkeiten müssen dennoch sein, weil sonst alles Theorie bliebe und nicht mehr der Besonderheit des einzelnen, der persönlichen Eigenart und Berufung, entspräche.

3. Das Besondere und Unterscheidende des Ordenslebens innerhalb der allgemein christlichen Berufung

Religiöse Betroffenheit als Grundlage des Ordenslebens, nicht in erster Linie psychologisch und erlebnismäßig, sondern theologisch und spirituell verstanden, das dürfte von niemandem bestritten werden, auch wenn dieses Phänomen in sehr unterschiedlichen Formen vorkommen mag und in unterschiedlichem Maße bewußt ist. Aber ist solche Betroffenheit nur ein Kennzeichen der Ordensberufung? Ist sie nicht die Voraussetzung *jedes* christlichen Lebens, das mit dem Evangelium Ernst macht? Und kann sie nicht *mancherlei* Charismen wecken, den Anstoß zu diesem oder jenem Dienst in der Kirche und für die Menschen geben? Worin also besteht das Spezifische des Ordenslebens innerhalb der allgemein christlichen Berufung und das Unterscheidende von anderen Charismen in der Kirche?

Darauf eine überzeugende Antwort zu geben, ist nach dem II. Vatikanum nicht leicht.[60] Man kann es nur vorsichtig und schrittweise versuchen. Es zeigt sich dabei, daß es durchaus möglich ist, eine besondere Berufung, ein Charisma – denn darum handelt es sich im Ordensleben[61] –, ganz selbstverständlich und ohne daran zu zweifeln, für sich und für andere glaubhaft zu leben, ohne es in der theologischen Reflexion mit der gleichen Klarheit, in Abgrenzung gegen andere Berufungen, ins Wort bringen zu können.[62]

---

[60] Vgl. K. Rahner, Über die Evangelischen Räte, Schriften VII, 403-434; zur Frage: 408 f. 427 ff: Der Stand der Räte und der Weltstand der Christen.

[61] Das II. Vat. Konzil nennt die drei Evangelischen Räte «eine göttliche Gnadengabe, welche die Kirche von ihrem Herrn empfangen hat und in seiner Gnade immer bewahrt» («Lumen gentium», n. 43); schon das altkirchliche Mönchtum verstand sich als charismatische Berufung, vgl. A. M. Ritter, Charisma im Verständnis des Joannes Chrysostomos und seiner Zeit (Göttingen 1972).

[62] Vgl. K. Rahner, Über die Evangelischen Räte aaO. 427, Anm. 2.

Als erstes wird man wohl sagen müssen: Das Besondere des Ordenslebens, der Ordensberufung ist paradoxerweise nicht in einem Besonderen zu sehen, wenn man darunter ein inhaltlich Besonderes gegenüber der allgemein christlichen Berufung versteht, ein von vornherein Höheres oder Besseres über die Berufung der übrigen Christen hinaus.[63] Es besteht weder in aszetischen Leistungen, in «Werken der Übergebühr», die nicht «geboten», sondern nur «geraten» wären und deswegen eine höhere Sittlichkeit bedeuteten, noch in einem höheren Zustand der Vereinigung mit Gott (aufgrund von Gebet und Kontemplation), wie er dem normalen Christen nicht erreichbar ist. Das Besondere und Spezifische des Ordenslebens kann nur eine besondere Weise der Verwirklichung des einen, für alle geltenden ungeteilten Evangeliums, der alle verpflichtenden ganzen christlichen Botschaft[64] sein. Und da diese Weise auf eine besondere, eben charismatische Berufung zurückgeht,[65] muß hier angesetzt werden, um das Besondere des Ordenslebens innerhalb der allgemein christlichen Berufung herauszufinden; seine Besonderheit ist nicht im Kategorialen, sondern im Existentiellen zu suchen. Das ist das Erste und Grundlegende: Ordensleben ist eine besondere Weise christlicher Existenz.[66] Wenn es sich in einer besonderen Lebensform (Evangelische Räte) ausdrückt, so ist dies nur die Konsequenz einer inneren Berufung. Versuchen wir das genauer zu zeigen.

Wo ein Glaubender von Gott, von Christus, von der Unheilssituation der Welt im Sinne des Ordenscharismas betroffen wird, da lockt und zieht ihn bei aller Vielfalt möglicher Motive im tiefsten nur noch eines, «das Eine, das nottut» (Lk 10,42), und dies sehr drängend und unabweislich:[67] der

---

[63] Letzteres war allgemeine Ansicht in der kirchlichen Überlieferung seit eh und je; sie kann sich auf Aussagen der größten Theologen wie Augustin und Thomas berufen, wenn sie auch immer vorsichtiger und differenzierter formuliert wurde (Belege im LThK, Das Zweite Vat. Konzil I, Dogm. Konst. «Lumen gentium», Kp. V u. VI Einführung [F. Wulf] 285–287; II Dekret «Perfectae caritatis», Einführung [F. Wulf] 253–254), und schon 1 Kor 7,38.40: es ist «besser» und «seliger», nicht zu heiraten, scheint darauf hinzuweisen (vgl. Conc. Trident. De matrimonio, can. 11, DS 1810). Inwieweit man auch heute noch von den evangelischen Räten als einem *objektiv* Besseren sprechen kann und muß, sucht K. Rahner, Über die Evangelischen Räte aaO. 416 ff, 427, zu zeigen.

[64] Daß alle Christen auch den «Räten» und «Seligpreisungen» des Evangeliums (der Bergpredigt) verpflichtet sind, sagt schon Chrysostomos (vgl. A. M. Ritter aaO. 96 f); es ist allgemein kirchliche Lehre.

[65] *Daß* die Wahl des Ordenslebens (der Evangelischen Räte) auf eine *besondere göttliche Berufung* zurückgehen muß, ist wohl allgemein anerkannt (vgl. z. B. K. Rahner, Über die Evangelischen Räte aaO. 416). *Wie* diese Berufung genauer zu denken ist, welche Kriterien es für sie gibt usw., darüber sind die Meinungen weniger einhellig.

[66] So auch P. Lippert, Die «Evangelischen Räte» – Grundprinzip oder Sonderform christlicher Spiritualität?: F. Groner (Hrsg.), Die Kirche im Wandel der Zeit (Köln 1971) 659–669.

[67] Auch hier sei noch einmal angemerkt, daß dies nicht emotional geladen zu sein braucht, sondern nur besagt, daß der Kern der Person angerührt sein muß.

Gott des Heils, «Gottes Reich und seine Gerechtigkeit» (Mt 6,32), die Nachfolge Jesu und seine Sendung, die Solidarität mit der in Not und Schuld und Unheil verstrickten Menschheit, die Mitarbeit an der Rettung und am endgültigen Heil der Welt. Viele Worte für das gleiche; der eine Aspekt ist jeweils von den anderen nicht zu trennen. Alles übrige: die eigenständigen Werte der Schöpfungsordnung, auch wo sie für die Selbstentfaltung des Menschen von hoher Bedeutung sind, wie in der Ehe, überhaupt der eigene Lebensentwurf, treten dahinter zurück. «Gott allein», «Christus allein», die «Mitmenschen allein» – eines geht in das andere über – wollen fortan den Lebensinhalt ausmachen. Wer darum solchem Ruf antwortet, darf es nur aus innerem Antrieb tun, weil er von innen her nicht anders kann; das jedenfalls wäre ein Zeichen der Echtheit seiner Berufung. Hier liegt der Nerv alles Ordenslebens, in welcher Form immer es auftritt, von hier muß aller Impuls zum Wirken und Handeln ausgehen, was immer Orden konkret geschichtlich als ihre spezifische Aufgabe ansehen mögen.[68]

Das Charisma des Ordenslebens unterscheidet sich demnach von anderen Charismen in der Kirche dadurch, daß es nicht in erster Linie – wie im paulinischen Charismenkatalog (Röm 12,6ff; 1 Kor 12,4–11.28) – Berufung und Befähigung zu diesem oder jenem speziellen Dienst in der Gemeinde

---

[68] Was hier als «Nerv» der Ordensberufung – das allen Orden, den kontemplativen wie den tätigen, Gemeinsame –, herausgestellt wird (schon das Ordensdekret des II. Vat. Konzils «Perfectae caritatis» n. 5 versuchte dies, wenn auch sehr unvollkommen), ist die Grundlage zu dem, was in der Ordensvorlage der Gemeinsamen Synode der Bistümer in der Bundesrepublik Deutschland («Die Orden und andere geistliche Gemeinschaften. Aufgaben und pastorale Dienste heute») «Grundauftrag» genannt wird. Dort wird zu zeigen gesucht, wie dieser Grundauftrag einerseits nicht mit den konkreten Diensten einer Ordensgemeinschaft einfachhin zusammenfällt, sondern durch eine eschatologische Differenz von ihnen unterschieden, andererseits aber immer wieder mit ihnen in eine lebendige Einheit gebracht werden muß, wollen die Orden ihren spezifischen Auftrag in Kirche und Gesellschaft erfüllen. Die Zweieinheit von Grundauftrag und konkreten Diensten ist nicht in Parallele zu stellen mit dem, was man bisher (noch in den Konzilsdebatten über das Ordensdekret) das «doppelte Ziel des Ordenslebens» nannte, nämlich das «allgemeine Ziel» (die Kontemplation, die vollkommene Gottesvereinigung und -liebe, die Verherrlichung Gottes) und das «besondere Ziel» (entweder die «kanonische kontemplative Lebensweise» der monastischen und streng beschaulichen Orden oder die apostolische und karitative Tätigkeit) (vgl. dazu LThK, Das Zweite Vat. Konzil II, Einführung, 46–49). Denn der «Grundauftrag» beschränkt sich nicht auf die unmittelbare Beziehung zu Gott unter Ausklammerung der Welt und des Weltauftrags des Christen, sondern hat die ganze Heilsökonomie Gottes zum Inhalt: das endgültige Heil von Mensch und Welt, ntl. gesprochen das «Reich Gottes» in all seinen Dimensionen. Er hat in Einheit zugleich eine vertikale und eine horizontale Komponente. Was mit dem Grundauftrag gemeint ist, hat H. U. v. Balthasar vorzüglich in Titel und Inhalt seines Büchleins «Im Einsatz Gottes leben» (Einsiedeln 1970) wiedergegeben. Zum Problem vgl. weiterhin F. Wulf, «Bericht über die Vorlage ‹Die Orden und andere geistliche Gemeinschaften›»: Synode 1973, Heft 2; C. Bamberg: «Von vornherein sinnlos ohne den Gott der Verheißung. Zur Ordensvorlage der Gemeinsamen Synode der deutschen Bistümer»: Lebendiges Zeugnis (1973), Heft 1/2, 61ff.

und zum Nutzen der Gemeinde (vgl. 1 Kor 12, 7; 14, 5. 12) ist, sondern etwas Umfassendes, Totales bedeutet, in gewisser Weise umfassender ist als das Prophetenamt im Alten Bund oder das apostolische Amt nach Paulus, obwohl auch diese den ganzen Menschen einfordern. Am ehesten ist es jenem Charisma vergleichbar, das alle Einzelcharismen umgreift und diesen zugrunde liegt, der Liebe (Kor 12, 31; 14, 1).[69] Man könnte darum die Ordensberufung ein Grundcharisma nennen, das den Menschen in seiner Ganzheit ergreifen will und darum sein ganzes Interesse, seine ganze Kraft und seine ganze Zeit beansprucht. Mit Recht nennt man die in der Ordensprofeß zum Ausdruck kommende Antwort auf Gottes Ruf eine «Ganzhingabe».[70] Der Sich-Schenkende will keinen Bereich seines Lebens aussparen, nichts zurückbehalten und für etwas anderes reservieren als für das «Eine-Notwendige»; und da der Ruf den Atem des Absoluten verspüren läßt, tendiert die Antwort von sich aus auf Endgültigkeit und Unwiderruflichkeit.[71]

Ordensleben ist somit nichts anderes als ein neuer und eigener, als Geistgabe sich enthüllender und darum auch erfüllender Auftrag zu einem vorbehaltlosen Christsein, zum Leben nach dem Evangelium, zur Nachfolge Christi, zum missionarischen Dienst, wie er grundlegend schon in der Taufe ergangen ist und auf vielerlei Weise im Leben eines Christen immer wieder ergeht.[72] Wenn er hier in der Weise einer eigenen Gnadengabe erfolgt, dann bedeutet das Erwählung und Aussonderung ausschließlich zum *Dienst*, zum Heilsdienst an der Gemeinde, den Mitmenschen, der ganzen menschlichen Gesellschaft. Solcher Dienst geht zuerst und zutiefst dahin, die Erinnerung an das befreiende Handeln Jesu wachzuhalten und das Endgültige, die Gottes-

---

[69] Das meinte wohl auch letztlich die jahrhundertealte Bezeichnung des Ordenslebens als «Stand der Vollkommenheit», d.h. Stand derer, die aufgrund einer besonderen, charismatischen Berufung und einer von der Nachfolge Christi (ihrem Kreuzgeheimnis) inspirierten Lebensform nach der Vollkommenheit der Liebe streben. Zur Ablehnung dieses Begriffes auf dem II. Vat. Konzil wegen seiner Mißverständlichkeit vgl. LThK, Das Zweite Vat. Konzil II, «Lumen gentium», Kp. V u. VI, Einführung 284f.

[70] Wenn der Akzent mehr auf der Entäußerung alles Eigenen liegt, spricht man in Anlehnung an die atl. Opferliturgie von «Ganzopfer» oder «Brandopfer» (Vg holocaustum).

[71] Daß die Endgültigkeit und Unwiderruflichkeit der Bindung, wie sie in der ewigen Profeß zum Ausdruck kommen, ihre erste und tiefste Begründung in der Weise eines göttlichen Rufes haben, zeigen auch die ntl. Nachfolgeworte, bes. deutlich Lk 9, 57–62. Zum Problem einer endgültigen und unwiderruflichen Bindung in den ewigen Gelübden und zum Problem der «Gelübde» überhaupt vgl. H. U. v. Balthasar, Klarstellungen (Freiburg 1971) 129; H. Rotter, Gelübde und Versprechen: GuL 43 (1970) 354–368; A. Völler, Zeitliche Gelübde. oder Bindungen anderer Art?: Ordenskorrespondenz 12 (1971) 426–444.

[72] Das II. Vat. Konzil hat mit Nachdruck die Ordensberufung wieder auf die Grundberufung des Christen in der Taufe zurückgeführt («Lumen gentium», Kp. VI, n. 44; «Perfectae caritatis», n. 5). Was die Profeßweihe über die Taufweihe «hinaus» besagt, wird dort zu sagen versucht, ohne aber zu befriedigen (dazu H. U. v. Balthasar, Klarstellungen aaO. 132).

herrschaft, in den Blick zu rücken, das, worauf Christsein, Leben nach den Evangelien, Nachfolge Christi, Sendung überhaupt abzielen. Ordensberufung verlangt darum vom Gerufenen, daß er unter Hintansetzung eigener Wünsche und Pläne sich von Gottes Liebeswillen (durch Christus) für das Heil der Welt ganz in Dienst nehmen läßt.[73] Ordensleben verlangt eine große Verfügbarkeit.[74] Von da her auch die vielen Möglichkeiten konkreter Dienste, die ihm eigen sind – es schließt kaum einen Bereich aus –, sowie die Flexibilität in der jeweiligen Auswahl der Dienste, wie sie von den Prioritäten einer Zeit für die Sendung Christi in Kirche und Welt gefordert werden. Aber in allen Diensten, denen sich ein Orden stellt, muß die Sinn- und Zielmitte des Ordens-Charismas, das «Eine-Notwendige», die «Erinnerung Jesu», das «Endgültige» bewußt und lebendig bleiben, soll die Berufung eine ihr gemäße, die ihr einzig gemäße Antwort finden.

Aus dieser Sicht heraus erhalten nun auch die sogenannten Evangelischen Räte von Ehelosigkeit, Armut und Gehorsam ihren spezifischen Sinn. Sie werden nicht um ihrer selbst willen gewählt, unabhängig von der Begegnung mit dem lebendigen Gott, mit dem in die Nachfolge rufenden Herrn, mit der Unheilssituation der Welt. Sie sind vielmehr Konsequenz und Ausdruck einer religiösen, im Glauben gemachten Erfahrung, Ausdruck des Sich-enteignen-lassens durch den in seinem Geist, dem Geist der Liebe und der Freiheit verfügenden Erlösergott – wie Jesus Christus, der eigene Sohn sich enteignen ließ zum Werk der Erlösung –, Konsequenz der sich verschenken wollenden und darum sich entäußernden Liebe (vgl. Phil 2,7).[75] Sie dürfen darum nicht in erster Linie als drei voneinander unterschiedene und gegeneinander abgrenzbare Gestaltungsbereiche des menschlichen Lebens angesehen werden – was sie *auch* sind. Sie bilden vielmehr von der Eigenart des ergangenen Rufes wie auch – folgerichtig – von der Intention des Antwortenden, Wählenden und Gelobenden her eine vorgängige und tieferliegende Einheit.[76] Wo diese Einheit nicht mehr gesehen wird und lebendig bleibt, wo die «buchstäbliche» Beobachtung der Räte als geson-

---

[73] Eben das ist der Inhalt des schon erwähnten Büchleins von H. U. v. Balthasar, Im Einsatz Gottes leben.

[74] H. U. v. Balthasar, Klarstellungen aaO. 129–132.

[75] Ebd. 129.

[76] Im Sinne des *einen* Charismas der Ordensberufung partizipiert jeder der drei Räte in der Tiefe an den beiden anderen; die Ehelosigkeit und der Gehorsam z. B. sind auch eine Weise von Armut, und Ordensarmut verlangt ihrerseits im Kern immer ein Loslassen und eine Hergabe seiner selbst, der eigenen Person, wie sie in Ehelosigkeit und Gehorsam angezeigt sind. – Zur Armut als allumfassendem Ausdruck geistlicher und christlicher Grundhaltung überhaupt vgl. F. Wulf, Charismatische Armut im Christentum. Geschichte und Gegenwart: GuL 44 (1971) 21. – K. Rahner (Über die Evangelischen Räte aaO. 419 ff) sieht das den drei Räten Gemeinsame in ihrem Verzichtcharakter, aufgrund dessen sie in gleicher Weise Möglichkeiten darstellen, sich durch ihren Vollzug (durch das Aufgeben irdischer Werte) des transzendenten Glaubens usw. zu versichern.

derte «Sach»-Bereiche im Vordergrund steht, geraten sie in die Gefahr der «Werke», der aszetischen Leistung, führen sie fast notwendig zu einer Sonderkategorie von Christsein, zu einem elitären Stand[77] und damit zu einer Entfremdung vom übrigen Gottesvolk.[78] Nur in der Bindung an ihren religiösen Ursprung – an die Betroffenheit von Gott, von Jesus Christus, von der Unheilssituation der Welt – bewahren sie ihren charismatischen Charakter, verpflichten sie den Gemeinden wie überhaupt den Mitmenschen in ihrer Not, legen sie Zeugnis ab von Berufung und Aussonderung für einen heilswichtigen Dienst in Kirche und Gesellschaft.

In diesem Sinn und nur so sind die drei Räte das, was Ordensleben vom allgemein Christlichen unterscheidet, nicht als einzelne,[79] sondern in ihrer Gesamtheit und Einheit, nicht als Mittel zur Erlangung der Vollkommenheit (was sie *auch* sein mögen),[80] sondern als Ausdruck und Zeugnis besonderer Berufung für einen Dienst. Aber eben um dieses Dienstes willen gehört noch ein weiteres Element als konstitutiv und unterscheidend zum Ordensleben hinzu, nämlich die Gemeinschaft.[81] Gerade sie rückt alles, was

---

[77] Diese Gefahr durchzieht die ganze Geschichte des Ordenslebens.

[78] Das trifft allerdings für das altkirchliche Mönchtum wie auch für das Ordensleben des Mittelalters und der Neuzeit bis zur Französischen Revolution nicht zu; in einer ständisch gegliederten und christlich geprägten Gesellschaft waren die Orden kirchlich und weltlich integriert, hatten sie ihren Ort und ihre von allen anerkannten besonderen Aufgaben. Seit dem vorigen Jahrhundert hingegen sind die Orden durch die Auflösung der ständischen Gesellschaftsordnung, durch die zunehmende Säkularisierung aller Bereiche des öffentlichen Lebens und die daraus folgende Kluft zwischen Kloster und Welt in eine immer größere Isolierung geraten.

[79] Man darf sie darum nicht ohne weiteres und schon gar nicht wertend entsprechenden Lebensformen des Weltchristen gegenüberstellen: Ehelosigkeit und Ehe, Armut und Eigentum, Gehorsam und Freiheit. Das würde zu falschen Schlüssen führen, da die Räte in ihrem Grundanliegen alle Christen angehen (vgl. 1 Kor 7, 29 ff) und ihre Verwirklichung (vor allem von Armut und Gehorsam) im Ordensleben sich in vielen Fällen praktisch vom Leben eines Weltchristen nur graduell unterscheidet. – Vgl. P. Lippert, Die Evangelischen Räte aaO. 662.

[80] Als solche wurden sie von der Tradition, vor allem seit Thomas von Aquin, zu einseitig und fast exklusiv gesehen. Dennoch bleibt dieser Aspekt von Bedeutung, vgl. K. Rahner, Über die Evangelischen Räte aaO. 416ff: 5. Die evangelischen Räte als Mittel persönlicher Vollkommenheit.

[81] Seit dem koinobitischen Mönchtum gehört die vita communis, das Leben in Gemeinschaft, durch alle Wandlungen des Ordenslebens hindurch zu dessen konstitutiven Elementen; vgl. CIC c 487. Die durch das II. Vat. Konzil angestoßene «Zeitgemäße Erneuerung des Ordenslebens» sieht in der Verlebendigung der Gemeinschaft den Kern dieser Erneuerung, sucht aber nach neuen bruderschaftlichen Formen (aktives Mitberaten und Mittragen aller Glieder), die eine dynamische Gemeinschaft ermöglichen. – An neuerer Lit. dazu: T. de Ruiter (mit einem Beitrag von A. Gerken), Die Ordensgemeinschaft (Düsseldorf 1967); Th. Matura, Célibat et communauté (Paris ²1967), dt.: Ehelosigkeit und Gemeinschaft. Die Grundlegung des Ordenslebens nach dem Evangelium (Werl 1969); C. Bamberg, Wie kann in unseren Orden heute Gemeinschaft werden?: GuL 45 (1972) 129–145.

bisher als das Besondere des Ordenslebens herausgestellt wurde, ins volle
Licht. Was Ordensberufung ist, muß vor allem in der Gemeinschaft und
durch sie zum Ausdruck kommen, für die Mitglieder selbst wie auch für
Außenstehende. Alle charismatische Berufung in der Kirche ist wesentlich
ekklesiale Berufung; sie geschieht zur Auferbauung der Gemeinde (1 Kor
14,5.12), hat eine Gliedfunktion im Leibe Christi (Röm 12,4f; 1 Kor 12,
12–31). Das gilt für das Ordensleben in einem grundlegenden und umfassenden Sinn. Ordensleben ist ausgesprochen kirchliche Berufung. Als solche
wird es von der Kirche auch anerkannt. Durch die Approbation der Satzungen werden die Orden öffentlich-rechtlich der Kirche eingegliedert; die
Kirche nimmt die Gelübde ihrer Mitglieder entgegen. Solche Kirchen-
verbundenheit hat theologische Konsequenzen: Ordensleben als Leben in
Gemeinschaft muß Auftrag und Sendung der Kirche, die allen Christen aufgegeben sind, ausdrücklich machen (was nicht Sakralisierung seiner Lebensformen bedeutet), sich zu ihnen öffentlich bekennen, sie in gemeinsamem
Tun wirksam werden lassen. Das geschieht ebenso im öffentlichen Gebet
(Gottesdienst) der Gemeinschaft wie in einer missionarischen Tätigkeit, die
von der Gemeinschaft ausgeübt wird; dazwischen liegen viele Möglichkeiten. Und wenn Kirche zutiefst Gemeinschaft der Glaubenden und Liebenden ist, dann muß sich das im Ordensleben deutlicher als in anderen
kirchlichen Gruppen, deutlicher auch, als es die Gemeinden für gewöhnlich
vermögen, widerspiegeln, z.B. im Hinhören aufeinander, in der Duldung
verschiedener Meinungen in der Gemeinschaft, im Verzicht auf Machtausübung aufgrund von Talent, Leistung oder Amt, durch die Verbindung
von Spontaneität (Freiwilligkeit) und Verpflichtung. Ordensgemeinschaft
ist von ihrer Berufung her Gemeindekirche nach dem Vorbild der Jerusalemer Urgemeinde (Apg 2,42–47; 4,32–37).[82] Sie wird sich bald als in Jesus
Christus begründete neue Gottesfamilie verstehen, bald als Jüngergemeinde
um den einen Herrn, bald als Bruderschaft, in Solidarität mit den Mitmenschen, und auch hier ist eines vom andern nicht zu trennen.[83] Von da her
erhalten dann auch die Evangelischen Räte einen zusätzlichen Sinn. Sie ermöglichen Gemeinschaft und bleiben in ihrer Gestaltung auf Gemeinschaft
bezogen. Ehelosigkeit muß für mitbrüderliche (mitschwesterliche) Liebe

---

[82] Ein viel gebrauchter Topos in der ganzen Ordensgeschichte; er findet sich auch im
Ordensdekret des II. Vat. Konzils «Perfectae caritatis», n. 15.

[83] Das ist nur typologisch gemeint. In Wirklichkeit unterliegt das biblisch-theologische
Selbstverständnis des Gemeinschaftscharakters der Orden vielen geschichtlichen Wand-
lungen, und oft sind mehrere Vorstellungen zugleich für eine Gemeinschaft relevant (z.B.
Regula Benedicti: Prolog = Schule für den Herrendienst; Kp. 1: Kloster als Stätte des
Kriegsdienstes für Gott unter Regel und Abt; Kp. 2: Abt in Stellvertretung Christi als
Vater von Söhnen).

offen machen; Armut wird in der Gütergemeinschaft und im Miteinander-
teilen geübt; Gehorsam nimmt die Gestalt der Ein- und Unterordnung an
und weiß sich der gemeinsamen Aufgabe verpflichtet.[84]

Nach diesen Überlegungen über das Spezifische und Unterscheidende des
Ordenslebens fragen wir noch einmal genauer nach seinem Verhältnis zum
Leben des sogenannten Weltchristen.[85] In der Tradition hat man beide sehr
profiliert einander gegenübergestellt und voneinander abgehoben, und zwar
zugunsten des Ordenslebens. Man sprach von «Zwei Wegen» zum Heil,
dem Weg der Gebote und dem der Räte. Ersterer führte nach allgemeiner
Anschauung nur zu den unteren Stufen der Vollkommenheit, letzterer eröffnete hingegen den Zugang zu ihren Höhen und ihrer Fülle. Diese Lehre
läßt sich nach dem II. Vatikanischen Konzil so nicht mehr aufrechterhalten.
Der Begriff des Rates im Sinne der «Werke der Übergebühr» kommt in den
Aussagen des Konzils nicht mehr vor. Viele Theologen lehnen ihn heute
wegen seiner geschichtlichen Vorbelastung überhaupt ab, und wo man ihn
noch beibehält, hat man ihm einen differenzierteren Sinn gegeben. Auf
jeden Fall ist das Verhältnis von Gebot und Rat neu zu bestimmen. Sie sind
enger miteinander verbunden, als man bisher meinte; sie durchdringen sich
gegenseitig. Jedes christliche Leben, das ein solches sein will, muß vom
Geist des «Rates», der «Seligpreisungen» im Sinne der Bergpredigt (Mt
5,1–7,29; besonders Kp. 5 par) bestimmt sein und geführt werden, und
dieser Geist muß sich so oder so verleiblichen, muß in die Tat umgesetzt
werden, soll er nicht nur ein frommes Wort bleiben, Kennzeichen einer
wirklichkeitsfernen und darum unwirksamen Innerlichkeit. Gebot und Rat
(wie dieser heute einzig noch verstanden werden kann) sind voneinander
nicht zu trennen. Es gibt viele «Räte» in der Botschaft Jesu[86] – sie sind
nicht auf die bekannten drei beschränkt –, so viele, als es besondere Gnaden-
antriebe in den verschiedenen Situationen des Lebens gibt, lockende und
werbende Rufe der gekreuzigten Liebe jenes Gottes, der seinen Sohn dahin-
gab, und des Sohnes, der um der Brüder willen «das Kreuz ertrug und der
Schmach nicht achtete» (Hebr 12,2). Ein Gebot hinwiederum, das im
Neuen Testament ein «Gesetz der Liebe» ist, kann christlich gesehen immer
nur im Geist des Rates, als Antwort auf den Ruf der Liebe erfüllt werden.

Nicht also, daß Ordensleute überhaupt «Räte» beobachten, sich in ihrem
Leben von den Seligpreisungen der Bergpredigt leiten lassen (sollen), ist

---

[84] Wo allerdings der Gemeinschaftsbezug der Räte (wie jede Neuentdeckung) einseitig
betont wird, verlieren diese in ihrer Motivierung an Tiefe und Reichtum.

[85] Zum folgenden LThK, Das Zweite Vat. Konzil I, «Lumen gentium», Kp. V u. VI,
Einführung, 285 ff; II, Dekret «Perfectae caritatis», Einführung, 252 ff.

[86] So ausdrücklich in Kp. V von «Lumen gentium», n. 42, Absatz 3: «multiplicia consilia»; vgl. ferner W. Pesch, Ordensleben und Neues Testament aaO., bes. 48–61; P. Lippert, Die «Evangelischen Räte» aaO. 665.

letztlich das sie vom Weltchristen Unterscheidende, sondern daß sie durch die Annahme der drei (fundamentalen) Entsagungen eine Lebens*form* erwählen und sich für ein ganzes Leben auf sie verpflichten, die vom Geist des Rates, dem Geist der Nachfolge des Gekreuzigten, dem Geist des Dienens, um sein Leben hinzugeben für viele (Mk 10,45), inspiriert und auf ihn angelegt ist und darum die Verwirklichung des Evangeliums erleichtern kann.[87] Hier greift ein Christ, im Vertrauen auf die Verheißung Gottes, des «Vaters unseres Herrn Jesus Christus» (2 Kor 1,3), und im Gehorsam gegen den an ihn ergangenen Ruf auf sein Leben voraus, legt sich ein für allemal auf die im Evangelium genannten Bedingungen der Nachfolge, die allen Christen gelten und alle verpflichten, in sichtbarer und greifbarer Weise fest, bindet sich an eine Lebensform, die seinen Weg von vornherein im Sinne der Nachfolge einschränkt. Das ist etwas Ungewöhnliches, bei aller Gleichheit der evangelischen Berufung doch ein «Sonderfall» von Christsein,[88] dessen Verallgemeinerung sich von selbst verbietet. Zwar ist jeder Christ in die Kreuzesnachfolge des Herrn gerufen; sein Leben ist als christliches nicht billiger zu haben.[89] Und Kreuzesnachfolge heißt Entsagung. Jedem, der sich zu Christus bekennt, gilt das Wort: «Wer nicht allem entsagt, was er besitzt, kann mein Jünger nicht sein» (Lk 14,33). Aber als Weltchrist wird er realiter diese Entsagung für gewöhnlich nur fallweise üben, wie es das Leben mit sich bringt und der Ruf der Gnade ihn trifft. Wohl kann auch er sich für dauernd auf bestimmte Lebens*formen*, die vom Geist des Evangeliums bestimmt sind, einlassen; schon der Beruf, den er erwählt, die Zahl der Kinder, zu der er ja sagt, kann dafür bedeutsam sein. In all dem nähert er sich dem, was das Ordensleben charakterisiert – im konkreten Leben sind die Grenzen fließender, als gemeinhin bewußt ist. Was das Ordensleben darüber hinaus aber grundsätzlich kennzeichnet, ist *eine gewisse Ganzheit der Entsagung* – die drei Räte stehen nach ihrem neutestamentlichen Ursprung paradigmatisch für die Forderung des Alles-Verlassens um Jesu und des Evangeliums willen (Mk 18,28f) – und die ausdrückliche Bezeugung des Weges der Nachfolge, das öffentliche Bekenntnis zu ihm und die lebenslängliche Bindung an Formen, die diese Bezeugung glaubwürdig machen.

Damit kommt dem Ordensleben etwas Exemplarisches für jede Art von christlichem Leben zu. Das ist theologisch zu verstehen, d.h. nicht in erster Linie auf eine moralische, sondern auf eine intentionale und gestalthafte

[87] Zu den Räten als «Mittel» zur Erlangung der Vollkommenheit vgl. Thomas v. Aquin: STh II/II q.184 a.3; K.Rahner, Über die Evangelischen Räte aaO. 416ff.

[88] So auch P.Lippert, Die «Evangelischen Räte» aaO. 666f, wobei aber auch er hinzufügt, daß diese «Sonderform» etwas für alle Christen Exemplarisches habe.

[89] S.Kierkegaard, Eine erbauliche Rede: S.Kierkegaard, Gebete, hrsg. u. eingel. von W.Rest (Köln 1952) 73ff.

Vorbildhaftigkeit hin zu deuten. Das Ordensleben hat Hinweischarakter.[90]
Es ist schon durch sein Dasein Zeugnis für die zentrale Stellung des Kreuz-
geheimnisses im Leben des Christen und der Gemeinde, Zeugnis für den von
Christus vorgelebten und von seiner Botschaft geforderten Dienst am Heil
der Welt und des Mitmenschen. Es ist durch seine Ordnung, die ohne den
Gott der Verheißung eine Überforderung wäre, Hinweis auf den Glauben
an die Auferstehung und eine zukünftige, die hiesige Weltzeit und ihre Kräfte
übersteigende Vollendung. Es macht deutlich, worin der Kern der christlichen Botschaft sowie der Heilssendung der Kirche zu sehen ist. Und wo
es erfüllt gelebt wird, eröffnet es den Weg, den einzigen, weil Christi Weg,
zur Befreiung des Menschen und der menschlichen Gesellschaft aus ihren
Zwängen und ihrer Selbstentfremdung. Schon von seiner Gestalt, seiner
theologischen Struktur her, nicht erst durch die Übung des Gebetes, durch
Apostolat oder Werke der Nächstenliebe, soll Ordensleben darauf hinweisen, daß Christsein Frei-sein und Da-sein für Gott und die Mitmenschen ist
und darum seinem Wesen nach Dienst.

Mit all dem ist nicht gesagt, daß Ordensleben *allein* einen exemplarischen
Charakter hätte. Auch der Weltchrist, in Beruf und Ehe, macht bestimmte
Seiten der christlichen Botschaft in eigener Weise deutlich, wie es *so* der
Ordenschrist nicht kann.[91] Er vermag auf die Ganzheit, die ganze Breite der
christlichen Weltaufgabe hinzuweisen. Er kann in der Ehe auch den Leib,
bis in die erotische und geschlechtliche Liebe, in die Mitte des Christusgeheimnisses hineinholen und sichtbar machen, zu welcher Innigkeit und
Ganzhingabe der Liebe der Christ, gerade als Mensch (Mann und Frau),
berufen ist.[92] Er erweist damit speziell dem Ehelosen einen Dienst, ergänzt
dessen Lebensentwurf und gibt ihm neue Motive für seine eigene Berufung.
Damit dieser Dienst aber gelingt, braucht es wiederum Menschen und Gemeinschaften, die aufgrund ihres besonderen Charismas auf jene Mitte hinweisen, von wo aus das alles nur möglich ist, die «durch ihren Stand ein ...
Zeugnis dafür (sind), daß die Welt nicht ohne den Geist der Seligpreisungen
verwandelt und Gott dargebracht werden kann».[93] Insofern füllt das Ordensleben im ganzen, als Institution, einen unersetzlichen Platz in der Kirche
aus. Ohne es wäre die Kirche in ihrer Sichtbarkeit und ihrem Hinweis-

---

[90] Auch das gehört zu den ältesten Topoi des Ordenslebens; für das altkirchl. Mönchtum vgl. A. M. Ritter, Charisma im Verständnis des Joannes Chrysostomos und seiner Zeit
aaO. 92; für unsere Zeit: II. Vat. Konzil «Lumen gentium», Kp. VI, n. 44, Absatz 3.

[91] Darauf ist in den letzten Jahren oft hingewiesen worden. Ordensleben und Leben
des Christen in Ehe und Beruf haben, menschlich und christlich gesehen, eine sich gegenseitig ergänzende Funktion. Wo sie nicht wahrgenommen wird, stehen beide Weisen
christlicher Existenz in der Gefahr der Einseitigkeit und der Verkürzung des Christlichen.

[92] Hierher gehört der Hinweis-Charakter der christl. Ehe auf den Bund Christus-Kirche
(Eph 5, 32).

[93] II. Vat. Konzil, «Lumen gentium», Kp. IV, n. 31.

charakter um eine wesentliche Dimension ärmer, fehlte ihr jenes gesellschaftliche Zeichen, das wie kaum ein anderes an ihren soteriologischen und eschatologischen Charakter erinnert.[94] Natürlich wird das Ordensleben seinem Zeugnis- und Hinweis-Charakter nur dann gerecht, wenn es lebt, was es durch seine Idee und seine Lebensform bekennt. Aber das gehört schon nicht mehr in den Bereich einer theologischen Phänomenologie, sondern in den der Moral, der Ethik, des Strebens nach Vollkommenheit.

Was ist nach all dem Gesagten nun also das Spezifische und Unterscheidende des Ordenslebens, seine Zeichenhaftigkeit oder sein Dienstcharakter? Von beiden war immer wieder die Rede. Wurde in der Tradition mehr die Zeichenhaftigkeit hervorgehoben, die man meist und zuvörderst als eschatologische Zeichenhaftigkeit verstand,[95] so in neuerer Zeit mehr und bisweilen fast ausschließlich der Dienstcharakter.[96] Als Reaktion gegen ein früheres Extrem, nach dem sozusagen alles im Ordensleben religiös, geistlich, «übernatürlich» und ethisch etikettiert wurde, wehren sich heute vor allem jüngere Ordensleute gegen alle Herausstellung und Absonderung; sie drängen zu einer Säkularität, die sie unauffällig macht und sie Christ unter Christen, Mensch unter Menschen sein läßt. Aber auch Laien, gerade kirchlich engagierte, sind allergisch gegen jeden elitären Anspruch der Ordensleute und jede Heraushebung des Ordenslebens vor dem Leben des Christen in der Welt. Der Mentalität der gegenwärtigen Christenheit im ganzen entspricht vielmehr der Dienstgedanke.[97] Der Christ von heute ist gegenüber allem Institutionellen in der Kirche hinsichtlich seiner Transparenz für eine dahinter liegende Glaubenswirklichkeit kritischer, skeptischer geworden und allem Triumphalismus abhold. Was bedeutet schon die Kirche in der

---

[94] Vgl. K. Rahner, Über die Evangelischen Räte aaO.: 8. Die ekklesiologische (zeichenhafte) Bedeutsamkeit der evangelischen Räte, 430–434.

[95] So schon die Kirchenväter. Für Chrysostomos z. B. sind die Mönche «inmitten einer ständig von der Gefahr der Verweltlichung bedrohten, ständig Kompromisse schließenden und mit den – vermeintlichen oder wirklichen – ‹Realitäten› paktierenden Christenheit schon durch ihre bloße Existenz ein Moment der heilsamen Irritation und ein ‹Zeichen›: ein lebendiges Memento der Vorläufigkeit …, eine ständige Erinnerung daran, daß Christen auf Erden ‹Fremdlinge› sind und sich auf der ‹Pilgerschaft› befinden» (A. M. Ritter, Charisma im Verständnis des Joannes Chrysostomos und seiner Zeit aaO. 92). Der gleiche Gedanke herrscht noch auf dem II. Vat. Konzil vor, wenn von der Zeichenhaftigkeit des Ordenslebens die Rede ist: «Lumen gentium», Kp. VI, n. 44, Absatz 3.

[96] Zum Beispiel bei J. Sudbrack, Das Neue wagen – und das Alte gewinnen. Zur Selbstbesinnung der Ordensgemeinschaften: GuL 41 (1968) 176–193; O. H. Pesch, Ordensleben und Verkündigung: Ordenskorrespondenz 9 (1968) 365–382; P. Lippert, «Funktion» und «Dienst» als mögliche Schlüsselbegriffe für Mitwirkung und Selbstdarstellung der Orden auf der Synode '72: Ordenskorrespondenz 12 (1971) 3–14.

[97] Es ist bekannt, wie sehr der Gedanke des Dienstes und das Wort «Dienst» auf dem II. Vat. Konzil strapaziert worden sind; vgl. K. Rahner/H. Vorgrimler, Kleines Konzilskompendium (Freiburg 1966) unter dem Stichwort «Dienst», wo aber nur ein geringer Teil der Stellen angegeben ist.

modernen Massengesellschaft, in einer Welt, die in ein Ringen auf Leben und Tod um ihren Bestand eingetreten ist? Ist angesichts solcher Entwicklung nicht die einzig mögliche und wirksame christliche Haltung bescheidener, selbstloser Dienst? Dennoch ist die Frage nach der Priorität von Zeichenhaftigkeit oder Dienst falsch gestellt. Sie signalisiert keine echte Alternative. Auch dort, wo der Dienstcharakter des Ordenslebens an die erste Stelle gesetzt wird – was heute durchaus zu Recht geschieht[98] –, ist der Dienst, soweit er in der Öffentlichkeit der Kirche greifbar wird, wegen des ekklesialen Charakters des Ordenslebens ein Moment an der «sichtbaren» Kirche, hat er eine wesentliche Funktion in ihr, kommt ihm im Hinblick auf die Kirche als quasisakramentales Heilszeichen[99] eine eschatologische und soteriologische Hinweisfunktion zu. Zeichenhaftigkeit und Dienstcharakter sind darum im Ordensleben voneinander nicht zu trennen. Der Dienst des Ordenslebens in seiner Gesamterscheinung hat für die Kirche Zeichenfunktion. Hier liegt die besondere Bedeutung des Ordenslebens in der Kirche. Sein Zeichencharakter ist sein Unterscheidungsmerkmal im Gottesvolk.[100]

4. Elemente einer Theologie des Ordenslebens

Seitdem die Ordenstheologie der Tradition in Frage gestellt wird, begegnet man in wachsendem Maße einer Abneigung gegen jede theologische Aussage über das Ordensleben. Man fürchtet eine neue Systematisierung, die der Vielfalt der Motive und Formen des tatsächlichen Ordenslebens nicht gerecht werde, von neuem in ein Systemdenken zwinge, neuen Ideologien Vorschub leiste und damit Zukunftsentwicklungen verbaue. Die nach dem II. Vatikanischen Konzil einsetzende Dauerreflexion über das Ordensleben und seine Erneuerung ist von einem pragmatischen Denken beherrscht. Als Beispiel dafür mag jene «Arbeitshypothese zur Wesensbestimmung des Ordenslebens» gelten, die O. H. Pesch vorgelegt hat. Sie lautet: «Ein Orden ist eine für bestimmte Aufgaben der Kirche, besonders solche der Verkündigung, aus Zweckmäßigkeitsgründen und praktischen Notwendigkeiten zusammengebrachte Dienstgemeinschaft, die ihren eigenen Pragmatismus

---

[98] Auch die Vorlage der Gemeinsamen Synode der Bistümer in der Bundesrepublik Deutschland: «Die Orden und andere geistliche Gemeinschaften. Auftrag und pastorale Dienste heute» steht ganz unter dem Begriff des Dienstes.

[99] Über die Kirche als quasisakramentales Heilszeichen vgl. II. Vat. Konzil: «Lumen gentium», nn. 1.9.48.59; «Gaudium et Spes», nn. 42.45; «Sacrosanctum Concilium», nn. 5.26; «Ad gentes», nn. 1.5.

[100] Wenn die Orden auch nicht mehr in dem Maße, wie es in den homogenen christlichen Räumen der Vergangenheit der Fall war, zeichenhaft wirken, innerhalb der Gemeinden müssen sie es auf jeden Fall.

übersteigt.»[101] Das den Pragmatismus übersteigende Moment wird dabei nicht von vornherein als inhaltlich gefüllte theologische Überlegung miteingebracht, sondern ergibt sich nach dem Verfasser von selbst, wenn nur die oben beschriebene «Dienstgemeinschaft» mit ihrem Christentum und ihrer Kirchlichkeit nach innen und nach außen Ernst macht.

Man kann diesen Pragmatismus verstehen. Er ist eine Antwort auf das gestörte Verhältnis von Theorie und Praxis im Ordensleben der Neuzeit. Der Praxisbezug des Ordensideals (institutionell und operativ gesehen) war nicht mehr lebendig genug, er wurde immer weniger auf die je neue Situation hin kritisch befragt. Dadurch litt die Überzeugungskraft des Ideals; es entsprach für viele nicht mehr der (in geschichtlichem Wandel begriffenen) konkreten Wirklichkeit. Und noch grundsätzlicher: Eine Glaubenswirklichkeit kann nie voll reflektiert werden und damit in eine theoretische (theologische) Formel eingehen. «Es bleibt ein Rest von Nicht-Begriffenem und Nicht-Begreifbarem; dieser Rest ist nur im Handeln (aus dem Glauben) zu realisieren... (er) ist sogar der Kern des Christentums, der Kern seines Wahrheitsethos.»[102] Dennoch muß die Theologie stets von neuem den Versuch machen, Tatsachen und Wirklichkeiten der Glaubenswelt mit Hilfe der Offenbarung für das Verstehen und Begreifen zu erhellen, abzugrenzen und in das Gesamt des christlichen und kirchlichen Lebens einzuordnen. Das gilt auch für das Ordensleben. Mag man mit Grund auf eine alle Einzelmomente integrierende und systematisierende Ordenstheologie verzichten, eine theologische Aussage über das, was Ordensleben intendiert und in der Kirche darstellt, muß auf jeden Fall gewagt werden. Anders fehlte es ihm als einer nur im Glauben zu realisierenden christlichen Existenzweise an jener Motivkraft, die es auch in Zeiten der Dunkelheit und Prüfung durchhalten läßt. Was darum im folgenden dargelegt wird, sind nur *Elemente* einer Ordenstheologie, von deren Systematisierung in einer (statischen) Wesensschau abgesehen wird. Damit glauben wir der existentiellen, auf personale Nachfolge ausgerichteten und dem geschichtlichen Wandel unterworfenen Eigenart der Ordensberufung besser Rechnung zu tragen.

Wenn wirklich das Ordensleben charismatischer Natur ist und gleich der Nachfolge im Evangelium eine wie immer geartete persönliche Berufung voraussetzt, dann ist sein theologisches Fundament *das Wagnis des Glaubens.* In ihm setzt ein Mensch, angerührt vom tiefsten und für den Sinn seines Daseins entscheidenden Geheimnis: von Gott, vom Christusmysterium, von der Heilsfrage, alles auf eine Karte, wagt er seine ganze Existenz. Was für jeden Glaubensakt gilt, kommt hier in besonderer Dichte und in exemplarischer Weise zum Ausdruck. Wer sich in einer konkreten Situation seines

---

[101] Ordensleben und Verkündigung aaO. 377.
[102] J. Sudbrack, Fragestellung und Infragestellung der ignatianischen Exerzitien: GuL 43 (1970) 208.

Lebens glaubend auf Gottes Verheißungswort einläßt, gibt seine irdischen Sicherheiten und Berechnungen aus der Hand und gewinnt eine neue, andere Sicherheit, die alle hiesige Sicherheit unvergleichlich übertrifft. Aber diese im Glauben gewonnene Sicherheit, die auf dem Wort Gottes beruht, auf dem Vertrauen zu jenem Gott der Treue, dessen «Gnadengaben und Berufung ohne Reue sind» (Röm 11, 29), nimmt die fundamentale Ungewißheit des hiesigen Lebens keineswegs hinweg. Sie macht sie im Gegenteil erst ganz offenkundig. Erst dort, wo einer im Glauben die geschöpflichen Sicherheiten und sich selbst loszulassen beginnt, erkennt er, wie sehr er dauernd bemüht ist, die insecuritas humana, die menschliche Ungesichertheit, die bis in den Grund der Existenz reicht, zu verdecken und im Geschöpflichen eine trügerische, nicht standhaltende Geborgenheit zu suchen. Ordensleben als Entscheidung aus dem Glauben, in der ein Mensch in der Nachfolge Christi allen sichernden Besitz und alles Berechenbare aufgibt (im Gelöbnis der evangelischen Räte), kann darum nur heißen eine Geborgenheit des Glaubens in der Ungeborgenheit dieser Welt. Diese theologische Grund-Aussage erweist gerade in Krisenzeiten des Ordenslebens oder einer individuellen Ordensberufung ihre unersetzliche Bedeutung und ihre Motivationskraft.[103] Sie weist aber auch auf die große Gefahr des Scheiterns im Ordensleben hin. Ordensleben steht entscheidend auf dem Glauben und kann durch keine menschliche Geborgenheit abgesichert werden, wenn es sein will, was es von seiner Berufung her sein soll.

Das Wagnis des Glaubens, auf das sich einer einläßt, der Gottes Ruf annimmt und das Ordensleben wählt, ist zunächst und zutiefst die Sache des einzelnen. Er ganz persönlich entscheidet sich. Seine Berufung ist eine individuelle. Sie betrifft nur ihn. Aber das ist nur die eine Seite. Ordensleben besagt zugleich Gemeinschaft, und dies nicht nur aus Zweckmäßigkeit, sondern von seinem Wesen her. Es sucht zu verwirklichen, worauf christliche Botschaft hinzielt, die Koinonia, das Einssein der Vielen im gleichen Geheimnis: in Gott, in Christus, in der Kirche, in der Liebe. Als solches ist es selbst sichtbare Kirche, hat es Öffentlichkeitscharakter. Das Glaubenswagnis des Einzelnen geschieht darum *in der Öffentlichkeit der Kirche*, wird entprivatisiert, ist Bekenntnis in der Gemeinschaft der Brüder. Der Bekenntnischarakter gehört zum theologischen Wesen des Ordenslebens. Was Paulus vom Apostelamt in der Kirche sagt, gilt in ähnlicher Weise auch vom Ordensleben, trotz aller Verborgenheit, die diesem eigen ist: «Zum Schauspiel sind wir geworden der Welt, den Engeln und Menschen» (1 Kor 4, 9).

---

[103] Vgl. P. Wust, Ungewißheit und Wagnis = Ges. Werke Bd. IV (Münster ⁵1965). – Die drei letzten Kapitel dieses Werkes lauten: Die «Insecuritas humana» und das Wagnis des Entscheidungsirrationalismus; Die «Insecuritas humana» und das Wagnis der Weisheit; Die Geborgenheit des Menschen in seiner Ungeborgenheit.

Ordensleben ist zuallererst ein *Bekenntnis zu Gott*, zur Einzigkeit und Alleinigkeit Gottes, der «alles und in allem» (1 Kor 15,28), das «eine Notwendige» (Lk 10,42) ist. Gott als der Absolute, der Grundlose, der mit nichts verglichen werden kann, Anfang und Ende, Verheißung und Erfüllung (Heil), den ganzen Menschen einfordernd, ist die einzige Berechtigung für Ordensleben. Bei aller Weltpräsenz, die heute von den Orden gefordert wird, bei allem Dienstcharakter, der sie für die Mitmenschen und ihre Not frei machen soll, bezeugt Ordensleben in seiner theologischen Wurzel dennoch den unaufgebbaren Stellenwert des «Gott allein», «Gott allein dienen» (soli Deo servire), «für Gott allein da sein» (soli Deo vacare), wie ihn die ganze christliche Überlieferung immer wieder herausgestellt hat.[104] «Auch in Christus gibt es kein Gleichgewicht zwischen Gott und Welt. Gott ist Alles, und Welt gibt es nur kraft dieses Alles und in ihm.»[105] So wenig im großen Gebot der beiden Testamente Gottes- und Nächstenliebe voneinander getrennt werden können und so wenig auch nur von einem «Zuerst» und «Danach» gesprochen werden sollte (Dt 6,5; Lv 19,18; Mk 12,29 par), so bleibt doch die wesentliche Hierarchie von Gott und Mensch in der Zweieinheit des Liebesgebotes bestehen.

Mit dem Gottbekenntnis des Ordenslebens ist notwendig *das Christusbekenntnis* verbunden, zuvorderst das Bekenntnis zur Mitte des Christusmysteriums, zum Geheimnis von Tod und Auferstehung,[106] das durch die ausdrückliche Zuordnung von Profeß und Taufe[107] – beide ein Untertauchen in den Tod Christi zur Anteilnahme an seiner Auferstehung (Röm 6,3–11) – wieder stärker in den Blick gerückt ist, wo es um eine theologische Betrachtung des Ordenslebens geht. Und so wie Christus in seiner Haltung, seinem Leben und Handeln den Vater und seinen Heilswillen alles sein ließ, ist auch das Ordensleben theologisch nur von da her zu erfassen. Sein Wesen ist die «forma Christi». «Letzte Norm des Ordenslebens», sagt darum mit Recht das Zweite Vatikanische Konzil,[108] «ist die im Evangelium dargelegte Nachfolge Christi».

Eben aus dieser engen Christusbezogenheit heraus ist Ordensleben dann konsequent Dienst, *Heilsdienst*, wie es auch Christi Sendung war. Heil ist dabei nicht als etwas «rein Übernatürliches», über dem irdischen Leben und seinem Alltag Schwebendes, direkt und ausschließlich auf Gott und die göttlichen Dinge Bezogenes zu verstehen, sondern schließt die ganze Welt und den ganzen Menschen mit ein, meint etwas Allumfassendes, Erhebung

---

[104] Vgl. H. U. v. Balthasar, Klarstellungen aaO. 119–123; F. Wulf, Gott allein. Zur Deutung eines christlichen Grundwortes aaO.

[105] H. U. v. Balthasar ebd. 122.

[106] Dekret «Perfectae caritatis», 5,3.

[107] Dogmatische Konstitution «Lumen Gentium», Kp. VI, 44,1; Dekret «Perfectae caritatis», 5,1.

[108] Dekret «Perfectae caritatis», 2a.

und Vollendung der Schöpfungswirklichkeit durch die Inkarnation und das Heilshandeln Gottes in Jesus Christus,[109] ihre Einbeziehung in das Leben des trinitarischen Gottes. Der mit dem Ordensleben verbundene Heilsdienst kann daher die verschiedensten Formen annehmen; er schließt kaum einen Gegenstands- oder Tätigkeitsbereich dieser Welt aus, nur muß der Bezug zum Endgültigen immer deutlich bleiben – ein soziales Engagement allein, mag es noch so heroisch sein, genügt dafür nicht.

Aus diesem Grund müssen die Orden bei aller Verschiedenheit ihrer Aufgaben und Strukturen, als Gemeinschaft von Brüdern und Schwestern, die auf den gleichen Ruf des Evangeliums hin zusammen sind, *Künder der Gottesherrschaft* sein. Mag die christliche Koinonia, das Einssein in Christus noch so unvollkommen gelingen: Daß Menschen der verschiedensten Herkunft, verschiedenster Veranlagung und Bildung es überhaupt wagen, unabhängig von den Banden des Blutes und der Sympathie oder von gleichen irdischen Interessen, sich aneinander binden und trotz unausweichlicher Konflikte, trotz aller Mühsal, die das enge Zusammensein mit sich bringt, beieinander bleiben, ist ein unübersehbarer Hinweis auf ein Höheres, das diese Welt übersteigt. Man braucht dafür nur einmal das Scheitern der meisten Basisgruppen zu betrachten, die sich in den letzten Jahren um gemeinsamer humaner und politischer Ziele willen gebildet haben.[110]

Noch ein letztes sei genannt, was Ordensleben als theologische Existenz mitbestimmt. Es ergibt sich ebenfalls aus seinem Öffentlichkeitscharakter. Von ihrer Berufung und ihrem Ideal her müssen die Orden, wollen sie auch heute noch ihre Berechtigung erweisen, *Rechenschaft geben von der Hoffnung, die sie erfüllt* (1 Petr 3, 15). Die Mitchristen, alle Menschen haben ein Recht, das zu fordern. Denn Ordensleben erhebt vom Evangelium her einen Anspruch, dem entsprochen werden muß. Es stellt eine Herausforderung an die Menschen dar, nicht auf Grund eines Elitedenkens, auch nicht einer bewußten Provokation, sondern auf Grund des Stellenwertes, der ihm von Anfang an im Glauben der Kirche zugeschrieben worden ist. Man kann auch sagen: Die Kirche fordert die Menschen durch das Ordensleben heraus, da sie es sanktioniert und als sich zugehörig betrachtet. Rechenschaft geben von der Hoffnung, das heißt unter Beweis stellen, daß man wirklich auf Gottes Verheißungswort und nicht auf Erfolg baut, was sich vor allem in Zeiten der Prüfung erweist. Heißt auf Zukunft hin leben und ständig auf Gottes Rufe in die Zeit hören, bereit, immer wieder neu aufzubrechen, von neuem anzufangen. Die eschatologische Differenz zwischen dem erhofften

---

[109] Vgl. K. Rahner, Erlösungswirklichkeit in Schöpfungswirklichkeit: Catholica 13 (1959) 100–127; ders., Immanente und transzendente Vollendung der Welt: Schriften VIII, 593–609.

[110] Aus der Flut der einschlägigen Literatur sei nur genannt: H. E. Richter, Die Gruppe. Hoffnung auf einen neuen Weg, sich selbst und andere zu befreien. Psychoanalyse in Kooperation mit Gruppeninitiativen (Hamburg 1972).

Ziel und der tatsächlichen Wirklichkeit muß erfahren und bewußt durch-getragen werden. Nur so ist Ordensleben Hinweis auf das Endgültige, bezeugt es seine Hoffnung.

Wenn die bekenntnishafte Ausdrücklichmachung und Versichtbarung des Christlichen theologisch gesehen der spezifische und unterscheidende Dienst des Ordenslebens in der Kirche ist, dann kommt seiner Institutionalisierung und seinen soziologischen Strukturen eine *quasi-theologische* Relevanz zu.[111] Hier schon, nicht erst durch die persönliche Heiligkeit des einzelnen, entscheidet sich zu einem guten Teil, ob der Ordensstand in der jeweiligen Zeit diesen Dienst in der Kirche erfüllt. Von da her erheben sich in der augenblicklichen geschichtlichen Epoche, die durch eine große Spannung zwischen dem Recht des einzelnen und der Notwendigkeit wachsender Sozialisierung gekennzeichnet ist, vor allem zwei unabdingbare Forderungen: Das Ordensleben unserer Tage muß als Institution so strukturiert sein, daß der Einzelne bei aller Ein- und Unterordnung, bei allem Gehorsam einen Raum vorfindet, der für ihn eine Hilfe darstellt zum Freiwerden nicht nur von sich selbst (von seiner Selbstsucht), sondern zu sich selbst. Wenn Ordensleben öffentliches Bekenntnis zur Botschaft Christi sein soll, dann muß sich gerade in ihm ereignen, was Paulus als Ziel dieser Botschaft verkündet: «Für die Freiheit hat Christus euch frei gemacht» (Gal 5, 1). Im Ordensleben unserer Tage muß aber durch die Zusammenarbeit aller zugleich eine Gemeinschaft zustande kommen, die bei allem Pluralismus der Begabungen, Neigungen, Interessen und Meinungen eine Bruderschaft im Sinne des Humanen und des Christlichen verwirklicht. Nur so wird Ordensleben für die heutige Generation glaubhaft, ist es ein überzeugender Hinweis auf Jesu Botschaft von der Bruderliebe und seine wirkende Gegenwart unter den Menschen. Andernfalls würde man von einem ideologischen Überbau sprechen, je höher man das Ideal des Ordenslebens preist. Schon die tatsächlichen Strukturen würden dieses Ideal Lügen strafen.

So ergibt sich das Merkwürdige und in der Vergangenheit kaum zur Kenntnis Genommene, ja auch heute noch mißtrauisch Betrachtete, daß es gerade um der Sichtbarmachung der *theologischen* Bedeutsamkeit des Ordenslebens willen der Humanwissenschaften, vor allem der Anthropologie und Soziologie oder – weil beide zusammengehören – der Psychosoziologie bedarf. Hier werden Hilfen angeboten, um die Menschwerdung des Christen im Rahmen einer Ordensinstitution zu ermöglichen, Hilfen, die bisher vernachlässigt oder gar nicht gesehen wurden. Hier wird auf die notwendige Wandlung von Leitung und Führung in den Ordensgemeinschaften hinge-

[111] Die Soziologen sprechen von «Plausibilitätsstrukturen», die eine Weltanschauung stützen, diese für den Menschen im Vollzug des Alltags einsichtig, «plausibel» machen. Vgl. P. L. Berger, Auf den Spuren der Engel. Die moderne Welt und die Wiederentdeckung der Transzendenz (Frankfurt/M 1970) 57–61; 74.

wiesen und werden Modelle für deren Neuregelung vorgestellt. Hier erfährt man etwas von den in der heutigen Gesellschaft möglichen Formen evangelischer Armut und religiösen Gehorsams. Hier werden Spielregeln für das Zueinander der drei wesentlichen Elemente jedes Ordenslebens, von Gebet, Wirken für das Heil der Mitmenschen und Gemeinschaft, aufgezeigt. Ohne solche Kenntnisse bliebe die Theologie des Ordenslebens im luftleeren Raum, würde sie als Illusion angesehen, weil sie den Menschen nicht mehr trüge, und die konkrete Gemeinschaft, wie sie erlebt wird, eher als Hindernis denn als Hilfe für die Erfüllung eines hohen Ideals empfunden. Eine Theologie des Ordenslebens verlangt um ihrer selbst willen nach Strukturen, die das angestrebte Ideal zu ermöglichen und zu verdeutlichen versprechen, und diese rufen ihrerseits nach einer Theologie, für die sie Formen schaffen sollen.

Nur so ist eine Theologie des Ordenslebens Glaubensreflexion über eine *gültige*, nicht bloß *faktische* Wirklichkeit, die ihren Ursprung im Religiösen und Christlichen hat. Nur so kann sie, ohne ins Leere zu stoßen oder eine Utopie auszumalen, mit gutem Gewissen auf den gesellschaftlichen und ekklesialen Grunddienst des Ordenslebens hinweisen. Dieser ist ein prophetischer. Das Ordensleben stellt die konkrete Kirche und Gesellschaft immer wieder neu in Frage, falls es nur jeweils seine zeitgemäße und gültige Form findet. Es ist ein Wort Gottes in die Zeit, Ruf Christi zur Nachfolge, Erinnerung an das Mysterium des Todes und Vorgriff auf das Endgültige im Ergreifen der Verheißung und des schon in der Rechtfertigung und Heiligung geschenkten Unterpfandes der zukünftigen Glorie. So bestätigt die Theologie die Überlieferung der Kirche, daß das Ordensleben als Glaubenswirklichkeit in gewisser Weise eines jener Mysterien ist, die im Heilsmysterium Christi mitangeboten werden und für die es einer Einweisung bedarf. Auch dieser Beitrag will ein Stück solcher Mystagogie sein.

FRIEDRICH WULF

BIBLIOGRAPHIE

Balthasar H. U. v., Zur Theologie des Rätestandes: Wagnis der Nachfolge (Paderborn 1964) 9–57.
– Zur Theologie der Säkularinstitute: Sponsa verbi (Einsiedeln 1961) 434–469.
– Die drei Evangelischen Räte: Klarstellungen. Zur Prüfung der Geister (Freiburg i. Br. 1971) 125–134.
Bamberg C., Ordensleben als kritische Diakonie: GuL 42 (1969) 17–34.
– Wie kann in unseren Orden heute Gemeinschaft werden?: GuL 45 (1972) 129–145.
– Von vornherein sinnlos ohne den Gott der Verheißung. Zur Ordensvorlage der Gemeinsamen Synode der deutschen Bistümer: Lebendiges Zeugnis (Paderborn 1973) Heft 1/2, 61–74.
Barosse T., Religious Community and the Primitive Church: Review for Religious 25 (1966) 971–986.
Beyer J., De vita per consilia evangelica consecrata (Rom 1969).
Galot J., Les religieux dans l'Église. Selon la constitution «Lumen gentium» et le Décret sur la charge pastorale des Évêques (Paris 1966).
Gerken A., Ursprung und Wesen der Ordensgemeinschaft: T. de Ruiter (Hrsg.), Die Ordensgemeinschaft. Wesen und Verwirklichung (Düsseldorf 1967) 676 bis 687.
Häring B., Orden im Umbruch. Ordenschristen der Zukunft (Köln 1970).
Hengel M., Nachfolge und Charisma. Eine exegetisch-religionsgeschichtliche Studie zu Mt 8,27 und Jesu Ruf in die Nachfolge = BeihZNW 34 (Berlin 1968).
Heufelder E. M., Die evangelischen Räte. Die biblisch-theologischen Grundlagen des Ordenslebens im Blick auf seine Erneuerung in unserer Zeit (Wien 1963).
Hillmann W., Perfectio evangelica. Der klösterliche Gehorsam in biblisch-theologischer Sicht: WiWei 25 (1962) 163–168.
Hostie R., Vie et mort des ordres religieux. Approches psychosociologiques (Paris 1972).
Lafont G., L'institution religieuse dans l'institution de l'Église: Supplément VS (1967) 594–639.
Lauter H.-J., Der Ordensberuf heute in empirisch-theologischer Sicht: GuL 45 (1972) 116–129.
– Hat das beschauliche Ordensleben noch einen Sinn?: Ordenskorrespondenz 10 (1969) 30–33.
Légasse S., L'apelle du riche (Marc 10,17–31) et parallèles (Paris 1966).
Lippert P., Die «Evangelischen Räte» – Grundprinzip oder Sonderform christlicher Spiritualität?: Die Kirche im Wandel der Zeit (Köln 1971) 659–669.
– «Funktion» und «Dienst» als mögliche Schlüsselbegriffe für Mitwirkung und Selbstdarstellung der Orden auf der Synode '72: Ordenskorrespondenz 12 (1971) 3–14.
LThK, Das Zweite Vatikanische Konzil, I Dogm. Konstitution «Lumen gentium», Kp. V und VI, Einführung (F. Wulf), 284–287; II Dekret «Perfectae caritatis», Einführung (F. Wulf), 250–265.

Matura Th., Célibat et communauté (Paris ²1967), dt.: Ehelosigkeit und Gemeinschaft. Die Grundlegung des Ordenslebens nach dem Evangelium (Werl 1969).

Mönchtum – Ärgernis oder Botschaft? Sondernummer von «Liturgie und
Mönchtum»: Laacher Hefte 43 (Maria Laach 1968).

Mußner F., Die evangelischen Räte und das Evangelium: Benediktinische Mo-
natsschrift 30 (1954) 485–493.

Pesch O.H., Ordensleben und Verkündigung: Ordenskorrespondenz 9 (1968)
365–382.

Pesch W., Zur biblischen Begründung des Ordenslebens: Ordenskorrespondenz 6
(1965) 31–47.

– Die evangelischen Räte und das Neue Testament: Ordenskorrespondenz 4
(1963) 86–96.

Rahner K., Laie und Ordensleben. Überlegungen zur Theologie der Säkularinstitute: Sendung und Gnade (Innsbruck 1959).

– Über die evangelischen Räte: Schriften VII, 404–434.

– Passion und Aszese. Zur philosophisch-theologischen Grundlegung der christlichen Aszese: Schriften III, 73–104.

– Theologie der Armut: Schriften VII, 435–478.

Richter St. (Hrsg.), Das Wagnis der Nachfolge (Paderborn 1964).

Ruiter T. de, Het geheim van het kloosterleven (Mecheln ²1959), dt.: Das Geheimnis des Ordenslebens. Eine Untersuchung über die Ordensgelübde (Düsseldorf 1960).

– Het Mysterie van de Kloostergemeenschap. Een studie over het gemeenschaps-
leven in de kloosterstaat (Mecheln ³1964), dt.: Die Ordensgemeinschaft. Wesen
und Verwirklichung im Geist und in der Liebe (Düsseldorf 1967).

Schillebeeckx E., Het nieuwe mens- en Godsbeeld in conflict met het religieuze
leven: Tijdschrift vor Theologie 7 (1967) 1–27, dt.: Das Ordensleben in der
Auseinandersetzung mit dem neuen Menschen- und Gottesbild: Dienst an der
Welt, hrsg. v. H.Claaßens (Freiburg i. Br. 1969) 77–116.

Schnackenburg R., Vollkommenheit und Nachfolge Jesu («Evangelische Räte»)
(1959): Christliche Existenz nach dem Neuen Testament (München 1967) 147
bis 154.

Schulte R., Das Ordensleben als Zeichen: G.Baraúna (Hrsg.), De Ecclesia II
(Frankfurt a.M. 1966) 383–414.

Schulz A., Zu einer neutestamentlichen Grundlegung der «monastischen Armut»:
Erbe und Auftrag 41 (1965) 443–459.

– Jünger des Herrn. Nachfolge Christi nach dem Neuen Testament (Leipzig 1964).

Schürmann H., Der Jüngerkreis Jesu als Zeichen für Israel (und als Urbild des
christlichen Rätestandes): Ursprung und Gestalt. Erörterungen und Besinnungen zum Neuen Testament (Düsseldorf 1970) 45–60; GuL 36 (1963) 21–34.

Sudbrack J., Das Neue wagen – und das Alte gewinnen. Zur Selbstbesinnung der
Ordensgemeinschaften: GuL 41 (1968) 176–193.

– «Letzte Norm des Ordenslebens ist die im Evangelium dargelegte Nachfolge
Christi»: GuL 42 (1969) 431–448.

– Die Botschaft des Dienens. Strukturanalytische Reflexionen über den christlichen
Gehorsam: GuL 40 (1967) 246–268.

Vatican II. L'adaptation et la rénovation de la vie religieuse. Décret «Perfectae caritatis» (Paris 1967).

Visioni attuali sulla vita monastica (Montserrat 1966).

Wulf F., Ordensleben und Welt. Theologische Neubesinnung und einige Folgerungen: Ordenskorrespondenz 5 (1964) 219–230.

– Der biblische Sinn des «Rates» des Gehorsams: GuL 39 (1966) 248–251.

– Sinn und Verwirklichung der evangelischen Armut heute: Schweizer Rundschau 17 (1972) 118–130 = Evangelische Armut (Meitingen 1973).

– Die Sorge der Kirche um die kontemplativen Orden. Zur Instruktion der Religiosenkongregation «Venite seorsum»: GuL 42 (1969) 460–466.

– Gott allein. Zur Deutung eines christlichen Grundwortes: GuL 44 (1971) 161–169.

– Die Orden in der Kirche: HPTh IV (Freiburg 1969) 545–572.

Zimmermann H., Christus nachfolgen. Eine Studie zu den Nachfolge-Worten der synoptischen Evangelien: ThGl 53 (1963) 241–255.

THEOLOGIE DER KIRCHLICHEN ÄMTER

«Um Gottes Volk zu weiden und immerfort zu mehren, hat Christus der Herr in seiner Kirche verschiedene Dienstämter eingesetzt, die auf das Wohl des ganzen Leibes ausgerichtet sind. Denn die Amtsträger, die mit heiliger Vollmacht ausgestattet sind, stehen im Dienst ihrer Brüder, damit alle, die zum Volk Gottes gehören und sich daher der wahren Würde eines Christen erfreuen, in freier und geordneter Weise sich auf das nämliche Ziel hinausstrecken und so zum Heile gelangen» (Lumen gentium 18).

Auf der Linie dieses Textes des II. Vatikanischen Konzils muß eine Bestimmung des geistlichen Amtes in der Kirche davon ausgehen, daß dieses Amt ein Dienstamt ist. Durch diese Bestimmung wird es freilich in einen größeren Zusammenhang des Dienstes in der Kirche eingeordnet. In der Heiligen Schrift ist der «Dienst» ein Wesenszug des Daseins vor Gott. Wollte man einen modernen Ausdruck verwenden, so könnte man sagen, er sei eine Art Existential der Offenbarung, die Lebensform des Menschen, der sein Dasein nach dem Gottesbund auszurichten trachtet. Wäre Gott Gott, scheint die Bibel immer wieder zu fragen, wenn der Mensch nicht unablässig darauf bedacht wäre, ihm zu dienen? Das hebräische Wort *avoda* bedeutet denn auch zugleich Dienst (im Sinn von Arbeit, Anstrengung) und Gebet, Darbringung eines Opfers. Ebensowenig wie das Opfer stellt nach der Schrift das Gebet den Inbegriff der menschlichen Haltung vor Gott dar, als ob die Frömmigkeit allein im Kult bestände. Wie das ganze Alte Testament dartut, erheischt jede neue Situation, jede Stunde, jede Minute eine neue Begegnung mit Gott. Die rituellen Segnungen und Gebete bringen zum Ausdruck, daß Gott bei allen Handlungen seines Volkes zugegen ist und daß er verlangt, daß dessen Glieder ihm willfährig sind: «Ihr geräuschvoller, manchmal aufdringlicher Dienst ist der ungeheure Schrei eines Volkes, das die unaufhörliche Gegenwart Gottes in der Welt proklamiert.»[1]

Dieses *avoda*-Gesetz hat prophetische Dimension angenommen im Gottesknechtthema des Isaias, das in der Herzmitte des Alten Testamentes steht. Jesus macht es zum Inbegriff seiner Sendung (Mk 10,42–45; Lk 22,25f). Für Paulus ist die Botschaft der demütigen Herablassung des Gottessohnes das Prinzip seiner Verkündigung Christi als des Herrn (1 Kor 4,6–13; Phil 2,6–11). Sich selbst bezeichnet er als «Knecht um Jesu willen» (2 Kor 4,5; vgl. 1 Kor 9,19). Johannes nimmt an Stelle des Berichtes vom Letzten Abendmahl die Fußwaschung in sein Evangelium auf. Der Dienst im biblischen Sinn bildet so die Grundlage des christlichen Amtes.

[1] A. Néher, L'existence juive (Paris 1962) 76–77.

1. Das kirchliche Amt als Dienst und Vollmacht

a. Die christliche Diakonie

Zur Bezeichnung der Funktion, zu welcher der Jünger in der Kirche berufen wird, verwendet das Neue Testament am häufigsten den Ausdruck διακονία (an Stelle des hebräischen Wortes *avoda*), der Dienst bedeutet, aber in der Bibel so viele Nebenbedeutungen hat, daß man ihn am besten nicht mit einem Wort der Umgangssprache wiedergibt.[2] Man ist stets in Gefahr, den Dienst moralisch zu verstehen.[3] Gewiß hat die Diakonie zunächst eine ethische und nicht funktionelle Bedeutung. Man kann deshalb mit ebensoviel Berechtigung vom gemeinsamen Diakonat wie vom gemeinsamen Priestertum der Gläubigen sprechen. Die christliche Diakonie ist jedoch nicht irgendwelche Philanthropie; sie hat ihre eigene Dynamik und ihr eigenes Gesetz, das zu wirklicher Leidensgemeinschaft und echter Selbstentäußerung führen kann. Man muß darum zwischen dem Dienst unterscheiden, zu dem jeder Christ verpflichtet ist, und den Aufgaben, mit denen der Jünger beauftragt werden kann, um seiner von Gott erhaltenen Berufung zu entsprechen. In diesem Licht tritt in der Kirche das «Amt» auf. Wenn Paulus schreibt: «Es gibt verschiedene Zuteilungen von Diensten, aber nur einen einzigen Herrn» (1 Kor 12,5), wird διακονία fast gleichbedeutend mit χάρισμα – Gnadengabe.

Zur Bezeichnung des Jüngeramtes wird jedoch weiterhin am häufigsten das Wort διακονία verwendet, zweifellos deshalb, weil es stärker als das Wort χάρισμα in der Bibel wurzelt. Paulus erblickt im neuen Dienstamt die von den Propheten verheißene Darbringung des reinen Opfers (vgl. Is 55,6f) und die Verwirklichung von Mal 1,11f. Das bei Malachias von den Nationen dargebrachte neue Opfer bedeutete in den Augen des hebräischen Volkes zunächst das Opfer des jüdischen Volkes der Diaspora, das als Priestervolk im Namen der Nationen ein Opfer darbringen muß.[4] Doch für Paulus gibt es inskünftig mehr als dieses bloß vom jüdischen Volk dargebrachte Opfer. Das Kommen Christi hat es ermöglicht, daß auch die Nationen selbst diese unbefleckte Opfergabe darbringen, indem sie das Evangelium annehmen. Ihr Dasein ist zu einer heiligen Existenz geworden und ihre Anstrengung, ihr Dienst, ihr Gebet zu einem geistlichen Gottesdienst.

---

[2] Vgl. H. W. Beyer, διακονία: ThW II (1935) 81–93.

[3] Lukas berichtet, daß Jesus seine Jünger fragte: «Wer ist größer: der zu Tische sitzt oder der bedient? Doch wohl der, welcher zu Tische sitzt» (Lk 22,27). Wie zahlreiche andere, so zeigt auch diese Stelle, daß unter «Dienst» vor allem der Tischdienst verstanden wird. Διακονεῖν besagt, den Tischdienst verrichten. Die Welt der Antike behielt diesen Dienst den Sklaven vor; die Bibel erblickt darin die höchste Form des Kultes und des Gebetes und sie faßt beide Bedeutungen in eins, um die Feier des Herrenmahles zu bezeichnen.

[4] Vgl. Justin, Dial. 115–117 (PG 5,745).

Indem Paulus sie zu dieser Opferdarbringung anleitet, wird sein Amt zur Feier einer Art universaler Liturgie. Er weiß sich dazu berufen, «ein priesterlicher Diener (λειτουργός) Christi Jesu bei den Heiden zu sein, der den heiligen Dienst (ἱερουργοῦντα) des Evangeliums Gottes verrichtet, damit die Heiden als Opfergabe wohlgefällig werden, geheiligt im Heiligen Geist» (Röm 15,16).

Das Priestertum, um das es sich hier handelt, kann nicht ein Kultdienst sein, der irgendwie etwas Besonderes wäre und außerhalb des Lebens stände; es wird im Gegenteil im Leben ausgeübt. In der paulinischen Definition des Priestertums findet sich der wesentliche Aspekt des Dienstes wieder.

Das als Diakonie gelebte und verstandene Amt setzt vonseiten dessen, den Gott zum Dienst beruft, eine tiefgreifende Umkehr *(teshuvah*, μετάνοια*)* voraus. Er muß diese Welt gebrauchen, als gebrauchte er sie nicht. Er muß nicht nur selbstlos gesinnt sein, sondern sich auch unabläßig zu Christus zurückwenden, zum einzigen Herrn der Welt und zur einzigen Quelle der Dienstämter: «Er hat die einen zu Aposteln bestellt, andere zu Propheten, andere zu Evangelisten, andere zu Hirten und Lehrern, um die Heiligen für das Werk des Dienstes auszurüsten, für die Auferbauung des Leibes Christi» (Eph 4,11f).

b. Das kirchliche Amt als Repräsentation Christi und als Vollmacht

Die Amtsträger sind in der Kirche Gesandte und Repräsentanten Christi.[5] Sie können sich auf die Zusage Christi an seine Jünger verlassen, in ihrem Wort zugegen zu sein: «Wer euch hört, der hört mich, und wer euch verwirft, der verwirft mich; wer aber mich verwirft, der verwirft den, der mich gesandt hat» (Lk 10,16; vgl. Mt 10,40ff; Mk 9,35ff; Lk 9,46ff; Jo 13,20). Dieses Versprechen gilt zwar für jeden Jünger, wer immer er sei, und nicht nur für die Amtsträger der Kirche, aber für diese gilt es a fortiori: «Wer einen Propheten aufnimmt, weil er ein Prophet ist, wird den Lohn eines Propheten empfangen; und wer einen Gerechten aufnimmt, weil er ein Gerechter ist, wird den Lohn eines Gerechten empfangen» (Mt 10,41). Diese Präsenz Christi in seinen Jüngern sichert ihnen eine Autorität, die sie

---

[5] Dies ist der tiefere Sinn des Ausdrucks «vicarius Christi». Vgl. M. Maccarrone, Vicarius Christi (Roma 1952). Zu diesem Werk vgl. Y. Congar: RSPhTh 39 (1955) 439 bis 449. Vgl. auch A. von Harnack, Christus praesens. Vicarius Christi. Eine kirchengeschichtliche Skizze (Berlin 1927) 415–446. Zu diesem Werk vgl. H. Koch: ThLZ 56 (1931) 100ff; D. Sölle, Stellvertretung (Stuttgart ⁵1968); H. Gollwitzer, Von der Stellvertretung Gottes. Christlicher Glaube in der Erfahrung der Verborgenheit Gottes. Zum Gespräch mit Dorothea Sölle (München 1968). Vgl. die Bemerkung von K. Barth: «Man müßte schon den *Christus praesens* leugnen, wenn man den *vicarius Christi* grundsätzlich leugnen wollte» (KD I/1, 99).

im Namen des Herrn ausüben. Darum wird ihnen nicht weniger eindrücklich eingeprägt, daß diese Autorität ihnen nur gewährt wird, sofern sie demütig und willens sind, sich nicht damit zu brüsten: «Wenn jemand der Erste sein will, sei er der Letzte von allen und der Diener von allen» (Mk 9,35). In einem christlichen Regime gehen Demut und Autorität Hand in Hand.

Wie die Autorität Christi selbst unterscheidet sich die des Amtsträgers gänzlich von der weltlichen «Gewalt» mit ihrer Zwangsausübung. Sie tritt da zutage, wo der Herr selbst am Wirken ist, d.h. da, wo das Wort Gottes ertönt; sie darf sich deshalb nicht weltlicher «Machtmittel» bedienen. Sie sucht sich nicht um ihretwegen zu behaupten; ihr Ziel ist das Heil des Sünders. Auch erfordert sie nicht, daß andere sich vor ihr erniedrigen und sich ihr unterwerfen, sondern sie will innerlich bejaht sein; sie erfordert eine persönliche Überzeugung, die in einer Atmosphäre der Freiheit herangereift ist, denn allein der Heilige Geist kann bewirken, daß man den Geboten des Herrn zustimmt. Mehr als in einer «Gewalt» im eigentlichen Sinn besteht das kirchliche Amt in Umsichtigkeit, in einer Aufsicht (ἐπισκοπή)[6], die im Namen Christi ausgeübt wird.

Und doch nimmt, wenn man sich an die Heilsordnung, d.h. an den Eigenbereich der Kirche hält, die Autorität der Dienstträger die Form einer gewissen Vollmacht an. Mehrere Worte Jesu an seine Apostel bringen dies deutlich zum Ausdruck. So, wenn er beim Letzten Abendmahl den Auftrag gibt: «Tut dies, um meiner zu gedenken!», oder wenn er nach der Auferstehung sagt: «Mir ist alle Gewalt gegeben im Himmel und auf Erden. Geht also hin und werbet Jünger für mich bei allen Völkern…» (Mt 28,18ff). Die Apostel werden damit zu Zeugen und Boten bestellt für die ganze Dauer der Heilsgeschichte bis zur Wiederkunft Christi und von Jerusalem bis an die Grenzen des Erdkreises.[7]

---

[6] Dies ist der Sinn von Mt 16,19; 18,18: «Dir will ich die Schlüssel des Himmelreiches geben. Was du auf Erden binden wirst, wird auch im Himmel gebunden sein – und was du auf Erden lösen wirst, wird auch im Himmel gelöst sein…». Die «Schlüssel» sind ein Messiasattribut (Apk 1,18; 3,7; vgl. Is 22,22). Wie damals, als Jahwe die Schlüssel Davids auf die Schultern Eliakims legen wollte (Is 22,22), ist die «Übergabe der Schlüssel an Petrus» das Zeichen, daß den Aposteln ein Wächteramt anvertraut wird. Sie sollen getreue Wächter sein (Mt 24,45–51), d.h. sie haben zur Aufgabe, die Wiederkunft des Herrn vorzubereiten, indem sie seine Güter verwalten, auf den einzuschlagenden Pfad hinweisen und seine Botschaft verkünden. Die «Binde- und Lösegewalt» (Mt 16,20) bringt eine ergänzende Klarstellung. Man hat darin zunächst nicht die Übergabe der Gewalt zu erblikken, die Sünden nachzulassen, in die Gemeinschaft der Kirche aufzunehmen oder von ihr auszuschließen, sondern infolge ihres umfassenden Charakters (vgl. G. Lambert, «Lier et délier»: Vivre et penser: RB [1941–1944] 91–103) liegt in dieser Wendung vor allem der Sinn, daß die Apostel beauftragt wurden, das Gottesvolk in das messianische Reich zu führen. Der Ausdruck tönt nach Rechtsgewalt. Es handelt sich dabei jedoch um ein arteigenes, biblisches und evangelisches Recht, um ein «Recht des Glaubens und der Gnade», das sich auf die mit Autorität erfolgende Ankündigung und Vermittlung des Heils bezieht.

[7] Apg 1,8; 5,32; 10,39.

Man kann sich fragen, an wen sich diese Worte Christi richten. Sie richten sich insbesondere an die Jünger, gleichzeitig aber auch an die gesamte Kirche.[8] Von den Jüngern ist vor allem Petrus gemeint, zugleich aber die Gesamtheit der Apostel. In diesem Sinn kann man sagen, daß die Gewalt in der Kirche «kollegial» ist.[9] Im Amt der Kirche gibt es deshalb wie in ihrer Sendung irgendwie zwei Aspekte oder Gesichtspunkte.[10] Einerseits ist das Amt eine Verpflichtung, Zeugnis abzulegen und zu Diensten zu stehen. Diese Pflicht ergibt sich aus dem Christsein als solchem, sozusagen aus der christlichen Ontologie, und aus diesem Grund ruht die Sendung auf allen. Christ sein heißt Jünger sein und Jünger sein heißt Apostel sein. Anderseits wird man zum Dienstamt durch einen bestimmten Auftrag bestellt, den man von Christus erhält. Um die Mission zu erfüllen, die den Aposteln im Hinblick auf die kommende Gottesherrschaft erteilt wurde, soll man den Weg für die Wiederkunft Christi bereiten.

2. Die Struktur der Dienstämter in der Kirche

a. Verschiedenheit der Dienstämter im Neuen Testament

Im Neuen Testament gibt es nicht einen eigentlichen Dienst- oder Amtsbegriff, der die Funktion bezeichnen würde, die wir heute das «kirchliche Amt» im Sinn eines besonderen, dauernden Standes nennen. Es findet sich eine große Mannigfaltigkeit von Begriffen: Apostel, Propheten, Lehrer, Evangelisten, Hirten, Vorsteher, Presbyter, Episkopen, Diakone... An andern Stellen werden Gaben und Charismen aufgezählt, die gewissen Kategorien von Personen vielleicht bloß zeitweilig gewährt wurden: Wortverkündigung, Sprachengabe, Wundermacht, Heilungsgabe, Krankenbetreuung, Sorge für Witwen und Waisen, Tischdienst... Die Tatsache, daß in der Kirche ursprünglich eine solche Vielfalt von Funktionen bestand,

---

[8] Vgl. z. B. Augustinus, Enarr. in Psalm. 47, 14; De bapt. 7, 84–85.

[9] Vgl. P. Rusch, Die Kollegialität im Neuen Testament: Y. Congar, H. Küng, D. O'Hanlon (Hrsg.), Konzilsreden (Einsiedeln 1964) 43–45.

[10] Diese Terminologie ist wohl der Ausdrucksweise vorzuziehen, die seit dem Ersten Vatikanum von gewissen Theologen verwendet wurde, indem sie von einem «inadäquat verschiedenen doppelten Träger» der kirchlichen Gewalt sprachen. Darnach gäbe es in der Kirche eine einzige Gewalt, die aber bald ein einziger, bald das gesamte Kollegium innehätte. Das Neue Testament legt eher nahe, die Gewalt nicht juridisch auseinanderzureißen und zum Teil dem Kollegium, zum Teil dessen Haupt zuzusprechen, sondern nur von einem einzigen organischen Träger zu reden, der theologisch unter verschiedenen Gesichtswinkeln betrachtet werden kann. So geben Mt 16, 19 und Mt 18, 18 zwei Aspekte ein und desselben Mysteriums, ein und derselben Präsenzweise Christi wieder. Im einen Fall ist es der «Fels», der im Namen aller seinen Glauben bekennt und seine Brüder bestärkt; im andern Fall ist es die Gemeinschaft, die durch ihre Eintracht zu einem Einvernehmen gelangt.

weist deutlich darauf hin, daß Christus in dieser Hinsicht den Aposteln keine Regel hinterlassen oder auferlegt hat. Es brauchte eine gewisse Zeit und eine gewisse Erfahrung mit den Apostolatsaufgaben, bis der kirchliche Dienst feste, dauernde Formen annahm. Im Neuen Testament ist viel weniger von *dem* Dienstamt als von Dienst*ämtern* die Rede. Die Tatsache der Verschiedenheit der kirchlichen Ämter darf uns jedoch nicht darüber hinwegtäuschen, daß Christus während seines öffentlichen Wirkens sich mit einer besonderen Gruppe von Jüngern umgeben hat, die er erwählte, damit sie «bei ihm seien», und die er im Verlauf seines Erdenlebens zur Verkündigung seiner Botschaft aussandte.

aa. Die Zwölf, die Siebzig und die Sieben. Der Sinn, den die Wahl der *Zwölf* hatte, wird im Neuen Testament nicht ausdrücklich genannt, scheint aber im Logion von den Zwölf Thronen (Mt 19,28; Lk 22,28ff) auf. Jesus hat seine ersten Jünger, zwölf an der Zahl, im Hinblick auf das kommende Gericht berufen. Diese Geste hat einen apokalyptischen Hintergrund. Nach der Vision Daniels (Dn 7) soll das Reich «der kommenden Welt» damit anheben, daß «in dieser Welt» ein Gericht bestellt wird, dem der Menschensohn vorsteht; dieser ist von Beisitzern umgeben, um die zwölf Stämme Israels zu richten. Die Evangelisten Matthäus und Lukas geben das Logion in zwei etwas verschiedenen Interpretationen wieder, die einander ergänzen.[11] Bei Matthäus liegt eine mehr ethische als ekklesiologische Sicht vor. Die Jünger werden aufgefordert, wie Jesus im Geist des Verzichtes und Dienstes zu leben; im Reich der «kommenden Welt» wird dann die Situation gerade umgekehrt sein: denen, die Jesus gefolgt sind, wird dann die wahre Macht übergeben, die einzige, die das Gericht herbeizurufen vermag, eine Macht, die zur Befreiung ganz Israels führen wird. Bei Lukas scheint das Logion einen mehr geschichtlichen Sinn zu haben. Der Blick richtet sich mehr auf die Sendung der Jünger. Die Rolle, die ihnen übergeben wird, ist die Belohnung für ihre Treue. Da sie im Namen des ganzen Volkes von Galiläa bis Jerusalem in einer Lebensgemeinschaft mit Jesus gestanden sind, erhalten sie für die nun anbrechenden messianischen Zeiten eine Art Regentschaft innerhalb Israels.[12] Sie haben also eine eigene Funktion. Nachdem sie die Prüfung Jesu miterlebt haben und Zeugen der Heilsereignisse geworden sind, werden sie nach der Auferstehung die ersten Zeugen des auferstandenen Christus sein.

Obwohl sie nicht die einzigen waren, die Jesus persönlich gekannt haben, sind die Zwölf dennoch Inhaber einer einzigartigen, unübertragbaren Funktion. Dies ist, wie es scheint, der Sinn der Ersetzung des Judas durch

---

[11] Vgl. J. Dupont, Le logion des douze trônes: Biblica 45 (1964) 355–392.
[12] Dieser Gedanke des tatsächlichen und nicht bloß symbolischen Zusammenhangs der Zwölf mit den Stämmen Israels (Mt 19,28; Lk 22,30) wird sich ziemlich lange halten. Vgl. das Ebionitenevangelium (E. Klostermann, Kleine Texte 8, Fragment 2); Barn. 8,3.

Matthias und tritt klar zutage, wenn man beachtet, daß die andern Mitglieder der Zwölfergruppe[13] nicht ersetzt werden. Judas ist nicht sosehr deswegen ersetzt worden, weil er verstorben war, sondern weil er Verrat geübt hatte; das Zeugnis der Apostel soll integral und ohne Fehl allem Volk übermittelt werden. Der Tod eines Apostels ändert an und für sich am Faktum der Zwölf nichts; das Zwölfer Kollegium bleibt auch nach seinem Ableben eine Gabe und Verheißung an die Kirche. Aber die Ersetzung des Judas durch Matthias bezeugt und begründet die apostolische Sukzession. Sie vertritt übrigens nicht sosehr das Prinzip der geschichtlichen Kontinuität der Zeugen *nach* den Aposteln als das der *eschatologischen* Sendung der Zwölf, eines einmaligen, dauernden Ereignisses, das für die ganze Heilsgeschichte bedeutungsvoll ist.[14] Das Faktum der Zwölf deutet an, daß die Verheißung, in den eschatologischen Zeiten werde ganz Israel wieder versammelt werden, sich zu verwirklichen beginnt.

In der Institution der Zwölf gibt es einen einmaligen, unübertragbaren Aspekt, aber auch übertragbare Elemente. Als Erstlinge von «Gesamtisrael», sind die Zwölf gleichzeitig Grundlage der Kirche. Sie sind Zeugen Israels und in die ganze Welt entsandt mit dem Auftrag, die Frohbotschaft zu verkünden, zu taufen, die Eucharistie zu feiern, die Hände aufzulegen, um den Heiligen Geist zu spenden. Sie haben als erste die Kirche aus Juden und Heiden besammelt und andere beauftragt, diese Aufgabe weiterzuführen, die bis zur Vollendung dieser Zeit dauern soll. Es ist deshalb verständlich, daß Paulus und Lukas in den Zwölfen die Apostel im Vollsinn, die Wurzel und Quelle jeglichen Apostolats erblickt haben.

Zum ursprünglichen Dienstamt gehören auch *die Siebzig* (oder nach gewissen Manuskripten – Lk 9,1–6; 10,1–6 – die Zweiundsiebzig). Auch sie sind von Jesus entsandt worden. Im Bericht über die beiden Sendungen sind die meisten Elemente den Zwölfen und den Siebzig gemeinsam. Beide erhalten den Auftrag, die Zeichen des kommenden Reiches zu setzen: die Kranken zu heilen, eine Gnadenzeit anzukündigen, den Staub von ihren Füßen zu schütteln zum Zeichen des Gerichts, das über diejenigen kommen wird, die ihnen keine Gastfreundschaft gewähren. Wie die Zwölfzahl, so ist auch die Zahl Siebzig zweifellos mit Bedacht gewählt.[15] So wie die Zwölfe die Stammväter Israels repräsentieren, so sind die Siebzig den Ältesten an die Seite zu stellen, die Moses auf Gottes Geheiß um sich geschart hatte.[16]

---

[13] Z. B. Jakobus d. Ält. anläßlich seines Todes im Jahre 42.

[14] Vgl. Ph. Menoud, Les additions au groupe des douze apôtres d'après le livre des Actes: RHPhR 37 (1957) 71–80.

[15] Vgl. A. M. Farrer, The Ministry in the New Testament: The Apostolic Ministry (London 1946) 133–142.

[16] Nm 11,16f. Dieser Zusammenhang mit den von Moses eingesetzten Ältesten wird durch ein Indiz bestätigt. Zwei Älteste waren nicht an die Zusammenkunft in der Wüste gekommen, wo sie den Geist empfangen sollten, sondern hatten begonnen, im Zeltlager

Wie die Ältesten Israels den Auftrag erhalten hatten, mit Moses sich des Volkes anzunehmen und sich prophetisch zu betätigen, so werden die Siebzig von Christus beauftragt und seinem Wirken beigesellt. Somit leitet sich das ganze apostolische Dienstamt nicht einzig vom Kollegium der Zwölf ab als dessen Weiterführung und Erweiterung. Der kirchliche Dienst hat primär in der Sendung der Zwölf, sekundär im Auftrag an die Siebzig Gestalt angenommen, und vielleicht beruht darauf die Aussage von Eph 2,20: «Ihr seid aufgebaut auf dem Grund der Apostel und Propheten, wobei Jesus Christus der Eckstein ist» (Eph 2,20).

Aus der Berufung der Siebzig ist noch eine weitere Folgerung zu ziehen. Wenn die Apostel im Hinblick auf die Bedürfnisse der Kirche ihre Funktionen örtlichen Amtsträgern übergeben werden, so werden sie nicht ein Dienstamt delegieren, das sie in seiner Totalität erhalten und besessen hätten, sondern sie werden es machen wie Moses und wie Jesus selbst: sie werden Älteste erwählen, die sich an ihren Aufgaben im ganzen Volk mitbeteiligen und ebenfalls prophetisch tätig sein werden. In der Urkirche geht diese Aufgabenverteilung weiter und setzt sich fort: die Apostel und die Ältesten zu Jerusalem; die Apostel und ihre Helfer (die ebenfalls Älteste genannt werden) in den andern Kirchen.

Schließlich ist noch eine letzte Gruppe zu erwähnen, deren Gründung jedoch auf die Apostel selbst zurückzugehen scheint, und die trotz der Entdeckungen von Qumran und der Fortschritte der Exegese noch von einem gewissen Geheimnis umgeben ist. Der erste apostolische Akt, der ein kirchliches Amt einsetzt, ist die Bestellung der *Sieben* zu Jerusalem. Diese Sieben – «Männer, die angesehen und vom Heiligen Geist und Weisheit erfüllt sind» (Apg 6,3) – sind alles Juden mit hellenistischer Kultur, die sich zu Christus bekehrt haben. Obwohl der Redaktor der Apostelgeschichte von ihnen sagt, sie hätten eifrig den «Tischdienst» besorgt, tritt deutlich zutage, daß sie sich aktiv der Verkündigung widmeten. Man hat allen Grund zur Annahme, daß die Sieben für die «hellenistischen» Juden das gewesen sind, was die Zwölf für die «Hebräer»: geistliche Leiter ihrer Ursprungsgruppe.[17] Wie es scheint, repräsentieren die Sieben die Synagoge der Diasporajuden, die sich zu Jerusalem niedergelassen hatten und zweifellos bereits vor der Zeit der Apostel ihrer eigenen Überlieferung entsprechend organisiert wa-

---

allein prophetisch zu wirken. Moses freute sich darüber, weil er darin ein Vorzeichen dafür erblickte, daß das ganze Volk prophetisch werde. Er nahm sie zu den Siebzig hinzu, so daß die Zahl der Ältesten sich auf zweiundsiebzig erhöhte (Nm 11,24–30). Einzelne Manuskripte des Lukasevangeliums vermerken die Zahl zweiundsiebzig, was sicherlich dem Bemühen entsprang, die Zahl mit dem Bericht des Alten Testaments in Übereinstimmung zu bringen. Vgl. R. Paquier, L'épiscopat dans la structure institutionelle de l'Eglise: Verbum Caro 49 (1959) 32.

[17] Vgl. M. Simon, Les premiers chrétiens (Paris 1952) 45; St. Stephen and the Hellenists in the primitive Church (London 1958).

ren. Warum haben die Apostel gerade Sieben bestellt? Nach jüdischem Herkommen hatte eine Gemeinde von hundertzwanzig Männern das Recht,
einen Ortsrat von sieben Mitgliedern zu wählen. Möglicherweise haben die
sieben Ältesten die neben der jüdischen Gemeinde bestehende griechische
Synagoge repräsentiert. Die Handauflegung, die den Sieben durch die
Apostel erteilt wurde, betont die Einheit der Gesamtgemeinde von Jerusalem, der Christen Judäas und der Christen der gesamten Diaspora. Sie
weist von Anfang an darauf hin, daß die Kirche von Natur aus «jüdisch
und griechisch» zugleich ist.[18]

Die Amtsstruktur in der Urkirche könnte so reichlich kompliziert erscheinen, müßte man darin nicht vor allem ein Zeichen der Gemeinschaft
erblicken, das alle ihre Glieder zu einer Einheit verband. Das gleiche ist zu
sagen, wenn man nach den Funktionen des Vorsitzes und der Leitung in
der Gemeinschaft fragt. Als Paulus nach seiner Bekehrung um das Jahr 38
nach Jerusalem hinaufgeht, besucht er Petrus, der als das Haupt der Apostel
betrachtet wird, und Jakobus, der die Funktionen des Vorstehers der Gemeinde von Jerusalem ausübt (Gal 1,19). Jakobus, ein Verwandter Jesu,
zweifelsohne ein Ältester,[19] scheint – nach der Rolle zu urteilen, die er in
der Apostelgeschichte spielt – in der Tat die Kirche von Jerusalem geleitet
zu haben und zwar nicht nur die Christen jüdischer Abstammung, sondern
auch die andern.

Es macht somit den Anschein, daß die Zwölf ihre Verantwortlichkeiten
in weitem Ausmaß aufgeteilt hatten und den Vorsitz über die Ortskirche
von Jerusalem andern überlassen wollten. Damit wurde deutlicher, daß
ihre Autorität im Dienste aller stand. Vielleicht ist dies der Grund, weshalb andere «Apostel» wie Stephanus, Paulus und Barnabas ebenfalls behaupten konnten, der Verschiedenheit ihrer Berufungen und jeweiligen
Sendungen entsprechend einen ähnlichen Ruf vernommen zu haben wie sie,
ohne daß diese Initiativen die einzigartige Autorität der Zwölf beeinträchtigt hätten (Gal 2,8). Vielleicht erklärt dies auch, daß die Urkirche sehr bald
ein Amt örtlichen Ursprungs gekannt hat. Wie es scheint, haben sich die
Kirchen nach dem Modell der Synagogen organisiert. Diese besaßen ein
Kollegium von Ältesten, über das ein «Synagogenvorsteher» den Vorsitz
hatte. Die Gemeinde von Jerusalem konnte eine solche von Jakobus präsi-
dierte Leitung haben, was selbstverständlich nicht daran hinderte, daß die
Apostel in ihr den Dienst des Wortes und des Gebets verrichteten.

Diese beiden Körperschaften kirchlicher Amtsträger scheinen somit in
gutem gegenseitigem Einvernehmen funktioniert zu haben: das Apostelkollegium unter dem Vorsitz des Petrus mit seinen eigenen Sendungen; das

---

[18] Vgl. G.Dix, Jew and Greek. A study in the primitive Church (New York 1953).
[19] Dieser Jakobus braucht nicht mit dem Apostel Jakobus, dem Sohn des Alphäus,
identifiziert zu werden. Das Problem ist noch nicht entschieden.

Presbyterkollegium, das zu Jerusalem von Jakobus, anderswo durch einen örtlichen Episkopen präsidiert wurde. Innerhalb dieser Presbyterkollegien bilden sich bald verschiedene Funktionen heraus, die nach der am häufigsten vorkommenden Trilogie die der Propheten, Hirten und Lehrer umfassen, die aber je nach dem Ort verschieden benannt werden können.

bb. Die «Apostel» der Paulinischen Gemeinden. Charismen und Funktionen. Die Exegeten haben lange Zeit hindurch in den Missionsreisen des Paulus und seiner Jünger den Ursprung des Apostolats erblickt, da das Wort ἀπόστολος zuerst in Antiochien auftaucht. Man kommt jedoch der Wirklichkeit näher, wenn man annimmt, daß in Jerusalem, wenn nicht das Wort, so doch die Sache entstanden ist.[20] Paulus selbst bezeugt, daß es seit der Auferstehung «Apostel» gibt (1 Kor 15,3–8). Als Apostel Zeugnis ablegen kann, wer Jesus persönlich gekannt und sich zum Auferstandenen bekannt hat.[21]

Sicherlich ist es jedoch der Reflexion des Paulus zu verdanken, daß dieser Titel für gewöhnlich auf die Zwölf angewendet und ihnen vorbehalten wird.[22] Für Paulus ist der Apostel Zeuge für den auferstandenen Herrn, Vertreter Christi auf Erden, um die Mission auszuüben, die dieser weiterhin auf Erden erfüllt. Der Apostel setzt also in seiner Person die Präsenz Christi fort, so daß, wer ihn hört, Christus hört, wer ihn verachtet, Christus verachtet und den, der diesen gesandt hat.[23]

Die direkte Berufung des Paulus stellt jedoch für das Verständnis des christlichen Amtes und der Apostolizität der Kirche ein Ereignis von außerordentlicher Tragweite dar. Bis zur Reformationszeit hat man sehr wenig nach dem Sinn dieses Ereignisses gefragt. Man kann versuchen, ihn irgendwie zu ergründen. In eben dem Zeitpunkt, da die kirchliche Institution und die apostolische Sukzession von Gott geschaffen worden waren und Gestalt angenommen hatten, wurde von Gott ebenfalls ein geistiges Ereignis ge-

---

[20] Vgl. J.Dupont, Le nom d'apôtres a-t-il été donné aux Douze par Jésus?: L'Orient Syrien 1 (1956) 267–290; 425–444; E.Lohse, Ursprung und Prägung des christlichen Apostolates: ThZ 9 (1953) 259–275; H. von Campenhausen, Der urchristliche Apostelbegriff: Studia theologica (Lund) 1 (1947) 166–200. Vgl. auch E.M.Kredel: ZKTh 78 (1956) 169–193; 257–305; H.Riesenfeld: RGG 1 (1957) 497–499; H.Mosbech: Studia theologica (Lund) 2 (1949–50) 166–200.

[21] Diese Frage nach der Definition des Apostels ist besonders entscheidend im Hinblick auf Paulus. Da er Christus nicht dem Fleische nach gekannt hatte, verteidigt er seinen Anspruch, von Christus gesandt zu sein, gegenüber denen, die «vor ihm Apostel» waren. Er betrachtet sich als Apostel, dem der Herr als Letztem erschienen ist, «wie einer Fehlgeburt» (Röm 11,1), d.h. wie Benjamin, dem letzten Sohn Jakobs (aus dessen Stamm Paulus war). Daß der Auferstandene den Zwölfen (mit Einschluß von Thomas) erschien, beglaubigte sie als Apostel (Jo 20,19–29), bot aber auch Gelegenheit, den Begriff des Apostels ein letztes Mal zu vertiefen, denn «selig sind diejenigen, die nicht sehen und doch glauben».

[22] Vgl. J.Munck, Paulus und die Heilsgeschichte (Kopenhagen 1954); La vocation de l'apôtre Paul: Studia theologica (Lund) 1 (1947) 131–145.

[23] Vgl. Lk 19,16, eine in «Lumen gentium» 20 angeführte Stelle.

wollt, um seine Freiheit zu demonstrieren. Obwohl die kirchlichen Ämter
Gaben Gottes sind, sind sie nicht ein für allemal ins Dasein gerufen, wie
wenn sie in der Folge über sich selbst frei verfügen könnten. Sie erneuern
sich durch die Charismen des Heiligen Geistes, und wer sich in seinem
Leben an die Institutionen der Kirche anschließt, muß sich gleichzeitig
offenhalten für die Charismen, die der Kirche geschenkt sind.

Es kann deshalb nicht überraschen, daß die paulinischen Gemeinden
besondere Amtsformen hervorbrachten. Wie aus 1 Kor 12,4–11 und Röm
12,6 ff hervorgeht, scheinen die Charismen in diesen Gemeinden besonders
zahlreich vorhanden gewesen zu sein. Manches Charisma mag vielleicht nur
ein einziges Mal unter besonderen Umständen verliehen worden sein, andere
aber sind zur beständig vorhandenen und anerkannten Gabe bestimmter
Personen geworden. Die Charismen nahmen dann den Charakter perma-
nenter Funktionen an, die zum Wohl der gesamten Gemeinschaft ausgeübt
wurden: Propheten, Apostel (im weitern Sinn), Lehrer, Evangelisten, Hirten. Aber in den charismatischen Ämtern selbst scheint sich eine gewisse
Ordnung, eine gewisse Hierarchie herausgebildet zu haben, wie dies 1 Kor
12,28 nahelegt: «erstens Apostel, zweitens Propheten, drittens Lehrer».
Gewiß erweckt und verteilt stets der Heilige Geist die Charismen, aber die
Gläubigen, die ebenfalls den Beistand des Geistes haben, werden inne, wo
dieser sich wirklich kundgibt. Darum ist es gegeben, daß die Charismatiker
sich gewissen disziplinären Regeln unterziehen müssen, damit in der Kirche
die gute Ordnung aufrechterhalten bleibt. Wenn man auch die Charismen
nicht auf die Institution beschränken darf, so ist doch zuzugeben, daß der
klassische Gegensatz zwischen Charisma und Funktion weniger absolut ist,
als es auf den ersten Blick scheint. Wenn ein Konflikt entsteht, was der Fall
sein kann, muß er behoben werden können, denn jedes Amt gründet sich
auf eine Geistesgabe und jede Geistesgabe wird, wenn sie sich verfestigt,
zu einem Amt.

b. Die Struktur der kirchlichen Ämter im Frühkatholizismus: die Apostelschüler

Unter «Frühkatholizismus» verstehen wir die Kirchenordnung, welche die
Kirche gegen Ende des ersten Jahrhunderts aufgewiesen zu haben scheint.
Sie tritt uns in den Pastoralbriefen und verschiedenen andern Texten der
gleichen Epoche entgegen. Charakteristisch dafür ist die besondere Betonung der Rechtgläubigkeit, der apostolischen Überlieferung, der Wahrheits-
erkenntnis und des äußern Tuns und vor allem eine Organisation von Ämtern, die zur Aufgabe haben, gegenüber der Lockerung der Sitten sich für
ein würdiges neues Leben in Christus einzusetzen.[24]

[24] Vgl. H. Schlier, Die Ordnung der Kirche nach den Pastoralbriefen: Die Zeit der
Kirche (Freiburg i. Br. 1956) 129–147.

Es ist leicht verständlich, daß sich innerhalb des Presbyteriums eine ἐπισκοπή herausbilden konnte, die aus einem Komitee hierzu besonders geeigneter Männer bestand, und daß oft ein Apostelschüler berufen wurde, eine entscheidende Aufgabe zu übernehmen wie beispielsweise Titus auf Kreta, Timotheus in Ephesus, Klemens in Rom, Ignatius in Antiochien.[25] Diese «bewährten Männer»,[26] die von den Aposteln eine besondere Aufsichtsfunktion in der Kirche erhielten, können in der sich damals abzeichnenden Tendenz zum monarchischen Episkopat eine ausschlaggebende Rolle gespielt haben. Sie ahmen in allem den Apostel nach, der ihnen den Glauben übermittelt hat; sie sind seine Geistesbrüder und müssen das, was sie von ihm empfangen haben, bewahren.[27] Sie müssen über das apostolische Glaubensvermächtnis wachen[28] und die kirchlichen Ämter organisieren.[29]

Wahrscheinlich unter dem Einfluß dieser «Apostelschüler», die in den aus dem Ende des ersten Jahrhunderts stammenden Schriften wiederholt erwähnt werden, gewinnt die Stellung der Presbyter, die mit der Verwaltung und Leitung der Gemeinden beauftragt waren, an Bedeutung. Sie treten schon in Phil 1,1 als «Episkopen und Diakone» mit festen Titeln auf. 1 Petr 5,1–5 betrachtet die Ältesten als Amtsträger, die den offiziellen Auftrag haben, «die Herde Gottes zu weiden». Sie müssen um das Einhalten der Disziplin besorgt sein. Desgleichen muß nach Apg 20,28–36 den Ältesten ihre Aufgabe angelegen sein, insbesondere die Wachsamkeit gegenüber Irrtümern, die an den Tag treten werden. In den Pastoralbriefen haben Timotheus und Titus die Funktion von Delegierten und Repräsentanten des Apostels Paulus; sie üben ihre episkopalen Verpflichtungen auf einem Territorium aus, das eine Gruppe von Gemeinden umfaßt. Wie der Ausdruck «presbyterium» in 1 Tim 4,14 zeigt, bilden die Ältesten eine Art Kol-

---

[25] Als sozusagen überall der örtliche Episkopat aufkam, waren die Inhaber der verschiedenen Sitze einander nicht gleichgestellt. Der Episkopat über Ägypten z.B., der Alexandrien zum Sitz hat, hängt beständig eng vom «Papst» dieser Stadt ab, der später Patriarchenrang erhält. Die Bildung dieses Sitzes von Alexandrien, sein späteres Verhalten, sein Zusammenhang mit Markus weisen auf einen apostolischen Ursprung des Patriarchates hin, das zu Alexandrien gegründet wurde. Die Titel des Bischofs von Alexandrien lassen sich zwar auch daher erklären, daß Alexandrien damals Hauptstadt Ägyptens war. Der Rang anderer Zentren läßt sich aber nur dann erklären, wenn man sie mit einer wichtigen Persönlichkeit in Zusammenhang bringt, die ihre Funktionen unmittelbar von den Aposteln erhalten hatte. Wenn man auch nicht – dem Vorschlag einiger Autoren entsprechend – die Patriarchate ausdrücklich auf Apostelschüler zurückzuführen braucht, so scheinen diese doch eine so feststehende geschichtliche Gegebenheit zu sein, daß sie die Übermittlung der ἐπισκοπή in der Kirche begründen (vgl. O. Kéramé, Les chaires apostoliques et le rôle du patriarcats dans l'Eglise: Y. Congar/B.-D. Dupuy [Hrsg.], L'Episcopat et l'Eglise universelle = Unam Sanctam 39 [Paris 1962] 261–278).

[26] Didache 11–12 und 15; Clemens Rom. 42,1–5; 44,1–3.

[27] 1 Tim 1,12–17; 2 Tim 1,8–13; 2,3–10.

[28] 1 Tim 6,20; 2 Tim 1,12ff; 2,13; Tit 1,1f.

[29] 1 Tim 4,14; 2 Tim 1,6; 2,1f; 3,1–5.

legium. In Tit 1,5 ff scheint die Episkope den Ältesten zuzukommen, aber im Gegensatz zu diesen und den Diakonen ist nur vom Episkopos in der Einzahl die Rede (vgl. 1 Tim 3,2; Tit 1,7). Daß der Episkopentitel einem bestimmten Glied des Ältestenkollegiums vorbehalten wurde, kann eine Etappe in dem Prozeß gewesen sein, der zum monarchischen Episkopat geführt hat.

c. Der monarchische Episkopat

Nach dem Fall Jerusalems und dem Ende des Episkopats des Jakobus kommt im Osten nach und nach der monarchische Episkopat auf. Am Ende des ersten Jahrhunderts sind in der Christenheit zwei hierarchische Strukturen festzustellen: der («antiochenische») Orient kennt überall den monarchischen Episkopat; der («römische») Okzident besitzt noch Kollegien von Presbytern oder Presbyter-Episkopen. Man macht sich im Osten und im Westen nicht die gleiche Vorstellung vom Bischof. Im Osten sieht man im Bischof den Vorsteher der Ortsgemeinde; der Kampf gegen die gnostische Irrlehre hat den Vorrang des Bischofs begünstigt. In Rom und im Westen beruft man sich auf die Übersiedlung des Petrus und schreibt diesem den Willen zu, die universale Episkope Jerusalems, die eine Zeitlang auch mit Antiochien verbunden war, auf die Hauptstadt des römischen Reiches zu übertragen. Diese ekklesiologische Differenz zwischen dem Orient und dem Okzident hat die Theologie der kirchlichen Ämter sosehr geprägt, daß sie noch heute deutlich wahrzunehmen ist.[30]

Die Rolle des Bischofs verfestigt sich noch mehr mit dem Aufkommen des Bewußtseins, daß die Dienstämter eine dauernde charismatische Rolle haben und daß man von ihnen nicht abgesetzt werden kann. Ursprünglich gilt 1 Kor 2,15 von jedem Christen. Die Stelle besagt, daß die Heiligen, die unter dem Antrieb des Geistes leben, nur Gott zum Richter haben. Man versteht in der Folge diese Schriftstelle im Westen allmählich im Sinn eines Richterspruchs der Amtsdiener über die Gläubigen,[31] weshalb sie zuerst auf die Bischöfe, sodann auf die «Primatialsitze» und schließlich auf den Römischen Stuhl angewendet und eingeengt wird.[32] In der gleichen Linie liegt

---

[30] Vgl. Y. Congar, Conscience ecclésiologique en Orient et en Occident du VIᵉ au XIᵉ siècles: Istina 5 (1959) 187–236.

[31] Da die lateinischen Versionen (schon die Vetus latina) ἀναϰϱίνειν mit *iudicare* übersetzen, geben sie zu dieser neuen Auslegung Anlaß. Dem Kontext entsprechend hätte das Wort eher mit *diiudicare* wiedergegeben werden müssen (wie das bei einzelnen Autoren der Fall ist: Ambrosius, Hieronymus, Ambrosiaster). Die griechischen Väter sind dieser Auslegung nie gefolgt; vgl. Joh. Chrysostomus, in Ep. I Cor., hom. 7 (PG 61,61); Joh. Damascenus, in Ep. Pauli 69 (PG 95,587 C-D).

[32] Vgl. A. M. Koeniger, «Prima sedes a nemine iudicatur»: Festgabe A. Ehrhard (Bonn 1922) 273–300. Dieser Grundsatz ist im Orient nie anerkannt worden und erregte deshalb in der orientalischen Kirche starken Anstoß, als er 865 im Brief Nikolaus' I. an Michael III. auftauchte (Mansi 15,196; DS 638).

die Tendenz, gewisse Titel, die nach einer im 2. und 3. Jahrhundert ziemlich allgemein verbreiteten Ekklesiologie – die sich bei Cyprian findet[33] – eigentlich den Bischöfen zukommen,[34] mehr und mehr den Päpsten vorzubehalten.

d. Die Leitung der Gesamtkirche. Episkopat und Papsttum

Die mit einem kirchlichen Amt verbundene geistliche Gewalt ist nicht mit der «Jurisdiktion» identisch, kraft deren sie die ihrem «ordo» im Dienstamt entsprechenden Gewalten ausübt.[35] Da der Ordo, wie gesagt, aus der Gegenwart Christi bei seiner Kirche herrührt, ist er eine sakramentale Wirklichkeit. Er ist das Sakrament der apostolischen Sukzession.[36] Der Ordo faltet sich so in die Sukzessionsgrade kollegialer Natur auseinander. Die Jurisdiktion hingegen betrifft die Anwendung auf besondere Situationen und damit die persönliche Amtsführung; sie besteht in der Berechtigung, die dem Ordo innewohnende Gewalt den Canones entsprechend auszuüben. Die Jurisdiktion hängt somit eng vom Ordo ab. Sie ist im Grunde der juridische Ausdruck der bischöflichen Sukzession, die mit dem Ordo gegeben ist.[37] Bald bestimmt sie die Bedingungen, unter denen die Bischöfe ihre Gewalten ausüben sollen, bald die Bedingungen, unter denen sie die Priester bei der Zuteilung der mit dem Priestertum zusammenhängenden Gewalten binden oder lösen können. Da sie einen objektiven Inhalt hat, welcher der des Ordo selbst ist und von Christus bestimmt worden ist, läßt

---

[33] Vgl. B.C.Butler, Saint Cyprien et l'Eglise: L'idée de l'Eglise (Paris 1965) 94–109.

[34] Vgl. H.Marot, La collégialité et le vocabulaire épiscopal du Ve au VIIe siècle: La Collégialité épiscopale (Paris 1965) 59–98.

[35] Vgl. Y.Congar, Ordre et juridiction dans l'Eglise: Sainte Eglise (Paris 1963) 203 bis 238. Zum Ursprung des Jurisdiktionsbegriffs im Mittelalter vgl. L.Hödl, Die Geschichte der scholastischen Literatur und der Theologie der Schlüsselgewalt (Münster 1960); B.-D.Dupuy, La théologie de l'Episcopat: RSPhTh 49 (1965) 238–342 (insbsd.319–322).

[36] Vgl. B.Botte, L'Ordre d'après les prières d'ordination: Etudes sur le sacrement de l'Ordre (Paris 1957) 33; L.-M.Dewailly, Envoyés du Père (Paris 1951) 89–97. Vgl. Lumen gentium 20–21.

[37] In: Das Amt der Einheit (Stuttgart 1964) regt K.Rahner an, die «Weihehierarchie» und die «Jurisdiktionshierarchie» miteinander zu vereinen, damit es nur noch einen Hierarchiebegriff gebe. Er fragt sich, ob man in der päpstlichen Gewalt nicht die oberste Stufe des Weihesakraments erblicken könne. Dies würde in der Kirchenordnung eine völlige Neuheit darstellen. Es spricht dafür kein einziges Faktum der *praxis Ecclesiae*, da die Papstkonsekration nie einen eigenen sakramentalen Akt dargestellt hat. Der Vorschlag Rahners entspringt dem Anliegen, die sakramentale Hierarchie mit der Struktur der Leitung der Kirche, die heute komplexer ist als einst, in Übereinklang zu bringen und das Weihesakrament an die Entwicklung der Jurisdiktion anzugleichen. In Wirklichkeit gibt es nur eine einzige Hierarchie, die des Ordo. Der gemachte Vorschlag kehrt die Gegebenheiten des christlichen Dienstamtes geradzu um: die Organisation ist um des Dienstes willen da und nicht umgekehrt. Vgl. Th.Strotmann, Primauté et céphalisation: Irénikon 37 (1964) 187–197.

sie sich keinesfalls auf eine Delegation von Gewalten oder eine Gewährung von Fakultäten reduzieren, die eine höhere hierarchische Autorität zum vornherein innehätte. Sie ist Hinweis auf eine Regelung, die dem besonderen Charakter dieser einzigartigen Gesellschaft, welche die Kirche ist, entspricht.

An der Spitze des kirchlichen Amtes befindet sich das *Bischofskollegium*, das auf das Kollegium der Apostel folgt, nicht in der diesen eigenen Aufgabe, die Kirche zu begründen, sondern in der Aufgabe der Leitung der Gesamtkirche, die sie Nachfolgern übermittelt haben.[38] Bereits im Neuen Testament hat die Ausübung dieser Funktion einen Höhepunkt erlebt anläßlich der Versammlung im Jahre 42, die man als den «Typus» der *Konzilien* betrachten kann infolge ihres Fragepunktes: Sollen für alle, Juden- und Heidenchristen, weiterhin die gleichen Gesetze gelten oder soll man für die nichtjüdischen Christen eine neue, auf der Freiheit basierende Kirchenordnung einführen?, und infolge der Form ihrer Entscheidung: «Der Hl. Geist und wir haben entschieden...».[39] Die späteren Konzilien werden sich aber von der Versammlung zu Jerusalem unterscheiden, denn sie werden Reichskonzilien sein, d.h. die aus dem Heidentum hervorgegangene und sogar mehrheitlich griechisch-römische Christenheit besammeln. Sie repräsentieren eine bereits in die Geschichte hineinverwobene Kirche.[40] Sie stehen vor Fragen, die sich in der Kirche mit der Übermittlung und nicht mit der Grundlegung des Offenbarungsgutes stellen. Die Konzilien sind somit außerordentliche Versammlungen, an denen die Kirche sich von Christus, ihrem Gründer, richten läßt und sich nach ihrer Apostolizität fragt. Die Konzilien setzen das Werk der Apostel fort, stellen aber auch ein Bemühen dar, zu den Aposteln zurückzukehren; sie sind missionarisch und reformatorisch zugleich. In diesem doppelten Sinn sind die Konzilien der hervorragende Akt, durch den die Kirche ihre apostolische Funktion ausübt. Auf den ökumenischen Konzilien läßt sich die Kirche, die den Auftrag hat, das Evangelium zu verkünden, selbst mit dem Evangelium konfrontieren. Die von Christus gegründete Kirche fragt sich, ob sie ihrer Konstitution ent-

---

[38] Lumen gentium 20–23. Vgl. Etudes sur le sacrement de l'Ordre (Paris 1957); Y.Congar, J.Dupont u.a. (Hrsg.), La collégialité épiscopale (Paris 1965); G.Baraúna (Hrsg.), De Ecclesia II (Frankfurt a.M. 1966) 7–265 (Die hierarchische Struktur der Kirche).

[39] Vgl. L.Cerfaux, Le chapitre XV du Livre des Actes à la lumière de la littérature ancienne: Miscellanea G.Mercati (Roma 1946) I, 107–126; H.Lietzmann, Der Sinn des Aposteldekrets und seine Textwandlung: Amicitiae Corolla (London 1933) 213–236; K.Lake, The Apostolic Council of Jerusalem: The Beginnings of Christianity V (London 1933) 195–212.

[40] Vgl. F.Dvornik, Histoire des conciles (Paris 1961); ders., Emperors, Popes and General Councils: Dumbarton Oaks Papers 6 (1951) 1–23; B.Botte, H.Marot etc. (Hrsg.), Le Concile et les Conciles (Paris 1960); K.E.Skydsgaard, Konzil und Evangelium (Göttingen 1962).

sprechend lebt; sie prüft, ob die Gesetze, die sie sich gibt, ihrer tiefen Ordnung, der *communio*, entsprechen.

Hieraus ersieht man, warum die Konzilien eine sehr elastische, in ihrer Form und ihren Verfahrensweisen variable Institution bilden, die sich nie an die Gesetze einer Zivilisation oder Epoche gebunden hat. Die Konziliarität der Kirche wird übrigens nicht nur auf dem ökumenischen Konzil betätigt; sie begegnet uns auch, wenn auch bloß partiell, in all den Formen einer Orts- oder Regionalsynode, in den verschiedenen zwischenkirchlichen Begegnungen und in den verschiedenenen beratenden Gremien, sofern diese von der Kirche ausgehen und die Verantwortung ihres Amtes engagieren.[41]

Wenn das Konzil in gewisser Beziehung die Weiterführung des Apostelkollegiums ist, so setzt der *Bischof von Rom* ebenfalls in gewisser Beziehung in der Kirche das Petrusamt fort, nicht der einzigartigen Sendung nach, die Kirche aus Juden und Heiden grundzulegen, sondern in der Leitung der Gesamtkirche, insofern diese sich aus der Heidenschaft, deren Hauptstadt Rom war, gebildet hat.[42]

Die Funktion des Bischofs von Rom im Bischofskollegium und in der Gesamtkirche beruht nicht allein auf der geschichtlich und geistlich sehr bedeutsamen Tatsache, daß Petrus nach Rom gekommen ist und dort kurze Zeit vor Paulus das Martyrium erlitten hat. Sie beruht näherhin auf dem Zusammenhang der Funktion, die der Herr dem Petrus verliehen hat – eine Funktion, die in der Urkirche ausgeübt und anerkannt wurde –, und dem Bischofssitz von Rom, das damals die Hauptstadt des römischen Reiches und der jüdischen Diaspora in der Welt war.[43] Erst in einer spätern Periode und vor allem zu Rom wird die theologische Reflexion zur Begründung der päpstlichen Gewalt auf die Titel zurückgreifen, die Petrus in der Schrift erhält, insbesondere auf Mt 16.[44] Die Entwicklung, die zur Anerkennung des

---

[41] Vgl. P. Gouyon, Die Kollegialität in der altkirchlichen Tradition: Y. Congar, H. Küng, D. O'Hanlon (Hrsg.), Konzilsreden (Einsiedeln 1964) 46–49; C. Vogel, Unité de l'Eglise et pluralité des formes d'organisation ecclésiastique: L'Episcopat et l'Eglise universelle (Paris 1962) 591–636.

[42] Vgl. Ch. Hofstetter, La primauté dans l'Eglise dans la perspective de l'histoire du salut: Istina 8 (1961–62) 333–358.

[43] Vgl. 1 Petr 5, 13; Justin Dial. 47, 1–6; 16, 2; 52, 4.

[44] Die erste Spur einer Verwendung von Mt 16 findet sich in Justin, Dial. 100, 4 und 106, 3. Vgl. J. Ludwig, Tu es Petrus. Die Primatworte Mt XVI, 18–19 in der altkirchlichen Exegese (Münster 1952). Gegenüber dem Dekret des Calixtus (um 180) sprach Tertullian, der damals Montanist war, dem Bischof von Rom das Recht ab, sich auf Mt 16 zu berufen: De pudicitia 21. Vgl. A. Harnack, Ecclesia Petri propinqua. Zur Geschichte der Anfänge des Primats des römischen Bischofs: SAB 28 (1927) 139–152; B. Altaner, Omnis ecclesia Petri propinqua: ThR 38 (1939) 129–138. O. Cullmann, Petrus (Zürich 1952) schließt im II. Teil, Kap. 2 «Die dogmatisch-theologische Frage der Anwendung von Matth. 16, 17–19 auf die spätere Kirche» (S. 239–268) aus dem Schweigen der beiden ersten Jahrhunderte darauf, daß der Bischof von Rom nicht Nachfolger des Petrus genannt werden könne.

Bischofs von Rom als des Nachfolgers des Petrus geführt hat, beruht nicht auf juridischem Spürsinn, sondern auf dem tiefen Gesetz der Heilsgeschichte, die eine Oekonomie von Verheißungen und Erfüllungen ist.[45] Die Urkirche anerkannte den Primat Jerusalems.[46] Als dieser nicht mehr ausgeübt werden konnte und als die Debatte zwischen Christen, die aus dem Judentum hervorgegangen waren, und solchen, die aus dem Heidentum stammten, ihren Höhepunkt erreicht hatte, wurde die Episkopie über die Gesamtkirche,[47] die Petrus anvertraut war, von Jerusalem nach Rom verlegt, wie Irenäus berichtet.[48] Dies ist das Zeichen dafür, daß auf die «Zeit der Juden» eine «Zeit der Nationen» zu folgen begonnen hat,[49] bevor die Kirche zur Wiederkunft des Herrn nach Jerusalem zurückkehrt. Rom wurde damit als die «Mutterkirche» betrachtet und erhielt den Primat.

Gewiß haben die geschichtlichen Zeugnisse über diese Verlegung des Primats stets bloß auf schwachen Indizien beruht, doch die persönliche Intervention des Petrus, die das Werk des Paulus ratifizierte, hat den der römischen Kirche vorstehenden Bischof dazu legitimiert, die Verantwortung und Sendung der Aufsicht über die Gesamtkirche, die im Apostelkollegium dem Apostel Petrus anvertraut worden war, zu übernehmen. Im Lauf des 2. und 3. Jahrhunderts wurde dann die universale Funktion des Bischofs von Rom mit den Evangeliumstexten über Petrus (Mt 16,16–19; Lk 22,31–34; Jo 21,15.23) in Zusammenhang gebracht und der Papst «Nachfolger des Petrus» genannt.[50] Man kann diese «Sukzession» wie folgt

B. Botte, Le Saint Pierre d'Oscar Cullmann: Irénikon 26 (1953) 140–145, vertritt hingegen die Auffassung, daß das Wort Jesu, das Simon «Fels» nennt, für die ganze Dauer der Kirche gelte.

[45] Vgl. Y.Congar, Du nouveau sur la question de Pierre?: Vie Intellectuelle, févr. 1953, 38.

[46] Nach der Apostelgeschichte haben die Apostel das Evangelium «von Jerusalem aus» verkündet. Paulus nimmt sich der Sammlung für die Heiligen Jerusalems an. Vgl. auch Justin, I.Apol. 49,5; Dial. 24,3; 83,4; 190,1–3; Irenäus, III Adv.haer. 12,15, worin Jerusalem «die Mutter der Kirchen» genannt wird.

[47] «Nachdem also die seligen Apostel die Kirche gegründet und eingerichtet hatten, übertrugen sie dem Linus den Episkopat zur Verwaltung der Kirche. Diesen Linus erwähnt Paulus in seinem Briefe an Timotheus. Auf ihn folgt Anacletus. Nach ihm erhält an dritter Stelle den Episkopat Klemens, der die Apostel noch sah und mit ihnen verkehrte. Er vernahm also noch mit eigenen Ohren ihre Predigt und Lehre, wie überhaupt damals noch viele lebten, die von den Aposteln unterrichtet waren» (III Adv.haer. 3,3).

[48] Man kann sich fragen, ob die ἐπισκοπή, von der Irenäus spricht, das Bischofsamt der römischen Kirche oder die Sorge für alle Kirchen bedeutet. Zweifellos handelt es sich um beides zugleich. Der angeführte Text ist aber gerade deshalb bemerkenswert, weil der Ton ganz auf dem zweiten Aspekt, der ἐπισκοπή über die Gesamtkirche, liegt.

[49] Vgl. Lk 21,14; Apg 10,45 ff.

[50] Vgl. C.Corti, Pietro, fondamento e pastore perenne: ScC 84 (1956) 321–335; 427 bis 450; 85 (1957) 25–58; M.Maccarrone, L'antico Titolo Vicarius Petri e la concezione del Primato: Divinitas 1 (1957) 365–371.

darstellen: 1) Petrus ist zunächst der «Typus» jedes Christen. Jeder Jünger ist berufen, ihn nachzuahmen. In diesem Sinn wenden sich die Petrusperikopen an jeden Gläubigen.[51] 2) Petrus wird in den Texten als «Haupt und Wortführer» der Apostel hingestellt. Die Amtseinsetzung des Petrus erhält in diesem Licht Bedeutung für alle kirchlichen Diener, die nach ihm kommen werden. Er wurde zum Haupt des ganzen christlichen Dienstamtes bestellt. Alle Bischöfe können sich als Nachfolger des Petrus betrachten, denn dieser war der erste, der ihre Ämter ausübte.[52] 3) Endlich hat Petrus eine Episkope über die Gesamtkirche erhalten und ausgeübt. Diese besondere Funktion wurde vom Bischof von Rom übernommen. Der Papst hat so die «cura omnium ecclesiarum».[53] Diese Aussage wird in der katholischen Kirche als eine Gegebenheit göttlichen Rechts angesehen.[54]

3. Die Ordination zum kirchlichen Amt

a. Die ursprünglich zweifache Form der Ordination

Wie man in der Urkirche zum kirchlichen Dienst berufen wurde, wird im Neuen Testament nicht beschrieben, so daß jede diesbezügliche Theorie zum Teil hypothetischen Charakter hat. Wie es scheint, hat die Urkirche zwei Ordinationsformen gekannt, die beide übrigens vielleicht nicht von allem Anfang an bestanden. Zu Jerusalem war Jakobus mit einem dem jüdischen Sanhedrin nachgebildeten Rat von Aposteln und Ältesten umgeben. Dieser Rat war konstituiert worden, als sich die Jünger bewußt ge-

---

[51] So die Ansicht des Origenes, In Mt. XII, 14. Vgl. auch Augustinus, Retract. I, 21, 1. Vgl. A. M. La Bonnardière, Le péricope Matth. XVI, 13–23 dans l'œuvre de Saint Augustin: Irénikon 34 (1961) 451–499.

[52] Diese Auslegung wird von den Reformatoren übernommen werden. Sie wird vertreten von Cyprian, Ep. 33, 1 (Ausg. Hartel 566); 43, 5 (594); 59, 14 (683), Ad Fortunat. 11 (338). Vgl. A. Demonstier, Episcopat et union à Rome selon S. Cyprien: RSR 52 (1964) 337–369. Vgl. auch Adv. aleatores (Hartel CSEL 3/3, 133); Sylvester I., Inform. episcoporum (PL 139, 171). Auch in den Ostkirchen ist diese Ansicht häufig anzutreffen. Vgl. F. Haase, Apostel und Evangelisten in der orientalischen Überlieferung (Münster 1922); N. Afanassieff usw., La primauté de Pierre dans l'Eglise orthodoxe (Neuchâtel 1960).

[53] So Stephan I. in Cyprian, Ep. 77, 3 (Ausg. Hartel 373). Die Texte sind zusammengestellt bei P. Batiffol, Cathedra Petri (Paris 1938). Man hat bemerkt, daß in der Tradition der Apostelgeschichte (codex Bezae) der Ton auf die Person des Petrus verlegt wird. Vgl. J. Dupont: RB 64 (1957) 42, Anm. 1; Eldon Jay Epp, The theological Tendency of «Codex Bezae Cantabrigiensis» in Acts (Cambridge 1966).

[54] Daß die Nachfolge des Petrus mit dem römischen Bischofssitz in Verbindung steht, ist hingegen für Perrone (Praelectiones theologicae [Roma 1942] II, 279 ff, 571 ff) und Franzelin (Theses de Ecclesia Christi, th. 12) *iure apostolico at immutabili*. Der Modus der Erwählung des Bischofs von Rom, seine Regierungsweise und alles, was die Regelung dieser Sukzession betrifft, ist nur *iure ecclesiastico* und kann deshalb geändert werden.

worden waren, daß sie das treue Israel bilden, das auf die Wiederkehr des
Messias harrt, während der jüdische Hohe Rat sich mehr und mehr mit den
Römern eingelassen hatte. Dieses Ältestenkollegium, worin Jakobus den
«Hohenpriester» darstellte, war eine Art zentraler Autorität, auf die man
sich berief. Es hatte Autorität über die einzelnen Kirchen ähnlich wie der
Sanhedrin über die Synagogen in der Diaspora. In den von Paulus gegründeten Gemeinden gab es, wie es scheint, sehr verschiedene Amtsformen, die
der Synagogenorganisation nachgebildet waren. Die Verbindungen zwischen den Kirchen scheinen eine wichtige Rolle gespielt zu haben. Die Gesandten von einer Kirche zur andern sicherten die Koordination, wenn
Divergenzen aufzukommen drohten.[55]

Diese Dualität der Leitung scheint von einer Dualität der Ordinations-
riten begleitet gewesen zu sein.[56] Es ist anzunehmen, daß die Aufnahme
neuer Amtsdiener in den Rat von Jerusalem durch einen *Inthronisationsritus*
geschah ähnlich wie die Berufung der siebzig Ältesten durch Moses (Nm
11,16). Einzelne Gläubige wurden aufgefordert, Mitglied des von den
Zwölfen und den Siebzig gebildeten Kollegiums zu werden, um für die
Leitung der Gemeinde besorgt zu sein. Diese Art des Hinzutritts zu den
kirchlichen Ämtern scheint in der ostkirchlichen Auffassung der Ordination eine Spur hinterlassen zu haben. Man denke an die Bedeutung, die man
im Orient der «Kathedra» des Jakobus zu Jerusalem, der des Petrus zu
Antiochien und ganz allgemein der «Katastase» beimißt. Die paulinischen
Gemeinden hingegen scheinen von Anfang an den Ritus der Handauflegung
gekannt zu haben.[57]

Vier Stellen des Neuen Testaments sprechen von einer Handauflegung,
die offensichtlich eine Ordination zum kirchlichen Dienst bedeutet: a) In
Apg 6,3.8 berichtet Lukas von der Ordination der Sieben. Der Ritus weist
darauf hin, daß dieser Dienst in der Linie der Ordination des Josue durch
Moses (Nm 27,18) gesehen und so authentifiziert wird. Der Gestus der
Handauflegung *(semikhah)* ist synagogalen Ursprungs und stand in der
Folge im Judentum zur Einsetzung von Gesetzeslehrern in Gebrauch.
b) In Apg 13,1–4 werden Paulus und Barnabas in der Kirche von Antiochien ausgesondert. Die Propheten und Lehrer der Gemeinde legen ihnen
nach Fasten und Gebet die Hände auf «und entließen sie. Ausgesandt also
vom Hl. Geiste zogen sie nach Seleucia...». c) In 1 Tim 4,13 und 2 Tim

---

[55] Vgl. A. Ehrhardt, The Apostolic Ministry (Edinburgh 1958); P. Benoit, Les origines
apostoliques de l'Episcopat: L'évêque dans l'Eglise du Christ (Paris 1963) 13–57.

[56] Vgl. E. Lohse, Die Ordination im Spätjudentum und im Neuen Testament (Göttingen 1951); A. Ehrhardt, Jewish and Christian Ordinations: Journal of Eccl. History 5
(1954) 125–138.

[57] Vgl. P. L'Huillier, La pluralité des consécrateurs dans les chirotonies épiscopales:
Messager de l'Exarchat du Patriarche russe en Europe occidentale 11 (1963) 112–132;
B.-D. Dupuy, Origines apostoliques de l'Episcopat: RSPhTh 49 (1965) 288–293.

1,6f wird Timotheus durch den Apostel an das Charisma erinnert, das er durch die Handauflegung des Presbyteriums empfangen hat.

Die Handauflegung blieb in den Kirchen der Diaspora und schließlich, nach dem Verschwinden der judenchristlichen Gemeinden, in der ganzen Kirche bestehen. Die von der Kirche zu Jerusalem ausgeübte zentrale Leitung wurde von den maßgebenden Sitzen, insbesondere von Rom übernommen, als die Jerusalemer Gemeinde nach Pella ausgewandert und damit von den immer bedeutenderen Gemeinden, die aus der Diaspora hervorgegangen waren, abgeschnitten war. Die Ordination durch die Handauflegung des Presbyteriums nach Gebet und Fasten ist somit jüdischen Ursprungs. Sie hat jedoch im Christentum eine neue Form angenommen, die ihr einen eigenen Sinn gegeben hat. Die Ordination bringt zum Ausdruck, daß der kirchliche Amtsträger durch die Vermittlung der Apostel unmittelbar mit Christus selbst in Verbindung steht.

b. Das Ordinationsgebet

Der durch die Liturgiereform des Zweiten Vatikanums erneuerte Ritus der Bischofsordination hat das Weihegebet der «Apostolischen Überlieferung» Hippolyts von Rom übernommen. Dieses Gebet ist in einer etwas erweiterten Form in der Liturgie der Kopten und der Westsyrer bis heute in Gebrauch gestanden. Es kommt darin der Gedanke zum Ausdruck, daß die Kirche, wie das jüdische Volk, mit Amtsdienern versehen ist, denn Gott hat «sein Heiligtum nicht unbedient lassen wollen». Auch die Kirche hat somit ein Priestertum, doch dieses ist kein anderes als das Priestertum Jesu Christi selbst. Gott läßt die, die er zum Episkopat erwählt hat, dieses Priestertum ausüben.

«Gott und Vater unseres Herrn Jesus Christus, du Vater des Erbarmens und Gott allen Trostes, du wohnst zuhöchst und schaust auf das Niedrige. Alles kennst du, bevor es geschieht. Durch dein Gnadenwort hast du deiner Kirche die Ordnung gegeben. Von Anfang hast du aus Abrahams Stamm dein heiliges Volk erwählt, ihm Führer und Priester bestellt und dein Heiligtum nicht unbedient gelassen. Denn von den Urzeiten her war es dein Wille, in denen verherrlicht zu werden, die du dir erwählt. Du gießest auch jetzt noch die von dir stammende Kraft des erhabenen Geistes aus, den du deinem geliebten Sohn Jesus Christus verliehen hast. Dieser hat ihn deinen heiligen Aposteln gegeben, die deine Kirche über die ganze Erde hin als dein Heiligtum begründet haben, deinem Namen zu Ruhm und Lobpreis ohne Ende.

Vater, der du die Herzen kennst, gib deinem Diener, den du zum Bischofsamt erwählt hast, die Gnade, deine heilige Herde zu weiden und das hohepriesterliche Amt dir gegenüber ohne Tadel zu verwalten. Tag und Nacht sei er bereit zu deinem Dienst. Er bringe dir das Opfer deiner heiligen Kirche dar, auf daß du stets in Gnaden auf uns niederschauest. Schenke ihm in der Kraft des Geistes die hohe-

priesterliche Gewalt, die Macht, in deinem Auftrag die Sünden zu vergeben und
nach deinem Willen die kirchlichen Ämter zu verleihen. Gemäß der Vollmacht,
die du deinen Aposteln gegeben hast, soll er jede Fessel lösen. Er sei dir durch
seine Milde und sein lauteres Herz wohlgefällig und bringe dir einen angenehmen
Wohlgeruch dar durch deinen Sohn Jesus Christus, durch den dir Herrlichkeit ist
und Macht und Ehre mit dem Heiligen Geist in der heiligen Kirche jetzt und in
Ewigkeit. Amen.»[58]

Dieses Weihegebet weist offensichtlich einen trinitarischen Grundzug
auf. Eingedenk der Schwäche der menschlichen Natur beruft der Vater die
von ihm Erwählten zu seinem Dienst. Die Erwähnung einer geistlichen
Vollmacht, die gewährt wird, erinnert an die Salbung der Priester. Im Judentum wurde zur Zeit Jesu der Hohepriester gesalbt[59] und schließlich wurde
es Brauch, alle Priester zu salben. In der Kirche aber hat, wie gesagt, die
Handauflegung die Salbung ersetzt. Die Vollmacht, die Gott durch die
Ausgießung seines Geistes spendet, wird mit der Sendung und Mission in
Zusammenhang gebracht, so wie Jesus die Macht des Geistes im Hinblick
auf seine messianische Sendung erhalten hatte (Apg 1, 8). Eine neue Heilsökonomie ist instauriert, und deshalb hat die Kirche schließlich den Ritus
der Handauflegung und nicht die damit verbundene Salbung als wesentliches Element beibehalten.[60]

Die Ordination läßt den Neuerwählten in die apostolische Sukzession
eintreten. Das besagt nicht bloß, daß die Ordination die Gültigkeit der
kirchlichen Akte «gewährleistet» – diese Idee widerspricht dem «sakramentalen Prinzip» der Kirche und kann durch ihre allzu materielle oder
physische Sehweise den tiefen Sinn der Ordination beeinträchtigen.[61] Der
kirchliche Dienst ist nicht eine vorgegebene «Struktur», eine Institution,
deren Recht von vornherein gänzlich gegeben wäre, eine ein für alle Male
festgelegte Regel. Er ist ein Versprechen, das der Herr der Kirche gemacht
hat und woran er festhält, eine Gegebenheit der Heilsgeschichte, über die
die Kirche nie aus dem Staunen herauskommen wird und um die sie unablässig beten, für die sie danksagen muß. Die dauernde Existenz des Amtes
in der Kirche ist ebensosehr eine Gnade wie die Existenz und der Dienst
der Kirche selbst.

[58] La Tradition apostolique de Saint Hippolyte. Essai de reconstitution par Dom
B. Botte (Münster 1963) 7–11.

[59] Der Hohepriester wurde geweiht, seit er Regierungsfunktionen übernommen hatte,
die vorher dem König zustanden.

[60] Der Brauch, bei den Ordinationen geweihtes Öl zu verwenden, kam um das 6. Jahrhundert in der Bretagne und in Gallien auf. Die Konstitution «Sacramentum ordinis»
(30. Nov. 1947) Pius' XII. hat bestimmt, daß der wesentliche Ritus in der Handauflegung
besteht (und nicht in der Darreichung der Instrumente, wie seit dem Mittelalter manche
Kanonisten dachten).

[61] Vgl. B.-D. Dupuy, La succession apostolique dans la discussion oecuménique:
Istina 12 (1967) 131–141.

Die Ordination führt jedoch in eine Sukzession ein. Eher als von Sukzession sollte man eigentlich von «Kooptation», von «Zuwahl» eines Neuerwählten zu einem Amt sprechen, das bereits andere vor ihm auf sich genommen haben und die er ablöst.[62] Der Neuordinierte wird in ihr Kollegium hinzugewählt. Er hat mit ihnen Anteil am Dienstamt, zu dem Christus die Jünger beruft. Er tritt in den Ordo ein, in das Sakrament, worin Christus durch seine Amtsdiener sein Wirken auf Erden durch alle Zeiten hindurch weiterführt. Eher als eine «Sukzession» (denn es liegt keine «Zession», kein Aufgeben des Amtes vor) liegt eine Eingliederung in das einzige Apostelkollegium vor, das Christus gegründet hat, als er die erste Equipe seiner Apostel berufen und bestätigt hat. Der Heilige Geist, der auf jeden Neugeweihten herabgerufen wird, ist der gleiche Geist, der vom Herrn seinen Aposteln mitgeteilt wurde. Es handelt sich also nicht um eine Gabe, die von einem Geweihten einem andern übergeben würde, sondern vielmehr um einen stets neuen, stets von neuem vollzogenen göttlichen Akt, durch den den Amtsdienern immer wieder der gleiche Heilige Geist erteilt wird.

c. Die in der Ordination übertragenen Gaben

Die Epiklese des Gebetes von Hippolyt nennt die Gaben, die für den Amtsdiener erbeten werden, damit dieser seine Aufgabe zu erfüllen vermag. Diese Gaben sind nicht die gleichen für den Bischof, für den Priester und für den Diakon. Im Gebet für die *Bischöfe* wird die Gnade der Heilssorge, die priesterliche Treue im Dienst Gottes durch den Lobpreis und das Gebet sowie barmherzige Gesinnung gegenüber dem Sünder erfleht. Der Bischof steht der Danksagung vor; er bringt das Opfer des Lobes dar. Wenn auch die Eucharistie nicht ausdrücklich genannt wird, so klingen doch alle diese Ausdrücke so sehr an sie an, daß sich behaupten läßt, alle diese Funktionen ständen in unmittelbarem Zusammenhang mit ihr. In und durch die Feier der Eucharistie erfüllt der Bischof seinen Auftrag als Vorsitzender der Gemeinschaft aufs höchste.

Der Bischof übt noch weitere Funktionen aus. Er verteilt in der Kirche die Aufgaben, d.h. er sichert als guter Verwalter der Gaben, die nicht ihm gehören, sondern von Gott kommen, die Ordnung in der Kirche. Er muß dazu ein Charisma der Unterscheidung der Geister erhalten, damit die Sorge für die Institution für ihn nicht zu einer Art weltlicher Verwaltung wird, sondern eine wache Aufmerksamkeit auf die Initiative des Heiligen Geistes bleibt. Endlich erhält der Bischof wie die Apostel (Mt 18,18) die Binde- und Lösegewalt. Dabei handelt es sich nicht nur um die Sündenvergebung, sondern in erster Linie um die Proklamation und den guten Gebrauch der

---

[62] Vgl. G. Dix, Le ministère dans l'Eglise ancienne (Neuchâtel 1955) 35,51.

Freiheit, die sich aus dem Evangelium ergibt. Man kann die christliche Freiheit nicht über das Dienstamt hinweg ausüben; sie hängt im Gegenteil innerlich mit ihm zusammen, denn der Bischof ist der Diener der Befreiung. Er ist es, der die Menschen unablässig auffordern muß, sich von jeder Sklaverei zu befreien, um der Berufung der Kinder Gottes zu entsprechen.

Die *Priester* werden im Ordinationsgebet im wesentlichen dem Amt der Bischöfe beigesellt, wie die Ältesten, die von Moses erwählt worden waren, ihm beigesellt waren, um ihm in allen seinen Aufgaben beizustehen. Die *Diakone* sind, wie ihr Name besagt, zum Dienst berufen. Wie diese Angaben deutlich zeigen, kann der Bischof seinen Aufgaben nur dank der Mitarbeit aller Amtsdiener, die ihm zur Seite stehen, voll nachkommen.

Es ist nicht überflüssig, zu betonen, daß die Geistesgaben auf das Gebet des ganzen Volkes hin gewährt werden.[63] Die Konsekratoren übermitteln die Weihe nicht, als ob diese von ihnen selbst stammte, und sie vermitteln nicht eine Gewalt, die sie selbst einem andern übergeben könnten; der Vater gewährt seine Gnade, Christus übergibt seine Gewalten, die Gemeinde beteiligt sich bei dieser Übertragung. Wenn auch die Wahl des Erwählten und seine Prüfung in der Liturgie nur Ausdruck von Akten sind, die in Wirklichkeit schon vorher stattgefunden haben, so macht doch die im Ritus vorgesehene Befragung der Gemeinde packend darauf aufmerksam, daß der Ordinand in ihrem Schoß und zu ihrem Dienst sein Amt empfangen und auszuüben hat.[64] Das Leben der Kirche ist eine «Ordnung lebendigen Einverständnisses».[65] Normalerweise ist es die Gemeinde, die wählt und ernennt. Auf alle Fälle müssen diejenigen, die dazu den Auftrag haben, dies in ihrem Namen tun, obwohl nie sie, sondern das apostolische Amt den Erwählten ordiniert. Es besteht somit ein realer Zusammenhang zwischen der geistlichen Gewalt des Amtsträgers und den Gaben, die der Heilige Geist der Gemeinde selbst gewährt.

4. Die Stufen des Ordo

Obwohl die Dienstämter verschieden sind und den Gnadengaben des Heiligen Geistes entsprechend vervielfältigt werden können, so kennt doch die Überlieferung drei Hauptämter – das Amt des Bischofs, des Priesters und

[63] «Alle mögen das Schweigen wahren und in ihrem Herzen die Herabkunft des Geistes erflehen» (Hippolyt, Trad. apost. 2, Ausg. Botte S. 7).

[64] «Man ordiniere den zum Bischof, der vom ganzen Volk erwählt worden ist» (Hippolyt, Trad. apost. 2, Ausg. Botte, S. 5). Man kennt auch Wahl durch Akklamation, wie im Fall des Ambrosius von Mailand. Possidius berichtet in seiner Biographie des hl. Augustinus, daß dieser bezüglich der Ordinationen «sich immer an die vorwiegende Ansicht der Christen und den Brauch der Kirche halten wollte» (PL 32, 51). Y. Congar hat eine Reihe von Zeugnissen gesammelt, die in diesem Sinne lauten: Jalons pour une théologie du laïcat (Paris 1954) 329–366.

[65] Y. Congar aaO. 361.

des Diakons –, die das kirchliche Amt in übrigens manchmal stark zeit-
und ortsbebedingten Formen strukturieren und den Ordo konstituieren.

a. Die Anwendung des Ordo-Begriffs auf das kirchliche Amt

Die Handauflegung hat sicherlich stark zum Aufkommen des Ordo-Gedan-
kens beigetragen, denn dieser Begriff (τάξις – *ordo*) fehlt in der Heiligen
Schrift. Wohl führt der Hebräerbrief in Kap. 5 und 7 wiederholt Ps 110,4 an
und erklärt, daß Christus «Priester nach der Ordnung des Melchisedech
ist».[66] Außer in diesen Versen kommt aber der Begriff im Neuen Testament
nirgends vor. Die Verwendung des Ordo-Begriffs muß sich von anderswo
herleiten.

Tertullian gebraucht den Ausdruck *ordo*, um die Stellung des Klerus im
Volke Gottes zu charakterisieren.[67] Selbstverständlich trat diese besondere
Stellung, die den Klerikern zuerkannt wurde, im jüdischen Kontext des
Neuen Testaments nicht ebenso deutlich und nicht mit denselben Zügen
hervor; sie läßt sich nur durch eine institutionelle Entwicklung erklären.[68]
Das römische Hochgebet trägt die Spur dieser differenzierten Struktur der
Kirche («nos et plebs tua sancta») an eben der Stelle, an der die Beteiligung
des Volkes an der Liturgiefeier zum Ausdruck gebracht wird.

Der Ordo-Begriff hat an und für sich keine sakramentale Bedeutung.
Dieser Sinn tritt verhältnismäßig spät zum Vorschein. Der *ordo* bezeichnet
vielmehr eine Würde, einen Stand in der Kirche. Seit Konstantin sind
Bischöfe, Priester und Diakone in die rigoros hierarchisch aufgebaute Rangordnung der Reichsbeamten eingefügt. Sie dürfen die Titel und Abzeichen
ihres Ranges tragen, wozu das Pallium, die Stola, die Sandalen und wahr-

---

[66] Im hebräischen Urtext heißt es: «nach Art des *(al divrati)* Melchisedech». Hebr ist
beeinflußt von der Version der Septuaginta: κατὰ τὴν τάξιν. Der Midrasch betrachtete
Melchisedech als ein unsterbliches, präexistierendes Wesen, und gewisse Strömungen des
späten Judentums identifizierten ihn mit dem kommenden Richter, dem Menschensohn.
Der Ausdruck läßt sich somit nicht auf das christliche Priestertum anwenden. Vgl. D.
Flusser, Melchisedek et le Fils de l'homme: Nouvelles chrétiennes d'Israël 17 (1966) 23–29.

[67] Schon bei Beginn der lateinischen christlichen Terminologie nimmt der Ausdruck
seinen bestimmten Sinn an. Das Wort *ordo* bezeichnete zu Rom bestimmte Kollegien oder
Gesellschaftsklassen. Zu einem *ordo* gehören nur diejenigen, die in ihn berufen worden
und eingetreten sind. Der höhere *ordo, ordo amplissimus* bestand seit dem Beginn des Senats.
Zur Zeit der Gracchen installierte sich zwischen dem *ordo* der Senatoren und dem *populus
romanus* eine weitere gesellschaftliche und politische Körperschaft, die der Ritter, so daß
man in der Folge vom *ordo uterque* sprach. Erst in späterer Zeit wird auch die *plebs* zuweilen
ordo genannt. Zur Zeit, als das Christentum in das Römische Reich eindrang, war das Wort-
paar *ordo et plebs* ganz geläufig; der *ordo* war damals die Körperschaft der zum Regierungs-
amt Befähigten. Vgl. Art. *ordo* (von B. Kübler) in Pauly-Wissowa-Kroll XVIII–1 (Stuttgart 1939) 930–934.

[68] Vgl. P.-M. Gy, Remarques sur le vocabulaire antique du sacerdoce chrétien: Etudes
sur le sacrement de l'Ordre (Paris 1957) 126–133 (von uns oft verwendet).

scheinlich auch der Manipel gehören.[69] Auch gewisse Regelungen, die im 4. Jahrhundert aufkommen, wie das Verbot der Ordinationen *per saltum*, die Verpflichtung zum Einhalten der Interstitien, das Prinzip der Anciennität scheinen durch den Kodex der Beförderung der öffentlichen Beamten inspiriert worden zu sein.[70]

Man ersieht, wie sehr die Struktur der Kirche von der Struktur der bürgerlichen Gesellschaft her geprägt worden ist. Sich darüber aufhalten, würde von Voreingenommenheit und Mangel an Wirklichkeitssinn zeugen. Zunächst deswegen, weil dies in allen Gesellschaften stets so gewesen ist. Sodann und vor allem deshalb, weil dieser Sachverhalt eine theologisch-geschichtliche Bedeutung hat. Zu der Zeit, als das Christentum aufkam, war die Gesellschaft des römischen Reiches von einem festgefügten vereinheitlichten Regierungssystem geprägt, von der autokratischen Monarchie, die unter dem Einfluß der hellenistischen politischen Philosophie das römische republikanische Regime abgelöst hatte. Diese Philosophie hatte nach und nach zur Vergöttlichung des Staatsoberhauptes geführt, indem sie ihm eine absolute, weil religiöse Gewalt über die Angehörigen des Reiches verlieh. Als im Gefolge der «Bekehrung» Konstantins der Klerus der Kirche in diese Welt Einzug hielt, lief er stark Gefahr, sein eigentliches Wesen zu verlieren, das, wie gesagt, nicht in Macht, sondern in Dienst besteht.[71] Er ist aber auch in Konkurrenz zur weltlichen Macht getreten und hat in die politische Geschichte Einzug gehalten.[72]

Diese Begegnung und Konfrontation mit der bürgerlichen Hierarchie hat nicht bloß zu einer politisch-gesellschaftlichen Erweiterung der apostolischen Aufgaben geführt, sondern auch den kollegialen Aspekt des kirch-

[69] Th. Klauser, Der Ursprung der bischöflichen Insignien und Ehrenrechte (Krefeld ²1953), cf. MThZ 3 (1952) 17–32, hat dies aufgezeigt.

[70] Die Synode von Sardika (347), die Dekretalien des Siricius (385) und Zosimus (418) lassen diese Regelungen in das kanonische Recht Eingang finden. Vgl. G. Le Bras, Le droit romain au service de la domination pontificale: Revue d'hist. du droit franç. et étrang. 27 (1949) 38 Anm. 7.

[71] Vgl. M.-D. Chenu, La fin de l'ère constantinienne: Un concile pour notre temps (Paris 1961) 59–87.

[72] Als Repräsentant Christi beanspruchte damals das christliche Priestertum die Oberhoheit auf dem Gebiet der Religion, und die weltliche Macht wurde um ihren sakralen Charakter gebracht. Der zum christlichen Glauben übergetretene Kaiser verzichtete darauf, als Gott zu gelten und war von da an bloß noch ein Vertreter Gottes unter anderen, der die höchste Gewalt auf der weltlichen Ebene erhalten hat (vgl. Eusebius von Caesarea, Leben Konstantins: PG 20,905–1440). Da er den ewigen König, Jesus Christus vertritt, wird es zu seiner ersten Pflicht, nicht bloß die Welt unter ihr Haupt zu versammeln, sondern die Menschheit zu Gott zu führen. Man hat die Persönlichkeit Konstantins oft nicht so recht verstanden, weil er in einer sehr komplexen politisch-religiösen Situation gelebt hat, die wir uns heute nicht mehr gut vergegenwärtigen können. Sicher aber ist, daß er seine Rolle sehr ernst genommen hat. Der Prozeß, der unter ihm begonnen hat, geht auf jeden Fall ebensosehr auf das kirchliche Amt wie auf seine Person zurück.

lichen Dienstes verdunkelt. Man begann, mehr als den Bezug des Amtsträgers zur Ortskirche seine Beziehung zu seinen Amtskollegen ins Auge
zu fassen;[73] man begann vom «ordo episcopalis», vom «ordo presbyterii»,
vom «ordo diaconii»[74] zu sprechen und baute so den dreifachen Dienst des
Bischofs, des Priesters und des Diakons irgendwie in die Struktur der
Kirche ein.

b. Der Ordo wird zu den Sakramenten gerechnet

Im Verlauf des 11. Jahrhunderts beginnt die mittelalterliche Theologie bei
der Ausarbeitung des Sakramententraktats deutlich zwischen *ordo* und *digni-
tas* zu unterscheiden[75] und hebt so die Sakramentalität des kirchlichen Ordo
hervor. Unter dem Einfluß der Viktoriner hört man auf, vom bischöflichen
Ordo zu sprechen. Als *ordo* bezeichnet man von jetzt an im wesentlichen das
Sakrament, das die Befugnis zum Vollzug der Eucharistiefeier verleiht. Die
Stellung des Bischofs und des Diakons werden nun vom wesentlichen Ordo,
vom Priester-Ordo aus definiert. Der Akt des Hinzutretens zu diesem Ordo
wird von jetzt an Ordination genannt.[76] Zum Unterschied von dieser
spricht man von der «Bischofskonsekration» und der «Segnung der Äbte».
Unter Innozenz III. ratifiziert das Pontifikale der Römischen Kurie diese
Sprachregelung und die Kanonisten führen diese weiter, indem sie erstens
zwischen Ordo und Amt,[77] zweitens zwischen Ordo und Jurisdiktion unterscheiden.[78]

Obwohl – wie die Lehrgeschichte dartut – der Sprachgebrauch der Römischen Kurie der christlichen Überlieferung ihren Stempel aufgedrückt hat,
wurde die Ordination doch nie einfach als Hinzutritt zu einer Würde und
als Übermittlung juridischer und liturgischer Gewalten angesehen, denn sie
wurde stets durch einen Ritus vollzogen. Die Ordination ist ein sakramen-

---

[73] Vgl. den Ausdruck «homo ordinis mei», der bei Avitus einen Bischof (Opera, Ausg.
Peiper, S. 58), bei Hieronymus einen Priester bezeichnet (ep. 22, 28, Ausg. Hilberg 185).

[74] Zu Beginn des Mittelalters fügte man sogar den Ausdruck «ordo laicalis» hinzu, der
in der Karolingerzeit geläufig war. Vgl. E. Delaruelle: Rev. d'hist. de l'Egl. de France 38
(1952) 66–68. Vermittels einer Stelle bei Nikolaus I. («sive ex clero sive ex laicali ordine»)
geht er ins Decretum Gratiani (IV Q 1, c. 2, Friedberg 537) und in die kirchenrechtliche
Überlieferung über. Von da aus kommt man zum Gedanken der *ordines* der Christenheit,
deren Spiritualität sich unter dem Einfluß Clunys verbreitete.

[75] Vgl. Hugo von St. Victor, De Sacramentis II, 2, 5 (PL 176, 419).

[76] Zu Rom war «ordinatio» der *terminus technicus* für die Ernennung von Beamten.

[77] L. Hödl, Das scholastische Verständnis von Kirchenamt und Kirchengewalt unter
dem frühen Einfluß der aristotelischen Philosophie: Scholastik 36 (1961) 1–22; cf.
RSPhTh 49 (1965) 320–322.

[78] Vgl. P. A. van de Kerckhove, La notion de juridiction dans la doctrine des décré-
tistes et des premiers décrétalistes de Gratien (1140) à Bernard de Bottone (1250): Etudes
franciscaines 49 (1937) 438 ff.

taler Akt, der eine Heiligungsgnade übermittelt; die Berufenen werden aus
der Welt hinausgenommen und zum Dienst Gottes geweiht, ausgesondert,
um ihrer besonderen Sendung nachzukommen. Der Bischof, der Priester,
der Diakon haben nichts vom römischen *sacerdos* an sich, der ein Funktionär
des öffentlichen Kultes war, einen gewissen Rang besaß und bestimmte
Akte zu vollziehen hatte. Das christliche «Priestertum» gehört einer andern
Ordnung an; es ist nicht in erster Linie «religiös», nicht kultisch, sondern
charismatisch; es ist der *ordo* derer, die den Geist empfangen haben und je
ihrem *ordo* entsprechend befähigt worden sind, das Werk der Apostel weiterzuführen. Die Ordnungen des kirchlichen Amtes treten in den Schriften der
Kirchenväter nicht sosehr als Titel zutage, die gewisse Rechte verleihen,
sondern mehr als Aufträge, die Menschen, die zum Aufbau des Leibes
Christi berufen sind, manchmal gegen ihren Willen auf sich nehmen.

Der Ordo ist eine für die Kirche wesentliche Dimension und darum
wurde er mit Recht zu den Sakramenten gerechnet. Statt das christliche
Priestertum und die ganze kirchliche Hierarchie auf einen einzigen Einset-
zungsakt zurückzuführen,[79] wie das Konzil von Trient dies getan hat, erscheint es der Heiligen Schrift und der Wirklichkeit der Dinge eher zu entsprechen, von der Kirche als dem «Ursakrament» auszugehen, um den
Sinn und die Rolle dieses besonderen «Sakraments» zu erfassen.[80] Auf
diese Weise setzt man sich nicht der Gefahr aus, den Ordo von der geschichtlichen Kirche loszureißen, um ihn irgendwie über sie zu stellen. Ein
Sakrament ist ein Grundakt der Kirche, der für ihr Dasein wesentlich ist,
selbst wenn die theologische Reflexion über seine Eigenart erst spät eingesetzt hat. Ein Sakrament kann von Christus direkt eingesetzt worden sein;
in diesem Fall sind seine «Form» und «Materie» von der Einsetzung selbst
bestimmt. Es kann aber auch – und dies ist bei mehreren von ihnen der Fall
– nicht mit einem ausdrücklichen Einsetzungswort Jesu zusammenhängen.
Dies ist beim Ordo und der Ehe der Fall. Der Ordo gehört dennoch zum
Wesen der Kirche. Er ist ein Akt, durch den sich ihr Wesen verwirklicht; in
diesem Sinn ist er ein eigentliches Sakrament.

Damit sind drei Dinge gegeben: a) Die Ausfaltung des Ordo in mehrere
Stufen und die Einführung verschiedener Ordinationen hängen ebensosehr
mit der Geschichte der Kirche wie mit der Schrift zusammen. Sie haben sich
aus ihrer Entwicklung ergeben, und es ist schließlich mehr eine terminologische und theologische als eine dogmatische Frage, ob man von einem einzigen Sakrament des Ordo sprechen muß oder ob Episkopat und Presby-

---

[79] Jesus hat zwar Jünger berufen, in ihrer Mitte das Abendmahl gefeiert und «das Amt
in der Kirche bestellt. Aber er hat uns kein überliefertes Wort über seine Sakramentalität
gesagt» (K. Rahner, Kirche und Sakramente [Freiburg i. Br. 1960] 44).

[80] So K. Rahner aaO. 44; E. Schillebeeckx, Priesterschap: Theologische Woordenbock
(Roermond en Maaseik 1958).

terat verschiedene Sakramente bilden.[81] b) die Funktionen des Bischofs und die des Priesters, die Funktionen des Priesters und die des Diakons sind nicht absolut voneinander abgegrenzt; die jeweiligen Funktionen werden durch das Recht zugeteilt, doch dieses Recht ist nicht ein unveränderliches Ganzes; dies ist in bezug auf die Ordinationsgewalt[82] und die Firmgewalt[83] erwiesen. c) Die Gültigkeit der Ordinationen hängt vom Handeln der Kirche als ganzes genommen ab und nicht vom isoliert gesehenen sakramentalen Akt. Ob eine Ordination gültig ist oder nicht, läßt sich nicht einzig aufgrund des Ritus, unabhängig von ihrem Gesamtrahmen, ausmachen.[84]

Diese theologischen Perspektiven bieten die Möglichkeit, irgendwie auf die Frage nach der Gültigkeit der Ordinationen in den nichtkatholischen Kirchen zu antworten. Was die orthodoxen Ostkirchen und die altkatholische Kirche betrifft, welche die traditionelle Struktur der Kirche bewahrt haben, so wurden ihre Weihen von jeher so gut wie die der katholischen Kirche als gültig erachtet und die damit übertragenen Ämter werden als regulär übertragen angesehen, was schon daraus erhellt, daß sie nie offiziell in Abrede gestellt worden sind. Was die aus der Reformation des 16. Jahrhunderts hervorgegangenen Gemeinschaften betrifft, die als Kirchen gelten, ihre Ordinationen aber nicht immer als sakramental auffassen, so sollte man vom heutigen ökumenischen Denken aus die Gültigkeit der anerkannten und in einer Ordination übertragenen Ämter anerkennen, obwohl die Vorbedingungen für die kirchenrechtliche Gültigkeit solcher Ordinationen nicht gegeben sind. Die strikte Gültigkeit einer Sukzession als Norm für das *forum externum*, an die sich die traditionellen Kirchen selbst im Verlaufe der verschiedenen Schismen der Geschichte nicht immer halten konnten, ist nicht das gleiche wie die geistliche, objektive Bedeutung eines Dienstamtes, das die Sendung erhalten hat und sich zuschreibt, das Wort Gottes dem Glauben der Kirche entsprechend zu übermitteln. Die Respektierung der Überlieferung ist hier das entscheidende Kriterium der Gültigkeit, mehr als die materielle Kontinuität der Sukzession. So liegt in bezug auf die anglikanischen Ordinationen das Problem mehr in der Infragestellung der Einheit der Kirche im anglikanischen Weiheritual, insbesondere was den Opfercharakter der Messe betrifft, als in der Frage, ob die Kette der Ordinationen unterbrochen worden ist. Im ökumenischen Zusammenhang einer gemeinsamen Wiederentdeckung der Überlieferung als einer Übermittlung des Got-

---

[81] Vgl. K. Rahner ebd. 51.

[82] Die Historiker haben aus den Archiven mehrere Fälle ausgegraben, in denen einfache Priester den Auftrag erhalten hatten, Ordinationen zu vollziehen, die normalerweise dem Bischof vorbehalten waren. Vielleicht stellen diese Fälle Abwegigkeiten dar, aber sie sind vorhanden. Vgl. Y. Congar, Faits, problèmes et réflexions à propos du pouvoir d'ordre et des rapports entre le presbytérat et l'épiscopat: La Maison-Dieu, nr. 14, 107–128 = Sainte Eglise (Paris 1965) 275–302.

[83] Das Konzil von Trient hat die Firmgewalt dem Bischof vorbehalten. Die urkirchliche Tradition, der bis heute in der Ostkirche bestehende Brauch und die neuen Bestimmungen der römischen Kirche von 1946 erkennen aber diese Gewalt den einfachen Priestern zu.

[84] Vgl. K. Rahner aaO. 59.

teswortes an die Welt kann die Frage somit aufs neue aufgegriffen werden, um zu einer gegenseitigen Anerkennung der Dienstämter als Gaben Gottes zu gelangen. Diese Perspektive geht über die strikte Frage nach der sakramentalen und kirchenrechtlichen Gültigkeit der Weihen hinaus.

c. Die Stufen der Hierarchie: Bischof, Priester, Diakon

Die Struktur des kirchlichen Amtes in seiner dreifachen Gestalt – Episkopat, Presbyterat und Diakonat – läßt sich somit wie der Schriftkanon und die Siebenzahl der Sakramente[85] als das Ergebnis einer Entwicklung ansehen. Gewiß handelt es sich dabei um eine ganz ursprünglich gegebene Entwicklung, die noch der Zeit der Apostel angehört; deswegen hat sie in der kirchlichen Überlieferung den Charakter von etwas erhalten, das von Rechts wegen da sein muß. Es wird in der Kirche immer ein «Aufsichtsamt», ein «Presbyterat» und eine «Diakonie» geben müssen. Doch die konkreten Ausprägungen dieser wesentlichen Struktur können mit der Zeit wechseln und haben sich tatsächlich geändert, ja sie müssen sich wandeln infolge des zwangsläufig beschränkten Charakters der verschiedenen geschichtlichen Ausprägungen des Amtes und der für dieses bestehenden Verpflichtung, seinem Modell, Christus, unabläßig von neuem gleichförmig zu werden. Es gibt somit nicht eine einzige normative Struktur des kirchlichen Amtes, die für die ganze Dauer der Kirche festgelegt wäre und nach der sich die ganze christliche Gemeinde *ipso facto* zu richten hätte. Da sie das Ergebnis einer Entwicklung ist, stellt die Amtsstruktur der Kirche eine Gegebenheit dar, die man eher als eine «Gegebenheit apostolischen Rechts» als eine solche «göttlichen Rechts» bezeichnen sollte.

Als dem dreifachen Amt in der Kirche feste Gestalt gegeben wurde, waren übrigens in der Kirche einige Bedenken vorhanden hinsichtlich der Aufgabenverteilung. Im 3. Jahrhundert wird in Afrika einzig der Bischof «sacerdos» genannt und er allein steht der Eucharistiefeier vor; die Presbyter üben damals anscheinend nur pastorale Funktionen aus. Im 4. Jahrhundert aber, nach dem Konzil von Nizäa, kommt es irgendwie zu einer umgekehrten Situation. Die Priester vertreten den Bischof in seiner Region bei der Eucharistiefeier und sind zu *sacerdotes* geworden; der Episkopos wird zum Haupt des Presbyteriums und zum Heilssorger einer ganzen Region. Er ist bereits unser Regional-«Bischof».

aa. Das Amt der Bischöfe. Trotz dieser Änderungen hat der monarchische Bischof überall ein ganz bestimmtes Amt. Er ist der Vertreter Christi in der von ihm präsidierten Kirche, der Erbe der von Christus den Aposteln anvertrauten Funktionen und der Hüter der Überlieferung.

Durch seine Konsekration erhält der Bischof nicht nur die Jurisdiktion

---

[85] Vgl. A.M.Ramsey, The Gospel and the Church (London 1936) 63; R.Paquier, zitiert in Istina 9 (1969) 178.

über eine Anzahl von Gläubigen, sondern in erster Linie eine Geistesgabe, damit er seiner Funktion in der Kirche nachzukommen vermag. Er erhält die Standesgnade, um Seelenhirte, Vorsteher, Zeuge zu sein. Es handelt sich um ein Pneuma, das ihn instandsetzt, als Bischof inskünftig der Vertreter, das lebendige Abbild, das Sakrament des einzigen Hohenpriesters und Seelenhirten Jesus Christus zu sein. Nicht er lehrt, leitet und heiligt; es ist der Geist Gottes, der durch ihn sein Volk führt. Wir dürfen nicht vergessen, daß die Titel, die dem Bischof bei seiner Ordination verliehen werden, zunächst nicht Rechte sind, wie man bei einer ganz juridischen Betrachtung seiner Gewalten meinen könnte, sondern ein geistliches Amt.[86] Sein Amt ist sakramental, doktoral und pastoral. Zur Väterzeit ist der Bischof der *sacerdos* einer bestimmten Kirche; für gewöhnlich feiert er die ganze Liturgie, die sonntägliche Eucharistie, steht den Gebetsversammlungen vor, läßt durch die Taufe und die Firmung, die durch den Empfang der Eucharistie vollendet werden, in das Ostermysterium Christi eintreten, rekonziliiert die Sünder, legt den Priestern und Diakonen die Hände auf, weiht das Krankenöl. Der Bischof ist auch der Lehrer und Prediger. Zur apostolischen Sukzession in einer Kirche gehört notwendigerweise die Kontinuität der rechtgläubigen Unterweisung auf ein und derselben Kathedra der Wahrheit. Endlich ist der Bischof das geistliche Haupt des Volkes, das ihm von Christus zur Aufsicht (ἐπισκοπή) anvertraut worden ist, in Gemeinschaft mit der Kirche Roms, wo der Nachfolger des Petrus seinen Sitz hat.

Der «sakramentale Charakter» befähigt den Bischof oder den zum Priester geweihten Christen, die Sakramente zu feiern und macht ihn bei deren Feier zum lebendigen Vertreter Christi. Dennoch hängen die Sakramente, die er spendet, weder von seinen moralischen Qualitäten noch selbst von seinem Glauben ab, sondern bloß von seiner Intention, zu tun, was die Kirche tut.

Bei der Bischofsweihe müssen wenigstens drei Bischöfe anwesend sein. In dieser Forderung tritt klar zutage, daß die Ordination nicht ein Ritus ist, worin ein Amtsträger einem andern eine Gnade übermitteln würde, die er selbst erhalten hat, und Gewalten, die ihm persönlich anvertraut worden sind, sondern ein kollektiver Akt des Bischofskollegiums. Man kann selbst betonen, daß der römische Primat, da der Papst Bischof von Rom und selbst Mitglied des *ordo episcoporum* ist, sogar seiner Existenz nach vom Bischofskollegium abhängt.

bb. Das Amt des Presbyteriums. Die Funktion des Priesters ist wesentlich eine Funktion, an der man teilhat.[87] Das Presbyterium arbeitet mit

---

[86] Vgl. J. Lécuyer, Orientations de la théologie de l'Episcopat: L'Episcopat et l'Eglise universelle (Paris 1962) 787, 791–792, 802.

[87] Dieser partizipierende Charakter, der dem Priestertum von Anbeginn an innewohnt, wurde seit dem dritten Jahrhundert in den Ordinationsgebeten erwähnt. Wie Gott den

dem Bischof in der Gesamtheit seiner kirchlichen Leitungsaufgaben zusammen.

Wenn man die Funktionen des Priesters präzisieren will, muß man auf den sehr starken Zusammenhang achten, der nach der Tradition zwischen ihnen und der Darbringung der Eucharistie besteht. Deshalb ist die Rolle des Priesters in der Kirche vom Abendmahl und von den Worten Christi her zu verstehen, der seinen Aposteln den Auftrag gegeben hat, «zum Gedächtnis an ihn» (1 Kor 11,23 ff) das gleiche zu tun, was er getan hat. Darum hat das Konzil von Trient diesen grundlegenden Aspekt des Priesteramtes verteidigt.[88] Und das Zweite Vatikanum fügt hinzu: Die Priester «üben ihr heiliges Amt am meisten in der eucharistischen Feier oder Versammlung aus, wobei sie in der Person Christi handeln[89] und sein Mysterium verkünden, die Gebete der Gläubigen mit dem Opfer ihres Hauptes vereinigen und das einzige Opfer des Neuen Bundes, das Opfer Christi nämlich, der sich ein für allemal dem Vater als unbefleckte Gabe dargebracht hat (vgl. Hebr 9,11–28), im Meßopfer bis zur Wiederkunft des Herrn (vgl. 1 Kor 11,26) vergegenwärtigen und zuwenden».[90]

Der Priester ist der, der in das Gedächtnis des Herrn eintreten läßt[91], nicht nur in dessen Pascha, sondern in das Mysterium seines ganzen Wirkens, das sich von seiner Taufe bis zu seinem Pascha auf dem Kreuz erstreckt. Durch ihn wird die Versammlung der Gläubigen aufgefordert, in die Gleichzeitigkeit mit dem vergangenen Ereignis zu treten, das sie in der Gegenwart wiedererleben in Erwartung seiner endgültigen Erfüllung. Die Funktion des Priesters darf sich somit nicht auf einen besonderen Ritus beschränken; sie umfaßt das ganze Leben und entfaltet sich der gesamten sakramentalen Ordnung entsprechend.

Man würde jedoch der Überlieferung untreu[92], wollte man annehmen, die Funktionen des Priesters seien von strikt sakramentaler, d.h. kultischer Natur. Es ist ebenfalls seine Funktion, das Wort Gottes zu verkünden.

---

siebzig Ältesten, die von Moses berufen worden waren, sich mit ihm in die Leitung des Volkes zu teilen, den Geist der Prophetie verliehen hatte, so teilt er den Priestern den Heiligen Geist mit, um sie dem Bischofsamt beizugesellen.

[88] Sessio 23, can.1 (DS 1771).

[89] Der Priester ist gleichzeitig Vorsteher der Eucharistiefeier (er bringt *in nomine Ecclesiae* oder, wie man zuweilen sagt, *in persona Ecclesiae* das Opfer dar) und Konsekrator, Sakrifikator (und als solcher handelt er nicht mehr bloß *in persona Ecclesiae*, sondern *in persona Christi*). Der Zusammenhang zwischen diesen beiden Aspekten wurde in der Theologie des Mittelalters streng gewahrt. Vgl. B. Marliangeas, In persona Christi, in persona Ecclesiae. Notes sur les origines et le développement de l'usage de ces expressions dans la théologie latine: La liturgie après Vatican II (Paris 1967) 283–288.

[90] Lumen gentium 28.

[91] Zum biblischen Begriff des «Gedächtnisses» *(zikkaron)* vgl. M. Thurian, L'Eucharistie (Neuchâtel 1959) 27–49.

[92] Und sogar der Lehre des Konzils von Trient. Vgl. A. Duval, L'ordre au concile de Trente: Etudes sur le sacrement de l'Ordre (Paris 1957) 308.

Schon das Abendmahl, in dessen Verlauf der Herr sein Blut zum Bundesblut erklärt, weist darauf hin, denn es gibt keinen Bundesritus, ohne daß
eine Verkündigung des Gotteswortes an die Menschen erfolgt. Das Bun-
desereignis ist zugleich Tat und Wort. Dieser Zusammenhang tritt noch
deutlicher in Erscheinung, wenn man annimmt, daß das griechische Wort
εὐχαριστήσας (1 Kor 11,24; vgl. Lk 22,14) wie *εὐλογήσας* (Mt 26,26; Mk
14,22) nicht so sehr eine «Danksagung» im heutigen Sinn dieses Ausdrucks
bezeichnet, sondern vielmehr eine deutliche, freudige Proklamation der
«mirabilia Dei», der Heilstaten Gottes. Wenn Jesus erklärt: «So oft ihr
dieses Brot esst und diesen Kelch trinken werdet, verkündigt ihr den Tod
des Herrn bis er wiederkommt» (1 Kor 11,26), so hat seine Tat ritueller
Segnung auch den Sinn einer Proklamation des Gotteswortes. Das Amt der
Darbringung der Eucharistie ratifiziert und vervollständigt bloß eine Wortverkündigung, die sich von dem am Anfang stehenden Kerygma bis zur
Katechese und zur Liturgiefeier selbst erstreckt.

Predigen, taufen, die Eucharistie feiern sind die wesentlichen Funktionen
des Priesters. Sie können jedoch innerhalb des Presbyteriums verschieden
aufgeteilt sein, je nachdem die einen sich mehr missionarischen Aufgaben
widmen und die andern der Pastoration der zusammengebrachten Gemeinde.

Immer häufiger wird die Frage nach dem spezifischen Dienst der Frau in der
Kirche, ja selbst nach der Möglichkeit einer Ausübung des Priesteramtes durch
Frauen gestellt.

Wenn man unter Priesteramt das gemeinsame Priestertum aller Glieder des
Gottesvolkes als eines priesterlichen Volkes versteht, das durch spezifische frau-
liche Gaben und Charismen ausgezeichnet sein kann, so gibt es selbstverständlich
ein eigenes Priestertum und ganz besondere Dienstämter der Frau in der Kirche.
In dieser Richtung muß heute aktiv gesucht und geforscht werden, denn in der
Kirche müssen wie in der Welt die Aufgaben der Frau die des Mannes ergänzen
und der Eigenart der Frau angepaßt sein. Die Aufwertung des kirchlichen Amtes
als eines Dienstes sollte es ermöglichen, den Diensten, welche die Frauen in der
Kirche versehen, den Charakter eines «fraulichen Dienstamtes» zuzuerkennen. Es
steht nichts entgegen, ja es wäre im Gegenteil sehr zu wünschen, daß diese zahlreichen, mannigfaltigen und für das Leben der Kirche so wertvollen Dienste als
solche anerkannt und in einer Weise übertragen würden, wenigstens als vom dreifachen hierarchischen Dienstamt des Mannes verschiedenes, eben frauliches Amt.
Eine solche Weihe könnte übrigens wie die hierarchische Weihe mit einer Handauflegung verbunden werden. Obwohl die Überlieferung eine solche Lösung
kaum zu begünstigen scheint, so ist doch die Handauflegung seit der Ursprungs-
zeit der Kirche ein Ritus von so weiter Bedeutung, daß er diese Ausweitung zuläßt. Er bedeutet zunächst nicht die Übertragung von Autorität, sondern die Anerkennung von Gaben und die Weihe zu Aufgaben. Auf jeden Fall würde er
sicherstellen, daß die fraulichen Aufgaben, die in der Kirche geleistet werden,
kirchliche Dienstämter sind, was heute dringlich offiziell anerkannt werden sollte.

Wenn man jedoch unter Priesteramt das hierarchische Amt, die Teilnahme am Bischofsamt versteht, wodurch der Priester der Repräsentant Christi als des Hauptes der Kirche ist, so gehen heute innerhalb der katholischen Kirche die Meinungen auseinander. Die Theologen, nach denen das hierarchische Amt dem Manne vorbehalten ist, bilden wohl die Mehrheit. Zur Begründung wird vor allem auf die Tatsache hingewiesen, daß Christus ausschließlich Männer zu Aposteln aussah; dies gehe nicht nur auf ein zeitbedingtes Vorurteil zurück, sondern sei eine Anordnung, die in der leiblichen und geistigen Natur des Menschen tief verwurzelt sei. Zwar seien die Frauen heute auch in der Kirche mit sehr verantwortungsvollen Aufgaben betraut; diese Fälle seien jedoch eher Ausnahmen und liefen nicht auf eine in einer sakramentalen Weihe übertragene Stellvertretung Christi als des Hauptes der Kirche hinaus.

Neben dieser Auffassung wird heute aber auch die Meinung vertreten, die Frage des Amtspriestertums der Frau sei kein dogmatisches, sondern ein psychologisch-pastorales Problem. Die Tatsache, daß Jesus keine Frau in das Zwölferkollegium bzw. in die Gruppe der siebzig Jünger berufen hat und daß auch in der apostolischen Zeit das hierarchische Vorsteheramt nur Männern übertragen wurde, sei durch das Denken jener Zeit bedingt; im religiös-kulturellen Milieu Jesu und der Urkirche habe sich die Frage gar nicht gestellt, ob auch Frauen mit dem kirchlichen Vorsteheramt betraut werden könnten; die aus dem Judentum stammende Tradition, nur Männer zu Vorstehern der Gemeinde zu machen, sei fraglos übernommen und auch später beibehalten worden. Von einer dogmatisch verbindlichen Entscheidung gegen das Amtspriestertum der Frau durch das Verhalten Jesu und der Apostel könne nicht gesprochen werden. Die Kirche könnte also in einer anders gearteten Kultur und in einer Gesellschaft, in welcher der Frau eine andere Stellung als damals zukomme, anders handeln als die Urkirche. Ob sie das hierarchische Priestertum auch Frauen übertragen soll, hätten pastorale und psychologische Gründe zu entscheiden. Bekanntlich haben in neuerer Zeit manche Reformationskirchen auch Frauen in gleicher Weise wie Männer für das kirchliche Amt ordiniert, wobei allerdings an das verschiedene Verständnis von Amt und Ordination im Protestantismus zu denken ist. Auf jeden Fall sind diese Kirchen der Überzeugung, durch die Gleichstellung von Mann und Frau hinsichtlich des Amtes dem Geist des Neuen Testamentes nicht untreu zu werden. Die anglikanische Kirche hat sich in dieser Frage noch nicht entschieden, obwohl eine starke Tendenz zugunsten der Zulassung der Frau zum Priesteramt zu beobachten ist. Die orthodoxen Kirchen hingegen lehnten bisher die Priesterweihe der Frau entschieden ab. Für das Lehramt der katholischen Kirche bestand noch kein Anlaß, in der Diskussion um das Priestertum der Frau definitiv Stellung zu nehmen. Die Frage muß zweifellos sowohl vom dogmatischen wie auch vom pastoralen Gesichtspunkt her noch weiter überdacht werden. Es läßt sich übrigens kaum denken, daß die katholische Kirche sich in dieser Frage gegen die Auffassung der orthodoxen Kirche entscheiden und sich diesen Kirchen von neuem entfremden würde.[93]

---

[93] Zur Frage des Priestertums der Frau vgl. Ch. Lefèvre, Sur le problème du presbytérat féminin. La rencontre louvaniste des 20 et 21 décembre 1971: RTL 3 (1972) 200–204; R. Gryson, Le ministère des femmes dans l'Eglise ancienne (Gembloux 1971); Ph. Delhaye,

cc. Das Amt der Diakone. Obwohl der Diakonat im Lauf der Geschichte seinen ursprünglichen Vollsinn verloren hat, ist er nicht der unbedeutendste der drei Ordines. Im Gegenteil muß er seine ganze Funktion ausüben können, denn der Ordo ist eine organische Wirklichkeit. Darum ist seine vom Zweiten Vatikanum ins Auge gefaßte Erneuerung der Schlüssel zur Erneuerung des gesamten kirchlichen Amtes.[94]

Man beachte zunächst, daß der Diakonat das Amt ist, das schon von seinem Namen her der Definition des kirchlichen Amtes am genauesten entspricht. Er übt seinen Dienst mitten in der Welt aus und stellt damit den unmittelbaren Kontakt mit den Ämtern der Laien her. Er bewahrt das spezialisierte kirchliche Amt vor der Tendenz, sich abzusondern und hervorzutun. Obwohl er selbst Kleriker ist,[95] ist der Diakon der Amtsträger, der das kirchliche Amt daran hindern muß, klerikal zu werden. Überlieferungsgemäß nimmt der Diakon insbesondere in der Liturgie eine mittlere Stellung zwischen dem Priester und dem gläubigen Volk ein, doch darf diese Stellung nicht auf die Liturgie beschränkt bleiben. Es steht zu hoffen, daß die im Gang befindliche Erneuerung zum Aufkommen einer neuen Gruppe von Menschen führt, die der Gemeinde entnommen und für diese bestimmte Gemeinde ordiniert sind und so die Verbindung zwischen der Hierarchie und dem christlichen Volk herstellen. Von hierher gesehen ist der Diakon mehr an die Pfarrei, an die Basisgemeinde gebunden als der Priester, der versetzt werden kann. Diese menschliche Nähe tritt noch stärker in Erscheinung, wenn der Diakon verheiratet ist und in der Welt einen öffentlichen Beruf ausübt. Und man sollte seiner Predigt mehr als der des Priesters diese lange Lebensgemeinschaft mit dem Volk anspüren.

Da die Erneuerung des Diakonats noch in ihren Anfängen steht und die konkrete Erfahrung fehlt, hält es schwer, über die Tätigkeit der Diakone von morgen etwas Endgültiges zu sagen. Es läßt sich jedoch behaupten, daß das Amt des Diakons sich auf drei Ebenen abspielen wird: auf der liturgischen, auf der karitativen und auf der katechetischen Ebene. Im liturgischen Bereich: Begrüßung der Gläubigen, die zur Kirche kommen, Gestaltung der Liturgiefeiern, wo nötig Spendung der Eucharistie[96] und auch der

Rétrospective et prospective des ministères féminins dans l'Eglise: RTL 3 (1972) 55–75; H. van der Meer, Priestertum der Frau? Eine theologiegeschichtliche Untersuchung = QD 42 (Freiburg i. Br. 1969).

[94] Lumen gentium 19; Motu proprio «Sacrum Diaconatus Ordinem» (18. Juni 1967). Vgl. P. Winninger/Y. Congar (Hrsg.), Le diacre dans l'Eglise et le monde d'aujourd'hui (Paris 1966).

[95] Vgl. K. Mörsdorf, Kirchliche Erwägungen zum kanonischen Amtsbegriff: Festschrift Hugelmann (Aalan 1959) I, 383–398; Die Stellung der Laien in der Kirche (Mélanges Card. Julien): Rev. Droit Canon. (1960–61) 214–234.

[96] Die Diakone hingegen hatten nie die Funktion, der Eucharistiefeier vorzustehen. Falls sie diese beanspruchten, nahmen die Konzilien dagegen Stellung: das Konzil von Elvira (303) can. 77, das Konzil von Arles (314) can. 15.

liturgische Vorsitz bei Eheschließungen, Begräbnissen sowie die Kranken-salbung.[97] Der karitative Bereich ist der eigentliche Bereich des Diakonats. Eine Gemeinde, die sich nicht der Armen annähme, könnte man nicht als vollgültig christlich betrachten. Die alte Kirche und die des Mittelalters hatten diese Sorge; die Kirche einer organisierten und technisierten Welt darf diese nicht aufgeben. Es sollte mehr dem Diakon als dem Priester zu-kommen, die Kirche mit den sozialen Organismen, die sich der Notleidenden annehmen, und mit den Gewerkschaftsorganisationen in Verbindung zu bringen. Im missionarischen und katechetischen Bereich: Wenn auch diese Funktion eigentlich mehr den Bischöfen zukommt, so wird sie doch in weitem Ausmaß von den Priestern versehen und kommt auch voll und ganz den Diakonen zu.[98]

Es ist nicht unmöglich, daß die notwendige Spezialisierung nach einer Diversifikation dieser drei Formen des diakonalen Dienstes ruft. «Man sollte jedoch verhüten, daß sie zu sehr spezialisiert werden. Man muß im Gegenteil darauf bedacht sein, die Einheit dieser drei Tätigkeiten innerhalb der diakonalen Funktion zu bewahren, die nicht nur alle diese drei Funk-tionen enthält, sondern von Grund auf berufen ist, sie zu vereinen und ver-eint zu bewahren. Gerade hier kommt es zu einem der für die Berufung und Funktion des Diakons bezeichnenden Züge.»[99] Der Zusammenhang

[97] Während des Mittelalters wurde die Krankensalbung oft von Laien gespendet. Vgl. A.Chavasse, Etudes sur l'onction des infirmes dans l'Eglise latine I, 170f.

[98] Wenn auch im lateinischen Ritus der Diakonsweihe die Predigt erst im Mittelalter erwähnt wird, so standen doch die Diakone von alters her im Dienst der Verkündigung. J.Lécuyer (in: K.Rahner u.H.Vorgrimler [Hrsg.], Diaconia in Christo [Freiburg i.Br. 1962] 46) zitiert die Const.Apost.II, 30, 1–2, die Synoden von Ankyra (314) can.2, von Rom (595) can.1, die vierte Synode von Toledo (633) can.39. Der Codex iuris canonici von 1917 spricht in can.1342,1 den Diakonen wie den Priestern die «concionandi facultas» zu.

[99] Vgl. Y.Congar, Le diaconat dans la théologie des ministères: Le diacre dans l'Eglise et le monde d'aujourd'hui (Paris 1966) 135. Der Subdiakonat und die niederen Weihe-stufen (der Dienst als Akolyth, Lektor, Ostiarier oder Exorzist) sind Ämter, die im Lauf der Geschichte eingeführt worden sind, damit der Diakon in seiner Aufgabe, der Liturgie-gemeinde ihre lebendige Struktur zu geben, sich auf sie stützen könne. Wie zu erwarten war, wurde diese Struktur stärker differenziert, als die Kultversammlung zahlreicher ge-worden war. Die Anzahl und Bedeutung dieser Weihestufen haben variiert; so hat der christliche Osten nie das Akolythat, diese römische Verdoppelung des Subdiakonats, ge-kannt. In Rom hingegen kam das Amt der Ostiarier und Exorzisten sehr bald in Abgang. Diese Ämter wurden – ohne daß dies nötig gewesen wäre – in Gallien von neuem aufge-bracht, als man die liturgischen Bücher des römischen Ritus übernahm. Die niederen Weihen sind nicht sakramental. Sie wurden ursprünglich ohne Weihegebet verliehen und bestanden bloß in der Zuweisung einer Funktion durch die Übergabe des benötigten Instruments, wie das bei der Übertragung profaner Funktionen ebenfalls Brauch war. In der Folge hat man die niederen Weihen als liturgische Funktionen, als kirchliche Segnun-gen angesehen, insbesondere den Subdiakonat, aus dem die lateinische Kirche im 12. Jahr-hundert eine eigentliche Weihe zum Altardienst, eine «höhere Weihe» gemacht hat, mit

der Diakonie mit dem Kult ist entscheidend wichtig, um die Gläubigen daran zu erinnern, daß der Kult selbst Dienst ist und daß Christus als der Vollzieher der Liturgie selbst der erste Diakon seiner Kirche ist.[100]

BERNARD D. DUPUY

der dann die Verpflichtung zum Zölibat verbunden wurde. Das Konzil von Trient war willens, die niederen Dienstämter wiederherzustellen, und dieser Wunsch wurde in der Folge oft wiederholt, aber ohne Erfolg. Das Zweite Vatikanum hat sie in neuen Formen aufzuwerten gesucht. Für die künftigen Priesteramtskandidaten könnte der erste Schritt vor dem Diakonat und Presbyterat künftig in einem Zulassungsritus zum Klerikerstand ohne besondere juridische Verpflichtung bestehen.

[100] Vgl. J. Hornef, Kommt der Diakon der frühen Kirche wieder? (Wien 1959); K. Rahner und H. Vorgrimler (Hrsg.), Diaconia in Christo (Freiburg i. Br. 1962); P. Winninger, Les diacres. Histoire et avenir du diaconat (Paris 1967).

BIBLIOGRAPHIE

Allmen J.-J. v., Diener sind wir. Auftrag und Existenz des Pfarrers (Stuttgart 1958).

Becker K. J., Wesen und Vollmachten des Priestertums nach dem Lehramt = QD 47 (Freiburg i. Br. 1970).

Campenhausen H. v., Kirchliches Amt und geistliche Vollmacht in den ersten drei Jahrhunderten (Tübingen 1953).

Colson H., Les fonctions ecclésiales aux deux premiers siècles (Bruxelles 1956).

Congar Y., Für eine dienende und arme Kirche (Mainz 1965).

Congar Y.–Dupuy B.-D. (Hrsg.), Das Bischofsamt u. d. Weltkirche (Stuttgart 1964).

Deißler A., Schlier H., Audet J. P., Der priesterliche Dienst I. Ursprung und Frühgeschichte = QD 46 (Freiburg i. Br. 1970).

Dix G., Le ministère dans l'Eglise ancienne (Neuchâtel 1957).

Dupuy B.-D., La théologie de l'Episcopat: RSPhTh 49 (1965) 288–342.

Ehrhardt A., The Apostolic Ministry (Edinburgh 1958).

Etudes sur le Sacrement de l'Ordre = Lex Orandi 22 (Paris 1957).

Gewieß J., Die neutestamentlichen Grundlagen der kirchlichen Hierarchie: HJ 72 (1953) 1–24.

Herrmann H., Der Priesterliche Dienst IV. Kirchenrechtliche Aspekte der heutigen Problematik = QD 49 (Freiburg i. Br. 1972).

Hughes J. J., Zur Frage der anglikanischen Weihen = QD 59 (Freiburg i. Br. 1973).

Käsemann E., Amt und Gemeinde im Neuen Testament: Exegetische Versuche und Besinnungen I (Göttingen [6]1970) 109–134.

Kötting B., Amt und Verfassung in der Alten Kirche: Zum Thema Priesteramt (Stuttgart 1970) 25–53.

Küng H., Strukturen der Kirche = QD 17 (Freiburg i. Br. 1962).

– Wozu Priester? (Eine Hilfe) (Zürich 1971).

Lehmann K., Das dogmatische Problem des theologischen Ansatzes zum Verständnis des Amtspriestertums: Existenzprobleme des Priesters = MASch 50 (München 1969) 121–175.

Martin J., Die Genese des Amtspriestertums in der frühen Kirche = QD 48 (Freiburg i. Br. 1972).

Menoud Ph. H., L'Eglise et ses ministères selon le Nouveau Testament (Neuchâtel 1949).

Michaelis W., Das Ältestenamt der christlichen Gemeinde im Lichte der Heiligen Schrift (Bern 1953).

Pesch W., Kirchlicher Dienst und Neues Testament: Zum Thema Priesteramt (Stuttgart 1970) 9–24.

– Priestertum und Neues Testament: TThZ 70 (1970) 65–83.

Rahner K., Menschen in der Kirche: Sendung und Gnade (Innsbruck 1959) 237–396.

– Priesterliche Existenz: Schriften zur Theologie III, 285–312.

– Über den Episkopat: Schriften zur Theologie VI, 369–422.

– Der theologische Ansatzpunkt für die Bestimmung des Wesens des Amtspriestertums: Schriften zur Theologie IX, 366–372.

– Über den Diakonat: Schriften zur Theologie IX, 395–414.

Rahner K.-Vorgrimler H. (Hrsg.), Diaconia in Christo = QD 15/16 (Freiburg i. Br. 1962).

Ratzinger J., Zur Frage nach dem Sinn des priesterlichen Dienstes: GuL 41 (1968) 347–376.

– Die Kirche und ihre Ämter: Das neue Volk Gottes (Düsseldorf ²1970) 75–245.

Reform und Anerkennung kirchlicher Ämter. – Ein Memorandum der Arbeitsgemeinschaft ökumenischer Universitätsinstitute (München 1973) (Lit.).

Ritter A. M., Amt und Gemeinde im Neuen Testament und in der Kirchengeschichte: A. M. Ritter-G. Leich, Wer ist die Kirche? (Göttingen 1968) 21–77.

Schelkle K. H., Jüngerschaft und Apostelamt (Freiburg i. Br. 1957).

Schillebeeckx E., Der Amtszölibat. Eine kritische Besinnung (Düsseldorf 1967).

Schlier H., Die Ordnung der Kirche nach den Pastoralbriefen: Die Zeit der Kirche (Freiburg i. Br. 1956) 129–147.

Schnackenburg R., Die Kirche im Neuen Testament = QD 14 (Freiburg i. Br. ³1961).

Schweizer E., Gemeinde und Gemeindeordnung im Neuen Testament (Zürich 1959).

Semmelroth O., Das geistliche Amt (Frankfurt a. M. 1958).

Thurian M., Sacerdoce et ministère (Taizé 1970).

Van der Meer H., Priestertum der Frau? = QD 42 (Freiburg i. Br. 1969).

Vorgrimler H. (Hrsg.), Amt und Ordination in ökumenischer Sicht = QD 50 (Freiburg i. Br. 1973).

Winninger P.-Congar Y., Le diacre dans l'Eglise et le monde d'aujourd'hui (Paris 1966).

9. KAPITEL

DIE KIRCHE ALS GESCHICHTE

Das Kapitel über die Kirche als Geschichte beschließt die Ekklesiologie. In der bisher vorherrschenden statischen Betrachtungsweise der Kirche war für eine solche Fragestellung kein Raum. Eine heilsgeschichtliche Theologie muß indes der Frage nachgehen, wie sich die «Zeit der Kirche» zur profanen Geschichte verhält, und sie muß versuchen, den Ort der Kirchengeschichte innerhalb der Heilsgeschichte zu bestimmen.

Die Zeit der Kirche [1] ist heilsgeschichtlich die Zeit zwischen der Auferweckung des Herrn, seiner Himmelfahrt und der Sendung des Heiligen Geistes als dem Anfang und der verheißenen Wiederkunft des Herrn als dem Ende. In historischer Betrachtung ist diese Zeit eine geschichtliche Zeit, die verläuft wie jede andere geschichtliche Zeit auch, und zu deren wissenschaftlicher Erforschung die allgemeine historische Methode anzuwenden ist. Aber auch wenn der Kirchenhistoriker die kontroverse Frage, ob der «historische Jesus» eine Kirche gestiftet hat und «nach seiner eschatologischen, auf Israel gerichteten Botschaft überhaupt stiften *konnte*», ebenso wie die ekklesiologische Bedeutung der «Auftragsworte des Auferstandenen» zur Klärung wohlweislich dem Exegeten überläßt,[1a] wenngleich er sich eingestehen muß, daß das NT selbst Geschichte und das wichtigste Stück der

---

[1] Diese Arbeit wurde im März 1970 abgeschlossen. Seither sind insbesondere drei Publikationen erschienen, die alle ein bezeichnendes Interesse an der Frage nach der Kirche als Geschichte bekunden: R. Kottje (Hrsg.), KG heute – Geschichtswissenschaft oder Theologie? (Trier 1970) mit Beiträgen von N. Brox, E. Iserloh, H. Jedin, H. Lutz und P. Stockmeier – P. Stockmeier, KG und Geschichtlichkeit der Kirche: Zs. f. KG 81 (1970) 145–162 – Concilium, Internationale Zs. f. Theologie 6 (1970) Heft 8/9: KG im Umbruch, mit Beiträgen von A. Weiler, J. Cobb, C. Mönnich, B. Plongeron, G. Alberigo, Y. Congar und R. Aubert. Aus diesen problemerhellenden Arbeiten sei lediglich ein Satz G. Alberigos zitiert: «Dieses Anliegen (die KG aus der Rolle einer Hilfswissenschaft zu befreien) läßt sich aber nicht dadurch verwirklichen, daß man der KG einen theol. Status zuweist, sondern eher dadurch, daß man wieder folgerichtig ihre Natur als autonome hist. Disziplin bejaht, auch wenn sie zur Theologie in einer Interdependenz steht.» Genau diese Interdependenz ist das Problem, um das es auch in dieser Abhandlung gehen muß.

[1a] R. Schnackenburg: LThK VI (1961) 168f. – Vgl. zu dieser Frage: Y. Congar: MS IV/1, 504–506.

Kirchengeschichte ist, so kann er doch all die Jahrhunderte seit der Urgemeinde zu Jerusalem nicht verständig betrachten, ohne daß er sich diesen
«Anfang» und dieses «Ende» heilsgeschichtlichen Selbstverständnisses der
Kirche gegenwärtig hält. Denn obwohl die Zeit der Kirche die Zeit *zwischen*
diesem «Anfang» und diesem «Ende» ist, so wirken doch beide vom Ursprung und von der Zukunft her konstitutiv in das «Zwischen» hinein, und
dies nicht wie die Geburt und der in ihr bereits mitangelegte Tod einer
welt-geschichtlichen Kultur, sondern als Ereignisse einer von der welt-
geschichtlichen Zeit kategorial verschiedenen «Zeit».[2] Weiß jede geschichtliche Institution um ihren Anfang – sei es in der Weise des Mythos
oder der historischen Urkunde – und ist der «Anfang», der die geschichtliche Zeit der Kirche umgreift, vom Anfang der welt-geschichtlichen Zeit
durch seine andere Zeit-Weise unterschieden, so ist das «Ende» der Zeit der
Kirche darüber hinaus auch deshalb von anderer Art, weil zwar jede geschichtliche Institution den Tod in ihrer Geburt schon in sich hat, dies aber
nicht ins Bewußtsein hebt, vielmehr immer sich in der zu Lebzeiten von
keiner Aufklärung auszuräumenden Illusion unendlicher Dauer befindet,
während die Kirche in ihrer Zeit auf ihr «Ende» hin lebt, ihrem Wesen gemäß jedenfalls leben sollte. Die Verheißung, daß die Pforten der Hölle sie
nicht überwältigen werden, appelliert nicht an die Illusion unendlicher
Dauer, sondern sagt zu, daß der Untergang der Kirche der letzte welt-ge-
schichtliche Untergang sein werde, jedoch nicht so, daß die Kirche dann
alle anderen Institutionen besiegt oder die Welt «heimgeholt» haben werde.
Vielmehr wird die Kirche in dem «Ende», auf das hin sie lebt, aufgehoben
werden, und es ist der Kirche, sooft sie dies auch in ihrer geschichtlichen
Zeit vergessen hat, aufgetragen, ständig um diese ihr bevorstehende Aufhebung zu wissen. Solches gilt von keiner welt-geschichtlichen Institution
(auch die «Klassenlose Gesellschaft» des Historischen Materialismus ist in
dessen Selbstverständnis von anderer Art). Daß die Kirche dieser Welt «ad
lucem, quae nescit occasum» (Vat. II. Const. de ecclesia 8,9) aufgehoben
wird, daß «Zeichen und Sakrament in die Wirklichkeit hinein aufgehen werden, auf die sie verweisen»[2a], macht den welt-geschichtlichen Untergang der
Kirche so wenig zu einem bloßen Übergang, wie es der individuelle Tod ist.

1. Das Problem der «historischen Theologie»

Wie auch immer die Zeit der Kirche inhaltlich interpretiert wird – als Zeit
des Verfalls oder der unverkürzten Tradition apostolischer Zeit, als die sich
zunehmend versammelnde unsichtbare Gemeinschaft der Auserwählten
oder als die durch die Jahrhunderte gehende sichtbar verfaßte, aber auch in

[2] Vgl. A. Darlap, Anfang und Ende: Sacramentum Mundi I (1967) 138–145.
[2a] H. de Lubac, Geheimnis, aus dem wir leben (Einsiedeln 1967) 112.

dieser äußeren Gestalt mit ihrem inneren Wesen präsente Institution, als
Zeit der Verkündigung des Evangeliums oder als Zeit der Verkündigenden
selbst, in deren Gemeinschaft der Herr bis zu seiner offenbaren Wiederkunft
mystice fortlebt – allen diesen Interpretationen liegt zugrunde, daß die von
ihnen interpretierte geschichtliche Zeit der Kirche von einem «Anfang» und
«Ende» anderer Zeit-Weise umfaßt ist. Diese Umfaßtheit selbst, und nicht
erst die ekklesiologischen Implikationen, die mit jeder Darstellung der Kirchengeschichte verbunden sind, stellt primär vor die Frage, ob Kirchengeschichte als eine historische Disziplin grundsätzlich möglich ist, sofern sie
zugleich eine theologische Disziplin sein und als solche die spezifische Differenz der Kirche als Geschichte gegenüber der Welt-Geschichte wahren
will. Denn «Anfang» und «Ende», *zwischen* denen, jedoch von ihnen konstituiert, Kirchengeschichte ist, sind der historischen Methode unzugäng-
lich, und was «dazwischen» geschieht, ist vom Historiker erforschbar,
wenn er von diesem «Anfang» und «Ende» absieht, in diesem Beiseitelas-
sen aber für den Theologen ganz und gar unzulänglich erfaßt. Die Frage,
ob Kirchengeschichte eine historische Disziplin sein kann, ist in den generellen Horizont der Frage nach der Theologie als Wissenschaft gestellt.
Aber da einerseits die Kirchengeschichte, will sie Wissenschaft sein, sich den
Bedingungen der auf die positive Ermittlung von Ereignissen ausgehenden
Geschichtswissenschaft unterwerfen muß, und da anderseits es die Theologie
mit einem geschichtlichen Glauben und den ihn begründenden «Ereignissen» heilsgeschichtlicher Qualität zu tun hat, befindet sich die theologische
Kirchengeschichte in einer eigentümlichen Nähe zur profanen Wissenschaft,
dieweilen es sich beidesmal um Ereignisse handelt, zugleich aber eben darum in einem tief wurzelnden Konflikt, dieweilen es zwar auch in der Kirchengeschichte immer um die gleiche Art von Ereignissen wie in der allgemeinen Geschichtswissenschaft geht, diese aber zugleich von der Kirchengeschichte als theologischer Disziplin in einem anderen, dem Horizont der
heilsgeschichtlichen Ereignisse gesehen werden sollen. Insofern ist das Problem Theologie als Wissenschaft in der Disziplin Kirchengeschichte spezifisch zugespitzt. Doch hat man es hier keineswegs mit einer akademischen
Frage zu tun. Was sich auf wissenschaftlicher Ebene seit der Aufklärung ab-
spielte und noch abspielt, spiegelt einen Teil, und zwar einen zunehmenden
Teil des Verhältnisses der in der Welt-Geschichte lebenden Gläubigen zur
Kirche und ihrem Glauben. Daß das Verhältnis zur Geschichte schlechthin
in den «Verlust der Geschichte» zu geraten droht, entlastet die Frage nach
der Kirchengeschichte nicht, macht sie vielmehr bedrängender als die Frage
nach der profanen Geschichte, weil der christliche Glaube wesenhaft Einlassung in die Geschichte des Heiles mit ihren «Ereignissen» ist, und weil
der christliche Glaube nur aus seiner Überlieferung zu leben vermag.[3]

[3] O. Köhler, Der Glaube und die Geschichte: K. Färber (Hrsg.), Krise der Kirche –
Chance des Glaubens (Frankfurt [4]1968) S. 75–84.

Die kritische Frage nach der Kirchengeschichte als einer theologischen und historischen Disziplin erhob sich, als die Kirche zu einem gegenübergestellten, reflektierten Gegenstand wurde,[4] also dann, als das abendländische Geschichtsbewußtsein nicht mehr eingebettet war in die kirchliche Überlieferung. Zwar beginnt die moderne Kirchengeschichtschreibung im Zeitalter der Reformation mit dem – Ansätze aus dem 14. und 15. Jh. fortsetzenden – polemischen Versuch nachzuweisen, daß die Kirche von einem bestimmten Zeitpunkt an (bevorzugt wird Konstantin d. Gr.) von ihrem reinen Anfang abgewichen sei, der jetzt in der Reformation wiederhergestellt werde, und mit dem anti-polemischen Unternehmen nachzuweisen, daß die Kirche in allen Jahrhunderten immer dieselbe gewesen sei bis heute, in welcher Kontroverse die Kirche notwendig bereits vergegenständlicht werden mußte; aber beide Unternehmen waren theologisch-apologetischer Art, benutzten die Historie als Belege für dogmatische Sätze, ohne kritisch über das generelle Problem nachzudenken, wie Glaube und Geschichte sich zueinander verhalten. Diese Krise begann erst mit der Kirchenhistoriographie der Aufklärung. Seither gibt es folgende Grundtypen der Auffassung von der Kirchengeschichte:

1, 1) Die Kirche in ihrem theologisch relevanten Aspekt ist als dogmatischer Begriff vorgegeben und in ihm «Anfang» und «Ende», die Geschichte der Kirche aber vom Historiker mit den allgemeinen Methoden seiner Wissenschaft zu behandeln, wobei freilich auch er das *Ganze* dieser Geschichte nur von ihrem Sinn, d. h. vom dogmatischen Begriff der Kirche her erfassen kann;[5]

---

[4] Ders., Der Gegenstand der Kirchengeschichte: Hist. Jahrbuch 77 (1958) 254.

[5] Diese Auffassung wird hauptsächlich von kath. Kirchenhistorikern vertreten und verbindet – bei allen Unterschieden des Geschichtsbildes im einzelnen – in Deutschland die Darstellungen der Kirchengeschichte von Th. Katerkamp (5 Bde. [Münster 1823 bis 1834]), die, nach anfänglicher Kritik, auch von Johann Adam Möhler (1796–1838) akzeptiert wurde, von Franz X. Funk (Lehrbuch der Kirchengeschichte [Paderborn ¹1886]), dessen kurzer Hinweis auf die Wissenschaftlichkeit (S. 2) von seinem Fortsetzer und Gestalter des Lehrbuches in seiner heutigen Form, K. Bihlmeyer, zu einem eigenen Abschnitt der Einleitung ausgebaut wurde, und das von H. Jedin herausgegebene «Handbuch der Kirchengeschichte» (Freiburg i. Br. 1962ff). Der gleichen Konzeption folgt die von L. J. Rogier, R. Aubert und M. D. Knowles hrsg. «Geschichte der Kirche» (Einsiedeln 1963ff), in deren namentlich nicht gezeichneter «Einführung» der theologische Begriff der Kirche verbunden wird mit der Aufgabe des Kirchenhistorikers, «die Wandlungen dieser Kirche, und zwar im allgemeinen Rahmen der Profangeschichte, ... einzig getrieben vom Bestreben, das ‚was geschehen ist‘ (um den Ausdruck von Ranke zu gebrauchen) darzustellen». K. Bihlmeyer spricht von der «Idee des irdischen Gottesreiches», von der her das einzelne «endgültig zu beurteilen» sei; es ist bemerkenswert, daß in der von H. Tüchle besorgten Ausgabe (1951) des Lehrbuches das Wort «irdisch» und entsprechend auch die Wendung «endgültig beurteilen» entfallen. Daß in dieser Ausgabe nach den Bihlmeyerschen Prinzipien 1) «kritisch», 2) «objektiv», 3) «pragmatisch-genetisch»

1, 2) die Kirchengeschichte ist als die «kleine Weile» bis zur Wiederkunft des Herrn eine auch vom modernen Kirchenhistoriker *als solchem* und *innerhalb* der Weltgeschichte erfaßbare Phase der Heilsgeschichte, an deren Horizont auch abzulesen ist, wo die konkrete Kirchengeschichte dem göttlichen Heilsplan zuwidergelaufen ist;[6]

2, 1) die Kirchengeschichte ist ohne alle theologischen Implikationen nur ein Spezialfach der total profanen Historie, ohne daß auch innerhalb dieser eine spezifische Differenz gesehen wird;[7]

2, 2) die uneingeschränkt profan interpretierte Kirchengeschichte hat ihre binnenhistorische Qualität im Rahmen der (vergleichenden) Reli-

---

die von Bihlmeyer noch separat geforderte «religiös-christliche Betrachtungsweise» als Punkt 4) eingereiht wird (S. 3), erscheint als eine solche Reihung problematisch. – Aber auch der Lutheraner Kurt Dietrich Schmidt (1896–1964) gehört in diese Gruppe und hat in seinem «Grundriß der Kirchengeschichte» (Göttingen [4]1963) in dogmatischer Konsequenz von einer «allein konfessionell zu erfassenden Aussage» (S. 13) gesprochen; vergleichbar geht J. Chambon («Was ist Kirchengeschichte? Maßstäbe und Einsichten» [Göttingen 1957]) vom reformierten Kirchenverständnis aus. R. Wittram, Das Interesse an der Geschichte (Göttingen 1958), Kap. «Geschichte der Kirche und Geschichte der Welt» (S. 136–150) ist kritisch gegen K. D. Schmidts Überzeugung, Gottes Wirken in besonderen Momenten der KG (z. B. in der Germanenbekehrung [«Grundriß» II (1950) 158f] oder in der Reformation [ebd. S. 217]) erkennen zu können, denn: «Wo ist die Gnade, wo der Zorn Gottes …? Wir wissen es nicht» (R. Wittram aaO. 143). Zu J. Chambon bemerkt R. Wittram, der Essay sei zwar «nicht methodisch-wissenschaftlich», aber «tief angelegt» (S. 145), bleibt aber bei seinem nicht nur historischen, sondern zugleich theologischen Einwand, daß «die ‚ganze Geschichte'» eschatologisch ein anderes ist als für den historischen Blick nach rückwärts; auch die Zeugnisse von der Erfahrung Gottes sind immer nur «Beleg» für menschliche Erfahrung (S. 147).

[6] Dieser Typus reicht von F. L. zu Stolbergs spiritueller, die äußere Tatsachengeschichte bewußt vernachlässigenden Auffassung der Kirchengeschichte (L. Scheffczyk, F. L. von Stolbergs «Geschichte der Religion Jesu Christi». Die Abwendung der kath. Kirchengeschichtsschreibung von der Aufklärung und ihre Neuorientierung im Zeitalter der Romantik [München 1952]) bis zur «Geschichte der Kirche in ideengeschichtlicher Betrachtung» (Münster [1]1929/30, völlig neue Bearbeitung [21]1962, [23]1968) von J. Lortz, der anders als Stolberg durchaus Tatsachengeschichte schreibt, aber die Auffassung vertritt, daß die Kirchengeschichte «die Geschichte dieses Göttlichen», nämlich der «Kirche als mystischer Fortsetzung der Inkarnation des Logos» darstellt (VI) – und daß die Kirchengeschichte Geschichtswissenschaft sei, aber «nach eigenen, der Offenbarung entnommenen Prinzipien arbeitet». Der Unterschied zu der in Anm. 5 vermerkten Konzeption ist klar; vgl. die Kontroverse H. Jedin, Zur Aufgabe des Kirchengeschichtsschreibers: TThZ 61 (1952) 65–78 und J. Lortz ebd 317–327; ferner H. Jedin, Kirchengeschichte als Heilsgeschichte?: Saeculum V (1954) 120. Zum Versuch, den Ort der Kirchengeschichte im Horizont von «Weltgeschichte – Kirchengeschichte – Heilsgeschichte» neu zu bestimmen, siehe im Text. S. 533–539, 568.

[7] Der Prototyp mit vielen Nachfolgern ist Ludwig Spittler, der in seinem «Grundriß der Geschichte der christlichen Kirche» (1782) von einem «Juden namens Jesu» spricht, was F. Ch. Baur («Die Epochen der kirchlichen Geschichtsschreibung» [1852]) zu der Bemerkung veranlaßt: «So beginnt ja die Spittlersche Kirchengeschichte ungefähr ebenso, wie Spittler seine Geschichte Wirtenbergs beginnt» (S. 168).

gionsgeschichte,[8] in einer geschichtsphilosophischen Deutung[9] und schließlich im theologischen Historismus;[10]

3) die Kirchengeschichte wird von der protestantischen Theologie in der Reaktion auf den theologischen Historismus

3,1) durch K. Barth (1886–1969) als «unentbehrliche Hilfswissenschaft

---

[8] Die religionsgeschichtliche Behandlung der Kirchengeschichte beginnt in der Aufklärung, programmatisch formuliert von Joh. Mathias Schroeckh, Historia religionis et ecclesiae christianae (1786), und kann in ihrer weiteren Entwicklung sowohl die christliche Differenz einebnen und darüber hinaus mit der positivistischen Religionswissenschaft die Eigentümlichkeit des Gegenstandes «Religion» überhaupt verlieren oder aber auch bei Ablehnung aller dogmatischen Voraussetzungen an der universalgeschichtlichen Sonderstellung des Christentums festhalten. E. Troeltsch (1865–1923), der den «tiefsten Kern der religiösen Geschichte der Menschheit ein nicht weiter zu analysierendes Erlebnis, ein letztes Urphänomen» nennt (Christentum und Religionsgeschichte: Ges. Schriften II, 339), will in einer «religionsgeschichtlichen Theologie» das Christentum im Zusammenhang dieser religiösen Geschichte gesehen wissen: Das Christentum «läßt sich nicht mehr isolieren, es muß in die Kontinuität der Entwicklung hineingestellt werden, auch wenn man sein Eigenes und Neues noch so hoch wertet» (Ges. Schriften II, 220). Diese Wertung spricht E. Troeltsch, jedoch in «geschichtsphilosophisch-historischer Denkweise», eindeutig aus, indem er das Christentum «Abschluß der übrigen religiösen Bewegungen» und «Ausgangspunkt einer neuen Phase der Religionsgeschichte nennt, in der bisher nichts Neues und Höheres hervorgetreten ist und in der ein solches auch für uns heute nicht denkbar ist...» (Ges. Schriften II, 748).

[9] Exemplarisch hierfür sind F. Ch. Baurs von der Geschichtsphilosophie G. W. F. Hegels bestimmten «Epochen» (aaO. Anm. 7), von E. Troeltsch «das heute noch klassische Buch» genannt (Ges. Schriften III/1, 15) und bis zur Gegenwart, in aller geistesgeschichtlichen Bestimmtheit ihrer Position, die überragende Darstellung der Problemgeschichte der Kirchengeschichtsschreibung.

[10] Der theologische Historismus wird hier in diese Gruppe der Auffassung von der Kirchengeschichte eingeordnet, wenngleich er zur Geschichte der prot. *Theologie* im 19. und 20. Jh. gehört und ein sehr differenziertes Verhältnis zum christlichen Glaubensbekenntnis hat; denn was hier im ganzen bestimmt, ist der allgemeine Historismus der Epoche, dessen Problemen er sich allerdings nicht nur philosophisch, sondern immer auch theologisch stellt. Er setzt in gewisser Weise bereits in der Kirchengeschichtsschreibung von J. C. L. Gieseler (1792–1854) an und hat seinen Höhepunkt in E. Troeltsch (vgl. Anm. 8) und A. Harnack (1851–1930), den P. Meinhold, sich auf den Protestantismus beschränkend, «am Anfang der modernen Kirchengeschichtsforschung» stehen sieht (Geschichte der kirchlichen Historiographie II [Freiburg i. Br. 1967] 263). Beiden ist gemeinsam der Primat der Geschichte (A. Harnack: «Was ich gelernt habe, habe ich an der Kirchengeschichte gelernt» [Aufsätze I, Vorrede, [2]1906]), die absolute Trennung der historischen Methode von der Dogmatik, die Ablehnung der «theologischen Scheinhistorie» (E. Troeltsch, Ges. Schriften II, 339) und die Anschauung, daß «die Kirchengeschichte mit allen großen Zweigen der Universalgeschichte aufs innigste verbunden» ist (A. Harnack, Aus Wissenschaft und Leben II [Gießen 1911] 61). Während jedoch Harnack mit seiner These, es finde das die Botschaft Jesu schlechthin verfälschende Dogma in der Reformation ihr Ende, von der her die Kirche zu erneuern sei, «theologischer» bleibt als Troeltsch, hat dieser, indem er die entscheidende Zäsur in der Aufklärung sah, den Historismus radikalisiert, sich aber zugleich dem Problem des historischen Relativismus gestellt, von dem er meint, daß «nur bei atheistischer oder religiös-skeptischer Stellung die Folge der historischen Methode ist» (Ges. Schriften II, 747; vgl. oben Anm. 8).

der exegetischen, der dogmatischen und der praktischen Theologie» herabgestuft, zugleich aber wieder als eine Geschichte eröffnet, die nicht rational reflektierter Gegenstand ist, sondern «innerhalb der Kirche» in Solidarität mit deren Geschichte von den «Angerufenen» betrachtet wird und dann nicht dasselbe ist wie die Profangeschichte;[11]

3,2) trotz Respektierung des Historismus zugleich als Geschichte besonderer Qualität zu erfassen gesucht, weil sie sowohl in der Traditions- wie in der Verfallstheorie von ihrem Anfang wie ihrem Ende her theologisch zu deuten ist;[12]

3,3) unter Abweis der Unterscheidung von Profangeschichte und Kirchengeschichte als «Geschichte der Auslegung der Heiligen Schrift» (hinter deren «historische Faktizität» nicht zurückgegangen werden kann) verstanden, ohne deren Vermittlung das Zeugnis von Jesus Christus unerreichbar wäre und die seine «Vergegenwärtigung» ist, womit freilich zugleich «die Kirchengeschichte als Geschichte irrelevant geworden ist für den Glauben, jedoch nicht in der Weise, als hätte sie nicht existiert».[13]

Zwischen diesen Grundtypen der Auffassung von der Kirchengeschichte gibt es, zumal im 20. Jh., vielfache Übergänge. Vor allem ist zu beachten, daß die katholische Theologie, bei der Tübinger Schule anknüpfend, das Verhältnis von Glaube und Geschichte, insbesondere auch die Geschichtlichkeit des Dogmas,[14] neu überdenkt, während umgekehrt die protestantische Theologie in Auseinandersetzung mit dem Historismus auf den oben angedeuteten Wegen nicht nur auf eine «Kirchliche Dogmatik», sondern auf ein spezifisches Verständnis der Kirchengeschichte zugeht. Aber dieser Prozeß ist mitten im Vollzug, und es ist nicht ausgemacht, ob entweder im Einbezug der spekulativen Geschichtstheologie die Faktizität der Geschichte (nicht nur der Kirchengeschichte im besonderen, sondern der Heilsgeschichte insgemein) verloren, zumindest verkürzt wird, oder ob in der Strenge der historischen Methode jene spezifische Qualität der Kirchengeschichte, die durch ihre Umfaßtheit vom «Anfang» und «Ende» her bestimmt ist, so aus dem Blick gerät, daß nur die Selbstinterpretation der Kirche in ihrer Geschichte, ihre «Ideologie» übrigzubleiben scheint (die als solche natürlich Gegenstand der historischen Methode sein kann, im verständigen Falle sein muß). Im Hinblick auf den Glauben dessen, der mit der Kirchengeschichte umgeht, ist die Frage erst dann in zulänglicher Schärfe

[11] K. Barth, KD I, 1 (Zürich 1947) 3; ders., ebd. III, 3 (1950) 324.

[12] P. Meinhold aaO. (Anm. 10) II, 431 über Erich Seeberg (1888–1945).

[13] G. Ebeling, Kirchengeschichte als Geschichte der Auslegung der Heiligen Schrift (Tübingen 1947), hier insbesondere S. 22–28. Vgl. unten im Text S. 588 f.

[14] J. Ratzinger, Das Problem der Dogmengeschichte in der Sicht der kath. Theologie (Köln 1966) = Arbeitsgemeinschaft f. Forsch. des Landes Nordrhein-Westfalen, Geisteswissenschaften, Heft 139.

gestellt, wenn eingesehen wird, daß dieser Glaube sowohl durch eine bestimmte Weise der Geschichtstheologie, in der die Faktizität vernebelt wird,
wie durch eine die heilsgeschichtliche Dimension auf sich beruhen lassende
Profanität gefährdet werden kann. Das eine Mal geht es um die Ereignishaf-
tigkeit des Glaubens, das andere Mal um den Glaubensgehalt des geschichtlichen Ereignisses. Auch alle Versuche, die Zeit der Kirche zu begreifen als
ein Mittleres zwischen der Weltgeschichte, die allein der Mensch zu wirken
und zum Gegenstand seiner Erkenntnis zu machen vermag, und der Heilsgeschichte, die Gottes Tat ist und als solche nicht Gegenstand sein kann,[15]
müssen sich darauf abklopfen lassen, ob da nicht entgegen dem Chalcedo-
nense vermischt wird, was nicht zu vermischen ist, wie freilich umgekehrt
die radikale Unterscheidung der heilsgeschichtlichen und der weltgeschichtlichen Struktur der Kirchengeschichte sich daraufhin befragen lassen muß,
ob sie trennt, was nicht zu trennen ist.

Überblickt man die seit der Aufklärung entwickelten Grundtypen der
Auffassung von der Kirchengeschichte, so fallen zunächst zwei durch ihre
innere Eindeutigkeit ins Auge: die entschieden profane Behandlung (nach
welcher Theorie und Methode der allgemeinen Geschichte auch immer) und
die ebenso entschieden theologische, d. h. dogmatische Entscheidungen
voraussetzende Behandlung (nach welcher konfessionellen Ausprägung
auch immer). Die erstere muß in ihrem trotzdem verbleibenden, sich zumeist kritisch darstellenden theologischen Zusammenhang ebenso Thema
dieses Kapitels sein wie die andere, die H. Jedin präzis umschrieben hat: Der
«theologische Ausgangspunkt (der Kirchengeschichte), der Begriff der
Kirche, darf... nicht so verstanden werden, als ob die von der Dogmatik auf-
gezeigte Struktur der Kirche als vorgegebenes Schema der geschichtlichen
Darstellung zugrunde gelegt und in ihr nachgewiesen werden müßte, mithin die geschichtsempirische, auf den historischen Quellen basierende Feststellung ihrer Lebensäußerungen einschränkte oder behinderte, sondern beinhaltet lediglich ihren göttlichen Ursprung durch Jesus Christus, die von ihm
grundgelegte (hierarchische und sakramentale) Ordnung und den ihr verheißenen Beistand des Heiligen Geistes sowie ihre Hinordnung auf die
eschatologische Vollendung, also die Elemente, auf denen ihre wesentliche
Identität in den wechselnden Erscheinungsformen, d. h. ihre Kontinuität,
beruht».[16] Manchen Leser wird gewiß das Wort «lediglich» überraschen; es
hat hier die Funktion, den vom «Begriff der Kirche» erfaßten theologischen
Inhalt abzugrenzen gegenüber dem historischen Gegenstand, nämlich den
«wechselnden Erscheinungsformen», deren Darstellung nicht einem «vor-

[15] O. Köhler, Der Gegenstand der Kirchengeschichte aaO. (zit. Anm. 4) 257.
[16] H. Jedin, Einleitung in die Kirchengeschichte, Handbuch aaO. (Anm. 5) 1–55, hier
S. 2f. Diese Einleitung enthält auch eine vorzügliche Information über die Geschichte der
Kirchengeschichtsschreibung.

gegebenen Schema» zu folgen habe und so in ihrer eigenen Methode gesichert werden soll. Dies bedeutet, daß z. B. die Untersuchung lehramtlicher
Äußerungen der Päpste nicht durch das Vatikanum I präjudiziert werden
darf; aber der ganze Satz bedeutet natürlich auch, daß eine solche mit der
ganzen Strenge historischer Kritik geführte Untersuchung (z. B. in der
Honorius-Frage) letztlich gar nichts anderes erbringen kann, als was lehramtlich definiert wurde. Die von H. Jedin ausdrücklich geforderte «wissenschaftliche Sauberkeit» in der historischen Methode vorausgesetzt, liegt
einer solchen Auffassung notwendig ein ekklesiologischer Glaube voraus,
wenn er auch «Spannungen» zwischen historischer Feststellung und Dogma
nicht ausschließt.[17] Auf diese vor-wissenschaftliche Position verweist A.
Ehrhard mit der Bemerkung, der Offenbarungscharakter der Dogmen sei
von «jedem katholischen Christen» zu glauben und nicht die spezifische
Sache des Dogmatikers im Umgang mit seinen wissenschaftlichen Methoden. Problemfreier aber noch als die Dogmatik und ihre wissenschaftliche
Methode ist ihm die «Historische Theologie»,[18] die rein «empirisch» vorgehen könne, weil sie es nur mit dem «menschlichen Faktor» zu tun hat und den
Nachweis des «göttlichen Faktors» der dogmatischen Theologie überläßt.
So verdienstvoll diese Schrift A. Ehrhards ist, insbesondere wegen ihrer universalen Auslegung der Kirchengeschichte als «historische Theologie» (dies
zugleich in Abgrenzung gegenüber der religionshistorischen Methode),
und dann wegen ihrer Rechtfertigung der Geschichte gegenüber der Neuscholastik, so ist doch diese Arbeitsteilung nach menschlichem und göttlichem «Faktor» eine allzu arglose Sicherung der Reinheit historischer Methode gegenüber der Dogmatik bzw. der Abgrenzung der Dogmatik vom
theologischen Historismus. Ging es A. Ehrhard um die Eigenständigkeit der
historischen Theologie, so hat H. Jedin – vierzig Jahre später angesichts der
Forderung, die kirchenhistorische Einzelforschung in ein Gesamtbild einzuordnen – programmatisch festzustellen, daß «als Ganzes die Kirchengeschichte nur heilsgeschichtlich begriffen werden kann»,[19] womit die historische Methode, unbeschadet der von ihr zu beachtenden Gesetze, auf
den Zusammenhang mit dem «theologischen Ausgangspunkt» verwiesen

[17] Ebd. 5.
[18] A. Ehrhard, Die historische Theologie und ihre Methode: Festschr. f. S. Merkle
(Düsseldorf 1922) 117–136, hier S. 131 f. Der Autor gliedert – ganz ähnlich wie Joh. Lorenz Mosheim – die «Historische Theologie» in 3 «äußere Lebensgebiete» (Mission;
Kirche und Staat; Verhältnis zu anderen Konfessionen und nichtchristlichen Religionen)
und in 5 «innere Lebensgebiete» (Verfassung; Liturgie; Hagiographie und allgemeine
Frömmigkeitsgeschichte; Dogmengeschichte; «christliche Kulturgeschichte»). So fragwürdig diese Einteilung ist – kann denn die Mission als bloße äußere Ausbreitung verstanden werden und ist sie nicht der innerste Auftrag der Kirche? –, so ist diese Thematik
doch ein schätzenswerter Fortschritt gegenüber der seit dem Spätmittelalter üblichen
Überbetonung der Geschichte des Papsttums und des Verhältnisses von Kirche und Staat.
[19] H. Jedin aaO. 6.

ist. Ohne Zweifel ist darin implizit ein Widerspruch gegen den Satz A. Ehrhards enthalten, es werde von der historischen Theologie «weder die gläubige Anerkennung noch die Leugnung des übernatürlichen Charakters des
Christentums gefordert», so daß also die Anerkennung allein in den Bereich
gehört, in dem sich «jeder katholische Christ» befindet. Natürlich ist die
Technik der Methode ohne jede theologische Relevanz, aber die Anwendung der Methode auf den Gegenstand ist bereits die Sache selbst. Wenn daher A. Ehrhard die Zugehörigkeit der Kirchengeschichte zur Theologie
nicht durch eine besondere historische Methode, sondern allein durch
«ihren materiellen Gegenstand, den tatsächlichen Verlauf der Geschichte des
Christentums von seinen Anfängen bis zur Gegenwart»[20] begründet sieht,
dann läuft dies entweder – entgegen der Intention dieses Autors – auf eine
Profanierung der Kirchengeschichte hinaus (warum soll sich nicht ein
Atheist sachlich mit der Geschichte des Christentums befassen?), oder aber
auf die offen bleibende Problematik der Frage, was es denn mit diesem Gegenstand theologisch auf sich habe und welche Adäquanz der Methode zum
Gegenstand dann ins Spiel kommt.

Aber je theologischer der Gegenstand der Kirchengeschichte begriffen
wird, desto mehr spitzt sich die Frage nach dem Verhältnis von Theologie
und Geschichte zu, die tiefer führt als die relativ seltenen Konflikte zwischen
einzelnen positiven Feststellungen der Historie und dogmatischen Aussagen.
H. Jedin hat die auf die Vokabel «lediglich» folgenden Aussagen als die Elemente der «wesentlichen Identität» der Kirche, der «Kontinuität» ihrer Geschichte bezeichnet. Damit wird bedeutet, daß zwar «Anfang und Ende der
Kirchengeschichte auf theologischer Setzung beruhen»,[21] also als «Anfang»
und «Ende», die nicht historischer Gegenstand sein können, die «Umfaßtheit» (vgl. oben S. 529) der Kirche als Geschichte ausmachen, zugleich aber
auch die durchaus geschichtliche Kontinuität bestimmen, die als solche historischer Gegenstand sein muß. Sicher ist die Geschichte einer jeden Institution nur solange diese Geschichte, als sie nicht die Geschichte von etwas
anderem geworden ist. Aber es ist die allgemeine geschichtstheoretische
Frage, wie die geschichtliche Identität von der logischen zu unterscheiden
ist, und es ist die spezielle Frage hier, wie die Identität der Kirche eine geschichtliche sein kann, die Geschichte nicht nur *hat* in den «wechselnden Erscheinungsformen» des immer gleichen, sondern selbst Geschichte *ist* in
allen Momenten, die sie ausmachen. Die theologische Relevanz dieser Frage
wird deutlich, wenn von der Kirche gesagt wird, daß sie zwar «keine neue
oder ergänzende Offenbarung zu erwarten hat», daß sie aber selbst an der
«Vergegenwärtigung der Offenbarung beteiligt ist».[22] Denn diese Vergegenwärtigung ist ein ständig neu zu vollziehender geschichtlicher Akt, der nicht

[20] A. Ehrhard aaO. 132, 134.
[21] H. Jedin aaO. 4.
[22] J. Feiner: MS I, 511, 506.

nur Varianten eines geschichtsenthobenen Datums hervorbringt, sondern dieses Datum selbst je neu repräsentiert, dies freilich nicht beliebig, sondern innerhalb der Überlieferung seit Anfang an. Der Begriff der «Kontinuität» kann durchaus als ein geschichtlicher verstanden werden und steht dann für den Begriff der Tradition. Was diese nun freilich ist, nicht in dem speziellen Sinne der traditio non scripta apostolischer Zeit und auch nicht in dem allgemeinen Sinne, in dem eine jede Kultur Tradition hat, sondern in ihrer universalen ekklesiologischen Bedeutung, dies ist für den Begriff einer theologisch und historisch aufgefaßten Kirchengeschichte von grundlegender Bedeutung.[23] Was im Begriff der «Kontinuität» in der Regel zumindest mitschwingt, ist die Beharrung des immer Gleichen, zu der die Geschichte als Werden und Wandel notwendig in einem Spannungsverhältnis steht, das sich bis zum Widerspruch steigern kann. Die Kirchengeschichte wäre dann solange im Lot, als sie bei allem historischen Wandel dort, wo es um ihre Identität geht, nichts ist außer wiederholende Anerkennung ihres gesetzten Anfanges, und sie wäre darin gerade nicht selbst Geschichte, die vielmehr geschieht um den wesentlichen Kern der Kirche herum und für sie nur das Ambiente ist, innerhalb dessen sie die Anerkennung des immer Gleichen wiederholt. Die Perioden der Kirchengeschichte sind dann die Perioden ihrer jeweiligen «Umwelt», die als Adressat zu Modifikationen in der wiederholenden Anerkennung übergeschichtlicher Daten veranlaßt und insoweit natürlich auch innerkirchlich «Umwelt» ist.

Als in der katholischen Kirche die Abneigung gegen die Geschichte – begründet in dem ihr ohne Zweifel innenwohnenden Hang zum Relativismus – zu schwinden begann und die Kirchengeschichte sich von ihrer Stellung als einer ohnehin vom Protestantismus aufgezwungenen Hilfswissenschaft emanzipierte, bot sich der Begriff der «Entwicklung» an, von seiner allgemeinen historischen Anwendung darin unterschieden, daß das, was sich entwickelt, «übergeschichtlichen» Ursprungs ist. Das Problem der Kirchengeschichte stellt sich ja als ein doppeltes dar: In der historischen Unzugänglichkeit der Umfaßtheit der Kirche von «Anfang» und «Ende» – und in der Tatsache, daß dieser «Anfang» nicht vom historischen Anfang an komplett gegeben ist, sich vielmehr erst der inmitten der Welt-Geschichte geschehenden Geschichte der Kirche aufschließt, jedoch nicht so, als würde er erst, was er ist, da er ja als «Anfang» im Verweis auf das «Ende» bereits vollkommen da ist, als «Anfang» zugleich die unüberbietbare Offenbarung Gottes in die Geschichte hinein ist. So schien der Begriff der «Entwicklung» (grundgelegt bei

---

[23] Zum Begriff der Tradition vgl. K. Rahner und K. Lehmann, Geschichtlichkeit der Vermittlung: MS I, 727f und die Bibliographie S. 783–787. – Zur Unterscheidung der christlichen Tradition von heidnisch-sakraler Tradition in Auseinandersetzung mit J. Pieper, Über den Begriff der Tradition: Veröffentlichung der Arbeitsgemeinschaft für Forschung des Landes Nordrhein-Westfalen, Geisteswiss., Heft 72 (Köln 1958) siehe O. Köhler, Tradition: Staatslexikon VII (Freiburg i. Br. 1962) 1020–1028.

J. H. Newman) geeignet, das Dilemma aufzulösen zwischen der Abgeschlossenheit der Offenbarung einerseits und der Kirche als Geschichte anderseits, weil nur entfaltet wird, was immer schon da ist. Jedoch die allgemeine geschichtstheoretische Problematik des der Biologie, zudem noch einer präformationistischen, entnommenen Begriffes der Entwicklung [24] spitzt sich in der Kirchengeschichte deshalb noch zu, weil die im Begriff der «Entwicklung» nicht gegebene geschichtliche Kategorie der Entscheidung zugleich eine theologische ist. Die Vergegenwärtigung des lebendigen, d. h. immer in die Geschichte hineingesprochenen und in der Geschichte je neu zu hörenden Wortes Gottes – dies geschieht, wenn auch keineswegs hauptsächlich, gerade auch im Dogma als Entscheidung – ist wesenhaft verschieden von der imitatorischen oder buchstäblichen Wiederholung einer göttlichen Handlung oder Rede aus uralter Zeit. Das Wesen der Tradition in der Kirche ist es, daß die beiden Momente ihrer Tradition, sowohl das traditum wie der actus tradendi, Geschichte sind, Tradition und Geschichte sich also nicht als das wesenhaft Unveränderliche und das wesenhaft sich Verwandelnde einander gegenüberstehen. Sie stehen sich insbesondere auch nicht in der Weise gegenüber, daß das traditum als die göttliche Offenbarung einem historischen actus tradendi ausgesetzt ist (und dann in seiner Reinheit nur durch die imitatorische und buchstäbliche Wiederholung gesichert sein kann); sie sind vielmehr intim aufeinander bezogen, weil das traditum von Gott mit dem Menschen gewirkt ist und der actus tradendi des Menschen seinerseits durch den göttlichen Beistand ausgezeichnet ist. Auch ist zwar das dem actus tradendi der Kirche übertragene traditum als Geschichte der göttlichen Offenbarung in sich abgeschlossen, zugleich aber vom actus tradendi im Verlauf der Kirchengeschichte bis zum Letzten Tag nicht einzuholen, weil alle Aussagen (auch die lehramtlich als unfehlbar gültigen [25]), alle Darstellungen, alle Lebensvollzüge dem Wort Gottes nicht adäquat sein können, das jedoch nicht als Wahrheit in der unerreichbaren Unendlichkeit ist, sondern als das in die Geschichte gesprochene Wort Gottes der Kirche in ihrer Geschichte noch immer vorausläuft und ihr nur wegen des ihr gegebenen Geistes nicht ent-läuft. Ist diese Tradition das Prinzip der Kirchengeschichte, dann geht es nicht um Wandel der Erscheinungen und Kontinuität des Gleichen, nicht um eine logisch, sondern immer nur um eine geschichtlich zu bestimmende Identität, nicht um eine determinierte Ent-

---

[24] K. Rahner und K. Lehmann aaO. (Anm. 23) gehen auf das Problem des Verhältnisses von «Entwicklung» und «Geschichte» nicht ein. Bedenken gegen den biologischen Charakter der Begriffe «Entfaltung», «Entwicklung» äußern u. a. G. Ebeling, Auslegung aaO. (Anm. 13) 17 und J. Ratzinger, Dogmengeschichte... aaO. (Anm. 14) 17. Der Begriff bot sich als Sicherung gegen den Identitätsverlust umso mehr an, als das durch Vinzenz v. Lerin (Commonitorium, cap. 23) gebrauchte Bild vom Keim im Vatikanum I zur Abwehr des theologischen Evolutionismus zitiert wurde; mit Recht sieht J. Ratzinger bei Vinzenz einen «ungeschichtlichen Überlieferungsbegriff» (aaO. 9).

[25] J. Feiner aaO. 513.

wicklung, weder im Sinne des Fortschrittes (die Inadäquanz wird nicht immer kleiner, sie ist nur immer anders) noch im Sinne des Verfalls (die Inadäquanz wird auch nicht immer größer). Da jedoch das traditum göttlicher Herkunft und deshalb historisch nicht auszumachen ist, ebensowenig wie sein geheimnishaftes Vorauslaufen auf ein gesetztes Ende hin, Kirchengeschichte ihre spezifische Differenz gegenüber aller anderen Geschichte aber nur haben kann in einem durch den Beistand des Geistes theologisch ausgezeichneten Bezug auf dieses traditum, das abgeschlossen ist und ihr dennoch immer vorausläuft, scheint es sich offenbar so zu verhalten, daß historische Theologie nur möglich ist, indem sie entweder den «göttlichen Faktor», das ist aber das traditum und der besondere actus tradendi, der systematischen Dogmatik überläßt (das traditum als das continuum in die Kirchengeschichte hineinnehmen, verfeinert wohl die methodologische Formulierung, scheint aber an der Sache selbst nichts zu ändern), oder aber indem sie in der Not die Tugend wahrnimmt und die Geschichte noch mehr in ihrem Geheimnis läßt, als es der dem Positivismus abgeneigteste Historiker tut, also gerade nicht wie ein großer Teil der katholischen Kirchengeschichtschreibung des späteren 19. Jh.s den historischen Positivismus mit dem dogmatischen verbindet. Wie sich freilich das Geheimnis der allgemeinen Menscheitsgeschichte verhält zum Mysterium im theologischen Sinne der Offenbarung, ist eine neue Frage (vgl. dazu unten).

Obwohl das Dogma nicht der einzige Ort ist, an dem die Kirche in ihrer Geschichte in Übereinstimmung mit ihrem «Anfang» und ihrem «Ende» sein muß, dieses vielmehr für alle ihre geschichtlichen Äußerungen gilt, so etwa für die Kult- und Frömmigkeitsgeschichte (die natürlich auf dogmatische «Richtigkeit» oder «Fehlhaltung» reduziert werden, aber so nicht in ihrer vollen Wirklichkeit angetroffen werden kann), so muß doch für eine Auffassung der Kirchengeschichte, in der Identität und Kontinuität dogmatisch vorgegeben sind, die Geschichte des Dogmas zum besonderen Problem werden, von dessen Beantwortung es abhängt, ob diese Auffassung von der Kirchengeschichte im Dogma ihren «festen Halt» hat oder nicht. Gerade deshalb aber ist es nicht eine literargeschichtliche Beliebigkeit, daß es in der katholischen Theologie zwar eine ganze Reihe von Papstgeschichten gibt, aber die in der Aufklärung beginnende Geschichte der Dogmengeschichte im 19. Jh. kein einziges auf die innere Geschichte des Dogmas angelegtes katholisches Werk aufzuweisen hat, und im 20. Jh. nur Ansätze für einzelne Epochen oder für die Geschichte einzelner Dogmen sich finden.[26]

---

[26] Vgl. J. Auer, Dogmengeschichte: LThK III (1959) 468f. – Zum «Handbuch der Dogmengeschichte» (Freiburg i. Br. seit 1951), das aus prinzipiellen Erwägungen nach Einzeltraktaten gegliedert ist und nur zögernd vorankommt, bemerkt J. Ratzinger, Dogmengeschichte... aaO. (Anm. 14) 15 mit Recht, daß es «zwar eine Reihe beachtlicher Querschnitte hat vorlegen können, aber von seiner Anlage her kaum geeignet ist, eine durchgehende Gesamtansicht der Dogmengeschichte zu entwickeln».

Als «die gründlichste Auseinandersetzung mit dem Problem der Dogmengeschichte, die bisher von katholischer Seite vorliegt», bezeichnet J. Ratzinger den Beitrag von K. Rahner und K. Lehmann über die «Geschichtlichkeit der Vermittlung» und führt selbst diese theoretische Grundlegung weiter.[27] Weil er von der Geschichte her kommt und darin wiederum von der
Erforschung der Geschichtstheologie Bonaventuras, stellt sich bei ihm das
Problem der Dogmengeschichte in den Horizont des Gesamtproblems der
Kirchengeschichte hinein. Die ein wenig über die in der Frage liegende
Aporie hinweggehende Äußerung A. Ehrhards, «daß das Wesen des Christentums sich erst im Verlauf seiner Geschichte in seinen konstitutiven Elementen entfaltet und geoffenbart (sic!) hat»,[28] wird theologisch präziser
faßbar, wenn nicht das «Wesen des Christentums» Subjekt der Geschichte
ist, auch nicht die Institution des kirchlichen Lehramtes, das in seinen Definitionen einen objektivierten Geist hervorbringt, sondern die Menschen
der Kirche in ihrem Glauben, so daß die Rede von der «Geschichte des
Glaubens» nicht nur ein anderes Wort ist für «Dogmengeschichte», deren
Begriff eben doch leicht auf den Aufbau eines Lehrgebäudes hinausläuft,
innerhalb dessen die Menschen wohnen. Der Beistand des Geistes im Prozeß dieser Glaubensgeschichte ist selbst Gegenstand des Glaubens, schließt
aber durchaus ein, daß der Prozeß sowohl «fortschreitende Aneignung» wie
aber auch «Gefährdung und Wirklichkeitsverlust» bedeuten kann, wie J.
Ratzinger kritisch gegenüber K. Rahners aus dem Begriff der Entwicklung
resultierenden Fortschrittsmodell vermerkt.[29] Dies ist von eminenter Bedeutung für die Auffassung von der Kirchengeschichte als ganzer, weil so die
Geschichte des Glaubens in ihren universalen Verlauf einzuordnen ist, der
weder nur Verfall noch nur Fortschritt, sondern eben Geschichte ist, und
innerhalb deren die Glaubensgeschichte, ganz der spezifischen Art der
Kirche als Geschichte entsprechend, der innerste Kern ist, der stetig mit

[27] K. Rahner und K. Lehmann: MS I, 727–787; J. Ratzinger aaO. 26.
[28] A. Ehrhard aaO. 119; etwas anderes ist die «Vergegenwärtigung» der Offenbarung
(J. Feiner, Anm. 22).
[29] J. Ratzinger aaO. 23; der Gedanke des Fortschrittes in der Geschichte des Dogmas
auf die Fülle der Offenbarung hin (auch wenn diese nie voll erreicht werden kann), spielt
in der Tat im Beitrag von K. Rahner und K. Lehmann eine große Rolle: z. B.: «Die
Geschichte der Dogmenentwicklung ist selbst erst die fortschreitende Enthüllung ihrer
Geheimnisse»; ... «daß jeder erreichte Fortschritt im Bereich des Endlichen unvermeid-
lich *auch* eine Eingrenzung der Möglichkeiten der Zukunft ist. Je voller und deutlicher die
Wahrheit wird, um so strenger wird sie, und um so mehr Möglichkeiten eines künftigen
Irrtums schließt sie aus» (aaO. 766); «im Zuge eines ... Zusich-Kommens dieses quali-
fizierten Glaubensbewußtseins» (aaO. 775). Anderseits wird aber auch – zwar als Zitat
W. Schneemelchers (Das Problem der Dogmengeschichte: ZThK 48 [1951] 63–89, hier
S. 89), aber hier offenbar mit Zustimmung – vermerkt, daß die Dogmengeschichte im
Unterschied zu F. Chr. Baur «nüchtern dem Evangelium untergeordnet wird, sie weder
als Abfallsprozeß noch als Fortschrittsentwicklung erscheint ...» (aaO. 778).

dem Verlauf der universalen Kirchengeschichte korrespondiert. Dies ist
deshalb mit dem Begriff des Dogmas vereinbar, weil die «Inkongruenz zwischen dem Wort der Sprache... und der Wirklichkeit», insbesondere der
göttlichen Wirklichkeit, «die totale Endgültigkeit der Formel mindert»[30]...
Eine ständig zunehmende Deutlichkeit des Glaubensbewußtseins würde in
krasser Diskrepanz zur Kirchengeschichte im ganzen stehen, von der niemand sagen kann, sie sei im Laufe der Jahrhunderte eine ständige Annäherung an ihren Herrn.

Was «die Aporie in der Tatsache der Dogmenentwicklung» genannt
wurde, daß nämlich das unwandelbare Dogma sich noch wandeln kann inmitten seiner Unwandelbarkeit,[31] das zeigt sich wiederum als eine Aporie
der Kirchengeschichte schlechthin: Wird das Dogma als der ihr vorge-
setzte «theologische Ausgangspunkt» hingenommen, dann ist sie zwar in
dieser Hinnahme theologisch, nicht aber in ihr selbst, da dann das Dogma
nicht in seiner eigenen Geschichtlichkeit einbezogen wird (was natürlich die
historische Behandlung der «Umstände», unter denen es zu Definitionen
kam, nicht ausschließt) und so die Kirchengeschichte ihres innersten Bereiches entbehrt; wird das Dogma, und zwar nicht historisch, sondern durchaus theologisch, in die Geschichte der Kirche einbezogen, so wird diese dadurch universal, verliert aber ihren «festen Halt», den gegenüber der Profanhistorie zu haben die dogmatisch fundierte Auffassung der Kirchengeschichte als den Ausweis ihres theologischen Charakters betrachtet.

So kommt es, wenn das ganze Problem konsequent durchgedacht wird,
zu der nicht nur die Dogmengeschichte, sondern die ganze Kirchengeschichte betreffenden Frage, «ob es nicht angemessen wäre, Geschichte ohne
solche Horizonte (nämlich des modo theologico zu reflektierenden Glaubens) rein aus sich selbst zu betreiben», und zu dem Eingeständnis, daß es
auf diese Frage keine «schlechterdings befriedigende Antwort»[32] gibt, zumal wenn die «ideologische Um-Interpretation» des Dogmas als der unbe-
friedigendste Ausweg abgelehnt werden muß.[33]

Das eigentliche Problem wird wohl auch nicht voll getroffen, wenn es in
die Subjektivität des Betrachters gelegt und in der für jede Wissenschaft
nötigen «Liebe zum Gegenstand», die für den Dogmenhistoriker der Glaube
sein kann,[34] die Vermittlung gesucht wird. Nicht nur kann, wie J. Ratzinger
bemerkt, die Liebe auch blind machen – «und die Dogmengeschichte ist
reich an Beispielen» –, die «Liebe zum Gegenstand» oder «die kongeniale

[30] J. Ratzinger aaO. 25; vgl. auch J. Feiner aaO. 513 (zit. in Anm. 25); dazu auch K.
Rahner und K. Lehmann aaO. 770.
[31] K. Rahner-K. Lehmann aaO. 731.
[32] J. Ratzinger aaO. 28.
[33] Ebd. 9.
[34] Ebd. 29.

Entsprechung von Gegenstand und Aufnahmevermögen»[35] können nicht weiter führen als bis zur adäquaten Behandlung von Religionsgeschichte überhaupt (wie die Liebe zur Kunst zur adäquaten Behandlung der Kunstgeschichte). Das entscheidende theologische Plus liegt jenseits dieses Bereiches, und dort ist die Kirche nicht mehr rational reflektierter «Gegenstand», sondern der Ort, *innerhalb* dessen sie mit ihrer ganzen Geschichte betrachtet wird, die «Geschichte des Reiches Gottes ... kongenial *geistlich* (von uns unterstrichen) getrieben» wird. Wenn in diesem Zusammenhang freilich J. Chambon hinzufügt, dies entspreche «dem Gemeinplatz, daß Gleiches nur von Gleichem verstanden wird»,[36] dann kann Kirchengeschichte nur von einem gläubigen katholischen, lutherischen oder reformierten Christen im Vollsinne dargestellt und auch nur von solchen Menschen verständig gelesen werden, da die Exklusivität des Verstandenen die Exklusivität des Verstehens nach sich zieht. Die rationale Verifizierbarkeit, der sich per definitionem die Heilsereignisse der Offenbarung entziehen, ist dann auch für die Kirchengeschichte ausgeschlossen, insofern konsequent, als sie aufgefaßt wird als «Geschichte des Reiches Gottes». Im Grunde wird hier in der Perspektive des Glaubens die entschiedene Profanierung einer *wissenschaftlich* betriebenen Kirchengeschichte gefordert, was auch dann möglich, ja geboten ist, wenn man mit R. Wittram die Kirchengeschichte, «die es vornehmlich mit den vom Wort Gottes ausgehenden Wirkungen zu tun hat», darin von der Profanhistorie unterschieden sieht, daß man sie «sachgerecht» nur behandeln kann mit den Fähigkeiten, die man sich im «Gesamtbereich des theologi-

---

[35] F. Wagner, Zweierlei Maß der Geschichtsschreibung: Profanhistorie oder Kirchengeschichte?: Saeculum Bd. X (1959) 113–123, neu in: Moderne Geschichtsschreibung, hier S. 27, in einer Wendung gegen R. Wittram (aaO. Anm. 5), der die Möglichkeit einer theologischen Deutung der Geschichte, auch der Kirchengeschichte ablehnt. Daß F. Wagner als ein Profanhistoriker entgegen den Gepflogenheiten seiner Zunft – weder in G. Droysens «Historik», noch in «Geist und Geschichte vom deutschen Humanismus bis zur Gegenwart» von H. v. Srbik (2 Bde. [München 1951]) noch in Th. Schieders «Geschichte als Wissenschaft» (München 1965) wird die Kirchengeschichte als eine historische Disziplin zum Thema – das scheinbar obsolete Problem aufgreift, ist sehr beachtenswert, insbesondere mit dem angesichts von Bossuet gegebenen Hinweis, daß es zur Adäquanz gehöre, sowohl theologische wie profanwissenschaftliche Hermeneutik zu betreiben. Wenn freilich F. Wagner für die «Erscheinung des Heiligen in der Welt» den Ausdruck «metaphysische Bezirke» gebraucht (S. 28), dann spricht er nicht theologisch und ist zugleich in einer gewissen Nähe zu Th. Schieder, der den Satz, es sei der Mensch der Träger der Geschichte, damit der Trivialität enthebt, daß er «die Frage, was der Mensch sei, das Geheimnis aller Geheimnisse» nennt (aaO. 89). Zwar hat G. Ebeling zu Recht bemerkt, die historische Arbeit der Theologie seit der Aufklärung sei «der entscheidende Gewinn für die Theologie», weil so die säkular-philosophische «Überfremdung» in der «Hinwendung zur Geschichtlichkeit der Offenbarung in Jesus Christus» überwunden worden sei (aaO. 6 f); aber man wird dennoch zu fragen haben, ob nicht auch innerhalb der allgemeinen geschichtstheoretischen Diskussion ein neuer Ansatzpunkt für das Verhältnis von Kirchengeschichte und Profangeschichte gewonnen werden kann.

[36] J. Chambon aaO. (Anm. 5) 132.

schen Systems» erworben hat[37] (welche Fähigkeiten man aber auch dem
Profanhistoriker des abendländischen Mittelalters nur wünschen kann). Die
These, daß die gläubige Erfahrung der Kirchengeschichte mehr ergreift als
das rationale Verstehen, ist richtig, jedoch nur so, daß dieses «mehr» ein
kategorial anderes ist, und nicht so, daß es ein «mehr» auf der gleichen Er-
kenntnisebene ist.

Der bisherige Gang der Untersuchung, ob die Kirchengeschichte zugleich in ihrem theologischen und in ihrem historischen Moment aufgefaßt
werden kann, ohne daß eines der Momente verkürzt wird, scheint gezeigt
zu haben, daß sie das eine Mal als Geschichte untheologisch wird, weil sie
das essentiell Theologische aus sich als einer historischen Disziplin aus-
klammert (sowohl um des Historischen wie um des Theologischen willen),
das andere Mal, weil sie es in die universale Geschichte hineinnimmt (ebenfalls um des Historischen und des Theologischen willen) und so ihre spezifische Differenz von innnen her gewinnen will, sie aber gerade in der allgemeinen Historisierung zu verlieren droht. Das eine Mal bleibt die Umfaßtheit der Kirchengeschichte von «Anfang» und «Ende», die wesensgemäß
nicht historischer Gegenstand sein können, als «Rahmen» unberührt, obwohl doch «Anfang» und «Ende» das Spezifische dieses geschichtlichen
Verlaufes konstituieren; das andere Mal wird die Umfaßtheit so sehr in den
Verlauf integriert, daß die eigentümliche Geschichtlichkeit dieses «Anfanges» und dieses «Endes» als die von Gott (wenn auch mit dem Menschen)
gewirkte Heilsgeschichte sich in die allgemeine «Geschichtlichkeit» auflöst. Ist also «historische Theologie» in ihrem Grunde, wo eine Arbeitsteilung nach «göttlichem» und «menschlichem Faktor» und den jeweils adäquaten Methoden im Sinne A. Ehrhards nicht mehr praktikabel erscheint, ein
Un-Begriff?

2. Die Geschichte der kirchlichen Historiographie als Geschichte des Selbstverständnisses der Kirche

Bei der bisherigen Betrachtung wurde die «Zeit der Kirche» für sich allein
thematisiert und nach ihrem Verhältnis zur profanen Geschichte befragt,
also darnach befragt, inwiefern sie Geschichte ist, mit der der Historiker
umgehen kann, und doch zugleich besondere Geschichte, was ihre Zuge-

---

[37] R. Wittram aaO. (Anm. 5) 145. Wittram wertet die Profanierung ausdrücklich positiv,
weil sie «den Weg frei gemacht hat für den Anblick der gesamten Vergangenheit als des
ungeteilten Feldes der nie aussetzenden, aber auch nirgends nachweisbaren Wirksamkeit
Gottes» (ebd.). Th. Schieders (aaO. [Anm. 35]) Kritik an Wittram, bei ihm sei «Person
im religiösen Sinn» Hauptgegenstand der Geschichte, leuchtet nicht ein.

hörigkeit zur Theologie ausmacht. Es soll nunmehr versucht werden, den
Ort der Kirchengeschichte geschichtstheologisch innerhalb der Heilsgeschichte auszumachen, nicht mit der Absicht, die an anderer Stelle behandelte Theologie der Heilsgeschichte[38] zu ergänzen, sondern allein unter der
Fragestellung, ob eine solche geschichtstheologische Ortsbestimmung etwas
ergibt für die Eigentümlichkeit der «Zeit der Kirche», und zwar für ihre
theologisch-geschichtliche Eigentümlichkeit. Dies aber heißt notwendigerweise, hinter das Dilemma zurückgehen, das mit der Verwissenschaftli-
chung der geschichtlichen Darstellung der Kirche als eines abgesonderten
Gegenstandes entstanden ist. Die historische Grenze, an der dieses Dilemma
auftritt, ist nicht leicht zu ziehen, weil zwei Jahrhunderte, das 16. und 17.,
eine Art Niemandsland ausmachen, in dem recht verschiedene Momente
aufeinanderstoßen. Diese Grenze zu ermitteln, ist deshalb von besonderer
Bedeutung, weil wir uns von der Selbstverständlichkeit, mit der die Kirche
als Geschichte mit *kirchenhistorischen* Mitteln behandelt wird, freimachen
müssen, um die Problematik der «Historischen Theologie» zu erkennen.

Ohne Zweifel hatten die im philologisch-historischen Geist des Humanismus und in der kontroverstheologischen Perspektive des Reformzeitalters
geschaffenen Editionen von Quellen zur Kirchengeschichte «unaufhaltsam
zur Ausbildung der historisch-kritischen Methode und damit zur Kirchengeschichte als Wissenschaft geführt»;[39] daß aber die Kirchengeschichtsschreibung nicht imstande war, «mit dieser Erweiterung des Horizontes
und der Verfeinerung der Forschungsmethoden Schritt zu halten»,[40] hat
vielleicht doch mehr mit der weiter geltenden heilsgeschichtlichen Perspektive der Universalgeschichte zu tun, als H. Jedin annehmen möchte. Dies
zeigt sich an verschiedenen Momenten. Daß Philipp Melanchthon († 1560)
an den philosophischen Fakultäten der protestantischen Universitäten die
Universalhistorie als Lehrfach einführte mit dem Programm, es solle die
Geschichte «unter einem einheitlichen Gesichtspunkt, und zwar dem reli-
giös-kirchlichen»[41] betrachtet werden, ist in seiner den «Herausbau der Kirchengeschichte»[42] retardierenden Wirkung wohl zumindest ebenso wichtig

---

[38] A. Darlap, Die Heilsgeschichte: MS I, 3–156.

[39] H. Jedin aaO., Handbuch (Anm. 5) I, 36; dort auf S. 33–39 eine gute Information über
die großartigen Editionsleistungen vom 16. bis 18. Jh., insbesondere auch von kath. Seite.
Zum Einfluß des Humanismus, vor allem des Erasmus von Rotterdam, vgl. P. Meinhold
aaO. (Anm. 10) II, 340–343.

[40] H. Jedin ebd. 39.

[41] E. C. Scherer, Geschichte und Kirchengeschichte an den deutschen Universitäten.
Ihre Anfänge im Zeitalter des Humanismus und ihre Ausbildung zur selbständigen
Disziplin (Freiburg i. Br. 1927) 105.

[42] H. Dickerhof, Kirchenbegriff, Wissenschaftsentwicklung, Bildungssoziologie und
die Formen kirchlicher Historiographie: Hist. Jahrbuch 89 (1969) 176–202, hier S. 195.
Diese Arbeit nimmt die Rezension von P. Meinholds «Geschichte der kirchlichen Historiographie» (aaO., Anm. 10) zum Anlaß, einen ganz ausgezeichneten historischen und

wie die späteren Konsequenzen der «Zweierley Reich»-Theologie für die Unterscheidung von Kirchen- und Profangeschichte.[43] Die von Melanchthon eingeleitete Chronik Carions trifft diese Unterscheidung nicht. Erst die folgende Generation versucht, die Historia sacra und die Historia profana gesondert zu betrachten. Melanchthons Schüler Viktorin Strigel trennt nach Themen (die Kirchengeschichte handelt von den Wundern Gottes und der Regierung der Kirche) und nach Quellen (Bibel, Philo, Eusebius usw. – die griechischen und lateinischen Historiker).[44] Ähnlich argumentiert Rainer Reineccius 1583 in Helmstedt. Folgenreich wurde die Unterscheidung der beiden Historiae bei dem französischen Staatstheoretiker Jean Bodin († 1596). Die Perspektiven sind sehr komplex: man will die Historia sacra abschirmen gegen die humanistische Kritik – und man will sich freien Raum für eine säkular-wissenschaftliche Betrachtung der Geschichte schaffen, die dann aber auch auf die Kirchengeschichte übergriff. Zunächst jedoch war die Kirche in ihrer Geschichte aus einem durchaus theologischen Grund zum Gegenstand geworden: sie wurde in den Dienst der Dogmatik genommen (vgl. oben S. 530 ff, 536). Dies geschah in den bis zum 13. Jh. führenden «Magdeburger Zenturien», deren Band I erstmals 1564 in Basel erschien, und in den bis Innozenz III. reichenden «Annales ecclesiastici» des Oratorianers Cäsar Baronius, deren Band I 1588 in Rom erschien und die mit ihren Fortsetzungen «bis ins 19. Jh. das Standardwerk der katholischen Kirchengeschichtsschreibung blieben».[45] Die Bedeutung dieser Unterneh-

wissenschaftstheoretischen Aufriß des Problemes «Kirchengeschichte» zu geben, ein vorzügliches Forschungsprogramm (zahlreiche Lit.). Zum Werk P. Meinholds vgl. auch die Rezension von Peter Fuchs: Histor. Zeitschr.: 209 (1969) 102–106

[43] A. Klempt, Die Säkularisierung der universalhistorischen Auffassung – Zum Wandel des Geschichtsdenkens im 16. und 17. Jh. (Göttingen 1960) 20 ff, modifiziert überzeugend die Auffassung, Melanchthon habe die Trennung der KG von der Profangeschichte eingeleitet (so E. C. Scherer, aaO. [Anm. 41] 49). Vgl. auch Melanchthons Schüler David Chytraeus, für den die Geschichte «rerum maximarum a Deo et hominibus in *ecclesia et imperiis*, bello et pace gestarum ... expositio» ist, auch wenn er die historia sacra und die historia ethnica als Gegenstände und nach ihren Quellen unterscheidet (vgl. C. Scherer aaO. 105 ff).

[44] E. C. Scherer aaO. 50.

[45] H. Jedin aaO. (Handbuch) 34. – Die Geschichte der kath. Kirchengeschichtsschreibung seit dem 16. Jh. ist noch eine Forschungsaufgabe, in der Frankreich eine besondere Rolle zu spielen hat. Die «weitaus beste Leistung» (H. Jedin, Handbuch 40) sind die «Selecta historiae ecclesiasticae capita» (26. Bd. [Paris 1676/88]) des gallikanisch-antijesuitischen Dominikaners Natalis Alexander (†1724), «in gewisser Weise die erste umfassende kath. Kirchengeschichte der Neuzeit» (A. Hänggi: LThK VII [1962] 797f), angesichts der Konzentration auf Lehrfragen vielleicht etwas zuviel gesagt; A. Hänggi, Der Kirchenhistoriker Natalis Alexander (Fribourg 1955). Die moralistische «Histoire de l'église» (5 Bde. [1657/78]) von A. Godeau, in das Italienische übersetzt und von da ins Deutsche, wurde vom Verfasser bis ins 8. Jh. geführt. Die «Mémoires pour servir à l'histoire ecclésiastique des six premiers siècles» (16 Bde. [Paris 1693–1712]) von L. de Tillemont, denen eine Kaisergeschichte über den gleichen Zeitraum vorausgegangen war, sind

mungen auf dem Weg zu einer wissenschaftlichen Behandlung der Kirchengeschichte liegt darin, daß man zu einer Beurteilung dessen kam, «was wirklich kirchliches Geschehen ist und was gleichsam nur am Rande zur Kirchengeschichte gehört»,[46] daß man also den Gegenstand in den Blick bekam. Die apologetische Tendenz jedoch (die eine vom Humanismus bereit-
gestellte kritische Behandlung der Quellen nicht ausschließen mußte)[47] verhinderte es, daß man vor das Problem der «Historischen Theologie» gestellt wurde. In der protestantischen Kirchengeschichtsschreibung zeigt
sich dies in dem keineswegs historisch-wissenschaftlich, sondern theologisch motivierten sehr verschiedenen Ansatz des Zeitpunktes, von dem ab
der «Verfall» der Kirche beginnt.[48] Aber vielleicht der wichtigste Hinweis
darauf, daß man zwar die Kirche als Gegenstand gewonnen hatte, jedoch
nicht imstande war, die Kirche universal als Geschichte zu begreifen, ist die
annalistische bzw. zenturienweise Anlage der Darstellungen. Man darf vielleicht vermuten, daß dies nicht nur ein historiographisches, sondern ein
theologisches Problem war. Es war eben nicht möglich, die enorm ange-
wachsenen Daten der wissenschaftlich ermittelten Kirchengeschichte in das
bisherige heilsgeschichtliche Geschichtsbild nur einzufügen, dieweilen die
beiden Begriffe von «Geschichte» nicht kongruent sind.

So facettenreich die Übergänge im 16. bis 18. Jh. zur Absonderung einer
wissenschaftlich betriebenen Kirchengeschichte sind, «erst Johann Lorenz
Mosheim... bahnte eine wissenschaftliche Betrachtungsweise der gesamten
Kirchengeschichte an».[49] Für ihn und seinen Schüler Johann Schröckh war
nicht mehr die christliche Heilsbotschaft der Horizont der Kirchengeschichte, vielmehr die menschliche Gesellschaft, innerhalb deren es die Ge-

eine pädagogisch orientierte Zusammenstellung von Quellen. An diesem Autor und vor
allem an der kritischen Methode J. Mabillons orientiert ist die in alle europäischen Sprachen übersetzte «Histoire écclesiastique» (Avignon 1777) von dem gallikanisch gesinnten
Claude Fleury (1640–1732); F. Gaquère, C. Fleury (Paris 1925).

[46] H. Zimmermann, Ecclesia als Objekt der Historiographie. Studien zur Kirchengeschichtsschreibung im Mittelalter und in der frühen Neuzeit = Österr. Ak. d. Wiss.
Philos. Klasse 235 (Köln 1960) 69.

[47] P. Polman, L'élément historique dans la controverse religieuse du XVIe siècle
(Gembloux 1932).

[48] Nach den Magdeburger Zenturien im 4. Jh., für Calvin im 3. Jh., für Georg Calixt
(† 1656) im 6. Jh. (er unterscheidet jedoch «Glut des Glaubens», die in den ersten 3 Jahrhunderten am stärksten war, und die «angeeignete Bildung»). William Beveridge (†1708,
Bischof in Wales) läßt entsprechend seinem Kirchenbegriff die «ununterbrochene Überlieferung der Apostel» 1400 Jahre lang dauern, während die «Spiritualisten» (Seb. Franck,
Kaspar Schwenckfeldt) den Verfall seit der nachapostolischen Zeit und über die Reformation hinaus wirksam sehen; vgl. P. Meinhold aaO. (Anm. 10) II, 268–338, 357–369.
Bemerkenswert ist, daß der reformierte Theologe Joh. Heinrich Hottinger († 1667) die
sonst als Beginn des Unheils bezeichnete Zeit Kaiser Konstantins d. Gr. als «Reformation» gegen das Heidentum mit der Reformation gegen den «Papismus» vergleichen kann
(ebd. 394).

[49] H. Jedin aaO. (Handbuch) 41.

sellschaft der Christen gibt, was immer auch die göttliche Vorsehung im Sinne der Aufklärung (die in diesem ihrem Auslangen nach einem neuen Universale durchaus erst genommen werden sollte) für die allgemeine Geschichte bedeutet. Vielleicht etwas dramatisch zugespitzt, kann man sagen: In dem Augenblick, als «der Satan durch die pragmatische Methode gewissermaßen geräuschlos unter der Rampe der weltgeschichtlichen Bühne versinkt»,[50] war die «Kirchengeschichte» als eine streng historisch-wissenschaftliche Disziplin voll ausgebildet, war ihr «Herausbau» als Spezialwissenschaft abgeschlossen. Angesichts der oben dargelegten Problematik, die sich ergibt, wenn dieser Art von «Kirchengeschichte» die Dogmatik als Überstieg εἰς ἄλλον γένος vorausgesetzt wird, soll nun versucht werden, im Rückgang hinter diese Zäsur auszumachen, wie sich die Kirche jeweils als Geschichte verstanden hat.

Der Versuch führt an den Anfang der Kirchengeschichtsschreibung, für den man zwar mit Eusebius von Cäsarea († 339) den oft zitierten «Vater» hat, dem aber ein von dem seinen grundsätzlich verschiedenes Geschichtsbewußtsein in der jungen Christenheit vorausgeht. Nicht nur ist die Anschauung von der Heilsgeschichte älter als die Kirchengeschichtsschreibung,[51] sondern auch ist die «Zeit der Kirche» älter als ihre heilsgeschichtliche Deutung, was jüngst H. E. v. Campenhausen dargelegt hat.[52] Heilsgeschichte ist ohne die Perspektivität des Alten Testamentes nicht vorstellbar. Aber die bis auf die Urkirche zurückgehenden Bezüge auf *einzelne* Ereignisse der Geschichte des Alten Bundes wollen die Legitimität der christlichen Gemeinde als das wahre Israel bezeugen, werden aber zunächst nicht als Aufweis einer geschichtlichen *Linie* des Heils aufgefaßt. Das geschieht erst – und dann mit einer gewaltigen Nachwirkung in die folgenden Jahrhunderte hinein – bei Irenäus von Lyon († um 202), der in den «vier Testamenten», dem Bund mit Adam nach dem Sündenfall, mit Noah nach der Sintflut, mit Moses am Sinai und mit dem vierten, «welches den Menschen erneuert und alles in sich zusammenfaßt», dem Evangelium,[53] die Stadien der von Gott in der

---

[50] W. Nigg (S. 113) die wissenschaftliche Historiographie gegen die des Eusebius kontrastierend. – Auch nach der höchst verdienstvollen Dokumentation der «Geschichte der kirchlichen Historiographie» aaO. (Anm. 10) von P. Meinhold ist noch immer – zumal P. Meinhold die Kirchengeschichtsschreibung in den «Einleitungen» zu den Dokumenten nicht in ihrer allgemeinen historischen Entwicklung dargestellt hat – das Buch von W. Nigg, Die Kirchengeschichtsschreibung (1934) in all seiner Begrenzung die einzige, allerdings jetzt nach vielen Einzelstudien und gerade auch nach P. Meinholds Arbeit entschieden überholbare Behandlung des Themas; vgl. auch H. Dickerhof aaO. (Anm. 42).

[51] H. Jedin aaO. Handbuch (Anm. 5) I, 21.

[52] H. E. v. Campenhausen, Die Entstehung der Heilsgeschichte: Saeculum 21 (1970) 69–91.

[53] Adv. haer. III, 11, 18 (bei P. Meinhold I, 55 zit. nach der Ausg. u. Zählung von W. W. Harvey [Cambridge 1857] II, 50). – J. Daniélou, Saint Irénée et les origines de la théologie de l'histoire: RSR 34 (1947) 227–231.

Menschheitsgeschichte gewirkten Heilsgeschichte bezeichnet. Das Evangelium, «das die Menschen in das Himmelreich erhebt» und die Heilsgeschichte
vollendet, ist den Aposteln anvertraut, die es den in lückenloser Sukzession
auf sie zurückgehenden Bischöfen überliefert haben. Die zentrale Bedeutung
dieser amtlichen Tradition, die gegen die Gnosis herauszuheben Irenäus nicht
müde wird, bekundet gewiß ein institutionelles Selbstbewußtsein der Kirche, das ja immer in einem geschichtlichen Bewußtsein gründet. Aber mit
Recht wurde gesagt, daß die Kirche «in ihrem Ursprung nicht als geschichtlicher Traditionsträger gemeint ist – nämlich von sich selbst»,[54] daß also der
Vorgang des Überlieferns, der actus tradendi, sich zunächst nicht so geschichtlich verselbständigt, daß die Gemeinschaft der Überliefernden eine
eigene heilsgeschichtliche Größe wird und selbst das traditum darstellt.
«Es ist nur ein und derselbe Glaube, ihn kann nicht vermehren, wer viel
versteht zu reden, nicht vermindern, wer wenig spricht»:[55] Das wird von
Irenäus nicht gegen die Gnosis gesagt, sondern im Hinblick auf diejenigen
in der Kirche, die «mehr als die anderen verstehen». Solches Verstehen ist
durchaus legitim; aber was zu überliefern ist, ist «ein und derselbe Glaube»,
der in der Überlieferung nicht vermehrt und nicht vermindert werden kann.
Die Zeit der Kirche hat also ihre Geschichtlichkeit einzig und allein darin,
daß in ihr die zu ihrer Vollendung gekommene Heilsgeschichte in eben dieser Vollendetheit durch die noch andauernde Zeit hindurchgetragen wird.
Sie hat zwar in der Perspektivität der auf sie zulaufenden Bundesschlüsse
Gottes einen geschichtlichen Ort, nämlich am Ende der Heilsgeschichte,
und sie ist insofern nicht nur die der Geschichte enthobene «kleine Weile»
zwischen der Erhöhung und der Wiederkunft des Herrn, sie hat vielmehr
ihre «Vor-Geschichte». Aber sie ist keine eigene Heilszeit. Die gleiche Anschauung liegt auch der an spätjüdische Spekulationen anschließenden Gliederung der Geschichte bei Justin und Irenäus nach den sechs Schöpfungstagen zugrunde, da wie die Schöpfung so auch die Heilsgeschichte am sechsten Tag vollendet ist. Dann ist «Ruhe». Die von Irenäus u. a. vertretene,
den Weltwochenmythos mit der Apokalyse verbindende chiliastische An-

---

[54] W. Kamlah, Christentum und Geschichtlichkeit (Stuttgart 1951) 67. – Das Buch ist
trotz aller berechtigten Kritik, die es wegen seiner Anwendung moderner existentialtheologischer Kategorien auf die geschichtliche Interpretation gefunden hat, noch immer
einer der wichtigsten Beiträge für das Problem der Entstehung der «Kirchengeschichte».
Vgl. J. Ratzinger, Herkunft und Sinn der Civitas-Lehre Augustins. Begegnung und Auseinandersetzung mit Wilh. Kamlah, Nachdruck bei W. Lammers (Hrsg.), Geschichtsdenken und Geschichtsbild im MA (Darmstadt 1961): «Hat es je eine Entgeschichtlichung
im Sinne Kamlahs, ein Eschatologisches ... i. s. radikaler Vereinzelung gegeben» – oder
ist Entgrenzung nicht «Bindung an das Ich Christi und damit an das Wir des neuen
λαὸς τοῦ θεοῦ?» (S. 71).

[55] Adv. haer. I, 20, 2, zit. nach «Bibliothek der Kirchenväter» (München 1912) übers.
von E. Klebba.

schauung,[56] «daß die Gerechten *zuerst* bei der Erneuerung dieser Welt und
der Wiederkunft Gottes auferstehen werden, um die verheißene Erbschaft
zu empfangen... und um in ihr zu herrschen»,[57] meint mit diesem «zuerst»
keine neue Heilszeit, sondern einen Ausgleich «gerechter Weise» dafür, daß
die Gerechten so vieles erdulden mußten, meint vor allem aber noch nicht
eine sich in die Geschichte erstreckende Zeit der Kirche. Vielmehr ist alles
Heil schon geschehen: «Denn das ist das Ende des menschlichen Ge-
schlechtes, das Gott zum Erbe hat, daß, wie im Anfang wir durch die ersten
Menschen alle in die Knechtschaft gebracht wurden durch die Schuld des
Todes, so jetzt am Ende der Zeit durch den letzten Menschen alle, die von
Anfang an seine Schüler waren, gereinigt und abgewaschen von der Todes-
schuld, in das Leben Gottes eintreten.»[58] Daß man in diesem Glaubenswissen vom Ende des Menschengeschlechtes chronologische «Berechnungen»
der Eschata anstellte, sei es, um sie als nah zu erweisen, sei es, um sie in ihrer
Ausständigkeit zu zeigen (Hippolyt in seiner «Weltchronik»), bekundet allein als solches wohl eher die Realität der Erwartung als die Vorstellung von
einer «geschichtlich erstreckten ,christlichen' Zeit».[59] Doch daß man nach
heidnischen Vorbildern überhaupt solche «Weltchroniken» verfaßte (nach
Hippolyt vor allem Eusebius von Cäsarea), in ihnen die Ereignisse der profanen Geschichte mit denen der Heilsgeschichte synchronisierte, und daß
man vor allem den Parallelismus bis auf die eigene Zeit fortführte (wobei ein
Teil des chronologischen Gerüstes mit Regierungsjahren von Herrschern
angegeben wurde), dies bahnte gewiß eine Einlassung der seit Auferstehung und Himmelfahrt verstrichenen Zeit in die Welt-Geschichte an. Zwar
wurden schon lange vor Konstantin Ereignisse des Römischen Reiches in
ihrer Bedeutung für die Heilsgeschichte interpretiert (Origenes), jedoch
wurde noch kein kongruenter Zusammenhang zwischen Welt- und Heilsgeschichte ausgebaut. Es besteht ein wesentlicher Unterschied zwischen der
Chronik des Hippolyt, die bis 234 führt, und der Chronik des Eusebius und
vor allem der weiteren Geschichte dieser Chronik, die zunächst bis 303
reicht, dann aber zu Lebzeiten Eusebs über die Zeit der Kirchenverfolgungen hinaus bis 325 fortgeführt werden konnte und schließlich in der Übersetzung ihres zweiten Teiles durch Hieronymus ins Lateinische mit den
Hinzufügungen aus der römischen Geschichte eine in jedem Sinne «weltgeschichtliche» Wirkung auf die Ausbildung des christlichen Geschichts-
bewußtseins im Abendland ausübte. Über die Chroniken des 5. und 6. Jh.s,
vor allem über Gregor von Tours und Isidor von Sevilla führt der Weg in
die Weltchronik des Mittelalters, in deren Rahmen auch jede partielle Ge-

[56] G. Engelhardt, Chiliasmus – dogmengeschichtlich: LThK II (1958) 1059–1062, hier
Sp. 1060.
[57] Adv. haer. V, 32, 1, zit. aaO. (Anm. 55).
[58] Adv. haer. IV, 22, 1, zit. aaO. (Anm. 55).
[59] F. Kamlah aaO. (Anm. 54) 120.

schichte, bis hinunter zur Geschichte einer Stadt, gestellt werden konnte.[60]
Auch die in Verbindung mit der Chronistik entwickelte christliche Zeitrechnung (so im Chronicon Paschale, das wahrscheinlich aus Konstantinopel
stammt, den Beginn der christlichen Chronologie auf den 21. III. 5507 legt
und bis zum Jahre 629 führt) dokumentiert den tiefen Wandel, der sich im
Verhältnis der Christen zur noch andauernden Weltzeit seit den Tagen des
Irenäus vollzieht und entscheidend von Eusebius begründet worden ist.

Charakter und Weltverhältnisse dieses Mannes sind mehr als eine biographische Zufälligkeit in der Geschichte der Kirche und ihres geschichtlichen
Selbstverständnisses. Er war offenbar der Mann der Stunde. «Die Welt- und
Kirchengeschichte sieht Eusebius mit höfischem Optimismus; als kaiser-
frommer Staatsbischof entwickelt er ein christliches Kaiser- und Reichs-
ideal, das stark und lange nachgewirkt hat.»[61] Gewiß kann man sagen, daß
«seine Bedeutung als ‚Vater der Kirchengeschichte‘ ungeschmälert bleibt»,[62]
aber man wird hinzufügen müssen, daß er als Verfasser seiner Weltchronik
mit ihrer Nachwirkung und als Verfasser der ersten Historia ecclesiastica
zugleich auch zwar nicht der Vater, aber der repräsentative Dokumentator
des Dilemmas ist, das entstehen mußte, wenn die «Zeit der Kirche» in ihrer
theologischen Qualifizierung am Ende der Heilsgeschichte nicht nur äußerlich mit der andauernden Welt-Geschichte synchronisiert wurde, bis eines
Tages diese Jahrhunderte andauernde, wenn auch nie ohne Widerspruch
gebliebene Identifikation zerbrach, als nämlich in der Geschichtstheologie
des 12. und 13. Jh.s die Frage nach der eigenen «Zeit der Kirche» und am
Beginn der Neuzeit das «Problem der Kirchengeschichte» geboren wurden.
Mit Recht wurde gegen die simplifizierte Darstellung der sogenannten
«Konstantinischen Wende» auf vorkonstantinische Zeugnisse eines positi-
ven, manchmal sogar theologisch motivierten Verhältnisses zum Römischen
Reich hingewiesen;[63] man würde jedoch einer entgegengesetzten, einer har-
monisierenden Simplifikation verfallen, wollte man nicht als Zäsur erken-

---

[60] A.-D. v. d. Brincken, Studien zur lateinischen Weltchronistik bis in das Zeitalter
Ottos von Freising (Düsseldorf 1957).

[61] B. Altaner-A. Stuiber, Patrologie (Freiburg i. Br. [7]1966) 217.

[62] ἐκκλησιαστικὴ ἱστορία, vor 303 in 7 Büchern, zwei weitere Aufl. bis 325 in 10 Büchern. – Ausg. griech. deutsch von H. Kraft, 2 Bde. (Darmstadt 1965). – H. Rahner,
Eusebios v. Kaisareia: LThK III (1959) 1195–1197, hier Sp. 1196 oben. – H. Berkhof, Die
Theologie des Eusebius von Cäsarea (Amsterdam 1939), besonders S. 52–59, wo gezeigt
wird, daß Eusebius den apologetischen «Beweis aus den Tatsachen der Geschichte» führt
und in Konstantin die Erfüllung biblischer Weissagung sieht; ders., Kirche und Kaiser
(Zürich 1947), besonders S. 54–104; W. Völker, Von welchen Tendenzen ließ sich Euse-
bius bei der Abfassung seiner Kirchengeschichte leiten?: Vigiliae christianae 4 (1950)
157–180; G. Bardy, La théologie d'Eusèbe de Césarée d'après l'Histoire ecclesiastique:
RHE 50 (1955) 5–20; C. S. Wallace-Hadrill, Eusebius of Caesarea (London 1960); A.
Dempf, Eusebius als Historiker: Jahrb. d. Bayer. Ak. d. Wiss., Phil. Kl. (München 1964)
Heft 11.

[63] H. Rahner, Kirche und Staat im frühen Christentum (München 1961).

nen, was im zehnten Buch der Kirchengeschichte steht, und was ein Christ im «Leben Konstantins» über einen Herrscher dieser Welt sagen konnte (daß es sich um ein Enkomion handelte, ist nicht nur eine literargeschichtliche Frage). Daß Eusebius Geschichte noch nicht genetisch darzustellen vermochte, ist ein wichtiges Urteil in der Perspektive der modernen Geschichtswissenschaft; wichtig für unseren Zusammenhang ist es, daß er von der Zeit der Kirche nach Konstantin in einer Sprache reden kann, die theologisch angemessen ist nur für den Tag der Herrlichkeit Christi selbst: «Ein freundlicher und heller, von keiner Wolke getrübter Tag leuchtete nun fortan mit den Strahlen himmlischen Lichtes auf der ganzen Erde über den Kirchen Christi.»[64] Eusebius hat die nachkonstantinische Zeit mit der vom Chiliasmus erhofften Friedenszeit gleichgesetzt[65] und mit dieser die Zeit der Kirche, die er als Historiker zu beschreiben versucht. Er «überwindet die eschatologische Einstellung», wie H. Jedin bemerkt.[66] Genau dies ist das Problem.

Die Fortsetzer des Eusebius, die Vermittlung seines Werkes durch die Übersetzung und Bearbeitung durch Rufin von Aquileja sowie die von Cassiodor veranlaßte «Historia tripartita» (lateinische Zusammenfassung der drei Continuationen) wurden zwar zur Grundlage der Kenntnis des Mittelalters von der altkirchlichen Zeit, wurden aber selbst nicht in die späteren Jahrhunderte weitergeführt. Nicht die abgesonderte Historia ecclesiastica ist der Ort des mittelalterlichen Geschichtsverständnisses, sondern die heilsgeschichtliche Weltchronik, der die immer weiter laufenden Ereignisse dieser Weltzeit fugenlos angehängt werden konnten; einen ganz neuen Ansatz freilich stellt die Geschichtstheologie des 12. und 13. Jh.s dar (vgl. unten). Bemerkenswert und wichtig auch für die chronologische Struktur der Weltchroniken ist es, daß Sokrates, einer der Fortsetzer († nach 439) des Euseb, die Kirchengeschichte der Zeit von 305 bis 439 zeitlich nach den Kaisern ordnet, angesichts der Tatsache, daß die Chronologie nicht nur ein äußeres Ordnungsschema liefert, ein nicht zu unterschätzendes Moment. Sozomenos stellt die Ereignisse von 324 bis 425 wegen des Zusammenhanges von Kirche und Reich bewußt in einen profangeschichtlichen Horizont. Rufinus kritisiert das 18. Buch der eusebianischen Kirchengeschichte, jedoch bezeichnender Weise nicht aus theologischen Gründen, sondern wegen der «Lobeserhebungen für die Bischöfe, die doch nichts zu einer *wirklichen Geschichtskenntnis* beitragen»[67].

Anders als im Abendland wurde im Byzantinischen Reich die heilsge

---

[64] H.E.X, 1,8, Übers. in: Bibl. der Kirchenväter, Eusebius II (München 1932) 437.

[65] A. Wachtel, Beiträge zur Geschichtstheologie des Aurelius Augustinus = Bonner Hist. Forschungen 17 (1960) 75, mit Hinweis auf J. Straub, Vom Herrscherideal der Spätantike (1939) 116ff und J. Vogt, Constantin d. Gr. (1949) 289ff

[66] H Jedin aaO., Handbuch (Anm. 5) I, 22.

[67] Zit. bei Meinhold aaO. (Anm. 10) 113.

schichtliche Konzeption der Weltchronik nicht zum tragenden Prinzip. Zu Anfang des 7. Jh.s wurde in einer ausdrücklichen Wendung gegen Irenäus u. a. das letzte Millenium kirchengeschichtlich gedeutet. Für die «klassische Historiographie» ist die Kirchengeschichte identisch mit der Reichsgeschichte, weil «die Konturen des Orbis christianus identisch sind mit den Konturen des Reiches», in dem der Kaiser «der höchste Geistträger» ist.[68]

Was da geschieht, sowohl im Osten wie im Westen der Kirche, wenn auch auf je verschiedene Weise, kommt zu Beginn des 5. Jh.s in einer durch weltgeschichtliche Ereignisse herausgeforderten Reflexion zutage, die in dieser Tiefe kein vergleichbares Beispiel hat in der Geschichte des christlichen Denkens über das dem Problem «Kirchengeschichte» letztlich zugrunde liegende Verhältnis von Glaube und Geschichte. Doch hat, was oft nicht genügend beachtet wird, die Geschichtstheologie Augustins ihren ganz bestimmten geschichtlichen Ort. Zwischen der Sicht der Eschata bei Irenäus und Augustins Eschatologie liegt der als «der beste Beweis seiner göttlichen Stiftung»[69] empfundene Sieg des Christentums unter Konstantin über die feindliche Staatsgewalt, und dies auch dann noch, als 410 der Fall Roms der Reaktion des römischen Heidentums das Stichwort gegen die theodosianische Reichskirche gegeben hatte, auf das die große Menge der «siegreichen» Christen keine Antwort hatte. Die Antwort des Bischofs von Hippo ist deshalb nicht mit absoluter Eindeutigkeit abzulesen – wie die Augustinus-Literatur bis auf den heutigen Tag beweist –, weil auch er in all seiner Kritik an der Identifikation von Imperium Romanum und Civitas Dei, wie sie in der eusebianischen Reichstheologie formuliert war,[70] doch nie hinter sein politisches Verhalten im Kampf gegen den Donatismus zurückgehen konnte, d. h. weil auch er seine Geschichtstheologie trotz der unmißverständlichen Härte, mit der er die Umdeutung der christlichen Erwartung in eine politische Utopie verwarf, nur unter seinen geschichtlichen Bedingungen schreiben konnte, von denen man nicht zugunsten einer reinen Theorie abstrahieren kann. Gewiß konnte er nicht wissen, daß De civitate Dei zur theologischen Begründung des sakralen Königtums im Mittelalter werden konnte,[71] aber es heißt ihm doch eine nachweislich nicht gehabte Arglosig-

---

[68] H.-G. Beck, Kirchengeschichte: LThK VI (1961) 212.

[69] B. Altaner-A. Stuiber aaO. (Anm. 61) 219.

[70] E. Peterson, Kaiser Augustus im Urteil der antiken Christenheit. Ein Beitrag zur Geschichte der politischen Theologie: Hochland 30 (1932/33) 294: Die «Eschatologie wandelt sich bei Eusebius in eine politische Utopie, die nicht mehr in der Zukunft erwartet wird, sondern seit der Herrschaft des Augustus im Imperium Romanum schon Wirklichkeit geworden ist». Ders., Der Monotheismus als politisches Problem: Theol. Traktate (München 1951) 45-117.

[71] G. Tellenbach, Libertas (Stuttgart 1936); O. Köhler, Die ottonische Reichskirche: Adel und Kirche, hrsg. von J. Fleckenstein (Freiburg 1969) 141-204.

keit unterstellen, wenn gesagt wird, «daß er von der zukunftsreichen Tragweite seiner Forderungen an die politische Macht offenbar nicht das min-
deste geahnt hat».[72] Zu der nicht ablösbaren geschichtlichen Bedingtheit
der augustinischen Geschichtstheologie gehört es auch, daß neben der kaum
überbietbaren, an die apokalyptische Rede von der «Hure Babylon» erinnernden Kritik an der Gewaltpolitik des Imperium Romanum, worin er in
der Tat «die krasse Ausnahme»[73] nach Eusebius ist, nicht nur der Lobpreis
der römischen virtus, sondern durchaus auch eine – wenngleich gegenüber
dem so unchristlichen Schrecken des Hieronymus sehr temperierte – Sorge
um den Bestand des Reiches stehen kann.[74] Auch konnte Augustinus wie
Eusebius in der «konstantinischen Wende» die Erfüllung biblischer Weissagung sehen, ohne daß er deshalb diesen Tag wie Eusebius als den eschatologischen Tag der Herrlichkeit Gottes zu feiern veranlaßt war, zumal er
auch gegen die Interpretation der augusteischen pax Romana mit ironi-
scher Nüchternheit eingewendet hatte, so friedlich sei es nun auch wieder
nicht gewesen.[75] Wichtig ist auch der Hinweis, daß Augustinus bei der – sich
von einem anfänglichen spirituellen Chiliasmus abwendenden – Übernahme
der Aetates-Lehre nicht der irenäischen Idee eines heilspädagogischen Fort-
schreitens folgte, sondern angesichts der geschichtlichen Rückfälle alles im
Geheimnis Gottes beließ.[76] Vielleicht geht das Römische Reich unter, aber
was ist denn dies anderes als der Lauf dieser Weltzeit – und vielleicht hat es
noch eine Chance (wie die vergleichende Chronologie ausrechnet), aber was
bedeutet denn dies für den auf die Wiederkehr des Herrn wartenden Christen: Das ist das Geschichtsbild Augustins, dessen radikale Heilsgeschicht-
lichkeit sich auf der weltgeschichtlichen Kehrseite als eine Art von historischem Relativismus darstellt, mit dem er der christlichen Geschichtsgläubig-
keit seiner Zeit entgegentritt. Die Reiche kommen und gehen, aber die ecclesia «hat in keiner Kulturform, in der sie ihre Häuser baut, eine bleibende
Stätte».[77] «Non enim Romanos, sed omnes gentes Dominus semini Abraham promisit.»[78] Damit sich diese Verheißung vollends realisiert, darum
dauert auch das sechste Zeitalter, in dem keine neuen Heilstaten Gottes geschehen, noch an: «ut numerus omnium nostrum usque in finem possit impleri».[79] Dieses impleri einerseits und die welt-geschichtlichen Verfolgungen anderseits (bei Augustinus in 3 Phasen: öffentliche Verfolgung; äußere

[72] W. Kamlah aaO. (Anm. 54) 181.
[73] Ebd. 176.
[74] J. Straub, Augustins Sorge um die regeneratio imperii: Histor. Jahrbuch 73 (München 1954).
[75] Zitate bei A. Wachtel aaO. (Anm. 65) 95.
[76] Ebd. 71.
[77] Ebd. mit Zitaten 90.
[78] Aug., Ep. 199,47.
[79] En. in ps. 34,2,9, zit. nach A. Wachtel 74.

Ruhe, aber nun Verfolgung durch Häretiker und falsi fratres; Antichrist) sind das Thema der noch ausstehenden Zeit. Wie nun Augustinus dieses impleri versteht, d. h. welchen Begriff der Kirche[80] er hat, wie sich civitas Dei und ecclesia zueinander verhalten, das ist das noch immer kontroverseste Thema der Literatur, die zu vermehren nicht die Absicht dieses Beitrages sein kann. Für unsere Frage nach dem Problem der «Kirchengeschichte» ist es wichtig, daß Augustinus sicher nicht die civitas Dei und die ecclesia in dem Sinne gleichgesetzt hat, daß die Versammlung der Berufenen, die communio sanctorum, am Laufe einer besonderen Kirchengeschichte abzulesen wäre. Anderseits versteht er die Zeit der Kirche auch nicht als eine «eschatologische Verharrung»,[81] wogegen vor allem seine Ansicht von der Ausbreitung der Kirche spricht, diese freilich wenigen Sätze, die Augustinus in der Civitas Dei über die Kirchengeschichte schreibt, und auch diese aufgefaßt als eine Erfüllung der Verheißung im AT und Christi selbst.[82] Doch erscheint die Anwendung von Begriffen wie «geschichtsmächtige Gemeinschaft» oder «geschichtsfähig»[83] auf die augustinische ecclesia als sehr bedenklich, weil die Kirche ihrem impleri sicher nicht in der Weise der allgemeinen menschlichen Geschichtlichkeit entgegengeht. Kaum irgendwo wird die Aporie im Begriff «Kirchengeschichte» offenkundiger als im augustinischen Begriff der Kirche, dessen Problematik sich zumindest nicht nur aus dem Neuplatonismus herleiten läßt.

«Christliche Historiographie, nicht Kirchengeschichte im Mittelalter»[84] – diese Feststellung H. Jedins läßt an Präzision nichts zu wünschen übrig. Was besagt sie für das Problem «Kirchengeschichte», in dessen Kern ja immer die Frage nach der Kirche steckt? Eusebius hatte die Zeit der Kirche thematisch ausgesondert, aber er war doch von seiner Weltchronik ausgegangen, in deren allgemeinem Rahmen seine Kirchengeschichte steht. Was im Abendland weiterwirkt, ist gerade nicht eine Aussonderung der Zeit der Kirche aus der Welt-Geschichte, sondern seine Reichstheologie, die in der Tat Konstantins eine heilsgeschichtliche Sinnerfüllung sieht. Und was von Augustinus zunächst weiterwirkt, ist nicht seine theologische Distanzierung vom Imperium Romanum, sondern sind die geschichtlichen Bedingtheiten seiner Geschichtstheologie, mit denen sich eher geschichtlich weiterleben ließ als mit seiner Civitas Dei – Ecclesia – Aporie. Orosius[85] war in diesem Sinne

---

[80] H. Fries: MS IV/1, 234, 237.

[81] A. Wachtel aaO. 117.

[82] Civ. Dei XVIII, 50: Bibl. der Kirchenväter III, 179f.

[83] A. Wachtel aaO. 54, 117.

[84] H. Jedin aaO., Handbuch (Anm. 5) 25.

[85] A. Stuiber-B. Altaner aaO. (Anm. 61) 232; K. A. Schöndorf, Die Geschichtstheologie des Orosius (Diss. München 1951); A. Lippold, Rom und die Barbaren in der Beurteilung des Orosius (Diss. Erlangen 1952).

ein Vermittler mit seinen von Augustinus angeregten Historiae adversus paganos, einer bis 417 führenden Weltchronik, deren apologetische Tendenzthese, vor den christlichen Zeiten sei es um die Welt schlimmer gestanden, die Konsequenz in sich enthielt, seither sei es eher besser geworden; daß die Verschärfung der augustinischen Romkritik Sympathien für die Germanenvölker einschloß, diente solcher Vermittlung. Das eschatologische Bewußtsein, in der sechsten und hoc saeculo letzten aetas zu leben, war in der auch bei Orosius vertretenen Lehre von den vier Weltreichen eine eigentümliche Verbindung mit einem welt-geschichtlichen Bewußtsein eingegangen. Hieronymus hatte die in augusteischer Zeit entstandene politische Theorie, das Imperium Romanum sei das letzte und endgültige Reich aller Reiche, kombiniert mit der prophetischen Schau bei Daniel (2, 36–45; 7, 1–4), Gott werde nach dem Untergang der vier «Ungeheuer», nämlich des babylonischen, medischen, persischen und griechisch-seleukidischen Reiches, die Heilsherrschaft aufrichten, und zwar so kombiniert, daß nun Rom als das letzte Reich vor der danielischen Heilsherrschaft, d. h. der Wiederkehr des Herrn, erschien. Man wird sich hüten müssen, in simplifizierend gebrauchten Begriffen wie «konstantinische Wende» und «Ent-eschatologisierung» über die Komplexheit solcher Anschauungen hinwegzureden. Hieronymus spricht in der Vita Malchi[86] von seinem Vorhaben, «zu schreiben von der Ankunft des Erlösers bis auf unser Zeitalter, d. h. von den Aposteln bis zum Verfall in unseren Tagen…, wie die Kirche in den Verfolgungen gewachsen und durch die Märtyrer verherrlicht worden ist, und wie sie, nachdem sie zu den christlichen Herrschern gelangt ist, zwar an Macht und Reichtum erstarkt ist, dafür aber an innerer Kraft verloren hat». Der gleiche Mann, der dieses Vorhaben zwar nicht ausführte, aber immerhin erwog, sah nach der Eroberung Roms 410 «das Licht der Welt» erloschen und nicht etwa nach dem sich so anzeigenden Untergang des letzten Reiches das Licht des siebenten Zeitalters heraufsteigen. Kein Geschichtsbewußtsein läßt sich systematisieren. Die von Hieronymus gezeichnete Dekadenzperspektive ist in der Patristik nicht singulär, hat bei Salvian († nach 480) taciteische Züge, beherrscht die Gotengeschichte des Jordanes (um 551), die Frankengeschichte Gregors von Tours († 594) und ist bei Gregor d. Gr. († 604) ausdrücklich auf das Schiff der Kirche bezogen. Sie ist sogar die überwiegende Orientierung, aber sie kann ebenso mit einem Willen zu neuer geschichtlicher Gestaltung zusammengehen wie die beherrschende Autorität des «alten Wahren» mit der Möglichkeit von freilich an die Tradition gebundenem «Neuen»,[87] ohne daß man allerdings Züge eines modernen

[86] Vita Malchi, 1: PL 23,53. – P. Meinhold hebt aaO. 142 diese Äußerung des Hieronymus stark heraus; das sollte man so wenig wie sie zugunsten des lateinischen Bildungsbürgers vernachlässigen.

[87] J. Spörl, Das Alte und das Neue im Mittelalter: Hist. Jahrbuch 50 (1930) 297–341, 498–524; hier S. 512f und S. 330.

Weltbildes erwarten darf. Die eschatologische Anschauung schwindet keineswegs dahin, aber sie hat selbst ihre Geschichte. Nur wenn man diese Geschichte berücksichtigt, kann man die Geschichtstheologie Ottos von Freising († 1158) verstehen, dessen Chronikon sive Historia de duabus civitati-
bus (1143/46) deshalb einen dokumentarischen Stellenwert in unserer Problemgeschichte hat, weil das Werk sich ausdrücklich auf Augustinus bezieht
und zugleich die Überzeugung vertreten kann, daß sich die Civitas Dei im
«Imperium christianum» verwirklicht,[88] eine Vorstellung, gegen die ja nun
gerade Augustinus sein Buch geschrieben hatte. Dieses Imperium ist in seiner translatio das Imperium Romanum, das letzte Weltreich, auch wenn es,
dem Lebensalter-Schema entsprechend, «altersschwach und vergreist» genannt wird, das Imperium Romanum, in dem sich die Civitas Dei, die bis zur
«Ankunft Christi» in der Civitas terrena verborgen lag, «von da an» (Augustus) «allmählich fortschreitend entwickelt hat», unter Konstantin von
äußerer Drangsal befreit wurde und schließlich nach Überwindung der
Häresien seit Theodosius das ganze Volk und fast alle Fürsten umfaßte, so
«daß ich die Geschichte nicht mehr der zwei Staaten, sondern fast nur eines
einzigen, den ich die Christenheit nenne, dargestellt habe».[89] «Christenheit», «Kirche», diesseitiges «Reich (Christi)» meinen alle die Civitas Dei
in der Harmonie von imperium und sacerdotium und in jener Mischung von
Guten und Bösen, deren Unterscheidung allein Gott überlassen bleibt,[90] wie
es dem sechsten Zeitalter entspricht. Da liegt alles ineinander: Das eschatologische Bewußtsein Augustins von der Hinfälligkeit der Welt-Geschichte
und die heilsgeschichtliche Auszeichnung des Imperium Romanum, wie sie
zwar schon vor Eusebius angesetzt, aber von ihm mit nicht überbietbarer
Identifikation ausgesprochen worden war. Man versteht diese Theorie so
wenig wie die geschichtliche Realität des sakralen Königtums im abendländischen Mittelalter, wenn man in der Massivität des Prinzips «Wie oben, so
unten»[91] nicht den christlichen Sprengkeim aufspürt, der sich ja lange vor
Otto von Freising – und insofern ist er in seiner Harmonisierung ein Spät-
ling – in der freilich historisch zu differenzierenden mönchischen Reformbewegung geltend gemacht hatte. Am Schluß seines 7. Buches nennt der
Zisterzienser Otto nicht die Kirche schlechthin, sondern das Mönchtum die
geistliche Erscheinung, in der sich «des ewigen Friedens ewiger Tag» am
deutlichsten ankündigt.

In diesem Geschichtsbild kann es schlechterdings keine besondere Kirchengeschichte geben. Auch die sich so nennende, zeitlich vor Ottos Chro-

---

[88] Ders., Die «Civitas Dei» im Geschichtsdenken Ottos von Freising. Neudruck:
W. Lammers (Hrsg.) aaO. (Anm. 54).

[89] Chronica V, Prol. (Ausg. A. Hofmeister, Übers. A. Schmidt, neu zum Druck besorgt
von W. Lammers [Darmstadt 1960] 375.).

[90] Ebd. 583 f.

[91] La Regalità Sacra (Leiden 1959).

nik liegende «Historia ecclesiastica» (1110) des Hugo von Fleury ist es nicht,
obwohl es der Prolog ankündigt. H. Jedin hat die Beschäftigung mit diesem
Werk[92] zum Anlaß genommen, wichtige generelle Fragen zum Problem
«Kirchengeschichte» zu formulieren. Zunächst stellt er fest, worauf ja schon
der volle Titel hinweist (Liber... gestorumque Romanorum atque Franco-
rum), daß es sich «eher um eine heilsgeschichtliche Weltchronik alten Stils»
handelt. Dann verweist er auf den «Parallelismus zwischen Schöpfung und
Erlösung» bei Hugo von Fleury, der natürlich seine alte Vorgeschichte hat
(Adam–Christus bei Paulus und Irenäus; vgl. oben S. 597ff), der aber offenbar
hier neu akzentuiert wird (in den «sacrae historiae» ist das AT die aetas
puerilis und das NT die aetas virilis). Das ist im Hinblick auf den «geschichtstheologischen Symbolismus» (vgl. unten S. 560ff, 564) zu beachten.
Daß übrigens diese «Zweiteilung der Heilsgeschichte» mit Christus als «entscheidender Zäsur» nicht zu einer «Entwertung» des AT führen mußte,
wie Jedin meint,[93] zeigen gerade die Symbolisten. Aber warum also ist es
auch bei Hugo von Fleury trotz der im Prolog angekündigten Absicht nicht
zu einer Kirchengeschichte gekommen? H. Jedin führt – nachdrücklich in
Frageform – folgende Möglichkeiten auf, besonders wertvoll deshalb, weil
dies nicht spekulativ, sondern modo historico geschieht: Ein Menschenalter
später bei Bernhard von Clairvaux voll durchbrechende «Verinnerlichung
der Heilsgeschichte» – der «Symbolismus» bei Rupert von Deutz bis Joachim von Fiore – die (damit zusammenhängende) «Flucht in die Apokalyptik» – das «Schwelgen in der Mystik» – die «Geschichtsfremdheit der Scholastik» – die «Okkupation der Ekklesiologie durch die Kanonistik».[94] In der
Tat sind wir, wie Jedin bemerkt, «noch weit davon entfernt, die wahren Ursachen dieser Tatsache präzis zu erfassen».[95] Aber eines läßt sich wohl sagen:
Läßt man den Aristotelismus und die Kanonistik beiseite (ohne übrigens in
die modischen Beschimpfungen zu verfallen), dann sind alle aufgeführten
Möglichkeiten, warum es zu keiner separierten Darstellung der Kirchengeschichte kam, genuin christlichen Glaubens. Und ferner: Unsere Frage,
in die der erste Durchgang unseres Versuches ausgelaufen ist, ob nämlich
«Historische Theologie» ein Un-Begriff sein könnte, scheint durch solche
Deutungen an Berechtigung zu gewinnen.

An der etwa eine Generation später liegenden «Historia ecclesiastica»
(1141) des Ordericus Vitalis wurde zwar der «kirchengeschichtliche Grundcharakter»[96] hervorgehoben, ohne daß aber dadurch die ganz andere Ein-

[92] H. Jedin, Zur Widmungsepistel der «Historia ecclesiastica» Hugos von Fleury:
C. Bauer u.a. (Hrsg.), Speculum historiale (Freiburg i. Br. 1965) 559–566.
[93] Ebd. 563f.
[94] Ebd. 564, bes. 565.
[95] Ebd. 565.
[96] So Th. Schieffer: ZKG 72 (1955/56) 337, die These des Buches von H. Wolter, Ord.
Vitalis (Wiesbaden 1955) unterstreichend, wobei er die Kontroverse zwischen J. Spörl,

ordnung, nämlich in die politische und nationale Historiographie, hinfällig gemacht werden konnte, so daß mit Recht auch bei diesem Werk der im Titel erhobene Anspruch in Frage gestellt wurde.[97] Übereinstimmung besteht freilich in einem wichtigen Punkt, der uns auch bei Otto von Freising begegnet ist, daß nämlich Ordericus in «monastischer Blickrichtung»[98] geschrieben hat. Diese Blickrichtung führt uns von dem reichstheologisch interpretierten augustinischen Geschichtsbild zu einem ganz anderen Ansatz, die Zeit der Kirche zu begreifen.

Im Blick auf die Orden und auf ihre geistlich-geschichtliche Bedeutung für die Erneuerung der Kirche öffnet sich im Mittelalter der Sinn für die Kirche als Geschichte, und zwar für die Kirche, die nicht eingefleischt ist in die heilsgeschichtlich verstandene allgemeine Welt-Geschichte mit ihren sakralen Herrschaftsverhältnissen, sondern die den Auftrag ihres Herrn in immer neuer reformatio, renovatio, restauratio, als deren geschichtliche Träger in der Tat zwar nicht exklusiv, aber doch in besonderer Weise die Orden zu gelten haben, ausrichtet. Die Orientierung des monastischen Ideals an der vita apostolica, an der ecclesia primitiva kann dazu führen, daß eine allgemeine Dekadenz der Kirche hervorgehoben wird, und sie kann auf die immer neue Reform der Kirche in ihren immer neuen Verfallszeiten abheben, woraus sich auch das Bild ergeben kann, daß diese Reformen stufenförmig der Vervollkommnung zuführen. Daß der eigene Orden des Schriftstellers einen Vorrang hat, versteht sich. Bei Anselm von Havelberg (†1158) sind es die Prämonstratenser. Aber er sagt generell, daß jeder Orden «die Adlerjugend der Kirche erneuert», daß jeder Renovatio der Kirche ein Orden entspricht: «Tot novitates in ecclesia Dei... tot ordines in ea surgunt».[99] Besonders wichtig sind ihm die Zisterzienser und deren großer

Grundformen hochmittelalterlicher Geschichtsanschauung (München 1935) 51–72 («Die Sendung des Nationalstaates: Ord.Vitalis») und H.Wolter, der die in diesem Kapitel-Titel ausgedrückte Interpretation bestreitet, parallelisierend ausgleicht. Um eine die ganze Kirche in ihrer eigenen Geschichte darstellendes Werk handelt es sich sicher nicht. Vielmehr sind «Normannen- und Kirchengeschichte zu unlösbarer Einheit verbunden» (Spörl S.65). In diesem Sinne kritisch gegen H.Wolter auch H.Zimmermann, aaO. (Anm.46) 52. – Ob man im Mittelalter zunächst «bewußt» auf den Namen «Historia ecclesiastica» verzichtet hatte, wie es H.Zimmermann (S.42) mit einem «vielleicht» als möglich bezeichnete, kann man in Frage stellen, weil – ebenso «vielleicht» – ein solch bewußter Verzicht der intellektuellen Verfassung nicht entsprochen haben könnte. Aber mit Recht hebt der Verfasser die Bedeutung der Tatsache hervor, daß es bis zum 12.Jh. diesen Titel nicht mehr gab. Sein Wiederauftauchen zeigt zwar nicht in der Realisierung, aber im Vorhaben eine Wende an, die aber in der Geschichte des Problems nicht eine Art Vorstufe zur «Kirchengeschichte» ist.

[97] H. Jedin aaO. Handbuch (Anm.5) 28.

[98] Th.Schieffer aaO. (Anm.96) 337.

[99] Dialogi I, 10 (PL 188, 1157), zitiert bei J.Spörl, Grundformen ... aaO. (Anm.96) 28; Dial. I (ebd. 1147 C), zitiert bei K.Fina, Anselm von Havelberg: Analecta Praemonstratensia 32 (Tongerloo 1956) 69–101, 193–227; 33 (1957) 5–39, 268–301; 34 (1958)

Mann, Bernhard von Clairvaux. Ein teilweise eigentümliches kirchliches Geschichtsbewußtsein bildete sich bei den Franziskanern, das bei den extremen Spiritualen die hierarchische Verfassung der Kirche sprengte. Diese jedoch respektierend, hat Bonaventura († 1274) die geschichtliche Abfolge der Orden nach Stufen der geistlichen Vollkommenheit geordnet: der erste Orden sind die Söhne Benedikts, auf einer höheren Stufe der Geistzeit stehen die Dominikaner und die Franziskaner, aber der dritte und höchste Orden ist der «seraphische», der das Ideal des heiligen Franziskus verwirklicht.[100] Mit Recht hebt J. Spörl hervor, daß Anselm von Havelberg – im Unterschied zu seinem Zeitgenossen Otto von Freising – nichts vom Reichsgedanken schreibt, um so auffälliger, als er durchaus «im Stil des alten Reichsepiskopates»[101] lebt. So differenziert auch, wie die Studien über Cluny gezeigt haben, die monastische Reformbewegung in ihrem Verhältnis zur politischen Welt ist, sie hat schließlich ein für allemal die in der eusebianischen Reichstheologie begründete Auffassung von der Geschichte in Frage gestellt, sich der Kirche als solcher zugewendet und in den Orden Momente ihrer von der universalen Welt-Geschichte unterschiedenen spirituellen «Geschichte» gesehen.

Dieses Bild von der spirituellen Funktion der Orden in der Kirche als Geschichte ist von einem ausgeprägt eschatologischen Moment bestimmt; es beherrscht auch die auf die Zeit der Kirche ausgelegten Kommentare zur Apokalypse, die den universal-heilsgeschichtlichen Horizont der Zeitalterlehre auf die sechste aetas als die kirchliche Zeit konzentrieren. Wie die Reichstheologie bei Anselm entfällt, so tritt auch die Lehre von den vier Weltreichen zurück, oder sie wird, wie bei Gerhoh von Reichersberg († 1169), verworfen.[102] In der Apk hatte die Kirche eine neutestamentliche Aussage mystischer Art über die ihr bis zur Wiederkunft des Herrn bevorstehenden Ereignisse. Die Kommentare bezeichnen zunächst nur die Grenzen, Anfang und Ende der Kirchenzeit, und werden nicht zur «Betrachtung der Kirchengeschichte».[103] Doch werden zwei Ereignisgruppen näher be-

---

13–41; hier 34, S. 19. – Ob Anselm zu den «Symbolisten» gehört (J. Spörl) oder «frühwissenschaftlich» (K. Fina) ist, kann hier auf sich beruhen bleiben. Finas Polemik gegen J. Spörl rennt offene Türen ein, weil dieser selbst stark genug Anselms Sinn für die novitates hervorhebt, allerdings mit Recht weniger «modern» als Fina. Vgl. auch W. Kamlah, Apokalypse und Geschichtstheologie (vor Joachim von Fiore) = Hist. Studien 285 (Berlin 1935); dazu kritisch gegen moderne Implikationen: J. Ratzinger aaO. (Anm. 54); ders., Die Geschichtstheologie des hl. Bonaventura (München 1959), hebt im Kapitel über Anselm (104–106) hervor, daß Anselm an der patristischen Tradition anknüpft, die ecclesia mit Abel beginnen zu lassen.

[100] Hexaëmeron V, 144.

[101] K. Fina aaO. Band 33, S. 26.

[102] E. Meuthen, Der Geschichtssymbolismus Gerhohs von Reichersberg: Nachdruck Lammers aaO. (Anm. 54) 226.

[103] W. Kamlah aaO. (Anm. 99) 62 f.

zeichnet: Das Wachstum durch die Predigt und anderseits die Verfolgungen. Augustinus hatte drei Verfolgungen unterschieden: die offene Verfolgung bis Konstantin – die innere Verfolgung durch Häretiker und falsi fratres – den Antichrist. Bei Anselm von Havelberg entsprechen vor der Zeit des Antichrists drei Verfolgungen drei Momenten des Wachstums: Nach dem ersten status, der leuchtenden Zeit der Apostel (weißes Pferd der Apk), kommt 1. die Zeit der Verfolgung bis Konstantin, der von Stephanus an die Martyrer widerstehen (rotes Pferd), 2. als dritter status die Zeit der von Anselm beschriebenen Häretiker mit der Gegenwirkung der Kirchenväter und Konzilien (schwarzes Pferd) und 3. schließlich als vierter status die eigene Zeit mit den falsi fratres und hypocritae auf der einen und den Orden auf der anderen Seite. Der fünfte (über die Gegenwart hinausführende) status bleibt unbestimmt. Die beiden letzten status sind rein eschatologisch: der des Antichrists und der der beatitudo. Übrigens findet sich diese thematische Reihe ganz ähnlich schon bei Eusebius, der die Zeit Jesu mit den Aposteln und die nachapostolische Zeit in den Büchern I–III behandelt, dann nach den Bischofslisten die Häresien und Kirchenschriftsteller folgen läßt, den Verfolgungen die Martyrer gegenüberstellt (Bücher IV bis VII) und nach den «Verfogungen unserer Tage» (VIII und IX) im letzten Buch den Sieg der Gegenwart feiert. Zusammen mit dem u. a. von Augustinus verwendeten Ausdruck «falsi fratres» hat man hier die ganze geschichtliche Terminologie. Ganz ähnlich ist der Kommentar Richards von St. Viktor († 1173) angelegt, wo die ersten fünf Visionen der Akp «ad cursum temporis praesentis» und die beiden letzten «magis ad statum aeternitatis» gehören.[104]

Die in vielfacher Begründung und Auslegung angewandte Zahl sieben spielt eine bedeutsame Rolle auch in der trinitarischen Deutung der Heilsgeschichte, die in freilich sehr unterschiedlicher Weise zu Anfang des 12. und im 13. Jh. unternommen wurde, und in der die theologische Bestimmung der Zeit der Kirche ein zentrales Thema ist. Der Abt Rupert von Deutz († 1129/30) hat zwar an die Geschichte der Erlösung durch den Sohn «die vom Heiligen Geist bestimmte Heilsgeschichte in der mit Christus eröffneten Heilszeit der Welt» angeschlossen, aber dennoch innerhalb der patristischen Tradition noch «die Einheit der Christuszeit» gewahrt.[105] Alle trinitarischen Epochen haben sieben Perioden, von denen bei Rupert je die letzte «außerhalb der historischen Zeit» liegt: die Ruhe des Schöpfers, der Tod Christi, die Wiederkunft.[106] Höchst aufschlußreich für das theologische

---

[104] Zit. ebd. 45.

[105] J. Ratzinger, Bonaventura, aaO. (Anm. 99) 97–103, hier S. 99 und 102. Diese Seiten geben eine sehr gute Auskunft über die Geschichtstheologie des noch wenig erforschten Abtes Rupert. – M. Magrassi, Teologia e Storia nel pensiero de Rupert di Deutz (Rom 1959).

Problem der «Kirchengeschichte» ist es nun, daß die Zeit der Kirche nach den sieben Gaben des Heiligen Geistes aufgefaßt wird (Passion, Apostel, Absage Israels, Martyrer, «doctores»; dann folgen mit den Gaben der pietas und des timor Dei die eschatologischen Ereignisse der Bekehrung Israels und des Gerichtes). Einerseits wird hier chronologisiert, anderseits kann es sich angesichts der mystischen Einheit des Geistes in seinen Gaben gar nicht um historische «Zeiten» handeln. Das genau ist das theologisch-geschichtliche Problem bis heute geblieben. J. Ratzinger stimmt nachdenklich mit seiner Bemerkung, was geschehe, wenn die Gaben-Typologie durch eine andere ersetzt wird, wenn «die Kirchengeschichte zur Zeit neben anderen Zeiten wird» – eine Frage, die theologisch nicht grundsätzlich anders wird, aber sich verschärft, wenn an die Stelle irgendeiner Typologie die historische Methode tritt. Während K. Fina den «frühwissenschaftlichen» Anselm von Havelberg die sieben Perioden der letzten Weltzeit «mit echter Kirchengeschichte erfüllen» sieht,[107] stellt Ratzinger fest, es werde hier die Kirchengeschichte eine fortlaufende Heilsgeschichte, die mit Christus nur in ein neues Stadium tritt.[108] Ist damit nicht – wenn auch für eine ferne Zukunft – die Theologie eines F. Chr. Baur grundsätzlich ermöglicht? «Nahezu belanglos werden» sieht Ratzinger die Menschwerdung des Logos, wenn der Zeitgenosse Ruperts, Honorius Augustodunensis, «die Geschichte als einheitliche Linie durchkonstruiert»[109] und die «decem status ecclesiae» als fünf status vor Christus und als fünf status nach Christus (Apostel, Martyrer, Kirchenlehrer, Mönchsorden – seine eigene Zeit [dann der Antichrist]) auffaßt. Freilich wird man fragen müssen, was die Gehaltenheit an Texte des NT gegenüber solchem «durchkonstruieren» bedeutet, und auch fragen, ob denn Honorius nicht ebenso wie auch Bonaventura Christus in der Mitte der Zeit[110] statt am Ende der Zeit sieht, ferner fragen müssen, was dieses In-der-Mitte-Sein des auferstandenen Herrn bedeutet für das Verhältnis von Heilszeit und Weltzeit, und dieses nun angesichts der im trinitarischen Geschichtsbild auftretenden Parallelisierung von zwei historiae permixtae, der Israels und der der Kirche.

Auch Gerhoh von Reichersberg († 1169) hat die Geist-Zeit nach den «Gaben» in Epochen gegliedert und zugleich im AT nicht nur den Bezug auf Christus, sondern auch auf die Kirche gesehen, deren Zeit er mit der Zeit

---

[106] E. Meuthen aaO. (Anm. 102) 209.
[107] K. Fina aaO. Band 34, S. 36.
[108] J. Ratzinger, Bonaventura 105 f.
[109] Ebd. 103.
[110] Die Kontroverse zwischen O. Cullmann, W. Kamlah und A. Klempt über Beginn und theologische Bedeutung der Datierung ante Chr. natum ist zusammengestellt bei: O. Köhler, Der Neue Äon: Saeculum 12 (1961) 189. Klempt hat diese Datierung im Fasciculus temporum (1474) des Kölners Werner Rolevinck entdeckt. Die theologischen Voraussetzungen werden jedoch schon im 12. Jh. geschaffen.

Israels parallelisiert.[111] Ihre klassische Form hat diese – von Augustinus verworfene – Parallelisierung beim Abt Joachim von Fiore († 1202) gefunden,
der je 42 «Generationen» einander gegenüberstellt, ein System, das mit nicht
unwichtigen Varianten in den folgenden Jahrhunderten fortgesetzt wird.[112]
Joachims prophetische Übertragung des Verhältnisses von erster (AT) und
zweiter (NT) Heilszeit auf das Verhältnis von zweiter und dritter Heilszeit
(des Geistes) hat uns hier, so bedeutsam sie für die prophetische Auffassung
von der Zeit der Kirche ist, nicht zu beschäftigen. Wichtig aber ist für die
Frage nach der Kirchengeschichte die bei Joachim voll ausgeprägte Auffassung von Christus als «der Achse des Weltgeschehens». Sie wirkte tief in
das christliche Geschichtsverhältnis der folgenden Zeit hinein, nachdem das
dritte Zeitalter in der orthodoxen Dogmatik ausgeschieden war,[113] und hat
bei Bonaventura († 1274) eine wirkliche theologische und geschichtliche
Ausfaltung gefunden. In seinem Hexaëmeron hat er in Zuordnung zu den
mystischen Tempora originalia die Tempora figuralia des AT (ab Adam,
Noe, Abraham, Moses, David, Ezechias, Zorobabel) den Tempora gratiosa
des NT gegenübergestellt (ab Christus und den Aposteln, ab Papst Clemens I. bis Silvester mit der «pax Constantini», ab Silvester bis Papst Leo I.
mit der «descensio imperatoris Constantinopolim», ab Leo bis Gregor I.
mit Justinians Sieg und der Mission bei den nordischen Völkern, ab Gregor
bis Hadrian mit dem Schisma, ab Hadrian bis in die noch nicht abgeschlossene Gegenwart mit der victoria Caroli [magni] – schließlich a clamore angeli [nach Apk 10,6,7] noch hoc saeculo in eine Friedenszeit hinein, die
noch nicht der Friede des 8. Tages in Gottes Ewigkeit ist).[114] Neben der ad
Christum und a Christo laufenden Parallelisierung von Israel und Ecclesia
ist für eine «Theologie der Kirchengeschichte» besonders bedeutsam Bonaventuras aetates-Lehre, nämlich der Satz: Septima aetas currit cum sexta,
den er rezipiert und mit dem er die seither nicht kleiner gewordene crux
christiana zu begreifen sucht, daß nämlich die Weltzeit trotz der angebrochenen Heilszeit weiterläuft. Sie laufen nebeneinander und ineinander. «Seitdem es die Kirche gibt, gibt es auch diese geheime, glorreiche Nebenge-
schichte, die Geschichte des Himmels, und neben dem drangsalvollen,
mühseligen sechsten Tag läuft verborgen, aber wirklich die Herrlichkeit des
siebten Tages einher.»[115] Glorreich also – aber verborgen ist, was für die Zeit
der Kirche wesentlich ist. Kann sie also als «Kirchengeschichte» im Sinne
einer historischen Disziplin ausgemacht werden? Oder: kann Kirchenge-

---

[111] E. Meuthen aaO. (Anm. 102) 241 ff mit Belegen.
[112] So zählt z. B. der Tübinger J. Nauclerus († 1510) in seiner Weltchronik 63 Generationen vor und bis auf seine Zeit 51 nach Christus.
[113] J. Ratzinger, Bonaventura aaO. 108. Das Buch gibt einen vorzüglichen Überblick
zur Geschichtstheologie des 12. und 13. Jh.s, mit Lit.angaben.
[114] Ebd. die Tabelle auf S. 23. – Vgl. O. Köhler, Der Neue Äon aaO. 186–190.
[115] J. Ratzinger ebd. 17.

schichte als Heilsgeschichte geschrieben werden – auch oder gerade wenn die Zeit der Kirche der verborgen neben dem sechsten Tag laufende siebente ist?[116]

Es ist klar, daß die Parallele Israel-Ecclesia eine spekulativ-theologische und trotz ihrer Daten eine ganz und gar un-«historische» ist. Aber angesichts der – uns nur noch im historischen Verständnis zugänglichen – Geschichtstheologie des 12. und 13. Jh.s stellt sich die Frage, was diese Parallele hergibt für eine theologische Erhellung des Problems «Kirchengeschichte». Eusebius hat seine Kirchengeschichte als eine Sondergeschichte innerhalb der Geschichte des Imperiums dargestellt und konnte mit dem konstantinischen Sieg abschließen. Die mittelalterliche Historiographie hat – sicher aus gewichtigen, aber schwer zu ermittelnden Gründen – nichts für eine besondere Kirchengeschichte erbracht. Bemerkenswert an den oben aufgeführten Geschichtstheologen ist es nun, daß sie die Kirche als eine besondere Geschichte erkennen, sie nicht in der Zeitlosigkeit bloß endzeitlicher Betrachtung der civitas Dei lassen, sie vielmehr in ihren Ereignissen sehen, aber deren von der Welt-Geschichte des Reiches deutlich unterschiedenen heilsgeschichtlichen Charakter gesichert sehen wollen; dies soll durch die Analogie zwischen der im AT verbürgten Geschichte Israels bis auf Christus hin und der Geschichte der Kirche bis zur Wiederkunft des Herrn gewährleistet werden. Die trinitarische Spekulation ist nicht eine Reprise der Probleme in den trinitarischen Dogmen des 4. Jh.s, sondern vielmehr ein theologisches Medium, innerhalb dessen man die Tatsache, daß im 12. Jh. die Geschichte und darin auch die Geschichte der Kirche immer noch und immer noch andauert, verstehen will, und dies in einer geschichtlichen Situation, in der nach dem Investiturstreit (den Begriff pars pro toto gebraucht) die Identifikation von Heil und Welt im sakralen Königtum von Grund auf in Frage gestellt worden ist. Konstantin d. Gr. und Karl d. Gr. als der «zweite Konstantin» behalten durchaus ihre einmal in der Erinnerung gewonnene Stelle als herrscherliche Förderer des Heils, parallelisiert mit entsprechenden Größen Israels; aber den staufischen Herrschern der Reichsrestauration steht man mit einer Distanz gegenüber, die bis zur Verwerfung gehen kann.[117] Zweierlei darf man sich in der Ungeduld der Frage,

---

[116] Mit Recht hat A. Darlap in MS I, 12f die «Kirchengeschichte» nicht unter den «Weisen des Vollzuges dieser Heilsgeschichte» aufgeführt.

[117] Der Minorit Petrus Aureoli († 1322 Avignon) kann sagen: «Denn das römische Imperium war fast immer gegen den christlichen Glauben»; Zitat bei E. Benz, Ecclesia Spiritualis. Kirchenidee und Geschichtstheologie der franziskanischen Reform (Stuttgart 1934, ²1965) 456. Aureoli, dessen Epocheneinteilung der Zeit der Kirche für unser Thema nichts wesentlich Neues bringt, allerdings in der konkreten Ereignisfülle sich von den älteren Werken bemerkenswert abhebt, läßt das letzte, in seiner eigenen Zeit zu Ende gehende Millennium vor der Zeit des Antichrists mit Konstantin beginnen, «als Christus und seine Kirche zu herrschen begannen und die Kaiserwürde auf die Person des Papstes Silvester und die römische Kirche übertragen wurde» (Zitat ebd. 463). Aureoli zitiert

wann denn nun endlich eine historische Behandlung der Kirchengeschichte beginne, nicht verstellen lassen: Was immer bei diesen Geschichtstheologen historisch konstruiert ist, man sucht geschichtliche Ereignisse und man sucht *in* ihnen das Heilsgeschehen. Hier wird der Versuch unternommen, «Kirchengeschichte als Heilsgeschichte» zu begreifen, den der «aufgeklärte» und zugleich dogmatisch orientierte Kirchenhistoriker zu Recht nur mit einem Fragezeichen versehen[118] vortragen kann. Daß Israels Geschichte nicht wegen ihres konkreten Inhalts Offenbarungsgeschichte ist, weil es diesen Inhalt so oder ähnlich auch in anderen Völkern gibt, von dieser die moderne Geschichtswissenschaft voraussetzenden Interpretation[119] und damit auch Problematik trennt die Geschichtstheologen dieser Zeit eine Epoche. Der Rankesche Anspruch, von sich aus wissen zu wollen, wie es eigentlich gewesen ist, erscheint als eine Hybris, wenn es sich darum handelt, erkennen zu wollen, was nach Christus im Sinne des Heiles geschehen ist. Eine solche Erkenntnis muß im Glauben vorgegeben sein, d. h. konkret in den analogen Heilsereignissen im Volk Israel oder in der Prophetie der Apokalypse. In einen solchen Horizont werden historische Daten nach Christus «nur» eingetragen. Aber sie werden – entgegen allem «Spiritualismus» in der späteren Bedeutung dieses Begriffes – als wirkliche Daten eingetragen, und dies in Verbindung, wenn auch nicht in reichstheologischer Identifikation mit der Welt-Geschichte.

Von diesem in der Offenbarung gegründeten Ansatz her wurde die Entsprechung zwischen der ersten und der zweiten Heilszeit auf die unmittelbar erwartete dritte Heilszeit übertragen. War diese bei Joachim von Fiore noch innerhalb der hierarchischen Kirche vorgestellt, so führte die weitere Entwicklung, die durch die Apokalypse-Postille des Petrus Joh. Olivi († 1298) charakterisiert ist, zu jener «Ecclesia Spiritualis»,[120] angesichts derer eine geschichtliche Betrachtung der Kirche nur in defizienter Weise möglich ist. «Es steht fest, daß von Constantino an die Zeiten weder in geistlichen noch weltlichen Dingen jemals besser, sondern immer ärger und elender worden seyn.»[121] Gottfried Arnold (1666–1714) wird – die Linie der «Spiritualisten» Thomas Müntzer (1525 im Bauernkrieg hingerichtet), Sebastian Franck († 1542), Kaspar Schwenckfeld († 1561) fortsetzend und als Gesinnungs-

---

jeweils die Stelle in der Apk, beschreibt dann das geschichtliche Ereignis und zeigt in der conclusio, daß dieses die Erfüllung der Verheißung ist. Ob man von der «ersten noch während der spiritualen Kämpfe geschriebenen katholischen Kirchengeschichte» sprechen kann, «die nicht Chronik ist» (Benz 433), hängt vom Begriff «Kirchengeschichte» ab.

[118] H. Jedin, Kirchengeschichte als Heilsgeschichte?: Saeculum 5 (1954).

[119] A. Darlap: MS I, 150, auch 50.

[120] E. Benz aaO. (Anm. 117). Dort insbesondere die Darstellung des Petrus Joh. Olivi und des (anonymen) Gutachtens gegen dessen Postille, die im Prozeß 1317–1326 als häretisch verworfen wurde. Lit. bei V. Heynck: LThK VII (1962) 1149f.

[121] G. Arnold, Erste Liebe II, 233 ([3]1712).

freund des Pietisten Philipp Jakob Spener († 1705) – mit den Mitteln historischer Kritik die Kirche als Geschichte auflösen und darin in seiner «Un-
partheyischen Kirchen- und Ketzerhistorie» auch die reformatorischen Kirchen einbeziehen, diese Auflösung also prinzipiell unternehmen.[122]

Das Pendant zu diesem Anti-Institutionalismus war die Auffassung der
Kirchengeschichte als Geschichte des Papsttums, das in seiner radikalen Institutionalisierung durch die Kanonistik ein adäquater Gegenstand historischer Darstellung ist. Die «Historia pontificalis» (um 1165) des Johannes
von Salisbury († 1180) ist deshalb von besonderer Bedeutung, weil hier eine
eindeutige Kritik an der Sittenlosigkeit des Klerus bis hinauf zur Kurie, von
der auch das Mönchtum, ganz entgegen den geschichtstheologischen Deutungen, nicht ausgenommen ist, sich verbindet mit einer Interpretation des
Papsttums, die unbeschadet aller einzelnen Kritik an päpstlicher Politik in
dieser Institution «den Wahrer der Einheit und Ordnung der Kirche und
des Orbis, den Hüter von pax und serenitas schlechtweg» sieht. Nicht weniger bedeutend ist die von den Geschichtstheologen grundsätzlich verschiedene Art der Abwendung vom mittelalterlich-augustinischen Geschichtsbild: «Der Antichrist als eschatologische Vorstellung... spielt bei Johannes
von Salisbury keine Rolle.»[123] Dieser Begriff der Kirche, die kaum unmittelbar, sondern nur im Zusammenhang mit der Gnadenlehre und der Christologie Thema der Scholastik war, so daß «die Lehre von der Kirche nicht
in die Systematik des Theologischen Denkens aufgenommen wurde»,[124]
stellte in seiner rein kanonistischen Form die theoretische Grundlage[125] für
die Papstgeschichten des Spätmittelalters bereit, für die Ptolomäus von
Lucca († 1326) mit seiner «Historia ecclesiastica nova» (1313/17), worin das
Regnum Christi mit dem Regnum Pontificium identifiziert wird,[126] repräsentativ ist. Diese Auffassung von der Kirche und ihrer Geschichte wirkt
über die «Annales ecclesiastici» (1580–1607) des Baronius, die zwar nicht,

---

[122] E. Seeberg, Gottfried Arnold (Meerane 1923; Neudruck 1964); P. Meinhold aaO.
(Anm. 10) I, 430–433.

[123] J. Spörl, Grundformen aaO. (Anm. 96) 73–113, hier S. 90, S. 93; H. Hohenleutner,
J. of Salisbury in der Lit. der letzten 10 Jahre: Hist. Jahrbuch 77 (1958) 493–500.

[124] J. Ratzinger, Kirche: LThK VI (1961) 173 f.

[125] F. Merzbacher, Wandlungen des Kirchenbegriffs im Spätmittelalter: Zs. d. Savigny-
Stiftung, Kanonist. Abt. 70 (Weimar 1953) 274–361. Dort die wichtigsten Schriften:
Aegidius Romanus, De ecclesiastica sive de summi portificis potestate (1302; in Bezug auf
Bonifaz VIII.: Omnes ergo homines et omnes possessiones sunt sub dominio ecclesiae
[2, cap. II; Ed. Scholz S. 99]); Augustinus Triumphus († 1328), Summa de potestate
ecclesiastica; Alvaro Pelayo († 1352), De statu et planctu ecclesiae (neben traditioneller
Brautmystik: papa ergo successor est Christi, non ecclesia [I, art. 31]); Juan de Torque-
mada († 1468), Summa de ecclesia (die Kirche als Republica christiana, jedoch der Papst
nicht «eine Art Universalsouverän» [Merzbacher 315 ff]). Bei Merzbacher auch die
Geschichte des konziliaren Kirchenbegriffs.

[126] H. Jedin, Handbuch aaO. (Anm. 5) 29.

wie gesagt wurde, Geschichte des Papsttums sind, sich aber darauf konzentrieren,[127] weiter bis in die neueren Darstellungen der Kirchengeschichte, in denen häufig jede Periode mit der Behandlung des Papsttums beginnt. Der ansonsten nicht bedeutende Elsässer Michael Buchinger hinterließ mit seiner Historia ecclesiastica (1560) ein repräsentatives Beispiel, weil sie die Umarbeitung eines Traktates «De ecclesia» (1556) in eine Papstgeschichte ist.

Der Kreis ist durchlaufen. Im Rückgang bis Eusebius begegnet der Titel «Kirchengeschichte», aber die Kirche als Geschichte eigener Art wird unter diesem Titel nicht angetroffen, weil sie, auf je verschiedene Weise, in die heilsgeschichtlich interpretierte Welt-Geschichte integriert ist. Im Zuge der «Diastase» von regnum und sacerdotium, von sakral-politischer Welt und geistlichem Daseinsraum, die in wechselseitiger Imitation ihre Formen und Deutungsworte ausgetauscht und vermischt hatten, kommt die Kirche als Geschichte in den Blick, aber nun so, daß die Geschichtstheologie des 12. 13. Jh.s die Zeit der Kirche in der Analogie zu Israel oder aus der Prophetie des NT ermittelt und die in der mittelalterlichen Historiographie vermerkten Daten in diesen Bezugsrahmen einordnet. So kann die Zeit der Kirche als heilsgeschichtliche Zeit verstanden werden. Dieser Ansatz verläuft im Spiritualismus und später im Pietismus, wo die äußere Erscheinung der Kirche Gegenstand absoluter Kritik ist und zur weltlichen Geschichte gehört. Der kanonistische Begriff der Kirche führt nach einem Vorgang bei Johannes von Salisbury zur spätmittelalterlichen Papstgeschichte. Das antiquarische Interesse des Humanismus einerseits und das kontroverstheologische Interesse, das jeweilige Kirchenverständnis geschichtlich zu belegen, anderseits lassen die Kirche zum reflektierten Gegenstand historischer Betrachtung werden, ein Prozeß, der nach einem differenzierten und noch näher zu erforschenden Vorgang im 16. und 17. Jh. dann im Zeitalter der Aufklärung zu einer universalen Darstellung der Kirchengeschichte mit geschichtswissenschaftlichen Methoden führt. Daß aber im gleichen Zuge «Geschichte» – als Einheit des Geschehens und des Verstehens des Geschehenen – einen fundamentalen Wandel durchmacht, der hier nicht darzulegen ist, dies ist von einer noch längst nicht erforschten und kaum überschätzbaren Bedeutung für das Wort «Geschichte» in der Verbindung mit Kirchen-Geschichte und Heils-Geschichte. Die Problematik dieser Verbindung, mit deren Skizzierung diese Abhandlung begonnen wurde, kommt in der Kirchengeschichtswissenschaft des 19. und 20. Jh.s zutage.

Die protestantische Kirchengeschichte hat es auf ihrem Wege von der Geschichtsauffassung der Aufklärung bis zu Karl Barths Kritik des Historismus innerhalb des Gesamtprozesses der protestantischen Theologie

---

[127] So zurechtrückend H. Zimmermann aaO. (Anm. 46) 75.

unternommen, in immer neuen und verschiedenartigen Ansätzen die Einheit zwischen dem modernen Verständnis der Geschichte und einem theologischen Verständnis der Kirche in ihr zu sichern.[128] Dieses Unternehmen ist in der großartigen, nicht nur intellektuellen, sondern durchaus religiösen Anstrengung des Geistes bewunderungswürdig. Es spielt sich bezeichnenderweise hauptsächlich im Lande der Philosophie des Deutschen Idealismus ab, die sich entgegen dem westeuropäischen Positivismus dem Problem der *einen* Geschichte Gottes und des Menschen weiterhin stellte und die Konfrontation zwischen der Aufklärung einerseits – von deren «Überwindung» zu sprechen, obwohl sie für niemand in Wirklichkeit überwunden ist, eine trotzdem immer wiederholte literarische Figur ist – und der Theologie anderseits nicht preisgab. Da sich das Unternehmen in dem großen, nach «rechts» und nach «links» und bis in die Gegenwart fallenden Schatten Hegels vollzieht, kann man das Problem im Werk Ferdinand Christian Baurs († 1860) – ganz abgesehen von seinen hierher gehörenden «Epochen der kirchlichen Geschichtsschreibung» – repräsentativ dargestellt finden, welche Positionen immer auch in der weiteren Geschichte an die Stelle des Baurschen Hegelianismus traten. In einer Arbeit von Wolfgang Geiger wurde das Abzulesende prägnant formuliert.[129] Weil für Baur noch das moderne Selbstbewußtsein das Christentum *selbst* ist, ja weil für ihn dieses Bewußtsein «ohne ein wesentlich christliches zu seyn, in sich selbst keinen Halt und Bestand hätte», während dann später die liberale Theologie das «Weltliche» entläßt und dem Christentum daneben einen Raum freihalten will,[130] kann am Werk dieses idealistisch-theologischen Kirchenhistorikers die Grundproblematik des ganzen Unternehmens eingesehen werden. Er hat «die Theologie in Geschichte aufgelöst»,[131] womit die Frage nach der Zeit der Kirche sich aufhebt, sie aber dennoch theologischer Gegenstand bleiben kann, eben weil es keine Differenz zwischen Theologie und Ge-

---

[128] Diese Entwicklung ist gut dokumentiert bei P. Meinhold aaO. (Anm. 10) II, 11 bis 408. Bei J. L. Mosheim († 1755) und noch entschiedener bei J. S. Semler († 1791) wird die Kirche als säkulare Gesellschaft, bei J. M. Schroeckh († 1808) im Rahmen der allgemeinen Religionsgeschichte behandelt. G. J. Planck († 1833) hat im Sinne der Aufklärung eine «Geschichte der christlich-kirchlichen Gesellschaftsverfassung» und eine von der Fortschrittsidee bestimmte Theologiegeschichte von der Konkordienformel bis zur Mitte des 18. Jh.s verfaßt. Vom Pietismus kommend, hat F. D. E. Schleiermacher († 1834) Impulse der Frühromantik aufgenommen und das «christlich fromme Selbstbewußtsein» in den Mittelpunkt gestellt, während F. Chr. Baur († 1860) das Selbstbewußtsein der Hegelschen Philosophie mit dem Christentum identifiziert. Von der Auflösung der Theologie in Geschichte führt der Weg, freilich in differenzierten Windungen, zum theologischen Historismus.

[129] W. Geiger, Spekulation und Kritik. Die Geschichtstheologie F. Chr. Baurs (München 1964).

[130] Ebd. 232.

[131] Ebd. 242.

schichte gibt. Weil es aber diese Differenz bei F.Chr. Baur nicht gibt, wird die für den christlichen Glauben wesentliche Einsicht verbaut, daß die Offenbarung im biblischen Wort «in die Geschichte eingeht, aber als die Offenbarung nicht umgekehrt von uns her durch die Geschichte zu erschließen ist»,[132] was anderseits freilich auch heißt, daß die Kirchengeschichte historisch nicht als Heilsgeschichte zu ermitteln ist.

Durch das ganze Unternehmen, Glaube und Geschichte (im modernen Sinn des Begriffes) zu versöhnen, zieht sich seit dem 19. Jh. der anwachsende Versuch, die Kirchengeschichte innerhalb der allgemeinen Weltgeschichte, wie sie von der Aufklärung gesichtet wurde, zu begreifen und zugleich von daher in der universalen Geschichte einen religiösen Sinn aufzudecken. Darnach hat «der christliche Geist die Bestimmung und die Macht, in der Entfaltung seines unendlichen Inhaltes und in der Aneignung alles Menschlichen zum religiösen Geist der Menschheit zu werden».[133] Nachdem im 20. Jh. die globale Interdependenz alles Geschehens vor die Frage nach der Geschichte als Weltgeschichte und nach ihrem inneren verbindenden Moment gezwungen hat, schien sich die Möglichkeit eines universalen Entwurfes zu eröffnen, in dem die Frage nach der Weltgeschichte und die Frage nach der Kirchengeschichte in einem einer Antwort zuführbar sein könnte. «Welt-, Kirchen- und Heilsgeschichte verhalten sich untereinander wie drei konzentrische Kreise», deren «innerster» die Heilsgeschichte ist.[134] Von Weltgeschichte kann darnach erst gesprochen werden, wenn die Geschichtsmächte mit der universalen Kirche in Berührung gekommen sind, und sie kann als Einheit nur von der Kirchengeschichte her aufgefaßt werden. Ähnlich wie P.Meinhold hat ein katholischer Theologe die Auffassung vertreten, daß «der Kirchenhistoriker die ganze Weltgeschichte in die Kirchengeschichte als universale Heilsgeschichte integriert, weil die Weltgeschichte erst im Heilsgeschehen Christi ihre letzte Erklärung und Erfüllung findet».[135] Wenn solche Versuche nicht auf eine Wiederholung der mittelalterlichen Weltchronik auf einer höheren Spiralenwindung hinauslaufen sollen, wird man streng unterscheiden müssen: 1. Sicher weiß sich die Kirche mit ihrer Heilsbotschaft in die ganze Welt und so in die «Weltgeschichte» gesandt, innerhalb deren, wenn auch für den Historiker in der Wirkung nicht ausmachbar, die Heilsgeschichte als die Ausrichtung dieser Botschaft geschieht; 2. die unbestreitbare Bedeutung des Christentums für die Formation der einen Welt im Ausbruch Europas ist ein welt-geschichtlicher Vorgang, zu dessen Interpretation gewiß eine *religionsgeschichtliche* Dif-

[132] Ebd. 241.
[133] K. von Hase (1800–1890), Kirchengeschichte (Leipzig [12]1900), Einleitung § 4.
[134] P.Meinhold, Weltgeschichte – Kirchengeschichte – Heilsgeschichte: Saeculum Bd.9 (1958) 280.
[135] G.Denzler, Kirchengeschichte: E.Neuhäusler und E.Gößmann (Hrsg.), Was ist Theologie? (München 1966) 138–168, hier S.139.

ferenzierung des Christentums gehört; 3. es ist möglich, diesen Vorgang in die *theologische* Deutung der mit den Mitteln der historischen Methode zu erforschenden Kirchengeschichte einzubeziehen und in dieser Deutung zu versuchen, eine *Korrespondenz* zwischen der Heilsgeschichte und dem Gang der Weltgeschichte[136] und einen *Hinweis* auf die eschatologische Verheißung zu erspüren, ohne daß aber selbst in dieser theologischen Deutung die kategoriale Unterschiedenheit von Heils-Geschichte und Welt-Geschichte eingeebnet werden kann. Gerade diese kategoriale Differenz ist es ja, die in der Auflösung der mittelalterlichen Identifikation auf dem Wege von der Aufklärung bis in die Gegenwart gefunden wurde. Was immer auf diesem Wege geschah, dieses Erbe sollte nicht preisgegeben werden, und zwar aus theologischen Gründen.

Der katholischen Kirchengeschichtsschreibung war zunächst die sich auf die ganze Kirche auswirkende Ratio studiorum (1599) der Jesuiten entgegengestanden, in die das Studium der Geschichte bewußt nicht aufgenommen wurde. Diese Bildungspolitik hatte dann in den staatskirchlichen Studienreformen des 18. Jh.s zu kirchlichen Verlegenheiten geführt. Trotzdem ist es fraglich, ob man sagen kann, es wäre die Aufklärung ohne diese Ausklammerung des Geschichtsstudiums vielleicht in andere Bahnen gelenkt worden.[137] Man ist heute im Rückblick sogar versucht zu sagen, daß der Ordensgeneral Aquaviva zwar im Vertrauen auf das aristotelisch-scholastische System ein hoffnungsloser Reaktionär war, daß er aber vielleicht mehr von dem heraufziehenden Dilemma zwischen Glauben und Geschichte ahnte als die arglosen Historiker damals. Es erschienen bis zum Anfang des 19. Jh.s mehrere katholische Darstellungen der Kirchengeschichte, in Deutschland auch Übersetzungen, die mehr oder weniger Einflüsse der Aufklärung aufweisen und bei kirchlichem Charakter eine stark apologetische Tendenz verfolgen, teilweise aber auch irenisch gesinnt sind.[138] In einer entschiedenen Wendung gegen die Aufklärung will die «Geschichte der Religion Jesu Christi» (15 Bände, 1806/18) von Friedrich Leopold zu Stolberg (1750–1819) das «innere Geschehen zwischen Gott und der Menschheit» mit historischen Mitteln zum Thema machen, Kirchengeschichte also als Heilsgeschichte darstellen.[139]

---

[136] O. Köhler, Weltgeschichte: Sacramentum Mundi IV (1969) 1323–1338.

[137] E. C. Scherer aaO. (Anm. 41) 388. – Dieses Buch hat, wie dann später die Arbeit von L. Scheffczyk aaO. (Anm. 6), das große Verdienst, die Erforschung der kath. Kirchenhistoriographie gefördert zu haben, die W. Nigg (aaO. Anm. 50) bewußt übergeht, weil er nur «epochemachende Werke» (S. 70) behandeln will und solches im Katholizismus nicht finden zu können glaubt.

[138] Vgl. dazu die bei L. Scheffczyk, der Stolberg in einen großen Rahmen stellt, aufgeführten Werke. Am Rande wird auch die nicht-deutsche Kirchengeschichtsschreibung berücksichtigt (vgl. in dieser Abh. die Anmerkung 45).

[139] L. Scheffczyk aaO. 50.

Sehr viel bedeutsamer ist der in bestimmter Weise den oben mit F.Chr. Baur repräsentierten protestantischen Bestrebungen vergleichbare Versuch der katholischen Tübinger Schule, das Verhältnis von Theologie und Geschichte zu klären. Eine der wichtigsten Gestalten ist der Kirchenhistoriker Johann Adam Möhler (1796–1838), nicht zuletzt deshalb, weil er in den drei Stadien seines Lebens, dem von der Aufklärung inspirierten kirchensoziologisch, dem ohne Hegel nicht denkbaren pneumatologisch und dem christologisch orientierten, die Sache selbst in ihrer ganzen Ausgespanntheit darstellt, weshalb auch immer der ganze Möhler gesehen werden und nicht der eine gegen den anderen ausgespielt werden sollte.[140] Sehr aufschlußreich sind die Korrekturen im Manuskript seiner kirchengeschichtlichen Vorlesung von 1823, die noch stark moralistisch ausgerichtet war, und nun in diesen etwa aus der Zeit von 1825 stammenden Korrekturen[141] jene Wende anzeigt, die Möhler in seinem Buch «Die Einheit in der Kirche oder das Prinzip des Katholizismus. Dargestellt im Geiste der Kirchenväter der drei ersten Jahrhunderte» vollzogen hat. Entsprechend dem Satz: «... die Kirche ist die äußere sichtbare Gestaltung einer heiligen lebendigen Kraft, der Liebe, die der Heilige Geist mitteilt, der Körper des von innen heraus sich bildenden Geistes der Gläubigen», der Körper, in dem der Bischof «das Person gewordene Abbild der Liebe der Gemeinde» ist,[142] entwirft Möhler die vier Zeitalter der Kirchengeschichte: I. (bis zum 6. Jh.) «Das Zeitalter der Entwicklung und der Entfaltung der Einheit des christlichen Lebens» – II. (bis zum 16. Jh.) «Das Zeitalter der ruhenden und stehenden Einheit» – III. (bis zur Gegenwart) «Das Zeitalter der steten Sollizitation zur Auflösung der Einheit» – IV. (Zukunft) «Das Zeitalter der Wiedergewinnung, der Rückkehr zur Einheit.»[143] Die Abfolge der Zeitalter

---

[140] Ausgaben und Lit. bei J.R.Geiselmann, J.A.Möhler: LThK VII (1962) 521f. «Der geschichtstheologische Entwurf der Tübinger Schule» ist ein Abschnitt (S.21–48) in dem Buch von P.Hünermann, Der Durchbruch geschichtlichen Denkens im 19.Jahrhundert (Freiburg i.Br. 1967), wo in eindringlicher Analyse an J.G.Droysen, W.Dilthey und P.Yorck von Wartenburg auch der Nachklang des Problems gezeigt wird, das in dieser Abhandlung beim Kirchenhistoriker F.Chr.Baur begegnete. Die Bemerkung über J.A.Möhler, es fänden sich bei ihm, «der sich selbst vornehmlich als Kirchengeschichtler verstanden hat, wenig Ansätze, das Problem der Geschichte und die Frage nach der Geschichtlichkeit des Christentums zu klären» (S.21, in Anm.1), verweist stillschweigend auf die ganze Geschichte des Problems «Kirchengeschichte» seit Eusebius, eines Problems, mit dem zwar der Kirchenhistoriker in anderer Weise zu leben hat als der moderne Geschichtstheologe, zu dessen Erhellung aber beide wechselseitig beitragen sollten.

[141] J.R.Geiselmann, Der Wandel des Kirchenbewußtseins ... J.A.Möhlers: J.Daniélou, H.Vorgrimler (Hrsg.), Sentire ecclesiam (Freiburg i.Br. 1961) 531–675, die Korrekturen erstmals publiziert auf S. 535–538.

[142] J.A.Möhler, Die Einheit..., Ausg.u.Kommentar von J.R.Geiselmann (Olten 1957) 167.

[143] Ediert von J.R.Geiselmann: Geist des Christentums und des Katholizismus (Mainz 1940) 394.

ist als ein Prozeß vorgestellt, dessen Dialektik Möhler freilich vom Heiligen
Geist geleitet sieht. In der Einleitung zur Vorlesung von 1833/34 dagegen
heißt es: «Diese Hineinarbeitung des menschlichen Geistes in den Inhalt
des Christentums, objektiv betrachtet, macht seine Geschichte aus. Also
nicht konnte die Glaubenswahrheit, objektiv betrachtet, sich verändern,
sondern der menschliche Geist».[144] Daraus ergibt sich als Konsequenz für
die Periodisierung der Kirchengeschichte: Ihre Momente sind dann die
Kulturen (die griechisch-römische bis zum 8. Jh., die germanische bis zum
15. Jh., von da ab die «Verschmelzung» beider). Die theologische Prämisse
mußte freilich nicht gerade zu dieser Periodisierung führen, die in ihrer
Gliederung nach «Altertum–Mittelalter–Neuzeit» historisch zu Recht in
Frage gestellt wurde. Auch will Möhler nicht etwa die Geschichte der Kirche
von den Kulturen («Bildungen») her sehen, vielmehr in diesen Kulturen die
besonderen geschichtlichen Erscheinungsformen der Kirche. Von dieser
theologischen Prämisse her lassen sich auch andere Periodisierungen gewinnen, in denen die innere Geschichte der Kirche selbst stärker berücksichtigt wird, freilich immer nur jene Geschichte, in der die unveränderliche
«Glaubenswahrheit» dem «veränderlichen menschlichen Geist» gegenübersteht, welcher Geist jedoch – und dies ist die Merkwürdigkeit der Prämisse – «in den Inhalt des Christentums hineingearbeitet wird», so daß also
offenkundig dieser «Inhalt» und die «Glaubenswahrheit» nicht kongruent
sind. Nun liegt es im Wesen der göttlichen Offenbarung, daß sie dem
menschlichen Geist zugänglich ist und zugleich von ihm nicht voll eingeholt werden kann; indem aber die «Glaubenswahrheit» statisch definiert
wird, und nicht als die vom Heiligen Geist in ihrer Selbigkeit zugleich be-
wegte, erscheint sie als der geschichtslose Block im geschichtlichen «Inhalt
des Christentums». So werden wir von J. A. Möhler auf die Problematik
zurückgeführt, mit der diese Abhandlung begonnen hat, von einem Theologen jedoch, der zuvor von seinem pneumatologischen Kirchenbegriff her
versucht hatte, im Moment der dynamisch aufgefaßten geistlichen «Einheit» Kirchengeschichte als Heilsgeschichte zu verstehen. Diese Wende
mag biographische Gründe haben (Wechsel von Tübingen nach München),
und sie mag allgemein geistesgeschichtlich begründet sein in der aufsteigen-
den Neuscholastik, in der es für das geschichtliche Denken der «Tübinger
Schule» keinen Platz gab. Aber man wird vorab daran zu denken haben,
daß es sich hier um einen Kirchenhistoriker handelt, der nicht nur, wohl
nicht einmal in erster Linie, in der Spekulation über einen pneumatologischen oder christologischen Kirchenbegriff seinen Weg zu suchen hatte,
sondern als theologischer Historiker, dessen Aufgabe es ist, den geschichtlichen Gang der Kirche darzustellen. Dabei kann man sich gewiß nicht be-

[144] Ebd. 490. – J. A. Möhlers Vorlesungen zur Kirchengeschichte sind (unkritisch)
hrsg. von P. B. Gams, 3 Bde. (Regensburg 1867/68).

ruhigen. Vielmehr hat J. A. Möhler, der in der (nicht sehr freundlichen) Nachbarschaft mit seinem Generationsgenossen F. Chr. Baur die Geschichte der Kirche im Vollsinn theologisch zu begreifen suchte, statt die Theologie in Geschichte aufzulösen, das Problem «Kirchengeschichte», an dem manche Rede von der «Geschichtlichkeit» vorbeigeht, buchstäblich durchlebt, ohne daß auch er seine Aporie auflösen konnte. Der Wechsel Möhlers von der Periodisierung nach den Momenten der «Einheit» der Kirche zur Periodisierung nach den umgebenden «Kulturen» stellt diese Aporie in aller Schärfe dar.

3. Epochen und «Zeitstrukturen» der Kirchengeschichte

Die Geschichte der Kirchengeschichtsschreibung, innerhalb deren – scheinbar paradoxer Weise – jene Phase, in der es sie nicht gibt (Mittelalter), von besonderer Bedeutung ist, weil sie auf den Grund des Problems «Kirchengeschichte» führt, ist ein wesentlicher Teil der Geschichte des kirchlichen Selbstverständnisses überhaupt und die Geschichte ihres Selbstverständnisses als Geschichte im besonderen. Insofern bezeichnet diese Geschichte – und dies in einer dem Gegenstand adäquaten Weise – die Epochen der Geschichte der Kirche selbst. Gewiß kann nicht allein von dieser Geschichte her die Frage nach den Epochen der Kirchengeschichte gestellt werden, weil die Kirchengeschichte als Ereignisgeschichte und nicht nur als Geschichte der Reflexion ihrer Geschichte aufzufassen ist. Aber es scheint doch so zu sein, daß diese Reflexionsgeschichte, diese Geschichte der «Kirche als Geschichte», mehr über den eigentümlichen Ort der Kirche in der Welt-Geschichte auszusagen vermag als die Geschichte der kirchlichen Ereignisse, die nicht nur letztlich undeutlich sind im Sinne der Profanhistorie, sondern eine spezifische Undeutlichkeit aufweisen, wenn sie theologisch zum Gegenstand gemacht werden, nämlich die Undeutlichkeit des Verhältnisses zwischen «göttlichem Faktor» und «menschlichem Faktor», um es bei dieser selbst wieder undeutlichen Redeweise zu belassen. Natürlich ist auch die Geschichte der «Kirche als Geschichte» undeutlich, aber in ihrer Betrachtung wird diese Undeutlichkeit zum Thema, und in ihrer letzten Phase, seit der Aufklärung, kommt es an den Tag, daß der Begriff «Geschichte» nicht univok gebraucht werden kann, weshalb die Verbindungen Heils-Geschichte und Kirchen-Geschichte nicht unkritisch hergestellt werden können.

Diese Voraussetzung ist zu machen, wenn man versuchen will, Epochen nicht nur des kirchlichen Selbstverständnisses, sondern der zweitausendjährigen Ereignisgeschichte der Kirche zu ermitteln. Eine theologische

Periodisierung der Kirchengeschichte[145] ist im strengen Sinn des Begriffes der Theologie nach der aufgeklärten Auffassung von Geschichte verunmöglicht, also von da an, wo nicht nur die regionale, sondern die universale Geschichte wissenschaftlicher Gegenstand geworden ist. Damit ist nichts darüber ausgemacht, inwiefern zwar der *Glaube* nicht oder nur unter Verdrängung hinter die Aufklärung zurückzugehen, aber auch und gerade angesichts dieses Umstandes eine jede weltliche Auffassung von der Geschichte insgesamt und der Kirchengeschichte im besonderen zu übersteigen vermag. Solches ist der *Wissenschaft* und also auch der Kirchengeschichte als historischer Disziplin versagt. Die Epochen der Kirchengeschichte lassen sich also nur als «weltgeschichtliche» Epochen ermitteln und sind solche auch dann, wenn sie mit Recht nicht, jedenfalls nicht *nur* von der allgemeinen Geschichte her, sondern aus dem spezifischen Gang der Kirchengeschichte bestimmt werden, wie sehr auch Kirchengeschichte und allgemeine Geschichte in einem freilich je verschiedenen Zusammenhang stehen.

Eben dieser Geschehenszusammenhang kann insofern zum Horizont einer Periodisierung werden, als man in den Wandlungen des *Verhältnisses von Kirche und Welt*[146] den Bestimmungsgrund der Epochen erblicken will, also in den Wandlungen von der jedenfalls zeitweisen Verfolgung der Kirche zur Teilhabe der Kirche an der herrschaftlichen Welt und damit an der blutigen oder unblutigen Verfolgung Andersdenkender. Es hatte einen guten Grund, wenn in der reformatorischen Auffassung der Kirchengeschichte überwiegend Konstantin d. Gr. als Beginn der Dekadenz der alten Kirche bezeichnet würde (die Rede von der «konstantinischen Wende» ist so neu gar nicht, wie sie meint). Eliminiert man die mit der reformatorischen Dekadenztheorie verbundene Ekklesiologie, dann bleibt immer noch übrig, daß mit Konstantin und vollendet mit Theodosius jenes Verhältnis der Kirche zur Welt konstituiert wurde, das bis zur Französischen Revolution politisch in Geltung blieb und erst mit der modernen Trennung von Kirche und Staat zu Ende ging. Der kirchliche Widerstand gegen diese Trennung durchzieht noch das 19. Jh. und reicht teilweise mit der rechtlichen Sonderstellung der Kirchen im Staat noch ins 20. Jh. hinein. Es ist leicht abzusehen, wann auch die letzten Reste der «konstantinischen Kirche» dahin sein werden und trotz Konkordaten nicht mehr gehalten werden können.

Daß mit Recht auf Zeugnisse eines nicht nur indifferenten, sondern so-

[145] E. Göller, Die Perioden der Kirchengeschichte und die epochale Stellung des Mittelalters (Freiburg i. Br. 1919); K. Heußi, Altertum, Mittelalter und Neuzeit in der Kirchengeschichte (Tübingen 1921); O. E. Straßer, Les périodes et les époques de l'histoire de l'église: RHPhR 30 (1950) 290–304. – Zum theologischen Problem einer Periodisierung vgl. Anm. 158.

[146] Vgl. hierzu die Darstellungen der Kirchengeschichte, die fast alle das Weltverhältnis der Kirche ihrer Periodisierung zugrunde legen (vgl. Anm. 5).

gar theologisch gerechtfertigten positiven Verhältnisses der vor-konstantinischen Kirche zum Imperium Romanum hingewiesen wurde, darf nicht
die Einsicht verstellen, daß dieses positive Verhältnis seit Konstantin nicht
nur graduell, sondern wesentlich in Richtung auf das *eine* kirchliche und
politische corpus christianum hin gesteigert wurde, innerhalb dessen religiöse und politische Wertvorstellungen wechselweise austauschbar waren.
In der Pespektive des Verhältnisses von Kirche und Welt ergibt sich eine
deutliche Periodisierung nach der vor-konstantinischen, der konstantinischen und der nach-konstantinischen Zeit der Kirche.[147] Einer solchen
Periodisierung widerspricht es durchaus nicht, daß die Kirche vor allem im
Abendland, aber auch – wenngleich in geringerem Maße – im byzantinischen Reich immer wieder ihren Widerstand gegen die politische Gewalt
eingesetzt hat, mit fundamentalen Folgen durch Papst Gregor VII., oft im
Interesse des eigenen Herrschaftsanspruches, aber oft auch als Kritik der
Gewalt von der Grundlage des Evangeliums her. Jedoch dieser Widerspruch blieb systemimmanent, so daß etwa das Papsttum gegenüber den
Reformatoren nicht nur biblisch als Nachfolge Petri, sondern auch «polito-
logisch» mit der Analogie zum monarchischen Staat gerechtfertigt werden
konnte. Gegen diese Analogie hat sich der frühe Martin Luther leidenschaftlich gewehrt; aber er mußte in den späteren Jahren vor den «iuristae»
der Landeskirchen kapitulieren und resigniert feststellen, es mische sich
nun die politia in die ecclesia ebenso ein wie zuvor die ecclesia in die politia.
Auch die reformatorischen Kirchen blieben bis zur Revolution trotz aller
spirituellen Momente ihres Kirchenbegriffes innerhalb der konstantinischen
Interdependenz von kirchlicher und politischer Gesellschaft. Die gegenwärtige romantische Idealisierung der vorkonstantinischen Zeit der Kirche
freilich verführt nicht nur zur Utopie, es könne diese Gestalt der Kirche
restauriert werden, sondern verkennt auch die Größe einer nach dem Prinzip «Wie oben so unten» gestalteten Welt sakraler Herrschaft des Königtums
und der Kirche, einem Prinzip, das heidnischen Ursprungs ist, aber auch in
der «konstantinischen Kirche» immer in Konkurrenz stand mit der Spreng-
kraft des Wortes, daß das von Christus verkündete Reich «nicht von dieser
Welt» ist.

   Innerhalb der konstantinischen Zeit der Kirche sind zwei Perioden des
Verhältnisses von Kirche und Welt zu unterscheiden. In der ersten Periode
läßt sich die Kirche auf die voll ausgebildete Hochkultur der griechisch-
römischen Spätantike ein. Dieser Prozeß beginnt bereits vor Konstantin mit
den Apologeten, die teils antipolemisch die Kirche gegen die intellektuelle
und politische Verfolgung verteidigen, teils aber auch der spätantiken Gei-
steswelt in missionarischer Akkomodation begegnen. Eine neue Stufe er-

----

[147] K. Aland, Das Konstantinische Zeitalter: Kirchengeschichtliche Entwürfe (Gütersloh 1960) 165–201; H. Rahner aaO. (Anm. 63).

reicht diese Einlassung in der alexandrinischen Katechetenschule (Klemens, Origenes). Aber was sich seit Konstantin entwickelt, ist dann doch etwas Neues: Die von der Ebene der Verwaltung bis hinauf zur Geschichte der trinitarischen und christologischen Definitionen reichende Kongruenz der Kirche mit dem Imperium Romanum, in das hinein die Kirche sich erstreckt hat, nachdem in der Urkirche der Jerusalemer Gemeinde die paulinische Entscheidung für die Kirche aus «Juden und Heiden» getroffen war. Bei aller «Hellenisierung des Christentums» ist jedoch zu beachten, daß die Kirche entschieden an der Überlieferung des AT festhält, von der her sie im 1. und 2. Jh. sowohl die Gnosis wie die Lehre des Marcion ausgeschieden hatte. Für die Ausbildung des konstantinischen Verhältnisses von Kirche und herrschaftlicher Welt fällt eine weittragende Entscheidung in der Kooperation bei der Verfolgung des Donatismus, der zwar auch eine sozialrevolutionäre Bewegung war, für die der Staat als solcher kompetent war, unlöslich damit verbunden aber auch eine christlich-religiöse Erscheinung, die unter kirchlicher Zustimmung mit politischen Mitteln unterdrückt wird.

Die zweite Periode der konstantinischen Zeit unterscheidet sich wesentlich von der ersten dadurch, daß die lateinische Kirche unter den germanisch-romanisch-westslawischen Barbarenvölkern die Hochkultur des Abendlandes erst hervorbringt, die so zu des Christentums eigener Kultur wurde, während das Christentum des byzantinischen Reiches in der Kontinuität der spätantiken Welt weiterlebte. Die «Germanisierung» der Kirche im frühen Mittelalter ist mit der «Hellenisierung» deshalb nicht zu vergleichen, weil das eine aus der Einlassung in eine geschichtlich bildsame primitive Kultur, das andere aus der wachsenden Kongruenz der Kirche mit einer perfekten Hochkultur resultiert. Aber gerade diese Bildsamkeit der Barbarenvölker eröffnete die Möglichkeit, daß die Bereiche des religiösen Lebens und des politischen, gesellschaftlichen und kulturellen Lebens sich wechselseitig zu einer ursprünglichen, viel tiefer als die «Hellenisierung» reichenden und nur revolutionär scheidbaren Einheit entfalteten.

Man kann sagen, daß sich in dem Verhältnis zwischen Kirche und Welt, wie es sich in der abendländischen Christenheit ausgeformt hat, Wesenszüge einer «Inkarnation» des christlichen Glaubens in der Welt darstellen, die nicht an die abendländisch-europäische Kultur gebunden sind, wenngleich es wohl problematisch ist, von «apriorischen Strukturen» (K. Rahner) zu sprechen, da sich diese Strukturen rein geschichtlich so und nicht anders gebildet haben, und da im übrigen die Ostkirche zeigt, daß auch ein ganz anderes Weltverhältnis möglich war. Man kann auch sagen, daß die Erfolge der christlichen Weltmission faktisch mit der Europäisierung der Welt verbunden waren. Aber man kann nicht sagen, daß diese Verbindung *die* adäquate Weise war, die christliche Botschaft zu verkünden. Kaum irgendwo zeigt sich so deutlich das aporetische Problem des Evangeliums in der Geschichte (vgl. dazu unten).

Die «Kirche in der einen Welt» entsteht gegen die Tendenz der abendländisch-europäischen Kirche, an der «konstantinischen Zeit» festzuhalten, in einem zweifachen Prozeß der Emanzipation. Zunächst emanzipiert sich die moderne europäische Welt von der Kirche (welche christlichen Momente immer auch in der Säkularisierung wirksam bleiben); dann emanzipiert sich die außereuropäische Welt politisch von Europa (wie sehr auch immer diese Emanzipation eine säkulare Selbsteuropäisierung darstellt). Die Kirche wird zur «Welt-Kirche», indem sie ihre «eigene» Welt verliert, indem sie den Verlust ihres bisherigen, des «konstantinischen» Verhältnisses zur Welt zur Kenntnis nehmen muß. Die offene und bedrängende Frage der Gegenwart ist es, wie das Verhältnis der Kirche zur Welt in der nach-konstantinischen Zeit von der Kirche selbst neu zu bestimmen ist.

In der vor- und in der nachkonstantinischen Zeit befindet sich die Kirche im geschichtlichen Status möglicher öffentlicher *Verfolgungen* (in der «konstantinischen Zeit» gibt es, abgesehen von peripheren Missionsmartyrien, nur die Verfolgung von Christen durch Christen). Allen groß angelegten Verfolgungen eignet der politische Wille, ein totales System durchzusetzen, in dem die Christen ein gegnerischer Fremdkörper sind oder als solcher angesehen werden: Die Kaiser Decius und Diokletian erstreben die Restauration des Reiches auf der Grundlage der altrömischen Religion, das nationalsozialistische Regime will ein rassenideologisch begründetes «großgermanisches» Reich aufbauen, die kommunistischen Staaten betrachten die Religion grundsätzlich als Widersacherin in der Vollendung der «klassenlosen Gesellschaft». In allen potentiell auf Kirchenverfolgungen angelegten Systemen gibt es längere oder kürzere «Friedenszeiten», in denen die Christen dazu neigen, ihre Situation falsch einzuschätzen. In der frühchristlichen Zeit gehört nicht nur die exhortatio ad martyrium grundsätzlich zur religiösen Erziehung, wenngleich das Drängen zum Martyrium als Hochmut untersagt war, sondern werden die Verfolgungen als die «Zeit der Kirche» gepriesen (z. B. von Origenes), während der Frieden zur erschlaffenden Anpassung verleite. Daß die (nicht nur verbale) Martyriumsfrömmigkeit die Sache einer elitären Kirche, nicht die Sache der «Volkskirche», sondern der «Sekte» ist, zeigen sowohl die vor- wie die nachkonstantinischen Verfolgungszeiten mit ihren Erscheinungen des Abfalles oder des mehr oder weniger weitgehenden Kompromisses. Trotz aller Typologie der Verfolgungen und ihrer Wirkungen wird man nicht übersehen dürfen, daß die geschichtliche Situation der Kirche vor Konstantin und damit vor einer «christlichen Welt» eine wesenhaft andere ist als die Situation in der nachkonstantinischen Zeit, in der die Christen einmal eine Welt gehabt haben, die nun verloren ist, und in der sie (noch) nicht gewöhnt sind, auf die Bestätigung ihres Glaubens durch seine Weltwirkung in einer «christlichen Kultur» wieder zu verzichten und statt auf die «Heimholung der Welt» auf die Verheißung ihres Herrn hin zu leben. Jedoch verbietet die Kirchengeschichte alle schwärmerische Verherrlichung der Verfolgungskirche. Und was auch immer die anderthalb Jahrtausende lange «Friedenszeit» der «konstantinischen Kirche» an Verweltlichung zeitigte, sie war zugleich in ihren immer neu im Blick auf das Evangelium unternommenen Reformen, wozu auch die Reformation gehört, nicht weniger eine «Zeit der Kirche» als die Zeiten der Verfolgungen.

Zwar innerhalb dieser umfassenden Geschichte des Verhältnisses von Kirche und Welt, aber in durchaus eigenen zeitlichen Strukturen stellt sich die *innere Geschichte der Kirche* als eines relativ eigenständigen geschichtlichen Gebildes dar. Wie in der Geschichte einer jeden Institution (einer Nation, eines Staates, einer Kultur) begegnet eine Mehrzahl verschieden verlaufender zeitlicher Strukturen, so daß eine universale Periodisierung eine mehr oder weniger starke Abstraktion bedeutet. Für alle innerkirchlichen Zeitfolgen bedeutet die «konstantinische Wende» weit weniger als für das Verhältnis von Kirche und Welt, so sehr natürlich diese «innere» Geschichte der Kirche von ihrem Weltverhältnis mitbestimmt bleibt.

In der Geschichte der *Verfassung der Kirche*,[148] die freilich nur bei bestimmter Ekklesiologie eine innerkirchliche Erscheinung ist, wird die wichtigste Entscheidung, das sich in der Nachfolge der Apostel auf göttliche Autorität gründende und von einer Person getragene Bischofsamt, zu Anfang des 2. Jh.s (Ignatius von Antiochien) erkennbar; um die Mitte dieses Jahrhunderts scheint sich diese Grundverfassung überall durchgesetzt zu haben. Um 170 beginnt die Geschichte der Synoden, der Versammlungen benachbarter Bischöfe, die zur Formation der zunächst ökumenischen «Großkirche» führen. War die Ausbildung des Episkopates ein wesentlich innerkirchlicher Vorgang, so ist die Entwicklung des Wahlrechtes, das ursprünglich beim Klerus und Volk unter Mitwirkung der Nachbarbischöfe lag, eng mit der politischen Geschichte verbunden, ob es vom Königtum usurpiert wurde oder ob es die aristokratischen Domkapitel an sich zogen oder ob das Papsttum im Mittelalter sein Bestätigungsrecht unter Wahrnehmung sehr massiver finanzieller Interessen zum Ernennungsrecht ausbaute oder ob das neuzeitliche Staatskirchentum durch Patronat und Exklusivrechte herrschaftlich eingriff.

Die Geschichte der universalen Sonderstellung des Bischofs von Rom ist, nachdem sich die Forschung weitgehend darauf geeinigt hat, weder Irenäus von Lyon noch Cyprian als Zeugen für die Primatsidee heranziehen zu können, zunächst eine Geschichte des biblisch begründeten römischen Anspruches, wie er immer deutlicher und dann voll bei Papst Leo d. Gr. (440 bis 461) ausformuliert wird. Die Verfassungsgeschichte der Kirche des Mit-

---

[148] H. E. Feine, Kirchliche Rechtsgeschichte (Weimar ³1955); W. Plöchl, Geschichte des Kirchenrechts, 2 Bde. (Wien 1953/55); E. Wolf, Ordnung der Kirche, Lehr- und Handbuch des Kirchenrechts auf ökumenischer Basis, 2 Bde. (Frankfurt 1960/61).

telalters ist zum wesentlichen Teil Papsttumsgeschichte, verbunden mit der Geschichte des Kirchenstaates und der Entwicklung des römischen Kirchenrechts. Die Idee des Konziliarismus, deren Vorgeschichte in das 12. und 13. Jh. zurückreicht, kommt mit dem abendländischen Schisma und seinen Folgen zur vollen Wirkung; sie geht zwar von ekklesiologischen Vorstellungen aus, ist aber ebenfalls von Anfang an mit politischer Ideologie und staatskirchlicher Praxis verbunden. Der Konziliarismus wurde in der römisch-katholischen Kirche durch das Trienter Konzil überwunden, der päpstliche Primat gegen den Gallikanismus und den Episkopalismus durchgesetzt und schließlich 1870 – bei gleichzeitigem, aber erst 1929 von der Kirche hingenommenem Ende des Kirchenstaates – das Papsttum in der Definition der Infallibilität auf eine geistliche Autorität konzentriert, deren Verhältnis zum Gesamtepiskopat seit dem Zweiten Vatikanischen Konzil gesehen werden soll. Das Papsttum versteht sich in der Nachfolge des Apostels Petrus als principium unitatis der Kirche. Es ist zweimal in der Kirchengeschichte und beidesmal auch in welt-geschichtlichen Zusammenhängen, zum Moment geworden, an dem zwar nicht allein, aber zu einem beträchtlichen Teil die großen Kirchentrennungen entsprangen: 1054 zwischen der abendländischen und der byzantinischen Kirche – im 16. Jh. in der Reformation.

In der Kirchengeschichte der konstantinischen Zeit übt der Laie einen sehr großen Einfluß auf die Kirche aus, aber nicht als Angehöriger des Volkes Gottes, sondern als Träger politischer und gesellschaftlicher Macht. Die Ordnungen der reformatorischen Kirchen mit ihren episkopalen, konsistorialen und synodalen Strukturen, die sich vielfach mischen, wurden zwar ausgerichtet auf das Bild des unter der alleinigen Autorität der Heiligen Schrift stehenden Volkes Gottes, waren aber von Anfang an politisch-obrigkeitlichen Kräften ausgesetzt, die auch erst dann zugunsten einer «geistlichen» Verfassung der Kirche zurücktraten, als die Kirchen im Verlauf der allgemeinen Geschichte mehr und mehr auf sich selbst verwiesen waren.

Ist auch die Geschichte der Kirche selbst in ihrem innersten Bereich weltgebunden, da auch das Wort Gottes der geschichtlichen Sprache bedarf, so ist naturgemäß doch die Geschichte der Verfassung der Kirche in einer spezifischen Weise durch welt-gesellschaftliche Bedingungen bestimmt. Deshalb begegnet auch hier das Problem der Kirche als Geschichte in besonderer Härte: Nach keiner Ekklesiologie kann die Kirche, in der sich die Botschaft ihres Herrn vergegenwärtigt, als eine Gesellschaft wie jede andere verstanden werden – und zu jeder Zeit, wenn auch je nach dem Weltverhältnis in unterschiedlichem Grade, ist dennoch die Kirche eine Gesellschaft, die wie jede andere auch unter den Prinzipien weltlicher Herrschaft steht.

Selbst unter einem Kirchenbegriff, der Institutionen göttlichen Rechtes voraussetzt, ist dennoch die Kirche nicht Selbstzweck, sondern der Ort des in ihr lebenden und verkündigten Glaubens. Diese *Glaubensgeschichte* ereignet sich auf verschiedenen, untereinander verbundenen, aber geschichtlich durchaus nicht immer kongruenten Ebenen: In der Geschichte dogmatischer Definitionen und Bekenntnisformeln, der Geschichte theologischen Denkens, der Liturgiegeschichte, der Geschichte kirchlicher Orden, in der Geschichte des sehr mannigfaltigen, viel zu wenig gewürdigten und mit der Geschichte der Dogmen, der Theologie, der öffentlichen Liturgie nicht zusammenfallenden im «Volk» praktizierten Glaubens- und Frömmigkeitslebens, in der den eigentlichen Auftrag des Evangeliums in die Zeit hinein ausmachenden Missionsgeschichte.

Die grundlegenden Ereignisse in der Geschichte des Glaubens sind die aus der Taufliturgie hervorgegangenen Bekenntnisformeln und die um 180 erfolgende autoritative Abgrenzung der kanonischen Schriften zum «Neuen Testament» unter endgültiger Einbeziehung des «Alten Testamentes». Um welches konfessionelle Schriftverständnis es künftig auch immer gehen wird, hier ist eine geschichtliche Entscheidung getroffen, auf die jede spätere Aussage darüber, was des christlichen Glaubens ist, bezogen sein muß. Die *Dogmengeschichte* [148a] im engeren Sinne der Geschichte förmlicher Definitionen hat zwei große Epochen: 1. Die im 4. Jh. (Nicaea 325, Konstantinopel 381) fallenden trinitarischen und die im 5. Jh. (Chalkedon 451) fallenden christologischen Entscheidungen, wozu auch die Grundlegung der christlichen Anthropologie in der Verwerfung der pelagianischen Gnadenlehre (Ephesus 431) gehört; 2. die reformatorischen Bekenntnisse des 16. Jh.s (lutheran.: Catechismus Maior/Minor, Confessio Augustana; unter den vielfachen reformierten: Genfer Katechismus, Confessio Scotica; anglikanisch: Book of Common Prayer, Anglikan. Artikel) und die keineswegs nur defensiven Lehrdekrete des Konzils von Trient (1545–1563) sowie der darauf beruhende Catechismus Romanus. Die wichtigsten formellen Glaubensentscheidungen konzentrieren sich also auf zwei Epochen, von denen die erste in der hierarchia veritatum geschichtlich unbestreitbar einen höheren Rang einnimmt. Der im 7. Jh. von Spanien ausgegangene Streit um das «filioque» ist im Grunde keine dogmatische Frage, sondern der Ansatzpunkt für das Schisma zwischen der römischen und der byzantinischen Kirche. Die wichtigste Definition des Mittelalters, die freilich geschichtlich wohl kaum in die Kategorie der großen dogmatischen Epochen des 4./5. und des 16. Jh.s eingeordnet werden kann, ist die Lehre von der eucharistischen Transsubstantiation (1215). Die marianischen Dogmen des 19. und

---

[148a] Das Problem *kath.* Darstellungen der Dogmengeschichte ist oben erörtert. B. J. Otten, A Manual of the History of Dogmas, 2 Bde. (London 1917); M. Schmaus u. a., Handbuch aaO. (Anm. 26). – *prot.:* W. Köhler, Dogmengeschichte als Geschichte des christlichen Selbstbewußtseins. Von den Anfängen bis zur Reformation (Zürich ³1951); ders., Das Zeitalter der Reformation (Zürich 1951) (es versteht sich, daß diese Darstellung nicht als repräsentativ für den Gesamtprotestantismus zu nehmen ist).

20. Jh.s sind konfessionell kontrovers vor allem wegen der darin zum Ausdruck kommenden Anthropologie. Daß die Definition der päpstlichen Infallibilität (1870), in der ein langer, wenn auch wechselvoller Prozeß in der Geschichte des Papsttums zu einem historischen Ende kommt, bis auf das II. Vatikanische Konzil hin nicht nur außerhalb der römisch-katholischen Kirche, sondern auch in ihr selbst als *das* katholische Dogma angesehen wurde, und dies nicht nur im vulgären Verständnis, ist auch innerhalb der Anerkennung dieser Definition ein geschichtliches Zeugnis dafür, daß die differenzierende Unterscheidungskraft des Glaubens lebendig nur bleibt im Bewußtsein von der universalen Geschichte des Glaubens.

Die *Geschichte der Theologie*[149] läuft dieser Geschichte dogmatischer Definitionen nicht nur voraus und interpretierend nach und auch zuwider, sondern geht in wesentlichen Momenten nicht oder noch nicht in sie ein. Sie hat ihren eigenen geschichtlichen Rhythmus, der sowohl verkannt wird, wenn die Theologiegeschichte nur auf die Dogmengeschichte bezogen wird, wie wenn umgekehrt die Dogmengeschichte in die Theologiegeschichte aufgelöst wird. Dieser Rhythmus zeichnet sich epochal ab in den Namen der großen Theologen. In der nachapostolischen Zeit ist der überragende Theologe des Ostens Origenes († 254), in einer charakteristischen Zeitverschiebung der des Westens Augustinus († 430). In diesem Zeitraum fallen Theologie- und Dogmengeschichte weithin zusammen. Zufolge der allgemein-geschichtlichen Bedingungen ist die abendländische Theologie des frühen Mittelalters rezeptiv und hält sich eng an Augustinus, während die byzantinische Theologie ohne den Kulturbruch des Westens fugenlos an die patristische anschließt. Das abendländische Mittelalter kommt erst an der Wende zum 12. Jh. in der Auseinandersetzung mit Aristoteles zur schöpferischen Theologie der Scholastik, die im 13. Jh. in der «Hochscholastik» kulminiert (Thomas von Aquin † 1274, Albertus Magnus † 1280). Trotz seinem schulischen Gegensatz zu den Dominikanertheologen gehört Duns Scotus († 1308) als die letzte große Gestalt der Hochscholastik an. Die kirchengeschichtliche Bedeutung der Tatsache, daß die Scholastik Theologie als Wissenschaft erst hervorgebracht hat, kann kaum überschätzt werden. Gleichzeitig aber ist zu vergegenwärtigen, daß die augustinische Tradition – exemplarisch in Bonaventura († 1274), der jedoch Momente der aristotelischen Schultradition einbezieht – wirksam bleibt und neben dem Neuplatonismus die Mystik des 12./14. Jh.s beeinflußt (die Viktoriner, Bernhard von Clairvaux † 1153, Meister Eckhart † 1327, Johann Tauler † 1361 u.a.). Daß die theologie- und philosophiegeschichtliche Forschung

---

[149] Literatur nach Epochen, Systemen und Denkformen aufgegliedert: LThK X (1965) 74ff; zum Protestantismus ebd. VIII (1963) 827; ein Standardwerk für die neuere Zeit ist: E. Hirsch, Geschichte der neueren evangelischen Theologie, 5 Bde. (Gütersloh 1949/ 1954); Zur Ostkirche: H.-G. Beck, Kirche und theologische Literatur im byzantinischen Reich (München 1959).

des 20. Jh.s die Bedeutung des Nikolaus von Kues († 1464) entdeckt, ist bezeichnend auch dann, wenn man einer «modernen» Interpretation dieser Gestalt kritisch gegenübersteht. Auch wer die wissens-soziologisch zu verstehende Unterschätzung der katholischen Kontroverstheologie abweist, wird die großen Theologen der Reformation (Martin Luther † 1546, Philipp Melanchthon † 1560, Jean Calvin † 1564) auf einer damit nicht vergleichbaren Ebene sehen.

Diese Skizze will nur ein Hinweis auf die beachtenswerte Tatsache sein, daß sich die große abendländische Theologie auf die fünf Jahrhunderte vom zwölften bis zum sechzehnten konzentriert. Die neuere Geschichte der Theologie verläuft in vielfachen Verzweigungen binnen- und zwischenkonfessioneller Kontroversen und in Anpassung wie im Widerstand zur Aufklärung – gewiß eine des Respektes würdige Erscheinung – und kommt dann in einer kulturmorphologisch sehr überraschenden Weise im 20. Jh. wieder zu originär theologischen Ansätzen, die geschichtlich noch nicht einzuordnen sind.

Da die kultische Handlung ein spezifischer Ort des Glaubens ist, sollten die kirchengeschichtlichen Darstellungen der *Geschichte der Liturgie*[150] eine Aufmerksamkeit widmen, die zumeist allzusehr durch die Dogmen- und Theologiehistorie abgelenkt wird. Th. Klauser hat die Zeit von der Urkirche bis auf Gregor d. Gr. «die Periode der schöpferischen Anfänge» genannt, die Zeit von Gregor VII. bis zum Konzil von Trient, die gewiß eine große Zeit der allgemeinen Kirchengeschichte war, «die Periode der Auflösung, der Wucherungen, der Um- und Mißdeutungen» und die nachtridentinische Zeit «die Periode der ehernen Einheitsliturgie und der Rubrizistik». Manche Liturgiehistoriker werden vielleicht eine Differenzierung dieser Periodencharakteristik fordern. Unbestritten aber wird sein, daß die Zeitstruktur der Liturgiegeschichte sich etwa von der der Theologiegeschichte wesentlich unterscheidet, daß also das Bild von den Epochen der Kirchengeschichte ein je anderes ist nach der Zeitstruktur, von der man es abliest.

H. Jedin hat darauf hingewiesen, daß die *Geschichte der kirchlichen Orden*[151] mit ihrer «Funktion in der Geschichte der Kirche schärfer als bisher herauszuarbeiten» sei. Zwar geht sie nicht in der Geschichte kirchlicher Reformen auf, wie auch umgekehrt die kirchlichen renovationes, reformationes, restaurationes nicht nur Sache der Orden sind; aber gewiß kommen in den Gründungen der Orden die Impulse der ecclesia semper reformanda in ak-

---

[150] Th. Klauser, Kleine abendländische Liturgiegeschichte (Bonn 1965) (Lit.). Bahnbrechend ist das Werk von J. A. Jungmann, Missarum Sollemnia 2 Bde. (Freiburg i. Br. 1952).

[151] Das Zitat Jedins: LThK VII (1962) 1204; M. Heimbucher, Orden und Kongregationen der kath. Kirche (Paderborn ³1932/34).

zentuierter Weise zum Ausdruck. Für die Ostkirche wurde das «Asketikon» des Basilius (um 360) zur Grundlage monastischen Lebens. Eine eigentliche Ordensregel ist die Benediktinerregel, die im 8. Jh. im Abendland allein maßgebend wird. Der Benediktinerorden ist als der älteste und bis heute bestehende abendländische Mönchsorden ein sehr instruktives Beispiel dafür, daß auch für die Kirchengeschichte das historische Gesetz gilt: Jede Reformbewegung wird mit ihrer Institutionalisierung selbst wieder reformbedürftig (cluniazensische Reform im 10. Jh., Kongregationsreform im 15. Jh.). In ausgesprochen kritischer Wendung gegen das cluniazensische Mönchtum entsteht an der Wende zum 12. Jh. der Zisterzienserorden, dessen geistliche Prägung das Werk Bernhards von Clairvaux ist. Mit der Entfaltung der Prämonstratenser konkurriert die Gründung der Bettelorden des Dominikus († 1221) und des Franz von Assisi († 1226), die aus der gesellschaftskritischen Armutsbewegung erwachsen und deren antihierarchischen Momente aufzufangen versuchen. Sie sind in ihrem Ursprung die entschiedenste Reformbewegung des Mittelalters. Daß die Richtung der Spiritualen teilweise häretische Wege ging, kann als Hinweis darauf verstanden werden, daß die Regenerationskraft der Kirche an eine Grenze gekommen war, die auch von der Devotio moderna des späten 14. Jh.s und den vereinzelten spanischen und italienischen Reformansätzen nicht entscheidend durchbrochen werden konnte. Die Kirchenreform der Reformation bedeutet dann den revolutionären Ausbruch aus der hierarchischen Ordnung, dem sich der Orden des Ignatius von Loyola († 1556) mit seinem besonderen Gelübde des Gehorsams gegenüber dem Papst entgegenstellte. Bei allem kirchengeschichtlichen Gewicht der späteren Gründungen von Kongregationen, deren universale Geschichte noch zu erforschen ist, wird man den Jesuitenorden als den Abschluß der großen Ordensgeschichte ansehen dürfen. Die weitere Reformgeschichte der katholischen Kirche ist im wesentlichen die Geschichte der tridentinischen Reform. Man wird zu fragen haben, was dies für die innere Dynamik der Kirche bedeutet.

Alle hier skizzierten «Zeitstrukturen» der verschiedenen Daseinsebenen der Kirche sind wichtige Erscheinungen in der *universalen Glaubens- und Frömmigkeitsgeschichte* der Kirche, die noch nicht in ihren großen Zusammenhängen dargestellt ist.[152] Aber diese Geschichte geht in den formalisierten Daseinsebenen der Kirche nicht auf. Auf ihnen, aber sie zugleich transzendierend, häufig im Konflikt mit ihnen, der auch zu Absonderungen aus dem institutionellen Bereich führen kann, ereignet sich das Leben der Heiligen, der religiösen Menschen im Sinne der Begabung mit einer außerordent-

---

[152] H. Bremond, Histoire littéraire du sentiment religieux en France depuis la fin des guerres de religion jusqu'à nos jours, 11 Bde. (Paris 1916/33), beispielhaft, wenn auch regional und zeitlich begrenzt; P. Pourrat, La spiritualité chrétienne, 4 Bde. (Paris 1947/ 1951).

lichen Gottesnähe, deren Dasein und Ausstrahlung die Perioden der Kirchengeschichte nicht weniger, wenn auch nicht immer so greifbar, bestimmen als die institutionellen Ereignisse. Entzieht sich das, was zwischen Gott und dem Einzelnen vorgeht, nicht nur – trotz der literarischen Dokumente – der historischen Erfassung, sondern ist es vielmehr als «Heiligkeit» letztlich selbst zeitlos, so ruht doch die mystische Gottesnähe auf den allgemeinen Bedingungen der Zeit, in die die Individualitäten eingebunden sind. Insofern gibt es eine Geschichte der Heiligkeit. Mit ihr fällt jedoch die Geschichte der Heiligenverehrung[153] nicht ohne weiteres zusammen, weil die Auswahl der Verehrten und die Weise ihrer Verehrung, das öffentliche Heiligenideal viel stärker gesellschaftlich gebunden sind als die Wege der heiligen Menschen, die oft anonym bleiben, weil sie dem jeweiligen Ideal nicht entsprechen. Deshalb sollte auch das Leben von «Ketzern» in der Darstellung der Kirchengeschichte nicht nur am Mangel ihrer Rechtgläubigkeit gemessen werden, wenn man eine umfassende Geschichte christlicher Spiritualität in den Blick bekommen will. Die Geschichte des Heiligenideals erfährt ihre erste tiefgreifende Wandlung im Rahmen der allgemeinen Kirchengeschichte: Der Kreis derer, die das «Martyrium» erlitten hatten, wurde immer mehr erweitert, wobei jedoch das Martyrium das Fundament des Heiligenideales blieb und in der Hagiographie auch in einem übertragenen Sinne gefeiert wurde, bis hin zum bloß literarischen Topos. Eine starke Veränderung vollzog sich auch dadurch, daß die Heiligen als Kloster-, Bistums-, Orts- oder Standesheilige verehrt wurden und so diese Vergesellschaftung die Herausforderung individueller Heiligkeit überlagerte, die jedoch sowohl in der Gotik wie in der Renaissance und im Barock immer wieder durchbrach. Die Entwicklung eines unirdischen Heiligenbildes im 19. Jh. war allerdings nichts weniger als eine Wiederentdeckung des eschatologischen Verweises in der Erscheinung des Heiligen.

Zur Glaubens- und Frömmigkeitsgeschichte gehört ganz wesentlich auch die *Geschichte der christlichen Kunst* (sicher auch die der Musik, die jedoch in dieser Perspektive nur schwer aus ihren eigenen Formen zu deuten ist). Insbesondere die Geschichte der christlichen Ikonographie[154] dokumentiert das nicht nur gedachte, sondern unmittelbar erfahrene christliche Glaubens- und Frömmigkeitsleben. Sosehr auch die Ikonographie literarisch bestimmt ist, weshalb sie in ihrem Bedeutungsgehalt mit Sicherheit zumeist nur aus literarischen Quellen interpretiert werden kann, so sehr wird man doch auch zu beachten haben, daß sowohl die Hervorbringung wie auch die

---

153 St. Beißel, Die Verehrung der Heiligen und ihrer Reliquien, 2 Bde. (Freiburg i. Br. 1890/92); in neuerer Zeit eine zahlreiche Einzelliteratur.

154 L. Réau, Iconographie de l'art chrétien I, II 1–2, III 1–3 (Paris 1955/59); E. Kirschbaum (Hrsg.), Lexikon der Christlichen Ikonographie, 6 Bde. (erschienen Bd. 1 u. 2) (Freiburg i. Br. 1968 ff).

gläubige Anschauung christlicher Kunstwerke eigene Wege gehen. Beispielhaft für den Quellenwert solcher Dokumente ist die Geschichte des
Christusbildes, dessen Wandlungen als Randerscheinungen der Kirchengeschichte zu interpretieren sich von selbst verbieten sollte. Sie sind so tiefgreifend, daß man – bei aller Wirkung, die etwa vom Nicänischen Konzil
auf die Christusikonographie ausgegangen ist – die Frage nach der Kontinuität der Kirchengeschichte schwerlich nur von der formalen Dogmatik
her bestimmen kann. Was geschieht im christlichen Glauben, wenn an die
Stelle des zeichenhaften Bildes für den Heilbringer (Guter Hirt, Lehrer,
Orpheus) der Weltenherrscher tritt (dessen Symbolik zu einem guten Teil
dem Kaiserkult entnommen wird), wenn der gekrönte Gekreuzigte vom
Jesus vere patiens abgelöst wird (obgleich das Bild des rex regum daneben
seine Stelle behält), wenn das spätmittelalterliche Andachtsbild des Schmer-
zensmannes aufkommt, wenn der Auferstandene und Himmelfahrende realistisch dargestellt wird (man hebt etwa die Fußspuren hervor, wo er eben
noch stand) oder als die vom überirdischen Licht verklärte Gestalt erscheint, wenn das Christusbild des italienischen Barocks seit dem Ende des
18. Jh.s sentimentalisiert wird und in Massenauflagen bis in das 20. Jh. die
fromme Vorstellung beherrscht?

Die religiöse Volkskunde, die fast kaum in die Kirchengeschichte integriert wird, kann uns darüber belehren, wie der christliche Glaube unter der
dünnen hierarchischen und theologischen Führungsschicht im religiösen
Brauchtum, besonders auch im Ausstrahlungsbereich der Sakramentalien,
gelebt wird – Erscheinungen, die aus der «hohen Kirchengeschichte» nicht
abzulesen, aber sehr wesentliche Kräfte in einer universalen Geschichte des
Glaubens und der Frömmigkeit sind.

Wenn in dieser Skizze der verschiedenen Zeitstrukturen der Kirchengeschichte die *Missionsgeschichte*[155] an den Schluß gestellt wird, dann nicht
in dem Sinne, als sei die Mission sozusagen die «auswärtige» Seite der inneren Geschichte der Kirche. Vielmehr ist sie ja der eigentliche, der biblische
Inhalt der «Zeit der Kirche». Zugleich aber – und eben deshalb steht die
Missionsgeschichte als Rekapitulation des Problemes der Kirchengeschichte an dieser Stelle – zeigt die Mission in besonderer Weise das Dilemma zwischen Glaube und Geschichte an. Der auf «alle Völker» gerichtete und gerade auch damit als eschatologisch ausgewiesene «Missionsbefehl» des Auferstandenen geriet unter eine extreme Vergeschichtlichung,
aus der sich das Verständnis des Auftrages, die Botschaft des Herrn auszurichten, erst heute – am Ende der bisherigen Missionsgeschichte – zu be-

---

[155] K. S. Latourette, A History of the Expansion of Christianity, 7 Bde. (New York
1937/45); S. Delacroix (Hrsg.), Histoire universelle des Missions catholiques, 4 Bde.
(Paris 1957/59). Zur Problemgeschichte: O. Köhler, Missionsbefehl und Missionsgeschichte: J. B. Metz u. a. (Hrsg.), Gott in Welt II (Freiburg i. Br. 1964) 346–371.

freien vermag. Die qualitativ grundlegende Phase ist die Zeit vor Konstantin. Daß von da ab die Taufe weltliche Vorteile bieten konnte, mußte zwangsläufig den Charakter der Ausbreitung des Christentums verändern. Schon vor Konstantin war der Mission durch die allgemeine Geschichte der Weg in das Imperium Romanum hinein gewiesen; aber diese Richtung vom östlichen Rand des Mittelmeeres nach Westen – abgesehen von spurenhaften Ausgriffen zum Persischen Golf und weiter nach Indien und China – wird nach der Entscheidung Konstantins verfestigt zur Kongruenz von Christentum und Imperium Romanum. Diese Kongruenz hatte nicht nur kulturgeographische Bedeutung. Die von Augustinus entwickelten missionarischen Prinzipien galten für das ganze Mittelalter: Der Akt des Glaubens kann nur freiwillig sein; jedoch hat die politische Macht den Widerstand des Heidentums zu brechen und Rückfällige nach den Ketzergesetzen zu bestrafen. Über das darin enthaltene Dilemma kam auch Thomas von Aquin nicht hinaus. Man darf freilich nicht übersehen, daß der apostolische Missionsgedanke dennoch lebendig blieb. Aber die Verbindung der Christianisierung Europas mit der politischen Macht, auch wenn jedesmal auf den weltlichen Machtkampf die innere Verkündigung folgte, ist ein überragendes historisches Faktum, über das missionstheologisch wenig ausgesagt ist, wenn man bemerkt, einen anderen Weg habe es unter den damaligen Umständen nicht gegeben.

Die gewaltige Reduzierung des christlichen Raumes durch den Islam veranlaßte K. S. Latourette zu der Feststellung, die Zeit bis 1500 sei für die Ausbreitung des Christentums «the thousand years of Uncertainty» gewesen. Man wird hinzuzufügen haben, daß der Gedanke einer den christlichen Herrschaftsraum überschreitenden Mission nicht erloschen war, wie die wenn auch vereinzelten Missionsreisen nach dem Osten zeigen, die Versuche also, die Barriere des Islams zu überspringen, und auch die freilich bis heute wenig aussichtsreichen Bemühungen einer christlichen Mission innerhalb des Islams selbst. Diese Konstellation aber mußte die Identifikation der Kirche mit der abendländischen Welt bestärken und das Mittelalter nach Abschluß der Christianisierung Europas rein faktisch zu einer missionarisch unfruchtbaren Epoche machen. Daß Europa bei seinem Ausbruch in die Welt das Christentum mit sich nahm, ist nicht verwunderlich, bemerkenswerter schon die Frage, was der missionarische Impuls neben anderen Momenten für diesen Ausbruch bedeutete. Jetzt entstand eine kritisch reflektierende Missionstheologie, die bei aller Differenzierung im einzelnen dem machtfreien apostolischen Weg der Glaubensverkündigung den absoluten Vorrang gab, freilich den politischen Weg zwar da und dort modifizieren, aber im wesentlichen nicht verändern konnte. Der Akkomodations- und Ritenstreit, der komplizierter verlief, als gemeinhin vorgestellt wird, brachte mehr das Problem der kulturellen Inkarnation des Christentums überhaupt an den Tag, als daß er aus diesem Problem hätte herausführen

können (daß sich nun an ein Christentum kulturell griechisch-römischer
Provenienz ein indisches und chinesisches Christentum hätte komplemen-
tierend anschließen können, entspringt einer ungeschichtlichen Denkweise).
Am konkretesten wird das Problem in der Frage eines einheimischen Prie-
sternachwuchses; weniges ist bezeichnender als die absurde Idee, die asiatischen Priester sollten die kultischen Handlungen auch dann in lateinischer
Sprache vollziehen, wenn sie dieser nicht mächtig sind. Daß dann K. S. Latourette in seiner Missionsgeschichte das 19. Jh. «the great century» nennt
und ihm den Großteil seines Werkes widmet, ist ein Hinweis auf die Differenz der einzelnen Zeitstrukturen der Kirchengeschichte auch dann, wenn
man dieses Jahrhundert missionstheologisch kritisch beurteilt. Das «große
Jahrhundert» der allgemeinen Kirchengeschichte war es sicher nicht.

Die generelle Hilflosigkeit in den Bemühungen, den christlichen Glauben
im 20. Jh. zu vergegenwärtigen, läßt sich ablesen an dem Unternehmen,
kulturelle Akkomodationen in einem Augenblick nachzuholen, in dem
einerseits diese Kulturen sich selbst fragwürdig werden und anderseits die
«omniprésence des incroyantes» (A.-M. Henry) immer mehr zum mensch-
heitlichen Charakter des Zeitalters wird. Die «Evangélisation de la civilisa-
tion technique» (Daniélou) ist in der Tat die Aufgabe in einer geschichtlichen Situation, in der die eschatologischen Adressaten der Verkündigung,
«alle Völker», versammelt sind, anders freilich, als es in der nun zu Ende
gegangenen Geschichte einer sich geographisch immer mehr ausbreitenden
Christianisierung vorgestellt war.

4. Von der Unmöglichkeit, Kirchengeschichte
als Heilsgeschichte darzustellen

Die oben skizzierten Zeitstrukturen in den verschiedenen Daseinsebenen
der Kirche zeigen, daß sich weder die ekklesiologische Traditions- noch die
Dekadenztheorie historisch verifizieren läßt (der schlaue Ausweg, beide zu
mischen, endet in der Sackgasse, nicht sagen zu können, welche jeweils
gelten soll), die Kirche zwar in ihrer geschichtlichen Besonderheit erfaßbar
ist – in universaler Perspektive als Geschichte des Glaubens (zu welcher
auch der Begriff der Kirche selbst gehört) – diese Besonderheit aber in keinem Bereich in ihrer heilsgeschichtlichen Bedeutung aus der allgemeinen
Geschichte isoliert werden kann. Eben die Unmöglichkeit, Kirchengeschichte als Heilsgeschichte darzustellen, hatte sich auch in der Problemgeschichte der Kirchengeschichte als einer theologischen und historischen
Disziplin ergeben.

Welche Auskünfte die Geschichte der «Kirche als Geschichte» auf die
hier zu Anfang erörterte Frage gibt, wie denn die Zeit der Kirche zugleich

theologisch und historisch erfaßt werden kann, soll versuchsweise in einigen Thesen formuliert werden:

1. Die Zeit der Kirche kann in ihrer Umfaßtheit von «Anfang» und «Ende», also in ihrer heilsgeschichtlichen Qualität, nur im Glauben erfahren werden. Die Auslegung der apokalyptischen Prophetie auf die Zeit der Kirche und die Parallelisierung Israel : Ecclesia beruhten auf dem Glauben und sind eine einsame Epoche in der wechselvollen christlichen Glaubensgeschichte. Die «historischen Daten», die in den Bezugsrahmen eingebaut wurden, betreffen zwar die gleichen Daten, mit denen es der wissenschaftliche Historiker der Neuzeit zu tun hat, aber sie haben sich in ihrem Bedeutungscharakter kategorial verändert. Es wäre eine ahistorische Interpretation, wenn man von der Geschichtstheologie absehen und in diesen Daten «schon» den Beginn einer vor-wissenschaftlichen Kirchengeschichte sehen wollte. Bezugsrahmen und «historische Daten» bilden eine unauflösliche Einheit. Die «Periodisierung» in diesem Bezugsrahmen ist keine historische Periodisierung;[156] sie ist vorgegeben und nicht das Ergebnis einer Forschung, wie sie es in der wissenschaftlichen Kirchengeschichte sein muß. Da die Frage nach der Periodisierung und die Sinnfrage immer eng korrespondieren, ist es der wissenschaftlichen Kirchengeschichte als solcher nicht möglich, ihren Gegenstand als Heilsgeschichte darzustellen.

2. Das «Ganze der Kirchengeschichte» ist Heilsgeschichte. Aber noch weniger als der Profanhistoriker in der Lage ist, das «Ganze der Weltgeschichte» zu fassen, da sie nach vorn offen ist und von der Zukunft her als Ganzheit in einen neuen Aspekt treten kann, ist der theologische Kirchenhistoriker in der Lage, das «Ganze der Kirchengeschichte» zu erkennen, und er sozusagen «zusätzlich» deshalb nicht, weil umgekehrt die Offenbarung in der Weise des Geheimnisses abgeschlossen und es so dem Kirchenhistoriker als Theologen versagt ist, wie den Trend der Weltgeschichte in ihre Zukunft so auch den Gang der Kirchengeschichte als Heilsgeschichte auf ihr «Ganzes» hin auszulegen.

3. Das Mittelalter hat keine Kirchengeschichte hervorgebracht und hat die Geschichte als «Welt-Geschichte» gesehen. Auch hier kann man nicht die heilsgeschichtliche Deutung von der Historiographie ablösen und sagen, «schon» das Mittelalter habe Geschichts*wissenschaft* betrieben. Aber unbeschadet dessen ist das Verhältnis zwischen dem neuzeitlichen Profanhistoriker und dem mittelalterlichen Historiographen näher als zwischen dem neuzeitlichen theologischen Kirchenhistoriker und den Geschichtstheologen des Hochmittelalters. Der Verfasser einer Weltchronik hatte es mit einer

---

[156] H. Urs von Balthasar, Das Ganze im Fragment. Aspekte der Geschichtstheologie (Einsiedeln 1963), mit einem Kapitel «Die theologische Frage nach dem Sinn der Kirchengeschichte» (S. 139–178), bezeichnet eine Periodisierung der in den Horizont der Frage nach dem theologischen Sinn gestellten Kirchenzeit als «a priori untersagt und innerlich verunmöglicht» (S. 144).

sakralisierten Profangeschichte zu tun, der neuzeitliche Historiker hat es mit der entsakralisierten Profangeschichte zu tun. Seit der Entsakralisierung der Welt ist das imitatorische Verhältnis von «Welt» (= Reich) und Kirche innerlich unmöglich geworden. Da es der Historiker mit Welt und als solcher nur mit Welt zu tun hat, kann auch der Kirchenhistoriker seinen Gegenstand nur als Profangeschichte behandeln, und dies auch, sogar hauptsächlich aus theologischen Gründen, nämlich in Respektierung des nicht mehr von der sakralisierten Welt verstellten göttlichen Geheimnisses in der Lenkung der Geschichte insgesamt[157] und im Wirken des Geistes in der Zeit der Kirche.[158]

4. Auch wenn der Kirchenhistoriker, und der theologische aus seinen besonderen Gründen, die Kirchengeschichte als Profangeschichte darstellen muß, so bleibt die Forderung, daß «der Kirchenhistoriker entsprechend seinem existentiellen Verstehen der Sache, um die es geht, Standpunkt auf der Basis beziehen muß, die ihn zu dem Geschehen in Beziehung setzt». G. Ebeling hat in diesem Sinne «Kirchengeschichte als Geschichte der Auslegung der Heiligen Schrift» bezeichnet, welche Geschichte ihren Orientierungspunkt hat im Kanon des NT, der zwar selbst «historische Faktizität» ist, hinter die aber nicht «erklärend» oder «begründend» zurückgegangen werden kann und die zugleich eine «sachgemäße historische Voraussetzung» ist. Das NT ist in seiner Bezeugung Jesu Christi Auslegung des AT; alle folgenden Auslegungen aber unterscheiden sich «grundsätzlich» von dieser Auslegung, sind also «Auslegung der apostolischen Auslegung».[159] G. Ebeling hat den Begriff «Geschichte der Auslegung» so weit gefaßt, daß

[157] G. Ebeling nennt «die Unterscheidung von Profangeschichte und Kirchengeschichte untragbar»; Gott wirkt alles, aber nirgends ist sein Ja und sein Nein zu erkennen «außer in Christus, in seinem Wort»; aaO. (Anm. 13) 13–16.

[158] H. Urs von Balthasar geht (aaO. 142) so weit zu sagen, daß die Kirche, «sofern sie Struktur und Institution ist, relativ ungeschichtlich ist, sofern sie Geist und Gegenwart Christi ist, eminent geschichtsmächtig ist»; denn: «nicht die Tatsache, daß die Kirche als sichtbare Institution wie alle anderen geschichtlichen Größen einer gewissen Veränderung und Entwicklung unterliegt, daß es eine Geschichte der Liturgie, eine Dogmengeschichte, eine Papst- und Konziliengeschichte gibt, ist für die Art ihrer Geschichtlichkeit entscheidend»; sondern: «viel eher ihre übergeschichtliche Beständigkeit als die eine, allgemeine, apostolische und heilige Kirche». Dann hätte es freilich der Kirchenhistoriker nie mit der Kirche in ihrem eigentlichen Wesen zu tun, da das Übergeschichtliche nicht sein Gegenstand sein kann. Gewiß auch ist die Gegenwart Christi nicht kongruent mit der sichtbaren Institution Kirche, ja nicht einmal an sie gebunden. Aber ist diese Gegenwart nicht in besonderer Weise auf die «relativ ungeschichtliche Institution», die allein der Gegenstand des Kirchenhistorikers sein kann, bezogen, freilich nicht so, daß der Kirchenhistoriker sagen kann: Hier ist Christus – hier ist er nicht, aber doch so, daß sein Gegenstand für ihn als theologischen Kirchenhistoriker ausgezeichnet ist, auch wenn er als Wissenschaftler diese Auszeichnung niemals ermitteln kann und also die Kirchengeschichte als Profangeschichte schreiben muß? Das «Übergeschichtliche» geschieht eben (auch) in dem «relativ Ungeschichtlichen».

[159] G. Ebeling aaO. (Anm. 13) 11, 22f.

nicht zu sehen ist, welcher Gegenstand der Kirchengeschichte nicht betroffen ist, da ja die Geschichte auch die Geschichte der Auslegenden und alles kirchliche Geschehen Auslegung ist. Der Begriff ist gleichzeitig in seiner Beziehung auf den Kanon eng gefaßt und ist ein aus der Sache selbst gewonnener Begriff, so daß es also nicht nur um die subjektive Affinität geht, die jeder Historiker zu seinem Gegenstand haben muß. Es ist klar, daß der Begriff der reformatorischen Theologie entstammt, worauf er auch ausdrücklich bezogen wird (Conf. Aug. VII). Ebeling hat überraschend wenig historischen Sinn für das mittelalterliche Geschichtsverständnis [160] und das sich darin zeigende Problem «Kirchengeschichte». Trotzdem kann man – die Differenzen des Kirchenbegriffes vorausgesetzt – fragen, was mit seiner Definition eine katholische Kirchengeschichtsschreibung verbindet, die theologisch zwischen Heilsgeschichte und Kirchengeschichte streng unterscheidet, die Geschichte des Dogmas ebenso theologisch (und nicht historisch) in ihrer geschichtlichen Bedingtheit beläßt (vgl. oben S. 535–543), ohne in den ungeschichtlichen Begriff «Entwicklung» auszuweichen, und die zwar die Kirche als den mystice fortlebenden Christus glaubt, aber nicht die Kirchengeschichte als «direkte Fortsetzung der Inkarnation» verstehen will.

In der Frage nach der Kirche als Geschichte konkretisiert sich die Frage nach der Geschichte des Glaubens in der Geschichte. Wenn aber der Glaube die Antwort des Menschen auf den Anruf Gottes ist, ohne den es nie zu dieser Antwort kommt, dann bleibt die Geschichte des Glaubens in Gottes Geheimnis, dem man sie entreißen kann nur, indem man den Glauben in Geschichte auflöst – und verliert. Dem Kirchenhistoriker aber bleibt genügend Arbeit, wenn er – gerade als Theologe die Grenzen wissenschaftlicher Geschichtserkenntnis absteckend – den Ort beschreibt, wo diese Geschichte des Glaubens auch und, wie der Christ glaubt, in einer besonderen Weise geschieht: die «weltliche» Geschichte der Kirche.

OSKAR KÖHLER

---

[160] Ebd. 15: «historiographische Sterilität», «mythologisierende Historiographie».

BIBLIOGRAPHIE

Aland K., Das Konstantinische Zeitalter: Kirchengeschichtliche Entwürfe (Gütersloh 1960) 165–201.

Aubert R. / Weiler A. (Hrsg.), KG im Umbruch: Concilium 6 (1970) 457–520.

Balthasar H. Urs von, Das Ganze im Fragment. Aspekte der Geschichtstheologie (Einsiedeln 1963).

Baur F. Ch., Die Epochen der kirchlichen Geschichtsschreibung (Tübingen 1852).

Brincken A.-D. v. d., Studien zur lateinischen Weltchronistik bis in das Zeitalter Ottos von Freising (Düsseldorf 1957).

Benz E., Ecclesia Spiritualis. Kirchenidee und Geschichtstheologie der franziskanischen Reform (Stuttgart 1934, ²1965).

Chambon J., Was ist KG? Maßstäbe und Einsichten (Göttingen 1957).

Denzler G., KG: E. Neuhäusler und E. Gößmann (Hrsg.), Was ist Theologie? (München 1966) 138–168.

Dickerhof H., Kirchenbegriff, Wissenschaftsentwicklung, Bildungssoziologie und die Formen kirchlicher Historiographie: Hist. Jahrbuch 89 (1969) 176–202.

Ebeling G., KG als Geschichte der Auslegung der Heiligen Schrift (Tübingen 1947).

Ehrhard A., Die historische Theologie und ihre Methode: Festschr. f. S. Merkle (Düsseldorf 1922) 117–136.

Franzen A., Theologie der Geschichte und theologische KG: Orh PBI 67 (1966) 395–400.

Geiger W., Spekulation und Kritik. Die Geschichtstheologie F. Chr. Baurs (München 1964).

Geiselmann J. R., J. A. Möhler: LThK VII (1962), dort Zitat der Ausgaben und Literatur.

Gieraths G., Kirche in der Geschichte (Essen 1959).

Göller E., Die Perioden der KG und die epochale Stellung des Mittelalters (Freiburg i. Br. 1919).

Heußi K., Altertum, Mittelalter und Neuzeit in der KG (Tübingen 1921).

Jedin H., Zur Aufgabe des Kirchengeschichtsschreibers: TThZ 61 (1952) 65–78; dazu *Lortz J.*, ebd. 317–327.

–, KG als Heilsgeschichte?: Saeculum 5 (1954) 119–128.

–, Einleitung in die KG: Handbuch der KG (Freiburg i. Br. 1962 ff) Bd 1, S. 1–55.

Kamlah W., Christentum und Geschichtlichkeit (Stuttgart 1951).

Karpp H., KG als theologische Disziplin: Festschr. R. Bultmann (Stuttgart 1949).

Klempt A., Die Säkularisierung der universalhistorischen Auffassung – Zum Wandel des Geschichtsdenkens im 16. und 17. Jh. (Göttingen 1960).

Köhler O., Der Gegenstand der KG: Hist. Jahrbuch 77 (1958) 254–269.

Kottje R. (Hrsg.), KG heute – Geschichtswissenschaft oder Theologie? (Trier 1970).

Meinhold P., Weltgeschichte – KG – Heilsgeschichte: Saeculum 9 (1958) 261–281.

– Geschichte der kirchlichen Historiographie, 2 Bde (Freiburg i. Br. 1967).

Merzbacher F., Wandlungen des Kirchenbegriffs im Spätmittelalter = Zs. d. Savigny-Stiftung, Kanonist. Abt. 70 (Weimar 1953) 274–361.

Meuthen E., Der Geschichtssymbolismus Gerhohs von Reichersberg = W. Lammers (Hrsg.), Geschichtsdenken und Geschichtsbild im Mittelalter (Darmstadt 1961).

Nigg, W., Die Kirchengeschichtsschreibung (München 1934).

Ratzinger J., Die Geschichtstheologie des hl. Bonaventura (München 1959).

– Das Problem der Dogmengeschichte in der Sicht der kath. Theologie (Köln 1966) = Arbeitsgemeinschaft f. Forsch. des Landes Nordrhein-Westfalen, Geisteswiss. Heft 139.

Scheffczyk L., F. L. von Stolbergs «Geschichte der Religion Jesu». Die Abwendung der kath. Kirchengeschichtsschreibung von der Aufklärung... (München 1952).

Scherer E. C., Geschichte und KG an den deutschen Universitäten. Ihre Anfänge im Zeitalter des Humanismus und ihre Ausbildung zur selbständigen Disziplin (Freiburg i. B. 1927).

Spörl J., Das Alte und das Neue im Mittelalter: Hist. Jahrbuch 50 (1930) 297–341, 498–524.

– Grundformen hochmittelalterlicher Geschichtsanschauung (München 1935).

Stockmeier P., KG und Geschichtlichkeit der Kirche: Zs. f. KG 81 (1970) 145–162. In der Anm. 10 ein ausführliches Lit. Verz. zur Erörterung des Problems der KG.

Straßer O. E., Les périodes et les époques de l'histoire de l'église: RHPhR 30 (1950) 290–304.

Wachtel A., Beiträge zur Geschichtstheologie des Aurelius Augustinus = Bonner Hist. Forsch. 17 (1960).

Wagner F., Zweierlei Maß der Geschichtsschreibung: Profanhistorie oder Kirchengeschichte?: Saeculum 10 (1959) 113–123.

Wittram R., Das Interesse an der Geschichte (Göttingen 1958).

Wodka J., Das Mysterium der Kirche in kirchengeschichtl. Sicht: F. Holböck und Th. Sartory (Hrsg.), Mysterium Kirche in der Sicht der theologischen Disziplinen (Salzburg 1962) 347–477.

Zimmermann H., Ecclesia als Objekt der Historiographie. Studien zur Kirchengeschichtsschreibung im Mittelalter und in der frühen Neuzeit = Österr. Ak. d. Wiss. Philos. Klasse 235 (Köln 1960).

Neuere Darstellungen der KG in Sammelwerken:

A. Fliche, V. Martin (Hrsg.), Histoire de l'Église depuis les origines jusqu'à nos jours (Paris 1935 ff).

K. D. Schmidt – E. Wolf (Hrsg.), Die Kirche in ihrer Geschichte (Göttingen 1962 ff).

K. Bihlmeyer – H. Tüchle, KG (Paderborn ¹³1962).

H. Jedin (Hrsg.), Handbuch der KG (Freiburg i. Br. 1962 ff).

L. J. Rogier, R. Aubert, M. D. Knowles (Hrsg.), Geschichte der Kirche (Einsiedeln 1963 ff).

GOTTES GNADENHANDELN

Heilshandeln Gottes in Jesus Christus auf die Gemeinde, die ihrerseits als Sakrament des Heils auf die Welt verwiesen ist. Von da her wäre es nahe- liegend, die nun folgenden Kapitel der Gnadenlehre unter die Überschrift «Gottes Heilshandeln am Einzelmenschen» zu stellen. Tatsächlich steht in der Gnadenlehre, wie sie sich vorab im Westen ausgebildet hat, der Ein- zelne im Vordergrund, mag es nun um die Fragen der Notwendigkeit der Gnade, des Verhältnisses von Gnade und liberum arbitrium, der Prädesti- nation und der Rechtfertigung, der aktuellen und der habituellen Gnade usw. gehen. Diese Fragen sollen denn auch in den folgenden Kapiteln auf- gegriffen werden. Wenn wir als Überschrift zum zweiten Teil dieses Bandes dennoch den allgemeineren Titel «Gottes Gnadenhandeln» wählen, so soll damit ein nicht unbedenkliches individualistisches Verständnis der Gnaden- lehre schon im ersten Ansatz vermieden werden. Sosehr es im Gnaden- geschehen um den je Einzelnen in seinem einmaligen Bezug zum gnädigen Gott geht, so schließt dieses Geschehen doch immer ein ekklesiales Moment mit ein. Besonders greifbar wird dies in der Frage nach Gottes Gnadenwahl, die zuerst auf die Gemeinde und nur so auf den je Einzelnen zielt. Bei aller Abgrenzung, die im Interesse der Systematik notwendig ist, wird man doch den inneren Zusammenhang der nun folgenden Kapitel mit den voraus- gehenden im Auge behalten müssen. So wie sich die Ekklesiologie im Ab- schnitt über die Kirche als Ort vielgestaltiger christlicher Existenz auf die Frage der Konkretisierung der christlichen Individualität öffnet, so schlie- ßen die folgenden Kapitel ihrerseits einen ekklesialen Rückbezug ein.

Darüber hinaus muß der Zusammenhang dieser Kapitel im Gesamten des Werkes beachtet werden. Der Traktat über die Gnade, wie er in der west- lichen Theologie ausgebildet wurde, ist weitgehend durch die entsprechen- den dogmengeschichtlichen Fragestellungen des Westens bedingt. Die heu- tige Theologie kommt entsprechend ihrem geschichtlichen Ort an diesen Fragestellungen nicht einfach vorbei. Sie sollte aber deutlicher, als dies in den Handbüchern meistens geschieht, die geschichtliche Bedingtheit die- ser Fragestellungen erkennen und auch den Preis, den sie dafür zahlt, daß sie in ihrer Thematik diesen Fragestellungen folgt. Zu diesem Preis gehört vor allem, daß eine der Christologie entsprechende Pneumatologie immer noch fehlt, auch wenn die entsprechenden Themen an verschiedenen Stellen, sowohl in der Ekklesiologie wie in der Gnadenlehre im engeren Sinn, behandelt werden.

Für die systematische Einordnung der folgenden Kapitel ist es wichtig, daß der Rückbezug nicht nur zur Ekklesiologie, sondern auch zu den ersten Bänden dieses Werkes gesehen wird. Die Überschrift «Gottes Gnaden- handeln» soll deutlich machen, daß Gottes Gnade vor allem als Gnaden-

Wie die vorausgehenden Kapitel dieses vierten Bandes zeigen, zielt das geschehen ausgelegt werden muß, so wie es in der ganzen Heilsgeschichte, vor allem im Christusgeschehen, offenbar wird. Insofern die Gotteslehre im engern Sinn selber der Erkenntnis der göttlichen Heilsökonomie entspringt, weil die ökonomische Trinität die immanente ist und weil aus dem freien Verhalten Gottes in der Heilsgeschichte erkannt wird, wer Gott in Jesus Christus für uns ist, steht die Gnadenlehre in unmittelbarem Zusammenhang mit der Gotteslehre. Die Beachtung dieses Zusammenhangs ist besonders wichtig, wenn im folgenden von Gottes Gnadenwahl die Rede ist. Hier handelt es sich nicht um ein Thema, das sozusagen nachträglich auch noch zur Sprache gebracht werden muß; die Frage der Erwählungslehre steht vielmehr in unmittelbarem sachlichem Zusammenhang mit der Gotteslehre, wobei sie an dieser Stelle nun freilich so artikuliert werden kann, daß die bereits entfalteten christologischen und ekklesiologischen Aussagen vorausgesetzt werden können. Schließlich ist darauf hinzuweisen, daß auch die anthropologischen Aussagen des zweiten Bandes bereits unter dem Vorzeichen der Verhältnisbestimmung von Natur und Gnade stehen. Die «Natur» ist in der Sicht dieses Werkes immer schon übernatürlich finalisierte Natur und das bedeutet wiederum, daß Gnade nicht etwas Nachträgliches ist, über das auch noch gesprochen werden muß, nachdem man schon weiß, wer und was der Mensch ist. Die Differenz von Natur und Gnade ist nicht von unten, von der Natur her, sondern von oben, von der Gnade her zu bestimmen. Die folgenden Kapitel wollen so im einzelnen deutlich machen, was bereits in den früheren Bänden dieses Werkes vorausgesetzt und in etwa auch ausgeführt ist.

Die Ausführungen über «Gottes Gnadenhandeln» werden wiederum durch eine bibeltheologische Skizze eingeleitet, die das Thema in seiner Breite und in den verschiedenen Ausprägungen, die es gefunden hat, festzuhalten versucht (auch hier sind die Zusammenhänge vor allem zur biblischen Gotteslehre zu beachten!) und Impulse für die weitere systematische Reflexion vermittelt. Die dogmengeschichtliche Darstellung nimmt besonderen Raum ein, weil die Dogmengeschichte im Westen ein beträchtliches Stück weit durch die Auseinandersetzung um die Fragen der Gnadenlehre bestimmt wird. Die beiden systematischen Kapitel versuchen die Gnade als Gnadengeschehen (Gottes Gnadenhandeln als Erwählung und Rechtfertigung des Menschen) auszulegen und die wichtigsten Fragen zu integrieren, die sich sachlich und von der Theologiegeschichte her stellen. Im übrigen dürfen die Rückbezüge auf die Thematik der früheren Bände nicht übersehen lassen, daß die Gnadenlehre auch im Vorgriff auf die eschatologische Vollendung des Heils zu entwickeln ist. Des Menschen Erwählung und Rechtfertigung zielt letztlich auf die Verherrlichung, die als Anfang jetzt schon gegeben ist, die aber erst im Eschaton zur Vollendung kommt. So hat auch die klassische Theologie die Gnade verstanden, wenn sie das Ver-

hältnis von geschaffener und ungeschaffener Gnade von der visio beatifica
her bestimmte. Man kann so wohl sagen, daß die Dogmatik durch alle
Traktate hindurch die Frage zu beantworten sucht, wer Gott und wer der
Mensch im gegenseitigen Bezug ist. Die Gnadenlehre beinhaltet ein wesentliches Stück dieser Antwort, sie bleibt aber selber geöffnet auf die Eschatologie, in der abschließend zu bedenken ist, was es heißt, daß Gott «alles in
allem» ist (1 Kor 15, 28).

DIE HERAUSGEBER

10. KAPITEL

DIE GNADE NACH DEM ZEUGNIS
DER HEILIGEN SCHRIFT

I. ABSCHNITT

GNADE IM ALTEN TESTAMENT

Trotz mancher Äquivalente des hebräischen AT, die man in den modernen
Übersetzungen mit «Gnade» wiederzugeben pflegt, fehlt in den Schriften
des Alten Bundes ein spezifischer Terminus für das, was in der Glaubenslehre
durchgängig unter Gnade verstanden wird oder gar eine entfaltete Gnadenlehre. Die Bibel will überhaupt nicht als systematisches Lehrbuch betrachtet
werden; in ihr hat sich vielmehr das in der Geschichte bezeugte Heilshandeln
Gottes am auserwählten Volk niedergeschlagen. Von daher wird begreiflich,
daß Gnade in die Sphäre des göttlichen Heilshandelns gehört und sich in
mannigfacher Bestimmtheit äußern kann, genauer gesagt, auf die Wirksamkeit des göttlichen Heils im Menschen abhebt. Umfassend ist das göttliche
Heilswerk auf das Kommen des Gottesreichs ausgerichtet. Von ihm her erfährt Gnade demnach ihre wesentliche Bestimmung. Seine irdische Konkretion erhält das Reich Gottes im Bund, den Gott auf den verschiedenen
Stufen des Offenbarungsgeschehens mit auserwählten Menschen und vor
allem mit dem Volk Israel eingeht. In ihm wird das göttliche Heilshandeln
als dialogisches Unternehmen qualifiziert und damit Gnade in den Bereich
der personalen Bindung Gott – Mensch gerückt.

1. Gnade in der Sicht der hauptsächlichen literarischen Schichten
und Werke des AT

Die genannten drei Eigentümlichkeiten: Gnade, die im Zielpunkt des Heilshandelns Gottes steht, die im Kommen des Gottesreichs erwartet wird, ja
Teilereignis des kommenden Gottesreichs ist, die sich als personal-dialogi-
sches Geschehen im Bund: Gott – Volk, Gott – Mensch, verwirklicht, sind
der Hintergrund für die folgenden hauptsächlichen Ausprägungen des atl.
Gnadenverständnisses.

a. Jahwist-Elohist

Daß das theologische Leitmotiv des Jahwisten «Segen» heißt, daß sein heils-
geschichtliches Konzept sich in Gn 12, 1–3 vorfindet, ist eine Auffassung, die

sich zunehmender Anerkennung und Geltung unter den Exegeten erfreut.[1] In diesem Segen sind Erwählung, Wegweisung und Führung, Fürsorge und Freundschaft Gottes für den Erwählten beschlossen. Segen hat wesentlich die Zusage Gottes zum Inhalt, daß er das Leben mehren werde. Dabei meint dieser Terminus Leben noch ungeschieden das irdische Leben und das Leben mit Gott.[2] Die Segensverheißung an die Patriarchen wird in die Verheißung der Nachkommenschaft und des Landbesitzes spezifiziert. Segen als Gabe des verheißenden Gottes verlangt vom angesprochenen Menschen «Glauben» (Gn 15,6), verlangt also, daß der Erwählte sich dem Anruf Gottes öffnet und sich mit seiner gesamten Existenz Gott dauernd übereignet, in Gott den Fluchtpunkt seines Lebens sieht und sich in ihm festmacht. Das bewirkt dann die Gnadengabe der Rechtfertigung, des Angenommenseins bei Gott und der inneren Umgestaltung, eben die Tatsache, daß der Mensch in den Augen Gottes «richtig» ist, bewirkt folglich auch, daß der Mensch der Verheißungen und Segenserweise Gottes würdig ist. Das verlangt vom Menschen aber auch die Haltung der Ehrfurcht vor Gott, des geziemenden Abstandes und der gottgeschenkten Nähe zu ihm (vgl. Gn 22,12). Der daraufhin geschenkte und in die Zukunft weisende verheißene Segen mit allen genannten Implikationen ist die Gnade Gottes für den erwählten Abraham und das auserwählte Volk; er verwirklicht sich im Bund Gottes mit den Patriarchen und mit seinem Volk Gn 15 (vgl. Gn 17,1–14); Ex 19,3–8; 24,3–8.

b. Gn 1–11

Solche Deutung der Zielangabe des göttlichen Heilshandelns wird erst recht verständlich auf dem Hintergrund der Urgeschichte. In ihr stehen sich das erste Heilsangebot Gottes an den Menschen als Gnade und damit als Segen Gottes und das Versagen des Menschen und der so notwendig erwirkte Fluch Gottes gegenüber.[3] Die in der Schöpfung geschenkte Ausgeglichenheit im Menschen, seine harmonische Stellung im hierarchischen Ordnungsgefüge des Kosmos, dazu das Angebot, bei Bewährung in die bleibende enge Gemeinschaft und Freundschaft mit Gott zu gelangen, stellen als Mitgift des Schöpfers die Gnade des Anfangs für den ersten Menschen dar. Nach der Ursünde treten an die Stelle dieser Sondersituation und des Angebots des Anfangs als Fluch die Zerissenheit durch die Sünde und die Ungeordnetheit

---

[1] Vgl. H. W. Wolff, Das Kerygma des Jahwisten: EvTh 24 (1964) 73–98; ders.: Zur Thematik der elohistischen Fragmente im Pentateuch: EvTh 29 (1969) 59–72; C. Westermann, Der Segen in der Bibel und im Handeln der Kirche (München 1968) bes. 9–22; H.-P. Müller, Ursprünge und Strukturen atl. Eschatologie = BZAW 109 (Berlin 1969) 129–171.

[2] Siehe J. Hempel, Die israelitischen Anschauungen von Segen und Fluch im Lichte altorientalischer Parallelen: ZDMG 79 (1925) 25–110; J. Scharbert, Solidarität in Segen und Fluch im AT und in seiner Umwelt = BBB 14 (Bonn 1958) (Lit.).

[3] Vgl. H. Gross, Theologische Exegese von Genesis 1–3: MS II, 421–439.

in den wesentlichen Daseinsbezügen des Menschen. Nach der Darstellung von Gn 1–11 bewegt sich die Menschheit in der Sünde mehr und mehr bergab auf dem von Gott wegführenden abschüssigen Weg des Fluches, der die Reduktion des Lebens in allen Ausfaltungen bis hin zur äußersten Möglichkeit der Existenz einer letzten Gottferne nach sich zieht, wie am Beispiel Kains (Gn 4, 1–16) sichtbar wird. Nur dadurch, daß dank der Bewährung des Noach und der nach der Sintflut anhebenden Epoche der göttlichen Geduld (Gn 8, 21 f) die Auswirkung des weltweiten Fluchs eingegrenzt wird, wird die Grundlage für den neuen Weg Gottes geschaffen, der nach dem Jahwisten als Segen bestimmt und charakterisiert wird und in Abraham erstmals Gestalt annimmt.

c. Deuteronomium

Bereits im Umkreis des sinaitischen Bundesschlusses werden Zusage und Gabe des Segens und des Heils von der freiwilligen Annahme durch den Menschen abhängig gemacht (vgl. Ex 19; 24). Der Mensch hat sich ihrer würdig zu verhalten, ihnen gemäß sein Leben einzurichten. Hierin werden Funktion und Bedeutung der Gebote sichtbar, die im Menschen die Voraussetzungen für das Ergehen des Segens schaffen. So tritt denn im Laufe der Offenbarung mehr und mehr der Bedingtheitscharakter des göttlichen Segens zutage, der sich in der Zuordnung der Gebote zum Bund im Dekalog und Bundesbuch Ex 20–23 und besonders in entfalteter Weise in den Segen- und Fluchsprüchen Lv 26 äußert. Die hier angezogenen Linien in der Zeichnung des Heilshandelns Gottes als Segen und Gnade werden vor allem vom Deuteronomium[4] fortgeführt, das als großangelegte Explikation des gnadenhaften Bundesverhältnisses verstanden werden kann. Die durch nichts von seiten des Menschen her ausgelöste spontane Erwählungstat Gottes (z. B. Dt 7) bringt Israel in eine enge personale Gemeinschaft mit Gott, der sich zu ihm voll Huld herabläßt. Letzten Endes gründet diese von Gott unternommene Gemeinschaft mit seinem Volk in seiner Zuneigung und in einer rational nicht mehr verstehbaren Liebe, die in Entstehen und Wirklichkeitsweise nicht dumpf und triebhaft ist, sondern im klaren göttlichen Willen gründet (Dt 1, 31; 7, 8; 14, 1; 32, 10 ff; vgl. Ex 4, 22). Von daher sind denn auch Segen- und Fluchsprüche Dt 27 und die weit ausholenden Segensverheißungen wie Fluchandrohungen Dt 28 zu verstehen, die Israels Liebe zu Gott ermöglichen sollen. So ist also zutiefst Gnade im Deuteronomium als die Liebe Gottes zu den ihm Treuen zu bestimmen, die zur menschlichen Gegenliebe befähigt, sie als personale Antwort vom Menschen erwartet und sich im Liebesaustausch Gott – Volk verwirklicht.

---

[4] Über die besondere Zielsetzung des deuteronomistischen Geschichtswerks informiert trefflich H. W. Wolff, Das Kerygma des deuteronomistischen Geschichtswerks: ZAW 73 (1961) 171–186.

d. Propheten

Die im Deuteronomium aufklingenden Komponenten im Verhältnis Gott –
Mensch, besonders in der göttlichen, Israel zugewendeten Liebe werden von
den Propheten neu beleuchtet und tiefer ausgedeutet.

aa. Es bleibt als einzigartiges Phänomen festzuhalten, daß der vielleicht älteste Schriftprophet Hosea in einer außergewöhnlichen Weise Gottes gnadenhafte Zuwendung als Liebe verstanden und im eigenen schmerzvollen
Eheerleben dargestellt hat (Os 1–3)[5]. Über alles Gericht und alle Strafe, die das
fortlaufend untreue und abtrünnige Volk zu Recht treffen, siegt nach ihm
der göttliche Heilswille in der Gnade, die in Os 2,21f in ihre wesentlichen
Teilelemente aufgespalten ist: «Ich will dich mir verloben auf ewig; ich will
dich mir verloben in Gerechtigkeit und Recht, in Huld (Liebe) und Erbarmen. Ich will dich mir verloben in Treue und du sollst Jahwe erkennen.»
Die vier Qualifikationen *ṣedeq, mišpaṭ, ḥesed, raḥamim* bestimmen das verheißene neue personale Verhältnis Gott – Israel als neu geschenktes durchgrei-
fendes Ordnungsverhältnis, als Bundesverhältnis, aus dem Israel die Nähe
Gottes und seine Sonderstellung unter den Völkern als Huld Gottes dauernd
geschenkt wird, als Gemeinschaft, in der Israel die mütterliche Zuneigung
des erbarmungsvollen Gottes zugesichert wird. Gerade aus der Verheißung
eines neuen Bundes (Os 2,16–25) wird ersichtlich, daß Gottes Gnade im
Menschen in der Sphäre der personalen Gemeinschaft des Volkes mit seinem
Gott beheimatet ist, daß Gnade beim Volk in der Abkehr von der Gottferne
der Sünde notwendig eine innere Um- und Neugestaltung bewirkt und es
damit zur dauerhaften Gemeinschaft mit Gott befähigt.

bb. Im Unterschied dazu wird Gnade in den verschiedenen Teilen des
Jesaja-Buches im Zusammenhang mit dem kommenden messianischen Heil
und als Teilaspekt davon gesehen, ob das Heil nun an einen gottberufenen
Vermittler gebunden ist oder vom rettenden Gott unmittelbar ausgeht. So
wird der verheißene Idealkönig (Is 9,1–6; 11,1–5) das gegenwärtige Unrecht
brechen und vernichten und auf der Grundlage gottgeschenkter Gerechtigkeit dem Volke echten Frieden als neues Verhältnis der Menschen zu Gott
und der Menschen untereinander schenken.

In einer gewissen Nähe zu diesen Verheißungen, aber auch zu den Propheten des Exils wird der unpolitische Gottesknecht im stellvertretenden Er-
lösungsleiden die Sühne «der Vielen» bewirken, damit die Sünde tilgen und
ein neues Bundesverhältnis mit Gott begründen (Is 42,6). Auch hier gipfelt
dieses neue Verhältnis in der neu zugewendeten Liebe Gottes (als Mutter-

---

[5] Zur Deutung von Hos 1–3 vgl. die widersprüchlichen Auffassungen von W. Rudolph,
Hosea = KAT XIII, 1 (Gütersloh 1966); A. Weiser, Das Buch der zwölf kleinen Pro-
pheten I = ATD 24 (Göttingen ⁵1967) und H. W. Wolff, Dodekapropheton 1. Hosea = BK
XIV, 1 (Neukirchen ²1965).

liebe Is 49,15) Is 54,4–8 auf, die sich über alles menschliche Versagen und alle Sünde als sieghaft erweist und demnach Ausdruck der überschießenden Gnade Gottes ist.

cc. Noch stärker im Zusammenhang mit der Verheißung des Neuen Bundes wird Jr 31,31–34; 32,36–42 die von Gott zugesagte Gnade nach dem Verbüßen der gerechten Strafe für den Abfall des Volkes in der Sünde[6] gesehen. Gott wird die Schuld vergeben und der Sünde nicht mehr gedenken. Auf dieser Grundlage, die echte Umkehr im Volk vorausgesetzt, wird sich der Neue Bund verwirklichen, der aus der niemals versiegenden Güte Gottes stammt und Heil und Segen zum Inhalt hat (Jr 32,39f). Viel enger und inniger wird die Bindung des Volkes an Gott sein, da er sein Gesetz «in das Innere legen und ins Herz schreiben» (Jr 31,33) wird, nicht mehr nur auf Tafeln aus Stein. Diesem intensivierten Gnadenangebot wird Israel sich dann spontan öffnen und in einer umfassenden und durchdringenden Gotteserkenntnis engste personale Gemeinschaft mit diesem Gott des Heils eingehen (Jr 31,34).

Noch ein anderes Moment tritt bei Jeremia in Erscheinung. Der Weg der Offenbarung und des Heilshandelns Gottes war von Anfang an in Abraham auf die Sippe, dann später auf das Volk eingestellt. Der einzelne wurde erst in zweiter Linie als Glied dieser Volksgemeinschaft gesehen. Der fortgesetzte Abfall des Volkes im Lauf der Geschichte, der besonders im Abfall der Könige der Reiche Juda und Israel seinen repräsentativen Ausdruck findet, zog aus der Gerechtigkeit Gottes notwendig den Untergang der beiden Reiche, das assyrische und babylonische Exil nach sich. In diesem Geschehen wird jeder völkische und politische Rahmen zerschlagen und als Anknüpfungspunkt des göttlichen Handelns genommen; daher wird die Verantwortlichkeit fortan stärker auf den einzelnen Israeliten Gott gegenüber verlagert. So wie nach Jr 31,20f (vgl. Ez 18,2ff) jeder einzelne für seine Vergehen von Gott zur Rechenschaft gezogen wird, sind es nunmehr auch die einzelnen, in denen der Ansatz für eine Heils- und Gnadenzeit gegeben ist. War also bis zum Exil in erster Linie das gesamte Volk der Bundespartner Gottes und wurden die einzelnen dank ihrer Zugehörigkeit zum auserwählten Volk vom Heilswalten Gottes erreicht, so sind hinfort zunächst die einzelnen aufgerufen, in die neu ermöglichte Heilsgemeinschaft mit Gott einzutreten und auf dieser Grundlage das neue Gottesvolk zu konstituieren.

dd. Gerade dieser Gedanke wird begreiflicherweise vom Propheten Ezechiel fortgebildet. Denn die Zeit des Exils führte zwangsläufig zum Überdenken der bisherigen theologischen Positionen. Bei allem zeitgenössischen Kolorit, das seinen Prophetien anhaftet, und bei der verständlichen Prägung durch seine priesterliche Herkunft setzt der Prophet sich grundsätzlich mit

[6] Das Verständnis von Sünde ist beachtlich gefördert worden durch R. Knierim, Die Hauptbegriffe für Sünde im AT (Gütersloh 1965).

dieser neu entstandenen Problematik auseinander und bietet Kap. 18[7] ein neues entfaltetes Bild der individuellen persönlichen Verantwortlichkeit, der Möglichkeit innerer echter Umkehr und damit des Geschenks der Gnade, die hier als «Leben» im Gegensatz zum Tod des Sünders gesehen und akzentuiert wird.

Neben diesen besonderen Einsichten weiß Ez um eine Heilszukunft, die Gott selbst als guten Hirten der Zukunft in der Sorge um die Seinen sieht (Ez 34,11–24) und einen neuen Davididen als zukünftigen Hirten des Volkes (Ez 34,23–31) verheißt. Noch ausdrücklicher als bei Jeremia wird die neue Heilsgemeinschaft mit Gott im umgestalteten Herzen der Menschen verankert, das als «Herz aus Fleisch» menschlicher und damit gottgeneigter und gottgefügiger werden soll (Ez 36,24–28).

Dieser Einblick in wichtigste ausgewählte Prophetentexte bestätigt in allem auffallend, daß Gnade nicht primär irgendeine Gabe Gottes an den Menschen ist, sondern ein dynamisch heilschaffendes Wirken und Verbindungsuchen Gottes mit den Menschen darstellt, aus denen ihnen Gottes Liebe und Heil, seine Güte und sein Erbarmen zugewendet wird.

e. Psalmen

Von den hebräischen Termini, die dem Wort und Begriff Gnade nahekommen, ist in erster Linie *hesed* zu nennen. Schon ein oberflächlicher Blick in die Konkordanz verrät, daß dieses Wort sich bei weitem am meisten in den Psalmen vorfindet: Von insgesamt 244 Fundstellen lassen sich in den Psalmen allein 127 Belege nachweisen. Das deutet darauf hin, daß in der in den Psalmen erfolgenden Antwort der Menschen auf das Heilswerk Gottes die verschiedenen Aspekte des göttlichen Tuns mit Vorzug als Güte Gottes bezeichnet werden, daß Gottes Handeln am Menschen als Gnade zuletzt Ausfluß der göttlichen Liebe und Zuneigung zum Menschen ist. So wie die «Güte Jahwes» die Erde anfüllt (Ps 33,5) und damit in die Nähe der göttlichen Herrlichkeit tritt (Is 6,3), so werden die Gottreuen von seiner «Güte» geradezu umgeben (Ps 32,10). Gottes Handeln im Raum der Schöpfung und in der heilsgeschichtlichen Führung des von ihm auserwählten Volkes hat seinen Ursprung in der göttlichen Güte und im Heilswillen Gottes und ist daher als Ganzes als «Gnade» anzusprechen, wie es der Refrain der Danklitanei Ps 136 wiederholt und nachdrücklich hervorhebt. So weiß der gottreue Mensch wie auch das ganze Volk sich umgeben und eingetaucht in die «Gnade Gottes». Sie bildet sozusagen das göttliche Fluidum für das Leben des Gott verbundenen Volkes.

Noch von einer anderen Seite läßt sich die Bedeutsamkeit der Gnade in den

---

[7] Vgl. zu Ez 18 die instruktiven und dichten Ausführungen von W. Eichrodt, Der Prophet Hesekiel I = ATD 22/1 (Göttingen 1959) 143–158 und W. Zimmerli, Ezechiel = BK XIII (Neukirchen 1958/59) 391–416.

Psalmen erhellen. In ihnen findet sich ein ausgeprägtes Bewußtsein von der Sündhaftigkeit und Gottesferne der Menschen (vgl. Ps 32). Vor ihr steht der Mensch in Ohnmacht, außerstande, sich vom tödlichen Druck der Sünde zu befreien (Ps 49,8f), angewiesen auf das Erbarmen Gottes zu echter Umkehr. Um die bleibende Anfälligkeit zu Sünde und Abfall wirksam und dauerhaft zu beheben, appelliert der Psalmist Ps 51,12ff[8] an Gott, ihm ein neues, reines, beständig gottreues Herz einzuschaffen. Nur so kann der Mensch der Gefahr des Abfalls und der Sünde radikal und wirksam begegnen. Der Anruf an Gott, in einem Akt der Neuschöpfung hier die leuchtenden Verheißungen von Jr 31,31–34 und Ez 36,24–28 zu verwirklichen, geht aus der schmerzlich empfundenen Bedürftigkeit nach der allein hilfreichen göttlichen Gnade und aus der in der Heilsgeschichte oft erfahrenen Gewißheit der Gnade als notwendiger Grundlage für das Leben mit Gott hervor. Diese bisherige Erfahrung verleiht dem Psalmisten das Recht, um solche Gnade nun in einer grundsätzlichen Weise zu flehen, und die Sicherheit, daß Gott dieses Flehen erhört; auf diese Weise gibt Gott die Möglichkeit, endlich allen Abfall in der Sünde wirksam zu heilen.

2. Gesamtschau der Gnade nach dem AT

a. Atl. Terminologie

Nach der Einzeldarstellung der verschiedenen Aspekte der Gnade in den atl. Schriften sollen nun einige hebräische Termini angeleuchtet werden, die den Sachverhalt «Gnade» im AT ausdrücken oder in dessen Umkreis stehen.

aa. Als hauptsächliches Wort ist *ḥesed* zu nennen. Die genaue Bestimmung des Inhalts von *ḥesed* kann noch immer N. Glueck[9] entnommen werden. Danach ist *ḥesed* als die gemeinschaftsgemäße Verhaltensweise Gottes den Seinen gegenüber zu verstehen. Nur diejenigen, die in einem sittlich-religiösen Gemeinschaftsverhältnis mit Gott stehen, können seinen *ḥesed* erhalten und erwarten. Der *ḥesed* Gottes schließt Treue, Gerechtigkeit und Rechtverhalten ein. Im *ḥesed* betätigt Gott seine Macht für die Seinen und bringt ihnen Hilfe und Erlösung. *Ḥesed* gehört in den Bereich des Bundes, des Eides und der Verheißung und umreißt die Bundesgaben, auf die der Bundestreue von Gott Anspruch erhält. In die Nähe von *ḥesed* gehört das göttliche Erbarmen.

---

[8] Vgl. H. Gross, Theologische Eigenart der Psalmen und ihre Bedeutung für die Offenbarung des AT: Bibel und Leben 7 (1967) 248–256.

[9] N. Glueck, Das Wort ḤESED im atl. Sprachgebrauch als menschliche und göttliche gemeinschaftsgemäße Verhaltungsweise = BZAW 47 (Berlin ²1961). Vgl. auch die neue englische Ausgabe mit einem weiterführenden Überblick über die neuere Diskussion: ḤESED in the Bible, ed. by E. L. Epstein, Cincinnati 1967. Allerdings blieb die Auffassung von Glueck nicht unwidersprochen. H. J. Stoebe setzt sich im Referat über seine Doktordissertation: Die Bedeutung des Wortes Ḥäsäd im AT: VT 2 (1952) 244–254 kritisch mit Gluecks Ansichten auseinander.

Ḥesed ist nicht mit Gnade zu identifizieren, ruht jedoch auf dem Boden der göttlichen Gnade, da die Beziehungen zwischen Gott und Volk durch den Gnadenakt der Erwählung zustande kommen. Als sinngemäße Wiedergabe schlägt Glueck «Treue», «gemeinschaftsgemäße Hilfe», «gemeinschaftsgemäße Liebe» vor. Gnade wäre demnach der fundamentale Begriff, von dem her *ḥesed* als dynamische Wirklichkeitsweise des Bundes Gott-Volk dauernd aktiviert wird.

bb. Von seiner Wurzelbedeutung her dürfte *ḥen* «Gnade» am nächsten stehen. Doch kommt es bei weitem nicht so häufig vor wie *ḥesed*, insgesamt 68 mal, davon 41 mal in der Verbindung «Gunst finden (in den Augen von...)». So wird also mit *ḥen* zumeist die Bitte an einen Vorgesetzten, Höhergestellten und auch Gott ausgedrückt, in einer konkreten Situation günstig gestimmt und gesinnt zu sein. Bisweilen wird es von menschlicher Anmut gebraucht, z. B. Spr 11,16; Ps 45,3; Est 2,17; 5,2.

cc. In einem weiteren Zusammenhang mit Gnade steht der Terminus *'emet*, den man zumeist mit Treue, Sicherheit, Zuverlässigkeit wiedergibt. Für die vorliegende Untersuchung sind vor allem die Stellen bedeutsam, in denen *'emet* mit *ḥesed* koordiniert wird, vgl. Ps 61,8; 89, 15; Spr 3,3; 14,22. In ihnen erhält *'emet* aus dem Kontext die Bedeutung einer Apposition zu *ḥesed*. Man kann diese Figur mit «zuverlässige, beständige Gnade» übersetzen.

dd. *Raḥamim* = Erbarmen, faßt mehr die mitleidvolle Herablassung Gottes zu dem Menschen und des Menschen Hilflosigkeit ins Auge, die auf dieses Erbarmen angewiesen ist. So läßt sich *raḥamim* als Motivation für den *ḥesed* bestimmen und drückt damit eine Seite der Liebe Gottes aus, vgl. Ps 25,6; 40,12; 51,3; 69,17 u.a.

ee. Schwieriger dürfte es sein, in knappen Worten das Verhältnis von *ḥesed* zur Wurzelgruppe *ṣedeq* und *ṣedaqah* zu bestimmen.[10] Nach neuen Untersuchungen gehört Gerechtigkeit als Verhältnisbegriff in die personale Sphäre, bedeutet jedoch nicht die Richtigkeit des Verhaltens zu einer Norm. So wird Gn 15,6 von Abraham die *ṣedaqah* ausgesagt und damit zum Ausdruck gebracht, daß er vor Gott richtig ist, daß sein Verhältnis zu Gott sich in rechter Ordnung befindet. *Ṣedeq* faßt eher jene Geordnetheit aller Wesensbeziehungen des Menschen zu Gott, zu den Mitmenschen und zur untermenschlichen Kreatur ins Auge, beinhaltet mithin das «Richtigsein» des Menschen im Raume der Schöpfung wie auch in der Heilssphäre (vgl. Abraham nach Gn 15,6) und bedeutet demnach die von Gott auf Grund der Glaubensbindung an ihn geschenkte Rechtfertigung. *Ḥesed* ist dagegen mehr Ausdruck des spontanen Heilswillens Gottes, der sich dem Menschen zuwendet und

---

[10] Statt ausführlicher Literaturangaben sei hier hingewiesen auf H. Cazelles, A propos de quelques textes difficiles relatifs à la justice de Dieu dans l' AT: RB 58 (1951) 169–188 und G. v. Rad, Theologie des AT I (München ⁴1962) 382–395.

den gottverbundenen Menschen immer neu mit der huldvollen Güte Gottes bestrahlt, damit sozusagen den durch die *ṣedaqah* gefügten Rahmen im Menschen mit gottgeschenkten Inhalten ausfüllt. So wird aus dem *ṣaddiq* der *ḥasid*, aus dem gerechtfertigten Menschen der von der Bundeshuld überstrahlte und neu beschenkte gottverbundene, eben der *begnadete* Mensch.

b. Gnade und Heil

Die knappen Einblicke in die Aussagen wichtiger biblischer Bücher haben ausnahmslos bestätigt, daß Gnade mit dem umfassenden Theologumenon Heil zusammenhängt, ja, recht verstanden, ein anderer Ausdruck für das Heil ist, das Gott den Menschen zuwendet. «Heil und Frieden» sind ihrerseits die wesentlichen Qualifikationen des Gottesreiches, auf dessen Aufrichtung das Heilsunternehmen Gottes nach der Offenbarung des AT und NT ausgerichtet ist. Zum Reich Gottes gehören und ins Reich Gottes gelangen kann nur, wer im Heil Gottes steht.

Demnach ist der atl. Begriff Gnade ein so komplexer Begriff wie der des Heils. Zu ihm gehört als Grundlage die durch nichts von Menschen ausgelöste Erwählung, die ihrerseits im Menschen als Ebenbild Gottes grundgelegt ist (Gn 1,26ff). Daher gehen wichtigen Heilsereignissen im Laufe der Offenbarung Erwählungstaten voraus, vgl. Gn 12,1–3; Ex 19,3–8; 1 Sam 16,6–13 u. ö. Dieser Erwählung gemäß hat der Erwählte sich einzustellen, Leben und Verhalten entsprechend umzugestalten. Wesentlicher Bestandteil dieser neuen Existenzweise wird das Unterwegssein zu Gott (vgl. Gn 12,1.4). Die grundlegend umfassende Antwort des Menschen auf den Ruf Gottes in der Erwählung hat in der personalen Übereignung des Menschen an Gott im Glauben zu erfolgen, der, dauernd betätigt, die Existenzmitte des Menschen aus sich heraus in Gott hinein verlagert. Damit wird der Mensch «richtig» in den Augen Gottes, aus der Abkehr von der Sünde führt ihn diese Lebenseinstellung in der Umkehr zu Gott zur Rechtfertigung. Sie hat ihrerseits die Aufnahmebereitschaft des Menschen für die Heilsgaben zur Folge, die aus dem Verhältnis des Bundes dem Menschen als Huld und Güte Gottes zufließen, damit den gerechtfertigten zum gottgemäßen Menschen machen. Diesen gesamten Heilswerdungsprozeß im Menschen kann man im atl. Verständnis als Gnade bezeichnen.

c. Gnade und Erlösung

Mit der fortschreitenden Offenbarung wird Israel mehr und mehr bewußt, daß dem Element der Erlösung in dem komplexen Heilsgeschehen als Gnadentat Gottes besondere Bedeutung zukommt. Die beiden dafür hauptsächlich

verwendeten Verben *g'l* und *pdh*[11] entstammen dem Familien- und Handels-
recht und werden im Heilswerk Gottes für die Rettung aus Einzelnot Ps
49,8 f; Job 33,27 f, für die Befreiung aus Ägypten, vornehmlich im Dt 7,8;
9,26; 13,6; 15,15 u.ö. und ganz allgemein für die endzeitliche Rettung und
Erlösung gebraucht, besonders Is 41,14; 43,14; 44,6.24; 49,26 u.ö.

Der Gebrauch dieser Termini erweitert sich demnach aus der Verwendung
für eine Rettung aus menschliche Kräfte übersteigender konkreter Einzelnot
zur großen Befreiungstat Gottes an Israel aus Ägypten bis hin zur allgemein
geschichtlichen und endzeitlichen Erlösung durch Gott. Parallel damit geht
das wachsende Wissen um die allgemeine Sündhaftigkeit der Menschen, aus
der sie sich selber nicht befreien können; damit wird das wachsende Erlö-
sungsbedürfnis wach, vgl. Job 4,17; 14,4; 15,15; Ps 51,9–15. Umkehr des
Menschen in Abkehr von der Sünde und Erlösung von der Sünde werden
folglich in steigendem Maße als Gnade empfunden, vgl. Ps 32,1 f.

Rettung und Erlösung als Gnadenerweis Gottes sind je einzelne Heilstaten, während Segen als Heil die bleibende Gegenwärtigkeit Gottes für den
umgewandelten, ihm im Glauben verbundenen Menschen besagt.[12] Doch da
die Existenz der Menschen dauernd durch die Sünde mitbestimmt wird, wird
auch das je neue rettende Eingreifen Gottes immerfort notwendig.

d. Eschatologischer Aspekt

Schließlich bedeuten nicht nur die gegenwärtigen Heilsgaben Gnade, sondern vor allem die kommenden endzeitlichen.[13] In ihnen vor allem enthüllt
sich die personale Dimension der Gnade. Ein endzeitliches Gericht als Vollendung des rettenden Handelns Gottes leitet die Wende kosmischen Aus-
maßes zu einem gewandelten Dasein in einem neuen Himmel und auf einer
neuen Erde ein (Is 65,17; 66,22). In Gestalt des neuen Bundes, der als Frie-
densbund (Ez 34,25; 37,26) zu kennzeichnen ist und alle Völker erfaßt (Is
19,25), wird das endzeitliche Gottesreich in Erscheinung treten. Eine bis
dahin ungekannte Fruchtbarkeit wird Ausfluß des endzeitlichen Segens Gottes sein, Is 35; Os 2,23 f; Joel 4,18; Am 9,13 f. Dank der inneren Verwandlung der Menschen wird ihr Abfall in der Sünde definitiv geheilt, erreicht

[11] Diese beiden Begriffe hat J. J. Stamm, Erlösen und Vergeben im AT (Bern 1940), bis
heute brauchbar und gültig aufgeschlossen. Eine gute und leicht verständliche Darstellung
zu den hier skizzierten Termini gibt H. U. v. Balthasar in: Herrlichkeit, Bd. III/2 Teil 1
(Einsiedeln 1967) 147–164.

[12] Auf diesen Unterschied macht C. Westermann aaO. (Anm. 1) bes. 16–22 überzeugend
aufmerksam.

[13] Vgl. dazu die neuen Untersuchungen von H. D. Preuss, Jahwe-Glaube und Zukunfts-
erwartung (Stuttgart 1968) und H. P. Müller, Ursprünge und Strukturen atl. Eschatologie=
BZAW 109 (Berlin 1969).

Gottes Erlösungswerk sein bleibendes Ziel (Is 4,3; 11,9; 32,15–20; Zach 8,23). In einer bis dahin unerhörten engsten Gottesgemeinschaft werden sich Israel (Os 2,21f) und alle Völker der überreichen Huld und Gnade Gottes erfreuen dürfen (Is 25,6ff).

Denn nun ist der gesamte Kosmos bis ins letzte von der Erkenntnis Gottes durchdrungen (Is 11,9; Hab 2,14), das heißt, in die engstmögliche Vertrauens- und Liebesbindung zu Gott gelangt. Selbst der Tod, die uralte Sorge des Menschengeschlechts, wird ausgelöscht und vom bleibenden Leben als Gabe der eschatologischen Gnade verschlungen sein (Is 25,8; 26,19; Dn 12,2). Darin erweisen sich Erlösung und Segen, die entscheidenden Komponenten des Heilshandelns Gottes, als siegreich über jede von Menschen in die Welt hineingetragene Gegenbewegung in der Sünde, die den Fluch nach sich zieht. Als Gnade versteht das AT demnach den fortgesetzten Anstoß und das Eingreifen Gottes, die diese Endvollendung herbeiführen. Gnade ist aber auch die umgeschaffene neue Existenzweise der mit Gott in engster Freundschaft und Gemeinschaft verbundenen Menschen, bedeutet das Leben in göttlicher Fülle.

HEINRICH GROSS

BIBLIOGRAPHIE

Ap-Thomas D. R., Some Aspects of the Root ḥen in the OT: Journal of Semitic Studies 2 (Manchester 1957) 128–148.

Asensio F., El Ḥèsed y'Ĕmet Divinos. Su influjo religioso-social en la historia de Israel (Rom 1949).

Bonnetain P., Grâce: DBS III (Paris 1938) 701–1319, bes. 727–925 (Lit.).

Glueck N., Das Wort ḤESED im atl. Sprachgebrauche: = BZAW 47 (Berlin ²1961).

Haspecker J., Der Begriff der Gnade im AT: LThK IV (Freiburg 1960) 977–980.

Köberle J., Sünde und Gnade im religiösen Leben des Volkes Israel bis auf Christum (München 1905).

Lofthouse W. F., Ḥen and ḥesed in the OT: ZAW 51 (1933) 29–35.

Smith C. R., The Bible Doctrine of Grace (London 1956).

Stoebe H. J., Die Bedeutung des Wortes Ḥäsäd im AT: VT 2 (1952) 244–254.

DIE NEUTESTAMENTLICHE GNADENTHEOLOGIE IN GRUNDZÜGEN

1. Die Haupttypen der neutestamentlichen «Gnadenlehre»

Wie wird das Phänomen, das in der christlichen Theologie «Gnade» heißt, im Neuen Testament gesichtet? In sehr mannigfacher Weise, wie die Schriften des Neuen Testaments erkennen lassen.

a. Jesus (Synoptiker)

Aus dem Befund der synoptischen Überlieferung darf der Schluß gezogen werden, daß Jesus selbst das Wort χάρις im Sinn von «Gnade» wahrscheinlich nie gebraucht hat.[1] Muß daraus der Schluß gezogen werden, daß er die Sache, die etwa Paulus mit dem Terminus χάρις sprachlich zum Ausdruck bringt, nicht gekannt hat? Keineswegs! Aber in welcher Weise sichtet er sie? Man kann darauf kurz antworten: Er sichtet sie als βασιλεία-Geschehen. Denn die βασιλεία τοῦ θεοῦ ist für Jesus ein *Geschehen* und zwar ein Heilsgeschehen;[2] Jesus offenbart, besonders während des «galiläischen Frühlings», die Herrschaft Gottes primär als Heil und zwar mehr in Tat als in Wort.[3] Das Heil der Gottesherrschaft zeigt sich durch Jesus vor allem in den Grenzsituationen des menschlichen Daseins, d.h. in Krankheit, Not und Tod (s. die Wunder Jesu); sie zeigt sich aber besonders auch in seinen demonstrativen Mahlzeiten mit den sogenannten Zöllnern und Sündern (vgl. Mk 2,13–17; Lk 7,36–50; 15,1f). In den drei Gleichnissen vom verlorenen Schaf, von der verlorenen Drachme und vom verlorenen Sohn rechtfertigt Jesus «theoretisch» sein Gnadenhandeln an den Zöllnern und Sündern; seine Denk- und Handlungsart entspricht der Denkart Gottes (Lk 15,3–31). Gott ist der, so sagt Jesus in offenbarender Gleichnisrede, der die Verlorenen in alle umfassender Liebe und alle umfassendem Erbarmen sucht und «begnadigt». Unter den Synoptikern hat vor allem Lk diesen die Gnade Gottes manifestierenden Aspekt des Handelns und der Predigt Jesu herausgearbeitet.[4]

---

[1] Nur im Sinn von «Dank» begegnet bei Lk χάρις im Munde Jesu (vgl. 6,32ff; 17,9).

[2] Vgl. etwa R. Schnackenburg, Gottesherrschaft und Reich (Freiburg ³1963) 56–62; J. Becker, Das Heil Gottes (Göttingen 1964) 199–214; F. Mußner, Die Wunder Jesu. Eine Hinführung (München 1967) 48–53; H. Flender, Die Botschaft Jesu von der Herrschaft Gottes (München 1968) 30–51.

[3] Dies ist das Ergebnis der bedeutsamen Untersuchung von A. Polag, Die Christologie der Logienquelle (Mschr. Diss., Trier 1968).

[4] Vgl. auch noch M. Cambe, La ΧΑΡΙΣ chez s. Luc: RB 70 (1963) 193–207.

Seinen Höhepunkt erreicht die Gnadenoffenbarung Jesu in seiner Todeshingabe «für die vielen», d. h. für alle, von ihm selbst so interpretiert in den
eucharistischen Deuteworten («mein Leib für euch hingegeben», «mein
Blut für euch ausgegossen»).[5] Dieses «für» ist die eigentliche Implikation
dessen, was sowohl im Handeln und Lehren Jesu wie auch später durch
Paulus und die ganze Urkirche als «Gnadenlehre» expliziert wird.[6] Der Gott
der Gnade[7] ist der Gott mit uns und für uns, der sich in Jesus als solcher
geoffenbart hat. Jesus erfüllt so, was sich schon im Bundesgeschehen zwischen Jahwe und Israel angezeigt hat.

Jesu Gnadenoffenbarung stellt den Menschen in einen neuen Gnadenraum,
in dem er nun Gott ganz als den liebenden Vater erkennt und sich selbst als
Kind dieses Vaters, zu dem er in ein Verhältnis der Liebe und des Vertrauens
tritt, zu dem er jederzeit «Zugang» durch Christus hat (vgl. Eph 2,18) und
den er mit dem aus der Familiensprache stammenden «abba» anreden darf.[8]
Gott rechtfertigt den Sünder, der mit leeren Händen vor ihm steht, aber
seine Sünden ehrlich bekennt, nicht den selbstgerechten Pharisäer, der auf
seine Leistungen pocht (vgl. Lk 18,9–14). Jesus ist die heilende Gnade Gottes in Person; er ist der göttliche Arzt, und der Mensch ist vor Gott ein Kran-
ker, der der Heilung bedarf.[9] Jesus ist nicht gekommen, «Gerechte zu rufen,
sondern Sünder», nämlich in das Heil der Gottesherrschaft (vgl. Mk 2,17).
So ist im Sinne Jesu und der synoptischen Überlieferung das βασιλεία-Geschehen primär ein Gnadengeschehen, durch das der Mensch ins Heile
kommt, «gerettet» wird.

b. Johannes

Obwohl das Jo-Evangelium und auch die Jo-Briefe zu den spätesten Schriften des Neuen Testaments gehören, seien sie jetzt schon für unser Thema ins
Auge gefaßt, da ja im Jo-Evangelium nochmals Jesus zur Sprache kommt,

[5] Zur Frage der Historizität des letzten Abendmahles und der Deuteworte vgl. zuletzt
H. Schürmann, Jesu Abendmahlsworte im Lichte seiner Abendmahlshandlung: Concilium
4 (1968) 771–776; ders., Die Symbolhandlungen Jesu als eschatologische Erfüllungs-
zeichen. Eine Rückfrage nach dem historischen Jesus: Bibel und Leben 11 (1970) 29–41;
73–78.
[6] Vgl. dazu auch K. H. Schelkle, Die Passion Jesu in der Verkündigung des Neuen
Testaments. Ein Beitrag zur Formgeschichte und zur Theologie des Neuen Testaments
(Heidelberg 1949) 131–177; H. Riesenfeld: ThW VIII, 511–515 (s. v. ὑπέρ).
[7] Eine seltene Gottesprädikation im AT und Judentum, meist in der pluralischen Form
«der Gott der Gnadentaten»: s. Näheres dazu bei R. Deichgräber, Gotteshymnus und
Christushymnus in der frühen Christenheit. Untersuchungen zu Form, Sprache und Stil
der frühchristlichen Hymnen = Stud. zur Umwelt des NT 5 (Göttingen 1967) 91 f.
[8] Vgl. J. Jeremias, Abba: ABBA. Studien zur ntl. Theologie und Zeitgeschichte (Göttingen 1966) 15–67 (besonders 58–67).
[9] Vgl. auch E. Peterson, Was ist der Mensch?: Theologische Traktate (München 1951)
225–238.

wenn auch in einer besonderen, von der synoptischen abweichenden Weise.[10]
Wie zeigt sich bei Johannes das «Gnadengeschehen»? In welchen Ideen und
Begriffen? Auch im Mund des johanneischen Christus findet sich der Begriff
χάρις nicht, wohl aber in der theologischen Reflexion des Evangelisten, wie
Jo 1,14–17 eindrücklich zeigt. Der Einziggezeugte des Vaters, der fleisch-
gewordene Logos, ist «voll der Gnade und Wahrheit» (1,14). «Aus seiner
Fülle haben wir alle empfangen: Gnade um (oder: an Stelle von) Gnade»
(1,16).[11] Während das Gesetz durch Moses gegeben wurde, «kam Gnade
und Wahrheit durch Jesus Christus» (1,17); die Verbindung «Gnade und
Wahrheit» meint sachlich wohl dasselbe wie in 1,4 die eng einander zuge-
ordneten Begriffe «Leben» und «Licht», d.h. die χάρις Jesu Christi ist für
Johannes nichts anderes als die ζωή (αἰώνιος). Vorzüglich in den Begriff des
«Lebens» faßt Johannes das eschatologische Gnadengeschehen, das mit
Jesus Christus in die Welt gekommen ist.

Was versteht Johannes unter diesem «Leben»?[12] Für die johanneische
Lebenstheologie sind zwei Sachverhalte kennzeichnend: 1.Ihr dualistischer
Rahmen: Leben kommt nur «von oben», aus der himmlisch-göttlichen
Welt; damit ist der «Gnadencharakter» des Lebens aufs Stärkste zur Geltung
gebracht. 2. Ihre entschieden christologische Grundlage: Christus verleiht nicht bloß das Leben, sondern ist als der präexistente, aus der himmlischen Welt Gottes stammende und fleischgewordenen Lebenslogos (Jo
1,4; 1 Jo 1,1) das Leben in Person («Ich bin das Leben»: Jo 11,25; 14,6;
5,26). «Leben» ist also radikal als gratia Christi verstanden. Er ist gesandt,
um der Welt das eschatologische, immerwährende Leben zu bringen (3,15f;
10,10). Wer an ihn «glaubt», ihn «sieht», ihn «erkennt», ihn «hat», «hat»
jetzt schon (5,24; 1 Jo 3,14) das Leben durch ihn (Jo 3,15f.36; 5,24; 6,40.47;
10,28; 17,2f; 20,31; 1 Jo 5,12). Das «Leben» ist also nicht erst ausständige,
sondern bereits gegenwärtige Gabe an den Gläubigen. Vermittelt wird ihm
dieses Leben in der sakramentalen Geistzeugung «von oben» (Jo 1,13;
3,5f; 4,14; 7,38f; 1 Jo 5,6ff), durch Jesu Todeshingabe «für (ὑπέρ) das
Leben der Welt» und deren Repräsentation und Applikation in der eucharistischen Gabe seines Fleisches und Blutes (Jo 6,51c–58)[13] und durch die

[10] Vgl. dazu F. Mußner, Die johanneische Sehweise und die Frage nach dem historischen
Jesus = QD 28 (Freiburg 1965).

[11] Zu dem Problem, das hinter der eigenartigen Formulierung χάριν ἀντὶ χάριτος steckt,
vgl. etwa R. Schnackenburg, Das Johannesevangelium 1. Teil (Freiburg 1965) 251.
W. Eltester meint, an die Stelle (vgl. ἀντί) der Gnade des Gesetzes sei nach der Aussage des
Prologs «die wahre Gnade durch Jesus Christus in Person... getreten» (Der Logos und
sein Prophet: Apophoreta. Festschr. f. E. Haenchen [Berlin 1964] 133); faßt man das den
folgenden V. 17 einleitende ὅτι streng begründend auf, dann ist diese Auslegung keineswegs
verfehlt.

[12] Vgl. dazu besonders F. Mußner, ΖΩΗ. Die Anschauung vom «Leben» im vierten Evangelium unter Berücksichtigung der Johannesbriefe (München 1952).

[13] Vgl. dazu auch H. Schürmann, Die Eucharistie als Repräsentation und Applikation

gehorsame Annahme seines lebenzeugenden Wortes im Glauben (5, 24; 6, 63. 68; 8, 51). Das Wesen dieses Lebens ist die pneumatische Christusgemeinschaft (15, 1–5: Weinstockrede), Gotteskindschaft (Jo 1, 12; vgl. auch 1 Jo 3, 1. 2. 10; 5, 2) und «Zeugung aus Gott» (1, 13; vgl. auch 3, 5. 6; 1 Jo 2, 29; 3, 9; 4, 7; 5, 1. 4. 18).[14] Das schon jetzt in der Taufe als reale Christusgemeinschaft geschenkte Leben wird sich einst im kommenden Äon entfalten und vollenden in der manifesten Teilhabe der Jünger an der himmlischen Herrlichkeit Jesu nach der endzeitlichen Auferweckung von den Toten, und zwar als engste Gemeinschaft mit Gott und seinem Sohn (Jo 14, 2 f; 17, 24. 26) und als offene Schau der unverhüllten Doxa des Erhöhten (17, 24).

Das Gnadengeschehen der Lebensverleihung an die Welt findet bei Johannes, im Anschluß an die vorausgehende Tradition, seinen terminologischen Ausdruck insbesondere auch in dem Begriff «retten» ($\sigma\dot\phi\zeta\varepsilon\iota\nu$).[15] Das passivische $\sigma\omega\vartheta\tilde\eta\nu\alpha\iota$ ist nicht zu übersetzen mit «gerettet werden», «sondern mit Heil, Leben erlangen bzw. geben, entsprechend den stets positiven Parallelausdrücken» (Foerster)[16] wie Leben und Reich Gottes. Jesus wird in Jo 4, 42 als «der Retter der Welt» schlechthin verkündigt (vgl. auch 1 Jo 4, 14).

Das Gnadengeschehen kommt bei Johannes ferner zum Ausdruck in den Begriffen $\delta\iota\delta\dot o\nu\alpha\iota$ (bezogen auf den Geber) und $\lambda\alpha\mu\beta\dot\alpha\nu\varepsilon\iota\nu$ (bezogen auf den Empfänger), weiter in den Wendungen $\mu\dot\varepsilon\nu\varepsilon\iota\nu$ $\dot\varepsilon\nu$, $\varepsilon\tilde\iota\nu\alpha\iota$ $\dot\varepsilon\nu$ und $\dot\varepsilon\chi\varepsilon\iota\nu$ (dem «johanneischen Haben»).[17] Immer geht es dabei um die gnadenhafte Lebensgemeinschaft der Gläubigen mit Christus und Christi mit den Gläubigen und durch ihn mit dem Vater, wobei es aber niemals heißt: «Der Vater (ist) in euch», sondern: «Der Vater in mir und ich in euch», ferner niemals: «Ihr im Vater», sondern: «Ihr in mir». Christus bleibt immer «zwischen» dem Vater und den Gläubigen: alle Gnade ist so gratia Christi.

Es sei schließlich noch hingewiesen auf die eigentümliche Formulierung in 1 Jo 3, 9: $\sigma\pi\dot\varepsilon\rho\mu\alpha$ $\alpha\dot v\tau o\tilde v$ $\dot\varepsilon\nu$ $\alpha\dot v\tau\tilde\omega$ $\mu\dot\varepsilon\nu\varepsilon\iota$, die gut «gnostisch» zu klingen scheint.[18] Veranlaßt wurde der Ausdruck in 1 Jo sicher durch die vorausgehende Wendung $\dot o$ $\gamma\varepsilon\gamma\varepsilon\nu\nu\eta\mu\dot\varepsilon\nu o\varsigma$ $\dot\varepsilon\kappa$ $\tau o\tilde v$ $\vartheta\varepsilon o\tilde v$. Da die Zeugung aus Gott, in der der Gläubige den «Samen» Gottes empfängt, identisch ist mit der Zeugung aus dem Geist, darf der Empfang des $\sigma\pi\dot\varepsilon\rho\mu\alpha$ $\vartheta\varepsilon o\tilde v$ gleichgesetzt werden

---

des Heilsgeschehens nach Joh 6, 53–58: TrThZ 68 (1959) 30–45; 108–118; X. Léon-Dufour, Le mystère du Pain de Vie (Jean VI): RScRel 46 (1958) 481–523.

[14] Vgl. auch R. Schnackenburg, Die Johannesbriefe (Freiburg ²1963) 175–183 (Exkurs «Gotteskindschaft und Zeugung aus Gott»).

[15] Vgl. dazu auch W. Wagner, Über ΣΩΖΕΙΝ und seine Derivate im Neuen Testament: ZNW 6 (1905) 205–235; W. Foerster, G. Fohrer: ThW VII, 966–1002.

[16] Ebd. 998.

[17] Vgl. dazu H. Hanse, «Gott haben» in der Antike und im frühen Christentum = RVV 27 (Berlin 1939); ders.: ThW II, 823 f; 825 f; F. Mußner, ZΩH 151–158 («Mystische» Formeln bei Johannes); R. Schnackenburg, Die Johannesbriefe 105–110 (Exkurs: Zu den joh. Immanenzformeln).

[18] Vgl. R. Bultmann, Die drei Johannesbriefe (Göttingen 1967) 57.

mit dem Empfang der Lebensgabe des Pneuma, des göttlichen Lebens-
prinzips.[19] 1 Jo 3,9 darf deshalb nicht naturhaft, wie ähnliche Formulierungen in der Gnosis, sondern muß gnadentheologisch verstanden werden.
Kommt es auf Seiten des so Begnadeten nicht zur ethischen Bewährung,
wird er aus der Lebensgemeinschaft mit Christus ausgeschieden (vgl. besonders Jo 15,5 f).

c. Paulus

Der Apostel Paulus hat selbst die Übermacht der Gnade bei Damaskus erfahren und wurde so im ntl. Zeitalter zum eigentlichen Sänger der Gnade und
damit zum Interpreten der Gnadenbotschaft Jesu.[20] Bei ihm hat nun auch der
Begriff χάρις eminent theologischen Sinn – er erscheint bei ihm 100mal (im
übrigen NT nur 55mal). Ein klassischer Text der pln. Gnadenlehre liegt vor
allem in Röm 3,21–24 vor: «Jetzt aber ist ohne Gesetz Gottes Gerechtigkeit
offenbar geworden, bezeugt vom Gesetz und den Propheten, Gottes Gerechtigkeit aber durch Glauben an Jesus Christus für alle Glaubenden. Denn da
ist kein Unterschied: denn alle haben gesündigt und ermangeln der Herrlichkeit Gottes, (doch jetzt sind sie alle) gerechtgesprochen geschenkweise *durch
seine Gnade* aufgrund der Erlösung in Christus Jesus».[21] Hier wird die Gnade
in engsten Zusammenhang mit dem Rechtfertigungsvorgang gebracht (vgl.
δικαιούμενοι ... τῇ αὐτοῦ χάριτι). Die Stelle enthält beinahe das ganze theologische Vorstellungsfeld, das zum Begriff χάρις als Rechtfertigungsgnade
gehört: 1. πάντες, alle ohne Ausnahme, ob Juden oder Heiden: der Gnaden-
universalismus tritt zutage; 2. δωρεάν: geschenkweise, gratis, folglich «ohne
des Gesetzes Werke» (vgl. Röm 11,6: «wenn aber durch Gnade, dann nicht
mehr aufgrund von Werken, da sonst Gnade nicht Gnade wäre»; dazu auch
noch 4,4). Die «Gottesgerechtigkeit» ist eine geschenkte Gerechtigkeit,
nicht eine eigenerworbene (vgl. auch Phil 3,7 ff); 3. διὰ τῆς ἀπολυτρώσεως τῆς
ἐν Χριστῷ Ἰησοῦ: Der blutige Kreuzestod Jesu ist das Werkzeug (διά) für Gott,
mit dem er den Sünder rechtfertigt; freilich ist das kein mechanisch-magisches
Geschehen, da die Begnadigung des Sünders nur zustande kommt, wenn auf
seiner Seite Glauben vorliegt (vgl. auch Röm 4,16: «deshalb aus Glauben,
damit gemäß Gnade»; 5,2). Dabei kann die πίστις aber nicht als autonomes
«Werk» verstanden sein, weil sonst das κατὰ χάριν wieder illusorisch gemacht
wäre. χάρις ist in solchen Zusammenhängen der gnädige Heilswille Gottes,
sein grundloser Erbarmungswille gegen alle, weshalb ἔλεος zum theologischen Begriffsfeld von χάρις gehört.[22] Weil die Rechtfertigung geschenkweise

---

[19] Vgl. dazu F. Mußner, *ZΩH* 113; 118–127.
[20] Vgl. auch W. Grundmann, Die Übermacht der Gnade: NT 2 (1957) 50–72.
[21] Vgl. dazu vor allem den Kommentar von O. Kuss, Der Römerbrief, 1. Lieferung
(Regensburg 1957) 112–115; F. Mußner: LThK IV (1960) 981 f.
[22] Schon die LXX übersetzt mit ἔλεος häufig die hebräischen «Gnaden»-Termini.

erfolgt, darum bringt die pln. Gnadenlehre zugleich auch die Freiheit Gottes zur Geltung: Die Begnadigung erfolgt κατ' ἐκλογήν des souveränen Gottes (vgl. Röm 11,5). 4. Weil sich die Gottesgerechtigkeit «jetzt» (νυνί) geoffenbart hat, nämlich in der Erlösungstat Jesu Christi, darum ist die Zeit seit Christus in einem besonderen, vorher nicht da gewesenen Sinn Gnadenzeit für alle, die glauben.

Die pln. Gnadenlehre in dem eben entwickelten Sinn besitzt eine frühjüdische Präformierung bei den Essenern, wie das Qumranschrifttum beweist.[23] Vgl. besonders 1 QS XI, 12–13: «Wenn ich aber wanke, sind Gottes Gnadenerweise mir Hilfe für immer. Komme ich zu Fall durch mein sündiges Fleisch, wird mein Freispruch (meine Gerechtsprechung)[24] durch Gottes Gerechtigkeit ewig bestehen... Durch sein Erbarmen hat er mich nahegebracht, und durch seine Gnadenerweise kommt mein Freispruch (meine Gerechtsprechung). Durch die Gerechtigkeit seiner Wahrheit hat er mich gerichtet (gerecht gemacht), und durch die Fülle seiner Güte wird er sühnen alle meine Sünden, und durch seine Gerechtigkeit reinigt er mich von menschlichem Schmutz» (vgl. auch I, 26; II, 1; XI, 3: «Durch seine Gerechtigkeit wird die Sünde abgewischt»; 1 QHod IV, 30: «Und ich weiß, daß der Mensch keine Gerechtigkeit hat»; ferner I, 6.26; XIV, 15; XVI, 11; VII 28b–30: «Und wer wird gerechtfertigt werden vor dir, wenn er gerichtet wird? Aber alle Söhne deiner Wahrheit wirst du in Verzeihung vor dich bringen, sie reinigend von ihren Missetaten im Übermaß deiner Güte und in der Fülle deines Erbarmens»). Die Qumrangemeinde versteht sich als «Bund der Gnade» (1QS I, 8; 1 QHod fr. 7,7). Der große Unterschied zwischen der Gnadenlehre von Qumran und jener des Paulus besteht darin, daß nach dem Apostel die Rechtfertigungsgnade ein die ganze Menschheit umfassendes, an den Glauben an den stellvertretenden Sühnetod Jesu gebundenes Heilsgeschehen unter Ausschluß des alten Heilsweges über «des Gesetzes Werke» ist.

Im Mittelpunkt der pln. Gnadenlehre steht, ähnlich wie in Qumran, der Begriff der Gerechtigkeit. J. Becker faßt seine Untersuchung des pln. Begriffs δικαιοσύνη so zusammen:[25] «Nirgends zeigte sich Gottes Gerechtigkeit als Strafgerechtigkeit, sie war vielmehr immer positiv als Heilsbegriff bestimmt»; das ist der Grund, warum bei Paulus Gnade und Gerechtigkeit zusammengehören und beinahe Synonyma sind. Es ist nicht so, daß nach Paulus Gott von der Ausübung seiner (Straf-)Gerechtigkeit absehen würde und anstelle

---

[23] Vgl. dazu besonders S. Schulz, Zur Rechtfertigung aus Gnaden in Qumran und bei Paulus: ZThK 56 (1959) 155–185; H. Braun, Römer 7,7–25 und das Selbstverständnis des Qumran-Frommen: Gesammelte Studien zum NT und seiner Umwelt (Tübingen 1962) 100–119; W. Grundmann, Der Lehrer der Gerechtigkeit von Qumran und die Frage nach der Glaubensgerechtigkeit in der Theologie des Apostels Paulus: RevQum 2 (1960) 237 bis 259; K. Kertelge, «Rechtfertigung» bei Paulus = NTANF 3 (Münster ²1972) 24–45.

[24] Zum Begriff mišpat im Qumranschrifttum vgl. besonders J. Becker, Das Heil Gottes, 16; 24; 71f; 91; 123f; 143; 154; 162ff; 169; 185.

[25] Das Heil Gottes 275.

der Gerechtigkeit Gnade walten ließe, sondern die Gnade *ist* seine Gerechtigkeit, wie besonders aus dem oben behandelten Text Röm 3, 21–24 hervorgeht. M.a.W.: «Gerechtigkeit» ist bei Paulus ein ausgesprochener Heilsbegriff![26]

Paulus bringt die gnadenhafte iustificatio impii durch Gott in engen Zusammenhang mit der Heils- und Unheilsgeschichte des Menschen. Das geschichtliche Ereignis des Kreuzestodes Jesu, in dem sich Gottes gnädiger Heilswille offenbarte, ließ den Apostel mehr als alle anderen Missionare der Urkirche erkennen, daß damit ein neuer Heilsweg für die Menschheit geöffnet ist, durch den der alte, doch nicht zur Rechtfertigung führende Heilsweg über «des Gesetzes Werke» ein für allemal erledigt ist (vgl. dazu besonders Röm 5, 12–21). War die durch Adams Übertretung und die Sünden aller Adamiten verursachte Todessituation der Menschheit durch das «Dazwischenkommen» des Gesetzes nur noch verschärft worden, weil niemand imstande war, die strengen Forderungen des Gesetzes, das zwar das Leben bringen sollte, infolge der Schwäche des menschlichen «Fleisches» wirklich zu erfüllen (vgl. Röm 3, 19f; 4, 15; 5, 13. 20; 7, 8. 10. 13; Gal 3, 12. 19), so war durch die Erlösungstat des «zukünftigen» Adam ein ganz neuer Heilsweg eröffnet worden, der den Gläubigen wirklich die Gnade der Rechtfertigung und des Lebens zu bringen vermag (Röm 5, 17–21). Deshalb überragt das «Gnadengeschenk» die «Übertretung» in unvergleichlicher Weise (Röm 5, 15f; vgl. auch 6, 1; 2 Kor 4, 15; 9, 8. 14). Die Gnade bedeutet den Sieg über die Todesmacht der Sünde (Röm 5, 20b. 21), «Rettung» aus der Todessituation des alten Äons und darum «ewiges Leben in Christus Jesus, unserem Herrn» (Röm 6, 23). Diesen neuen Heilsweg der geschenkten Rechtfertigung des Sünders «aus Glauben» durch das Kreuz Jesu wieder zu verlassen und sich, wie etwa die Galater es versuchten, dem alten, doch erledigten Heilsweg «über des Gesetzes Werke» zuzuwenden, ist deshalb für den Apostel ein «Abfall» von dem, «der euch in Christi Gnade berufen hat», und ein «Herausfallen aus der Gnadenordnung» (Gal 1, 6; 5, 4; vgl. auch 2 Kor 6, 1). «Ihr seid nicht mehr unter (der Herrschaft des) Gesetzes, sondern unter (der Herrschaft der) Gnade» (Röm 6, 14), wodurch alle Versuche, eine ihrer (religiösen) «Werte» (Juden!) oder ihrer Weisheit (Griechen!) «sich rühmende» und auf das «Fleisch» pochende «Eigengerechtigkeit» aufzurichten, zum Scheitern verurteilt sind (vgl. Röm 3, 27; 1 Kor 1, 29–31; 4, 7: «Was hast du, daß du nicht empfangen hättest? Und wenn du es empfangen hast, was rühmst du dich wie einer, der nicht empfangen hat?»; Gal 6, 14; Phil 3, 7ff).

---

[26] Zur gegenwärtigen Diskussion über διϰαιοσύνη (ϑεοῦ) bei Paulus vgl. etwa P. Stuhlmacher, Gerechtigkeit Gottes bei Paulus = FRLANT 87 (Göttingen 1965); J. Becker, Das Heil Gottes 238–279; K. Kertelge, «Rechtfertigung» bei Paulus 63–109; H. Conzelmann, Grundriß der Theologie des Neuen Testaments (München 1967) 227–243.

Was der Mensch nun vor Gott gilt, ist Gnade als «die Kraft *Christi*» (vgl. 2 Kor 12,9 f); sie soll der Mensch nicht umsonst (vergeblich) empfangen (vgl. 2 Kor 6, 1).

Gottes gnädige Heilstat in Jesus Christus begründet *einen neuen Bereich*, in dem der mit Gott Versöhnte «steht» (vgl. Röm 5,2). Diese neue Gnadensphäre bezeichnet der Apostel häufig auch als «Sein in Christus» (εἶναι ἐν Χριστῷ), was ihren *ontologischen* Charakter klar erkennen läßt[27]; wer «in Christus ist, ist ein neues Geschöpf» (2 Kor 5,17).[28]

Somit sieht man, daß für Paulus «Gnade» im eigentlichen Sinn ein *heilsgeschichtlicher* Begriff ist, weil Gnade unablösbar vom historischen Christusereignis ist. Darum ist die Gnadenlehre des Apostels auch nur ganz verständlich vor dem Hintergrund seiner Gesetzes- und Todeslehre. Paulus versteht Gnade weniger als die Wiederherstellung des Urstandes, sondern als die sieghafte, völlig unverdiente und «inadäquate» (περισσεύειν!) Rettung aus der allgemeinen Unheilssituation durch Gott. Die Übermacht der Gnade bestimmt den neuen, mit Christus schon angebrochenen Äon; durch sie ist dieser ein Äon des Lebens (vgl. Röm 5,23); durch sie hat die Menschheit Zukunft.

Der konkrete Ort der geschenkweisen Begnadigung der Sünder ist *die Taufe* (Röm 6, 1–11; Kol 2, 11–14; Eph 2, 4–10), in der Gott dem Gläubigen sein heiligendes Pneuma schenkt. Dennoch sind «Gnade» und Pneuma in der pln. Theologie nicht identisch, aber als göttliche Lebensgabe an den Gerechtfertigten gehört das Pneuma in die iustificatio impii hinein.

Die Rechtfertigungsgnade schließt die (objektive) *Heiligung* des Menschen in sich. Die Christen sind «Geheiligte in Christus Jesus» (1 Kor 1,2; vgl. auch 6,11; Röm 15,16).[29] «Denn nicht von Natur, sondern durch Gottes

---

[27] Zum Sinn des formelhaften εἶναι ἐν Χριστῷ vgl. A. Wikenhauser, Die Christusmystik des Apostels Paulus (Freiburg ²1956) 6–14; 26–48; F. Neugebauer, In Christus. Eine Untersuchung zum Paulinischen Glaubensverständnis (Göttingen 1961); H. Conzelmann, Grundriß der Theologie des Neuen Testaments (München 1967) 232–235 (Lit.); P. Siber, Mit Christus leben. Eine Studie zur paulinischen Auferstehungshoffnung = AThANT 61 (Zürich 1971).

[28] Zum Begriff «neues Geschöpf» und zu seiner Vorgeschichte vgl. besonders G. Schneider, Neuschöpfung oder Wiederkehr. Eine Untersuchung zum Geschichtsbild der Bibel (Düsseldorf 1961); ders., Die Idee der Neuschöpfung beim Apostel Paulus und ihr religionsgeschichtlicher Hintergrund: TrThZ 68 (1959) 257–270; P. Stuhlmacher, Erwägungen zum ontologischen Charakter der καινὴ κτίσις bei Paulus: EvTh 27 (1967) 1–35.

[29] Zum Verhältnis von Rechtfertigungsgnade und Heiligung s. noch Näheres bei K. Stalder, Das Werk des Geistes in der Heiligung bei Paulus (Zürich 1962); K. Kertelge, «Rechtfertigung» bei Paulus, 275–282. «‚Rechtfertigung' und ‚Heiligung' sind bei Paulus Parallelbegriffe. Jedoch besteht zwischen beiden nicht das Verhältnis der Austauschbarkeit, noch das der Unvereinbarkeit. Vielmehr kommt dem Begriff der Rechtfertigung bei Paulus die zentrale, führende Rolle zu. Der Begriff der Heiligung verdeutlicht den Erfolg des Rechtfertigungswerkes Gottes im Leben des Gerechtfertigten, das in einer Spannung zu seiner noch andauernden ‚fleischlichen' Existenz steht» (ebd. 281).

Berufung sind die Christen ἅγιοι; ihre Zugehörigkeit zur heiligen Kultgemeinschaft verdanken sie dem Ruf der göttlichen Gnade in Christus»
(O. Procksch).[30]

Zwei Sachverhalte sind für die pln. Gnadenlehre besonders wichtig:
1. Der Apostel spricht von der χάρις stets *im Singular*. «Er orientiert sich also
nicht an den einzelnen Erweisen, sondern an der Heilstat, die durch den
Begriff χάρις als reines Geschenk charakterisiert ist» (H. Conzelmann)[31]; diese
Heilstat ist die Erlösung durch Jesus Christus. 2. χάρις ist primär *ein Ge-*
schehen[32], das eschatologische Heilsgeschehen in Christus, durch das der
Mensch zur nova creatura wird, in das «Sein in Christus» kommt. So wie
nach Röm 1,18 der Zorn Gottes vom Himmel her über jegliche Gottlosigkeit nicht als eine Mitteilung, sondern als ein Geschehen «geoffenbart wird»
(ἀποκαλύπτεται), ähnlich hat sich auch nach Röm 3,21 die Gottesgerechtigkeit
«geoffenbart» (πεφανέρωται) nicht als eine Mitteilung, sondern als Geschehen
in Christus. Die Gnade «ist nicht eine Weise des Verfahrens, zu der sich Gott
nunmehr entschlossen hat, sondern sie ist *eine einmalige Tat*, die für jeden, der
sie als solche erkennt und (im Glauben) anerkennt, wirksam wird, sie ist
Gottes eschatologische Tat» (Bultmann).[33] Darum gehören für Paulus χάρις und
ἀγάπη eng zusammen, da sich in der Begnadigung des Sünders die Liebe
Gottes einzigartig geoffenbart hat (vgl. besonders Röm 8,31f), nun zugleich
auch als Liebe des Kyrios Jesus sichtbar wird (vgl. 8,35.39; 2 Kor 8,9), «in»
dem uns die Gnade Gottes «geschenkt» ist (vgl. Röm 5,15; Eph 1,6f; 2 Tim
1,9), so daß der Apostel ebenso von der «Gnade unseres Herrn Jesus
Christus» reden kann, wie er von der Gnade Gottes spricht (vgl. besonders
die Grußformeln).[34]

d. Deuteropaulinen

Wenn wir hier von «Deuteropaulinen» reden, so soll damit auch unterstrichen sein, daß es in der paulinischen Gnadenlehre *eine Entwicklung* gibt –
von den frühen Paulusbriefen hin zu den Gefangenschaftsbriefen und nochmals hin zu den Pastoralbriefen.[35] Dabei zeigt sich, daß die Grundanliegen

[30] ThW I, 108.

[31] Grundriß der Theologie des NT 236. Philo von Alexandrien dagegen spricht plura-
lisch von den χάριτες Gottes, ähnlich wie die Qumrangemeinde.

[32] Dies betont mit Recht besonders R. Bultmann; vgl. Theologie des Neuen Testaments
(Tübingen [3] 1958) 287–292.

[33] Ebd. 289.

[34] Zur Gnade als «Teilhabe» («Teilnahme») s. unsere Ausführungen S. 624f.

[35] Zum Problem der «Deuteropaulinen» vgl. etwa W. G. Kümmel, Einleitung in das
Neue Testament (Heidelberg [17] 1973). Der Philipperbrief wird von manchen Vertretern
der ntl. Einleitungswissenschaft einer früheren Gefangenschaft des Apostels als der römischen zugewiesen, was gerade auch durch seine «Gnadenlehre» gerechtfertigt erscheint,
die den frühen Paulinen nähersteht als den späteren.

der Gnadenlehre des Apostels zwar durch das ganze Corpus Paulinum hindurch erhalten bleiben, aber in anderen Kontexten zur Sprache kommen.

Einen solchen neuen Kontext bietet in beispielhafter Weise etwa Eph 2, 1–10: «Auch euch, die ihr tot waret durch eure Übertretungen und Sünden, in welchen ihr einst wandeltet gemäß dem Äon dieser Welt, gemäß dem Fürsten der Luftmacht, dem Pneuma dessen, der jetzt (noch) wirksam ist unter den Söhnen des Ungehorsams ... Unter ihnen führten auch wir alle einst unseren Lebenswandel in den Begierden unseres Fleisches, indem wir den Willen des Fleisches und der Sinne erfüllten, und waren (so) von Natur Kinder des Zornes wie auch die übrigen. Gott aber, reich an Erbarmen, hat wegen seiner vielen Liebe, mit der er uns geliebt hat, uns, obgleich durch die Übertretungen Tote, mit lebendig gemacht mit Christus – gnadenhaft seid ihr gerettet! – und hat uns mitauferweckt und hat uns mitsitzen lassen im himmlischen Bereich in Christus Jesus, damit er anzeige in den kommenden Äonen den überschwenglichen Reichtum seiner Gnade durch freigebige Güte gegen uns in Christus Jesus. Denn gnadenhaft seid ihr gerettet durch Glauben; und dies nicht aus euch, Gottes Gabe (ist es vielmehr). Nicht aus Werken, damit keiner sich rühme! Sein (Schöpfungs-)Werk nämlich sind wir, geschaffen in Christus Jesus zu guten Werken, welche zuvorbereitet hat Gott, damit wir in ihnen wandeln sollen.» In diesem Text kommt die Theologie der Gnade thematisch zur Sprache: dreimal erscheint der Terminus χάρις (VV. 5. 7. 8) in einem zu ihm gehörigen Begriffsfeld (ἔλεος: V. 4; ἀγάπη: V. 4; ζωοποιεῖν: V. 5; σῴζεσθαι: V. 5. 8; χρηστότης: V. 7; δῶρον: V. 8; ποίημα, κτίζειν: V. 10). Ferner zeigt sich diese Theologie der Gnade in typisch paulinischen Theologumena und Formulierungen, so in V. 5. 8 in der Formulierung «gnadenhaft seid ihr gerettet» (Hervorhebung des Gnadenprinzips) [36], in V. 8 zudem durch die Hinzufügung von διὰ πίστεως und in den VV. 8b. 9 durch die Betonung, daß die Rettung nicht «aus Werken» erfolgt, sondern «Gabe Gottes» ist, so daß wir ganz «seine Schöpfung» sind, «geschaffen in Christus Jesus».

Der Rahmen, in den diese Gnadenlehre im Kontext gestellt ist, ist einmal ein «heilsgeschichtlicher»: Es wird zurückgeschaut auf die heidnische Vergangenheit der Briefadressaten (ποτε: VV. 3. 11) [36a], deren Heilssituation sich jetzt radikal verändert hat: aus Toten sind sie Lebende geworden (2, 1. 5); und er ist zugleich ein «kosmischer»: die durch die Gnade Geretteten sind in Christus Jesus in den himmlischen Bereich versetzt (συνεκάθισεν ἐν τοῖς ἐπουρανίοις: V. 6). [37] Dieser Rahmen, besonders in seiner kosmischen Aus-

---

[36] (τῇ) χάριτι ist Dativus modi: Die Rettung erfolgt auf dem Wege, mit Hilfe der Gnade.

[36a] Zum zeitlichen Schema «einst» – «jetzt» vgl. Näheres bei P. Tachau, «Einst» und «Jetzt» im Neuen Testament. Beobachtungen zu einem urchristlichen Predigtschema in der ntl. Briefliteratur und zu seiner Vorgeschichte = FRLANT 105 (Göttingen 1972).

[37] Vgl. auch 2, 19 («Mitbürger der Heiligen [=Engel] und Hausgenossen Gottes»); Kol 1, 12 f. Zu diesem «Rahmen» vgl. noch Näheres bei F. Mußner, Christus, das All und die

prägung, ist das Neue an dieser Gnadenlehre, das über die frühen Paulinen hinausgeht. Dazu kommt die Interpretation der gnadenhaften Rettung als ein «Mitlebendiggemachtwerden», «Mitauferwecktwerden», «Mitsitzen-lassen» (VV. 5 f), wobei das immer gesagt ist mit Blick auf Christus.[38] Aufs Stärkste kommt so die Gnade wieder als Heils-*Geschehen* ins Bewußtsein, das vom Christusgeschehen unablösbar ist.

Während in Röm 5, 12–21 das Gnadengeschehen in Christus in Zusammen-hang gebracht wird mit der Unheils- und Heilsgeschichte Adams, d. h. der ganzen Menschheit (vgl. besonders V. 17: «Denn wenn durch die Übertre-tung des einen [Adam] der Tod herrschte durch den einen, um wieviel mehr werden jene, die die Überfülle der Gnade und der Gabe der Gerechtigkeit empfangen haben, im Leben herrschen durch den einen Jesus Christus», den «zukünftigen» Adam), wird es im Epheserbrief stärker ekklesiologisch ge-sehen als die Einbeziehung der Juden und Heiden in den einen Leib Christi (vgl. besonders Eph 2, 16; 3, 6; Kol 3, 15 ff). In der Kirche soll darum «das Lob der Herrlichkeit seiner Gnade» erschallen, «mit der er uns beschenkt hat in dem Geliebten, in dem wir die Erlösung durch sein Blut besitzen, die Vergebung der Sünden, gemäß dem Reichtum seiner Gnade» (Eph 1, 6 f).

In einem anderen Kontext steht die von Paulus verkündigte und formu-lierte Gnadenlehre in den *Pastoralbriefen*.[39] Ein exemplarischer Text findet sich in Tit 3, 4–7: «Als aber die Güte und Menschenfreundlichkeit unseres Retter-gottes erschien, hat er uns gerettet ($\check{\epsilon}\sigma\omega\sigma\epsilon\nu$) nicht aus Werken in Gerechtig-keit, die wir vollbracht haben, sondern nach seinem Erbarmen durch das Bad der Wiedergeburt und durch die Erneuerung des heiligen Geistes, den er über uns in reichem Maße ausgegossen hat durch Jesus Christus, unseren Retter, damit wir, gerechtfertigt durch seine Gnade, Erben des ewigen Lebens würden gemäß Hoffnung». Wieder begegnet ein zusammengehö-riges Begriffsfeld: «Gnade», «retten», «Erbarmen», «Pneuma», «gerecht-fertigt», «Güte», «ewiges Leben». Genuin paulinische Tradition zeigt sich in den Formulierungen: «Nicht aus Werken..., die wir getan haben» (V. 5), «gerechtfertigt durch seine Gnade» (V. 7).[40] Unpaulinisch dagegen klingt die Einleitung des ganzen Passus im V. 4: «Als aber die Güte und Menschen-freundlichkeit unseres Rettergottes erschien ($\dot{\epsilon}\pi\epsilon\varphi\acute{a}\nu\eta$) ...»; dieses $\dot{\epsilon}\pi\epsilon\varphi\acute{a}\nu\eta$ wird in einer ähnlichen Gnadenaussage auch in 2, 11 verwendet: «Denn erschienen ist die rettungbringende ($\sigma\omega\tau\acute{\eta}\varrho\iota\sigma\varsigma$) Gnade Gottes allen Menschen», mit der wichtigen Beifügung $\pi\alpha\iota\delta\epsilon\acute{v}o\nu\sigma\alpha$ $\dot{\eta}\mu\tilde{a}\varsigma$, «die uns erzieht». Die Ankunft

---

Kirche. Studien zur Theologie des Epheserbriefes (Trier [2]1968) 76–80; F. J. Steinmetz, Protologische Heilszuversicht. Die Strukturen des soteriologischen und christologischen Denkens im Kolosser- und Epheserbrief (Frankfurt 1969) 37–49.

[38] Vgl. auch Kol 2, 9–15.

[39] Zu den heutigen Einleitungsfragen der Pastoralbriefe vgl. W. G. Kümmel, Einleitung in das NT 323–341; N. Brox, Die Pastoralbriefe (Regensburg 1969).

[40] Vgl. auch 1 Tim 1, 15 f; 2 Tim 1, 9 f.

der rettenden Gnade Gottes wird als ein Epiphanievorgang (ἐπεφάνη) verstanden, weil konkret dabei an «unseren Retter» Jesus Christus gedacht ist (vgl. 2,13; 3,6), die Gnade Gottes in Person; und es wird von einer pädagogischen Funktion der Gnade gesprochen (παιδεύουσα ἡμᾶς): eine Idee, die sich in den früheren Paulinen nicht findet. Das Ziel dieser «Erziehung» durch die Gnade ist die rechte Weise christlicher Existenz in einer gottlosen Welt (vgl. 2,12f).

So findet sich die «paulinische» Gnadenlehre in einem keineswegs homogenen Kontext, sondern weist vielfältige Aspekte aus, die von der systematischen Theologie auszuarbeiten wären.

e. Hebräerbrief[41]

Der Terminus χάρις begegnet im Hebräerbrief verhältnismäßig selten: 2,9; 4,16 (zweimal); 10,29; 12,15.28 (hier in der Bedeutung «Dank»); 13,9.28; immer in Kontexten, die unpaulinisch klingen. Zur genuinen Gnadentheologie des Hebräerbriefs[42] führt von den χάρις-Stellen des Briefes vor allem die Aussage in 4,16: «Laßt uns also mit Zuversicht hinzutreten zum Thron der Gnade, damit wir empfangen Erbarmen und finden Gnade zu rechtzeitiger Hilfe». Diese Aufforderung an die Leser des Briefes ist eine Folgerung (vgl. οὖν) aus einer in den vorausgehenden VV. 14f vorgetragenen christologischen Homologese: «Wir haben einen großen Hohenpriester Jesus, den Sohn Gottes, der die Himmel durchschritten hat…, der in allem auf gleiche Weise versucht wurde…». Dieses Bekenntnis kommt im Hebräerbrief wiederholt zur Sprache (vgl. vor allem 8,1–9; 9,11–14.24ff; 10,12ff.20–23), und aus ihm heraus auch die Aufforderung an die Gemeinde, mit Zuversicht hinzuzutreten (vgl. außer 4,16 besonders 10,22). Christus ist mit seinem eigenen Blut ein für allemal in das himmlische Heiligtum eingetreten (vgl. 9,12), «um jetzt zu erscheinen vor dem Angesicht Gottes *für uns* (ὑπὲρ ἡμῶν)» (9,24b). Wir haben also Christus selber als Fürsprecher im Himmel, als unseren «Hohenpriester», und deshalb darf und soll die christliche Gemeinde «mit Zuversicht hinzutreten zum Thron der Gnade» (4,16), d.h. zu Gott selber. «Gnade» im Sinn des Hebräerbriefs ist also, kurz gesagt, der durch Christus *geöffnete Himmel*. Diese Anschauung hängt mit der eigenwilligen Eschatologie des Briefes zusammen.[42a] Wer diese Gnade zurückweist und den neuen, von Christus erschlossenen «Lebensweg» (vgl. 10,20) nicht geht, den wird die Strafe Gottes treffen, weil er

---

[41] Zu den Einleitungsfragen des Hebräerbriefs vgl. W.G. Kümmel, Einleitung in das NT 341-355; O. Kuß, Der Brief an die Hebräer (Regensburg ²1966).

[42] Vgl. zu ihr besonders F.J. Schierse, Verheißung und Heilsvollendung. Zur theologischen Grundfrage des Hebräerbriefes = MThSt I/9 (München 1955).

[42a] Vgl. zu ihr außer der Arbeit von Schierse besonders B. Klappert, Die Eschatologie des Hebräerbriefs = Theol. Exist. heute Nr. 156 (München 1969).

«den Sohn Gottes mit Füßen tritt und das Bundesblut, wodurch er geheiligt ist, für unrein achtet und den Geist der Gnade schmäht» (vgl. 10,29).

Auch hier zeigt sich in der ntl. Gnadenlehre ein Aspekt, der in der Systematik neu durchdacht werden müßte.

f. Erster Petrusbrief

Welche Aspekte an der «Gnade» zeigen sich hier? Nach 1,10 haben die atl. Propheten nach dem «Heil» gesucht und geforscht – in 1,9 wird dieses Heil als «das Heil der Seelen» bezeichnet: das eigentliche «Ziel des Glaubens» –, «indem sie über die euch zugedachte Gnade (περὶ τῆς εἰς ὑμᾶς χάριτος) prophetisch redeten». Die eschatologische Gnade, die zusammenfällt mit dem messianischen Heil, ist also nach 1 Petr ein wesentlicher Teil der prophetischen Botschaft des Alten Testaments. Auf diese Gnade soll die christliche Gemeinde «ganz und gar die Hoffnung setzen, die euch in der Offenbarung Jesu Christi gebracht wird» (1,13); wie aus 1,20 hervorgeht, ist diese «Offenbarung Jesu Christi» nicht das Parusieereignis, sondern seine schon erfolgte Ankunft im Fleische «am Ende der Zeiten um euretwillen (δι' ὑμᾶς)». Die ganze göttliche Gnadenveranstaltung hat also den Menschen im Auge (εἰς ὑμᾶς, δι' ὑμᾶς). Gnade ist Leben (vgl. 3,7); sie zeigt sich in der christlichen Gemeinde in mannigfacher Weise in den Charismen (vgl. 4,7–11), ähnlich wie bei Paulus.[43] Gott ist «der Gott aller Gnade» (5,10); die Christen stehen «in ihr» (5,12).

In klassischer Kürze wird das Gnadengeschehen formuliert in 3,18; «Christus ist ein für allemal für die Sünden gestorben, ein Gerechter für Ungerechte, damit er euch Gott zuführe» (ἵνα ὑμᾶς προσαγάγῃ τῷ θεῷ): das erinnert an die Gnadenlehre des Hebräerbriefes. Die Gnade bringt die Nähe und Gemeinschaft mit Gott!

g. Zweiter Petrusbrief

Der zweite Petrusbrief wird heute in der ntl. Einleitungswissenschaft vielfach als ein Pseudepigraphon betrachtet, d.h. einem anderen Verfasser als Petrus zugeschrieben.[44] In ihm begegnet der Begriff χάρις nur einmal (am Schluß des Briefes) in konventioneller Redeweise: «Wachset in der Gnade

---

[43] Vgl. dazu besonders H. Schürmann, Die geistlichen Gnadengaben in den paulinischen Gemeinden: Ursprung und Gestalt. Erörterungen und Besinnungen zum NT (Düsseldorf 1970) 236–267 (mit umfassender Literatur). Wir gehen auf das Charismenproblem in unserem Beitrag nicht ein, weil dasselbe ein wesentlicher Teil der Ekklesiologie, so wie sie heute zu verstehen ist, sein muß.

[44] Vgl. W. G. Kümmel, Einleitung in das NT 378–382; K. H. Schelkle, Die Petrusbriefe. Der Judasbrief (Freiburg 1961) 179–181; 245–248.

und Erkenntnis unseres Herrn und Retters Jesus Christus»; aber das Heil der Gnade wird in 1,4b eigentümlich formuliert: Die Christen sollen «der göttlichen Natur teilhaftig» (θείας κοινωνοὶ φύσεως) werden. Nach W. G. Kümmel vertritt der 2. Petrusbrief «eine zeitlose hellenistische Erlösungslehre…, die aus dem Rahmen der geschichtlichen Heilsauffassung des Neuen Testaments herausfällt», unter besonderem Hinweis auf die Aussage von 1,4.[45] Ist dem so? Zweifellos redet 2 Petr 1,4b in der Begrifflichkeit hellenistischer Geistigkeit[46], besonders was die Begriffe θεῖος und φύσις angeht, so daß man von einer «akuten Hellenisierung» der biblischen Gnadenlehre sprechen könnte. Das Adjektiv θεῖος kommt im NT nur in 2 Petr 1,4b vor![47] Nach F. Hauck ist am «atl. Befund … theologisch dies das Bedeutsamste, daß weder ḥbr, noch κοινων- auf das Verhältnis zu Gott angewendet wird, wie es dem Griechentum geläufig ist».[48] Fällt also 2 Petr 1,4 in der Tat aus dem Rahmen der biblischen Gnadenlehre? Unleugbar dann, wenn nur auf die Begriffe geschaut wird. Wenn man aber den Aussagegehalt von 2 Petr 1,4b erfassen will, muß man 1,4c mitbedenken: «Nachdem ihr entflohen seid dem Verderben (oder besser: der Vergänglichkeit)[49], die in der begehrlichen Welt herrscht» (ἀποφυγόντες τῆς ἐν τῷ κόσμῳ ἐν ἐπιθυμίᾳ φθορᾶς). φύσις bedeutet nicht nur Natur, sondern auch die natürliche Beschaffenheit, das Wesen, die Wesensart.[50] Weil der Partizipialsatz ἀποφυγόντες in dem Sinn verstanden werden muß: «Nachdem ihr entflohen seid…», bilden die Ausdrücke φθορά und θεία φύσις offensichtlich Gegensätze: In der Welt herrscht φθορά, d. h. Vergänglichkeit, Tod; die Teilnahme an der göttlichen Wesensart («Natur») dagegen bedeutet für die Gläubigen und Getauften die Überwindung der Vergänglichkeit, des Todes.[51] Die «Teilnahme an der göttlichen Natur», von der 2 Petr 1,4b redet, ist also nichts anderes als die Teilnahme am *unvergänglichen* Leben Gottes durch die Gnade, die in der Taufe geschenkt wird. Nur so verstanden kann die Stelle für eine «Vergöttlichungs»-Theologie in Beschlag genommen werden.

In 2 Petr wird also in den Begriffen des griechischen Geistes das gesagt, was in den übrigen Schriften des NT auf andere Weise über die Rettung des

[45] Das Bild des Menschen im Neuen Testament = AThANT (Zürich 1948) 54 (vgl. überhaupt 53–55).

[46] Vgl. dazu die Nachweise etwa bei K. H. Schelkle, Die Petrusbriefe. Der Judasbrief 187–189.

[47] τὸ θεῖον (substantivisch) in Apg 17,29. Vgl. auch H. Kleinknecht: ThW III, 122 f.

[48] Ebd. III, 801.

[49] Für diese Übersetzung von φθορά plädiert mit Recht W. G. Kümmel, Das Bild des Menschen 51, Anm. 97.

[50] Vgl. W. Bauer, Griechisch-Deutsches Wörterbuch zu den Schriften des NT und der übrigen urchristlichen Literatur (Berlin ⁵1958) 1719 f.

[51] Vgl. F. Hauck: ThW III, 804: In 2 Petr 1,4 wird «die Erlösung gefaßt als Befreiung von der irdisch-natürlichen Vergänglichkeit zur Anteilschaft an der göttlichen Natur».

Menschen aus dem Todesschicksal hinüber ins unzerstörbare Leben Gottes verkündet wird, besonders bei Paulus und Johannes.[52]

Genau gesehen ist der Teilhabe-Gedanke der übrigen Bibel nicht fremd, schon nicht dem Alten Testament. Vgl. etwa Ps 16,5: «Jahwe ist mein Besitz und mein Becheranteil». Grundsätzlich aber war die Idee der Teilhabe mitgegeben in der Verkündigung, daß der Mensch nach dem Bild Gottes und nach seiner Ähnlichkeit geschaffen wurde (vgl. Gn 1,26f; 9,6). «Damit wird eine Teilhabe-Aussage gemacht, die [zwar] den ganzen altorientalischen Vorstellungskomplex von einer Zeugung des Menschen durch einen Gott und von einer Schöpfung aus Götterblut vermeidet und doch ein enges Teilhabe-Verhältnis (vgl. Gn 5,3) aller Menschen ausdrückt» (W. Pesch).[53] Im NT ist es vor allem Paulus, der den Teilhabe-Gedanken vertritt (als abstractum κοινωνία, als Adjektiv κοινωνός, als Verbum κοινωνεῖν einschließlich der Komposita); bei ihm wird κοινωνία «zu einem spezifisch christlichen Begriff, geprägt von der Christologie und σῶμα-Ekklesiologie des Apostels» (P. Neuenzeit).[54] Das «Sein in Christus» (1 Kor 1,30), die Aussage «Christus lebt in mir» (Gal 2,20) oder «Christus in euch» (Röm 8,10; 2 Kor 13,5; Kol 1,27; Eph 3,17) bringen die κοινωνία der Christen an Christus zum Ausdruck. Freilich bedeutet diese «Teilhabe» kein Aufgehen in die göttliche Natur Christi, sondern eine gnadenhafte, d.h. unverdient geschenkte Teilhabe an seinem pneumatischen Wesen als dem vom Tode erweckten und in die verklärte Seinsweise versetzten Herrn. Ohne Bewährung und persönliche Heiligung kommt diese Teilhabe jedoch nicht zu ihrem eschatologischen Ziel (vgl. z.B. 2 Kor 5,10). Die Pneumagabe ist einstweilen nur «Angeld» (2 Kor 1,22; 5,5; Eph 1,14) und «Erstlingsgabe» (Röm 8,23). Die eschatologische Vollendung der geschenkten Gemeinschaft mit Christus besteht vor allem in der «Gleichgestaltung» der Gläubigen mit Christus nach ihrer Auferweckung von den Toten (vgl. Phil 3,21; 1 Kor 15,49; 2 Kor 2,18) und in der Schau Gottes «von Angesicht zu Angesicht» (1 Kor 13,12), während des «Zwischenzustandes» als schon Daheim-Sein beim Herrn (2 Kor 5,8) und als «Zusammensein mit Christus» (Phil 1,21–26).[55]

[52] Wir haben also in 2 Petr 1,4 den beachtlichen Versuch, eine in die Begriffe einer bestimmten Überlieferung gefaßte Lehre neu, aus einem anderen Sprach- und Kulturkreis heraus, zu formulieren, einen neuen «Kontext» zu schaffen, der den Adressaten mehr zugänglich ist. Es gibt also innerhalb des NT selbst eine «Uminterpretation» der alten Lehre, die dann legitim ist, wenn die in der bisherigen Lehre gemeinte Sache dadurch nicht verlorengeht.

[53] HThG II (München 1963) 631; dtv IV (München 1970) 195.

[54] Art. Koinonia: LThK VI (1961) 368f (Lit.).

[55] Vgl. dazu Näheres bei P. Hoffmann, Die Toten in Christus. Eine religionsgeschichtliche und exegetische Untersuchung zur paulinischen Christologie = NTANF 2 (Münster 1966) 253–320.

2. Das Wesen der Gnade nach dem Neuen Testament

Es geht im Folgenden um eine systematisierende Zusammenfassung dessen, was unter 1 ausgeführt worden ist.

a. Gnade als eschatologisches Heilsgeschehen

Für Jesus ist mit dem aus dem Judentum stammenden Begriff βασιλεία τοῦ θεοῦ in erster Linie nicht ein Gegenstand der Lehre gemeint, sondern das eschatologische Geschehen schlechthin: Gott richtet «demnächst» (vgl. die perfektische Aussage ἤγγικεν ἡ βασιλεία τοῦ θεοῦ) seine Herrschaft über die Welt auf. Dieses «demnächst» erfüllt sich schon in Jesus von Nazareth, besonders in seinem Handeln, das in der synoptischen Tradition als βασιλεία-Handeln verstanden wird.[56] Dieses Geschehen ist ein Heilsgeschehen, weil der Mensch in einem umfassenden Sinn ins Heile, in das Heil Gottes gebracht werden soll. Der Mensch wird von Jesus «gerettet». Eine systematische Gnadenlehre darf darum nicht der Gefahr erliegen, von diesem *Geschehnis*-Charakter der Gnade abzusehen und die Gnadenlehre innerhalb eines unge-schichtlich-metaphysischen «Systems» zu entwickeln und darzustellen, wie das vielfach in den dogmatischen Traktaten De gratia geschehen ist; so kommt es zu keiner richtigen Vorstellung von der «Gnade», wenn der Traktat De gratia mit begrifflichen «Einteilungen» der Gnade beginnt. Die «Gnadenlehre» muß vielmehr von dem ausgehen, was sich im Horizont der biblischen Heilsgeschichte als Gnadengeschehen, d.h. als eschatologisches Heilshandeln Gottes zeigt. Gott *rettet* den Menschen aus seiner Verlorenheit: Dies ist der eigentliche Gehalt des eschatologischen Gnadengeschehens, und darum bildet den besten Ausgangspunkt einer systematischen Theologie der Gnade Jesus selbst, der nach Mt 1,21 ja deswegen «Jesus» heißt, «weil er sein Volk von seinen Sünden *retten wird*».

Auch Paulus und das übrige Neue Testament verstehen die Gnade als eschatologisches *Geschehen*, in das der Mensch ohne sein Verdienst («ohne die Werke des Gesetzes») hineingenommen wird, wie die vorausgehenden Analysen gezeigt haben. Die Aspekte dieses Geschehens werden im NT nicht auf einen Nenner gebracht: Es wird verstanden als iustificatio impii (vgl. Röm 4,5), als Heiligung des Menschen, als Leben und Licht, als «Sitzen im himmlischen Bereich», als «geöffneter Himmel», als «Teilhabe an der göttlichen Natur» und sogar als erzieherische Macht (Titusbrief!). Keiner dieser Aspekte sagt das Ganze aus; vielmehr zeigt sich in diesen verschiedenen Aspekten das eschatologische Gnadengeschehen jeweils von einer

---

[56] Vgl. dazu auch F. Mußner, Gottesherrschaft und Sendung Jesu nach Mk 1,14f. Zugleich ein Beitrag über die innere Struktur des Markusevangeliums: PRAESENTIA SALUTIS. Gesammelte Studien zu Fragen und Themen des NT (Düsseldorf 1967) 81–98.

bestimmten Seite her (genau wie analog das Christusmysterium in den verschiedenen christologischen Würdenamen und Texten des NT sich zeigt).

b. Gnade als Heilssphäre

Das Gnadengeschehen bedeutet aber nach ntl. Verständnis auch, daß der Mensch durch die Gnade in eine neue Sphäre versetzt ist: *in die Heilsphäre Gottes*. Das kommt im NT etwa in Formulierungen zum Ausdruck wie: «in das Reich Gottes *eingehen*», «vom Tod ins Leben *hinübergegangen* sein» (Jo 5, 24; 1 Jo 3, 14), «in das Reich des Sohnes seiner Liebe *versetzt*» werden (Kol 1, 13), in der Gnade «*stehen*» (Röm 5, 2), «der göttlichen Natur *teilhaftig* werden» (2 Petr 1, 4), «im himmlischen Bereich *sitzen*» (Eph 2, 6).

Diese «Versetzung» des Menschen in die Heilsphäre Gottes ist kein mechanisch-magisches Geschehen; der Mensch wird im Gnadengeschehen zu keiner Marionette in der Hand Gottes. Es ist vielmehr ein freiheitliches Geschehen, und zwar nicht bloß deshalb, weil uns Christus «zur Freiheit befreit hat» (Gal 5, 1), sondern weil der Mensch gnadenhaft nur gerettet wird «*durch Glauben*» (vgl. dazu besonders die klassische Formel in Eph 2, 8: τῇ ... χάριτί ἐστε σεσωσμένοι διὰ πίστεως). «Der Gerechte lebt aus dem Glauben» (Hab 2, 4; Röm 1, 17; Gal 3, 11)!

Der Versuch, die oben angeführten Formulierungen, mit denen das NT das Versetztsein des begnadeten Menschen in die Heilsphäre Gottes beschreibt, nur existential zu interpretieren, d. h. sie nur als sprachliche, in mythologischer Redeweise vorgelegte Chiffren eines neuen *Verstehens* im Sinn der Gewinnung eines neuen Selbstverständnisses des Menschen vor Gott begreifen zu wollen, scheitert am Geschehnis-Charakter der Gnade. Das zeigt sich am besten bei Jesus selbst: Er verkündigt nicht bloß die unmittelbare Nähe der Gottesherrschaft, sondern er bringt die eschatologische Gottesherrschaft bevollmächtigt in die Welt: «Wenn ich mit dem Finger (Geist) Gottes die Dämonen austreibe, ist folglich das Reich Gottes bei euch angelangt» (Mt 12, 28; Lk 11, 20). Jesus führt den Menschen, wie seine Wunder zeigen, nicht bloß zu einem neuen Selbstverständnis vor Gott, sondern rettet ihn aus seiner seelischen und leiblichen Not.[57] Seine «Sache» geht nicht bloß auf ein neues Verständnis des Todes, sondern auf die Überwindung des Todes.[57a] Seine eigene Auferstehung von den Toten ist darum der eigentliche Ort, an dem das Gnadengeschehen sichtbar wird, das deshalb als «Mitauferwecktwerden» mit Christus formuliert werden kann (vgl. Kol 2, 12 f; Eph 2, 6). Deshalb kann 1 Jo so energisch betonen, daß wir Kinder Gottes heißen *und sind* (3, 1). Das Pneuma ruft in unseren Herzen zu Gott: «Mein Vater», und deshalb *sind wir Söhne* (vgl. Gal 4, 6 f; Röm 8, 16). Das

---

[57] Vgl. dazu F. Mußner, Die Wunder Jesu, passim.
[57a] Vgl. dazu F. Mußner, Die Auferstehung Jusu (München 1969) 49–59.

Geheimnis der Gotteskindschaft wird so dem Gläubigen und Getauften zur Erfahrung gebracht, wenn auch in diesem Äon niemals in seinem letzten Wesen adäquat erfaßt. Die iustificatio impii ist die Rechtfertigung des *Glaubenden*, und deshalb ist das Gnadengeschehen, speziell in seinem ontologischen Charakter, einstweilen nur im Glauben erkennbar und erfahrbar.

c. Gnade als gratia Christi

Es ist die durchgehende Überzeugung des NT, daß das eschatologische Gnadengeschehen durch Jesus Christus in Gang gekommen ist. Er ist aber nicht bloß der Auslöser dieses Geschehens, sondern sein Grund. Die βασιλεία ist deshalb jetzt schon da, weil er, der Messias Jesus, schon da ist (vgl. etwa Mt 12,28). *Er* rettet den Menschen aus seiner Verlorenheit. *Er* ist in Person «das Leben» (vgl. Jo 1,4; 5,26; 6,51; 8,12; 1 Jo 1,1 f). Besonders Paulus hat den christologischen Grund der Rechtfertigung des Menschen radikal durchgedacht; nach ihm wurde Christus «übergeben um unserer Sünden willen und auferweckt um unserer Gerechtmachung willen» (Röm 4,25; Röm 5.6). Tod und Auferstehung Jesu sind nach dem Apostel der Grund unserer Rechtfertigung und Begnadigung geworden. Weil Jesus als der eschatologische Hohepriester die Himmel schon durchschritten hat, deshalb haben auch wir nun den «Zugang zum Thron der Gnade»: das verkündet der Hebräerbrief.

So besitzt die ntl. Gnadenlehre trotz ihrer vielfältigen Aspekte eine einheitliche Mitte und einen einheitlichen Grund: in Jesus Christus.[58] Darum ist nach dem NT alle Gnade gratia Christi. Und deshalb ist es unmöglich, in christlicher Weise von der Gnade in Absehung vom Christusereignis zu reden.

Abschließend kann man «Gnade» in neutestamentlicher Sicht so formulieren: *Gnade ist nach dem NT der von Gott geschenkte Einbezug des Menschen (und der Welt)*[59] *in das eschatologische Heilsgeschehen in Jesus Christus, das zugleich die radikale Selbstmitteilung des dreifaltigen Gottes ist.*[60] Dieser Einbezug hat den Rang einer (ontologisch verstandenen) «Neuschöpfung» (vgl. 2 Kor 5,17; Gal 6,15; Eph 2,15). Eine heilsgeschichtlich orientierte Dogmatik darf deshalb die Gnadenlehre nicht im Rahmen eines abstrakten Begriffssystems entwickeln.

FRANZ MUSSNER

---

[58] Eine die mannigfachen Aspekte der ntl. Gnadenlehre erhebende Analyse stellt also, wie heute die ganze ntl. Theologie, vor die Aufgabe, diese Aspekte auf ihren Einheitsgrund zurückzuführen. Speziell in der ntl. Gnadentheologie zeigt sich Jesus Christus evident als dieser Einheitsgrund. Vgl. dazu auch H. U. von Balthasar, Die Vielheit der biblischen Theologien und der Geist der Einheit im Neuen Testament in: Schweizer Rundschau (1968) 1–11; ders., Einigung in Christus: FZPhTh 15 (1968) 172–189.

[59] S. dazu Röm 8,18–23.

[60] Deshalb ist Gnadenlehre letztlich Trinitätslehre. Vgl. auch K. Rahner: Mysterium Salutis II, 397.

BIBLIOGRAPHIE

Berger K., Gnade: Sacramentum Mundi II (Freiburg 1968) 439–445 (Lit.).

Bultmann R., Theologie des NT (Tübingen ³1958) 287–292.

Cambe M., La ΧΑΡΙΣ chez s. Luc: RB 70 (1963) 193–207.

Conzelmann H., Art. χάρις etc.: ThW IX, 381–393 (Lit.).

Grundmann W., Die Übermacht der Gnade: NovT 2 (1957) 50–72.

Homann R., Die Gnade in den synoptischen Evangelien: ZSTh 11 (1934) 328–348.

Loew O., χάρις (Diss. Marburg 1908).

Manson W., Grace in the NT: The Doctrine of Grace, hrsg. von W. T. Whitley (New York 1932) 33–66.

Moffatt J., Grace in the NT (London 1931).

Mußner F., Der Begriff der Gnade im NT: LThK IV (Freiburg 1960) 980–984.

Rousselot P., La Grâce d'après St. Jean et d'après St. Paul: RSR 18 (1928) 87–108.

Schlosstein F. A., De voce χάρις in NT saepe occurente (Alterfii 1782).

Scholten J., Specimen hermeneuticum de diversis significationibus vocis χάρις in NT (Utrecht 1805).

Schubert P., Form and Function of the Pauline Thanksgivings (Berlin 1939).

Smith C. R., The Bible Doctrine of Grace (London 1956).

Townsend H., The Doctrine of the Grace in the Synoptic Gospels (London 1919).

Trenkler G., Paulus und die Gnade (Diss. Wien 1955).

Vömel E., Der Begriff der Gnade im NT (Gütersloh 1903).

Wetter G. P., Charis (Leipzig 1913).

Winkler R., Die Gnade im NT: ZSTh 10 (1932) 642–680.

Wobbe J., Der Charisgedanke bei Paulus (Münster 1932).

II. KAPITEL

DOGMENGESCHICHTLICHE ENTFALTUNG DER GNADENLEHRE

Y.-M. Congar meint im Hinblick auf die Frage der Beziehungen zwischen Kirche und oströmischem Reich vor der Trennung von 1045: «Wenn wir den Unterschieden, die wir diesbezüglich zwischen dem Osten und dem Westen wahrzunehmen glauben, auf den Grund gehen wollen, müssen wir zweifellos zu dem Punkt zurückkehren, der uns immer mehr als das *punctum saliens* vorkommt, von dem aus die Überlieferung im Osten und im Westen getrennte Wege eingeschlagen hat: die Art und Weise, wie man das Endziel auffaßt und somit die Beziehung zwischen dem, was wir die Natur und die Gnade nennen, sowie die christliche Anthropologie. Die griechische Theologie ist in ihrem ‹heilsökonomischen› Teil ... eine Theorie der Vergöttlichung der menschlichen *Natur*. Für sie gibt es nicht zwei getrennte Wirklichkeitsordnungen, die natürliche und die übernatürliche, sondern die Gnade, die Gabe des Heiligen Geistes, ist die Vervollkommnung der Natur, ihre Umgestaltung zur Gleichförmigkeit mit Gott durch den neuen Kontakt, die neue Ausstrahlung Gottes, nach dessen Bild die Natur innerlich geschaffen ist. In dieser Perspektive werden das Zeitliche und das Geistliche im Orient selbstverständlich weniger auseinandergehalten als im Okzident, wo der hl. Augustinus das ganze christliche Denken beherrscht; die Kirche wird als das angesehen, was dem Reich seine Eigentlichkeit, seine Vollkommenheit, ja sein Wohlbefinden gibt. Es kommt nicht nur zu einer Symbiose, sondern zu einer Art von Monobiose; nicht nur werden die Gesetze des Glaubens und des Kultes der Kirche nach dem Regime von ‹Acht und Bann› durch staatliche Maßnahmen sanktioniert, sondern sie sind das innere Gesetz des Reiches, weshalb es nicht verwunderlich ist, daß sich der Kaiser als dessen höchster Moderator ausgibt. Dies ist der Sinn der sechsten Gesetzesnovelle Justinians.»[1]

Dieses Zeugnis eines ausgezeichneten Kenners der ostkirchlichen Verhältnisse macht vor allem auf die für unsere Frage wichtige Tatsache auf-

---

[1] Y. M. Congar, L'ecclésiologie du haut Moyen-Âge (Paris 1968) 356f.

merksam, daß es in der christlichen Überlieferung verschiedene Gnaden-
theologien gibt. Gleichzeitig deckt es aber auch auf, daß eine neue Sicht der
Gnade eine andere Anthropologie erheischt und umgekehrt. Dies stimmt so
sehr, daß eine Theologie der Gnade Schaden leidet, wenn sie von den anderen großen Themen der christlichen Offenbarung getrennt wird. Wenn wir
sie hier um der theologischen Systematik willen und in etwa auch unter dem
Druck einer zum Teil fragwürdigen Schultradition dennoch getrennt behandeln, so müssen wir uns bewußt bleiben, daß dieser Weg eine «Abstraktion» mit sich bringt, die sich vor allem im Westen oft verhängnisvoll ausgewirkt hat.

DER CHRISTLICHE OSTEN

Wir beginnen den geschichtlichen Überblick über die dogmatische Entwicklung der Gnadenlehre mit einigen Feststellungen über die Gnadenlehre im Osten. Der christliche Orient kennt keine «Gnadentheologie», wie sie im Westen vorliegt. Weiter ist es unmöglich, eine Lehrentwicklung, die sich über zwanzig Jahrhunderte erstreckt und die mediterranen und slawischen Völker, zunächst in Europa und seit einem Jahrhundert auch in Amerika, einbegreift, zusammenfassend wiederzugeben. Die östliche Überlieferung ist weniger systematisch und technisch als die unsere, dafür übertrifft sie diese oft an Tiefe und Weite. Wir meinen, daß es sinnvoll ist, die Darstellung mit dem christlichen Osten zu beginnen. Der westliche Leser wird so von Anfang an mit dem reichen Gehalt und dem weiten Umfang des Themas konfrontiert: ein ausgezeichneter Ausweg aus der Umklammerung durch eine zu schulmäßige und zu rationale Tradition, von der sich unsere Generation noch kaum befreit hat. Nach der Darlegung der biblischen Aussagen über die Gnade gibt es keinen besseren Weg, zu einem weiten Verstehenshorizont zu kommen, als sich in die frühe Väterliteratur zu vertiefen.[2]

1. Die Lehre der griechischen Väter

Im Osten wie im Westen sind die ersten Versuche zu einer theologischen Reflexion über die Gnade unwillkürlich noch von den Denk- und Sprechweisen des Neuen Testaments, vor allem bei Johannes und Paulus, inspiriert. Vom dritten Jahrhundert an gewinnen die griechische und hellenistische Kultur und Denkart die Oberhand über die semitische Inspiration des Griechischen der Septuaginta und des Neuen Testaments. In ganz groben Umrissen sähe eine erste Orientierung etwa so aus: Während der gnostische Neuplatonismus Alexandriens eine größere Affinität zur «mystischen» Theologie des hl. Johannes aufweist, lassen der Aristotelismus und die philologische Tradition der Rabbiner Judäas die großen Theologen Antiochiens bei Paulus verweilen und geben ihnen zugleich ein schärferes Gespür für die praktischen Probleme wie die der christlichen Askese und Spiritualität.

[2] H. U. v. Balthasar, Patristik, Scholastik und wir = Theologie der Zeit 3 (Wien 1969) 65–104.

a. Semantische Vorbemerkungen

Unter mehreren Ausdrücken, die sich im AT und NT auf das Mysterium der Gnade beziehen, hat der Osten das Wort χάρις zum Hauptbegriff genommen. Dieses Wort besitzt schon im klassischen und hellenistischen Griechischen eine reiche Bedeutungsfülle.[3] Paulus brachte sie, ausgehend vor allem vom semantischen Gebrauch der Septuaginta, in Zusammenhang mit dem Mysterium des Heilswirkens Gottes in Christus.

Der Ausdruck χάρις steht in der orthodoxen Theologie noch immer in Gebrauch. In den Handbüchern der orthodoxen Kirche geht das Kapitel über die Gnade der Lehre über die Kirche und die Sakramente voraus. Die χάρις wird darin als der grundlegende Aspekt der Aneignung des Heils aufgefaßt. Der griechische Begriff ἡ οἰκείωσις τῆς ἀπολυτρώσεως ist indes ausdrucksstärker. Er ist frei von einem pelagianischen oder einem zumindest etwas allzu individualistischen Beigeschmack.[4] Gerade infolge dieser Bedeutungsfülle[5] besitzt χάρις im Griechischen mehrere Synonima.[6] Die moderne Linguistik schreibt indes der Funktion, die das Wort in einem bestimmten Kontext ausübt, größere Bedeutung zu. Auf jeden Fall ist diese sehr wichtig, um sich über die eigentliche Tragweite des Wortes χάρις im Osten Rechenschaft zu geben. Wie im NT läßt sich hier die theologische Funktion des Wortes χάρις nicht vom Glauben an eine göttliche Initiative trennen, die vom Vater vermittels seines Abbildes im Logos kraft des Geistes des Vaters niedersteigt. Die χάρις deckt sich also mehr oder weniger mit der gleichen Schöpfungs- und Erlösungswirklichkeit, die in der östlichen Theologie durch einen andern zentralen Begriff, die göttliche οἰκονομία zum Ausdruck gebracht wird, wenigstens der dogmatischen Funktion dieses Begriffes nach.

Zweifellos liegt der Akzent auf der Erlösung durch Christus, die in der Kirche durch den von ihm gesandten Geist zur Wirklichkeit wird. Die χάρις kann sich aber infolge ihrer trinitarischen Funktion auch auf die Schöpfungstätigkeit und die Fügung der göttlichen Vorsehung beziehen. Diese Aspekte

---

[3] G. P. Wetter, Charis. Ein Beitrag zur Geschichte des ältesten Christentums (Leipzig 1913); Th. F. Torrance, The Doctrine of Grace in the Apostolic Fathers (Edinburgh 1948) 1–35.

[4] Χριστὸς Ανδρούτσος, Δογματικὴ τῆς ὀρθοδόξου ἀνατολικῆς Ἐκκλησίας (Ἀθῆναι [2]1956), 218–259; Π.Ν. Τρεμπέλα, Δογματικὴ τῆς ᾿Ορθοδόξου καθολικῆς ᾿Εκκλησίας II (Ἀθῆναι 1959) 219–313, franz. Übers.: Panagiotis N. Trembelas, Dogmatique de l'Eglise Orthodoxe Catholique II (Bruxelles 1967) 235–337; vgl. auch Macaire, Théologie Dogmatique Orthodoxe II (Paris 1860) 213–218; 291–370.

[5] N. N. Gloubokowsky, The Use and Application of the Expression and Concepts of ΧΑΡΙΣ in the Greek Fathers: The Doctrine of Grace, hrsg. v. W. T. Whitley (Edinburg 1932) 89–105. Vgl. vor allem G. W. H. Lampe, A Patristic Greek Lexikon (Oxford 1961) 1514–1519.

[6] Vgl. z. B. R. Brewery, Origen and the Doctrin of Grace (London 1960) 49–62.

der Beziehung Gottes zum Menschen werden im Westen, wenigstens seit dem 16. Jh., in den Bereich der «Natur» verwiesen. Die χάρις ist somit vor allem eine trinitarische und infolgedessen auf Grund der trinitarischen Struktur der göttlichen Heilsökonomie wesentlich christologische und pneumatologische Kategorie. Und da die göttliche Heilsökonomie sich in und durch die Kirche, die Feier ihrer Sakramente und die Ausübung ihres Heilsdienstes fortsetzt, bringt χάρις zudem auf dieser sakramentalen Ebene den tiefen Sinn des Mysteriums der Kirche zum Ausdruck.

Hinzuweisen ist kurz auf die semantische Funktion einiger Schlüsselbegriffe in der Gnadentheologie des Ostens. An erster Stelle sind die Begriffe εἰκὼν καὶ ὁμοίωσις zu nennen, die, inspiriert von Gn 1,26f; 5,1 und 9,1, das zentrale Thema der Erschaffung und Berufung durch Gott andeuten. Weish 2,23 übernimmt diese alte Tradition des Priesterkodex, die man in Kol 3,10 und Jak 3,9 bis ins NT hinein findet.

Bedeutsam sind auch die Ausdrücke θεοποίησις, θείωσις und ihre verschiedenen Komposita. Ihr semantischer Gebrauch hängt indes so eng mit der ganzen theologischen Tradition des Ostens zusammen, daß wir es vorziehen, unverzüglich zu den Lehrthemen selbst überzugehen. Doch scheint es uns nützlich, daran zu erinnern, daß die Redeweisen, der Mensch sei «nach dem Bild der Götter» geschaffen, er könne irgendwie «vergöttlicht» werden, sich auch im klassischen und hellenistischen griechischen Denken finden.[7] Eine weitere wichtige Bemerkung betrifft das Wort ὁμοίωσις. Der aktive oder auch passive dynamische Wert, der diesem Wort im Gegensatz zum statischeren Ausdruck ὁμοίωμα eignet, konnte dem griechisch sprechenden Menschen nicht entgehen. Die modernen europäischen Übersetzungen wahren nicht alle die Nuancen des griechischen Originals.

b. Die großen theologischen und anthropologischen Themen

Vor der summarischen Skizzierung der großen patristischen Themen müssen wir ein hermeneutisches Prinzip aufstellen, das die folgende Darstellung

[7] Vgl. die Belegstellen bei Moulton and Milligan, The Vocabulary of the Greek New Testament (London 1914–1930) und W. Bauer, Griechisch-Deutsches Wörterbuch zum NT (Berlin ⁶1963). Zum Thema der Vergöttlichung vgl. die klassischen Werke: J. Gross, La divinisation du chrétien d'après les Pères grecs (Paris 1938); M. Lot-Borodine, La déification de l'homme = Bibl. oecum. 9 (Paris 1970), ebenso: L. Baur, Untersuchungen über die Vergöttlichungslehre in der Theologie der griechischen Väter: ThQ 98 (1916) 467–491; 99 (1917/18) 225–252; 100 (1919) 426–444; 101 (1920) 28–64 und 155–186; E. Hendriks, De leer van de vergoddelijking in het oud-christelijk geloofsbewustzijn: Genade en Kerk, Studies ten dienste van het gesprek Rome-Reformatie (Utrecht 1953) 101–154; Y. M. Congar: Chrétiens en dialogue (Paris 1964) 257–272, ferner eine neuere Untersuchung von orthodoxer Seite: A. Θειοδόρου, Ἡ περὶ θεώσεως τοῦ ἀνθρώπου διδασκαλία τῶν Ἑλλήνων Πατέρων τῆς Ἐκκλησίας μέχρις Ἰωάννου τοῦ Δαμασκηνοῦ (Ἀθῆναι 1956), vom Verfasser selbst zusammengefaßt in: Die Lehre von der Vergottung des Menschen bei den griechischen Kirchenvätern: KuD 7 (1961) 283–310.

der Gnadentheologie leitet. Die Vernachlässigung dieses Prinzips ist mit-
schuldig an der Verwirrung, die in manchen Abhandlungen über die Entwicklung der Gnadenlehre im Osten und selbst im Westen immer noch
herrscht.[8]

Um ein Denken zu verstehen, das uns der Zeit, dem Raum, der Kultur
und der Sprache nach fremd ist, müssen vor allem die Voraussetzungen, in
unserem Fall in erster Linie die anthropologischen Voraussetzungen, freigelegt werden, die es tiefgreifend bestimmen, weil sie innerhalb einer gegebenen Kultur unwillkürlich und universal angenommen werden.

Die grundlegende anthropologische Voraussetzung des altchristlichen
Denkens ist die, daß Gott die eigentliche Bestimmung des Menschen ist,
und zwar Gott, wie er in Wirklichkeit existiert, der dreifaltige Gott. In der
Sprache von heute könnte man sagen: Im christlichen Altertum wird die
grundlegende Dimension des Menschen spontan als vertikale Dimension
aufgefaßt. Wer immer zu erforschen sucht, welche Bezüge für das christliche Altertum zwischen «Natur» und «übernatürlicher» Finalität bestanden, muß deshalb mit einer Denk- und Sprachperspektive rechnen, die sich
wesentlich von jener unterscheidet, die sich seit dem 16. Jh. durchgesetzt
hat, sonst gerät die Untersuchung in unüberwindliche Interpretations-
schwierigkeiten oder sie verzeichnet, was schlimmer ist, die Gegebenheiten
der Geschichte. Falsch wäre es aber auch zu behaupten, wie dies vor allem
in einigen protestantischen Untersuchungen geschieht,[9] der christliche Osten
habe den absolut ungeschuldeten (wir vermeiden mit Bedacht das mißverständliche Wort «übernatürlich») Charakter der Gnade nicht wahrgenommen. Die Kirchenväter, vor allem die des Ostens, besaßen einen sehr scharfen Sinn für die göttliche Transzendenz, die stärker betont wurde als später
im Westen. Die «apophatische» Theologie war im Osten stets anerkannt.
Sie erscheint, wie noch zu zeigen ist, in einem theologischen Binar, das
dem Westen unbekannt ist: die göttliche οὐσία, die sich vom menschlichen
Geist nicht wahrnehmen läßt, und die ebenfalls göttlichen ἐνέργειαι, durch
die Gott mit dem Menschen in Beziehung tritt. Das Wort χάρις und die
entschiedenen Aussagen des hl. Paulus, z. B. in Röm 3,24 und besonders in
11,6, konnten dem christlichen Osten nicht entgehen. Deshalb wäre es
absurd, wollte man dem Ausdruck «Vergöttlichung» einen Sinn beilegen,

---

[8] J. H. Walgrave, Geloof en theologie in de crisis (Kasterlee 1966). Nach einer philosophischen Einleitung, die vor allem von geschichtlichen Analysen von J. H. Newman und
J. Ortega y Gasset inspiriert ist, sucht der Verfasser die anthropologischen Voraussetzungen freizulegen, welche nach dem 16. Jh. die Auseinandersetzungen über die Gnade bestimmt haben und weiterhin bestimmen.

[9] Vgl. T. F. Torrance aaO. (Anm. 3) Vorwort und 133–141 und R. Brewery aaO. (Anm.
6) 63–65 und 201–207. Zum gleichen Fragenkomplex, jedoch in bezug auf eine ältere
Epoche, vgl. Wort und Mysterium. Der Briefwechsel über Glauben und Kirche 1573–1581
zwischen den Tübinger Theologen und dem Patriarchen von Konstantinopel. hrsg. vom
Außenamt der Evangelischen Kirche in Deutschland (Witten 1958).

der den absoluten Primat und die Transzendenz Gottes im geistgewirkten Schöpfungs- und Erlösungswerk beeinträchtigte.

Infolge dieser grundlegenden anthropologischen Voraussetzung konnten die altchristlichen Schriftsteller ihre Glaubensauffassung nicht dadurch zum Ausdruck bringen, daß sie eine natürliche und eine übernatürliche Finalität einander gegenüberstellten, wenigstens nicht in dem Sinn, den diese Worte in der neueren Theologie des Westens haben. Die grundlegende Finalität des Menschen war für sie notwendigerweise Gott. Die Präsenz der göttlichen Transzendenz in der menschlichen Immanenz haben sie durch die Dialektik «geschaffen/ungeschaffen» zum Ausdruck gebracht.[10] Zweifellos lassen sich schon sehr früh neue Worte nachweisen, die den Gedanken nahelegen, daß die Gnade «hinzugefügt» ist,[11] Worte mit den Präpositionen ἐπί, ὑπέρ und ὑπεράνω. Doch diese Präpositionen spielen innerhalb der Dialektik «geschaffen/ungeschaffen», die sich dem patristischen Denken übrigens stark aufgedrängt hat, weil die Arianer γεννητός Θεός einerseits und γενητός oder ποίημα andrerseits durcheinanderbrachten.

Es ist bemerkenswert, daß die Lehre, welche die Gnade als «Vergöttlichung» versteht, gerade während der harten christologischen und pneumatologischen Auseinandersetzungen mit den Arianern und Pneumatomachen ihren Höhepunkt erreicht hat. Für Athanasius und Gregor von Nyssa ist das entscheidende Argument die Überlegung, daß man von keiner echten «Vergöttlichung» sprechen kann, wenn der Logos und der Geist des Vaters als die direkten Vermittler der Vergöttlichung nicht wahrhaft Gott sind: «Licht vom Licht, wahrer Gott vom wahren Gott, gezeugt, nicht geschaffen, eines Wesens mit dem Vater.» Die Kappadokier haben die göttliche Transzendenz noch umso entschiedener betont, als sie zwischen der für den menschlichen Geist unergründlichen οὐσία Gottes und den göttlichen ἐνέργειαι unterschieden. Sie mußten sich somit bewußt sein: In der Interpretation der Gnade als θείωσις liegt das Mysterium der Gegenwart und Aktivität Gottes in uns als eine fast unhaltbare Spannung zwischen der radikalen Transzendenz der Gottheit gegenüber Welt und erschaffener Menschheit einerseits und seiner himmlischen Präsenz in der Feier der göttlichen Mysterien andrerseits. Wir vergessen im Westen allzuleicht, von welcher dogmatischen Bedeutung für die rechte Auffassung der Vergöttlichung die «himmlische» Konzeption der östlichen Liturgie, vor allem die der Eucharistie ist.

Wie angedeutet, versuchen verschiedene griechische Väter über die Spannung hinwegzukommen, ohne sie indes zu beseitigen, indem sie in Gott

---

[10] R. Leys, L'image de Dieu chez St-Grégoire de Nysse (Bruxelles 1951) 97–106.

[11] K. Rahner, De termino aliquo in theologia Clementis Alexandrini qui aequivalet nostro conceptui entis «supernaturalis»: Gr 18 (1937) 426–431. Vgl. auch H. de Lubac, Surnaturel. Etudes historiques (Paris 1946) 325–373.

zwischen seiner *οὐσία* und seinen *ἐνέργειαι* unterscheiden.[12] Bezüglich des Menschen findet sich schon sehr früh ein dialektisches Moment in der Theologie des Bildes, wie sie im Begriffspaar von *εἰκών* und *ὁμοίωσις* ausgedrückt wird. Zwar werden die beiden Begriffe öfters, etwa bei Irenäus und Gregor von Nyssa, mehr oder weniger als Synonima gebraucht. Zumeist aber wird *εἰκών* ausschließlich für die menschliche Autonomie, für die Freiheit oder den göttlichen *νοῦς* des Menschen oder selbst für die gesamte nach dem Bild Gottes verstandene Person verwendet, für Aspekte der Menschennatur also, die durch die Erbsünde nicht völlig zerstört worden sind. Die *ὁμοίωσις* hingegen bezieht sich vor allem auf den ursprünglichen Gerechtigkeitsstand Adams, den dieser durch seine Sünde verlor und der durch die von Christus gewirkte Erlösung und das Wirken des Heiligen Geistes wiederhergestellt wurde. Schließlich muß sich die göttliche *ὁμοίωσις* langsam verwirklichen durch die *ἀπάθεια* und die *γνῶσις*, von denen vor allem in Alexandrien die Rede ist, und durch die christliche Askese und das Gebet. Darum strebt die *ὁμοίωσις* hier auf Erden unablässig ihrer Vollverwirklichung in der Eschatologie entgegen. Man kann sagen, die *χάρις* beseele in einem strikteren, technischeren Sinn diesen Prozeß der Wiederherstellung der ursprünglichen Ähnlichkeit in der Kirche und durch die Sakramente.

Die Gnadenlehre des Ostens läßt sich zusammenfassen im Begriff der *ἀποκατάστασις*, womit die von Christus bewirkte und in unserer Seele durch den Heiligen Geist verwirklichte Wiederherstellung der gefallenen Menschheit gemeint ist. Wir entdecken in dieser Tradition eine wichtige Dimension, die anthropologische Erstreckung der Gnade auf der horizontalen Ebene der Menschheitsgeschichte. Auf der vertikalen Ebene ist der typischste und bekannteste Ausdruck für die Gnade die Aussage, die man im Osten von Irenäus angefangen bis zu Johannes von Damaskus findet: «Gott ist Mensch geworden, damit der Mensch Gott werde.»[13] Sie gibt eine dialektische Sicht der menschlichen Wirklichkeit der Vergöttlichung in einer Theologie, die sich vielleicht mehr als die unsere der unendlichen Transzendenz Gottes bewußt ist. Die Wirklichkeit der Inkarnation und somit der Gnade wird schärfer artikuliert als bei uns, weil sie die *ἀθανασία* und die *ἀφθαρσία* einbegreift, wodurch die eschatologische Dimension der Gnade und ihr organischer Zusammenhang mit ihrer anthropologischen Erstreckung zum Ausdruck gebracht wird. Die Gnade erstreckt sich notwendig auf den ganzen Menschen, und nicht bloß auf seine Seele und seinen Geist.

Selbstverständlich bestehen in bezug auf die Einzelheiten der theologischen Synthese und des geistlichen Lebens wichtige Unterschiede zwischen der Zeit vor und nach Nizäa, zwischen Antiochien und Alexandrien, zwi-

---

[12] G. W. H. Lampe aaO. (Anm. 5) 470 f.
[13] Irenäus, Adv. haer. III, 19,1 (PG 7,939 f); III, 18,7 (ebd. 937); IV, 33,4 (ebd. 1074); V, Vorwort (ebd. 1120).

schen dem Mittelpunkt des Reiches und seinen asiatischen und afrikanischen Grenzgebieten oder später seinen slawischen Randzonen. Doch finden sich die großen Themen, die wir skizziert haben, in der gesamten patristischen Literatur des Ostens. Sie sind in die klassischen Werke des Johannes von Damaskus und Maximus des Bekenners eingegangen und bilden ein gemeinsames, bis heute lebendiges Erbe.

2. Die byzantinische Überlieferung

Die Entwicklung dieser Überlieferung nach dem Schisma von 1054 kann hier nicht im einzelnen behandelt werden. Hingewiesen werden muß aber auf den Einfluß des Gregor Palamas, des Repräsentanten des gnostischen Hesychasmus im 14. Jh. Dieser 1359 verstorbene Mönch und Bischof von Thessalonike wurde 1368 von Philotheos, dem Patriarchen von Konstantinopel, kanonisiert. Schon zu seinen Lebzeiten, 1351, erklärte sich die Patriarchalsynode von Konstantinopel mit seiner theologischen und mystischen Lehre einverstanden.[14]

Wie zu seiner Zeit Johannes von Damaskus, repräsentiert Gregor Palamas eine neue Synthese des östlichen Denkens.[15] Die heutige palamitische Renaissance in Griechenland und in der russischen Emigrationstheologie[16] bestimmt in hohem Maße das moderne orthodoxe Denken. Die Kenntnis des Palamismus erscheint uns wichtig für den ökumenischen Dialog. Nach der Trennung von 1054 entstanden, hat der Palamismus durch Jahrhunderte hindurch gewisse Punkte des Nichteinvernehmens mit Rom beibehalten, die diese Kirche nicht ungestraft übersehen darf.[17] Andererseits zeigt die palamitische Kontroverse im 14. Jh. gewisse Analogien zu den Ausein-

---

[14] Mansi XXVI, 127–199; bessere Ausgabe: *I. Κάρμιρις, Τὰ δογματικὰ καὶ συμβολικὰ μνημεῖα I* (᾽Αθῆναι 1952) 310–342.

[15] Basil Krivosheine, Asketiceskoe i bogoslovskoe ucenie sv. Gregorija Palamy. Seminarium Kondokovianum VIII (Praha 1936) 99–154 = The Ascetic and Theological Teachings of Gregory Palamas: The Eastern Churches Quarterly, Reprint n. 4 (London 1938); dt.: Das östliche Christentum, 8. Heft (Würzburg 1939). Eine gute Einführung findet sich in J. Meyendorff, St-Grégoire Palamas et la mystique orthodoxe (Paris 1959); ders., Introduction à l'étude de Grégoire Palamas = Patr. Sorb. III (Paris 1959) (Lit.). Vgl. auch C. Kern, Les éléments de la théologie de Grégoire Palamas: Irenikon 20 (1947) 6–33; 164–193.

[16] Der bekannteste Autor ist W. Lossky, Essai sur la théologie mystique de l'Eglise d'Orient (Paris 1944); dt.: Die mystische Theologie der Ostkirche (Graz 1961); ders., A l'Image et à la Ressemblance de Dieu (Paris 1967).

[17] Die Schwierigkeiten betreffen vor allem die Beziehungen zwischen der Lehre über den Hervorgang des Geistes vom Vater und den Folgerungen, die sich daraus für das Verständnis der Kirche ergeben. Die Einwände werden dargelegt von Meyendorff, Lossky und einem ehemaligen Anglikaner, der auf dem Berge Athos studiert hat: Ph. Sherrard, The Greak East and the Latin West. A Study in the Christian Tradition (London 1959) 61–107.

andersetzungen über die Gnade im Okzident. Gregor Palamas mußte sich gegen einen gewissen «Pelagianismus» der Messalianer und Bogomilen zur Wehr setzen. Und er kämpfte hartnäckig gegen den nominalistischen Rationalismus eines Barlaam, eines Akyndinos und eines Nikephoros Gregoras, der Erben der aristotelischen oder neuplatonischen Tradition, die manchmal an den nachcartesianischen Suarezianismus im Westen gemahnen.

Gehen wir von einer tiefen, in einer langen Spiritualitätstradition herangereiften Erfahrung aus, daß es eine genuin christliche «Gotteserfahrung» gibt. Dieser Herzenskontakt mit Gott ist nicht eine Erkenntnis, denn selbst in dieser Erfahrung enthüllt sich Gott als der Unerkennbare. Gott ist absolut transzendent, weniger infolge der Beschränktheit unseres erschaffenen Geistes (die spekulative Grundlage einer «apophatischen» Theologie), als deshalb, weil diese Transzendenz Gott zu eigen ist (mystische Grundlage). Diesbezüglich übernimmt Gregor Palamas gewisse Ansichten des Ps.-Dionysius, den er als einen Schüler des hl. Paulus in Ehren hält. Der Areopagite war jedoch der Lieblingsautor seiner intellektualistischen Gegner. Gregor unterscheidet sich tief von diesen und somit auch vom Areopagiten, weil er die Heilstatsache betont, daß der Kontakt mit Gott nur durch den menschgewordenen, mit der göttlichen Hypostase vereinten Christus vermittelt werden kann. Man begreift deshalb, welch einzigartige Stellung das «Jesusgebet» einnimmt, das hesychastische Erbe par excellence.[18]

Die Dialektik der Immanenz Gottes in unseren Herzen durch die Vermittlung des menschgewordenen Christus und seiner absoluten Transzendenz beruht spekulativ auf einer dynamischen, beinahe «existentiellen» Interpretation des alten Binoms der göttlichen οὐσία und ἐνέργεια. Die göttlichen Energien sind nicht ein Gott zweiter Ordnung, wie gewisse Theologen des Westens behaupten, sondern der lebendige Gott selbst, der sich den Christen in den Sakramenten der Taufe und der Eucharistie kundgibt. Hier finden wir im Palamismus die ekklesiologische Dimension der Menschwerdung wieder. Durch seine aktive Gegenwart in den Christen stellt der auferstandene Herr sozusagen den «Leib Gottes», die Kirche dar, die eine Menschengemeinschaft bildet und doch in der «unvermischten Einheit» des Göttlichen und Menschlichen schon in hohem Maße eschatologisch ist.

Wenn wir zu den spezifischeren Thesen der Gnadentheologie übergehen, müssen wir die einzigartige Rolle einer göttlichen Energie, des göttlichen Lichtes, betonen, das sich zum ersten Mal auf dem Berg Tabor gezeigt hat. Diese Betonung der Rolle des Taborlichtes als einer Quelle des Gnadenlebens ist dem westlichen Geist unverständlich, wenn er sich nicht bewußt ist, wie intensiv die Inkarnationswirklichkeit in Christus und seiner Kirche

---

[18] E. Behr-Sigel, La prière de Jésus ou le mystère de la spiritualité orthodoxe: Dieu Vivant 8 (1948) 69–94; Un moine de l'Eglise d'Orient, La prière de Jésus (Chèvetogne ³1959).

ist. Dem gleichen ganzheitlichen Denken begegnen wir in der Frage der «geschaffenen Gnade». Der gesamte Mensch wird durch die «ungeschaffene Gnade» wiederhergestellt, nicht bloß sein Geist. Gregor wendet sich mit aller Entschiedenheit gegen jede spiritualistische Interpretation. Hier hat die Kraft der hesychastischen Überlieferung sozusagen ihren Ort. Ein weiterer Unterschied zur Gnadentheologie im Westen liegt darin, daß nur die «ungeschaffene Gnade», weil unerschaffen, «übernatürlich» genannt werden kann, nicht aber die «geschaffene Gnade» und das christliche Leben.

Gregor Palamas verbleibt so entschieden in der östlichen Überlieferung. Man begreift, weshalb nach Konstantinopel weitere autokephale Kirchen seine Lehre als Ausdruck des orthodoxen Denkens angenommen haben. Wie wichtig diese Überlieferung ist, zeigt sich, wenn man sie anderen verdienstvollen theologischen Initiativen gegenüberstellt. Die Sophiologie eines Sergius Bulgakow in der ersten Hälfte unseres Jahrhunderts wurde bis jetzt nicht als Lehre der Kirche akzeptiert, obwohl sie gemeinsame Züge mit dem Palamismus aufweist. Hier macht sich das Gewicht des «Sobornost» geltend, der für die orthodoxe Ekklesiologie bezeichnend ist und nach dem die Gemeinschaft der Gläubigen in der Ausarbeitung der Lehre der Kirche ihre Rolle zu spielen hat.

DER CHRISTLICHE WESTEN

Für den Christen des Ostens ist die Geschichte der Gnadenlehre im Westen sehr schwer zu verstehen. Sie wird von der Person und vom Denken Augustins dominiert. Schon auf den ersten Blick scheint diese Geschichte außerordentlich vielschichtig, ja tragisch. Wenn wir eine lästige Aufzählung von Häresien und Konzilien, von Schulmeinungen und Kontroversen vermeiden wollen, müssen wir uns bemühen, die großen Denkströmungen nachzuzeichnen, die dieser Geschichte ihr Gepräge geben.

1. Typische Themen der westlichen Gnadentheologie

Eine erste Besonderheit, die beispielsweise anläßlich von ökumenischen Gesprächen über die Gnade auffällt,[1] ist die, daß der katholische Westen vor allem den Begriff der «geschaffenen Gnade» entwickelt hat. Seit mehreren Jahrhunderten denken die Gläubigen kaum an etwas anderes, wenn man ihnen von Gnade spricht. Deshalb besteht bei manchen modernen Theologen die Tendenz, das Wort «Gnade», vor allem den Gläubigen gegenüber, zu vermeiden, aus Angst, dem Denken zum vornherein eine falsche Richtung zu geben. Wie wir noch sehen werden, ist diese Tendenz verständlich. Die sehr weit getriebene Artikulation des Gnadenbegriffs hat zudem dazu beigetragen, daß ein besonderer, äußerst technisch gehaltener Traktat über die göttliche Gnade ausgearbeitet wurde – eine Anomalie, die sich weder bei den Christen des Ostens noch bei denen der Reformation findet, da sich diese mehr als die Katholiken der engen Zusammenhänge zwischen dem Mysterium der Gnade und den Mysterien unserer Erlösung, der Kirche und den Sakramenten, bewußt sind. Wenn die Mitte der christlichen Botschaft darin liegt, daß Gott in Christus in dieser Welt präsent ist, und wenn wir in diesem kurzen Satz die Definition des Mysteriums der Gnade vor uns haben, dann erträgt es der Gnadentraktat nicht, von andern theologischen Traktaten losgelöst zu werden.

Man darf indes nicht behaupten, der Okzident habe die biblische und patristische Botschaft von der Präsenz des dreifaltigen Gottes im christlichen Leben und in der Welt außer acht gelassen. Wir werden auf diese Frage zurückkommen. Aber schon von Augustinus an hat das Wort «Gnade» einen medizinalen, synergetischen Aspekt, weswegen es ohne weiteres zu

---

[1] Ch. Moeller (Hrsg.), Théologie de la grâce et oecuménisme (Chèvetogne 1957) gibt die Diskussionen wieder, die 1953 im Kloster Chèvetogne in Belgien stattgefunden haben. Vgl. auch W. T. Whitley (ed.), The Doctrine of Grace (London 1932).

einem Synonym von «auxilium» wird. Die Gnade wird deshalb schon sehr früh mit der religiösen Betätigung des Menschen in Zusammenhang gebracht. Nach der Krise der Reformation wurde diese Tendenz bis zu Beginn unseres Jahrhunderts so ins Extreme gesteigert, daß der Traktat über die Gnade allzusehr vom Problemkreis der aktuellen Gnade dominiert wurde. Die heutige Theologie sucht allmählich diese Verarmung der biblischen Botschaft zu überwinden, doch viele Gläubige halten mit einer solchen Rückkehr zu den Quellen nur langsam Schritt.

Hinter dieser semantischen Verlegenheit steckt ein schwerwiegenderes Sachproblem. Wenn man die Geschichte der Gnadentheologie übersieht, entdeckt man, daß der Mensch des Westens dem Mysterium der Gnade gegenüber fast stets große Schwierigkeiten empfunden hat. Ein offensichtlicher Beweis dafür sind die große Zahl und die Vielfalt der Kontroversen und Häresien. Der Mensch des Westens schwankt sozusagen zwischen zwei Extremen. Auf der einen Seite scheint ihm der Primat Gottes in der Gnadenbewegung die Würde des Menschen zu bedrohen.[2] Auf der andern Seite fürchtet er, die Verherrlichung des Menschen sei der Souveränität Gottes abträglich. Er befindet sich seit Jahrhunderten im Zwiespalt einer unmöglichen Wahl, eines falschen Dilemmas: «Gott *oder* Mensch».[3]

Wir kommen so zum neuralgischen Punkt, an welchem Überlieferung des Ostens und des Westens auseinandergehen: zum unterschiedlichen Verständnis des Endziels und somit der Beziehung von Natur und Gnade, zum verschiedenen Ansatz einer christlichen Anthropologie.[4] Über den Begriff «übernatürlich» wurde schon viel geschrieben. Er steht in Zusammenhang mit einer Reihe äußerst umstrittener Probleme.[5] Doch denken wir hier in erster Linie nicht so sehr an eine ausgereifte, systematisch dargestellte Lehre, sondern an eine Grundhaltung des Denkens und Lebens, an ein Klima des Denkens und Handelns innerhalb einer sehr verwickelten Geschichte. Wir haben es mit einer kollektiven, mehr unbewußten und darum nicht thematisierten Haltung zu tun, die normalerweise erst beim Zusammenprall mit einer andern religiösen Kultur zutage tritt.

---

[2] So behaupten: E. Bloch, Atheismus im Christentum (Frankfurt 1928); Man on His Own, Essays in the Philosophy of Religion (New York 1970); Vitezslav Gardavský, Gott ist nicht ganz tot. Ein Marxist über Religion und Atheismus (München ²1969). Vgl. Augustinus, De gratia Christi et de peccato originali I, 47 (PL 44,383) und Retr. I, 9 (PL 44, 595–599).

[3] P. Schoonenberg, Ein Gott der Menschen (Zürich 1969) 9–51.

[4] Y. M. Congar, L'ecclésiologie du haut Moyen Âge (Paris 1969) 356f.

[5] H. de Lubac, Surnaturel. Etudes historiques = Théologie 8 (Paris 1946). Über diese neuere katholische Kontroverse liegen auch zwei protestantische Arbeiten vor: U. Kühn, Natur und Gnade. Untersuchungen zur deutschen katholischen Theologie der Gegenwart (Berlin 1961) und B. Wentzel, Natuur en Genade. Een introductie in en een confrontatie met de jongste ontwikkelingen in de rooms-katholieke Theologie inzake dit thema (Kampen 1970).

Die Geschichte zeigt, daß zwischen Ost und West ein tiefer Haltungs-unterschied besteht. Sobald aber der Dogmengeschichtler die anthropolo-gischen Optionen der beiden großen christlichen Traditionen genauer be-stimmen soll, wird er rasch inne, daß er klug und behutsam vorgehen muß. Der Westen hat sich nur ganz langsam vom Osten gelöst, gleichsam nach Art der geodätischen Bewegungen, welche die Kontinente auf unserer Erde voneinander lösen oder aneinander schieben. Amerika, Europa und Afrika weisen immer noch gemeinsame Züge auf, obwohl die drei Kontinente seit Jahrmillionen eine verschiedene Vegetation und Fauna hervorgebracht haben.

In unserer Analyse lassen wir uns vor allem von der Untersuchung leiten, die J.-H. Walgrave über die Gnadenlehre im Westen verfaßt hat.[6] Mit ihm sind wir der Ansicht, daß bis zum Mittelalter der Westen, der inzwischen bereits eine Sprache, bürgerliche und kirchliche, ethische und liturgische Lebensformen, ein Recht und eine Theologie entwickelt hatte, die sich von denen des Ostens erheblich unterscheiden, in seinen tiefsten, unbewußte-sten Strömungen immer noch mit dem Osten in Verbindung stand. Die Unterscheidung zwischen Natur und Gnade, wie wir sie seit dem 16. Jh. kennen, bestand bei den lateinischen Kirchenvätern sowie in der Kirche des Mittelalters noch nicht. Wir sprechen, wie gesagt, von kollektiven, unbewußten Strebungen, die mehr mit einem Klima des Denkens und Han-delns als mit einer artikulierten Lehre zusammenhangen. Der Mensch wurde noch umfassend als auf Gott bezogen erlebt, und zwar wurde er auf den tri-nitarischen Gott, und nicht bloß auf den Gott der Schöpfung und der Natur bezogen. Die Gnade wurde mehr als eine «Bewegung», als eine «Hilfe» von seiten Gottes verstanden, die ihren theozentrischen Dynamismus *aktuali-sieren* will, und zwar vor allem auf der Ebene des konkreten Lebens.

Walgrave zeigt diesen Unterschied des Denkklimas an einem Vergleich zwischen den charakteristischen Positionen von Thomas v. A. und Cajetan.[7] Beeindruckend ist eine weitere Tatsache, die mehr mit dem Alltagsleben zusammenhängt. Wir mei-nen die divergierenden theoretischen Auffassungen und vor allem die spontanen praktischen Haltungen, die das konkrete Gewebe der Beziehungen zwischen Kirche und Staat bilden. Hier wurde eine Symbiose akzeptiert, die keinen Sinn hätte, wenn sie nicht die Frucht einer tief theozentrischen Anthropologie wäre, die vor jeder Unterscheidung zwischen Weltlichem und Göttlichem auf den Heilsgott ausgerichtet ist.[8]

---

[6] J. H. Walgrave, Geloof en theologie in de crisis (Kasterlee 1966).

[7] AaO. 137–147. Walgrave analysiert auch die Positionen des Bologneser Philosophen Pietro Pomponazzi (1462–1524), eines Studienfreundes Cajetans, über die Unsterblichkeit der Seele, sofern diese Positionen die Frage des natürlichen Verlangens nach der Gottes-schau berühren. Vgl. dazu H. de Lubac, Augustinisme et théologie moderne = Théo-logie 63 (Paris 1965) 136f.

[8] Y. M. Congar, L'ecclésiologie du haut Moyen Âge 104–127 und 249–307 sowie P. Faynel, L'Eglise = Le Mystère chrétien II (Tournai 1970) 101–228 (Lit.).

Auf der Ebene des thematischen Denkens, des Sprechens und der bewußt angenommenen Lebensformen bahnt sich jedoch inzwischen im Westen eine Entwicklung an, die ihn immer mehr vom Osten trennt. Der Humanismus Augustins, der Bürgersinn und die stoische Moral der römischen Kultur, die anthropologischen Auffassungen der germanischen Völker,[9] vor allem die Einführung des Aristotelismus und dessen Zersetzung im Nominalismus beginnen und verstärken einen gründlichen Richtungswechsel, der sich schließlich im 16. Jh. durchsetzt und im Westen eine tiefe Krise herbeiführt. Der Westen hat von da an eine neue Ausrichtung des Denkens und Handelns, die große Teile Europas und damit unsere ganze westliche Kultur umfaßt. Er entdeckt den Menschen und seine Erde, seine Finalität und Würde, seine Vernunft und seine Freiheit und vor allem seine Autonomie, die an und für sich von der Heilsordnung unabhängig ist. In diesem Zeitpunkt sind es nicht mehr nur einige Theologen und Philosophen wie Abälard oder Thomas v. A., oder Politiker wie Marsilius von Padua, die Prinzipien aufstellen, die dem tiefen Dynamismus ihrer Epoche zuwiderlaufen, sondern eine ganze Kultur, eine ganze Welt wendet sich dem Menschen zu.

Der Wandel des anthropologischen Klimas verpflichtet die Theologen zu einer radikalen Umorientierung ihrer Denk- und Argumentationsweisen. Dies geht nicht ohne Widerstände vor sich. Mit Walgrave sind wir der Meinung, daß Luther, Calvin, Bajus und Jansenius deswegen bald in Konflikte mit der Kirche ihrer Zeit gerieten, weil sie sich im Innersten weigerten, die tiefen Optionen der Vergangenheit aufzugeben. Sie waren im tiefsten Innern Menschen des Mittelalters geblieben, unbewußt, wenn man will, selbst wenn sie auf der mehr an der Oberfläche liegenden Ebene der bewußten menschlichen Taten ohne Zögern Arbeits- und Handelnsweisen ihrer Zeit übernahmen. Die wirklich «modernen» Theologen dieser Zeit waren im Grunde die ersten Suarezianer, die voller Begeisterung bereit waren, die Theologie für eine neue Zeit umzudenken. Die Arbeit an diesem «aggiornamento» führte auf dem Gebiet der Gnadentheologie zur Einführung des Begriffs des «Übernatürlichen» im strikten Begriff unserer modernen Theologie. In einer Verlautbarung gegen Bajus fand der Begriff «übernatürlich» zum ersten Mal Eingang in ein offizielles Dokument der Kirche.[10] Der Ausdruck «fides», der bis dahin das Lehrcorpus bezeichnete, das die Kirche jeweils besaß und universal verteidigte,[11] wird hier ausdrücklich mit der «übernatürlichen» Glaubensquelle, dem göttlichen Offenbarungsakt, in Zusammenhang gebracht. So unterscheidet sich von da an die übernatürliche Erkenntnis von jeder andern «natürlichen» Einsicht, die dem

9 Y.M.Congar aaO. 308–317.

10 DS 1921 und 1923. Vgl. H. de Lubac, Aux origines du mot «surnaturel»: Surnaturel 325–428.

11 A. Lang, Der Bedeutungswandel der Begriffe «fides» und «haeresis» und die dogmatische Wertung der Konzilsentscheidungen von Vienne und von Trient: MThZ 4 (1953) 133–146; P.Fransen, Réflexions sur l'anathème au Concile de Trente: EThL 29 (1953) 657–672.

menschlichen Tun entspringt. Aus der Überzeugung heraus, daß sie im Grunde autonom sind, inaugurieren der Staat, die Wissenschaften, die Wirtschaft die Befreiungsbewegung, die die Neuzeit kennzeichnet.

In einem solchen Denk- und Lebensklima erhält selbstverständlich die ganze theologische und anthropologische Reflexion über die Gnade eine neue Richtung. Nach dem Triumph des Barock und der Gegenreformation sieht sich indes die Kirche von den «natürlichen» Kräften angegriffen, deren Wert und Würde der abendländische Mensch plötzlich entdeckt hatte. Dies ist eine der für die Gnadentheologie verhängnisvollsten Epochen. Der «suarezianische» Denkentwurf, der durch den Rationalismus der Aufklärung und der Philosophen geschwächt wird, artet in einen dürren Konzeptualismus aus, der die Gnadenlehre um ihren tiefsten Sinn bringt. Der schlimmste Vorwurf, den unsere Zeit dieser Theologie macht, ist der Vorwurf des Extrinsezismus. Indem man die Gnadentheologie «vermenschlichen» wollte, war man gezwungen, den Begriff des «Übernatürlichen» und alle in ihm liegenden Wirklichkeiten wie die Kirche, die Sakramente, das geistliche Leben, das mystische Leben zu entmenschlichen. Wir hoffen, einige dieser Auswirkungen konkret aufzeigen zu können, wenn wir in der Folge die Entwicklung der Gnadentheologie und die anstehenden Probleme analysieren, denen sich unsere Epoche auf diesem Gebiet gegenübersieht.

Unser erster Überblick über die Entwicklung der Gnadentheologie im Westen macht vielleicht einen eher negativen Eindruck. Wir möchten jedoch aufzeigen, welches die wichtigsten Unterschiede gegenüber dem Osten sind, und diese Unterschiede scheinen uns nicht durchwegs ein Gewinn gewesen zu sein. Wie wir sehen werden, wendet sich der Westen während seiner ganzen Geschichte der Heiligen Schrift und den morgen- und abendländischen Kirchenvätern zu, um seine humanistischen oder säkularistischen Tendenzen zu berichtigen.

Wir gliedern im folgenden den Abschnitt über die Dogmenentwicklung der Gnadenlehre im Westen in vier Teile und sprechen über Augustinus und die ersten Kontroversen über die Gnade, über den Beitrag des Mittelalters, über den Augustinismus und die Reformation, sowie über Auseinandersetzungen in der nachtridentinischen Ära.

2. Augustinus und die ersten Kontroversen über die Gnade

Die theologischen Auseinandersetzungen über die Gnade, die im 5. und 6. Jh. vor sich gingen, stellen schwierige Interpretationsprobleme. Lange Zeit hindurch, bis zur Identifizierung und Veröffentlichung der Schriften des Pelagius und seiner Schüler,[12] kannten wir deren Lehre nur vermittels

---

[12] A. Souter ergriff die Initiative mit seiner Veröffentlichung: Pelagius' Exposition of Thirteen Epistles of St. Paul (Cambridge 1922–1931). Vgl. auch C. P. Martini, Quattuor

der Werke Augustins und seiner Schule. Das Mittelalter kopierte selten Manuskripte von Häretikern. Der Semipelagianismus ist mehr eine Geisteshaltung als eine fest strukturierte Lehre. Und selbst Augustinus ist nicht immer leicht zu deuten. Infolge des Reichtums und der fortwährenden Entwicklung seines Denkens, läßt sich eine Synthese nicht leicht herstellen. Um die Positionen der verschiedenen Teilnehmer an diesen Kontroversen besser zu erfassen, müssen wir ihre religiöse Grundhaltung, ihr «Anliegen», sowie die theologische Sprache, über die sie verfügten, sorgfältig vom theologischen Endsystem unterscheiden, soweit wir dieses noch zu rekonstruieren vermögen. Selbstverständlich kann die Geschichte dieser Kontroversen nicht in allen Einzelheiten dargestellt werden. Dafür sei auf die einschlägigen Monographien verwiesen. Für unseren Zweck scheint es wichtiger zu sein, jene positiven und negativen Momente hervorzuheben, die auch für die heutige Reflexion über das Mysterium der Gnade noch von Bedeutung sind.

a. Die Lehre der Pelagianer

Nach Ansicht moderner Kommentatoren, die G. de Plinval, dem letzten «augustinischen» Interpreten des Pelagius folgen,[13] war dieser nicht so häretisch, wie Augustin und die Bischöfe Afrikas angenommen haben. Dies wird durch die Tatsache belegt, daß östliche Konzilien und gewisse Päpste griechischer Herkunft gezögert, ja zuweilen es abgelehnt haben, Pelagius zu verurteilen. Pelagius scheint vor allem über den unheilvollen Einfluß des dualistischen manichäischen Pessimismus beunruhigt gewesen zu sein. Sein großes theologisches Anliegen war es, für die Güte der Schöpfung und somit für die «natürliche» Freiheit des Menschen einzustehen. Zu dieser die Glaubenslehre betreffenden Sorge kam ein asketisch-spirituelles Anliegen. Pelagius weigerte sich hartnäckig, auch nur den leisesten Verdacht aufkommen zu lassen, Gott könne in irgendeiner Weise Urheber des Übels, vor allem des moralischen Übels sein. «In Deo non est acceptatio personarum», war für ihn ein theologisches Grundprinzip, demzufolge es feststeht, daß der Mensch für die Sünde verantwortlich ist. Seine theologische Sprache war recht dürftig, mehr oder weniger biblisch und auch moralisierend,

---

Fragmenta Pelagio restituenda: Antonianum 13 (1938) 293–334 und R.F.Evans, Four Letters of Pelagius (London 1968). Der Aufsatz von G. de Plinval, Recherches sur l'œuvre littéraire de Pélage: Revue de Philologie 60 (1934) 9–42 wurde kritisiert von Ivo Kirmer und John Morris. Vgl. G. de Broglie, Pour une meilleure intelligence du «De correptione et gratia»: Augustinus Magister III (Paris 1956) 323 über die Schwierigkeiten Augustins, seine Gegner richtig zu verstehen.

[13] G. de Plinval, Pélage, ses écrits, sa vie et sa réforme (Lausanne 1943); J.Ferguson, Pelagius: A Historical and Theological Study (Cambridge 1956); G.I.Bonner, St.Augustin of Hippo (London 1963).

ungefähr so undifferenziert wie etwa die des Lactantius. Als Seelenführer hielt er sich in seiner theologischen Argumentation an die Sprache des gesunden Menschenverstandes und an eine elementare Psychologie, die auf der täglichen Erfahrung basierte. Zudem besaß der Ausdruck «Gnade» damals einen recht unbestimmten Sinn. Er konnte das ganze Spektrum der Gaben Gottes in sich bergen: Schöpfung, Gesetz, Erlösung – eine Unbestimmtheit, die sich auch bei mehreren griechischen Vätern findet. Man kann sagen, der formell häretische Pelagianismus gehe eher auf Coelestius zurück, den wir nicht besonders gut kennen, und vor allem auf Julian von Eclanum. Dieser lateinische Bischof, Mitglied der italienischen Aristokratie, scharfsinniger Dialektiker und besserer Kenner der griechischen Väter als Augustin, hat dessen letzte Lebensjahre verdüstert. Über das Gewicht der weiteren Einflüsse, die auf das pelagianische Denken eingewirkt haben, kann man verschiedener Meinung sein. Hinzuweisen ist auf die stoische Geisteshaltung der aristokratischen Milieus Roms, auf den angelsächsischen, bretonischen oder selbst gälischen oder druidischen (Ferguson) Einfluß, auf die Kontakte mit dem Orient, mit origenistischen Kreisen, vor allem mit Rufin dem Syrer. Man kann darüber nur vorsichtige Hypothesen aufstellen.

Moderne Autoren wie Torgny Bohlin[14] oder Robert F. Evans[15] haben es unternommen, das theologische System des Pelagius, das auf einer biblischen Struktur der göttlichen Heilsökonomie beruht, vorzustellen: die Schöpfungsordnung, das mosaische Gesetz und die uns durch die Gnade des Evangeliums zukommende Erlösung durch Christus. Führen wir einige wichtige Punkte dieser Theologie an: Pelagius weigert sich entschieden, eine innere Verderbtheit des Menschen anzunehmen, welche die Güte der Schöpfung bedrohen könnte. Sofern es Verderbnis oder Heil gibt, ist dies nur auf das Wort und Beispiel anderer zurückzuführen. Mehrere Autoren werfen die Frage auf, ob Pelagius nicht eine gewisse innere Gnade zugebe. Evans antwortet entschieden: Die Gnade des Evangeliums wohnt nach Pelagius der Offenbarung Christi und dem neuen «Weg» inne, den Jesus uns gezeigt hat. Ganz ähnlich spricht er von der «Erleuchtung» durch den Heiligen Geist. Der Gedanke einer inneren Gnade, eines göttlichen Gnadengeschenkes scheint von Pelagius nicht akzeptiert worden zu sein, obwohl er gelegentlich nicht zögert, von «auxilium» zu sprechen.[16] In der Antike spielte eben die Erkenntnis eine größere Rolle als heute. Es ist indes bemer-

---

[14] T. Bohlin, Die Theologie des Pelagius und ihre Genesis (Uppsala 1957). Vgl. G. I. Bonner, How Pelagian was Pelagius? An Examination of the Contentions of Torgny Bohlin: Studia Patristica IX = TuU 94 (Berlin 1966) 350–358; G. de Plinval, Points de vue récents sur la théologie de Pélage: RSR 46 (1958) 227–236.

[15] R. F. Evans, Pelagius: Enquiries and Reappraisals (London 1968).

[16] Ebd. 109–113.

kenswert, daß Pelagius dafür einsteht, daß wir «allein durch Glauben» gerettet werden.[17] Die einzige Prädestination, die er zugibt, ist das göttliche Vorherwissen – eine in der damaligen Zeit sehr verbreitete Deutung.

Man könnte die Theologie des Pelagius als eine Weigerung charakterisieren, der Kirche in ihrer Reflexion über die Gnade zu folgen, als ein starres Sich-Festklammern an der Vergangenheit. Hat nicht Augustin selber gesagt, man hätte vor diesen Auseinandersetzungen freier, d. h. unbestimmter reden können? Vor dieser Epoche war die Antwort noch nicht reif. Eines der gewichtigsten Argumente Julians von Eclanum – des «totius pelagiani dogmatis fabricae architectus necessarius» (Augustinus) – war denn auch dieses, Augustin sei ein Neuerer![18]

b. Augustinus

Wir müssen uns hier leider auf das Thema der Gnade und die damit unmittelbar zusammenhängenden Themen beschränken, was insofern zu bedauern ist, als Augustinus das Mysterium der Gnade im Zusammenhang mit dem Mysterium Christi und seiner Kirche gesehen hat.[19] Der Pelagianismus war für Augustin Anlaß zu einer intensiven theologischen Denkanstrengung. Er fordert die Semipelagianer auf, mit der Entwicklung seines Denkens Schritt zu halten und nicht bei seinen früheren Werken stehenzubleiben.[20] In seinen «Retractationes» gesteht er, noch als Priester über den Anfang des Glaubens Ansichten vertreten zu haben, die dem Semipelagianismus nahestanden.[21]

Die Quellen seiner theologischen Reflexion sind die Bibel und vor allem die paulinische und johanneische Theologie, das liturgische Gebet, die Praxis der Kirche, in erster Linie die Praxis der Kindertaufe. Julian von

---

[17] Ebd. 109 und 163 f.

[18] Contra Iulianum op. imp. 4,50 (PL 45, 1368).

[19] Einige neuere, leider unvollständige Ausgaben bilden ein ausgezeichnetes Arbeitsinstrument: Aurelius Augustinus, Schriften gegen die Pelagianer, lat.-dt. II. Bd., hrsg. v. A. Kunzelmann und A. Zumkeller (Würzburg 1964). Schriften gegen die Semipelagianer. Jubiläumsausgabe 354–1954 (Würzburg 1955) bilden Band VII dieser Reihe. J. Chéné, La Théologie de Saint Augustin. Grâce et Prédestination (Lyon 1961) und OSA 21 La crise pélagienne 1 (Paris 1966). Unter den neueren Forschungsarbeiten sind zu erwähnen: G. I. Bonner, St. Augustin of Hippo. Life and Controversies (London 1963); A. Mandouze, Saint Augustin. L'aventure de la raison et de la grâce (Paris 1968); E. Teselle, Augustin, The Theologian (New York 1970).

[20] De praedestinatione sanctorum 4,8 (PL 44, 966).

[21] De praed. sanct. 4,7 (PL 44, 964) und Retr. 1,23 (PL 32, 621 f) korrigieren die Explicationes quarumdam quaestionum ex Epist. ad Rom. prop. 55, 60 und 61, während sich Retr. 1,26,16 (PL 32, 628) sich auf den Liber de 83 quaest. q. 66, 3–5 (PL 40, 62 ff) beziehen. Vgl. A. Zeoli, La teologia agostiniana della Grazia fino alle «Quaestiones ad Simplicianum» (Napoli 1963); M. Löhrer, Der Glaubensbegriff des hl. Augustinus in seinen ersten Schriften bis zu den Confessiones (Einsiedeln 1955) 224–268.

Eclanum hat ihn, der nur mit Mühe griechische Texte las, gezwungen, die Lektüre einiger griechischer Väter in Angriff zu nehmen. Auch hat ihm der plotinische Illuminismus Denkschemata geboten, die ihm behilflich waren, seine tiefe persönliche Erfahrung begrifflich zu integrieren. Wir möchten jedoch vor allem die Rolle hervorheben, die seine innerste geistliche Erfahrung des göttlichen Wirkens in der Tiefe des Herzens gespielt hat. Eine Theologie, die es ablehnt oder nicht wagt, sich auf die geistliche Erfahrung zu beziehen, bleibt in dürrer Begrifflichkeit stecken. Die mystischen Erlebnisse, die Augustin 386 in Mailand und Ostia zuteilgeworden sind, sind bekannt. Gegen Ende 428 gesteht er, daß nach seiner Bischofsweihe, als er auf die Fragen des Bischofs Simplicianus zu antworten versuchte, «Gott ihm geoffenbart hat, was er schon von anderswoher wußte», nämlich den tieferen Sinn von 1 Kor 4,7: «Quid habes, quod non accepisti?» – eine Stelle, über die er den von Cyprian verfaßten Kommentar eben zu Ende gelesen hatte.[22] In seinen «Retractationes» kommt er nochmals darauf zurück, wobei er den berühmten Satz schreibt: «... in cuius quaestionis solutione laboratum est quidem pro libero arbitrio voluntatis humanae, sed vicit Dei gratia.»[23] Die zwischen 395 und 397 verfaßte Schrift «De diversis quaestionibus ad Simplicianum» bedeutet somit einen wichtigen Markstein in der Entwicklung der Gnadentheologie Augustins.[24] Sie stammt aus der Zeit, da er sich zur Überzeugung bekehrte, daß die Gnade Gottes in unserem Leben und in der Heilsordnung den Primat hat. Doch schon vor diesem so wichtigen Zeitpunkt hatte er das Glück und die Gewißheit Gottes in seinem Leben erfahren, wie die Confessiones und die Soliloquia bezeugen.[25] Deshalb erblickt A. Mandouze darin die erste Quelle seiner Theologie.[26]

Es ist unverständlich, daß einige Autoren die Frage stellen konnten, ob Augustin die biblische und östliche Überlieferung der Einwohnung der drei göttlichen Personen in uns gekannt habe. Er spricht davon ganz besonders im Jahr 417 im Brief 187 an Dardanus, den Präfekten Galliens und Freund des Hieronymus.[27] Er formuliert das Thema der östlichen Theologie auf

---

[22] De praed. sanct. 4,8 (PL 44, 966).

[23] Retr. 2,1 (PL 32, 629).

[24] De div. quaest. ad Simpl. q. 2 (PL 40,111–128), worin Augustinus Röm 9,10–29 kommentiert. Vgl. T. Salgueiro, La doctrine de St-Augustin sur la grâce d'après le traité à Simplicien (Coimbra 1925); M. Löhrer aaO.

[25] Sol. 1,1,2 (PL 32,869). Vgl. ebd. 2,1,1 (PL 32,885) und 2,6,9 (PL 32,889). Vgl. G. Verbeke, Connaissance de soi et connaissance de Dieu: Augustiniana 4 (1925) 495–515.

[26] Vgl. A. Mandouze aaO. (Anm. 19) 406f: «Hier liegt offensichtlich der Herd, von dem sich seine ganze Theologie nährt. Was aber kann auf diesem Gebiet innerlicher sein als die Überzeugung, *in sich* und doch *jenseits seiner* den letzten Grund und die geheimnisvolle *Ursache seiner selbst* zu haben? ‹Intimior intimo meo. Superior summo meo› (Conf. 8,6,18): Kann man sich in bezug auf Gott eine Formulierung vorstellen, die augustinischer wäre?»

[27] Ep. 187 (PL 33,832–848).

seine Weise um: Gott ist in Christus Mensch geworden, damit wir Gott werden können.[28]

Eine andere Frage ist die, ob Augustinus die habituelle Gnade gekannt habe. Er hat sie sicherlich gekannt, aber es wäre anachronistisch gedacht, wollte man ihm die Entdeckung eines Begriffes zuschreiben, der erst im 11. Jh. in einem ganz anderen Denkkontext auftauchen konnte.[29] Gewiß ist die Gnade für ihn etwas Innerliches, Konstituierendes, die Frucht der göttlichen Gegenwart, der beständige Quell einer «delectatio» und einer «caritas», die uns zum Guten hinziehen.[30]

Pelagius konfrontiert Augustin jedoch mit dem Problem, das den westlichen Menschen am meisten bedrängt: mit dem Dilemma zwischen der Gnade Gottes und der Freiheit des Menschen, und zwar im Kontext der durch die Sünde Adams verursachten Situation der universalen Sündhaftigkeit. Wie wir sehen werden, sah sich die Kirche im Lauf der Jahrhunderte gezwungen, jeweils einen der Pole dieses Dilemmas zu verteidigen, so oft der Versuch unternommen wurde, es zugunsten des einen Pols aufzulösen.[31] Gegenüber dem Pessimismus der Reformation und des Jansenius wird die Kirche daran festhalten, daß wir unsere «natürliche» Freiheit, das «liberum arbitrium» Augustins nicht gänzlich eingebüßt haben.[32] Im 5. Jh. verteidigt die Kirche im Verein mit Augustin den Gegenpol des Dilemmas: Unsere «libertas» ist als gnadengeschenkte Freiheit, die uns von der Herrschaft des Bösen befreien soll, eine Gottesgabe, denn «nemo habet de suo nisi mendacium atque peccatum».[33] Dieser absolute Primat der Erlösungsgnade, die uns von Christus vermittelt wird und uns in den «Christus totus», die Kirche, integriert, schließt jedoch nach Augustin keinen Determinismus im eigentlichen Sinn in sich. Um diesen schwierigen Punkt zu klären, verwendet er Denkschemata, die der beschreibenden Psychologie angehören. Er spricht

---

[28] Vgl. Ep. 140,10 (PL 33,542): «Descendit ille ut nos ascenderemus, et manens in natura sua factus est particeps naturae nostrae ut nos, manentes in natura nostra, efficeremus participes naturae suae.»

[29] G. Philips, Saint Augustin a-t-il connu la «grâce créée»?: EThL 47 (1971) 97–116 (Lit.).

[30] Die verschiedenen Kommentare zu Johannes liefern den besten Beweis dafür: In Ep. Jo 7,6; 8,12 und 9,1 (PL 35,2032, 2043 und 2045). Ebd. 8,14 (PL 35,2044): «Habitas in Deo ut continearis.» Der schönste Text findet sich in Jo tr. 26,2–9 (PL 35,1608 ff).

[31] P. Schoonenberg, De genade en de zedelijk goede act: Werkgenootschap van de Katholieke Theologen van Nederland, Jaarboek 1950 (Hilversum 1951) 203–253.

[32] Es ist interessant festzustellen, daß in der Zeit zwischen den Konzilien von Karthago und Orange die Synode von Arles 473 sich verpflichtet sieht, den «freien Willen» gegen den übertriebenen Prädestinatianismus des Priesters Lucidus in Schutz zu nehmen, «qui dicit post primi hominis lapsum ex toto arbitrium voluntatis extinctum» (DS 331; vgl. auch DS 336 und 339). Dies beweist, daß jede Aussage eines Konzils und der Kirche durch die Irrlehre bedingt ist, die sie zu verurteilen sucht.

[33] In Jo tr. 5,1 (PL 35,1414).

von der inneren Anziehungskraft der Gnaden-«delectatio», die uns unsere wahre Freiheit wiedergibt, weil sie nichts anderes als die Liebe ist.[34]

Zweifellos liegt hier eine theologische Intuition vor, die bis heute ihren einzigartigen Wert behält. Pelagius und Julian von Eclanum zwingen jedoch Augustin, einen Schritt weiterzugehen, und dieser Schritt ist fragwürdiger. Seine Absicht ist klar: er will den totalen Primat der Gnade im Erlösungswerk retten. Aber im Bemühen, diesen Gedanken begrifflich zu fassen, führt er einen Ausdruck ein, der schon auf Grund seiner Etymologie stets mehrdeutig war, nämlich den Begriff der *Prädestination*. Wenn die Menschheit durch die Sünde Adams zu einer «massa damnata» geworden ist, kann einzig Gott sie retten in Christus. In diese Argumentation scheint sich nun aber ein eher anthropomorpher Untersatz einzuschieben. Augustin hat wohl das Gefühl gehabt, ein Geschenk, das wirklich ausnahmslos allen Menschen angeboten werde, verliere seinen entscheidenden Gratuitäts- und Erbarmenscharakter. Eine Gnade, die der ganzen Menschheit angeboten wird, kann wirklich – menschlich gesehen – einen metaphysisch denkenden Geist vermuten lassen, es bestehe auf sie ein Rechtsanspruch, womit ihr reiner Geschenkcharakter bedroht wäre. Aus dieser Überlegung heraus scheint Augustin, namentlich in den Diskussionen mit den Pelagianern und Semipelagianern, angenommen zu haben, daß sich die Prädestination bloß auf die Auserwählten beziehe. Zu beachten ist freilich das Glaubensanliegen, das sich hinter dieser theologischen Position verbirgt. Es geht darum, die Gratuität der Gnade und den absoluten Primat der Initiative Gottes zu retten – ein Ausdruck, den wir persönlich dem klassischen, aber mehrdeutigen Begriff «Prädestination» vorziehen möchten.

Beschränkt sich das Denken Augustins am Ende seines Lebens darauf? Einzelne Autoren wie O. Rottmanner erblicken in dieser Verhärtung das ganze Wesen des eigentlichen Augustinismus.[35] Andere schreiben diese Versteifung der erbitterten Auseinandersetzung zwischen den Pelagianern und den Afrikanern zu, die eine Zeitlang den Eindruck hatten, sie stünden in ihrer Verteidigung der Gnade fast allein da.[36] Einzelne sehen darin eine Verengung des Denkens Augustins, der in den Jahren, da er als Priester und sodann als Bischof im täglichen Kontakt mit der religiösen Umwelt Afrikas stand, eine gewisse Geistesweite verlor, die er noch in Mailand besessen

---

[34] Wir haben bereits den berühmten Text in Jo tr. 26, 2–9 (PL 35, 1608 ff) angeführt. Vgl. Expositio in Ep. ad Gal 49 (PL 35, 2141) und den Kommentar zu Jo 8, 36: «Si vos Filius liberavit, tunc vere liberi estis»: In Jo tr. 41, 11 (PL 35, 1698).

[35] O. Rottmanner, Der Augustinismus. Eine dogmengeschichtliche Studie (München 1892). Vgl. die neueren kritischen Äußerungen von A. Sage, La prédestination chez saint Augustin d'après une thèse récente: REA 6 (1960) 31–40; J. Thonnard, La prédestination en philosophie augustinienne: REA 10 (1964) 97–123.

[36] Diese Deutung stützt sich auf die Bemerkung Augustins: «atrociter disputavi contra inimicos gratiae»: Retr. 2, 37 (PL 32, 646).

hatte.[37] H.I.Marrou hat seinen Erklärungsversuch selbst berichtigt. Er hatte zunächst an eine von der Logik des Theologen unabhängige «Technik der Kontroverse» gedacht. In seinem Meisterwerk, worin er seine Arbeiten über Augustin zusammenfaßt, schlägt er eine Deutung vor, die den Vorzug hat, sich – vielleicht unbewußt – von der modernen Linguistik inspirieren zu lassen: Jedes Werk hat sein eigenes «Sprachspiel».[38] Offensichtlich rechnet Augustin in anderen, mehr pastoralen Werken keineswegs mit einer Prädestination, die auf die Auserwählten beschränkt bliebe. Mandouze spricht von einer «Logik des Seelsorgers» und einer «Logik des Theologen», obwohl er sich weigert, diesen Unterschied so auf die Spitze zu treiben, daß Augustin gegen sein besseres Wissen gesprochen hätte.[39] Sicher verkennt eine Deutung wie die Rottmanners den Reichtum und die Geschmeidigkeit des theologischen Denkens Augustins. Augustin besitzt eine Anthropologie, die vom Gedanken der Erschaffung des Menschen nach dem Bilde Gottes inspiriert ist und sich deshalb gegen die Annahme sträubt, die Menschennatur sei gänzlich verdorben.[40] Sein Verständnis der Heilsökonomie gründet auf dem Gegensatz zwischen Adam und Christus, auf einer geschichtlichen Heilsdialektik, die mit diesen beiden Polen die ganze Menschheit in sich schließt.[41] Auch sind von Augustin beachtliche Aussagen über die Wirklichkeit des Heils außerhalb der Kirche vorhanden.[42] Als Seelsorger und Bischof hat er nichts von einem bekümmerten Prädestinatianisten in sich. Selbst wenn man mit Teselle annimmt, daß die schweren Obliegenheiten eines Bischofs, vor allem im täglichen Kontakt mit der afrikanischen Mentalität jener Zeit, die Freiheit des Denkens, Sprechens und Handelns, die Augustin als Theologe haben mochte, möglicherweise einschränkten, hat man nicht das Recht, auf eine solche Verhärtung seines Denkens zu schließen, daß es den Anschein hat, er sei auf der Rückkehr zum donatistischen Fanatismus gewesen.

---

[37] E.Teselle, Augustin aaO. (Anm. 19) 132, 135.

[38] H.I.Marrou, Saint Augustin et la fin de la culture antique (Paris ⁴1958) 657. H.Rondet bemüht sich ebenfalls, Augustinus durch Augustinus zu korrigieren: Gratia Christi. Essais d'histoire du dogme et de théologie dogmatique (Paris 1948) 142f. Auf S. 104ff und 137–143 versucht er zu beweisen, daß Augustin nie die «delectatio victrix» gekannt habe, von der Jansenius spricht. H.Rondet berichtigt diese Meinung in: Liberté et grâce dans la théologie augustinienne. Saint Augustin parmi nous (Le Puy 1954) 213.

[39] A.Mandouze aaO. 427–430.

[40] E.Dinkler, Die Anthropologie Augustins (Stuttgart 1934); H.Rondet, L'anthropologie de saint Augustin: RSR 29 (1939) 163–196, Neudruck in: Essais sur la théologie de la grâce (Paris 1964) 11–37.

[41] De gratia Christi et de peccato originali (418) 24 (PL 44,398); Op.imp.c.Jul.6,31 (PL 45,1585); Sermo 151 (PL 38,817). Vgl. E.Mersch, Le Corps Mystique du Christ. Etudes de théologie historique II (Louvain ³1951) 66.

[42] Y.M.Congar, Ecclesia ab Abel: Abhandlungen über Theologie und Kirche. Festschrift für Karl Adam (Düsseldorf 1952) 79–108.

Inzwischen dürfte es klar geworden sein, daß es niemandem gelingen wird, Augustins Denken in dieser Frage auf ein einziges System zu reduzieren. In den folgenden Jahrhunderten werden sich mehrere einander entgegengesetzte Gruppen auf seine Autorität berufen. Diese Tatsache beweist den Reichtum seines Denkens, die Freiheit und Geschmeidigkeit seines Geistes, der jedes neue Problem ohne routinemäßige Einstellung und mit je neuem Einsatz anpackte. Wir ziehen es deshalb vor, uns an die Ansichten der modernen Linguistik zu halten, die im Gegensatz zum Rationalismus, der das westliche Denken in den letzten drei Jahrhunderten ausgedörrt hat, daran erinnert, daß der Sprachsinn an den Sprachgebrauch gebunden bleibt.[43] Die intellektuelle Spontaneität und das christliche Engagement Augustins erlaubten es ihm, mehrere Denkpisten einzuschlagen, die er in aller Aufrichtigkeit weiterverfolgte, ohne daß er sich deswegen selbst verleugnet hätte in seinem radikalen Ja zur göttlichen Wahrheit, dem er in einer einzig dastehenden geistlichen Erfahrung und in einer treuen, liebenden Glaubenshaltung nachlebte.[44]

Die pelagianische Häresie war von kurzer Dauer, was in der Geschichte der Kirche sonst selten vorkommt. Die Krise erreicht ihren Höhepunkt zwischen 417 und 418. Am 27. Januar 417 richtet Innozenz I. ein Schreiben an die beiden Konzilien von Karthago und Mileve. Seine Hauptabsicht ist, das Aufsichtsrecht der Kirche Roms in Glaubenskontroversen zu bekräftigen, aber er bestätigt zudem die Notwendigkeit der Kindertaufe.[45] Am 18. März 417 folgt auf ihn Papst Zosimus. Der neue Papst scheint zunächst zu zögern, Stellung zu beziehen. Die Kirche Afrikas macht gewisse Druckversuche, selbst am Kaiserhof von Ravenna. Augustin schreibt «De gestis Pelagii in synodo Diospolitana»,[46] worin er es sich angelegen sein läßt, auf

---

[43] G. Hallett, Wittgenstein's Definition of Meaning as Use (New York 1971); E. Cell, Langage, Existence and God (Nashville 1971) 141–211.

[44] Vgl. den ausgezeichneten Vortrag von M. Pellegrino: Saint Augustin a-t-il réalisé l'unité de sa vie? Sessio Academica quae die 16. Jan. a. 1958 Steenbrugis ⟨Corpus Christianorum⟩ diem festum celebravit voluminis editi quinquagesimi: CChr 1–50 (Turnhout 1971) 25–38.

[45] «sententia, ut quicquid..., non prius ducerent finiendum, nisi ad huius Sedis notitiam pervenerit, ut tota huius auctoritate, iuxta quae fuerit pronunciatio, firmaretur, indeque sumeret ceterae Ecclesiae velut de natali suo fonte aquae cunctae procederent et per diversas totius mundi regiones puri (latices) capitis incorruptae manarent...» (DS 217). In seinem Schreiben an die zu Mileve versammelten Bischöfe spezifiziert der Papst, dies gelte «praesertim quoties fidei ratio ventilatur» (DS 218). In bezug auf die Bestätigung der Kindertaufe vgl. cap. 5 (DS 219). Zum Sinn der Erklärungen der Päpste Innozenz I. und Zosimus (DS 221) innerhalb der Entwicklung des päpstlichen Primates vgl. Y. M. Congar, L'ecclésiologie du haut Moyen Âge 190–195 und 211 Anm. 30. Zum Wissen der Kirche Afrikas um ihre Autorität gegenüber dem römischen Primat vgl. R. Crispin, Ministère et sainteté (Paris 1965) 125–128; G. Thils, L'infaillibilité pontificale (Gembloux 1969) 152 f (die Interpretation des berühmten Wortes Augustins: «Roma locuta, causa finita» auf dem Vatikanum I).

[46] De gestis Pelagii (PL 44, 319–360).

die gesellschaftlichen und politischen Gefahren gewisser Aktivitäten des Coelestius und seines unbekannten Schülers von Sizilien aufmerksam zu machen. Der Kaiser Honorius handelt rasch und verurteilt Coelestius, nicht als einen Häretiker, sondern als einen «Ruhestörer».[47]

Am 1. Mai 418 versammeln sich mehr als zweihundert afrikanische Bischöfe zu einem Konzil. Sie promulgieren drei Canones über die Erbsünde und sieben über die Natur der göttlichen Gnade und ihre Heilsnotwendigkeit.[48] Zwischen Juni und August sendet Papst Zosimus, von den Afrikanern und vom Kaiserhof gedrängt und vielleicht auch erschrocken über das, was er über Coelestius vernimmt, an alle Kirchen einen Rundbrief, der von Marius Mercator «Tractoria» genannt wird.[49] Julian von Eclanum und 17 weitere italienische Bischöfe verweigern ihre Unterwerfung und begeben sich zunächst nach Mopsuestia und sodann nach Byzanz zu Nestorius ins Exil. Pelagius schreibt an gute Freunde Augustins in Palästina, an Pipianus und seine Frau Melania einen Brief, in dem er seine Rechtgläubigkeit beteuert, eine Beteuerung, die Augustin nicht gelten läßt.[50] Er wird von einer Synode unter dem Vorsitz Theodots von Antiochien verurteilt, aus Jerusalem verbannt und begibt sich wahrscheinlich nach Ägypten. Nach dem Tod des Papstes Zosimus kehrt Coelestius kurz nach Rom zurück, doch wird er bald aus dieser Stadt verbannt. Er begibt sich zu Julian von Eclanum nach Byzanz, wo Nestorius seine Verteidigung übernimmt und Informationen über seinen Fall einzieht. Doch auf dem Konzil von Ephesus (431) wird Nestorius selbst verurteilt und mit ihm Coelestius und die pelagianische Lehre.[51]

Das lange mit dem Konzil von Mileve verwechselte Konzil von Karthago (418) ist die wichtigste der Synoden, die sich mit dem Pelagianismus befaßt haben. Deshalb beschränken wir unsere Bemerkungen darauf. Die Canones über die Gnade erklären, daß die Gnade als «adiutorium» (can. 3) notwendig ist und daß sie nicht nur hinreicht, um uns die Wahrheit erkennen zu lassen, sondern auch «ut quod faciendum cognoverimus, etiam facere diligamus et valeamus» (can. 4). Die Gnade «erleichtert nicht nur das Halten der Gebote», sondern «ermöglicht es schlechthin» (can. 5). Die drei letzten Canones betonen die Wirklichkeit unseres Sündigseins, die den Grund für die Notwendigkeit der Gnade darstellt; sie berufen sich hierfür auf die Überlieferung des christlichen Gebetes und Kultes und auf die Evangelien.

Noch ein Wort zur dogmatischen Autorität dieses Konzils. Die theologischen Handbücher der letzten Jahrhunderte haben diese verschiedenen Canones als «Glaubensdefinitionen» im strikten Sinn angesehen. Diese Be-

---

[47] Mansi IV, 444.

[48] DS 222–230.

[49] Es sind uns nur einige Auszüge erthalten: Marius Mercator, Commonitorium 1,5 und 3,1 (PL 48,77–83 und 90–95) und Augustinus, Ep. 190, 23 (PL 33,693). Vgl. DS 231 und 244. Die von A. Schönmetzer geäußerte Vermutung, wonach das ganze cap. 7 des Indiculus «verisimile ... ad hanc epistolam pertinet» (DS 244, Anm. 1), ist unbegründet.

[50] De gratia Christi et de peccato originali 1,2 (PL 44,360); Retr. 2,50 (PL 32,650).

[51] DS 267f.

wertung macht es sich zu leicht und widerspricht auch den Bestimmungen des Kirchenrechts.[52] Wir kennen den Inhalt der «Tractoria» des Papstes Zosimus nicht genau.[53] In jeder im christlichen Altertum erfolgten Bekundung der Gemeinschaft zwischen den Kirchen eine Ausübung des außerordentlichen Lehramts des Papstes, eine Ex-cathedra-Erklärung zu sehen, ist ein unannehmbarer Anachronismus. Die paar Zitate von Zosimus, die uns erhalten geblieben sind, enthalten Erklärungen sehr allgemeinen Inhalts. Sie bestätigen die Notwendigkeit der in Christus gewirkten Erlösung und der Gnade, um das Heil zu erlangen.[54] Das Konzil von Karthago besitzt unseres Erachtens jedoch eine Autorität, die über die einer bloß örtlichen Synode hinausgeht, da es sowohl im Westen als auch im Osten während Jahrhunderten von der Gesamtkirche «rezipiert» wurde.[55] Diese «Rezeption» verbürgt der Lehre dieses Konzils eine Autorität, die – zusammen mit den weiteren Zeugnissen der gemeinsamen Überlieferung, welche die gleichen Wahrheiten formulieren – hinreicht, um unseren Glauben in die rechte Richtung zu lenken.

c. Der Semipelagianismus

Das Konzil von Karthago von 418 machte indes den Bedrängnissen, die Augustin um der Gnadenlehre willen ausstand, noch kein Ende. Im Jahre 426/27 übersandte Florus an seine Abtei Hadrumetum, im Süden der Africa Proconsularis, die Abschrift eines Briefes, den Augustin 418 an den römischen Presbyter Sixtus, den nachmaligen Papst Sixtus III., gerichtet hatte.[56]

---

[52] CIC c. 1323 § 3.

[53] F. Floëri, Le Pape Zosime et la doctrine du péché originel: Augustinus Magister II (Paris 1954) 755 f, III (1956) 261 ff. Die literarische Überlieferung dieses Konzils weist eine seltsame Anomalie auf. Der Canon, der ursprünglich der dritte war, ist zweifellos echt, aber sehr bald aus den Canonessammlungen verschwunden. Vgl. J. van Nuland, Een dogmatische canon verdwijnt uit het geloofsgoed van de Kerk: Bijdragen 25 (1964) 378–409. Van Nuland stützt seine Argumentation auf die hervorragenden Arbeiten von W. Peitz, Dionysius Exiguus als Kanonist. Neue Lösung alter Probleme der Forschung. Sonderdruck der Schweizer Rundschau 45 (1945–46) und auf: Dionysius Exiguus-Studien. Neue Wege der philol. und hist. Text- und Quellenkritik = Arbeiten zur Kirchengeschichte 33 (Berlin 1960).

[54] DS 231 und 244. Vgl. Anm. 49.

[55] In bezug auf den Westen besteht kein Zweifel. In bezug auf den Osten ist zu bemerken, daß die Canones von Carthago sehr bald in das «Syntagma canonum» von Antiochien eingefügt wurden, das auch in Byzanz in Ehren stand. Sie wurden herausgegeben von Γ. Α. Ῥήλλη καὶ Πότλη, Σύνταγμα τῶν Θείων καὶ ἱερῶν κανόνων III (᾿Αθῆναι 1852–59) 560, 33. Die großen neueren Handbücher der Orthodoxie zitieren Karthago ohne jeden Vorbehalt. In bezug auf die russische Theologie vgl. Macaire, Théologie dogmatique orthodoxe II (Paris 1860) 295 ff und 308 f; in bezug auf die griechische Theologie vgl. Panagiotis N. Trembelas, Dogmatique de l'Eglise Orthodoxe Catholique II (Chèvetogne 1967) 252.

[56] Ep. 194 ad Sixtum presb. (PL 33, 874–891).

Dieser Brief rief in der Kommunität nicht wenig Aufregung und Zwistigkeiten hervor. Diesen Zeitpunkt betrachtet man allgemein als den Beginn einer weiteren Krise, die man seit der Mitte des 17. Jh.s gewöhnlich Semipelagianismus nennt. Die Bezeichnung ist sehr mißverständlich. Einmal handelt es sich nicht um eine neue Bewegung, sondern um das Bewußtwerden einer Geisteshaltung und einer Redeweise, die bereits vorher bestanden. Die «Collationes» – namentlich die dreizehnte «Collatio» oder Konferenz – Cassians zirkulierten bereits unter der Hand und waren 425 endgültig der Öffentlichkeit zugänglich gemacht worden.[57] Bei den Semipelagianern handelt es sich weder um die Schüler von Pelagianern noch um Personen, die mit diesen in Verbindung standen. Es bestand höchstens eine gewisse Analogie zu den Pelagianern in dem Sinn, daß beide Gruppen es ablehnten, Augustinus und der Kirche in der Weiterentwicklung ihrer Reflexion über die Gnade zu folgen. Im Altertum nannte man sie «massilienses». Einige moderne Autoren verwenden den Begriff «Antiaugustinianer», der allerdings keine große Zukunft haben dürfte.[58] Es waren Mönche, Kleriker und fromme Laien, vor allem in der Gegend zwischen Marseille und Genua sowie auf den Inseln im Süden von Marseille, vor allem in der großen Abtei Lérins. Unserer Epoche dürfte es besonders leicht fallen, für diese Art von «Bewegung» Verständnis aufzubringen. Sie bestand ja vor allem in einer unzufriedenen, verärgerten und widerstrebenden Haltung gegenüber den «neuen Ansichten», die Augustin vor allem in der Prädestinationslehre aufbrachte.

Nach den ersten Diskussionen zwischen den Mönchen des Klosters von Hadrumet und Augustin, der von seinem Freund, dem Bischof Evodius unterstützt wurde, verlagerte sich die Reaktion in die Provence, in Reaktion gegen die für die Mönche von Hadrumet verfaßte Schrift «De correptione et gratia».[59] Prosper von Aquitanien und Hilarius von Poitiers ersuchten Augustin, Stellung zu nehmen, handelte es sich doch nach Ansicht Prospers um «pelagianae pravitatis reliquiae».[60] Einige Jahre vor seinem Tod entsprach Augustin dieser Bitte mit den Schriften «De praedestinatione sanctorum» und «De dono perseverantiae».[61] Nach seinem Tod wurde die Diskussion wieder aufgenommen zwischen Augustins Bewunderer und Schüler Prosper einerseits und Vinzenz von Lérins anderseits. Infolge der ausgleichenden Haltung Roms, das Augustins Rechtgläubigkeit rühmte, ohne die

[57] Cassianus, Collationes (PL 49,897–954).

[58] H. Jacquin, A quel date apparait le mot sémi-pélagien?: RSPhTh 1 (1907) 506ff.

[59] Augustin hatte bereits zwei Briefe an Valentinus geschrieben: Ep. 214 und 215 (PL 33,968–978) und De gratia et libero arbitrio ad Valentinum et cum illo monachos (PL 44,881–912) sowie de Correptione et gratia ad eundem Valentinum et cum illo monachos (bereits 417 redigiert) (PL 44,915–946).

[60] Prosper Aqu., Ep. ad Aug. 7 (PL 33,1006 oder 51, 72).

[61] De praed. sanct. (PL 44,959–993) und De dono persev. (PL 44,993–1034), verfaßt zwischen 428 und 429, während Augustinus sein Op. imp. c. Jul. und seine Retract. redigierte.

befremdlichen Punkte seiner Prädestinationslehre zu approbieren,[62] kam es zu
einer gewissen Beruhigung. Ein halbes Jahrhundert später brachte ein Werk des
Faustus von Reji, eines Bretonen, der zuerst Mönch und Abt von Lérins und seit
462 Bischof von Reji war, die «Libri duo de gratia»,[63] die Kontroverse von neuem
zum Ausbruch. Fulgentius von Ruspe und Caesarius von Arles übernahmen die
Verteidigung Augustins. Fulgentius vertrat dabei eine Prädestinationslehre, die
wiederum starrer war und die Abschwächungen, die Prosper gegen Ende seines
Lebens für gut befunden hatte, wieder aufgab. Caesarius, der Primas des kleinen
westgotischen Reichs im Süden Galliens, wurde zum Vorkämpfer eines gemäßigten
Augustinismus, der 529 auf der Synode von Orange seine endgültige Gutheißung
erfuhr.

Wie gesagt, war der Semipelagianismus weder ein System noch eine strukturierte Lehre, sondern mehr eine Haltung oder, wie Chéné sagt, «eine seelische Einstellung», die im menschlichen Empfinden tief verankert ist. Sie
findet sich beim frühen Augustin, beim jungen Thomas und Luther, in der
Scholastik und im Nominalismus, in bestimmten Tendenzen des Suarezianismus, in der modernen jüdischen Theologie, bei manchen, vor allem angelsächsischen Protestanten, ja in allen Religionen, die eine gewisse Idee der
Gnade haben. Auch die Ostkirche kennt auf der Ebene des täglichen Lebens
der einfachen Gläubigen und der Priester das gleiche Phänomen. Doch diese
Abweichung des theologischen Denkens wird in ihr gewissermaßen korrigiert vor allem durch die kontemplative Tiefendimension in der Liturgie
und im Gebet. Dies ist im Grund die spontane Reaktion des christlichen
Empfindens auf die Offenbarung der Gnade als einer Initiative Gottes.

Im Lauf der Diskussionen des 5. Jh.s wurden jedoch die Protagonisten
durch den Zwang der Verhältnisse veranlaßt, die Lehrpunkte, die sie zu-
rückwiesen, und diejenigen, die sie für unabdingbar erachteten, systematischer darzulegen. Der erste Skandal in Hadrumet wurde durch eine Aussage hervorgerufen, die in ihrem dialektischen Elan ganz augustinisch war.
Sie wurde vom «Indiculus gratiae» und später vom Konzil von Trient
übernommen.[64] In seinen an die Semipelagianer gerichteten Schriften, vor
allem in «De correptione et gratia», kam es Augustin nie in den Sinn, er
müsse seine Lehre über die Prädestination bloß der Auserwählten abschwächen. Bei asketischen und frommen Menschen, deren ganzes Leben in der
strengen, harten Schule der Mönche Ägyptens dem Dienst Gottes geweiht

---

    [62] Vgl. den Brief Coelestin II. vom 15. März 431 (DS 237) und den Indiculus gratiae,
eine aus den römischen Archiven geschöpfte Textsammlung, die wahrscheinlich von
Prosper oder vom Diakon Leo zusammengestellt wurde, wenn nicht unter dem Pontifikat
dieses Leo um 442 (DS 238–249). Vgl. M. Cappuyns, L'origine des «capitula» ps.-célestins
contre le sémi-pélagianisme: RBén 41 (1929) 156–170.

    [63] PL 58, 783–836.

    [64] «Quod est ergo meritum hominis ante gratiam, quo merito percipiat gratiam, cum
omne meritum nostrum non in nobis faciat nisi gratia; et cum Deus coronat merita nostra,
nihil aliud coronat quam munera sua» (Ep. 194, 5, 19 [PL 33, 880]). Vgl. DS 248 und 1548.

war, mußte eine solche Auffassung des absoluten Primats der Gnade Ärgernis hervorrufen. Sie betrachteten den Dialog zwischen der Gnade Gottes und dem sündigen Menschen als ein echtes Zusammenwirken und kamen so zu einem Synergismus, den die Reformation später so heftig bekämpfte. Sie hätten die Notwendigkeit der Gnade nie zu bestreiten gewagt – darin kamen sie mit Augustin gegen Pelagius überein –, waren jedoch der Meinung, Gott sei es sich selbst schuldig, unsere Initiative, unsere ersten Schritte abzuwarten, bevor er seine Gnadenhilfe gewähre. Dies meint das viel diskutierte «initium fidei», das man, wie den «credulitatis affectus», nicht im Sinn einer modernen Theologie des Glaubensaktes auffassen darf, sondern in einem ganz konkreten, beinahe handfesten Sinn verstehen muß. Es handelt sich um die ersten Bemühungen der Katechumenen, die sich der Kirche zuwenden, um den Glauben zu finden.[65] Die Semipelagianer konnten für diese These leicht Schriftargumente beibringen wie etwa die Bitte des Zachäus oder des guten Schächers oder auch Beispiele aus dem täglichen Leben wie etwa den Vergleich mit dem Kranken, der sich aus eigenem an den Arzt wenden muß, um geheilt zu werden. In dieser Mentalität mußte auch die Beharrlichkeit im Glauben ein typisch menschlicher Beitrag bleiben. So sieht man am Horizont bereits den Gnadenbegriff heraufdämmern, der im Westen weit verbreitet ist: Die Gnade wird mehr oder weniger als ein Schatz, als eine Kraft oder ein Kapital verstanden, das der Mensch bis zum Tod gewissenhaft und treu zu verwalten hat, wenn er das Heil verdienen will.

Selbstverständlich mußte Augustins Prädestinationslehre eine solche Geisteshaltung irritieren. Das göttliche Vorherwissen reichte nach semipelagianischem Verständnis aus, um den Primat Gottes im Heilswerk sicherzustellen, wobei dieser Primat dabei tatsächlich auf eine zeitliche Priorität verkürzt wurde. Diesen neuen Anthropomorphismus konnte nur eine philosophische Reflexion im Verein mit einer mystischen Erfahrung demaskieren. Die Antwort der Kirche bestand zunächst darin, daß sie für die echte Grundintuition Augustins einstand.[66] Die Semipelagianer sahen nicht, was für Augustin eine Lebensevidenz war. Hätte sich ihre Position in der Kirche durchgesetzt, wäre damit die Botschaft der Propheten und des hl. Paulus von der radikalen Gratuität der Gnade preisgegeben worden. Wenn Gott den ersten Schritt des Menschen abzuwarten hat, kommt *letzten Endes* das Heilsverdienst dem Menschen und nicht Gott zu.[67] Dies vermochten

---

[65] J.Chéné, Que signifiait «initium fidei» et «affectus credulitatis» pour les sémipélagiens?: RSR 35 (1948) 566–588; R.Aubert, Le problème de l'acte de foi (Louvain ²1950) 30–42.

[66] Vgl. die eindrückliche Arbeit von H. Jonas, Augustin und das paulinische Freiheitsproblem. Eine phil. Studie zum pelagianischen Streit (Göttingen 1965). Die erste Arbeit datiert von 1930 und übte auf R. Bultmann einen großen Einfluß aus.

[67] P.Fransen, De Genade. Werkelijheid en leven (Antwerpen 1959) 185–190 = The New Life of Grace (New York 1969) 110–113.

die Semipelagianer nicht einzusehen, da sie vom gleichen Gedanken besessen
waren wie einst Pelagius. Sie befürchteten, Gott müsse in der Sicht Augustins schließlich zum Urheber der Sünde werden, während die Schrift doch
ganz klar sage: «apud Deum non est personarum acceptatio». Man könnte
mit einem gewissen Anachronismus diese Sicht der Dinge mit der modernen Geisteshaltung vergleichen, die jegliche «Diskriminierung» sowohl von
seiten der Menschen als auch von seiten Gottes zurückweist. Aber ich meine,
daß wir hier durch die Jahrhunderte hindurch auf ein weiteres Problem in
der westlichen Kultur stoßen, das erst heute höchst akut wird, auf die Illusion der *radikalen, absoluten* Gleichheit der Menschen unter sich und vor
Gott.

Was die katholische Lehre betrifft, wie sie in diesem geschichtlichen Kontext des 5. und 6. Jh.s formuliert wurde, kann man das Konzil von Orange
als gute Umschreibung dessen nehmen, was man für gewöhnlich den «gemäßigten Augustinismus» nennt, der von Caesarius von Arles verkündet
und von der Kirche Roms und den anderen Kirchen bestätigt worden ist.
Orange ist kein Konzil im üblichen Sinn des Wortes, selbst nicht für das
christliche Altertum. Anläßlich der Weihe der Basilika von Orange kam
Caesarius mit vierzehn Bischöfen und acht Laien zusammen, von denen der
eine der Statthalter des Westgotenkönigs war, und bat sie, ohne daß eine
Diskussion vorangegangen wäre, einen recht komplexen Text zu unterschreiben. Um dem Widerstand von Lérins ein Ende zu machen, hatte
Caesarius zuvor eine Sammlung von «Capitula Augustini» an Felix III. in
Rom übersandt. Man weiß nicht, wer diese Capitula zusammengestellt hat,
ob Johannes Maxentius oder Caesarius selbst. Diese Canones verurteilen
Ansichten des Pelagius über die Erbsünde[68] und des Faustus von Reji über
die Gnade.[69] Caesarius selbst fügte eine Auswahl aus den «Capitula Pro-
speri»,[70] eine kurze Einleitung[71] und ein Glaubensbekenntnis[72] hinzu. Später veröffentlichte Caesarius das Ganze als eine Art von Lehrsyllabus mit
einer persönlichen Empfehlung und einer weiteren Reihe von «Capitula»,
die einer «Capitula Sanctorum Patrum» genannten Sammlung entnommen
waren. Es handelt sich dabei, wie Papst Bonifatius II. sagen wird, um ein
der bischöflichen Überlieferung entnommenes Zeugnis, das übrigens von
mehreren klassischen Schrifttexten bestätigt wird.[73]

[68] DS 371–373.

[69] DS 374–378, alles Zitate oder Zusammenfassungen aus Schriften Augustins. Der
letzte Canon stammt von Prosper.

[70] DS 379–395, Zitate aus dem Werk Prospers: Sententiae ex operibus S. Augustini
delibatae (PL 51,427–496).

[71] DS 370.

[72] DS 396f.

[73] G. Morin, Caesarii opera varia II (Maredsous 1942) 66 und 79–85. Vgl. M. Cappuyns,
L'origine des «Capitula» d'Orange: RThAM 6 (1934) 121–142. Vgl. P. Fransen, Die sog.
II. Synode von Orange: LThK VII (1962) 1188f.

Als einzelne Bischöfe Galliens in ihrem Widerspruch verharrten, erbat Caesarius die Approbation des Papstes Bonifatius II., da Felix inzwischen verstorben war. Die Theologiehandbücher haben darin eine Ausübung des außerordentlichen Lehramtes des Papstes entdeckt. Wenigstens die ersten acht Kapitel seien, behaupten sie, Glaubensdefinitionen im strikten Sinn, unter anderem deswegen, weil sie mit der Formel «Si quis...» eingeleitet werden! Nach dem Brief des Papstes Bonifatius selbst approbierte dieser wahrscheinlich bloß die «confessio vestra», d.h. das Glaubensbekenntnis. Er nahm sich die Mühe, kurz die wesentlichen Punkte zu formulieren, die er mit seiner Autorität bestätigen wollte. Dabei handelt es sich einfach um eine Wiederholung der wesentlichen Lehre Augustins, ohne daß jedoch das Problem der Prädestination berührt wurde. Bonifatius gab seiner Freude darüber Ausdruck, daß Caesarius und einige Priester Galliens anläßlich ihrer Zusammenkunft dem katholischen Glauben entsprechend «einmütig erklärt hatten, unser Glaube an Christus werde durch Gottes zuvorkommende Gnade verliehen, wobei sie hinzufügten, daß alles, was man ohne Gottes Gnade wollen, beginnen oder vollenden mag, in den Augen Gottes nicht gut sein kann, da unser Erlöser selbst gesagt hat: ‹Ohne mich könnt ihr nichts tun› (Jo 15,5)».[74]

Wir müssen noch eine wichtige Einzelheit beifügen. Im Gegensatz zum «Indiculus Coelestini», den Dionysius Exiguus um 500 in seine Kanonessammlung aufnahm, scheint der Text der Synode von Orange nach einigen Jahrhunderten im Lauf des 8. Jh.s aus den Kanoneshandschriften und -sammlungen des Frühmittelalters verschwunden zu sein. Das Mittelalter kannte ihn nicht, weder Petrus Lombardus noch Thomas v. A. Er wurde von Crabbeus wieder aufgefunden und 1538 zum erstenmal veröffentlicht.[75] Dieser Verlust blieb für die theologische Entwicklung in der Früh- und Hochscholastik nicht ohne Folgen.

d. Schlußbemerkungen

Die Kontroversen über die Gnade, die im 5. und 6. Jh. im Westen stattfanden, haben die Entwicklung der theologischen Reflexion über dieses Mysterium stark beschleunigt. Vorher gab es eine Art von Vulgärtheologie, die als Denkformen psychologische Schemata des täglichen Lebens verwendete. Ihre Sprache war von Begriffen geprägt, die den lateinischen Bibelübersetzungen, den ersten lateinischen Kirchenschriftstellern und der frommen Sprache der geistlichen Kreise Italiens und Galliens entnommen waren. Es finden sich kaum Ansätze zu einer kritischen philosophischen Reflexion oder zu einer vertieften Kenntnis des eigentlichen Denkens von Paulus und

---

[74] DS 400.
[75] Petrus Crabbeus, Concilia omnia I (Coloniae 1535).

Johannes. Dies verhinderte aber nicht eine echte Frömmigkeit und ein intensives Glaubensleben, die jedoch eher in einem asketischen, männlichen Moralismus ihren Ausdruck fanden, der weder den Rigorismus noch eine gewisse Kleinkrämerei ausschloß. Man braucht bloß die «Collationes» Cassians zu lesen, mit denen das letzte Jahrhundert glaubte das geistliche Leben so vieler Ordensleute nähren zu müssen, um sich über die geistliche Tonlage einer Welt Rechenschaft zu geben, die sich nach der heldenhaften Epoche der Verfolgungen in einer soliden, wenn auch manchmal allzu engen Treue einzurichten begann.

Augustinus hingegen ist ein Mann von großer Geistesbildung. Er besitzt eine gründliche Kenntnis der Rhetorik und Dialektik seiner Zeit. Er hat mehrere Strömungen des philosophischen Denkens integriert, die im Verlauf seines Lebens sein begriffliches und sprachliches Ausdrucksvermögen bereichert haben. Die Denkschemata, denen er am meisten verpflichtet ist, sind vom Neuplatonismus inspiriert, dessen logische Textur er ungescheut zerbricht, um die Gegebenheiten des Glaubens ausdrücken zu können.[76] Als Herzens- und Geistesmensch war er Christ geworden in einem unwiderruflichen Engagement. In seinem Glauben hat er die Umklammerung durch die Sünde und die innere Anlockung durch die Gegenwart Gottes zutiefst erfahren. In der Konfrontation mit den Reaktionen der Pelagianer und Semipelagianer auf das, was er geschrieben hat, wurde ihm das Unzulängliche eines Denkens und Sprechens bewußt, das bei allem Festhalten am Glauben von den unauslotbaren Tiefen der Gegenwart Gottes in der Seele kaum eine Ahnung hatte. Seine Glaubensintention und -intuition waren hervorragend. Diese Sicht hat sich darum die Kirche zu eigen gemacht und nicht so sehr ihren systematischen Ausdruck. In der Dogmengeschichte ist dies ein Ergebnis, das die Kirche nicht mehr aufgeben konnte, selbst dann nicht, als die Germaneneinfälle die Welt zerstörten, die Augustinus so sehr geliebt und derzuliebe er sein Werk «De Civitate Dei» verfaßt hatte.

Als einem Menschen des Westens ist es Augustin aber nicht gelungen, dem Bangen um diese Kultur zu entrinnen, die die seine war. Im Klima der Auseinandersetzungen fand er einen Teil seiner Seele wieder. Auch die Gnadentheologie hat eine Verlagerung von der kontemplativen, mystischen Welt zu den Problemen der religiösen und sittlichen Betätigung durchgemacht, in Richtung auf das hin, was man gewöhnlich den Synergismus von Natur und Gnade nennt. Für Augustin lag der Akzent zweifellos immer noch auf der Gegenwart Gottes in der Seele, selbst wenn sich der Begriff «gratia» künftig leichter mit dem Begriff «auxilium» zusammenbringen läßt. Dieser Primat der Präsenz des dreifaltigen Gottes im Leben des Glaubens und der Liebe wurde indes durch eine Verhärtung in seiner Auffassung

---

[76] U. Duchrow, Sprachverständnis und biblisches Hören bei Augustinus (Tübingen 1965); A. Mandouze aaO. (Anm. 19) 457–536.

von der Prädestination beeinträchtigt und verdunkelt. Die Starrheit im Verständnis von Gottes Gnadenwahl mußte unbewußt Gott dem Menschen fernerrücken oder, anders gesagt, sie mußte die Transzendenz Gottes auf Kosten der Intensität seiner Immanenz überbetonen. Damit führte aber Augustin das unmögliche Dilemma des westlichen Menschen wieder ein: Gott oder der Mensch. Die Behauptung einer solchen Transzendenz mußte bald als Bedrohung der Menschenwürde erscheinen. Wir glauben nicht, daß Augustin sich dessen bewußt war, aber es ist das Verdienst der Pelagianer und Semipelagianer, diese Gefahr gespürt zu haben. So haben tatsächlich auch sie uns etwas zu sagen. Die modernen phänomenologischen Denkweisen veranlassen uns, die Deutung der Erbsünde und der Gnade in den Perspektiven des Pelagius neu zu überdenken, wenn auch mit größerer philosophischer Gründlichkeit, als sie Pelagius vielleicht anstrebte, ohne sie erreichen zu können.[77]

3. Beiträge des Mittelalters

In diesem Abschnitt[78] müssen wir uns noch mehr beschränken als im vorhergehenden. Die moderne Philosophie wird sich bewußt, wie wichtig der «Beginn» in der Entwicklung einer Person, eines Volkes, einer religiösen Geisteshaltung, einer Kultur ist. Deshalb kann man die Gnadentheologie im Westen nicht verstehen, wenn man nicht unablässig auf Augustin zurückgreift. Er verdiente infolgedessen unsere ganze Aufmerksamkeit. Er ist der Autor, der in dieser Sache am meisten erforscht wurde und dessen Beitrag, wie wir sehen werden, am meisten umstritten war. Das Mittelalter hat die theologische Reflexion über die Gnade weiterentwickelt, zumeist auf den von ihm gewiesenen Pfaden, aber mit Hilfe einer Philosophie, die zumindest in einem Großteil der modernen westlichen Welt nicht mehr die unsere ist.

Nach den Stürmen der Völkerwanderung kam der Westen langsam dazu, seine Seele wiederzufinden. Die kulturelle und soziologische Situation hatte sich bis auf den Grund gewandelt, was man sich vor Augen halten muß, sofern es stimmt, daß die theologische Reflexion durch die kulturellen und gesellschaftlichen Gegebenheiten tief beeinflußt wird. Zwei Jahrhunderte lang weigerten sich die Päpste, dem Druck der germanischen Kaiser, mit

---

[77] Vgl. besonders G.Greshake, Gnade als konkrete Freiheit. Eine Untersuchung zur Gnadenlehre des Pelagius (Mainz 1972). Leider haben wir dieses Buch zu spät bekommen, um es in unserer Untersuchung über Pelagius verarbeiten zu können.

[78] Die grundlegenden Werke sind: A.M.Landgraf, Dogmengeschichte der Frühscholastik I/1 und I/2: Die Gnadenlehre (Regensburg 1952f); J.Auer, Die Entwicklung der Gnadenlehre in der Hochscholastik, 2 Bde. (Freiburg i. Br. 1942 und 1951). Vgl. ferner: M.Flick und Z.Alszeghy, Il Vangelo della grazia (Firenze 1964) (Lit.); K.Rahner, Gnade: LThK IV (1960) 991–1000.

dem Osten zu brechen, nachzugeben. Diese Weigerung kam darin zum Ausdruck, daß in Rom das Glaubensbekenntnis von Konstantinopel unverändert beibehalten wurde, wahrscheinlich bis um 1013, als Kaiser Heinrich II.
Papst Benedikt III. dazu bewegen konnte, in dieses Symbolum das «Filioque»
einzuführen. Dies war 1054 eine vollendete Tatsache, obschon an den Grenzen der zwei Welten der Christenheit Formen gegenseitiger Osmose weiter-
bestanden. Die Entzweiung war für die Christenheit, besonders in der Theologie der Gnade, eine Katastrophe. Der Westen und der Osten zogen sich
auf sich selbst zurück. Diese Abschließung schwächte den Sinn für den
Pluralismus, der für die Reflexion über Gott und sein Heilswirken so notwendig ist.

Zur gleichen Zeit kam es im Westen und im Osten zu einer Symbiose
zwischen Staat und Kirche. Diese Entwicklung war unvermeidlich und
providentiell, obwohl sie vom 11. Jh. an bis heute tragische Krisen herauf-
beschwor. Die Feudalwelt des Mittelalters begünstigte eine statische, tief
hierarchische Sicht der Wirklichkeit. Man darf sich jedoch den Westen von
damals nicht als einen monolythischen Block vorstellen, wie er gegen Ende
des 19. Jh.s bestand. Trotz barbarischer Ketzerverfolgungen gab das Mittelalter auf der Ebene der theologischen und mystischen Schulen einer bemer-
kenswerten Denkfreiheit und -vielfalt Raum. Es war eine heroische Zeit mit
großen Lastern und Tugenden, die zweite Wiege unserer westlichen Kultur.

a. Die Denkformen

Wie die moderne Hermeneutik zeigt, können wir die Vergangenheit nur
dann verstehen, wenn es uns gelingt, die Denk- und Handlungsformen zu
erheben, die in einer von der unsern sehr verschiedenen Zeit unausgesprochen und oft unbewußt ins Leben umgesetzt werden. Die Epoche der Kirchenväter und vor allem des Mittelalters hatten vom Glauben und der
Häresie eine andere Auffassung als wir. Das Mittelalter besaß eine korpora-
tivere, fast möchte man sagen horizontalere Sicht des Glaubens (fides quae)
als wir.[79] Das Recht und selbst das ganze Leben waren auf die Gewohnheit,
das System des «common law» gegründet. Infolgedessen nährte sich das
theologische Denken von all dem, was in der Kirche lebte, vor allem von
dem, was innerhalb der Kirche allgemein angenommen wurde. «Consuetudo
est lex non scripta.»[80] Schon Augustinus hatte den Grundsatz aufgestellt,

---

[79] Vgl. A. Lang, Die Gliederung und Reichweite des Glaubens nach Thomas von Aquin
und den Thomisten: DTh 20 (1942) 207–236; 335–346; 21 (1943) 79–97; ders., Die theologische Prinzipienlehre der mittelalterlichen Scholastik (Freiburg i. Br. 1964).

[80] So schon Isidor von Sevilla, Etym. 1. V. 3, 2–4 (PL 82, 199). Im Hinblick auf diese
Denkperspektive versteht man den Sinn des Grundsatzes, der sich in mehreren Canonessammlungen und vor allem bei Gratian findet: «In his rebus, de quibus nihil certi statuit
divina scriptura, mos populi Dei et instituta maiorum pro lege tenenda sunt. Et sicut

daß die «fides et mores», d. h. das Lehrcorpus und die Bräuche, die auf dem Gebiet der Sakramente und des liturgischen Lebens von der «Catholica» eingehalten werden, einen unfehlbaren Charakter besitzen.[81]

Dieses komplexe kirchliche Erbe bildete keine gestaltlose Masse. Das Herz des Lehrgutes bestand in den «articuli fidei et sacramenta» – eine Formel, die dem Ausdruck «fides et mores» entsprach, aber einen engeren Sinn besaß.[82] Mehrere Dekrete von Konzilien und Päpsten waren nach diesem Schema aufgebaut.[83] Häretiker war, wer sich hartnäckig weigerte, sich an diese Gemeinschaft, an ihre Lehren und Sakramentenpraxis zu halten.[84] Das horizontale Verständnis des Inhalts der «fides et mores» war in der Kirche um so leichter zu akzeptieren, als die gesamte Welt, die Kirche, der Staat und der Mensch selbst als von Grund auf in einem Bezug zum Heilsgott, zum Gott Jesu Christi gesehen wurden. Wir finden hier eine Deutung wieder, von der wir bereits gesprochen haben.[85] Das «Übernatürliche» im strikten Sinn war dem Mittelalter unbekannt. Wir sind uns dabei dessen be-

---

praevaricatores legum divinarum, ita contemptores consuetudinum ecclesiasticarum coercendi sunt» (c. 7 In his rebus Dist. XI De consuetudine [Friedberg I, 25]). Das erste Zitat stammt von Augustinus, Ep. 36 ad Casulanum (PL 33, 136).

[81] Augustinus, Ep. 54 und 55 ad Ianuarium (PL 33, 199–223). Vgl. P. Fransen, «Geloof en zeden»: een notitie over een veelgebruikte formule: Tijdschrift voor Theologie 9 (1969) 315–319.

[82] J. M. Parent, La notion de dogme au XIIIe siècle. Etudes d'histoire et doctrinale du XIIIe siècle: Publications de l'Institut d'Etudes Médiévales d'Ottawa (Paris-Ottawa 1932) 141–163; L. Hödl, Articulus Fidei: Einsicht und Glaube (Freiburg i. Br. 1962) 358–376; A. Lang, Die theologische Prinzipienlehre 127–138.

[83] Vgl. das Glaubensbekenntnis für die Waldenser unter Innozenz III. (DS 790–794), sowie cap. I, De fide catholica des IV. Laterankonzils (DS 800–802), ferner das Dekret für die Armenier des Konzils von Florenz (DS 1310–1328), das redigiert wurde nach dem Opusculum des hl. Thomas, De articulis fidei et Ecclesiae sacramentis: Opusc. omnia III (Paris 1927) 11–18.

[84] Das Mittelalter ließ sich bis zum Konzil von Trient vom Dekret des Konzils von Verona (1184) leiten. Es war eingefügt in das Corpus Iuris, Greg. IX. decr. V, 7 De haeresibus c. 9 Ad abolendam (Friedberg II, 780 und DS 760f). Darin findet sich die gleiche Struktur wie in den «articuli fidei et sacramenta». Vgl. H. Maisonneuve, Etudes sur les origines de l'Inquisition (Paris ²1960) 151–198. Darin wird außerdem das Dekret Innozenz' III. erwähnt: Greg. IX. decr. V, 7, cap. 10 Vergentis in senium (Friedberg II, 781: «die Charta der Inquisition»). Vgl. P. Fransen, Wording en strekking van de canon over het merkteken de Trente: Bijdragen 32 (1971) 2–34.

[85] Vgl. die These von J. H. Walgrave I, Anm. 8 und II, Anm. 6. Vgl. A. M. Landgraf, Studien zur Erkenntnis des Übernatürlichen aaO. (Anm. 78) I/1, 140–201. H. de Lubac (Surnaturel 105ff) tritt mit Walgrave dafür ein, daß die Idee der «natura pura» von Cajetan in den Kontext der Gnade eingeführt wurde. «Er (der Begriff der ‹natura pura›) war, wie es scheint, eine dieser zahlreichen Abstraktionen, die die mittelalterliche Spekulation seit der Zeit Wilhelms de la Mare zu schmieden liebte, eines dieser zahlreichen Produkte der ‹potentia Dei absoluta›, die von den neuen Schulen aufgezählt wurden. Es ging dabei nicht speziell um das Dogma von der Gnade» (aaO. 105). Vgl. auch J. Auer, Entwicklung der Gnadenlehre in der Hochscholastik. I. Das Wesen der Gnade (Freiburg i. Br. 1942) 46–65.

wußt, daß wir eine Interpretation vorlegen, die von der katholischen Theologie weithin verkannt wird, vor allem von Theologen, die sich noch nicht ganz damit abgefunden haben, daß die Zeit eine wesentliche Dimension der menschlichen Existenz und somit auch des menschlichen Denkens ist.

Dieser Komplex von Begriffen, die sich gegenseitig bedingen, taucht im 16. Jh. auf. Selbstverständlich bereiteten vorher gewisse Einflüsse, unter denen vor allem die Einführung des Aristotelismus und später die nominalistischen Strömungen zu nennen sind, langsam auf eine andere Sicht der Wirklichkeit vor. Man darf jedoch die Dinge nicht vereinfachen und man sollte, z. B. beim Thomasstudium und vor allem bei der Erforschung des 14. Jh.s, die Bemerkung G. de Lagardes, eines der besten Kenner dieser Epoche, nicht vergessen, daß der Aristotelismus einen mehrfachen oder vielmehr ambivalenten Einfluß ausübte. Er konnte zweifellos das Bestreben fördern, die Menschennatur an sich, in ihrer eigenen Finalität ins Auge zu fassen und dabei von der übernatürlichen Anziehungskraft der Gnade abzusehen. Gleichzeitig aber konnte auch die theozentrische und hierarchisierte Wirklichkeitsstruktur der Aristoteliker einfach die herkömmlichen Denkrichtungen verstärken.[86]

Die Annahme oder Ablehnung dieses Interpretationsprinzips ist für das Verständnis der Gnadentheologie dieser Zeit entscheidend. Die Gnade, die oft mit den Ausdrücken «gratuitum», «supererogatorium» usw. identifiziert wird, vor allem diejenige, die nach einem schon von Augustin aufgestellten Unterscheidungsprinzip «in nobis sine nobis» (im Gegensatz zur Gnade «in nobis cum nobis») ist,[87] bildet, wie wir sehen werden, das Aktualitätsprinzip oder, nach alter Terminologie, das Prinzip einer «Bewegung», die verwirklicht, was wir vor Gott schon sind.

Auf der Ebene der – nun bewußten – Methodologie inauguriert das Mittelalter einen tiefgreifenden Wandel, der die abendländische Theologie bis heute beherrschte,

---

[86] «Am Ende des 12. Jh.s war die ‹Politik› (des Aristoteles) bereits mehrmals kommentiert worden und zahlreiche Traktate brachten ihre Lehren unter das Volk. Doch wie wir sahen, hatte diese Ausbeutung der aristotelischen Philosophie zwei sehr verschiedene Denkrichtungen inspiriert: auf der einen Seite betonte man, die Gesellschaftsordnung sei etwas natürliches, unbedingt notwendiges und das Allgemeinwohl habe den Primat über das Wohl des Einzelnen, auf der andern Seite setzte sich die Überzeugung durch, daß das Universum notwendigerweise eine Einheit bildet und daß alle menschlichen Tätigkeiten innerhalb einer rigorosen Ordnung zusammenhängen müßten» (G. de Lagarde, La naissance de l'esprit laïque au déclin du Moyen Age. III. Le Defensor Pacis [Louvain 1970] 305 f; vgl. auch II, 2. Ausg. Kap. VI, 123 f).

[87] Augustinus, De gratia et libero arbitrio I, 17, 33 (PL 44,901): «Ut ergo velimus, sine nobis operatur; cum autem volumus, et sic volumus ut faciamus, nobiscum operatur: tamen sine illo vel operante ut velimus, vel cooperante cum volumus, ad bona pietatis opera nihil valemus.» Man sieht, wie selbst die scholastische Terminologie bezüglich der Gnade in weitem Ausmaß von klassischen Texten Augustins inspiriert ist.

mit der Übernahme der von Aristoteles inspirierten scholastischen Methode im eigentlichen Sinn.[88] Das Frühmittelalter blieb noch auf dem von der Bibel und den Vätern gewiesenen Weg, indem es sich einer symbolischen, pädagogischen Sprache bediente, nur daß sich diese von der des Altertums durch ihren primitiveren und rauheren Charakter unterschied. Die Sammlungen von Väterstellen (Katenen), welche Schlüsseltexte der Schrift kommentierten, bildeten zumeist den Ausgangspunkt der theologischen Reflexion.[89] Die Interpretationsmethode war vor allem symbolisch und stützte sich auf eine menschliche und geistliche Erfahrung, in der psychologische Denkschemata eine wichtige Rolle spielten.[90] Die Übersetzung der Schriften des Aristoteles führte zu einem tiefgreifenden Wandel in der theologischen Methode, übrigens sehr zum Ärgernis der Augustinianer alter Prägung. Man kann in diesem Fall nicht mehr sagen, es habe sich dabei nur um kollektive, unbewußte Denkperspektiven gehandelt. Es entstehen die «quaestiones» und die «summae», worin die «auctoritates» dazu dienen, den «intellectus fidei», d.h. ein rationales, reflexes Glaubensverständnis zu nähren. Man könnte diese Methode mit der transzendentalen Methode vergleichen, deren sich z. B. K. Rahner bedient, obwohl tiefgreifende Unterschiede vorhanden sind. Man sucht sozusagen nach den Vorbedingungen für die Möglichkeit der Glaubensgegebenheiten, jedoch nicht in einer existentiellen, sondern in einer von Grund auf essentiellen, statischen und «architekturalen» Perspektive, die den Grundbegriffen des Aristotelismus entsprechend konstruiert wird. Aus einer psychologischen wird nun eine ontologische Interpretation. Es ist die Epoche der eigentlichen Scholastik.

Selbstverständlich bestehen zwischen Thomas und Bonaventura, zwischen diesen und dem späteren Nominalismus und der Konklusionstheologie des 14. Jh.s große Unterschiede in bezug auf Mentalität, Tradition und Methode. Die franziskanische Schule hat, vor allem am Anfang, eine Vorliebe für das psychologische Vorgehen und einen starken Sinn für die geschichtliche Entwicklung gehabt. Es gibt auch Traditionen, die von der großen aristotelischen Strömung ziemlich unabhängig sind, wie die rheinländische mystische Schule Meister Eckharts und die verwandte Schule der Niederlande, die unter dem Einfluß des seligen Johannes von Ruysbroek stand. Ihre viel dialektischere und dynamischere Methode ist stark von Dionys dem Areopagiten beeinflußt.[91] Im allgemeinen ist nie genauer untersucht worden, was diese Überlieferung über die Gnade sagt. Auf alle Fälle hat die

---

[88] A.M.Landgraf, Zum Begriff der Scholastik: Collectanea Franciscana 11 (1941) 487 bis 490; J. de Ghellinck, Le mouvement théologique du XIIe siècle (Bruges ²1948); M.-D.Chenu, La théologie au XIIe siècle (Paris 1957); ders., La théologie comme science au XIIIe siècle (Paris 1957).

[89] A.M.Landgraf, Dogmengeschichte aaO. I/1, 148–161.

[90] J.Auer, Um den Begriff der Gnade: ZkTh 70 (1948) 314–368; Z.Alszeghy, Nova creatura. La nozione della grazia nei commentari di S.Paolo (Roma 1956); P.Fransen, Three Ways of Dogmatic Thought: Intelligent Theology I (London 1967) 9–39.

[91] P.Henry, La mystique trinitaire du Bienheureux Jean Ruusbroec: RSR 40 (1951/52) 335–368; 41 (1953) 51–75; A.Ampe, De geestelijke grondslagen van de zieleopgang naar de leer van Ruusbroec, 4 Bde. (Tielt 1950–57).

Verkennung des eigentlichen Anliegens der scholastischen Methode in den folgenden Jahrhunderten zu unzähligen Interpretationskontroversen geführt, die völlig nutzlos waren.[92]

b. Die Vorbereitung auf die Gnade

Wir müssen zu Beginn dieses Abschnitts kurz an eine Prädestinationskontroverse im 9. Jh. erinnern. Auf Grund ihres Klimas und der behandelten Probleme gehört diese Auseinandersetzung eher der Epoche Augustins an. Sie besteht darin, daß im Gallien des 9. Jh.s die Kontroversen des 5. und 6. Jh.s nochmals durchgespielt werden. Auf der einen Seite stehen die radikalen Augustinianer wie der unstete Mönch Gottschalk, der den Streit entfachte, sowie Rathramnus und Remigius von Lyon, auf der Gegenseite Hrabanus Maurus und Hinkmar von Reims als Verteidiger eines gemäßigten Augustinismus, der den universalen Heilswillen Gottes betont und jede Idee einer Prädestination der Verdammten ablehnt. Hinkmar setzt es durch, daß Gottschalk und die Lehre von der doppelten Vorherbestimmung 848 von einer Synode zu Mainz und 849 und 853 auf den beiden Synoden von Quiercy verurteilt werden.[93] Leider hatte Hinkmar seine Ansichten zu autoritär aufgedrängt. Im Wissen um die Überlieferung des Caesarius von Arles und um das Konzil von Orange, das zu diesem Zeitpunkt noch angeführt wird, schreckte die Kirche von Lyon auf. Am 8. Juni 855 besammelt Kaiser Lothar einige Bischöfe des Rhonetals: die Bischöfe von Lyon, Vienne und Arles. Sie verfassen die «capitula» der Synode von Valence gegen Hinkmar, Johannes Skotus Eriugena und die Synode von Quiercy. Darin sprechen sie sich für die doppelte Vorherbestimmung aus, obwohl sie mehr oder weniger zugeben, daß die Bösen nicht zum Bösen vorherbestimmt sind, sondern unter dem göttlichen Vorherwissen stehen.[94] In Kap. 6 geben sie indes eine positivere Beschreibung der Gnade.[95] Am 20. Oktober 860 versöhnen sich schließlich die beiden Parteien auf der Synode von Toucy (das sogenannte zweite Konzil von Toul). Dieses Einvernehmen ganz Galliens beruhte darauf, daß die beiden verschiedenen Positionen nebeneinandergestellt und die gegenseitigen Verurteilungen aufgehoben wurden,[96] – ein Vorgehen, dem

[92] P. Schoonenberg bringt ein ausgezeichnetes Beispiel für einen solchen Interpretationsfehler in bezug auf die klassische Formel «ex attrito fit contritus»: Volmaakt en onvolmaakt berouw: Jaarboek 1952, Werkgenootschap van de katholieke theologen in Nederland (Hilversum 1952) 122–140.

[93] DS 621–624. Vgl. Hinkmar, De praed. Dei et libero arbitrio post. diss. (PL 125, 129f. 183. 211. 282).

[94] DS 625–633, vor allem 627 und 629.

[95] DS 633.

[96] Das «concilium Tullense secundum» nach den Konzilskollektionen: Mansi XV, 557–590. Vgl. E. Amann, L'époque carolégienne: A. Fliche/V. Martin, Histoire de l'Eglise VI (Paris 1937) 315–344.

wir später in der Frage «De auxiliis» von neuem begegnen. Man findet in dieser Kontroverse – durch Fragen des persönlichen Ansehens und der Einflußpolitik getrübt – die beiden theologischen Positionen im Fragenbereich der Gnade wieder, von denen wir schon wiederholt gesprochen haben.

Beim Wiederauftauchen der Probleme im Frühmittelalter haben sich Terminologie, Geisteshaltung und Atmosphäre beträchtlich geändert. Die Theologen hatten inzwischen ein Prinzip ausgearbeitet, das stark von Schrifttexten wie Zach 1, 3 und andern bestimmt war: «Facienti quod est in se, Deus non denegat gratiam».[97] Dieses Prinzip stellte u. a. das Problem der Vorbereitung auf die Gnade, damals «Disposition» genannt. Der Begriff «initium fidei» ist verschwunden und wahrscheinlich waren inzwischen auch die Aussagen des Konzils von Orange verloren gegangen. Dieses Abhandenkommen reicht freilich nicht hin, die Unschlüssigkeit des 12. Jh.s in unserer Frage zu erklären. Man hatte damals einen gewissen Begriff von der «gratia gratum faciens» (Rechtfertigungsgnade), doch der Begriff «aktuelle Gnade» existierte noch nicht. Noch bei Albert d. Gr. weist der Ausdruck «gratia gratis data» eine ganze Reihe von Bedeutungen auf, so daß er gewissermaßen ein sehr unbestimmtes Etikett war, das mehrere noch sehr disparate Bedeutungen in sich faßte.[98] Es ist Thomas v. A., der im Lauf seines Lebens langsam den Begriff «dispositio» genauer herausarbeitete als eine Vorbereitung auf die Rechtfertigungsgnade, die uns den Himmel verdienen läßt. Er nannte sie vor allem «auxilium Dei moventis», wobei er in der Summa präzisierte, daß sie «operans» und «cooperans» sei.[99]

An dieser Entwicklung interessieren vor allem die Einflüsse, die auf Thomas eingewirkt und ihn in der Entfaltung seines Denkens unterstützt haben. Sie haben ihre Bedeutung für das Verständnis der Probleme von heute. Thomas wurde von den philosophischen Argumenten eines Avi-

---

[97] A. M. Landgraf, Dogmengeschichte I/1, 238–302, vor allem 249–264.

[98] H. Doms, Die Gnadenlehre des seligen Albertus Magnus (Breslau 1929) 167f. Bonaventura schreibt z. B.: «Accipitur enim gratia uno modo largissime, et sic comprehendit dona naturalia et gratuita... Alio modo accipitur gratia minus communiter, et sic comprehendit gratiam gratis datam et gratum facientem (In II Sent. d. 27 dub. 1, Opera Quaracchi II, 669). B. Lonergan bemerkt, daß Thomas v. A., wenigstens in den Sentenzenkommentaren und in De Veritate, dem Begriff «gratia gratis data» keinen bestimmten, traditionellen Sinn zuzuschreiben scheint: B. Lonergan, Grace and Freedom. Operative Grace in the Thought of St. Thomas Aquinas (London 1971) 25f. Vgl. P. De Vooght, A propos de la grâce actuelle dans la théologie de saint Thomas: DTh (P) 31 (1928) 386–416; R. C. Dhondt, Le problème de la préparation à la grâce. Débuts de l'école franciscaine (Paris 1946).

[99] B. Lonergan vertritt die Auffassung, daß Albert d. Gr., Bonaventura und Thomas in ihren Sentenzenkommentaren den Begriff «gratia operans» ausschließlich zur Bezeichnung der Rechtfertigungsgnade gebrauchten, die unsere Akte verdienstlich macht (aaO. 26–38). Erst in der Summa unterscheidet Thomas klar zwischen der «gratia-motus» und der «gratia-habitus», die beide «operans» oder «cooperans» sein können (aaO. 38ff).

cenna und Aristoteles beeindruckt sowie von Überlegungen, die er der
kirchlichen Überlieferung entnahm, als er auf seiner Italienreise zwischen
1260 und 1265 einige Schriften Augustins gegen die Semipelagianer entdeckte, die er vorher wahrscheinlich nicht kannte. Avicenna hatte angenommen, die letzte Intelligenzemanation sei der «intellectus agens», der die
Intelligenz des Menschen bestimme. Thomas weigerte sich, diese Rolle einer
erschaffenen Intelligenz zuzuschreiben, und nahm seit dem Sentenzenkommentar eine Priorität des Wirkens Gottes an, wahrscheinlich indes eher im
Sinn einer Einwirkung auf den Willen.[100]

Doch bezüglich der Gnade gestattete sich Thomas damals noch Äußerungen, die den Semipelagianismus streiften.[101] Die Entdeckung des «Liber de
bona fortuna» konfrontierte ihn jedoch mit der Lehre des Aristoteles über
eine «höhere Klugheit», die von einem «instinctus divinus» inspiriert ist.[102]
Dies setzte ihn instand, die universale Bewegung jedes Handelnden durch
Gott, die er zuvor allzusehr als «äußere» Gnade angesehen hatte, in einem
wahrhaft inneren, geistlichen Sinn zu deuten. Schließlich ließ ihn nach seiner Italienreise die Entdeckung einiger Werke Augustins, in denen dieser
die verschiedenen Einwirkungen Gottes auf das Herz des Menschen betonte, noch entschiedener auf den Begriff einer inneren, die Rechtfertigung
vorbereitenden Gnade zuschreiten. Jedenfalls findet man bereits im «Quod-
libetum» die Unterscheidung zwischen Pelagius und den «pelagiani», womit nach dem Kontext wahrscheinlich die Semipelagianer gemeint sind.
Darum finden wir in der I–IIae der Summa Theologiae eine viel bedachtere
Theologie der Disposition auf die Rechtfertigungsgnade als in den Werken
seiner Vorläufer und Zeitgenossen.[103] Es bleibt jedoch noch eine Interpre-
tationsschwierigkeit bezüglich der Lehre des hl. Thomas. Mehrere spätere
Kommentatoren, vor allem Suareziander, meinen, es sei nicht evident, daß
Thomas diese Vorbereitungsgnade als übernatürliche gedacht habe.[104] Wir

---

[100] B. Lonergan aaO. 98.

[101] Vgl. die Sammlung von Thomastexten in H. Lange, De Gratia. Tractatus dogmati-
cus (Freiburg i. Br. 1929) 141–147. Zur Geschichte dieser Entwicklung vgl. H. Bouillard,
Conversion et grâce chez saint Thomas d'Aquin = Théologie 1 (Paris 1944) 99–123;
M. Seckler, Instinkt und Glaubenswille nach Thomas von Aquin (Mainz 1961) 90–133;
B. Lonergan aaO. 39; 97–103. Thomas spricht zum erstenmal von den «pelagiani» in
der Summa contra gentiles III, 152. In Quodl. 1 a. 7 unterscheidet er die Lehre des «Pelagius» von der der «pelagiani».

[102] Der «Liber de Bona Fortuna» ist eine mittelalterliche Sammlung von Aristoteles-
texten, die der Eudemischen Ethik entnommen waren. Vgl. Th. Deman, Le «Liber de
Bona Fortuna» dans la théologie de s. Thomas d'Aquin: RSPhTh 17 (1928) 38–58.

[103] B. Lonergan aaO. 38 ff.

[104] J. Stufler, De Thomae Aquinatis doctrina de Deo operante (Innsbruck 1923) Anm.
344 und 499; H. Lange, De gratia 144–152. H. Bouillard (aaO. 74 und 196) und B. Lonergan (aaO. 25 f) sind der gleichen Ansicht, obwohl Lonergan findet, diese Antwort sei nicht
absolut sicher, wenigstens was den letzten Stand des Denkens von Thomas betrifft (vgl.
aaO. 25, Anm. 17).

können uns dieser Interpretation nicht anschließen, weil wir mit De Lubac
und Walgrave die These vertreten, daß der Begriff «intrinsece supernaturalis» damals noch nicht existierte und infolge der erwähnten Gründe auch
gar nicht existieren konnte.

Die dargelegte Entwicklung zeigt, daß das Mittelalter den Begriff einer
inneren gnadenhaften «Bewegung» als Vorbereitung auf den Glauben und
die erste Rechtfertigung mehr im Zusammenhang mit reflexiver Systematisation als im Kontext einer Kontroverse entdeckte. Die Entwicklung wurde
von gewissen Texten Augustins gesteuert, die das Glaubenszeugnis der
Kirche des 5. Jh. enthalten, das in der Sprechweise des Mittelalters «testi-
monia sanctorum» hieß. Die ontologische Systematisation dieser Glaubens-
intuition ist mehr vom aristotelischen Denken inspiriert, wonach die Geschöpfe ganz allgemein durch das Tun Gottes zu ihrem Ziel hinbewegt
werden.

c. Die erste Rechtfertigung

Hier stellt sich eine Reihe weiterer Probleme, die mit den vorhergehenden
zusammenhangen. Die theologische Diskussion wird von einer recht er-
staunlichen Aussage des Petrus Lombardus beherrscht. Die Motive seines
Denkens sind nicht leicht genau zu bestimmen. In den Kommentaren zu
den Psalmen und den Paulusbriefen spricht er beständig von der Gottesliebe als einem eingegossenen Gnadengeschenk – ein wenig auf der Linie
Abälards. Andererseits ist er über die biblische und patristische Überlieferung über die Einwohnung der drei göttlichen Personen gut im Bild. In
I Sent. d. 17 scheint er zu bestreiten, daß die Gottesliebe eine geschaffene
Gabe sei. Unter dem Einfluß von Röm 5,5 und 1 Jo 4,13.16 sowie einer
wörtlichen Interpretation von Augustinustexten identifiziert er die Gottesliebe mit dem in uns weilenden Heiligen Geist, wenigstens in dem Sinn,
daß der Heilige Geist in uns die Rolle ausübt, die der habitus in bezug auf
die andern eingegossenen Tugenden spielt. Er nimmt also zur Einwohnung
der drei göttlichen Personen hinzu ein ganz besonderes Mitwirken des Geistes zu unserem Heil an.[105] Diese sehr persönliche theologische Interpreta-

---

[105] J. Schupp, Die Gnadenlehre des Petrus Lombardus = Freib. Theol. Stud. 35 (Freiburg i. Br. 1932) 216–242. Die Ansicht des Petrus Lombardus wurde vor allem von R.
Fishacre verteidigt. Fishacre ist noch aus einem weiteren Grund interessant. Er hat als
erster unsere gnadenhafte Vereinigung mit Gott mit der hypostatischen Union verglichen.
Vgl. A. M. Landgraf, Anfänge einer Lehre vom concursus simultaneus im 13. Jh.:
RThAM I (1929) 350–353. – Der Augustinustext ist De Trin. VIII, 8, 12 (PL 42,957)
entnommen: «Ista contextio satis aperteque declarat, eandem ipsam fraternam dilectio-
nem (...) non solum ex Deo, sed etiam Deum esse tanta auctoritate praedicari. Cum ergo
de dilectione diligimus fratrem, de Deo diligimus fratrem...» Vgl. auch De Trin. XV,
17, 27 und 18,32 (PL 42,1080 und 1083).

tion des Zusammenwirkens zwischen dem Heiligen Geist und dem Menschen in der Gottesliebe hat den Vorteil gehabt, daß Petrus Lombardus alle damaligen und späteren Theologen gezwungen hat – wenigstens solange die Tradition galt, daß jeder junge Magister der Theologie seine Lehrtätigkeit mit einem Kommentar zu den Sentenzen zu beginnen habe –, sich aktiv mit dem entscheidenden Problem auseinanderzusetzen, welche Zusammenhänge zwischen der ungeschaffenen Gnade, d.h. Gott, sofern er sich uns in seinem Heilswirken zuwendet, und der geschaffenen Gnade, der Frucht dieser heilbringenden Gegenwart der Trinität, bestehen.[106]

Ein weiterer Aspekt der theologischen Diskussionen des Mittelalters veranschaulicht mehr die bereits erwähnte Methode der theologischen Reflexion, nämlich die ontologische Interpretation. Wie das Neue Testament lehrt, hängen Rechtfertigung und Heiligung mit dem Glauben, der Gottesliebe, der Bekehrung – alles persönliche Akte – sowie mit der Sündenvergebung und der Eingießung der Gnade zusammen. Ist es möglich, so disparate Akte in die ontologische Einheit der göttlichen Rechtfertigungstat zu integrieren?[107] Einer der wichtigsten Begriffe, der die Lösung dieser Frage schließlich ermöglichte, war der Begriff des «*habitus infusus*». Er erlaubte es zusammen mit der Verwendung des sehr heiklen Begriffs der «*dispositio ultima*», auf das vom Lombarden gestellte Problem eine Antwort zu geben.

Zu der von der östlichen Theologie und der Reformation so sehr kritisierten Einführung dieses Begriffs kam es, wie zu betonen ist, schon vor der Übernahme des Aristotelismus in der Scholastik. Der Begriff erwuchs langsam aus den ersten, noch sehr zaghaften Spekulationen über die Natur der Tugenden des Glaubens und der Gottesliebe, insofern uns diese von Gott in der Taufe umsonst geschenkt werden, nicht auf Grund vorhergehender Verdienste – eine vor allem von den Reflexionen Augustins inspirierte Sicht.[108] Die Theologen dieser ersten Generation stellten sich noch sehr

---

[106] J.Auer, Die Entwicklung der Gnadenlehre I, 86–123; A.M.Landgraf, Dogmengeschichte aaO.I/1, 220–237.

[107] A.M.Landgraf ebd.287–302.

[108] Anselm, Bernhard und Petrus Lombardus denken vor allem in der Frage nach dem Heil der getauften Kinder an die Wirklichkeit der Taufkonsekration, die entweder den Nachlaß der Sünden oder dann so etwas wie ein Recht auf das Heil verleiht, gestützt auf den Glauben der Kirche. Abälard ist der Ansicht, daß sich die kleinen Kinder im Zeitpunkt ihres Todes der Gottesliebe öffnen (In Rom 2 [PL 178,838]). So auch Gilbert de la Porrée (Comm. in 2Cor 3,16) und Huguccio. Zu den Texten vgl. A.M.Landgraf, Dogmengeschichte I/2, 50 und I/1, 211. Im Jahre 1201 anerkennt Innozenz III., daß in der Kirche drei Denkströme vorhanden sind, nimmt aber nicht Stellung (DS 780). Der Erste, der wahrscheinlich die Unterscheidung zwischen «virtus in actu» und «virtus in habitu» aufgebracht hat, und zwar schon vor dem Brief Innozenz' III., ist Alanus de Insulis in seinen Regulae de sacra theologia 88 (PL 210,666). Er wendet jedoch diese Unterscheidung nicht auf den Fall der Kinder an. Vgl. A.M.Landgraf, Dogmengeschichte I/1, 206–214. Landgraf erinnert daran, daß die ursprünglichste Formel von «virtutes in munere» und

einfache, auch unter dem christlichen Volk lebendige Fragen. Wenn zu unserer Rechtfertigung der Glaube und die Liebe gehören, was ist dann von den neugeborenen Kindern zu halten? Erinnern wir uns, daß zu eben jener Zeit Katharer und Waldenser die Notwendigkeit der Kindertaufe bestritten. Eine weitere Reihe von Fragen lag im Umkreis des Problems, welcher Unterschied zwischen den «virtutes ethnicorum» und den «virtutes christianorum» bestehe. Die Qualifikation «donum gratuitum» schien nicht zu genügen.[109] Langsam zeichnet sich die Idee ab, daß in den «virtutes christianorum» ein stabilerer, tieferer Aspekt wahrzunehmen sei, der das eigentliche Prinzip unserer verdienstlichen Tätigkeiten bilde. So wurde der Begriff des «habitus» geboren. Es war vor allem Philipp der Kanzler, der nach der Einführung der aristotelischen Begriffe eine Synthese ausarbeitete, die in ihren großen Zügen im Okzident klassische Geltung erhielt.[110]

In dieser Entwicklung sind mehrere unterschiedliche Ansätze zu finden, die verschiedenen Denkrichtungen angehören. Einmal die psychologische Interpretationsweise, insofern die Tugend als eine «Bewegung» angesehen wird, die unser Heilswirken «leichter, spontaner und erfreulicher» macht.[111] Sodann die augustinische Idee des «donum gratuitum», das uns «sine nostris meritis» geschenkt wird und als ein neues «esse spirituale» determi-

«virtutes in actu» sprach (ebd. 212). Und er wiederholt, was noch wichtiger ist, daß die meisten Theologen des 12. Jh.s «gratia iustificans», «gratia operans», «gratia prima» und «fides» identifizierten (ebd. 208). – Von Augustinus an bis ins 12. Jh. bezog sich der Taufcharakter vor allem auf das «sacramentum tantum» und nicht auf das, was man später «res et sacramentum» genannt hat. Vgl. N. Haring, St. Augustine's Use of the Word Character: Mediaeval Studies 14 (1954) 79–97; ders., Character, Signum et Signaculum. Die Entwicklung bis nach der karolingischen Renaissance: Scholastik 30 (1955) 481–512; 31 (1956) 41–69; 182–212. Erst Thomas v. A. hat um die Mitte seines Lebens sich für eine neue Interpretation entschieden, indem er den Charakter ausdrücklich als «res et sacramentum» ansah. Vgl. E. Schillebeeckx, De sacramentele Heilseconomie (Antwerpen 1952) 505–510.

Diese Unterschiede in der Terminologie und in den Perspektiven machen die Lektüre der alten Texte sehr schwer und vor allem nehmen sie den geschichtlichen Erwägungen «klassischer» Autoren ihren Wert, weil sie in einer Schulinterpretation der Dogmengeschichte befangen sind. Landgraf bemerkt im übrigen mit Recht: «Es gibt kaum einen Kanonisten und Scholastiker, der sich nicht mit der Lösung dieser Schwierigkeit beschäftigt hätte»: Grundlagen für ein Verständnis der Bußlehre der Früh- und Hochscholastik: ZkTh 51 (1927) 170.

[109] Man unterschied tatsächlich ständig zwischen «virtutes naturales» und «virtutes gratuitae, quae sunt ex Deo»: A. M. Landgraf, Dogmengeschichte I/1, 161–183.

[110] Ebd. 214–219. J. Auer bemerkt richtig, daß Philippus als Vorläufer bloß des thomistischen Stromes anzusehen ist, denn er faßt den habitus als das Prinzip der theologalen Tugenden auf. Hugo von St. Cher, Odo Rigaldo, Alexander von Hales und vielleicht auch Bonaventura vertreten die Meinung, daß die habituelle Gnade sich nicht von der Gottesliebe unterscheiden läßt (ebd. 125 ff) – eine Überlieferung, die von Duns Scotus und seiner Schule in der Folge übernommen wird.

[111] «Quo datur faciliter, prompte et delectabiliter operari» (übrigens Aristoteles entnommen).

nierend wirkt.[112] Die aristotelische Ontologie systematisiert bloß diese Elemente, indem sie sie unter der Idee eines immanenten, dynamischen, gottgeschenkten geistlichen Prinzips des verdienstlichen Heilswirkens integriert.[113] Erinnern wir uns daran, daß vor der Entdeckung des Begriffs der aktuellen Gnade der Begriff der «gratia operans» nur diese Wirklichkeit innerer Rechtfertigung durch einen «habitus infusus» bezeichnete.

Im Jahr 1312 approbierte das Konzil von Vienne diese Entwicklung, die sich schon in den Aussagen Innozenz' III. über die Kindertaufe findet. Das Konzil betrachtet die Meinung, «daß sowohl die Kinder als auch die Erwachsenen in der Taufe eine informierende Gnade und die Tugenden erhalten, als stichhaltiger.» Kurz zuvor hatte es diese Eingießung «der Tugenden und der informierenden Gnade» als einen «habitus» bezeichnet. Der Grund ist wichtig: Dieser Begriff bietet eine bessere Gewähr für die universale Wirksamkeit des Todes Christi.[114] Dieses Motiv, von dem sich das Konzil leiten ließ, erinnert uns an eine beachtenswerte Überlegung Bonaventuras, für den der «habitus» noch ein in freiem Ermessen stehender und recht ungewohnter Begriff war. Er verwirft die Position des Petrus Lombardus um einer «sententia securior» willen. Der Begriff «geschaffene Gnade», vor allem unter der Form eines «habitus» – er kannte keinen andern – betone den Primat Gottes stärker, er halte sich mehr vom pelagianischen Irrtum fern und sei vernunftgemäßer.[115] In seinem «Breviloquium» findet sich die glänzende Formulierung: «Habere Deum est haberi a Deo».[116]

[112] «Virtus est bona qualitas mentis, qua recte vivitur, qua nemo male utitur, quam Deus solus in homine operatur.» Petrus Lombardus hat diese Definition aus Augustinuszitaten gebildet (Retr. I, 8, 6 [PL 32,598]; De lib. arb. II, 18 f [PL 32,1266]).

[113] Die «dispositio stabilis ad operandum» von Thomas: S. Th. I/II q. 110 a. 2 ad 3.

[114] DS 905.

[115] Es ist wichtig, den Text wörtlich wiederzugeben: «Et quoniam Deus sufficit ... ad effectus perficiendos in rationali creatura, et solum Deum decent, et soli Deo sunt possibiles, ideo dixerunt quod donum creatum ponere ad hos effectus perficiendos in homine est superfluum et indecens et impossibile. Alii vero comparaverunt effectus praedictos ad gratiam, sicut ad formam .... ideo conveniens est et opportunum ponere donum creatum, per quod anima informetur. Hanc autem positionem praeferendam credo priori tum quia securior, tum quia rationabilior... Cum vero aliquid gratiae subtrahitur, et naturae attribuitur quod est gratiae, ibi potest periculum intervenire. Et propterea cum ista positio quae ponit gratiam creatam et increatam, plus gratiae tribuat, et maiorem ponat in natura nostra indigentiam, hinc est quod pietati et humilitati magis est consona; et propterea est magis secura. Esto enim quod esset falsa; quia tamen a pietate et humilitate non declinat, tenere ipsam non est nisi bonum et tutum. Praeferanda est igitur haec opinio priori, pro eo quod est securior, et magis recedit ab errore Pelagii ... Timere enim debet unusquisque, ne forte negando donum gratiae creatae, efficiatur adversarius gratiae increatae» (In II Sent. dist. 26 q. 2 concl.). Vgl. ebd. q. 1 (Ausg. Quaracchi II, 631 und 635); In III Sent. dist. 40 dub. 3 (ebd. 896).

[116] «Et quoniam nullus Deum habet, quin ab ipso specialiter habeatur; nullus habet, et habetur a Deo, quin ipsum praecipue et incomparabiliter diligat, ac diligatur ab eo, sicut sponsa a sponso» (Brevil. V, 1 [Ausg. Quaracchi V, 253], vgl. ebd. I, 5 [V, 214]:

Diese Überlegungen, die Bonaventura in einer Epoche angestellt hat, in der die Gnadentheologie ausgearbeitet und langsam in das scholastische Denken übersetzt wurde, unterrichten uns nachdrücklich über die eigentliche Intention, von der sich die großen Glaubenslehrer leiten ließen, als sie diesen Schlüsselbegriff übernahmen, der für mehrere Theologen der Reformation bis heute mehr oder weniger zum Symbol eines verkappten Pelagianismus geworden ist, dem die römische Kirche huldige. Man muß zugeben, daß sich der «habitus»-Begriff mittlerweile so verhärtet hat, daß man sich fragen kann, ob die Reformation nicht recht gehabt habe. Geschichtlich gesehen darf man indes behaupten, daß bei den großen Theologen, die den Begriff in die westliche Theologie einführten, ganz gewiß keine pelagianische Fehlhaltung vorhanden war. Dies wird noch deutlicher, wenn man sich die ins Einzelne gehenden Erklärungen der verschiedenen Schulen vor Augen hält. Die thomistische Schule wird der Synthese des hl. Thomas treu bleiben, obwohl die späteren Kommentatoren in ihren oft nicht miteinander übereinstimmenden Interpretationen Schwierigkeiten erfahren werden, weil sie die Entwicklung bei Thomas übersehen und weil seine Synthese ein diffiziles Gleichgewicht aufweist.

Infolge der bereits genannten philosophischen und geschichtlichen Gründe betont Thomas im Sentenzenkommentar und in «De veritate» mehr die menschliche Mitwirkung. Diese erstreckt sich in seiner Sicht von den «entfernteren Dispositionen» bis zur «letzten Disposition»,[117] die ein subtiler, nicht immer verstandener Begriff ist. Er ist von den gegenseitigen Bezügen zwischen Formal- und Materialursächlichkeit inspiriert. In der Einheit der Rechtfertigungsgnade informiert die habituelle Gnade unser freies Urteil und weckt in ihm die «letzte Disposition»: die Akte des Glaubens und der Liebe und den Bekehrungsakt. Es liegt somit ein wechselseitiges Vorangehen vor, nicht der Zeit, sondern der Natur nach. Die eingegossene habituelle Gnade besitzt die Priorität als Informationsprinzip, während die menschlichen Akte als «letzte Disposition», die sich aus der Information ergibt, die Priorität haben. Diese Erklärung ist ein Beispiel streng ontologischer Interpretation.[118]

In der Summa Theologiae spricht Thomas nicht mehr von «letzter Disposition», sondern von «hinreichender Disposition», «vollkommener Vorbe-

---

«Habitare namque dicit effectum spiritualem et specialem, cum acceptatione; sicut est effectus gratiae gratum facientis, quae est deiformis, et in Deum reducit, et Deum facit nos habere, et haberi a nobis, ac per hoc et inhabitare in nobis»).

[117] H. Bouillard aaO. (Anm. 101) 19–87.

[118] Ebd. 5 f, 40–47, 53–58. Man muß somit zwischen den entfernteren und den näheren Dispositionen der «letzten Disposition» unterscheiden. Bei dieser handelt es sich um einen streng ontologischen Begriff, während die andern Dispositionen sich eher auf die psychologische Annäherung auf das Heil beziehen.

reitung» oder «verdienstlicher Bekehrung».[119] Jetzt betont er äußerst entschieden die Aktivität Gottes, die als unmittelbare Bewegung durch Gott
erscheint und äquivalent «Bewegung durch den Heiligen Geist» genannt
wird.[120] Diese Bewegung durch Gott, die sich in dem verwirklicht, was
Thomas die «infusio gratiae» nennt, ruft die «vollkommene Bekehrung»
im Glauben und in der Liebe und somit eine «hinreichende Disposition»
für die «consecutio gratiae» hervor.[121] Man hat oft nicht bemerkt, daß der
Zeitpunkt der «infusio gratiae», die nichts zu tun hat mit dem Geschenk
einer aktuellen Gnade, vom Zeitpunkt der «consecutio gratiae» verschieden
ist. In beiden Fällen handelt es sich um die habituelle Gnade, denn für Thomas gibt es kein Verdienst ohne einen dem Menschen immanenten «habitus». Thomas spricht nicht mehr von der wechselseitigen Betätigung der
Formal- und der Materialursachen; er gibt selbst die Idee der Information
durch die Gnade auf. Er zieht eine einzige Bewegung vor, die sich von Gott
unmittelbar auf uns erstreckt, damit wir ihn in der Rückwendung zu ihm
durch das Anstreben des Heilsziels des Menschen, der Glückseligkeit, finden.
Darin liegt ein von Bonaventura und Ruysbroek vertretener Gedanke, die
beide die Gnadenbewegung als von Gott ausgehende und zu ihm zurück-
kehrende Bewegung beschreiben.[122]

Auf alle Fälle ist Thomas der Ansicht, daß wir für jeden verdienstlichen,
auf das Heilsziel hingerichteten Akt einer habituellen Disposition durch die
Gnade und die Tugenden bedürfen. Darum kann für ihn die Vorbereitung
nicht meritorisch sein. Doch diese «habitus» werden unbedingt als eine von
der Seele aufgenommene Bewegung durch Gott verstanden. So zeigt sich
ein weiteres Mal, daß der habitus-Begriff ursprünglich, selbst in der ontolo-
gischsten Theologie des Thomas, wesentlich dynamisch ist und sich von
seinem Wesen her auf das Tun Gottes oder das Wirken des Heiligen Geistes
bezieht. Er ist, anders ausgedrückt, eine Beziehungswirklichkeit. In diesem
Sinn nähert sich der Thomas der Summe wiederum der These des Lombarden
und anderer an, die er in seinem Sentenzenkommentar zurückgewiesen hatte,[123] oder besser gesagt: er entnimmt ihr die positive Glaubensbotschaft.[124]
Nur so kann die habituelle Gnade zum Prinzip von Verdiensten werden.[125]
Man könnte fast sagen, daß Thomas eine «aktualistische» Auffassung der

[119] Ebd. 146 ff, 155–158 und 166–171.
[120] Der entscheidende Text ist I/II q. 113 a. 8.
[121] H. Bouillard aaO. 145–172. Vgl. 158: Die «infusio gratiae» bezieht sich somit nicht
auf die aktuelle Gnade, wie man oft geglaubt hat. Zum ganzen Fragenkomplex vgl. auch
O. H. Pesch, Die Theologie der Rechtfertigung bei Martin Luther und Thomas von
Aquin (Mainz 1967) 628–669.
[122] Vgl. Anm. 116.
[123] H. Bouillard aaO. 43 f und 157.
[124] De carit. a. 1; II/II q. 23 a. 2; vgl. In Rom 9, lect. 3.
[125] I/II q. 114 a. 6.

habituellen Gnade hatte, wie dies einige Theologen auch von Augustinus behaupten.

Schwieriger ist es, die Entwicklung der weniger geschlossenen franziskanischen Überlieferung im einzelnen zu beschreiben. Wir müssen uns auf einige gemeinsame Züge beschränken, die für das Verständnis des Gnadenmysteriums bedeutsam sind. Es sei daran erinnert, daß diese Schule weniger metaphysisch ausgerichtet ist, wenigstens solange als der aristotelische Einfluß nicht die Oberhand gewinnt, und daß selbst dann diese Metaphysik konkreter, existentieller bleibt, weil sie experimenteller und somit spiritueller ist.

Von Alexander von Hales beeinflußt, bringen Odo Rigaldus und Bonaventura einen ersten Explikationsversuch. Sie urgieren noch sehr wenig den habitus-Begriff, der übrigens eher als eine Präsenz des «Geisteslichtes», also im mystischen Sinn aufgefaßt wird. Im Grunde nähert sich der Begriff des «habitus» als einer «forma actualiter movens» mehr dem Aktbegriff. Die Gnade wird als wirkliche «perfectio» der Menschennatur verstanden. Sie führt den Menschen einem Endziel entgegen, das für die Natur und die Gnade im Grunde das gleiche bleibt: der heilwirkende Gott. Diese, im Mittelalter klassische Auffassung hindert diese Theologen indes nicht, die Gnade gleichzeitig als «neues Leben» zu verstehen, das in der Liebe freiwillig entgegengenommen werden muß. Diese Gnade wurzelt sich im Willen ein, der nach augustinischer Tradition in Form der Liebe unser ganzes Wesen zum Ausdruck bringt. Wichtig ist, daß der Akzent auf der unmittelbaren, erleuchtenden Tätigkeit des Heiligen Geistes liegt, in welcher – unter Absehen von der Unterscheidung zwischen Sein und Handeln – unser verdienstliches Tun gründet. Obwohl die Position Bonaventuras in direkterer und mystischerer Sprache formuliert wird, unterscheidet sie sich nicht allzusehr von der des Thomas v. A. in der Summa.[126]

Die zweite Generation, die von Matthäus von Acquasparta und Simon von Lens repräsentiert wird, setzt die Tradition Bonaventuras fort, auch wenn sie sich thomistischer Denkformen, namentlich des habitus-Begriffs, bedient. Die Gnade ist ein «habitus perfectivus» und kein «habitus expeditivus seu operativus» wie die Tugenden.[127] Eine dritte Gruppe um Richard von Mediavilla und Wilhelm de la Mare inauguriert eine recht neue Interpretation: Einzig der Wille ist Subjekt der Gnade. Gnade und Tugenden bilden ein einziges Prinzip heilbringenden Tuns, das uns Gott wohlgefällig macht, das christliche Leben erleichtert und beglückt und unser Verdienst grundlegt. Schließlich schlägt Petrus de Trabibus den Weg ein, den Duns Scotus zu Ende gehen wird. Beide nehmen die Existenz eines «habitus supernaturalis» als einer «conditio in actu» innerhalb der Rechtfertigung an. Doch dieser «habitus» steht keineswegs mit unserer religiösen Gnadenerfahrung in Verbindung, weshalb diese Autoren dem «habitus infusus» jede wirklich aktive

[126] J. Auer aaO. (Anm. 78) I, 187–192.
[127] Ebd. 190 ff.

Rolle in der Entfaltung des christlichen Lebens absprechen. Die Stärkung des sittlichen Strebens, die innere Freude und der Schwung im christlichen Dasein, das Anstreben des Heilszieles, die Rechtheit des Verhaltens, die Weisheit und der Glaubenssinn, all diese Elemente des Christenlebens können nicht als Wirkungen des habitus gelten. Ein schlagender Beweis dafür sind die Bekehrten: Sie haben in der Taufe oder in der Absolution den habitus empfangen, müssen sich aber harte Anstrengungen auferlegen, um wahre Christen zu werden. Der habitus hat also bloß die Rolle, uns Gott «genehm» zu machen.[128]

Zu diesem Zeitpunkt kommt es zu einem interessanten Phänomen, das für unsere heutige Reflexion instruktiv ist. Sobald unter dem Einfluß philosophischer oder anderer Anschauungen der habitus seine Natur als unmittelbar von Gott ausgehende Bewegung einbüßt, müssen Theologen wie Duns Scotus und in seinem Gefolge die Nominalisten einen andern Begriff zu Hilfe nehmen, um diesen wesentlichen Aspekt der Gnade als eines persönlichen Gestus Gottes, der uns seine Huld schenkt, wieder einzuführen. Ihre ganze Aufmerksamkeit wendet sich nun dem Schlüsselbegriff der «Annahme durch Gott» (acceptatio divina) zu, einem eminent personalen Gnadenakt Gottes, der unsere Verdienste krönt.[129] Da der Nominalismus seine Reflexion auf die absolute Freiheit Gottes verlegt, muß er notwendigerweise seine Gnadentheologie um diese «Annahme» kreisen lassen. Was Thomas, Bonaventura und andere am Ursprung des habitus entdeckt hatten, müssen sie am Ende des Lebens einzuholen suchen. Sie geben dem habitus in ihrer Theologie weitgehend Raum, weisen ihm aber einen Platz zu, der seinem ursprünglichen und wahren Sinn nicht mehr gerecht wird. Der habitus wird als versteinerter Rest einer früheren Entwicklung beibehalten, weil er durch Gottes «potentia ordinata» gewollt und als solcher durch die Kirche gelehrt wird.

Abschließend sei folgendes bemerkt: Der geschichtliche Überblick zeigt, wie vorsichtig die theologischen Handbücher in unserer Frage zu gebrauchen sind. Sie sind oft in eine enge Schultradition eingezwängt, die sich um die Eigenwüchsigkeit und Denkentwicklung der großen Meister des theologischen Denkens kaum kümmert. Vor allem aber zeigt sich, daß der habitus-Begriff eigentlich nebensächlich ist und relationalen Charakter hat.[130] Sobald er von seiner lebendigen Quelle, dem unmittelbaren, kontinuierlichen Wirken des Heilsgottes, wie immer man dieses verstehen mag – als Bewegung, Licht, Gegenwart oder Liebe –, gelöst wird, verliert er weitgehend

---

[128] Ebd. 192–196.

[129] W. Dettloff, Die Lehre der acceptatio divina bei Johannes Duns Scotus (Werl 1954); ders., Die Entwicklung der Akzeptations- und Verdienstlehre von Duns Scotus bis Luther mit besonderer Berücksichtigung der Franziskaner-Theologen (Münster 1963); O. H. Pesch aaO. 708–714.

[130] P. Fransen, Genade aaO. 169–178 = The New Life of Grace aaO. 98–104.

seinen theologischen und geistlichen Sinn. Selbst in der Rückführung auf den Begriff der «geschaffenen Gnade» im strikten Sinn – als Einwirkung der göttlichen Wirkmächtigkeit – dient er höchstens zur Bekräftigung der Wirklichkeit dieser Liebe Gottes, der Tatsache, daß Gottes Liebe in Jesus Christus kraft des Heiligen Geistes uns in unserem Herzen wirklich erfaßt.

d. Das Mysterium der Einwohnung Gottes in uns

A.M. Landgraf bemerkt mit Recht, man solle sich beim Studium der Herzmitte der Gnadentheologie nicht um die späteren Kontroversen kümmern, wenn man wissen wolle, was das Mittelalter gelehrt und gedacht hat.[131] Die meisten geschichtlichen Untersuchungen, vor allem über Thomas v.A., die während der ersten Hälfte des 20. Jh. veröffentlicht wurden, überzeugen oft wenig, weil sie zu sehr bemüht sind, die herkömmlichen Positionen einer theologischen Schule zu verteidigen, der sie angehören. Man will bei Thomas um jeden Preis die Interpretation eines Vasquez, Suarez oder eines Johannes a S. Thoma finden.[132] Wie wir sahen, waren die großen Lehrer des Mittelalters weniger klein und eng. Zudem war das Mysterium der Einwohnung Gottes in uns noch nicht zu einem corollarium des Trinitätstraktates oder des Kapitels über die habituelle Gnade geworden. Es umfing das ganze christliche Leben, und seine Auslegung bildete, wenn auch in verschiedenen Formen, ein Grundelement der meisten großen Traktate der Dogmatik und selbst der Moral.

Die Tatsache der Einwohnung Gottes in uns war für das Hochmittelalter kein Problem. Das Neue Testament erwähnt sie und Augustin, der große Glaubenslehrer des Abendlandes, hat mit Liebe davon gesprochen. Darum sind die ersten technischen Ausdrücke dem biblischen Vokabular nachgebildet: «habitare», «inhabitare», «tamquam in templo», «dare vel habere Deum vel Spiritum». Sehr bald beginnt man, die universale Gegenwart Gottes in der Schöpfung von seiner Gnadengegenwart zu unterscheiden.[133] Sobald diese Unterscheidung gewonnen ist, verschwindet sie nicht mehr aus den Darlegungen. Petrus Lombardus legt die Terminologie fest, indem er in bezug auf die Schöpfungsgegenwart Gottes von einem «inhabitare praesentialiter, potentialiter, essentialiter» oder von einer Einwohnung «per substantiam» spricht. Die andere Form der Einwohnung, die die Gratuität unseres Gnadenlebens grundlegt, wird oft durch den Ausdruck «per gratiam inhabitantem» näher bestimmt, obschon dieser Ausdruck, vor allem in der Frühscholastik, einen anderen Sinn haben mochte und nicht unbedingt die «gratia inhabitationis» bezeichnete. Petrus Lombardus identifiziert diese Form der Gnade mit der Einwohnung des Heiligen Geistes, während die Porretaner

---

131 Dogmengeschichte I/2, 41.
132 J. Trütsch, SS. Trinitatis Inhabitatio apud theologos recentiores (Trient 1949) 16–19.
133 A.M. Landgraf führt Haimo von Auxerre († 855) an: Dogmengeschichte I/2, 41.

zwischen beidem unterscheiden.[134] Für unsere heutige Zeit ist wichtig, daß die Vorscholastik die Einwohnung nicht ausschließlich individuell verstand. Sie hat ihre Entsprechung in der Einwohnung Gottes in der Kirche, was ganz der Schrift entspricht.[135]

Die Scholastik des 12. bis 14. Jh. bleibt dieser Überlieferung treu und diese stößt auf keinerlei Widerstand. Deswegen gewahrt man kein besonderes Systematisierungsbestreben, das dieses zentrale Thema in einen zu engen Kontext hätte zwängen können, wie das die Theologen nach der Reformation getan haben. Die Einwohnung Gottes wird vor allem mit der Lehre über die Trinität verbunden, genauer gesagt mit dem Wirken des Heiligen Geistes, während sich in Weiterführung der Lehre über die Hervorgänge in Gott die Lehre über die göttlichen Sendungen entwickelt.[136] Überdies gehört das Thema zur Inkarnationstheologie, nicht nur weil man von der «gratia capitis» Christi spricht und die Hypostatische Union mit der «gratia adoptionis» vergleicht, sondern weil die Erlösungstheologie auf eine unmittelbare Einwirkung des auferstandenen Herrn auf die Seelen hinausläuft, die die Adoptivkindschaft in uns grundlegt.[137] Wir haben gesehen, wie sehr die großen scholastischen Theologen in der Konstitution der habituellen Gnade das unmittelbare Einwirken Gottes betont haben. Dieser göttliche Einfluß wird ganz besonders bedeutsam in der Lehre über das Verdienst des ewigen Lebens, und zwar vor allem deshalb, weil jedes Verdienst auf einer gewissen Konnaturalität gründen muß.[138] Die pneumatische Auffassung, wonach die Kirche eine himmlische Wirklichkeit, eine «communio sanctorum» ist, kann nicht übersehen, daß der Geist im Leib Christi präsent ist.[139] In der gleichen Gedankenfolge wird die Wirksamkeit der Sakramente in engen Zusammenhang mit den «Mysterien des Fleisches

---

[134] Ebd. 41–56.

[135] A.M. Landgraf führt Bruno den Karthäuser (ebd. 43) sowie Gilbert de la Porrée an (ebd. 51).

[136] Th. de Regnon, Etudes de Théologie positive sur la sainte Trinité. II. Théories scolastiques (Paris 1892); H. Watkin-Jones, The Holy Spirit in the Mediaeval Church (London 1922); L. Chambat, Les missions des Personnes de la Trinité selon St-Thomas (Fontenelle 1943).

[137] E. Mersch, Le Corps mystique du Christ. Etudes de théologie historique II (Paris ²1936) 176–198, 219–231 und 232–239. Vgl. z.B. R. Guardini, Die Lehre des hl. Bonaventura von der Erlösung (Düsseldorf 1921) 119–157.

[138] Wenn die Frühscholastik das Prinzip aufstellt: «par caritas, par meritum» (A.M. Landgraf, Dogmengeschichte I/2, 75–98), so bringen die großen Scholastiker diese Gottesliebe offensichtlich mit dem Wirken des Hl. Geistes in Zusammenhang: J. Auer, Die Entwicklung der Gnadenlehre II, 62–73. Vgl. Thomas v.A., S. Th. I/II q. 114 a. 3c und ad 3.

[139] H. de Lubac, Corpus mysticum. L'Eucharistie et l'Eglise au Moyen Age (Paris ²1949) 67–88 und 125–129, vor allem aber Y. Congar, L'Ecclésiologie du haut Moyen Age (Paris 1968) 104–116, 121–127; ders., L'Eglise de St. Augustin à l'époque moderne (Paris 1970) 207–241.

Christi»[140] gebracht, die vermittels des Glaubens der Kirche – eines wesentlichen Strukturelements jedes Sakraments – in der Feier der Sakramente sich
im Heute fortsetzen («continuantur»).[141] Ein weiterer Aspekt, den wir bis
jetzt nicht genügend hervorgehoben haben, ist der, daß die Einwohnung
Gottes auf die «visio beatifica», die uns durch den Heiligen Geist im Dunkel
des Glaubens bereits geschenkt wird, hinführt und uns bereits an ihr teilnehmen läßt.[142] Schließlich ist die Einwohnung Gottes von tiefer geistlicher
Bedeutsamkeit. Für mehrere Scholastiker, vor allem für diejenigen, die sich
an die augustinische mystische Überlieferung halten, wonach der Gott der
Gnade in uns innewohnt, ist die Einwohnung Gottes ganz offensichtlich
die einzige echte Quelle des mystischen Lebens.[143]

Im gleichen Zusammenhang ist ein Punkt aufzugreifen, der durch die
Kontroversen über die Einwohnung Gottes nahegelegt wird, die in der Zeit
zwischen den beiden Weltkriegen ausgetragen wurden: Muß diese Einwohnung als ein proprium oder als appropriiert verstanden werden? Thomas und
Bonaventura behaupten deutlich, daß sie «appropriiert» ist, aber in einem
Sinn, der sich von der Appropriation, wie sie im 19. und 20. Jh. für gewöhnlich verstanden wurde, tief unterscheidet.[144] Während dieser Epoche behaupten nämlich die thomistischen und suarezianischen Theologen aus Gründen,
die später zu untersuchen sind, daß die habituelle Gnade uns einzig mit Gott
vereint, nicht aber mit den drei göttlichen Personen. So gesehen nähert sich
die Appropriation seltsamerweise einer «Als-ob-Theologie», da die Attri-
bution einer besonderen Tätigkeit oder Präsenz an eine der drei göttlichen
Personen höchstens metaphorisch bleibt.

[140] E. Schillebeeckx hat an etwas erinnert, das schon das 16. Jh. wußte: Thomas hat
den Begriff des «opus operatum» des Sentenzenkommentars in der Summa durch die viel
christologischere Formel «mysteria carnis Christi» ersetzt: De sacramentele Heilseconomie
(Antwerpen 1952) 641–657. Vgl. auch L. Villette, Foi et sacrement II (Paris 1964) 13–79.

[141] E. Schillebeeckx aaO. 403–408. Wir führen einige Texte an, denn diese Überlieferung ist noch sehr wenig bekannt, obwohl sie bis zum Konzil von Trient gedauert hat:
«Huic autem causae (scl. Deo) continuatur sacramentum per fidem Ecclesiae, quae et
instrumentum refert ad principalem causam et signum ad significatum» (In IV Sent.
d. 1 q. 1 a. 4 sol. 3 et ad 3 und S. Th. III q. 62 a. 6 c). Vgl. Bonaventura, In IV Sent. d. 6 q. 2
a. 1, q. 1 a. 2 (Ausg. Quaracchi IV, 153); Scotus, In IV Sent. d. 2 q. 1 n. 9; Gabriel Biel,
In IV Sent. d. 1 q. 2 dub. 2. Die prägnanteste Formel stammt von Bonaventura: «Virtus
nos reparans est virtus totius Trinitatis, quam Sancta Mater Ecclesia credit in animo,
confitetur in verbo, et profitetur in signo» (Brev. VI, 7 [Ausg. Quaracchi V, 271 f]).

[142] K. Rahner, Zur scholastischen Begrifflichkeit der geschaffenen Gnade: Schriften I
(Einsiedeln 1954) 347–376.

[143] A. Gardeil, L'expérience mystique pure dans le cadre des «Missions divines»: VS 31
(1932) 129–146; 32, 1–21, 65–76; 33, 1–28. In diesem erst nach seinem Tod veröffentlichten
Werk berichtigt Gardeil manche seiner früheren Ansichten.

[144] J. Loncke, De sensu et valore appropriationum in SS. Trinitate: Coll. Brug. 42 (1946)
322–327; C. Sträter, Het begrip «appropriatie» bij St. Thomas: Bijdragen 9 (1948) 1–41,
144–186; H. de Lavalette, La notion d'appropriation dans la théologie trinitaire de S. Thomas d'Aquin (Exc. Diss. Romae 1959).

Für Thomas v. A. besitzt die Appropriation verschiedene Bedeutungen und Anwendungsweisen. Im strikten Sinn spielt sie nur innerhalb dessen, was man auf den ersten Blick philosophische Erwägung nennen möchte. Wo vom Heil und von der Einwohnung die Rede ist, zieht er es vor, von «vestigia» oder von der «imago Trinitatis» zu sprechen. Sein Standpunkt ist indes mehr mittelalterlich. Er akzeptiert die Appropriation im strengen Sinn der ps.-dionysischen Bewegung des «exitus a Deo», während man die «vestigia» auf der Ebene des «reditus in Deum» antrifft.[145] In diesem ganzen Gedankengang scheint sich Thomas mehr vom platonischen als vom aristotelischen Denken inspirieren zu lassen. Er gebraucht in diesem Zusammenhang sogar eine auf den ersten Blick recht sonderbare Formulierung, wenn er von «causalitas efficiens exemplaris» spricht.[146] Auf der Ebene des «exitus a Deo» faßt er verschiedene Formen von Appropriationen ins Auge. Eine davon übernimmt er von Abälard, der die Macht dem Vater, die Weisheit dem Sohn, die Güte dem Geist appropriiert.[147] Diese wesentlichen Proprietäten sind den drei göttlichen Personen gemeinsam, doch in der Appropriation «commune trahitur ad proprium» auf Grund von Ähnlichkeits- und Unähnlichkeitsbeziehungen.[148] Thomas gibt dafür einen eminent religiösen Grund an: «quia praepositio ‹ad› quae venit ad compositionem vocabuli (adpropriatio), notat accessum cum aliqua distantia».[149] Dies ist eine partizipative Sicht des Menschseins, die die göttliche Transzendenz formell respektiert. Später, in der Summa, besteht Thomas nicht mehr auf der Zuordnung der Appropriation zum Bereich der «reductio rationalis creaturae ad Deum». Er wendet nun die großen biblischen Kategorien an, die uns in den ersten Glaubensbekenntnissen erhalten sind: Der Vater ist der Ursprung unserer Annahme an Kindesstatt, der Sohn deren Vorherbild und der Geist das Prinzip der Verwirklichung dieser gnadenhaften Ähnlichkeit.[150]

In Ablehnung der Lehre von einer bloß metaphorischen Appropriation, wie sie in vielen Handbüchern vertreten wird, sind wir persönlich lange Zeit für die eigentliche Einwohnung Gottes eingetreten. Dennoch glauben wir, daß unsere Epoche, die in bezug auf die Intelligibilität der göttlichen Personen viel zurückhaltender geworden ist, einen neuen Ausdruck für die Appropriation im Sinn des Mittelalters finden muß. Dies wird uns – selbstverständlich in einem andern philosophischen System – instand setzen, die Heilsbedeutung der Offenbarung der drei göttlichen Personen zu wahren und dabei doch die Transzendenz des Trinitätsmysteriums zu respektieren.

---

[145] Vgl. vor allem I Sent. d. 14 q. 2 a. 2; d. 15 q. 4 a. 1; Quodl. 1 a. 8 ad 1.

[146] I Sent. d. 14 q. 2 ad 2.

[147] Vgl. vor allem S. Th. I q. 39 a. 7 und 8.

[148] De Veritate q. 7 a. 3.

[149] I Sent. d. 31 q. 1 a. 2 ad 1.

[150] «Assimilatur homo splendori aeterni Filii per gratiae charitatem, quae attribuitur Spiritui Sancto; et ideo adoptatio, licet sit communis toti Trinitati appropriatur tum Patri,

4. Der Augustinismus und die Reformation

Die Periode zwischen dem Tod des Duns Scotus (1308) und dem des Gabriel Biel (1495) stellt den Dogmenhistoriker vor zahllose Schwierigkeiten. Die Rückkehr zu Thomas v. A., die mit dem Tridentinum einsetzte – die Sentenzen des Petrus Lombardus wurden nun an den Universitäten und den Studia generalia durch die Summa Theologiae ersetzt –, und die Erneuerung des Thomismus im Gefolge der Enzyklika «Aeterni Patris» (1879) Leos XIII. haben nicht nur die Veröffentlichung von Texten aus dem 14. und 15. Jh. und von geschichtlichen Arbeiten über diesen Zeitraum verzögert, sondern auch eine Epoche in Mißkredit gebracht, die zum Verständnis der neueren Zeit nicht unwichtig ist. Für die meisten Dogmenhistoriker ist diese Periode eine dekadente, ja antikatholische Epoche, definiert man sie doch für gewöhnlich als «nominalistisch», was auf eine Geschichtsfälschung hinausläuft, die in der Theologie kaum ihresgleichen haben dürfte. Nicht nur besteht ein nicht unbeträchtlicher Unterschied zwischen der Haltung der nominalistischen Philosophen und der nominalistischen Theologen, die durch den «theologischen Positivismus», wie er sich aus dem Begriff der «potentia ordinata Dei»[151] ergibt, meist in der Rechtgläubigkeit bewahrt wurden, sondern es lassen sich auch innerhalb des Nominalismus mehrere Denkströmungen unterscheiden.[152] Zudem gab es damals nicht nur Nominalisten.[153] Ja es ist nicht einmal sicher, ob der Nominalismus wirklich fast alle Universitäten Europas beherrscht hat.[154] Die verschiedenen Tendenzen überschneiden sich, prallen aufeinander oder vermischen sich in ihrer Entstehung, ihrem Höhepunkt, in ihrem Absinken und brechen manchmal mit dem Tod eines Autors brüsk ab, sodaß wenigstens vorläufig noch keine umfassende Darstellung möglich ist.[155]

ut auctori, Filio, ut exemplari, Spiritui Sancto, ut imprimenti in nobis huius similitudinem exemplaris»: S. Th. III q. 23 a. 2; vgl. III q. 3 a. 5 ad 2; III q. 45 a. 4; Summa c. gent. IV, 24.

[151] H. A. Oberman, The Harvest of Mediaeval Theology. Gabriel Biel and the Late Mediaeval Nominalism (Cambridge, Mass. 1963) 50–56; 361–428, dt.: Der Herbst der mittelalterlichen Theologie: Spätscholastik und Reformation I (Zürich 1965).

[152] H. A. Oberman, Some notes on the Theology of Nominalism with Attention to its Relation to the Renaissance: Harvard Theological Review 53 (1960) 47–76 unterscheidet im Nominalismus vier Ströme: die Mitte mit Ockham und Biel, den linken Flügel in England mit Robert Holcot und Adam Woodham, den rechten Flügel um Gregor von Rimini und eine synkretistische Tendenz, die vor allem in Paris vorherrscht und Scotus mit Ockham zu verbinden sucht.

[153] F. Clark, Eucharistic Sacrifice and the Reformation (London 1960) zählt sechs Strömungen auf: einen erneuerten Thomismus, den orthodoxen Skotismus, die augustinische Überlieferung, den Albertinismus, die Mystik und einige Außenseiter wie Johannes Gerson, Nikolaus von Kues und Dionysius den Karthäuser.

[154] Einzig F. Benary hat dies in bezug auf Deutschland erforscht in: «Via moderna» und «via antiqua» auf den deutschen Hochschulen des Mittelalters, mit besonderer Berücksichtigung der Universität Erfurt (Gotha 1919).

[155] D. Trapp, Augustinian Theology of the 14th Century. Notes, Editions, Marginalia, Opinions and Book-Lore: Augustiniana 6 (1956) 146–274; vgl. 146 f.

Man kann jedoch in diesem theologischen Gewirr einzelne gemeinsame
Grundzüge wahrnehmen. Vor allem läßt sich in bezug auf die theologische
Blickrichtung und Methode sagen, daß auf den spekulativen Höhepunkt des
13. Jh. ein kritisches Bemühen folgt, das teils historisch-positiv ausgerichtet
ist und ein gründlicheres Studium der Texte und Positionen der alten Autoren verfolgt, teils in logischer Richtung durch eine zuweilen allzu subtile
Begriffsanalyse voranschreitet.[156] In der theologischen Grundhaltung entdeckt der Historiker zu seiner Überraschung ein tieferes Wissen um den
Abstand zwischen Gott und Mensch und ein leidenschaftlicheres Suchen
nach der verlorenen Einheit. Selbstverständlich mußte sich diese Haltung
auf die Entwicklung der Gnadenlehre auswirken.

Ein großer Autor beherrscht oder beunruhigt diese Epoche: Augustinus.
Dieses augustinische Denken wird für die Kirche große Schwierigkeiten
mit sich bringen. Man könnte fast sagen, daß seit den mitunter scharfen
Auseinandersetzungen Gregors von Rimini und Thomas Bradwardines mit
den «Semipelagianern» ihrer Zeit und seit den Angriffen oder gar Verurteilungen, denen die rheinischen und flämischen Mystiker, z. B. von seiten Johannes Gersons, ausgesetzt waren, bis zum Bajanismus und Jansenismus der
große Theologe der Gnade sich in der Defensive befindet. Infolge dieser und
anderer Spannungen entsteht eine schwierige hermeneutische Frage. Nicht
nur bekämpfen sich die beiden Lager oft ohne einander zu verstehen, auch
die Historiker, die sich mit dieser Zeit befassen, sind sich bis heute in der Bewertung der Autoren und ihrer Lehren kaum einig. Für den einen ist Bradwardine ein Augustinist, für den andern nicht. Der eine bezeichnet Gregor
als den «antesignanus nominalistarum», während der andere ihn als deren
Feind ansieht. Und was wäre erst über die Beurteilung der Mystiker, vor allem
im protestantischen Lager, zu sagen!

Es besteht auch eine «konfessionelle» Schranke, weil Katholiken und Protestanten
nicht vergessen zu können scheinen, daß diese Epoche zur Reformation und zum
Konzil von Trient geführt hat. Man darf ein Zeitalter nicht in einer von späteren Ereignissen bestimmten Sicht studieren.[157] Welche Bedeutung diese Periode, die unmittelbar der Reformation und dem Tridentinum vorausgeht, vom ökumenischen
Standpunkt aus hat, liegt auf der Hand. Georgi Florovsky hat denn auch auf der
Konferenz des Weltkirchenrates in Toronto (1963) gesagt, die ökumenische Be-

---

[156] D. Trapp aaO.

[157] Wir sehen deswegen in diesem Abschnitt von den Arbeiten jener protestantischen
Autoren ab, die über diese Epoche handeln, ohne zuvor die Scholastik oder die Mystik
als solche erforscht zu haben, obwohl es sich manchmal um sehr gelehrte Arbeiten handelt. Hierin wird uns beigepflichtet von H. A. Oberman, Simul gemitus et raptus: Luther
und die Mystik, in: I. Asheim (Hrsg.), Kirche, Mystik, Heiligung und das Natürliche bei
Luther. Vorträge des Dritten Internationalen Kongresses für Lutherforschung (Göttingen
1967) 20–83; vgl. 22. Wir lassen ebenfalls jene katholischen Autoren außeracht, die diese
Epoche fast einzig im (spätern) Licht des Tridentinums betrachten.

sinnung müsse sich bis zu dem Punkt zurückerstrecken, an dem sich die ersten
Risse abzuzeichnen beginnen. Infolge der konfessionellen Voreingenommenheit
bleiben manche auch gründliche Forschungsarbeiten sowohl auf katholischer wie
auf protestantischer Seite fragwürdig.[158] Wir meinen aber, daß im ganzen ohnehin
schon recht verwickelten Fragenkomplex noch ein tieferes Vorverständnis eine
Rolle spielt, das die verschiedenen Interpretationen beeinflußt. Wenn sich die Kontroversen zuweilen von daher erklären lassen, daß man verschiedene Denkformen,
z. B. die Denkweise der rheinischen und flämischen Mystik und die der aristotelischer ausgerichteten Scholastik, ungebührlich miteinander identifiziert, so glauben wir doch in einer noch tieferen Schicht Denkvoraussetzungen entdecken zu
können, die sich vorläufig als platonisch und aristotelisch bezeichnen lassen. Auf
der Ebene des Glaubens und der theologischen Reflexion denken wir auch an das
Dilemma, welches das christliche Denken des Westens charakterisiert, nämlich an
die vermeintliche Wahl zwischen dem absoluten Primat Gottes und der irreduziblen
Antwort des Menschen.

a. Mehr oder weniger gemeinsame Positionen in der Gnadenlehre

Wie in der Theologie im allgemeinen bleiben die Theologen dieser Epoche –
ob Thomisten, Franziskaner oder Augustinisten – auch in der Gnadenlehre
für gewöhnlich den allgemein anerkannten Positionen ihrer Vorgänger treu.
Wie wir gesehen haben, wird diese Überlieferung immer noch als «fides» bezeichnet. Man wiederholt somit die klassischen Thesen, selbst wenn die besondere Denkrichtung oder der spekulative Kontext der jeweiligen Autoren den Sinn dieser Thesen verändern. Diese Tendenz wird durch den religiösen «Positivismus» der «via moderna» noch verstärkt.

Die Theologie wird im allgemeinen von der Unterscheidung zwischen der
«potentia absoluta» und der «potentia ordinata» Gottes beherrscht. Diese
Unterscheidung ist vielleicht angelsächsischen Ursprungs. Man führt sie
manchmal auf Anselm von Canterbury zurück. Sporadisch tritt sie während
des ganzen Mittelalters zutage.[159] Von Duns Scotus als Schlüsselbegriff eingeführt, behält sie während des ganzen Spätmittelalters den Sinn, den dieser
ihr beigelegt hat. Von den Forschern, die diese Epoche in einem ungünstigen
Licht zu sehen pflegten, wurde die Unterscheidung bis zu den Arbeiten von
P. Vignaux oft mißverstanden.[160]

Die Unterscheidung zwischen der «potentia absoluta» und der «potentia
ordinata» Gottes hat einen Sinn und es kommt ihr sowohl eine philosophi-

---

[158] K. A. Meissinger wagt sogar die Behauptung, es sei an diese Studien vorläufig nicht
zu denken, weil es an hinlänglichen Textausgaben und Monographien fehle (Luther:
Die deutsche Tragödie [Bern 1953] 63–66).
[159] H. A. Oberman, The Harvest (Anm. 151) 30–36, worin er auf die Untersuchung von
P. Vignaux verweist: Justification et prédestination au XIVe siècle (Paris 1934) 127–140;
A. Lang, Wege der Glaubensbegründung bei den Scholastikern des 14. Jh. (Münster 1930).
[160] H. A. Oberman, The Harvest aaO.; P. Vignaux aaO. 127–140.

sche wie eine theologische Bedeutung zu.[161] Auf der philosophischen Ebene
bekräftigt der Begriff der «potentia absoluta» die absolute Kontingenz von
allem, was nicht Gott ist. Er hebt ein Moment der göttlichen Transzendenz
ans Licht, das wir im «Deus absconditus» Luthers von neuem antreffen werden. In dieser Perspektive ist der religiöse Sinn des Prinzips, das der gesamten Theologie des Duns Scotus und namentlich seiner Gnadenlehre zugrunde-
liegt, besser verständlich: «nihil creatum formaliter est a Deo acceptandum».
Bei Scotus untersteht diese «potentia absoluta» noch der Herrschaft der
göttlichen Weisheit und Gerechtigkeit, während man bei den strengen Nominalisten wie Ockham und Biel gelegentlich noch von einer «recta ratio»
spricht, die jedoch gänzlich von der absolutesten göttlichen Freiheit bestimmt wird, von einer so absoluten Willkür, daß sie fast kein Antlitz mehr
hat.

Die theologische Bedeutung liegt vor allem im Begriff der «potentia
ordinata». Es sei daran erinnert, daß die Offenbarung von den Theologen
dieser Epoche vor allem in einem horizontalen, korporativen Sinn verstanden wird. Sie gründet zwar nach ihrer Ansicht in den «Taten und Worten»
Christi, bleibt aber durch die Jahrhunderte hindurch im korporativen
«Glaubens»-Erbe erhalten, das im Gemeinschaftsleben der Kirche zum
Ausdruck gebracht wird. Die «potentia ordinata» betrifft somit die faktische Offenbarungsordnung, also all das, was nach Gottes freiem Entschluß
dem Menschen im Hinblick auf das Heil zur Pflicht gemacht worden ist.
«Ea quae necessaria sunt ad salutem», ist bei Ockham und auf dem Konzil
von Trient eine klassische Formel, um den Inhalt der «fides» der Kirche zu
bezeichnen. Darum weist dieser «fides»-Begriff notwendigerweise eine Dimension sittlicher Verpflichtung auf.[162]

Gehen wir nun zur Theologie der habituellen Gnade über. Wir beginnen
mit *Duns Scotus*, mit dem nach W. Dettloff «die große Franziskanertheologie
faktisch ... zu Ende ist».[163] Für das Verständnis seiner Theologie ist seine
philosophische Lehre über das reale kontingente Sein wichtig. Gott weiß
nur um das, was sich mit Notwendigkeit auf sein Wesen bezieht. Die Welt
der «möglichen Dinge» wird von Gott nur in einem weitern Sinn «akzeptiert», d. h. im Akt des Wohlgefallens, worin er sein eigenes Wesen und

---

[161] E. Borchert, Der Einfluß des Nominalismus auf die Christologie der Spätscholastik
nach dem Traktat De communicatione idiomatum des Nicolaus Oresme (Münster 1940)
46–74; H. A. Oberman, Some Notes (Anm. 152) 56–69; ders., The Harvest 30–56. Zu
Duns Scotus vgl. W. Dettloff, Die Lehre der acceptatio divina (Anm. 129) 72 ff; 152 ff;
208 ff. Vgl. auch E. Iserloh, Gnade und Eucharistie in der philosophischen Theologie des
Wilhelm von Ockham. Ihre Bedeutung für die Ursachen der Reformation (Wiesbaden
1956) 73–77 und 109.

[162] A. Lang, Der Bedeutungswandel der Begriffe «fides» und «haeresis» und die dogmatische Wertung der Konzilsentscheidungen von Vienne und Trient: MThZ 4 (1953)
133–146; vgl. 134f.

[163] W. Dettloff, Die Entwicklung der Akzeptations- und Verdienstlehre (Anm. 129) 365.

alles, was dieses hervorbringen kann, betrachtet. Gott weiß um das reale
Kontingente nur im Willensakt, der dieses ins Sein ruft. Nun aber ist die
gesamte Schöpfungs- und vor allem die Gnadenordnung von Grund auf
kontingent. Sie beruht somit restlos auf einer «Akzeptation» durch den
göttlichen Willen. Hier fügt sich die Auffassung von der Prädestination ein,
die sich von der Reprobation wesentlich unterscheidet. Gott will vor allem
Christus als Quellgrund des Heils für die Welt. Sodann will er für die Erwählten das ewige Leben und die Gnade, die in dieser faktischen Heilsordnung tatsächlich zum Heil führt, und zwar all dies in völliger Freiheit. Die
Reprobation durch Gott gehört einer andern Ordnung an. Gott läßt die
Sünde zu, und nachdem er sie zugelassen hat, bestraft er den Sünder entsprechend dessen aktuellen Sünden. Duns Scotus kennt somit weder eine
positive noch eine negative Verwerfung «ante praevisa merita».

Man beachte, daß der Zusammenhang zwischen der Gnade und dem ewigen Leben ebenfalls kontingent ist. «De potentia absoluta» muß Gott nicht
festsetzen, daß man im Stand der Gnade sein muß, um in den Himmel zu
kommen. Scotus ist hier richtig zu verstehen. Er leugnet nicht, daß die geschaffene Liebe Gott wohlgefällig ist. Wie die übrigen Autoren seiner Zeit
erörtert er die Position des Petrus Lombardus, der den Heiligen Geist und
die christliche Liebe identifizierte, und erst innerhalb dieses herkömmlichen
literarischen Kontextes wird die präzisierende Frage gestellt, ob das ewige
Leben notwendig den Gnadenstand, die theologale Liebe voraussetze. Scotus geht offensichtlich von der allgemeinen Lehre über die heiligmachende
Gnade aus, die nach Annahme der Theologie und der Tradition in einem
habitus besteht, der den menschlichen Willen informiert. Diesen habitus
identifiziert er entsprechend der franziskanischen Überlieferung mit der
christlichen Liebe. In einem allgemeinen Dekret hat Gott das ewige Leben
als Verdienst all jenen zugesprochen, die diese Liebe besitzen werden. Auf
Grund dieses allgemeinen Dekrets kann man somit subsidiär sagen, daß für
den betreffenden Menschen diese Liebe eine «notwendige», einem Verdienst entsprechende Hinordnung auf das ewige Leben mit sich bringe.
Doch diese Notwendigkeit gründet einzig auf dem allgemeinen Dekret des
Heils in Christus.

Der Erwählungswille Gottes äußert sich konkret in der «acceptatio
divina», im höchst ungeschuldeten Akt, in welchem Gott dem von der
Liebe informierten menschlichen Willen eine neue Vollkommenheit zuer-
kennt. Ohne daß sie die betreffende Person oder ihren Akt ontologisch
ändern würde, weist diese Annahme durch Gott unseren Akten gleichsam
eine neue Funktion zu: die Heilsverdienstlichkeit. Die Annahme durch Gott
«ad vitam aeternam» schließt überdies eine Annahme «ad gratiam» in sich,
während das Gegenteil nicht immer der Fall ist. Auch ohne daß wir im
einzelnen auf die weiteren Unterscheidungen eingehen – Scotus wird nicht
umsonst «doctor subtilis» genannt –, erhellt deutlich, daß das spekulative

Gebäude des Duns Scotus den Gnadenprimat Gottes voll und ganz respektiert. Seine Position impliziert, schon bevor dieser Begriff geprägt ist, einen
Gnadenaktualismus, der übrigens auch den theologischen Interpretationen
von Augustinus und Thomas nicht völlig abgeht. Man kann die Begriffs-
subtilitäten, in denen Scotus seinen Glauben zum Ausdruck brachte, ablehn-
nen, aber es geht nicht an, seine Rechtgläubigkeit zu bezweifeln.

Noch ein weiterer Franziskaner, *Petrus Aureoli* († 1322), ist hier zu nennen.[164] Auf der philosophischen Ebene leitet er den Nominalismus Ockhams ein. Gleichzeitig weist er den Voluntarismus des Duns Scotus hinsichtlich der Prädestination und der Gnade entschieden zurück. Mehr als
um ihrer selbst willen interessiert uns seine Lehre über die Gnade im Hinblick auf die Einflüsse, die im Lauf dieses Jahrhunderts von ihr ausgehen.
Aureoli hat den Elan der skotistischen Überlieferung gebrochen, denn die
auf ihn folgenden Theologen setzen sich mehr mit ihm als mit Duns Scotus
auseinander. In diesem Sinn übt er während des 14. Jh.s einen großen, wenn
auch mehrdeutigen Einfluß aus. Vor allem in der Gnadenlehre setzen sich
die späteren Theologen von ihm ab, obwohl sie gleichzeitig zum Teil das
philosophische Gerüst übernehmen, das sein ganzes Denken unterbaut. Die
Rolle des «habitus-caritas»-Begriffs, der bei Thomas, Bonaventura und
Scotus in einem Netz persönlicher Beziehungen steht, in welchem der
Gnadenprimat Gottes intakt bleibt, wird bei ihm umgedeutet.

Auf theologischer Ebene weigert sich Aureoli anzunehmen, daß die Prädestination und die Reprobation zwei verschiedene Vorgänge seien. Gott
ist – nach einem wichtigen Axiom, das von Pelagius übernommen wird –
kein «acceptor personarum». Nach Aureoli besteht somit eine völlige Symmetrie zwischen der Prädestination des Petrus und der Reprobation des
Judas. So bahnt er indirekt eine neue Auffassung der Prädestination an, die
Prädestination «ex praevisis meritis». Gott muß «ex necessitate naturae» die
Sünde und somit den Sünder hassen, und folglich muß er mit der gleichen
Notwendigkeit den Menschen lieben, der den Gnadenhabitus – den er mit
der theologischen Liebe identifiziert – besitzt. Gott bietet allen seine Gnade
an. Der Verworfene weist sie im Akt der Sünde zurück, während der Aus-
erwählte die Sünde zurückweist und so die Gnade in sich wirken läßt. So
bahnt Aureoli den Begriff der «negativen Disposition» an, den nach dem
Tridentinum die Suarezianer vertreten.

Gott ist also von Rechtes wegen verpflichtet, den Menschen, der den
habitus der Liebe besitzt, für liebenswert zu halten. Diese Liebe unterscheidet sich von der natürlichen Liebe, nicht ontologisch, sondern weil das
Verdienst davon abhängt, daß der Mensch alle «Umstände» des gerechten

---

[164] P. Vignaux aaO. (Anm. 159) 43–95. Vgl. W. Dettloff, Die Entwicklung 22–94. Leider
bemüht sich Dettloff mehr, Duns Scotus gegenüber den Behauptungen des Petrus Aureoli
in Schutz zu nehmen, als diesen innerhalb seines eigenen Denkkontextes zu interpretieren.

Aktes erfüllt. Aus uns sind wir nicht imstande, alle erforderten «Umstände» zu kennen. Nur der Heilige Geist führt uns zu einer solchen Vollendung, die wir sogar unter dem Antrieb der Gnade nicht wahrzunehmen vermögen. Darum können wir nicht mit Sicherheit wissen, ob wir die Liebe besitzen. Das Verdienst hängt somit mehr mit einer sittlichen und psychologischen Vollkommenheit der Tat und des Tätigen zusammen, selbst wenn dieser sich selbst dessen nicht vollkommen bewußt ist. Dieser Antrieb durch den Geist zerstört die menschliche Freiheit nicht, sondern vervollkommnet sie, indem er ihr eine sittliche Reichweite gibt, die sie von sich selbst aus nicht zu erreichen vermöchte.

Wie ist es Petrus Aureoli geglückt, um den Pelagianismus herumzukommen, der in einem solchen Synergismus liegt? Er hält ja die «acceptatio ad vitam aeternam» für «ex natura rei» notwendig, d.h. sie wird seines Erachtens von der im Sinn der kommutativen Gerechtigkeit verstandenen göttlichen Gerechtigkeit erfordert. Zwar kann bloß unter Menschen eine völlige Gerechtigkeit in der Ordnung des Verdienstes bestehen. Zwischen Gott und dem Menschen liegt nur eine verhältnismäßige Gerechtigkeit vor: «sicut se habet creatura ad meritum, sic Deus ad praemium». Aureoli weicht dem Pelagianismus vor allem durch die Behauptung aus, daß die Schöpfermacht Gottes jegliche von der Vernunft definierbare Ordnung transzendiere.[165] Die Schöpfermacht Gottes, die uns die «prima gratia», d.h. die erste Rechtfertigung, verschafft, ist somit von Grund auf kontingent. Die Gerechtigkeitsbeziehungen kommen erst mit dem Abschluß der Tätigkeit Gottes und nicht schon zu Beginn der göttlichen Gnadeninitiative zustande. Diese vor allem philosophische Position ermöglicht es ihm, mit seinen Vorgängern zu wiederholen, daß die «gratia prima» gänzlich unverdient sei. Im gleichen Zusammenhang kann er auch die schöne Bemerkung übernehmen, die Augustinus gegenüber dem Priester Sixtus gemacht hat: «Wenn Gott unsere Verdienste krönt, krönt er nur seine Gaben.»[166]

Das Denken Aureolis läßt sich nur innerhalb seiner eigentümlichen, eigenwilligen Theodizee verstehen. Gott ist reine Unveränderlichkeit, pures Wohlgefallen an seiner Vollkommenheit. Es gibt für ihn nichts Künftiges; dieses besteht nur in den Kreaturen, was ein weiterer Grund ist, eine auf die göttliche Vollkommenheit hingeordnete Prädestination zurückzuweisen. In seinem eigenen Wesen schaut Gott jegliche Vollkommenheit und findet an allem, was gut ist, Gefallen. Er liebt die Geschöpfe nicht «terminativ» durch einen besonderen Akt an ihnen, sondern rein «denominativ», insofern jedes Geschöpf sich gewissermaßen dieser unveränderlichen Fülle von Liebe und Gerechtigkeit hingibt. Der Gott des Petrus Aureoli gleicht stark dem «un-

[165] P.Vignaux aaO. 69–80.

[166] I Sent. d.XVII q. 1 a. 3 : Römer Ausgabe 1596–1605, S.415 bei CD. Vgl. Augustinus, Ep. ad Sixtum presb. V, 19 : PL 33, 880.

beweglichen Beweger» des Aristoteles. Die radikale Kontingenz aller Geschöpfe gründet darin, daß Gott sie auf dieselbe Weise liebt, ob sie nun existieren oder nicht. Zudem werden die Kreaturen mehr von ihm angezogen, als daß er selbst sich ihnen entgegenbewegte.

Aureolis seltsame Theodizee übte auf die spätere Zeit einen nachhaltigen Einfluß aus. Wir können sie hier nicht weiter verfolgen, müssen aber einige Schlüsse ziehen, welche die spätere Entwicklung der Gnadenlehre betreffen. Indem diese Philosophie implizit zwei parallele Wirklichkeitsordnungen statuiert: die unveränderliche, zeitlose, absolute Ordnung der Gottheit und die kontingente, zeitliche, relative Ordnung der Schöpfung, hat sie die Nebeneinanderstellung der göttlichen und der menschlichen Tätigkeit, die das Wesen des Pelagianismus ausmacht, verstärkt. Diese Gefahr steigert sich noch bei den Autoren, die die Ordnung des Willens gegenüber der des Verstandes überbetonen und deswegen mehr oder weniger deutlich dazu neigen, die menschliche Freiheit in Gegensatz zur göttlichen Freiheit zu stellen. Der zweite Schluß betrifft die Natur und Funktion der geschaffenen habituellen Gnade. Wie gezeigt, gehört der Habitusbegriff zum Eigengut der Dogmenentwicklung im Westen. Solange der Gnadenhabitus als Moment innerhalb des Rechtfertigungsprozesses gedacht wird [167] – so insbesonders bei Thomas v. A. –, scheint mir seine Verwendung in der Theologie völlig gerechtfertigt zu sein. Thomas definiert ihn ja in ontologischer Berührung mit der «dispositio ultima» und weist ihm damit eine relationale und fast dialektische Funktion zu. Die «dispositio ultima» besitzt eine doppelte Priorität, nicht der Zeit, sondern der Natur nach. Auf der einen Seite steht die absolute Priorität der informierenden Form, die auf der Gegenwart Gottes und auf der Bewegung durch ihn beruht, auf der andern Seite eine sekundäre Priorität von seiten des Menschen, der diesen Antrieb durch Gott in einem von Gott selbst informierten Akt frei in sich aufnimmt. Mit dieser doppelten Priorität ist eigentlich eine dialektische interpersonale Beziehung gegeben, obwohl sie in essentialistischer aristotelischer Begrifflichkeit zum Ausdruck gebracht wird. Diese Dialektik wird später eine ihrer Natur besser angepaßte begriffliche Fassung erhalten in der existentiellen Gegenüberstellung der «vorgegebenen» und der «angenommenen Gnade» bei Karl Rahner.

Nachdem einmal diese lebendige Einheit zerbrochen ist, verliert der habitus seine ursprüngliche Bedeutung und Funktion. Dazu kommt es

---

[167] A. M. Landgraf, Dogmengeschichte I/1, 102–219 und vor allem 287–302, stellt den «psychologischen» Ansatz des Frühmittelalters in Gegensatz zur neuen Methode des 12. Jh.s. Vgl. auch J. Auer, Um den Begriff der Gnade: ZkTh 70 (1948) 314–368 und P. Fransen, Three Ways of Dogmatic Thought. Intelligent Theology (London 1967 und 1969), Bd. I, 9–39. Dieses 1962 der Society for the Study of Theology zu Cambridge vorgelegte paper ist eine ausführlichere Darlegung der Gedanken, die vorher veröffentlicht wurden unter dem Titel: Die vielfache Methodik der Theologie: Bijdragen 19 (1958) 397–409.

noch in diesem Jahrhundert. Petrus Aureoli spricht ihm eine eigenständige Wirklichkeit und Vollkommenheit zu. Er geht einzig aus Gottes Macht hervor und wird nur dadurch personalisiert, daß Gott seine Gnade allen anbietet, wie die Sonne ihr Licht für die Guten und Bösen erstrahlen läßt. Anderseits wird der habitus irgendwie schon von Duns Scotus, vor allem aber von den Gegnern Aureolis, auf eine bloß formelle Determination reduziert, die von der «potentia ordinata» Gottes fast willkürlich auferlegt wird. Bei Ockham und Biel ist er bloß noch ein Überbleibsel einer früheren Tradition, die vor ihnen in begrifflicher Diktion eine intuitive Sicht der Gnade zum Ausdruck brachte, die nun verloren geht, während er bei Petrus Aureoli zu einer absoluten und nicht relationalen Determination des im Gnadenstande befindlichen Menschen zu werden droht. Der Habitusbegriff, den Bonaventura einst übernommen hatte, um jeglicher Gefahr des Pelagianismus besser entgegenzuwirken, sollte deshalb bald den latent bereits vorhandenen Pelagianismus einer neuen Kultur verstärken, die mehr und mehr zur Verherrlichung der menschlichen Autonomie übergeht. Während dieser Epoche, und erst recht während der Renaissance, ist die Kultur des Westens versucht, das berühmte Dilemma, das die ganze westliche Reflexion über die Gnade beherrscht – «Gott oder der Mensch» – dadurch zu lösen, daß sie den Anteil des Menschen am Heilsgeschehen vergrößert und dafür den Anteil Gottes verkürzt, bis die Reformation dagegen ihren Protest erhebt.

Eine letzte Bemerkung zur Frage, wie man in dieser Zeit die Frage nach der Vorbereitung auf die «gratia prima», die Rechtfertigungsgnade stellt. Wir erinnern daran, daß damals die Dekrete des Konzils von Orange noch nicht wiederaufgefunden sind. Einzig die Theologen der augustinischen Richtung wie Gregor von Rimini und Thomas Bradwardine, die gegen jeden Neopelagianismus erbittert ankämpfen, finden in den Werken Augustins das wieder, was das Abhandenkommen der Entscheide von Orange die andern vergessen läßt. Zudem besitzt die Theologie noch keine feste Terminologie, um über die aktuelle Gnade zu sprechen. Diese Situation dauert bis nach dem Konzil von Trient an.[168] Die Ausführungen über die Vorbereitung auf die «gratia prima» – der Begriff wird damals allgemein verwendet, um die Rechtfertigung zu bezeichnen – erfolgen gewöhnlich im Anschluß an das bekannte Axiom: «Facienti quod est in se, Deus non denegat gratiam.»[169] Dadurch daß Petrus Aureoli die Sünde und den vom Gnadenhabitus informierten Akt hinsichtlich der Prädestination auf die gleiche Stufe stellt, führt er eine Begriffsverwirrung herbei, wobei zwischen dem «habitus acquisitus» und dem «habitus infusus» oder «gratuitus» der Gnade

---

[168] F. Hünermann, Wesen und Notwendigkeit der aktuellen Gnade nach dem Konzil von Trient (Paderborn 1926) 7–12.

[169] J. Auer, Die Entwicklung der Gnadenlehre in der Hochscholastik. I. Das Wesen der Gnade (Freiburg i. Br. 1942), stellt die Entwicklung vor dem 14. Jh. dar (229–262).

nicht klar unterschieden wird, eine Begriffsverwirrung, die sich dann bei
Ockham findet. Hinzuzufügen ist, daß sie dadurch noch verstärkt wird, daß
diese Theologen auch zwischen dem von allen zugegebenen «concursus
divinus» und der «motio gratuita Dei» nicht deutlich unterscheiden.[170]
Deutlich wird dies besonders bei Durandus de S. Porciano, einem weiteren
Vorläufer des Nominalismus, der offen erklärt, für ihn habe diese Unterscheidung nichts zu bedeuten. Anderseits haben gerade die Nominalisten
mit Vorliebe die Frage behandelt, die nach dem Tridentinum in den theologischen Handbüchern an der Tagesordnung ist: «Quid potest homo ex
puris naturalibus?» In dieser Fragestellung leitet das wachsende Wissen um
die menschliche Autonomie unter dem unmittelbaren Einfluß der «potentia
absoluta» neue Zeiten ein.[171] Im Grunde berühren die Sünde und die geschaffene Gnade das Wesen der menschlichen Freiheit nicht. Beide sind
bestimmend für die Beziehung mit Gott in der Ordnung der «potentia
ordinata».[172] Für Ockham bleibt selbst innerhalb des vom habitus der Caritas getragenen Tuns die menschliche Freiheit das Wesentliche.[173]

Man begreift, daß es äußerst schwerhält, in diesem Denkkontext, der sich
von dem unsrigen so sehr unterscheidet, die theologischen Stellungnahmen
auszumachen. Der linke englische Nominalismus stellt ein sonderbares
Gemisch von Determinismus und Pelagianismus in einer Radikalisierung

[170] Wie weit war zu diesem Zeitpunkt das theologische Wissen um einen Unterschied
zwischen der Natur und dem Übernatürlichen gediehen? Nach H. de Lubac bestand die
Unterscheidung schon bei den Nominalisten, aber mehr als ein mit der «potentia absoluta» verbundener rein spekulativer Begriff (Surnaturel 105 f). J. Auer, der für das Vorhandensein der Unterscheidung bei den großen Autoren des Hochmittelalters eintritt,
behauptet jedoch entschieden, daß die Idee des «Übernatürlichen» zwischen Olivi und
Ockham verdunkelt worden sei, weil man die Gnade mit der caritas identifiziert und die
«acceptatio divina» in den Rechtfertigungsprozeß hineingebracht habe (aaO. II, 247–250).
W. Dettloff übernimmt in bezug auf Scotus diese Interpretation (Die Lehre von der acceptatio divina 225). H. A. Oberman legt eine viel nuanciertere Deutung vor, die sich auf ein
besseres Verständnis der «potentia absoluta» stützt. Die «potentia absoluta» Gottes kann
in die Ordnung der von der «potentia ordinata» festgelegten Zweitursachen frei und unmittelbar eingreifen. Damit wurde die übernatürliche Ordnung, d.h. die in der Kirche
tatsächlich bestehende Heilsordnung von Grund auf kontingent. Diese faktische Ordnung
wird von der absoluten Freiheit von seiten Gottes und einer grundlegenden Autonomie
des Menschen transzendiert. Vgl. Some Notes on the Theology of Nominalism 56–69. –
Wir sind jedoch mit diesen Schlußfolgerungen nicht ganz zufrieden. Wir haben bei G. Biel
eine Begriffsbestimmung gefunden, die zweifellos neue Zeiten einleitet: «Sed per pura
naturalia intelligitur animae natura seu substantia cum qualitatibus et actionibus conse-
quentibus naturam, exclusis habitibus ac donis supernaturaliter a solo Deo infusis» (I Sent.
d. 28 q. 1 a. 1 n. 2, zitiert von Oberman aaO. 65, Anm. 32).

[171] H. A. Oberman, Some Notes 63–76.

[172] Ebd. 63–68.

[173] «Praeterea nihil est meritorium, nisi quod est in nostra potestate, ergo actus non
est meritorius principaliter propter illam gratiam, sed propter voluntatem libere causantem,
ergo posset Deus talem actum a voluntate elicitum accipere sine illa gratia» (Quodl. VI
q. 7, zitiert von H. A. Oberman ebd. 65, Anm. 31).

der «potentia absoluta» dar. Das Zentrum räumt der menschlichen Initiative viel Spielraum ein, – eine Position, die unter dem Deckmantel traditioneller, aus ihrem früheren Kontext oft herausgerissener Lehrpunkte zumindest einen eindeutig «pelagianischen Geist» beibehält. Nur die rechtsstehenden Nominalisten und die Augustinisten halten unter dem Einfluß Augustins an der herkömmlichen Ansicht fest, daß der Mensch infolge seiner Sünden nicht imstande sei, irgend etwas für sein Heil zu leisten.

b. Die Krise der Reformation

Wir glauben uns hier auf die Aspekte beschränken zu dürfen, die sich in der Reformation ausgewirkt haben: auf den Nominalismus, die rheinisch-flämische Mystik und den Augustinismus. Etliche Autoren vertreten die Auffassung, die Reformation sei vor allem eine Auflehnung der mittelalterlichen Christenheit gegen den Geist der Neuzeit gewesen, auch wenn die Reformatoren in verschiedenen Punkten Arbeitsmethoden und Denkhaltungen aufbrachten, die eine neue Zeit einleiten. Diese Auffassung ermöglicht es uns, die Rolle des Konzils von Trient in der Geschichte der Gnadenlehre besser zu situieren. Man sagt, das Zweite Vatikanum habe die Gegenreformation beendet. Es ist höchste Zeit, die Lehre des Tridentinums in einer weiteren, von den konfessionellen Gegensätzlichkeiten des 16. Jh.s befreiten Perspektive neu zu durchdenken.

aa. Der Nominalismus Luthers

H. Denifle und H. Grisar haben auf katholischer Seite die These vertreten, der Nominalismus sei der Schoß gewesen, aus dem die Reformation hervorging. K. Holl und E. Seeberg haben diese These scharf zurückgewiesen. Die Autorität dieser Forscher im je eigenen Lager hat dazu beigetragen, daß die Geschichtsforschung in gegensätzlichen Positionen ziemlich festgefahren ist, auch wenn die Positionen heute weniger schroff einander gegenüberstehen.

In der ganzen Fragestellung steckt insofern ein heuristischer Irrtum, als jeder Autor den Nominalismus entsprechend seinen konfessionellen Vorurteilen definiert. Für die Protestanten, so scheint es, kann der Nominalismus nur pelagianisch sein; Luther habe ihn deshalb nie akzeptieren können. Für die Katholiken ist er weder thomistisch noch skotistisch noch suarezianisch; er mußte Luther deshalb notwendig zum Irrtum führen. In einem wichtigen Aufsatz sucht H. A. Oberman zu beweisen, daß es nie nur einen Nominalismus, sondern mehrere Nominalismen gegeben hat, die im übrigen noch sehr wenig bekannt sind.[174] Er schält ihre gemeinsamen Grundzüge

---

[174] H. A. Oberman, Some Notes (Anm. 152) 47–76.

heraus, die er alle der entscheidenden Rolle der «potentia absoluta» unterordnet. Diese gemeinsamen Grundzüge sind die Souveränität und die Unmittelbarkeit Gottes, die sittliche Autonomie und die Freiheit des Menschen sowie eine eigentümliche Form des Skeptizismus, die zu einem Säkularisationsprozeß führt.[175]

Weiter oben haben wir uns darauf beschränkt, den philosophischen Aspekt der «potentia absoluta» zu präzisieren. Nun müssen wir ihre bestimmende Rolle in der Gnadentheologie aufzeigen. Man kann nämlich die «potentia absoluta» nicht rein negativ definieren, so daß sie sich nur auf all das erstreckte, was Gott hätte machen können, tatsächlich aber nie gemacht hat. Die «potentia absoluta» spielt in der Theologie eine positive Rolle. Gott ist total unabhängig von der Ordnung, die er in seiner «potentia ordinata» begründet hat: von der Ordnung der Offenbarung und vor allem der Kirche, der Sakramente und der geschaffenen Gnade, d. h. von Zweitursachen. Positiv will das besagen, daß Gott zu jeder Zeit unmittelbar in den Lauf der Geschichte eingreifen kann. Die Wunder bilden ein klassisches Beispiel dafür. Damit ist die Offenbarungsordnung relativiert und zum großen Teil ihres innern Zusammenhangs beraubt – der von Thomas bis Duns Scotus so hoch veranschlagt wurde –, da sie rein kontingent, ja im Extremfall sogar willkürlich ist. Das Gewicht, das auf die «potentia absoluta» gelegt wird, bringt in das Denken dieser Zeit zudem eine ganz neue Dimension hinein, insofern der autonome, freie Einzelmensch unmittelbar mit der göttlichen Majestät konfrontiert ist. Zumindest auf der Ebene der logischen Schlußfolgerungen wird die Ordnung der «potentia absoluta» gleichfalls relativiert, jedenfalls auf seiten des Menschen, der nicht imstande ist, durch seine Vernunft zu sicheren Schlüssen auf diesem Gebiet zu gelangen.

In diesem Denkkontext geht es nach unserer Ansicht nicht in erster Linie darum, die Lehrpunkte zu katalogisieren, die von nominalistischen Autoren angenommen oder zurückgewiesen werden – man tappt hier völlig in einem geschichtlichen Nebel herum –, sondern ihre Grundausrichtung auf der existentiellen Ebene herauszufinden. Auf dieser Ebene hat, wie uns scheint, der Nominalismus zweifellos Luther sowohl positiv wie negativ beeinflußt. Doch muß auch diese Aussage differenziert werden. Luther war ein Kind seiner Zeit und dachte auf weite Strecken hin in Perspektiven, die einer Großzahl von «moderni» gemeinsam waren. Der Unterschied zu diesen liegt darin, daß Luther zu andern Lehrpositionen kam, und darin wurde er unseres Erachtens oft von Ansichten beeinflußt, die nicht mit dem Nominalismus zusammenhingen: von der Mystik, dem Augustinismus und den biblischen Denkformen.

Zweifellos wurde Luther an der Universität Erfurt in einem nominalisti-

[175] Ebd. 56.

schen Klima herangebildet. Nach seinem Eintritt in den Augustinerorden besuchte er die theologischen Vorlesungen am Studium generale seines Ordens in der gleichen Stadt. Johann Nathin, einst Schüler Gabriel Biels in Tübingen, übte daselbst einen maßgebenden Einfluß aus.[176] Selbst wenn Luther seine Lehrer, vor allem in der Gnadentheologie, verleugnete, hegte er ihnen gegenüber doch stets eine gewisse Hochachtung.

Man diskutiert endlos über die Frage, wann der «katholische Luther» zum Reformator geworden ist. Man vergißt dabei leicht ein Gesetz der Geschichte, das in andern, von einem konfessionellen Engagement unabhängigen Fällen, als selbstverständlich gilt, daß es schwer hält, bei einem Autor den Zeitpunkt genau zu bestimmen, an dem ein wichtiger Denkimpuls seinen Anfang nimmt. Mit K. A. Meissinger sind wir der Meinung, daß im Jahr 1521 nach der mißglückten Leipziger Disputation und der Veröffentlichung der Schrift «De captivitate babylonica» die Spaltung sich verhärtet hat und keine Aussicht auf Fortsetzung des Dialogs mehr bestand, wie dies der Mißerfolg des Zusammentreffens mit Kardinal Contarini auf dem Reichstag zu Regensburg zeigt.[177] Sobald man aber die Lehrentwicklung des katholischen Luthers studiert, gehen die Deutungen oft nach konfessionellen Vorurteilen auseinander. Manchen protestantischen Forschern fällt es schwer anzunehmen, Luther habe seine Ansichten in einem bestimmten Moment vor 1521 geändert.[178] Katholische Forscher hingegen neigen oft dazu, in einem bestimmten Zeitpunkt seiner Lehrtätigkeit innerhalb der katholischen Kirche eine häretische Abweichung zu entdecken.[179] Einige Autoren beginnen aber auch zu fragen, ob die Lehrdivergenzen in der Gnadenlehre – wir sprechen nicht von den Positionen Luthers gegenüber der Kirche und ihrem Lehramt – tatsächlich so groß waren, um, von beiden Seiten

[176] Oberman reiht G. Biel nicht unter die wahren Jünger Ockhams ein, obgleich sich dieser seiner Ansicht nach bemüht hat, ein solcher zu sein. Er betrachtet ihn vielmehr als «Vermittlungstheologen», weil er den Nominalismus in die deutschen Universitäten eingeführt, dabei aber die extremen Positionen des linken Flügels des Nominalismus neutralisiert habe (ebd. 55 und Anm. 12).

[177] K. A. Meißinger, Luther. Die deutsche Tragödie 1521 (Bern 1953).

[178] Eine übrigens bemerkenswert objektive Darlegung dieser Meinungen findet sich in der Einleitung (Luther und der Ockhamismus) zu L. Grane, Contra Gabrielem. Luthers Auseinandersetzung mit Gabriel Biel in der Disputatio contra Scholasticam Theologiam, 1517: Acta theol. danica IV (Gyldendal 1962) 9–48 und in: La Réforme luthérienne, ses origines historiques et son caractère théologique. Positions luthériennes 20 (1972) 76–96. Mit Gewinn liest man die im Lauf dieses Abschnitts angeführten Aufsätze Obermans. K. A. Meißinger, Der katholische Luther (München 1962) legt einen ausgezeichneten geschichtlichen Durchblick vor, der von konfessionellen Positionen unabhängig sein will. Infolge des Mangels an Informationen über den Stand der Theologie im 15. Jh. urteilt er vorsichtig. Doch auch er weist die Interpretationen, die sich bei Denifle und den ihm folgenden katholischen Autoren finden, zurück (aaO. 7 ff). Vgl. auch B. Lohse (Hrsg.). Der Durchbruch der reformatorischen Erkenntnis bei Luther = Wege der Forschung 123 (Darmstadt 1968).

[179] Vgl. die neueste Studie von H. J. McScorley, Luthers Lehre vom unfreien Willen = Beiträge zur ökum. Theol. 1 (München 1967). Vgl. auch J. Wicks (Hrsg.), Catholic Scholars Dialogue with Luther (Chicago 1970), eine Sammlung wichtiger Aufsätze deutscher und amerikanischer Theologen.

aus, eine so schwerwiegende Konsequenz wie den Bruch der kirchlichen Gemeinschaft zu rechtfertigen.[180] Mit den Schismen verhält es sich wie mit den Kriegen. Es ist viel leichter, sie vom Zaun zu brechen, als sie zu beendigen. Wir werden zu dieser Frage bei der Behandlung der Rolle des Konzils von Trient für die Entwicklung der Gnadenlehre zurückkehren.

Was Luthers Grundausrichtung auf der existentiellen Ebene anbetrifft, scheint uns der Einfluß des Nominalismus, oder besser gesagt der «moderni» des 15. Jh.s, mit einer zutiefst dualistischen Sicht der religiösen Wirklichkeit zusammenzuhangen. Es geht wiederum um das bereits erwähnte westliche Dilemma der Gnadenlehre: Gott oder der Mensch? Die Reformation ist bei diesem Dilemma geblieben, hat dabei aber den Ton leidenschaftlich auf Gott gelegt: «Soli Deo gloria!»

Auf der einen Seite gewahrt Luther die Grunddimension des «coram Deo»,[181] d.h. jene Beziehung, in der sich der Sünder vor der göttlichen Majestät und Heiligkeit befindet, das Wort des Gesetzes («opus extraneum Dei») vernimmt, das ihn verurteilt, und im Glauben das Wort des Evangeliums annimmt, das ihn kraft der Verdienste Christi rechtfertigt. Auf der andern Seite erkennt er eine Dimension, die wir heute «horizontal» nennen würden: die Dimension des «coram hominibus» (ein Ausdruck, den er übrigens weniger häufig verwendet) auf der Ebene der menschlichen Geschichte, die wesentlich kontingent ist. Auf dieser Ebene gewahrt Luther (Calvin noch mehr als er) ein Walten des Geistes, eine «mystische» Vereinigung mit Christus, eine gewisse innere Heiligung, die Kirche, die Sakramente usw. Doch all dies kann angesichts der göttlichen Majestät nicht bestehen.[182] Darum ist der eigentliche kritische Punkt zwischen der Refor-

---

[180] Vgl. die Diskussion zwischen H. Jedin, W. v. Loewenich, W. Kasch, E. Iserloh und P. Mann, in: A. Franzen (Hrsg.), Um Reform und Reformation. Zur Frage nach dem Wesen des «Reformatorischen» bei Martin Luther (Münster 1968) 33–52 (Podiumsdiskussion). E. Iserloh äußert denselben Gedanken in: Gratia und Donum. Rechtfertigung und Heiligung nach Luthers Schrift «Wider den Löwener Theologen Latomus» (1521): Cath 24 (1970) 67–83, worin er abschließend sagt: «Wenn wir von der theologischen Formulierung weg auf die gemeinte Sache schauen, werden die kontroverstheologischen Differenzen vielfach unerheblich, jedenfalls viel geringer, als die polemische Sprache den Eindruck erweckt» (83). Zur ganzen Frage vgl. die gründliche Arbeit von O. H. Pesch, Die Theologie der Rechtfertigung bei Martin Luther und Thomas von Aquin (Mainz 1967), bes. die Zusammenfassung S. 949 ff.

[181] Vgl. dazu G. Rupp, The Righteousness of God. Luther Studies (London 1953) 81–258; G. Ebeling, Luther. Einführung in sein Denken (Tübingen 1964) 219–238. Schon Augustinus verwendet in den Confessiones diese Formel: «Concilium ergo nostrum erat coram te, coram hominibus autem nisi nostris non erat...» (IX, 2, 2: CSEL 33, 197f). Dies ist übrigens eine ganz natürliche Redeweise. Bei Luther erhält die Unterscheidung einen besonderen Sinn, da wir uns in einer Epoche befinden, für die die «potentia absoluta Dei» unabhängig von den Zweitursachen den Menschen unmittelbar betraf.

[182] W. Stählin drückt in einer knappen Formel den Sinn des «sola» in den großen Leitworten der Reformation «sola scriptura», «sola gratia», «sola fide» aus. Es sagt «mit gro-

mation und dem Katholizismus die Lehre vom Verdienst, denn in den Augen der Reformation besagt diese Lehre, daß das Geschehen auf der horizontalen Ebene gegenüber der erhabensten Initiative Gottes in Christus einen gewissen Eigenwert haben könne.[183]

Den gleichen Dualismus finden wir wieder in Luthers Lehre von den zwei Reichen, die man jedoch bei Calvin nicht antrifft, wahrscheinlich deshalb, weil dieser dadurch, daß er im Alten Testament einen echten Heilsweg erblickte, weniger unter dem Einfluß einer dualistischen Sicht der menschlichen Wirklichkeit vor Gott stand. Wichtiger ist Luthers Lehre über den doppelten «usus legis», den Melanchthon und Calvin zum «triplex usus» weiterentwickelt haben: in den «usus paedagogicus seu politicus», den «usus elenchicus» und den vieldiskutierten «tertius usus legis», der heute noch in der protestantischen Theologie umstritten ist.[184] Der gleiche Dua-

ßem Nachdruck, daß nichts neben Gnade, Glauben und Wort *gilt*, nämlich ⟨*gilt*⟩ *vor Gott* in jenem letzten Bereich, in dem tausend Dinge, die es auch gibt, unwesentlich werden, keine Kraft und keinen Wert haben» (Allein. Recht und Gefahr einer polemischen Formel [Stuttgart 1950] 8).

[183] Hier stoßen wir vielleicht auf das tiefste Anliegen eines evangelischen Christen, der deshalb Rom als pelagianisch ansehen muß. Vgl. G.C.Berkouwer, Verdienste of Genade? Een centraal hoofstuk uit de geschiedenis der grote controvers (Kampen 1958).

[184] «Scitis duplicem esse usum Legis, primum coercendi delicta, et deinde ostendendi delicta» (Secunda Disputatio contra Antenomianos: WA 39/1, 441). Anderswo qualifiziert Luther diese Unterscheidung mit den Adjektiven «civiliter et spiritualiter» oder dann «civiliter et theologice». Vgl. E.Hirsch, Hilfsbuch zum Studium der Dogmatik (Berlin 1951) 77–83, vor allem 82. In seinen «Loci communes» beschreibt Melanchthon die drei usus legis, die seitdem klassisch geworden sind: «Primus usus est paedagogicus seu politicus. Vult enim Deus coerceri disciplina omnes homines, etiam renatos, ne externa delicta committant... Est igitur alius usus Legis divinae et praecipuus ostendere peccatorem, accusare, perterrefacere et damnare omnes homines in hac corruptione naturae. Est enim Lex perpetuum iudicium damnantis peccatum in toto genere humano, patefactum hominibus... (Rom 1,18) ... Quatenus autem renati et iustificati fide sint liberi a Lege, dicendum est suo loco. Sunt enim liberati a Lege, id est a maledictione et damnatione seu ab ira Dei, quae in Lege proponitur... Interim tamen docenda est Lex, quae reliquias peccati indicat, ut crescat agnitio peccati et poenitentia, et simul sonet Evangelium Christi, ut doceat certa opera, in quibus Deus vult nos exercere oboedientiam...» (Loci communes: CR 21,405 f). Calvin übernimmt die Einteilungen Melanchthons, ändert aber deren Reihenfolge und legt das ganze Gewicht auf den «tertius usus Legis»: «Tertius usus, qui et praecipuus est, et in proprium Legis finem proprius spectat, erga fideles se habet, quorum in cordibus iam viget et regnat Dei Spiritus» (Inst.Christ.Rel., ed.1559 ultima, II,7, nn.6–12; Opera selecta [München 1957] 332–338, vgl.337). Zu beachten ist die Umstellung der Kapitel in der Ausgabe von 1559, die Calvin für endgültig ansah, in der das Kapitel «De vita hominis Christiani» dem Kapitel «De iustificatione» vorangeht. Über die Wichtigkeit, die Calvin der Reihenfolge der Kapitel beimaß, vgl. Opera selecta III, S.XL. Katholischerseits behauptet man oft grundlos, die vom Heiligen Geist bewirkte innere «Heiligung» sei den Reformatoren unbekannt gewesen. Sie ist ihnen keineswegs unbekannt, doch kann sie für Gott nicht verbindlich sein. Zur Diskussion um den triplex usus legis vgl. u.a. G.Ebeling, Die Lehre vom triplex usus legis in der reformatorischen Theologie: Wort und Glaube II (Tübingen ²1962) 50–68; O.H. Pesch aaO. 66–74.

lismus findet sich in der Lehre über die Kirche und die Sakramente wieder, wobei eine gewisse Tendenz besteht, die wahre Kirche der Gläubigen zu spiritualisieren, ebenso in der Unterscheidung zwischen «gratia» und «donum», die sich z. B. in den Auseinandersetzungen Luthers mit Jacobus Latomus von Löwen findet.[185] Bekanntlich hat Luther den biblischen Sinn von «gratia» wieder neu entdeckt, wonach diese vor allem «Huld Gottes», eine unmittelbare, souveräne Beziehung Gottes zum Menschen im biblischen «pro me» bedeutet. Das «donum» gehört den Heilswirklichkeiten an, die vor Luther als von der «potentia ordinata» abhängig gedacht wurden.

Wie wir meinen, führt die Reformation auf ihre Art eine dualistische Wirklichkeitssicht weiter, die den «moderni» und nicht nur den Nominalisten zu eigen war. Unseres Erachtens bildet diese einen durchgängigen Grundzug der Reformation, selbst wenn in Reaktion gegen die Orthodoxie des 16. Jh.s die Aufklärung und später der Liberalismus die horizontale Dimension unterstreichen, während Karl Barth und die Neo-Orthodoxie sowie die meisten modernen Lutheraner heute leidenschaftlich auf der vertikalen Dimension des «coram Deo» in der Unmittelbarkeit des Gotteswortes bestehen. Anderseits haben Luther und die Reformation sich schon sehr bald geweigert, die pelagianischen Konsequenzen zu akzeptieren, zu denen dieser Dualismus im 15. Jh. geführt zu haben scheint, indem sie sich sowohl auf die «humilitas» der Mystiker als auch auf die von Augustinus und der Bibel ererbte Lehre von der radikalen Sündhaftigkeit des Menschen beriefen.

Man kann sich fragen, ob ein solcher Dualismus notwendig einen echten Ausdruck des christlichen Glaubens verunmöglicht. Dies scheint nicht ohne weiteres der Fall zu sein, denn es läßt sich nicht bestreiten, daß der christliche Platonismus – selbst bei Augustin – ebenfalls eine gewisse dualistische Sicht der Wirklichkeit in sich schloß. Unseres Erachtens liegt die eigentliche Schwäche der Reformation auf dem Gebiet des Glaubens darin, daß sie diesen Glauben nur innerhalb einer Opposition gegenüber Rom oder gegenüber einem gewissen «Bild» von Rom definieren zu können scheint. Diese antirömische Einstellung bedroht fortwährend das unbeständige Gleichgewicht eines Dualismus, der durch seine Radikalisierung die Waage mehr auf die eine Seite ausschlagen läßt. Diesen Eindruck gewinnt man jedenfalls, wenn man selbst die heutigen Werke protestantischer Autoren liest. Anderseits kann man katholischerseits nicht bestreiten, daß das «Bild» von Rom, auf das sich die Reformation mehr oder weniger festlegte, jedweder Grundlage entbehre. Unser «Monismus» (im Gegensatz zum Dualismus) oder vielmehr unser Integrations- und Einheitsbedürfnis verleiten uns oft dazu, die Distanz zwischen Gott und dem Menschen aufzuheben. Wenn der

---

[185] Vgl. E. Iserloh aaO. (Anm. 180).

Reformation eine Tendenz innezuwohnen scheint, die sie zu einem gewissen Nestorianismus treibt, so leidet der Katholizismus zuweilen an einem verschleierten Monophysitismus.[186] In diesem Sinn enthält der Protest der Reformation einen beständigen Appell an unser christliches Bewußtsein.

bb. Luther und die Mystiker

Unter Mystikern verstehen wir hier hauptsächlich die rheinisch-flämische Mystik, die sich der Achse Brüssel–Basel entlang erstreckte und ihre Zentren in Mainz, Frankfurt und vor allem Straßburg gehabt hat. Wir denken insbesondere an Jan van Ruysbroek von Groenendael im Süden von Brüssel, an die Dominikaner Eckhart und Tauler und an den anonymen Autor der «Theologia Deutsch», die von Luther zweimal veröffentlicht worden ist.[187] Diese Mystik wurde von den Brüdern vom gemeinsamen Leben in den Niederlanden und in Deutschland verbreitet und unter das Volk gebracht.[188] Luther hat ebenso den hl. Bernhard, Johannes Gerson und andere Mystiker geliebt und gelesen.

Wir fragen zunächst, welche Bedeutung diese geistliche Theologie für die Gnadentheologie gehabt hat. Während diese mystische Strömung an Intensität allzurasch verloren hat, hat sie doch bis zum 16. Jh. einen gewissen Einfluß bewahrt. Wir möchten, daß der Gedanke an diese mystische Theologie das falsche Bild korrigiert, das man sich vom 15. Jh. macht, indem man es kurzweg mit dem Nominalismus identifiziert. In einem zweiten Schritt ist zu untersuchen, welchen Einfluß diese Mystik wahrscheinlich auf Luther und die Reformation gehabt hat.

Die flämischen Mystiker haben ihre Lehre über die «aktuelle» Gnade (die Gnade, die auf die Rechtfertigung vorbereitet) und über die habituelle Gnade (die Gnade, die mit der Rechtfertigung gleichgesetzt wird) sowie über das Verdienst, das dem von Liebe beseelten Tun zukommt, der theologischen Überlieferung ihrer Zeit entnommen. Ihre eigenständige Leistung liegt anderswo. Hier aber stellt sich ein Problem der Hermeneutik und der Sprachsemantik. Diese Mystiker besitzen nämlich ein spekulativ gefärbtes Vokabular, das vor allem bei Ruysbroek eine bemerkenswerte Präzision

---

[186] Der römische «Monophysitismus» äußert sich heute vielfach in Auffassungen, die man vom kirchlichen Lehramt hat. Vgl. B. Sesboüé, Autorité du Magistère et vie de foi ecclésiale: NRTh 93 (1972) 337–359, vgl. 339.

[187] In seinem Vorwort zur vollständigen Ausgabe von «Eyn deutsch Theologia» schreibt Luther: «Und daß ich nach meynem alten narren rüme, ist myr nechst der Biblien und Sankt Augustinus nyt vorkummen ein buch, darauss ich mehr erlernet had und will, was got, Christus, mensch und alle dyng seyen» (WA I, 378, 21–23).

[188] H. R. Post, The Modern Devotion. Confrontation with Reformation and Humanism (Leiden 1968).

und Reife erreicht, in den modernen Übersetzungen aber leider oft nicht
zur Geltung kommt.[189]

Die Lehre über die geschaffene Gnade ist in die Schilderung eines geistlichen Lebens eingebettet, das in einer Begrifflichkeit zum Ausdruck gebracht wird, deren ferner Ursprung bei Ps.-Dionys und der neuplatonischen
Überlieferung liegt, wie sie im Mittelalter verstanden wurde.[190] Gegen das
14. Jh. hin erreicht diese Terminologie in den Niederlanden und bei Meister
Eckhart einen hohen Reifegrad. Wo ihr unmittelbarer Ursprung liegt, hat
man bis jetzt noch nicht herausgefunden.

Im göttlichen Wesen findet sich das Vereinigungs-, Ruhe- und Wonne-
moment (μονή oder *unitas*), das in einer vielgestaltigen Schöpfungs- und
Gnadenbewegung sich nach außen in die Welt ergießt (πρόοδος oder *exitus*),
um in einer Bewegung der Verwirklichung die Auserwählten an sich zu
ziehen oder zu sich zurückzuholen (ἐπιστροφή oder *reditus*). Diese Bewegung
des Ausgangs und der Rückkehr in die unitive Ruhe der Liebe findet sich
sowohl innerhalb der Dreifaltigkeit[191] als auch in den Auserwählten, bei

---

[189] Am meisten schockiert hat die späteren Theologen der Begriff einer «unio essentialis» oder gar «superessentialis» mit Gott. Sein entfernter Ursprung liegt bei Ps. Dionys,
der ihn aber nur verwendet, um die absolute Transzendenz Gottes zu definieren. Dies ist
wahrscheinlich noch bei Meister Eckhart der Fall. Vor allem bei Ruysbroek, weniger bei
Tauler und in der «Theologia Deutsch» besagen «unio essentialis» und die davon abgeleiteten Begriffe ein eigentümliches mystisches Erlebnis, «das unitive Element in der Liebes-
erfahrung». Vgl. vor allem A. Deblaere, Essentiel (superessentiel, suressentiel): DSAM IV,
1346–1366. Deblaere hat mit seinen Schülern den semantischen Gebrauch des Begriffs bei
Ruysbroek aufs genaueste erforscht. «Essentialis» hat mit der «essentia» bei Aristoteles
und der Scholastik nichts zu tun. In seiner Anwendung auf die liebende Vereinigung mit
Gott ist er nicht eigentlich ein metaphysischer, sondern ein psychologischer Begriff. Seinen Vollsinn erhält er bei Ruysbroek. Deblaere bemerkt abschließend: «Wenn man sich,
nachdem man die ‹technische› Übersicht erstellt hat, fragt, welche religiöse Botschaft dieser vielfachen, überreichlichen Verwendung der Terminologie ‹essentialis› zugrundeliege,
so wollte der Autor offenbar vor allem die *absolute Priorität Gottes in der Liebe* und die unmittelbaren Folgerungen betonen, die sich aus der Tatsache ergeben, daß die Initiative auf
seiten Gottes liegt. Unter spekulativem Anstrich ist von der geistlichen Erfahrung die
Rede, die darin besteht, daß man sich in der Tiefe und jenseits aller andern Erfahrungen
und besonderen inneren Gefühle durch ein Geschenk der Gnade experimentell bewußt
wird, daß ‹Gott Liebe ist› und sich als Liebe offenbart hat, die uns zu unserem wahren
Leben (levende leven) erstehen läßt» (ebd. 1359). Vgl. auch P. Mommaers, Benoît de
Canfeld: Sa terminologie «essentielle»: RAM 47 (1971) 421–454 und 48 (1972) 37–68 und
vor allem die als Manuskript vorliegende Dissertation von J. Alaerts, La terminologie
«essentielle» dans l'œuvre de Jan van Ruusbroec (1293–1381) (Strasbourg 1972), die durch
einen Aufsatz in Bijdragen 30 (1969) 279–297 und 415–434 vorbereitet wurde.

[190] P. Henry, La mystique trinitaire du Bienheureux Jean Ruusbroec: RSR 40 (1952)
335–368; 41 (1953) 51–75. Vgl. auch die vier Bände von A. Ampe, De geestelijke grondslagen van den zieleopgang naar de leer van Ruusbroec (Tielt 1950–1957); ders., Die
Wesenseinkehr Gottes nach der Lehre des Jan van Ruysbroek: K. Ruh (Hrsg.), Alt-
deutsche und Niederländische Mystik = Wege der Forschung 23 (Darmstadt 1964)
363–385.

[191] Vgl. P. Henry aaO. und A. Ampe, De geestelijke grondslagen, Bd. I (Tielt 1950).

diesen in Form eines Hineingenommenseins in das lebendige Trinitätsmysterium. Ruysbroek vergleicht diese Bewegung mit dem majestätischen
Anschwellen und Zurückfließen des Ozeans in Flut und Ebbe.

Man kann noch auf weitere Punkte hinweisen, in denen sich die Terminologie und die ihr zugrunde liegende Schau mit der geistlichen Theologie
der östlichen Väter berühren, ohne diese einfach mechanisch zu kopieren.
Es geht um eine Mystik von hoher ökumenischer Bedeutung, vor allem für
die Gnadenlehre. Die Gnade wird, wie im Osten, mit der Dialektik des Bildes und Gleichnisses verbunden («beeld ende ghelijc»: Gn 1,26f). Weil die
rheinisch-flämischen Mystiker vor allem eine Erfahrung schildern wollen,
die übrigens bei allen Gläubigen vorkommt, von den Mystikern aber bei
der Intensität ihres Gnadenlebens, des wahren Lebens («levende leven»),
tiefer wahrgenommen wird, darf man sich bei der Lektüre ihrer Schriften
nicht an den Denkrahmen der Scholastiker oder der Philosophen überhaupt
halten. Dieses Leben gipfelt im geistlichen Ideal des «gemeinsamen Menschen» («ghemeyne mensche»), das in Christus vorbildhaft verwirklicht ist.
Es ist eine der schönsten Ausdrucksformen für die «communio» in der
Gnade und für das Mysterium unseres Hineingenommenseins in Christus,
das uns bereits zu «filii in Filio» macht, wie eine glückliche von E. Mersch
im 20. Jh. geprägte Formel sagt. Das Ideal dieses «gemeinsamen» Lebens,
das den für die Devotio moderna eingenommenen Menschen vorschwebte,
findet sich auch in der Bezeichnung «Brüder vom gemeinsamen Leben».

Das «Bild» ruht «von Wesen aus» und von aller Ewigkeit her in Gott,
während gleichzeitig der Mensch daran als an seiner Exemplar- und Final-
ursache teilhat. Es besteht in einer dynamischen Einheit mit den Tiefen des
göttlichen Wesens, dem es entspringt, ohne sich von ihm abzulösen. Dies ist
die Bewegung des «exitus» in der Erschaffung und in der Verleihung der
Gnade, denn dieses «Bild» war in uns zerbrochen wegen der Sünde, die den
Menschen von seinem ewigen «Bild» in Gott trennt. Das «Gleichnis» ist
mit der Rückbewegung zu Gott gegeben, mit der Bewegung des reditus zu
eben dieser «Wesenstiefe», einer Bewegung, die ebenfalls in Spannung steht
zwischen der Vielfalt der tugendhaften Betätigungen des Menschen und der
unmittelbaren Vereinigung mit dem dreifaltigen Gott. Diese Anziehung
durch Gott ist der Bereich der geschaffenen Gnade, die in uns die Abkehr
von der Sünde und die liebende Vereinigung mit Gott im Schoß der Kirche
«bewirkt». Diese Mystiker, die – besonders in Flandern – der augustinischen
Denkrichtung angehörten, haben nie davon geträumt, daß der Mensch sich
auf die Rechtfertigung vorbereiten und den Himmel verdienen könne ohne
die Hilfe Gottes, die uns von der Sünde heilt. Die Rückbewegung, in der
das eigentliche Leben des «gemeinsamen» Menschen besteht, ist gleichzeitig ein angespanntes Bemühen in liebendem Tun und Ruhe in der wonnigen
Vereinigung mit dem quellhaften göttlichen Wesen.

Wir sehen, wie in dieser manchmal sehr subtilen Beschreibung der mystischen Erfahrung die Gnadentheologie in eine Theologie integriert ist, die man «existentiell» nennen könnte. Man hat sie für gewöhnlich «Einkehrungsmystik» genannt, denn sie ist von der neuplatonischen Sicht Augustins inspiriert, wie sie im Prinzip «noverim me, noverim te» zum Ausdruck kommt. Die Bewegung geht ja im Seelengrund vor sich. Dadurch daß sie sich der Anziehung durch Gott innerlich überläßt, entdeckt die Seele, daß sie von Gott an sich gezogen wird, und verkostet gleichzeitig in der Dunkelheit das göttliche Licht. Hier übt auch der Heilige Geist seine vervollkommnende und verwirklichende Funktion aus. Als «Band der Minne» verwirklicht und vervollkommnet er unsere Gottähnlichkeit, die gleichzeitig Teilhabe an Christus ist. Keine Theologie hat je im Westen den Heilswert des Trinitätsmysteriums mit solcher Kraft erkannt. Ruysbroek schildert ja dieses Mysterium in Analogie zur mystischen Erfahrung, was zweifellos eine eigenständige Vertiefung der sogenannten «psychologischen» Interpretation darstellt, die Augustinus in De Trinitate vorlegt. Die geschaffene Gnade wird ebenfalls zutiefst mit dem höchsten Geheimnis des Glaubens in Verbindung gebracht.

Was nun die Reformation anbetrifft, muß anerkannt werden, daß sich die evangelischen Theologen in letzter Zeit mehr mit den Einflüssen befassen, welche die Mystik möglicherweise auf Luther ausgeübt hat.[192] Infolge des vom Liberalismus ererbten Mißtrauens gegen die Mystik und wegen der Schwierigkeit, ein so ganz anders geartetes Denken zu verstehen, ist die Interpretation des Sachverhalts leider oft ungenügend.[193] Ähnliches gilt auch für viele katholische Arbeiten. Die rheinisch-flämischen Mystiker haben vor allem in der Volkssprache geschrieben, und sowohl das Deutsch Eckharts und Taulers als auch das Mittelholländische Ruysbroeks erleichtern das Studium dieser Texte nicht, ganz abgesehen von den Schwierigkeiten der Terminologie und der Denkformen. Vom 17. Jh. an hat man diese Autoren nicht mehr verstanden. Sie blieben bis zum 20. Jh. «terra incognita», und doch ist ihre Erforschung von hoher ökumenischer Bedeutung.[194]

---

[192] Vgl. dazu St. E. Ozment, Homo spiritualis. A comparative Study of the Anthropology of Johannes Tauler, Jean Gerson and Martin Luther (1509–1516) in the Context of their Theological Thought (Leiden 1969); K. H. zur Mühlen, Nos extra nos. Luthers Theologie zwischen Mystik und Scholastik (Tübingen 1972); I. Asheim aaO. (Anm. 157) 20–94. Ausgezeichnete Ausführungen über «Tauler und Luther» finden sich bei B. Moeller, in: La mystique rhénane (Paris 1963) 157–168.

[193] Vgl. B. Hägglund in I. Asheim 84–88, der den berühmten Ausspruch Harnacks zitiert: «Ein Mystiker, der nicht Katholik wird, ist ein Dilettant» (Lehrbuch der Dogmengeschichte III³, 393 f).

[194] B. Hägglund aaO. 88 f meint: «Wenn katholische und protestantische Forscher über Tauler einig werden könnten, dann läge es nicht mehr so fern, auch über Luther einig zu werden.»

Wir möchten uns hier nicht in unergiebige Vergleiche anhand verschiedener Zitate Luthers aus Tauler und anderen Autoren einlassen. H. A. Oberman bemerkt treffend, daß man bei solchen Forschungsarbeiten oft die Rolle vergißt, die Zitate von Autoren im Mittelalter spielten.[195] B. Moeller hat eine beeindruckende Reihe von Taulerzitaten gesammelt, die sich in Luthers Werken selbst nach 1521 finden. Sie sind fast alle mit Zustimmung, einzelne sogar mit Begeisterung vermerkt.[196] Das gleiche ließe sich in bezug auf die «Theologia Deutsch» nachweisen. Luther hat somit bei diesen beiden Autoren und zuweilen auch bei andern Mystikern eine Auffassung des christlichen Lebens gefunden, die er hoch einschätzte. Das will nicht heißen, daß er auch die Terminologie und das der neuplatonischen Überlieferung verpflichtete Bezugssystem beibehalten habe. Luther hat sehr bald zu einer eigenen theologischen Sprache und zu einem eigenen Denkstil gefunden, den er vor allem aus der Bibel schöpfte. Ähnliche Beobachtungen macht A. Lang bei Martin Bucer, der eher der reformierten Richtung angehört.[197]

Nach B. Moeller hat Luther bei Tauler vor allem die Beschreibung des konkreten Heilsweges geliebt. Beide kommen darin überein, daß sie jede menschliche Initiative auf dem Weg zum Heil zurückweisen.[198] Luther hat vor allem Taulers Ansicht geschätzt, Gott selbst müsse die Menschen gewaltsam von sich selbst befreien, «indem alle ihre Werte entwertet, alle ihre Gebundenheiten zerrissen, indem sie ‹angefochten› werden».[199] Anderseits hat Luther die menschliche Betätigung als grundlegende Rezeptivität «coram Deo» im Glauben zentriert, während die Mystiker sich in dieser Hinsicht an eine Sprechweise hielten, die der theologischen und spirituellen Terminologie ihrer Zeit stärker verhaftet blieb. Doch dieser Glaube behält bei Luther seine tiefe Verklammerung mit der mystischen Tradition. Der Glaube, wie ihn Luther sieht, vereinigt uns auf mystische Weise mit Christus wie eine Braut mit ihrem göttlichen Bräutigam.[200]

[195] Oberman nennt diese Methode «die Sic et Non Dimension». Er sagt zum Schluß: «Es ist daher unangemessen, auf Grund von ein oder zwei positiven oder negativen Verweisungen eindeutige Verbindungs- oder Abhängigkeitslinien zu ziehen» (ebd. 25). Ein typisches Beispiel dafür ist E. Ozment (Anm. 192), der Tauler nicht gerecht wird.

[196] La mystique rhénane aaO. 158 und Anm. 3. Moeller sagt zum Schluß: «und unter den – soweit mir bekannt: 26 – uns überlieferten Erwähnungen Taulers in Luthers Schrifttum ist keine einzige, an der er ihn kritisiert; kaum eine, an der man eine gewisse Reserve, einen gewissen Abstand spürt» (ebd. 158f). 1516 notiert Luther seine Randbemerkungen in die Ausgabe der Predigten Taulers von 1508. Vgl. J. Ficker, Zu den Bemerkungen Luthers in Taulers Sermones (Augsburg 1508): Theol. Studien und Kritiken 107 (1936) 46–64.

[197] A. Lang, Der Evangelienkommentar Bucers und die Grundzüge seiner Theologie (Leipzig 1900) 141.

[198] Le mystique rhénane aaO. 160–163. Vgl. H. A. Oberman, Wir sein Pettler. Hoc est verum, Bund und Gnade in der Theologie des Mittelalters und der Reformation: ZKG 78 (1967) 232–252.

[199] B. Moeller aaO. 161.

[200] E. Iserloh, Luther und die Mystik: I. Asheim (Anm. 157) 60–83 und H. A. Oberman, «Iustitia Christi» and «Iustitia Dei»: I. Asheim 22–26, vor allem in den Anmerkungen.

Dieses mystische «Erbe» in der lutherischen Tradition ist von der Aufklärung und vom Liberalismus zerstört worden. Noch lange nach Luther hat man in den deutschen und skandinavischen lutherischen Kreisen die Werke Taulers weiterhin gelesen. In Abkehr von der lutherischen und reformierten Orthodoxie wirkt dieses Gedankengut im Pietismus und über die böhmischen Brüder und die Brüder Wesley im Methodismus und in verschiedenen Strömungen des Weltprotestantismus nach. Man wird nie genug darauf hinweisen können, wie sehr die Aufklärung und der Liberalismus reformatorische Grundanliegen verdeckt haben, die in der heutigen aktualistischen und barthschen Reaktion wohl in der Radikalität der ursprünglichen Inspiration, nicht aber auch im ganzen ursprünglichen Reichtum wiedergefunden wurden.

cc. Der Augustinismus und Luther

Durch die Bulle «Licet Ecclesiae catholicae» vom 4. April 1256 vereinigt Papst Alexander IV. verschiedene Gruppen von Eremiten oder Halberemiten und Regularkanonikern zu *einem* Orden, der – nach dem Muster der Mendikantenorden – einer einzigen Regel untersteht: der des hl. Augustinus. Im Jahr 1290 werden vom Generalkapitel zu Regensburg die Konstitutionen festgelegt, nachdem das Generalkapitel von 1287 die Lehre des Aegidius von Rom zur verbindlichen Ordensdoktrin erklärt hatte. Sie stellt eine eigentümliche Synthese zwischen dem Thomismus und dem mittelalterlichen Augustinismus dar. Im 14. und 15. Jh. gerät der Orden wie die anderen theologischen Strömungen unter den Einfluß der «via moderna». Der Vorkämpfer für diese neue Richtung ist Gregor von Rimini, dessen Verhältnis zum Nominalismus umstritten ist, wie bereits gesagt wurde. Gregor leitet eine theologische Richtung ein, in der sich die historisch-kritische Haltung der «via moderna» mit einer Erneuerung der Theologie Augustins verbindet. Im Lauf dieser beiden Jahrhunderte gehen die Augustiner immer mehr dazu über, Augustin im Originaltext zu studieren.[201] Auf seinen Spuren lösen sie sich von der scholastischen Terminologie und kommen zu einer der Bibel näher stehenden Sprache. Auch finden sich Einflüsse der Schule Hugos von St. Viktor sowie eine von den Regularkanonikern übernommene mystische Tendenz, die neuplatonisches Gedankengut enthielt, das Augustin nicht fremd war. Zu Beginn der Renaissance wenden sich denn

---

Vgl. auch D. C. Steinmetz, Misericordia Dei. The Theology of Johannes Staupitz in its Late Mediaeval Setting (Leiden 1968) 160–164 sowie die Behauptung von F. Lau: «In Staupitz begegnete Luther der Welt der deutschen Mystik, der Mystik des 14. und 15. Jh.s» (Luther [London 1963] 60). Zu einem Gesamtüberblick über die augustinische Spiritualität vgl. A. Zumkeller, Die Lehrer des geistlichen Lebens unter den deutschen Augustinern vom 13. Jh. bis zum Konzil von Trient: Sanctus Augustinus vitae spiritualis magister: Settimana internazionale di spiritualità agostiniana II (Rom 1956) 239–337, über Johannes von Staupitz S. 325–330.

[201] D. Trapp, Augustinian Theology of the 14th Century: Augustiniana 6 (1956) 146 bis 274; vgl. 182–190 (Reserven gegenüber der Deutung Gregors von Rimini); N. Merlin, Grégoire de Rimini: DThC VI/2 (1920) 1852 ff; G. Leff, Gregory of Rimini (Manchester 1961), vor allem 235–242.

auch Aegidius von Viterbo und in den ersten Jahren auch der so bedeutende Girolamo Seripando einem gewissen Platonismus zu, der damals in den geistlichen Kreisen Italiens Mode war. Sie sind nicht spekulativ, sondern mehr auf das Konkrete
und besonders auf die Seelsorge ausgerichtet.[202]

Bekanntlich hat Seripando, der damals General seines Ordens war, auf die
Rechtfertigungsdebatten am Konzil von Trient 1546–47 einen entscheidenden Einfluß ausgeübt. Er verfaßte das erste Schema über die Rechtfertigung,
das zur Diskussionsgrundlage genommen wurde. Er war während dieser
ganzen Zeit der ergebene Mitarbeiter des Kardinals Cervini.[203] Er hatte
jedoch sowohl als Ordensgeneral wie als Konzilsvater eine schwierige Stellung. Luther gehörte seinem Orden an und mehrere Mitglieder seines Ordens waren mit diesem in die Reformation abgewandert. So mußte er sich
gegen das Mißtrauen des Papstes und verschiedener Konzilsväter wehren,
für die seine Theologie stark in die Nähe dessen rückte, was Luther behauptete. Seripando mußte es sich deshalb angelegen sein lassen, Vertreter der
augustinischen Überlieferung außerhalb seines Ordens zu finden. Wir stoßen bei ihm auf Zitate aus Werken des Petrus Lombardus, Thomas v. A.
und zeitgenössischer Autoren wie der Kardinäle Contarini und Cajetan, der
Doktoren Albert Pigge von Utrecht, Johannes Gropper von Köln und
Julius Pflug, Bischof von Naumburg.

Die Theologie Seripandos hat ihre Vorläufer. Es ist jedoch äußerst schwierig, der
theologischen Entwicklung innerhalb des Augustinerordens im 14. und 15. Jh.
nachzugehen.[204] A. Stakemeier hat versucht, einige Aspekte dieser Entwicklung
aufzuzeigen, die erkennen lassen, welche Rolle Seripando und seine Mitaugustiner
als eine sehr wichtige Minderheit während des Konzils von Trient gespielt haben.[205] Es handelt sich, wie der Titel seines Forschungsberichtes zu Recht andeutet,
tatsächlich um einen «Kampf um Augustin», um eine bedeutsame Krise im christlichen Bewußtsein des Westens, der mit dem Doctor gratiae nicht mehr ganz zu-
rechtkam.

Es sind nun wenigstens einige wichtige Punkte zu vermerken, in denen die
Augustiner – von Gregor von Rimini bis zu Seripando – von der scholastischen Lehrmeinung abwichen. Wir können uns dabei selbstverständlich

[202] A. Zumkeller, Dionysius de Montina. Ein neuentdeckter Augustinertheologe des
Spätmittelalters = Cassiciacum X/2, 3. Bd. (Würzburg 1948); E. Stakemeier, Der Kampf
um Augustin und die Augustiner auf dem Tridentinum (Paderborn 1957) 22–78; H. Jedin,
Girolamo Seripando. Sein Leben und Denken im Geisteskampf des 16. Jh.s (Würzburg
1937) I, 43–80; II, 257 ff.

[203] H. Jedin aaO. I, 354–426; ders., Geschichte des Konzils von Trient II (Freiburg
i. Br. 1957) 104–164; 201–268.

[204] H. Jedin, Girolamo Seripando I, Vorwort VIII f; II, 258.

[205] E. Stakemeier aaO. 22–78.

nicht auf Einzelheiten einlassen.[206] In seinen antipelagianischen Schriften lehrt Augustin, Gott prädestiniere nur die Auserwählten in einem rein gnadenhaften Akt, er prädestiniere sie zum Glauben, womit jegliche Gerechtigkeit vor Gott beginne. Bezeichnenderweise läßt Seripando in das Kapitel 7 über die Rechtfertigung den Glauben und die Taufe als werkzeugliche Ursachen der Rechtfertigung einfügen.

Die Konkupiszenz ist nicht nur ein «reatus culpae», sondern, wie schon Gregor von Rimini sagt, eine «carnalitas», ein positiver Antrieb zum Bösen, der es uns verunmöglicht, ohne die Gnade etwas Gutes zu tun. Man stützt sich dafür auf die klassischen Texte: Is 64,5 f («pannus menstruatae»), Röm 8,18, weniger auf 1 Kor 1,30. Die Taufe rechtfertigt uns, indem sie uns von den Folgen der Konkupiszenz befreit. Diese bleibt indes aktiv, auch wenn sie uns nicht mehr «imputiert» wird. Deswegen kann unsere gnadenhafte Heiligkeit, die sich in den Werken äußert («iustitia operum»), in diesem Leben nie ganz vollkommen sein. Favaroni spricht denn auch nie von der Unvollkommenheit der «iustitia inhaerens», wohl aber vom bedeutsameren Ungenügen der «iustitia operum». Erst der Tod befreit uns endgültig von den Wirkungen der Konkupiszenz. Simon Fidati von Cassia († 1348) führt in diesem Zusammenhang 1 Kor 4,4 an.

Auf Grund dieser Positionen waren die Augustinisten genötigt, die Lehre von einer doppelten Gerechtigkeit zu verteidigen, dies besonders zu einer Zeit, in der die scholastischen Theologen die Lehre von der geschaffenen Gnade durch die Dialektik der «potentia absoluta» und der «potentia ordinata» ihres Sinns beraubt hatten. Einzig die Gerechtigkeit Christi ist vollkommen und kann wirklich das Heil verdienen. Die Augustinisten leugnen die Lehre über den Habitus der geschaffenen Gnade und über das ewige Leben als Gnadenverdienst nicht, setzen aber den Akzent auf die Verdienste Christi, die uns bei unserem Tod zugute kommen. Bei Gregor von Rimini entdeckt man bereits eine gewisse Verbindung zwischen der Lehre des Duns Scotus über die Akzeptation durch Gott und der Doktrin über die zweite Gerechtigkeit, die uns nach unserem Tode zuteil wird. Ägidius von Viterbo († 1490), Lehrmeister Seripandos und begeisterter Platoniker, bringt diese Verbindung dann deutlich zum Ausdruck.

Es ist bemerkenswert, wie die Augustinisten in dieser Sicht eine Neuinterpretation der schon erwähnten Position des Petrus Lombardus herausfinden. Die Taufe verleiht uns die geschaffene Gnade, die in Form eines Habitus eingegossenen Tugenden des Glaubens und der Hoffnung sowie die geschaffenen Gaben. Auf dieser Ebene bleibt unser christliches Tun unvollkommen. Dazu tritt die christliche Liebe, die nicht eingegossen wird, sondern auf einer unmittelbaren Bewegung durch den Heiligen Geist beruht. Diese Bewegung ist «primo et principaliter» das Prinzip unserer

[206] Ebd.

Heiligkeit im Kampf gegen die Konkupiszenz. Diese Deutung findet sich schon bei Agostino Favaroni († 1443), der auch Augustinus Romanus genannt wird.

Die Zeitgenossen gewahren bei Seripando auch einen platonischen Einfluß. Die geschaffene Welt kann nicht vollkommen sein, und selbst die geschaffene Gnade als Teilhabe an der Heiligkeit Christi bleibt unvollkommen. Am 16. Oktober 1546 kommt Salmeron auf der Vollversammlung des Konzils deutlich darauf zu sprechen.[207] Wie Stakemeier betont, stand Seripando auch in seiner Lehre über das Verhältnis von Leib und Seele (Leib als Kerker der Seele) unter platonischem Einfluß.[208]

Es bleibt die Frage nach dem Einfluß des Augustinismus auf Luther. A. V. Müller hat die Tatsache dieses Einflusses 1912 bejaht.[209] Er hat aber seine Thesen mit solcher Aggressivität vorgetragen, daß sie auf protestantischer und katholischer Seite Widerspruch fanden.[210] Heute läßt sich die Tatsache einer solchen Beeinflussung nicht mehr bezweifeln. Selbst wenn es wenig wahrscheinlich ist, daß Luther während seines Romaufenthaltes mit Seripando zusammengetroffen ist, so hat er sich sicherlich mit Inbrunst in die Werke Augustins vertieft. Wie groß der Einfluß ist, läßt sich bei der Spärlichkeit der Quellen, die über die augustinistische Denkrichtung berichten, nicht ausmachen. Bekanntlich nimmt Luther nur einen einzigen Autor von seiner globalen Verurteilung der Scholastik aus: Gregor von Rimini.[211] So möchten wir uns vorläufig der Meinung H. A. Obermans anschließen, der diesen Einfluß so charakterisiert: Luther hat die Bibel mit den Augen und dem Herzen Augustins gelesen.

[207] «Quarto argumentor ex absurdo... Quorum primum est, quia contra omnem rectam rationem et philosophiam est, rem esse aut denominari talem per causam meritoriam seu per formam extrinsecam, quae rei non inhaereat. Hoc enim ut Platonicum inventum confutat non semel Aristoteles, et omnes, quotquot bene philosophantur.» St. Ehses, Zwei Tridentiner Konzilsvota: Röm. Quartalschrift 27 (1913) II. Geschichte, 162*. Vgl. E. Stakemeier aaO. 61 ff.

[208] E. Stakemeier aaO. 63–66.

[209] A. V. Müller, Luthers theologische Quellen (Gießen 1912). Zu seinen weiteren Aufsätzen vgl. E. Stakemeier ebd. 241, Anm. 15 f.

[210] Vgl. dazu die Bemerkungen von J. Paquier in Revue de Philosophie 30 (1923) 198; ders., Le commentaire de Giles de Viterbe sur le premier livre des Sentences: RSR 13 (1928) 293–312; 419–436; ders., Luther, II. Théologie, III. Influence de l'Augustinisme: DThC IX/1 (1926) 1195–1206.

[211] «Certum est enim Modernos, quos vocant, cum Scotistis et Thomistis in hac re (id est libero arbitrio et gratia) consentire, excepto uno Gregorio Ariminense, quem omnes damnant, qui et ipse eos Pelagianis deteriores esse et recte et efficaciter convincit. Is enim solus inter scholasticos recentiores cum Carolostadio, id est, Augustino et Apostolo Paulo consentit.» (Resolutiones lutherianae super propos. Lipsiae disp., 1519: WA 2, 394f).

dd. Schlußfolgerungen

Wir beschränken uns hier auf Punkte, die besonders die Gnadenlehre betreffen, da auf die reformatorische Lehre von der Prädestination und der Rechtfertigung im nächsten Kapitel eingegangen wird. Luther und Calvin haben sich zweifellos zumeist geweigert, die scholastische Formulierung der Gnadenlehre mit ihrer ontologisch-essentialistischen Begrifflichkeit zu übernehmen. Sie haben die Gnadenlehre wieder in ein wesentlich biblisches und augustinisches Bezugssystem zurückversetzt. Mit aller Vorsicht könnte man von einer aktualistischen Denkform sprechen. Um das Mysterium der Gnade auszudrücken, zieht Luther das Bild vom «Reiter und Roß» dem Begriffspaar «Materie und Form» bei weitem vor.[212] Doch haben wir bereits gesehen, daß die großen Theologen der Kirche von Augustin an über Thomas v. A. bis zu Duns Scotus stets ein gewisses Aktualitätsmoment in ihr Gnadenverständnis einbrachten, indem sie diese als Bewegung durch Gott auffaßten. Erst die Epigonen haben Vorstellungen vorgezogen, die sie einer statischen Metaphysik entnahmen. Darum entscheiden wir uns dahin, dieses Bezugssystem vorzulegen, wie es in jüngster Zeit durch H. A. Oberman und E. Iserloh erforscht worden ist.[213]

Dieser methodologische Ansatz konfrontiert uns freilich mit schweren Problemen der dogmatischen Hermeneutik. Wie weit ist Luther von den Katholiken seiner Zeit und namentlich vom Konzil von Trient verstanden worden? Das Problem des Lutherverständnisses stellt sich heute sowohl auf katholischer wie auf protestantischer Seite. Man hat den Eindruck, daß manche heutige Autoren entweder nur den von der Orthodoxie in ein System gebrachten oder den von Aufklärung und Liberalismus ausgehöhlten oder schließlich den vom existentiellen Aktualismus radikalisierten Luther kennen. Wir möchten unsere Position, die wir ausführlich dargelegt haben, abschließend an einem konkreten Beispiel verdeutlichen. Christus ist für uns «sacramentum et exemplum». Auf diese Interpretation des Erlösungswerkes Christi ist Luther wahrscheinlich bei Augustin in De Trin. IV, 3 gestoßen.[214] Nach E. Iserloh ist bei Luther von 1509–1540 davon die Rede. In einer recht breiten und einigermaßen verwickelten Darlegung zeigt Augustin, wie Christus unser Fleisch angenommen hat, um sich in diesem

---

[212] H. A. Oberman, «Iustitia Christi» and «Iustitia Dei» aaO. 21. Vgl. B. Lohse, Die Bedeutung Augustins für den jungen Luther: KuD 11 (1965) 116–135.

[213] H. A. Oberman aaO.; ders., Luther and the Scholastic Doctrines of Justification: Harvard Theol. Review 59 (1966) 1–26; E. Iserloh, Sacramentum et exemplum. Ein augustinisches Thema lutherischer Theologie: Reformata Reformanda I (Münster 1965) 247 bis 264. Dasselbe Thema war schon behandelt worden von A. Hamel, Der junge Luther und Augustin I (Gütersloh 1934) 23 und von W. Jetter, Die Taufe beim jungen Luther (Tübingen 1954) 136–142. Vgl. den Exkurs: Die Geschichte Christi als Sakrament und Exempel: ebd. 143–159.

[214] Augustinus, De Trin. IV, 3: PL 42, 889–892.

Fleisch dem Tod, der Strafe für die Sünde, auszuliefern, und wie er in diesem Fleisch als Sakrament unseres Heils auferweckt wurde. Infolge seiner Vorliebe für die «theologia crucis» setzt Luther den Akzent auf den Tod Christi, ohne deshalb seine Auferstehung außeracht zu lassen. Der Christ hinwieder, führt Augustin weiter aus, muß zweimal in Christus sterben: erstens muß er der Sünde absterben und zweitens muß er seinen leiblichen Tod als Strafe für die Sünde auf sich nehmen. Er muß ebenfalls zweimal auferstehen: in der Befreiung von der Sünde und in der Auferstehung des Leibes. Die Passion Christi ist somit für uns zunächst ein «sacramentum», bevor sie zu einem «exemplum» im täglichen Leben wird. Luther greift diesen Gedanken wiederholt auf und beläßt ihm dabei sein ganzes Gewicht.

Christus ist in seiner Passion vor allem das «sacramentum» des Heils. Luther nimmt dabei «sacramentum» im strengen Sinn, d.h. sowohl «exemplariter» als auch «causaliter». Die von Iserloh zusammengestellten Aussagen Luthers lassen hierüber keinen Zweifel. Luther denkt somit nicht an eine informative Funktion des Zeichens als solchen noch an eine moralisierende oder psychologische Funktion. Es handelt sich nach ihm um ein verborgenes Mysterium, um den «fröhlichen Wechsel», worin die «iustitia Christi» zu unserer Gerechtigkeit wird: Wir sterben in seinem Tod und werden wahrhaft auferweckt in seinem Leben. Dieses «sacramentum», das Christusmysterium in seiner soteriologischen Sichtbarkeit, faßt mehr in sich als lediglich die Sakramente der Kirche, die übrigens nicht davon ausgenommen sind, vor allem nicht die Eucharistie. Das Mysterium bezieht sich auf das ganze Leben Christi, vor allem auf die Wunder, die ihre Vollendung im erhabensten Wunder seines Todes finden. Daraus erhellt ohne weiteres, daß Luther in diesen Reichtum des «sacramentum Christi» auch den Dienst am Wort einbeziehen kann, der uns dieses Mysterium in seiner ganzen Wirksamkeit vorlegt, in einer Wirksamkeit, an der Bibel und Verkündigung teilhaben. Man versteht auch, daß für Luther die tropologische Psalmeninterpretation kein müßiges Spiel ist. Da sich die Psalmen auf Christus anwenden lassen, lassen sie sich auch auf die Christen übertragen, die mit Christus mystisch eins sind.

Auf solche Weise ist Luther über die Verarmung der nominalistischen Sakramententheologie hinausgekommen, indem er auf seine Weise zum Reichtum der Patristik zurückgefunden hat.[215] Er gibt auch die von Anselm überkommene Satisfaktionstheorie auf und erneuert gewisse Auffassungen von

---

[215] Zu Augustinus vgl. vor allem C.Couturier, «Sacramentum» et «Mysterium» dans l'œuvre de saint Augustin: Etudes Augustiniennes = Théologie 28 (Paris 1953) 161–274. Zu Thomas vgl. oben Anm. 140. Thomas verbindet die «efficacia passionis Christi», was die Sakramente betrifft, mit der «fides Ecclesiae». Dieses Denken findet sich noch bei Gabriel Biel: «Concurrit etiam fides ecclesiae, dum ministrantur (sacramenta): per quam sacramenta aliquo modo *continuantur* passioni Christi, tamquam causae minus principales sive instrumentales causae principali meritoriae, et deo tamquam causae principaliori efficienti...» (In IV Sent.d.1 q.2 dub.2 und dub.4). Zu Thomas vgl. III q.49 a.3 ad 1;

der Erlösung, die sich bei den Vätern finden. Sobald in unserer Rechtfertigung durch Christus dieses Mysterium in uns zur Wirklichkeit geworden ist, kann Christus wirklich zu unserm «exemplum» werden und somit unsere «opera fidei» bestimmen oder inspirieren.[216]

Anders als Iserloh verlegt sich H. A. Oberman mehr darauf, einige lutherische Grundkategorien zu erheben und ihren genauen Sinn zu ermitteln: das «pro nobis», das an die Stelle des «in nobis» der Mystiker tritt,[217] und das «extra nos» der Rechtfertigung im Sinne Luthers, das nichts anderes besagt, als daß nichts uns diese Rechtfertigung verdienen kann.[218] Oberman widersetzt sich somit der früher gängigen Interpretation, wonach Luther die Rechtfertigung als bloß imputiert und äußerlich aufgefaßt hätte. Er scheint ein Stück weit den anglikanischen Begriff «impartition» dem der «imputatio» vorzuziehen.[219] Mit Luther schließt er, daß unser Glaube nicht von der Liebe, sondern von Christus informiert ist, sodaß man das Denken Luthers mit der Formel wiedergeben könnte: «fides (a) Christo *pro nobis* formata *extra nos*.»[220]

q. 49 a. 5; q. 62 a. 6; De Veritate q. 29 a. 7 ad 8. Besonders stark ist die Formulierung: «Fidei efficacia non est diminuta (in NT), cum omnia sacramenta ex fide efficaciam habent» (In IV Sent. d. 1 q. 2 a. 6 sol. 2 ad 3). Bonaventura hat diesen ganzen Denkstrom in die schöne Formulierung eingefangen: «Virtus nos reparans est virtus totius Trinitatis, quam sancta Mater Ecclesia credit in anima, confitetur in verbo et profitetur in signo» (Brev. VI, 7: Ausg. Quaracchi V, 271 f). Vgl. L. Villette. Foi et Sacrement II (Paris 1964) 13–82 (Lit.); O. H. Pesch aaO. 793–808.

[216] Wir führen einen einzigen charakteristischen Text an: «De his duobus B. Augustinus lib. trin. c. 4 dicit, quod vita Christi est simul sacramentum et exemplum, sacramentum primo modo, dum nos iustificat in spiritu sine nobis, exemplum, dum nos similia facere monet etiam in carne, et operatur cum nobis» (Disp. contra J. Eck de 1518: WA I, 309, 18–21). Wir finden in dieser Redeweise einen Widerhall der alten scholastischen Formulierungen über die Gnade in ihrem Doppelaspekt als «gratia in nobis sine nobis» und als «gratia in nobis cum nobis».

[217] H. A. Oberman, «Iustitia Christi» and «Iustitia Dei» aaO. 22.

[218] «Extra nos esse est ex nostris viribus non esse, et quidem iustitia nostra, quia donata est ex misericordia, tamen aliena est a nobis, quia non meruimus eam» (Disp. de Iust. von 1536: WA 39 I, 109). Oberman erklärt den Begriff «possessio» in unserm Zitat im Gegensatz zu «proprietas» durch einen Hinweis auf die Terminologie des römischen Rechts. Darin bedeutet «proprietas» «dominium»: «habere est iure possidere», während «possessio» sich mehr auf die Nutznießung beziehen würde, vor allem in der ehelichen Einheit (ebd. 21 f). Mit Iserloh warten wir noch auf einen überzeugenderen Beweis dafür, daß Luther sich hierin wirklich vom römischen Recht inspirieren ließ.

[219] Ebd. 25. Vgl. P. M. More-F. L. Groß (Hrsg.), Anglicanism (London 1957) 296–306. Diese Lehre ist besonders den «karolinischen Theologen» des 17. Jh.s lieb. Vgl. z. B. Richard Hooker, The Laws of Ecclesiastical Polity V, 56, 11 – ein Werk, das 1594–1597 in London veröffentlicht wurde.

[220] H. A. Oberman aaO. 24. Oberman meint, nach Ansicht aller Scholastiker und des Konzils von Trient werde uns hienieden die «iustitia Christi» im Hinblick auf die «iustitia Dei» am Ende unseres Lebens geschenkt. Dies stimmt vielleicht, doch zögern wir, uns einer Sprechweise zu bedienen, die – soweit wir sehen – in der Scholastik nicht sehr gebräuchlich war.

Selbstverständlich ist damit über die Gnadentheologie Luthers nicht alles gesagt. Man darf vor allem nicht die entscheidende dialektische Dimension des «coram Deo» und des «coram hominibus» übersehen. «Coram Deo» ist kein Verdienst gültig, sondern ist unsere Gerechtigkeit wirklich in dem von Luther vertretenen Sinn «extra nos». In der Dimension des «coram hominibus» kann man kein wirkliches Verdienst annehmen, denn von Verdienst kann nur zwischen Gott und uns die Rede sein. Bekanntlich hat Melanchthon in der Folge diese Position etwas abgeschwächt, und der «tertius usus legis» stellt sie mehr oder weniger in Frage.

Wichtig ist auch eine weitere dialektische Dimension: Das Gotteswort verurteilt uns von Grund auf. Es ist als Gesetzeswort «opus externum Dei». Doch Gottes Wort ist zugleich Evangelium. Es ist als Wort der Barmherzigkeit und der Vergebung in Christus «opus proprium Dei». So wird jeder Christ durch das Wort unablässig zu einem Menschen, der «simul iustus et peccator» ist.

Diese Lehre von der «Gnade», in reformatorischen Begriffen: diese Lehre von der Versöhnung in der Rechtfertigung und von der Heiligung durch das Wirken des Heiligen Geistes wird in einem Sprachspiel und in einem Bezugssystem formuliert, das trotz mancher Berührungspunkte von der Sprech- und Denkweise der Bischöfe und katholischen Theologen des 16. Jh. recht verschieden ist. Bei aller Kontinuität zur Vergangenheit, die wir betont haben, besteht auch eine tiefe Diskontinuität. Der Widerstand der römischen Kirche im 16. Jh. zeigt jedenfalls, daß ganze Gruppen von Gläubigen, Priestern und Bischöfen in den Positionen Luthers, Calvins und ihrer Schüler ihren Glauben in wichtigen Punkten nicht wiedererkennen konnten. Die Frage, die heute vor allem interessiert, ist die Frage, ob sich das Unvermögen gegenseitigen Verstehens auf die Verschiedenheit der Sprache und der philosophischen Substrukturen zurückführen läßt oder ob es letztlich im Inhalt des Glaubens selber begründet ist. Die Frage läßt sich nicht leicht beantworten.[221] Die nichttheologischen Gegensätze der damaligen Zeit machten eine Lösung nicht leichter. Nach einigen Jahren leidenschaftlicher Kontroversen verhärteten sich die Fronten. Das Konzil von Trient kam zu spät, um die christliche Einheit im Westen zu retten. Es vermochte nur noch, die erschütterte Einheit derjenigen Christen wiederherzustellen, die dem alten Glauben und der alten Kirche treu geblieben waren.

[221] H. Küng hat einen ersten Versuch gemacht, die diesbezüglichen Positionen der Reformation und der römischen Kirche kritisch zu analysieren: Rechtfertigung. Die Lehre Karl Barths und eine katholische Besinnung (Einsiedeln 1957). Der Brief Karl Barths, der diesem Werk vorangestellt ist, bildete keine geringe Sensation. Im Blick auf Luther wurde die Frage gründlich untersucht durch O. H. Pesch aaO. (Anm. 180).

c. Die Lehre des Konzils von Trient

In diesem Abschnitt betrachten wir zunächst die Arbeitsmethode und die ihr zugrundeliegende geschichtliche Absicht des Konzils, um dann jene Aspekte des Dekrets über die Rechtfertigung zu beleuchten, welche die Gnadenlehre enger berühren. Abschließend fragen wir nach der Bedeutung des Dekrets für die Gegenreformation und nach seiner Tragweite für die Gegenwart.

Das Rechtfertigungsdekret wurde während der ersten Sitzungsperiode des Konzils vom 21. Juni 1546 bis zur feierlichen Sitzung vom 13. Januar 1547 diskutiert. Wir haben hier nicht über die Ereignisse zu berichten, die sich während dieser Zeit sowohl außerhalb als innerhalb der Stadt Trient abspielten.[222] Auch ist es uns unmöglich, die Entstehungsgeschichte der Texte im einzelnen zu verfolgen.[223] Im übrigen werden die Fragen der Prädestination, der Rechtfertigung und der Heiligung im besonderen im nächsten Kapitel besprochen.

Zu welcher Arbeitsmethode entschied sich das Konzil im Jahre 1546? Wie die Geschichte zeigt, legt sich jedes Konzil sein eigenes Verfahren zurecht, wobei es sich vor allem von dem inspirieren läßt, was seine Teilnehmer über die Arbeitsmethoden früherer Konzilien wissen. Papst Paul III. und die römische Kurie, hierin von den meisten Legaten zu Trient unterstützt, wollten so schnell als möglich eine klare, knappe und nicht fachtechnisch gehaltene Darlegung der katholischen Überlieferung unter Respektierung der innerkirchlichen Meinungsverschiedenheiten erstellen. Zudem beabsichtigten sie, eine Reihe der wichtigsten Lehrpunkte zu formulieren, in denen sich die Reformation von dieser Überlieferung entfernte.[224] Im Lauf der

---

[222] Luther starb am 18.2.1546. Der Schmalkaldische Krieg brach aus. Im Zusammenhang damit versuchte man im Sommer 1546 das Konzil nach Bologna oder anderswohin zu verlegen. Dies führte zu neuen Spannungen zwischen dem Papst und den Legaten und zwischen dem Papst und dem Kaiser. Im Konzil kam es zu einem scharfen Zusammenstoß zwischen den Kardinälen Pacheco und Madruzzo von der kaiserlichen Partei und dem Konzilspräsidenten Kardinal Del Monte. Vgl. H. Jedin, Geschichte II, 165–200 und 220–237.

[223] J. Hefner, Die Entstehungsgeschichte des Trienter Rechtfertigungsdekretes (Paderborn 1909); H. Rückert, Die Rechtfertigungslehre auf dem tridentinischen Konzil (Bonn 1925); H. Jedin, Girolamo Seripando I, 354–426; ders., Geschichte II, Kap. 5, 7f (Lit.). Vgl. auch E. Stakemeier, Die theologischen Schulen auf dem Trienter Konzil während der Rechtfertigungsverhandlungen: ThQ 117 (1936) 188–207; 322–350.

[224] Diese Absicht des Papstes war der wichtigste Streitpunkt zwischen dem Papst und dem Kaiser. Der Kaiser hatte das Konzil in seinen großen Wiedervereinigungsplan für seine Staaten miteinbezogen. Darum sollte nach seiner Ansicht das Konzil sich mit der Reform der Kirche «in capite et in membris» befassen und sich jeder mit einem Anathem versehenen Lehrverurteilung enthalten, welche die Meinungsverschiedenheiten, die zwischen den Protestanten und den Katholiken bestanden, verewigen würde. Die Legaten trafen einen Kompromiß: Jede dogmatische Session sollte mit einer Diskussion über einen bestimmten Punkt der Kirchenreform verbunden werden. 1546 war dieser Punkt die zwischen römischer Kurie und den Bischöfen umstrittene Frage der Residenzverpflichtung der Bischöfe. Vgl. H. Jedin, Geschichte II, 106–112.

vorangegangenen Diskussionen – namentlich in denen über die Erbsünde – war man übereingekommen, die positive Darlegung der katholischen Überlieferung und die Verurteilung der protestantischen Auffassungen zusammen in eine Reihe von Canones in Anathemaform zu fassen, wie dies einem alten Brauch entsprach.[225] Um bei der Arbeit schneller voranzukommen, wollte man sich vor allem auf die Aussagen früherer Konzilien stützen.[226] Nach einer kurzen Aussprache übernahm man 1547 diese Methode von neuem für die Session über die Sakramente.[227] Unter dem Druck des Papstes und gegen den Widerstand einer Minderheit beschloß man, einzig Lehren und nicht – wie dies beispielsweise das Konzil von Konstanz getan hatte – Personen zu verurteilen.

Für das in der sechsten Session zu behandelnde Dekret über die Rechtfertigung aber reichte diese Methode nicht hin. Mit Ausnahme der Konzilien von Karthago (418) und von Orange (529)[228] hatten Kirchenversammlungen nur selten Gnadenprobleme behandelt. Wie die vorausgehenden Darlegungen gezeigt haben, herrschte vor dem Tridentinum in der Kirche selbst innerhalb der Orden eine viel größere Denkfreiheit,[229] weshalb das Konzil nicht über ein Lehrcorpus verfügte, das so kohärent gewesen wäre, daß man es den Positionen der Reformation hätte entgegenstellen können. Schon bei der Eröffnung der Diskussionen erklärte Kardinal Cervini, der die dogmatischen Erörterungen größtenteils zu leiten hatte, daß sozusagen alles noch zu leisten sei. Das war wahrscheinlich auch der Grund, weshalb man auf seine und Seripandos Initiative hin zu einem neuen Arbeitsmodus überging, an den sich auch die späteren Sessionen hielten. Das Konzil legte in einem geordneten, zusammenhängenden, in *capita* eingeteilten Text eine Gesamtschau der katholischen Lehre vor und fixierte in den darauffolgenden Canones die zu verurteilenden und mit dem Anathem zu belegenden Lehrpunkte der Reformation. Zu dieser Zeit hatte das Anathem noch die Geltung einer Exkommunikation, die zumindest diejenigen betraf, welche die verurteilten Lehren hartnäckig öffentlich verteidigten.

[225] DS 1510–1516.

[226] H. Jedin, Geschichte II, 104ff. 112. 119f. 125. 135f.

[227] P. Fransen, Wording en strekking van de canon over het merkteken te Trente: Bijdragen 32 (1971) 2–34 (vor allem 4–8 und 15–26).

[228] Das Konzil von Karthago galt damals als das von Innozenz I. bestätigte Konzil von Mileve. Vgl. P. Fransen, Echtscheiding na echtbreuk van een der gehuwden: Bijdragen 14 (1953) 363–387 (vor allem 373f und Anm. 59). Die Dekrete des II. Konzils von Orange waren 1538 von P. Crabbe veröffentlicht worden in der von ihm bearbeiteten Ausgabe der Concilia omnia, tum generalia quam particularia (Köln 1538) 339ᵛ–341ʳ. Zur Verwendung dieser Ausgabe auf dem Konzil vgl. H. Jedin, Geschichte I, 561, Anm. 146 und II, 52. 464–470. 526.

[229] H. Jedin bemerkt, daß man die Meinungen der Theologen nicht immer nach den in ihren Orden herrschenden traditionellen theologischen Positionen einteilen kann, obwohl ein Bischof dem Konzil den Vorschlag machte, jeden Theologen seine Meinung in Gegenwart seines Ordensgenerals darlegen zu lassen. Vgl. H. Jedin aaO. II, 149f. 211. 475.

Unter diesen Umständen wäre es angebracht gewesen, sich vor jeder Diskussion innerhalb des Konzils über die Lehren der Reformatoren genau in Kenntnis zu setzen. Schon vor dem Konzil hatte Dr. Johannes Fabri, der bald darauf Bischof von Wien wurde, von den Nuntien Alexander und Vergerio hierin unterstützt, Papst Paul III. – leider vergeblich – zu bewegen versucht, eine Sonderkommission in Rom einzusetzen und ihr die notwendigen Geldmittel zur Verfügung zu stellen, um daselbst eine möglichst reichhaltige Bibliothek mit den Schriften der Reformatoren zusammenzustellen.[230] Gleich bei der Eröffnung der Debatten über die Rechtfertigung bestanden die Kardinäle Pole und Pacheco in der Generalkongregation darauf, daß eine solche Kommission in Trient selbst geschaffen würde.[231] Ihre Bemühungen blieben zunächst erfolglos. Erst im Dezember 1546, also gegen Ende der Diskussionen über die Rechtfertigung, beauftragte Cervini Salmeron und Laynez, im Hinblick auf die vorgesehenen Debatten über die Sakramente ein Verzeichnis von «articuli haereticorum» zusammenzustellen.[232] Selbstverständlich hatten sich einige Theologen und Bischöfe eine gewisse persönliche Kenntnis protestantischer Werke erworben, was aber bei der Mehrheit der Teilnehmer nicht der Fall war.

Bezüglich der Rechtfertigung meinten der Papst und Cervini zunächst, sie könnten genügend Informationen den Schriften katholischer Kontroverstheologen wie J. Eck, J. Cochlaeus und F. Nausea entnehmen.[233] Überdies hatten einzelne katholische Autoren wie Cajetan, Andreas de Vega und Ambrosius Catharinus sich bereits bemüht, einen ersten Entwurf zu einer katholischen Rechtfertigungstheologie auszuarbeiten, der als Antwort auf die Positionen der Reformatoren gedacht war.[234]

Diese Arbeitsmethode und die ihr zugrundeliegende Intention des Konzils sind äußerst wichtig, um herauszufinden, was das Tridentinum eigentlich wollte, und um mit aller historischer Redlichkeit zu bestimmen, welche dogmatische Tragweite es seinen Dekreten geben wollte. Heute haben eine abstrakte und oft mystifizierende Theologie des Lehramtes und eine ahistorische Lesung der Dekrete in den theologischen Handbüchern und sogar in der Praxis der römischen Kongregationen eine sententia communis gebildet,

---

[230] Th. Freudenberger, Zur Benützung des reformatorischen Schrifttums am Konzil von Trient: R. Bäumer (Hrsg.), Von Konstanz nach Trient. Beiträge zur Kirchengeschichte in den Reformkonzilien bis zum Tridentinum (Paderborn 1972) 577–601 (vor allem 577 bis 583). Vgl. H. Jedin aaO. II, 400 f; A. Hasler, Luther in der katholischen Dogmatik (München 1968) 276–292.

[231] Th. Freudenberger aaO. 584–587; 601.

[232] Ebd. 587–593. Freudenberger spricht auch von einer privaten Liste Seripandos. Anläßlich unserer Forschungen über das Sakrament der Ehe haben wir festgestellt, daß sich die Konzilsväter während der dritten Konzilsperiode, 1562, bemühten, die Canones von mehr oder weniger ausführlichen Zitaten aus den Werken der Reformation her zu formulieren. Vgl. P. Fransen, Die Formel «si quis dixerit Ecclesiam errare» ... der 24. Sitzung des Trienter Konzils: Scholastik 25 (1950) 492–517; 26 (1951) 191–221.

[233] Th. Freudenberger aaO. 583 und 588. Vgl. H. Jedin, Geschichte II, 141.

[234] H. Jedin, Geschichte II, 141 f und 473 f.

wonach alle Canones des Tridentinums Glaubensdefinitionen wären und alles, was im Lehrteil, vor allem des Rechtfertigungsdekrets, *in recto* gesagt wird, dieselbe dogmatische Geltung und Tragweite hätte.

Es ist hier nicht der Ort, um durch eine historische Quellenanalyse zu beweisen, daß diese Interpretation irrig ist. Mehrere Autoren von heute haben dargetan, daß die Canones des Tridentinums in der Sprache von damals zwar als «Glaubensdefinitionen» verstanden wurden, die im Gegensatz zu den auf dem gleichen Konzil behandelten Reformdekreten zum Dogma gehören. Da aber die Begriffe «dogma», «fides», «haeresis» und «anathema» damals einen andern Sinn hatten, betrafen die Canones nicht notwendigerweise Wahrheiten, die formell zum Offenbarungsgut gehören.[235] Man kann sagen: Da die Canones der sechsten Session das Wesen der Erlösung in Christus und somit die Herzmitte des Evangeliums betreffen, ist es wahrscheinlich, daß mehrere Canones *de facto*, wenn auch nicht *de iure*, mit Autorität Wahrheiten «definieren», die dann von der Kirche in den folgenden Jahrhunderten formell als geoffenbart angesehen wurden.[236] Was die Interpretation der in Kapitel eingeteilten positiven Lehrdarlegung angeht, beweisen die Konzilsdebatten und sogar der Wortlaut des Prooemiums und des Schlusses dieser «Lehre»,[237] daß das Tridentinum vor allem ein zusammenhängendes Lehrganzes hervorbringen wollte, das den Katecheten und Predigern bei der Darlegung der katholischen Lehre als Leitfaden dienen könnte. Diese Deutung wird dadurch bestätigt, daß sich die Legaten im Januar 1546 bemühten, im Hinblick auf die in den italienischen Städten bevorstehenden Fastenpredigten vom Papst die Erlaubnis zu erhalten, schon vor der feierlichen Bestä-

---

[235] P. Fransen, Unity and Confessional Statements. Historical and Theological Inquiry of R.C. Traditional Conceptions: Bijdragen 33 (1972) 2–38 (Lit.).

[236] Es ist daran zu erinnern, daß zu Trient der Ausdruck «den Glauben definieren» (zumeist «fidem diffinire») vor allem besagt: «einer Kontroverse ein Ende setzen» durch einen autoritativen Akt des Lehramts, der «clavis auctoritatis», wie das Decretum Gratianum Dist. XX Pars 1 § 1 (Friedberg I, 65) das darstellte. Vgl. P. Fransen, Unity and Confessional Statements aaO. 24 f.

[237] Das Prooemium legt die Tragweite der *doctrina* so dar: «... exponere intendit omnibus Christifidelibus veram sanamque doctrinam ipsius iustificationis quam ... Christus Jesus ... docuit, Apostoli tradiderunt et catholica Ecclesia perpetuo retinuit; districtius inhibendo, ne deinceps audeat quisquam aliter credere, praedicare aut docere quam praesenti decreto statuitur ac declaratur» (DS 1520). Man kann nicht einwenden, diese doctrina schließe doch mit einer Drohung, die darauf hinzuweisen scheint, daß es sich um den Offenbarungsglauben handelt: «nisi quisque fideliter firmiterque receperit, iustificari non poterit» (DS 1550). Nach A. Lang haben wir aufgezeigt, daß *fides* nach einer damals geläufigen Formel «ea quae necessaria sunt ad salutem» implizierte, d.h. eine schwere moralische Pflicht, den Weisungen der Kirche zu folgen, ohne daß man dabei an geoffenbarte Wahrheiten im formellen, ausdrücklichen Sinn des Wortes dachte. Vgl. P. Fransen, Unity and Confessional Statements 16–22; ähnlich äußert sich diskret H. Jedin: Geschichte II, 201 f. 246 f, und 268 ff.

tigung der Dekrete durch den Papst eine offiziöse Ausgabe der sechsten Session in Druck zu geben. Doch der Papst lehnte ab.[238]

Somit handelt es sich um ein Dekret von wesentlich pastoralem Charakter, das freilich durch das Gewicht der Autorität eines allgemeinen Konzils gestützt wird. In einem gewissen Sinn gilt das gleiche auch von den Canones, die indes mehr das damalige Verständnis der reformierten Positionen auf katholischer Seite als die persönlichen Auffassungen Luthers, Calvins und der andern Reformatoren zum Ausdruck bringen. Dies ist weder verwunderlich noch etwas Ungewohntes. Das Lehramt ist einzig für den *öffentlichen* Ausdruck des Glaubens in Lehre und Tun zuständig, d. h. für die konkrete Auswirkung, die bestimmte Ideen in einer gegebenen theologischen und religiösen Situation auf die Christengemeinde haben können.[239] Jedenfalls darf man keineswegs annehmen, wie man das in den letzten Jahrhunderten beständig getan hat, daß das Tridentinum zu den auf seinen Sessionen behandelten Fragen eine vollständige Glaubensdarlegung geben wollte.[240] Im übrigen kam es 1546 nicht mehr so sehr auf die persönlichen Auffassungen der einzelnen Reformatoren an, als vielmehr auf die Gesamtheit der Lehren und Lebensformen, die sich seit zwei Jahrzehnten in den protestantischen kirchlichen Gemeinschaften herausgebildet hatten. Das Problem, das uns heute am meisten interessiert, die Frage nämlich, was Luther und die andern Reformatoren religiös zutiefst wollten, war damals durch die Geschichte bereits überholt worden, da sich die Ideen und die Lebensformen in den beiden Konfessionsgruppen bereits so sehr polarisiert hatten, daß man nicht auf eine baldige Aussöhnung hoffen durfte. Die wenigen Wiedervereinigungsversuche, die im Jahr 1546 unternommen wurden, zeigen in ihrer Tragik, wie tief der Graben bereits geworden war.[241]

---

[238] H. Jedin, Geschichte II, 267 f.

[239] Wir können hier nicht die theologischen und geschichtlichen Gründe für unsere Interpretation darlegen. Vgl. P. Fransen, Unity and Confessional Statements 34–38. Zu einer guten Kritik der sog. «sententia communis» vgl. B. Sesboüé, Autorité du Magistère et vie de foi ecclésiale: NRTh 93 (1971) 337–359.

[240] Dies ist für alle Erforscher der Konzilsakten klar. Zu einer allgemeinen Bewertung der Natur der Glaubensdefinitionen vgl. die ausgezeichneten Ausführungen von M.-D. Chenu, Introduction à la Théologie: RSPhTh 24 (1935) 705–707. Auch heute beachtenswert sind die Ausführungen des Bischofs Gasser vor der Definition der päpstlichen Unfehlbarkeit von 1870: «... Secundo non sufficit quivis modus proponendi doctrinam, etiam dum Pontifex fungitur munere supremi pastoris et doctoris, sed requiritur intentio manifesta *definiendi* doctrinam, seu fluctuationi finem imponendi circa doctrinam quamdam seu rem definiendam, dando definitivam sententiam, et doctrinam illam proponendo tenendam ab Ecclesia universali» (Coll. Conc. XVI, 1225 C).

[241] H. Jedin, Geschichte II, 165–177 schildert das zweite Regensburger Religionsgespräch vom Sommer 1546, die Haltung Luthers gegenüber dem Konzil kurz vor seinem Tode und die erbitterte Polemik zwischen Katholiken und Protestanten im Zusammenhang mit der Ermordung des Protestanten Juan Diaz am 27. März 1546. Die Atmosphäre war für eine Rekonziliation nicht günstig, man denke nur an den Schmalkaldischen Krieg.

Wenn wir nun die Frage nach der Gnadenlehre auf dem Tridentinum aufgreifen, möchten wir zunächst einige Einzelpunkte hervorheben, die uns wichtig scheinen, weil sie in den Handbüchern der Dogmatik oft simplifiziert werden. Nach einer fest vereinbarten Verhaltensregel[242] wollte das Tridentinum weder für die Thomisten noch für die Skotisten, die damals leicht in der Überzahl waren, Partei nehmen.[243] Es machte sich unparteiisch beide Interpretationen, die vertreten wurden, zu eigen: die Gnade als habitus infusus, von dem die theologalen Tugenden und die Geistesgaben ausgehen, oder dann die habituelle Gnade, die mit der christlichen Liebe identisch ist.[244] Gegen Ende der Debatten diskutierte man kurz darüber, ob das Kapitel 6 mit *De actibus* und das Kapitel 7 mit *De habitibus* zu betiteln sei, was abgelehnt wurde.[245] Damit ist klar erwiesen, daß in der römisch-katholischen Kirche kein offizielles lehramtliches Dekret einen katholischen Theologen verpflichtet, den Gnadenstand als eingegossenen geschaffenen habitus zu definieren.

Wie antwortet das Konzil auf die Frage nach der *Rolle des Glaubens?* Die Skotisten betrachteten den Glauben eher als Beginn der Disposition auf die Rechtfertigung, während die Thomisten in ihm den Akt sahen, in welchem die Rechtfertigung «ergriffen» wird, wobei sie selbstverständlich an die fides caritate formata, an den von Liebe beseelten Glauben dachten. Auf Drängen Seripandos setzte sich das Konzil über diese Schulunterschiede hinweg, um zur Botschaft der Bibel und damit zu den Fragen überzugehen, die Luther an die Kirche gestellt hatte. Seripando wurde in diesem Punkt besonders durch Kardinal Cervini unterstützt, der an das Konzil die Frage zu stellen wagte: «Wie hat die Kirche das Wort *sola fide* bei Paulus verstanden?»[246] Das Ergebnis war, daß der Glaube wieder als Instrumentalursache der Rechtfertigung eingeführt wurde.[247] Das Konzil widmete diesem Punkt Kapitel 8:

[242] H. Lennerz, Das Konzil von Trient und die theologischen Schulmeinungen: Scholastik 4 (1929) 38–53.

[243] Nach Ansicht Jedins gab es auf dem Konzil keine eigentlichen Nominalisten. Er bezweifelt auch, daß auf ihm die Augustinianer eine klar abzugrenzende Gruppe gebildet haben. Vgl. E. Stakemeier, Die theologischen Schulen auf dem Trienter Konzil aaO.

[244] Beispielsweise wechselt in Kap. 7 die thomistische Formel «gratia et dona» mit der skotistischen Formel «caritas diffunditur ... atque ipsis inhaeret» ab: DS 1528 und 1530. Vgl. auch Can. 11, wo bald von «gratia qua iustificamur» und bald von «gratia et caritas die Rede ist: DS 1561.

[245] H. Jedin, Geschichte II, 246f.

[246] Das war im Dezember 1546. Vgl. H. Jedin, Geschichte II, 248ff. Während dieser Debatte beklagte sich Seripando öffentlich am 28. Dezember darüber: «Diese ganze Not bereitet uns die Philosophie, wenn wir über die göttlichen Geheimnisse mit ihren Worten reden wollen» (ebd. 250).

[247] «(causa) instrumentalis item sacramentum baptismi, quod est ‹sacramentum fidei›, sine qua (also nicht: «sine quo»!) nulli umquam contingit iustificatio» (DS 1529). Vgl. weiter oben unsere Anm. 215, ferner G. Geenen, Fidei sacramentum. Zin, waarde, bronnenstudie van de uitleg ener patristische doopselbenaming bij S. Thomas van Aquino: Bijdragen 9 (1948) 245–270.

«Quomodo intelligatur, impium per fidem et gratis iustificari?»[248] Die Konzilsväter vermochten indes die Frage nicht zu lösen, wie man die Äußerungen des Paulus zu verstehen habe, wonach der Mensch durch den Glauben *sine operibus* gerettet werde. Schuld daran war vor allem die viel diskutierte anscheinend gegenteilige Behauptung des Jakobusbriefes.[249] Man beschloß sich damit zu begnügen, durch die Verneinung jeglichen eigentlichen Verdienstes (promereri) vor der Rechtfertigung die Gratuität der Rechtfertigungsgnade sicherzustellen.[250]

In den Kapiteln 5 und 6 folgt ein weiterer wichtiger Punkt. Das erste bekräftigt die Notwendigkeit einer *Vorbereitung auf die Gnade*, während das zweite davon eine ausgezeichnete Beschreibung gibt, die der skotistischen franziskanischen und der augustinischen Tradition Seripandos zu verdanken ist.[251] Dieser wollte übrigens die Disposition vor allem als einen für die christliche religiöse Erfahrung offenen evolutiven Gnadenprozeß (ohne Leugnung der inhärenten Rechtfertigung) im Gegensatz zur mehr ontologischen Deutung der Scholastiker verstanden wissen.[252] Die beiden Kapitel hätten den kryptopelagianischen Tendenzen des Mittelalters, wie sie etwa im Axiom: «Facienti quod est in se, Deus non denegat gratiam»[253] zum Ausdruck kamen, ein für allemal ein Ende machen sollen. Leider gelang dies dem Konzil nicht gänzlich. Noch während Jahrhunderten werden die Suarezianer für die Berechtigung einer *dispositio negativa* eintreten, die nach nominalistischer Sicht im Nichtvorhandensein einer Todsünde vor dem ersten übernatürlichen Glaubensakt besteht und in Zusammenhang mit einer *gratia externa* (z. B. gutes Vorbild, treffliche Belehrung) gebracht wird. Somit gelingt es dem Tridentinum nicht, die scholastischen Theologen zu einer konsequenten Rückkehr zu Augustinus und zu den letzten Werken des Aquinaten zu bewegen, die für die Notwendigkeit eines «auxilium divinum internum» für jeden auf die Rechtfertigung disponierenden Akt eintreten.

An dritter Stelle ist einer der beiden während der sechsten Session am meisten diskutierten Punkte zu erwähnen: die Lehre über die *«inhärente»* *Rechtfertigung* im Gegensatz sowohl zu der von Luther vertretenen bloß «imputativen» Rechtfertigung als auch zur doppelten Gerechtigkeit, von

---

[248] DS 1532.

[249] Röm 3,24.28; Eph 2,9; Jak 2,24.

[250] «Gratis autem iustificari ideo dicimur, quia nihil eorum, quae iustificationem praecedunt, sive fides, sive opera, ipsam iustificationis gratiam promeretur (wir verstehen diesen Ausdruck als ein Verdienen im strengen Sinn; das Konzil ließ die Frage eines Verdienstes «de congruo» offen): ‹si enim gratia est, iam non ex operibus; alioquin (sicut idem Apostolus inquit) gratia iam non est gratia› (Rom 11,6)»: DS 1532.

[251] DS 1525 ff.

[252] H. Jedin, Geschichte II, 213 f und 241 f; E. Stakemeier, Der Kampf um Augustin aaO. 151–160.

[253] Vgl. zu dieser ganzen Diskussion F. Hünermann, Wesen und Notwendigkeit der aktuellen Gnade nach dem Konzil von Trient (Paderborn 1926).

der Seripando und einige andere Theologen seiner Zeit sprechen.[254] Der andere ebenfalls hart umstrittene Punkt betraf die Gewißheit, im Stand der Gnade zu sein. Seripando wollte von Anfang an im Konzil seine Lehre über die doppelte Gerechtigkeit durchsetzen. Als er sah, daß dies unmöglich sei, suchte er die Konzilsväter dahin zu bringen, die Rechtfertigung nicht bloß als «inhärent» anzusehen, sondern auch und vor allem als eine «iustitia operum», d.h. unter dem mehr existentiellen, experimentellen und evolutiven Aspekt eines beständigen Kampfes gegen die bösen Folgen der Konkupiszenz auf der Ebene der Handlungen und der christlichen Liebe. Diese Position findet sich bei Bajus und Jansenius wieder. Seripando vermochte seine Ansicht nur zum Teil durchzusetzen, und zwar nicht in diesem Kapitel, sondern in dem über das Verdienst. Es spricht für das Ansehen Seripandos, daß er trotz des teilweisen Scheiterns seiner Bemühungen die Hochachtung der Konzilsväter nie verlor und auch nicht – von einigen Heißspornen abgesehen – des «Lutheranismus» bezichtigt wurde.[255]

Man muß an diesem Punkt der Auseinandersetzung das tieferliegende Moment sehen, an dem sich die Geister schieden: Muß man, wie Augustinus das tat,[256] die Gnade und den Rechtfertigungsprozeß im Licht der christlichen Erfahrung darstellen, die um das Böse in unserem Herzen wie um die Lokkung der Gnade weiß, also auf mehr beschreibende, existentielle und evolutive Weise, oder ist die Gnade mehr oder weniger ontologisch zu definieren, entsprechend dem schon von Salmeron ausgesprochenen metaphysischen Axiom, daß die Natur eines Dinges sich nur durch ein inneres Prinzip, eine «Formalursache», bestimmen läßt?[257] Es wurde für die Kirche des Westens zum Verhängnis, daß die Auffassung Seripandos auf dem Konzil kein genügendes Echo fand, was nicht wenig zur Erstarrung der nachtridentinischen Gnadentheologie beitrug. Das Konzil nahm offensichtlich für keine theo-

[254] DS 1528–1531 und die Canones 10 und 11: DS 1560f.

[255] H. Jedin, Girolamo Seripando I, 354–426 (vor allem 420f und 425f). Vgl. P.Pas, La doctrine de la double iustice au Concile de Trente: EThL 30 (1954) 5–53.

[256] Die bekannteste diesbezügliche Stelle bei Augustin bezieht sich auf Jo 6,44f: «Nemo venit ad me, nisi Pater traxerit eum»: In Jo tr. 26,4 (PL 35, 1608). Vgl. P.Fransen, The new Life of Grace (London 1971) 129–132. Zum Einfluß Augustins auf Thomas vgl. seinen Kommentar Super Ev. S. Jo. Lect. VI, Lect. 5, 3, nr. 935 f (Marietti 1952) 176f.

[257] Zu Salmeron vgl. oben Anm. 207. Andreas de Vega hatte schon vor der 6. Session sein «Opusculum de iustificatione, gratia et meritis» (Venedig 1546) verfaßt. 1548 veröffentlichte er «Tridentini decreti de iustificatione expositio et defensio» (Venedig 1548). Infolge der Fehler, die diese Ausgabe enthielt, veröffentlichte Petrus Canisius sie von neuem unter dem Titel: «De Iustificationis doctrina universa Libri XVI» (Köln 1572). A. de Vega spricht von der causa formalis in Buch VII, cap. 21–24 (Köln 1572) 159ª–163ª. Er schreibt: «Vocamus autem causam formalem alicuius effectus vel denominationis formam, quae eam denominationem tribuit, sicut albedo causa est formalis, qua sumus albi; et sapientia causa est formalis, qua sumus sapientes. Albedo enim tribuit subiecto in quo est, denominationem albi; et sapientia tribuit rei in qua est, denominationem sapientis.» Ebd. 159ª; vgl. ebd. 265ª.

logische Schule Partei, behielt aber das Wesentliche der Theologie der verschiedenen Schulen bei, ohne sich auf eine bestimmte Fachterminologie festzulegen.

Der gemeinsame Wille, gegen Luther und bis zu einem gewissen Grad auch gegen Seripando und seine Freunde die von der «via moderna» erschütterte Auffassung des Hochmittelalters zu retten, kam vor allem im Kapitel 7: «Quid sit iustificatio impii, et quae eius causae»? zum Ausdruck. Die entscheidende Stelle spricht von der «einzigen Formalursache unserer Rechtfertigung», der «inhaerenten Gerechtigkeit», als einer wahren Erneuerung und einer wirklichen Gerechtigkeit, «die wir in uns aufnehmen je nach dem Maß, das der Heilige Geist den einzelnen zuteilt... und entsprechend der eigenen Bereitung und Mitwirkung eines jeden.»[258] Auf diese Definition, deren zentrale Aussage die dabei verfolgte Intention deutlich erkennen läßt, folgt in zwei weiteren Abschnitten eine ziemlich breite Umschreibung all dessen, was in dieser Definition enthalten ist. Wir finden darin die ursprüngliche Überzeugung des 12. Jh. wieder, wonach alle biblischen Aspekte der Rechtfertigung – die Vereinigung mit Christus, der Antrieb durch den Heiligen Geist, der Nachlaß der Sünden, die innere Heiligkeit, Glaube, Hoffnung und Liebe, der Empfang der Taufe, das Halten der Gebote Gottes – miteinander die verschiedenen Aspekte einer einzigen Wirklichkeit, eine harmonische Einheit innerhalb des Heilswerkes darstellen, das vom Vater inauguriert und kraft der Verdienste des Leidens Christi durch seinen Geist verwirklicht wird.[259] Unseres Erachtens läßt diese Grundintuition die fachtechnischen Divergenzen der Perspektive und der Terminologie der ver-

---

[258] DS 1529. Andreas de Vega schließt denn auch seine Ausführungen über die Formalursache mit den Worten: «... ad imponendum finem huiusmodi controversiis, visum est huic sanctae Synodo, acceptare sententiam (der Scholastiker und des Konzils von Vienne) istam simpliciter, et absque limitatione, immo et credenti et asserenti oppositum, anathema indicere. Intellexit namque hanc fuisse communem Ecclesiae fidem, tametsi non sub nomine habituum, neque potuisse a catholicis Doctoribus diversissimorum temporum, summa concordia hanc sententiam tradi, nisi esset a Spiritu Sancto et digna quae ab omnibus reciperetur. Eamque ob causam, primo quidem in hoc capite diserte asseruere Patres, singulos quosque iustorum, suam propriam recipere in sua iustificatione iustitiam. Quod ne intelligi quidem potest, si non sit aliquid creatum nostra iustitia. Et paulo post asseverunt inhaerere iustis caritatem, diffusam in cordibus eorum per Spiritum Sanctum, ut cum sciremus, inhaerentiam proprium quid esse accidentium creatorum, non dubitaremus caritatem esse accidens quoddam creatum» (aaO. VII, 24, 265 b am Schluß).

[259] Wir unterscheiden somit zwischen den philosophischen Anliegen Salmerons, Andreas' de Vega und anderer und der Glaubensintention, die u. E. über diese Anliegen der «gesunden Vernunft» hinausgeht. Zwar wurden zur Zeit des Konzils von Trient diese Gesichtspunkte nicht mit der gleichen Deutlichkeit voneinander unterschieden wie heute. So ist leicht zu ersehen, daß Andreas de Vega an der in Anm. 258 angeführten Stelle ohne weiteres vom Begriff «iustitia inhaerens» zum Begriff «accidens creatum» übergeht. Er sagt denn auch: «quod ne intelligi quidem potest», was eine theologische Gewißheit ist, nicht aber eine direkte Definition des Konzils, das nirgends von einem «accidens creatum» spricht.

schiedenen Schulen hinter sich und berührt die Tiefen des göttlichen Heilsmysteriums, indem es in diesem Mysterium die tiefe Einheit respektiert, die
in Gott ihren Quellgrund hat und im Menschen ihren Niederschlag findet.
Nur die Sünde steht Gott entgegen. Diese vermochte aber die Schöpfung
nie dermaßen zu verderben, daß diese Gott gänzlich fremd geworden wäre.
Das Tridentinum antwortet hier der Reformation weniger durch die Ablehnung einer mehr oder weniger «imputierten» Rechtfertigung, als vielmehr
durch die Zurückweisung der dualistischen Option der Reformation, von
der bereits die Rede war. Nach Auffassung der Reformatoren scheint die
Sünde in der Welt und im Menschen eine solche Macht gewonnen zu haben,
daß sich eine gewisse Nähe zu einer manichäischen Anthropologie nur schwer
vermeiden läßt. In der Intuition einer unbezwinglichen Einheit der göttlichen Liebe aber, die Seripando erst gegen den Schluß der Debatten klar zu
sehen vermochte, liegt die typisch katholische Sicht des Gnadenmysteriums.
Leider hat man das Tridentinum in den folgenden Jahrhunderten zu wenig
in diesem Grundanliegen verstanden.

Der unseres Erachtens wichtigste Teil des Dekrets ist das letzte, 16. Kapitel über *das Verdienst*,[260] dies freilich nicht in dem Sinn, daß wir die Verdienstlehre für die Mitte der biblischen Botschaft über die Gnade hielten. In
der bereits erwähnten Intuition der Einheit und Unbezwinglichkeit Gottes
nimmt das Kapitel nur eine subsidiäre Stellung ein. Unserer Auffassung nach
ist aber die Verdienstlehre der einzige kritische Differenzpunkt zwischen der
Reformation und dem katholischen Verständnis der Gnadenlehre, und zwar
deshalb, weil das verdienstliche Tun sich in der Dimension «coram Deo»
ereignet, die für die Reformation radikal gnadengeschenkt unter Ausschluß
jedes menschlichen «Verdienstes» sein muß. Für die Bedeutung dieses Kapitels spricht noch ein weiterer Grund: Die Einheitsintuition, von der wir
sprachen, droht in einer zu statischen «ontologischen» Sicht zu erstarren,
sobald man sie ohne kritische Vorbehalte in einer Schulanthropologie zum
Ausdruck bringt. Die inständige Bitte Seripandos an das Konzil, die Rechtfertigung doch auch als Gnadenerfahrung, als Hineinwachsen in Christus
durch ein hartes Ringen mit der Sünde anzusehen, ist in dieser Hinsicht
vollauf berechtigt.

Zwar hatte das Konzil schon in Kapitel 10 von unserem Wachstum in der
Gerechtigkeit gesprochen.[261] Für Seripando entsprach aber diese mit einigen Bibelzitaten geschmückte einfache Feststellung nicht dem dynamischen
und selbst dramatischen Charakter der *iustitia operum*, die ein lebenslanger
Kampf mit der Sünde ist. Im Wissen um diese tiefe Unwürdigkeit gründet
bei ihm nicht bloß der objektive Begriff der Gratuität der Gnade, sondern
die Erfahrung, die wir bis zum Ende unseres Lebens machen, daß wir «unnütze Knechte» sind.

---

[260] DS 1545–1549. [261] DS 1535.

Der Einfluß Seripandos und seiner Anhänger auf die Redaktion des Kapitels über das Verdienst ließ daraus etwas werden, was wir heute sicherlich als kleines Meisterwerk ansehen müssen. Im Gegensatz zu den andern Kapiteln ist dieses nach einem dialektischen und somit dynamischen Schema aufgebaut. Das Konzil vertritt in erster Linie die These, daß alles Gnade, Geschenk ist, und bekräftigt so den Primat Gottes in der Gnadenordnung. Zu diesem Gedanken tritt ein christologischer, der allerdings allzu diskret angetönt und nur in zwei biblischen Bildern unserer Vereinigung mit Christus zum Ausdruck gebracht wird: «tamquam ‹caput in membris› et tamquam ‹vitis in palmitibus›.» Dieser christologische Zusatz, der u. a. Seripando zu verdanken ist, zeigt auch, welche Entwicklung sein Denken im Lauf der Debatten durchgemacht hat.[262] Die Antithese, wenn wir so sagen dürfen, behauptet, daß innerhalb des göttlichen Heilsprimates unsere Werke, selbst die geringsten, vor Gott einen ewigen Wert erhalten.[263] Die Urdialektik zwischen Gnade und Verdienst wird im herrlichen Ausspruch Augustins zusammengefaßt, wonach «Gott in unseren Verdiensten seine Gaben krönt».[264] Doch die Wirklichkeit der Sünde wird nicht übersehen. Sie erzeugt eine weitere «existentielle» Spannung. In einem dritten Gedankengang wird anerkannt, wie tief die Sünde trotz der «*iustitia inhaerens*» in uns wurzelt, denn selbst der Gerechte muß sich während seines ganzen Lebens die Majestät und Heiligkeit Gottes vor Augen halten, die allein «jedem nach seinen Werken vergelten wird».[265] In diesem Sinn wird jede selbstgefällige Freude über «Werke», die man vollbringt, von Grund auf abgewehrt und genommen.

Einzig diese dialektische, existentielle Methode, die in einer lebendigen Einheit sowohl den Primat Gottes als auch die in unseren Verdiensten sich bezeugende Tatsächlichkeit unserer Rechtfertigung respektiert und gleichzeitig daran festhält, daß wir bis zum Ende unserer Tage unsere Unwürdigkeit behalten, kann unseres Erachtens als Grundlage einer Gnadentheologie

---

[262] Seripando erkannte bald, daß er das, was er durch die Lehre von der doppelten Gerechtigkeit zum Ausdruck bringen wollte, in dem Sinn erklären müsse, daß unsere «iustitia» in einer Teilhabe an der «iustitia Christi» besteht. H. Jedin schreibt dazu: «Seripando sucht also das Verhältnis von iustitia Christi und iustitia inhaerens mit Hilfe von zwei Begriffen zu verdeutlichen: dem des Akzidens und, hochbedeutsam, dem des Teilhabens, der uns in die neuplatonischen Bereiche seines Denkens führt. Zugrunde liegt jedoch diesen Gedankengängen eine religiöse Idee, die des Leibes Christi. Diese macht er im Votum zum Ausgangspunkt eines neuen Gedankenganges. Der Gerechte ist ein Glied am Leibe Christi und steht in dauerndem Lebensverkehr mit dem Haupte» (Girolamo Seripando I, 419). Vgl. E. Stakemeier, Der Kampf um Augustin 152–160.

[263] DS 1548.

[264] «cuius tota tanta est erga omnes homines bonitas, ut eorum velit esse merita, quae sunt ipsius dona» (DS 1548). Vgl. Can. 32: DS 1582, ferner Augustinus, De gratia et libero arbitrio 8, 20: PL 44, 893.

[265] DS 1549.

dienen.[266] Im Grunde war es diese Wahrheit, welche die Lehre über die doppelte Gerechtigkeit zum Ausdruck bringen wollte, aber sie tat es in einer theologischen und begrifflichen Systematisierung, die den Gedanken an die Einheit der Schöpfung und des Heils zu zerstören drohte. Diese Einheit hat ihren Quellgrund in der Einheit der Liebe des Vaters in seinem Sohn durch die Kraft seines einzigen Geistes.

Abschließend kann gesagt werden, daß das Tridentinum seiner tiefsten Inspiration nach auf die fundamentale Frage der Reformatoren nach der Wirklichkeit des Heils geantwortet hat. Dies gilt indes nicht in bezug auf einige besondere Lehrpunkte. Das bekannteste Beispiel für das gegenseitige Mißverstehen findet sich in Kapitel 9 «Contra inanem haereticorum fiduciam», d.h. in der Frage, ob man gewiß sein könne, im Stand der Gnade zu sein.[267] Dieses Kapitel beruht auf einem doppelten Mißverständnis.

Einmal traten die Skotisten für eine *certitudo fidei* hinsichtlich des Gnadenstandes ein und kämpften in der irrigen Meinung, ihr Meister Scotus habe diese These vertreten, weiterhin gegen die Thomisten.[268] Nach Ansicht der Thomisten hingegen beinhaltete der Begriff certitudo fidei eine auf ihre Analyse des Glaubensaktes gestützte absolute Gewißheit. Sie akzeptierten stets nur eine moralische, auf Indizien fußende Gewißheit, im Stand der Gnade zu sein. Im Grunde genommen waren die beiden Positionen im letzten nicht so sehr verschieden, denn schließlich sprachen fast alle von einer bloß mutmaßlichen Gewißheit. Es gab nur wenige Skotisten, die meinten, sie müßten

[266] Vgl. P. Fransen, The new Life of Grace (London 1971), Index, III, 2, 6–9, S. 361.

[267] DS 1533 f. Vgl. zum ganzen St. Pfürtner, Luther und Thomas im Gespräch (Heidelberg 1961); O.H. Pesch aaO. 748–757.

[268] Nach J. Auer (Die Entwicklung der Gnadenlehre I, 312–330; vgl. 322) kann Petrus Olivi als der Initiator dieser Sicht betrachtet werden. Er glaubt nicht, daß Scotus diese Frage behandelt hat: ebd. 319. Auch H. Jedin meint, Scotus habe im Zusammenhang mit der Absolution von dieser Gewißheit als von einer bloßen Möglichkeit gesprochen. Als Anbahner dieses terminologischen und theologischen Ansatzes nennt er Anselm von Laon, Petrus Lombardus und sodann aus der Zeit nach 1300 Petrus de Palude, Durandus de S. Porciano, Walther von Chatton und Anfredus Conteri (Geschichte II, 211). Nach J. Hefner, Die Entstehungsgeschichte 301 f hat wahrscheinlich G. Biel Kenner des Scotus wie Andreas de Vega und A. Castro und die ganze «skotistische» Konzilsfraktion in Irrtum geführt, da er schrieb: «Sed diceres, homo potest scire de seipso, quod facit, id quod in se est; et per consequens ex principio fidei (quod certissimum est, scl. quod Deus dat gratiam facienti quod in se est) certitudinaliter nosse se habere gratiam, licet non evidenter. Item quis potest scire se non ponere obicem per propositum non peccandi mortaliter, accipere gratiam absolutionis, quod confert gratiam ex opere operato, etiam non concurrente alia dispositione confitentis nisi non positione obicis, quae est cessatio ab actu et proposito peccandi, *ut vult Scotus in quarto*. Potest autem quis scire se actu non peccare, etiam si non haberet propositum non peccandi, quia actus suos anima intuitive et evidenter cognoscit et se suscipere sacramentum poenitentiae, et sic scire se habere gratiam» (In II Sent. d. 27 q. unica). – Wie man sieht, hatte diese Position nichts mit Scotus zu tun, sondern sie hatte ihren Ursprung im extrinsecistischen Verständnis des «opus operatum» der Sakramente in der «via moderna». Leider scheinen dies die Skotisten, von Kardinal Del Monte unterstützt, nicht gemerkt zu haben.

für eine absolute Gewißheit eintreten. Heute kann man es nur schwer verstehen, weshalb man sich erst einigen konnte, als man eine befreiende Kom-
promißformel fand: «certitudo fidei, cui non potest subesse falsum».[269] Dies
zeigt, wie schwer es für die damaligen Theologen war, über ihren Schul-
standpunkt hinaus zum Glaubensinhalt selbst vorzustoßen. Beim Studium
der Konzilsakten ist uns das oft aufgefallen.[270] Wir erblicken darin eine Bestätigung unserer These, daß der Begriff *fides* damals in einem horizontalen,
korporativen Sinn verstanden wurde als ein «kirchliches Lehrcorpus», an
dem die folgenden Jahrhunderte dann notwendig ausführlichere Spezifi-
zierungen anbringen mußten.

Weiter ist zu sagen, daß die katholischen Theologen in diesem Punkt auch
die protestantische Position mißverstanden haben. Die *fides specialis*, wie die
lutheranische Orthodoxie diesen Glauben später nennen wird, hat nichts
von einer anmaßenden *fiducia* an sich.[271] Im Grunde genommen mußten die
Katholiken an dem, wofür die Reformatoren eintreten wollten, ebenso entschieden festhalten. Sie tun das auch, aber in einem anderen theologischen
Kontext, nämlich im Zusammenhang mit der Tugend der Hoffnung. Auch
nach katholischer Auffassung muß der Christ sein ganzes Vertrauen und
seine ganze Hoffnung in die Verdienste Christi setzen, wie es im Akt der
Hoffnung zum Ausdruck gebracht wird. Protestanten sind auch heute manchmal schockiert, wenn sie bei katholischen Christen einem tiefen Gefühl der
Ungewißheit des Heils begegnen. Diese Ungewißheit hängt aber nicht mit
Christus zusammen, sondern mit dem Wissen um die tiefe Sündhaftigkeit,
über die allein Gott richten kann. So beweist die ganze Kontroverse, die die
Verhandlungen auf dem Tridentinum ungebührlich in die Länge zog, daß
man die Intention des Gegners nie beurteilen darf, indem man sie in die eigenen Denkkategorien überträgt. Dies zu beachten, ist für jeden ökumenischen Dialog äußerst heilsam.[272]

Für die Gegenreformation war das Tridentinum von grundlegender Be-
deutung. Für die katholische Kirche eröffnet sich nach ihm eine neue Aera.
Um so merkwürdiger ist es, daß das Rechtfertigungsdekret auf die spätere
Gnadentheologie nur einen mäßigen Einfluß ausübte. Schuld daran trägt

---

[269] Zur gemeinsamen Position der Thomisten und ersten großen Franziskaner des
13. Jh.s vgl. J. Auer, Die Entwicklung der Gnadenlehre I, 311–336, zur Position der
Thomisten auf dem Konzil: H. Jedin, Geschichte II, 210 ff.

[270] Der Konzilssekretär Massarelli schreibt am 11.1.1547: «Et ita cum magno gaudio
recesserunt.»: J. Hefner, Die Entstehungsgeschichte 323, Anm. 3. In dieser Anmerkung
zitiert Hefner den weiter oben angeführten Kommentar des Andreas de Vega in seinem
Werk über die Rechtfertigung.

[271] «Es leuchtet ohne weiteres ein, daß diese ‹Glaubensgewißheit› des Gnadenstandes
(der Skotisten) mit dem lutherianischen Fiduzialglauben nichts zu tun hat» (H. Jedin,
Geschichte II, 212); zum ganzen Problem vgl. St. Pfürtner, Luther und Thomas im Gespräch (Heidelberg 1961).

[272] Vgl. A. Hasler, Luther in der katholischen Dogmatik (München 1968) 294–335.

vor allem der merkwürdige Beschluß Pius' IV. in seiner Bulle «Benedictus Deus» vom 24. Juni 1564, in der er schließlich die Dekrete des Konzils promulgierte. Darin verbot er jeden Kommentar zu den Konzilstexten und behielt sich allein die Kompetenz vor, die Dekrete zu interpretieren.[273] Dies bildete den Anfang der Konzilskongregation. Die auf einer Durchforschung der vatikanischen Archive beruhende «Istoria del Concilio di Trento», die Kardinal Pallavicino 1657 veröffentlichte, kam leider zu spät, um an den Interpretationen der Schultheologie etwas ändern zu können. Diese interessierte sich nur wenig für geschichtliche Studien und entwickelte sich mehr und mehr zu einem theologischen Rationalismus, der die theologischen Anliegen des Konzils weitgehend übersah, so wie auf protestantischer Seite die Aufklärung den von der Reformation eingeschlagenen Weg tiefgehend beeinflußte.

Vor allem wurde die Lehre über die «einzige Formalursache» bald gänzlich ihrer ursprünglichen Intention entgegen ausgelegt. In diesem wie in andern Punkten ist E. Stakemeier zuzustimmen, wenn er sagt: «Auf dem Konzil und durch das Konzil ist die *via antiqua* zur *via moderna* geworden.»[274] Dies dauerte jedoch nicht lange. Im Zug der sich verstärkenden Polarisierung wurde katholischerseits die geschaffene Gnade immer stärker, wenn nicht sogar ausschließlich betont, je mehr die Protestanten für eine «iustificatio impii imputata, externa et forensis» eintraten. Die erbitterten Dispute in der Frage *De auxiliis* und in der Auseinandersetzung mit Bajus und Jansenius konzentrierten sich dann auf die geschaffene *aktuelle* Gnade.[275] Diese Bewegung wurde durch eine Fehldeutung der Formel «unica causa formalis» noch verstärkt. Schon Lessius mußte gegen eine Interpretation Einspruch erheben, wonach diese Aussage die Einwohnung der Dreifaltigkeit als Quelle und Grundlage der geschaffenen Gnade ausschließe.[276] Die katholischen Theologen betrachteten das Innewohnen der Trinität bald bloß als eine Folge der Eingießung oder Erschaffung der habituellen Gnade.[277] Wenn

---

[273] Concilium Tridentinum (Ausg. Görresges.) XII, 1154, 16–33. Andreas de Vega veröffentlichte seine «Tridentini decreti de iustificatione expositio et defensio» 1548, somit vor dem Verbot Pius' IV. Erst um auf die Angriffe Paolo Scarpis in seiner «Istoria del Concilio Tridentino» (London 1619) zu antworten, beauftragte Innozenz X. nach dem Tod Alceatis (1651), der die notwendige Dokumentation schon zu sammeln begonnen hatte, den Kardinal Pallavicino, eine «Istoria del Concilio di Trento» zu schreiben, die 1657 in Rom veröffentlicht wurde, und zwar unter Benützung der vatikanischen Archive. Vgl. H. Jedin, Der Quellenapparat der Konzilsgeschichte Pallavicinos (Rom 1940).

[274] E. Stakemeier Glaube und Rechtfertigung (Freiburg i. Br. 1957) 6.

[275] Zum psycho-soziologischen Aspekt dieser Frage ist einzusehen: J. P. Deconchy, L'orthodoxie religieuse. Essai de logique psycho-sociale (Paris 1971), besprochen von A. Godin, Orthodoxie religieuse et psychologie sociale: NRTh 94 (1972) 620–637.

[276] L. Lessius, De summo bono II, 1 und De perfectionibus moribusque divinis XII, 11; De beneficiis adoptionis, vor allem der Anhang De adoptione divina: Opuscula (Antwerpen 1626) 119–122, 122–125, 513 ff.

[277] Vgl. dazu die Ausführungen weiter unten S. 729 f; zur ganzen Frage: J. Trütsch,

unsere Ansicht stimmt, daß das Tridentinum zutiefst um die Einheit von Schöpfung und Erlösung in einer einzigen Heilsbewegung wußte, dann war diese nachtridentinische Entwicklung verhängnisvoll. Dem Tridentinum entsprach eine Anthropologie, die zwar die tragische Spannung zwischen der Sünde und dem Ruf der Gnade kennt, die es aber ablehnt, deshalb die vor Gott bestehende Einheit des Menschen und der Menschheit, wie Gott sie geschaffen hat und retten will, auseinanderzureißen.[278] Newman sieht richtig, wenn er die Auffassung vertritt, es gebe keinen andern Weg, um die «römische» und die «protestantische» Auffassung über die Rechtfertigung in Übereinstimmung zu bringen, als wieder zu einer Sicht zurückzufinden, wonach das Heil in der vor allem in der Kirche geschenkten Vereinigung mit Christus eine Einheit bildet, wie das beständig in der Eucharistie zutage tritt.[279]

Wir stoßen auf einem weiteren Umweg auf das gleiche Problem in der Frage des Gnadenverdienstes. H. A. Oberman hat jüngst die Auffassung vertreten, das Tridentinum müsse in diesem Punkt korrigiert werden, damit ein wirklicher Dialog mit dem Protestantismus zustandekommen könne.[280] Wie er aufzeigt, ist während der Debatte die franziskanisch-skotistische Partei – die er nicht scharf genug von den «Nominalisten» unterscheidet – aus ihrer anfänglichen Defensivstellung zur Offensive übergegangen. Während die Thomisten und die Augustinisten die Aussagen durchsetzen konnten, daß die Rechtfertigung keineswegs «verdient» werden könne, brachten die Franziskaner an diesem Entscheid eine Einschränkung an: «promereri» müsse strikt als Verdienst im Vollsinn des Wortes verstanden werden; im Gegensatz zum *meritum de condigno* sei indes ein *meritum de congruo* nicht aus-

St. Trinitatis Inhabitatio apud theologos recentiores (Trento 1949); H. de Lavalette, La notion d'appropriation dans la théologie trinitaire de St. Thomas d'Aquin (Rom 1959).

[278] Dies ist das grundlegende anthropologische Problem der Gnadentheologie. Die Sünde veranlaßte die Protestanten, den Gegensatz zwischen dem «coram Deo» und dem «coram hominibus» zu radikalisieren. Der Individualismus der letzten Jahrhunderte ließ uns vergessen, daß die Gnade sowohl die Person an sich als auch die Menschheit in ihrer Solidarität vor Gott betrifft. In einem allzu bildhaften Denken werden die verschiedenen Momente einer einzigen Schöpfungs- und Heilsbewegung oft unbesehen auf einzelne Etappen verteilt, so daß die «anterioritas logica» mit einer «anterioritas temporalis» verwechselt wird. Dies war bei der Lehre von der doppelten Gerechtigkeit der Fall und es kommt immer wieder bei Theologen vor.

[279] J. H. Newman, Lectures on the Doctrine of Justification (London ³1892). Newman hat das Tridentinum nach der «Istoria del Concilio di Trento» von Pallavicino studiert. Vgl. Th. L. Sheridan, Newman on Justification (Staten Island, N. Y. 1946) 242–247.

[280] H. A. Oberman, Das tridentinische Rechtfertigungsdekret im Lichte der spätmittel-alterlichen Theologie: ZThK 61 (1964) 251–282. E. Schillebeeckx, The Tridentine Decree on Justification: A New View: Concilium 1 (1965) 176–179 bezeichnet diese Interpretation Obermans als «neu», was uns erstaunt. Vgl. J. Hefner, Die Entstehungsgeschichte 277 bis 297; W. Joest, Die tridentinische Rechtfertigungslehre: KuD 9 (1963) 41–69; H. J. McScorley in seiner korrigierten englischen Ausgabe: Luther, Right or Wrong? 167–179.

geschlossen. Das Tridentinum hat sich also für keine dieser beiden Schultraditionen entschieden.

Persönlich meinen wir, daß man die Rechtfertigung weder de condigno noch de congruo verdienen kann, obwohl wir die Notwendigkeit und Tatsächlichkeit einer Vorbereitung oder «Disposition» annehmen, die von der zuvorkommenden Gnade inspiriert und getragen ist. Jedenfalls muß man auf katholischer wie auf protestantischer Seite gründlich darüber nachdenken, welchen theologischen und religiösen Sinn man den Begriffen «Verdienst» und «Disposition» geben soll, die bis heute umstritten sind.[281] Es gibt unserer Auffassung nach keinen andern Weg zur Überbrückung der Differenzen als den, die menschliche Betätigung *sicut oportet* innerhalb der aktiven Liebespräsenz der Trinität anzusetzen. Diese Präsenz wird in der Kirche als Communio vieler Gläubigen im einen Geist manifestiert und gewissermaßen inkarniert. In der Schöpfungs- und erst recht in der Erlösungsordnung stehen der Mensch und die Menschheit Gott nicht gegenüber, sondern sie stehen innerhalb der göttlichen Gnadenpräsenz.[282]

5. Die nachtridentinische Ära: Für und wider Augustin

Nach 1562 und vor allem nach dem Westfälischen Frieden von 1648 verschanzen sich Reformation und Gegenreformation hinter ihren eroberten Positionen. Die konfessionelle Polemik dauert an, doch findet zumeist kein echter Dialog statt. In der katholischen Kirche leben die Kontroversen um die Gnadenlehre wieder auf – ein Beweis dafür, daß es dem Tridentinum nicht geglückt ist, alle diesbezüglichen Probleme zu lösen. Auf der einen Seite stehen vor allem die Vertreter eines neuen Ordens, die Jesuiten, die als Molinisten oder Suarezianer die skotistische und selbst die nominalistische Überlieferung bis zu einem gewissen Grad weiterführen. Sie geben in manchen Studienzentren Spaniens, Lateinamerikas und in einzelnen theologischen Ausbildungsstätten Deutschlands und mehrerer angelsächsischer Länder den Ton an. Auf der Gegenseite stehen die Augustinianer, die vor allem durch den Löwener Professor Bajus, durch Jansenius, den Bischof von Ypern, und ihre französischen Gesinnungsgenossen, Abbé de Saint-Cyran, Pascal und Antoine Arnaud repräsentiert werden. Zwischen beiden Lagern befinden sich die Thomisten, die dem gemäßigten Augustinismus ihres großen Lehrmeisters treu bleiben. Nach einer beachtlichen Erneuerung im 16. Jh. fallen sie bald in eine Schultradition zurück, die mit wenigen Aus-

---

[281] R. Prenter, Spiritus Creator (München 1954) 36 und B. A. Gerrish, Grace and Reason: A Study in the Theology of Luther (Oxford 1962) geben zu, daß die Verdienstlehre zur echten augustinischen Überlieferung gehört. Vgl. auch O. H. Pesch, Die Lehre vom «Verdienst» als Problem für Theologie und Verkündigung: Wahrheit und Verkündigung (Festschrift M. Schmaus) 2 Bde. (München 1967) 1865–1907.

[282] Zu einem Gesamtüberblick über die Forschung über das Konzil von Trient vgl. G. Alberigo, Das Konzil von Trient in neuer Sicht: Concilium 1 (1965) 574–583.

nahmen ihre Zeitgenossen nicht zu überzeugen vermochte. Die drei Gruppen geraten mehr und mehr ins Fahrwasser des Rationalismus, der sich in Europa durchsetzt und einen Moralismus nach sich zieht, der oft von jeder theologischen Reflexion absieht. Hier liegt unseres Erachtens der Hauptgrund für die theologische Dekadenz der Gnadenlehre. Die protestantische Theologie leidet darunter ebensosehr, wenn nicht mehr. Die Dekadenz zeigt sich in ihr in der lutherischen und calvinistischen Orthodoxie und später im traditionalistischen Moralismus der Aufklärung. Man kann die neuere Entwicklung nicht verstehen, wenn man sie nicht als Reaktion gegen diesen Rationalismus begreift, der in der römischen Kirche zur Hegemonie einer abstrakten, rationalistischen Scholastik führt, die fast jeden Kontakt mit der religiösen Wirklichkeit verloren hat.[283]

Für die katholische Kirche bedeuten diese drei Jahrhunderte trotz des – rasch verbleichenden – Glanzes der Gegenreformation und des Barockzeitalters eine Schattenperiode. Vor allem in der Gnadenlehre war es eine tragische Epoche, voller Mißverständnisse und oft kleinlicher, voreingenommener, leidenschaftlicher Dispute. Noch heute hält es schwer, unparteiisch darüber zu berichten.

Unter dem Druck der verschiedenen Parteien, die sich in den Niederlanden, in Frankreich, Spanien und Italien feindlich gegenüberstanden, griffen dann und wann die Päpste ein, wobei sie sich von echter Sorge leiten ließen, die sich aber in einzelnen Urteilen oft recht widersprüchlich ausdrückte. In der Hitze des Gefechtes waren die Vertreter der verschiedenen Schulen oft geneigt, die dogmatische Tragweite der römischen Entscheidungen zu übertreiben, vor allem, wenn diese ihre eigenen Auffassungen zu bestätigen schienen. Die in Rom residierenden Generalobern der verschiedenen Orden waren oft gemäßigter und zurückhaltender als ihre Theologen, die sich in den verschiedenen Ländern im Kampfgewühl befanden und denen oft jeder Hieb recht war, wenn er nur ihrer Sache zu dienen schien.

Wir wollen in diesem Abschnitt die Debatten nicht wieder aufleben lassen. Sie berühren uns zum großen Teil nicht mehr, nicht weil sie nicht entscheidende Probleme der Gnadenlehre betreffen, sondern weil sie diese Probleme mit Denkformen zu lösen versuchen, die uns heute fraglich geworden sind. Wir ziehen es vor, eine Bilanz der Gewinne und Verluste zu ziehen, die diese Epoche einbrachte, soweit uns ein solcher Überblick für die Lösung der heutigen Probleme als nützlich erscheint. Nach einer Darlegung der Grundzüge, die im Verlauf dieser drei Jahrhunderte den verschiedenen theologischen Schulen gemeinsam waren, studieren wir die suarezianischen Positionen und die anhaltende, heftige Reaktion der augustinischen Schule. Der Kampf endet mit einer einstweiligen Niederlage des Augustinismus, was

---

[283] Vgl. dazu die Überlegungen von H. U. v. Balthasar, Patristik, Scholastik und wir: Theologie der Zeit 3 (Wien 1939) 65–104.

unseres Erachtens namentlich in der Gnadenlehre zu einem eigentlichen
Substanzverlust führte. Man denke nur an die Schwierigkeiten, die ältere
Priester, aber auch Gläubige, mit dem Gnadentraktat hatten, wie er in den
Seminarien vorgelegt und im Religionsunterricht der höheren Schulen vul-
garisiert wurde![284] Sogar das Herz der christlichen Botschaft, die Kunde von
der unendlichen, erbarmenden Liebe Gottes wurde in dieser Zeit vielfach zu
einem Exklusivgegenstand der Schultheologen. In dem sich selbst überlasse-
nen christlichen Volk machten sich statt dessen oft recht «verdinglichte»
Auffassungen über die Gnade breit, die heute von einer kritischen Jugend
mit Recht übersehen oder abgelehnt werden.

a. Gemeinsame allgemeine Tendenzen

Wie bereits angedeutet, wird in dieser Epoche das Gewicht mehr und mehr
auf die geschaffene Gnade gelegt. Wie uns scheint, liegt die Ursache dieser
dogmatischen Regression zunächst auf der Ebene der Sozialpsychologie der
Gruppe.[285] Es gelang dem Konzil von Trient, die Reformation in ihren
Grenzen zu halten, die politisch durch den Westfälischen Frieden sanktio-
niert wurden, aber es glückte ihm nicht, die Reformation zu assimilieren.
Die Protestanten galten den Katholiken als solche, die die «geschaffene
Gnade» ablehnen. Die Katholiken fühlten sich deshalb verpflichtet, nach
Kräften für diesen Begriff einzutreten.

Diese sozial-psychologische Motivierung der neuen Rechtgläubigkeit
wurde durch ein Argument verstärkt, das auf einer Konzilsinterpretation
beruhte. In Kapitel 7 des Rechtfertigungsdekrets über die «Rechtfertigung
des Sünders und ihre Ursachen» hatte das Konzil von Trient erklärt: «Alleinige Formalursache ist die Gerechtigkeit Gottes, nicht die Gerechtigkeit,
durch die er selbst gerecht ist, sondern durch die er uns gerecht macht, mit der
wir von ihm beschenkt im innern Geist erneuert werden und nicht nur als
Gerechte gelten, sondern wirklich Gerechte heißen und es sind. Denn wir
nehmen die Gerechtigkeit in uns auf, jeder seine eigene nach dem Maß, das
der Heilige Geist den einzelnen zuteilt, wie er will (1 Kor 12,11), und entsprechend der eigenen Bereitung und Mitwirkung eines jeden.»[286] Wie wir
bereits ausführten, verbot Pius IV. jeden – selbst positiven – Kommentar zu
den Konzilsdekreten und behielt der Konzilskongregation die alleinige
Kompetenz zu ihrer Auslegung vor. Dieser Entscheid war verhängnisvoll.
In einem immer rationalistischeren Denkklima und in einer religiösen Ghet-
tomentalität, die durch die Angriffe auf die Kirche noch verstärkt wurden,

---

[284] P. Fransen, How should we teach the Treatise on Grace?: J. Keller-R. Armstrong
(Hrsg.), Apostolic Renewal in the Seminary in the Light of Vatican Council II (New York
1965) 139–163.

[285] J. P. Deconchy aaO. (Anm. 275).

[286] DS 1529 = NR 719.

verfielen die Theologen einer immer juristischeren Auslegungsmethode. Die meisten Schultheologen sahen es bald als Selbstverständlichkeit an, daß das Konzil von Trient klar definiert habe, der Hauptaspekt und das eigentliche Wesen der Rechtfertigung bestünden in der geschaffenen Gnade. Daraus schlossen sie, daß die Einwohnung Gottes nicht als «Formalursache» der Rechtfertigung aufgefaßt werden dürfe. Sie übersahen dabei, daß das Wort «alleinige Formalursache» sich ausschließlich gegen die Vertreter einer doppelten Rechtfertigung richtete und daß im übrigen dasselbe Konzil in Kapitel 16 das Verdienst auf eine persönliche Vereinigung mit Christus gründete. Man findet diese Geisteshaltung noch heute.[287]

Die Diskussionen zwischen den Molinisten und den Bañezianern über die Prädestination und die endlosen Kontroversen mit den Jansenisten über die wirksame und die genügende Gnade verliehen den Spekulationen über die aktuelle Gnade bald eine übertriebene Bedeutung. So widmet ein aus dem Anfang unseres Jahrhunderts stammender Traktat über die Gnade vier Fünftel seiner Ausführungen den Problemen der aktuellen Gnade.[288]

Die tragischste Folge dieser dogmatischen Entwicklung besteht in einer kopernikanischen Umkehrung der theologischen Perspektiven in der Reflexion über das Gnadenmysterium. Von der Bibel angefangen bis zum Tridentinum hatten die Christen und die Fachtheologen bis anhin mehr oder weniger konsequent den absoluten Primat der ungeschaffenen Gnade, d. h. den Primat der trinitarischen göttlichen Initiative in der Gnadenbewegung respektiert. Von jetzt an aber wurden die Einwohnung Gottes, die Annahme an Kindesstatt, die Teilhabe am göttlichen Leben und die damit verbundenen Mysterien in den Schultraktaten auf das reduziert, was man die «formalen Wirkungen» der Eingießung der geschaffenen Gnade in Form der habituellen, heiligmachenden Gnade nannte. Eine «formale Wirkung» ist – in der aristotelisch geprägten Sprechweise der Nachscholastik – das, was sich aus der Applikation einer Form notwendig ergibt. Folgerichtig sprachen einzelne – vor allem suarezianische – Theologen von der Einwohnung Gottes nicht mehr in einem eigenen Kapitel, sondern in einem bloßen «Korollar» zum Kapitel über die geschaffene habituelle Gnade.

Jede Regression auf spekulativer Ebene bietet einen günstigen Nährboden für krebshafte Wucherungen, die kraft der Logik der «wissenschaftlichen» Theologie das ganze Lehrsystem durchsetzen. Da für die genannten Theologen der primäre Aspekt des Gnadenmysteriums in der Erschaffung der Gnade als einer Auswirkung des Wirkens Gottes ad extra besteht, waren sie genötigt, das vom Florentinum ausgesprochene Axiom der Trinitätstheologie zu applizieren: «In Deo omnia sunt unum, ubi non obviat relationis op-

---

[287] Ein Hinweis auf diese angenommene Evidenz findet sich noch bei J. P. Kelly, The Supernatural (Staten Island N. Y. 1972) 85.

[288] A. de Villers S. J., Tractatus de Gratia HS (Löwen 1930?).

positio».[289] Wenn die geschaffene Gnade unsere Verbindung mit Gott als
«formale Wirkung» ihrer Eingießung herstellt, dann kann sie uns strengge-
nommen nur mit der einen, unteilbaren Gottheit, nicht aber mit den göttlichen Personen verbinden. So wird in die westliche Theologie ein neuer
Appropriationsbegriff eingeführt. Auch Thomas v. A. und die großen Theologen des Mittelalters haben in bezug auf unsere Vereinigung mit Gott von
Appropriation gesprochen. Für sie schloß aber diese – übrigens vielgestaltige
und bedeutungsreiche – Appropriation eine persönliche Beziehung zu den
göttlichen Personen nicht aus. Sie drückte vielmehr den apophatischen
Aspekt in der Theologie der Einwohnung aus, indem sie auf verschiedene
Weisen den unendlichen Abstand betonte, der selbst innerhalb einer analogen Teilhabe an den natürlichen göttlichen Vollkommenheiten und den
persönlichen Proprietäten die Kreatur und die göttlichen Personen weiterhin unterscheidet.[290] Wir geben dieser Position den Vorzug, und wenn wir
bis anhin stets für die eigentliche Einwohnung eingetreten sind, dann vor
allem deshalb, um mit aller Entschiedenheit einen Appropriationsbegriff
zurückzuweisen, der während der letzten Jahrhunderte Allgemeingut geworden ist.

Der Appropriationsbegriff, wie er nach dem Tridentinum durch die Schulen verbreitet wurde, entspricht einer «Als-ob-Theologie». Im streng theologischen Sinn vereint uns in dieser Sicht die Gnade nur mit der Gottheit.
Man darf aber nach Meinung dieser Theologen eine «poetischere» (!), un-
eigentliche Sprechweise «tolerieren», wonach auf Grund gewisser Ausdrücke
der Schrift und bestimmter Analogien mit den Proprietäten göttlicher Personen – z. B.: Die Gnade ist ein Geschenk, und der Geist ist auf seine Weise
das gegenseitige Geschenk des Vaters und des Sohnes – die Gnade in einer
sehr uneigentlichen Weise dem Heiligen Geist appropriiert wird. Unsere
nach Authentizität verlangende Epoche hat für eine solche Art von Theologie,
die souverän an den Gegebenheiten der Schrift und an den Aussagen der
Väter, der Mystiker und der Heiligen vorbeigeht, wenig Verständnis. Noch
schlimmer ist, daß diese Theologie das Trinitätsmysterium jeder wirklichen
Bedeutung für das Gebetsleben und die religiöse Erfahrung beraubt. Die
reiche Tradition etwa der Mystiker der rheinisch-flämischen Schule wurde
im Bereich der Spiritualität vergessen und die Spiritualität trennte sich ihrerseits vom Dogma.[291]

Im einzelnen finden sich in dieser Schultheologie drei klassische Typen

---

[289] DS 1330.

[290] H. de Lavalette aaO. (Anm. 277); J.H. Nicolas, Les profondeurs de la grâce (Paris
1969) 110–126; H. Barré, Trinité, que j'adore (Paris 1966) 81, Anm. 112 (Lit.).

[291] Ein typisches Beispiel dafür ist die Einleitung von John Bolland zur englischen
Übersetzung von Jan van Ruysbroek, The seven Steps of the Ladder of Spiritual Love
(London 1944) I–VIII. Es gelingt ihm zu «beweisen», daß die Trinitätstheologie Ruys-
broeks eine bloße «Appropriation» ist!

der Interpretation der Einwohnung.[292] Es gibt den Typus, der Vasquez zugeschrieben wird und den in jüngster Zeit P. Galtier nachdrücklich vertreten hat, wonach die Erschaffung oder Eingießung der Gnade schon genügt, um die Einwohnung Gottes zu erklären. Sodann gibt es den suarezianischen Typus, der von den Salmantizensern, Billuart, Franzelin und andern übernommen wurde, der die Einwohnung auf die Freundschaft gründet, d. h. auf die theologale Liebe, die aus der Erschaffung der habituellen Gnade folgt. Schließlich gibt es das von A. Gardeil[293] übernommene System des Johannes a Sancto Thoma, das die beiden genannten Positionen zu einer Synthese vereinigen will. Gardeil kommt das besondere Verdienst zu, nach zwei Jahrhunderten des Schweigens die Rolle der religiösen Erfahrung als einer notwendigen Komponente der Einwohnung Gottes wieder zur Geltung gebracht zu haben.

Während der gleichen Epoche gab es nun freilich einzelne hervorragende Theologen, die es ablehnten, sich den Vorurteilen der herrschenden Schultheologie zu beugen. Sie alle waren Anhänger einer Theologie, die man damals als «positive Theologie» zu bezeichnen pflegte, weil sie ihre Ansichten auf den Aussagen der Schrift und der Kirchenväter aufbauten. Zu Beginn des 17. Jh. begegnen wir L. Lessius, der wahrscheinlich noch unter dem Einfluß der letzten Ausläufer der flämischen Mystik stand, sowie Cornelius a Lapide, der sich vor allem auf die Hl. Schrift stützte. Gegen Ende des Jahrhunderts stoßen wir auf Petavius und Thomassin, zwei hervorragende Patrologen. Nach einem Jahrhundert setzen M. J. Scheeben und Th. de Régnon diese Überlieferung fort. Trotz ihrer Kompetenz und Autorität verfehlten indes diese Autoren weitgehend ihre Wirkung auf die Schultheologie. Sie wurden oft angegriffen. So mußte z. B. Lessius auf Grund der von Ripalda erhobenen Vorwürfe den Wortlaut seiner Ausführungen ändern, während M. J. Scheeben vom Innsbrucker Professor Th. Granderath attackiert wurde. In beiden Fällen ging es um die Frage, wie die Formalursache der Gnade nach den Trienter Dekreten zu verstehen sei. Um der Anklage einer falschen Interpretation des Tridentinums zu entgehen, brachte man gelegentlich die künstliche Unterscheidung zwischen Rechtfertigung durch die Gnade und Annahme an Kindesstatt an.

Erst in der ersten Hälfte unseres Jahrhunderts erarbeiteten M. de la Taille[294]

---

[292] J. Trütsch aaO. (Anm. 277); L. B. Cunningham, The Indwelling of the Trinity. A Historical-Doctrinal Study of the Theory of St. Thomas Aquinas (Dubuque 1955) (Lit.); R. W. Gleason, Grace (New York 1962) 135–163; Ch. Baumgartner, La grâce du Christ = Le Mystère chrétien (Tournai 1963) (Lit.: 181 f).

[293] La structure de l'âme et l'expérience mystique (Paris 1925).

[294] M. de la Taille, Actuation créée par l'acte incréé: RScR 18 (1928) 251–268; ders., Entretien amical d'Eudoxie et de Palamède sur la grâce d'union: RevApol 48 (1929) 5–26; 129–145; ders., Théories mystiques à propos d'un livre récent: RScR 18 (1928) 297–325. Vgl. R. W. Gleason, The Indwelling Spirit (Staten Island, N. Y. 1966).

und K.Rahner[295] mit Hilfe einer scholastischen, neothomistischen Begrifflichkeit eine Theologie der Einwohnung der göttlichen Personen als solcher,
die mehr und mehr an Boden gewann. M. de la Taille übertrug in einer Applikation der Glaubensanalogie das Axiom der «durch den unerschaffenen Akt
geschaffenen Aktuation» auf die Gnade, die Anschauung Gottes, ja selbst
auf das Mysterium der Inkarnation. K.Rahner berief sich vor allem auf die
«quasi-formale Ursächlichkeit», um die schon von Thomas anerkannte Einheit der Natur der Gnade und des Glorienlichtes zu erklären. Seit dem ausgehenden 19. Jh., in dem die Erneuerung des Thomismus durch Leo XIII.
entscheidend gefördert wurde, übte vor allem die Gregoriana einen großen
Einfluß aus. Ehemalige Schüler von de la Taille übernahmen in den Vereinigten Staaten und in Kanada die Führung.[296] In Europa verlief die Reaktion
ruhiger. Nach dem durch Rahner und de la Taille erzielten Durchbruch[297]
verließ man vielfach die scholastischen Denkwege und führte die Ansätze
von Rahner und de la Taille auf neue Weise fort. Auf alle Fälle hat die Theologie seit dem letzten Weltkrieg zu den großen biblischen, patristischen und
mystischen Überlieferungen zurückgefunden. Das Verhältnis zwischen geschaffener und ungeschaffener Gnade wird nun wieder anders begriffen.
Erinnert sei insbesonders an die Anregungen, die von E.Mersch in seinen
Arbeiten über den mystischen Leib ausgegangen sind.[298] Sie betreffen vor
allem drei Punkte: das Verständnis der Gnade als «Einssein», ihre christologische Charakterisierung entsprechend der Formel «filii in Filio» und
schließlich die Entdeckung ihrer Beziehung zur Kirche.

In den letzten Jahren stößt die Einbettung der Gnade in die Heilsgegenwart Gottes – «ex inhabitatione, in inhabitatione, in inhabitationem» – auf
einige Schwierigkeiten, aber aus anderen Gründen als zu Beginn des Jahrhunderts. Das Gnadenmysterium ist dermaßen erweitert und vertieft worden, daß die allzu individualistischen Grenzen der alten Traktate gesprengt
werden. An diesem Punkt ist der Einfluß P.Teilhards de Chardin von Bedeutung, für den die Gnade wiederum kosmische Dimensionen erhält. In
seinem «Milieu divin» findet sich eine prophetische Ausdeutung des Gedankens: «In ihm (Gott) leben wir, bewegen wir uns und sind wir» (Apg

---

[295] K.Rahner, Zur scholastischen Begrifflichkeit der ungeschaffenen Gnade: Schriften I
(1954) 347–375.
[296] Vgl. die Arbeiten von M. J.Donnelly und P. de Letter, zusammengefaßt in R.W.
Gleason, The Indwelling Spirit aaO.
[297] Vgl. besonders die Aufsätze von G.Philips, vor allem: De ratione instituendi
tractatum de gratia nostrae sanctificationis: EThL 19 (1953) 355–373, ferner: I.Willig,
Geschaffene und ungeschaffene Gnade. Bibeltheologische Fundierung und systematische
Erörterung (Münster i.W. 1964) (Lit.).
[298] E.Mersch, Le Corps mystique du Christ, 2 Bde. (Bruxelles ³1951); ders., La théologie du Corps mystique, 2 Bde. (Bruxelles ³1949).

17,28).[299] Infolge des Einflusses von A. N. Whitehead und seiner Schule sieht vor allem die sogenannte «Process Theology» in den Vereinigten Staaten in Teilhard de Chardin ihren wichtigsten Vorkämpfer.[300] Die in jüngster Zeit unternommenen Bemühungen, die chalzedonensische Christologie neu zu durchdenken (P. Schoonenberg u. a.) und die entschieden apophatische Haltung gegenüber dem Trinitätsmysterium verlangsamen anderseits die Reflexion über die Ausstrahlungen der Christologie und der Trinitätstheologie auf das Gnadenmysterium. Wohl aus diesem Grund vor allem sind in den letzten Jahren nur wenige und zwar eher zurückhaltende theologische Forschungsarbeiten über diesen Punkt erschienen.

Eine weitere Veränderung der Blickrichtung übte in den letzten drei Jahrhunderten einen tiefen Einfluß auf die Theologie aus: die Einführung des streng fachtechnischen Begriffs «*übernatürlich*», der zum Begriff der «natura pura» in Gegensatz gestellt oder zumindest formal von ihm unterschieden wird. Diese Neuerung setzte sich, wenigstens in der westlichen Theologie, so rasch durch, daß es noch heute Theologen gibt, die sich keine in einer anderen Begrifflichkeit aufgebaute Theologie vorstellen können. Als H. de Lubac und einige seiner Kollegen nach dem letzten Weltkrieg ihre geschichtlichen Forschungsarbeiten über die noch nicht sehr alte Bildung des Begriffs «natura pura» veröffentlichten,[301] und vor allem, als sie die Auffassung vertraten, daß die Unterscheidung zwischen dem «Übernatürlichen» und der «bloßen Natur» nicht absolut notwendig sei, um auf theologischer Ebene die absolute Ungeschuldetheit der Gnade zu wahren,[302] führten sie eine heftige Kontroverse herbei, die 1950 einstweilen durch die negative Stellungnahme der Enzyklika «Humani generis» Pius' XII. in einer bestimmten Richtung

[299] P. Teilhard de Chardin, Le milieu divin (Paris 1957); dt.: Der göttliche Bereich (Olten 1962).

[300] D. Brown, R. E. James, G. Reeves (Hrsg.), Process Philosophy and Christian Thought (New York 1971); E. H. Cousins (Hrsg.), Process Theology (New York 1971) (Lit.). Zu Teilhard de Chardin vgl. ebd. 229–350. Vgl. auch I. G. Barbour, Teilhard's Process Metaphysics: The Journal of Religion 49 (1969) 136–159. Obwohl J. P. Kelly der Scholastik treu bleibt, akzeptiert er eine Öffnung im Sinn Teilhards de Chardin: The Supernatural (Staten Island N. Y. 1972) 107–144. Die gleiche Reaktion findet sich bei Ch. R. Meyer, A Contemporary Theology of Grace (Staten Island N. Y. 1971) 102–113.

[301] Schon 1934 veröffentlichte H. de Lubac: Remarques sur l'histoire du mot surnaturel: NRTh 61 (1934) 225–249; 350–370. 1946 folgte: Surnaturel. Etudes historiques (Paris 1946); vgl. auch H. Rondet, Nature et surnaturel dans la théologie de saint Thomas d'Aquin: RScR 33 (1946) 51–91; ders., Le problème de la nature pure et la théologie du XVIe siècle: RScR 35 (1948) 481–521, z. T. übernommen in: De gratia Christi. Essais d'histoire du dogme et de théologie dogmatique (Paris 1948) 200–234.

[302] Vor allem in der Diskussion, worin ein anonymer Vertreter der Lyoner Schule und K. Rahner ihre gegenseitigen Positionen darlegen. Rahners Aufsatz erschien in erweiterter Form in: Schriften I (Einsiedeln 1954) 323–345.

entschieden wurde.[303] Die Kontroverse hatte jedenfalls den Vorteil, daß sie den Anstoß zu zahlreichen theologischen Untersuchungen über das desiderium naturale nach der Gottesschau, über den Begriff des «Übernatürlichen» und über verwandte Themen gab.[304] Merkwürdigerweise ist das Interesse an diesen Fragen heute bereits weitgehend geschwunden. Trotz «Humani generis» und trotz des andauernden Widerstands einiger Theologen, hat sich die Grundposition de Lubacs, die er 1965 nochmals in zwei geschichtlichen Arbeiten formulierte,[305] weitgehend durchgesetzt.

Die Geschichte des Natur-Gnade-Problems soll hier nun nicht im einzelnen nachgezeichnet werden, da diese Frage bereits in Mysterium Salutis, Bd. II., Kap. 7, 3. Abschnitt von G. Muschalek dargelegt wurde. Hingegen scheint es uns wichtig zu sein, noch auf einen letzten gemeinsamen Grundzug der Gnadenlehre in den letzten drei Jahrhunderten hinzuweisen. Es handelt sich dabei um die unseres Erachtens verhängnisvollste Tendenz. Man ist im Lauf dieser drei Jahrhunderte dazu übergegangen, die Möglichkeit zu bestreiten, daß alle Menschen in dem Sinn der religiösen Erfahrung teilhaftig werden können, daß sie die Gnade als dynamische Neigung erfahren, die durch die liebende, schöpferische Gegenwart Gottes in uns hervorgerufen wird. Man hielt dies nur möglich in Ausnahmefällen einer im strengen Sinn eingegossenen Mystik.

Der Kampf der spanischen Inquisition gegen die «Alumbrados» und die römischen Verurteilungen eines Molinos und Fénelon hatten den im 16. Jh. noch sehr reichen und fruchtbaren mystischen Elan empfindlich geschwächt. Der europäische Rationalismus versetzte ihm dann den Gnadenstoß. Junge Länder wie Nordamerika haben freilich nie ein anderes Christentum gekannt! Als Descartes die Behauptung, unsere Kenntnis der Wirklichkeit könne nur durch «klare und bestimmte Ideen» vermittelt werden, zu einem absoluten Prinzip erhob, entzog er philosophisch der religiösen Erfahrung den Boden. Diese ist ja dunkel und unbestimmt, obwohl sie reicher, tiefer und überzeugender als jegliche Form rationaler Erkenntnis ist.

Der Ausschluß der *Gnadenerfahrung* ist unseres Erachtens der tiefste Grund

---

[303] «Alii veram ‹gratuitatem› ordinis supernaturalis corrumpunt cum autumnent Deum entia intellectu praedita condere non posse, quin eadem ad beatificam visionem ordinet et vocet» (DS 3891).

[304] Wir nennen hier nur H. U. v. Balthasar, Karl Barth (Köln 1951) 278–335; ders., Der Begriff der Natur in der Theologie: ZKTh 75 (1953) 81–97; 452–461; 461–464 (Diskussion mit E. Gutwenger); L. Malevez, La gratuité du surnaturel: NRTh 75 (1953) 561–586; 673–689; J. P. Kelly, Reflection on human Nature and the Supernatural: Theological Studies 14 (1953) 280–287.

[305] H. de Lubac, Augustinisme et Théologie moderne (Paris 1965) (übernimmt zum großen Teil «Surnaturel» von 1946); ders., Le mystère du surnaturel (Paris 1965). Wir verfolgen hier die Frage nicht weiter, da sie in einer knappen Zusammenfassung bereits von G. Muschalek, Schöpfung und Bund als Natur-Gnade-Problem: MS II, 546–558 behandelt wurde.

der theologischen Dekadenz, der wir im Westen anheimgefallen sind. Die
Offenbarung wurde zu etwas rein Begrifflichem – eine Auffassung, für die
noch auf dem II. Vatikanum eine Minderheit eintrat. Man vergaß die reiche
thomistische und franziskanische Überlieferung über die Natur des Glaubensaktes, wonach dieser notwendigerweise eine wenigstens elementare
Erfahrung dessen in sich schließt, daß sich Gott innerlich als höchste Wahrheit bezeugt. So kam es zur Entstehung einer ganz rationalen Apologetik.
Da die innere Gegenwart des Heiligen Geistes auf außerordentliche, ja im
strengen Sinn mystische Fälle beschränkt wurde, konnte sich die Kirche nicht
mehr wirklich als «communio» verstehen. So sah man sich gezwungen, den
Kirchenbegriff Bellarmins zu übernehmen und ihn durch die Definition
der «societas perfecta» weiterzuführen. In dem so entstandenen Vakuum
erwies sich die kirchliche Amtsautorität als Stütze für die pyramidale Struktur der Kirche. Dies ließ dem Juridismus, dieser endemischen Krankheit des
Westens, freien Lauf. Weil die Aussagen der Theologen für die christliche
Erfahrung keine Bedeutung mehr hatten, stand der Weg für allerlei abstrakte
Spekulationen und Schuldispute offen, man denke nur an die sterilen Diskussionen zwischen Molinisten und Bañezianern. Die einzig mögliche Brem-
se lag in der Schrift und in der Tradition, aber sie war nicht wirksam genug,
weil man das Argument vorbrachte, auch die Vernunft sei eine Gabe Gottes.[306] Begreiflicherweise wurde deshalb vor allem der Gnadentraktat, der
doch die Herzmitte der christlichen Existenz betrifft, zu einem der esote-
rischsten theologischen Traktate.

Die Erneuerung der großen mystischen Überlieferung ist damit sehr
schwierig geworden. Die religiöse Erfahrung ist unmöglich ohne die Sprache, in der sie zu Wort kommt. Diese Sprache ist verlorengegangen. Wir
besitzen nur noch die Sprache der großen klassischen Mystiker, die uns zwar
behilflich sein kann, sich aber doch an eine verschwundene Generation von
Gläubigen richtet. Wie P. Ricœur treffend bemerkt, hat unsere Zivilisation
inzwischen unter dem Einfluß der «Lehrer des Infragestellens» – Freud, Nietzsche, Marx – gestanden. Wir haben unsere «ursprüngliche Naivität» eingebüßt und müssen zu einer «zweiten Naivität» zurückfinden.[307] Die gnaden-

---

[306] Noch J.-H. Nicolas argumentiert so: «Das Prinzip (d.h. die biblische und patristische Beweisführung Scheebens und anderer Autoren) ist zwar ausgezeichnet, obwohl
daran zu erinnern ist, daß die Vernunft ebenfalls von Gott kommt und daß der Logos uns
schon durch sie erleuchtet.» (Les profondeurs de la grâce divine 112). Man könnte sich
dennoch fragen, wem die Priorität zukomme!

[307] «Ich möchte mit Bonhoeffer und andern gern annehmen, daß inskünftig eine von
Feuerbach und den drei Lehrern des Infragestellens (d.h. Marx, Freud, Nietzsche) genährte Religionskritik zum reifen Glauben eines modernen Menschen gehört», sagt
P. Ricœur, La critique de la religion: Bulletin du Centre Protestant des Etudiants 16 (1964)
10 ff, angeführt von M. Xhaufflaire, Feuerbach et la théologie de la sécularisation (Paris
1970). Zum Gedanken der «zweiten Naivität» vgl. J. Shea, Die zweite Naivität – Bemerkungen zu einem Pastoralproblem: Concilium 9 (1973) 56–62.

hafte Erfahrung der Gegenwart Gottes bleibt für ein wahres christliches Leben immer noch vital notwendig, doch müssen wir größere Anstrengungen
auf uns nehmen, um sie zu rechtfertigen. Glücklicherweise scheint unsere
Generation bereit zu sein, trotz dieser Schwierigkeiten eine der wichtigsten
Überlieferungen auf dem Gebiet der Gnadentheologie wieder einzuholen
und zu erneuern.

b. Der Suarezianismus oder Molinismus

Unsere Schilderung der gemeinsamen Grundzüge der Gnadenlehre der letzten drei Jahrhunderte ist reichlich düster. Wir sind eben überzeugt, daß der
Suarezianismus vor allem in bezug auf die Gnadenlehre streng zu beurteilen ist. Darum möchten wir ihm auch nicht zu viel Aufmerksamkeit
schenken.[308]

Der apostolische Dynamismus und theologische Ernst, den die Suarezia-
ner – vor allem anfänglich – an den Tag legten, soll uns die Augen für die
Werte öffnen, für die sie einstehen wollten. Wir haben bereits von ihrem
Bemühen gesprochen, in einer Epoche, die über die Entdeckung des Menschen und seiner wissenschaftlichen, wirtschaftlichen und künstlerischen
Möglichkeiten begeistert war, ein aggiornamento herbeizuführen. Die
Barockepoche ist charakterisiert durch eine Reorganisation der Kirche,
durch eine intensive Erneuerung der Sakramentenpraxis, durch eine glänzende Unterrichtsreform in den Universitäten, Priesterseminarien und Kollegien, durch den Willen zum künstlerischen Ausdruck in der religiösen
Literatur, Dramatik, Musik und Architektur. Heute sagt uns der trium-
phalistische Ton, der diesen Äußerungen anhaftet, nicht mehr zu. Es wäre
jedoch ungerecht, eine Epoche von unserer heutigen Situation aus zu beur-

---

[308] Der Suarezianismus, der, was den Gnadentraktat betrifft, auch von Luiz de Molina
beeinflußt ist, ist vor allem eine Schultradition. Darum führen wir gelegentlich die beiden
neueren Handbücher an, die für diese spätscholastische Tradition repräsentativ sind:
H. Lange, De gratia (Freiburg i. Br. 1929) und S. Gonsález, De gratia – Sacrae Theologiae
Summa III (Madrid ⁴1962) 483–706. – Wenn wir den antiaugustinischen Charakter dieser
theologischen Tradition betonen, denken wir vor allem an ihr Eintreten dafür, daß die
menschliche Freiheit nicht verdorben ist, und an ihre Deutung der aktuellen Gnade, wonach diese von außen hinzukommt. Doch muß man anerkennen, daß die Suarezianer in der
Beschreibung des Wirkens der Gnade eine Vorliebe für augustinische Begriffe und Denkweisen haben, was bei ihnen einen gewissen Psychologismus hervorruft, der sie der franziskanischen und skotistischen Tradition annähert. Vgl. dazu: F. Stegmüller, Zur Gnadenlehre des jungen Suárez (Freiburg i. Br. 1933); S. Castellote Cubells, Die Anthropologie
des Suárez (München 1962); L. Mahieu, François Suarez. Sa philosophie et les rapports
qu'elle a avec sa théologie (Paris 1921). Einen kurzen geschichtlichen Überblick und eine
gute Bibliographie bietet M. Grabmann, Geschichte der katholischen Theologie (Freiburg
i. Br. 1933) 168–172; 329–331.

teilen. Das Ende der Religionskriege, die Entdeckung der Welt mit ihren ungeheuren Reichtümern, der ungeahnte Aufschwung der positiven Wissenschaften, das Erspähen der schöpferischen Kräfte des im Entstehen begriffenen Kapitalismus, die Macht der Könige «von Gottes Gnaden», all dies versah authentisch religiöse Vorhaben mit einem Gefühl der Euphorie. Man gedachte, die Welt für Christus zu erobern «mit dem Kreuz und dem Degen» – wie die Formulierung auf dem gewaltigen Steinblock lautete, der an der letzten Weltausstellung in New York die Eintrittshalle des spanischen Pavillons schmückte. All dies ärgert und skandalisiert uns, weil wir heute den unvermeidlichen Gegenstoß eines fast universalen Antikolonialismus erleben.

Die Suarezianer waren die ersten, die das neue Problem des Heils der Nichtchristen aufgriffen. Bevor wir ihren theologischen Beitrag analysieren, müssen wir die Redlichkeit ihres missionarischen Bemühens betonen. Die Reduktionen von Paraguay, der Respekt vor den chinesischen Riten, das von R. de Nobili und J. de Britto angeregte Bestreben, sich die Kultur der Brahmanen Südindiens anzueignen, zeugen von ihrem Willen, gewisse einheimische religiöse Überlieferungen zu respektieren. Es ist Europa gewesen, das nach unzähligen Disputen diese Bewegung gestoppt hat, die dem Christianisierungsbemühen ein ganz anderes Antlitz hätte geben können. Die übermäßige Zentralisierung der katholischen Kirche, die jansenistischen Eifersüchteleien und die Strenge der protestantischen Missionare müssen sich hier in die Schuld teilen.[309]

In diesem weitergespannten Kontext wird es für uns nun leichter sein, die von den Suarezianern ausgedachte Lösung der Frage nach dem Heil der Nichtchristen zu bewerten. Danach sind die Heiden, solange sich die Frage des übernatürlichen Glaubens an die Botschaft Christi nicht formell stellt, von einer «äußeren» Gnade umgeben, d. h. von all den «ihrer Natur nach» guten sittlichen und religiösen Überlieferungen, womit Gott in seiner gütigen Vorsehung im Hinblick auf ihre Christusbegegnung für sie sorgt. Diese «äußeren Gnaden», die einzig der Intention nach übernatürlich sind, disponieren sie «negativ» zum Glauben, d. h. sie sind ihnen behilflich, keine Todsünden zu begehen. Sobald einmal dadurch, daß ein Missionar die christliche Botschaft verkündigt, sich die Glaubensfrage stellt, wirken auf die Heiden entitativ übernatürliche Gnaden ein. Diese göttliche Vorsehung läßt sich, theologisch gesprochen, von der «scientia media» in Gott leiten, die nach molinistischer Auffassung bei jedem Menschen voraussieht, was

---

[309] Vgl. M. Hay, Failure in the Far East – Why and How the Breach between the Western World and China first began (Wetteren 1956). Hay stützt sich auf die Korrespondenz eines schottischen Priesters, William Leslie, der an der 1622 gegründeten Congregatio de Propaganda Fide arbeitete, und zeigt den Einfluß der Jansenisten und ihrer Freunde auf die römische Kurie auf.

er in einer bestimmten Situation tun wird, und ihn dementsprechend prädestiniert.[310]

Infolge der bereits erwähnten geschichtlichen Ereignisse und der Verhärtung der kolonialistischen Haltung des Okzidents hatten diese Theologen nicht mehr Gelegenheit, ihre Überlegungen über diesen Punkt weiterzuführen, wenigstens was die nichtchristlichen Religionen anbetrifft. Vor allem in den theologischen Handbüchern werden die erwähnten Ansichten meist auf Thesen über die Vorbereitung auf die Gnade und über den Heilswillen Gottes verkürzt. Der Begriff «negative Disposition» ist zweifellos am problematischsten.[311] Heutzutage, aber auch einer rechten thomistischen Theologie entsprechend, ist es undenkbar, den Akt der Vermeidung der Todsünde und die sittlich gute Tat voneinander zu trennen. Der eine Akt existiert nicht ohne den andern.

Es ist nicht leicht herauszufinden, was eigentlich an dieser theologischen Interpretation nicht stimmt, handelt es sich doch dabei mehr um eine Denkform als um eine bestimmte Lehrposition. Wir könnten von einer «Mechanisierung» der Aktivität der geschaffenen Gnade sprechen, insofern deren Ontologie begrifflicher und abstrakter wird. Man kann dieses Phänomen in den Blick bekommen, indem man es von einem andern Blickwinkel her ansieht. Die gleichen Theologen übernehmen in der Sakramententheologie die Deutung der sakramentalen Kausalität, die man in den Handbüchern «perfektive physische Kausalität» im Unterschied zur «dispositiven» nennt, an die die Mehrzahl der großen Theologen des Mittelalters dachte.[312] Der Umstand, daß diese Interpretation im Thomismus und in anderen theologischen Schulen rasch Verbreitung fand, beweist, daß der Prozeß der Mechanisierung der geschaffenen Gnade nicht bloß den Suarezianern zur Last gelegt werden kann.

Wir können ein anderes typisches Beispiel anführen: die sogenannte «hinreichende Gnade» (gratia sufficiens). An und für sich sollte dieser Begriff nichts anderes als

[310] In bezug auf das molinistische Interpretationssystem der Prädestination vgl. unten Kap. 12, S. 787. H. Lange behandelt die Frage des allgemeinen Heilswillens aaO. nr. 659–696.

[311] H. Lange aaO. nr. 210–246 und S. Gonsález aaO. nr. 107f. Es ist interessant zu beobachten, daß es H. Lange, der hierin F. Suárez folgt, nicht gelingt, den Begriff «dispositio ultima» des Thomas v. A. zu verstehen. Dies erklärt vielleicht, weshalb es gewissen modernen Autoren schwer fällt, diesen Begriff und damit auch das «transzendental Übernatürliche» bei Karl Rahner zu verstehen. – Lange und Gonsález behandeln diese These in Anwendung des scholastischen Axioms «Facienti quod in se est, Deus non denegat gratiam». Zur suarezianischen Interpretation dieses Begriffs vgl. J. Rabeneck, Das Axiom: «Facienti quod in se est, Deus non denegat gratiam» nach den Erklärungen Molinas: Scholastik 32 (1957) 27–40 und J. Hellin, El axioma «Facienti quod in se est, Deus non denegat gratiam» en el P. Luiz de Molina: Estudios Ecclesiasticos 35 (1960) 171–199.

[312] B. Leeming, Principles of Sacramental Theology (London 1955) 283–345, vor allem 288f und 314–321. Leeming selbst tritt für die «causalitas dispositiva intentionalis» ein, die von Kardinal L. Billot postuliert wird.

das Hinreichen des göttlichen Heilshandelns und damit auch unsere Verantwortung in der Entgegennahme des Heils aussagen. Sobald aber dieser Begriff «verdinglicht» wird, d. h. sobald das «Hinreichen» zu einer ontologischen Qualität der geschaffenen Gnade und so für sich allein genommen wird; muß man zu absurden Folgerungen kommen. Die Jansenisten haben sich darüber lustig gemacht, indem sie den Slogan aufbrachten: «A gratia sufficienti libera nos Domine!»[313]

Sobald sich der Sinn für den engen Zusammenhang der Gnade mit der schöpferischen und liebenden Gegenwart Gottes verdunkelt, befindet sich der Theologe in der gefährlichen Lage, sich nicht mehr gegen die Verlokkungen zu unbewußt «magischer» Auffassung der Gnade zur Wehr setzen zu können. Der Rationalismus konnte diese Gefahr nur noch verstärken. Die Vorstellungen, die man sich in den letzten Jahrhunderten in weiten Kreisen über die Gnade machte, bestätigen, daß es zu dieser Degenerationserscheinung tatsächlich gekommen ist. Ein ähnliches Phänomen war schon unter dem Nominalismus eingetreten.

Wir könnten noch ein drittes Beispiel vorlegen, das enger mit der Frage der Vorbereitung auf die Gnade zusammenhängt. Man hat die Suarezianer oft des Semipelagianismus bezichtigt. Auf der Ebene der systematischen Lehrpositionen stimmt dieser Vorwurf nicht, weil sie dafür eintreten, daß eine entitativ übernatürliche Gnade für unsere ganze Hinbewegung zu Gott notwendig ist. Doch droht hier eine erste Gefahr: die einer zu radikalen Unterscheidung zwischen der natürlichen und der übernatürlichen Ordnung. Nach Ansicht der Suarezianer befinden sich die gutwilligen Heiden im Stand der «reinen Natur», die faktisch, wenn auch nicht de iure, zu einem geschichtlich bestehenden Daseinsstand wird. Ihr Stand ist insofern vom abstrakten Stand der «natura pura» verschieden, als sie in der Tat der ursprünglichen Integrität Adams beraubt sind. Doch wird der Verlust des Standes der Integrität im Sinn einer bloßen «denudatio» («homo in statu naturae vulneratae differt a homine in statu naturae purae tamquam spoliatus a nudo»!) und nicht im Sinn einer (positiven) «corruptio» der Natur verstanden. Dies zeigt, wie sehr man das übernatürliche Leben als etwas auffaßte, das der Natur von außen hinzugefügt wird («superadditum»). In dieser Auffassung spiegelt sich wohl auch das humanistische Anliegen, die menschliche Würde gegenüber der von der Reformation und den Jansenisten vertretenen These der radikalen Verderbtheit der menschlichen Natur zu verteidigen. Doch wird man schwerlich bestreiten können, daß die suarezianische Interpretation auf moralischer und geistlicher Ebene ein semipelagianisches Klima erzeugt hat, auch wenn sie keine Semipelagianer im fachtechnischen Sinn waren. Wir haben stets die Ansicht vertreten, daß der Semipelagianismus eher eine Denk- und Lebensatmosphäre als eine systematische Doktrin ist. Ins System gebracht, enthüllt diese Doktrin rasch

[313] DS 2306.

ihre philosophischen und theologischen Unstimmigkeiten, weil sie das Ergebnis eines krassen Anthropomorphismus ist, der sich auf den «gesunden Menschenverstand» beruft. Doch als ein hinter einem mehr oder weniger rechtgläubigen System verstecktes Denkklima verrät sich der Semipelagianismus vor allem auf der Ebene des christlichen Lebens. Das Umsichgreifen des Rationalismus in einer Theologie, die auf moralischem Gebiet allzuoft zu einer Art Stoizismus absank, der vom Naturrechtsdenken inspiriert war, konnte diesen «Gnadennaturalismus» nur noch verstärken. Hauptursache davon war, daß das Übernatürliche als etwas von außen Hinzukommendes angesehen wurde.

Wir haben darauf hingewiesen, daß der Suarezianismus gewissermaßen das Erbe des Nominalismus angetreten habe.[314] Seine Vertreter bedienen sich ja weiterhin der Unterscheidung zwischen der «potentia absoluta» und «ordinata» Gottes und sie versuchen oft, ein gegebenes Problem durch die Berufung auf ein göttliches Dekret oder wenigstens einen besonderen Eingriff Gottes zu lösen. Sie haben auch reichlich an eine Theologie der *modi* appelliert, um die Beschaffenheit unseres Daseins zu erklären.[315]

Ein klassisches Beispiel dafür findet sich in der Interpretation unseres entitativ übernatürlichen Seins (supernaturale quoad substantiam). Luiz de Molina war der erste, der einen neuen Erklärungsversuch vorlegte. Danach besteht zwischen unseren natürlichen und unsern übernatürlichen Akten kaum ein Unterschied. Unser übernatürliches Gnadendasein wird einzig durch einen ontologischen modus der Übernatürlichkeit bestimmt. Zum Verständnis dieser Position ist beizufügen, was diese Theologen hinsichtlich der Frage nach der Erfahrung der Gnade meinen. Fachtechnisch ausgedrückt gilt für sie das Axiom «omnis actus specificatur a suo obiecto formali» nicht notwendig. Denn normalerweise können unsere übernatürlichen Akte nicht durch ein übernatürliches Formalobjekt spezifiziert werden, weil dies bedingen würde, daß man das Übernatürliche in gewisser Hinsicht, wenn auch dunkel und undeutlich, wahrnehmen würde. Anders ausgedrückt heißt dies, daß die Übernatürlichkeit unseres Tuns nach dieser Auffassung auf einer ausschließlich ontologischen Bestimmung beruht, die sich im menschlichen Bewußtsein nicht abzeichnet. Daß unsere Akte übernatürlich sind, wissen wir einzig aufgrund des Glaubens, wie er von der Kirche vorgelegt wird. Das bestätigt und bestärkt das bereits Gesagte: auf der Ebene des bewußt christlichen Lebens bleibt die psychologische Aktivität im Grunde «natürlich». Doch wissen wir aus dem Glauben – der immer mehr satzhaft verstanden wird entsprechend einer Offenbarung, die begriffliches Wissen vermittelt –, daß unserem Tun in den Augen Gottes ein höherer Wert, eine übernatürliche Verdienstlichkeit zukommt.

---

[314] K. Werner, Franz Suárez und die Scholastik der letzten Jahrhunderte (Regensburg 1861) 221–234. Vgl. auch J. Auer, Um den Begriff der Gnade: ZKTh 70 (1948) 314–368, worin unter Verweis auf F. Stegmüller, Geschichte des Molinismus I (Würzburg 1933) der Molinismus in die franziskanische Überlieferung eingeordnet wird. Vgl. auch L. Mahieu aaO. 498–588.

[315] J. I. Alcorta, La teoria de los modos en Suárez (Madrid 1949).

Andererseits versuchen die Suarezianer, sich an das große Axiom des Mittelalters zu halten: «par charitas, par meritum». Darum kommt es bei ihnen zu Diskussionen über den *bewußten* Grad der Liebe, der zur Erreichung eines wahren Verdienstes erforderlich ist. Die verhängnisvollste Folge dieser Interpretation ist wiederum die Auffassung, daß das Übernatürliche unserem Alltagsleben an und für sich fremd bleibe und außer ihm stehe. Darum herrscht die Tendenz, es mit dem Außergewöhnlichen, mit dem Übergebührlichen und äußerstenfalls mit dem Unmenschlichen zu verwechseln, um sich auf der christlichen Bewußtseinsebene der Übernatürlichkeit unseres Tuns zu vergewissern.

Am Schluß dieser Ausführungen ist noch zu präzisieren, daß Suárez selbst stets die Ansicht vertreten hat, daß unsere übernatürlichen Akte durch ihr übernatürliches Objekt spezifiziert werden.[316] In dieser Gedankenlinie ist auch zu erwähnen, daß für Suárez und mehrere seiner Schüler die aktive *potentia oboedientialis* des menschlichen Subjekts weit mehr als ein bloßes Nichtwidersprechen besagt. Er nimmt eine konkrete, reale Befähigung an, die zudem eine eigentliche Verpflichtung in sich schließt, sich Gott zu öffnen. In diesem Sinn muß man zweifellos zugeben, daß der anfängliche Suarezianismus die natürliche und die übernatürliche Ordnung nicht nebeneinander stellt, wie Cajetan und Silvester von Ferrara das vor ihm getan hatten und andere nach ihm es beständig tun.[317]

Wir haben noch ein letztes Beispiel für die Ausbildung des Extrinsezismus hinsichtlich des Verhältnisses von Natur und Gnade vorzulegen. Wir denken an die theologische Erklärung der Natur der innerlich übernatürlichen aktuellen Gnade, die als eingegossene vitale Bewegung der Seele, konkret gesprochen als Erleuchtung des Geistes und als Inspiration des Willens, verstanden wird. Die Suarezianer reden zwar von einer großen Vielfalt aktueller Gnaden mit verschiedenen Graden der Übernatürlichkeit und Ungeschuldetheit. Sie nehmen sogar innerlich natürliche Gnaden an, die jedoch «respektiv» übernatürlich genannt werden, insofern sie von der göttlichen Vorsehung auf das Heil hingeordnet sind. Sie besitzen somit eine funktionale, auf das Heil ausgerichtete Finalität. Für die Suarezianer gibt es indes auch innerlich übernatürliche aktuelle Gnaden. Im Gegensatz zum Thomis-

---

[316] L. de Molina, Concordia Liberi arbitrii q. 14 a. 13 disp. 38 (Paris 1876) 211–222. Ihm folgen De Lugo, Ripalda und L. Billot. Vgl. H. Lange aaO. nr. 304–310. Es ist pikant, wie sich Lange gegenüber Garrigou-Lagrange um den Nachweis bemüht, daß diese Form der Übernatürlichkeit «entitativ» und nicht rein «modal» im scholastischen Sinn des Wortes sei. Zu Suárez kann man sein Werk De gratia II, Kap. 11 konsultieren. Vgl. Salmanticenses, Cursus theologicus V (Lugduni 1673) 243–266 = Tract. XIV, De gratia, disp. 3, dub. 3. Alle diese Autoren behandeln die Frage im Zusammenhang mit der Interpretation des übernatürlichen Glaubensaktes. Vgl. R. Aubert, Le problème de l'acte de foi (Louvain ²1950) und vor allem E. G. Mori, Il motivo della fede da Gaetano a Suárez (Roma 1953).

[317] J. M. Palma, La potencia obediencial activa en el plano metafisico según Suárez (Granada 1955).

mus, der jedwede Aktivität, ob bewußt oder unbewußt, als dynamische Weiterführung der Natur und der Tugenden ansieht, lassen sie den übernatürlichen Charakter der aktuellen Gnade durch das unmittelbare Einwirken Gottes auf den menschlichen Akt bestimmt sein, ohne daß die Fähigkeiten ins Übernatürliche erhoben würden. Zudem behaupten sie, eine solche übernatürliche aktuelle Gnade könne per accidens das Nichtvorhandensein der habituellen Gnade in der Konstitution des freien übernatürlichen Aktes kompensieren. Im Grunde wenden sie damit nur ihre allgemeine Lehre über den göttlichen Konkurs auf diesen Einzelfall an. Dazu ist nochmals zu bemerken, daß in dieser Sicht Gott nur von außen her auf uns einwirkt, ohne daß sein Einwirken als solches in unser Bewußtsein tritt.[318]

Wir haben uns in diesen knappen Ausführungen bemüht, vor allem die innere Logik des suarezianischen Systems hervorzuheben, denn wir sind überzeugt, daß man die heftigen Reaktionen unserer Epoche gegen eine gewisse Gnadentheologie nicht verstehen kann, wenn man unserer unmittelbaren Vergangenheit nicht Rechnung trägt. Eine Theologie, welche zweifellos die menschlichen Werte besser respektieren wollte, ist auf geistlicher, moralischer, kirchlicher und theologischer Ebene und vor allem auf dem Gebiet der Vulgarisation und des Lebens zu einem System oder besser zu einer Mentalität gekommen, worin die Außenständigkeit des Übernatürlichen schließlich den christlichen Humanismus verleugnete.[319] Anders muß das Urteil über die Personen lauten, die dieses theologische System vertreten haben. Diese haben die Glaubens- und Sittenlehre in Punkten, die uns hier nicht zu beschäftigen haben, weitergebracht, und oft sind die Theologen – wie die Gläubigen – besser als das System, das sie meinen verteidigen zu müssen aus Treue zu ihrer Tradition und zum intellektuellen Milieu, in dem sie aufgewachsen sind. Gottes Gnade ist stärker als unsere menschlichen Theorien!

c. Der nachtridentinische Augustinismus

Wir sind nicht die ersten, die gegen gewisse Systematisierungstendenzen des Suarezianismus Einspruch erheben. Der Augustinismus des 17. Jh.s hat dies vor uns getan, wenn auch aus teilweise andern Gründen als wir. Nach einhelliger Ansicht aller Dogmengeschichtler haben Bajus und Jansenius die scholastische Methode entschieden abgelehnt im Bestreben, die augustinische Theologie wieder zur Geltung zu bringen. Die beiden Löwener Theologen wollten zudem die Thesen der Reformation widerlegen, die in den Nieder-

[318] H. Lange aaO. nr. 488–536 und S. Gonsález aaO. nr. 265–284.

[319] K. Rahner, Natur und Gnade: Schriften IV (Einsiedeln 1961) 209–236; P. Fransen, Christian Humanism: Intelligent Theology III (London 1969) 101–114; Grace. Theologizing and The Humanizing of Man. Proceedings of the 27th Annual Convention of the Cath. Theol. Society of America, Bd. 27 (New York 1973) 55–77.

landen vor allem kalvinistisch ausgerichtet war. Bajus scheint Luther nicht gut gekannt zu haben. Zweifellos waren beide vom Anliegen beseelt, den Primat der göttlichen Gnade zu retten. Ihr Fehler bestand jedoch in dem, was man als augustinianischen Archaismus bezeichnen könnte.[320] Sie wollten zu den Formulierungen und Lehren ihres großen Meisters zurückkehren, waren sich aber nicht bewußt, daß die lateinische theologische Sprache sich inzwischen tiefgreifend weiterentwickelt hatte und daß auch für die Theologie die menschliche Geschichte sich nicht mehr rückgängig machen läßt. Auch als Schüler Augustins blieben sie Kinder ihrer Zeit und als solche reduzierten sie unbewußt die Ideen, die das großartige und vielseitige Genie Augustins geprägt hatte, auf abstraktere, statischere, eindeutigere und somit plattere Begriffe. Augustins Ideen erstarrten so manchmal bis zur Karikatur, indem sie sich in einer gewissen Sklerose von seinem lebendigen Denken abspalteten.

Man sollte jedoch nicht, wie dies mehrere katholische Historiker tun, zur Beurteilung der beiden Autoren einfach von den lehramtlichen Verurteilungen ausgehen. Dies hieße die Rolle des Lehramtes verkennen, zumal in einer so verworrenen theologischen Situation, wie sie damals bestand und die kirchliche Gemeinschaft bedrohte.[321] Seine oft zögernde und manchmal unklare Haltung zeigt, daß es keineswegs leicht war, harmonische Lösungen ausfindig zu machen, welche die authentischen Werte respektierten, die von so zahlreichen und so verschiedenen Gruppen verteidigt wurden. Die Auseinandersetzung endigte jedenfalls mit einer zeitweiligen Zurückdämmung des Augustinismus. Doch daran trägt nicht so sehr das Lehramt Schuld, das die Autorität Augustins und anderer Kirchenlehrer stets anerkannt hat, sie steht vielmehr im Zusammenhang mit der der Geschichte eigenen Dialektik. Wir haben schon öfters das Dilemma erwähnt, vor dem der Westen steht: Gott erhöhen auf Kosten des Menschen oder den Men-

---

[320] Vgl. dazu H. de Lubac, Augustinisme et théologie moderne aaO. 301; J.H.Walgrave, Geloof en theologie in de crisis aaO. 160.

[321] L.Choupin, Valeur des décisions doctrinales et disciplinaires du Saint-Siège (Paris [3]1928) 85 schreibt über die Natur der dogmatischen Entscheidungen des Sanctum Officium: «Durch solche Entscheide will der Heilige Stuhl für die *Sicherheit* der Glaubenslehre sorgen, den Gefahren der Glaubensperversion zuvorkommen und nicht sosehr *direkt* ein Urteil über die *absolute Wahrheit* oder *Falschheit* der Ansicht selber fällen... Ein *Lehrentscheid*, der von der Autorität des obersten Lehramtes getroffen wird, aber nicht durch das Charisma der Unfehlbarkeit gedeckt ist, will besagen: Unter den gegebenen Umständen, beim gegenwärtigen Wissensstand ist es klug *und sicher*, diesen Satz als wahr, als der Heiligen Schrift entsprechend usw. anzusehen. Oder: Es ist klug *und sicher*, diesen Satz als irrig, verwegen, der Heiligen Schrift widersprechend usw. anzusehen» (Hervorhebungen durch den Autor). Vgl. auch die Bemerkungen von M.-D.Chenu zu den Konzilsdefinitionen, in: Introduction à la Théologie: RSPhTh 24 (1935) 706 sowie P.Fransen, Unity and Confessional Statements. Historical and Theological Inquiry of R.C. Traditional Conceptions: Bijdragen 33 (1972) 2–38; ders., Hermeneutische Überlegungen zur Interpretation kirchlicher Dokumente: Theologie der Gegenwart 16 (1973) 105–112.

schen erhöhen auf Kosten Gottes. Europa wurde damals von einer humanistischen Sturmflut überschwemmt, die sich in der Aufklärung und im modernen Rationalismus fortsetzte. Dem Lehramt gelang es erst, Enrico Noris und seine Schule vor dem Bannstrahl der spanischen Inquisition zu retten, als Benedikt XIV. in seinem Schreiben «Dum praeterito» vom 31. Juli 1748 an den spanischen Großinquisitor die augustinische Gnadenauffassung als ebenso berechtigt erklärte wie die Schulmeinungen der Thomisten, Molinisten und Suarezianer, wobei er den Theologen verbot, ihre Gegner durch theologische Zensuren zu verunglimpfen.[322]

Wir meinen darum, in diesem Abschnitt methodisch anders vorgehen zu müssen als im vorausgehenden. Wenn wir beim Suarezianismus mehr die Schwächen unterstrichen haben, weil wir nach unserer Ansicht auch heute noch wenigstens unbewußt an ihnen zu tragen haben, so scheint es uns für die heutige theologische Reflexion fruchtbarer zu sein, die positiven Anliegen der Augustinianer hervorzuheben.

Michel de Bay, genannt Bajus, wurde 1513 zu Mélins l'Evêque in den spanischen Niederlanden geboren. Als Nachfolger und Gegner von R. Tapper und J. Driedo wirkte er als vielbeachteter Professor zu Löwen. Seine kleinen Bücher sind von mustergültiger Klarheit, Genauigkeit und Eleganz.[323] Er war auch ein kirchlich gesinnter Mann. Nachdem er sich wiederholt, vor allem in seiner «Apologia», verteidigt hatte, unterstellte er sich schließlich dem Urteil der Kirche. Aus seinen Werken kann man heute zwar den Eindruck gewinnen, die Unterwerfung sei mehr aus kirchlichem Gehorsam als aus innerer Überzeugung erfolgt. Es läßt sich von heute aus gesehen kaum sagen, daß alle 79 Sätze, die seinen Werken entnommen und von Pius V. verurteilt wurden, seine Ideen richtig zum Ausdruck bringen.[324]

[322] DS 2564. Die Opposition gegen die Augustinianer war auch in Frankreich sehr stark. Man verwehrte es ihnen zu unterweisen, zu predigen und die Sakramente zu spenden. Im August 1758 beruhigte Klemens XIII. den Ordensgeneral F. X. Vasquez und erinnerte ihn an die verschiedenen Interventionen des Hl. Stuhls zugunsten seines Ordens. Vgl. W. Bocxe, Introduction to the Teaching of the Italian Augustinians of the 18th Century on the Nature of Grace. Pars Diss. ad Lauream (Heverlee-Louvain 1958) 13 f. Einzelne vorher nicht veröffentlichte Dokumente finden sich S. 55–65.

[323] X. Le Bachelet: DThC II (1905) 38–111; F. X. Jansen, Baius et le Baianisme (Louvain) 1927; F. Litt, La question des rapports entre la nature et la grâce de Baius au Synode de Pistoie (Fontaine L'Evêque 1934); H. de Lubac, Augustinisme et théologie moderne (Paris 1965). Wir bevorzugen jedoch die mehr um die geschichtliche Wahrheit bemühten Interpretationen von P. Smulders, De oorsprong van de theorie der zuivere natuur: Bijdragen 10 (1949) 105–127 und von J. H. Walgrave, Geloof en theologie in de crisis aaO. 159–177.

[324] Man kennt die Diskussionen über die Tragweite der Zensuren, die zum Schluß der Bulle Pius' V. im vielberedeten «comma pianum» ausgesprochen werden: DS 1980 und Anm. 1. Die Anhänger des Bajus behaupteten, der Text sei so zu lesen: «quamquam nonnullae aliquo pacto sustineri possunt in rigore et proprio verborum sensu ab assertoribus intento». Die Jesuiten und ihre Freunde behaupteten nach einiger Zeit, einzelne Sätze könnten in einem absoluten Sinn genommen werden, doch keinesfalls «sensu ab asser-

Cornelius Jansen, genannt Jansenius, wurde 1585 zu Arquoy bei Leerdam (Niederlande) geboren. Er starb 1638 als Bischof von Ypern. Er studierte in Löwen, darnach in Frankreich, und kehrte 1617 nach Löwen zurück. Sein Hauptwerk «Augustinus» begann er 1628, wobei er versuchte, die Positionen des Bajus zu vertiefen und zu nuancieren. Infolge der durch Molina ausgelösten Kontroverse «De auxiliis» über die Natur der Gnade und aufgrund der Diskussionen über die molinistische «scientia media» und die bañesianische «praedeterminatio physica» hatte sich der theologische Horizont mittlerweile geändert und sozusagen polarisiert. Der 1597 von Klemens VIII. eingesetzten «Congregatio de auxiliis» war es nicht gelungen, das zwischen Jesuiten und Dominikanern umstrittene Problem zu lösen.[325] Jansenius entschloß sich zu einem Zweifrontenkampf. Einerseits focht er gegen die holländischen Kalvinisten, andererseits gegen den scholastischen und humanistischen Pelagianismus der Jesuiten. Seine Quellen waren die Schrift und die Kirchenväter, vor allem Augustinus. Hinter seiner Arbeit stand der große Traum von einer wahren «Gegenreformation». Er scheint seinen Plan in Bayonne zusammen mit dem ihm befreundeten Abt von Saint-Cyran, Jean du Vergier de Hauranne, gefaßt zu haben. Dieser übernahm 1635 die Leitung von Port-Royal, das nach Jansenius' Tod zum Zentrum des «Jansenismus» wurde.[326]

Eine dritte Gruppe von Augustinianern aus dem Orden der Augustinereremiten wurde von Enrico Noris angeführt, der 1695 von Innozenz XII. zum Kardinal erhoben wurde. Fulgentius Bellelli, bald Ordensgeneral, und G. L. Berti haben jedoch sowohl über die habituelle wie über die aktuelle Gnade ausführlicher ge-

toribus intento». Die erste Lesart scheint vom Lehramt, von Kardinal Granvelle, dem offiziell mit der Ausführung der Bulle Beauftragten und dem Mitverfasser der Klausel, von Kardinal Bellarmin, stillschweigend akzeptiert worden zu sein. Die zweite Lesart drang jedoch im Lauf des 17. Jh.s mehr durch. Vgl. E. van Eijl, L'interprétation de la Bulle de Pie V portant condamnation contre Baius: RHE 50 (1955) 499–542. Nach einer genauen Prüfung der zeitgenössischen Zeugnisse kommt van Eijl zum Schluß, daß der Hl. Stuhl diese Sätze «in sensu ut iacent» verurteilen wollte. Von der modernen Linguistik her wäre zu sagen, daß die Sätze in dem vom Klima und Denkkontext der damaligen Zeit bestimmten naheliegenden Sinn verurteilt wurden. Für die Interpretation genügt es nicht, Bajus durch die Brille der verurteilten Sätze zu lesen, ohne sich um den Ursinn zu kümmern, wie er sich aus dem Kontext des augustinianischen Denkens, das Bajus eigen war, ergibt.

[325] Die Kommission «De auxiliis» versammelte sich unter den Päpsten Klemens VIII., Leo XI. und Paul V. Mehrere Male fand sich eine Mehrheit zur Verurteilung gewisser Thesen Molinas bereit, weniger oft zu einer Verurteilung der Thesen von Bañez. Am 25. Sept. 1607 setzte Paul V. diesen Diskussionen ein Ende, indem er den beiden Parteien verbot, die Positionen der Gegenseite zu zensurieren. Vgl. F. Stegmüller, Gnadenstreit: LThK IV (1960) 1002–1007. Die theologische Polarisation wurde leider dadurch «eingefroren», daß die Generalkapitel der betreffenden Orden ihre Theologen verpflichteten, sich an die von den führenden Köpfen ihres Ordens vertretenen Thesen zu halten.

[326] Zur Geschichte des Jansenismus vgl. die Forschungsarbeiten von L. Willaert, J. Orcibal und L. Ceyssens und insbesondere N. Abercrombie, The Origins of Jansenism (Oxford 1936) und A. Adam, Du mysticisme à la révolte. Les jansénistes du XVIIe siècle (Paris 1968).

schrieben als Noris. Sie wurden von der Inquisition wiederholt angeklagt, von den Päpsten aber nie verurteilt.[327]

Alle starben als treue Söhne der Kirche. Jansenius war ein seeleneifriger Bischof und ein unermüdlicher Arbeiter. Die italienischen Augustiner bewahrten ihrem Meister Augustinus trotz heftigster Angriffe die Treue. Wie vielschichtig die Ideenbewegung und wie groß der persönliche Einfluß damals war, zeigt sich in der Verbindung der augustinistischen Strömung mit der französischen Schule, die von Franz von Sales eingeleitet und von Kardinal de Bérulle und Charles de Condren systematisiert wurde und eine tiefgreifende Erneuerung der Spiritualität herbeiführte. Saint Cyran traf mit Bérulle zusammen und lernte die Oratorianer Italiens kennen. Diese, sowie einige Benediktineräbte, waren es übrigens, die den Jansenismus in Italien einführten. Die Bewegung führte zur Synode von Pistoia, die 1786, kurz vor Ausbruch der Französischen Revolution, stattfand.[328] Franz von Sales stieß bei den Molinisten auf Sympathie, während Bérulle die Jesuiten und ihre scholastische Ausrichtung ablehnte. Pascal, das größte religiöse Genie Frankreichs, ist der gleichen Bewegung zuzurechnen.[329] Diese wenigen Hinweise zeigen, wie schwierig es ist, in diesem Ideengeflecht die positiven von den negativen Elementen zu scheiden. Die leidenschaftlichen Auseinandersetzungen dieser Epoche erleichtern diese Anstrengung nicht.

Nach J. H. Walgrave[330] muß man das Denken Bajus' von seinem Rechtfertigungsbegriff her verstehen, den er demjenigen von Calvin entgegensetzt. Wie Augustin betrachtet er die Rechtfertigung in ihrer ganzen existentiellen Wirklichkeit als «iustitia operum» und nicht als «ontologischen» Gerechtigkeitszustand. Bereits Seripando hatte dieses Anliegen vertreten und deswegen die Konzilsväter von Trient dazu bewogen, das Kapitel 16 über das Gnadenverdienst[331] in einem dialektischen, existentiellen Sinn abzufassen, so daß es einen tief religiösen Gehalt erhielt. Die wahre Gerechtigkeit besteht nach dieser Auffassung darin, daß die Gesamtheit unseres Tuns – handle es sich um eine innere oder äußere, um eine motivierende oder moti-

---

[327] F. Litt, La question des rapports entre la nature et la grâce aaO. 75–102. E. Portalié, Augustinisme: DThC I (1903) bleibt zu scholastisch und molinistisch, als daß er die Frage verständnisvoll zu beurteilen vermöchte.

[328] Ch. A. Bolton, Church Reform in 18th Century Italy. The Synod of Pistoia, 1786 (The Hague 1969).

[329] J. Laporte hat ein für allemal bewiesen, daß man Pascal nicht von Port Royal trennen kann. Vgl. seinen Aufsatz: Pascal et la doctrine de Port Royal: Etudes d'histoire de la philosophie française au XVIIᵉ siècle (Paris 1951) 106–152.

[330] J. H. Walgrave, Geloof en theologie in de crisis (Kasterlee 1966) 159–227. Walgrave hat das Gesamtwerk der beiden Löwener Theologen gelesen und bemüht sich, sie innerhalb der augustinianischen Überlieferung zu verstehen und nicht nach Denkschemata, die sie zurückgewiesen haben.

[331] DS 1545–1549. Zugegeben, das Konzil stellt diesen Aspekt der Rechtfertigung als «fructus iustificationis» dar. Für Augustin, Seripando und Bajus liegt hierin das Wesen der Rechtfertigung. Im Grunde stoßen wir hier auf den für den Westen charakteristischen Gegensatz zwischen einem essentiellen und einem existentiellen Denken.

vierte Tätigkeit – dem Willen und den Geboten Gottes entspricht. Auch die Schrift weist in diese Richtung. Im Gegensatz zu Calvin behauptet Bajus, die Rechtfertigung könne nicht im Glauben allein bestehen, es sei denn, man verstehe ihn in einem so totalen Sinn, daß er sich notwendigerweise in guten Werken äußert. Ein ähnliches Anliegen bestimmt seine Analyse der *caritas*, die den Glauben vollendet. Auch sie kommt im Halten der Gebote zum Ausdruck und zwar so sehr, daß sie damit identisch zu sein scheint – ein Gedanke, der sich bei Johannes und Augustin findet, von Bajus aber stärker akzentuiert wird.

Trotz dieses radikalen Verständnisses des Glaubens und der Liebe weiß Bajus um die menschliche Schwäche, die infolge der Sünde selbst bei den «Heiligen» besteht, um eine Schwäche, der Gott bei seinem barmherzigen Gericht Rechnung trägt, indem er sie verzeiht.[332] «Es ist nicht widersinnig, diejenigen gerecht zu nennen, die dann (beim Endgericht) nach dem Urteil des gerechten Richters als gerecht befunden werden.»[333] Die wahre Gerechtigkeit hat somit eine eschatologische Dimension, die sich bereits in der Gegenwart auswirkt. Man versteht diese Lehre besser, wenn man zwei Dinge bedenkt: Die Sündenvergebung gehört zwar zur Rechtfertigung, sie ist aber ein Akt, der außerhalb des Menschen liegt, der gerechtfertigt wird. Zweitens ist zu betonen, daß Bajus gerade auf der Ebene einer fortschreitenden Rechtfertigung, die sich durch unser ganzes Leben bis zum Endurteil Gottes erstreckt, anders als man gewöhnlich annimmt, die Unterscheidung zwischen schweren und leichteren Sünden akzeptiert. Zwar hält er dafür, daß selbst die läßlichen Sünden «ihrer Natur nach den ewigen Tod verdienen» – eine Ansicht, die er von Augustinus übernimmt[334] –, doch werden sie denjenigen, die bis zum Tod in der Kirche verbleiben, im göttlichen Gericht nicht als Sünde angerechnet. Der oberste Richter gewährt solchen Verzeihung «nicht sosehr aufgrund ihrer Verdienste, sondern um ihrer Verbindung mit dem wahren Weinstock willen».[335] Wir stoßen damit

---

[332] Bajus, De charitate, iustitia et iustificatione, libri tres, II, cap. 8, in: Baji Opera (Coloniae Agrippinae 1696) 108–110, unter dem Titel: «Cur in Scripturis Sacris recte iusti nuncupentur qui sine peccato non fuerint.»

[333] «Nam quicumque tales fuerint (d.h. sich in läßlicher Sünde befinden) in extremo iudicio, ubi pro bonorum operum meritis etiam ipsa misericordia divina tribuetur, qua fiet beatus cui non imputavit Dominus peccatum, non fraudabuntur praemio iustitiae, nec absurde iusti nuncupantur, qui tunc a iusto iudicio (Dei) iusti fuisse iudicabuntur» (ebd. 108 f).

[334] Übrigens legt Bajus diese Auffassung als bloße Meinung vor: «Igitur non est improbanda opinio, qua dicitur, quod etiam levia peccata, secluso Christi sanguine, ex natura sua secludunt a regno Dei» (De meritis operum II, 8: Opera 42).

[335] Unsere guten Werke können uns nicht die Verzeihung der «levia peccata» verdienen, sofern Gott unsere Verdienste an und für sich, d.h. «tamquam a Christi corpore et meritis alieni» beurteilt. In Anbetracht unserer «levia peccata» ist der einzige Grund unserer Rechtfertigung der: «quia in vite tamquam palmites vivi usque in finem permanserunt,

auf Gedanken, die Augustin und Seripando lieb und dem Konzil von Trient
nicht gänzlich fremd gewesen sind.[336] Die wahre Gerechtigkeit beruht somit
auf unserem Tun und begreift ein ganzes Leben ein, das in vollem Vertrauen auf unsere Einheit mit Christus sich dem Urteil Gottes unterstellt.
Bajus nennt diese Gerechtigkeit auch «iustitia Legis», im Gegensatz zu der
von Paulus verurteilten «iustitia ex Lege».[337]

Man kann somit im Denken des Bajus die Gerechtigkeit nicht von der
tätigen Liebe trennen. Unter dieser Liebe wird zunächst der Heilige Geist
verstanden, der nach Röm 5, 5 – ein berühmter Text, den ein anderer Augustinianer, Petrus Lombardus, auslegt – deren Quelle ist. Sodann ist sie ein
vom selben Geist in uns hineingelegter «motus animi».[338] Diese Liebe bestimmt formell die Motivation des gerechten Lebens. Bajus weist die Idee
einer heiligmachenden Gnade nicht zurück, mißt ihr aber keine Bedeutung
bei.[339] Er bleibt dem Aktualismus eines Augustin und Lombardus treu,
einer Überlieferung, die nie verurteilt worden ist, sofern man die Canones
von Trient nicht so deutet, wie es die Scholastiker nach dem Konzil getan
haben. Das Tridentinum ist ja nicht der Anregung gewisser Bischöfe gefolgt, in seiner Rechtfertigungslehre mit dem habitus-Begriff zu operieren.[340] Dies wird von den meisten theologischen Handbüchern übersehen.

Aus der einzigartigen Rolle der Liebe schließt Bajus, daß alles, was nicht
formell von ihr inspiriert ist, einer anderen Liebe entspringt, die nicht
caritas, sondern concupiscentia oder libido ist, d.h. «nichts anderes als die

et huius permansionis merito a vite immobiles effecti sunt.» Bajus schließt: «Non igitur
tam ex propriis meritis, quam ex societate vitis, in futuro saeculo iusto Dei iudicio sanctis
datur leviorum peccatorum remissio» (ebd. 43). Wie kann man dann behaupten, Bajus
hätte unsere Vereinigung mit Christus für unwichtig angesehen! Er hat das Mysterium der
Einwohnung Gottes nie geleugnet, sondern nur bestritten, daß dieses bei der Hervorbringung der Verdienste eine Rolle spiele.

[336] In Kap. 16 über das Verdienst finden wir den gleichen Grund: «Cum enim ille ipse
Christus tamquam ⟨caput in membra⟩ et tamquam ⟨vitis in palmites⟩ in ipsos iustificatos
iugiter virtutem influit ... et sine quo nullo pacto Deo grata et meritoria esse possunt»
(DS 1546).

[337] Vgl. De charitate, iustitia et iustificatione II,9: Opera 110f.

[338] Ebd.I,2: Opera 90ff. Bajus unterscheidet den Heiligen Geist der Liebe und den
«animi motus» der Liebe. Daß dieser «animi motus» einen habitus voraussetzt, hat für
ihn wenig zu bedeuten. Er leugnet das zwar nicht, ist es für den Heiligen Geist doch ebensogut möglich «non tantum animi motum, sed etiam conformem aliquem habitum diffundi
posse in cordibus nostris». Der einzige Grund, weshalb er auf den habitus kein Gewicht
legt, liegt darin, daß in der Schrift von einem solchen nicht die Rede ist. Dieses Verhalten
kennzeichnet seine theologische Methode. Bajus akzeptiert eine mehr oder weniger aristotelische Philosophie, doch hat sie in der Theologie nichts zu tun.

[339] J. H. Walgrave verwundert sich darüber, daß die Sätze 63 und 64 sich unter den verurteilten Sätzen des Bajus befinden. Vgl. aaO. Anm. 110. Sie sind in seinen Werken nirgends zu finden. Der Nachweis ist auch A. Schönmetzer nicht geglückt (DS 1963 und
1966). Vgl. Baji Apologia, Opera II, 115.

[340] H. Jedin, Geschichte des Konzils von Trient II (Freiburg i. Br. 1957) 246f.

nicht auf Gott gerichtete Liebe zur Welt und zu den Geschöpfen».[341] Es gibt somit nur zwei Arten der Liebe: die Liebe zu Gott und die Liebe zu den Geschöpfen. Einzig die Gottesliebe rechtfertigt – eine von Augustin oft verteidigte Ansicht. Bajus schließt daraus, daß die Tugenden der Heiden nur verbrämte Laster seien.[342] Hier zeigt sich wiederum die Starrheit seiner Logik. Im Grund blieb er ein Mensch des Mittelalters, der sich noch kaum die Frage stellte, ob die Gnade insgeheim nicht auch unter den Nichtchristen am Werk sei. Er konnte auch bei Augustinus einige Texte finden, die in diese Richtung zu gehen scheinen.[343]

Seine Lehre enthält noch einen weiteren Punkt, der nicht von seinem theologischen Kontext her verstanden wurde: seine Lehre über das Verdienst. Nach Bajus liegt diesbezüglich eine «natürliche» grundlegende Anordnung vor, die Gott von Ewigkeit her getroffen hat. Darnach hat Gott für jede tugendhafte Tat ein für allemal das ewige Leben verheißen. Somit wäre ein Mensch, der ohne Hilfe des Heiligen Geistes die Gebote vollkommen erfüllt, an und für sich gerechtfertigt. Bajus wendet so in starrer Logik einen Gerechtigkeitsbegriff an, wie er ihn der Schrift, vor allem dem Alten Testament, entnehmen zu müssen meint. Er scheint grundsätzlich von dieser Wahrheit absolut überzeugt zu sein, auch wenn er sie in dieser Heilsordnung nicht für gegeben ansieht.[344] Denn in der jetzigen Heilsordnung kann uns allein die Gnade Christi wieder dazu bringen, die Gebote vollkommen zu halten. Wie bereits gesagt, nimmt Bajus an, daß unser Gehorsam immer unzulänglich bleibt und daß wir bis zum Ende ausharren müssen, wenn wir wollen, daß Gott uns verzeiht. Doch hebt diese geschichtliche Heilsordnung die ursprüngliche Verfügung Gottes nicht auf. So wird Bajus durch die innere Konsequenz seiner Auffassung über die Gerechtigkeit dazu geführt, mit der theologischen Überlieferung zu brechen, die die Verdienstlichkeit all unseres Tuns unserer Einheit mit Christus zuschreibt. Den Vorwurf des Pelagianismus weist er dabei energisch zurück.[345] Die Ursache der Verdienstlichkeit unseres Tuns liegt nach ihm ausschließlich in der vollkommenen, d. h. auch innerlichen Beobachtung des Gesetzes.

Eine eigenwillige Auffassung vertritt Bajus hinsichtlich der menschlichen Freiheit. Er unterscheidet zwischen «libertas a necessitate» («Frei-

---

[341] De charitate...I,2: Opera I,91.

[342] De prima hominis iustitia et de virtutibus impiorum II, 3–6: Opera I, 64f.

[343] Er widmet dem ein besonderes Kapitel: ebd. II,5: Opera I,66f.

[344] De meritis operum II,3: Opera I,37f. Das ganze Kapitel ist im Irrealis der Vergangenheit geschrieben.

[345] Ebd. II,4f: Opera I,39f. Bajus zitiert oft Julian von Eclanum. Es ist für ihn absolut undenkbar, daß die Beobachtung des Gesetzes auch der innern Gesinnung nach für den Himmel nicht verdienstlich sei. Wenn Paulus und Augustin dem Gesetz vorwerfen, es könne uns nicht retten, so darum, weil uns das Gesetz jetzt im Zustand der Sünde nicht die innere Gehorsamsgesinnung gibt, sondern nur Kenntnis von der Sünde verschafft. Man ersieht, mit welch starrer Logik Bajus den Gerechtigkeitsbegriff anwendet.

heit von Nötigung») und «libertas a servitute» («Freiheit von Knechtschaft»). Die erstere ist die Willensfreiheit, insofern sich diese ohne äußeren
Druck manifestieren kann. Die zweite fügt ihr zwei besondere Elemente
hinzu: «eine wahre, aufrichtige Neigung der Seele zu dem, was man erwählt hat, oder zu dem, was man tut, und die Wahl des wahren Gutes oder,
wie Augustin sagt, die Freude über das vollbrachte Gute».[346] Nur diese
zweite Form der Freiheit kann uns zur Rechtfertigung dienen. In der jetzigen Situation kann der Mensch nach der Sünde wohl von jeder Nötigung,
nicht aber von jeder Knechtschaft frei sein, es sei denn durch die Gnade
Christi. Trotz dieser Gnade bleibt die Freiheit unvollkommen. Sie kommt
erst im Himmel zur Vollendung.[347]

Die Freiheit von der Knechtschaft schließt nach Bajus eine wahre innere
Notwendigkeit nicht aus. Gott ist die Freiheit selber, und zwar notwendig.
Dies gilt auch von den Seligen im Himmel und den nicht geretteten Sündern
auf Erden. Zu einer Zeit, die gegenüber der Reformation und ihrer Lehre
vom «servum arbitrium» die Freiheit des Menschen hervorheben wollte,
hatte man für diese Auffassung wenig Verständnis. Doch diese Epoche hat
Luther ebenso schlecht verstanden wie Bajus. Dieser bestritt nicht, daß die
menschliche Freiheit frei und, wenn auch nur in eingeschränktem Sinne, gut
bleibe auf der horizontalen Ebene der zwischenmenschlichen Beziehungen.
Man könnte sogar behaupten, Bajus habe gewissermaßen die neuzeitliche
Auffassung vorweggenommen, daß sich das moralische Verhalten nur innerhalb einer echten Autonomie verwirklichen lasse, die er als «Freiheit von
Nötigung» definiert. Im letzten zählt für ihn aber nur die Ausrichtung des
Menschen auf Gott. Sie ist in einem noch zu bestimmenden Sinn «natürlich». Sie kommt zur vollen Verwirklichung im Himmel, wo wir wie Gott
frei, wenn auch notwendig leben. Für Bajus geht es somit nicht darum, jegliche Notwendigkeit innerhalb des Menschen zu beseitigen, was in bezug
auf Gott sinnlos wäre; er möchte nur unsere ursprüngliche, «natürliche»
Hinordnung auf Gott wiederherstellen. Diese Freiheit kann eine innere
Notwendigkeit in sich schließen, nicht aber eine Form der Knechtschaft, da
diese eine «feindliche, fremde» Notwendigkeit besagt, die der naturgemä-
ßen vertikalen Ausrichtung des Menschen widerspricht.

Man kann diesen Freiheitsbegriff zurückweisen. Seine größte Schwäche
liegt darin, daß Bajus zum Freiheitsmodell die Wahlfreiheit nimmt, die sich
in den verschiedenen Akten des Alltagslebens äußert, und nicht die Freiheit
im Sinn einer Grundentscheidung über unser ganzes Leben. Der gleiche
Fehler kennzeichnet seinen Gerechtigkeitsbegriff. Doch muß man hinzufügen, daß er hierin der Tendenz seiner Zeit verhaftet ist, der es ebenfalls
mehr um die aktuelle als um die heiligmachende Gnade ging. Es ist jedoch

---

[346] De libero hominis arbitrio et eius potestate 4f: Opera I, 76ff (Zitat S. 78).
[347] Ebd. 6: Quod sancti in hac vita nunquam sunt perfecte liberi: Opera I, 78f.

zu bemerken, daß sich seine Position von der Augustins und selbst von der eines Thomas von Aquin nicht erheblich unterscheidet. Auch für diese gibt es, im Gegensatz zu den Suarezianern, beim Menschen kein freies Tun, das theologisch neutral wäre. Wer nicht im Stand der Gnade ist, befindet sich nach Thomas im Stand der Todsünde. Doch für Thomas liegt der Grund hierfür darin, daß die Freiheit der Grundentscheidung des Menschen entspringt.[348] Auch nach Augustin und Thomas wird der Mensch durch seine vertikale Ausrichtung auf Gott bestimmt, wie sie der Bewegung des *exitus* von Gott entspricht. Die Gnade ist nur die Aktualisierung dieser Dimension auf der Ebene des *reditus* zu Gott des durch Christus erlösten Menschen.

Der Sprache und der theologischen Perspektive nach unterscheidet sich Bajus von andern zeitgenössischen Autoren (er bezeichnet sie als «plerique recentiores») durch seine Lehre über den Stand der Integrität. Dieser besteht in der vollen Kenntnis der Gebote Gottes und ihrer vollkommenen Beobachtung und schließt die Unterordnung der niederen Instinkte des Menschen unter die höheren Kräfte in sich.[349] Gegenüber den genannten «recentiores» betont Bajus, daß die ursprüngliche Integrität nicht «ohne die Heiligung durch den Geist» bestehen konnte.[350] Um den Stand der Integrität zu beschreiben, greift er immer wieder das Psalmwort auf: «Mihi adhaerere Deo bonum est, et ponere in Deo spem meam» (Ps 72,28), was wiederum seine vertikale Sicht des Menschen dokumentiert. Umstritten ist jedoch die von ihm vertretene Ansicht, daß dieser Stand der Integrität für den Menschen «natürlich» sei. Bajus versteht «natürlich» im alten Sinn, im Sinne eines Aristoteles, eines Augustin und des Hochmittelalters: als all das, was man auf Grund von Geburt und Herkunft ist.[351] In seiner Argumentation akzentuiert er zwar mehr einen andern Aspekt von «natürlich», den er indes mit dem ursprünglichen Gedanken verknüpft: Natürlich ist das, aufgrund dessen wir entweder nicht existieren oder dann von Übel nicht frei sein können.[352] Immer wieder hebt er hervor, daß Gott kein Wesen in einer

[348] Vgl. S.Th. I/II q. 89 a.6 c. Zum Paradox einer absoluten Abhängigkeit von Gott und einer wirklich autonomen menschlichen Sittlichkeit vgl. J.Oman, Grace and Personality (Cambridge 1917).

[349] De prima hominis iustitia I,11: Opera I,62f.

[350] Ebd. I,1: Opera I,49–52: «Ex quibus omnibus (zwei Seiten mit Väterzitaten) patet, omnibus veteribus patribus non tantum visum esse primum hominem conditum esse plenum sanctificatione Spiritus, sed etiam multos id firma fide credidisse, hancque fuisse naturalem eius dignitatem» (ebd.52). Vgl. ebd.I,4: Opera I,55: «...fatentes hominem sic initio conditum esse rectum, ut iustitia, pietate et ceteris Spiritus Sancti charismatibus repletus fuerit.»

[351] «naturale sive secundum naturam ideo aliquid dici, quia ex nativitate sive origine tribuitur; et natura, quod ita sit nata (ut ait Athanasius)»: ebd.I,5: Opera I,56.

[352] Einzig der Stand der ursprünglichen Integrität ist «sic et simpliciter» natürlich, «quia videlicet ad primam illam, non sensu cognitam, sed Scripturis sacris nobis traditam divinae institutionis nativitatem pertinet, ut anima, corpus et cetera quae nobis in prima

Ausgangslage erschaffe, die für es Leid und Übel mit sich bringe. Die Erschaffung einer neutralen, nicht auf Gott ausgerichteten Natur widerspricht nach ihm der Lehre der Schrift und der Kirchenväter.[353] Die Idee einer Gott gegenüber neutralen Natur, der nachträglich als ein «zusätzliches Element» die Urgerechtigkeit geschenkt würde, wodurch sie «aus etwas Gutem etwas noch Besseres würde»,[354] hält er für absurd. Die Urgerechtigkeit läßt sich somit nicht als «übernatürlich» bezeichnen, sondern nur jene andere Gerechtigkeit, durch die uns Gott unsere ursprüngliche Ausrichtung auf ihn durch die Gnade Christi zurückschenkt.[355] Bajus verwendet im übrigen den Ausdruck «Gnade» nur infralapsarisch.

Man kann schwerlich sagen, diese Auffassung sei eindeutig häretisch.[356] Bajus behauptet nirgends, die Urgerechtigkeit sei uns geschuldet, sondern nur, daß sie zu unsrer Integrität gehöre,[357] die von unsrem Schöpfer respektiert werde, nicht unsretwegen, sondern aus Treue zu sich selber. Er betont auch, daß die Urgerechtigkeit aus der Heiligung durch den Heiligen Geist erfließe. Es geht kaum an, zu behaupten – was oft geschieht –, Bajus sei ein «ante-lapsarischer» Pelagianer. Seine theologische Position entsprach nur

---

creatione donata sunt, sine quibus aut omnino esse non possumus, aut malo non caremus» (ebd. I, 5: Opera I, 56). Der erbsündliche Zustand nach Adam kann nur «improprie et analogice» natürlich genannt werden.

[353] Ebd. I, 11: Opera I, 62f. In diesem Kapitel antwortet Bajus auf den Einwand zeitgenössischer Theologen, was natürlich sei, müsse notwendigerweise aus «Prinzipien innerhalb des Menschen selbst» kommen, nicht aber von Gott. Er leugnet den in diesem Einwand enthaltenen Grundsatz entschieden, wobei er sich hauptsächlich auf Aristoteles beruft.

[354] Ebd. I, 4: Opera I, 55: «indebita quaedam humanae naturae exaltatio, qua ex bona melior facta sit.»

[355] Ebd. I, 9f: Opera I, 60f. Im Grunde genommen hat bei Bajus das Wort «supernaturalis» beide Bedeutungen beibehalten, die es im Mittelalter hatte. Es bezeichnet sowohl das Wunderbare als Ausnahme von der Naturordnung als auch das Transzendente. Vgl. H. de Lubac, Surnaturel aaO. 395–428. Die durch die Gnade Christi wiederhergestellte Gerechtigkeit ist somit übernatürlich, weil sie von Gott stammt.

[356] Satz 21: «Humanae naturae sublimatio et exaltatio in consortium divinae naturae debita fuit integritati primae conditionis, et proinde naturalis dicenda est, et non supernaturalis» (DS 1921) stammt in dieser Fassung nicht von Bajus, sondern ist eine Schlußfolgerung seiner Gegner, die ihn innerhalb ihres eigenen Bezugssystems interpretierten. Vgl. J. H. Walgrave aaO. 175.

[357] «Quapropter sive ex naturae principiis tanquam efficientibus causis orta fuerit prima hominis iustitia, sive a Deo immediate illi collata, (sicut plerique de anima rationali tradunt, quam tamen nemo supernaturalem arbitratur) adhuc illi naturalis fuit, quia sic ad eius integritatem pertinebat, ut sine ea non possit consistere, miseriaque carere, sicut de angelica natura docet Augustinus lib. 12 de civ. Dei c. 1 et 19, de utraque tam angelica videlicet quam humana natura lib. 12 de civ. c. 1. Utrique enim Deo per iustitiam adhaerere bonum est, et non adhaerere malum, quod nihil aliud est, quam naturalium privatio bonorum, sicut docet Augustinus in Ench. cap. 11.» Wir haben den Text ganz zitiert, weil er die Auffassung des Bajus klar darlegt.

nicht mehr dem theologischen Bezugsrahmen seiner Zeit, der stark von der humanistischen Strömung geprägt war.

Als *Jansenius* seinen «Augustinus» verfaßte, beabsichtigte er, das Werk des Bajus weiterzuführen und dabei einige Augustinusinterpretationen, die ihm nicht ganz zutreffend schienen, zu berichtigen. Angesichts des siegreichen Vorrückens der nachtridentinischen Scholastik wollte er für die augustinische Überlieferung eintreten. Die Leidenschaften, die um die Kontroverse «De auxiliis» entbrannten, zeugen von dieser Atmosphäre des Kampfes. Als am 25. Sept. 1607 Paul V. dem Gnadenstreit ein Ende setzte, indem er den beiden Parteien verbot, einander zu verketzern, bestärkte dieser unentschiedene Ausgang der Kontroverse Jansenius in der Auffassung, daß diese Theologie sich als unfähig erwiesen habe, die Gnadenprobleme zu lösen. Nach seiner Überzeugung muß sich die Theologie von der Philosophie wesentlich unterscheiden, weil sie sich auf die Autorität und die Überlieferung stützt und nicht auf Vernunftargumente, wie sie die zeitgenössischen Scholastiker vorbrachten.[358] In seiner Theologie ging Jansenius in einer entschieden «aktualistischen» Einstellung psychologisch an die Gnadenprobleme heran.[359] Hierin unterschied er sich nicht sehr von den Molinisten, die sich der Hochscholastik entnommener ontologischer Begriffe bedienten, um auf psychologische Anliegen zu antworten.

Jansenius entnahm «De correptione et gratia» Augustins eine Unterscheidung, die bei ihm entscheidende Bedeutung gewinnt: Das «adiutorium sine quo non», von Augustinus auch «adiutorium possibilitatis» genannt, besteht in einem aktuellen göttlichen Beistand, der zur Ermöglichung des Aktes absolut notwendig ist, während das «adiutorium quo» («adiutorium voluntatis et actionis») unmittelbar auf den Willen und den Akt einwirkt. Die erste Form der Gnade wird von Gott jeder «heilen» Natur geschenkt, während die zweite ihrem Wesen nach «heilende» Gnade ist. Die Funktion der beiden Gnadenarten richtet sich nach der geschichtlichen Situation des Menschen. Im Stand der Integrität bedarf der Mensch nur des «adiutorium sine quo non». Beim ersten Hinsehen scheint in dieser Auffassung ein gewisser Widerspruch zu liegen, doch verhält es sich damit nicht so einfach. Wie Bajus nimmt Jansenius an, daß der Mensch aufgrund seiner Natur (im augustinischen Sinn) auf den Gott des Heils ausgerichtet ist. Die Kritiker

---

[358] Cornelius Jansenius, Augustinus II, De ratione et auctoritate in rebus theologicis, Liber prooemialis, cap. 3 et 4: ed. princeps (Lovanii 1640) II, 5–10.

[359] Es ist bemerkenswert, daß Jansenius nicht nur sagt, daß die von Pelagius beschriebenen Tugenden und Laster praktisch einen «habitus» in sich schließen, sondern daß er auch den «Nachlaß der Sünden», von dem Pelagius spricht, als eine «gratia habitualis divinitus infusa» betrachtet (Augustinus I, De haeresi pelagiana V, cap. 22 f: aaO. I, 296–304). Er enthüllt seine aktualistischen Tendenzen, wenn er im gleichen Kapitel behauptet, daß der habitus der Sündenvergebung nur für die Vergangenheit da sei, daß wir hingegen für die Zukunft, für das Ausharren im Guten und für unsere Verdienste endgültig eines «actuale adiutorium divinae inspirationis» bedürfen (aaO. 298 D).

werfen deshalb Jansenius gern eine naturalistische Einstellung, einen «supra-lapsarischen» Pelagianismus vor. Jansenius meint indes nicht, daß diese «konstitutionsgegebene» Ausrichtung des Menschen von der Gnade unab-hängig sei. Zum ursprünglichen «Heilsein» des Menschen gehören viel-mehr zwei wichtige Aspekte: Erstens ist unsere Natur «in der Liebe Gottes» (was wir heiligmachende Gnade nennen)[360] erschaffen; zweitens sind die Unwissenheit und die Konkupiszenz, d.h. alles, was dem Willen Wider-stand leisten könnte, nicht vorhanden. Diese «konstitutionsgegebene» Inte-grität kommt nicht ohne aktuelle Gnaden, nicht ohne das «adiutorium sine quo», aus, das den Willen «bereitet, stärkt und unterstützt».[361] Der Mensch ist in diesem Stand keineswegs autonom. Jansenius zitiert hier Augustin: «Creatus est rectus, non se fecit rectus.»[362] Doch dieses ursprüngliche Heil-sein kann das absolut geltende Prinzip nicht umstoßen, daß es kein Aushar-ren im Guten und kein Verdienst ohne die beständige Hilfe Gottes, ohne das «adiutorium sine quo non», geben kann.[363]

[360] «Ipsum enim amorem Dei, quo liberum fulgebat et ardebat arbitrium, seu, ut nos loquimur, ipsam gratiam habitualem, simul sub natura intelligebant (Augustinus, eius discipuli et Concilium Aurausicanum)» (Augustinus II, De gratia primi hominis et ange-lorum, cap. 9–10: aaO. II, 119–128). Vgl. 120 B–C und 125 C.

[361] «alia vero sic adiuvant, ut potestatem quidem praeparent, roborent et iuvent» – eine Formel, die er in diesem Kapitel mehrfach wiederholt: Augustinus II, De gratia primi hominis et angelorum, cap. 14: aaO. II, 145–152; vgl. 147 A–B. Die «facultas operandi» wird somit «perfecta et completa», ohne daß jedoch diese Gnade den Akt selbst zu ver-ursachen vermag. Jansenius weigert sich, anzunehmen, daß dieses «adiutorium sine quo non», das wesentlich eine aktuelle Hilfe, eine Inspiration durch Gott ist, in der Folge zu einem «adiutorium quo» werde, indem es mit unserem Willen zusammenarbeitet: ebd. 152 B–C. Dieses «adiutorium sine quo non» kann somit nur ein inneres Gleichgewicht zustandebringen, das dem freien Willen jede Entscheidungsmöglichkeit läßt. Jansenius nimmt an, daß das Gottesbild in uns in dieser Freiheit liegt. Beim ersten oberflächlichen Hinsehen könnte man zum Schluß kommen, seine Position sei hier deutlich pelagianisch, weil die Heilstat letztlich auf dem autonomen Willensentscheid beruhe. Man darf indes nicht übersehen, daß dieser Wille schon in sich durch das Geschenk der Gnade auf Gott hingeordnet ist. Man vergleiche damit die Interpretation, die M. Lot-Borodine, La déifica-tion de l'homme (Paris 1970) 220–227 vom Denken der großen Kappadozier gibt. Die griechischen Väter glauben nicht, eine zuvorkommende Gnade annehmen zu müssen, um sich, wie Johannes von Damaskus sagt, «zum Guten bereiten zu können» (eine Formel, die dem «initium fidei», dem «agere sicut oportet» Augustins parallel ist), weil das Gottesbild in uns eine so tiefe dynamische Realität ist. Zwar spricht Jansenius zurückhal-tend über die Gottebenbildlichkeit nach der Sünde. Aber wir können nicht die gleiche Zurückhaltung voraussetzen, wenn er vom Gottesbild vor der Sünde spricht. Er weist die Notwendigkeit einer Gnadeninitiative von seiten Gottes nicht zurück, sondern spricht davon nur in andern Kategorien.

[362] Augustinus ebd. cap. 10: aaO. II, 126 A, wo Jansenius den Sermo II de verbis Apo-stoli, cap. 2 Augustins zitiert.

[363] Augustinus ebd. cap. 10–11: aaO. II, 123–134. Es gibt kein Ausharren und kein Verdienst ohne die Wirkgnade zu jedem einzelnen Akt. J.H. Walgrave kritisiert die Inter-pretation, die H. de Lubac in Augustinisme et théologie moderne (aaO. 70) vorlegt. Er vergleicht die Position des Jansenius lieber mit der Auffassung des hl. Thomas über die

Durch die Sünde Adams wird die «konstitutionsgegebene» Hinordnung, worin sich der Mensch in Liebe auf Gott ausrichtet, zerstört. An ihre Stelle tritt die «cupiditas» mit ihren beiden Wesenszügen: dem Verlust der Urgnade und damit dem Verlust unserer Ausrichtung auf Gott, sowie dem positiven Element der Selbstsucht, die gewissermaßen zur zweiten Natur wird und die uns an die Kreaturen, d. h. «an alles, was nicht Gott ist», fesselt.[364] Diese Begierlichkeit erzeugt eine unüberwindliche Ignoranz. Jansenius stellt sich in diesem Zusammenhang die Frage, wie der Mensch dann noch für die Sünde verantwortlich sein könne. Er ist sich der Härte seiner Position bewußt, meint aber, sie entspreche der Überlieferung der Väter. Seine Antwort ist nicht sehr klar. Irgendwie nimmt er an, daß das Bild Gottes in uns nicht gänzlich zerstört ist.[365] Deshalb sind wir an und für sich imstande, einzelne Forderungen des Naturgesetzes wahrzunehmen. Doch schon von früher Jugend an läßt sich das Kind von sinnlichen Reizen betören und vom Stolz einnehmen, so daß diese unüberwindliche Ignoranz doch wieder schuldhaft ist.[366] Jansenius scheint sagen zu wollen, daß die sittliche Blindheit des Menschen schuldhaft ist wegen der Adamssünde, aber auch deshalb, weil sich der Mensch tiefer in sie hineinbegibt. Doch bleibt ihm ein Rest von Licht erhalten, da das Gottesbild in ihm nicht gänzlich zerstört ist.[367]

Die Gnade, die uns Christus verdient hat, muß somit im wesentlichen eine heilende Gnade sein. Sie muß die liebende Ausrichtung auf den wahren

verschiedenen Funktionen der «gratia operans» und der «gratia cooperans». Mit de Lubac ist er der Meinung, daß Jansenius ein ebenso schlechter Metaphysiker war wie die meisten Theologen seiner Zeit. Die Notwendigkeit von Wirkgnaden postulieren, von denen man annimmt, sie seien objektive, außerhalb des Willens stehende Gegebenheiten, über die der Wille verfügen zu müssen scheint, ist schlechte Philosophie und Theologie. Nach Augustin und Thomas dringt jede Gnade an die Stelle vor, an der der freie Akt entsteht. Walgrave kommt zum Schluß, daß für Augustin das «adiutorium sine quo non» eher die göttliche – sowohl innere wie äußere – Hilfe als ganze war und nicht die Abfolge von Wirkgnaden für jeden einzelnen freien Akt (aaO. 182ff).

[364] «Porro concupiscentia ista, seu libido, seu cupiditas, seu voluptas seu delectatio, quocumque ex istis nominibus appellare malis, non est aliud quam pondus quoddam habituale, quo anima inclinatur ad fruendum creaturis» (Augustinus II, Liber secundus de statu naturae lapsae, cap. 7: aaO. 318C). Jansenius vergleicht die Konkupiszenz mit einer schlechten Gewohnheit und häuft in seiner Schilderung die psychologischen Züge.

[365] «Non enim usque adeo in anima humana imago Dei terrenorum affectuum labe detrita est, ut nulla in ea velut lineamenta extrema remanserint» (aaO. 310A, worin Röm 2, 15 angeführt wird). Somit verbleiben selbst nach der Sünde im Menschen «reliquiae» dieser Kenntnis des Naturgesetzes «quo nonnullas naturalis iustitiae et honestatis veritates probat, et ea, quae ex illa lege iubentur aut vetantur, nonnumquam facit aut cavet» (ebd.).

[366] «Caeca est igitur illa concupiscentia, ex qua statim ab infantia malum facimus libenter mali» (aaO. 314A).

[367] Vgl. das, was wir in Anm. 361 über den sogenannten Semipelagianismus der griechischen Väter sagten.

Gott wieder in uns hineinbringen und uns zugleich von der Ignoranz und der Begierlichkeit heilen, die uns davon abhalten, dem Naturgesetz und dem Evangelium entsprechend zu leben. In seiner psychologischen Sehweise weiß Jansenius, daß der Heilungsvorgang langwierig ist. Man muß sich langsam neue Haltungen anerziehen, welche die überkommenen Anlagen neutralisieren. Das «adiutorium sine quo non» vermag nicht mehr zu genügen. Wir bedürfen nun des «adiutorium quo», das auf unseren Willen und unser Tun tatkräftig einwirkt.

Welches sind die Natur und die Wirksamkeit dieser Gnade? Wiederum ist die Deutung offensichtlich psychologisch. In Anlehnung an Augustin wird die Beistandsgnade vor allem als «delectatio victrix» gesehen.[368] Sie steht außerhalb des Willens, den sie an sich zieht, indem sie den Anreiz der Konkupiszenz neutralisiert. Sie liegt jedoch innerhalb unseres Geistes und hat nicht den Charakter eines Zwangs. Jansenius bemerkt im Grunde nicht, daß er sich hier in nächster Nähe des von Molina vertretenen Begriffs der Wirkgnade befindet, wonach Gott in unserem Geist unmittelbar Einsichten und Regungen weckt, die unser Tun tugendhaft machen. Erst Quesnel hat unter dem Einfluß Arnauds den Begriff «wirksame Gnade» starrer gefaßt, indem er für die von den Bañezianern vertretene Vorherbestimmung eintrat. Obwohl der Anreiz der «delectatio» der entgegengesetzten Lockung der «cupiditas» korrespondiert, unterscheidet er sich von ihr von Grund auf. Selbst wenn er unfehlbar wirkt, befreit er den Willen, während die Begierlichkeit ihn versklavt. Gegenüber Calvin tritt Jansenius mit aller Kraft dafür ein, daß der Mensch dieser Gnade an und für sich widerstehen könnte, daß aber die Gnade eben dies bewirkt, daß er nicht Widerstand leisten will.[369]

Seit der Sünde Adams hat der Mensch nur noch die Wahl zwischen zwei Arten der Liebe, zwischen der Gottesliebe und der bösen Begierlichkeit,

---

[368] Nachdem Jansenius die Auffassungen seiner Zeitgenossen, über die Natur und die Gnade zurückgewiesen hat, sagt er: Wer sich an Augustinus hält «videbit enim perspicue gratiam illam Christi Salvatoris medicinalem, quam efficacem schola vocat, non aliud esse quam coelestem quandam atque ineffabilem suavitatem, seu spiritus delectationm, qua voluntas praevenitur et flectitur, ad volendum faciendumque quidquid eam Deus velle et facere constituerit» (Augustinus III, Liber quartus de gratia Christi Salvatoris, cap. 1: aaO. III, 394 A–B).

[369] «quia liberum esse nobis non est, ut diximus, aliud quam esse in nostra potestate. Nam esto gratia ad bene vivendum necessaria sit, non tamen proptera negandum est, aut Augustinus negat, bene vivere non esse in nostra potestate» (aaO. cap. 21: III, 386 D). Jansenius weigert sich, die in der Scholastik seiner Zeit geläufige Definition der Freiheit anzunehmen, wonach diese in ihrem Kern durch die Indifferenz bestimmt wird, sei es im Sinn der libertas contradictionis (Handeln oder Nichthandeln), oder im Sinn der libertas contrarietatis (Wahl zwischen diesem und jenem). Im Grunde vertritt er eine Freiheitsidee, die der modernen Auffassung näher steht und mit Vorliebe die Willensautonomie betont, das «esse in nostra potestate» gegenüber jeder Form von Zwang und Knechtung. Vgl. ebd. cap. 9 (aaO. III, 866–869) und den ganzen Liber sextus, vor allem cap. 6 (aaO. III, 628 ff).

zwischen Gnade und Sünde. Man nimmt für gewöhnlich an, Jansenius radi-
kalisiere den Gegensatz zwischen der einen und der andern Liebe, er wolle
nicht zugeben, daß dem menschlichen Tun etwas Unfertiges anhafte. In seiner Analyse der verurteilten Sätze des Bajus (Satz 25, 27 und 36), die diesen
Gegensatz zum Ausdruck bringen, bestreitet er aber formell einen so radikalen Gegensatz, indem er auf der Linie des augustinischen «initium fidei»
das Vorhandensein einer anfangshaften Liebe annimmt, die uns auf die
Bekehrung vorbereitet.[370]

Abschließend müssen wir diese Analyse der geschichtlichen Daseinssitua-
tionen des Menschen und der ihnen entsprechenden Gnaden in den brei-
teren Ideenkontext zurückversetzen, der weitgehend der des Bajus ist. Jansenius versteht die konstitutionsgegebene Ausrichtung des Menschen auf
Gott (die «gratia conditoris») als einen natürlich, d. h. ursprünglich gegebenen Zustand.[371] Dem Beispiel des hl. Thomas folgend, findet er sich dazu
bereit, diese Liebe «übernatürlich» zu nennen, «denn obwohl sie natürlich
ist, läßt sich diese Liebe nicht auf natürliche Weise verwirklichen, sondern
nur mit Hilfe der Gnade, da ihr Ziel so überragend ist».[372] Der Mensch hat
somit ein natürliches Verlangen, Gott zu schauen und sich an ihn zu binden
(«adhaerere Deo»), eine «passive natürliche Befähigung», «da die vernunft-
begabte Kreatur auf eine überragende Vollkommenheit hingeordnet ist».[373]

---

[370] DS 1925, 1927 und 1936. «Falsum est autem inter istam laudabilem charitatem
vitiosamque mundi cupiditatem nullum amorem creaturae rationalis esse medium. Datur
enim et alius amor bonus, qui nec est ista charitas nec ista cupiditas, quo videlicet incipit
bene Deo peccator affici ante iustificationem per charitatem» (Augustinus II, Liber quartus de statu naturae lapsae, cap. 27: aaO. II, 669–672; Zitat 670 A–B). Um Bajus zu berichtigen, verwendet Jansenius dieselben Augustinustexte, die von Pius VI. in der Verurteilung der Synode von Pistoia vorgelegt werden (DS 2623 f).

[371] «Ecce naturae creaturae rationalis competit esse cum Deo, hoc est adhaerere per
amorem Dei» (Augustinus II, Liber primus de statu naturae lapsae, cap. 16: aaO. II,
751–758; vgl. 751 A). Jansenius erblickt die Ursache dafür darin, daß wir nach dem Bilde
Gottes erschaffen sind: ebd. 753 D. Die Schlußfolgerung, die seine Gegner aus seiner Auffassung über unsere «konstitutionsgegebene integrierte Natur» ziehen, indem sie «Natur»
in ihrem Sinne interpretieren, lehnt er entschieden ab: ebd. 757 B.

[372] «Hoc est amorem istum naturalissima, arctissima, severissimaque obligatione sibi
esse praeceptum, utpote quo diligere et colere debet Deum *finem ultimum suum naturalem*,
supernaturaliter licet *acquirendum*; in quem clare videndum, fruendum ac diligendum etiam
naturaliter inclinatur, quamvis ut Sanctus Thomas loquitur, *non posse naturaliter illum consequi*,
sed *solum per gratiam* propter eminentiam finis illius» (Augustinus, Liber primus de statu
naturae purae, cap. 16: aaO. II, 757 f). Die Hervorhebungen stammen von Jansenius selbst!
Er legt dar, daß Augustin nie eine andere Liebe gekannt hat, sicher nicht eine «rein natürliche», von der «übernatürlichen» Liebe zum Heilsgott verschiedene Liebe: ebd. 758 B.

[373] Vgl. ebd. cap. 15: aaO. II, 745–752. Jansenius stützt sich ausdrücklich auf Scotus
und Thomas; vgl. cap. 11: aaO. II, 733 D, wo er eine weitere klassische Bestimmung des
Übernatürlichen hinzufügt: «Augustinus ... docet ... omnem amorem quo gratis amatur
Deus, nobis esse non posse nisi ex Deo, hoc est, esse supernaturalem, hoc ipso quo est
gratuitus»!

Von der natürlichen Liebe einer reinen Kreatur zu sprechen, die sowohl von der Gottesliebe wie von der Konkupiszenz verschieden wäre, ist für Jansenius unsinnig. Augustin hat nie von einer solchen Liebe gesprochen.

Wir haben Bajus und Jansenius zu verstehen versucht, ohne allzusehr auf die Verurteilungen durch die Kirche zu achten – eine schwierige, von katholischen Autoren selten praktizierte Aufgabe. Wir verdanken dabei viel den Untersuchungen von J.H.Walgrave, der uns bei dieser Rekonstruierung der Löwener Augustinianer wegweisend war. Es läßt sich darin kaum eine im Grunde häretische Theologie erblicken. Der moderne Leser stellt sich deshalb die Frage: Weshalb wurden denn diese Autoren verurteilt? Um sie zu beantworten, muß man Elemente sowohl geschichtlicher wie psychologischer Natur berücksichtigen. Die damalige Zeit war sehr intolerant. Frankreich wurde von heftigen, fast gegensätzlichen Strömungen zerrissen. Diese Intoleranz wurde in der Theologie durch das Aufkommen des Rationalismus verstärkt, der nicht imstande war, einen anderen Bezugsrahmen als den seinen zu akzeptieren. Sobald man die «philosophia» oder «theologia perennis» vorlegen will, kann man keine andern Denkweisen mehr zulassen, die in einer andern ideologischen Perspektive liegen. Der Gegensatz zwischen der «natura pura» und dem Übernatürlichen entsprach einem tiefen Anliegen des modernen Humanismus und wurde deshalb mit Begeisterung aufgenommen. So begnügte man sich ganz «unschuldig» damit, aus dem Zusammenhang gerissene Sätze, die den Werken der Löwener Lehrer mehr oder weniger entnommen worden waren, in einem molinistischen Kontext zu interpretieren. Zudem schienen ihren Gegnern diese Thesen, die von Bajus und Jansenius als Kritik an Calvin gedacht waren, den Thesen der Reformation nahezustehen.

Der Heilige Stuhl stand vor einer schwierigen Aufgabe. Wohlweislich wollte er sich lange Zeit nicht auf den Kernpunkt der Debatte einlassen. Es ging ihm zunächst einzig darum, der Kontroverse Einhalt zu gebieten. Dies beweist die Bulle «In eminenti» Urbans VIII., die am 16.März 1642 unterzeichnet und am 19.Januar 1643 promulgiert wurde. Der Papst mißbilligte in allgemeinen Wendungen neben andern Werken den «Augustinus» des Jansenius und wiederholte das Verbot Pauls V., den Disput über die Gnade fortzusetzen. Auch Innozenz X. weigerte sich lange Zeit, die fünf Sätze zu verurteilen, die Nicolas Cornet aus den Schriften des Jansenius zusammengestellt und am 1.Juli 1649 der Theologischen Fakultät der Sorbonne zur Verurteilung vorgelegt hatte. Infolge der heftigen Dispute in Löwen, vor allem aber in Frankreich an der Sorbonne und unter den Bischöfen, entschloß sich der Papst schließlich, sie am 31.Mai 1653 zu verurteilen. Wenn man sich die Mühe nimmt, den Gesamttext der Konstitution und nicht bloß die paar Zitate im «Denzinger» zu lesen, so entdeckt man, daß der Papst tatsächlich fünf Sätze als häretisch verurteilt hat, den letzten unter Voraussetzung einer Präzisierung, ohne daß er formell sagt, sie seien den Schriften des Jansenius entnommen.[374] Seine Absicht ist klar: er wollte mit der ganzen ihm zustehenden Autorität dem Disput ein Ende setzen. Privat wiederholte er ausdrücklich, er wolle den hl. Augustinus nicht verurteilen.[375]

Als sich der Streit nicht legte und die Diskussionen um die Rechts- und Sachverhaltsfragen erbitterter wurden, wobei behauptet wurde, die betreffenden Sätze seien zwar häretisch, hätten aber nichts mit Jansenius zu tun, faßte Alexander VII. unter dem Druck eines Teils des französischen Episkopats den unglückseligen Entschluß, eine neue Konstitution «Ad sacram» zu unterzeichnen, worin er äußerte, die fünf Sätze seien dem «Augustinus» entnommen («excerptae») und von Innozenz X. in dem von ihrem Autor intendierten Sinn verurteilt worden.[376]

Die Theologen haben diese Intervention Alexanders VII. als eine unfehlbare Glaubenserklärung interpretiert, die sich auf «dogmatische Gegebenheiten» beziehe.[377] Bemühen wir uns, in diese Debatte etwas Klarheit und vor allem theologische Redlichkeit zu bringen! Von Pascal angefangen ist es bis heute niemandem geglückt, diese Zitate, die aus dem «Augustinus» stammen sollen, zu ermitteln. Der erste Satz läßt sich mit Hilfe verschiedener Texte mehr oder weniger rekonstruieren. Die vier weitern finden sich im «Augustinus» überhaupt nicht, sondern lassen sich höchstens aus gewissen Aussagen des Jansenius ableiten, obwohl sich bei diesem auch andere Sätze finden, die solche Schlüsse entkräften. Etwas, das an und für sich ein bloßer Sachverhalt ist, kann keineswegs zu einer «dogmatischen Gegebenheit» werden. Ferner sind wir der Ansicht: So wie das kirchliche Lehramt nicht darüber zu urteilen vermag, ob sich ein konkreter Mensch subjektiv im Stand der Sünde befinde oder nicht, so kann es auch nicht darüber befinden, ob ein Autor häretisch gesinnt ist, zumal wenn der betreffende Autor nicht mehr lebt und sich nicht mehr verteidigen kann. Der Heilige Stuhl hat jedoch eine Jurisdiktionskompetenz zur Wahrung der Einheit der Kirche und eine lehramtliche Kompetenz zur Überwachung der Integrität der *öffentlichen* Glaubensunterweisung. Zweifellos war damals in Frankreich wegen der beständigen heftigen Diskussionen und der gegenseitigen Verketzerung der innerkirchliche Friede bedroht und der Glaubensausdruck arg verdunkelt. Alexander VII. war im Recht, als er beschloß, dem Streit ein Ende zu setzen und eine aufrichtige, loyale Unterwerfung unter die Weisungen des Heiligen Stuhls zu verlangen, entsprechend den früheren Entscheiden Pauls V. und Innozenz' X. Er war jedoch schlecht beraten, als er sei-

---

[374] «Cum occasione impressionis libri cui titulus Augustinus Cornelii Jansenii Episcopi Iprensis inter alias eius opiniones orta fuerit, praesertim in Galliis, controversia super quinque ex illis, complures Galliarum Episcopi apud nos institerunt, ut easdem propositiones Nobis oblatas, expenderemus, ac de unaquaque earum etiam et perspicuam ferremus sententiam» (Bullarum, privilegiorum et diplomatum R. Pont. VI/3 [Romae 1760] 248). Es ist ganz klar, daß Innozenz X. nirgends behauptet, er selbst oder seine Theologen hätten das Werk des Jansenius gelesen, oder die fünf Sätze, die ihm aus Paris zugeschoben wurden, seien Zitate aus dem Werk des Jansenius.

[375] A. Adam, Du mysticisme à la révolte. Les jansénistes du XVIIe siècle (Paris 1968) 203 f.

[376] DS 2010 ff.

[377] So noch A. Schönmetzer in der Einleitung zur Konstitution «Ad sanctam» Alexanders VII. (DS 2010).

nen Willen in der von ihm gewählten Weise durchsetzen wollte. Er war denn auch nicht sehr stolz darauf.[378] Es wäre nicht in Ordnung, wollte man sich vor allem über die Haltung entrüsten, die der Heilige Stuhl in diesen schwierigen Jahren einnahm. Rom wurde von Anklagebriefen und Abordnungen der feindlichen Gruppen überschwemmt, die sich pausenlos ablösten. Im Lauf der Geschichte ist es oft vorgekommen, daß der Heilige Stuhl durch fanatische Anklagen, die ihm als Information zugespielt wurden, in ausweglose Lagen hineingebracht wurde.

Später, im Jahre 1794, anläßlich der Verurteilung der Synode von Pistoia durch die Bulle «Auctorem fidei» Pius' VI., nimmt Rom eine klügere Haltung ein. Der Papst greift nicht mehr kurze Sätze, sondern ganze Abschnitte heraus, und die kirchlichen Zensuren sind viel abgewogener.[379] Auch ist zu bemerken, daß die großen italienischen Augustinianer, Noris, Berti und Bellelli, die übrigens mit den Augustinianern in Löwen in engem Kontakt standen, für ein Gnadensystem eintraten, das dem des Jansenius zum großen Teil entsprach.[380]

Die Tragödie des Jansenismus kann heute Anlaß für einige heilsame Lektionen sein. Der Heilige Stuhl und die Bischöfe können nur gewinnen, wenn sie die Natur ihres Autoritäts- und Lehramtes in Glaubensangelegenheiten respektieren. Vor allem zeigt sich am Beispiel des Bajanismus und Jansenismus, daß sich eine Ideenentwicklung nicht rückgängig machen läßt. Man kann nicht einfach wieder hinten beginnen, ohne der Ideenentwicklung Rechnung zu tragen. Dies gilt auch für die Theologie, die wie das menschliche Denken geschichtlich ist.

Am Ende dieses langen Kapitels wäre noch über die Entwicklung der Gnadentheologie nach den beiden Weltkriegen zu handeln. Einige Aspekte der neueren Entwicklung haben wir bereits gestreift.[381] Auf die Kontroverse über die Frage des Verhältnisses von Natur und Gnade wurde an anderer Stelle dieses Werkes eingegangen.[382] Obwohl die Diskussionen über das Werk «Surnaturel» von Henri de Lubac während einiger Jahre ihren Niederschlag in vielen Dissertationen und Aufsätzen gefunden haben, ist doch im allgemeinen zu sagen, daß die moderne Theologie an den Gnadenproblemen mehr oder weniger desinteressiert ist. Viele Theologen wagen es nicht, sich von den komplizierten abstrakten Spekulationen zu lösen, die

---

[378] In jener Epoche promulgierte Rom die päpstlichen Entscheide, indem man diese an die Portale der großen Basiliken heftete. Die Bulle wurde während ungefähr zwei Stunden angeschlagen, zu einem Zeitpunkt, als sie niemand lesen konnte. Vgl. L. Pastor, Geschichte der Päpste XIV/1 (Freiburg i. Br. 1929) 443. Der neue Nuntius, Kardinal Piccolomini, präsentierte die Bulle dem König erst am 2. März 1657. Alexander VII. motivierte seinen Entscheid unglücklicherweise u. a. damit, daß er als Kardinal und Kommissar bei der Vorbereitung der Bulle Innocenz' X. dabeigewesen sei: DS 2011.

[379] DS 2616–2626.

[380] W. Bocxe aaO. (Anm. 322) behauptet, ihre Lehren hätten sich von denen des Jansenius unterschieden. Beim Lesen seiner Dissertation aber fragt man sich, ob er Jansenius überhaupt je im Originaltext gelesen habe – ein Vorwurf, den man vielen Autoren, die dieses Thema behandelt haben, machen könnte!

[381] Vgl. oben S. 729–737.

[382] G. Muschalek, Schöpfung und Bund als Natur-Gnade-Problem: MS II, 546–558.

die herkömmlichen Gnadentraktate zumeist charakterisieren, und ziehen es vor zu schweigen. Man merkt dieses Zögern den paar theologischen Handbüchern an, die über diese Frage noch nach dem Vatikanum II erschienen sind.[383] Die Voreingenommenheit für die «Säkularisierung» hat gewisse Themen der Gnadentheologie mehr oder weniger tabu werden lassen.

Die biblische Erneuerung hat es in der Zwischenzeit allerdings ermöglicht, die reichen Sinngehalte der biblischen Botschaft über die Gnade neu zu erschließen. Die ökumenischen Kontakte mit der Ostkirche haben die übertriebene Systematisierungsarbeit im Westen relativiert, und die Begegnungen mit den Kirchen der Reformation haben der katholischen Gnadenlehre neue Perspektiven eröffnet. Vor allem haben sich auf dem Gebiet der philosophischen und theologischen Anthropologie neue Horizonte erschlossen.[384] P. de la Taille argumentierte noch in einem streng scholastischen Denksystem, fügte jedoch einen neuen Präsenzbegriff ein. Damit drängt sich den Theologen ein neues Denkmodell auf: Man verwendet nicht mehr die Natur, sondern die Person als Modell.[385] In neuester Zeit kommt eine Tendenz auf, die diesem Modell einen zu individualistischen und «privatisierten» Grundzug vorwirft. So J. B. Metz und weitere Autoren. Der Erfolg der «process theology» in Amerika könnte der Gnadentheologie neue Horizonte erschließen, doch soweit wir sehen, haben sich diese Theologen noch nicht mit den Gnadenproblemen befaßt, obschon uns dies nicht unmöglich scheint.

A. Gardeil machte 1929 auf die Bedeutung der mystischen Erfahrung und der Erfahrung überhaupt für die Reflexion über die Gnade aufmerksam.[386] Die heutige Erneuerung der Spiritualität scheint einzelne Theologen diskret zu veranlassen, zum Urquell jeglicher Spiritualität, zur Gegenwart Gottes in unserem Innern, zurückzukehren.[387] Gleichzeitig hat die Verantwortung der Kirche für die Welt in den Missionsländern und der Dritten Welt den

[383] Die besten Arbeiten sind noch die von M. Flick und Z. Alszeghy, Il vangelo della grazia (Firenze 1964) und von J. Auer, Kleine katholische Dogmatik V, Das Evangelium der Gnade (Regensburg 1970). Ch. Baumgartner, La grâce du Christ = Le Mystère chrétien 10 (Paris 1963) scheint uns weniger geglückt.

[384] H. Mühlen, Gnadenlehre: Bilanz der Theologie im 20. Jh. III (Freiburg i. Br. 1970) 148–191. Zur theologischen Anthropologie vgl. MS II, 559–805.

[385] Wir verweisen besonders auf das Werk von J. Oman, Grace and Personality (1917) (London 1962). Oman hat als erster das Modell der Person eingeführt, um die Beziehungen zwischen Gott und Mensch, vor allem was die Gnade anbetrifft, zu erklären. Er zeigt, daß sowohl im Calvinismus wie in der römischen Kirche der theologische Rationalismus in eine ausweglose Situation geführt hat, in das Dilemma zwischen einem allwissenden und allmächtigen Gott und einer menschlichen Sittlichkeit, die das, was sie sein soll, nur sein kann, wenn sie autonom ist. Im Lauf dieses Kapitels haben wir immer wieder auf dieses Dilemma hingewiesen.

[386] A. Gardeil, La structure de l'âme et l'expérience mystique (Paris 1929).

[387] So erst kürzlich T. Dubay, God Dwells within Us (Denville N. J. 1971). D. L. Gelpi, Pentecostalism. A Theological Viewpoint (New York 1971) ist weniger geglückt.

Theologen die Augen für den Bezug der Gnade auf die Gemeinschaft und auf den Menschen geöffnet.[388]

Wir sind davon überzeugt, daß es nach zwanzig, dreißig Jahren der Reflexion und des Reifens wiederum möglich ist, einen neuen Traktat über die Gnade auszuarbeiten, der sich von denen zu Beginn des Jahrhunderts tiefgreifend unterscheiden würde. Die Gnadenprobleme betreffen die Herzmitte der christlichen Botschaft. Deshalb wurden sie mit Erfolg in die Traktate über die Erlösung, die Kirche und die Sakramente integriert, um von der theologischen Anthropologie zu schweigen. Die Idee eines besonderen Traktats über die Gnade steht nicht hoch im Kurs. Doch ermöglichen es uns die geschichtlichen Befunde und die Erfordernisse einer fachwissenschaftlichen sowie pastoralen, katechetischen und pädagogischen Spezialisierung, unter diesem Titel konnexe Probleme zu vereinen, die noch immer ein eingehendes Studium verdienen.

PIET FRANSEN

[388] D. B. Harned, Grace and Common Life (Charlottesville 1971) wurde zuerst in Nordindien vorgelegt. Packender, wenn auch ein wenig verworren, ist das Buch von J. L. Segundo, Grace and Human Condition (Maryknoll N. Y. 1973), das zuerst 1968 in Buenos Aires auf spanisch erschien.

BIBLIOGRAPHIE

Wir zitieren im folgenden nur die wichtigsten weiter ausgreifenden historischen Untersuchungen sowie einige Arbeiten, die auf methodologische Probleme aufmerksam machen. Im übrigen verweisen wir auf die Anmerkungen dieses Kapitels sowie auf die Bibliographien in MS II, 558, 841–843, 939–941.

Auer J., Die Entwicklung der Gnadenlehre in der Hochscholastik, 2 Bde. (Freiburg 1942 und 1951).

– Um den Begriff der Gnade: ZKTh 70 (1948) 314–368.

Aurelius Augustinus, Schriften gegen die Semipelagianer, lat.-deutsch, Jubiläumsausgabe 354–1954, übertragen und erläutert von S. Kopp und A. Zumkeller (Würzburg 1955).

– Schriften gegen die Pelagianer, lat.-deutsch, Einführung von A. Zumkeller und A. Fingerle, Erläuterungen von A. Zumkeller (Würzburg 1964).

Chéné J., La théologie de St. Augustin. Grâce et Prédestination (Le Puy 1962).

Dettloff W., Die Lehre der acceptatio divina bei Johannes Duns Scotus (Werl 1954).

– Die Entwicklung der Akzeptations- und Verdienstlehre von Duns Scotus bis Luther, mit besonderer Berücksichtigung der Franziskaner-Theologen (Münster 1963).

Fortman J., The Theology of Man and Grace. Readings in the Theology of Grace (Milwaukee 1966).

Fransen P., How should we teach the Treatise of Grace?: Apostolic Renewal in the Seminary in the Light of Vatican Council, ed. J. Keller and R. Armstrong (New York 1965) 139–163.

Greshake G., Gnade und konkrete Freiheit. Eine Untersuchung zur Gnadenlehre des Pelagius (Mainz 1972).

Kuhn O., Natur und Gnade. Untersuchungen zur deutschen katholischen Theologie der Gegenwart (Berlin 1961).

Landgraf A. M., Dogmengeschichte der Frühscholastik I/1 und 2 (Regensburg 1952–1963).

Lonergan B. J. F., Grace and Freedom. Operative Grace in the Thought of St. Thomas Aquinas (London 1971).

Lot-Borodine M., La déification de l'homme (Paris 1970).

Lubac H. de, Augustinisme et théologie moderne = Théologie 63 (Paris 1965).

Moeller Ch.-Philips G., Grâce et œcuménisme (Chèvetogne 1957).

Pesch O. H., Die Theologie der Rechtfertigung bei Martin Luther und Thomas von Aquin (Mainz 1967).

Philips G., De ratione instituendi tractatum de gratia sanctificationis nostrae: EThL 29 (1953) 355–373.

Rito H., Recentioris theologiae quaedam tendentiae ad conceptum ontologico-personalem gratiae (Rom 1963).

Rondet H., Gratia Christi. Essai d'histoire du dogme et de théologie dogmatique (Paris 1948).

Seckler M., Instinkt und Glaubenswille nach Thomas von Aquin (Mainz 1961).

Simon P.-H., La littérature du Péché et de la Grâce, 1880–1950 (Paris 1957).

Trütsch J., SS. Trinitatis inhabitatio apud theologos recentiores (Trento 1949).

Walgrave J.H., Geloof en theologie in de krisis (Kasterlee 1966).

Whitley W.T. (Hrsg.), The Doctrine of Grace (London 1931).

12. KAPITEL

GOTTES GNADENHANDELN ALS ERWÄHLUNG UND RECHTFERTIGUNG DES MENSCHEN

Nach der bibeltheologischen Grundlegung und dem dogmen- und theologiegeschichtlichen Überblick sind die wichtigsten Fragen der Gnadenlehre in einer mehr systematischen Reflexion zu bedenken. Sie setzt das bereits Ausgeführte voraus und versucht kritisch so auf die verschiedenen Probleme einzugehen, daß die Botschaft von der Gnade heute in der rechten Weise verstanden und gesagt werden kann. Es wäre allerdings falsch, wenn man das Vorausgehende im Hinblick auf eine solche Reflexion nur als eine, wenn auch unvermeidliche Vorstufe, betrachtete. Die Frage nach der Gnade in der Schrift wurde deshalb gestellt und der Gang durch die Dogmengeschichte wurde dazu unternommen, damit deutlich würde, in welcher geschichtlichen Vermittlung die Aussagen über Gottes Gnade dem theologischen Denken gegeben sind, von woher hier zu denken und in welche Richtung zu gehen ist. In diesem Sinn standen auch schon die bibeltheologischen und dogmengeschichtlichen Ausführungen in einem systematischen Fragehorizont. Dennoch muß nun ein Schritt weiterer Verarbeitung getan werden. Wegweisend für ihn ist in erster Linie die bibeltheologische Grundlegung. Aus der Darstellung des atl. Sachverhaltes ergab sich, daß Gnade im Alten Testament «ein anderer Ausdruck für das Heil (ist), das Gott dem Menschen gewährt»[1], was mit sich bringt, daß der Begriff «Gnade» so komplex wie der Begriff «Heil» ist.[2] Der Überblick über die ntl. Aussagen zeigte eine ähnliche Vielfalt von Bildern und Denkvorstellungen, die freilich auf eine einheitliche Mitte und einen einheitlichen Grund bezogen sind, auf Gottes Heilshandeln in Jesus Christus.[3] So ergab sich als Anweisung für die systematische Reflexion: «Eine systematische Gnadenlehre darf ... nicht der Gefahr erliegen, von diesem *Geschehnis*charakter der Gnade abzusehen und die Gnadenlehre innerhalb eines ungeschichtlich-metaphysischen ‹Sy-

---

[1] H. Groß, Gnade im AT: MS IV/2, 607.
[2] H. Groß aaO.
[3] F. Mußner, Die ntl. Gnadentheologie in Grundzügen: MS IV/2, 628.

stems> zu entwickeln und darzustellen, wie das vielfach in den dogmatischen
Traktaten De gratia geschehen ist; so kommt es zu keiner richtigen Vorstellung von der ‹Gnade›, wenn der Traktat mit begrifflichen ‹Einteilungen›
der Gnade beginnt. Die ‹Gnadenlehre› muß vielmehr von dem ausgehen,
was sich im Horizont der biblischen Heilsgeschichte als Gnadengeschehen,
d.h. als eschatologisches Handeln Gottes zeigt.»[4] Dieser Anweisung entspricht es, wenn wir Gnade in diesem Kapitel zunächst als Gnadengeschehen auslegen.

Einige *Vorüberlegungen* sollen zum Thema hinführen.

1. Was Gnade ist, wird in der Schrift durch eine Vielfalt von Bezeichnungen und Bildern ausgedrückt. Aber auch die Unterscheidungen, die im
Lauf der Theologiegeschichte gewachsen sind, möchten auf ihre Weise verschiedenen Aspekten des Gnadengeschehens Rechnung tragen. Die systematische Reflexion darf die Vielfalt dieser Aspekte, die verschiedenen Perspektiven, die sich schon von der Schrift her auftun, die Spannungsfelder
und Spannungsmomente, in denen die verschiedenen Aussagen über die
Gnade stehen, nicht verkürzen oder vorschnell harmonisieren; sie hat aber
ebenso die Einheit des Gnadengeschehens im Auge zu behalten. Im ursprünglichsten Sinn bezieht sich Gnade auf Gott selber, der dem Menschen
gnädig ist. Die verschiedenen biblischen Bezeichnungen, unter ihnen besonders das atl. chen und das ntl., vor allem paulinische χάρις, sind hier nicht
nochmals zu analysieren.[5] Sie machen jedenfalls deutlich, daß alles Gnadengeschehen in *Gottes Huld und Gnädigkeit* seinen Ursprung hat. Und dies
bedeutet, daß Gnade *Gottes* Gnade bleibt, daß sie nicht zu einer Sache wird,
über die der Mensch verfügt. Gnade ist nicht ein Drittes zwischen Gott und
dem Menschen, sondern sie meint die Realität einer Beziehung, in der Gott
Gott bleibt, auch wo er sich selber dem Menschen gewährt. «In der Gnade,
zunächst, ‹habe› ich nicht Gott, sondern Gott ‹hat› mich!»[6]

Gnadenlehre ist so in der Wurzel ein Stück Gotteslehre, insofern sie die
Frage zu beantworten sucht, wer Gott in Jesus Christus für uns ist. Es geht
in ihr nicht um ein zusätzliches Wort, das auch noch zu hören wäre, nachdem in der Gotteslehre gesagt wurde, wie sich Gott frei zum Menschen
verhält, sondern es geht in ihr um die genauere Artikulation dieses Wortes.
«Die ganze Dogmatik hat nichts Höheres noch Tieferes, sie hat nichts wesentlich anderes zu sagen als dies: daß ‹Gott war in Christus und die Welt
mit sich selber versöhnte› (2 Kor 5, 19).»[7] Die Theologie hat in der Gnadenlehre darüber nachzudenken, wie Gott dem Menschen gnädig ist, wie er sich

---

[4] F. Mußner aaO. 626.

[5] Vgl. dazu die Ausführungen von H. Groß und F. Mußner aaO.

[6] H. Küng, Rechtfertigung (Einsiedeln 1957) 197. Zum Thema ist der ganze § 27
«Gnade als Gunst» einzusehen. Vgl. auch oben S. 574.

[7] K. Barth, KD II/2, 95.

seiner annimmt, wie Gottes Göttlichkeit gerade darin erscheint, daß er ein Gott der Menschen ist. Gerade so ist Gnadenlehre aber auch ein Stück Christologie und Pneumatologie. Gott ist für uns in Jesus Christus, in dem «die Fülle der Gnade und Wahrheit» (vgl. Jo 1,14) offenbar wurde, und er ist so für uns, daß er sich selber uns in seinem Geiste schenkt. Dies alles aber meint nicht die Einheit einer statischen Beziehung zwischen Gott und Mensch, sondern die Einheit eines Geschehens, in dem sich Gott als Emmanuel, als Gott für uns erweist. Abstrakt formuliert: Es geht in der Gnadenlehre um nichts anderes als um die Selbstmitteilung Gottes an den Menschen in Jesus Christus und in seinem Geiste.

Es dürfte nicht schwer fallen, die verschiedenen biblischen Bezeichnungen, die sich auf das Gnadengeschehen beziehen, in diesen umfassenden Horizont einzuordnen. Ihr besonderes Gewicht darf gewiß nicht übersehen, die Bedeutung der einzelnen Aussagen darf nicht nivelliert werden. Gemeinsam ist ihnen aber doch, daß sie mit Gnade ein bestimmtes Geschehen zwischen Gott und dem Menschen meinen, ein Geschehen, das eine eindeutige Richtung von Gott zum Menschen hin hat, das aber auch die Polarität von Gabe und Empfangen, von Wort und Antwort, von Indikativ und Imperativ (in dieser Reihenfolge!) umfaßt, – und daß sie die Wirklichkeit der Gnade als ein «schon jetzt» und als ein «noch nicht», d. h. als Glaubenswirklichkeit, die zur Vollendung drängt, kennzeichnen.

Bezieht man die biblischen Ausdrücke, die im Zusammenhang mit dem Gnadengeschehen stehen, auf dieses Geschehen als Selbstmitteilung Gottes, so sieht man, wie sie je nach dem Zusammenhang bestimmte Aspekte dieses Geschehens hervorheben. Begriffe wie εὐδοκία, ἔλεος, ἀγάπη, πρόθεσις, βουλή, χάρις usw. bezeichnen die Realität der Gnade vor allem in ihrem Ursprung in Gottes freiem und gnädigem Verhalten, Verben wie ἐκλέγεσθαι, προορίζειν, δικαιοῦν, δοξάζειν usw. kennzeichnen Gnade als Geschehen, das in einem bestimmten Handeln Gottes mit dem Menschen zum Vollzug kommt. Begriffe wie χάρις, δόξα, ζωή, φῶς u. a. können sowohl eine Realität in Gott wie die dem Menschen verliehene Gabe meinen,[8] während Ausdrücke wie κοινωνία, ἐνοικεῖν, μένειν vor allem die Realität einer neuen Beziehung zwischen Gott und dem Menschen ausdrücken. Der Übergang zu einem neuen Sein wird auch durch antithetische Formeln zum Ausdruck gebracht als Übergang von der Sünde, von der Finsternis, von der Knechtschaft, vom Sein im Fleische zum Leben, zum Licht, zur Freiheit, zur Kindschaft, zum Sein im Geiste usw., wobei dieser Übergang, im Sinn etwa der Formel «simul iustus et peccator», im Sinn auch des biblischen «schon jetzt»

---

[8] Es geht hier nur um eine allgemeinste Charakterisierung, die weder die Begriffsschattierungen erfaßt noch Strukturen und Prioritäten aufzeigt. Zum Begriff χάρις, insofern er eine Realität in Gott und eine Gabe bezeichnen kann, vgl. den Überblick von F. Mußner, Gnade: LThK IV (1960) 980–984.

und «noch nicht», durchaus nicht ungebrochen zu verstehen ist. Es geht hier vorläufig gar nicht darum, den Inhalt und die Spannweite der einzelnen Begriffe genauer zu untersuchen. Soviel dürfte doch einsichtig sein, daß sie ihren Platz innerhalb des umfassenden Geschehens haben, das als Selbstmitteilung Gottes an den Menschen bestimmt werden kann. Dieses Geschehen gibt wohl Raum für das, was später in der Sprache der Schule «geschaffene Gnade» genannt wurde. Es ist aber auch vom ersten Ansatz her deutlich, daß diese Aussage völlig mißverstanden würde, wenn man sie verselbständigte und aus dem Zusammenhang des umfassenden Gnadengeschehens löste, in dem die grundlegende Aussage die ist, daß Gott dem Menschen gnädig ist und daß er sich selber dem Menschen schenkt.

2. Was Gnade ist, muß aber auch *vom Menschen her* gesehen werden, insofern er durch Gottes gnädiges Handeln bestimmt wird. Diese Aussage gilt mindestens in dem Sinn, als der Mensch je schon in einer konkreten Heilsordnung existiert, die auch dort durch Gottes Handeln in Jesus Christus bestimmt ist, wo sich der Mensch diesem Handeln gegenüber verschließt.[9] Menschliche Existenz vollzieht sich nie an einem gewissermaßen neutralen Ort, sondern in einem Raum, der immer schon durch Gottes Gnade umfaßt ist. Man kann von da aus die Notwendigkeit einer transzendentalen Anthropologie begründen, insofern die Gnade «unbeschadet der Tatsache, daß sie Gott selbst in Selbstmitteilung ist, keine sachhafte Wirklichkeit, sondern (eben als mitgeteilte Gnade) eine Bestimmung des geistigen Subjekts als solchem zur Unmittelbarkeit zu Gott» ist.[10] Daraus folgt freilich nicht, daß sich eine Theologie der Gnade unmittelbar aus der Erfahrung der Gnade ableiten ließe. Ein solcher Weg ist schon deshalb nicht gangbar, weil gar nicht ohne weiteres ausgemacht werden kann, was nun eigentlich an der konkreten Erfahrung des Menschen Erfahrung der Gnade ist. Nicht alles am Menschen, am homo peccator, ist Gnade oder Erfahrung der Gnade! Die Theologie hat sich deshalb dort, wo sie von der Gnade spricht, an das deutende Wort Gottes zu halten. Sie kann nicht sagen, was Gnade ist, indem sie einfach menschliche Erfahrungen oder das menschliche Selbstverständnis expliziert. Aber sie darf auch nicht übersehen, daß Gottes Wort als Wort der Gnade und als Wort über die Gnade sich auf eine Wirklichkeit bezieht, die nicht bloß von außen an den Menschen herangetragen wird, sondern die ihn in seinem Innersten trifft; daß diese Wirklichkeit geschichtlich ist, insofern sie auf einem geschichtlichen Handeln Gottes mit dem Menschen beruht und insofern sie in einer Lebensgeschichte angenommen

---

[9] Hier ist auf die Frage des desiderium naturale im Zusammenhang mit dem Problem Natur und Gnade und auf das übernatürliche Existential zu verweisen. Vgl. MS II, 546–557 (G. Muschalek).

[10] K. Rahner, Grundsätzliche Überlegungen zur Anthropologie und Protologie im Rahmen der Theologie: MS II, 410f.

oder verweigert wird; daß schließlich Gnade als inneres Geschehen bleibend auf dem «extra nos» des Heilshandelns Gottes beruht, so daß des Menschen (innere) Rechtfertigung in einem wahren Sinn «iustitia aliena» ist und bleibt, wie evangelische Theologie zu Recht unterstreicht. Die Rede über die Gnade ist jedenfalls nur dann keine beliebige, sondern eine theologisch notwendige Rede, wenn deutlich wird, daß ohne sie ein letztes Wort über den Menschen gar nicht gesagt werden kann.

3. Im ersten Durchgang der systematischen Reflexion betrachten wir Gnade in diesem Kapitel als Gnaden*geschehen*, das seinen Ursprung in Gottes Gnadenwahl hat und das im heilsgeschichtlichen Handeln Gottes mit dem Menschen zum Vollzuge kommt. Dieser Charakter der Gnade als eines Handelns Gottes mit dem Menschen, in dem er den Menschen zum Heile führt, wird von Paulus vor allem in der catena aurea von Röm 8, 28 ff unterstrichen: «Und wir wissen, daß denen, die Gott lieben, alles zum Guten verhilft, weil sie zum voraus nach seinem Ratschluß berufen sind. Denn diejenigen, die er voraus-ersehen, hat er auch voraus-bestimmt, nach dem Bild seines Sohnes gestaltet zu werden, damit er der Erstgeborene unter vielen Brüdern sei; und die er voraus-bestimmte, die hat er auch gerufen; die er gerufen, hat er gerecht gemacht; und die er gerecht gemacht, denen hat er auch die Herrlichkeit geschenkt.» Paulus beschreibt hier die Gnade als ein Geschehen, das in Gottes Heilsratschluß begründet ist und den Menschen zum Ziele führt. Prädestination, Rechtfertigung und Verherrlichung erscheinen als Momente eines einzigen Geschehens, wobei nicht so sehr die Abfolge eines Zeitplans hinsichtlich der verschiedenen Momente – die Aoristform ἐδόξασεν zeigt, daß Verherrlichung als etwas bereits Realisiertes und nicht bloß als künftig Ausständiges gesehen wird –[11] unterstrichen wird, sondern die Gewißheit des göttlichen Handelns, das sachliche Prae dieses Handelns vor jedem menschlichen Tun hervorgehoben werden. «Skopus der Aussage von V. 29f ist: Was Gott einmal zum Heil begonnen hat, das führt er unweigerlich auch zu Ende. Das Handeln Gottes ist wirklich eine ‹Kette›: So gewiß Gott erwählt und beruft, so gewiß rechtfertigt und verherrlicht er auch. Der Hinweis auf Christus in V. 29 bürgt für die Wahrheit dieser Aussage. Gottes Heilshandeln übergreift dabei den Menschen in Vergangenheit und Zukunft. Im Glauben zeigt sich das Prae des Handelns Gottes, das schon vor allem menschlichen Handeln geschieht, im Glauben allein kann das noch zukünftige Handeln Gottes gewiß bezeugt werden. Im Glauben wird Gottes vorzeitiges Handeln gegenwärtige Wirklichkeit und das noch Ausstehende gewiß als Zukunft Gottes. Dies ist die Ansage des Glaubens gegenüber einer noch unerlösten Welt (V. 18 ff) und gibt ihm Grund zum Triumph (V. 31 ff).»[12] Wie die Formulierung des Kettenschlus-

---

[11] U. Luz, Das Geschichtsverständnis des Paulus (München 1968) 251.
[12] U. Luz aaO. 254.

ses zeigt, ist das Gnadengeschehen, das Paulus anvisiert, Christusgeschehen. Gottes Heilshandeln mit dem Menschen zielt darauf, daß wir mitgestaltet werden sollen mit der Bildgestalt seines Sohnes.[13] Die einzelnen Begriffe, die das göttliche Handeln mit dem Menschen bezeichnen, sind nicht alle scharf voneinander abgehoben. Deutlich ist jedenfalls, daß Gottes Gnadenhandeln mit dem Menschen sowohl des Menschen Erwählung wie des Menschen Rechtfertigung umfaßt, daß dieses Gnadenhandeln in Gottes ewigem Heilsratschluß im Blick auf Jesus Christus begründet ist und sich in einer Geschichte Gottes mit dem Menschen durchsetzt. Im Blick auf dieses ganze Geschehen wird man die Prädestination des Menschen nicht in der Rechtfertigung aufgehen lassen,[14] man wird aber auch Prädestination und Rechtfertigung nicht einfach auf Ewigkeit und Zeit verteilen dürfen, weil auch die Erwählung als Ereignis den Charakter eines Geschehens hat.[15] Dem geschichtlichen Charakter der Erwählung entspricht denn auch die Perseveranz, die die theologische Tradition zu Recht seit Augustin mit der Erwählung verbunden hat, die Kennzeichen der Erwählung, aber auch bereits Anfang eschatologischer glorificatio und Beginn der Erfüllung der Verheißung ist.[16]

Was in Röm 8,28ff im Zuge eines einzigen Gnadenhandelns Gottes genannt wird, versuchen die beiden folgenden Abschnitte, die über Gottes Gnadenwahl und die Rechtfertigung des Sünders handeln, im einzelnen zu entfalten. Wir setzen dabei die Ausführungen über das Verhältnis von Natur und Gnade voraus, die bereits im II. Band dieses Werkes gemacht wurden, und wir haben den konkreten Menschen vor Augen, der in Jesus Christus als Geschöpf und als Sünder von Gott gerufen, gerechtfertigt, geheiligt und verherrlicht wird. Im Hinblick auf diesen Menschen wird gefragt, wie er ins Gnadenhandeln Gottes einbezogen wird.

[13] Vgl. dazu H. M. Dion, La prédestination dans saint Paul: RScR 53 (1965) 27–35; zur Übersetzung: W. Thüsing aaO. (Anm. 230) 281.

[14] Die Unterscheidung von Prädestinations- und Rechtfertigungslehre bei Luther wird besonders von G. Rost, Der Prädestinationsgedanke in der Theologie Martin Luthers (Berlin 1966) 22, 50, 103, 177–180 unterstrichen. K. Schwarzwäller, Das Gotteslob der angefochtenen Gemeinde (Neukirchen 1970) 53, faßt das Verhältnis von Prädestination und Rechtfertigung so zusammen: «Eine Rechtfertigungslehre ohne das Korrelat der Prädestinationslehre ist nichtig und kraftlos. Und umgekehrt ist das Bestehen dieser Korrelation Probe aufs Exempel ihrer theologischen Korrektheit und inneren Strenge.»

[15] Vgl. dazu W. Pannenberg, Der Einfluß der Anfechtungserfahrung auf den Prädestinationsbegriff Luthers: KuD 3 (1957) 134f.

[16] J. Moltmann, Prädestination und Perseveranz = Beiträge zur Geschichte und Lehre der Reformierten Kirche XII (Neukirchen 1961) 49.

GOTTES GNADENHANDELN ALS ERWÄHLUNG
DES MENSCHEN

Wir blicken in diesem Abschnitt, in dem von Gottes Gnadenwahl die Rede ist, zugleich auf den Ursprung und auf das Ziel des göttlichen Gnadenhandelns, und zwar so, daß wir vom Ereignis der geschichtlichen Berufung des Menschen her nach diesem Ursprung und diesem Ziele seiner Berufung fragen. «Die Prädestinationslehre will weder spekulative Untermalung christlicher Gottesideen noch Ausdruck christlicher Selbsterfahrung sein. Sie geht auch nicht im Christusgeschehen auf... Die *prae-destinatio* weist am Ereignis der Berufung und des Glaubens die schlechthinnige Vorgängigkeit und Zuvorkommenheit des Gnadenwillens Gottes auf und läßt damit dieses Ereignis nicht im Zufall oder im Willen des Menschen begründet sein. Die Erwählung ist das ewige Vorher der geschichtlichen Berufung.»[1] Das ist, wie Moltmann mit Recht betont, die eine Seite der Prädestinationslehre. Dazu muß aber als zweites gesagt werden: «Die andere *eschatologische* Seite der Prädestinationslehre zeigt dem Glauben in dessen ihm widerfahrenden, ihn im Leben anrufenden Wort Gottes zuverlässige Wahrhaftigkeit und seine unverbrüchliche Treue auf... Wie die Berufung in der vorgängigen Erwählung und Verheißung gründet, so ist sie auf der andern Seite ausgerichtet und offen für die Bewahrung, Vollendung und ewige Verherrlichung des Menschen.»[2] Das Thema ist also von Anfang an in dieser umfassenden Dimension zu sehen. Dabei hangen Anfang und Ende zusammen. Daß Gott dem Menschen ein gnädiger Gott ist, daß seine Wege Wege der Treue und des Erbarmens sind, zeigt sich dort endgültig und darum auch alles vorausgehende Gnadenhandeln bestätigend, wo Gottes Gnadenhandeln zu seinem Ziele kommt. Im Ende enthüllt sich der Anfang: Gottes ewige Gnadenwahl, sein Heilsratschluß, die göttliche Prädestination, und zwar so, daß dieser Anfang und dieses Ende in Jesus Christus zusammengefaßt und darum auch in ihm offenbar sind. Die Prädestinationslehre hat kein anderes Thema als das Thema des Epheserbriefs: «Er erwählte uns in ihm vor Grundlegung der Welt, daß wir heilig und ohne Makel seien vor ihm; in Liebe bestimmte er uns zuvor zur Sohnschaft durch Jesus Christus hin zu ihm nach dem Belieben seines Willens zum Preis der Glorie seiner Gnade» (Eph 1,4ff).[3]

---

[1] J. Moltmann, Prädestination und Perseveranz (Neukirchen 1961) 32.
[2] J. Moltmann aaO. 33.
[3] Übersetzung von H. Schlier, Der Brief an die Epheser (Düsseldorf ²1958) 38.

Terminologisch scheint es uns von zweitrangiger Bedeutung zu sein, ob das Thema unter dem Stichwort «Gottes Gnadenwahl» oder unter dem Stichwort der «Prädestination» verhandelt wird, sofern man um die sachliche Problematik weiß, um die es in jedem Falle geht. Auf der einen Seite kann von Gottes Gnadenwahl nur so die Rede sein, daß im Zusammenhang mit diesem Thema auch bedacht wird, was es mit dem göttlichen Verwerfen auf sich hat. Auf der andern Seite darf Prädestination, wie zu zeigen ist, nicht so verstanden werden, daß sie als Oberbegriff in einem architektonischen Gleichgewicht in gleicher Weise die Akte göttlichen Erwählens und göttlichen Verwerfens umfaßt.[4] Neutestamentlich beziehen sich die Ausdrücke ἐκλέγεσθαι, προορίζειν auf Gottes Gnadenwahl. Exegeten wie Vriesen,[5] Schrenk[6] und Rowley[7] trennen deshalb die biblische Erwählungslehre scharf von der späteren Prädestinationsproblematik und betonen, daß im NT dem ἐκλέγεσθαι niemals ausdrücklich ein Verwerfen gegenübergestellt ist, so wie auch im AT die Verwerfung der Erwählung untergeordnet bleibt. Zum gleichen Ergebnis kommt auch Nygren in seiner Untersuchung der Prädestinationslehre Augustins,[8] der zwischen der augustinischen Prädestinations*lehre* und dem augustinischen Prädestinations*problem* unterscheidet. Augustin hat die Prädestinationslehre, nicht aber das Prädestinationsproblem von Paulus.[9] Das letztere bildet sich erst dort aus, wo sich die christliche Gnadenlehre mit der griechischen Vorstellung vom Verhältnis Gottes zur Welt kreuzt. Eine systematische Erörterung der ganzen Frage kann nun freilich am Prädestinationsproblem, wie es sich theologiegeschichtlich stellt, nicht vorbeikommen. Sie muß sich der Frage nach dem Verhältnis der Gnade zur irdisch-menschlichen Geschichte stellen. Wird diese Geschichte durch Gottes Heilsratschluß relativiert? Verläuft sie in einer geraden Linie und trägt Gottes Gnade so ein Doppelgesicht, weil Gottes Vorherbestimmen das Ja und das Nein in sich trägt, weil es Glaube und Unglaube umfaßt? Oder relativiert das Geschichtliche, in dem die Entscheidungsfreiheit des Menschen zum Zuge kommt, die freie Gnade Gottes? Kann man dem Dilemma zwischen einer gnadenlosen göttlichen Freiheit und einer unfreien göttlichen Gnade entrinnen?[10] Diese Fragen beschwören bereits das ganze Dunkel der Prädestinationsproblematik herauf, das vor allem seit Augustin

---

[4] Gegen eine solche Architektonik wendet sich K. Barth, Gottes Gnadenwahl = Theol. Existenz heute 47 (1936) 23.

[5] Th. Vriesen, Die Erwählung Israels nach dem Alten Testament (Zürich 1953) 108.

[6] G. Schrenk: ThW, 180.

[7] H. H. Rowley, The Biblical Doctrine of Election (London 1950) 16.

[8] G. Nygren, Das Prädestinationsproblem in der Theologie Augustins (Göttingen 1956) 8–13, 103f, 136; vgl. dazu auch W. Breuning, Neue Wege der protestantischen Theologie in der Prädestinationslehre: TrThZ 68 (1959) 194, 198.

[9] G. Nygren aaO.

[10] Dieses Dilemma wird scharf herausgearbeitet von O. Weber, Grundlagen der Dogmatik II (Neukirchen 1962) 460.

die Theologie im Westen belastet. Die Theologie kann es sich nicht leisten, diese Problematik einfach zu eliminieren;[11] sie kann darauf nur eine Antwort geben, indem sie sich ihr stellt und indem sie ihre Antwort vom Evangelium her zu geben versucht. Das aber heißt, daß sie zeigen muß, daß Gottes Gnadenwahl tatsächlich die Summe des Evangeliums[12] oder, vorsichtiger formuliert, Integral des Evangeliums,[13] ist. Von der Terminologie her lassen sich die Fragen, um die es sich handelt, nicht entscheiden. Auch der Ausdruck der «praedestinatio gemina» läßt eine verschiedene Auslegung zu.[14] Entscheidend ist, wie hier in der Sache das Problem angegangen wird und wie die Akzente gesetzt werden.

Ähnliches ist auch zur Frage nach dem *Ort der Prädestinationslehre* zu sagen, auf die bereits in der Einleitung zum zweiten Teil dieses Bandes hingewiesen wurde.[15] Nicht ohne tiefen Grund bringt etwa Barth die Erwählungslehre unmittelbar im Anschluß an die Lehre von Gott: «Indem wir die so verstandene Erwählungslehre mit der Lehre von Gott selbst zusammenfassen und als deren integrierenden Bestandteil an die Spitze aller übrigen Lehren setzen, wird sie zu dem an dieser Stelle im Blick auf alles Folgende notwendigen Zeugnis, daß alle Wege und Werke Gottes ihren Anfang in seiner *Gnade* haben. Kraft jener Selbstbestimmung ist ja Gott von Haus aus der *gnädige* Gott...»[16] In Otto Webers, Grundlagen der Dogmatik, vermittelt die Erwählungslehre zwischen Christologie und Pneumatologie einerseits und der Ekklesiologie andererseits.[17] Je nachdem, ob man vom Subjekt der Erwählung ausgeht oder ob man das «sola gratia», die «Gnade in der Gnade»,[18] in der Heilsaneignung unterstreichen möchte, kann man die Prädestinationslehre mit der Gottes- oder mit der Gnadenlehre in Verbindung bringen.[19] Wie immer man das Thema plaziert, wird man darauf achten, Verkürzungen und eine falsche Verengung des Blickwinkels zu vermeiden. So ist es z. B. vor allem problematisch, wenn die Prädestinationslehre im Zusammenhang mit der Lehre von der Vorsehung behandelt

[11] Sie zeigt sich in der evangelischen Theologie nicht weniger als in der katholischen. Vgl. z. B. den Bericht über die Lutherforschung bei G. Rost, Der Prädestinationsgedanke in der Theologie Martin Luthers (Berlin 1966) 13–53.

[12] So K. Barth, KD II/2, 25.

[13] K. Schwarzwäller, Das Gotteslob der angefochtenen Gemeinde (Neukirchen 1970) 236 in kritischer Distanz zu Barth.

[14] So K. Barth, Gottes Gnadenwahl 18: Der Begriff der doppelten Prädestination ist sachlich richtig, sprachlich aber mißverständlich, weil er 1. eine problematische Architektonik nahelegt, und weil er 2. leicht vom christologischen Zusammenhang getrennt wird.

[15] S. 595 ff.

[16] KD II/2, 98 f.

[17] O. Weber, Grundlagen der Dogmatik II, 458–562.

[18] Die Formulierung stammt von K. Barth, Gottes Gnadenwahl 10: «Gnadenwahl, Prädestination bedeutet: die Gnade in der Gnade. Die Gnade in der Gnade ist aber die *Freiheit* und *Herrschaft Gottes* in der Gnade.»

[19] Vgl. dazu H.-G. Fritzsche, Lehrbuch der Dogmatik II (Göttingen 1967) 173.

wird,[20] weil auf diese Weise Gnadenwahl leicht zum Sonderfall einer allgemeinen Vorsehung wird, wobei nicht nur die Beziehung von Schöpfung und Bund übersehen, sondern auch beinahe unvermeidbar eine Symmetrie von Erwählen und Verwerfen postuliert wird.[21] Die Einordnung der Prädestinationslehre in diesem Band darf auf keinen Fall den Eindruck erwekken, es gehe hier um ein Thema, das nur sozusagen beiläufig und nachträglich auch noch zu bedenken ist. Gottes Gnadenwahl ist tatsächlich Summe oder Integral des Evangeliums. Daß dem so ist, daß auch Schöpfung und Sünde innerhalb dieses Vorzeichens zu verstehen sind, wird auch im Zusammenhang dieses Werkes unterstrichen: vor allem in der Ableitung der Heilsgeschichte aus ihrem Ursprung in Jesus Christus, in den Ausführungen über die freien Verhaltensweisen Gottes, der sich zuhöchst als Liebe geoffenbart hat, und in der Verhältnisbestimmung von Natur und Gnade. Dies alles muß im Auge behalten werden, wenn jetzt von Gottes Gnadenwahl im besonderen die Rede ist. Über Erwählung und Prädestination reden heißt über Gott reden, so wie er sich in Jesus Christus als Emmanuel, als Gott für uns, als gnädiger Gott geoffenbart hat.

Wie bereits angedeutet, steht die Frage der Prädestination im Zusammenhang mit der Fragestellung, wie sie theologiegeschichtlich im Gefolge von Augustin ausgebildet wurde. So dürfte es sinnvoll sein, zunächst bei der traditionellen Problemstellung in der katholischen Theologie anzuknüpfen, um sie im Gespräch mit der evangelischen Theologie kritisch in Frage zu stellen. Dabei geht es nicht um dogmengeschichtliche Vollständigkeit – zu Einzelheiten sei auf das dogmengeschichtliche Kapitel verwiesen –, sondern um die Erarbeitung der sachlichen Problematik, wie sie sich von der Theologiegeschichte her stellt. Einige hermeneutische Überlegungen leiten dann zur positiven Darstellung über, in der zu bedenken ist, was Erwählung der Gemeinde (und des Einzelnen) in Jesus Christus bedeutet, wie sich Gottes Erwählung geschichtlich auf Israel und die Kirche bezieht und wie in der Verkündigung sachgemäß über Gottes Gnadenwahl zu sprechen ist.

1. Das Problem der Prädestinationslehre

«Die Wahrheit, die uns hier zu beschäftigen hat und also die Wahrheit eben der Prädestinationslehre ist erstlich und letztlich, wie sie auch im einzelnen

---

[20] Dieser Zusammenhang findet sich nicht nur etwa bei Thomas v. A., S. Th. I q. 22 und 23 im Anschluß an Augustin (vgl. dazu G. Nygren aaO. 232, 267), sondern auch z. B. bei Zwingli. Vgl. G. W. Locher, Die Prädestinationslehre Huldrych Zwinglis: Theol. Zeitschr. 12 (1956) 530: Die Vorsehung ist die Mutter der Vorherbestimmung.

[21] Kritisch dazu K. Barth, KD II/2, 47f. Die fatalen Konsequenzen eines solchen Vorgehens erscheinen deutlich etwa in der Begriffsbestimmung der Prädestination, wie sie A. Vandenberghe, De praedestinatione: Coll. Brug. 36 (1936) 142–148 vornimmt.

zu verstehen sei und welche scheinbar widersprechenden Seiten und Momente sie uns auch zeigen möge, unter allen Umständen die *Summe* des *Evangeliums*. Sie ist Evangelium: *gute* Nachricht, erfreuliche, aufrichtende, tröstende, hilfreiche Botschaft. Also einmal: keine dem damit angezeigten Gegensatz von Furcht, Schrecken, Not und Gefahr gegenüber neutrale Wahrheit, kein Theorem, dessen Inhalt eine bloße Belehrung, eine bloße Aufklärung über einen gegenüber dem Unterschied von Gut und Böse, Gut und Übel indifferenten Sachverhalt bilden würde... Sie ist also auch kein Gemisch von Freudens- und Schreckens,- von Heils- und Unheilsbotschaft. Sie ist ursprünglich und letztlich gerade nicht dialektisch, sondern undialektisch. Sie verkündigt nicht im gleichen Atemzug Gutes und Böses, Hilfe und Vernichtung, Leben und Tod. Sie wirft freilich auch einen Schatten... Aber sie selbst ist Licht und nicht Dunkel.»[22] Diese Sätze Karl Barths formulieren nicht nur eine Position; sie enthalten auch eine Negation, eine entschlossene Abkehr von jener Sicht der Prädestinationslehre, in der diese Lehre nun tatsächlich als ein Gemisch von Freudens- und Schreckensbotschaft erscheint, als ein Topos, der am besten der theologischen Spekulation reserviert und von der Verkündigung ferngehalten wird.[23] Die Frage, die hier zunächst zu beantworten ist, ist die Frage, wie es zu dieser Sicht der Prädestinationslehre gekommen ist und wie sie sich theologiegeschichtlich artikuliert hat. Im dogmengeschichtlichen Kapitel wurde das Problem an verschiedenen Stellen gestreift.[23a] Im folgenden geht es nicht darum, die Entwicklung der Frage nochmals in einem differenzierten historischen Überblick zu zeigen. Es soll vielmehr zunächst in einigen Strichen skizziert werden, wie die in der westlichen Theologie dominierende Fragestellung ausgebildet wurde und wie sie sozusagen in einem terminus ad quem in der Schultheologie verhandelt wird. Ein Blick in die herkömmliche Behandlung der Frage in der Schultheologie ist deshalb unumgänglich, weil die Behandlung der Frage in der Verkündigung die Darstellung des Problems in dieser Theologie zur unmittelbaren Voraussetzung hat.

---

[22] KD II/2, 11f.

[23] Vgl. dazu O. Weber, Die Lehre von der Erwählung und die Verkündigung: Die Predigt von der Gnadenwahl = Theol. Exist. heute 28 (München 1951) 9–12.

[23a] Vgl. oben S. 652, 657ff, 668, 687f. Wertvolle kritische Bemerkungen zu den treibenden Motiven der Ausbildung der Prädestinationslehre in der Theologiegeschichte finden sich bei E. Wolf, Erwählungslehre und Prädestinationsproblem: O. Weber-E. Kreck-E. Wolf, Die Predigt von der Gnadenwahl = Theol. Ex. 28 (München 1951) 63–94. Wolf hebt (S. 88) drei Erfassungsweisen der Prädestination hervor: Prädestination als Deutungskategorie der eigenen Lebensgeschichte (hier sind besonders Augustins Confessiones zu beachten), Prädestination als Gerüst für die Erörterung der Probleme von Natur und Gnade, Gnade und Werke und Prädestination als Bezeichnung des Wegs zwischen praesumptio und desperatio.

a. Die Ausbildung der Fragestellung in Augustins Schrift «Ad Simplicianum» (395)

Wenn wir die Ausbildung des Prädestinationsproblems an Augustins Schrift «Ad Simplicianum» aufzeigen, so soll damit weder die Entwicklung des Denkens Augustins in dieser Frage geleugnet (Ad Simplicianum bedeutet eine Wende und hat zugleich eine Nachgeschichte im Werk Augustins)[24] noch ein sehr komplexer Sachverhalt ungebührlich vereinfacht werden. Das Vorgehen scheint uns systematisch berechtigt zu sein, weil 1. die spätere Prädestinationsproblematik weitgehend im Schatten Augustins steht, und weil 2. die Grundauffassung Augustins, die er später wohl weiterentwickelt hat, von der er aber im wesentlichen nicht mehr abgegangen ist, erstmals in dieser Schrift klar ausgebildet ist.[25]

Ad Simplicianum zeigt, daß Augustins Prädestinationsgedanken biblischen, genauer gesagt, paulinischen Ursprungs sind, geht es ihm doch um eine Erklärung von Röm 9, 10–21; die Schrift dokumentiert aber auch, daß im Anschluß an diesen Schrifttext nun eine Problematik entwickelt wird, die die Perspektiven der Schrift in entscheidender Weise verschiebt.[26]

In der Antwort an Simplicianus hält Augustin zunächst das Grundthema des Römerbriefs fest: Paulus will nach ihm zeigen, daß die Gnade des Evangeliums durch keine Gesetzeswerke verdient wurde. Es gibt keine guten Werke, die der Gnade vorausgehen, sondern nur solche, die der Gnade folgen, «damit nicht etwa einer meint, er hätte deshalb die Gnade empfangen, weil er gute Werke vollbracht hat. Vielmehr kann er nichts Gutes vollbringen, wenn er nicht durch den Glauben die Gnade empfangen hat».[27]

Die ganze Frage der Gnadenwahl erläutert Augustin anhand der Geschichte von Jakob und Esau. Wenn es von den beiden heißt, daß der Ältere dem Jüngeren dienen muß, so geht dies nicht auf ein Verdienst des Jakob zurück. Daraus ergibt sich für ihn die Frage: Wie kann eine electio gerecht sein, wenn nicht irgendein Unterschied bei denjenigen vorhanden ist, die erwählt werden? Ist aber ein Unterschied notwendig, muß er dann nicht durch ein Verdienst begründet sein?

In seiner Antwort schließt Augustin jedes Verdienst als Begründung der Gnadenwahl aus. Jakob wird auch nicht wegen seines Glaubens erwählt.[28] Weder das Vorauswissen guter Werke noch das Vorauswissen des Glaubens kann der Grund

---

[24] Die Entwicklung der Frage bis zur Schrift «Ad Simplicianum» habe ich analysiert, in: Der Glaubensbegriff des hl. Augustinus in seinen ersten Schriften bis zu den Confessiones (Einsiedeln 1955) 241–256. Zur späteren Entwicklung vgl. H. Rondet, La prédestination augustinienne: Genèse d'une doctrine: ScEccl 18 (1966) 229–251, der die Darstellung von O. Rottmanner, Der Augustinismus (München 1892) differenziert.

[25] So auch G. Nygren aaO. (Anm. 8) 48.

[26] Vgl. G. Nygren aaO. (Anm. 8).

[27] Ad Simpl. I, 2, 2: PL 40, 111.

[28] Ad Simpl. I, 2, 4f. Augustinus ändert hier die Auffassung, die er noch 394 in den Propositiones zum Römerbrief vertreten hat. Vgl. Prop. 60: PL 35, 2079.

für die Gnadenwahl sein. Dennoch muß nach der Schrift an einer electio festgehalten werden. Ihr Grund kann aber nicht im Menschen liegen,[29] er ist ausschließlich in Gott anzusetzen: «Der Heilsvorsatz (propositum) Gottes bleibt nicht aufgrund einer electio, sondern vielmehr richtet sich die electio nach dem Heilsvorsatz;
d.h. der Vorsatz zur Rechtfertigung (propositum iustificationis) bleibt nicht deshalb, weil Gott in den Menschen gute Werke findet, aufgrund derer er seine Wahl
trifft, sondern weil der Heilsvorsatz bleibt, um die Gläubigen zu rechtfertigen,
deshalb findet er die guten Werke, die er dann auswählt für das Himmelreich.»[30]
Augustin unterstreicht so konsequent den absoluten Primat der göttlichen Gnade.
Gottes Berufung ist nicht nur ein äußeres Angebot, sondern eine innere Gnade,
die zum Glauben bewegt. Die Reihenfolge lautet deshalb: Gott erbarmt sich des
Menschen zum erstenmal, indem er ihn ruft. Dann erbarmt er sich seiner, indem
er dem Gerufenen den Glauben gibt; zum dritten Mal erbarmt er sich, indem er
ihm seine Gnade gibt, mit der er Gutes tun kann. Im Verständnis Augustins ist
der Glaube gleichzeitig Werk der inspirierenden Gnade (vocatio) und des freien
Willens. Man darf sich dieses Verhältnis aber nicht so vorstellen, als ob der freie
Wille nur unzureichend zum Glauben wäre. In diesem Fall würde es sich so verhalten, daß der Mensch nicht glauben kann, wenn ihm Gott die Gnade verweigert.
Andererseits aber würde Gott sich vergebens erbarmen ohne die Zustimmung des
menschlichen Willens. Eine solche Konzeption wird von Augustin entschieden
abgelehnt: «Doch ist es offenkundig, daß wir umsonst wollen, wenn sich Gott
nicht erbarmt; es ist mir aber unbegreiflich, wie man sagen kann, daß Gott sich
umsonst erbarmt, wenn wir nicht wollen. Wenn sich Gott nämlich erbarmt, dann
wollen wir auch, denn zu eben diesem Erbarmen gehört es auch, daß wir wollen.»[31]
Die göttliche vocatio ist deshalb nicht nur eine innere Gnade; sie ist eine «effectrix
bonae voluntatis».[32]

In dieser Fragestellung nach dem Verhältnis von Gnade und liberum arbitrium und von der Grundposition des Primats der göttlichen Gnade her
sieht Augustin nun das Problem der Prädestination: Gott könnte alle so
berufen, daß sie der Berufung folgen. In Wirklichkeit gibt er eine solche
Berufung, bei der nur jene folgen, die für die Annahme der Berufung geeignet sind. Nur diese sind die electi (im Unterschied zu den vocati). Damit
stellt sich das Problem, weshalb nicht alle eine solche Berufung erhalten, daß
sie ihr auch tatsächlich folgen. Für Augustin stehen zwei Gegebenheiten
unumstößlich fest: 1. Bei Gott ist keine Ungerechtigkeit. 2. Gott erbarmt
sich, wessen er sich erbarmen will, und er erbarmt sich nicht, wessen er sich
nicht erbarmen will. Wie diese beiden Gegebenheiten übereinstimmen, ist
dem menschlichen Urteil entzogen, weil sich alles nach dem Gesetz uner-
forschlicher göttlicher Billigkeit vollzieht. Von ihr findet sich aber in dieser
Welt ein Bild: Niemand ist ungerecht, der die Bezahlung der Schuld ver-

[29] Zur Entwicklung Augustins vgl. M. Löhrer aaO. (Anm. 24) 259.
[30] Ad Simpl. I, 2, 6: PL 40, 115.
[31] Ad Simpl. I, 2, 12: PL 40, 118.
[32] Ad Simpl. I, 2, 13: PL 40, 118.

langt, so wie niemand ungerecht ist, der die Schuld erläßt. Dieses Bild wird von Augustin nun angewendet: Alle Menschen sind wegen der Erbsünde eine «massa peccati». Sie schulden der göttlichen Gerechtigkeit nur die Strafe. Es ist darum keine Ungerechtigkeit, wenn diese gefordert wird, ebensowenig wie es ungerecht ist, wenn Gott sie erläßt. «Nur das scll mit unerschütterlichem Glauben festgehalten werden, daß bei Gott keine Ungerechtigkeit ist: mag er das debitum nachlassen, mag er es fordern, so kann weder jener, von dem er es fordert, mit Recht sich über eine Ungerechtigkeit beklagen, noch darf jener, dem er es nachläßt, sich seiner Verdienste rühmen. Denn der eine gibt nur, was er schuldet; der andere besitzt nur, was er empfangen hat.»[33] So hat alles vorlaute Fragen zu verstummen: O Mensch, wer bist du, um Gott zu antworten!

Im Umkreis neuer Fragen hat Augustin später diese Position weiterentwickelt. So mußte er sich in der Auseinandersetzung mit den Donatisten dem Problem stellen, daß keiner außerhalb der Catholica gerettet wird und daß sich doch in der Kirche Gerechte und Ungerechte finden. Damit erhielt die Frage der Prädestination eine ekklesiologische Dimension. In der Auseinandersetzung mit dem Pelagianismus wird dann vor allem die Notwendigkeit der Gnade unterstrichen und in den letzten Schriften tritt das Problem der Perseveranz immer mehr in den Vordergrund. Vor allem in De correptione et gratia (427) wird die Unterscheidung zwischen den vocati und den electi mit aller Schärfe formuliert (VII, 13 f; IX, 21–23; XIII, 39 f) und in De dono perseverantiae (429) findet sich die klassische Definition der Prädestination: «Haec est praedestinatio sanctorum, nihil aliud: praescientia scilicet, et praeparatio beneficiorum Dei, quibus certissime liberantur, quicumque liberantur» (XIV, 35), die zwar nicht als Oberbegriff die Verwerfung miteinbegreift, dem Akt des Verwerfens (im Sinn des Zurücklassens in der massa perditionis) aber unmittelbar entgegengestellt wird. Gerade hier zeigt sich nochmals, wie die in Ad Simplicianum gefundene Sicht im wesentlichen beibehalten wurde.

Die Frage der Prädestination steht so bei Augustin im Spannungsfeld des Verhältnisses von Gnade und liberum arbitrium, wobei der Primat der göttlichen Gnade seit Ad Simplicianum unterstrichen wird. Sie wird von einem Gottesbegriff bestimmt, in welchem jede Ungerechtigkeit ferngehalten und die Frage des Verwerfens infralapsarisch gelöst wird: Gott ist frei, wen er aus der massa perditionis erretten und wen er in ihr belassen will. Die ganze Prädestinationslehre Augustins ist von einem tiefen Glauben an das Mysterium der Gnadenwahl Gottes durchdrungen, aber es ist im letzten ein dunkles Mysterium, das ebenso Schrecken wie Freude bereitet, weil es nicht konsequent von Gottes Gnadenwahl in Jesus Christus her verstanden wird. Daß Christus das «praeclarissimum lumen praedestinationis et gratiae» (De

---

[33] Ad Simpl. I, 2, 17: PL 40, 121.

praed. sanct. XV, 30) ist, ist Augustinus zwar nicht entgangen, aber er hat es – zum Schaden für die auf ihn folgende Theologie – nicht verstanden, dieses Licht auch wirklich in seinen systematischen Ansatz einzubringen.[33a]

b. Die Frage des allgemeinen Heilswillens Gottes

Im Zusammenhang mit der Frage der Prädestination, wie sie von Augustinus expliziert und besonders in der pelagianischen und semipelagianischen Kontroverse in rigorosen Formulierungen gelehrt wurde, steht die Frage nach dem allgemeinen Heilswillen Gottes. Wenn das Kriterium der göttlichen Erwählung allein in Gottes Wollen liegt und wenn Gott in der unergründlichen Freiheit dieses seines Wollens die einen aus der massa perditionis errettet und die anderen in dieser massa perditionis beläßt, so daß sie ewig verloren gehen, wie kann man dann noch von einem ernsthaften allgemeinen Heilswillen Gottes sprechen, wie er etwa in der Formulierung von 1 Tim 2,4 nahegelegt wird: «(Gott) will, daß alle Menschen gerettet werden und zur Erkenntnis der Wahrheit gelangen»? Diese Seite des Problems beunruhigte vor allem manche Mönchskreise in Nordafrika (Hadrumet) und Südgallien, die sich zwar dem Pelagianismus widersetzten, aber zugleich über die Formulierungen Augustins schockiert zeigten.[34] Auch Augustin hat das Problem gesehen, aber seine verschiedenen restriktiven Erklärungsversuche bleiben unbefriedigend.[35] Was die Semipelagianer ihnen entgegensetzten, ist freilich nicht weniger fragwürdig. Indem sie die Prädestination auf das göttliche Vorherwissen zurückführen, erklären sie die Tatsache, daß manche nicht gerettet werden – auch hinsichtlich der Kinder, die ohne Taufe sterben – aus einem Vorauswissen der faktischen oder hypothetisch eintretenden «demerita».[36] Immerhin ist es ein Verdienst der Semipelagianer, daß sie die Geltung des allgemeinen Heilswillens Gottes nachdrücklich eingeschärft haben. Diesem Umstand wird denn auch später vom Lehramt und von der Theologie Rechnung getragen.

In klassischer Formulierung erscheint die lehramtliche Aussage des allgemeinen Heilswillens Gottes auf der gegen Gottschalks überspitzten Augustinismus in der

---

[33a] Ein wesentliches Anliegen Augustins soll dabei im Blick auf De dono persev. XXII, 62 nicht übersehen werden: «Es muß ... die Prädestination gepredigt werden, um den Menschen zwischen praesumptio und desperatio, zwischen Selbstsicherheit und Verzweiflung hindurchzuhalten» (E. Wolf aaO. 72). Vgl. auch A. Trapé, A proposito di predestinazione. S. Agostino e i suoi critici moderni: Divinitas 7 (1963) 243–284.

[34] Vgl. dazu in diesem Band S. 656 ff, ferner: H. Rondet, Gratia Christi – Essai d'histoire du dogme et de théologie dogmatique (Paris 1946) 144–161.

[35] Vgl. die verschiedenen Erklärungsversuche in Ench. XXVII, 103, sowie in Contra Jul. IV, 8,44 und in De corr. et gratia XV, 47.

[36] Zur semipelagianischen Auffassung vgl. M. J. Chéné, Aux moines d'Adrumète et de Provence = OSA 24 (Paris 1962) 803 ff.

Frage der Prädestination gerichteten Synode von Quiercy (853): «Deus omnipotens omnes homines sine exceptione vult salvos fieri (1 Tim 2,4), licet non omnes salventur. Quod autem quidam salvantur, salvantis est donum: quod autem quidam pereunt, pereuntium est meritum» (DS 623). Die Feststellung, daß sich Gottes Heilswille auf alle beziehe, steht unvermittelt neben der Aussage, daß faktisch nicht alle gerettet werden. Der Grund, weshalb einige das Heil nicht erlangen, liegt bei ihnen selber, weil sie sich schuldhaft diesem Heilswillen versagen.

Die theologische Spekulation, soweit sie sich im Raum der Kirche bewegt, bleibt im allgemeinen bei aller Verschiedenheit der Schulen auf dem Boden dieser grundsätzlichen Stellungnahme. Zugleich bemüht sie sich um weitergehende Präzisierungen und Unterscheidungen. 1. Eine gewisse Präzisierung und Vermittlung wird seit der vermutlich von Prosper von Aquitanien um 450 verfaßten Schrift «De vocatione omnium gentium» versucht mittels der Unterscheidung von allgemeiner Gnade, die allen angeboten ist, und besonderer Gnade, die nur jene erhalten, die tatsächlich ans Ziel gelangen. Diese Unterscheidung wird später in einem neuen Kontext innerhalb der theologischen Schulen verfeinert, wie die Kontroversen über die «gratia mere et vere sufficiens» und die «gratia efficax» zeigen, die in den einander entgegengesetzten Gnadensystemen eine je verschiedene Auslegung erfahren.[37] Eine Frage dieser Kontroversen liegt jedenfalls darin, ob und wie diese Gnadensysteme der Aussage des allgemeinen Heilswillens Gottes gerecht werden. 2. Gewisse restriktive Auslegungen halten sich noch länger in der Theologie, ohne daß man freilich im katholischen Bereich zu einer formellen Bestreitung des allgemeinen Heilswillens Gottes gekommen wäre, wie dies etwa auf der reformierten Synode von Dordrecht (1618–1619) geschehen ist.[38] Abgesehen von der speziellen Frage nach dem Heil der Kinder, die ohne Taufe sterben, stellte sich auch hinsichtlich der Erwachsenen die Frage: Wird die Glaubensgnade allen angeboten? Nach Thomas (S. Th. II/II q. 10 a. 1) kann dieses Angebot bei einigen fehlen als Strafe für die Erbsünde. Diese Menschen würden dann freilich nicht wegen des Unglaubens verdammt – sie haben die Glaubensgnade ja gar nicht erhalten –, sondern «damnantur ... propter alia peccata, quae sine fide remitti non possunt.» Diese restriktive Auslegung wird von einigen Thomisten im 17. Jh. noch verschärft,[39] später aber mehr und mehr preisgegeben. Auch die Frage nach dem Heil der Kinder, die ohne Taufe sterben, erfährt bei wachsender Kritik an der Limbus-Theorie mehr und mehr eine positive Lösung, die wiederum zusammenhängt mit der Überwindung des Extrinsecismus in der Frage des Verhältnisses von Natur und Gnade und mit der Unterstreichung des allgemeinen Heilswillens Gottes. 3. Wie Augustin bemühen sich die späteren Theologen um eine Aus-

---

[37] Vgl. außer den Handbüchern der verschiedenen theologischen Schulen die Überblicke von A. Hoffmann, Bañezianisch-thomistisches Gnadensystem: LThK I (1957) 1220f (Lit.); F. Stegmüller, Molinismus: LThK VII (1962) 527–530 (Lit.) und J. Auer, Das Evangelium der Gnade: Kleine kath. Dogmatik V (Regensburg 1970) 252f. Ausführlichere Angaben, auf die wir uns z. T. in diesem Exkurs stützen, finden sich in M. Flick-Z. Alszeghy, Il vangelo della grazia (Roma 1964) §§ 35, 46–63.

[38] Zum geschichtlichen Kontext der Synode von Dordrecht vgl. H. G. Fritzsche, Lehrbuch der Dogmatik II, 194ff.

[39] Vgl. E. Stiglmayr, Verstoßung und Gnade – Die Universalität der hinreichenden Gnade und die strengen Thomisten des 16. und 17. Jh. (Rom 1964).

legung von 1 Tim 2,4, die die Aussage dieses Textes mit der Tatsache zusammenbringt, daß manche das Heil nicht erreichen.[40] Außer den von Augustin gegebenen Erklärungen wird besonders die Unterscheidung zwischen voluntas antecedens und consequens wichtig. Vgl. dazu S.Th.I q.19 a.6 ad 1. Wie Thomas im gleichen Zusammenhang sagt, ist eine solche voluntas antecedens eher eine «velleitas» als eine «absoluta voluntas». Die Frage, wie man dann noch von einem ernsthaften allgemeinen Heilswillen Gottes sprechen könne, bleibt ungelöst.

Man wird im Blick auf die erwähnten theologischen Präzisierungen und Unterscheidungen nicht sagen können, daß sie das Problem des allgemeinen Heilswillens Gottes beantworten. Es bleibt die Grundfrage: Wie kann man von einem ernsthaften allgemeinen Heilswillen Gottes reden, wenn nicht alle das Heil erreichen? Es bleibt auch im Hinblick auf die Unterscheidung von allgemeiner und spezieller Gnade und die späteren Verfeinerungen dieser Unterscheidung in den verschiedenen Gnadensystemen die Frage: Wie wird der absolute Primat der göttlichen Gnade gewahrt, wenn es letztlich vom Menschen abhängt, ob er seine Zustimmung zum Heilsangebot Gottes gibt? Und umgekehrt: Wie ist die Nichterreichung des Heils nicht auf Gott selber zurückzuführen, wenn jene das Heil nicht erreichen, die einer speziellen Gnade nicht teilhaftig werden? Wie immer man die Frage wendet: Die beiden Aussagen: Gott will das Heil aller Menschen, und: Es gibt Menschen, die das Heil nicht erreichen, scheinen nicht zusammenzubringen zu sein. Solange man im Rahmen der Problemstellung Augustins verbleibt, scheint hier auch kein Weiterkommen möglich zu sein. Die Tatsache, daß Lehramt und Theologie am allgemeinen Heilswillen Gottes festgehalten haben, ist aber für die heutige Behandlung der Frage insofern von großer Bedeutung, als sie eine fatale Verkürzung der Botschaft von Gottes Gnadenwahl verhindert und den Raum für eine Überholung der augustinischen Problemstellung offengelassen hat.

c. Die Frage der Prädestination in der Schultheologie

Die Frage nach der Prädestinationslehre in der neueren Schultheologie ist insofern von Bedeutung, als sie gewissermaßen den terminus ad quem bildet, zu dem die Theologie auf dem von Augustinus angezeigten Weg gekommen ist. Eine theologische Neubesinnung muß sich mit diesem Ergebnis auseinandersetzen, weil die durchschnittliche Vulgarisierung der Prädestinationslehre in der Verkündigung – mit entsprechender pastoraler

---

[40] Eine Parallele zu den Erklärungsversuchen von 1 Tim 2,4 bilden auf der andern Seite die Erklärungen zu den Schriftstellen, nach denen gewisse Sünden nicht vergeben werden. Vgl. dazu J.Auer aaO. 46f und M.Flick-Z.Alszeghy aaO. 257–261. Angeführt werden: die Sünde wider den Heiligen Geist (Mt 12,31; Mk 3,29; Lk 12,10) sowie Hebr 6,4ff; 10,26–31 und Jo 5,16f.

Dosierung – weitgehend von den Thesen der Schultheologie bestimmt ist.[41]
Sie muß es auch deshalb tun, weil sich in dieser Theologie der Niederschlag
der vorausgehenden Geschichte findet.[42] Diese Geschichte ist ebenso eine
Geschichte der Abwehr irriger prädestinatianistischer Auslegungen wie eine
Geschichte innertheologischer Kontroversen, eine Geschichte auch, in der
sich Aussagen von sehr verschiedenem theologischem Gewicht zu einem
Ganzen verbinden, das als solches kritisch zu befragen ist. Insofern die
Prädestinationslehre zu den Fragen gehört, über die sich die verschiedenen
Gnadensysteme[43] streiten, kann man nicht von einer einheitlichen Prädesti-
nationslehre der Schultheologie sprechen. Dennoch besteht zwischen den
Autoren der verschiedenen Schulen eine fundamentale Einheit, insofern sie
an gewissen gemeinsamen Aussagen festhalten und insofern sie ihre unterschiedlichen Auffassungen innerhalb einer gemeinsamen Fragestellung entwickeln. Im folgenden geht es nicht darum, daß wir die Verästelungen der
Kontroversen im einzelnen verfolgen und die Argumente der weithin fest-
gefahrenen Positionen genauer untersuchen. Entscheidend für unsere Fragestellung sind nicht Detailfragen der Systeme, sondern die Denkform, die sie
bestimmt, und das Gefälle der Argumentation.

Als zentrale *Glaubensaussage* in der Frage der Prädestination wird festgehalten, daß von Ewigkeit her einige zur Herrlichkeit prädestiniert sind,
während andere nicht erwählt sind. Die positive Aussage wird vor allem
durch das Zeugnis der Schrift und der Überlieferung gestützt: Die Schrift
spricht davon, daß einige zur Herrlichkeit prädestiniert sind und daß sie
dieses Ziel auch tatsächlich erreichen. Dementsprechend gab es in der
Kirche schon immer ein Gebet um die Gnade der Beharrlichkeit; sie lebte

[41] Die Thesen der Schultheologie werden in den verschiedenen Handbüchern ausführlich entwickelt. Wir haben im folgenden vor allem die Ausführungen von A. Stolz, Anthropologia theologica (Freiburg i. Br. 1940) 148–170 vor Augen. Nach Abfassung unseres
Beitrags haben wir die Dissertation von F. J. Couto, Hoffnung im Unglauben (Paderborn
1973) eingesehen, in der die Frage der Prädestination bei R. Garrigou-Lagrange und L.
Billot im Zusammenhang mit dem Problem des allgemeinen Heilswillens Gottes behandelt
wird.

[42] Eine weiter ausholende geschichtliche Darstellung, die hier nicht gegeben werden
soll, müßte u. a. auch auf den Beitrag der Väter vor Augustinus eingehen, die vor allem
die Willensfreiheit gegenüber dem Determinismus und Fatalismus sichern mußten und die
deshalb im allgemeinen die Vorherbestimmung im Vorherwissen gründen lassen. Vgl.
dazu K. H. Schelkle, Erwählung und Freiheit im Römerbrief nach der Auslegung der
Väter: ThQ 131 (1951) 17–31; 189–207. Für den Gesamtductus der Prädestinationslehre
ist die Verbindung von Prädestinations- und Vorsehungslehre, wie sie etwa von Thomas
vorgenommen wird (vgl. Anm. 20), von besonderer Bedeutung. Nicht gering zu veranschlagen auf die spätere Lehrentwicklung ist vor allem der Einfluß von Duns Scotus. Vgl.
dazu W. Pannenberg, Die Prädestinationslehre des Duns Scotus im Zusammenhang der
scholastischen Lehrentwicklung dargestellt = FKDG 4 (Göttingen 1954), ferner P. Vi-
gneaux, Justification et prédestination au XIVe siècle (Paris 1934).

[43] Zu den Gnadensystemen im allgemeinen vgl. F. Stegmüller: LThK IV (1960)
1007–1010.

immer im Glauben, daß diese Gnade von Gott geschenkt werde, daß Gott jene zum Heil führen wird, die er dazu erwählt hat. Anderseits gelangen nach dem Zeugnis der Offenbarung nicht alle Menschen zu diesem Ziel. Insofern sie nicht erwählt sind, spricht die Theologie von Verwerfung im negativen Sinn; insofern die Verwerfung faktisch als Strafe für schuldhaftes Versagen eintritt, wird von Verwerfung in positivem Sinn gesprochen. In der Erklärung dieser These wird betont, daß Verwerfung von seiten Gottes keine positive Bestimmung zur Sünde und zur Verdammnis bedeute – eine praedestinatio ad malum wird nochmals vom Tridentinum abgelehnt: DS 1567 –, sie bedeute nur, daß Gott, unbeschadet seines allgemeinen Heilswillens, faktisch nicht alle zum Heil berufe und daß er es zulasse, daß Menschen schuldhaft das Heil nicht erreichen. Die Verdammnis ist so immer Frucht schuldhaften Versagens, für das der Mensch zur Rechenschaft zu ziehen ist. Die zentrale These wird weiter dahin präzisiert, daß die Prädestination zur ersten Gnade ohne Rücksicht auf menschliche Verdienste erfolge. Auf diese Weise wird das Ergebnis der Auseinandersetzung mit dem Semipelagianismus festgehalten. Andererseits erfolgt die positive Verdammnis unter Voraussehen des schuldhaften Versagens des Menschen. Die Unterscheidung zwischen wirksamer (gratia efficax) und hinreichender (gratia sufficiens) Gnade, die in der Schultheologie entfaltet wird, hat ihren Sitz im Leben in dieser Problematik. Jenseits aller Kontroversen wird festgehalten, daß alle Menschen hinreichende Gnade zum Heil erlangen – ohne diese Aussage könnte man nicht erklären, weshalb die Verdammnis Folge menschlicher Schuld ist –; die wirksame Gnade steht hingegen in innerem Zusammenhang mit der Prädestination zum ewigen Heil, das der Mensch erreicht, wobei vor allem die Gratuität des donum perseverantiae hervorgehoben wird. Ausgeschlossen wird weiter, in Abweisung des Fiduzialglaubens der Reformatoren,[44] daß der Mensch ohne spezielle Offenbarung eine Glaubensgewißheit hinsichtlich seines Erwähltseins haben könne.

Als *theologische Konklusionen*[45] werden von der Schultheologie übereinstimmend festgehalten, daß auch die Prädestination im umfassenden Sinn zur ersten Gnade und zum definitiven Heil ohne Rücksicht auf menschliche Verdienste erfolge, weil der ganze Heilsprozeß unter dem Zeichen der frei gewährten göttlichen Gnade steht, wenn die erste Gnade ohne menschliches Verdienst gewährt wird; daß ferner die Zahl der Erwählten und Nichterwählten von Ewigkeit her feststehe. Merkwürdigerweise haben sich man-

[44] Vgl. dazu DS 825 f sowie die Untersuchung von J. Moltmann, Prädestination und Perseveranz = Beiträge zur Geschichte und Lehre der Reformierten Kirche XII (Neukirchen 1961), in der S. 21–30 die Frage der Beharrlichkeitsgnade auf dem Tridentinum erörtert wird. Nach Moltmann schließt das Tridentinum eine Erwählungsgewißheit aus, weil unsere cooperatio im Spiele ist.

[45] Vgl. dazu A. Stolz aaO. (Anm. 41) 157 ff, ferner A. Vandenberghe, De praedestinatione: Coll. Brug. 36 (1936) 142–148.

che Theologen bemüßigt gefühlt, auch über die Zahl der Erwählten und Nichterwählten zu spekulieren,[46] wobei nicht wenige von der Sorge getragen waren, die Hölle könnte zu guter Letzt doch nicht genug bevölkert sein...

Eine heutige theologische und vor allem hermeneutische Besinnung über die Prädestinationslehre wird nicht daran vorbeikommen, sich bereits mit diesen grundlegenden und allgemein festgehaltenen Aussagen kritisch zu befassen. Wenn hier keine grundsätzlich verschiedene Schau möglich ist, werden alle noch so subtilen Unterscheidungen und pastoralen Beruhigungspillen das Bedrückende der Prädestinationslehre nicht zu beheben vermögen. Es ist nicht einsichtig, wie man dann ein Alleluja anstimmen kann, wie dies Augustin am Ende seiner Antwort an Simplicianus fordert.[47] Die Kontroversen der Schultheologie, die wir im folgenden in einer kurzen Zusammenfassung skizzieren, vermögen das Dunkel gewiß nicht zu lichten, weil sie sich innerhalb gemeinsamer Voraussetzungen bewegen, deren Problematik nicht durchschaut wird.

Wenn hier nun im Zusammenhang mit der Ausarbeitung der Frage der Prädestination die *klassischen Kontroversen* erwähnt werden, so geht es nur um jene Auseinandersetzungen innerhalb der katholischen Theologie, die auf dem Boden der erwähnten gemeinsamen Grundlagen geführt werden. In den verschiedenen Gnadensystemen geht es vor allem darum, die Vereinbarkeit der Aussage über den allgemeinen Heilswillen Gottes mit der Prädestination des Menschen zu zeigen und die Frage zu beantworten, wie der absolute Primat der göttlichen Gnade hinsichtlich des menschlichen Heils zusammen mit der Freiheit und Verantwortlichkeit des Menschen gedacht werden können. Extreme Thesen wurden von der Kirche zurückgewiesen: Sie hat den extremen Prädestinatianismus ausgeschlossen, der eine positive Verwerfung einzelner im voraus zu ihrem schuldhaften Versagen lehrt. Sie hat aber auch eine Apokatastasislehre abgelehnt,[48] die meint, über den positiven Ausgang des Gerichts Bescheid zu wissen. Der Satz, daß einige tatsächlich verdammt werden, wird demgegenüber als selbstverständliche Prämisse angenommen.

Die Kontroversen, die an diese Fragen anschließen, folgen unmittelbar auf die Kontroversen über das Zusammenwirken von göttlicher Gnade und menschlicher Freiheit.[49] Sie werden vor allem zwischen der molinistischen

---

[46] Ein klassisches Beispiel solcher Spekulationen (mit Verweis auf DThC IV, 2350–78) findet sich bei W. Schamoni, Die Zahl der Auserwählten (Paderborn 1965).

[47] Ad Simpl. I, 2, 22: PL 40, 128.

[48] Gegen den Origenismus: DS 211.

[49] Noch in diesem Jahrhundert erfolgte darüber eine scharfe Kontroverse zwischen M. Benz und J. Stufler. Vgl. DTh 14 (1936) 255–273; 15 (1937) 415–432 und ZKTh 61 (1937) 323–340; eine grundsätzliche Neubesinnung findet sich bei P. Schoonenberg, Ein Gott der Menschen (Einsiedeln 1969) 9–51.

und der bañezianisch-thomistischen Schule ausgetragen.[50] Der eigentliche Kontroverspunkt bezieht sich auf die Prädestination zur Glorie streng als solcher,[51] insofern hier gefragt wird, ob diese Prädestination auf dem Vorherwissen der menschlichen Verdienste beruhe oder nicht.

Den *Molinisten* geht es zentral darum, den allgemeinen Heilswillen Gottes und die menschliche Willensfreiheit zu wahren. Von da aus versuchen sie den Sachverhalt folgendermaßen zu verdeutlichen: Gott weiß mit der sogenannten «scientia media»,[52] wie sich der geschaffene freie Wille in dieser oder jener Situation verhalten, ob er die angebotene Gnade annehmen oder ausschlagen wird. Er bestimmt eine Heilsordnung, bei der er voraussieht, daß einige das Heil erreichen, während andere nicht zum Heil gelangen. Jene, die aufgrund dieses Vorherwissens das Heil erreichen, werden zur Herrlichkeit prädestiniert, während die andern – immer aufgrund des Vorherwissens – von ihr ausgeschlossen werden. In diesem Sinn folgt die Prädestination logisch auf das Vorherwissen der Verdienste (post praevisa merita).

Diese Auslegung hat allem Anschein nach den Vorzug, daß sie dem allgemeinen Heilswillen Gottes und der mit dem liberum arbitrium gegebenen Verantwortlichkeit des Menschen Rechnung trägt. Die Thomisten pflegen dagegen die folgenden Einwände zu machen: Wie soll Gott ohne Vorherbestimmung unfehlbar die Entscheidung des freien Willens kennen? Kann man noch von Willensfreiheit sprechen, wenn dieses göttliche Wissen aus dem Erfassen aller Umstände resultiert, die die einzelne Willensentscheidung bedingen (determinismus circumstantiarum)? Folgt es aber nicht notwendig aus dem Erfassen dieser Umstände, ist dann die Prädestination noch unfehlbar gewiß? Die göttliche scientia media scheint so eine fragwürdige Konstruktion zu sein. Weiter wird kritisch gefragt, ob die molinistische Explikation den absoluten Primat der göttlichen Gnade genügend wahre. Hat dieser Primat Geltung, wenn das Heil letztlich von der Kreatur, von der Entscheidung des freien Willens abhängt? Wird so das letzte Kriterium für das Erwählt- oder Nicht-Erwähltsein nicht in den Menschen verlegt? Schließlich scheint auch die Frage nach dem allgemeinen Heilswillen Gottes unbefriedigend beantwortet zu sein, weil die Frage offen bleibt, weshalb Gott eine Heilsordnung bestimmt, in der er voraussieht, daß nicht alle das Heil erreichen.

Die *bañezianisch-thomistische* Schule schlägt deshalb eine andere Erklärung vor. Logisch würde sich der Sachverhalt so darstellen: Gott will in seinem allgemeinen

---

[50] Vgl. außer den Handbüchern die in Anm. 37 erwähnten Überblicke. Wir übergehen hier die genaueren Differenzierungen zwischen Molinismus und Kongruismus usw. Zu Molina vgl. im besonderen J. Rabeneck, Grundzüge der Prädestinationslehre Molinas: Scholastik 31 (1956) 351–369. Zu weiteren Erklärungsversuchen: F. Stegmüller, Kongruismus: LThK VI (1961) 443–445. Eine differenzierte Darstellung der Positionen von Garrigou-Lagrange und Billot findet sich bei F. J. Couto aaO. (Anm. 41). Zur unbefriedigenden Auslegung des allgemeinen Heilswillens Gottes in beiden Systemen aufgrund der Voraussetzung der eschatologischen Aufteilung in zwei Lager vgl. die Zusammenfassung aaO. 283 ff, ferner 54–61.

[51] In der Schulsprache: «praedestinatio ad gloriam inadaequate sumpta» im Unterschied zur «praedestinatio ad gratiam et gloriam».

[52] Vgl. F. Stegmüller, scientia media: LThK IX (1964) 551.

Heilswillen, daß die mit Freiheit begabte Kreatur zum Heil kommt, und dementsprechend gibt er allen hinreichende Gnade. Jene, die er besonders liebt, prädestiniert er absolut zur ewigen Seligkeit, die andern werden dazu nicht prädestiniert
(reprobatio mere negativa: Gott verhindert nicht, daß einige das Ziel nicht erreichen). Wer prädestiniert ist, erhält die wirksame Gnade, mit der er sich jene Verdienste erwirbt, die in innerem Zusammenhang zum ewigen Heile stehen. Wer
nicht prädestiniert ist, wird von der Herrlichkeit ausgeschlossen. Dieser Ausschluß erfolgt aufgrund des Vorauswissens menschlichen Versagens, das notwendig daraus resultiert, daß die wirksame Gnade nicht gegeben wird. In diesem
System hängt also die Wirksamkeit der Gnade (gratia efficax) mit der inneren Qualität dieser Gnade zusammen, während es im Molinismus letztlich vom Menschen
abhängt, ob die hinreichende Gnade (gratia sufficiens) zur gratia efficax wird.

Im Gegensatz zum Molinismus scheint diese Explikation den absoluten Primat
der göttlichen Gnade in der Prädestination besser zu wahren. Das letzte Kriterium
der Erwählung liegt hier eindeutig bei Gott und nicht beim Menschen. Diese
Theologen argumentieren denn auch – von den Voraussetzungen einer Akt- und
Potenzphilosophie einmal abgesehen – vor allem mit der Gratuität der Gnade der
Beharrlichkeit, auf die schon Augustin in der Auseinandersetzung mit dem Pelagianismus hingewiesen hatte. Diese Gnade der Beharrlichkeit ist nicht Frucht der
vorausgehenden Verdienste. Insofern sie aber in unmittelbarem Zusammenhang
mit der Erreichung des ewigen Lebens steht, erfolgt auch die praedestinatio ad
gloriam ante praevisa merita. Die Molinisten wenden dem gegenüber ein, daß die
Aussage von einem ernsthaften allgemeinen Heilswillen Gottes nicht genügend
gewahrt werde, wenn Gott im voraus nur einige zum ewigen Leben prädestiniere.
Von welcher Art ist ferner die hinreichende Gnade, die in Wirklichkeit nicht hinreichend zu sein scheint, weil Gott unfehlbar voraussieht, daß der freie Wille mit
dieser Gnade versagen wird (es wird ihm zwar das «Können», ein «posse» gegeben, das aber nicht aktualisiert wird)? Die bañesianische «gratia mere et vere sufficiens» scheint nicht weniger eine spekulative Konstruktion als die molinistische
«scientia media» zu sein, der gegenüber das Gebet des Baius nicht ganz unberechtigt zu sein scheint: «Vor der hinreichenden Gnade bewahre uns o Herr!» Schließlich fragen die Molinisten, wie die Willensfreiheit gewahrt werde, wenn der freie
Wille durch eine «physische Praedetermination» (diesen Charakter hat die «gratia
efficax») bestimmt werde.

Man kann die Systeme des Molinismus und Bañezianismus sowie die Zwi-
schensysteme, auf die hier nicht eingegangen wurde, nicht kritisch hinterfragen, wenn nicht das ganze Problem des Verhältnisses von göttlichem
Wirken und menschlicher Freiheit neu gestellt und erörtert wird. Dies kann
hier nicht geschehen.[53] In unserem Zusammenhang geht es zunächst nur
darum, das Problem der Prädestination als solches, wie es im Gefolge Augustins in der Schultheologie gegeben ist, zu formulieren. Es zeigt sich dann,
daß man in der Frage nicht weiterkommt, wenn man einfach innerhalb der
Kontroversen der Schultheologie verbleibt. Versuche, im Rückgriff auf
Thomas verschiedene Elemente der einander entgegengesetzten Systeme zu

---

[53] Vgl. in diesem Band Kap. 12, 2. Abschnitt: 6. Gnade und Freiheit.

verbinden,[54] dürften nicht weiterführen, weil hier die bereits mit Augustinus gegebene Problematik stillschweigend akzeptiert und nicht mehr hinterfragt wird. Theologen wie Sertillanges und de la Taille haben die Anthropomorphismen der verschiedenen Gnadensysteme kritisiert und auf das Mysterium hingewiesen, vor dem der menschliche Geist in dieser Frage letztlich steht.[55] Diese Einsicht ist gewiß besser als das Bescheid-wissen mancher Schultheologen, nur fehlt in diesem Fall die Besinnung auf das Verhältnis vom Deus absconditus zum Deus in Jesu Christo revelatus. Im Grunde genommen liegt die Aporie der Prädestination schon in den gemeinsamen Voraussetzungen der Schultheologie, und zwar genau gesprochen in der Aussage, daß nach einem abstrakten Dekret einige von Ewigkeit erwählt, andere aber nicht erwählt sind. Hier muß eine kritische Besinnung ansetzen.[55a] Die Lösungsvorschläge der sich bekämpfenden Schulen erhellen diese Aporie nicht, sondern belasten sie mit zusätzlichen Schwierigkeiten. Die Theologie muß sich heute deshalb fragen, ob der von Augustin angezeigte Weg weiter zu beschreiten ist oder ob sich nicht im Lichte der Offenbarung eine grundsätzliche Neubesinnung aufdrängt, die schon die Frage nach der Prädestination in anderer Weise stellt. Das Verdienst einer Neuorientierung der Prädestinationslehre kommt in der neueren Theologie in erster Linie Karl Barth zu. Seine Konzeption muß deshalb in den Grundzügen skizziert werden, damit die Problemstellung abgerundet wird und der Versuch einer theologischen Neubesinnung auf Gottes Gnadenwahl im Licht des Offenbarungszeugnisses gemacht werden kann.

d. Die Neuformulierung der Prädestinationslehre bei Karl Barth

Karl Barths Prädestinationslehre ist theologiegeschichtlich von besonderer Bedeutung, weil er wie kein zweiter Theologe die Prädestinationslehre in kritischer Auseinandersetzung mit der von Augustin übernommenen Problematik auf eine neue Grundlage gestellt hat.

Dieses etwas pauschale Urteil bedarf einiger Erläuterungen. Zunächst ist darauf hinzuweisen, daß Barth in KD II/2 sich selber immer wieder eingehend mit der

[54] Ein solcher Versuch wird vorgelegt von Th. Simonin, Prédestination, prescience et liberté: NRTh 85 (1963) 711–730.

[55] Zu Sertillanges und de la Taille vgl. H. Rondet, Prédestination, grâce et liberté: NRTh 79 (1947) 449–474. Rondet wendet sich gegen den Agnostizismus der beiden Verfasser und möchte in Abwehr eines mechanistischen Verständnisses und mit Unterscheidung des philosophischen vom religiösen und theologischen Problem den biblischen Anthropomorphismen besser Rechnung tragen, «où grâce et liberté s'entendent dans des rapports de personne à personne» (S. 473).

[55a] F. J. Couto aaO. (Anm. 41) 94–100 bemüht sich um den Nachweis, daß Billot die Notwendigkeit des faktischen Verlorengehens einiger Menschen nicht voraussetzt. Couto kritisiert wie wir die erwähnten Voraussetzungen, auch wenn er in seiner Argumentation mehr innerhalb der Fragestellung der Schultheologie verbleibt.

früheren Theologie auseinandersetzt, wobei er nicht nur bei den Reformatoren, sondern auch und gerade bei Augustin die positiven Ansätze einer christologischen Begründung der Prädestination notiert.[56] Man wird Barth also nicht nur in seinem Gegensatz, sondern auch in einer wenigstens partiellen Konvergenz zur Prädestinationslehre früherer Theologie sehen müssen. Des weiteren ist daran zu erinnern, daß sich Ansätze zu einer ähnlichen Sicht der Frage auch bei Pierre Maury[57] und, trotz scharfer Kritik an Barth, bei Emil Brunner[58] finden.

Es ist selbstverständlich, daß sich die evangelische Theologie der Gegenwart vor allem mit der Prädestinationslehre der Reformatoren auseinandersetzt. Ein Blick in die entsprechende Literatur zeigt, daß es sich die katholische Theologie in dieser sehr komplexen Frage nicht zu leicht machen darf. Dem Gespräch wäre wohl wenig gedient, wenn man sich in dieser Frage vor allem an vermittelnde Positionen hielte, etwa an den Synergismus Melanchthons,[59] an die die Prädestination im Rahmen einer allgemeinen und stark philosophisch konzipierten Schau der Vorsehung auslegende Sicht Zwinglis[60] oder an die den allgemeinen Heilswillen Gottes und die Präszienz unterstreichenden Ausführungen der lutherischen Orthodoxie, die einen gewissen Parallelismus zum Molinismus in der katholischen Theologie bildet.[61] Auf einer mittleren Linie liegt wohl auch die Konkordienformel, in der unter den evangelisch-lutherischen Bekenntnisschriften am ausführlichsten von der Prädestination die Rede ist (BELK 816–822 und Solida Declaratio aaO. 1063–1091). Diese Vermittlungsversuche zeigen wohl in mancher Hinsicht eine ähnliche Struktur wie die Diskussionen über die Prädestination in der damaligen katholischen Theologie und sie bemühen sich wie diese, den allgemeinen Heilswillen Gottes zu wahren und das Extrem einer doppelten Prädestination zu vermeiden; das Gespräch mit den Vertretern dieser Richtung führt heute aber

---

[56] Vgl. KD II/2, 13 (Definition der Prädestination), 115 f, 127. Vgl. im gleichen Zusammenhang auch den Verweis auf Athanasius, S. 116 f.

[57] P. Maury, La Prédestination (Genève 1957), mit Vorwort von K. Barth ist eine Weiterführung von Gedanken, die Maury schon 1936 auf dem Calvinistenkongreß in Genf vorgetragen hat. Zu diesem Kongreß vgl. auch KD II/2, 207–214.

[58] E. Brunner, Die christliche Lehre von Gott (Zürich 1946) 323–381. Vgl. dazu W. Breuning, Neue Wege der protestantischen Theologie in der Prädestinationslehre: TrThZ 68 (1959) 193–210.

[59] Zum Unterschied zwischen Luther und Melanchthon, besonders in der Frage der Prädestinationsanfechtung, vgl. R. Schäfer, Zur Prädestinationslehre beim jungen Melanchthon: ZThK 63 (1966) 352–378.

[60] Eine positive Sicht der Prädestinationslehre Zwinglis gibt G. W. Locher, Die Prädestinationslehre Huldrych Zwinglis: Theol. Zeitschr. 12 (1956) 526–548. Zwingli kennt kein Dekret, das die reprobatio neben die electio stellt; Gottes eigentlicher, persönlicher Willensentscheid geht auf das Heil: «Est igitur electio libera divinae voluntatis de beandis constitutio» (SS IV, 113, Mitte, zit. bei Locher 536). Eigentümlich ist bei Zwingli die Einbettung der Prädestinationslehre in eine stark philosophisch geprägte Vorsehungslehre. Vgl. dazu kritisch: E. Brunner aaO. 347–350.

[61] Vgl. dazu H. G. Fritzsche aaO. 196 f. Zur Frage der Erwählung in den reformierten Bekenntnisschriften vgl. P. Jakobs, Theologie reformierter Bekenntnisschriften in Grundzügen (Neukirchen 1959) 94–98: «Sie bieten im ganzen die Prädestinationslehre als Erwählungslehre und die Verwerfungsaussagen als Strafaussagen, ohne selbst eine kritische Wertung über Augustin und eine exegetische Sondierung der Straf- und Verwerfungsaussagen Heiliger Schriften unternommen zu haben» (aaO. 98).

doch nicht wirklich weiter, weil sie weitgehend von den gleichen Voraussetzungen wie die katholischen Theologen ausgehen.

Unzureichend wäre es aber auch, wenn sich heutige katholische Theologie damit begnügte, im Gefolge des Tridentinums die Prädestinationslehre des Calvinismus zurückzuweisen. Die Ablehnung des jansenistischen Satzes «Semipelagianum est dicere, Christum pro omnibus omnino hominibus mortuum esse aut sanguinem fudisse» (DS 2005) impliziert zwar auch eine Ablehnung des Satzes der Dordrechter Synode, daß Christus nur für die Auserwählten gestorben sei (sosehr sein Tod die Sünde der ganzen Welt zu sühnen genugsam sei),[62] und Calvins berühmte Definition der Prädestination («Praedestinationem vocamus aeternum Dei decretum, quo apud se constitutum habuit quid de unoquoque homine fieri vellet. Non enim pari conditione creantur omnes: sed aliis vita aeterna, aliis damnatio aeterna praeordinantur. Itaque prout in alterutrum finem quisque conditus est, ita vel ad vitam vel ad mortem praedestinatum dicimus»: Inst. III 21,5) bildet gewiß keinen Ausgangspunkt für ein sinnvolles ökumenisches Gespräch über die Prädestination. Dennoch müßte katholische Theologie nach den Untersuchungen vor allem von Otten[63] und Moltmann[64] zur Kenntnis nehmen, daß Calvins Position wesentlich differenzierter ist, als sie in dieser Definition erscheint. Während Otten darauf hinweist, daß sich in Calvins Prädestinationslehre eine mehr soteriologische Anschauung, in der Gottes ewiger Erlösungsratschluß in Christus für die gefallene Menschheit im Vordergrund steht, wobei die Verwerfung nur behauptet, nicht aber ausgeführt wird, mit einer mehr theologischen Anschauung sich kreuzt, in der vom Parallelismus des vorhandenen Glaubens und Unglaubens auf die Parallelität von Erwählen und Verwerfen geschlossen wird,[65] zeigt Moltmann, wie für Calvin auf der Linie von Hebr 11,1 die Perseveranz von der Hoffnung auf die allein in der Verheißung Gottes gegebene Treue umschlossen ist.[66]

Am fruchtbarsten dürfte heute wohl das Gespräch mit Luther sein, obwohl seine Interpretation auch in der heutigen evangelischen Theologie nicht unumstritten ist.[67] Ob Schwarzwällers Behauptung, Luther sei der einzige gewesen, der bislang

---

[62] So zitiert nach H.-G. Fritzsche aaO. 196.

[63] H. Otten, Prädestination in Calvins theologischer Lehre (1938) (Neukirchen 1968); vgl. auch P. Jakobs, Prädestination und Verantwortlichkeit bei Calvin (Neukirchen 1937).

[64] J. Moltmann, Prädestination und Perseveranz (Neukirchen 1961).

[65] H. Otten aaO. 131f.

[66] J. Moltmann aaO. 42f, 45. Moltmann macht (S. 41) darauf aufmerksam, daß die Gewißheitsfrage für Calvin nicht mit dem donum caritatis verbunden ist, das der cooperatio des Menschen entsprechend schwanken kann, sondern mit dem Glauben. «Darum ist die *perseverantia sanctorum* nicht eine Frage der durchzuhaltenden Liebe, sondern der aus dem Wort der Verheißung erweckten Hoffnung.» Die Ungewißheit über das endgültige eschatologische Bleiben ist für Calvin unvereinbar mit der spes firmissima (S. 47). So hängt die feste Gewißheit der Perseveranz für Calvin ganz an der Unverbrüchlichkeit der Verheißungen Gottes.

[67] Eine Zusammenfassung der Diskussion über Luthers Prädestinationslehre findet sich in G. Rost, Der Prädestinationsgedanke in der Theologie Martin Luthers (Berlin 1966) 13–53. Rost wendet sich vor allem gegen die Auffassung, die Prädestinationslehre bilde bei Luther nur eine Grenzperspektive (vgl. S. 19f und S. 50) und unterstreicht die apriorische Komponente im Denken Luthers (vgl. S. 55–88). Diese liegt nach Rost nicht im Gedanken der Gnadenwahl, sondern im Gedanken von der Notwendigkeit alles Ge-

von der Prädestination nicht metaphysisch, sondern durchgehend theologisch gehandelt habe, sich durchsetzen wird,[68] können wir nicht beurteilen. Seit Barth
dürfte Schwarzwällers Buch «Das Gotteslob der angefochtenen Gemeinde», in
dem vor allem die Ansätze von Luthers «De servo arbitrio» ins Spiel gebracht
werden,[69] jedenfalls der gewichtigste Versuch einer Neufassung der Prädestinationslehre sein, in dem konsequent davon ausgegangen wird, daß der Ort der
Prädestinationslehre die Gemeinde Jesu Christi als Ort des Bekenntnisses und der
Antwort auf das biblische Bekenntnis ist.[70] Luthers Prädestinationslehre ist jedenfalls im Zusammenhang seines Verständnisses des Deus in sua maiestate absconditus zum Deus revelatus praedicatus zu verstehen,[71] sie verweist mit allem Nachdruck auf den in Christus offenbaren Gott, ohne das Geheimnis der göttlichen
Gnadenwahl aufzulösen, und sie gibt von da her eine Antwort auf die Prädesti-
nationsangst des Menschen.[72] «Daß Gott in der Verborgenheit seiner ewigen
Gottheit kein anderer ist als in Jesus Christus, das ist Luthers entscheidendes Wort
zur Überwindung der Prädestinationsanfechtung.»[73]

Diese wenigen Hinweise dürften zeigen, daß die Frage der Prädestination in
der evangelischen Theologie vielschichtiger ist, als katholischerseits gemeinhin angenommen wird. Wenn wir uns im folgenden im Rahmen unserer Problemstellung
vor allem mit Karl Barth beschäftigen, soll dieser komplexe Sachverhalt nicht

schehens. «Die Prädestination ist die letzte Spitze der Grundanschauung von der Allwirk-
samkeit und Alleinwirksamkeit Gottes. Diese schließt jene also ein» (S.71). Vgl. auch
S.87, 103 und 177–180. Rosts Darstellung hat jedenfalls den Vorzug, daß sie die Chronologie bei Luther beachtet.

[68] K. Schwarzwäller, Das Gotteslob der angefochtenen Gemeinde (Neukirchen 1970) 11.

[69] Vgl. Anm. 68, dazu K. Schwarzwäller, Theologia crucis – Luthers Lehre von Prädestination nach De servo arbitrio (München 1970). Leider fehlt bei Schwarzwäller eine
kritische Auseinandersetzung mit G. Rost.

[70] Das Gotteslob aaO. 38.

[71] Dazu H. Bandt, Luthers Lehre vom verborgenen Gott (Berlin 1958) 134–179 und
vor allem K. Schwarzwäller, Theologia crucis 179–190. Schwarzwäller wehrt sich gegen
eine Dialektik von Deus absconditus-Deus revelatus, die entweder dualistisch auseinander-
bricht oder die sich zugunsten des Deus revelatus einlinig stabilisiert. Die absconditas Dei
steht der praedicatio gegenüber. «Gerade darum ist es notwendig, den Blick auf den Deus
praedicatus = Christus crucifixus = Evangelium zu konzentrieren... Wir gehören allein
dem zu, der uns erlöste; doch er steht über uns, jenseits von unseren Möglichkeiten und
Erfahrungen. Er bleibt Gott, an dem der Mensch nur zunichte werden kann. Auch in
unserem Herrn und Erlöser ist er nicht einfach offenbar; als der Deus praedicatus ist er
ja doch mit dem in sua maiestate absconditus identisch» (S.180). Von dieser Position aus
führt Schwarzwäller denn auch vor allem seine Kritik an Barth, dem er theologische
Metaphysik vorwirft. Vgl. Das Gotteslob aaO. 20–25.

[72] Vgl. dazu G. Rost aaO. 100ff, 178ff in Auseinandersetzung mit W. Pannenberg, Der
Einfluß der Anfechtungserfahrung auf den Prädestinationsbegriff Luthers: KuD 3 (1957)
109–139. J. Moltmann aaO. macht darauf aufmerksam, daß bei Luther und Melanchthon
die tentatio de indignitate, die am Gesetz aufbricht, und die tentatio de particularitate, die
mit dem Evangelium zusammenhängt, im Vordergrunde stehen, während es sich bei
Calvin zentral um die tentatio de infirmitate fidei handelt (aaO. 54). Zu Luther und
Melanchthon vgl. auch R. Schäfer aaO. (Anm. 59).

[73] W. Pannenberg aaO. 127f.

ignoriert werden. Das Gespräch mit Barth ist vordringlich, weil er in entscheidender Weise zur Neuformulierung der ganzen Frage beigetragen hat.[74]

Bei allem Respekt vor der theologischen Tradition ist sich Barth klar darüber, daß er in der Frage nach Gottes Gnadenwahl «das Geländer der theologischen Tradition» zu verlassen hat. «Ich wäre in der Prädestinationslehre an sich viel lieber bei Calvin geblieben, statt mich nun so weit von ihm zu entfernen.»[75] Der Grund für diese Abkehr von der im Gefolge Augustins stehenden Tradition liegt darin, daß sie nach Ansicht Barths in der Prädestinationslehre mehr und mehr vom christologischen Fundament abgerückt ist, von dem her sie einzig begründet werden kann.[76] Gegen Calvins Definition der Prädestination (vgl. oben S. 791)[77] ist einzuwenden, daß sie Prädestination als einen generischen Begriff nimmt, der Erwählen und Verwerfen als zwei species des gleichen genus, als streng parallele Glieder der gleichen statisch konzipierten Ordnung umfaßt. Die doppelte Prädestination erscheint so als symmetrisches, neutrales System, in dem ein Gleichgewicht zwischen göttlicher Gerechtigkeit und Barmherzigkeit statuiert wird. Dieses Verständnis der Prädestination impliziert, daß hier sowohl vom erwählenden Gott wie vom erwählten Menschen auf abstrakte Weise gesprochen wird.[78] Die Perspektive dieser Prädestinationslehre ist auch individualistisch, indem man das göttliche Erwählen und das menschliche Erwähltsein gewissermaßen als die Ordnung des zwischen Gott und jedem Einzelnen als solchen bestehenden Privatverhältnisses versteht.[79] Der letzte Grund der Prädestination liegt in dieser Sicht in einem absoluten göttlichen Dekret, durch das der eine konkrete Heilsratschluß Gottes in Jesus Christus überspielt wird. «Die Versuchung liegt nahe ... diesen Raum gleichsam leer und unbestimmt zu denken, Gott Vater, Sohn und Heiligen Geist als irgendein,

---

[74] Wir halten uns im folgenden vor allem an KD II/2. Eine erste Skizze findet sich bereits in K. Barth, Gottes Gnadenwahl = Theol. Existenz heute 47 (München 1936). Zur Auseinandersetzung mit Barth vgl. außer den Handbüchern von E. Brunner, O. Weber, H.-G. Fritzsche u.a. E. Buess, Zur Prädestinationslehre Karl Barths = Theol. Stud. 43 (Zollikon 1955); O. Weber-W. Kreck-E. Wolf, Die Predigt von der Gnadenwahl = Theol. Exist. heute (München 1951); G. Gloege, Zur Prädestinationslehre Karl Barths – Fragmentarische Erwägungen über den Ansatz ihrer Neufassung: KuD 2 (1956) 193–217; 233–255, sowie K. Schwarzwäller, Das Gotteslob aaO. passim. Wertvolle Anregung verdanke ich meinem Schüler E. Friedmann, der in seiner Dissertation: Christologie und Anthropologie – Methode und Bedeutung der Lehre vom Menschen in der Theologie Karl Barths (Münsterschwarzach 1972) die Frage der Prädestination an verschiedenen Stellen berührt.

[75] KD II/2, VIII.

[76] Vgl. KD II/2, 15 f und den Exkurs: KD II/2, 64–82.

[77] Der Einwand Barths bezieht sich der Sache nach auch auf das Verständnis der Prädestination, wie es in der katholischen Schultheologie entwickelt wurde, die eine Symmetrie von Erwählen und Verwerfen kennt, auch wenn sie eine positive praedestinatio ad mortem ablehnt.

[78] KD II/2, 51.   [79] KD II/2, 43.

wenn auch mit den höchsten göttlichen Attributen ausgestattetes Subjekt, das wählen kann und tatsächlich wählt und dabei nur darin von anderen wählenden Subjekten unterschieden ist, daß es in seinem Wählen schlechthin frei, daß es über die Art und Richtung seines Wählens keinem anderen Wesen Rechenschaft schuldig ist, daß es als das schlechterdings gerecht wählende Subjekt anerkannt werden muß. Woraus folgt, daß sein Wählen ein schlechthin unbedingtes oder eben nur durch dieses Subjekt für sich und als solches bedingtes, seine tatsächliche Wahl also als ein *decretum absolutum* zu verstehen ist.»[80] Dem hält Barth entgegen, daß Gottes Wahl in ihrem Ursprung und in ihrer ganzen Konsequenz eben darin liege, daß er sich selber von Ewigkeit her in freier Selbstbestimmung zum Träger des Namens Jesus Christus bestimmt hat. «Was könnte Gottes Wahl sein, wenn sie nicht dieses ist? Welche Wahl könnte dieser Wahl vorangehen, in der Gott sich selbst dazu gewählt hat, das Wort, das Jesus ist, im Anfang aller Dinge bei sich zu haben? Durch welches *decretum absolutum* könnte dieses *decretum concretum* heimlich oder offen überhöht und problematisiert sein? Wo bleibt dann überhaupt die Vorstellung eines *absoluten* Dekrets? Wie könnte auch die Wahl, in der Gott sich für das Sein und Sosein der Kreatur entschieden hat, jener Wahl gegenüber als absolut, als selbständig, wie könnte sie anders verstanden werden als eingeschlossen in jener Wahl, in der er (offenbar zuerst!) sich für sich selber, d.h. *sich für diese seine Bedingtheit, sich für dieses sein Sein unter diesem Namen, sein Sein in Jesus Christus entschieden hat?*»[81]

Erwählen und Verwerfen sind nach Barth von diesem christologischen Ansatz her nicht parallele Glieder eines statischen Systems. Gott erwählt und verwirft auf je andere Weise. Wohl geht es in der Prädestinationslehre um die Beziehung zwischen Gott und Mensch. Aber über diese Beziehung darf nicht abstrakt spekuliert werden, die rechte Gotteserkenntnis muß vielmehr vom Konkreten ausgehen, sie muß den wahren Gott und den wahren Menschen in jener Beziehung sehen, wie sie die Offenbarung zeigt. Das aber bedeutet, daß nur im Namen Jesus Christus ansichtig wird, wer der erwählende Gott und wer der erwählte Mensch ist.[82] Die göttliche Prädestination ist deshalb zentral die Erwählung Jesu Christi. So wie die Erwählung eine Zweiheit von Erwählendem und Erwähltem bedeutet, so drückt auch der Namen Jesus Christus eine Zweiheit aus: Jesus Christus ist der erwählende Gott und Jesus Christus ist der erwählte Mensch.[83] Das heißt: Jesus Christus ist zugleich Subjekt und Objekt der Erwählung.

---

[80] KD II/2, 107. [81] KD II/2, 108. [82] KD II/2, 63 f.
[83] KD II/2, 101–157. Zusammenfassend: «Wir haben hinsichtlich der Erwählung Jesu Christi ... zwei Sätze aufgestellt: Es lautete der erste: Jesus Christus ist der erwählende Gott. Dieser Satz antwortete auf die Frage nach dem Subjekt der ewigen Gnadenwahl. Und es lautete der zweite: Jesus Christus ist der erwählte Mensch. Dieser Satz antwortete auf die Frage nach dem Gegenstand der ewigen Gnadenwahl» (S. 158).

Jesus Christus ist zuerst und vor allem das *Subjekt der Erwählung*, sonst könnte er nicht das Haupt der übrigen Erwählten sein, sonst hätten wir keine feste und gewisse Erkenntnis unserer Erwählung.[84] Jesus Christus wählt den Gehorsam gegen den Vater, er wählt die Menschwerdung und in diesem Sinn ist er das Subjekt der Erwählung nicht nur als Gott, sondern als Gott-Mensch. In Jesus Christus gibt es eine strikte Entsprechung zwischen aktivem Erwählen und passivem Erwähltsein.[85] Im passiven Sinn wird Jesus erwählt in seinem Leben, seinem Tod, seiner Auferstehung als der Mensch, in dem Gott den Bund mit allen Menschen verwirklicht. Weil der Mensch Jesus Christus aber auch das Subjekt der göttlichen Gnadenwahl ist, kann Barth sagen, daß Gott in der Prädestination Jesu Christi sich auch die Verwerfung des Menschen mit allen Konsequenzen zu eigen macht.[86] Der Sinn der doppelten Prädestination liegt deshalb darin, daß Gott in Jesus Christus dem Menschen die Glückseligkeit und das Leben schenkt, während er sich die Verwerfung, den Tod und die Verdammnis reserviert. Die Prädestination Jesu Christi ist so das ewige Dekret Gottes, der barmherzig in seiner Gerechtigkeit und gerecht in seiner Barmherzigkeit ist. Gott ist gerecht, weil er das Böse und die Sünde verwirft. Er ist aber auch barmherzig, weil er sich selber den Tod und die Verdammnis des Sünders zueignet. «In diesem Beschluß des gerechten und barmherzigen Gottes gründet die in Jesus Christus vollzogene Rechtfertigung des Sünders, die Vergebung seiner Sünden. Sie bedeutet nicht, daß Gott sie nicht ernst nimmt oder daß er den Menschen als ihren Täter nicht zur Verantwortung zieht. Sie bedeutet aber, daß Gott, indem er das tut, sich selber mit ihrem Täter solidarisch erklärt, sich hinsichtlich ihrer notwendigen Folgen an dessen Stelle setzt und also selber leidet, was der Mensch leiden mußte... Eben diese Rechtfertigung des Sünders in Jesus Christus ist der Inhalt der Prädestination, sofern diese ein Nein ausspricht, sofern sie Verwerfung bedeutet.»[87]

Vor der Frage der Erwählung und Verwerfung des einzelnen behandelt Barth im Rückgriff auf Röm 9–11 die Frage der *Erwählung und Verwerfung der Gemeinde*. Die individualistische Engführung Augustins in der Erklärung dieses Textes wird dabei überholt, geht es nach Barth in Röm 9–11 doch um das Zueinander von Israel und der Kirche auf dem Hintergrund des göttlichen Erwählens und Verwerfens. Unter dem Begriff der «Gemeinde» faßt er sowohl Israel wie die Kirche zusammen. Die Aufgabe der ganzen Gemeinde liegt darin, Jesus Christus vor der Welt zu bezeugen und die Welt zum Glauben zu rufen.[88] Entsprechend der doppel-

---

[84] KD II/2, 111–124.

[85] KD II/2, 112f. 115f u.a.

[86] Vgl. die These: KD II/2, 101: «Die Gnadenwahl ist der ewige Anfang aller Wege und Werke Gottes in Jesus Christus, in welchem Gott in freier Gnade sich selbst für den sündigen Menschen und den sündigen Menschen für sich bestimmt und also die Verwerfung des Menschen mit allen ihren Folgen auf sich selber nimmt und den Menschen erwählt zur Teilnahme an seiner eigenen Herrlichkeit.»

[87] KD II/2, 182.

[88] Vgl. die These: KD II/2, 215: «Die Gnadenwahl ist als Erwählung Jesu Christi zugleich die ewige Erwählung der einen Gemeinde Gottes, durch deren Existenz Jesus Christus der ganzen Welt bezeugt, die ganze Welt zum Glauben an Jesus Christus aufgerufen werden soll. Diese eine Gemeinde hat in ihrer Gestalt als Israel der Darstellung des göttlichen *Gerichtes*, in ihrer Gestalt als Kirche der Darstellung des göttlichen *Erbar-*

ten Prädestination existiert auch die Gemeinde in einer zweifachen Gestalt, in Israel und in der Kirche. In der Gestalt Israels stellt sie das Gericht, in der Gestalt der Kirche stellt sie die Barmherzigkeit Gottes dar, beides freilich nicht auf exklusive Weise.[89] Der Bogen des einen Bundes umfaßt ja Israel und die Kirche. Israel widersteht zwar der Erwählung und wird verworfen, aber Gott nimmt diese Verwerfung auf sich. Umgekehrt wird die Kirche erwählt, aber diese Erwählung enthält auch den Aspekt der Verwerfung, die Gott auf sich genommen hat.[90] So kommen die beiden Gestalten der Gemeinde in der Erwählung zugleich überein und unterscheiden sich.

Erst an letzter Stelle kommt Barth auf die *Erwählung des Einzelnen* zu sprechen. Individualität hat theologisch gesprochen insofern einen positiven Sinn, als Erwählung nicht auf irgendwelche Kollektivitäten, sondern auf den je Einzelnen zielt.[91] Nun ist aber Individualität in diesem Sinn wohl die conditio sine qua non, nicht aber die eigentliche ratio praedestinationis. Die ratio praedestinationis ist etwas anderes. Hier geht es um eine Besonderheit, aufgrund derer die Tatsache, daß Gott den Einzelnen will, «nach Analogie der Erwählung Jesu Christi und der Gemeinde Gottes allein als *Gnade* zu verstehen ist».[92] Dies bedeutet, daß der Begriff des Einzelnen über den positiven Sinn hinaus in einem negativen Sinn aufgenommen werden muß, in welchem erst sichtbar wird, daß der prädestinierte Mensch der Begnadete schlechthin ist. Der prädestinierte Mensch ist der Mensch, dem Gnade und Vergebung widerfährt, «der nicht unter Voraussetzung seines Gott angenehmen und willkommenen Lebensstandes, sondern indem sein Gott widerwärtiger Lebensstand von Gott bedeckt, umgekehrt und erneuert wird, Gegenstand des göttlichen Wählens ist»,[93] der Mensch, den Gott ohne und gegen sein Verdienst zum Bundesgenossen macht. So gesehen gibt es eine in Jesus Christus negierte Einzelheit des Menschen, eine sündige und verderbliche Vereinzelung, die das Wesen der menschlichen Gottlosigkeit ausmacht. In ihr benimmt sich der Einzelne als der von Gott von Ewigkeit her verworfene Mensch. Diese Wahl ist aber im Grunde genommen eine unmögliche Wahl, weil der Mensch so die in seiner Erwählung von Gott weggewählte Möglichkeit wählt. «Sich als *vereinzelten* und also von Gott *verworfenen* Menschen zu benehmen und zu gebärden, ihn *darzustellen*, das mag ihm unter Beleidigung Gottes und zu seinem eigenen Verderben wohl gelingen. Jener Mensch zu *sein*, das steht ihm nicht zu, denn das hat Gott in Jesus Christus mit allen Konsequenzen sich selber zugedacht und also dem Menschen vorweggenommen.»[94] Genau an diesen Menschen richtet sich das Zeugnis

mens zu dienen. Sie ist in ihrer Gestalt als Israel zum *Hören*, in ihrer Gestalt als Kirche zum *Glauben* der an den Menschen ergangenen Verheißung bestimmt. Es ist der einen erwählten Gemeinde dort ihre *vergehende*, hier ihre *kommende* Gestalt gegeben.»

[89] KD II/2, 215–256; vgl. besonders S. 233 ff.

[90] KD II/2, 232f, 267.

[91] «Es gibt keine prädestinierten Familien, keine prädestinierten Völker – auch das Volk Israel ist es ja nur als die erste (vergehende!) Gestalt der Gemeinde! – keine prädestinierte Menschheit. Es gibt nur prädestinierte (in Jesus Christus, durch die Gemeinde prädestinierte!) *Menschen*» (KD II/2, 344).

[92] KD II/2, 346.

[93] KD II/2, 346.

[94] KD II/2, 348.

der Gemeinde von der Erwählung Jesu Christi. Dieser Mensch ist der prädestinierte Mensch. Ihm gilt die Verheißung, daß auch er ein Erwählter ist. Die Gemeinde, die selber aus Gottlosen besteht, die diese Verheißung hören und glauben durften und wieder hören und glauben müssen, kann Gottes Gnadenwahl nur bezeugen. «Sie darf sich durch keine ‹Erfahrungen› abhalten lassen, in und mit der Botschaft von Jesus Christus die Verheißung seiner Erwählung wieder und wieder zu einem jeden zu bringen. Sie hat kein Recht, das in Jesus Christus geordnete Verhältnis zwischen Erwählung und Verwerfung, zwischen Verheißung und Drohung wieder umzukehren... Sie hat auch kein Recht, die Verheißung mit Vorbehalten zu umgeben. Sie weiß wohl um jedes Menschen ursprüngliche Gottlosigkeit. Sie weiß aber vor allem darum, daß Jesus Christus nach Gottes ewigem Ratschluß auch für ihn gestorben und auferstanden ist. Und vorbehaltlos eben darauf hat sie ihn ... anzureden.»[95]

Wenn nun der Gottlose diese Botschaft der Gemeinde annimmt, schreitet er voran vom Leben des verworfenen zum Leben des erwählten Menschen. Darin wird offenbar, daß das Leben des verworfenen Menschen im Widerstreit zu seiner Erwählung steht und daß die Erwählung sich als siegreich erweist. Das Bewußtsein der Erwählung bedeutet, daß der Mensch diesen Widerstreit kennt und daß er sich für das Leben eines Erwählten entscheidet.[96] Die Erwählung selber aber ist unabhängig und im voraus zu seiner Entscheidung. Der Glaube offenbart wohl und verwirklicht die Erwählung, aber er konstituiert sie nicht. Auf diese Weise wird der Unterschied von Gläubigen und Ungläubigen relativiert. «Im Bereich der göttlichen Gnadenwahl, in des einen Gottes Hand, unter der Herrschaft, deren Anfang und Prinzip Jesus Christus heißt, befinden sich offenbar die Erwählten, befinden sich aber auch die Andern: jene als Gehorsame, diese als Ungehorsame, jene als freie Kinder des Hauses, diese als widerspenstig gezwungene Knechte, jene unter dem Segen, diese unter dem Fluch Gottes.»[97] «Gerade weil sie beide in der einen absoluten Hand Gottes sind, kann ihr Gegensatz unter sich bei aller Strenge, die ihm zu eigen ist, nur ein relativer sein.»[98] Insofern die Auszeichnung der Erwählten, die ursprünglich Jesus Christus gilt, auch diesen «Anderen» gilt, ist nach Barth zu erwarten, daß sie vor Gottes Augen nicht ausgeschlossen sind. «Mehr als dies: daß dies nicht zu *erwarten* ist, können wir nicht sagen. Wir müßten aber Jesus Christus wegdenken, wenn wir von irgendwelchen anderen Menschen das Gegenteil sagen wollten.»[99] Letztlich kommt der Unterschied zwischen den Erwählten und den Anderen (den «Verworfenen») darauf hinaus, daß beide auf verschiedene Weise die eine Gnade Gottes bezeugen. Die Erwählten bringen zum Ausdruck, was Gott will, nämlich die Erwählung. Die Verworfenen stellen dar, was Gott nicht will, nämlich die Verwerfung, die er in Jesus Christus auf sich genommen hat. In Jesus Christus sind die Erwählten und die Verworfenen solidarisch, sind sie Brüder.[100] Barth erläutert dieses wechselseitige Verhältnis von Erwählung und Verwerfung an den Gestalten von Abel und Kain, Jakob und Esau,

[95] KD II/2, 352.
[96] KD II/2, 352–355.
[97] KD II/2, 382.
[98] KD II/2, 386.
[99] KD II/2, 385.
[100] KD II/2, 388–391.

Paulus und Iudas Iskarioth, sowie an der Beziehung zwischen Kirche und Synagoge. In diesem Zueinander hat jeder seine bestimmte Funktion: «Daß er von
Gottes Gnade leben darf, indem er in diesem Dienste steht, das ist seine, des erwählten Menschen Ehre und Kraft in dieser Sache.»[101] Und umgekehrt gilt: «Wo
keine Hoffnung ist – und der Verworfene in uns selbst und im Anderen hat keine
Hoffnung – da und da allein ist die *wirkliche* Hoffnung, da und da allein kann das
Werk des Heiligen Geistes einsetzen, die Verkündigung wirklich vernehmbar und
der Glaube wirklich lebendig werden. Indem der Verworfene … dem Erwählten
dies zu bedenken gibt, nimmt auch er teil an dessen Bestimmung. Sie besteht darin,
daß er als der Verworfene, der er ist, die Verkündigung der Wahrheit hören und
zum Glauben kommen soll. Sie besteht darin, aus einem unwilligen ein williger,
aus einem indirekten ein direkter Zeuge der Erwählung Jesu Christi und seiner
Gemeinde zu werden.»[102]

Barths Erwählungslehre hat auch auf evangelischer Seite nicht nur Zustimmung gefunden. So wird ihr etwa von Emil Brunner der Vorwurf gemacht,
sie laufe faktisch auf eine Apokatastasislehre hinaus.[103] Der Einwurf dürfte
in dieser Schärfe unberechtigt sein. Barth selber sieht die Gefahr, wenn er
die Frage stellt: «Werdet auch ihr mich des Irrtums bezüglich der Apokatastasis schuldig finden oder werdet ihr mit mir einig sein in der Überzeugung,
daß es immer noch geratener ist, unter dieser Gefahr das lebendigmachende
Evangelium, als ohne diese Gefahr das tötende Gesetz zu predigen?»[104]
Hinsichtlich der Verworfenen kann es kein Bescheid-wissen, sondern nur
eine Erwartung geben.[105] Die Frage nach der Heilsbedeutung des Abendmahls für Judas bleibt für Barth eine offene Frage, wobei diese Offenheit
exemplarischen Charakter hat: «Die Kirche soll dann keine Apokatastasis,
sie soll dann aber auch keine *ohn*mächtige Gnade Jesu Christi und keine *über*-
mächtige Bosheit des Menschen ihr gegenüber predigen, sondern ohne Abschwächung des Gegensatzes, aber auch ohne dualistische Eigenmächtig-
keiten die Übermacht der Gnade und die Ohnmacht der menschlichen Bosheit ihr gegenüber.»[106] Eine andere Frage ist, ob dieser Vorbehalt, den Barth
selber macht, im Zug seiner Systematik genügend zum Ausdruck kommt.
Der Einwand einer Überspitzung der Systematik scheint nicht unberechtigt
zu sein.[107] Barth unterstreicht den Triumph der göttlichen Gnade auf allen
Ebenen so nachdrücklich, daß zumindest der Anschein entstehen kann,

---

[101] KD II/2, 461.

[102] KD II/2, 508.

[103] E. Brunner, Die christliche Lehre von Gott (Zürich 1946) 375–379.

[104] Zitiert in O. Weber-W. Kreck-E. Wolf, Die Predigt von der Gnadenwahl (München
1951) 7.

[105] KD II/2, 385.

[106] KD II/2, 529.

[107] Dazu außer E. Buess aaO. (Anm. 74) 46 ff, E. Friedmann aaO. (Anm. 74) 128 auch
H. U. v. Balthasar, Karl Barth – Darstellung und Deutung seiner Theologie (Olten 1951)
186–201, 255–257.

Sünde, Unglaube und Verwerfung würden gewissermaßen dialektisch aufgehoben und das Problem der Verwerfung werde letztlich dadurch gelöst, daß die Verwerfung nur *die* Sünde und nicht den Sünder betreffe.[108] Problematisch erscheint auch die christologische Begründung der Erwählungslehre, insofern Barth Jesus Christus als das Subjekt der Erwählung bezeichnet. Emil Brunner dürfte hier richtig sehen, wenn er schreibt: «Wo von der *ewigen* Erwählung der Gläubigen in Jesus Christus gesprochen wird, da ist in der neutestamentlichen Aussage das Subjekt der Erwählung ganz allein und ausnahmslos Gott, gerade so wie das Subjekt der Schöpfung ganz allein und ausnahmslos Gott ist. Jesus Christus ist der *Mittler* der Erwählung, wie er der Mittler der Schöpfung ist.»[109] Diese Sicht bedeutet keine Rückkehr zu einem abstrakt gedachten Gott mit einem decretum absolutum, weil der erwählende Gott der Gott und Vater Jesu Christi ist. Sie ist aber nicht nur schriftgemäßer, sondern wahrt auch deutlicher die Freiheit Gottes, in Christus zu erwählen und außerhalb von Christus zu verwerfen. Im letzten dürfte sich die Kritik an Barth daraufhin zuspitzen, ob er nicht nach Art der «rationes necessariae» Anselms innerhalb seiner Erwählungslehre eine Metaphysik betreibt, die dem Anliegen, das Luther in der Figur des «Deus absconditus» kraftvoll herausgestellt hat, nicht genügend gerecht wird.[110] In dieser grundsätzlichen Schärfe formuliert Schwarzwäller seine Fragen an Barth, wobei er zum Schluß kommt: «Die gestellte Aufgabe ist gelöst. Das Dunkel ist gelichtet. Aber Gottes Geheimnis wurde darüber entschleiert. Doch wo man ein göttliches Geheimnis so entschleiern, wo man ein göttliches Sein rational so restlos durchdringen, wo man ein göttliches Handeln so völlig überschauen kann: hat man es da noch mit dem Geheimnis, Sein und Handeln des lebendigen Gottes zu tun?»[111]

Wir möchten bezweifeln, ob es angeht, Barth in dieser Weise festzulegen und in ihm den überlegenen Vertreter der Richtung zu sehen, die Erasmus Luther gegenüber verfochten hat, wie Schwarzwäller dies meint. Der beständige Hinweis Barths auf den *Namen* Jesus Christus (nicht auf ein Prinzip) mahnt zur Vorsicht.[112] Wie immer man diese Frage beurteilen mag, so dürfte es unbestreitbar sein, daß Karl Barth in seiner Erwählungslehre neue Wege gewiesen hat, die auch die katholische Theologie nicht übersehen kann. Die Einsicht, daß wir es in der Schrift mit dem Gott und Vater Jesu Christi und mit seinem konkreten Heilsratschluß in Jesus Christus zu tun haben, daß uns die Schrift vom freien Verhalten Gottes spricht, in dem nicht

[108] Vgl. dazu H.-G. Fritzsche, Lehrbuch der Dogmatik II, 202.

[109] E. Brunner aaO. 337; Kritik an den christologischen Implikationen der Erwählungslehre Barths findet sich auch bei G. Gloege aaO. (Anm. 74) 214–217; E. Buess aaO. 48–60.

[110] K. Schwarzwäller, Das Gotteslob 19–30.

[111] K. Schwarzwäller aaO. 30.

[112] Zur Bedeutung des Namens Jesus Christus bei Barth vgl. E. Friedmann aaO. 115–124.

einfach ein metaphysisches Gleichgewicht zwischen den Verhaltensweisen Gottes besteht,[113] daß Gott – der Deus in sua maiestate absconditus – von uns nur in Jesus Christus gefunden werden will,[114] muß auch und gerade in der Prädestinationslehre durchgehalten werden. Die Theologie kann nicht hinter die christologische Begründung der Prädestinationslehre zurück. Sie kann auch die individualistische Engführung in der Auslegung von Röm 9–11, wie sie sich bei Augustinus findet, nicht nachvollziehen. Gerade eine heilsgeschichtlich orientierte Dogmatik muß im Blick auf Röm 9–11, im Blick aber auch auf die Theologie der Erwählung im Alten Testament damit ernst machen, daß Gottes Gnadenwahl sich auf Israel und die Kirche bezieht und daß von da aus und in diesem Zusammenhang Licht auf die Frage der Erwählung und der Verwerfung des einzelnen fällt. Die recht verstandene Prädestinationslehre ist tatsächlich in ihrem Kern Evangelium, Frohbotschaft, weil sie die Lehre von Gottes Gnadenwahl in Jesus Christus ist. Aufgabe der Theologie kann es nicht sein, diese Frohbotschaft nachträglich zu verdunkeln; sie kann nur versuchen, sie so zur Geltung zu bringen, wie es dem Reden über Gott und seine Gnade angemessen ist.

2. Systematische Erörterung

Nach dem Durchgang durch die Problematik der Prädestinationslehre, wie sie sich von der Theologiegeschichte her stellt, muß nun wenigstens in einer Skizze der Versuch gemacht werden, die Aussage von Gottes Gnadenwahl theologisch zu formulieren. Damit dies in der rechten Weise geschieht, ist eine hermeneutische Vorbesinnung nötig, die einerseits bereits von dem herkommt, was in den folgenden Punkten im einzelnen gesagt wird, und die anderseits die Aufgabe hat, jenen Verständnishorizont zu formulieren, in dem die biblische Botschaft von Gottes Gnadenwahl gehört werden will.

a. Hermeneutische Vorüberlegungen

aa. Kritische Sichtung der theologischen Überlieferung

Die Annahme, es könne die Lehre von der Prädestination ohne Rücksicht auf die vorausgehende theologische Tradition vorgetragen werden, wäre reichlich naiv. Diese Tradition hat einerseits ihr Gewicht, indem sie deutlich einige fundamentale Aspekte der Prädestinationsfrage wie etwa den absoluten Gnadencharakter der göttlichen Erwählung gegen allen Pelagianismus und Semipelagianismus und den umfassenden Heilswillen Gottes gegen die verschiedenen Formen eines extremen Augustinismus herausgestellt hat;

---

[113] Vgl. dazu M. Löhrer: MS II, 302–308.
[114] K. Schwarzwäller, Theologia crucis aaO. (Anm. 69) 185 mit Verweis auf Luther.

sie hat aber auch ihre tiefgreifende Problematik, insofern die Theologie in der Frage der Prädestination in einseitiger Weise im Westen im Banne Augustins steht, und zwar auch dort, wo sie sich kritisch gegen die schroffen Formeln des späten Augustin wendet. Dies alles bedeutet, daß sich die heutige Theologie nicht ohne kritische Auseinandersetzung mit dieser Tradition der Frage der Prädestination zu stellen hat.

Im Blick auf diese Tradition wird es zunächst geboten sein, das biblische Zeugnis von der Gnadenwahl Gottes von der Problematik zu unterscheiden, die erst später im Zug der Auseinandersetzung mit der griechischen Philosophie in die Theologie eingedrungen ist. Damit wird nicht einem bloßen Biblizismus oder einer Art von Offenbarungspositivismus das Wort geredet. Die philosophische Problematik der Prädestination ist jedenfalls in dem Sinn auch theologisch relevant, als sie die Fragen formuliert, auf die sich die Offenbarung bezieht. In diesem Sinn postuliert Tillich mit Recht eine Korrelationsmethode für die Theologie.[115] Sie kann aber auf keinen Fall eine Ableitung der Antwort aus den Fragen bezwecken. Dies besagt, daß das Offenbarungszeugnis nicht nach ihm fremden Denkschemata ausgelegt werden darf. In der Frage der Prädestination gilt dies besonders hinsichtlich der Problemstellung Determinismus oder Indeterminismus. Der theologische Ansatz der Prädestinationslehre wird verfehlt, wenn man die Prädestination nach diesem Schema behandeln will.[116] Daß sich bereits die Väter vor Augustin auf diese Problemstellung einließen, ist begreiflich angesichts der Auseinandersetzung, die sie mit dem stoischen Fatalismus und Naturalismus zu führen hatten. Dabei kam es nur allzuleicht zu einer oft schillernden Verwechslung zwischen christlicher ἐλευθερία und philosophischem αὐτεξούσιον, zu einer Problematik, der sich auch Augustin nicht zu entziehen vermochte, auch wenn er die Akzente seit der Schrift Ad Simplicianum anders als in seinen ersten Schriften setzte.[117] Demgegenüber ist heute zu betonen, daß die Prädestinationslehre quer zur Alternative Determinismus/Indeterminismus steht. Gottes Gnadenwahl ist Absage an jede Form des Indeterminismus, die den Menschen als Produkt bloßen Zufalls betrachten möchte. Sie ist aber auch Absage an jede Form des Determinismus, nach der die Geschichte mechanistisch nach einem ewigen göttlichen Plan abläuft. Hier

---

[115] Vgl. dazu P. Tillich, Systematische Theologie I (Stuttgart ²1956) 73–80.

[116] Dagegen wenden sich mit Recht u. a. K. Barth, Gottes Gnadenwahl 11, KD II/2, 46–51; K. Schwarzwäller, Das Gotteslob 82: «Wo man von Determinismus auch nur redet, redet man außerhalb theologischer Zusammenhänge und schon gar nicht von der Prädestination. Und wo man Prädestination deterministisch zu erklären beginnt, hat man den Stoff preisgegeben.» Vgl. aaO. 205, 210. Daß das Begriffspaar Determinismus/Indeterminismus für die Auslegung vom Röm 9–11 unzureichend ist, zeigt Ch. Müller, Gottes Gerechtigkeit und Gottes Volk – Eine Untersuchung zu Römer 9–11 (Göttingen 1964) 79; vgl. auch U. Luz, Das Geschichtsverständnis des Paulus (München 1968) 240.

[117] Vgl. K. H. Schelkle, Erwählung und Freiheit im Römerbrief nach der Auslegung der Väter: ThQ 131 (1951) 205 f.

wird übersehen, daß die Geschichte das persönlich verantwortliche Handeln des Menschen, sei es als Gott geschenktes, sei es als ein sich verweigerndes, einbezieht; es wird aber auch übersehen, daß es in der Geschichte ein freies Reagieren Gottes gibt, das sich in seiner Rätselhaftigkeit und oft auch Anstößigkeit jedem Erkenntniszugriff des Menschen entzieht. Gerade im Blick auf das Alte Testament ist zu sagen: «Es geschieht Jahwes Wille, wie im Himmel, also auch in der Geschichte, und es ist ein aktuoser, lebendiger, freier, indeterminierter Wille, der bei aller Aktivität und ständigen Initiative dennoch die Freiheit zur Reaktion hat.»[118] Von da her ist es auch abzulehnen, wenn die Frage der Prädestination nach den Kategorien der Kausalität behandelt wird, weil diese den geschichtlichen und personalen Charakter des Heilshandelns Gottes und der Heilsaneignung nur unangemessen zum Ausdruck bringt.[119] Wenn man sich erst einmal auf die Alternative Determinismus/Indeterminismus eingelassen hat und wenn man die Prädestination nach einem Kausalschema expliziert, dann allerdings läßt sich die Sackgasse kaum vermeiden, in die die verschiedenen theologischen Schulen in dieser Frage hineingeraten sind.

Die Prädestinationslehre darf auch nicht in eine allgemeine Vorsehungslehre so integriert werden, daß die Prädestination einfach als «pars providentiae» erscheint. Diese Verknüpfung lag bei Augustin insofern nahe, als sich in seinem Denken ein allgemeines Ordo-Denken mit dem paulinischen Ansatz von Röm 9–11 kreuzte. Demgegenüber ist aber einzuwenden, daß der Gnade und damit auch der Gnadenwahl Gottes ein zwar nicht chronologisches, aber sachliches Prius gegenüber der Natur zukommt, daß insofern die Natur von der Gnade und die Vorsehung von Gottes Gnadenwahl her zu verstehen ist.

Schließlich ist der durch Augustin inspirierten Prädestinationslehre gegenüber geltend zu machen, daß es nach dem Zeugnis der Offenbarung keinen in einem abstrakten göttlichen Dekret begründeten Parallelismus von Erwählen und Verwerfen gibt. Im einen konkreten Heilsratschluß in Jesus Christus ist nicht nur jedes abstrakte und unabhängig von diesem Heilsratschluß gefaßte Dekret überholt, in ihm ist auch grundsätzlich jede Symmetrie von Erwählen und Verwerfen beseitigt, weil er Gottes prinzipielles Ja zum Menschen ist (2 Kor 1,19), und das nicht in einem harmlosen Hinwegsehen über des Menschen Sünde, sondern indem er für uns zur Sünde wurde

---

[118] K. Schwarzwäller aaO. 205. Im Bezug auf Paulus (Röm 9–11) bemerkt Ch. Müller aaO. 79: «Determinismus vermag weder Gottes ständig neues Schaffen noch des Menschen Verantwortlichkeit auszudrücken, während Indeterminismus die aktive Wirksamkeit Gottes außer acht läßt. Was das Begriffspaar isoliert, ist bei Paulus fest verbunden: Gott wirkt im Wort ständig neu Erwählung und Verwerfung des Menschen, wie der Mensch in Annahme und Verweigerung desselben Wortes verantwortlich handelt.»

[119] Vgl. dazu die Kritik von E. Brunner, Die christliche Lehre von Gott 339 ff und O. Weber, Grundlagen der Dogmatik II, 514 ff.

(2 Kor 5,21). Thomas hat richtig gesehen, wenn er in S.Th. III q.24 «de praedestinatione Christi» handelt und wenn er im Zusammenhang mit der ganzen Prädestinationsfrage in I q.23 a.4 s.c. Eph 1,4 zitiert: «Elegit nos in ipso ante mundi constitutionem»; aber alles hängt doch davon ab, daß das «elegit nos in ipso» auch tatsächlich zum Ausgangspunkt der Prädestinationslehre gemacht wird, daß also nicht sozusagen nachträglich auch noch über die Prädestination Christi gesprochen wird, nachdem man bereits einen allgemeinen Prädestinationsbegriff unabhängig von unserer Erwählung in Jesus Christus entwickelt hat.

bb. Erwählung und Erfahrung

Mit Nachdruck ist zu unterstreichen, daß die Erfahrung kein Ausgangspunkt für die Prädestinationslehre ist, indem man etwa wie Calvin vom vorhandenen Glauben und Unglauben auf eine doppelte Prädestination schließt, oder indem man nach Zeichen sucht, die auf das Erwähltsein der einen und das Nichterwähltsein der andern hindeuten.[120] Daß es Zeichen göttlichen Erwähltseins in dem Sinn gibt, daß der Mensch im Heilshandeln Gottes in Jesus Christus der unverbrüchlichen Treue Gottes sozusagen ansichtig wird, so daß ihm kein Wissen, aber vertrauende Gewißheit geschenkt wird, daß Gott das gute Werk, das er mit uns begonnen hat, auch zu Ende führen wird (Phil 1,6), soll damit keineswegs bestritten werden, aber alles wird hier verfälscht, wenn man die existentiellen Aussagen in abstrakte, objektive Normen verwandelt,[121] wenn man außerhalb des Glaubens von der Erfahrung her nach Zeichen des Erwähltseins oder Nichterwähltseins sucht. In diesem Sinn kann die Erfahrung als Ausgangspunkt einer Prädestinationslehre nur abgelehnt werden, weil sie sich ein wenigstens konjekturales Wissen anmaßt, das dem Menschen in keiner Weise zusteht.

Dennoch hat die Erfahrung im Zusammenhang mit der Prädestinationslehre ihre Bedeutung. Sie hat dies einmal in einem positiven Sinn. Insofern nämlich die Prädestinationsanfechtung in den verschiedenen Gestalten, die sie annehmen kann, real ist, ist diese Erfahrung genau dasjenige, was, nicht durch eine Prädestinationslehre, wohl aber durch Glauben und Hoffnung zu überwinden ist. Hier hat der Satz Gültigkeit, den Moltmann im Hinblick auf Calvin macht: «Die Verheißung der Perseveranz für den Glauben, auch im Fallen und Irren, in Anfechtung und Sünde nicht aus Gottes Hand fallen zu können, ist ... nicht ein Erfahrungssatz, aus dem der Glaubende Gewißheit schöpft, sondern ein Glaubenssatz, mit dem er Erfahrungen macht und

---

[120] Gegen die Begründung der Prädestination aus der Erfahrung vgl. K.Barth, KD II/2, 39–41.

[121] Vgl. J.Moltmann, Prädestination und Perseveranz 50.

Anfechtungen überwindet.»[122] Die Prädestinationslehre bedeutet aber auch
eine kritische Sichtung von allerlei «Erfahrungen», an denen sich die Menschen zu orientieren pflegen. Sie verwirft vom rechten Verständnis der
Gnadenwahl Gottes in Jesus Christus her die Auffassung, es gebe prädestinierte Familien oder prädestinierte Völker. Sie wendet sich gegen jede
Klassifizierung der Menschen in Herrenmenschen und Menschen zweiten
Ranges.[123] Es ist merkwürdig genug und doch auch wiederum nicht merkwürdig, daß solche fatalen Konsequenzen gerade aus der Prädestinationslehre, allerdings aus einer falsch interpretierten Prädestinationslehre gezogen wurden.[124] In Wirklichkeit bedeutet die Lehre von Gottes Gnadenwahl
die schärfste Kritik solcher Anschauungen, weil sie alle menschlichen Maßstäbe des Erwähltseins zerbricht, weil es Gott gefällt, gerade das Törichte
und Schwache zu erwählen, um alle Weltweisheit zunichte zu machen (1 Kor
1, 26 ff), so daß es für den Christen gerade nur ein Sich-Rühmen im Herrn
(1 Kor 1, 31), nicht aber ein Sich-Rühmen kraft irgendwelcher menschlicher,
durch bestimmte Erfahrungen bestätigter Vorzüge geben kann. Es wäre unzureichend, wenn man den theologischen Sinn der Erwählungslehre ausschließlich in dieser kritischen Funktion sehen würde. Sie kann aber nicht
formuliert werden, ohne daß diese kritische Funktion geltend gemacht wird.

cc. Grenzen der Systematik

Die Prädestinationslehre muß sich der innern Grenzen bewußt sein, die der
Systematik hier gezogen werden. Dieses Wissen ist wohl in allen Formen
der Prädestinationslehre irgendwie lebendig, indem man immer auch vom
Geheimnis der göttlichen Gnadenwahl gesprochen hat. So pflegten manche
Theologen auch von den beiden Enden der Kette (Prädestination und liberum arbitrium) zu sprechen, die festzuhalten seien, von denen man aber
nicht wisse, wie sie zusammenkommen.[125] Der Verweis auf das Geheimnis
der Prädestination bleibt aber dort unzulänglich, wo man die Prädestinationslehre unter Voraussetzung eines absoluten göttlichen Dekrets und
eines Wissens um den faktischen Ausgang des Gerichts in einem strengen
Parallelismus von Erwählen und Verwerfen konstruiert. Demgegenüber
muß man auf die prinzipiellen Grenzen der Prädestinationslehre hinweisen,
die darin liegen, daß hier von keinerlei überschaubarem und verfügbarem
Prinzip ausgegangen werden kann, weil Gott in seinem gnädigen Erwählen

---

[122] J. Moltmann aaO. 49.

[123] Diese kritische Funktion der Prädestinationslehre wird besonders von H. G. Fritzsche, Lehrbuch der Dogmatik II, 209–213 herausgearbeitet.

[124] Vgl. dazu H.-G. Fritzsche aaO. 183 ff, mit Verweis auf K. Barth, KD II/2, 42 f und
Max Webers Schilderung der puritanischen Erwählungsfrömmigkeit, ebenso H.-G.
Fritzsche aaO. 194 mit Verweis auf die vom Calvinismus geprägten Buren in Südafrika...

[125] Vgl. dazu H. Rondet, Prédestination, grâce et liberté: NRTh 79 (1947) 469.

der freie ist und bleibt, und weil auch seine Selbstfestlegung im konkreten Heilsratschluß in Jesus Christus eine Selbstfestlegung nicht auf ein abstraktes christologisches Prinzip, sondern Konkretisierung in einer lebendigen freien Person ist.

In Jesus Christus ist zwar unverrückbar das göttliche Ja zum Menschen ausgesprochen und dieses Ja hat insofern universale Geltung, als in Jesus Christus das Heil allen Menschen angeboten ist. Es gibt im letzten keine Entscheidung über das Heil, die nicht im Bezug auf Jesus Christus steht. Jesus Christus ist so in seiner Person und in seinem Heilswerk die Offenbarung des allgemeinen Heilswillens Gottes. Schrifttexte, die auf diese oder jene Weise das universale Gnadenhandeln Gottes bezeugen oder illustrieren,[126] gewinnen ihre volle Aussagekraft zur Dokumentierung des allgemeinen Heilswillens Gottes doch erst dann, wenn man sie in christologischem Zusammenhange liest. Das Christusereignis ist die Offenbarung des allgemeinen Heilswillens Gottes, weil in ihm die Geschichte des Menschen als solche zum Heil entschieden ist. Dieses Geschehen ist in keiner Weise ambivalent. Es ist ein universales Geschehen und es ist ein Geschehen, das nicht mehr rückgängig gemacht werden kann. Es ist aber auch ein Geschehen, das nicht nur von außen gewissermaßen an den Menschen herangetragen wird, sondern das den Menschen innerlich bestimmt, insofern er im voraus zu seiner subjektiven Entscheidung kraft dieses Heilswillens je schon ein anderer *ist*.[127] Dies bedeutet, daß der konkrete Mensch im voraus zu seiner persönlichen Entscheidung nicht nur durch eine Situation des Unheils (Sünde der Welt, Erbsünde), sondern auch durch ein Moment des Heils und der Gnade innerlich bestimmt ist, wobei die Ambivalenz seiner Situation gerade darin besteht, daß diese beiden Momente nicht einfach verrechnet werden können. Das Gnadengeschehen ist jedenfalls als ein Geschehen zu verstehen, das nicht einfach als äußeres Angebot gewissermaßen vor dem Menschen steht, sondern das bei einem Menschen ankommt, der immer schon vom gnädigen Heilswillen Gottes eingeholt ist.

Von der Offenbarung des allgemeinen Heilswillens Gottes in Jesus Christus her ist eine Systematik ausgeschlossen, die in einem parallelismus membrorum Erwählen und Verwerfen als species des allgemeinen Oberbegriffs der Prädestination versteht. Es ist aber auch das andere Extrem einer Apokatastasislehre ausgeschlossen,[128] die im Grunde genommen übersieht, daß der Focus der Prädestinationslehre gerade nicht ein christologisches

---

[126] So werden aus dem AT etwa angeführt: die Jonasgeschichte, Gerechte wie Job und Melchisedech, die außerhalb des Bundesvolkes existieren, die Einladung Gottes an die Sünder zur Bekehrung (z. B. Spr 1,20–23, Ez 33,11) usw. Im NT faßt 1 Tim 2,4 zusammen, was verschiedene Gleichnisse der Evangelien (vgl. z. B. die Gleichnisse in Lk 15, 1–32) in bildhafter Weise sagen.

[127] Vgl. K. Rahner, Rechtfertigung: LThK VIII (1963) 1043.

[128] In diese Richtung tendiert doch wohl Schleiermacher mit seiner Erwählungslehre. Vgl. dazu H. G. Fritzsche, Lehrbuch der Dogmatik II, 199 ff.

Prinzip ist, an dem man ablesen kann, daß es im letzten keine definitiv Verworfenen geben kann, sondern die lebendige Person Jesus Christus, dem das Gericht übergeben ist und der als der Richter der freie ist.[129] Von da her gesehen, kann man sagen, daß eine Prädestinations*lehre* insofern nicht unproblematisch ist, als sie dem Charakter einer Lehre entsprechend ein Systematisieren nahelegt, das nun gerade dem Gegenstand, auf den sie sich bezieht, unangemessen ist. Wie Schwarzwäller mit Recht unterstreicht, hat die recht verstandene Prädestinationslehre gerade keinen lehrhaften, sondern einen konfessorischen Charakter.[130] Sie ist in ihrem Wesen Gotteslob der angefochtenen Gemeinde. «...von der Erwählung kann niemand so sprechen, als habe er sich im Rate Gottes befunden. Wir können von ihr nur dankbar und empfangend, in unseren Grenzen und daher einzig an dem Orte sprechen, der uns bereitet ist: der Gemeinde.»[131]

dd. Der Ausgangspunkt der Prädestinationslehre

Unsere Überlegungen haben bereits zum Ausgangspunkt der Prädestinationslehre geführt. Ihr Ausgangspunkt ist die Gemeinde, die es sich von Gottes Wort sagen lassen darf, daß sie in Jesus Christus erwählt ist, und die deshalb Gottes Gnadenwahl zum Gegenstand ihres Bekenntnisses und ihres Lobes macht. So und nicht anders sieht es der Epheserbrief, wenn in ihm der Gott und Vater unseres Herrn Jesus Christus gelobt wird, der uns in ihm vor Grundlegung der Welt erwählt hat, daß wir heilig und ohne Makel vor ihm seien (Eph 1, 3 f), wenn Paulus sich in ihm als διάκονος des Evangeliums versteht, der als der allergeringste unter den Heiligen die Gnade empfangen hat, «den Heiden als frohe Botschaft den unergründlichen Reichtum Christi zu verkündigen» und «ans Licht zu bringen, welcher Art die Anordnung des Geheimnisses sei, das von den Aeonen her in Gott, der alles erschaffen hat, verborgen war, damit jetzt durch die Gemeinde den Fürstentümern und Obrigkeiten unter dem Himmel die mannigfaltige Weisheit Gottes kundgetan werde, nach dem ewigen Vorsatz, den er in Jesus Christus, unserem Herrn errichtet hat, in dem wir Freudigkeit und Zugang mit fröhlicher Zuversicht durch den Glauben an ihn haben» (Eph 3, 7–12).[132] Das also ist das Thema, das die Prädestinationslehre zu entfalten hat, und von diesem Ort aus und in dieser Weise muß über Gottes Gnadenwahl gesprochen werden.

[129] Vgl. dazu O. Weber, Grundlagen der Dogmatik II, 504.
[130] K. Schwarzwäller, Das Gotteslob 211, 240. U. Luz aaO. (Anm. 116) 37 betont in hermeneutischer Hinsicht den Anredecharakter vom Röm 9–11. Der Text darf nicht ohne weiteres zur Aussage objektiviert werden.
[131] O. Weber aaO. 504.
[132] So übersetzt von O. Weber, Die Lehre von der Erwählung und die Verkündigung: O. Weber-W. Kreck-E. Wolf, Die Predigt von der Gnadenwahl 9.

Von diesem Ansatz her wird aber auch deutlich, daß die Prädestinationslehre eine *protologische* und eine *eschatologische* Struktur hat. Sie hat eine protologische Struktur, indem sie am Ereignis der Berufung und des Glaubens die schlechthinnige Vorgängigkeit und Zuvorkommenheit des Gnadenwillens Gottes aufweist und indem sie dieses Ereignis nicht im Zufall oder im Willen des Menschen begründet sein läßt. «Die Erwählung ist das ewige Vorher der geschichtlichen Berufung.»[133] Diesen protologischen Aspekt bringt der Begriff einer *prae*-destinatio *(προορίζειν, προγιγνώσκειν)* zum Ausdruck, auf ihn weist der Begriff einer «ewigen Erwählung» hin, wie er in verschiedenen Wendungen (Eph 1,3: ἐν τοῖς ἐπουρανίοις; Eph 1,4: πρὸ καταβολῆς κόσμου)[134] bezeugt wird. Ewigkeit meint im Blick auf die Erwählung nicht abstrakte Zeitlosigkeit, sie meint auch nicht einfach die Vorzeitlichkeit eines göttlichen Ratschlusses, sondern sie bringt zum Ausdruck, daß Gott Herr der Zeit ist, daß seine Ewigkeit die Zeit qualifiziert, daß das geschichtlich sich ereignende Erwählen und Berufen Gottes seine Gültigkeit hat, weil in ihm Gottes ewiger Gnadenwille im Blick auf Jesus Christus zum Ausdruck kommt.[135] Prae-destinatio ist in diesem Sinn vor allem ein Geltungsbegriff.[136] Die ntl. mit pro-gebildeten termini «schauen in *dem* Sinn ‹zurück›, daß sie das unbedingte Voraus-Sein des göttlichen Entscheids und dessen unwandelbare Geltung betonen, ohne indessen aus ihm ein Verlaufsgesetz zu machen, das alle Geschichte zum ʼbloßen Schein erniedrigte. Im Gegenteil: die Geltung des göttlichen Entscheids, welche das geschichtliche Geschehen umgreift, *macht* dieses erst zu einem gültigen Bereich *gültiger* Entscheidung.»[137]

Die Prädestinationslehre hat aber auch eine eschatologische Struktur, insofern sie «dem Glauben in dessen ihm widerfahrenden, ihn im Leben anrufenden Wort Gottes zuverlässige Wahrhaftigkeit und seine unverbrüchliche Treue» aufzeigt. «Wie die Berufung in der vorgängigen Erwählung und Verheißung gründet, so ist sie auf der andern Seite ausgerichtet und offen für die Bewahrung, Vollendung und ewige Verherrlichung des Menschen.»[138] Diese eschatologische Seite der Prädestinationslehre kommt in der

[133] J. Moltmann, Prädestination und Perseveranz 32.

[134] Vgl. zur Terminologie: H. M. Dion, La prédestination dans saint Paul: RScR 53 (1965) 11–27.

[135] Vgl. dazu O. Weber, Grundlagen der Dogmatik II, 506f; zum Begriff der Ewigkeit im Zusammenhang mit der Erwählung: E. Brunner, Die christliche Lehre von Gott 341–344: «Darum ist nun aber auch die ewige Erwählung etwas ganz anderes als eine Entscheidung, die vor sehr, sehr langer Zeit über uns gefallen ist. Die ewige Erwählung ist vielmehr das, was in Jesus Christus Ereignis in der Zeit wird. Die ewige Erwählung meint, daß das Liebeswort Gottes, das mich jetzt in Jesus Christus erreicht, mich aus der Ewigkeit erreicht, daß es meiner Existenz und meiner Entscheidung ‹voraus›-geht als das, was sie möglich macht» (aaO. 343).

[136] O. Weber aaO. 496; K. Barth, Gottes Gnadenwahl 8.

[137] O. Weber aaO. 514.   [138] J. Moltmann aaO. 33.

Verknüpfung der Prädestination mit der Perseveranz zum Ausdruck. Die Perseveranz ist Ausdruck der Hoffnungsstruktur des Erwähltseins, insofern der Mensch, der im Licht des Wortes Gottes um sein Erwähltsein in Jesus Christus und in der Gemeinde weiß, sich auf Gottes Treue in seinen Verheißungen verläßt. Gerade hier würde ein kausales Schema den ganzen Sinnzusammenhang verfälschen. «Denn der geschichtliche Zusammenhang von Verheißung und Erwählung ist nicht identisch mit dem deterministischen Zusammenhang von Ursache und Wirkung.»[139] Die Erfüllung der Verheißungen erfolgt nicht automatisch, sondern mit innerer, personaler Notwendigkeit; sie steht als neue Tat Gottes zur Erwählung im Verhältnis der Treue.[140] Das ἐδόξασεν, das nach Röm 8,30 antizipatorischen Charakter hat, hat zugleich eine futurisch-ausstehende Komponente, indem die Erwählung auf die ewige Verherrlichung des Menschen durch Jesus Christus offen ist.

Damit dürften die wichtigsten hermeneutischen Voraussetzungen geklärt sein, in deren Licht im folgenden die Aussagen über Gottes Gnadenwahl, auch über das Verwerfen, insofern dieser «Schatten» zum göttlichen Erwählen gehört, im einzelnen nachzuvollziehen sind.

b. Die Erwählung der Gemeinde

Wir versuchen in diesem und in den folgenden Punkten die Aussagen über Gottes Gnadenwahl systematisch so vorzutragen, daß die Botschaft der Schrift zu diesem Thema möglichst deutlich herausgearbeitet wird.[141] Wenn zuerst von der Erwählung der Gemeinde die Rede ist, so geschieht dies deshalb, weil die Aussagen des Alten und des Neuen Testamentes darin übereinkommen, daß Gottes Gnadenwahl auf das erwählte Volk Gottes zielt. Sowohl die Erwählung einzelner als auch der in der Schrift durchbrechende Universalismus müssen in diesem Zusammenhang gesehen werden.

Im Blick auf die Gemeinde formuliert Paulus die Absicht des göttlichen Erwählungswillens, indem er dreimal das ἐκλέγεσθαι unterstreicht, in 1 Kor 1,27–29: «was vor der Welt töricht ist, hat Gott erwählt, damit er die Weisen zuschanden mache, und was vor der Welt schwach ist, hat Gott erwählt, damit er das Starke zuschanden mache, und was vor der Welt niedriggeboren

---

[139] J. Moltmann aaO. 36.
[140] J. Moltmann aaO. 37.
[141] Es geht also weder darum, daß wir biblische Begriffe mehr oder weniger genetisch entfalten, noch daß wir theologische Thesen mit einzelnen Texten aus der Schrift belegen. Vielmehr versuchen wir in der Weise einer systematischen Reflexion zu sagen, was die Botschaft von der Gnadenwahl Gottes im Licht der zentralen biblischen Aussagen meint. Vgl. die systematische Zusammenfassung von E. Schlink, Der theologische Syllogismus (Anm. 224) 305–312.

und was verachtet ist, hat Gott erwählt, das, was nichts gilt, damit er das, was gilt, zunichte mache.»[142] Von der Gemeinde heißt es in Eph 1,4–6: «Er erwählte uns in ihm vor Grundlegung der Welt, daß wir heilig und ohne Makel seien vor ihm; in Liebe bestimmte er uns zuvor zur Sohnschaft durch Jesus Christus hin zu ihm nach dem Belieben seines Willens zum Preis der Glorie seiner Gnade.» Und 1 Petr 1,2 sagt den Christen in der Diaspora, wie sie ihr Christsein im Licht der ewigen Gnadenwahl Gottes zu verstehen haben: «... die auserwählt sind nach der Vorherbestimmung Gottes, des Vaters, in der Heiligung durch den Geist zum Gehorsam und zur Besprengung mit dem Blute Jesu Christi.»

Das Neue Testament interpretiert so im Lichte des Christusgeschehens, was im Alten Testament vor allem in der Erwählungstheologie des Deuteronomiums von der Erwählung des Gottesvolkes gesagt wird: «denn du bist ein dem Herrn, deinem Gott, geweihtes Volk, und dich hat der Herr aus allen Völkern, die auf Erden sind, für sich erwählt, daß du sein eigen seiest» (Dt 14,2). «Nicht weil ihr zahlreicher wäret als alle Völker, hat der Herr sein Herz euch zugewandt und euch erwählt – denn ihr seid das kleinste unter allen Völkern –, sondern weil der Herr euch liebte und weil er den Eid hielt, den er euren Vätern geschworen, darum hat euch der Herr mit starker Hand herausgeführt und hat dich aus dem Sklavenhause befreit, aus der Hand des Pharao, des Königs von Ägypten» (Dt 7,7f. Vgl. auch Dt 4,37ff; 10,15).

Die Erwählungsaussagen im Dt umfassen also vor allem die folgenden Gedanken: Israel ist von Jahwe aus den andern Völkern ausgeschieden, um ein heiliges Volk zu sein, das Jahwe gehört. Gott hat Israel dazu bestimmt, und zwar grundlos. Die Erwählung ist nur in Gottes Liebe und Treue begründet.[143]

Dem ntl. ἐκλέγεσθαι entspricht im AT als terminus technicus ‹bachar›.[144] In Dt-Is werden ‹bachir› (Auserwählte) und ‹ebed› (Knecht) vielfach nebeneinander gebraucht. «Wie ‹bachar› als theologischer Terminus eine deuteronomistische Schöpfung ist, so scheint ‹bachir› eine deuterojesajanische zu sein.»[145] Nach Vriesen wird im religiösen Gebrauch von ‹bachar› der Akzent auf die Gnade als Motiv der Erwählung gelegt: «... der Mensch, in diesem Fall das Volk Israel, hat im AT Gott gegenüber keinen eigenen Wert, um dessentwillen es Gott erwählt hätte.»[146] Verwandte Begriffe sind ‹jada› (erkennen), ‹hibdil› (aussondern), ‹qara› (berufen: vgl. besonders Is 41,9), ‹lakach› (nehmen: vgl. Ex 6,7 u.a.).

Insofern dem Erwählen Israels durch Jahwe ein Erwählen Jahwes durch Israel entspricht, kann man von einer gewissen Korrelation sprechen,[147] doch geht es in

---

[142] Vgl. zu den ntl. Texten G. Schrenk, ἐκλέγομαι: ThW IV, 179f. 185.

[143] Zusammenfassung bei Th. Vriesen, Die Erwählung Israels nach dem Alten Testament (Zürich 1953) 61. Vgl. auch N. Füglister: MS IV/1, 68ff.

[144] Vgl. dazu Th. Vriesen aaO. 36–41; G. Quell, ἐκλέγομαι (AT): ThW IV, 153.

[145] Th. Vriesen aaO. 49.

[146] Th. Vriesen aaO. 41f.

[147] Th. Vriesen aaO. 20.

der zweiten Aussage um eine begrenzte Feststellung.[148] Das eigentliche Subjekt des Erwählens ist Jahwe, und wenn sich dieses Erwählen auch an verschiedenen Stellen auf einzelne Personen (Patriarchen, Mose: Ps 106,23, David: Ps 78,70), auf die Erwählung zum Priestertum und vor allem auf die Erwählung des Königs bezieht, der durch Menschen eingesetzt, durch Jahwe aber erwählt wird,[149] so ist dieses Erwählen Einzelner doch im Zusammenhang mit der Erwählung der Gemeinde zu sehen.[150] Nach Quell liegt das Urgestein der Erwählung in der «Erkenntnis des eigenen unaufgebbaren und unwiederholbaren Ideengehaltes der Geschichte des Volkes Jahwes unter den Völkern».[151]

Wie weit Erwählung Erwählung zu einem Dienst ist, ist umstritten.[152] Der Gedanke gehört aber insofern doch wesentlich zur Erwählung, als Israel als erwähltes Volk berufen ist, den Namen Jahwes in der Welt zu verherrlichen und als auch die Erwählung Einzelner im Zusammenhang mit ihrer Funktion zu sehen ist. Im übrigen darf die Geschichte der Erwählungsvorstellung innerhalb des AT nicht übersehen werden.[153] Nach Altmann bildet diese Geschichte einen Spannungsbogen, in dem drei große Linien sichtbar werden: «eine, in der Israels durch die Erwählung gegebene Bevorzugung die größte Rolle spielt, eine, der vor allem die Aufgabe des erwählten Volkes wichtig ist, und eine, in der der Gedanke, daß Israel Jahwe in der Welt zu repräsentieren hat, hervortritt. Schließlich kann Universalismus auch über jegliche Erwählungstheologie hinausgehen.»[154] Im Blick auf diese Geschichte wird man die stark partikularistische Erwählungstheologie des Dt nicht einfach als Höhepunkt der atl. Erwählungstheologie bezeichnen dürfen[155] und man wird der universalistischen Ausweitung des Erwählungsgedankens bei Dt-Is (vgl. 42,1–4. 5–9; 49,7f), aber auch bei Mal 1,11; Soph 2,11; 3,9f besondere Beachtung schenken. Man wird aber auch in diesem Fall eine falsche Harmonisierung und eine einseitig evolutionistische Betrachtung der atl. Texte zu vermeiden haben. Die Spannungen der biblischen Erwählungslehre haben ihr bleibendes theologisches Gewicht, indem sie jedenfalls auch Hinweis auf die Unergründlichkeit des göttlichen Erwählens sind, und die Infragestellung aller falschen Erwählungsgewißheit etwa durch Amos (6,1) und Michäas (2,6–8) gehört als bleibendes Moment zum theologischen Verständnis der Gnadenwahl Gottes.[156] Das gleiche gilt vom Verwer-

[148] G. Quell aaO. 155.

[149] Th. Vriesen aaO. 45–50; G. Quell aaO. 156–163; K. Koch, Zur Geschichte der Erwählungsvorstellung in Israel: ZAW 67 (1955) 205–226.

[150] G. Quell aaO. 158. Die Aussagen über die Erwählung des Königs sind nach Quell (aaO. 159) der früheste Versuch einer begrifflichen Fixierung des Glaubens an die Erwählung des Volkes.

[151] G. Quell aaO. 164.

[152] Daß Erwählung eine Erwählung zu einer Aufgabe ist, wird vor allem von Th. Vriesen (aaO. 34, 41, 53, 109ff) und H. H. Rowley, The Biblical Doctrine of Election (London 1950) 41, 44, 52, 95, 97 betont. Kritisch dazu: K. Koch aaO. 220 und P. Altmann, Erwählungstheologie und Universalismus im Alten Testament = BZAW 92 (Berlin 1964) 18.

[153] Dazu G. Koch aaO. (Anm. 149) und P. Altmann aaO.

[154] P. Altmann aaO. 30f.

[155] P. Altmann aaO. 14–17 (kritisch zu Vriesen).

[156] Vgl. dazu P. Altmann aaO. 21–25; G. Quell aaO. 166f.

fungsgedanken im AT. Auch wenn die Verwerfung letztlich der Erwählung unter-geordnet wird wie der Zorn der Liebe,[157] so daß man nicht von einem Parallelismus von Erwählen und Verwerfen im AT sprechen kann, so ist das Ringen des AT gerade um diese Frage nicht zu übersehen,[158] wobei eine letzte Antwort auf dieses Problem nur vom Neuen Testament her zu erwarten ist.

Was besagt also Erwählung im Blick auf die Gemeinde und für die Ge-meinde? Wir werden die Frage der Erwählung in Jesus Christus und den geschichtlichen Vollzug der Erwählung, wie er vor allem in Röm 9–11 aufscheint, nachher im einzelnen zu entfalten haben. Schon jetzt sind aber die folgenden Aspekte hervorzuheben, die unmittelbar mit der Erwählung der Gemeinde verknüpft sind:

aa. Erwählung darf *nicht als Besitz* verstanden werden, über den die Ge-meinde verfügt, dessen sie sich selber wohlgefällig rühmen könnte. Die Erwählung wird der Gemeinde und auch dem einzelnen in der Gemeinde von Gott zugesagt. Die Gemeinde kann es sich nur gesagt sein lassen, daß sie erwählt ist. Indem sie sich dies gesagt sein läßt, weiß sie auch, daß sie grundlos erwählt ist, d.h. sie weiß, daß es keine andere Begründung ihres Erwähltseins gibt als diese: «weil Gott euch liebt». Die Gewißheit der Er-wählung ist keine andere als die Gewißheit der Zusage Gottes, der sich in seinem Handeln treu bleibt.

bb. Die Gemeinde erfährt ihre Erwählung *im geschichtlichen Handeln Gottes* mit ihr. So und nicht anders hat Israel erkannt, daß es von Jahwe erwählt ist. So erfährt auch die Kirche des Neuen Testamentes ihre Erwählung im Christusgeschehen. Die Erwählung hängt insofern mit einem geschichts-begründenden Handeln Gottes zusammen.[159] Wie aber Israel im geschichts-mächtigen Handeln Jahwes im protologischen Rückgriff Gottes Schöpf-ungshandeln erfaßt hat, so erfaßt auch die Gemeinde im geschichtlichen Erwählen Gottes ewige Gnadenwahl. Nicht um eine Aufhebung der Ge-schichte und nicht um ein determiniertes Ablaufen geschichtlicher Vorgänge geht es hier, sondern darum, daß die Gemeinde im geschichtlichen Vollzug des göttlichen Erwählens die Festigkeit dieser Wahl im je voraus und in der Geltung des Gnadenwillens Gottes erfährt. Wenn es heißt, daß die Ge-meinde «vor Grundlegung der Welt» (πρὸ καταβολῆς κόσμου: Eph 1,4), «vor ewigen Zeiten» (πρὸ χρόνων αἰωνίων: 2 Tim 1,9) erwählt ist, so kommt in solchen Ausdrücken zur Aussage, daß die Gemeinde als von Gott erwählte Gemeinde kein Zufallsprodukt ist, daß sie sich in ihrer Existenz von Gottes

---

[157] Th. Vriesen aaO. 108.

[158] Th. Vriesen aaO. 98–108; vgl. auch F. Hesse, Das Verstockungsproblem im AT (Berlin 1955). Zum NT: J. Gnilka, Die Verstockung Israels. Is 6,9–10 in der Theologie der Synoptiker = SANT 3 (München 1961).

[159] Vgl. G. Schrenk aaO.: ThW IV, 197; J. Munck, Christus und Israel – Eine Aus-legung von Röm 9–11 (Kopenhagen 1956) 37.

ewigem Gnadenwillen getragen weiß.[160] Dafür, daß diese Aussage nicht
mißverstanden wird, sorgen die Aussagen über Gottes Verwerfen in der
Geschichte. Auch wenn es keinen Parallelismus von Erwählen und Verwerfen gibt und wenn nicht entsprechend einer ewigen Erwählung von
einer ewigen Verwerfung die Rede ist, so bedeutet das Verwerfen, in dem
doch auch Gott auf dem Plane ist, jedenfalls auch dies, daß Gottes Gottheit
und Souveränität in seinem Erwählen zu respektieren ist, daß er in seiner
Liebe der freie ist. Im Wissen um ihr ewiges Erwähltsein ist der Gemeinde
und auch dem einzelnen jeder Anlaß zur desperatio genommen. Aber nur,
indem sie auch um den Schatten des göttlichen Verwerfens weiß, vermag
sie der praesumptio zu entgehen, die mit dem Bekenntnis der göttlichen
Gnadenwahl unvereinbar ist.

cc. Die Gemeinde versteht ihre Erwählung dann recht, wenn sie sie als
Erwählung zu einem Dienst versteht. «Israel ist von Gott herausgenommen
aus den Völkern und hat einen eigenen Auftrag in der Welt; nur mit Jahwe
als Auftraggeber hat es zu tun; es ist von Gott dazu berufen, seinen Namen
zu verherrlichen.»[161] Nicht anders sind die Erwählungsaussagen in Eph
und 1 Petr zu verstehen. Als Dienst der Verkündigung (Eph 3,8), als
Kundgabe der mannigfachen Weisheit Gottes durch die Kirche «nach der
von Ewigkeit her zuvor getroffenen Entscheidung» (Eph 3,10f), als Berufung zum Gottesvolk, das als auserwähltes Geschlecht und als Eigentumsvolk die Ruhmestaten dessen zu verkünden hat, der es aus der Finsternis
in sein wunderbares Licht rief (1 Petr 2,9). Die Tragweite dieser Aussage
wird deutlich, wenn man zu den biblischen Aussagen über das göttliche
Erwählen die damit eng verbundenen Aussagen über das Berufen hinzu-
nimmt.[162] In diesem Zusammenhang gewinnt denn auch die Erwählung
Einzelner,[163] im Neuen Testament vor allem die Erwählung und Berufung
zum Jüngerkreis und zum Apostelamt,[164] gewinnen aber auch die dem Einzelnen geschenkten Charismen in der Gemeinde als Momente seiner besonderen Erwählung und Berufung ihr besonderes Gewicht. Indem die Gemeinde
(und auch der Einzelne) ihr Erwähltsein bekennt, bekennt sie, daß sie zu
einem Dienst gerufen ist, und zwar zu einem Dienst, der im Licht des atl.
Universalismus und vor allem des im Christusgeschehen implizierten Universalismus als radikaler Dienst für die Welt verstanden werden muß. In
diesem Sinn ist das Bekenntnis des Erwähltseins eine Einweisung in die
Sachlichkeit solch vielfältigen Dienstes. Gottes Gnadenwahl konstituiert
geradezu den Menschen in seiner Verantwortlichkeit.[165]

---

[160] Vgl. Anm. 134f.
[161] Th. Vriesen aaO. 53.
[162] Vgl. dazu K. L. Schmidt, καλέω usw.: ThW III, 488–497.
[163] Zum AT vgl. Anm. 149f.
[164] G. Schrenk aaO. 176ff.
[165] Vgl. K. Schwarzwäller, Das Gotteslob 211.

dd. Die Gemeinde weiß um ihre *Erwählung mitten in der Anfechtung*, die sie erfährt. Insofern die Gemeinde als erwählte Gemeinde die Feindschaft der Welt erfährt, hat die Erwählung einen agonalen Charakter. Die im Alten Testament mit dem göttlichen Erwählen gegebene Aussonderung[166] spiegelt sich im Neuen Testament etwa in der johanneischen Aussage, in der die Erwählung mit dem Herausnehmen aus der Welt (Jo 15, 19) verbunden ist, wodurch für den Jünger eine Kampfsituation entsteht.[167] Die Erwählung steht so im Spannungsfeld von Glauben und Nichtglauben. «Sich für Jesus entscheiden zu können, ist göttliche Gabe und nur dem Erwählten möglich, wie umgekehrt im Glauben Erwählung sichtbar und die Gabe allgemein angeboten wird.»[168] Es ist nun aber für die rechte Erfassung der Erwählung wesentlich, daß die Anfechtung nicht nur als das verstanden wird, was die Gemeinde von außen bedroht, sondern daß die Gemeinde und ebenso auch der je einzelne der eigenen Gefährdung innewird, die sie selber von ihrem eigenen Unglauben her erfährt. Die zahlreichen Drohworte der Schrift haben die Funktion, eine falsche securitas zu erschüttern.[169] Erwählungsgewißheit hat die Gemeinde nur, indem sie sich an ihren Herrn hält. Gewißheit, mit der sie die Anfechtung überwindet, wird ihr nur im Laufen (Phil 3, 13 f) zuteil und nicht dort, wo sie auf sich selber blickt und an Ort und Stelle tritt. Wo sie selber läuft, darf sie wissen, «daß es nicht auf den ankommt, der will, noch auf den, der läuft, sondern auf Gott, der sich erbarmt» (Röm 9, 16).

ee. Die Formel in Eph 1, 4–6, aber auch der Text in Eph 3, 8–20 haben insofern Modellcharakter, als sie bekunden, daß die Gemeinde ihr Erwähltsein im *bekennenden Lobpreis* zum Ausdruck bringen kann.[170] Die Gemeinde kann nur dankbar von ihrer Erwählung sprechen. «Von der Erwählung weiß der Mensch nur in eigener Betroffenheit (im zwiefachen Sinn des Wortes). Aber er kann sie gerade dann nicht als seinen individuellen Besitz betrachten. Erwählung ist Bestimmung zu einem entsprechenden Sein und Tun. Andererseits ist der Mensch extra Christum *kein* rational auflösbares Rätsel. *Über* ihn kann theologisch nur abgrenzend gesprochen werden. Aber *zu* ihm soll und darf in Anrede und Bekenntnis geredet werden. Die Gemeinde spricht stets in der zweiten Person.»[171]

---

[166] Th. Vriesen aaO. 36, 41 f, 53, 61.

[167] G. Schrenk aaO. 179.

[168] E. Käsemann, Jesu letzter Wille nach Johannes 17 (Tübingen 1966) 114f, zit. von K. Schwarzwäller aaO. 210.

[169] G. Schrenk aaO. 192 und K. L. Schmidt aaO. 496 zu Mt 22, 14: «viele sind berufen, wenige aber auserwählt»: «Der wichtige Gedanke, daß unsere Berufung *oder* Erwählung kein sicherer Besitz ist, sondern immer wieder unter Gottes Gericht und Gnade zu stellen ist, hätte Mt 22, 14 einen *paradoxen* Ausdruck bekommen.»

[170] Vgl. dazu K. Schwarzwäller, Das Gotteslob 195–288.

[171] O. Weber, Grundlagen der Dogmatik II, 533.

c. Erwählung in Jesus Christus

Gottes Gnadenwahl ist Erwählung der Gemeinde nur insofern, als sie Erwählung in Jesus Christus ist. Dies ist der Kernsatz der Prädestinationslehre, in dessen Licht alle übrigen Aussagen über Gottes Gnadenwahl letztlich zu sehen sind. Mit aller Deutlichkeit wird das Thema vor allem in Röm 8, 28 ff; Eph 1, 3–14 und Eph 3, 2–13 vorgetragen.[172]

«Wir wissen aber, daß denen, die Gott lieben, alle Dinge zum Guten mitwirken, denen, die nach seiner zuvor getroffenen Entscheidung berufen sind. Denn die er zum voraus ersehen hat, die hat er auch vorherbestimmt, gleichgestaltet zu sein dem Bilde seines Sohnes, damit er der Erstgeborene sei unter vielen Brüdern. Die er aber vorherbestimmt hat, die hat er auch berufen; und die er berufen hat, die hat er auch gerechtgesprochen; die er aber gerechtgesprochen hat, denen hat er auch die himmlische Herrlichkeit geschenkt» (Röm 8, 28 ff).

«Er erwählte uns in ihm vor Grundlegung der Welt, daß wir heilig und ohne Makel seien vor ihm; in Liebe bestimmte er uns zuvor zur Sohnschaft durch Jesus Christus hin zu ihm nach dem Belieben seines Willens zum Preis der Glorie seiner Gnade... In ihm, in dem wir auch unser Los erhalten haben, zuvor bestimmt nach dem Vorsatz dessen, der alles wirkt nach dem Entscheid seines Willens – daß wir seien zum Preis seiner Glorie, als die zuvor schon gehofft in Christus» (Eph 1, 4–6. 11 f).

«Mir, der ich geringer bin als alle Heiligen, ward diese Gnade verliehen: den Heiden den unerforschlichen Reichtum Christi zu verkündigen und ans Licht zu bringen die Durchführung des Geheimnisses, das verborgen ist vor den Äonen in Gott, der das All geschaffen hat, damit jetzt den Mächten und Gewalten in den Himmeln durch die Kirche die vielfältige Weisheit Gottes bekannt werde, die er in Christus Jesus, unserem Herrn, getroffen hat, in dem wir die Freiheit des Zugangs haben im Vertrauen durch den Glauben an ihn» (Eph 3, 8–12).

Die Erwählung der Gemeinde gründet demnach nicht in einem abstrakten Dekret, nach welchem unabhängig vom Heilsplan Gottes in Jesus Christus einige erwählt und andere nicht erwählt werden, sondern sie gründet im einen konkreten Vorsatz Gottes (πρόθεσις: Eph 1, 11; Röm 8, 28), der als Heilsvorsatz dadurch qualifiziert wird, daß er ganz und unzweideutig mit unserer Vorherbestimmung in Jesus Christus in Verbindung gebracht wird.

In Röm 8, 28 erscheint πρόθεσις noch in unbestimmterer Form und bezeichnet «wohl nicht betont den vorweltlichen Entschluß Gottes, sondern vor allem Gottes öffent-

---

[172] H. M. Dion, La prédestination dans saint Paul: RScR 53 (1965) 8 unterscheidet zwei Textreihen: a. 1 Thess 5, 9; 2 Thess 2, 13 f, weitergeführt in Röm 8, 28 ff, Eph 1, 3–14 und 2 Tim 1, 8 f. – b. Eph 1, 3–14; 1 Kor 2, 6–9; Röm 16, 25 ff; Kol 1, 13–27; Eph 3, 2–14. In der zweiten Textreihe stehen Primat Christi und Mysterium Christi im Zentrum.

lichen Beschluß, kraft dessen er in die Geschichte als deren Herr eingreift».[173] Die Verbindung mit dem göttlichen Vorherwissen und Vorherbestimmen kann dennoch im Textzusammenhang nicht übersehen werden. Eine gefülltere Bedeutung hat πρόθεσις im Eph, wo der Begriff im Zusammenhang mit μυστήριον erscheint.[174] In 2 Tim 1,9 steht πρόθεσις geradezu an Stelle von μυστήριον und wird in einem Atemzug mit χάρις genannt, wobei das sola gratia im Gegensatz zur Erlangung des Heils aufgrund von Werken unterstrichen wird: «der uns errettet und mit heiliger Berufung berufen hat, nicht auf Grund unsrer Werke, sondern auf Grund seiner eignen, zuvor getroffenen Entscheidung und der Gnade, die uns in Christus Jesus verliehen worden ist vor ewigen Zeiten...» Was πρόθεσις meint, wird in Eph 1,5 mit der Formel κατὰ τὴν εὐδοκίαν τοῦ θελήματος αὐτοῦ und in Eph 1,11b mit dem Ausdruck κατὰ τὴν βουλὴν τοῦ θελήματος αὐτοῦ umschrieben. In den erwähnten Texten stehen Heilsvorsatz, Erwählen, Berufen, Vorhersehen, Vorherbestimmen jedenfalls in einem sachlichen Zusammenhang, wobei die innere Einheit durch das Christusgeschehen gegeben ist. Nuancen zwischen den einzelnen Begriffen lassen sich nur schwer unterscheiden.[175] Von diesem Sachverhalt her ist es denn auch theologisch legitim, Erwählung und Prädestination als *ein* Thema zu sehen und zu behandeln.

Ziel des göttlichen Vorherbestimmens und Erwählens in Jesus Christus ist «die Mitgestaltung mit der Bildgestalt seines Sohnes, damit er der Erstgeborne sei unter vielen Brüdern» (Röm 8,29), oder die «Sohnschaft durch Jesus Christus» (Eph 1,5). «Paulus geht es nicht nur darum, die Erwählung der Gemeindeglieder durch Christus begründet und verwirklicht sein zu lassen, sondern Christus steht so sehr im Zentrum, daß es auch beim Ziel des erwählenden Handelns Gottes nicht um die Erwählten, sondern um Jesus Christus geht: damit *er* Erstgeborener würde unter vielen Brüdern, bzw. damit seine ‹eikon› in den Gläubigen Gestalt gewinne.»[176] Das ganze Geschehen des göttlichen Erwählens und Vorherbestimmens steht dabei in einem unlösbaren Zusammenhang zum Geschehen der Rechtfertigung und der Verherrlichung durch Jesus Christus. Gottes Gnadenwahl zielt auf den Sünder, der gerechtfertigt wird. So wie die Gnadenwahl Gottes nur verstanden wird, wenn man sie im Bezug zur geschichtlichen Heilstat Gottes in Jesus Christus und damit im Bezug zur Rechtfertigung des Sünders, zum Kreuze sieht, so wird das Geschehen der Rechtfertigung in seiner umfassen-

---

[173] U. Luz aaO. 252.

[174] H. M. Dion aaO. 21. Vgl. dazu R. Schulte: MS IV/2, 77–81, 96–100.

[175] Zu solchen Nuancen vgl. H. M. Dion aaO. 23, 27 (Erwählung mehr im Bezug auf Willen/Liebe, Prädestination mehr im Bezug auf Weisheit, die ordnet und in die umfassende prothesis integriert); U. Luz aaO. 253 (in bezug auf Röm 8,28f): «Προορίζω und προγιγνώσκω sind kaum zu unterscheiden: Προγιγνώσκω dürfte eher Gottes vorangehendes, liebendes Eingreifen, sein Erwählen bezeichnen, während προορίζω eher die Vorausbestimmung zu einer bestimmten geschichtlichen Aufgabe im Heilsplan Gottes meint. Καλέω meint den schöpferischen Ruf Gottes, durch den er sein erwählendes Handeln seinem Geschöpf mitteilt...» Vgl. auch K. L. Schmidt, ὁρίζω usw.: ThW V, 453–457.

[176] U. Luz aaO. 253 f.

den Bedeutung und Gültigkeit erfaßt, wenn man es im ewigen Ratschluß Gottes in Jesus Christus verankert sieht. Alles aber geschieht «zum Lob der Herrlichkeit seiner Gnade» (Eph 1,6), das jenen aufgetragen ist, die kraft des göttlichen Erwählens und Prädestinierens gerade nicht unfrei geworden, sondern freigesetzt sind, die nun in Jesus Christus «die Zuversicht und den Zutritt haben in freudigem Gehorsam durch den Glauben an ihn» (Eph 3,12).

Versuchen wir nun im folgenden in einigen Strichen theologisch weiter auszuziehen, was unsere Erwählung in Jesus Christus bedeutet.

aa. Im Sinn des Neuen Testamentes ist *Gott der Vater das eigentliche Subjekt* des Erwählens. Man wird gut daran tun, diese Aussage nicht durch eine systematische Konstruktion, wie sie durch Barth vorgetragen wird,[177] zu verdecken. So wie trinitarisch gesehen der Vater (in der Einheit mit dem Sohn) den Sohn sendet, so geht das göttliche Erwählen (in Einheit mit dem Sohn) vom Vater aus. Auf dem Hintergrund der Zweinaturenlehre kann mit Gloege in diesem Sinn formuliert werden: «In dem erwählten *Sohn* und dem erwählenden *Menschen* Jesus von Nazareth betreibt Gott selbst sein Erwählungswerk in der Menschengeschichte.»[178] Der zweite Gesichtspunkt wird vor allem vom Johannesevangelium unterstrichen, in welchem das Erwählen (Jo 6,70; 13,18; 15,16.19) auf Jesus bezogen wird, freilich so, daß hinter diesem Erwählen Jesu immer der Vater steht.[178a]

bb. Gottes *Gnadenwahl zielt zuerst und zuletzt auf Jesus von Nazareth*, der zum Kyrios gemacht wird und der dadurch zum Erstgeborenen vieler Brüder wird. Wir sind in Jesus Christus erwählt, indem Gott Jesus von Nazareth erwählt und indem er in ihm durch Kreuz und Auferstehung das Werk der Erlösung vollbringt, durch das wir gerechtfertigt und zur Verherrlichung geführt werden. Es gibt kein Dekret einer doppelten Prädestination an dieser einen konkreten göttlichen Wahl in Jesus Christus vorbei. In Jesus Christus ist erfüllt, was es in Is 42,1 heißt: «Siehe mein Erwählter, an dem ich mein Wohlgefallen habe», aber es ist in ihm so erfüllt, daß wir durch ihn zum Glauben kommen.[179] Nach dem Neuen Testament steht die Erwählung wohl im Horizont von Glauben und Unglauben, von Gericht und Gnade. Aber beides wird davon umschlossen, daß uns der göttliche Entscheid, der grundsätzlich ein Entscheid zum Heil ist, in Jesus Christus als Person begegnet.[180]

cc. Gottes Gnadenwahl in Jesus Christus vollzieht sich entsprechend dem *heilsökonomischen Verhältnis des Sohnes zum Vater*[181] in einer *Dialektik des*

---

[177] Vgl. oben S. 795, 799.
[178] G. Gloege, Zur Prädestinationslehre Karl Barths: KuD 2 (1956) 217.
[178a] G. Schrenk aaO.: ThW IV, 177.
[179] Vgl. dazu P. Maury, La prédestination (Genève 1957) 17 ff.
[180] O. Weber, Grundlagen der Dogmatik II, 504.
[181] Vgl. dazu D. Wiederkehr, Entwurf einer systematischen Christologie: MS III/1, 477–645.

Gehorsams. In der Lebensgeschichte Jesu von Nazareth gibt es kein autonomes Wählen, sondern ein Wählen, das gerade deshalb ein höchst freies Wählen ist, weil es ein Wählen im Gehorsam gegenüber dem Vater ist (vgl. Jo 4,34; 5,30; 6,38f u.a.). Jesus wählt so den Gehorsam, die Schmach und den Tod (vgl. Hebr 10,5–9; 12,2f). Indem er so wählt, wird er für uns zur Sünde gemacht (2 Kor 5,21). Er erfährt am Kreuz äußerste Gottverlassenheit (Mt 27,46). Er wählt, so muß man wohl sagen, unsere Verwerfung, die uns treffen müßte, «dadurch, daß er die gegen uns lautende Urkunde austilgte, die durch die Satzungen wider uns war; und er hat sie aus dem Wege geräumt, indem er sie ans Kreuz heftete» (Kol 2,14). Es gibt für diesen Vorgang, in dem Gott uns erwählt dadurch, daß er Jesus unsere Verwerfung auf sich nehmen läßt, wohl kein nachdrücklicheres Bild als die Schilderung im Lied vom Gottesknecht in Is 53: «... er hatte weder Gestalt noch Schönheit, daß wir nach ihm geschaut, kein Ansehen, daß er uns gefallen hätte. Verachtet war er und verlassen von Menschen (Mt 27,46: von Gott verlassen!), ein Mann der Schmerzen und vertraut mit Krankheit, wie einer, vor dem man das Antlitz verhüllt; so verachtet, daß er uns nichts galt. Doch wahrlich, unsere Krankheiten hat er getragen und unsre Schmerzen auf sich geladen; wir aber wähnten, er sei gestraft, von Gott geschlagen und geplagt. Und er war doch durchbohrt um unsrer Sünden, zerschlagen um unsrer Verschuldungen willen; die Strafe lag auf ihm zu unsrem Heil, und durch seine Wunden sind wir genesen» (Is 53,2b–5; vgl. v.6–12). Man würde Gottes Gnadenwahl verharmlosen, wenn man übersähe, daß es ein göttliches Verwerfen der Sünde gibt, das den Sünder in aller Kraft treffen müßte, und das nun Jesus am Kreuze trifft. Aber man wird die Aussage, die Verwerfung treffe Jesus am Kreuz nur machen dürfen, wenn man zugleich sagt, daß Jesus in freiem und liebendem Gehorsam gegenüber dem Vater eben dieses für uns wählt. In diesem Sinn sind wir durch Jesus erwählt, aber diese Erwählung ist ganz durch die Beziehung der Sendung zwischen Jesus und dem Vater und dementsprechend durch den Gehorsam Jesu gegenüber dem Vater strukturiert. Das Geheimnis der Prädestination ist kein anderes als das Geheimnis des Kreuzes, das nicht weiter hinterfragt werden kann, vor dem deshalb auch, wie Luther richtig gesehen hat,[182] die Prädestinationsanfechtung auszutragen ist.

dd. Unter Voraussetzung des soeben Dargelegten muß gesagt werden, daß Jesus Christus der Mittler der göttlichen Gnadenwahl ist.[183] Darüber hinaus bedeutet unsere Prädestination aber auch, daß wir zur *Mitgestaltung mit der Bildgestalt Jesu Christi* bestimmt sind.[184] Sosehr damit eine eschatolo-

---

[182] G. Rost, Der Prädestinationsgedanke in der Theologie Martin Luthers (Berlin 1966) 179.

[183] Dies wird nachdrücklich von E. Brunner, Die christliche Lehre von Gott (Zürich 1946) 337ff gegen Barth unterstrichen.

[184] Vgl. oben S. 815.

gische Zielvorstellung ausgedrückt ist, so darf dabei doch nicht der dynamische Prozeß unserer Angleichung an Christus übersehen werden. Die Christusform wird uns in einer Lebensgeschichte eingeprägt (vgl. Gal 4,19), in einem Vorgang, zu dem auch die Nachfolge gehört (vgl. 1 Thess 1,6).[185] Damit wird wiederum die ekklesiologische Seite von Gottes Gnadenwahl berührt, soll doch die mannigfaltige Weisheit Gottes, die zutiefst Weisheit des Kreuzes ist (1 Kor 1,17–31; 2,7 ff), durch die Kirche kundgetan werden (Eph 3,10).

ee. Die Lehre von unserer Erwählung in Jesus Christus ist so tatsächlich nichts anderes «als die Umschreibung für das *sola gratia*, damit aber für das *solus Christus*».[186] Sie verkündet nicht ein allgemeines Heilsprinzip, sondern Gottes Gnadentat in Jesus Christus, in der der ewige Gnadenwille Gottes zum Ausdruck kommt; und weil alle Wege Gottes hier in Jesus Christus zusammenkommen, darum verkündet sie, daß alle Wege Gottes Wege seiner Gnade und seines Erbarmens sind. Gottes Gnadenwahl nimmt dem Menschen jeglichen Selbstruhm und sie zeigt ihm das einzige, was er zu rühmen hat: «ihm (Gott dem Vater) gebührt die Ehre in der Kirche und in Christus Jesus bis zu allen Geschlechtern von Ewigkeit zu Ewigkeit. Amen» (Eph 3,21).

d. Die Erwählung Israels und die Kirche

Wir haben in der systematischen Darlegung der Erwählungslehre mit der Erwählung der Gemeinde eingesetzt, um von da aus zur zentralen Aussage unserer Erwählung in Jesus Christus vorzustoßen. Nach dem Zeugnis der Schrift bleibt der göttliche Erwählungswille «sowohl im Ewigen verankert als auch funktional geschichtlich».[187] Der geschichtliche Vollzug der göttlichen Gnadenwahl ist nunmehr genauer ins Auge zu fassen. Dies geschieht am besten in einer Betrachtung von Röm 9–11.[188] Bereits in der Problemstellung zeigte sich, daß seit Augustin die klassische Prädestinationslehre auf einer Auslegung dieser Kapitel beruht, auch wenn die spezifische Prädestinationsproblematik nicht paulinischen Ursprungs ist, sondern in der Konfrontation der Römerbriefauslegung mit außerbiblischen Fragestellungen entstanden ist.[189] Schon aus diesem Grund ist eine Beschäftigung mit Röm

---

[185] Vgl. H. U. v. Balthasar, Nachfolge und Amt: Sponsa Verbi (Einsiedeln 1961) 115 bis 130.

[186] O. Weber aaO. 516; vgl. auch aaO. 529.

[187] G. Schrenk aaO.: ThW IV, 197.

[188] Zur Auslegung vgl. außer den Exkursen in Barth KD II/2 vor allem: J. Munck, Christus und Israel – Eine Auslegung von Röm 9–11 (Kopenhagen 1956); Ch. Müller, Gottes Gerechtigkeit und Gottes Volk – Eine Untersuchung zu Röm 9–11 (Göttingen 1964); U. Luz, Das Geschichtsverständnis des Paulus (München 1968); G. Schrenk, λεῖμμα: ThW V, 215–221; H. U. v. Balthasar, Die Wurzel Jesse: Sponsa Verbi aaO. 306–316.

[189] Vgl. oben S. 774.

9–11 für eine systematische Darstellung der Prädestinationslehre unumgänglich.

Es versteht sich, daß hier keine eingehende Exegese der drei Kapitel des Römerbriefs vorgetragen werden kann. Man wird diese Kapitel unter dem Gesichtspunkt der Frage der Prädestination nur dann sachgemäß befragen, wenn man sich bewußt ist, daß das Thema dieser Kapitel nicht einfach die Prädestination und schon gar nicht eine spätere Prädestinationsproblematik ist.[190] Nach U. Luz geht es dem paulinischen Geschichtsdenken, wie es in diesen Kapiteln zum Ausdruck kommt, letztlich um Gott, seine Gerechtigkeit, seine Herrlichkeit und seine Zukunft. In Röm 9,6–29 denkt Paulus theozentrisch und vom AT her der Gottheit Gottes nach (Problem: Was ist wirklicher, die geschichtliche Realität oder der Glaube?[191]): Gott bleibt bei seinem Wort, aber so, daß er in seiner ganzen Souveränität Gott bleibt. Der Mensch kann nur als Betroffener über Gott nachdenken. In Röm 9,30–10,21 folgt ein zweiter mit dem ersten zusammenhängender Gedankengang, in dem Paulus den Unterschied zwischen dem Streben nach der Gerechtigkeit des Gesetzes und dem Hören auf die Glaubensgerechtigkeit zeigt. Röm 11,1–10 faßt die Situation zusammen und in 11,11 ff kommt es zur Aussage, daß Gottes Handeln hintergründig ist. Hinter dem Gericht verbirgt sich wider allen Anschein Gottes Gnade. Die Heidenchristen können diese Gnade aber nie als festen Besitz ergreifen. In 11,25 ff erfolgt die Ansage der im Christusgeschehen begründeten Gnade an Israel in einer konkreten Auslegung der Gottheit des sich in Christus offenbarenden gnädigen Gottes.[192] Ch. Müller unterstreicht in seiner Auslegung den Zusammenhang zwischen Röm 9–11 zu den ersten acht Kapiteln des Römerbriefs. Dieser Zusammenhang ist durch das Thema der Rechtfertigung gegeben. Zugespitzt formuliert: «Paulus beantwortet die an der Prädestination entstehende Frage nach Gottes Gerechtigkeit mit der Prädestination.»[193] Dies ist indes kein Zirkelschluß, weil die Prädestination aus dem konkreten Handeln der Offenbarung erkannt wird, weil das Handeln Gottes durch das eschatologische Ziel legitimiert wird und weil das Recht des Schöpfers Anerkennung fordert. Die Bedeutung von Röm 9–11 für die Rechtfertigungslehre liegt darin, daß sie das Thema der Rechtfertigung aus einer individualistischen Engführung löst.[194] Die Frage, ob in Gott Ungerechtigkeit ist (Röm 9,14), ist bei Paulus nicht eine Formulierung des Theodizeeproblems, sondern eine Frage, die am freien Erwählen und Verwerfen des Schöpfers entsteht.[195] Das Christusereignis, als δικαιοσύνη θεοῦ interpretiert, ist letzte Antwort auf den Einwand der ἀδικία. Die Prädestinations-Schöpfungslehre macht glaubhaft, daß der Rechtsanspruch Gottes nicht angemaßt ist: Die Schöpfung begründet Recht.[196] Diese Zusammenhänge sind wohl zu beachten, wenn im folgenden skizzenhaft Röm 9–11 auf das Thema der Prädestination hin befragt wird.

Nach einer dramatischen persönlichen Einleitung (Röm 9,1–5), in der Paulus die verschiedenen Ehrentitel Israels aufzählt, die die ganze Schwere der Frage zei-

---

190 Vgl. dazu Ch. Müller aaO. 18.
191 U. Luz aaO. 28.
192 U. Luz aaO. 401.
193 Ch. Müller aaO. 85.

194 Ch. Müller aaO. 57.
195 Ch. Müller aaO. 83 ff.
196 Ch. Müller aaO. 88.

gen, kommt er 9,6 zum entscheidenden Problem: Vermag der Unglaube Israels
Gottes Wort zu Fall zu bringen?[197] «Es ist aber nicht so, daß das Wort Gottes un-
erfüllt geblieben wäre.» Paulus versucht dies zunächst mit Hilfe einer Unterscheidung zu zeigen (9,6b–13), wonach schon im Alten Bund die einen vor den andern
erwählt werden. Im Alten Testament erscheint so das Prinzip einer göttlichen Wahl
(Isaak – nicht Ismael, Jakob – nicht Esau), die ihren Grund nicht in historischer
Gesetzlichkeit, sondern im schöpferischen Rufen Gottes (v. 12) hat.[198] Weil dieses
Rufen Gottes entscheidend für den Unterschied zwischen dem physischen und dem
eschatologischen Israel ist, darum antwortet Paulus in Röm 9,14–21 auf die verschiedenen Einwürfe nicht mit einem Verweis auf menschliche Rechtfertigungs-
und Ermessensgründe, sondern mit dem Hinweis auf die absolute Freiheit und
Macht Gottes, vor der der Mensch verstummen muß. Der Einwurf, Gott sei ungerecht (v. 14), wird mit dem Hinweis auf die göttliche Freiheit zurückgewiesen:
«Also erbarmt er sich nun, wessen er will, verhärtet aber, wen er will» (v. 18).
Man wird dieses Argument im Gesamtzusammenhang so verstehen müssen, daß
menschliche Freiheit und Schuld nicht ausgeschlossen werden.[199] Aber nicht darauf kommt es zunächst an. Der letzte Grund für die Verschiedenheit der Wahl liegt
nicht auf seiten dessen, was der Mensch macht, sondern auf seiten Gottes. Gott
verwirft, weil der Mensch schuldig ist und Gott erweist Barmherzigkeit, weil der
Mensch schuldig ist. Der letzte Grund der Wahl liegt so jedenfalls bei Gott.[200]
Zu beachten ist freilich, daß man im Gesamtzusammenhang weder auf einen neutralen Willen Gottes noch auf eine im letzten willkürliche Aufteilung von göttlichem Erbarmen und göttlichem Verstocken schließen kann. Der Name Gottes,
der in der Erwählung offenbar wird, ist Barmherzigkeit (v. 15).[201] Dieser Hinweis
deutet bereits die abschließende Sicht an, die Paulus Röm 11,31f entwickeln wird.
Von dieser späteren Aussage her versteht Barth denn auch das göttliche Wollen
in v. 18 als Ausdruck der umfassenden Gnadenwahl Gottes, die das doppelte
Handeln partikularen Verwerfens und partikularen Erwählens umfaßt. Dabei
stellt sich freilich das grundsätzliche hermeneutische Problem, wieweit es legitim
ist, die Spannung zwischen Röm 9 und 11 systematisch aufzulösen.[202] – Der Einwurf, niemand könne also dem Willen Gottes widerstehen (9,19), wird von Paulus auf gleiche Weise zurückgewiesen: Gott ist dem Menschen gegenüber frei wie
der Töpfer gegenüber seinem Gebilde (9,20f). Der entscheidende Punkt im Vergleich liegt im Verhältnis des Töpfers zu seinen Werken. Nicht um eine theoretische Argumentation geht es hier, sondern um ein argumentum ad hominem, das
jeden Einspruch niederschlägt. Paulus «will zeigen, daß der reflektierende und

---

[197] Vgl. dazu U. Luz aaO. 28.

[198] Vgl. Ch. Müller aaO. 29.

[199] Das ethische Anliegen des Paulus wird von U. Luz aaO. 237–241 unterstrichen.

[200] Vgl. H. U. v. Balthasar aaO. (Anm. 188) 308.

[201] Vgl. KD II/2, 241–244.

[202] Diese Tendenz findet sich auch bei J. Munck aaO. 49–55. Auch wenn man Röm 9–11
als Einheit sieht und wenn von da her von Röm 11 Licht auf Röm 9 fällt, ist doch zu
fragen, ob diese Einheit nicht Spannungsmomente enthält, die systematisch nicht ausge-
glichen werden dürfen, wenn Gottes Gottheit in seinem Erwählen gewahrt werden soll.
Daß es Grenzen der Systematik gibt, sieht auch Barth, wenn er die Konsequenz einer
Apokatastasislehre vermeidet.

gegenüber Gott Rechte beanspruchende Mensch von ihm immer schon in Anspruch genommen ist und darum gar keine eigene Position ihm gegenüber beziehen kann».[203] Aber weder steht der Mensch vor einem unbekannten Gott, der ihm Schweigen gebietet, noch wird er aus seiner Verantwortung entlassen.

In Röm 9,22f ist die Rede vom doppelten Handeln Gottes gegen die Gefäße des Zornes, die Gottes Gericht offenbaren, und gegen die Gefäße des Erbarmens, in denen sein Erbarmen kundwird. Den Hintergrund der Formulierung bildet die Vorstellung einer doppelten Prädestination.[204] Aber diese Vorstellung ist Voraussetzung, nicht Thema. «Nicht *daß* es Gefäße des Zorns und Gefäße des Erbarmens gibt, soll ausgesagt werden.»[205] Barth unterstreicht wiederum, daß das Ziel des göttlichen Handelns nicht darin bestehe, daß es Gefäße des Erbarmens gibt, sondern daß Gott in ihnen den Reichtum seiner Herrlichkeit offenbart. Und ebenso heißt es bei den Gefäßen des Zorns, Gott habe sie mit viel Langmut getragen. Im Zug seiner Systematik schließt Barth: «Er hat ihnen nicht nur ihre Zeit und zu ihrer Zeit das Leben gelassen. Er hat nicht nur, wenn auch vergeblich, auf ihre Buße und Bekehrung gewartet. Das hat er freilich auch getan. Aber er hat mehr getan: er hat sie, indem er sie als ‹Gefäße des Zornes› wollte und brauchte, faktisch getragen, mitgenommen, mitaufgenommen in die Teleologie seines erbarmenden Wollens und Laufens.»[206] Dazu ist wiederum kritisch zu fragen, ob hier nicht die Systematik im Licht von Röm 9,31f zu weit vorangetrieben wird. Gerade wenn man sieht, daß die prädestinatianischen Aussagen Gottes Gottheit in seinem geschichtlichen Handeln betonen und daß sie nicht eine Bestimmung des Menschen sind,[207] wird man eine glatte Systematisierung besser vermeiden. Dies gilt freilich erst recht in der umgekehrten Richtung. Paulus gibt weder eine Antwort auf die Frage nach Gottes vorzeitigem Handeln, noch klärt er das Verhältnis zwischen Gericht in der Geschichte und eschatologischem Gericht und die Beziehung von prädestinierendem Handeln und menschlicher Verantwortlichkeit.[208] Wir möchten Luz zustimmen, wenn er meint: «Wie Paulus diese Frage etwa angegangen haben würde, zeigt Phil 2,12: Hier stellt Pls. zwei Aussagen paradox einander gegenüber: 1. Wirkt in Furcht und Zittern, d.h. nicht in falscher Sicherheit, euer Heil. 2. Gott wirkt das Wollen und das Wirken. Diese beiden Aussagen sind durch ‹gar› miteinander verbunden: Gottes Wirken geht voran und ermöglicht erst menschliches Wirken.»[209]

Röm 9,20–10,21 zeigt Paulus den Unterschied zwischen dem Streben nach Gerechtigkeit des Gesetzes und dem Hören auf die Glaubensgerechtigkeit. Die Situation der Juden und Heiden hat insofern einen paradoxen Charakter, als die Heiden, die die Gerechtigkeit nicht suchten, die Gerechtigkeit erlangten, während Israel, das den vom Gesetz gewiesenen Weg der Gerechtigkeit suchte, dieses Ziel nicht erreichte (9,30f), weil es über Christus, den Stein des Anstoßes, zu Fall kam (9,32f). Nach Müller verbindet der skandalon-Begriff Kap. 9 und 10 zur Einheit, so daß Röm 10 mit zur paulinischen Prädestinationslehre gehört. «Am Fall Israels wird

---

[203] U. Luz aaO. 240.
[204] U. Luz aaO. 248f. Vgl. dazu die doppelte Prädestination in Qumran: U. Luz aaO. 229–234.
[205] U. Luz aaO. 249.
[206] KD II/2, 249.
[207] U. Luz aaO. 249.
[208] U. Luz aaO. 249.
[209] U. Luz aaO. 249.

der skandalon-Charakter des Kreuzes Christi offenbar. Deshalb interpretiert der Apostel das Israel-Problem 9,30–10,21 durch die Rechtfertigungslehre, da diese für ihn *die* Deutung des Christusereignisses enthält.»[210]

Röm 11,1–10 knüpft Paulus an die zentrale Frage an: «Hat Gott sein Volk etwa verstoßen?» (11,1). Er antwortet mit einem entschiedenen Nein und begründet seine These zunächst mit dem Restgedanken, den er im Alten Testament verwirklicht sieht (11,2b–4)[211] und von da in die Gegenwart überträgt (11,5). Das Anliegen von Röm 9,6–29 wird nochmals unterstrichen: «Die unbedingte Freiheit der prädestinierenden Gnade setzt sich im Gericht gegen Israels ἔργα-Streben (vgl. 11,6 mit 9,16) durch...»[212] Paulus bleibt aber nicht bei dieser Aussage stehen. Er sieht, nicht zuletzt wohl unter dem Eindruck seiner konkreten Missionserfahrung, das Heil Israels und der Heiden in einem inneren Zusammenhang.[213] Die (zeitweilige) Verstockung Israels ist funktional zu verstehen, insofern sie dem Heil der Heiden dient (11,11f). Umgekehrt hat der Zutritt der Heiden zur Kirche den Sinn, das noch nicht gläubige Israel zur Eifersucht zu reizen. Gottes Handeln in seiner Gnadenwahl ist so ein Handeln wider aller Erwartung: «Wenn schon die Abwendung von Gott in Wirklichkeit durch Gott zum Instrument seines Gnadenhandelns wird, was gilt dann erst von der Zuwendung zu Gott?»[214] Was sich in der Wiederannahme Israels, in der Errettung ganz Israels begeben wird, kann nur als eschatologisches Wunder, als Neuschöpfung («Leben aus den Toten»: 11,15) verstanden werden.[215] Das Bild von Israel als Baum (11,17–24) verdeutlicht die Aussage. In Gottes wechselseitigem Verwerfen und Erwählen (Zweige werden ausgeschnitten und Zweige werden eingepfropft) geht es um die Manifestation der Güte und der Strenge Gottes (11,22). «Gütig ist Gott den Heiden gegenüber, die dem Ölbaum eingepfropft werden und an der Strenge Gottes gegenüber Israel seine Güte ihnen selbst gegenüber verstehen lernen. Aber die Güte Gottes ist auch gegenüber den Heiden die Güte des Gottes Israels. Und so kann Gott auch sein eigenes Handeln überbieten und die Israeliten gemäß ihrer ihnen von Gott geschenkten ‹physis› wieder zum Ölbaum bringen.»[216] Auch hier geht es also letztlich um Gottes Gottheit in seinem Heilshandeln, das den Selbstruhm der Heiden ebenso zerschlägt (11,18) wie das ἔργα-Streben der Juden.

Damit ist der Weg frei für die zusammenfassende Betrachtung in Röm 11,25 bis 32. Der Inhalt des Mysteriums, das Paulus (v.25–28) bekanntgibt, umfaßt zwei Aussagen, die final miteinander verbunden sind: 1. Über Israel ist einem Teil nach die Verstockung gekommen, bis die Vollzahl der Heiden eingegangen sein wird, auf daß (2.) auf diese Weise ganz Israel gerettet werden wird. Man wird den Ausdrücken πλήρωμα und πᾶς Ἰσραὴλ die Offenheit belassen müssen, die sie haben.[217]

---

[210] Ch. Müller aaO. 37.

[211] Vgl. dazu G. Schrenk, λεῖμμα: ThW V, 215–221. Schrenk unterstreicht im Zusammenhang von Röm 9–11 die Vorläufigkeit des Restgedankens.

[212] Ch. Müller aaO. 46.

[213] Besonders J. Munck betont die Bedeutung der Missionssituation für die Aussagen von Röm 9–11. Zur Stelle vgl. aaO. 89.

[214] So paraphrasiert U. Luz (aaO. 393) Röm 11,12.

[215] Vgl. U. Luz aaO. 393; Ch. Müller aaO. 46.

[216] U. Luz aaO. 277.

[217] Vgl. dazu J. Munck aaO. 100–102, der die «Fülle der Heiden» im Sinn des Zum-Abschluß-Kommens mit der Verkündigung des Evangeliums vor den Heiden versteht.

Ganz Israel meint jedenfalls die Kirche aus Juden und Heiden unter Einschluß der ausgehauenen Zweige, die wieder eingefügt werden. «Dieses ‹ganze Israel› wird so gerettet werden, wie es jetzt im Verhältnis von Kirche und Synagoge offenbar ist: so nämlich, daß die Ersten die Letzten, die Letzten die Ersten sein werden. Warum so? Darum, weil diese Erwählung von ganz Israel so und nur so als ein Akt des göttlichen Erbarmens stattfindet und charakterisiert ist: als ein Akt, durch den miteinander die Niedrigen erhöht und die Hohen erniedrigt werden, in welchem Sünden vergeben und nicht menschliche Ansprüche befriedigt werden – darum, weil diese Errettung nur indem sie in dieser Umkehr stattfindet, die Auswirkung und die Frucht der *göttlichen Erwählung*, die ja selbst die des *Erbarmens Gottes* ist, sein kann.»[218] Der konkrete Stand Israels wird in diesem Heilsplan durch zwei Momente gekennzeichnet: durch das Moment der Verhärtung (ἐχϑϱοί v. 28), die aber funktional (δι’ ὑμᾶς) für das Heil der Heiden zu verstehen ist und durch das Moment bleibender Erwählung, insofern Israel um der den Vätern gegebenen Verheißungen willen geliebt bleibt.[219] Das Grundprinzip der Erwählung liegt darin, daß Gott sich in seiner Gnadenverheißung treu bleibt (11,29). 11,30ff fassen die Dialektik von Ungehorsam und Gehorsam in der Klammer göttlichen Erbarmens zusammen: «Denn wie einst ihr gegen Gott ungehorsam gewesen seid, jetzt aber Barmherzigkeit erlangt habt infolge des Ungehorsams dieser, so sind auch diese jetzt ungehorsam gewesen, damit infolge der Barmherzigkeit gegen euch auch sie Barmherzigkeit erlangen. Denn Gott hat alle zusammen in den Ungehorsam hineingebannt, um an allen Barmherzigkeit zu erweisen.»[220] Das letzte Wort hinsichtlich des Handelns Gottes in Jesus Christus, in dem er Juden und Heiden zum Heile führt, ist so das Wort des Erbarmens. Wenn Paulus Röm 11,33–36 die Tiefe der Weisheit und der Erkenntnis Gottes preist, geht es nicht um den Lobpreis eines Gottes, der in einem decretum absolutum die einen erwählt und die andern nicht erwählt; es geht um den Lobpreis des Gottes, der in seinem gnädigen Erbarmen frei und unergründlich bleibt. «Wie der menschliche Ungehorsam überall am Anfang steht, so das göttliche Erbarmen überall am Ende: überall, für Alle, d.h. für ‹ganz Israel›, in der ganzen Breite der Erwählung Gottes, dessen Majestät darin besteht, daß er der Erbarmer ist.»[221]

Die Betrachtung des Textes macht deutlich, daß es nicht angeht, Röm 9–11 im Sinn der späteren Lehre einer doppelten Prädestination zu verstehen.

Für die Unbestimmtheit des Begriffs plädiert U. Luz aaO. 291. Πᾶς ’Ισϱαήλ meint eher Israel als Kollektiv, doch bleibt auch so das Gewicht der Aussage beachtlich: «Paulus formuliert selbst, in eigener theologischer Verantwortung, mit dem Gewicht eines Mysteriums eine Zukunftsaussage, nach der ganz Israel zum Heil kommen werde» (U. Luz aaO. 292). Vgl. auch Ch. Müller aaO. 100.

[218] K. Barth, KD II/2, 330f.   [219] Vgl. KD II/2, 333f.

[220] Die Verbindung mit der Rechtfertigungslehre unterstreicht Ch. Müller aaO. 107: «Indem Gott Israel ebenso wie die Heiden in den Ungehorsam einschließt, führt er es unter sein Erbarmen. Die sola-gratia-Rettung des verworfenen Israel ist also genauso strukturiert wie die gegenwärtige Rechtfertigung der Heiden (vgl. 9.31 mit 11,23.26). Das universale Gottesvolk lebt sola fide/sola gratia und steht deshalb in der Dialektik zwischen Gericht und Gnade.»

[221] K. Barth KD II/2, 336.

Weder geht es um ein decretum absolutum im voraus zum konkreten Heilsplan Gottes, nach welchem die einen erwählt und die andern nicht erwählt
werden, noch bezieht sich die Betrachtung primär auf das Schicksal einzelner (auch bei den einzelnen Gestalten: Pharao, Jakob, Esau usw. schwingt
ein kollektives Moment mit).[222] Gefragt ist nicht in erster Linie die Bestimmung der Prädestinierten, sondern es geht um Gottes Gottheit in seinem
prädestinierenden Handeln. Offen bleibt auch die Frage nach dem Verhältnis von zeitlichem und ewigem Gericht. Umgekehrt kann aus Röm 9–11
auch keine Apokatastasislehre abgeleitet werden.[223] In der Aussage über die
Rettung von ganz Israel wird nichts über das ewige Schicksal des je einzelnen gesagt. Die paulinischen Gerichtsaussagen dürfen hier nicht überhört
werden. Eines freilich tritt im Text mit aller Klarheit hervor: Es gibt keinen
Parallelismus von Erwählen und Verwerfen;[224] die Klammer, die den Ungehorsam von Juden und Heiden umschließt, ist die Klammer göttlichen
Erbarmens.

Dies alles wird von Paulus im Blick auf das Verhältnis von Israel und
Kirche ausgesagt. Nicht um die Juden als völkische oder religiöse Sonder-
gruppe geht es primär, sondern um Gott in Israel.[225] Von Gottes Gnadenwahl her müssen Israel und Kirche zusammengesehen werden. Beide sind
im Hinblick auf das Heil solidarisch. «Weil Israels Gottesvolkexistenz nur
jenseits ihrer selbst verwirklicht werden kann, andererseits die Existenz der
Kirche Verwirklichung der Verheißung an Abraham und Israel bedeutet,
entsteht zwischen Israel und Kirche eine dialektische Bewegung: Israels
Verstockung dient dazu, den Anspruch Gottes über die ganze Welt zu tragen (vgl. 9,17c mit 10,18; 11,11f), und zwar den Anspruch seiner Gnade.»
Umgekehrt besagt der Gehorsam und die Verkündigung der Kirche, daß
Israel durch seinen Widerstand dem Anspruch des Wortes Gottes nicht
entgehen kann. «Das Gericht, das die Gemeinde so an Israel vollzieht
(11,1–10), ist das Zeichen dafür, daß Gott es nicht hat fallen lassen, daß
seine Gnade weiter über ihm steht (vgl. 11,22). Israel bleibt, da es um der
begnadeten Kirche willen gerichtet und verworfen ist (11,11–15.31), von
der Gnade beansprucht (11,31c).»[226] In diesem Handeln Gottes mit Israel
und der Kirche wird jeder Selbstruhm des Menschen zerschlagen. In Gericht
und Gnade behält allein Gott Recht und er bringt sein Recht in der Rechtfertigung des Sünders zur Geltung.

Die Erwählung in Jesus Christus wird in Röm 9–11 nicht thematisch wie

---

[222] Dies betont besonders J. Munck aaO. 36, 40.

[223] Dagegen wenden sich Ch. Müller aaO. 48, U. Luz aaO. 299, J. Munck aaO. 102.

[224] Vgl. dazu auch E. Schlink, Der theologische Syllogismus als Problem der Prädestinationslehre: Einsicht und Glaube (Freiburg i. Br. 1962) 309f.

[225] Vgl. U. Luz aaO. 27f, 269ff (differenzierter Israelbegriff in Röm 9–11); Ch. Müller
aaO. 90–93 (doppelter Israelbegriff).

[226] Ch. Müller aaO. 99f.

etwa in Röm 8,28ff und Eph 1,4–13. Ausdrücklich erscheint das christologische Moment in Verbindung mit dem skandalon-Gedanken (9,32f) und mit dem Thema des Hörens auf die Glaubensgerechtigkeit (10,4–17). 11,16 meint die Kostprobe und die Wurzel wohl nicht Christus, sondern das Israel dem Geiste nach, das im Glauben der Patriarchen dem fleischlichen Israel vorangeht.[227] Dennoch fällt von der Aussage der Erwählung in Jesus Christus her das volle Licht auf die Aussagen von Röm 9–11. Die Klammer des Erbarmens umschließt allen Ungehorsam, weil Gott in Jesus Christus für Juden und Heiden sich als Erbarmer geoffenbart hat (vgl. Eph 2,11–22 im Zusammenhang mit Eph 1 und 3).

e. Erwählung und Hoffnung

Die klassische Prädestinationslehre hat ihre Schatten auch auf die Verkündigung geworfen, sofern man es nicht vorzog, sich über das Thema auszuschweigen und es der theologischen Spekulation zu überlassen. Aus allem, was hier ausgeführt wurde, sollte deutlich werden, daß die Botschaft von Gottes Gnadenwahl in Jesus Christus als Frohbotschaft in die Verkündigung hineingehört. Es bleibt dennoch eine Frage: Wie kann der Mensch diese Botschaft sagen und wie kann er sie in der rechten Weise hören, wenn er nun doch auch die in der Schrift so zahlreichen Gerichtsworte nicht überhören will, wenn er der erschreckenden Möglichkeit gewahr wird, daß er in seinem eigenen Nein sich dem Ja verschließen kann, das Gott in Jesus Christus zu allen und so auch und gerade zu ihm gesagt hat? Auf diese existentielle Frage, die in der Wurzel der Prädestinationsproblematik steckt, soll abschließend eine Antwort versucht werden.

In den hermeneutischen Vorüberlegungen haben wir die Grenzen betont, die der Systematik in der Prädestinationslehre gezogen sind. Eine Antwort auf das gestellte Problem muß diese Grenzen respektieren. Konkret bedeutet dies, daß sie weder auf der Linie der Apokatastasislehre noch auf der Linie der Lehre von einer doppelten Prädestination zur ewigen Seligkeit und zur ewigen Verdammnis (wie immer man hier differenzieren mag) gesucht werden darf. Eine *Apokatastasislehre* als Bescheidwissen über den definitiven Ausgang des Gerichts ist im Grunde genommen nichts anderes als die spekulative Projektion einer falschen securitas des Menschen, die von der Hoffnungsgewißheit diametral verschieden ist. Die Prädestinationslehre hat auch und gerade die Aufgabe, eine anmaßende securitas zu zerstören. Sie wird deshalb, gerade wenn sie weiß, daß es nicht auf unser Laufen, sondern auf Gott, der sich erbarmt, ankommt (Röm 9,16), unterstreichen, daß wir unser Heil in Furcht und Zittern zu wirken haben (Phil 2,12). Sie wird die reale Möglichkeit nicht verschweigen, die vom Menschen her offen ist,

---

[227] Kurzer Verweis auf die verschiedenen Interpretationen bei U. Luz aaO. 276.

daß er das in Christus angebotene Heil ausschlägt (vgl. Hebr 6,6ff; 10,26f).
Wenn unsere Erwählung Erwählung in Jesus Christus ist, wenn es kein Heil
an Christus vorbei gibt, dann muß das Ausschlagen dieses Heilsangebots
tödliche Gefährdung für den Menschen bedeuten. Aber auch das *System der
doppelten Prädestination* ist abzulehnen, insofern in ihm, wenn auch anders
als in der Apokatastasislehre, ebenfalls ein Wissen über den Ausgang des
Gerichtes postuliert wird, das die Freiheit Christi als des Richters nicht
respektiert. So wenig aus Röm 11 eine Apokatastasislehre abzuleiten ist, so
sehr ist von der Aussage des umfassenden göttlichen Erbarmens her doch
die Möglichkeit göttlichen Erbarmens – durch Gericht hindurch! – für jeden
offenzulassen. Spekulativ kann über diese Möglichkeit nicht verfügt werden. Was sich der Mensch selber existentiell (nicht im Urteil über andere!)
vor Augen halten muß gegen alle praesumptio und securitas, ist die reale
Möglichkeit ewigen Scheiterns.[227a]

Diese existentielle Haltung wird aber nur so richtig vollzogen, daß das
Moment heilsamer Furcht in die *Haltung der Hoffnung* integriert wird, die die
Prädestinationsanfechtung überwindet, indem sie auf Jesus Christus blickt.
In der Haltung der Hoffnung blickt der Mensch nicht von einem neutralen
Standort aus auf die beiden Möglichkeiten der ewigen Seligkeit und des
ewigen Scheiterns, er vollzieht vielmehr eine Bewegung, in der er gegen alle
Anfechtung die Gewißheit der Erwählung daraus schöpft, daß er sich an
Jesus Christus hält. Erwählungsgewißheit gibt es nur im ständigen Laufen.
Wir haben sie, «indem nicht wir sie haben, sondern indem wir uns immer
wieder sagen lassen, daß Gott nach uns gegriffen hat: Er hat uns in Christus
als sein Eigentum angenommen. Die Erwählungsgewißheit ist der stärkste
Trost, indem sie zugleich die stärkste Entsicherung des Menschen ist. In
ihr ist der Mensch allein auf die Gnade angewiesen. Nicht er lebt, sondern
Christus lebt in ihm.»[228] Auf dieser Ebene ist denn auch das donum perseverantiae zu sehen. Es ist nichts anderes als die mit der Hoffnung verbundene
ὑπομονή, die sich auf die Treue Gottes in seinen Verheißungen stützt, die
weiß, daß Gott das gute Werk, das er begonnen hat, zu Ende führen wird
(Phil 1,6). Erwählungsgewißheit als Hoffnungsgewißheit vermag zu bekennen: «Denn ich bin dessen gewiß, daß weder Tod noch Leben, weder
Engel noch Gewalten, weder Gegenwärtiges noch Zukünftiges, noch
Kräfte, weder Hohes noch Tiefes, noch irgend ein andres Geschöpf uns zu
scheiden vermag von der Liebe Gottes, die in Christus Jesus ist, unsrem
Herrn» (Röm 8,38f).

Von hier aus eröffnet sich denn auch der einzige Weg, wie christlich über
das ewige Heil der anderen zu denken ist. Das Erwähltsein oder Nicht-
erwähltsein der andern steht nicht dem spekulativen Zugriff offen. Wohl aber

[227a] Vgl. dazu auch F. J. Couto, Hoffnung im Unglauben 280–290.
[228] E. Schlink aaO. 315.

ist es Gegenstand der Hoffnung, die sich als universale Hoffnung verstehen muß, wenn sie an Gottes Gnadenwahl in Jesus Christus glaubt. Wie wird diese Hoffnung aktualisiert? Sie aktualisiert sich im *Wort der Verkündigung*, die Gottes Gnadenwahl allen Menschen als Frohbotschaft ansagt. «Hat Gottes Erwählen sich an uns vollzogen durch das Evangelium, so haben wir uns nun in den Dienst des göttlichen Erwählens zu stellen, indem wir eben dasselbe Evangelium bezeugen... Auf unsere Frage, wie viele Menschen Gott erwählt hat, antwortet Gott mit dem Auftrag, *allen* Menschen das Evangelium zu verkünden.»[229] Sie aktualisiert sich in der *Proexistenz*, in der wir für andere existieren, so wie Jesus Christus für uns existiert[230] und so wie Paulus für sein Volk, das nicht an Christus glaubt, existiert (Röm 9, 1–5). Sie aktualisiert sich schließlich im *Gebet*,[231] das als Gebet der Hoffnung ein universales Gebet ist. Die Universalität des Gebetes entspricht der Universalität des Heilswillens Gottes und der Universalität der christlichen Hoffnung. Das letzte Wort in der Frage der Gnadenwahl Gottes ist das Wort: sola gratia – solus Christus. Dieses Wort wird dem Christen aber so gesagt, daß er es auch andern sagen und in seiner Existenz für andere bezeugen darf. In diesem Sinn ist er in den Dienst des göttlichen Erwählens genommen. Er kann diesen Dienst nur dankbar verrichten, indem er im Lobpreis das Mysterium der Gnadenwahl Gottes bekennt, von dessen Tiefe es heißt: «Wie unerforschlich sind seine Gerichte, wie unbegreiflich sind seine Wege!» (Röm 11,33). Aber es ist kein finsteres Mysterium, das hier gepriesen wird, sondern das Mysterium der Liebe Gottes, die sich in Jesus Christus unwiderruflich für den Menschen entschieden hat. Angesichts *dieses* Mysteriums kann man nur bekennen: «Wer hat ihm zuerst gegeben, daß ihm vergolten werden müßte? Aus ihm, durch ihn und zu ihm hin ist alles. Sein ist die Ehre in Ewigkeit. Amen!» (Röm 11,35f).

MAGNUS LÖHRER

[229] E. Schlink aaO. 316.

[230] Vgl. W. Thüsing, Neutestamentliche Zugangswege zu einer transzendental-dialogischen Christologie: K. Rahner-W. Thüsing, Christologie – systematisch und exegetisch = QD 55 (Freiburg i. Br. 1972) 161–163, 231–233, 280–287.

[231] «Si tout dépend de la décision céleste, comment pourrions-nous le reconnaître, sinon en faisant appel à elle, pour les autres comme pour nous-mêmes?» (P. Maury, La prédestination [Genève 1957] 62).

BIBLIOGRAPHIE

I. Zur Schrift

Altmann P., Erwählungstheologie und Universalismus im Alten Testament = BZAW 92 (Berlin 1964).

Balthasar H.U.v., Die Wurzel Jesse: Sponsa Verbi (Einsiedeln 1961) 306–316.

Boublík V., La predestinazione – S.Paolo e S.Agostino (Roma 1961).

Dion H.M., La prédestination dans saint Paul: RScR 53 (1965) 5–43.

Gnilka J., Die Verstockung Israels. Is 6,9–10 in der Theologie des Synoptiker = SANT 3 (München 1961).

– Der Epheserbrief = HThKNT X/2 (Freiburg i. Br. 1971).

Hesse F., Das Verstockungsproblem im Alten Testament (Berlin 1955).

Koch K., Zur Geschichte der Erwählungsvorstellung in Israel: ZAW 67 (1955) 205–226.

Luz U., Das Geschichtsverständnis des Paulus (München 1968).

Maier F.W., Israel in der Heilsgeschichte nach Römer 9 (Münster 1929).

Michaelis W., Versöhnung des Alls (Gümligen 1950).

Müller Ch., Gottes Gerechtigkeit und Gottes Volk – Eine Untersuchung zu Römer 9–11 (Göttingen 1964).

Munck J., Christus und Israel – Eine Auslegung von Röm 9–11 (Kopenhagen 1956).

Quell G., ἐκλέγομαι (AT): ThW IV, 148–173.

Rowley H.H., The Biblical Doctrine of Election (London 1950).

Schlier H., Der Brief an die Epheser (Düsseldorf ²1958).

Schmidt K.L., καλέω usw.: ThW III, 488–497.

– ὁρίζω usw.: ThW V, 453–457.

Schrenk G., ἐκλέγομαι (NT) usw.: ThW IV, 176–181, 183–185, 191–197.

– λεῖμμα: Der Restgedanke bei Paulus...: ThW V, 215–221.

Vriesen Th., Die Erwählung Israels nach dem Alten Testament (Zürich 1953).

Wiederkehr D., Die Theologie der Berufung in den Paulusbriefen = SFNF 36 (Fribourg 1963).

II. Zur Geschichte

Bandt H., Luthers Lehre vom verborgenen Gott (Berlin 1958).

Benz M., Das göttliche Vorherwissen der freien Willensakte des Geschöpfs bei Thomas v.A. – In I Sent.d.38 q.1 a.5: DTh 14 (1936) 255–273.

– Nochmals: Das göttliche Vorherwissen...: DTh 15 (1937) 415–432.

Buess E., Prädestination und Kirche in Calvins Institutio: Theol.Zeitschr.12 (1956) 347–361.

Friethoff C., Die Prädestinationslehre bei Thomas v.A. und Calvin (Fribourg 1926).

Jacquin A., La prédestination d'après saint Augustin: MA 2 (1931) 853–878.

Jakobs P., Prädestination und Verantwortlichkeit bei Calvin (Neukirchen 1937).

Locher G.W., Die Prädestinationslehre Huldrych Zwinglis: Theol.Zeitschr.12 (1956) 526–548.

Moltmann J., Prädestination und Perseveranz = Beiträge zur Geschichte und Lehre der Reformierten Kirche XII (Neukirchen 1961).

Nygren G., Das Prädestinationsproblem in der Theologie Augustins (Göttingen 1956).

Otten H., Prädestination in Calvins theologischer Rede (1938) (Neukirchen 1968).

Pannenberg W., Die Prädestinationslehre des Duns Scotus im Zusammenhang der scholastischen Lehrentwicklung dargestellt = FKDG 4 (Göttingen 1954).

– Der Einfluß der Anfechtungserfahrung auf den Prädestinationsbegriff Luthers: KuD 3 (1957) 109–139.

Pinomaa L., Unfreier Wille und Prädestination bei Luther: Theol. Zeitschr. 13 (1957) 339–349.

Platz Ph., Der Römerbrief in der Gnadenlehre Augustins (Würzburg 1938).

Rabeneck J., Grundzüge der Prädestinationslehre Molinas: Scholastik 31 (1956) 351–369.

Rondet H., Gratia Christi – Essai d'histoire du dogme et de théologie dogmatique (Paris 1946).

– La prédestination augustinienne: Genèse d'une doctrine: ScEccl 18 (1966) 229–251.

Rost G., Der Prädestinationsgedanke in der Theologie Martin Luthers (Berlin 1966).

Rottmanner O., Der Augustinismus: Geistesfrüchte aus der Klosterzelle (München 1908) 11–32.

Schäfer R., Zur Prädestinationslehre des jungen Melanchthon: ZThK 63 (1966) 352–378.

Schelkle K. H., Erwählung und Freiheit im Römerbrief nach der Auslegung der Väter: ThQ 131 (1951) 17–31; 189–207.

Schwarzwäller K., Theologia crucis – Luthers Lehre von Prädestination nach De servo arbitrio (München 1970).

Stegmüller F., Die Lehre vom allgemeinen Heilswillen in der Scholastik bis Thomas v. A. (Rom 1929).

Stiglmayr E., Verstoßung und Gnade – Die Universalität der hinreichenden Gnade und die strengen Thomisten des 16. und 17. Jh.s (Rom 1964).

Stufler J., Die Lehre des hl. Thomas vom göttlichen Vorherwissen der freien Willensakte der Geschöpfe: ZKTh 61 (1937) 323–340.

Trapé A., A proposito di predestinazione. S. Agostino e i suoi critici moderni: Divinitas 7 (1963) 243–284.

Vignaux P., Justification et prédestination au XIVe siècle (Paris 1934).

Wolf E., Erwählungslehre und Prädestinationsproblem: O. Weber-E. Kreck-E. Wolf, Die Predigt von der Gnadenwahl = Theol. Ex. NF 28 (München 1951) 63–94.

Zimara C., Die Lehre des hl. Augustinus über die Zulassung Gottes: DTh 19 (1941) 269–294.

– Die Eigenart des göttlichen Vorherwissens nach Augustinus: FZPhTh 1 (1954) 353–393.

III. Zur Systematik

Auer J., Das Evangelium der Gnade: Kleine kath. Dogmatik V (Regensburg 1970) 41–70.

Barth K., Gottes Gnadenwahl = Theol.Existenz heute 47 (München 1936).
– Die Lehre von Gott: KD II/2 (Zollikon 1948).
Breuning W., Neue Wege der protestantischen Theologie in der Prädestinationslehre: TrThZ 68 (1959) 193–210.
Brunner E., Die Christliche Lehre von Gott: Dogmatik Bd.I (Zürich 1946) 323–381.
Buess E., Zur Prädestinationslehre Karl Barths = Theol.Stud.43 (Zollikon 1955).
Ciappi L., La predestinazione (Roma 1954).
Couto J. F., Hoffnung im Unglauben – Zur Diskussion über den allgemeinen Heilswillen Gottes (Paderborn 1973).
Flick M.-Aszeghy Z., Il vangelo della grazia (Roma 1964).
Fritzsche H.G., Lehrbuch der Dogmatik II (Göttingen 1967) 171–217.
Garrigou-Lagrange R., La prédestination des saints et la grâce (Paris 1936).
Gloege G., Zur Prädestinationslehre Karl Barths – Fragmentarische Erwägungen über den Ansatz ihrer Neufassung: KuD 2 (1956) 193–217; 233–255.
Kreck W., Die Lehre von der Prädestination: O.Weber-W.Kreck-E.Wolf, Die Predigt von der Gnadenwahl = Theol.Existenz NF 28 (München 1951) 37–62.
Maury P., La prédestination (Genève 1957).
Ott H., Die Antwort des Glaubens (Stuttgart 1972) 199–206.
Rondet H., Prédestination, grâce et liberté: NRTh 79 (1947) 449–474.
Schamoni W., Die Zahl der Auserwählten (Paderborn 1965).
Scheeben J.M., Die Mysterien des Christentums: GS II (Freiburg i.Br. 1958) 581–613.
Schlink E., Der theologische Syllogismus als Problem der Prädestinationslehre: Einsicht und Glaube (Freiburg i. Br. 1962) 299–320.
Schmaus M., Die göttliche Gnade: Katholische Dogmatik III/2 (München ⁴1951) 348–369.
Schwarzwäller K., Das Gotteslob der angefochtenen Gemeinde (Neukirchen 1970).
Simonin Th., Prédestination, prescience et liberté: NRTh 85 (1963) 711–730.
Stolz A., Anthropologia theologica (Freiburg i.Br. 1940).
Trillhaas W., Dogmatik (Berlin ³1972) 234–246.
Vandenberghe A., De praedestinatione: Coll.Brug.36 (1936) 142–148.
Vogel H., Praedestinatio gemina: Theol.Aufsätze Karl Barth zum 50.Geburtstag (München 1936) 222–242.
– Gott in Christo (Berlin ²1952) 937–956.
Weber O., Die Lehre von der Erwählung und die Verkündigung = Theol.Exist. heute NF (München 1951) 9–36.
– Grundlagen der Dogmatik II (Neukirchen 1962) 457–562.

GOTTES GNADENHANDELN
ALS RECHTFERTIGUNG UND HEILIGUNG
DES MENSCHEN

Wenn wir die vorausgehenden Überlegungen in diesem Abschnitt unter dem Thema *Rechtfertigung* weiterführen, geraten wir in ein dichtes Netz von Bezügen, das Theologie- und allgemeine Geistesgeschichte gemeinsam geknüpft haben – fast ist man geneigt zu sagen: Wir verfangen uns darin. Da ist – um nur einige Stichworte zu nennen – die terminologische Kette *ṣdq* – δικαιοῦν (δικαίωσις) – iustificare (iustificatio) – rechtfertigen (Rechtfertigung) bzw. *ṣedeq (ṣᵉdaqah)* – δικαιοσύνη – iustitia – Gerechtigkeit: Übersetzung ist hier jedesmal semantische Transformation, Umdenken und Neuverständnis. Da ist das Rechtfertigungszeugnis (besser nicht: die Rechtfertigungs*lehre*) des Apostels Paulus und ihre nicht auf Anhieb eindeutige, darum umstrittene Bedeutung innerhalb des gesamten Neuen Testamentes. Da ist die ruhige Ausbildung einer Abhandlung «de iustificatione impii» innerhalb der Gnadenlehre und in anderen Zusammenhängen,[1] jäh beendet durch die Reformation, die in der Rechtfertigungslehre den «Artikel, mit dem die Kirche steht und fällt» («articulus stantis et cadentis ecclesiae»),[2] erblickt. Da ist das Konzil von Trient,[3] das die reformatorische Rechtfertigungslehre abwehrt und sie dadurch für Jahrhunderte zum bevorzugten Gegenstand der Kontroverstheologie in beiden «konfessionellen Lagern» macht.[4] Da ist schließlich der schon Jahrzehnte alte Beginn eines «ökumenisch» engagierten theologischen Gespräches, das zuerst zaghaft, dann immer entschiedener von einem substantiellen Konsens zwischen katholischer und reformatorischer Rechtfertigungslehre zu sprechen wagt und diesen an allen

---

[1] Vgl. w.o. S. 668–679, 690f und w.u. S. 833–835.

[2] Die Formulierung, wenn auch nicht die feste Formel, geht auf Luther selbst zurück: «...quia isto articulo stante stat Ecclesia, ruente ruit ecclesia» (Ennarratio Ps. CXXX, 1538, zu V.4: WA 40 III/352,3). Weitere ähnliche Texte aus Luther sowie einschlägige Literatur sind verzeichnet bei O.H.Pesch, Theologie der Rechtfertigung bei Martin Luther und Thomas von Aquin = Walberberger Studien, Theologische Reihe 4 (Mainz 1967) 154f.

[3] Vgl. w.o. S. 717–727, auch w.u. S. 842 u.ö.

[4] Vgl. die instruktive und materialreiche Studie von A.Hasler, Luther in der katholischen Dogmatik. Darstellung seiner Rechtfertigungslehre in den katholischen Dogmatikbüchern = Beiträge zur ökumenischen Theologie 2 (München 1968). Exemplarisch für die evangelische (lutherische) Sicht der Dinge ist etwa P.Althaus, Die christliche Wahrheit. Lehrbuch der Dogmatik (Gütersloh ⁸1969) 228–238, 596–654.

Teilaspekten der historischen Kontroversen durchexerziert.[5] Um so beunruhigender muß es für die Teilnehmer dieses Gespräches sein, wenn im Gefolge Dietrich Bonhoeffers auf katholischer wie auf evangelischer Seite die zentralen Streitfragen des 16. Jahrhunderts als «nicht mehr echt»[6] empfunden werden, wenn das Thema «Rechtfertigung» rapide an Interesse verliert, fast ein nichtssagendes Fremdwort oder – für evangelische Christen – zur konfessionellen Pflichtübung wird. So hat sich denn auf der evangelisch-theologischen Bühne bereits ein langer Klagechor versammelt, der beschwörend dazu aufruft, das «Heiligtum» der Reformation nicht leichtfertig preiszugeben, weil es nach wie vor und gerade heute seine unersetzliche Bedeutung habe sowohl gegenüber den Selbstrechtfertigungs-Strukturen einer juridisch verfaßten, zwischen Gott und Mensch tretenden (katholischen) Kirche als auch gegenüber den Selbstrechtfertigungs-Versuchungen einer «progressiven» Theologie, die sich dem Glauben an die Veränderung des Menschen durch den Menschen zugewandt hat[7] um den Preis, daß ihr dabei «in einer Art Schwindelanfall... ihr Thema verlorengeht».[8] Der Katholik hat keinen Anlaß, über dieses zuweilen etwas verkrampft wirkende Schauspiel milde zu lächeln. Er mag sich nur einmal fragen, wie weit er noch die ungeheure Problemspannung der Diskussion um «Natur und Gnade» nachvollziehen kann, die vor drei Jahrzehnten Theologie und Kirche erschütterte und unter anderem zur Enzyklika «Humani generis» führte (vgl. DS 3891),[9] um zu ermessen, wie sehr auch ihm schon «Gnade» – das «katholische Äquivalent» für «Rechtfertigung» – zum Fremdwort geworden ist.

Aus diesem Netz geschichtlicher Bezüge und aktueller Aporien können wir nicht entfliehen, so wenig wie im Fall der Prädestinationslehre.[10] Wir können und dürfen keine Theologie oberhalb der geschichtlichen Situation treiben. Zudem nimmt uns hier das Schriftzeugnis noch nachhaltiger in

---

[5] Eine Liste einschlägiger Titel bis 1967 findet sich bei Pesch aaO. 1–3, 5 f. Jüngere Titel sowohl zum Thema Rechtfertigung als auch allgemeiner zum Wandel im Urteil über Luther und die Reformation s. in der Bibliographie (Bauer, Beyna, Bogdahn, Brandenburg, Iserloh, Küng, Oberman, Olivier, Pesch, Pfnür, Rückert, Stauffer u. a.).

[6] D. Bonhoeffer, Widerstand und Ergebung. Briefe und Aufzeichnungen aus der Haft, hrsg. von E. Bethge (München [12]1964) 260.

[7] Verzeichnis solcher Stimmen bei O. H. Pesch aaO. 151–153. In zwischenist vor allem hinzugekommen: G. Maron, Kirche und Rechtfertigung = Kirche und Konfession 15 (Göttingen 1969), bes. 264–268; H. Rückert, Vorträge und Aufsätze zur historischen Theologie (Tübingen 1972) 295–309.

[8] G. Ebeling, Wort und Glaube II (Tübingen 1969) Vorwort, III.

[9] Schon klassisch zum Thema sind die beiden Aufsätze von K. Rahner, Über das Verhältnis von Natur und Gnade: Schriften I, 323–345; Natur und Gnade: aaO. IV, 209–236. Überblick bei H. Mühlen, Gnadenlehre: H. Vorgrimler/R. Van der Gucht (Hrsg.), Bilanz der Theologie im 20. Jahrhundert III (Freiburg/Br. 1970) 148–192, vgl. MS II, 546–548.

[10] Vgl. w. o. S. 776–789.

Pflicht als selbst bei der Prädestinationslehre. Um nun die Fäden des Netzes und ihre Verknotungen etwas zu entwirren, ist es hilfreich, vor der Erörterung von Einzelheiten zunächst nach *Ort und Funktion* der Rechtfertigungslehre in Theologie und gläubiger Existenz zu fragen, und zwar historisch und sachlich zugleich.

1. Ort und Funktion der Rechtfertigungslehre

a. Die scholastische Tradition

Der evangelische Lutherforscher Ernst Wolf hat 1949 gegen die mittelalterliche Theologie den Vorwurf erhoben, sie kenne trotz des augustinischen und anselmianischen Erbes keinen eigenen, zum selbständigen Traktat ausgebauten «locus de iustificatione impii», behandle die Rechtfertigung vielmehr im systematischen Zusammenhang anderer Traktate, vor allem in der Christologie und in der Sakramentenlehre. Wie für das Trienter Konzil, so sei auch schon für die Scholastik die Rechtfertigungslehre *eine* Einzellehre unter vielen anderen. Demgegenüber sei für Luther die Rechtfertigungslehre das Thema der Theologie überhaupt, mit dessen richtiger Entfaltung *alles* stehe und falle.[11] Was Luther angeht, so wird über diese Feststellung noch zu reden sein. Für die Scholastik war sie schon damals viel zu pauschal und ist es nach dem heutigen Erkenntnisstand zur mittelalterlichen Theologie noch viel mehr.

Tatsächlich handeln die Scholastiker von der Rechtfertigung des Sünders dann im Rahmen der Sakramentenlehre, wenn sie die «Sentenzen» des Petrus Lombardus kommentieren. Denn sie folgen dann der Stoffaufteilung des Lombarden, sprechen von der Rechtfertigung also im Kommentar zum 4. Buch dist. 17 im Zusammenhang des Bußsakramentes – vorausgesetzt, sie kommen in ihren Kommentaren so weit, was seit dem Ende des 13. Jahrhunderts immer seltener wird. So finden wir Rechtfertigungskapitel bei Bonaventura, In IV Sent., dist. 17 p. 1 art. 1–2;[12] bei Albert, In IV Sent. dist. 17, art. 9–16;[13] bei Thomas, In IV Sent., dist. 17, q. 1 art. 1–5.[14] Auch außerhalb der Sentenzenkommentare wird nach der Rechtfertigung im Zusammenhang der Sakramentenlehre gefragt, zum Beispiel in den «Quaestiones disputatae ‹antequam esset Frater›» des Alexander von Hales, q. 53 – voraus geht die q. 52 «De poenitentiae virtute et sacramento».[15] Thomas bleibt selbst noch in seiner «Summa Theologiae» dieser Tradition treu, sofern er sachlich von der Rechtfertigung handelt, wenn er von der im Bußsakra-

---

[11] E. Wolf, Die Rechtfertigungslehre als Mitte und Grenze reformatorischer Theologie: EvTh 6 (1949/50) 298–308, hier: 299, jetzt: Peregrinatio II. Studien zur reformatorischen Theologie, zum Kirchenrecht und zur Sozialethik (München 1965) 11–21, hier: 12.

[12] Ed. Quaracchi (Opera omnia, 1882/1902) t. IV 418–434.

[13] Ed. Borgnet (Opera omnia, Paris 1890/99) t. 29, 669–692.

[14] Ed. Vivès (Opera omnia, Paris 1871/80) t. X.

[15] Ed. Quaracchi (1960) p. 1014–1027.

ment geschenkten «Sündenvergebung» («remissio peccatorum») spricht (III q. 84–86).[16] Aber *thematisch* spricht Thomas in der Summa von der Rechtfertigung innerhalb der Lehre von der Gnade: I/II q. 113 (Gnadenlehre: q. 109–q. 114), und dasselbe geschieht schon in den bald nach seinem Sentenzenkommentar entstandenen «Quaestiones disputatae de veritate» (1256–1259), q. 28 (nach q. 27 über die Gnade) und in der «Summa contra Gentiles», III capp. 156–158 (Gnadenlehre: III capp. 147–163). Kein Zweifel: nachdem sich erst einmal eine systematische Gnadenlehre ausgebildet hatte,[17] konnte nur sie den ureigenen Zusammenhang der Rechtfertigungslehre bilden. Thomas hat ihr darin das ihr gebührende Gewicht gegeben, sobald er nicht mehr an die Vorlage des Lombarden gebunden war. Aber Thomas ist nicht der erste und einzige, der die Frage nach der Rechtfertigung außerhalb von Christologie und Sakramentenlehre abhandelt. Schon die im letzten Jahrzehnt des 12. Jahrhunderts entstandene «Compilatio quaestionum theologiae secundum Magistrum Martinum» bringt die Frage «De concursu quatuor ad iustificationem impii» innerhalb der Frage nach der Sünde (lib. 2 cap. 52).[18] Die großen Vorgänger und Zeitgenossen des hl. Thomas in Paris behandeln die Rechtfertigungslehre samt und sonders im – mehr oder weniger umfangreichen – Zusammenhang der Gnadenlehre, wenn auch keiner in einer mit Thomas vergleichbaren Ausführlichkeit: Wilhelm von Auvergne in seinem «Magisterium divinale», Wilhelm von Auxerre in seiner «Summa aurea» (hier bezeichnenderweise im Zusammenhang der Frage nach Gerechtigkeit und Barmherzigkeit Gottes), Bonaventura im «Breviloquium», die «Summa halensis» aus dem Kreis um Alexander von Hales, Albert in seiner (?) «Summa theologiae».[19] Bemerkenswert ist: der größte Sakramententheologe im 12. Jh., Hugo von St. Victor, hat in seinem Hauptwerk «De sacramentis christianae fidei» keine Rechtfertigungslehre, auch nicht im Rahmen der Abhandlung über das Bußsakrament[20]. Vom Ende des 13. Jh.s an und besonders im 14. Jh. wandert die Frage nach der Rechtfertigung in die Gotteslehre ab und wird in den Sentenzenkommentaren bei der Erklärung von Buch 1 dist. 17 behandelt – wo der Lombarde seine bekannte These von der ungeschaffenen «caritas» in uns darlegt, was die Kommentatoren veranlaßt, die Identität von Gnade und Liebeshabitus zu diskutieren und den letzteren im Zusammenhang mit der Unterscheidung von

[16] Da für die Werke des hl. Thomas handliche Schulausgaben erreichbar sind und die Zählung der Quästionen, Artikel oder Kapitel einheitlich ist, geben wir im folgenden bei Zitaten und Verweisen auf Thomas nicht eigens eine Edition an. Zu den erreichbaren Ausgaben der Werke des hl. Thomas vgl. M.-D. Chenu, Introduction à l'étude de saint Thomas d'Aquin (Paris 1950), dt. unter dem Titel: Das Werk des hl. Thomas von Aquin = Deutsche Thomas-Ausgabe, Erg.-Bd. 2 (Heidelberg-Graz 1960) 79–82.

[17] Vgl. w. o. S. 669–677.

[18] Vgl. R. Heinzmann (Hrsg.), Die «Compilatio quaestionum theologiae secundum Magistrum Martinum» [Quästionenverzeichnis] (München 1964) 21.

[19] Wilhelm von Auvergne, Magisterium divinale (De meritis) (Paris 1674, Nachdruck Frankfurt/M. 1963) fol. 314 a H – b H; vgl. 461 a A – b B; Wilhelm von Auxerre, Summa aurea I 15 (Paris 1500, Nachdruck Frankfurt/M. 1964) fol. XXXIV; Bonaventura, Breviloquium V 3: ed. Quaracchi (s. Anm. 12) t. V p. 254 b–256 a; Summa Halensis III n. 633–636: ed. Quaracchi (1924ff, bisher 4 Bde.) t. IV 1000–1009; vgl. III n. 156: t. IV 215–218; III n. 274–275: t. IV 406–412; Albert, Summa theologiae II tr. 16 p. 104: ed. Borgnet (s. Anm. 13) t. 33, 264–270.

[20] Vgl. De sacr. II, 14, 1–9: PL 176, 549–578.

«potentia Dei absoluta» und «potentia Dei ordinata» sowie mit der Lehre von der «acceptatio divina» zu erörtern.[21]

Es gibt also im Mittelalter einen «locus de iustificatione impii», die Rechtfertigung, sie wird, je länger desto entschiedener, nicht irgendwo als Nachtrag abgehandelt, sondern in einem ihr höchst angemessenen Zusammenhang: in der Gnadenlehre oder – was gerade ein lutherischer Theologe kaum abwegig finden kann – in der Gotteslehre, genauer: in der Lehre von den Grundlagen des menschlichen Verhältnisses zu Gott. Gleichwohl, und insoweit hat Wolf recht, war die Rechtfertigungslehre *ein* Teilstück der systematischen Theologie, auf das man an einer bestimmten, vom jeweiligen Aufriß festgelegten Stelle zu sprechen kommen mußte. Die Rechtfertigung war *ein* Thema der Theologie, nicht *das* Thema oder gar eine umfassende Perspektive aller Themen, «Mitte und Grenze» (Wolf) allen theologischen Redens. Dies ist die natürliche Folge des Prozesses, in dem sich von der ntl. Zeit an unter dem Einfluß vieler Faktoren eine wissenschaftlich-methodisch betriebene «systematische Theologie» entwickelte, die in den «Summen» des 13. Jh.s einen ihrer Höhepunkte erreichte.[22] Man mag an Gesamtentwurf und Detail dieser Summen manches kritikwürdig finden, man mag sie für den Versuch einer «spekulativen Bewältigung» Gottes halten.[23] Aber niemand kann es grundsätzlich abwegig finden, wenn der Menschengeist auch in Sachen des Glaubens den Versuch einer geordneten Gesamtkonstruktion unternimmt, in dem alle die vielen Einzelheiten, mit denen es der Glaube zu tun hat, nicht nur vorkommen, sondern einen Intelligibilität gewährenden Platz im Ganzen haben. Die große Zahl systematischer Entwürfe, die auch in der reformatorischen Theologie sofort einsetzt und bis heute anhält,[24] ist hier die überzeugende Antwort auf jede voreilige Scholastikkritik aus evangelischer Feder. Um dennoch zu verstehen, wie die Rechtfertigungslehre im 16. Jh. plötzlich zum «articulus stantis et cadentis ecclesiae» werden konnte, ist ein kurzer Rückblick auf Paulus nötig.[25]

---

[21] Vgl. w.o.S. 677f, 685ff und O.H.Pesch aaO. 708–714.

[22] Vgl. Chenu aaO. 336–343; A.Grillmeier, Vom Symbolum zur Summa. Zum theologiegeschichtlichen Verhältnis von Patristik und Scholastik: J.Betz/H.Fries (Hrsg.), Kirche und Überlieferung (Freiburg/Br. 1960) 119–169; und MS I, 905–977, bes.965–977.

[23] Dies ist der einhellige Vorwurf der Lutherforschung und der lutherischen Theologie an die Adresse der Scholastik und besonders an Thomas; Belege bei O.H.Pesch aaO.607f Anm.2, 876 Anm.42f. Erst im letzten Jahrzehnt wird die Lutherforschung, unter dem Eindruck einer genaueren Kenntnisnahme der mittelalterlichen Theologie und der Mittelalterforschung, hier unsicherer.

[24] In dieser Hinsicht führt eine gerade Linie von Melanchthons «Loci communes rerum theologicarum» und Calvins «Institutio religionis Christianae» über die Werke der lutherischen Orthodoxie zu den systematisch-theologischen Werken von K.Barth, E.Brunner, P.Althaus, H.Thielicke u.a.

[25] In Zuspitzung auf unsere Frage rekapitulieren wir hier kurz, was ausführlich w.o. S. 615–619 und in MS I, 798–810 dargestellt ist.

b. Rückblick auf Paulus

Daß die Rechtfertigungslehre bei Paulus nicht Teil eines «Traktates» ist, ist eine Binsenwahrheit. Da die Schrift kein Handbuch der Dogmatik ist, besagt das weder etwas für noch gegen die spätere Entwicklung in der Scholastik. Dennoch ist Paulus der Kronzeuge der klassischen Tradition, weil er das ganze Gnadengeschehen zentral als Rechtfertigungsgeschehen versteht – das Begriffsfeld «Rechtfertigung» ist *sein* Verstehensmodell, das Heilsgeschehen in Christus zur Sprache zu bringen, bis hin zur Quasi-Austauschbarkeit der Worte «Gerechtigkeit (Gottes)» und «Gnade». Insoweit hätte man, was Paulus angeht, nie über die klassische Einordnung der Rechtfertigungslehre in die Gnadenlehre hinausgehen müssen. Doch verdankt die paulinische Rechtfertigungsbotschaft ihre besondere Bedeutung innerhalb der Pluralität der Verstehensweisen des Gnadengeschehens einem doppelten Umstand: einem besonderen Aspekt und einem besonderen Adressaten. Der Aspekt ist der in keinem anderen Verstehensmodell so betonte Bezug auf die *Sünde* [26] und nicht nur auf Unheil in vielfältigen Formen und Erlebnisweisen. Die besondere Adresse aber ist nicht die Tora als solche, wohl aber ein gesetzesfreudiges Judentum, das meinte, durch genaue Erfüllung des Gesetzes dem Unheil und der Sünde aus eigener Kraft entkommen und Gottes Gnade nach gerechtem Urteil erlangen zu können. So führt Paulus das Verständnis der Sünde und der Sündenverstrickung des Menschen in eine sonst im NT so nicht gekannte Tiefe und Radikalität, und anderseits nötigt die darauf bezogene Rechtfertigungslehre zu einer radikalen Distanz von jedem gesetzlich gesicherten Heilsweg, wobei nach Paulus nicht etwa nur an kultische Gebote, sondern an Gebote überhaupt gedacht ist, Sittengebote nicht ausgenommen. Auch das ist – aus Gründen einer anderen Verkündigungssituation – im übrigen NT höchstens indirekt ausgesprochen.

Konkret wird diese spezielle Zuspitzung des Gnadenverständnisses im paulinischen Begriff von «Glaube», der die bedingungslose Rechtfertigung durch Gott ergreift und annimmt. Allgemein formuliert, bedeutet Glaube bei Paulus: Annahme des Heilshandelns Gottes in dem gekreuzigten und auferstandenen Jesus Christus. Inhalt des Glaubens ist also Christus, nichts anderes und das unrevidierbar. Darin ist der paulinische Glaubensbegriff von dem des AT und des Judentums geschieden. Allerdings noch nicht hinreichend von dem der synoptischen Evangelien und, durch sie hindurch, vom Glaubensbegriff Jesu. [27] Denn auch dort ist Jesus selbst schon Thema des Glaubens, wenn auch eher indirekt, insofern in *ihm Gott* als Thema des Glaubens gegenwärtig ist, *Gottes* Herrschaft in *seinem* Wirken beginnt. Die

---

[26] Vgl. w.o.S. 617f und w.u.S. 845f.

[27] Ergänzend zu den Ausführungen dazu in MS I, 798–810, vgl. G. Ebeling, Jesus und Glaube I (Tübingen ²1962) 203–254 (Lit.).

abgrenzende Zuspitzung des Glaubensbegriffes bei Paulus besteht darin, daß der Glaube die Alternative zum Heilsweg des Gesetzes wird. Das ist bei Paulus nicht Ergebnis einer Deduktion, sondern Konsequenz aus dem Ur-erlebnis seines Christseins und seines theologischen Denkens, das er selbst auf die Formel bringt: «Wenn durch das Gesetz Gerechtigkeit kommt, dann ist Christus umsonst gestorben» (Gal 2,21). Soll also Christus nicht umsonst gestorben sein, dann kommt Gerechtigkeit eben nicht durch das Gesetz, sondern allein durch den Glauben. Die Kraft dieses paulinischen Ur-Satzes verstärkt sich durch sachliche Gegebenheiten, in die er eingebettet ist: die Notwendigkeit einer gesetzesfreien Heidenmission, die Paulus sich zur Lebensaufgabe macht, und die fortschreitende Zentrierung des Glaubens auf Kreuz und Auferstehung Jesu als die entscheidenden Heilsereignisse, wofür wiederum Paulus der wortgewaltigste Zeuge ist. Solange – wie bei Jesus selbst und in der ursprünglichen synoptischen Tradition – der Aus-griff der Verkündigung auf die Heiden noch nicht reflex im Blick ist, solange Jesus – auch der gekreuzigte und auferweckte Jesus – mehr als der bestä-tigte *Verkünder* der Gottesherrschaft und kaum als die *zu verkündigende Gegen-wart* der Gottesherrschaft selbst gesehen wird, so lange ist das Urteil über das Gesetz in der Schwebe, ist die *Alternative* zwischen Gesetz und Glaube verdeckt. Wird aber Christus zum Thema des Glaubens, der Juden wie Heiden gleicherweise zu verkünden ist, dann muß diese Alternative auf-brechen und kann in letzter Konsequenz Paulus dahin treiben, angesichts des Kreuzes Christi Judentum und Heidentum gleichzusetzen: beide sind Dienst an den armseligen Welt elementen (Gal 4,9). Übrigens ist die pauli-nische Position keineswegs ein voller Bruch mit der synoptischen Tradi-tion, denn sie ist auch in dieser selbst schon angelegt. Wenn in Jesus die Gottesherrschaft beginnt, wenn in seinem Glauben weckenden Handeln Gott begegnet, dann ist damit offenbar alle Gottesbegegnung im Gesetz überboten. Das Gesetz muß dann, je länger desto mehr, zur entbehrlichen Hinführung und schließlich zum Hindernis für den Glauben an Jesus wer-den. So waltet zwischen Paulus und der synoptischen Tradition Kontinuität und Diskontinuität zugleich. Überdies kann man eine Gesetzmäßigkeit er-kennen: Je stärker der reflexe Bezug des Glaubens auf Christus wird, desto profilierter schält sich der Glaube als Alternative zum Weg des Gesetzes her-aus, kürzer: Christusglaube schließt das Gesetz aus, Christus ist das «Ende des Gesetzes» (Röm 10,4).

Die Alternative von Glaube und Gesetzeswerken «berührt … ‹nicht die Problematik des Handelns des zum Glauben Gekommenen, sondern … er (Paulus) meint den Gegensatz zwischen einem – nach seiner Interpretation jedenfalls – in bezug auf die heilschaffende Kraft des Menschen optimisti-schen, werkfrohen Judentum und dem Glauben an den gekreuzigten und auferstandenen Jesus Christus›. Daß somit die Problematik Luthers nicht die des Paulus ist, liegt auf der Hand.» Diese an früherer Stelle[28] schon getroffene Feststellung ist hier zu unterstreichen und wird in neuerer Zeit gerade auch von der historischen Lutherforschung hervorgehoben.[29] So ist es für ein geschichtliches Verstehen zunächst weder überraschend noch bedauerlich, wenn die Bedeutung der paulinischen Rechtfertigungslehre im Fortgang der Geschichte sich abschwächt. Der weiter oben gegebene Überblick[30] hatte gezeigt, daß schon bei Paulus selbst das Thema der Rechtfertigung nur noch fragmentarisch und andeutend angesprochen wird, wenn er sich nicht an Juden, sondern an Heidenchristen wendet – selbstverständlich ohne Widerspruch in der Sache. Ist schließlich die Gefahr eines judaisierenden Mißverständnisses gebannt, glaubt niemand mehr im Ernst, daß er Gottes Gnade durch die Werke des mosaischen Gesetzes verdienen könne, muß man gar vor innerchristlichen Mißverständnissen der paulinischen Lehre warnen (Jak 2,14–26; Mt 7,21; 2 Petr 3,14–16), dann hat die paulinische Lehre mit ihrem Adressaten zugleich ihre besondere kritische Stoßkraft eingebüßt. Der Weg zu einer ruhigen Integration der Rechtfertigungslehre in eine allgemeine Lehre von der Gnade ist frei. Die Frage ist nur, ob sich nicht die «Werke», auch die von Paulus «Früchte des Geistes» (Gal 5,22) genannten Werke, von Geist, Gnade und Glaube als ihrer Quelle wieder emanzipieren können; ob nicht insbesondere gewachsene, zuerst hilfreiche, dann lästige, schließlich bedrückende Lebensformen der Kirche und die mit ihnen verbundenen «Werke» sich verselbständigen können; ob allerlei «Werke» nicht allmählich wenigstens zur «Nachbedingung» und schließlich wieder zur Vorbedingung der Gnade werden können. Dann wäre *innerhalb* der auf das Gnadenhandeln Gottes gegründeten Kirche wieder eine neue Tora im paulinischen Sinne in Konkurrenz zum Glauben getreten. Die Verkündigungssituation des Paulus wäre damit nicht repristiniert, aber die ursprüngliche paulinische Rechtfertigungsverkündigung hätte neuerlich eine aktuelle kritische Bedeutung in gewandelter Form bekommen – gegen einen neuen Legalismus und Judaismus innerhalb der Kirche selbst. Genau dieser Meinung waren die Reformatoren, und so wurde die Rechtfertigungslehre zum «articulus stantis et cadentis ecclesiae».

[28] MS I, 807f, mit Zitat aus O. Kuß, Der Römerbrief. Erste Lieferung (Regensburg 1957) 149, 134.

[29] Vgl. G. Ebeling, Erwägungen zur Lehre vom Gesetz: Wort und Glaube I (s. Anm. 27) 255–293, bes. 263–277; W. Joest, Gesetz und Freiheit. Das Problem des Tertius usus legis bei Luther und die neutestamentliche Parainese (Göttingen ³1961); ders., Paulus und das Luthersche simul iustus et peccator: KuD 1 (1955) 269–320; P. Bläser, Gesetz und Evangelium: Cath 14 (1960) 1–23, bes. 7–20; P. Althaus, Paulus und Luther über den Menschen. Ein Vergleich (Gütersloh ³1958); allgemeiner: B. Lohse, Lutherdeutung heute (Göttingen 1968) 19–32; A. Peters, Glaube und Werk. Luthers Rechtfertigungslehre im Lichte der Heiligen Schrift = Arbeiten zur Geschichte und Theologie des Luthertums 8 (Berlin 1962), bes. die Kernthese S. 26.

[30] S. 619ff.

c. Der reformatorische Neuansatz

Wir skizzieren den Neuansatz und den neuen Stellenwert der reformatorischen Rechtfertigungslehre und später ihre Details zunächst am Beispiel Luthers, weil sich dabei das Neuartige gegenüber der katholischen Tradition am schärfsten heraushebt. Auf den Unterschied zwischen Luther und Calvin in der Rechtfertigungslehre wird an späterer Stelle eingegangen.

In Luthers Neuentdeckung der paulinischen Rechtfertigungslehre – so darf man es im Sinne und in den Grenzen der vorausgehenden Überlegungen durchaus nennen – wirken mehrere Faktoren zusammen. Ihre wechselseitige Interdependenz wird in der Forschung äußerst unterschiedlich beurteilt.[31] Daher können wir sie hier nur aufzählen und müssen eine abschließende Urteilsbildung zurückstellen.[32] Luthers Reformation beginnt im Hörsaal. Durch philosophische und philologische Vorbildung bestens ausgerüstet, geht Luther als Professor für die Heilige Schrift in seinen ersten Vorlesungen zwar nicht völlig neue Wege der Exegese, aber er geht sie mit besonderer Entschiedenheit und unverkennbarer Originalität:[33] Christologische Interpretation der Psalmen, zunächst originelle Anwendung der Methode des vierfachen Schriftsinnes[34] durch Betonung der tropologischen Interpretation, die den biblischen Text und das biblische Geschehen auf den Glaubenden bezieht, hernach fortschreitende Lösung von der Allegorese zugunsten der Konzentration auf den buchstäblichen Sinn, im Einklang mit großen Kronzeugen, allerdings nicht mit der durchschnittlichen Praxis, ab 1515 Exegese nach dem Urtext, und zwar nicht von ungefähr beginnend mit einem Kolleg über den Römerbrief, Entdeckung und Auswertung des zentralen Begriffes der «Verheißung» («promissio») und des biblischen Wortverständnisses überhaupt – das sind wesentliche Stichworte. Hinzu tritt ein überdurchschnittlicher Eifer in der Beschaffung von neuen (nichtscholastischen) Quellentexten und in der Auswertung neuerscheinender Druckausgaben patristischer Texte, vor allem von Augustins antipelagianischen Schriften. Dies alles steigert ein bei Luther schon in seinen Studienjahren aufkeimendes Unbehagen an der scholastischen Gnadenlehre zum offenen Protest, bei dem Luther zwar hauptsächlich die Theologie der «via moderna» (Gabriel Biel, Ockham) im Kopf hat, der gesamten Scholastik aber nichts Besseres zutraut. Insbesondere polemisiert Luther gegen die, wie er meint, Überschätzung der Kräfte des «natürlichen» Menschen, der doch nach Paulus nichts als hoffnungslos verlorener Sünder ist. An die Stelle der mittelalterlichen Vorstellung

---

[31] Siehe die in der Bibliographie aufgeführten Arbeiten zum theologischen Werdegang Luthers.

[32] Vgl. aber O. H. Pesch, «Das heißt eine neue Kirche bauen». Luther und Cajetan in Augsburg: M. Seckler/O. H. Pesch/J. Brosseder/W. Pannenberg (Hrsg.), Begegnung. Beiträge zu einer Hermeneutik des theologischen Gesprächs (Graz 1972) 645–661, wo ein vorsichtiges Urteil über die Zusammenhänge versucht wird.

[33] Vgl. die Arbeiten von Bäumer, K. Bauer, Ebeling (Lutherstudien), Brandenburg, Kroeger, Bayer, Demmer, Preus in der Bibliographie.

[34] Vgl. MS I, 408–428; und jetzt O. H. Pesch, Das Gesetz. Kommentar zu Thomas von Aquin, S. Th. I/II q. 90–q. 105 = DThA 13 (Graz 1974) Exkurs 4.

von der Gnade als einer innermenschlichen Qualität tritt, sachlich vorgebildet in der frühen tropologischen Bezugsetzung zwischen Christus und dem Christen, die Lehre von der «Anrechnung» der Gerechtigkeit Christi bzw. der «Nichtanrechnung» der Sünde, von der «fremden Gerechtigkeit» («iustitia aliena»), der «Gerechtigkeit außerhalb von uns» («iustitia extra nos»), deren Sprach- und Begriffsform er in Röm 4 findet. Der erste frühe Höhepunkt dieser Absage an die scholastische Gnadenlehre ist die «Disputatio contra scholasticam theologiam» vom 4. September 1517, deren von Luther verfaßte Thesen uns erhalten sind.[35]

Der Geschehens- und Kampfcharakter der Rechtfertigung und des Lebens in der Gnade, den Luther ebenfalls bei Paulus neu entdeckt, führt zum Zweifel an der scholastischen Vorstellung, man sei *entweder* in der Gnade *oder* in der Sünde, und die verbleibende Konkupiszenz sei entweder *nur* «Zunder» («fomes») für zukünftige neue Sünde oder aber durch Zustimmung entschiedene Sünden*tat*. Vor allem Röm 7 wird daher seit dem Römerbriefkolleg zum Kronzeugnis für die These (auf die später in einem Exkurs noch einmal näher einzugehen ist), daß der Christ «gerecht und Sünder zugleich» («simul iustus et peccator»), daß sein *Herz* nach wie vor böse und widerwillig gegen Gott sei und gerecht nur durch Gottes gnädige Nichtanrechnung, die freilich den so Gerechtfertigten in einen lebenslangen Kampf gegen die Sünde und in eine lebenslange Buße versetze – eine Auffassung, die sich sofort im Verständnis der Sakramente, vor allem der Taufe und der Buße, und weiterhin der Vollmacht der Kirche auswirkt.

Der knapp zwei Monate nach der Disputation gegen die scholastische Theologie einsetzende Konflikt mit Rom über den Ablaß,[36] das heißt: über theologische Positionen und kirchenamtliche Praktiken, die nicht durch den *buchstäblichen* Sinn der Schrift zu decken waren, führt zur Frage nach dem Wort als dem alleinigen Mittel des Heils und nach der Schrift als alleiniger Lehr- und Handlungsnorm in der Kirche. Denn wenn Luther allein dem Literalsinn der Schrift Verbindlichkeit und Beweiskraft in der Kontroverse zuschrieb, befand er sich auf der Linie einer nie unterbrochenen Tradition seit Augustinus. Wenn die römische Kurie unter Berufung allenfalls auf allegorische Deutungen von Schriftworten von Luther die Zustimmung zur – damals noch keineswegs sehr klaren – Ablaßtheologie und -praxis verlangte, mußte das für Luther die doppelte Frage erzwingen, wem der Mensch nun entscheidend das Heil verdankt, dem Worte Gottes oder der Unter-

---

[35] WA 1/224–228; vgl. dazu die Monogr. von L. Grane, Contra Gabrielem. Luthers Auseinandersetzung mit Gabriel Biel in der Disputatio contra scholasticam theologiam 1517 (Kopenhagen 1962). – Neben der WA gibt es die praktische Schulausgabe in 8 Bänden von O. Clemen, Luthers Werke in Auswahl (Berlin [6]1966), die alle wichtigen Werke Luthers enthält; und die Münchener Ausgabe: Martin Luther, Ausgewählte Werke, hrsg. von H. H. Borcherdt und G. Merz, 6 Bde. u. 7 Erg.-Bde. (München [3]1948, unveränderte Neuauflage 1962/63). Diese letztere Ausgabe bringt nicht nur die lateinischen Werke in deutscher Übersetzung, sondern auch die deutschen Schriften Luthers in heutiger hochdeutscher Textgestalt. Beide Ausgaben verzeichnen am Rande die entsprechenden Seiten der WA und erlauben somit ein bequemes Nachschlagen der nach WA zitierten Stellen.

[36] Seit einem guten Jahrzehnt ist die Historizität des Anschlags der Ablaßthesen an der Schloßkirche zu Wittenberg umstritten. Vgl. E. Iserloh, Luther zwischen Reform und Reformation. Der Thesenanschlag fand nicht statt (Münster [3]1968 = verbesserte und um eine Auseinandersetzung mit den Einwänden vermehrte Neuauflage).

werfung unter die Kirche, und wer in der Kirche letzte, normgebende Autorität habe, die Schrift selbst oder deren Auslegung durch den Papst, auch wenn sie nicht zu verifizieren war. Auch hier wieder sind Luthers Neuverständnis des Bußsakramentes, des kirchlichen Amtes und der Kirche überhaupt die unmittelbare Spiegelung der neuen Fragen und der an ihnen gefallenen Grundentscheidungen.

Und schließlich gibt es den persönlichen Faktor: Luthers Anfechtungserfahrungen, denen weder mit den kirchlichen Sakramenten noch mit dem klugen Rat erfahrener geistlicher Führer (die Luther zeitlebens bewundert hat) abzuhelfen war. Die Schrecken der Erfahrung eigener Sündhaftigkeit und radikalen Unvermögens – gewiß nicht ohne psychologische Strukturen zu erklären, aber theologisch damit keineswegs abzutun [37] – lassen Luther fragen, wie die Anfechtung zu überwinden, besser: woraufhin sie getrost zu ertragen sei. Auch diese Frage stößt auf das paulinische Rechtfertigungszeugnis als einzige Antwort: Gott erbarmt sich *bedingungslos* des Sünders, und allein deswegen ist der Sünde ihre todbringende Macht genommen. Im übrigen ist Luthers Frage nach der Heilsgewißheit nicht nur sein persönliches Problem und seine eigene Antwort darauf nicht die Depravierung der christlichen Heilsbotschaft zu einem Mittel persönlicher Gewissensruhe.[38] Sie artikuliert vielmehr exemplarisch die Frage einer neuen Epoche: der Neuzeit, der die Frage des Menschen nach sich selbst zum Schicksal geworden ist, die nicht mehr mit den Selbstverständlichkeiten einer mittelalterlichen kirchlichen Lebensform zu beantworten ist.[38a]

Neue Methoden in der Exegese, neue exegetische und theologische Einsichten mit Hilfe dieser Methoden, Widerstand gegen eine kirchliche Autorität, die sich von ihren Kronzeugen Paulus und Augustinus abwandte oder sie domestizierte, neue Selbsterfahrung und neue Fragen einer neuen Zeit – das sind Faktoren, die der paulinischen Rechtfertigungslehre in der Reformation zu einer neuen Funktion, ja einer Schlüsselposition verhelfen. Wie man zum neu in die Mitte gestellten paulinischen Rechtfertigungszeugnis (und gegebenenfalls seiner augustinischen Formulierung) steht, daran entscheiden sich in den Augen Luthers jetzt Wahrheit und Irrtum in Lehre und Leben der Kirche, ja sogar Mitte und Peripherie der Schrift. Steht man positiv dazu, dann kann in Theologie und Kirche nicht alles bleiben wie bisher. «Der Artikel von der Rechtfertigung ist der Meister und Fürst, Herr, Lenker und Richter über alle Arten von Lehre, er bewahrt und beherrscht jegliche kirchliche Lehre und richtet unser Gewissen vor Gott auf. Ohne die-

---

[37] Vgl. das vieldiskutierte Buch von E. H. Erikson, Young Man Luther. A Study in Psychoanalysis and History (New York 1962), dt. unter dem Titel: Der junge Mann Luther (München 1964), und die Kritik von H. A. Oberman, Wir sein pettler. Hoc est verum. Bund und Gnade in der Theologie des Mittelalters und der Reformation: ZKG 78 (1967) 232–252, bes. 234–242.

[38] So die Grundthese des Buches von P. Hacker, Das Ich im Glauben bei Martin Luther (Graz 1966); vgl. dazu unsere Besprechung: ThRv 64 (1968) 51–56.

[38a] Dazu jetzt G. Ebeling, Luther und der Anbruch der Neuzeit: ZThK 69 (1972) 185–213.

sen Artikel ist die Welt durch und durch Tod und Finsternis.»[39] Die Rechtfertigungslehre hat ihren Ort nicht mehr in einer Gnadenlehre, sie selbst ist
der Ort, buchstäblich der «Gerichtsstand» jeglicher theologischen Entscheidung. Demgemäß gibt es in der ursprünglichen reformatorischen Theologie keinen «Traktat über die Rechtfertigung» – sowenig wie eine Gnadenlehre –, wohl aber werden im Licht der Rechtfertigungslehre alle anderen
theologischen Fragen abgehandelt.

Das Trienter Konzil ging in vielen Einzelheiten auf die reformatorische
Rechtfertigungslehre ein, und zwar keineswegs nur abwehrend, sondern
auch – kritisch – die reformatorische Anfrage aufnehmend.[40] Es wies aber
die Forderung nach einer Schlüsselposition für die Rechtfertigungslehre zurück. Aus den Trienter Dekreten sind vor allem zwei Gründe dafür erkennbar: Das Konzil war nicht willens, *grundsätzlich*, also über notwendige Reformen hinaus, an den überkommenen kirchlichen Strukturen und Lebensformen rütteln zu lassen und konnte deshalb keinen Rechtfertigungsartikel
als «Richter» anerkennen[41] – zumal nicht in einer Interpretation, die unter
den Exegeten und Theologen damals keineswegs unumstritten war; das
Konzil teilte ferner nicht den Eindruck der Reformatoren von einem neu er-
wachten unchristlichen Legalismus in der Kirche und befürchtete eher – wie
nachpaulinische ntl. Autoren – aufgrund der reformatorischen Rechtfertigungslehre eine Schwächung des sittlichen Strebens bei den Christen[42] – ein
Vorwurf, gegen den sich Luther seit den Anfängen seiner reformatorischen
Theologie zu verteidigen hatte.[43] Bis heute sind beide tridentinischen Vorbehalte nicht verstummt: Wo lutherische Theologen die katholische Theologie einer «vereinnahmenden Ekklesiologie» anklagen, die die Kirche umfassend allem Geschehen zwischen Gott und Mensch vorordne,[44] erkennt
die durchschnittliche katholische Beurteilung auf antikirchlichen Individualismus und sittliche Unbekümmertheit.[45]

An beiderseitigen Richtigstellungen solcher vereinfachender Vorwürfe

---

[39] WA 39 I/205,2 (Disputation, 1537).

[40] Vgl. w.o. S. 712–724.

[41] Vgl. bes. DS 1500, 1510, 1520, 1542, 1570, 1579, 1583, 1600, 1667, 1686–1688, 1715,
1763–1778, 1835.

[42] Vgl. bes. DS 1533–1539, 1545–1549, 1562, 1568–1577, 1582.

[43] «Daher kommt es, wenn ich den Glauben so sehr betone und solch ungläubige
Werke verwerfe, beschuldigen sie mich, ich verbiete gute Werke, obwohl ich doch gern
richtige gute Werke des Glaubens lehren will» (WA 6/205,11: Sermon von den guten
Werken, 1520); vgl. auch WA 10 I 1/410,14; 56/233,20; 268,7; und Augsburgische Kon-
fession 20 (BSLK 75,13): «Den Unseren wird mit Unwahrheit aufgelegt, daß sie gute
Werke verbieten.»

[44] Exemplarisch ist dafür das in Anm. 7 genannte Buch von G. Maron; vgl. bes.
261–266.

[45] Vgl. die Erhebungen bei A. Hasler, Luther in der katholischen Dogmatik (s. Anm. 4),
77f, 85f, 96, 98.

ist kein Mangel, aber das hat bis heute nicht verhindern können, daß die Rechtfertigungslehre auf katholischer Seite in ihrem traditionellen Kontext verblieb, jetzt aber befrachtet mit dem ganzen Gewicht der katholisch-reformatorischen Kontroverse, für die dieser Kontext eigentlich zu eng ist. Die ärgerlichsten, aber unausrottbaren Mißverständnisse mußten die Folge sein – und sie begannen sich denn auch zu lösen, sobald man versuchte, die beiderseitigen Positionen nicht in fremdem, sondern in je ihrem eigenen Fragezusammenhang zu diskutieren.

Diese Art, die Frage nach der Rechtfertigung anzugehen – die wahrhaft «ökumenische» Weise –, ist heute selbstverständlich. Nicht anders kann es auch in diesem Buch sein. Wir werden also die reformatorische Rechtfertigungslehre – und in ihr den paulinischen und augustinischen Impuls! – ernst zu nehmen haben. Dann aber muß unsere Darstellung zwei Linien folgen. Auf der einen Seite haben wir die Rechtfertigung als Teilthema der Gnadenlehre zu behandeln und dabei Punkt für Punkt die in Geschichte und Gegenwart sich stellenden Probleme aufzugreifen – so ist es gute katholische Tradition, und auch gegenüber der reformatorischen Theologie kann das keineswegs als illegitim gelten. Auf der anderen Seite haben wir uns mit Blick auf die Reformation mit der Frage auseinanderzusetzen, ob und wie die – in den Details abgeklärte – Rechtfertigungslehre zum kritischen Prüfstein allen theologischen Redens wird. Es empfiehlt sich, beide Linien nacheinander zu verfolgen. Beide werden zudem ständig überkreuzt von der Linie der aktualisierenden «Übersetzung», von dem Versuch also, die *Sache* des Rechtfertigungszeugnisses gegebenenfalls aus einem fremd gewordenen Sprach- und Verstehenskontext zu lösen und im Kontext heutigen Glaubensverständnisses neu zur Sprache zu bringen. Dieser Versuch muß im folgenden die Erörterung aller Einzelheiten bestimmen. Gleichwohl soll er am Schluß in einer Art Zusammenziehung aller Fäden noch einmal eigens thematisch werden. Damit ist der Gang des Folgenden vorgezeichnet.

2. *Gottes rechtfertigendes Handeln*

Das erste, was über die Rechtfertigung des Menschen zu sagen ist, lautet: Gott *hat* den Menschen gerechtfertigt. Wir haben einzusetzen mit dem, was man die «objektive» Rechtfertigung zu nennen pflegt im Unterschied zur «subjektiven» Rechtfertigung, durch die der Mensch im Glauben die objektive Rechtfertigung ergreift und annimmt. Diese Terminologie ist in der katholischen Tradition nicht so geläufig wie in der evangelischen.[46] Die herkömmliche katholische Sprechweise nennt «Rechtfertigung» das inner-

---

[46] Vgl. H. Küng, Rechtfertigung. Die Lehre Karl Barths und eine katholische Besinnung (1957) (Einsiedeln ⁴1964) 218–231.

menschliche Geschehen, die «subjektive» Rechtfertigung – wie auch immer
diese zu verstehen sei. Diese aber nennt die evangelische Theologie teilweise
– nämlich soweit ihre erneuernden Wirkungen in Rede stehen – gar nicht
mehr «Rechtfertigung», sondern «Heiligung»,[47] wohingegen «Rechtfertigung» das «objektive» Handeln Gottes ist. Schon hier ist deutlich, daß man
sich eine Menge überflüssiger Kontroversen erspart, wenn man zunächst
einmal genau auf Terminologie und Begriffsapparat achtet.

Nun ist zwar richtig, daß in der Schrift von der «objektiven Rechtfertigung» seltener als von der «subjektiven» die Rede ist oder besser: daß das
mit «objektiver Rechtfertigung» Gemeinte häufiger mit anderen Worten
ausgedrückt wird, bei Paulus vor allem durch Begriffe wie «retten», «erlösen», «versöhnen». Es ist ebenfalls richtig, daß von der objektiven Rechtfertigung nie die Rede ist ohne Bezug auf die subjektive Rechtfertigung,
d.h.: ohne Bezug zum *Glauben*. Insoweit ist also die katholische Sprachregelung durchaus legitim. Dennoch gibt es auch geradezu klassische Texte zur
objektiven Rechtfertigung. Der wichtigste ist Röm 3,21–26; vgl. ferner
Röm 4,25; 5,18f; 2 Kor 5,21. Wir brauchen vom speziellen Sinn des Wortes
«Rechtfertigung» hier noch gar nichts zu wissen, die Texte lassen dennoch
klar erkennen, um was es geht: um die Heilsbedeutung von Tod und Auferstehung Jesu. Jenseits aller Kontroversen um Begriffe und Verstehens-
modelle können wir sagen: «Gott hat uns gerechtfertigt» heißt: In Tod
und Auferstehung Jesu Christi hat Gott sich unwiderruflich der Welt und
den Menschen zugewandt, hat sie angenommen. Was Jesus verkündet hat,
die Nähe Gottes – durch seinen Tod und seine Auferstehung ist sie Wirklichkeit. Da es nur eines gibt, was *Ferne* zwischen Gott und Mensch schafft,
nämlich die Sünde, bedeutet die unwiderrufliche *Nähe* Gottes, daß er sich
von der Sünde an seiner Zuwendung zum Menschen nicht hindern läßt, mit
anderen Worten: daß die Sünde um Christi willen vergeben ist. *Mit* ihrer
ausweglosen Schuld hat Gott die Menschen angenommen.

Das alles ist jetzt «offenbar» (Röm 3,21). Auf welche Weise, das können
wir hier mit einem Hinweis zusammenfassen: dadurch, daß es verkündet
wird und dadurch, daß Menschen in die Gemeinschaft von Tod und Auferstehung Jesu hineingezogen werden, mit anderen Worten: durch Wort
und Sakrament.[48] Von vornherein ist die *Kirche* in den Vorgang der Offenbarung der Rechtfertigung einbezogen. Das Gnadengeheimnis Gottes in
Jesus Christus wird «kundgetan durch die Kirche» (Eph 3,9f). Dies muß
schon hier gegen vorschnelle allergische Reaktionen auf evangelischer Seite
betont werden. Gewöhnlich stellen sich diese ein, weil man beim Stichwort
«Kirche» (und «Sakrament») sofort «Vermittlung» in einem bestimmten
Sinne assoziiert, nämlich als Unterbrechung des persönlichen Gottes- und

---

[47] Vgl. w.u. S. 878–885.
[48] Vgl. MS I, 497–545, 606–707; und w.u. S. 862–871.

Christusbezuges durch eine überpersönliche und dazu noch mystifizierte Institution. Aber das muß keineswegs so sein, noch ist es hier schon so vorentschieden. Macht man sich von allen eingeschliffenen Denkschemata frei, so geht es um den schlichten Tatbestand, daß kein Mensch von der Rechtfertigung durch Gott um Christi willen erfährt außer durch Wort und Leben derer, die vor ihm geglaubt haben, der Glaubensgemeinschaft der Kirche. In diesem Sinne ist «Vermittlung» der Kirche sozusagen unvermeidlich. Es wird darauf noch zurückzukommen sein, wenn wir über das «sola fide» nachzudenken haben. Selbstverständlich ist damit nicht nur die Existenz und Notwendigkeit der Kirche bekräftigt, sondern zugleich auch ein ganz bestimmtes Verständnis ihres Wesens grundgelegt. Das Wort und das verleiblichende Zeichen müssen und werden kritisch zurückwirken auf die faktische Gestalt der Glaubensgemeinschaft, die es verkündet und vollzieht. Aber danach mit Recht zu fragen tangiert nicht die Grundstruktur der Sache.[49]

Eine andere Frage gehört noch hierher: Warum wird die *Gerechtigkeit* Gottes offenbar? Wir sind damit wieder beim speziellen Sinn des Rechtfertigungsbegriffes: Gerechtigkeit, weil es Gnade über *Sünde* ist. Das heißt: Gottes Heilshandeln ist zugleich und zuerst Gericht, Entlarvung der Bosheit und Gottesferne des Menschen. Von den Synoptikern (Mt 10, 34) bis zu Johannes (Jo 3, 19; 5, 19–30; 12, 31. 47f; 16, 11) ist deutlich, daß Jesu Kommen Gericht bedeutet. In der Terminologie der Rechtfertigungslehre zieht Paulus die Konsequenz. In der späteren Theologie ist dieser Gedanke aus den schon genannten Gründen aus der Rechtfertigungslehre geschwunden, hat aber von Anselm von Canterbury über Thomas von Aquin bis Luther und bis in die moderne lutherische Theologie hinein in der Lehre von der stellvertretenden Genugtuung Christi betonte Ausarbeitung erfahren.[50] Welche neuen Worte wir auch machen mögen, auch dies und dies zuerst ist Gottes rechtfertigendes Handeln: Konfrontation des Menschen mit einer

---

[49] Es wäre, und sei es auch nur methodisch, ein lohnender Versuch, die Erhebungen von G. Maron (s. Anm. 7) zum Thema «Kirche als Grundsakrament», die dieser im Sinne eines wortfernen Sakramentsverständnisses interpretiert und als «vereinnahmende Ekklesiologie» anprangert, einmal worttheologisch zu erschließen. Die Konzilstexte würden sich dann in einer überraschenden Kontinuität mit den von niemandem beanstandeten Bemühungen der jüngeren katholischen Theologie zeigen, das Verhältnis von Wort und Sakrament neu zu durchdenken. Was wir im Sinne haben, zeigt unser Aufsatz: Besinnung auf die Sakramente. Historische und systematische Überlegungen und ihre pastoralen Konsequenzen: FZPhTh 18 (1971) 266–321, bes. 295–316. Dort auch Hinweise auf die einschlägige Literatur.

[50] Monographische Literatur dazu bei O. H. Pesch, Theol. der Rechtfertigung (s. Anm. 2) 124 Anm. 3, 554 Anm. 2; hinzuzufügen sind jetzt B. A. Willems, Erlösung in Kirche und Welt = QD 35 (Freiburg/Br. 1967) und H. Keßler, Die theologische Bedeutung des Todes Jesu. Eine traditionsgeschichtliche Untersuchung (Düsseldorf 1970). Zur Sache vgl. MS III/2.

Unheilsrealität, für die er selbst alle Verantwortung trägt, die er auf niemanden abwälzen kann. Ohne das Eingeständnis, daß er nicht der Mensch nach dem Willen Gottes ist, kann der Mensch weder begreifen noch ergreifen, was Gott in Jesus Christus an ihm getan hat. Sündenerkenntnis und Selbstanklage haben Priorität vor der Rechtfertigungserfahrung – nicht unbedingt zeitlich oder psychologisch, aber sachlich. Von hierher ergibt sich die nächste Frage: Was heißt denn nun Rechtfertigung *des Menschen?*

3. Rechtfertigung als Geschehen am Menschen

a. «Forensische» oder «effektive» Rechtfertigung?

Hier geraten wir in eine Streitfrage, die so alt ist wie der Streit um die Rechtfertigung überhaupt. Ist die Rechtfertigung «effektiv» oder ist sie «forensisch», ist sie also eine *Tat* Gottes, die im sündigen Menschen etwas *bewirkt*, schafft, verändert, oder ist sie ein *Urteil* – «in foro», im Gericht –, das etwas *erklärt*, nämlich daß der Mensch gerecht sei? Die Streitfrage knüpft an die schon vermerkte Tatsache an, daß Luther sich aus verschiedenen Gründen von der mittelalterlichen Gnadenlehre, die die Rechtfertigungsgnade als innermenschliche Qualität (habitus) verstand, abwandte und, gestützt auf Paulus, Gnade und Rechtfertigung als Nichtanrechnung der Sünde und Anrechnung der Gerechtigkeit Christi, als Freispruch im Gericht Gottes auffaßte. Auf der anderen Seite ist es weder für Luther noch für irgendeinen anderen der großen Reformatoren jemals zweifelhaft gewesen, daß Gottes rechtfertigendes Handeln den Menschen neu macht, also einen «Effekt» hat und in diesem Sinne «effektiv» ist. Die Frage lautet also, genau gesehen, so: *Erklärt* Gott den Menschen vor seinem Gericht für gerecht, *weil* er ihn – zeitlich zugleich, sachlich zuvor – gerecht *gemacht* hat, also *aufgrund* dieser (wenigstens schon partiellen) Gerechtmachung, oder erklärt Gott den Sünder *voraussetzungslos* für gerecht, so daß dieses Urteil seinerseits erst die sachliche Grundlage der Gerecht*machung* des Menschen durch Gott wird? Nach der die Kontroverse prägenden Terminologie ist die Rechtfertigung im ersten Falle «effektiv», im zweiten Falle «forensisch». Wie man sieht, ist nicht dies die Frage, *ob* die Rechtfertigung forensisch oder effektiv ist, sondern wie sich im Ganzen der Rechtfertigung das forensische und das effektive Moment, an dem beide Male kein Zweifel bestehen kann, zueinander verhalten.

Für die Luther- und Reformationsforschung ist inzwischen das Folgende klar:[51]

a. Luthers eigene Terminologie schafft – ähnlich wie bei anderen Problemen – keine Klarheit. Manchmal gebraucht er «iustificatio» im Sinne des

---

[51] Vgl. O.H.Pesch aaO. 175–187; E.Iserloh, Gratia und Donum (s.Bibl.).

Gerecht*machens*, manchmal im Sinne des Gerecht*sprechens*, mit anderen Worten: Unsere Frage ist ihm als solche unbekannt, sie ist in der Tat späteren Ursprungs – aus dem Kreis um Melanchthon.

b. Sachlich ist die Frage unglücklich gestellt. Sie reißt auseinander, was sachlich – und auch bei Luther – unlösbar zusammengehört. Zudem artete sie im Laufe der Geschichte des Luthertums zu einer «Geheimwissenschaft»[52] aus, bei der kein Uneingeweihter folgen konnte, geschweige denn daß die kirchentrennende Brisanz dieser Kontroverse erkennbar gewesen wäre.

c. *Wenn* man sich aber auf die unglückliche Alternative einlassen muß, glauben evangelische Theologie und Lutherforschung sich für das forensische Verständnis entscheiden zu müssen, und dies aus zwei gewichtigen sachlichen Gründen: Die bleibende Sünde schließt ein wirkliches *totales* Gerechtwerden aus – dieses ist Hoffnung für die eschatologische Vollendung, für jetzt aber Thema eines lebenslang nicht ans Ziel kommenden Kampfes. Gott rechtfertigt nun aber den Menschen nach dem Schriftzeugnis nicht etwa nur halb oder fragmentarisch. Folglich kann die Rechtfertigung des Menschen nicht auf der Ebene sich ereignen, wo seine seinshafte Gerechtwerdung statthat, sie kann daher nicht effektiv im Sinne der Frage sein – das ist der eine Grund. Der andere: Nur das forensische Verständnis der Rechtfertigung sichert die paradoxe Identität zwischen Gericht und Gnade. Wenn der Glaube die Rechtfertigung ergreift,[53] indem er sie sich zuerst gerade als Gericht und Verurteilung seiner Sünde gesagt sein läßt, ist ihm die letzte Möglichkeit genommen, noch wenigstens sein eigenes Annehmen und Ergreifen zur Selbstrechtfertigung zu mißbrauchen – eine Gefahr, die die Reformation, wenn auch zu Unrecht, in der scholastischen Gnadenlehre nicht nur nicht ausgeschlossen, sondern geradezu impliziert sieht.[54]

Im übrigen hat die heutige Lutherforschung trotz des Votums für das forensische Rechtfertigungsverständnis die wahren Dimensionen der reformatorischen Lehre in dieser Sache wiederhergestellt. So können wir heute wieder jenseits der Kontroversen unbefangen fragen: Was ist Rechtfertigung als Geschehen am Menschen?

---

[52] E. Wolf, Peregrinatio II (s. Anm. 11) 12.

[53] Vgl. auch w. u. S. 859–871.

[54] Das Unrecht dieser Unterstellung könnte nur in einer ausführlichen Analyse gezeigt werden; vor allem wirkt sich hier das chronische Mißverständnis der scholastischen Habitus-Lehre aus. Vgl. w. o. S. 672 ff, 677 f und O. H. Pesch aaO. 596–788; auch ders., Das Gesetz (s. Anm. 34), Kommentar zu I–II q. 100 a. 9; ders., Die bleibende Bedeutung der thomanischen Tugendlehre. Eine theologiegeschichtliche Meditation: FZPhTh 21 (1974).

b. Rechtfertigung als Annahme des Sünders

1. Auch katholische Exegeten haben heute keine «gegenreformatorischen» Bedenken, das δικαιοῦν in Röm 3, 24 mit «gerechtsprechen» zu übersetzen.[55] Die Rechtfertigungslehre ist also, daran besteht kein Zweifel, an ihrem biblischen Ursprung als eine Art Rechtsvorgang gedacht. Der paradoxe Freispruch des Schuldigen aus Gnade hebt das juridische Vorstellungsfeld nicht auf, sondern bekräftigt es gerade. Niemand kann also insoweit dem reformatorischen Rechtfertigungsverständnis mangelnde biblische Fundierung vorwerfen. Auch die lateinische Scholastik weiß um das juridische Vorstellungsfeld hinter dem Wort «iustificatio», dann nämlich, wenn dieses als Übersetzungswort für eines der vielen Synonyme von «Gesetz» gebraucht wird, besonders in Ps 119 [118].[56] Aber auch hier macht sich Denkzwang geltend, der von den etymologischen Elementen des Wortes herkommt: «iustus» und «facere». So wird aus der juridischen δικαίωσις die metaphysisch-anthropologische «iustificatio»: Gerecht*machung* des Menschen.[57] Verstärkt wird dieser Prozeß durch das antipelagianische Erbe der Theologie Augustins, dessen entscheidender Zug bekanntlich die Vorstellung vom *innerlichen* gnadenhaften Wirken Gottes im Menschen ist. Daß alle vielfältigen Theorien, die dieses Wirken Gottes weiter zu interpretieren suchten, genau diesen antipelagianischen Akzent zu festigen und zu verstärken trachteten, mithin aus genau demselben Grund ausgebildet wurden, aus dem Luther sie ablehnte, hat das dogmengeschichtliche Kapitel schon gezeigt.[58]

2. Beide Auffassungen von der Rechtfertigung beruhen auf bestimmten Vorstellungsmodellen. Zu streiten, ob sie nur Bilder oder echte Analogien im traditionellen scholastischen und wieder modernen katholischen Sinne sind,[59] ist müßig. Wichtiger ist eine andere Frage: Haben sie nicht doch einen gemeinsamen Nenner, und läßt sich der auch jenseits der traditionellen Kontroverse verständlich machen? Beide Weisen des Rechtfertigungsverständnisses wollen ausdrücken, wie der Mensch vor Gott «richtig» wird und ist, also Gottes Willen über den Menschen entspricht. Thomas von

---

[55] Vgl. w. o. S. 615.

[56] Vgl. die «Magna Glossatura» des Petrus Lombardus (= Überarbeitung der aus der Schule des Anselm von Laon stammenden «Glossa ordinaria» zu den Psalmen und den Paulusbriefen) zu Ps 118,93: PL 191, 1090C.

[57] Entsprechende Analyse des Begriffes «iustificatio» in den w. o. S. 833f angeführten Texten scholastischer Theologen. Als Beispiel für die Wirksamkeit des Denkzwanges vgl. bei Thomas, S. Th. I/II q. 99 a. 5 obi. 4 (mit Zitat der in Anm. 56 angeführten Stelle aus der «Glosse») mit dem corp. art. desselben Artikels; ebenso I/II q. 100 a. 2 obi. 1 und ad 1. Bemerkenswert ist, wie Thomas sich dabei gleichzeitig dennoch gegen den ethischen Gerechtigkeitsbegriff des Aristoteles abgrenzt; vgl. S. Th. I/II q. 113 a. 1 und schon q. 100. 2 ad 2; dazu O. H. Pesch, Theologie der Rechtfertigung 670–673.

[58] Vgl. w. o. S. 671–679.

[59] Vgl. MS I, 936–939; ferner O. H. Pesch aaO. 606–628 – zugespitzt auf das in Anm. 23 gekennzeichnete Mißtrauen evangelischer Theologie gegenüber der Scholastik.

Aquin – um ihn hier als Repräsentanten der Scholastik zu zitieren – verdeutlicht das an Koh 7,30 (in der Vulgata-Fassung: «Deus fecit hominem rectum»), also am Urstand: Gott machte den Menschen «richtig». Das versteht er so: Der Geist des Menschen war vollkommen Gott unterworfen und die Sinne und der Leib dem Geist. Die Rechtfertigung stellt diesen «richtigen» Zustand wenigstens anfanghaft wieder her.[60] Luther drückt es so aus, daß der Mensch dem Urteil Gottes – das Verurteilung und Freispruch zugleich ist – recht gibt, dadurch in Einklang mit Gottes Wort, also vor Gott wahr ist.[61] Hier wird der «gemeinsame Nenner» erkennbar: Es geht bei der Rechtfertigung um die richtige Beziehung des Menschen zu Gott, oder anders: darum, wie der Mensch vor Gott steht. Der Unterschied des Verstehensfeldes – hier Anerkennung des Wortes Gottes als wahr, dort Anerkennung des Willens Gottes als gültig – ist aus der Nähe betrachtet nicht so groß: Unterwerfung des Geistes unter Gott kann nur geschehen durch Anerkennung seines Wortes, das diesen Willen – und das Versagen des Menschen vor ihm – kundtut.

3. Jedes Verstehensmodell, ob alt oder neu, muß die paradoxe Eigenart des göttlichen Verzeihens zur Sprache bringen: Gott rechtfertigt den *schuldigen* Menschen, *ohne die Vorbedingung* irgendeiner Gebotserfüllung und auch nicht so, daß gute Werke gleichwelcher Art die *Nachbedingung* der Rechtfertigung würden. Die Rechtfertigung bringt ihre *Frucht* in guten Werken – aber Früchte sind keine Nachbedingung für die Existenz des Baumes. Kein Rechtfertigungsverständnis, das an diesem zentralen Punkt Abstriche in Kauf nimmt, kann sich im Einklang mit dem biblischen Zeugnis fühlen.

4. Dies alles im Auge behaltend, können wir zu formulieren suchen, was Rechtfertigung als Geschehen am Menschen ist: *Der Mensch, wie er ist, nimmt dies an, daß Gott ihn annimmt, wie er ist.* Was Gottes rechtfertigendes Handeln in Christus für die ganze Menschheit bedeutet, kommt gleichsam beim einzelnen Menschen an. Paradox ist dies deshalb, weil Gott den Widerstehenden annimmt. Die Freiheit, die Gott ihm gewährt hatte,[62] schloß ein, daß Gott den Menschen nicht gegen dessen eigenen Willen in seiner Gemeinschaft haben wollte, koste es den Menschen auch Tod und ewige Gottesferne. Nun nimmt Gott den an, der sich eigentlich nach wie vor nicht annehmen lassen, sondern lieber in sich selber stehen und von sich selber leben will – und nicht einmal die Aufgabe dieses Widerstandes macht Gott, wie es doch eigentlich logisch wäre, zur Vorbedingung, erwartet das vielmehr als das selbstverständliche Resultat, wenn der Mensch sich fortschreitend klar wird, was Gott da an ihm getan hat. In der Rechtfertigung redupliziert Gott

---

[60] Vgl. S. Th. I q. 95 a. 1 mit I/II q. 113 a. 1.
[61] Texte und Literatur bei O. H. Pesch aaO. 201–205.
[62] Vgl. MS II, 851 f, 869–871, 873–876, 882–884; und w. u. S. 852–859 und S. 970–977

gleichsam seinen Schöpferwillen über den Menschen: Ihn, den er als seinen freien, antwortfähigen Partner erschuf, nimmt er noch einmal in seine Partnerschaft – der ausgebliebenen Antwort zum Trotz. Mit den Worten der Schrift: Gott bleibt seinem geliebten Geschöpf treu, auch gegen dessen Untreue. Oder einfach: Gott vergibt die Sünde. Die alte Lehre, daß Rechtfertigung die anfängliche Wiederherstellung des Urstandes sei mit dem Ziel, ihn eschatologisch zu überbieten, behält ihre Gültigkeit, auch jenseits aller weltbildlichen und gar mythologischen Vorstellungen, die in der traditionellen Protologie und Eschatologie von Bedeutung waren.

Wir sind mit diesem Versuch, das Wesen der Rechtfertigung zu bestimmen, auch jenseits der Alternative von «forensisch» und «effektiv». Denn diese neue Beziehung, die Gottes rechtfertigendes Handeln zur Menschheit und zum einzelnen Menschen begründet, ist weder ein *ohnmächtiges* Wort, das gegen eine Wirklichkeit im Menschen abzugrenzen wäre, noch eine *naturalistisch*, also *unterpersonal* zu denkende Wirklichkeit – was freilich stets nur die mißverstandene, nicht die wirkliche scholastische Position war[63] und erst recht nicht die des Trienter Konzils, das sich nicht auf bestimmte scholastische Theologumena festgelegt hat,[64] statt dessen aber den Weg des Sünders weg von der Sünde und hin zu Gott in einer Weise darzustellen versucht, der man alles Mögliche vorwerfen mag, aber kaum mangelnden Sinn für den personalen und auf Gottes Gnadenwort bezogenen Charakter der Rechtfertigung.[65]

Ebensowenig wie einer unterpersonalen ist einer pelagianisierenden Deutung der Rechtfertigung eine Handhabe geboten. Das wäre nur dann der Fall, wenn der Mensch sich selber sagen könnte und überhaupt wollte, daß er, der sich selbst zum Herrn seiner selbst machen möchte, dennoch von seinem wirklichen Herrn nicht den Folgen seines Wahns überlassen, sondern in Gnade noch einmal angenommen werden soll. Schon den Wahn selber einsehen und der Verzweiflung an sich selbst ins Auge sehen können ist Geschenk, und die Nachricht, daß dies eine gute Verzweiflung ist, weil sie zu dem einzigen Quell wirklichen Lebens für den Menschen zurückführt, ist ein unerzwingbares Wort, das «von außen» kommen muß. Das Wort, über das menschliche Weisheit verfügt, kann bestenfalls lehren, wie man die Verzweiflung erträgt, nicht, wie man sie überwindet.

Und endlich ist deutlich, daß die Rechtfertigung um Christi willen geschenkt wird. Denn das, was mit Rechtfertigung gemeint ist, ist ja das Ziel

---

[63] Das Mißverständnis etwa bei P. Althaus, Die christliche Wahrheit (s. Anm. 4) 231; zur Richtigstellung vgl. O. H. Pesch aaO. 628–659. Daß manche neuscholastischen Lehrbücher der katholischen Dogmatik dem lutherischen Mißverständnis Anlaß geben, kann leider nicht bestritten werden.

[64] Vgl. w. o. S. 712, 717.

[65] Man muß unter diesem Aspekt einmal die personalistischen Kategorien in DS 1525 f würdigen.

des Christusereignisses – unter welchen Aspekten man dieses auch immer betrachtet. Um den Menschen vor seinem eigenen Abgrund zu retten, hat Gott die Menschen in Christus erwählt.[66] In ihm hat er sein Wesen und sein Verhältnis zum Menschen offenbart, in ihm das Bild des Menschen vor Gott enthüllt, ja in ihm hat er das todverfallene Leben der Menschen geteilt, so daß er in ihm als Mensch unter Menschen ist.[67] In seinem Tod hat er zudem deutlich gemacht, was Sünde ist und wohin sie den Menschen bringt.[68] Das «um Christi willen» bezeichnet den Zusammenhang der Rechtfertigung des einzelnen Menschen mit dem Ganzen des göttlichen Heilswerkes in Christus. Man würde die Formel mißverstehen, wenn man sie «kausal» interpretierte, als ob Christi Werk und Leiden erst Gottes Verzeihung *bewirkte*. Die Erlösungs- und Genugtuungstheorien der Vergangenheit[69] haben zwar das vollkommene Zureichen der Erlösungstat Christi herausgestellt, aber auch sie sind – jedenfalls in ihren großen Vertretern von Anselm bis Luther – dem kausalen Mißverständnis nicht erlegen, sondern haben die *grundlose* Initiative des Erbarmens Gottes betont, das seinerseits erst auch einen Weg der «Genugtuung», des «Loskaufs» verfügte, damit mitten in der Gnade auch das Gericht deutlich bleibe.

«Der Mensch wird gerechtfertigt» heißt also: Der Mensch wird grundlos, sogar *gegen* alle «guten» Gründe, ohne Vorbedingungen von Gott angenommen, und darin kommt sein Heilswerk in Jesus Christus zum Ziel. Grundlos und ohne Vorbedingung – heißt das auch: ohne *Mittun* des Menschen? Seit Augustinus und verstärkt wiederum seit der Reformation stellt die Rechtfertigungslehre den «Beitrag», die «Mitwirkung» des Menschen im Gnadengeschehen zur Diskussion und handelt sie unter einer Reihe von Folgethemen ab, deren wichtigste wir nun herausgreifen müssen.

4. Rechtfertigung als Geschehen im Menschen

Zum Thema «Mittun des Menschen in der Rechtfertigung» reicht die Spannweite der Aussagen vom Töpfer-Beispiel des Apostels Paulus in Röm 9,21 bis zum «facere quod in se est» («Tun, was in den eigenen Kräften steht») der Spätscholastik, vom augustinischen «Pessimismus» des Zweiten Konzils von Orange (529) bis zur Verteidigung des freien Willens durch Erasmus von Rotterdam, von Luthers «servum arbitrium» bis zum Molinismus, vom «sola» bis zum «et». Schon dies läßt vermuten, um nicht zu sagen: erkennen, daß hier nicht nur theologische Verstehensbemühung, sondern auch vortheologische Optionen, spirituelle und seelsorgliche

---

[66] Vgl. w. o. S. 843–846.
[67] Vgl. MS III/1 und III/2.
[68] Vgl. MS II, 845–941.
[69] Vgl. Anm. 50.

Akzentsetzungen an den theologischen Theorien mitgeschrieben haben, und das ist ganz in der Ordnung, denn die Theorien sind nicht um ihrer selbst willen da, sondern um das Evangelium situationsgerecht mit der Wirklichkeitserfahrung zum Schnittpunkt zu bringen.[70] Dennoch ist es erforderlich, auch hier die Anstrengung des Begriffes zu wagen, damit man sehen kann, wieweit das Rechtfertigungszeugnis der Schrift doch letztlich eine Unabhängigkeit gegenüber einem Streit wahren kann, der nicht selten genauso zur «Geheimwissenschaft» und zum Theologengezänk geworden ist wie der Streit um forensisches und effektives Rechtfertigungsverständnis.

a. Freiheit

Die Grundfrage ist, ob der Mensch in der Rechtfertigung *überhaupt* einen «Beitrag» leistet. Sie wird herkömmlich gestellt als Frage nach der Freiheit des Menschen im Verhältnis zu Gott und seiner Gnade.[71] Ihre Schärfe erhielt diese Frage durch den starken Akzent, den die Reformatoren auf die völlige Passivität des Menschen im Rechtfertigungsgeschehen setzten. Bis ins 16. Jh. hinein war die Freiheit gewiß Gegenstand von Auseinandersetzungen.[72] Man diskutierte – philosophisch und theologisch – ihre Reichweite, seit Ockham auch ihre philosophische Beweisbarkeit, doch nie bestritt man ernsthaft ihre Realität. Für Luther aber ist die *Unfreiheit* des Menschen der «Angelpunkt der Sache» («cardo rerum»), will sagen: seiner reformatorischen Sache.[73] Für die Gnade Gottes kämpfen heißt, gegen die Entscheidungsfreiheit des Willens kämpfen.[74] Kontrahent ist vor allem Erasmus mit seiner Definition des freien Willens: «Unter Entscheidungsfreiheit (liberum arbitrium) verstehen wir an dieser Stelle die Kraft des menschlichen Willens, durch die sich der Mensch dem zuwenden kann, was zum ewigen Heile führt, oder sich davon abwenden kann.»[75] Bis heute sind Theologen, die

---

[70] Nur der Gegenüberstellung wegen: K. Barth, Der Römerbrief (1919) (Zürich 1963) will zeigen, daß alles, was Menschengeist und Menschenmacht geschaffen haben, unter das Gericht gehört, weil es zur Selbstvergötzung des Menschen geführt hat; ein Buch wie F. Gallati, Der Mensch als Erlöser und Erlöster. Der aktive und passive Beitrag des Menschen an der Erlösung (Wien 1958), will zeigen, daß alles, was Menschengeist und Menschenmacht geschaffen haben, nicht prinzipiell durch den christlichen Glauben verdächtigt wird. Symptomatisch ist auch gegenüber früheren Zeiten die neue Würdigung der Bedeutung der «ratio» in der Theologie Luthers, etwa bei B. Lohse, Ratio und Fides. Eine Untersuchung über die ratio in der Theologie Luthers = FKDG 8 (Göttingen 1957).

[71] Auf *diesen* Aspekt beschränken wir uns im Zusammenhang unseres Themas. Vgl. aber die Hinweise in Anm. 62 und w. u. in Anm. 97.

[72] Überblick und Literatur bei O. H. Pesch, Freiheit [Mittelalter]: Historisches Wörterbuch der Philosophie II (Basel 1972) 1083–1088.

[73] WA 18/786, 30 (De servo arbitrio, 1525).

[74] WA 18/661, 28 (aaO.).

[75] Diatribe seu collatio de libero arbitrio: ed. Walter = Quellenschriften zur Geschichte des Protestantismus 8 (Breslau 1910) I b 10, 7–10; von Luther wörtlich zitiert WA 18/661, 30 (aaO.).

Luther verpflichtet bleiben wollen, der Überzeugung, daß sich das Schicksal des reformatorischen Rechtfertigungszeugnisses an der Stellungnahme zum Freiheitsproblem entscheidet – und beklagen die Blindheit anderer evangelischer Theologen, die meinen, Luther halte es hier mit Übertreibungen.[76]

aa. Zur traditionellen Kontroverse

Nun kann man sich wenigstens im Blick auf die gegenwärtige Theologie des Eindrucks übertreibender Formulierungen nicht erwehren, und zwar um soviel weniger, als man von der verwickelten geistes- und theologie-geschichtlichen Lage Kenntnis nimmt. Denn inzwischen darf folgendes als gesichert gelten.[77]

1. Die Unfreiheitslehre der reformatorischen Tradition hat nichts mit (philosophischem) Determinismus zu tun. Luther bestreitet nicht die Entscheidungsfreiheit des Menschen in weltlichen Dingen[78] – also dort, wo der Mensch seine alltäglichen Freiheitserfahrungen macht und sie für wirklich und nicht nur für scheinbar hält. Er leugnet aber autonome menschliche Freiheit im Gottesverhältnis, bestreitet also, daß der Mensch sich selbst kraft eigener Entscheidung in das «richtige», vor Gott gerecht machende Verhältnis zu Gott versetzen könne, bestenfalls unterstützt, aber keineswegs allererst dazu instandgesetzt von der Gnade Gottes. Dieses Nein zur Freiheit gilt sowohl für den Menschen als Geschöpf als auch und erst recht für den Menschen als Sünder. Auch noch die innerweltliche Freiheit des Menschen ist nicht autonome Freiheit Gott *gegenüber*, sondern geschenkte und erlaubte Freiheit, die die *Bindung* an Gott zur Quelle hat.

2. Luther bestreitet nicht die Verantwortung des Menschen für seine Taten. Das beliebte kontroverstheologische Argument: «Ohne Freiheit keine Verantwortung!», erreicht die reformatorische Position erst gar nicht. Dabei hat man vielmehr gerade die von Luther behauptete Trennung und Inkohärenz von Freiheit und Verantwortung zu diskutieren.

3. Desgleichen leugnet die Reformation nicht, daß der Mensch dem rechtfertigenden Gott antwortet, und zwar *im* Geschehen der Rechtfertigung selbst, und daß er anschließend mit dem rechtfertigenden Gott «mitwirkt», sowohl im Kampf

---

[76] Hauptexponent dieser lutherischen Theologen ist H. J. Iwand in seinem Kommentar zu De servo arbitrio in der Münchener Lutherausgabe (s. Anm. 35), Erg.-Bd. 1, 255–260; vgl. ders., Um den rechten Glauben (= Gesammelte Aufsätze) (München 1959) 14f, 22–24, 33–36, 37–46, 253 f. Jüngste Äußerung auf dieser Linie: die diesbezügliche Polemik von D. Schellong gegen das «Neue Glaubensbuch» (s. Anm. 126): Junge Kirche 34 (1973) 710–715, hier 713.

[77] Der Kürze halber muß hier auf die Literatur verwiesen werden. Außer Iwand (s. Anm. 75) vgl. H. Vorster, Das Freiheitsverständnis bei Thomas von Aquin und Martin Luther = Kirche und Konfession 8 (Göttingen 1965); O. H. Pesch, Freiheitsbegriff und Freiheitslehre bei Thomas von Aquin und Luther: Cath 17 (1963) 197–244; ders., Theol. der Rechtfertigung, 106–109, 377–382; und die umfassende Mongr. von H. J. McSorley, Luthers Lehre vom unfreien Willen nach seiner Hauptschrift De Servo Arbitrio im Lichte der biblischen und kirchlichen Tradition = Beiträge zur ökumenischen Theologie 1 (München 1967).

[78] WA 18/638,5; 672,8; 752,7; 781,8 (De servo arbitrio, 1525).

gegen die Sünde im eigenen Leben als auch im Dienst an Gottes Wirken in der Welt. Es ist gerade das Wesen der «Freiheit eines Christenmenschen», daß er von Gott durch die Rechtfertigung dazu befreit wird und ist – auch darauf wird zurückzukommen sein.

4. Die völlige Passivität, das heißt: Handlungsunfähigkeit des Menschen gegenüber dem in der Rechtfertigung allein wirksamen Gott ist katholische Tradition. Sie ist es in aller Eindeutigkeit spätestens seit der antipelagianischen Paulusrezeption Augustins und bleibt es über das Zweite Konzil von Orange (529), über Thomas von Aquin bis hin zum Gnadenstreit zwischen Thomisten und Molinisten im 16. Jh., selbst unter Inkaufnahme logisch nicht mehr auflösbarer Paradoxien.[79] Sie ist es auch noch in der optimistischen spätscholastischen Deutung des «facere quod in se est»,[80] denn die These, der Mensch könne es auch als Sünder zu einem Akt vollkommener Liebe zu Gott über alles und sich dadurch selbst in die erforderliche Disposition auf die Rechtfertigungsgnade bringen, gilt nur «de potentia Dei ordinata», ist also nicht so sehr als Müssen, sondern als Dürfen zu verstehen und gehört bereits in den Rechtfertigungsprozeß hinein, dessen alleinige Initiative von dem absolut freien Gott ausgeht. Man kann diese Position für falsch halten, aber innerhalb ihrer eigenen Voraussetzungen ist sie nicht semipelagianisch. Im übrigen hat Luther auch unter den spätscholastischen Theologen eine pessimistischere Beurteilung des Menschen kennengelernt, nämlich bei Gregor von Rimini, und er hat überdies das Pathos der Passivität nicht zuletzt in der deutschen Mystik gefunden.[81]

5. Angesichts dieser Sachlage muß auf eine Differenz zwischen dem Freiheitsbegriff, den Luther angreift, und dem der kirchlichen Tradition geschlossen werden. In der Tat ist die Freiheitsdefinition des Erasmus die Ausnahme, keineswegs der Konsensus der Tradition. Diese hat nie an eine autonome Freiheit Gott *gegenüber* gedacht, die sich entscheiden könne, ob sie sich dem ewigen Heil oder dem ewigen Unheil zuwenden wolle, sondern nur an eine Freiheit *innerhalb* des allem voranwaltenden, alles Handeln begründenden Wirkens Gottes. Wird dieser Freiheitsbegriff aufgegeben und durch den Begriff einer autonomen Freiheit auch Gott gegenüber ersetzt, dann *muß* der Theologe *diese* Freiheit als Schein und den Menschen als unfrei beurteilen. Insofern hält Luther die katholische Tradition gegen einen humanistischen Freiheitsbegriff durch[82] – mag man auch seine einzelnen Argumente für nicht immer stringent oder für das Opfer von Mißverständnissen halten.[83]

6. Warum die katholische Tradition am Freiheitsbegriff festhält – was evangelische Theologen nur als Inkonsequenz verstehen können[84] –, hat verschiedene Gründe. Da ist einmal die andere geistesgeschichtliche Situation. Solange man einen nicht-autonomistischen Freiheitsbegriff hat, widerspricht er nicht der Passi-

---

[79] Vgl. die Hinweise bei O.H. Pesch, Freiheitsbegriff und Freiheitslehre 236f, Anm. 123; Theol. der Rechtfertigung 862f, Anm. 32.

[80] Vgl. w.o. S. 669, 691.

[81] Vgl. w.o. S. 699–703.

[82] Dies haben H. Vorster und H. J. McSorley eindringlich herausgearbeitet (s. Anm. 77).

[83] Vgl. H. J. McSorley aaO. 285–309.

[84] Vgl. H. Vorster aaO. 377: «Thomas (kann) sein Freiheitsverständnis... nur durchhalten, indem er ihm Entscheidendes abbricht.» Vgl. aaO. 334–337, 353–356, 375–378.

vität des Menschen im Rechtfertigungsgeschehen, im Gegenteil: er stellt sie heraus, wird jedenfalls nicht kritisch und schafft keine Entweder-Oder-Situation. Luther ist in einer anderen Lage als zum Beispiel Thomas – zumal ja Augustinus eine erste Krise des Freiheitsbegriffes in der Kirche auf der späteren Linie Luthers entschieden und Jahrhunderte damit geprägt hatte. Da ist ferner die fraglose Auffassung von der Implikation des Verantwortungsbegriffes im Freiheitsbegriff und damit die unterstellte Unentbehrlichkeit des Freiheitsbegriffes für die Ethik.[85] Da sind schließlich, unseres Erachtens, zwei gewichtige sachliche philosophisch-theologische Gründe: die metaphysische Indifferenz des Geistes gegenüber allen partikulären Gütern, die, *weil* partikulär, den universalen Horizont des Guten, auf das der Wille bezogen ist, nicht ausfüllen können;[86] und der transzendentale Charakter des Wirkens Gottes, das menschliches Wirken nicht begrenzt, sondern begründet. Thomas etwa könnte niemals den Gedanken Luthers verstehen, Gottes Wirken hätte an der menschlichen Freiheit eine Grenze, und da das nicht angenommen werden könne, müsse die Freiheit als nichtig angesehen werden. Das Wirken Gottes hätte nach Thomas im Gegenteil dann eine Grenze, wenn es das Wirken des Menschen determinierte.[87]

7. Offensichtlich hat das Trienter Konzil sich mit der pessimistischen Formulierung des Konzils von Orange schwer getan, wie die fortschreitende Kürzung der Zitate in der Verhandlung zum Erbsündendekret zeigt.[88] Ein verbaler Gegensatz zwischen DS 371–372 und 1511–1512, 1555 ist daher auch nicht zu bestreiten, und offenkundig hängt er damit zusammen, daß die Konzilsväter nicht mehr den augustinischen, sondern mehr oder weniger den humanistischen Freiheitsbegriff im Kopf hatten, seine Vorteile für den ethischen Appell nicht missen mochten und überhaupt sich angesichts der Thesen Luthers zu seiner Verteidigung verpflichtet glaubten.[89] Ob damit tatsächlich Erasmus unterschrieben wurde, entscheidet sich jedoch nicht an den Worten, sondern an der Sache. Diese aber ist hinsichtlich der Passivität des Menschen eindeutig: keine Zustimmung, kein Mittun des Menschen, das nicht allererst Gottes Gnade ausgelöst hätte.[90] Auf diese Feststellung gibt es zwei bemerkenswerte Gegenproben. Die eine: Die für katholisches Empfinden

---

[85] Beides hat eine eigentümliche Parallele im Verdienstbegriff: Er ist problemlos, solange kein praktischer Mißbrauch mit ihm getrieben wird und solange die logische Implikation des (theologischen) Verdienstbegriffes im (biblischen) Lohnbegriff fraglos klar ist. Vgl. O. H. Pesch, Die Lehre vom «Verdienst» als Problem für Theologie und Verkündigung: L. Scheffczyk/W. Dettloff/R. Heinzmann (Hrsg.), Wahrheit und Verkündigung II (München 1967) 1865–1907.

[86] Vgl. O. H. Pesch, Freiheitsbegriff und Freiheitslehre (s. Anm. 77) 200–210; Theol. der Rechtfertigung 855–864, und die dort verzeichnete Literatur zur Freiheitslehre bei Thomas. Dazu jetzt auch D. Schlüter, Der Wille und das Gute bei Thomas von Aquin: FZPhTh 18 (1971) 88–136; und K. Riesenhuber, Die Transzendenz der Freiheit zum Guten (München 1971).

[87] Man halte einmal Luthers Aussage WA 18/717, 22–29 neben Thomas, S. Th. I q. 105 a. 1 Anfang des corp. art.; vgl. O. H. Pesch, Theol. der Rechtfertigung 856f, 869–875.

[88] Vgl. dazu P. Brunner, Die Rechtfertigungslehre des Konzils von Trient: E. Schlink/ H. Volk (Hrsg.), Pro veritate. Ein theologischer Dialog (Münster 1963) 59–96, hier 61f.

[89] Vgl. H. Küng, Rechtfertigung (s. Anm. 46) 180–186.

[90] Vgl. DS 373–378, 383f, 388–392, 1525f, 1532, 1553f. Zu Thomas in dieser Sache vgl. O. H. Pesch, Theol. der Rechtfertigung 659–686.

doch ziemlich bedeutsame Aussage, daß die erste Regung der Abkehr von der Sünde und der Hinkehr zu Gott noch nicht von der vollen Rechtfertigungsgnade («gratia iustificans»), sondern von der «erweckenden Gnade» («gratia excitans») bewirkt werde – typisch für den Versuch des Konzils, Psychologie und Theologie des Rechtfertigungsgeschehens zu verbinden –, ist für so «unverdächtige» lutherische Theologen wie Wilfried Joest und Peter Brunner unerheblich, weil die Priorität Gottes in jedem Falle gesichert ist.[91] Die andere Gegenprobe: Der Gnadenstreit zwischen Thomisten (Bañezianern) und Molinisten beginnt *nach* dem Trienter Konzil. Unangefochten können die spanischen Thomisten in der Freiheitsfrage eine Position entwickeln, die, obwohl das *Wort* «Freiheit» weiter gebraucht wird, mit scholastischen Mitteln ganz die Linie Luthers hält,[92] und bis in unser Jahrhundert hinein können strenge Thomisten den Molinisten Abweichung vom Trienter Konzil vorwerfen.[93] Seit Dominikus Soto ist auch die thomistische und nicht die spätscholastische Interpretation der Trienter Rechtfertigungslehre sententia communis – geschehe das nun, nach Oberman und Schillebeeckx,[94] zu Unrecht, oder, nach Rückert,[95] mit Recht.

Man mag unser Urteil nun als «salomonisch» und dem Ernst der Frage ausweichend verdächtigen, wir lassen uns auf die Alternative: Freiheit oder Unfreiheit, nicht mehr festlegen. Der Streit um «liberum» oder «servum arbitrium» ist – heute – gegenstandslos. Die Freiheit, die Luther leugnet, ist nicht die Lehre der katholischen Tradition.[96] Die Unfreiheit, die er verkündet, ist – ohne diesen Namen – das Zeugnis derselben Tradition. Wie ist dann aber das «Mittun» des Menschen in der Rechtfertigung, das Geschehen der Rechtfertigung *im* Menschen zu beschreiben?

bb. Rechtfertigung und Freiheit – ein Verstehensversuch

Der Mensch *hat* nicht Freiheit, er *ist* Freiheit, er ist das offene Wesen, das nicht instinkthaft verfügt und in seine Umwelt eingepaßt ist, sondern sich

[91] Vgl. W. Joest, Das tridentinische Rechtfertigungsdekret: KuD 9 (1963) 41–69, hier 52–56; P. Brunner aaO. 84f.

[92] Vgl. die Hinweise in Anm. 79.

[93] Ein Beispiel: V. D. Carro, La crítica histórica ante las controversias sobre la gracia en el siglo XVI: CThom 87 (1960) 39–96. Übrigens wird hier auch *ein* Erklärungsgrund für die von W. Joest aaO. passim nur mit Staunen quittierte Tatsache erkennbar, daß die Interpretation des Tridentinums bei Schmaus und Küng so sehr von der des spanischen Jesuiten Gonzalez divergiert: Wo die ersteren die «thomistische» sententia communis vertreten, bleibt Gonzalez (als Jesuit) natürlich der molinistischen Tradition verpflichtet, die ja trotz V. D. Carro *kirchenamtlich* nie beanstandet worden ist.

[94] H. A. Oberman, Das tridentinische Rechtfertigungsdekret im Lichte spätmittelalterlicher Theologie: ZThK 61 (1964) 251–282; E. Schillebeeckx, Das tridentinische Rechtfertigungsdekret in neuer Sicht: Concilium 1 (1965) 452–454.

[95] H. Rückert, Promereri. Eine Studie zum tridentinischen Rechtfertigungsdekret als Antwort an H. A. Oberman: ZThK 68 (1971) 162–194, jetzt: Vorträge (s. Anm. 7) 264–294.

[96] Ob Luther die Auffassung des Erasmus exakt getroffen hat, muß hier offenbleiben. In der jüngsten lutherischen Theologie zeigt sich eine Tendenz, Erasmus mehr historische Gerechtigkeit widerfahren zu lassen, als es im Gefolge Luthers bisher üblich war. Vgl. vor allem die große Monogr. von E.-W. Kohls, Die Theologie des Erasmus (2 Bde., Basel 1966).

selbst verfügen muß. Diese Selbstverfügung betrifft das Ganze seines Daseins, aber sie erscheint nicht in ihrer Totalität, sondern ausgefaltet in eine unabsehbare Fülle von Einzelverfügungen, die der Mensch im Laufe seines geschichtlichen Lebens zu treffen hat. Von dieser Grundthese moderner philosophischer Anthropologie haben wir auszugehen. Die mittelalterliche Tradition hat – den tieferen Ansatz bei Augustinus einebnend – mit ihrer vorwiegend auf das «liberum arbitrium» und damit auf den konkreten freien Einzelakt konzentrierten Diskussion diesen Grundtatbestand verdeckt, wenngleich er latent wirksam ist.[97] Die moderne philosophische Anthropologie, angeregt durch den deutschen Idealismus und den Existentialismus, hat ihn wieder scharf ins Licht gehoben.[98] Die reflektierte Erfahrung von Freiheit, die sich in *dieser* anthropologischen Grundthese ausspricht, ist jetzt Adressat der systematischen Besinnung auf die Rechtfertigung, wie es die Definition des Erasmus zur Zeit Luthers war. Das Rechtfertigungszeugnis nimmt auf diese Freiheitserfahrung in doppelter Weise Bezug: indem es sie beurteilt, und indem es sie leitet.

Zunächst also: *indem es sie beurteilt*. Rechtfertigung heißt, daß der Mensch vor Gott «richtig» wird und ist. *Ist* nun der Mensch Freiheit, so folgt daraus, daß er radikal und umfassend *geschenkte* Freiheit ist, denn der vor Gott «richtige» Mensch begreift sich als Geschöpf, als verdankt, sagen wir getrost: als abhängig in seinem ganzen Sein und in allen seinen Einzelheiten – also auch in allen seinen partikulären Entscheidungen. Für eine autonome Freiheit Gott *gegenüber* ist kein Platz, wohl aber für eine Autonomie aufgrund des Gottesgeschenkes freier und freigesetzter Geschöpflichkeit, das heißt: als Autonomie und «Selbstgesetzlichkeit» (vgl. Röm 2,14) gegenüber der Welt. Die Rechtfertigung lehrt – weil sie Rechtfertigung des *Sünders* ist! – zugleich kritische Skepsis gegenüber der eigenen Freiheitserfahrung. Das heißt: Sie schärft den Blick für die Grundgefahr, daß sich die geschenkte Autonomie zum Wahn einer Autonomie gegen den Geber der Freiheit, zur Selbst-Herr-lichkeit im vollen Sinne des Wortes verkehren kann. Sie entlarvt, daß der Mensch dieser Gefahr immer schon erlegen ist und dies heimlich oder offen in allen seinen freien Entscheidungen immer wieder ratifiziert, daß also gottgewollte Freiheitsbetätigung und gottwidriger Freiheitsmißbrauch unentwirrbar ineinander existieren.[99]

Die Rechtfertigung öffnet daher auch die Augen, daß die vielgestaltige

[97] Vgl. O.H. Pesch, Freiheitsbegriff und Freiheitslehre, 202–207 und die Arbeiten von L. Oeing-Hanhoff und H. Krings, auf die dort verwiesen wird; ferner neuerdings die genannte Arbeit von K. Riesenhuber (s. Anm. 86).

[98] Pars pro toto, sei verwiesen auf die Aufsätze von K. Rahner zum Freiheitsproblem: Schriften II, 247–277, VI, 215–237, VIII, 260–285; G. Siewerth/G. Richter/J. B. Metz, Freiheit: HThG I, 372–414; J. Splett, Der Mensch in seiner Freiheit (Mainz 1967).

[99] Dies ist einer der roten Fäden in den Bemühungen der gegenwärtigen Theologie um ein neues und tieferes Verständnis der Erbsünde; vgl. MS II, 886–941.

Unfreiheitserfahrung, die die menschliche Freiheitserfahrung gerade heute kontrapunktiert – psychologische Fehlhaltungen, sozialpsychologische Mechanismen, wirtschaftliche und politische «Sachzwänge», die nichts anderes als kollektiver Unwille zu Gerechtigkeit und Frieden sind, usw. –, nicht unvermeidliche Störungen, sondern Folge eskalierender Selbstherrlichkeit, Folge der Sünde sind. Und die Rechtfertigungsbotschaft bestätigt definitiv, daß die Erfahrung, aus dieser Unfreiheit nicht entkommen zu können, keine Täuschung, sondern immanente Strafe mißbrauchter Freiheit ist. Gerade jenseits der alten Kontroversen um «liberum» und «servum arbitrium» können wir heute besser denn je begreifen, daß ein und dieselbe Freiheitserfahrung, die der Glaube als gottgeschenktes Wesen des Menschen verstehen darf, zugleich als Erfahrung bloßer Scheinfreiheit anzusprechen ist, die wirkliche Unfreiheit verdeckt und gleichzeitig als solche erkennbar macht. In dieser Sehweise kann geradezu mit Emphase die Einsicht der Reformatoren wiederholt werden: Es gibt keinen «Beitrag» der menschlichen Freiheit zur Rechtfertigung.

Aber der Rechtfertigungsglaube beurteilt nicht nur, er *leitet auch die menschliche Freiheitserfahrung.* Durch Entlarvung des Freiheitsmißbrauchs orientiert er die Freiheit wieder auf ihren schöpfungsursprünglichen Sinn: auf ihre Selbstverfügung auf Gott hin. Die Rechtfertigung befreit die Freiheit zu sich selbst – auch in ihren Einzelentscheidungen, die sich nach wie vor inmitten der vielfältigen Zwänge und auch gegen sie vollziehen müssen. Mit anderen Worten: Die Rechtfertigung geschieht so im Menschen, daß seine Freiheit auf die befreiende Initiative Gottes eingeht, auf sie *antwortet.* Ein «Beitrag» ist das nicht, denn nichts kann der Mensch, so wie er ist, dabei aus sich selbst. Und doch gehört die Antwort als Mittun des Menschen zum Wesen der Sache: Rechtfertigung ist nicht geschehen – es sei denn im oben beschriebenen «objektiven» Sinne –, solange der Mensch die Antwort nicht gibt. «Zustimmung», nicht etwa «Mitwirkung», nannte Thomas dieses Geschehen,[100] und dasselbe Wort gebraucht das Tridentinum.[101] Der wirkliche Antwortcharakter und damit das wirkliche Geschehen der Rechtfertigung *im* Menschen ist damit ebenso zum Ausdruck gebracht wie die völlige Abhängigkeit von der Initiative Gottes.

Zugleich ist ein anderes wesentliches Anliegen der Reformation schon grundgelegt: Die Bindung der Rechtfertigung an das *Wort.* Ist es wie ein Feingespür für die Sache, daß die Scholastik ebenso wie das Trienter Konzil, obwohl keineswegs von der lutherischen Wortemphase durchdrungen, zur Kennzeichnung des menschlichen Mittuns in der Rechtfertigung einen Terminus wählen, der in den Bereich des Sprechens gehört? Er könnte

---

[100] S.Th. I/II q. 111 a.2 ad 2; q. 113 a. 3–5; Interpretation im Zusammenhang bei O.H.Pesch, Theol. der Rechtfertigung 659–669, 679–686.
[101] DS 1525, 1554.

kaum sachgerechter gewählt sein. Denn wenn wir fragen, *wodurch* denn verfallene, sündige menschliche Freiheit wieder zu sich selbst befreit wird, so ist die Antwort: durch das befreiende *Wort* Gottes, das Wort, das Vergebung und paradoxe Annahme des Widersetzlichen zusagt. Damit ist der Freiheit wieder ihr wahrer Sinn gesagt und zugleich die Möglichkeit eröffnet, getrost neu darauf zu bauen. Ohne dieses befreiende Wort bliebe bestenfalls der Anblick vertaner Möglichkeiten ohne Ausweg. Wieder hält sich ein Paradox der Reformation durch: Derselbe Mensch, der keine Chance der Selbstverfügung mehr hat, die nicht im Scheitern endet, darf davon ausgehen, daß sie ihm dem Augenschein zum Trotz offen ist. Er darf es, weil Gott ihm *sagt* und *zusagt*, daß er ihn liebt. So ist das rechtfertigende, «freisprechende» Wort alles andere als bloße Mitteilung, es ist in vollem Sinne *Heilsmittel*. Damit sind wir beim nächsten Teilthema, das die *Gestalt* der Antwort des Menschen auf die Rechtfertigung durch Gott näher umschreibt.

b. Sola fide

Mit dem Bekenntnis zum «sola fide» sieht sich reformatorisches Christentum jeglicher Provenienz bis heute entscheidend abgegrenzt sowohl gegen die gesamte mittelalterlich-scholastische Lehrtradition einschließlich der Mystik als auch gegen die offizielle katholische Lehre vor allem seit dem Trienter Konzil. Konsterniert müssen katholische Gesprächspartner immer wieder feststellen, daß auch dem emphatischsten katholischen Bekenntnis zum «sola gratia» das «sola fide» wie ein Schibboleth abverlangt wird, widrigenfalls aller alte Argwohn auf evangelischer Seite wieder auflebe.[102] Im «sola fide» kulminiert, was wir oben zur kritischen Bedeutung der Rechtfertigungslehre gesagt haben. Ist diese der «articulus stantis et cadentis ecclesiae», so ist das Bekenntnis zum «sola fide» gleichsam der «articulus stantis et cadentis iustificationis».

Wir gehen die Sachfrage wiederum am besten von der historischen Problematik her an. Nun ist es hier freilich unmöglich, den Glaubensbegriff Luthers in seinem ganzen Beziehungsreichtum zu entfalten. Wir hätten dann zu handeln vom Bezug des Glaubens auf Wort und Urteil Gottes, auf Gottes schenkende Liebe, auf Gottes Verborgenheit im Gegensatz, auf Christi Heilswerk, auf Christi Verborgenheit am Kreuz, auf die Wortverfaßtheit des Christusheils, und wir hätten jeweils die verschiedenen Formulierungsgestalten der Rechtfertigungslehre zu skizzieren, die sich mit jedem dieser Aspekte des Glaubensbegriffes verbinden. Sodann wäre zu zeigen, wie jede dieser Formen der Rechtfertigungslehre sachnotwendig auf das

---

[102] Vgl. etwa den in dieser Hinsicht repräsentativen Aufsatz von E. Wolf, Sola gratia? Erwägungen zu einer kontroverstheologischen Formel: Peregrinatio I (München ²1962) 113–134; vgl. auch P. Althaus, Die christliche Wahrheit (s. Anm. 4) 232.

«sola fide» hinauskommt, selbst wenn Luther es nicht eigens formuliert hätte. Wir sind hier aber gezwungen, zusammenzufassen[103] und können es in folgender Weise tun: Es gibt einen entfernteren Grund des «sola fide», und er ist ausgedrückt in der Formel: «solus Christus», worin das «solus Deus» und das «sola crux» eingeschlossen sind. Und es gibt einen unmittelbaren Grund des «sola fide», er ist ausgedrückt in der Formel: «solum verbum», allein das Wort – das uns die Rechtfertigung um des Kreuzes Christi willen zuspricht. Wir müssen beide Gründe nacheinander erörtern.

aa. Solus Christus – darum sola fide

Mit Blick auf seinen entfernteren Grund besagt das «sola fide» den Ausschluß jeglicher Werke und jeglicher «Eigenleistung» des Menschen zur Vorbereitung und im Vollzug seiner Rechtfertigung durch Gott. Luther sichert die These ab durch die beiden weiteren Aussagen, daß der Glaube selbst kein «Werk» ist – auch nicht das Werk des ersten Gebotes, wohl aber die Erfüllung des ersten Gebotes –, daß er vielmehr ganz von Gott, von Christus, vom Geist, vom Wort Gottes in der Kraft des Geistes gewirkt sei. Die damit zur Aufgabe gestellte Verhältnisbestimmung von Glaube und Werken nimmt Luther zunächst mit der radikalen Einschärfung des Grund-Folge-Verhältnisses vor: Glaube und Glaubensgerechtigkeit gehen den guten Werken *voran* wie der Baum den Früchten, nicht umgekehrt; die Werke sind daher aus dem Glauben vollkommen ausgeschlossen, sofern etwa an eine «Ergänzung» des Glaubens zum Zwecke seiner Heilswirksamkeit gedacht würde. Sie sind aber die sachnotwendige Folge des Glaubens, wenn er wirklich Glaube ist. «Wenn der Glaube nicht ohne alle, auch die geringsten Werke ist, so rechtfertigt er nicht, ja so ist er gar nicht Glaube. Es ist aber unmöglich, daß der Glaube ohne eifrige, zahlreiche und große Werke ist.»[104] Noch mehr: Der Glaube «inkarniert» sich gleichsam in den Werken, erscheint in ihnen als Wirklichkeit und verwandelnde Kraft, so daß das Fehlen guter Werke Zweifel begründet, ob überhaupt Glaube da ist.[105]

Nach allem, was wir zum Thema «Freiheit» ausführten, bietet die reformatorische Position Luthers hier kaum noch ein Problem. Über die einzige, zeitweilig innerkirchlich vertretbare Position, wonach der Mensch ein

---

[103] Ausführliches Textmaterial und Versuch, die systematischen Zusammenhänge zu zeigen, bei O.H.Pesch aaO. 195–262. Wir verzichten daher hier auf ausgiebige Belegstellen.

[104] WA 7/231,7 (Quaestio utrum opera faciant ad iustificationem, 1520).

[105] Die «Inkarnation» des Glaubens in den Werken ist jüngst besonders eindringlich herausgearbeitet und in ihren Zusammenhängen bei Luther dargestellt worden von P. Manns, Fides absoluta – Fides incarnata. Zur Rechtfertigungslehre Luthers im Großen Galaterkommentar: E.Iserloh/K.Repgen (Hrsg.), Reformata Reformanda I (Münster 1965) 265–312. Von lutherischer Seite vgl. vor allem G.Ebeling, Luther. Einführung in sein Denken (Tübingen 1964) 177–197.

«Werk» als Voraussetzung und Vorbedingung seiner Rechtfertigung vollbringen müsse, nämlich einen Akt der vollkommenen Gottesliebe,[106] ist die Theologiegeschichte hinweggegangen – nicht zuletzt unter dem Druck der reformatorischen Anfrage. Das Trienter Konzil läßt denn auch, trotz der Abhandlung über die «Vorbereitung» auf die Rechtfertigung, keinen Zweifel am Grund-Folge-Verhältnis von Glaube und Werk.[107] Die «Vorbereitung» ist ihrerseits allein durch Gott in Gang gebracht.[108]

So bleibt hier nur noch ein Mißverständnis zu klären. Die betonte lutherische Position hat eine bestimmte Adresse: die scholastische These, daß nicht jeder Glaube, sondern nur der «durch die Liebe geformte Glaube» («fides caritate formata») rechtfertige. Pointiert kehrt Luther diese These einmal um: Nicht die Liebe sei die Form des Glaubens, vielmehr sei der Glaube die Form der Liebe[109] – und offenbart damit sein Mißverständnis der scholastischen Formel, das allerdings im Gefolge der spätscholastischen Umbildung der hochmittelalterlichen Gnadenlehre nur zu nahe lag. Luther versteht nämlich tatsächlich die Liebe hier als ein «Werk», das zum «bloßen» Glauben ergänzend hinzutreten müsse bei Gefahr, daß dieser sonst «tot» bliebe. Überdies denkt er bei «Liebe» vorwiegend an die Nächstenliebe, die sich in guten Werken auswirkt. Dieser Ergänzung, sagt Luther, bedarf der Glaube nicht, weil gerade dies die Voraussetzung ist, daß unsere Werke, und seien sie noch so gut, uns nicht gerecht machen können.

Das Mißverständnis klärt sich, wenn wir auf den Sinn von «fides» in der scholastischen Formel achten.[110] Glaube ist demnach wesenhaft die Zustimmung des *Verstandes* zum geoffenbarten Wort Gottes. Mit dieser Definition ist der Glaube zugleich gegen Hoffnung und Liebe abgegrenzt. In diesem Sinne glauben kann aber auch noch der Sünder, und sogar die Dämonen können es, ohne daß sie dadurch gerechtfertigt würden. Auch Luther kennt dieses Moment der «Zustimmung» im Glaubensakt und spricht von Formen des Glaubens, wo dieser Zustimmungsakt isoliert ist («historischer Glaube», Dämonenglaube). Unter Voraussetzung des *scholastischen* Glaubensbegriffes kann auch Luther nicht sagen, «*sola* fide» werde der Mensch gerechtfertigt. Wenn die Scholastik also vom rechtfertigenden Glauben spricht, muß sie etwas «hinzufügen», was dem Zustimmungsakt des Verstandes erst die rechtfertigende Kraft, moderner ausgedrückt: was dem Zustimmungsakt des Verstandes erst die Bewandtnis einer Hinkehr des *ganzen* Menschen zu Gott gibt. Nach scholastischer Auffassung kann das nur die Gottesliebe als alles prägende Bindung des Geistes an Gott («forma omnium virtutum») sein, die ihrerseits unmittelbare Wirkung der Rechtferti-

[106] Vgl. auch w. o. S. 748.
[107] Vgl. DS 1526, 1530–1532, 1535.
[108] Vgl. w. o. S. 855 f.
[109] WA 39 I/318,16 (Zirkulardisputation de veste nuptiali, 1537).
[110] Literatur und Sachdarstellung bei O. H. Pesch aaO. 719–747, bes. 735–737.

gungsgnade ist. Die «caritas», durch die die «fides» nach der mittelalterlichen Lehre «geformt» wird, besteht nicht in «Werken» – auch nicht in
«Werken» der Gottesliebe – und sie ist auch kein «Beitrag» des Menschen,
sondern ein Implikat der rechtfertigenden Gnade Gottes selber. In der lutherischen Alternative gesprochen, gehört die Liebe in der Rechtfertigung auf
die Seite des Glaubens, nicht auf die der Werke.[111]

Nun kann man zwar noch einmal darüber nachdenken, was es denn damit
auf sich hat, daß die mittelalterliche Theologie den Inbegriff des Rechtfertigungsgeschehens *im* Menschen in der Liebe, die Reformation ihn aber im
Glauben sieht – wo doch beide sowohl ihren Paulus studiert haben als auch
die feierlichen Bibeltexte über die Liebe kennen. Unter einem speziellen
Aspekt wird darauf noch einmal zurückzukommen sein.[112] Doch kann niemand bestreiten, daß es im entscheidenden Punkt, nämlich im unumkehr-
baren Grund-Folge-Verhältnis von Glaube und Werk, damit um die Alleinwirksamkeit Gottes, um Christus als alleinige Quelle des Heils in der Rechtfertigung, damit also um das «sola fide» nach seinem entfernteren Grund,
keinen Streit mehr gibt, der mehr wäre als ein Streit um mehr oder weniger
sachgemäße Sprechweisen. In der Tat wird man ja heute die Formel von der
«fides caritate formata» wohl meiden, nachdem sie so leicht mißverstanden
werden kann – und nachdem die gegenwärtige Theologie unter verschiedenen Aspekten die Vollgestalt des biblischen Glaubensbegriffes wieder
besser verstanden hat, als es die Scholastik vermochte.

bb. Solum verbum – darum sola fide

So bleibt der unmittelbare Grund des «sola fide» zu erörtern: das «solum
verbum». Dem Wort antwortet nur der Glaube. Kommt also die Rechtfertigung *nur* auf dem Wege des Wortes – was genau mit dem forensischen
Rechtfertigungsverständnis zusammenstimmt –, dann ist das «sola fide» die
zwingende Konsequenz.

Nun hat auch das «solum verbum» wieder eine bestimmte Adresse: die
der mittelalterlichen Theologie unterstellte Vorstellung, die Rechtfertigungsgnade sei eine sachhafte Qualität, mit der die Seele des Menschen auf
dem Wege kirchlich-sakramentaler Vermittlung ausgestattet werde. Die
Reformation stößt sich in der Tat, wie schon gezeigt, an scholastischen
Ausdrücken wie dem von der Gnade als einer «qualitas in anima», einem
«habitus», oder dem von den Sakramenten, die «ex opere operato» wir-

---

[111] Vgl. K. Rahner: Fragen der Kontroverstheologie über die Rechtfertigung (= Besprechung von Küng, Rechtfertigung): Schriften IV, 237–271, hier 253.
[112] Vgl. w. u. S. 876; vgl. auch O. H. Pesch, Existentielle und sapientiale Theologie.
Hermeneutische Erwägungen zur systematisch-theologischen Konfrontation zwischen
Luther und Thomas von Aquin: ThLZ 92 (1967) 731–742, hier 737f.

ken.[113] Da das Trienter Konzil sich in der Darstellung der Rechtfertigung offenkundig im Begriffsfeld der Qualitas-Habitus-Lehre bewegt – wenn auch mit großer Vorsicht[114] – und in der Sakramentenlehre die Formel «ex opere operato» hochhält,[115] ist hier nicht so einfach von einer erledigten Kontroverse zu reden wie oben im Bereich der Frage nach Glaube und Werk. Im Gegenteil, wo man nur ein «Ja, aber» zum «solum verbum» sagen will, muß der evangelische Christ befürchten, daß auf eine subtile Weise die Werke als Vorbedingung für die Rechtfertigung wieder durch eine Hintertür Einlaß finden: in Gestalt von «Leistungen» gegenüber der Kirche, der Verwalterin der Sakramente und Vermittlerin der Gnade. Mittun in der Kirche erscheint jetzt als «Werk», das der Rechtfertigung vorauszugehen hat – wie anders sollte man denn sonst an die Sakramente kommen, die allein die Gnade vermitteln! Die Kehrseite ist: Nicht-Mittun in der Kirche oder gar von den Sakramenten ausgeschlossen zu sein, müßte als heilsbedrohlich angesehen werden. Mit ihrer Disziplin und mit ihren Weisen der Disziplinierung hätte die Kirche sich dann, wenn es tatsächlich so stünde, zwischen den Menschen und Gott gedrängt, hätte die auf das Wort gegründete unmittelbare personale Beziehung des Glaubenden zu Gott unterbrochen.

Die katholische Theologie hat gut daran getan, sich diesem Argwohn zu stellen. In den letzten Jahrzehnten ist auf katholischer Seite ein intensives Bemühen zu verzeichnen, einerseits die scholastische Lehre von der Gnade als «qualitas» von ihrem ohnehin nur scheinbaren apersonalen Charakter zu befreien und sie historisch wie sachlich gerade als Theorie von den Implikationen des *unmittelbaren* personalen Kommens Gottes zum Menschen zu erweisen und neu zu verstehen[116] und anderseits den worthaften Charakter der Sakramente herauszuarbeiten.[117] Der Unterstellung eines apersonalen Gnaden- und Sakramentsverständnisses sollte damit eigentlich der Boden entzogen sein. Schon ist der Ruf zu hören, Luther habe «sein Konzil gefunden», gerade auch in Sachen Wortverständnis, und nun sei es an der Zeit, das Recht zu konfessioneller Sonderexistenz zur Debatte zu stellen.[118]

Dennoch verzeichnet man zu gleicher Zeit auf evangelischer Seite fast so etwas wie eine Verhärtung gerade im Namen des «solum verbum». Fast zu

[113] Belege wiederum bei O.H. Pesch, Theol. der Rechtfertigung 187–193, 335. Vgl. auch w.o. S. 839f.

[114] DS 1529f, 1547, 1561; vgl. auch w.o. S. 717.

[115] DS 1608.

[116] Vgl. w.u. S. 954 und w.u. Kap. 13. Literatur und zusammenfassende Sachdarstellung auch bei Pesch, Theol. der Rechtfertigung 648–659. Vgl. ferner den Anm. 9 genannten Aufsatz von H. Mühlen. MS II, 405–941 und ebenso dieser Band sind nicht zuletzt eine Frucht dieser neuen Perspektiven und Forschungsergebnisse.

[117] Vgl. Sachdarstellung und Literatur bei O.H. Pesch aaO. 793–822 und in unserem in Anm. 49 genannten Aufsatz. Vgl. auch w.o. S. 147–150.

[118] Vgl. A. Brandenburg, Martin Luther gegenwärtig. Katholische Lutherstudien (Paderborn 1969) 146, 148f; vgl. 137–141.

geflügelten Worten wurden Zitate aus Peter Brunners programmatischem Aufsatz über «Reform – Reformation, Einst – Heute», demzufolge es in der Reformation eigentlich gar nicht so sehr um das Thema «Rechtfertigung» gegangen sei, sondern um die wahre Bedeutung der Kirche; daher sei auch nicht in Trient, sondern erst auf dem Ersten Vatikanischen Konzil die Tür zwischen den Konfessionen endgültig ins Schloß gefallen, und das Zweite Vatikanum habe daran nichts geändert.[119] Und Gottfried Maron[120] analysiert mit Enttäuschung und spürbarem Zorn die Lehre des Zweiten Vatikanums über die Kirche als Grundsakrament und sieht darin die endgültige Zementierung eines nicht mehr überbrückbaren Gegensatzes zwischen evangelischem und katholischem Rechtfertigungsverständnis.[121] All dies ist nur scheinbar inkonsequent oder gar böswillige Suche nach neuen Verteidigungsstellungen für die Kirchenspaltung. Tatsächlich entscheidet sich heute die Rechtfertigungslehre an der Lehre von der Kirche – schönster Test auf die Bedeutung der These vom «articulus stantis et cadentis ecclesiae». Auf Konsens ist nur zu hoffen, wenn die evangelische Theologie das «solum verbum» in einer Weise erklären kann, daß die darin ausgesagte Gottunmittelbarkeit des Glaubens zwar durchaus kirchenkritische Kraft behält, aber frei ist von latenter Infragestellung der Realität Kirche, was gegen das Neue Testament stünde – und erst recht von offenem oder latentem antikatholischem Ressentiment; und wenn die katholische Theologie die «Vermittlung» der Kirche in einer Weise deuten kann, daß sie die Gottunmittelbarkeit des Glaubenden nicht unterbricht; und wenn klar bleibt, daß sich die Kirche jederzeit der Kritik stellen muß, die aufgrund der Rechtfertigung des Sünders durch Gottes Gnadenwort allein gegen eine sich von ihrer wahren Aufgabe emanzipierende, sich in ihren Institutions- und Lebensformen selbst genügende Kirche angemeldet werden muß. Ist ein solcher Konsens in Sicht?

[119] P. Brunner, Reform – Reformation, Einst – Heute. Elemente eines ökumenischen Dialogs im 450. Gedächtnisjahr von Luthers Ablaßthesen: KuD 13 (1967) 159–183, bes. 180–183.

[120] Vgl. w. o. Anm. 7.

[121] Daß am Sakramentsverständnis eben wegen der ekklesiologischen Implikationen ein Konsens nach wie vor scheitert, ist so etwas wie ein Topos in der gegenwärtigen evangelischen Theologie. Pars pro toto sei verwiesen auf G. Ebeling, Worthafte und sakramentale Existenz: Wort Gottes und Tradition. Studien zu einer Hermeneutik der Konfessionen = Kirche und Konfession 7 (Göttingen 1964) 197–216; G. Hennig, Cajetan und Luther. Ein historischer Beitrag zur Begegnung von Thomismus und Reformation = Arbeiten zur Theologie, II. Reihe 7 (Stuttgart 1966); K. G. Steck (Hrsg. u. Einl.), Luther für Katholiken (München 1969) 11–39; H. Rückert, Vorträge (s. Anm. 7) 295–309. Als ein Nebengleis derselben Kontroverse wird auf evangelischer Seite vielfach das Problem der Mariologie gesehen. Repräsentativ dafür ist wiederum G. Ebeling, Zur Frage nach dem Sinn des mariologischen Dogmas: aaO. 175–182 – und liest man MS III/2, 393–510, so wird klar, daß die Kontroverse noch nichts an Grundsätzlichkeit verloren hat.

cc. Sola fide numquam sola

Allein durch einen Glauben, der niemals allein ist – auf diese Formel hat einmal Paul Althaus die genuine Lehre Luthers vom allein rechtfertigenden Glauben gebracht.[122] Die Formel ist wie eine Abkürzung der prägnanten Doppelthese Luthers, die wir schon zitierten.[123] Und Rudolf Hermann drückt den Sachverhalt nicht weniger prägnant aus: «Nicht gegen die *Werke* hat er [Luther] zu kämpfen gemeint... Sondern gegen die *Präsentierbarkeit* der Werke vor Gott.»[124] Solche Formulierungen dürfen unsere Überlegungen leiten.

Es sind damit zunächst einmal solche Deutungen des Verhältnisses von Glaube und Rechtfertigung zurechtgerückt, die aus lauter Sorge um die – tatsächliche! – Passivität des Menschen im Rechtfertigungsgeschehen den Glauben aus dem Zusammenhang des menschlichen Lebens herauslösen und ebenso zu einer mystischen Größe verflüchtigen, wie es nach evangelischem Urteil manche Katholiken mit der Kirche zu tun versucht sind. Es ist zum Beispiel eine theologisch nicht unbedingt zu beanstandende, aber auch nicht sehr hilfreiche These, wenn etwa Ernst Wolf, stellvertretend für eine ganze «Schule» gegenwärtiger evangelischer Lutherforscher, formuliert, der Glaube sei nichts als «die applikative Seite des Wortes».[125] Ebensowenig ist eine Formulierung von Nutzen, wonach der Glaube das «reine Empfangsorgan» für das Heil ist,[126] wofern nicht hinzugesagt wird, wo im menschlichen Leben dieses «Empfangsorgan» seinen Ort hat. Bezeichnenderweise entspricht solchen Formulierungen nicht selten eine mystifizierte Vorstellung vom «Wort, das einfach auszurichten ist» und keiner «Unterstützung» zum Beispiel durch Rücksichtnahme auf die Verstehensbedingungen des Hörers (einschließlich der zeitlichen Grenzen seiner Hörfähigkeit) oder gar durch «weltliche Rhetorik» bedarf.[127] Aber alle Beschwörungen der «Unverfügbarkeit» des Wortes und der reinen Passivität des Glaubens können doch nicht wegdisputieren, daß eine Fülle von Dingen geschehen müssen, wenn Wort und Glaube sich ereignen sollen – das Vordergrün-

---

[122] P. Althaus, Sola fide numquam sola. Glaube und Werke in ihrer Bedeutung für das Heil bei Martin Luther: Una Sancta 16 (1961) 227–235.

[123] Vgl. w.o. S. 860 (Anm. 104).

[124] R. Hermann, Willensfreiheit und gute Werke im Sinne der Reformation: Gesammelte Studien zur Theologie Luthers und der Reformation (Göttingen 1960) 44–76, hier 64. Ähnliche Äußerungen bei O. H. Pesch, Theol. der Rechtfertigung 309 Anm. 118.

[125] E. Wolf in dem in Anm. 102 genannten Aufsatz: Peregrinatio I 124.

[126] Eine von P. Althaus gern gebrauchte Formulierung; vgl. Die christliche Wahrheit (s. Anm. 4) 604; ders., Die Theologie Martin Luthers (Gütersloh ²1963) 202, 374 u. ö.; jüngst wiederholt von U. Kühn, Gnade und Werk: J. Feiner/L. Vischer (Hrsg.), Neues Glaubensbuch. Der gemeinsame christliche Glaube (Freiburg/Br. 1973) 560–570, hier 563.

[127] Vgl. O. H. Pesch, Der Ort der Homiletik innerhalb der Theologie: Verkündigen 1 (1967) 51–85, hier 75–80.

digste ist ja noch, daß ich mich entschließen muß, einem Verkünder zuzu-hören, also mich in eine Kirche oder einen Vortragssaal zu begeben, den Rundfunkempfänger einzuschalten oder ein Buch zu lesen. Der Glaube jedenfalls, der in der Tat «reines Empfangen» ist, ist gleichzeitig zumindest ein seelisches Geschehen im Menschen, um nicht zu sagen: eine psychische Aktivität, und zwar eine sehr energische, denn sie hat allerhand Widerstand und Widerspruch von innen und außen zu überwinden. Und diese Aktivität ist eingebettet in eine Fülle anderer – vorausgehender, begleitender, nach-folgender – seelischer Geschehnisse und womöglich äußerer Handlungen. Hier eilig zu unterscheiden und den Glauben selbst scharf gegen seine psy-chischen und äußeren Erscheinungsformen abzugrenzen, muß dazu führen, daß der Glaube aus der menschlichen Realität herausgenommen wird und dann nicht mehr zu verstehen ist, wieso er auf eben diese menschliche Reali-tät einen solchen verändernden Einfluß hat, den immerhin kein Geringerer als Luther so nachdrücklich zu betonen weiß.

Mindestens in diesem Sinne ist also der Glaube, der allein die bedingungs-lose Rechtfertigung ergreift, nie «allein», oder besser: er ist selbst eine komplexe Realität, zu deren Deutung das Schema Grund-Folge nicht aus-reicht, in der es vielmehr auch Voraussetzungen, Vermittlungen, Begleit-erscheinungen, psychische und intellektuelle Verhaltensformen bis hin zum ganz persönlichen «Stil» gibt. Der Glaube selbst muß die Verantwortung dafür übernehmen, daß niemand all dies als Bedingungen oder gar Voraus-setzungen für die Rechtfertigung versteht. Denn der Glaube selbst, *mit* sei-ner komplexen Struktur, begreift sich als Werk und Geschenk Gottes, das heißt: in seiner komplexen Realität erkennt er irgendwo und überall Gott eine solche Priorität und Initiative zu, daß er ohne sie nichts von dem, was zu ihm gehört, für wirklich halten kann [128] – wir haben es hier mit einem ähnlich paradoxen Ineinander von Gottes Werk und menschlicher Aktivität zu tun, wie wir es schon beim Problem der Freiheit bedachten, mehr noch: die Deutung des Glaubens ist der wichtigste Konkretisierungsfall dessen, was dort allgemein und abstrakt gesagt wurde. *Gott* und den Glauben an ihn *muß* man also unterscheiden. Im *Glauben kann* man den Glauben selbst von der psychischen Aktivität, die sein Erscheinungsfeld darstellt, unterscheiden, nur ist das eine nicht weniger abstrakte Betrachtung des Glaubens, als es der scholastische Begriff vom Glauben als Zustimmungsakt des Verstandes ist. Luther hat eine solche Abstraktion übrigens nicht auf ihrer Seite. Seine dialektisch-antithetische Denkweise [129] ist – der modernen vergleichbar – in der Lage, die völlige Gnadenhaftigkeit und Passivität des Glaubens durch-aus mit der Glaubens*ermahnung* zu verbinden, die sich offenkundig an den Glauben als psychische Aktivität wendet. Der Versuch eines psychologi-

---

[128] Vgl. MS I, 827–892.
[129] Vgl. dazu besonders das in Anm. 105 genannte Buch von G. Ebeling.

schen Aufrisses der Bekehrung, wie ihn das Trienter Konzil unternimmt, ist insofern näher bei Luther als manche «melanchthonisierende» Luther-interpretation.

Ist der «allein rechtfertigende» Glaube in dieser Weise konkret genug gefaßt, dann verlieren die meisten Stichworte, die die Kontroverse um das «sola fide» beherrschen, ihre Schrecken, beziehungsweise sie zeigen den *wirklichen* Kern ihrer Problematik. Da ist zunächst das Wort «Vermittlung». Im Widerspruch zur biblischen Botschaft von der bedingungs- und voraus-setzungslosen Rechtfertigung des Sünders durch Gott stünde logischer-weise nur eine solche «Vermittlung», die den Charakter einer Bedingung oder Voraussetzung annähme. Evangelischen Beobachtern ist kaum zu ver-übeln, wenn sie nicht selten den Eindruck haben, die katholische Kirche be-trachte sich selbst, allen Bekenntnissen zur Gnade Gottes zum Trotz, in die-ser Weise als «Vermittlerin» der Gnade. Die Betonung der Sakramente nicht nur als einer anderen Gestalt, sondern als *Höhepunkt* von Verkündi-gung und Heilszusage[130] und die Betonung der alleinigen Kompetenz des Amtes für die Verwaltung der Sakramente[131] in Verbindung mit der offiziel-len Stellungnahme kirchlicher Autoritäten zu Versuchen einer Neuorien-tierung «an der Basis» lassen den, der nur von außen beobachtet, in der Tat nur schwer auf den Gedanken kommen, es handle sich hier doch nicht um dasselbe Phänomen von «Verkirchlichung» der Gnade, gegen das schon die Reformatoren ankämpften. Der katholische «Insider» indes vermag, so un-begreiflich das für den evangelischen Beobachter auch sein mag, keinen Widerspruch zwischen bedingungsloser Rechtfertigung durch den Glauben und unabdingbarer Funktion von Kirche und Amt zu sehen. Die «Heils-notwendigkeit» der Kirche wird seit geraumer Zeit – und in kaum zu be-streitender Korrektur früherer rigoristischer Auffassungen – nicht mehr als unersetzbare Heilsnotwendigkeit einer *juridischen* Zugehörigkeit zur rö-misch-katholischen Kirche verstanden.[132] Die Heilsnotwendigkeit der Sa-kramente – ohnehin nicht aller Sakramente, insonderheit aber der Taufe –

[130] Vgl. K. Rahner: Schriften IV, 313–356; L. Scheffczyk, Von der Heilsmacht des Wortes. Grundzüge einer Theologie des Wortes (München 1966) 264–286; und unseren in Anm. 49 genannten Aufsatz, bes. 309–316.

[131] Daran läßt das Zweite Vatikanische Konzil keinen Zweifel. Vgl. Konstitution über die Kirche 26, 28, 29; Dekret über Dienst und Leben der Priester 4–9; die Gegenprobe: Dekret über den Ökumenismus 22. Die Frage hat in jüngster Zeit neuen Zündstoff erhal-ten durch die intensivere Diskussion um die sog. «Interkommunion» und um das Buch: Reform und Anerkennung kirchlicher Ämter. Ein Memorandum der Arbeitsgemein-schaft Ökumenischer Universitätsinstitute (Mainz 1973).

[132] Vgl. MS IV/1, 328–340; ergänzend U. Horst, Umstrittene Fragen der Ekklesiologie (Regensburg 1971) 170–186; auch O. H. Pesch, Kirchliche Lehrformulierung und persön-licher Glaubensvollzug: H. Küng (Hrsg.), Fehlbar? Eine Bilanz (Zürich 1973) 249–279, bes. 259f. Hierher gehört auch K. Rahners These von den «anonymen Christen»; vgl. seine jüngste Äußerung zur Sache in Schriften IX, 498–515.

wird von alters her kontrapunktiert durch eine anfangs enggefaßte, dann immer weiter ausgreifende Lehre vom expliziten und impliziten «votum» des Sakramentes (inzwischen auch «votum» der Kirche).[133] Weder die reale Kirche noch ihre realen Sakramente noch das für diese zuständige Amt gehören also in der Weise zum Glauben dazu, daß sie eine Bedingung für die Rechtfertigung darstellten. Die Kirche verfügt keinesfalls über die Wege, auf denen Gott mit dem Menschen handelt. «Gott hat seine Kraft nicht so an die Sakramente gebunden, daß er deren Wirkung nicht auch ohne sie verleihen könnte», wußte schon Thomas von Aquin (S. Th. III q. 64 a. 7).

Ob dann nicht wenigstens das «votum» als «Bedingung» der Rechtfertigung gefordert bleibt? Das entscheidet sich zugleich, wenn wir die tatsächliche (und nicht nur die mutmaßliche oder unterstellte) «Vermittlungsfunktion» der Kirche und ihrer Sakramente klären können. In einem bestimmten, früher schon angedeuteten Sinne kann auch der auf die «Freiheit eines Christenmenschen» stolze evangelische Christ einer «Vermittlung» durch die Kirche so wenig entraten wie der katholische Christ: Nur in der Kirche und durch die Kirche hört er überhaupt das befreiende Wort von der Rechtfertigung des Sünders allein durch den Glauben, weil er es nur von denen hören kann, die schon vor ihm geglaubt haben. Mehr an «Vermittlung» aber bleibt auch nach katholischem Selbstverständnis der Kirche nicht übrig. Denn wenn, wie gezeigt, die katholische Kirche sich so wenig wie die evangelische zutrauen kann, über die Wege des Handelns Gottes mit dem Menschen zu verfügen,[134] dann bleibt ihre «Ver-mitt-lung» der Rechtfertigung auf die «Mit-Teilung» des befreienden Wortes von der Rechtfertigung des Menschen beschränkt. Das «votum» (der Kirche, des Sakramentes) ist in demselben Sinne notwendig und in demselben Sinne keine «Bedingung» der Rechtfertigung, wie das Verlangen nach dem befreienden Wort «notwendig» und doch keine «Bedingung» ist. Um die Tragweite dieser Überlegung voll würdigen zu können, muß man sich nur von der Identifikation

[133] Vgl. O. H. Pesch, Besinnung auf die Sakramente (s. Anm. 49) 280–284.
[134] Das kommt paradoxerweise sehr gut heraus an einer katholischen Lehre, die von evangelischer Seite besonders hart inkriminiert wird: an der Lehre vom «character indelebilis», den das Weihesakrament mitteilt. Die evangelische Kritik sieht in dieser Lehre eine Klerikalisierung des kirchlichen Amtes, die aus dem Amtsträger einen Christen höherer Ordnung macht. Dabei übersieht man die klassische Definition des «Charakters»: «Potestas spiritualis in ordine ad cultum» (vgl. Thomas, S. Th. III q. 63 a. 2). Der vielberufene «Wesensunterschied» zwischen Geweihten und «Laien» ist ein Unterschied in einer Vollmacht, die juridisch – nicht «ontologisch» – zu umschreiben ist: als bestimmter Auftrag und bestimmte Funktion beim Gottesdienst. Die Kirche versteht sich als «Vermittlerin» dieser Vollmacht an den, den sie von Gott als dazu berufen ansieht, und sie traut sich nicht zu, die dem von Gott Berufenen «übermittelte» Vollmacht zurücknehmen zu dürfen – deshalb ist der «Charakter» «indelebilis». Man kann durchaus streiten, wo mehr «verfügt» wird: bei einer Bejahung oder bei einer Ablehnung der Lehre vom Charakter.

von Kirche und (höherer) Kirchenleitung frei machen, die gelegentlich – vor allem im politischen Bereich – praktischen Nutzen haben mag und manchmal augenscheinlich den Realitäten entspricht, aber theologisch völlig unsinnig ist. Dem katholischen Christen ist das spätestens seit dem Zweiten Vatikanischen Konzil wieder bewußt geworden, nachdem die Kirchengeschichte des zweiten Jahrtausends es lange Zeit verdeckt hatte. Der evangelische Christ muß diese Identifikation mindestens gegenüber der katholischen Kirche, nicht selten aber auch gegenüber der eigenen Kirche auflösen, nicht nur, weil er sonst der katholischen Kirche nicht gerecht werden kann, sondern weil er sonst weder die (trotz reichhaltiger Kritik) größere katholische Unbefangenheit gegenüber der kirchlichen Institution verstehen kann noch das chronische Unverständnis des Katholiken angesichts des evangelischen Argwohns gegenüber dieser Unbefangenheit. Weil der evangelische Christ durchschnittlich die Bedeutung von Amt und Institution im Glaubensbewußtsein des Katholiken viel zu undifferenziert veranschlagt, muß er zu der Auffassung gelangen, katholische Christen betrachteten ihre hierarchisch verfaßte Kirche als eine solche Bedingung der Rechtfertigung, wie sie das paulinische Rechtfertigungszeugnis ein für allemal ausschließt. In Wahrheit ist durchschnittlich der Katholik weit mehr davon durchdrungen, daß *alle* Glieder der Kirche den *einzigen* Daseinssinn der Kirche erfüllen, nämlich das Wort der Frohbotschaft weiterzusagen, als evangelische Christen ihnen zutrauen. Erst jenseits dieser Grundtatsache, nämlich wo es um die geordneten Formen und Weisen der Weitergabe dieses Wortes geht, haben Institution, Amt und sogar das, was mit «Hierarchie» allenfalls gemeint sein kann, ihren Ort.

Man kann also durchaus Vorbehalte gegen die konkrete Form der «Kirchlichkeit» katholischer Glaubensexistenz und gegen die Art und Weise haben, wie manche Vertreter der «offiziellen» katholischen Kirche nach wie vor sich die Bindung der Gläubigen an ihre Kirche vorstellen und im Namen des Glaubens fordern. Es ist gleichwohl sachlich unbegründet, diese Bindung als Vermittlung der *Rechtfertigung selbst* und daher als bedingendes *Werk* für die Rechtfertigung anzusehen. Der hier entstehende Streit um die Reinerhaltung des paulinischen Zeugnisses wird nicht nur zwischen evangelischer und katholischer Kirche, sondern auch in der katholischen Kirche selbst ausgetragen. Je zu ihrem Teil hat das die Lehre von der Kirche und die Lehre von den Sakramenten noch eigens herauszustellen.[135] Damit ist zugleich dem zweiten Stichwort seine Bedrohlichkeit genommen: «Gottunmittelbarkeit» des Glaubens – bzw. deren Unterbrechung. Die Kirche und ihr Amt – auch und gerade ihr Lehramt – könnten nur dann «zwischen» Gott und den Glaubenden treten und seine Gottunmittelbarkeit unterbrechen, wenn ihre «Vermittlung» mehr und anderes wäre als Mitteilung des

[135] Vgl. MS IV/1, bes. 223–356; und w.u. S. 948 ff, 974 f.

befreienden Wortes der Botschaft. Das können beide nicht beanspruchen und das tun sie, wie gezeigt, auch nicht. Und auch die Mitteilung und Annahme des Wortes sind ihrerseits nicht bedingendes Werk, sondern Eröffnung und – von Gott selbst erwirkter – Eintritt in jene Kommunikation zwischen Gott und Mensch, in der die Rechtfertigung, die erbarmende Annahme des Menschen durch Gott, die zurechtbringende Selbsthingabe des Menschen an Gott bestehen. Für Thomas von Aquin ist das Formalobjekt des Glaubens die «Urwahrheit» («veritas prima») selbst, das heißt: der Glaube richtet sich auf den sich offenbarenden Gott selbst und nicht etwa auf – durchaus notwendige – Glaubenssätze («enuntiabilia»).[136] Mit einer breiten frühscholastischen Tradition nimmt Thomas – eine späte Folge des pelagianischen Streites – auch lieber eine Abwertung des Wortes zum bloßen intellektuellen Vehikel der Botschaft in Kauf, um nur ja keinen Zweifel daran aufkommen zu lassen, daß nichts anderes als die Gnade selbst, unvermittelt, den Menschen rechtfertigt.[137] Auch die moderne und gerade jüngst neu in Gang gekommene Diskussion um (päpstliches) Lehramt und Unfehlbarkeit[138] macht auf keiner Seite das Wort und die Wortannahme neu zur Bedingung, sondern kreist allein um das Problem der Verläßlichkeit seiner Mitteilung und der Gewißheit seiner Erkenntnis. Und ein evangelischer Theologe, der gewiß nicht im Verdacht steht, gern Freundlichkeiten an die katholische Adresse auszuteilen, Karl Gerhard Steck, hat jüngst vermerkt, der heutigen katholischen Theologie sei nicht mehr schlechthin nachzusagen, sie ordne die Kirche dem Einzelnen vor – unterbreche also die Unmittelbarkeit seines Glaubens zu Gott.[139] Das sind nur einige aus einer großen Zahl von Fakten aus Geschichte und Gegenwart, die hier anzuführen wären. Die Darlegungen über das Wesen des Glaubens haben zudem die Gottunmittelbarkeit des Glaubens schon hinreichend deutlich gemacht.[140]

Von daher besteht nun keine Schwierigkeit, auch die kirchen- und institutionskritische Funktion der Rechtfertigungslehre zu unterstreichen. Eine solche Schwierigkeit besteht zunächst *historisch* nicht, denn *wenn* in der Kirche Reformen und Korrekturen gefordert, wenn zur Umkehr gerufen wurde, geschah es, in welchen Variationen auch immer, unter Berufung auf das Wort, auf das Evangelium, das Maß der Kirche ist und nicht umgekehrt;

---

[136] S. Th. II/II q. 1 a. 1–2; Zur Interpretation vgl. J. Mouroux, Ich glaube an Dich. Von der personalen Struktur des Glaubens. (Einsiedeln ²1951); M. Seckler, Instinkt und Glaubenswille nach Thomas von Aquin (Mainz 1961) 161–166; O. H. Pesch, Theologie der Rechtfertigung 724–735.

[137] Vgl. O. H. Pesch, Theologie des Wortes bei Thomas von Aquin: ZThK 66 (1969) 437–465, bes. 451–453, 460.

[138] Vgl. H. Küng, Unfehlbar? Eine Anfrage (Zürich 1970), sowie den in Anm. 132 genannten Diskussionsband, der in der Bibliographie alle Titel der Diskussion zusammenträgt.

[139] K. G. Steck, Luther für Katholiken (s. Anm. 121) 27.

[140] Vgl. MS II, 875–892.

unter Berufung auf die Verpflichtungskraft des vom Wort getroffenen Gewissens, an dessen letztem Spruch die Kompetenz der Kirche endet, selbst wenn es irrig ist; unter Berufung auf das Wirken des Geistes, das nicht das Privileg der Amtsträger und der Repräsentanten der Institution ist. *Wenn* immer eine Reform in der Kirche tatsächlich durchgesetzt wurde, dann stets so, daß sich, allen menschlich-allzumenschlichen Behinderungs- und Verhinderungsversuchen zum Trotz, das Wort, das Gewissen, der Geist so überzeugend erwiesen, daß sich auch die Widerstrebenden nicht mehr widersetzen konnten. Die kirchenkritische Funktion der Rechtfertigungslehre zu unterstreichen, besteht aber auch *sachlich* kein Hindernis. Gewiß ist nicht jede Kirchenkritik, das heißt: jede Institutionskritik in der Kirche schon deshalb im Recht, weil sie sich auf die Rechtfertigungslehre beruft. Kritik an der Kirche muß sich selbstverständlich der Gegenkritik, der Auseinandersetzung stellen. Aber eines können wir festhalten: Jede Abwehr einer Kritik, die darauf hinauskommt, der Kirche einen Platz *zwischen* Gott und Mensch zu schaffen oder zu erhalten – und nicht nur den einer Wegweiserin an der Seite des Menschen –, ist eben dadurch als illegitim zu erkennen, selbst wenn sie äußerlich stärker wäre und sich durchzusetzen vermöchte. Einer solchen Abwehr gegenüber wird das Rechtfertigungszeugnis zum «articulus stantis et cadentis ecclesiae». Übrigens genauso in den evangelischen Kirchen! Nicht jede geistesgeschichtliche Situation der Kirchengeschichte hat die Rechtfertigungslehre *reflex* zum «articulus stantis et cadentis ecclesiae» erheben müssen. Aber *wenn* Kritik und Reformforderungen laut werden, ist die Rechtfertigungslehre, unter welchen Namen auch immer, die letzte Quelle der Legitimation. Das «sola fide numquam sola» ist unter allen seinen Aspekten, von den guten Werken bis hin zur Kirchenkritik, unaufgebbare Wahrheit des Glaubens und unverrückbares Richtmaß kirchlichen Lebens.

c. Heilsgewißheit

Über die Frage nach der Heilsgewißheit müssen wir, den Abschnitt über die Rechtfertigung als Geschehen im Menschen beschließend, deshalb noch reden, weil für Luther und die reformatorische Theologie die Heilsgewißheit unmittelbar und untrennbar mit dem rechtfertigenden Glauben verbunden ist und das Trienter Konzil daher fast in einem Atemzug das reformatorische sola fide und die «inanis fiducia haereticorum» verurteilt.[141] In der Kontroverse um die Heilsgewißheit spiegelt sich also die Kontroverse um das «sola fide», die neu gestellte Frage nach der Heilsgewißheit wird zur Gegenprobe auf unsere Überlegungen zum möglichen Konsens über den allein rechtfertigenden Glauben.

[141] DS 1533.

aa. Der Streit um die Heilsgewißheit

Seit Jahren schon[142] hat man es für möglich gehalten, was inzwischen ziemlich allgemein angenommen scheint: daß die Polemik des Tridentinums gegen die reformatorische Predigt der Heilsgewißheit auf einem Mißverständnis beruht.[143] Die klassische Frage, ob der Christ um seinen eigenen «Gnadenstand» mit Gewißheit wissen könne, hatte die theologische Tradition stets mit Nein beantwortet.[144] Die Väter von Trient meinten, Luther beantworte dieselbe Frage mit Ja. Dagegen erhoben sie mit Vehemenz die klassischen Einwände: Nur die Treue Gottes zu seinen Verheißungen sei gewiß, aber die menschliche Labilität erlaube keine Gewißheit, daß jemand tatsächlich den rechtfertigenden Glauben habe, geschweige denn, daß er ihn bis ans Ende bewahre. Völlig absurd sei daher ein Satz wie: Niemand sei gerechtfertigt, der nicht fest glaube, er sei gerechtfertigt – denn das hieße ja, daß der labile Glaube sich selbst zum Grund der Heilsgewißheit mache.[145]

Luther dagegen hält die Lehre von der Ungewißheit des Heils für eine Ausgeburt der Hölle und meint, wenn alles in der Kirche heil sei, dieses «Monstrum» aber bliebe, so sei das Grund genug, dem Papsttum abzusagen.[146] Christus kam, um uns des Heiles gewiß zu machen[147] – was also kann ein Christentum noch sein, in dem gerade dies bestritten wird?

Das Mißverständnis klärt sich vor allem durch eine genauere Betrachtung dessen, was Luther tatsächlich meint. Dreierlei ist zu beachten:

1. Das Heil, dessen Gewißheit Luther predigt, ist nicht – wenigstens nicht primär – das «ewige Leben» als Gut der Zukunft, dessen sich der Mensch etwa jetzt schon vergewissern könnte. Es ist vielmehr das *jetzt* von Gott geschenkte Heil, die Vergebung der Sünden, der Friede mit Gott, die «Gnade». Diese Gnade aber beschreibt Luther, wie bekannt,[148] gerade nicht als «Stand», will sagen: als innermenschliche Realität, die nach dem Modell einer «Qualität», eines «Habitus» zu denken wäre, sondern als personales Handeln Gottes am Menschen, als sein Zugewandtsein zum Menschen, seine «Huld» («favor»). Das alles hat selbstverständlich Auswirkungen im Menschen, aber diese sind nicht die Gnade selbst, sondern von dieser zu unterscheiden. Die Frage nach der Heilsgewißheit ist damit per definitionem eine Frage nach *Gott*, nach *seinem* Verhalten gegenüber dem Menschen, und nicht eine Frage nach dem, was im Menschen ist, zum Beispiel nach seinem «Stand der heiligmachenden Gnade». Die unsachgemäße Vermengung beider Fragen – ihr *Zusammenhang* braucht deshalb nicht bestritten zu werden! – muß zunächst einmal aufgelöst werden, sonst redet und polemisiert man aneinander vorbei.

---

[142] Vgl. A. Stakemeier, Das Konzil von Trient über die Heilsgewißheit (Heidelberg 1947), bes. 51–66.

[143] Vgl. St. Pfürtner, Luther und Thomas im Gespräch. Unser Heil zwischen Gewißheit und Gefährdung (Heidelberg 1961); O. H. Pesch, Theol. der Rechtfertigung 262–283; und jetzt P. Fransen, w. o. S. 723 f.

[144] Klassischer Beleg: Thomas, S. Th. I/II q. 112 a. 5.

[145] DS 1534, 1564.

[146] Vgl. WA 40 I/588,7 (Großer Galaterkommentar, 1531).

[147] WA 43/558,21 (Große Genesisvorlesung, 1535–1545).

[148] Vgl. w. o. S. 846.

2. Luther macht eine Reihe von Aussagen,[149] die seiner mit persönlicher Emphase vorgetragenen These von der Heilsgewißheit gleichsam die Balance halten – und zugleich jede voreilige katholische Kritik ins Unrecht setzen. So hat er sein Leben lang gegen den Gedanken und die praktische Haltung einer Heils*sicherheit* gekämpft und diese sachlich und meist auch terminologisch genau unterschieden wissen wollen von dem, was er mit Heilsgewißheit meinte. Heilsgewißheit ist keine Versicherung des Heils, die da meint, sich den Kampf gegen die Sünde sparen und den Leichtsinn kanonisieren zu können. – Ebenso weiß Luther, daß der Glaube, der die Heilsgewißheit verbürgt und ist, nicht als sicherer Besitz angesehen werden darf. Es gibt die Möglichkeit des Glaubensverlustes. Die Heilsgewißheit ist gefährdet wie der Glaube, sie ist im strengen Sinne ungesicherte Gewißheit. – Luther hält auch nicht dafür, daß die Heilsgewißheit sich als Trostgefühl äußern müsse. Die Trosterfahrung kann schwinden, ohne daß Glaube und Gnade schwinden. Er selber hat damit Ernst gemacht: Gegen seine eigene Angefochtenheit und Trostlosigkeit hat er sich und sein Heil allein auf Christus, auf Gottes Gnadenwort, auf sein Getauftsein gestellt und ist *so* seines Heiles gewiß geworden. – Und endlich: Heilsgewißheit ist nicht etwa Prädestinationsgewißheit. Wie schwierig und von Mißverständnissen bedroht die Deutung der prädestinatianischen Aussagen Luthers ist, braucht hier nicht wiederholt zu werden.[150] Wie das Urteil auch immer ausfallen mag, Heilsgewißheit hat jedenfalls nichts mit dem vermessenen Versuch zu tun, über den unerforschlichen, wählenden Willen Gottes Bescheid zu wissen, um fortan aller Anfechtung ledig zu sein.

3. Es muß auffallen, daß Luther zur Heilsgewißheit *ermahnt*, um sie zu kämpfen anhält.[151] Im Rahmen der katholischen Fragestellung nach der Gewißheit des Gnadenstandes ist das ganz ungewöhnlich und unverständlich. Aber für Luther ist Heilsgewißheit keine Sache des theoretischen Erkennens, sie ist nichts, was man «feststellt» wie in einer ärztlichen Diagnose. Es handelt sich um eine andere Art von Erkennen und eine andere Art von Gewißheit. Luthers Mahnung zur Heilsgewißheit weist uns die Spur.

Was des Heiles gewiß macht, ist nichts anderes als der Glaube selbst. Und zwar der Glaube *allein*, weil er allein auch des Heiles gewiß macht. Was also für Luther das «sola fide» begründet, begründet zugleich Heilsgewißheit: Allein Christus ist der Grund meines Heiles – und meiner Gewißheit; allein das Wort der göttlichen Zusage ist der Grund meiner Gewißheit. *Indem* ich es annehme, *indem* ich im Glauben Christus ergreife, *indem* ich auf mich und meine Sünde beziehe, was Gott in Christus für mich getan hat, werde ich meines Heiles gewiß. Glaube und Heilsgewißheit sind identisch. Glaube aber ist kein theoretisches Erkennen ein für allemal bestehender Tatsachen. Als Hingabe der Person an Gott kann er stets widerrufen werden. Glaube ist je neu zu vollziehen, das Wort der Vergebungszusage ist je neu zu ergreifen, die Anfechtung ist je neu zu überwinden. Heilsgewißheit steht und fällt daher mit dem je neuen Vollzug des Glaubens, sie überwindet ihre eigene

---

[149] Der Kürze halber muß wieder auf die Literatur verwiesen werden; vgl. die Hinweise in Anm.143; weitere Literatur in den genannten Arbeiten; speziell sei hingewiesen auf A.Peters, Glaube und Werk (s. Anm.29) 77–83.

[150] Vgl. w.o. S. 791f und O.H.Pesch aaO. 269–274, 382–396.

[151] Etwa WA 40 I/579,17–22; 2/458,29–32; weitere Texte bei O.H.Pesch aaO. 278.

Ungesichertheit und Gefährdung mit und im je neu seine Angefochtenheit über-
windenden Glauben. So ist einerseits deutlich, daß ich über die Heilsgewißheit
niemals eine Bescheinigung ausstellen, sie niemals «objektivieren», mich ihrer nie
noch einmal vergewissern kann. Sie ist, wie man gesagt hat, keine theoretische,
sondern eine existentielle Gewißheit – Gewißheit, die im Vollzug der (gläubigen)
Existenz ihren Ort hat.[152] Anderseits ist klar: *Im* Vollzug des Glaubens, der die
Heilszusage Gottes ergreift, von Heils*un*gewißheit zu reden, heißt ipso facto den
Glauben und damit das Heil aufheben, so daß man für Luther die Gleichung aufstellen kann: Heilsungewißheit ist Heilsverlust. Von daher sein erbitterter Kampf
gegen die alte Lehre: in ihr sah er das Heil der Christenheit bedroht.

bb. Heilsgewißheit als Gottesgewißheit im Glauben

Was das Mißverständnis angeht, so trifft wohl die katholische Theologie
des 16. Jh.s und die Väter von Trient das größere Versäumnis. Es ging ja
bekanntlich bis zur Unterstellung einer Prädestinationsgewißheit.[153] Es
scheint freilich mindestens partiell provoziert durch den Anblick bedenk-
licher praktischer Konsequenzen, die ebenfalls mißverstehende Anhänger
der neuen Lehre daraus zogen. Die Väter von Trient erwähnen als Gegenargument gegen die Reformatoren nur den Hinweis auf die menschliche
Labilität,[154] das zentrale Argument der klassischen These lassen sie dagegen
unerwähnt: daß es hieße, Gott selbst zu begreifen, wenn man mit Gewißheit, das heißt: aus Einsicht in den Grund der Sache um Gottes Gnade wissen könnte, die ja nichts anderes ist als das Ankommen des geheimnisvollen
gnädigen Wirkens Gottes im Menschen.[155]

Es ist müßig zu fragen, ob die Besinnung auf dieses zentrale Argument
der Tradition die Augen dafür geöffnet hätte, daß es bei Luther um etwas
anderes ging als die Frage der Tradition. Es führt ebenso nicht viel weiter,
Luther vorzurechnen, daß er sehr wohl die Möglichkeit gehabt hätte, die
andere Fragestellung der Tradition zu bemerken, weil er ja schon früh sein
Gnadenverständnis von dem der Tradition ablöste, und zwar im vollen
Bewußtsein dessen, was er tat. Wichtig ist jetzt allein, zu bedenken, wie und
warum heute Konsens in der Frage der Heilsgewißheit erzielt werden kann,
so daß ein möglicher Konsens über das «sola fide» an der Frage der Heilsgewißheit nicht scheitert, sondern im Gegenteil Kraft gewinnt. Wir können
das unter drei Gesichtspunkten zeigen:

1. Im Licht der kirchlichen Lehre. Eine aufmerksame Lektüre der Trienter Lehre im Licht der richtig verstandenen Lehre Luthers führt zu dem
Ergebnis, daß das Konzil genau das ablehnt, was auch Luther ablehnt: eine

---

[152] Vgl. P. Althaus, Die christliche Wahrheit (s. Anm. 4) 612.
[153] Vgl. DS 1540, 1565.
[154] DS 1534, 1563.
[155] Vgl. Thomas, S. Th. I/II q. 112 a. 5; Interpretation bei O. H. Pesch aaO. 748–750.

Gewißheit der Gnade *im* Menschen, eine Prädestinationsgewißheit, Trost-
gefühle als Kriterium, sittliche Ungebundenheit unter Berufung auf die
Heilsgewißheit, Selbstüberschätzung... Das Konzil betont seinerseits die
Punkte, die Luther wichtig sind: die Verläßlichkeit und Suffizienz der
Gnade Gottes in Christus, die menschliche Labilität und die dadurch ge-
gebene Bedrohung des Glaubens und des Heiles. Das Konzil hat nicht
Luthers wirkliche Lehre, sondern eine Mißdeutung getroffen, die schon zu
Luthers Zeiten sich breit machte: die Idee einer «fiducia», die in der Tat
«inanis» ist. Die Lehre des Konzils ist also offen für neue Gedanken – und
Luthers Lehre ist nicht schon dadurch häretisch, daß sie neu ist.

2. Im Licht der Tradition. Die jüngste Forschung hat, katholischerseits
wie evangelischerseits unwidersprochen, gezeigt, daß die Lehre von der
Gewißheit der Hoffnung – ein wichtiges Thema der Scholastik durch mehrere
Jahrhunderte hindurch – auf dem Trienter Konzil nicht verurteilt, aber einfach zu kurz gekommen ist.[156] Das Konzil hat sich damit eines gewichtigen
Traditionszeugnisses begeben, positiv auf Luthers Predigt von der Heilsgewißheit einzugehen. Denn die genannten Untersuchungen haben zugleich
gezeigt, daß die These von der Gewißheit der Hoffnung, die sich allein auf
Gottes allmächtiges Erbarmen und auf nichts sonst stützt, sich bis zur Übereinstimmung in der Sache der Lehre Luthers von der Heilsgewißheit nähert.
Dieses Urteil ist zwar auf evangelischer Seite nicht unwidersprochen ge-
blieben. Man wendet insbesondere ein, die scholastische These schließe
Werke und gar «Verdienste» als Mit-Grund der Hoffnungsgewißheit nicht
aus, verwässere also die reine Fundierung der Heilsgewißheit im Verhei-
ßungswort durch den wohlbekannten scholastischen «Kooperationismus».[157]
Historisch wäre dazu mehr zu sagen, als hier möglich ist.[158] Sachlich fällt die
Entscheidung über diesen Vorbehalt an der Frage, ob nach katholischer
Lehre das Wort der Frohbotschaft tatsächlich einer Ergänzung bedarf, um
Grund von Heil und Heilsgewißheit zu werden, und ob die katholische
Lehre tatsächlich das absolute Grund-Folge-Verhältnis von Glaube und
Werken wahrt. Wir haben dazu schon das Nötige gesagt[159] – jedenfalls so
viel, daß deutlich ist, warum wir den genannten Vorbehalt nicht teilen
können. Je mehr man sich klar macht, welchen Akzent gerade das Moment
der Hoffnung in Luthers Glaubensbegriff hat – an den ja die Lehre von der
Heilsgewißheit gebunden ist –, desto mehr wird man Luthers Lehre für eine

---

[156] Vgl. St. Pfürtner aaO. 100; und w.o. S. 724. Vgl. bei Thomas, S. Th. II/II q. 18 a. 4.
Interpretation bei St. Pfürtner aaO. 45–108; O. H. Pesch aaO. 750–757.

[157] So vor allem G. Hennig, Cajetan und Luther (s. Anm. 121) 168–171.

[158] Vgl. O. H. Pesch aaO. 659–669, 679–686, 771–789, 811–814, 855–864. Speziell zur
Kritik an Hennig vgl. O. H. Pesch, «Das heißt eine neue Kirche bauen» (s. Anm. 32) 655 f.
Anm. 50. Pfürtner zustimmende lutherische Stimmen sind verzeichnet bei O. H. Pesch,
Theol. der Rechtf. 750 Anm. 150.

[159] Vgl. w.o. S. 859–871.

neue, kühne, auf die Provokation einer neuen Zeit antwortende Variante einer alten katholischen Lehre halten.

3. Im Licht eines vertieften Sachverständnisses. Wie auch immer man über Luthers Glaubensbegriff urteilen mag, die zwei Momente, die für eine Zustimmung zu seiner Lehre von der Heilsgewißheit unerläßlich sind, bilden in heutiger katholischer Theologie kein Problem mehr: daß Glaube mehr ist als bloßes Für-wahr-Halten von Glaubenssätzen, und daß kein Mensch für seinen Glauben garantieren kann. Der abstrahierende Glaubensbegriff der Scholastik, die, zum Zwecke exakter Unterscheidung von Hoffnung und Liebe, Glaube als Zustimmungsakt des Verstandes zur Offenbarung Gottes definierte, ist überwunden zugunsten einer Rückgewinnung der umfassenden ganzmenschlichen Auffassung vom Glauben, wie wir sie im biblischen Zeugnis antreffen und wie eine moderne, auch philosophisch-anthropologische Besinnung sie uns neu verstehen gelehrt hat.[160] Unter solchen Denkvoraussetzungen kommt die Frage nach der Heilsgewißheit auf folgende Frage hinaus: Kann ich im genannten Sinne glauben und *zugleich* sagen: Ich bin meines Heiles nicht gewiß? Die Antwort kann nur lauten: Nein! Andernfalls wäre die Konsequenz, daß ich im Glaubensakt mein ganzes Heil auf Gott gründe und zugleich sage: Gott ist kein zuverlässiger Grund meines Heiles. Gewiß kann im nächsten Augenblick die alte Ungewißheit wiederkehren – aber nur, indem ich aufhöre, im gekennzeichneten Sinne zu glauben. Wir stehen damit genau bei Luther: Heilsgewißheit ist immer nur *im* Vollzug des Glaubens, nie außerhalb als «objektive» Tatsache. Heilsgewißheit ist die *subjektiv* – als *mir* geltend – erkannte und bekannte Verläßlichkeit Gottes und seiner Heilszusage an mich. «Objektiv» kann man nur mit dem Trienter Konzil zwei Tatsachen auseinanderhalten: die Verläßlichkeit Gottes und die Labilität des Menschen. Das *kann* man – aber es ist nicht das einzige, was man kann, und in der Situation des angefochtenen Glaubens ist es nicht das Wichtigste, was man tun muß.

Achten wir nun noch darauf, daß die Frage nach Gott heute *die* Frage des Glaubens geworden ist (weit entfernt davon, ein «praeambulum fidei» zu sein!),[161] und daß der Glaube zuerst und vor allem diese Frage als *die* Heilsfrage beantwortet, dann können wir in einer Variante, die den Wandel von den Fragen des 16. Jh.s zu unseren Fragen signalisiert, die Frage nach der Heilsgewißheit theologisch beantworten: Heilsgewißheit ist existentielle Gottesgewißheit im Glauben. Diese Gewißheit ist dem Glauben wesentlich, weil sie gerade sein Thema ist. Ein Glaube, der in seinem Geschehen nicht Gottes gewiß machte – auch wenn seine psychische Verwurze-

---

[160] Statt einzelner Titel sei verwiesen auf MS II, 824–826; ergänzend etwa H. Fries, glauben – wissen. Wege zu einer Lösung des Problems (Berlin 1960); M. Seckler, Glaube: HThG I, 528–548.

[161] Repräsentativ dafür ist etwa der vom Konsens der Mitarbeiter getragene Einsatz des «Neuen Glaubensbuches» (s. Anm. 126) mit der Gottesfrage, aaO. 21–100.

lung ein Leben lang gefährdet und zudem für das Erkennen immer zweideutig bleibt, mit anderen Worten: nie zum heilsbegründenden «Werk»
wird –, wäre, mit Luther zu sprechen, in der Tat ein «Monstrum».

Eine Nachbemerkung ist erforderlich. Luthers Predigt der Heilsgewißheit ist nicht
vollständig dargestellt, wenn man verschweigt, daß die niemals objektivierbare,
existentielle Heilsgewißheit doch eine quasi-objektive Bekräftigung erfahren kann:
in den guten Werken.[162] Das gute Werk macht gewiß, daß der Glaube, der seinerseits die Heilsgewißheit verbürgt und ist, wirklich da und nicht nur, wie Luther es
ausdrückt, «erdichteter», «gefärbter» Glaube ist. Wo keine guten Werke sind, da
kann man nicht wissen, ob der Glaube recht sei, ja da ist sicher, daß gar kein
Glaube da ist. Nicht selten schließt Luther sogar ohne den «Umweg» über den
Glauben sofort auf das Stehen des Menschen im Heil. Die Werke bekommen bei
Luther, wie er selber formuliert, zuweilen geradezu so etwas wie die Bewandtnis
eines Sakramentes, vor allem das Werk der gegenseitigen Vergebung. Luther entwickelt diese Gedanken vor allem in der Auslegung von vier Texten des Neuen
Testamentes, nämlich 2 Petr 1,10; 1 Jo 3,14; Lk 7,36–50 und der fünften Vaterunser-Bitte. Überflüssig zu betonen, daß diese Gewißheit aus den Werken die
existentielle Heilsgewißheit aus dem Glauben an das Wort nicht ersetzt. Aber sie
gewinnt ihre bekräftigende Wirkung aus der Stimmigkeit zwischen dem Glauben
selbst und den Werken, ohne die der Glaube nach Luther gar nicht sein kann.

Die Lehre Luthers von der subsidiären Gewißheit aus den Werken hat eine
eigentümliche Parallele in der Tradition. So sehr eine theoretische Gewißheit des
Gnadenstandes ausgeschlossen ist, so sehr ist doch zu betonen, daß es, mit Thomas
von Aquin formuliert, eine «konjekturale» Gewißheit des Heils gibt, nämlich aufgrund gewisser «Anzeichen» wie etwa Freude an Gott und den Dingen des Glaubens, Distanz von der Verführungsmacht der Welt, das Gewissensurteil, keiner
aktuellen schweren Sünde schuldig zu sein.[163] Das sind gewiß andere «Werke»,
als Luther sie nennt, aber die Problemstruktur ist gleich, und sie übergreift den
Unterschied der geistesgeschichtlichen Situationen: Es gibt eine unreflexe (und
durch Reflexion sofort in die Gefahr der Perversion geratende) praktische Heils-
und Gottesgewißheit dessen, der aus dem Glauben lebt, der gut zu sein versucht,
sich nicht selbst vor allem durchzusetzen bestrebt ist, Zuversicht auch in der Verzweiflung bewahrt, trotz mancherlei Traurigkeit aus einer tiefen Freude lebt…
Es gibt eine Erfahrung der Gnade.[164]

Luther und die Tradition treffen sich hier in der gemeinsamen Absage an eine
abstrakte Vorstellung von Heilsgewißheit, die den Glauben an das unbedingt geltende Verheißungswort vom Kontext des praktischen Lebens abschneidet. Wir
hatten Ähnliches schon bei der Frage nach dem wirklichen Sinn des «sola fide»
beobachtet. Damit wäre denn erreicht, was wir erreichen wollten: zu zeigen, daß
die Einlassung auf das Kontroversthema der Heilsgewißheit den im «sola fide»
anvisierten Konsens nicht desavouiert, sondern bekräftigt.

[162] Belege bei O.H.Pesch, Theol. der Rechtfertigung 279–283; vgl. auch schon w.o.
S. 860.
[163] S.Th. I/II q. 112 a. 5.
[164] Vgl. K.Rahner, Über die Erfahrung der Gnade: Schriften III, 105–110.

5. Rechtfertigung und Heiligung

Dieser Abschnitt artikuliert ein Thema, das im folgenden Kapitel ausführlich abzuhandeln ist. Hier geht es um wenige Vorüberlegungen dazu. Die Grundfrage ist: Auf welche Weise ergreift der Glaube, durch den der Mensch sich von Gottes rechtfertigendem Handeln ergreifen läßt, seinerseits umgestaltend den Menschen? *Daß* der rechtfertigende Glaube den Menschen neu macht, *daß* die Vergebung der Sünde, die Annahme um Christi willen, den Menschen wandelt, *daß* die Rechtfertigung nicht nur ein «forensisches» Geschehen bleibt, sondern «effektiv» wird, daran kann aufgrund des biblischen Zeugnisses kein Zweifel sein. Schon gar nicht für die katholische Tradition, die terminologisch die Rechtfertigung mit der (reformatorischen) Heiligung identifiziert, mindestens in eins sieht, indem sie die erstere als wurzelhafte Wandlung des Sünders zum Freund Gottes durch Eingießung der Gnade und der Tugenden versteht.[165] Aber auch für die Reformation besteht hier, allen traditionellen Verdächtigungen zum Trotz,[166] kein Zweifel – so wenig, daß man lutherischerseits schon geäußert hat, man solle den Streit darüber begraben, da beide Seiten sowohl die Unerläßlichkeit eines neuen Lebens in guten Werken aufgrund des Glaubens sowie die ausschließliche Rückbegründung der Werke im Glauben festhielten und der Streit um Detailfragen nicht anathematrächtig sei.[167] Die «sola fides numquam sola» ist gemeinreformatorisches Erbe. Es geht jetzt also nur aus theologischem Interesse um eine Reflexion auf die *Art* dieses Zusammenhangs, weil einerseits die katholische Position unstreitig in der Gefahr steht, die Werke heimlich in die Rechtfertigung aus Gnade und Glaube allein hinein- und zurückzunehmen, und weil andererseits auf reformatorischer Seite Positionen zu verzeichnen sind, die aus lauter Sorge um die Reinheit des «sola fide» den rechtfertigenden Glauben so von den Werken isolieren, daß sie nicht mehr im Glauben selbst ihren selbstverständlichen Grund haben, sondern einer eigenen Fundierung bedürfen.[168]

Drei Punkte sind hier, historische und systematische Überlegung zusammenziehend, zu bedenken.

a. Umkehr und Buße

Die Rechtfertigungslehre spitzt das Glaubenszeugnis von der Gnade Gottes auf die Realität der Sünde zu.[169] Die Frage nach dem Zusammenhang von

---

[165] DS 1528; vgl. schon w.o. S. 843f.

[166] Vgl. w.o. S. 842.

[167] Vgl. K.A.Meissinger, Der katholische Luther (München 1952) 101–103; und jüngstens U.Kühn, Gnade und Werk: Neues Glaubensbuch (s. Anm. 126) 568–570.

[168] Hinweise und Literatur (lutherische Kritik an Melanchthon) bei O.H.Pesch aaO. 176f Anm.70 und 305 Anm.99.

[169] Vgl. w.o. S. 845f.

Rechtfertigung und Heiligung gilt daher zuerst dem Zusammenhang von Rechtfertigung und Abkehr von der Sünde. Dieser Zusammenhang ist durch das Stichwort «Buße» signalisiert – Buße hier nicht als Sakrament, sondern als «Tugend», als Lebensweise und Tat verstanden. Eine große katholische Tradition versteht die Buße seit jeher als Wesensmoment der Rechtfertigung, genauer: als Komplementärakt der mit der Rechtfertigungsgnade geschenkten Gottesliebe, nur sachlich, nicht zeitlich von der «Eingießung» der Gnade abzugrenzen.[170] Die «vollkommene Reue» («contritio») ist demnach nur durch Gnade möglich und nur durch sie von der «unvollkommenen Reue» («attritio») zu unterscheiden.[171] Erst eine spätere Entwicklung hat vollkommene und unvollkommene Reue nach ihrem psychologischen Motiv unterschieden.[172] Für die klassische Tradition fallen also Eingießung der Gnade, Glaube, Liebe und wurzelhafte Abkehr von der Sünde zusammen – in welchen Interpretamenten man diese vier Momente der Rechtfertigung auch immer denken mag.

Die reformatorische Tradition denkt grundsätzlich nicht anders – wenngleich sie mit ihrer Betonung des Glaubens als eines «reinen Empfangens» es schwerer hat darzutun, daß dieses Empfangen eine aktive Absage an die Sünde nicht nur im Gefolge hat, sondern *ist*, was auf lutherischer Seite zum Teil zu spekulativen Bemühungen geführt hat, deren Akribie jedem Scholastiker Ehre machen würde.[173] Immerhin kann für Luther kein Zweifel sein, daß der Glaube an das Verheißungswort durch sich selbst den Menschen in «Feindschaft» zur Sünde bringt. Wie sollte es anders sein, wenn der Glaube die *Vergebung* der Sünde ergreift: Vergebung der Sünde schließt das Nein Gottes zur Sünde ein und kann folglich nicht ergriffen werden, ohne daß der Mensch dieses Nein Gottes auch zu seinem eigenen Nein macht. Eben dadurch ist der Mensch wurzelhaft neu, auf die Bahn eines neuen Handelns gebracht – oder der Mensch würde wieder durchstreichen, was er soeben im Glauben angenommen hat. Da dieser Glaube Gnadengeschenk ist, ist auch die wahre Buße Frucht der Gnade. Abgesehen von der anderen kategorialen Interpretation von Gnade und Glaube herrscht also Übereinstimmung: Es gibt durch Gnade und Glaube – auch unter Voraussetzung eines dezidiert extrinsezistischen Gnadenverständnisses – ein «effektives» *Neusein* des Menschen vor und am Grunde aller *Erneuerung* und Heiligung im nachfolgenden Werk. Im Blick auf den Zusammenhang von

[170] Vgl. Thomas, S.Th. I/II q. 113 a. 5–8; dazu O.H.Pesch aaO. 679–686.

[171] Vgl. Thomas, S.Th. Suppl. 1 q. 1–3; Interpretation im Zusammenhang mit der dogmengeschichtlichen Entwicklung in DThA Bd.31, 533–543 (B.Neunheuser).

[172] Vgl. P. de Vooght, La iustification dans le sacrement de pénitence d'après Saint Thomas d'Aquin: EThL 5 (1928) 225–256, bes. 226–239; E.Schillebeeckx, De sacramentele heilseconomie (Antwerpen 1952) 572–590.

[173] Bericht bei O.H.Pesch aaO. 285–295. Vgl. jetzt auch R.Hermann, Luthers Theologie (Göttingen 1967) 62–90.

dem, was die Reformation als Rechtfertigung und Heiligung unterscheidet, ist die Buße als Komplementärgeschehen von Glaube und Liebe die formelle Vermittlung des (extrinsezistischen) Rechtfertigungsgeschehens in den Bereich des neuen Handelns, des Wortes hinein in das Werk.

Um es nun vor dem Hintergrund heutiger Bemühungen in der Gnadenlehre auszudrücken: Wenn die «heiligmachende Gnade» als – von Gott im Menschen erwirkte – «Grundoption» des Menschen für Gott,[174] wenn Glaube Existenzgründung auf Gott und darin existentielle Gewißwerdung Gottes,[175] und wenn Rechtfertigung die Zuspitzung von alldem auf des Menschen Sünde, das heißt: seine Gott-losig-keit ist, dann schließt der Glaube wesensnotwendig eine kämpferische Umkehr ein. Eine Umkehr, weil Gottlosigkeit und Grundoption für Gott kontradiktorische Gegensätze sind; eine kämpferische Umkehr, weil sie den Widerstand des Ersatzgottes, des selbstherrlichen Ich, des Unglaubens brechen muß. Wir treffen hier wieder auf eines der Wesenselemente *konkreten* Glaubens, denen jede Deutung seiner «reinen Passivität» standhalten muß, wenn sie nicht weltlos und abstrakt bleiben soll. Der Mensch ist, so gesehen, durch den «passiven» Glauben, durch das «forensische» Wort der Rechtfertigung dadurch «effektiv» neu, daß eben der Glaube selbst den Menschen in ein neues Verhältnis setzt zu dem, was war und – seiner egoistischen Neigung nach – immer noch ist: in ein Verhältnis der Absage, deren Radikalität der Hinkehr zu Gott entspricht.[176] Dieses Verhältnis der Absage ist eine Grundoption wie die Gnade und der Glaube auch, ja deren Rückseite. Diese Grundoption wird ihrerseits zur Quelle eines neuen Handelns gegen die bleibenden gottlosen Grundneigungen und Verhaltensmuster, und dies kann wiederum nur geschehen, indem das Handeln auf gottorientierte Verhaltensmuster aus ist, die ihrerseits wieder in gottorientierte Grundhaltungen umschlagen. Besser noch drückte man es so aus: Die Abkehr von der Gottlosigkeit wird notwendig konkret, artikuliert sich in neuen Weisen des Handelns, die ihrerseits die neue Grundhaltung, das «Bekehrtsein» im wörtlichen Sinne, manifest machen und zugleich vertiefen. Daß dieser Prozeß ein Leben lang nicht an das Ziel kommt, die alte gottlose Grundneigung völlig aufzuheben, ist sowohl Erfahrungstatsache wie Glaubenszeugnis.[177] Die «Umkehr» oder, traditioneller, die «Bekehrung» ist daher eine tägliche Aufgabe, und die theologische Tradition ebenso wie die christliche Spiritualität aller Jahrhunderte hat diese Tatsache, trotz aller auch hier wieder wirksamen interkonfessionellen Kontroversen, nie aus dem Auge verloren.

---

[174] Vgl. w.u. S. 954–958.
[175] Vgl. w.o. S. 876f.
[176] Vgl. auch O.H.Pesch, Buße konkret – heute = Theologische Meditationen 34 (Zürich 1974).
[177] Vgl. w.u. S. 886–891.

So ist die «Heiligung» in der Rechtfertigung begründet, die Liebe im Glauben «inkludiert», der Glaube in der Liebe «inkarniert».[178] Entscheidend ist, daß diese Begründung nicht nur eine äußerliche ist – etwa so, daß der Gott, dessen Wort der Glaube ergreift, Gehorsam gegen seine Gebote fordert, welche ihrerseits den Menschen zur Heiligung verpflichten. Die Heiligung gehört vielmehr zur Struktur des Glaubens, zu seinem konkreten Kontext hinzu, ohne je mit ihm identisch zu werden. Die Gebote drücken diesen strukturellen Zusammenhang in Form konkreter Weisungen aus, die aber nicht etwa von außen auferlegt werden müssen, sondern der grundsätzlich spontanen Neigung des Herzens eine konkrete Richtung geben – und auch deren bedarf diese Spontaneität nicht deshalb, weil sie an sich richtungslos wäre, sondern weil Sachverhaltsproblematik, Schwäche der menschlichen Einsicht und Kraftlosigkeit des menschlichen Willens unter seinen alten egoistischen Neigungen eine solche Unterstützung im Regelfall nicht entbehrlich machen. Auch dies wieder ein gemeinsamer Gedanke quer durch alle Kontroversen, vom «ama et fac quod vis» Augustins über die «nova lex» als «lex indita» des hl. Thomas[179] bis hin zu Luthers «neuen Dekalogen», die der Glaubende, nach dem Vorgang des Paulus in seinen Tugendkatalogen, finden kann und soll,[180] und der aktuellen Grundlagenproblematik einer theologischen Ethik, die sich von der Grundkategorie des «Gesetzes» zu lösen sucht.[181]

b. Beginnende Erlösung

Die skizzierte wechselseitige Inklusion von Rechtfertigung und wurzelhafter Heiligung hat über den negativen Aspekt der Buße hinaus eine positive Seite. Sie kann als «beginnende Erlösung» gekennzeichnet werden. Deren erster Aspekt wiederum ist die dankbare Weitergabe der vergebenden und annehmenden Liebe, die Gott dem Menschen zugewandt hat, an

---

[178] Für Luther vgl. die in Anm. 105 genannten Darstellungen von G. Ebeling und P. Manns.

[179] S. Th. I/II q. 106 a. 1.

[180] Z. B. WA 39 I/47,27 (Disputationsthesen, 1535). Zum Ganzen vgl. O. H. Pesch, Theol. der Rechtfertigung 439–467; ders., Gesetz und Evangelium. Luthers Lehre im Blick auf das moraltheologische Problem des ethischen Normenzerfalls: ThQ 149 (1969) 313–335, bes. 323–335; und bes. die Monographie von U. Kühn, Via caritatis. Theologie des Gesetzes bei Thomas von Aquin = Kirche und Konfession 9 (Göttingen 1965), bes. 191–272.

[181] Pars pro toto sei verwiesen zunächst auf zwei relativ frühe katholische Äußerungen: B. Häring, Die Stellung des Gesetzes in der Moraltheologie: V. Redlich (Hrsg.), Moralprobleme im Umbruch der Zeit (München 1957) 135–152; F. Böckle, Gesetz und Gewissen. Grundfragen theologischer Ethik in ökumenischer Sicht (Luzern 1965); vgl. ferner etwa die Gesamtentwürfe von B. Häring, Das Gesetz Christi (3 Bde., Freiburg/Br. ⁸1968) und von H. Thielicke, Theologische Ethik (3 Bde. Tübingen 1951–1964).

den Nächsten. Der entscheidende biblische Beleg ist das Gleichnis vom erbarmungslosen Knecht (Mt 18,23–35). Der Text, der exegetisch in seinen Grundelementen die Merkmale eines echten Jesuswortes zeigt – vor allem das gewaltsame Bild von der wahnwitzigen Summe von 10000 Talenten (= etwa 50 Millionen Goldmark), die der Knecht seinem Herrn schuldet –, behaftet den Hörer bzw. den Leser bei einer Selbstverständlichkeit: Vergebung, Schulderlaß muß Vergebung zeitigen – oder man ist ihrer nicht wert. Jesus beruft sich auf kein eigenes Gebot, anderen zu vergeben, sondern allein auf die Tatsache zuvor empfangener Vergebung (man vergleiche auch die fünfte Vaterunser-Bitte). Die schlichte, jedermann einleuchtende Selbstverständlichkeit läßt sich gleichwohl ähnlich verdeutlichen, wie selbstverständliche Umkehr als Implikation des Glaubens. Wenn der Glaube die bedingungslose Vergebung der Sünde ergreift, nimmt er zugleich Gott zum Maß seines Lebens – anders wäre er, wie gezeigt, gar nicht Glaube. Wer also Vergebung verweigert, hat entweder nicht den vergebenden Gott zum Maßstab seines Lebens gemacht – also noch gar nicht geglaubt –, oder er hat nicht begriffen, was ihm geschenkt wurde. Wenn also *ein* Gebot für den Glauben überflüssig ist, dann ein eigenes Gebot der Vergebung.

Vergebung nun heißt: den Menschen annehmen, wie er ist, auch und gerade mit seiner Schuld und seinem Versagen, und *so* mit ihm einen neuen Anfang machen. Unter einem neuen Aspekt zeigt sich also wieder die durch den passiven Glauben selbst geschehende aktive Wandlung in der Grundorientierung des Menschen: Der Mensch, der glaubend die Vergebung Gottes angenommen hat, steht eben dadurch in der Grundverfassung der annehmenden Liebe zum Mitmenschen. Diese und die daraus folgenden guten Werke sind nichts anderes als Dank an Gott für das unverdiente Geschenk seiner Vergebung.

Es ist nicht zu bestreiten, daß dieser Aspekt des Dankes als Grundvorgang der Heiligung in der katholischen Tradition verhältnismäßig blaß bleibt. Das liegt wohl daran, daß die katholische Tradition, vor allem die mittelalterliche Theologie im Zusammmenhang ihrer anderen Gnadenvorstellung, das – von vornherein «effektiv» verstandene – Rechtfertigungsgeschehen in der «caritas», der Gottesliebe kulminieren sah: Gottes Liebe erweckt durch das Geschenk der Gnade die Gegenliebe des Menschen.[182] Darin ist das Moment des Dankes eingeschlossen und «aufgehoben». Es muß dann aber sachnotwendig neues Gewicht bekommen, wenn nicht mehr die «caritas», sondern der Glaube zum Inbegriff der Annahme des Heils durch den Menschen wird. So wird denn Luther nicht müde, Dank und Weitergabe des göttlichen Erbarmens («dem Nächsten ein Christus werden») als entscheidende Motive der guten Werke herauszustellen bis hin

---

[182] Vgl. Thomas, S.Th. I/II q. 110 a. 1 mit q. 113 a. 5 (ad 1!).

zur Ausdrucksweise von einer fast «sakramentalen» Bedeutung der Werke für den Mitmenschen.[183]

Ein weiterer Aspekt ergibt sich hier wie von selbst. Die Heiligung ist Beginn der erlösten Welt. Wenn alle Menschen Gottes Vergebung ergreifen, Gott danken und neu an ihren Mitmenschen handeln, wenn so endgültig alle Sünde und Gott-losigkeit abgetan sind, dann ist das genau per definitionem die erlöste, die heile Welt, die Welt, in der Gott alles in allem ist. Alle für die eschatologische Zukunft gegebenenfalls erwarteten *kosmologischen* Veränderungen sind jedenfalls sekundär gegenüber diesem Grundbestand des endgültigen Heils. Das bedeutet aber: Überall da, wo Gottes Vergebung sich im guten Werk am Mitmenschen und *darin* im Lobpreis und Dank an Gott auswirkt und ausdrückt, da wird ein Stück endgültigen Heils wirklich und sichtbar. Weil Gottes Vergebung *darauf* abzielt, ist die Heiligung das konnaturale Implikat der Rechtfertigung.

Diesen Aspekt hat diesmal die katholische Tradition stärker im Blick. Zu erinnern ist hier an die Weiterungen der Gnaden- und Tugendlehre in den Lehrstücken von den Gaben des Heiligen Geistes, von den Seligkeiten, von den Früchten des Geistes und – mit Vorsicht und Entschiedenheit zugleich sei es hinzugesetzt – vom «Verdienst», dessen genuiner Sinn in diesen eschatologischen Zusammenhang, nicht in die Lehre vom Handeln gehört.[184] All dies sind Artikulationen der beginnenden Erlösung, die in der Heiligung, katholisch ausgedrückt: im Leben aus der Gnade zum Vorschein kommt. Und eine These wie die von der Traurigkeit als einer der sieben Hauptsünden und von der Freude als erster Frucht der «caritas» zeigt, welchen Anspruch man an sie stellte.[185] Für Luther und die Reformation steht, im Gegenzug zu einem übergroßen theologischen Optimismus – der allerdings kaum durch die christliche Praxis seiner Zeit gedeckt wurde –, weniger der reale Beginn der Erlösung als vielmehr ihre chronische Bruchstückhaftigkeit im Vordergrund. Geradezu selbstquälerisch wirken zuweilen die Diskussionen lutherischer Theologen, ob und in welchem Sinne es denn «Fortschritt» in der Heiligung geben könne – die berechtigte Angst vor einem «Fortschritt», mit dem man am Ende wieder Selbstrechtfertigung treiben könnte, steht auch hier an der Wiege von allerlei Subtilitäten.[186] Doch an einem speziellen Punkt artikuliert Luther die Heiligung als begin-

---

[183] Belege bei O.H.Pesch, Theol. der Rechtfertigung 314f.

[184] Vgl. bei O.H.Pesch aaO. 771–789; und unseren in Anm.85 genannten Aufsatz. Eine überraschend positive (und der unseren nicht unähnliche) Würdigung der thomanischen Verdienstlehre auch bei U.Kühn aaO. (s. Anm.180) 216–218; 262f.

[185] Vgl. Thomas, S.Th. I/II q. 84 a. 4 und II/II q. 28 a. 1. Zu den theologischen Perspektiven dieses merkwürdigen Theologumenons vgl. O.H.Pesch, Thomas von Aquin über Schlafen und Baden. Kleiner Kommentar zu Summa Theologiae I/II q. 38 a. 5: ThQ 151 (1971) 155–159.

[186] Vgl. O.H.Pesch, Theol. der Rechtfertigung 302–305, bes. Anm.97 u. 99.

nende Erlösung in überraschend origineller und moderner Weise: im schon im Zusammenhang der Freiheitsfrage erwähnten Gedanken (und Neuverständnis) der «cooperatio» zwischen Gott und Mensch. In der Rechtfertigung gibt es keinerlei Mitwirkung des Menschen, hier ist der Mensch rein passiv. Aber Gott will, daß der von ihm angenommene Mensch mit ihm zusammenwirke in der Ausbreitung seines Reiches.[187]

Modern ist dieser Gedanke deshalb, weil heute mehr denn je eine individualistische Auffassung von der Heiligung überwunden scheint. Die heile Welt – das ist das geheilte Miteinander aller unter Gott.[188] Glaube inkarniert sich im Weltverhalten auf seiner ganzen Breite: vom Verhältnis zum Nachbarn bis zu den Strukturen der Gesellschaft und den Orientierungen der Politik. Mehr als bei der individuellen Heiligung wird hier das Fragmentarische aller Heiligung zutage treten. Mehr als sonst ist aber alles, was hier tatsächlich erreicht wird, «Erweis des Geistes und der Kraft», Zeugnis für eine Welt, in der Gott alles in allem ist.

c. «Freiheit eines Christenmenschen»

Genau hier ist auf ein drittes Stichwort zurückzukommen, das ebenfalls schon in einem früheren Zusammenhang zu bedenken war: die «Freiheit eines Christenmenschen», wie Luther sie nennt. Sie ist genau zu unterscheiden von der Freiheit als Inbegriff des menschlichen Wesens, von der und von deren Bedeutung in der Rechtfertigung wir oben gesprochen haben.[189] Die «Freiheit eines Christenmenschen» ist Befreiung des Menschen durch Gott zu einer Freiheit, die er vorher gerade nicht bzw. nicht mehr gehabt hat. Sie fällt mit der Vergebung der Sünde sachlich zusammen, signalisiert aber nun die Offenheit des Menschen für seine Aufgabe in der Welt. Für Luther ist die «Freiheit eines Christenmenschen» die Freiheit vom Druck, Werke tun zu müssen, um das eigene Heil zu sichern – Werke jeglicher Art, auch «sittliche» Werke.[190] Das Entscheidende der lutherischen Lehre von der «Freiheit eines Christenmenschen» sieht man in der Entkoppelung von Werken und Heilsfrage, damit in der Begründung der Werke – der Heiligung also – ganz aus ihrer immanenten Sachnotwendigkeit und nicht aus fremden, heilsegoistischen Motiven.[191] Diese «Freiheit von...» ist aber eben

---

[187] Vgl. dazu die Monogr. von M. Seils, Der Gedanke vom Zusammenwirken Gottes und des Menschen in Luthers Theologie (Gütersloh 1962); und H. Vorster, Das Freiheitsverständnis (s. Anm. 77) 371–392.

[188] Das Neue Glaubensbuch (s. Anm. 126) ist das jüngste repräsentative Zeugnis dieses gewandelten Bewußtseins.

[189] Vgl. w. o. S. 852–859.

[190] Texte, Literatur und Sachdarstellung bei O.H. Pesch, Theol. der Rechtfertigung 51–55; ders., Gesetz und Evangelium (s. Anm. 180) 323–335. Vgl. auch w. u. S. 912f.

[191] Eine Stimme für viele: G. Ebeling, Luther (s. Anm. 105) 191f; weitere Stimmen bei O.H. Pesch, Theol. der Rechtfertigung 314f, Anm. 158.

deshalb eine «Freiheit zu...» Weil der Mensch seine Kräfte nicht mehr braucht, um sich selbst ins Heil zu bringen, hat er gleichsam alle Hände frei zum Dienst an Welt und Mitmenschen. So kann Luther die Freiheit eines Christenmenschen auf eine ähnlich paradoxe Formel bringen wie das Verhältnis von Glaube und Werken: «Ein Christenmensch ist ein freier Herr über alle Dinge und niemandem untertan. Ein Christenmensch ist ein dienstbarer Knecht aller Dinge und jedermann untertan.»[192]

Die katholische Tradition hat das Thema der «Freiheit eines Christenmenschen» unstreitig nicht so thematisiert wie Luther – es war auch vorher nie so kritisch wie zu Luthers Zeit (und seiner unmittelbaren Vorzeit). Daß sie damit in heillosem Widerspruch zu Luther stehe, kann man nur dann behaupten, wenn man der Meinung ist, eben die Verkoppelung von Heilsfrage und Werken, deren Aufhebung die Freiheit eines Christenmenschen begründet, finde in der katholischen Tradition statt. Was wir über das Grund-Folge-Verhältnis von Glaube und Werken sagten – und was, umgekehrt, Luther über das «Gericht nach den Werken» sagt![193] –, steht einem solchen heillosen Widerspruch entgegen. Und klare Aussagen der katholischen Tradition dazu, etwa die Aussagen des hl. Thomas über das «neue Gesetz» als «Gesetz der Freiheit».[194] Es ist dennoch zuzugestehen, daß von Luther ein direkterer Weg zur modernen Ansicht des Problems führt. Wir können es so ausdrücken: Wenn Rechtfertigung Gewißwerden des Erbarmens Gottes bedeutet, dann befreit sie den Menschen von aller radikalen Sorge um sich selbst. Eben diese Befreiung macht ihn frei, sich dem Dienst in der Welt zu stellen.[195] Wieder ist auf eine neue Weise Heiligung in der Rechtfertigung inkludiert: Rechtfertigung ist freimachender Glaube. Diese Freiheit aber richtet den Menschen auf seine Aufgaben in allen Dimensionen des Lebens aus. Über Buße und Dank hinaus bringt das Stichwort «Freiheit eines Christenmenschen» daher den impliziten, aber umfassenden *Weltbezug* der Rechtfertigung des Sünders zur Sprache.

6. Drei Exkurse

Mit der grundlegenden Verhältnisbestimmung von Rechtfertigung und Heiligung, von Glaube und neuem Leben, von Gnade und guten Werken ist an sich die Thematik dieses Abschnittes abgeschlossen. Die weitere Entfaltung muß im folgenden Kapitel versucht werden. Konkrete Details gar gehören in die theologische Ethik, die im einzelnen hier nicht darzubieten

---

[192] WA 7/21,1 (Von der Freiheit eines Christenmenschen, 1520).

[193] Vgl. w.o. S. 860f und O. Modalsli, Das Gericht nach den Werken. Ein Beitrag zu Luthers Lehre vom Gesetz = FKDG 13 (Göttingen 1963).

[194] Vgl. U. Kühn, Via caritatis (s. Anm. 180) 192–198.

[195] Wir dürfen hinweisen auf unseren Beitrag im Neuen Glaubensbuch: Die neue Schöpfung: 291–321, bes. 304–312.

ist. Bevor wir jedoch in einer Schlußüberlegung die Frage nach möglichem und wirklichem Konsens in der Rechtfertigungslehre und damit noch einmal nach ihrem Ort und ihrer Funktion in Theologie und Kirche stellen, sind drei Sonderthemen der Rechtfertigungslehre aufzunehmen, die stets ihre besonderen Probleme geschaffen haben und deren Behandlung man sich aus Gründen einer Gegenprobe auf unsere Überlegungen nicht schenken kann. Daß sie hier nur in aller Knappheit erfolgen kann, mag dadurch aufgewogen sein, daß ausführlichere, das Material ausbreitende Erörterungen erreichbar sind.

a. Simul iustus et peccator

In Formulierungen, die bis heute für den katholischen Leser nichts von ihrer konsternierenden Unverständlichkeit verloren haben, spricht Luther von Anfang bis Ende seiner Lehrtätigkeit immer wieder aus, daß der Gerechtfertigte nicht einfachhin gerecht, sondern immer «gerecht und Sünder zugleich» sei. Und wie um alle katholischen Vorbehalte zu verschärfen, erklärt er gerade in diesem Zusammenhang des öfteren ausdrücklich, die Gerechtigkeit, die mit der Sünde koexistiert, bestehe darin, daß Gott dem Sünder seine Sünde «nicht anrechnet» und ihn für gerecht «einschätzt» – während er also in Wahrheit – «in re» – Sünder bleibe.[196] Die katholische Theologie kann sich – im Durchschnitt – bis heute diese These Luthers nicht aneignen und sieht in ihr daher eine ernste Schwierigkeit, Luthers Rechtfertigungslehre, wenn sie in *dieser* Formel sachgemäß zusammengefaßt ist, in der katholischen Kirche für vertretbar zu halten. Bestenfalls könne man die Formel als emphatischen Ausdruck seiner persönlichen Religiosität gelten lassen – so wie ja auch manche Heilige sich selbst für die größten Sünder hielten –, als sachgemäße dogmatische Formel aber sei sie unvollziehbar.[197]

Bei diesen Bedenken hat man den klaren Text des Trienter Konzils hinter sich, das nachdrücklich gegen Luthers «simul» formuliert, die Rechtfertigung bedeute eine «Heiligung und Erneuerung des inneren Menschen durch die willentliche Annahme der Gnade und der Geistesgaben, so daß

[196] Außer in Theol. der Rechtfertigung 109–122 haben wir mehrmals versucht, dieses schwierige Stück von Luthers Theologie verständlich zu machen; vgl. Existentielle und sapientiale Theologie; Luthers theologisches Denken – eine katholische Möglichkeit?; Ketzerfürst und Kirchenlehrer (vgl. die Bibliographie). Aus der Literatur sei besonders hervorgehoben R. Hermann, Luthers These «Gerecht und Sünder zugleich» (1930) (Gütersloh ²1960); W. Joest, Paulus und das Luthersche simul iustus et peccator (s. Anm. 29); R. Kösters, Luthers These «Gerecht und Sünder zugleich». Zu dem gleichnamigen Buch von Rudolf Hermann: Cath 18 (1964) 48–77; 193–217; 19 (1965) 138–162; 171–185.

[197] So K. Rahner, Gerecht und Sünder zugleich: Schriften VI, 262–276; bedenklich ist auch A. Brandenburg, Martin Luther gegenwärtig (s. Anm. 118) 109.

der Mensch aus einem Ungerechten ein Gerechter und aus einem Feind ein Freund (Gottes) wird...»[198] – also gerade *nicht* mehr als Sünder angesprochen werden kann. Das Konzil und mit ihm die katholische Theologie bis heute fürchten, wie der Text zu erkennen gibt, daß Luthers These die Neuschöpfung des Menschen durch Gottes Gnade nicht ernst nimmt und in den Verdacht der Stümperei bringt.

Nur eine genaue Besinnung auf das, was Luther wirklich meint, kann Klarheit schaffen, ob die Positionen so unversöhnlich sind, wie sie beim ersten Lesen erscheinen. Zunächst: Luthers Formel hat noch zwei bedeutende Varianten. Die eine lautet, der Gerechtfertigte sei sein Leben lang «teilweise gerecht und teilweise Sünder» («partim iustus, partim peccator»). Die zweite besagt, der Gerechtfertigte sei «Sünder dem Tatbestand nach, gerecht der Hoffnung nach» («peccator in re, iustus in spe»). Gäbe es Luthers These nur in diesen beiden Formulierungen, es wäre wohl kaum zur Kontroverse gekommen. Die erste Variante meint, daß alle seinshafte Erneuerung und Heiligung, die aus der Rechtfertigung folgt, in diesem Leben immer Bruchstück bleibt und hinter dem zurückbleibt, was Gottes Wille fordert. Gott hat uns immer neu zu vergeben, weil wir nur teilweise gerecht und zum anderen Teil in der Sünde sind. Die zweite Variante besagt, daß wirklich seinshafte (und nicht nur angerechnete) Gerechtigkeit ein Gut der Hoffnung ist, das wir erst nach diesem irdischen Leben zu erwarten haben. Für jetzt dagegen bleiben wir in unserem Sein immer Sünder, die allerdings auf diese Hoffnung auf den einst alles gut machenden Gott hin jetzt schon in Zuversicht leben dürfen. Beide Aussagen bedeuten im Blick auf die katholische Tradition kein unübersteigbares Problem. Vor allem die Aussage der ersten Variante wird vom Trienter Konzil selber formuliert[199] und in der katholischen Theologie bis heute und gerade heute wieder unterstrichen.[200] Doch darf man es sich nicht zu leicht mit Luthers These machen, indem man sie auf die beiden genannten Varianten reduziert. Schon bei der Frage, was denn der «peccator in re» sei, meldet sich ein ungelöster Rest – Paulus kennt wohl nicht von ungefähr *keinen* «peccator in re».[201] Das ganze kontroverstheologische Gewicht liegt denn auch auf der zuerst genannten Formulierung: dem scharfen, unabgeschwächten und scheinbar gleichrangigen Nebeneinander des «gerecht und Sünder *zugleich*».

Setzen wir, um das genauer zu verstehen, bei dem an, was wir über Rechtfertigung und Buße bedacht haben. Für Luther ist der Sünder, der zugleich gerecht ist, in keinem Fall der Sünder, der er vorher war. Durch die Annahme der Vergebung im Glauben hat die Sünde einen anderen

---

[198] DS 1528.
[199] DS 1536–1539, 1541.
[200] So von Rahner aaO.; vgl. ebenso H. Küng, Rechtfertigung (s. Anm. 46) 231–243.
[201] Das arbeitet W. Joest heraus, aaO. 284–295, 301, 317–320.

Stellenwert im Leben des Menschen bekommen, ist anders geworden nicht
in sich selbst, aber «in ihrer Behandlung» («in sui tractatu»), wie sich Luther in seiner Schrift gegen Latomus von 1521 ausdrückt.[202] Die Sünde ist
nicht mehr «herrschende Sünde», sondern «beherrschte Sünde», der Sünder ist noch Sünder, aber kein Gottloser mehr («peccator, sed non ini-
quus»).[203] Die scharfe Trennungslinie, die Luther zwischen dem ungläubigen und dem gläubigen Sünder zieht, wahrt also formal die Aussage des
Trienter Konzils, daß der Sünder neu geschaffen wird, so wahr der unver-
söhnliche Gegensatz, in den der Glaube den Menschen gegenüber seiner
Sünde bringt, ein wirklich fundamentaler «Effekt» der Rechtfertigung ist.

Wie kann aber die Sünde dann noch bleiben, und zwar nicht nur als
«Rest» oder in Gestalt von Sünden*folgen*, sondern als Totalbestimmung auch
des Gerechtfertigten? Auch das zu verstehen ist durch die vorausgehenden
Überlegungen nicht mehr unmöglich. Wenn man sich mit der mittelalterlichen Theologie und dem Tridentinum – analog der Gnadenvorstellung
– das Verhältnis von Sünder und Sünde vorstellt nach dem Modell: «Subjekt mit Eigenschaften», dann ist Luthers These allerdings ungereimt, denn
zwei konträre Eigenschaften wie gerecht und sündig schließen sich in ein
und demselben Subjekt aus. Aber Luther denkt weder Gnade noch Sünde
nach dem Modell einer Eigenschaft, er denkt sie als Beziehung.[204] Sünde ist
Auflehnung gegen Gott, um selbstherrlich zu sein, Abweisung Gottes,
Verweigerung der Gemeinschaft. Gerechtigkeit dagegen – erinnern wir uns
an das «forensische» Verständnis der Rechtfertigung – ist die Beziehung,
die Gott aus eigener Initiative und gegen des Menschen Sünde neu mit dem
Menschen knüpft. Dies ist aber beides «zugleich» denkbar: daß der Mensch
in Auflehnung verharrt und Gott trotzdem sich davon in seiner Vergebung,
in der Annahme des Sünders nicht hindern läßt. Achtet man auf die andere
Kategorialität der lutherischen Rechtfertigungslehre, so fällt jedenfalls der
Vorwurf dahin, Luther behaupte einen logischen Widerspruch.

Bleibt die Frage, ob der Christ denn wirklich noch in einer Beziehung der
Feindschaft zu Gott lebt, wenn er Gottes freisprechendes Wort angenommen
hat und dadurch ja nach Luthers eigenen Worten kein Gottloser mehr ist.
Luther bejaht diese Frage kompromißlos. Die Texte der katholischen Tradition und der Lehre des Tridentinums dagegen gehen nur bis dahin, anzuerkennen, daß der Gerechtfertigte zur Sünde *geneigt* bleibt und dieser Neigung auch immer wieder durch sündige Taten erliegt, zwischen denen jedoch durchaus eine mehr oder weniger lange sündelose «Pause» liegen
kann, die auch Taten aus reinem Gehorsam und vollkommener Liebe in
der Kraft der Gnade Gottes nicht ausschließt. Hier sind wir in der Tat am

[202] WA 8/107,28.
[203] WA 8/96,17 (Wider Latomus, 1521); 1/86,39 (Predigt, 1516).
[204] Vgl. w.o. S. 846f.

Brennpunkt der Kontroverse. Denn dahinter steht für beide Seiten das ganze Gewicht des unterschiedlichen Konkupiszenzbegriffes, der im Zusammenhang mit der Sünde bereits erörtert wurde.[205] Für katholisches Denken ist «Neigung» zur Sünde eben nicht selber Sünde, es sei denn, der Mensch entschiede sich, ihr nachzugeben. Luther dagegen sieht die «Neigung» zur Sünde als Ausdruck bleibender und tiefsitzender Widerwilligkeit gegen Gott. Man kann in seinen Augen den Menschen nicht aufteilen in einen guten, von der Gnade Gottes geheilten und gewandelten «Kern» und die Neigung zur Sünde, die diesen guten Kern unberührt ließe. Auch darf man nach Luther diese Neigung nicht nur in der Sinnlichkeit lokalisieren, die zwar den Geist des Menschen in die eigene Gottwidrigkeit hinabziehen wolle, das aber nur könne, wenn der an sich davon unberührte Geist dem «zustimme».[206] Kurzum: Für Luther ist die Konkupiszenz nicht etwas «am» Menschen, sondern die Realität des Menschen selbst. Durch sie begeht der Mensch nicht nur immer neue sündige Taten, vielmehr *ist* er Sünder. Nicht nur die Sinne, das Herz ist böse.

Wir können hier nicht ausbreiten, welche historischen und sachlichen Gedankenlinien in Luthers Konkupiszenzbegriff zusammenlaufen.[207] Die Frage, ob damit Luthers auf dem Konkupiszenzverständnis beruhende These «simul iustus et peccator» einen erreichten oder möglichen Konsens zunichte macht, kann freilich nicht nur mit dem formalen Hinweis auf eine unterschiedliche Begrifflichkeit erledigt werden. Entscheidend ist, ob katholisches Denken die *Sache* anerkennen kann, von der Luther spricht: das bleibend böse und als solches aktive, auch das beste Tun vergiftende Herz. Eine bedeutsame Rolle spielt bei einer neuen Antwort auf diese Frage die in der gegenwärtigen Theologie zu verzeichnende Neubesinnung auf die anthropologischen und theologischen Implikationen gerade des klassischen Konkupiszenzbegriffes. Demnach ist man heute in einem entscheidenden Punkte ganz nahe bei Luther, denn ist auch, mit der philosophisch-anthropologischen Auffassung der Scholastik, die Konkupiszenz etwas «am» Menschen, ein «Akzidens» und nicht sein Wesen, so ist es wie überall, so auch hier das Wesen des Akzidens, die «Substanz» zur Erscheinung zu bringen. Was in der «Neigung zur Sünde» erscheint, ist also das nach wie vor nicht zu Gott hingekehrte menschliche *Wesen*, dem Gott zwar durch seine Gnade und Vergebung einen «Gegenwillen» (W. Joest) gegen die Sünde eingegeben hat, der den Kampf gegen diese bleibende Neigung zur Sünde eröffnet, diese Widerwilligkeit gegen Gott jedoch bis an sein Ende nie los wird.[208] Der

---

[205] Vgl. MS II, 881f, 915f, 923f.
[206] DS 1536–1539, 1545–1547.
[207] Vgl. die Literaturangaben in Anm. 196.
[208] Pars pro toto: K. Rahner, Zum theologischen Begriff der Konkupiszenz: Schriften I, 377–414; weitere Literatur ist verzeichnet bei O. H. Pesch, Theol. der Rechtfertigung 535 Anm. 24.

Weg, Luthers These auch als *dogmatische* Formel ernst zu nehmen, wäre dadurch frei.

Entscheidend ist jedoch eine Besinnung in ähnlicher Richtung, wie wir sie schon beim Thema «Heilsgewißheit» anzustellen hatten: Es geht bei Luther nicht um eine theoretisch abwägende Verhältnisbestimmung von Sünde und Gnade. Es geht auch nicht darum – und das scheint der pastoral-theologische Aspekt des Trienter Widerstandes gegen Luthers These zu sein –, die Unterscheidung zwischen «Neigung» oder «Versuchung» und «Entscheid» zu einzelner aktueller Sünde einzuebnen und damit konkrete Gewissensbildung unmöglich oder belanglos zu machen – weil ja doch «alles die gleiche Sünde» sei. Luthers These ist «existentiell» gedacht. Wenn ich im Innenraum vollzogenen Glaubens vor Gott von mir selbst rede, kann mein Wort immer nur lauten: Vor dir bin ich Sünder, deiner Heiligkeit nie und nimmer gewachsen. Der Unterschied zwischen Neigung und Entscheidung hat seinen Ort in der konkreten sittlichen Bemühung – am Ort des Bekenntnisses schwindet er dahin. Es ist dies die Erfahrung der Christen aller Zeiten. Der Heilige, der sich selbst für den größten Sünder hält, sagt mehr als nur eine fromme Übertreibung. Man denke einen Christen, der betet: Gott, ich danke dir dafür, daß ich vor dir gerecht bin. Mit diesem Gebet «stimmt es nicht» – und hätte der Beter unmittelbar zuvor im Bußsakrament die Lossprechung empfangen. Im Gebet kann ich die «Neigung» zur Sünde nicht mehr als unwichtigen «Sündenrest» ansehen, sondern ihn nur bekennen als Ausdruck, wie wenig ich nach wie vor zu Gott gewillt bin. Und gleichzeitig – wie sollte es sonst Gebet sein! – nehme ich Gottes Vergebungswort an. So hat man richtig formuliert, Luthers «simul» sei eine «Gebetsrealität»[209], nicht als ob sie nur im Gebet wirklich wäre, wohl aber so, daß sie nur im Gebet aufgeht und vollzogen wird. Die theoretische Entfaltung des «simul» ist nur eine Art grammatischer Variante einer Aussage, die ihren ursprünglichen Ort im Sprechen nicht *über*, sondern *mit* Gott hat.

Wenn Luthers existentielle Art, theologisch zu denken, legitim und auch im Rahmen der katholischen Tradition, wiewohl ihr nicht so geläufig – man vergesse aber einen Augustinus nicht! –, nicht verboten ist,[210] dann kann auch das «simul» einen erreichten und möglichen Konsens in der Rechtfertigungslehre nicht bedrohen, es wird vielmehr zu einem originellen Denkanstoß, den Grundkonsens theologisch und geistlich fruchtbar zu machen.[211] Über diese allgemeine Erwartung hinaus wird dies gerade in bezug

[209] W. Link, Das Ringen Luthers um die Freiheit der Theologie von der Philosophie (München ²1955) 77f; vgl. auch R. Kösters aaO. (s. Anm. 196) 55–59.

[210] Vgl. O. H. Pesch aaO. 935–948; Existentielle und sapientiale Theologie 739–741; Luthers theologisches Denken 17–19.

[211] Vgl. w. u. S. 912.

auf das «gerecht und Sünder zugleich» in der gegenwärtigen Theologie auch schon intensiv versucht.[212]

b. Gesetz und Evangelium

In zahllosen Formulierungen hat Luther seit der Zeit der endgültigen Ausbildung seiner reformatorischen Theologie – also seit etwa Mitte 1518[213] – zum Ausdruck gebracht, daß die richtige Unterscheidung von Gesetz und Evangelium «die höchste Kunst in der Christenheit» sei.[214] Diese These ist von gleicher Feierlichkeit wie die wiederholten Beteuerungen, die Rechtfertigung aus Glauben allein sei der «articulus stantis et cadentis ecclesiae». Beide Formeln können daher nicht einfach wie gelungene Aphorismen nebeneinander stehen, sie müssen einen Zusammenhang haben. So stellt sich der heutigen Lutherforschung[215] die Unterscheidung von Gesetz und Evangelium als Grundstruktur der Rechtfertigungslehre Luthers dar, ja überhaupt als «Grundformel theologischen Verstehens».[216] Für unseren Zusammenhang ist das Thema «Gesetz und Evangelium» wichtig einmal, weil es den Sinn des «forensischen» Rechtfertigungsverständnisses noch genauer verstehen läßt, und zum anderen, weil Luthers Akzent auf der Überwindung, ja Abschaffung des Gesetzes durch das Evangelium wieder einmal den Verdacht nährt, Luthers Rechtfertigungslehre fördere den ethischen Indifferentismus – was entsprechend gegenteilige Akzentsetzungen des Trienter Konzils nach sich zog.[217]

Die Frage nach Gesetz und Evangelium[218] ergibt sich der Sache nach, wenn wir uns erinnern, daß die Rechtfertigung durch das freisprechende Wort der Vergebung geschieht, das der Glaube annimmt. Dieses Vergebungswort ist das Evangelium. Aber wie gelangt der Mensch zu der Er-

[212] Am eindringlichsten bei K. Rahner, Das Gebet der Schuld: Von der Not und dem Segen des Gebetes (Freiburg/Br. 1958) 116–137 – hier wird faktisch auf das schönste Luthers «simul» entfaltet, das Rahner unter seinem eigenen Namen glaubt ablehnen zu müssen (in dem in Anm. 197 genannten Aufsatz); vgl. ferner H. Küng, Rechtfertigung, ebd. (s. Anm. 46); G. Söhngen, Gesetz und Evangelium: Cath 14 (1960) 81–105; und schon R. Grosche, Pilgernde Kirche (1938) (Freiburg/Br. ²1969) 147–158, bes. 153 ff.

[213] Zur Debatte um den Zeitpunkt von Luthers «reformatorischem Durchbruch» vgl. unseren Forschungsbericht: Zur Frage nach Luthers reformatorischer Wende (s. Bibliographie).

[214] WA 36/9,28 (Wie das Gesetz und Evangelium recht gründlich zu unterscheiden sind, 1532). Weitere Stellen bei O. H. Pesch, Theol. der Rechtfertigung 31.

[215] Belege ebd.

[216] G. Ebeling, Luther. Theologie: RGG IV (1960) 495–520, hier 507.

[217] DS 1536–1539, 1570f, 1574. Das Konzil hat gleichwohl die lutherische Unterscheidung *als solche* nicht thematisiert. Von lutherischer Seite wird das mit Recht bedauert. Vgl. etwa P. Brunner in seinem in Anm. 88 genannten Aufsatz, bes. 62 f.

[218] Vgl. O. H. Pesch aaO. 35–76; ders., Gesetz und Evangelium (s. Anm. 180); W. Joest, Gesetz und Freiheit (s. Anm. 29); H. Olsson, Schöpfung, Vernunft und Gesetz (s. Bibl.).

kenntnis, daß er dieses Vergebungswortes auf Gedeih und Verderb bedarf? An dieser Stelle greift Luther mit einer vor ihm unstreitig nicht gekannten Entschiedenheit auf die paulinische Antithetik von Gesetz und Verheißung zurück. Dabei gibt er die traditionelle Auffassung, «Gesetz» sei der dem Menschen kundgemachte Wille des Schöpfergottes an sein Geschöpf, und die wesentlichen Grundforderungen dieses Gesetzes seien dem Menschen sogar ins Herz geschrieben und bedürften nur der die Erkenntnis verdunkelnden Wirkung der Sünde wegen einer neuerlichen Promulgation durch Moses und einer Bekräftigung durch Jesus Christus,[219] keineswegs auf. Aber aus Paulus lernt er, daß für die konkrete Situation des Menschen vom Gesetz erst dann richtig geredet ist, wenn seine *Funktion* erfaßt ist als «lex accusans, reos agens, exactrix».[220] Das Gesetz ist ein *Geschehen* zwischen Gott und Mensch, darin der Mensch erkennen muß, daß er Gottes im Gesetz ausgesprochenen Willen nicht erfüllt hat und nie erfüllen kann; daß er noch in seiner versuchten Gesetzeserfüllung nie den heimlichen Widerwillen gegen Gottes Forderung abschütteln kann; daß er vor allem der Spitzenforderung des Gesetzes, dem im ersten Gebot des Dekalogs geforderten Glauben an Gott als schenkende Liebe sich versagt und statt dessen daran festhält, durch selbstherrliche Befolgung des Gesetzes sich selbst die Gerechtigkeit vor Gott zu erwerben; daß das Gesetz wegen der Aussichtslosigkeit dieses Versuches den Menschen nur noch tiefer in seine Sünde verstrickt bis hin zum Haß gegen den Gott, der ein solches unerfüllbares Gesetz auferlegt. Auf diesen Gedankenlinien legt Luther den Satz des Paulus aus: «Das Gesetz tötet» (Röm 7, 10).

Sowenig wie für Paulus ist auch für Luther die Todeswirkung des Gesetzes um ihrer selbst willen da. Zwar ist sie nach Luther – entgegen gewissen Abschwächungsversuchen, die gelegentlich in der Lutherforschung für erforderlich gehalten wurden – sogar Gottes Absicht, aber um des Evangeliums willen. Darum wird der wahre Sinn des Gesetzes auch erst deutlich, wenn das Evangelium das Gesetz durchbricht. Indem Christus als einziger das Gesetz vollkommen erfüllt und dadurch zu Ende bringt; indem das Evangelium als Wort von Christus sowohl den vom Gesetz hochgeputschten Leistungskrampf des Menschen als auch das im Gesetz ergehende Verdammungsurteil gegen den Sünder überwindet, rettet Gott den Sünder «contra legem»[221] und macht dadurch klar, daß das Gesetz gerade durch seine Überforderung und seine Todeswirkung den Leistungswillen des Menschen töten *sollte*, weil erst die Haltung reinen Empfangens, die von allem Erwirkenwollen der Gnade Gottes frei ist, dem Evangelium und über-

[219] Vgl. etwa Thomas, S. Th. I/II q. 99 a. 2 ad 2; q. 100 a. 3 ad 1 a. 5 ad 1, mit Luther, WA 39 I/374,2; 387,5; 413,14; 454,4; 478,16; 539,7; 540,1; 549,8.
[220] WA 39 I/434,1 (2. Antinomerdisputation, 1538).
[221] WA 39 I/219,21 (Disputation, 1537).

haupt Gott als schenkender Liebe angemessen ist – wir erkennen, wie der Gesetzesbegriff uns mitten in die Rechtfertigungslehre geführt hat. In genau diesem Sinne ist das Evangelium das Ende des Gesetzes. Weil allerdings der Mensch trotz des Glaubens an das Evangelium, trotz ethischer Erneuerung und Heiligung[222] den heimlichen Widerwillen gegen Gottes Willen und sein Versagen vor ihm nicht einfach los ist und auch zeitlebens nie völlig los wird,[223] ist das Anklägeramt des Gesetzes zeitlebens nicht erledigt, bleiben Gesetz und Evangelium zeitlebens beieinander. Erst durch das Anklägeramt des Gesetzes wird das Evangelium als Befreiung und Vergebung verständlich. Die Bewegung vom Gesetz zum Evangelium und das heißt: von der Sünde zum Heil, von der Anklage zum Freispruch ist lebenslang. Deshalb ist das Gesetz durch das Evangelium zugleich abgeschafft und aufgerichtet: abgeschafft als Heilsweg, aufgerichtet als der neu bestätigte Wille Gottes, der durch seine Anklage lebenslang das Evangelium erst wahrhaft Evangelium sein läßt. Die Formel «Gesetz und Evangelium» signalisiert daher den letzten Grund des «simul iustus et peccator».

Soviel ist sehr schnell deutlich: Das Gesetz als Ausdruck des Willens Gottes, als Gesamtheit seiner Gebote, gerät bei Luther nicht ins Zwielicht. Im Gegenteil, wie zur Sünde, so verändert der Glaube auch das Verhältnis zum Gesetz: eine ganze Textreihe schildert uns, wie der Ankläger, obwohl er Ankläger bleibt, zum «Freund» wird, wie der Glaubende eine neue Lust und Liebe zum Gebot Gottes entwickelt. Wenn Luther dieses sein Gesicht wandelnde Gesetz lieber nicht mehr «Gesetz», sondern «Gebot», «Ermahnung» und ähnlich nennen möchte, dann nicht, um seinen Ernst abzuschwächen, sondern um die Prägnanz des paulinischen Gesetzesbegriffes durchzuhalten. Die Formel «Gesetz und Evangelium» kann ebenfalls keine neuen Probleme für katholisches Denken schaffen, soweit sie ihrerseits das «simul iustus et peccator» begründet und dieses kein Grund zum Anathema mehr ist.

Von Belang für das interkonfessionelle Gespräch wird die Formel bzw. ihre Sache darum nur jenseits der Frage nach den Erfordernissen für einen Konsens, als Frage nach einem tieferen sachgemäßen Verstehen. Und dies in historischer und sachlicher Hinsicht. In *historischer* Hinsicht ist heute unumstritten, daß die exegetische und systematisch-theologische Tradition die paulinische Antithethik von Gesetz und Verheißung/Evangelium nicht so deutlich aufgenommen hat wie Luther. Insbesondere die Todeswirkung des Gesetzes erklärt man, aus Sorge, Gott nicht mit der Verantwortung für die Sünde zu belasten, anders als der in diesem Punkte unbefangenere, vor Paradoxen nicht zurückschreckende Luther. Dennoch hat die jüngere Forschung auf evangelischer ebenso wie auf katholischer Seite deutlich ge-

---

[222] Vgl. w. o. S. 878–884.
[223] Vgl. w. o. S. 886–891.

macht, daß die Gezweiung «Gesetz und Evangelium» keineswegs einfach vergessen, vielmehr nach einem inzwischen zum geflügelten Wort gewordenen Bonmot Gottlieb Söhngens «ein reformatorisches Thema mit katholischer Vergangenheit» ist.[224] In *sachlicher* Hinsicht sitzen katholische und evangelische Theologie beim Thema «Gesetz und Evangelium» im selben Boot. Zwar läßt sich ziemlich problemlos aussagen, daß das Evangelium Befreiung des Menschen und Annahme des Menschen mit und trotz seiner Schuld ist. Aber was genau die Schuld und was genau das Gesetz ist, das der Schuld anklagt, war für Paulus und Luther noch durch einen einfachen Blick in die ethischen Weisungen des Alten und Neuen Testamentes zu beantworten, während es heute in die gesamte Grundlagenproblematik einer theologischen Ethik geraten ist, deren Kernfrage ist, ob es überhaupt eine material-inhaltliche spezielle Offenbarung ethischer Normen gibt. Es sind nicht zuletzt die Ergebnisse der Exegese, die diese Grundlagenproblematik geschaffen haben.[225] Wo man Luther nicht nur einfach repristiniert und anderseits doch in der von ihm begründeten Traditionslinie bleiben will, wird der Gesetzesbegriff zum formalen Reflexionsbegriff, der, ohne speziell auf konkrete Gebote Gottes zu rekurrieren, das Ganze menschlicher Unheilserfahrung in den Paradoxien des menschlichen Daseins und den Zwängen des Lebens in dieser Welt zusammenfaßt.[226] Sachlich kann man das denn auch ohne den Gesetzesbegriff zum Ausdruck bringen, wie es die katholische Theologie, die nicht in der Traditionslinie Luthers steht, auch tut. Man kann indes die Vorteile eines neu angeeigneten Gesetzesbegriffes nicht übersehen: Er signalisiert die strukturelle Kontinuität zwischen der paulinischen und der gegenwärtigen Situation der Evangeliumsverkündigung und damit die Kontinuität mit dem biblischen Zeugnis überhaupt; er hält mit äußerster Schärfe im Gedächtnis, daß das Evangelium Befreiung ist und nicht mehr Evangelium bleiben kann, wenn es als Gesetz verstanden wird; und er hält noch einmal den personalen, worthaften Charakter des Handelns Gottes mit dem Menschen durch. Auf jeden Fall ist nicht zu sehen, wie nach dem heutigen Stand der historischen Forschung und der systematisch-theologischen Besinnung die Suche nach einem Konsens in der Rechtfertigungslehre bereits (oder schließlich) an der Lehre von Gesetz und Evangelium scheitern müßte.

[224] G. Söhngen, Gesetz und Evangelium. Ihre analoge Einheit, theologisch, philosophisch, staatsbürgerlich (Freiburg/Br. 1957) 6; vgl. zur «katholischen Vergangenheit» vor allem die schon genannte Arbeit von U. Kühn (s. Anm. 180); und neuerdings die Erhebungen aus der Frühscholastik bei U. Horst, Gesetz und Evangelium. Das Alte Testament in der Theologie des Robert von Melun (München 1971).

[225] Vgl. etwa D. Arenhoevel, Die Gesetzgebung am Sinai: Wort und Antwort 10 (1969) 21–26, 45–51, 71–74; J. Blank, Zum Problem «ethischer Normen» im Neuen Testament: Concilium 3 (1967) 356–362. Das Neue Glaubensbuch (s. Anm. 126) hat diese Auffassung übernommen: aaO. 448.

[226] Vgl. G. Ebeling, Wort und Glaube I, 279–293; ders., Luther (s. Anm. 105) 120–156.

c. Zum Unterschied zwischen Luther und Calvin in der Rechtfertigungslehre

«Luther ist die Reformation», hat der Altmeister der katholischen Lutherforschung, Joseph Lortz, vor nicht langer Zeit geschrieben.[227] Die Reformation nahm in der Tat nicht nur mit seinem Wirken ihren Anfang. Ihr Verlauf blieb auch, nachdem er Mitarbeiter und gar Konkurrenten gefunden hatte, weithin von seinen Impulsen geprägt, und entsprechend war er auch stets die bevorzugte Adresse der Auseinandersetzung von seiten der katholischen Theologie. Es hat somit sein sachliches Recht, wenn wir gerade beim Thema Rechtfertigung immer wieder von ihm ausgingen.

Dennoch darf nicht vergessen werden, daß es neben Luther andere Reformatoren gibt – die Anfänge der Reformation schon waren eine Angelegenheit der *gesamten* Wittenberger Fakultät, wobei nicht zuletzt die Impulse einer Reform des theologischen Studiums einwirkten.[228] Und vor allem: Es gibt bald Reformatoren außerhalb des Einflußbereiches Luthers und zum Teil in Abgrenzung gegen ihn. Sie bilden eine eigene Tradition, es bilden sich eigene Fronten gegenüber der katholischen Kirche – bis heute. Auf die wichtigste und außerhalb Deutschlands geschichtsmächtigste von ihnen müssen wir hier – im Vergleich mit Luther – wenigstens kurz hinweisen: auf die theologische Tradition, die von Calvin herkommt.

Dabei können wir uns kurz fassen. Denn auf die Frage, ob und wie sich die Rechtfertigungslehren Calvins und Luthers unterscheiden, ist zu antworten: Im wesentlichen gar nicht.[229] Eben deshalb konnten wir bisher seine Lehre so unbekümmert ausklammern. Was wir als Kernpunkte der Rechtfertigungslehre Luthers festhielten, begegnet uns auch bei Calvin: Nichtanrechnung der Sünde und Anrechnung der «fremden», «äußeren» Gerechtigkeit Christi, das Wort als einziges Heilsmittel, der allein rechtfertigende Glaube als Haltung reinen Empfangens, die Heilsgewißheit, Buße, Heiligung – Calvin sagt: Wiedergeburt – aufgrund des Glaubens, die aber lebenslang Stückwerk bleibt und daher kein *Grund* der Rechtfertigung sein kann und von dieser sorgfältig zu unterscheiden ist. Wegen der Rechtfertigungslehre hätte jedenfalls der von Calvin bis an sein Ende nicht aufgegebene Versuch einer dogmatischen Einigung mit dem Luthertum nicht scheitern müssen.

Es gibt dennoch einige andere Akzente, die erkennen lassen, daß Calvins theologischer Denkstil ein anderer war als der Luthers und daß er schon in anderen Kontroversen stand als dieser.[230] Zunächst: Die Rechtfertigungslehre hat bei

---

[227] J. Lortz/E. Iserloh, Kleine Reformationsgeschichte = Herder-Bücherei 342–343 (Freiburg/Br. 1969) 20.

[228] Vgl. H. A. Oberman, Wittenbergs Zweifrontenkrieg gegen Prierias und Eck. Hintergrund und Entscheidungen des Jahres 1518: ZKG 80 (1969) 331–358 – mit ausführlichen Literaturangaben. Immer noch lesenswert ist auch K. Bauer, Die Wittenberger Universitätstheologie und die Anfänge der deutschen Reformation (Tübingen 1928).

[229] Im folgenden stützen wir uns auf W. Niesel, Die Theologie Calvins (München ²1957) 121–138.

[230] Vgl. dazu auch H. A. Oberman, Die «Extra»-Dimension in der Theologie Calvins: H. Liebing/K. Scholder (Hrsg.), Geist und Geschichte der Reformation (Berlin 1966) 323–356.

Calvin einen bestimmten und festen Platz in einer systematischen Theologie. Luther umkreist das Thema «Rechtfertigung» in unerhört vielgestaltigen Formulierungen, ordnet es in alle erdenklichen Zusammenhänge ein. Calvin dagegen schreibt sein ganzes Leben an *einem* Hauptwerk, der «Institutio religionis Christianae», verbessert, erweitert sie dreimal, bis sie in der vierten Ausgabe von 1559 (mit dem fünffachen Umfang der Erstausgabe) ihre endgültige Gestalt erhält. Darin hat – der Summa des hl. Thomas vergleichbar – die Lehre von der Rechtfertigung des Sünders ihren festen Platz. Sie ist nicht selber der Ort, die Leitperspektive *aller* Lehre, trotz aller materialen Gleichheit mit den Aussagen Luthers.

Der Ort der Rechtfertigungslehre ist bei Calvin die Verbindungsstelle zwischen Christologie und der Lehre vom Heiligen Geist. Nach der Darstellung des Werkes Christi setzt Calvin ein mit der Feststellung, daß Christi Werk uns zu eigen werden muß. Die einzige Weise, wie das geschieht, ist das Wort, dem der Glaube antwortet. Dieser Glaube aber ist Werk des Heiligen Geistes. Sein Werk ist es, unsere Gemeinschaft mit Christus zu begründen. Die Rechtfertigungslehre ist konkrete Lehre vom Heiligen Geist. Doch spricht Calvin zunächst noch gar nicht von der Rechtfertigung, sondern zuerst von der Wiedergeburt. Das heißt nicht, daß er die Rechtfertigung in der Wiedergeburt begründet. Vielmehr will Calvin auf diese Weise den christologischen und pneumatologischen Ansatz deutlicher durchhalten. Wenn der Heilige Geist den Menschen in Gemeinschaft mit Christus bringt, so bedeutet das den Zusammenstoß des Sünders mit dem Erlöser Christus. Das *muß* eine Wiedergeburt des Sünders zur Folge haben. Außerdem kann sich Calvin so besser gegen den Vorwurf absichern, mittels der Rechtfertigungslehre predige er einen ethischen Laxismus. Erst danach, fast wie ein Korrektiv zugunsten eines richtigen Verständnisses der Wiedergeburt, folgt die Abhandlung über die Rechtfertigung. Sie besagt: Trotz der Wiedergeburt kommt das Heil durch die bedingungslose Annahme des Sünders durch Gott um Christi willen. Alles, was auf der Linie der Wiedergeburt gelingt, ist nur Stückwerk, es wird von Gott um Christi willen genauso für gerecht *angerechnet*, wie der ganze Mensch für gerecht erklärt wird – sonst hätte auch das Werk des Wiedergeborenen keinen Bestand vor Gott. In diesem Zusammenhang entwickelt Calvin seine Lehre von der doppelten Gerechtigkeit: Gott rechtfertigt den von ihm abgewandten Sünder gänzlich ohne Werke; von dem Gerechtgesprochenen und Wiedergeborenen hingegen fordert er Werke zur Gerechtigkeit, allerdings muß er auch deren Bruchstückhaftigkeit beständig durch seine Nichtanrechnung ausgleichen. Wenn man das als eine «Speziallehre» Calvins bezeichnet,[231] so muß allerdings festgehalten werden, daß der Unterschied zu Luther nicht sehr groß ist.[232]

Das Auffälligste in Calvins Rechtfertigungslehre ist eine starke Abwertung oder besser: eine offenbar absichtliche Unterbetonung des Glaubens.[233] Zwar besteht wieder sachliche Einigkeit mit Luther: Aus sich ist der Glaube nichts, alles was er ist, ist er durch Christus, den er ergreift, und durch den Heiligen Geist, der ihn

---

[231] So W. Niesel aaO. 135 f.

[232] Vgl. O. H. Pesch, Theol. der Rechtfertigung 182 f, 296–303.

[233] Die Beobachtungen bei W. Niesel aaO. 136 f, werden neuerdings bestätigt von H. Schützeichel, Die Glaubenstheologie Calvins = Beiträge zur ökumenischen Theologie 9 (München 1972) 202–204.

wirkt: In keiner Weise ist der Glaube ein «Werk».[234] Das hindert Luther aber nicht, emphatisch vom Glauben zu reden und zum Glauben zu mahnen. Calvin aber hindert es wohl. Nur im Zusammenhang mit Christus und dem Heiligen Geist redet er vom Glauben – da kann kein werkhaftes Mißverständnis des Glaubens aufkommen. Unmittelbar bei der Abhandlung über die Rechtfertigung aber spricht er kaum noch vom Glauben – abgesehen von der Betonung des «sola fide», das er wie Luther gegen die Lehre der alten Kirche einschärft. Im Blick auf die Einzelheiten ist also Calvins Lehre der katholischen Tradition so nahe und so fern wie Luthers Rechtfertigungslehre. Im Blick auf Ansatz und Struktur dagegen steht sie der katholischen Lehre sogar näher als Luthers Lehre. Nicht von ungefähr gibt es daher in jüngster Zeit Versuche, im Bereich der Rechtfertigungslehre einen Konsens in der Sache auch mit Calvin aufzuweisen.[235]

7. Einig in der Rechtfertigungslehre?
Oder noch einmal: Ort und Funktion der Rechtfertigungslehre

Seit Hans Küng 1957, zaghaftere frühere Stimmen aufnehmend, in seiner Auseinandersetzung mit Karl Barth entschieden gefragt hat, ob man nicht in der Rechtfertigungslehre sachlichen Konsens feststellen dürfe, und diese Frage bejahte, erschallt die Gegenfrage: «Einig in der Rechtfertigungslehre?» durch den Blätterwald der theologischen Zeitschriften und Publikationen.[236] Meist war und ist es eine rhetorische Frage – das Nein! ist die anscheinend selbstverständliche Antwort. Wenn wir mit derselben Frage dieses Kapitel beschließen, meinen wir sie allerdings *nicht* rhetorisch. Das Nein! ist uns keineswegs die selbstverständliche Antwort. Die Erörterung der Einzelheiten hat dargetan, daß es Punkt für Punkt gute Gründe für die Auffassung gibt, in der Rechtfertigungslehre bestehe sachlicher Konsens. Zumindest so weit, wie es nötig ist, in *einer* Kirche beisammenzubleiben, und wie es ausreicht, eine Kirchentrennung nicht oder nicht mehr zu rechtfertigen.

Nun ist es allerdings Tatsache, daß sowohl in der evangelischen wie in der katholischen Kirche nur wenige dieses «Einig in der Rechtfertigungslehre» abnehmen. Wir müssen daher noch einmal eigens darauf reflektieren. Dabei sei zunächst ohne Umschweife gesagt, daß wir uns in unserem positiven Votum durch zwei Dinge nicht mehr verunsichern lassen. Erstens:

---

[234] Vgl. w. o. S. 860.

[235] So etwa H. Schützeichel aaO.; auch die mehrfach genannte Arbeit von H. Küng (s. Anm. 46) gehört indirekt dazu, wie gerade von lutherischen Rezensenten vermerkt wurde: Küngs Gesprächspartner K. Barth kommt aus der reformierten Tradition.

[236] Einige Besprechungen des Buches von Küng standen damals wörtlich oder fast wörtlich unter diesem Titel. Verzeichnis wichtiger Rezensionen bei O. H. Pesch, Zwanzig Jahre katholische Lutherforschung: Lutherische Rundschau 16 (1966) 392–406, hier 399 Anm. 39. Der gleiche Titel ist inzwischen noch mehrfach wieder aufgetaucht. Vgl. etwa V. Pfnür, Einig in der Rechtfertigungslehre? (Wiesbaden 1970); G. C. Berkouwer, Convergentie in de rechtvaardigingsleer?: Gereformeerd theologisch tijdschrift 72 (1972) 129–157.

wenn Fakten, das heißt hier: Texte, solide Forschungsergebnisse und kirchliche Entwicklungen einfach nicht zur Kenntnis genommen werden. Wo Argumente, wie sie – in Auswahl! – oben vor allem in den Abschnitten 3, 4 und 6 zur Klärung der Fragen und Kontroversen ins Spiel gebracht wurden, ignoriert werden und dennoch gesagt wird, es bestehe weiterhin unaufhebbarer Dissens, da müssen eben die Akten geschlossen werden, bis der Debattengegner die Tatsachen würdigt oder eine zwingende Widerlegung ihrer Interpretation sich abverlangt.[237] Damit jedem Triumphalismus von vornherein gewehrt sei: Dies ist nicht nur an manche evangelische Adresse im Hinblick auf katholische Lehre und Praxis, sondern ebenso an viele katholische Adressen im Hinblick auf die Lehre der Reformatoren und das Leben in den Kirchen der Reformation gesagt.

Wir lassen uns, zweitens, nicht mehr verunsichern, wenn das Nein zum Konsens auf der Unfähigkeit beruht, «mehrdimensional» zu denken, das heißt: wenn ein negatives Votum unterstellt, daß die Berücksichtigung verschiedener Sprache, verschiedener Begrifflichkeit, verschiedener «Vorverständnisse», verschiedener Denkformen, verschiedener geschichtlicher Verstehensbedingungen theologisch illegitim sei und das Glaubenszeugnis nur der Indifferenz ausliefern könne. An sich ist die Tatsache, daß all dies auch bei der Kontroverse um die Rechtfertigung im Spiel ist, unbestritten. Alles hängt aber davon ab, ob man dafür hält, daß *jede* geistige Situation, jede geschichtlich bedingte Verstehensvoraussetzung grundsätzlich unmittelbar zu Gott ist und daher grundsätzlich geeignet, Artikulationsfeld für das Wort der Heilsbotschaft zu werden – *grundsätzlich*, denn selbstverständlich wirkt das *in* einem bestimmten Verstehenskontext artikulierte Wort der Botschaft auch kritisch auf den Verstehenskontext selbst zurück und muß es tun: über die Unausweichlichkeit des «hermeneutischen Zirkels» braucht hier kein Wort verloren zu werden.[238] Nun gibt es nicht wenige, die diese Interdependenz von Verstehensvoraussetzung und artikuliertem Wort der Botschaft nicht sehen, mit der Folge, daß dann *eine* bestimmte Verstehens- und Sprechweise der Heilsbotschaft mit der Heilsbotschaft selbst gleichgesetzt wird: also (etwa) *entweder* das reformatorische Rechtfertigungszeugnis (mit-

---

[237] Nicht weil es wichtig wäre, aber weil es symptomatisch ist, sei verwiesen auf die Rezension unserer Monogr. über Theol. der Rechtfertigung durch K.N. Micskey: Materialdienst des Konfessionskundl. Instituts Bensheim 23 (1972) 82; M. erhebt ohne die Spur eines Nachweises Vorwürfe gegen Thomas, die der rezensierte Autor mit Engelszungen anhand der Texte als Unterstellungen zu erweisen sucht. Es darf dankbar vermerkt werden, daß andere lutherische Theologen anders reagiert haben; z. B. A. Peters: Lutherische Rundschau 18 (1968) 300–306; U. Kühn: ThLZ 93 (1968) 885–898.

[238] Vgl. G. Ebeling, Wort Gottes und Hermeneutik: Wort und Glaube I (s. Anm. 27), 319–348; U. Kühn, Via caritatis (s. Anm. 180) 225–240; O. H. Pesch, Der hermeneutische Ort der Theologie bei Thomas von Aquin und Martin Luther und die Frage nach dem Verhältnis von Philosophie und Theologie: ThQ 146 (1966) 159–212, hier bes. 159–167; R. Kösters, Zur Theorie der Kontroverstheologie: ZKTh 88 (1966) 121–162.

samt seinen paulinischen und augustinischen Interpretationselementen) *oder* die tridentinische Rechtfertigungslehre (mitsamt ihrem mittelalterlich-scholastischen Hintergrund).[239] Auch hier müssen dann die Akten geschlossen werden – denn die Forderung, sich die Verstehensvoraussetzungen des anderen anzueignen und die eigenen aufzugeben, ist nicht nur unzumutbar, sondern auch unsinnig, weil Verstehensvoraussetzungen nicht auf Kommando, sondern nur im Zuge eines geistigen Prozesses zu ändern sind, das heißt in der Begegnung mit herausfordernden neuen Realitäten – auch intellektuellen Realitäten. Wenn also gegenseitige Kapitulationsforderungen – oder auch höfliche Respektbezeugungen vor der ehrlichen, aber unannehmbaren Überzeugung und Sehweise des anderen – nicht das letzte Wort in der Debatte um die Rechtfertigung sein sollen, dann *muß* davon ausgegangen werden, daß ein Konsens eine legitime Pluralität von miteinander logisch nicht verrechenbaren Artikulationsweisen ein und desselben befreienden Evangeliums nicht aus-, sondern einschließt. Erst *innerhalb* dieses Ansatzes, der von der Gottunmittelbarkeit *jedes* menschlichen Geistes ausgeht, kann dann durchaus auch über mehr oder weniger sachgemäße, mehr oder weniger von gefährlichen Wirkungen bedrohte Sprech- und Verstehensformen gesprochen werden. Ein solcher Ansatz scheint gerade vor dem biblischen Rechtfertigungszeugnis nicht nur erlaubt, sondern geradezu gefordert. Paulus hat schließlich den Heiden nicht die Beschneidung erspart, um sie im Denken dann doch zu Juden zu machen – was er hätte tun müssen, wenn er sein Rechtfertigungszeugnis so vor den Heiden vorgetragen hätte, wie er es gegenüber Juden und von judaistischen Christen beeinflußten Heiden formulierte. Aber im Gegenteil: nicht den Heiden hat er andere Verstehensvoraussetzungen abgefordert, sondern er selbst hat sich zum «mehrdimensionalen» Denken verpflichtet gesehen, um sowohl Juden wie Heiden zu gewinnen (1 Kor 9, 20f).

Klammern wir also die genannten Widerstände gegen die These vom Konsens in der Rechtfertigungslehre aus, dann bleiben zwei sehr ernsthafte Rückfragen bestehen. Die erste Frage ist – noch einmal – die nach der kritischen Funktion der Rechtfertigungslehre im Hinblick auf die Kirche, ihr Selbstverständnis, ihre Struktur, ihre Lebensformen. Die zweite Frage ist, ob man heute das biblische Zeugnis von der Rechtfertigung verkünden kann, ohne das Wort Rechtfertigung und das ganze damit verbundene Verstehensfeld in Anspruch zu nehmen. Indem wir diese beiden Fragen aufnehmen, stellen wir uns zugleich noch einmal verschärft der doppelten

---

[239] Bezeichnend dafür sind wiederum die «extremen» Reaktionen auf das Neue Glaubensbuch (s. Anm. 126) in beiden Kirchen: etwa D. Schellong auf evangelischer Seite (s. Anm. 75) oder R. von Rhein: Katholische Frauenbildung. Organ des Vereins kath. deutscher Lehrerinnen, Okt. 1973, 232–237; ganz zu schweigen von Una Voce Korrespondenz 3 (1973) 155–163.

Frage nach der Rechtfertigung als «articulus stantis et cadentis ecclesiae» und nach ihrer zeit- und sachgemäßen Aktualisierung.

a. Rechtfertigung und Kirche

Wir sahen schon, daß die Rechtfertigungslehre jederzeit ihre institutionskritische Funktion ausüben *kann* und *muß* – und daß sie es, wenn auch meist unter fremdem Namen, bei allen geforderten und verwirklichten Reformen in der Kirche getan hat.[240] Behaupten wir aber *heute* einen Konsens in der Rechtfertigungslehre, so bleibt zu fragen, ob sie diese kritische Funktion auch heute ausübt oder anders: ob diese Funktion, das «Richter»-Amt (Luther) des Rechtfertigungsartikels, wenigstens grundsätzlich in der Kirche anerkannt ist. Die Frage gilt durchaus auch den evangelischen Kirchen. Zwar haben sie grundsätzlich ihr Ja zum Richteramt des Rechtfertigungsartikels nie widerrufen, und ihr Selbstverständnis als Kirchen bleibt mehr oder weniger direkt darauf bezogen. Die Frage ist nur, wieweit praktisches kirchliches Leben und gar der Umgang mit dem Rechtfertigungsartikel selbst dem entsprechen. Es besteht durchaus ein Zusammenhang zwischen den Klagen evangelischer Theologen über die aus der Mitte von Lehre und Leben entfernte Rechtfertigungslehre einerseits,[241] der Gegenklage, aus der befreienden Botschaft vom werklosen Glauben sei inzwischen selber ein verpflichtendes Werk geworden,[242] den Tendenzen einer Distanzierung von Luther in der evangelischen Theologie[243] und den neuen Formen von Selbstrechtfertigung in Form von politischer und sozialer Aktion, bei denen eine spezifisch christliche Begründung zur bloßen Zutat wird und deren Optimismus Staunen weckt.[244] Aber hier mag es uns mehr um die römisch-katholische Kirche gehen – die zwar von den Problemen der evangelischen Kirchen keineswegs verschont bleibt, aber doch in Sachen Rechtfertigung noch ihre eigenen Probleme hat.

[240] Vgl. w.o. S. 870f.

[241] Vgl. w.o. S. 832f.

[242] Vgl. etwa D.Sölle, Atheistisch an Gott glauben. Beiträge zur Theologie (Olten 1968) 81–83.

[243] Vgl. die Beobachtungen von A.Brandenburg, Martin Luther gegenwärtig (s.Anm. 118) 134–136, auch 11, 153–158.

[244] In diesem Phänomen scheint nicht nur Überlegung, sondern auch viel unreflektierte «Stimmung» zu stecken. Brennpunkte der Reflexion waren und sind jedenfalls das Buch von J.Moltmann, Theologie der Hoffnung. Untersuchungen zur Begründung und zu den Konsequenzen einer christlichen Eschatologie = Beiträge zur evangelischen Theologie 38 (München ⁶1966) und die mit den Stichworten «Politische Theologie», «Theologie der Revolution» gekennzeichneten Bewegungen. Zur Orientierung vgl. H.Peukert (Hrsg.), Diskussion zur «politischen Theologie» (München 1969); T.Rendtorff/H.E.Tödt, Theologie der Revolution. Analysen und Materialien (Frankfurt/M. 1968); E.Feil/R.Weth (Hrsg.), Diskussion zur «Theologie der Revolution» (München 1969); D.Sölle, Politische Theologie (1971).

Nun kann im Blick auf die öffentlichen Fakten keinem evangelischen Theologen oder Amtsträger verübelt werden, wenn er der Meinung ist, in der katholischen Kirche sei der Rechtfertigungsartikel *nicht* als «articulus stantis et cadentis ecclesiae» akzeptiert, und solange er das nicht sei, könne von Konsens keine Rede sein. Alle Detailaufweise materialer Übereinstimmung seien unglaubwürdig, weil der funktionale Stellenwert auch gemeinsamer Aussagen verschieden sei, und der Stellenwert gehöre zur Aussage dazu. Es könne nicht von Konsens gesprochen werden, wenn etwa die Aussage vom gnädigen Freispruch des Sünders ohne Vorbedingungen für den evangelischen Christen durch sich selbst Maßstab für die gesamte Glaubensexistenz einschließlich ihrer kirchlichen Dimension sei, während sie für den Katholiken bestenfalls nur *ein* geschichtlich berechtigtes, aber auch geschichtlich bedingtes, darum nicht unersetzbares theologisches Interpretament des Gnadenhandelns Gottes sei, von dem außer für das theologische Verstehen nichts abhängt.

Für eine so begründete evangelische Reserve sprechen Fakten. Denn weiter als bis zu einem Konsens dieser letzten Art ist die katholische Theologie in der Aufarbeitung des Themas «Rechtfertigung» bisher nicht gekommen.[245] Wenn man sich darüber hinaus in das von August Hasler[246] ausgebreitete Material zur Beurteilung Luthers in den gegenwärtig noch immer im Gebrauch befindlichen Handbüchern der Dogmatik und dazu in die Erhebungen von Werner Beyna[247] zum durchschnittlichen katholischen Urteil über Luther noch in den 60er Jahren vertieft, gewinnt man den sicheren Eindruck, daß nur eine ganz dünne Oberschicht von Fachleuten und speziell an ökumenischen Fragen interessierten Christen überhaupt mit einem Konsens in der Rechtfertigungslehre rechnen und nicht mehr glauben, von hier aus ließe sich noch einmal eine Kirchenspaltung begründen. Noch grö-

---

[245] H. Küng, der, über sein Rechtfertigungsbuch hinaus, im Hinblick auf Luthers Rechtfertigungslehre eine direkte Sachkritik des Tridentinums und Mut zu den dann fälligen Konsequenzen fordert, ist bislang ein Einzelfall geblieben: Katholische Besinnung auf Luthers Rechtfertigungslehre heute: Theologie im Wandel. Festschrift zum 150jährigen Bestehen der katholisch-theologischen Fakultät an der Universität Tübingen 1817 bis 1967 (München 1967) 449–468, bes. 460–468. Repräsentativer für den Diskussionsstand in der katholischen Theologie sind etwa St. Pfürtner, Luther und Thomas im Gespräch (s. Anm. 143) 38–43 und E. Schillebeeckx in seinem in Anm. 94 genannten Aufsatz. Gelegentlich wird das Tridentinum auch noch jeglicher theologischen Kritik vollständig entzogen; vgl. etwa H. Jedin in: Das «Reformatorische» bei Martin Luther (Podiumsdiskussion, mit W. von Loewenich, W. Kasch, E. Iserloh, P. Manns): A. Franzen (Hrsg.), Um Reform und Reformation. Zur Frage nach dem Wesen des «Reformatorischen» bei Martin Luther (Münster 1968) 33–52, hier bes. 50; vgl. auch ders., Zum Wandel des katholischen Lutherbildes: H. Gehrig (Hrsg.), Martin Luther, Gestalt und Werk = Veröffentlichungen der Katholischen Akademie der Erzdiözese Freiburg 7 (Karlsruhe 1967) 35–46, bes. 43–46.

[246] Vgl. w. o. Anm. 6.

[247] W. Beyna, Das moderne katholische Lutherbild = Koinonia 7 (Essen 1969) bes. 147–172.

ßer muß die evangelische Skepsis angesichts der Äußerungen des kirchlichen Lehramtes werden. Das schon mehrfach erwähnte Buch von Gottfried Maron[248] ist da eine heilsam ernüchternde Lektüre. Da macht also ein Konzil, so wird der evangelische Christ denken, ein umfassendes ekklesiologisches Dokument, sogar mit beachtlich neuen Tönen im Vergleich mit der bisherigen kirchenamtlichen Doktrin – und von Rechtfertigung des Sünders als Maßstab für die Kirche fällt darin kein Wort! Man könnte weitere kirchenamtliche Maßnahmen der letzten Jahre, die mindestens unter anderem auch eine Spitze gegen die Reformation haben, aufzählen, wenn das Sache eines dogmatischen Handbuches wäre. Unter den verschiedenen Terminen der letzten Jahre, zu denen eine neuerliche kirchenamtliche Äußerung zur Rehabilitierung Luthers und der Reformation eine symbolische Bedeutung und eine Signalwirkung gehabt hätte, ist nun auch der vorläufig letzte ungenutzt vorübergegangen: der 17./18. April 1971, der 450. Jahrestag des Wormser Reichstages.[249] Und man hätte ja keineswegs die häufig erhobene, aber auch sehr umstrittene Forderung nach Aufhebung des Bannes über Luther erfüllen müssen! Der vielbestaunte Luther-Abschnitt in der Rede von Kardinal Willebrands auf dem Kongreß des Lutherischen Weltbundes in Evian bei Genf im Juli 1970 – vom Kongreß sofort sehr entschieden und dankbar beantwortet[250] – blieb ein folgenloses Einzelereignis. Wen kann es also wundern, wenn evangelische Christen und Theologen sich auch und gerade heute vor die Frage gestellt sehen: «Kirche *oder* Rechtfertigung, Einheit *oder* Wahrheit»?[251]

Und doch ist das nur die Hälfte dessen, was zur Urteilsbildung zu beachten ist. Wenn man sagt, die Rechtfertigungslehre habe ihre eigentliche Bedeutung durch ihre *kritische* Funktion gegenüber Kirche und jeglicher Bedrückung durch allerlei Werkforderung, so setzt das voraus, daß sie auch auf eine kritikwürdige Situation bezogen ist. Nur in kritischer Situation wird sie kritisch akut. Daraus folgt: Die Rechtfertigungslehre muß zwar jederzeit als kritische Instanz in Anspruch genommen werden *können*, aber sie muß nicht jederzeit in Anspruch genommen *werden*, sondern nur dann und da, wo die Gefahr besteht, daß sich das Gegenteil ihrer Botschaft breit macht – wie es etwa bei Paulus und in der Reformationszeit der Fall war. Wo das nicht der Fall ist, «genügt» tatsächlich die materiale Aussage der Rechtfertigungslehre (und die Einhelligkeit über sie): das schlichte Wissen und das darauf gegründete Leben, daß wir Sünder sind und alles der Gnade Gottes und nicht uns selbst verdanken. Der Sinn dieser zunächst

---

[248] S. Anm. 7.

[249] Vgl. F. Reuter (Hrsg.), Luther in Worms 1521–1971. Ansprachen, Vorträge, Predigten und Berichte zum 450-Jahrgedenken (Worms 1973).

[250] Die Rede ist abgedruckt in Lutherische Rundschau 20 (1970) 447–460, die Antwort des Kongresses in Römische Warte, 4. August 1970, 231.

[251] Vgl. G. Maron, Kirche und Rechtfertigung (s. Anm. 7) 267.

sehr formalen Überlegung ist, konkret nichts Geringeres sicherzustellen als gerade die kritische und befreiende Funktion der Rechtfertigungslehre, und zu verhindern, daß sie bzw. das Bekenntnis zu ihr am Ende doch wieder ein zu leistendes «Werk» wird. Das aber wird sie dann, wenn keine korrespondierende Unfreiheitserfahrung sie reflex als befreiende Botschaft in Anspruch nehmen muß. Um Mißverständnisse zu vermeiden: Wir meinen nicht jene grundsätzliche Unfreiheitserfahrung – theologisch: die Sünde –, auf die der Glaube als solcher bezogen ist,[252] sondern eine Unfreiheitserfahrung innerhalb des *angenommenen* Glaubens angesichts der überkommenen, abgeforderten konkreten Formen seiner Verwirklichung in der Kirche.

Nun ist es einfach Tatsache, daß Millionen von Christen in ihrem Glauben eine *solche* Unfreiheitserfahrung nicht machen – auch nicht bei solchen Erscheinungsformen des kirchlichen Lebens, die für die Reformation Anlaß waren, die Rechtfertigungslehre zum «articulus stantis et cadentis ecclesiae» zu proklamieren. Sie erleben ihre Kirche – diese laut evangelischer Kritik alles vereinnahmende, sich dem einzelnen vorordnende Kirche – tatsächlich als Ort der Freiheit, weil als Ort von Geborgenheit, von «Nestwärme», als Halt für das Leben. Man mag das als «naiven» Glauben abqualifizieren – übrigens ist er keineswegs nur immer die Sache von Einfältigen und Ungebildeten! –, aber angesichts von Jesu Plädoyer für die «Kleinen» und die «Kinder» fällt diese Qualifikation auf den zurück, der sie ausspricht. Die Attraktivität einer «konservativen» Haltung, die diese «Nestwärme» bewahren und die Kirche nicht zum Experimentierfeld der Intellektuellen machen will, findet hier ihren Erklärungsgrund. Hier dann mit einer kirchenkritisch zugespitzten Rechtfertigungslehre zu kommen, befreit nicht von Angst und Druck, sondern schafft sie – Angst vor einem Glauben, dessen konkrete Lebensform nicht länger bergen kann. Übrigens gilt Ähnliches auch in den evangelischen Kirchen. Millionen evangelischer Christen leben den überkommenen Glauben an die Rechtfertigungsbotschaft «naiv» und kommen mit ihrer von der evangelischen Theologie so akzentuierten kritischen Funktion gar nicht in Berührung – bis hin zu immer wieder zu beobachtenden «kryptokatholischen» Verhaltensstrukturen. Erst wenn es zum Konflikt zwischen persönlicher Glaubensexistenz und kirchlicher Glaubensartikulation und Lebensform kommt – und dieser Konflikt ist keineswegs ein Privileg der Intellektuellen! –, genauer: wenn die Kirche direkt oder indirekt beansprucht, gegenüber dem persönlichen Glaubensvollzug grundsätzlich «in possessione» zu sein und darum das bedingungslose «sacrificium intellectus» verlangen zu können – und auch evangelische Kirchenleitungen können das, allen Verwahrungen zum Trotz, zuweilen sehr nachdrücklich –: dann ist die Rechtfertigungslehre als «Richter» auf dem Plan, dann entsteht die Frage: Was schenkt mir das Heil, das fraglose

---

[252] Vgl. dazu w. u. S. 912.

oder auf Fragen verzichtende Mittun in der Kirche oder Gottes freimachendes Wort, das ich nur *durch* die Kirche höre, das aber dadurch nicht zum Wort der *Kirche* wird, sondern unverfügbares Wort Gottes bleibt? Erst der reflex erlebte Konflikt zwischen Glaubensvollzug und Kirche ist der Ort, wo die Rechtfertigungslehre ihren Gerichtsstand aufschlagen muß.

Daraus ziehen wir folgende Konsequenz: Es ist kein Einwand gegen den anvisierten Konsens in der Rechtfertigungslehre, wenn es bei denen, die in und mit der Kirche keine Unfreiheitserfahrung erleben,[253] beim materialen Konsens *bleibt*, wenn also die Rechtfertigungslehre nicht als «articulus stantis et cadentis ecclesiae» erlebt wird, sondern als *eine* Interpretation der Gnade Gottes, die man in anderen Interpretationen nicht weniger ernst nimmt und als Lebensgrund ergreift. Soweit das Schweigen des Konzils über die Rechtfertigung und die von ihm gegebene theologische Deutung der Kirche mit einer solchen Situation zusammenhängt, wo Menschen – für viele vielleicht unbegreiflich – unbefangen die Kirche tatsächlich als «Licht der Völker», als «Zeichen des Heils», «Zeichen der Gegenwart der Gnade in dieser Welt» erleben und darin ihres Glaubens froh werden, so ist dem Konzil nichts vorzuwerfen. Denn für diese ungezählten Glaubenden wäre es unbarmherzige Bilderstürmerei, sie mit einer kirchenkritischen Rechtfertigungslehre einzuschüchtern. Es ist nicht der geringste Vorzug für die Glaubwürdigkeit der Kirche, daß sie unbeeindruckt von einer faktisch zum Lehrgesetz erhobenen Rechtfertigungslehre sich schützend vor den Glauben und die Kirchenfrömmigkeit der «Kinder» stellt. Die *nicht-gesetzlich* verstandene Rechtfertigungslehre gebietet gerade dies. Wenn das dann als Nebenfolge zeitigt, daß die Amtsträger der Kirche mit dem Vertrauensvorschuß dieser Christen sachlich notwendige und berechtigte Leitungsstrukturen in einer Weise gebrauchen, daß sie soziologisch als Herrschafts- und Bevormundungsstrukturen gekennzeichnet werden müssen, so fällt das nicht auf jene Gläubigen, sondern auf die Amtsträger selbst zurück. Jesu Haltung dazu sollte außer Zweifel stehen (Mt 23,8–11; Lk 22,24–27).

Ob die Kirche ein Ja zum «articulus stantis et cadentis ecclesiae» spricht, entscheidet sich also daran, wie sie mit denen umgeht, die in die reflex erlebte Konfliktsituation geraten. Wir meinen wirklich *die Kirche* – und nicht nur ihre (höheren) Amtsträger. Was man diesen vorwerfen kann, war ja immer nur möglich, weil es vom – wie auch immer zustandegekommenen –

---

[253] Man kann durchaus fragen, ob es nicht auch möglich ist, daß das Fehlen einer solchen Unfreiheitserfahrung eine tiefe, verdrängte Angst oder gar das, was man «ekklesiogene Neurose» nennt, verbirgt. Doch ist dies dann kein «Fall» für den Rechtfertigungsartikel, sondern für den Psychotherapeuten. Wird mit dessen Hilfe die Realität bewußt, dann gehört der Betroffene eben dadurch nicht mehr zu den «naiv» Glaubenden. Für diese also muß es dabei bleiben: Ohne konkrete Unfreiheitserfahrung in und mit der Kirche wird der Rechtfertigungsartikel, kirchenkritisch in Anspruch genommen, selber zur Quelle von Unfreiheit.

Konsens der Kirchenglieder getragen war. Nun, wie die Kirche, repräsentiert durch ihre Amtsträger, in der Vergangenheit mit den Konfliktbeladenen umgegangen ist, darüber ist kein Wort zu verlieren. Denn damals hat man ja auch nicht vom Konsens in der Rechtfertigungslehre gesprochen. Wie steht es heute?

Man stelle sich irgendeinen katholischen Christen vor – Theologe oder nicht –, der heute mit irgendeinem Punkt der kirchenamtlichen Lehre oder Praxis nicht mehr übereinstimmt, wenn er nicht intellektuell unredlich werden will. Man setze hier auch einmal theoretisch voraus, daß er seine abweichende Meinung gründlich überdacht hat, sie unter Wahrung der «Gesetze des innerkirchlichen Dialogs» vorträgt, weit davon entfernt ist, sie absolut zu setzen und noch weiter davon entfernt, sich von der Kirche zu trennen, der vielmehr seine Aufgaben in der Kirche loyal erfüllt, der also, kurz gesagt, nicht im Verdacht steht, nur ein unkontrolliertes Unbehagen zu rationalisieren und zu projizieren. Ein chemisch reiner Fall also, wo die Rechtfertigung, der Glaube an das bedingungslos freisprechende und annehmende Wort Gottes akut wird. Was wird geschehen? Ist unser Christ ein halbwegs Unbekannter, so geschieht gar nichts. Millionen von Katholiken stehen heute in einer solchen oder ähnlichen Situation – die Kirche tut dagegen nichts, weil sie nichts dagegen tun *kann*, und zwar aus dem einfachen Grunde, weil sich ihre Verkündigung stets nur an die Freiheit des menschlichen Herzens wendet. In einer geschlossenen Kirche früherer Zeiten reichte das auch vollständig aus, «Abweichungen» zu verhüten – ganz abgesehen davon, daß verglichen mit heute nur wenige überhaupt von Kontroversen im einzelnen erfuhren. In der «offenen» Kirche unserer Tage kommt die reine Struktur von Verkündigung und unerzwingbarer Zustimmung der Gläubigen klar zutage. *Faktisch* ist heute der Kritik an Lebensform und Lehre der Kirche – also dem Richteramt des Rechtfertigungsartikels – keine Grenze mehr gesetzt. Im Konfliktfall weiß jeder: Was mich vor Gott gerecht sein läßt, ist der gelebte Glaube an Gottes Liebe zu mir, nicht ein als Heilsbedingung aufzufassendes bestimmtes kirchliches Verhalten.

Im Blick auf den geläufigen Begriff von Orthodoxie muß man heute sagen: Niemand kann heute mehr absehen, wieviel nicht nur materiale, sondern auch «formelle» Häresie in der Kirche ist. Glaube – *katholischer* Glaube – ist faktisch nur selten deckungsgleich mit einer Totalidentifikation mit der Kirche. So hat man jüngst schon vorgeschlagen, diese faktische Lage auch de iure zu neuen Einsichten und zu neuen Verhaltensweisen der kirchlichen Amtsträger gegenüber den Gliedern der Kirche umzumünzen.[254] Vielleicht kann man es positiv ausdrücken: Kirchliche Lehre entwickelt sich, kirchliche Lebensformen entwickeln und ändern sich heute im offenen Dialog,

[254] Vgl. K. Rahner, Strukturwandel der Kirche als Aufgabe und Chance = Herderbücherei 446 (Freiburg/Br. ³1973) bes. 76–81.

der auch eine zeitweilige Unsicherheit in Kauf nimmt und in Kauf nehmen darf. Woraufhin anders darf man eine solche Situation und eine solche Form kritischer Auseinandersetzung überhaupt wagen, wenn nicht auf den Glauben hin, daß Gottes Gnade für den Menschen keine Vorbedingung hat, schon gar keine kirchliche? Man mag diese Sachstruktur auf katholischer Seite selten mit dem Stichwort «Rechtfertigung» begründen, man mag eher von der Unverfügbarkeit des persönlichen Glaubens sprechen oder von der Unverfügbarkeit des Geistes, dessen Charismen nicht auf die Amtsträger beschränkt sind, oder von der Verbindlichkeit des persönlichen Gewissens – sachlich geht es um dasselbe: Nur Gott steht für den Menschen gerade, nicht die Kirche. Die Rechtfertigungslehre wirkt heute im Konfliktfall, auf den allein es ankommt, faktisch als «articulus stantis et cadentis ecclesiae».

Der evangelische Gesprächspartner wird schon lange einhaken: Es stimmt ja gar nicht, daß die Kirche nichts gegen «Abweichler» und kritische Stimmen unternimmt. Man braucht nur ein wenig bekannter zu sein, dann wird alles versucht, eine kritische Stimme zum Schweigen zu bringen. Und selbst für die Unbekannten kann man Verhältnisse schaffen, daß die «innere Emigration» die einzige Möglichkeit bleibt, dem kirchenamtlichen Druck zu entkommen. Nur wer wenigstens äußerlich nicht von der kirchlichen Institution abhängig ist, kann sich das «freie Wort in der Kirche»[255] erlauben – und hat dann leicht vom «articulus stantis et cadentis ecclesiae» reden!

Der Einwand hat wiederum Fakten auf seiner Seite. Nur ist er kein Gegenbeweis, er zeigt nur die *Grenze* des jetzt schon bestehenden Konsenses. Zunächst: Wer eine solche kirchenamtliche Reaktion provoziert, wird, wenn seine kritische Meinung ernsthaft gebildet wurde und nicht nur einer Mode nachläuft, in seinem Gewissen kaum verunsichert. Sein Glaube wird der Gnade Gottes gewiß sein, und deshalb wird er seine Meinung nicht ändern *allein* wegen der Reaktion der kirchlichen Autorität. Wenn, zweitens, das kirchliche Amt ihn *äußerlich* treffen kann, so ist auch das kein Argument. Die Tatsache, daß man durch äußeren Zwang (immer noch) versuchen kann, bestimmte Meinungsäußerungen zu unterbinden, andere zu erzwingen, gehört vielmehr zwangsläufig für den, der bewußt den Konflikt wagen muß, zu jenen kirchlichen Faktizitäten, die im Licht der Rechtfertigungsbotschaft zu überprüfen sind. Daß das Amt aufgrund geschichtlich gewachsener Strukturen gegebenenfalls äußerlich stärker ist als der seinem Gewissen verpflichtete Einzelne, kann nicht gegen die Tatsache ausgespielt werden, daß viele katholische Christen – Theologen und Nicht-Theologen – im Vertrauen auf die Rechtfertigung des Sünders aus Glauben allein den Konflikt mit ihrer Kirche gegebenenfalls nicht scheuen. Was allein gegenüber einer früheren Situation zählt, ist die Tatsache, daß ein

---

[255] Vgl. K. Rahner, Das freie Wort in der Kirche (Einsiedeln 1953).

solcher Konflikt heute grundsätzlich *in* der Kirche ausgetragen werden kann – also weder Kirchenaustritt noch Exkommunikation als einzige Lösungsmöglichkeiten zur Debatte stellt –, und daß inzwischen eine große Zahl kirchlicher Amtsträger die dialogische Struktur kirchlicher Lehrverkündigung und kirchlichen Lebens theoretisch bejahen und praktisch zu verwirklichen trachten und Hoffnung geben, daß dieser Wille zum Dialog auch die institutionellen Formen ausbildet, die er benötigt.[256]

Wenn wir also die Frage: «Einig in der Rechtfertigungslehre?» im Blick auf die unter das «Gericht» des Rechtfertigungsartikels zu bringende Kirche mit Ja beantworten, so bedeutet dies eine auf Fakten gestützte Hoffnung: Die Einsicht von bisher nur wenigen muß ins öffentliche Bewußtsein der Kirche eindringen; neue Generationen von Theologen und Christen – beiderseits! – dürfen in den alten Klischee-Urteilen und Klischee-Verurteilungen erst gar nicht mehr aufwachsen; die kirchlichen Institutionen müssen sich in Richtung auf größere, dem Einzelgewissen gerechter werdende Dialogoffenheit hin verändern – was keineswegs einen protestantischen völligen Verzicht auf ein Lehramt einschließen muß.[257] Es ist, wie gesagt, eine Einigkeit in Hoffnung – aber, anders als bei der theologischen Hoffnung, darf sich diese Hoffnung auf «Werke» stützen, wenngleich der Anker, der sie wirklich festhält, der Geist ist, der in der Kirche schon vieles möglich gemacht hat, wovon ihre Glieder nicht zu träumen wagten.

b. Rechtfertigungsbotschaft ohne «Rechtfertigung»?

Wir könnten kaum wagen, im Raum der katholischen Kirche das Rechtfertigungszeugnis der Reformation so dezidiert aufzunehmen, wenn wir nicht noch eine weitergehende Überlegung im Kopf hätten, die einerseits das bisher Gesagte viel vertrauter erscheinen läßt, als es bislang aussehen mochte, die aber andererseits eine äußerste Herausforderung an die evangelische, speziell die lutherische Theologie und die lutherische Kirche bedeutet. Es geht um die Frage: Kann man – zumindest heute – von der Rechtfertigung des Sünders durch Glauben allein nach allen ihren Dimensionen sprechen, ohne das Wort «Rechtfertigung» dabei zu gebrauchen?

Man kann die Frage mit einem Hinweis auf Luther erledigen – und zwar bejahen. Es ist keine neue Entdeckung, daß Luther etwa in seinem Kleinen Katechismus das Wort «Rechtfertigung» nicht gebraucht, also immerhin in einer für eine breite Leserschaft geschriebenen Glaubensdarstellung den

---

[256] Vgl. O.H.Pesch, Kirchliche Lehrformulierung und persönlicher Glaubensvollzug (s. Anm.132) 277f; K.Lehmann, Zum Verhältnis von kirchlichem Amt und Theologie: M.Seckler u.a. (Hrsg.), Begegnung (s. Anm.32) 415–430; K.Rahner, Kirchliches Lehramt und Theologie nach dem Konzil: Schriften VIII, 111–132; auch ders., Ein Gestaltwandel der Häresie: Gefahren im heutigen Katholizismus (Einsiedeln ³1955) 63–80.

[257] Vgl. MS I, 554–587.

«articulus stantis et cadentis ecclesiae» nicht thematisiert. Und doch redet der ganze Katechismus von der *Sache* der Rechtfertigung aus Glauben allein.[258] Warum sollte solches heute nicht möglich sein?

Doch dieser Bescheid würde noch nicht die ganze Schärfe unserer Frage treffen. Denn es geht nicht nur um das *Wort* «Rechtfertigung» – das läßt sich leicht vermeiden. Es geht um die damit signalisierte gesamte Verstehensweise des Gnadenhandelns Gottes. Das läuft, um es kurz zu machen, auf folgende Grundfrage hinaus: Kann ich das Rechtfertigungszeugnis artikulieren, ohne *zuvor* von der *Sünde* zu reden? Denn das ist, wie erinnerlich, Kern und Stern der Rechtfertigungslehre: die Zuspitzung der Verkündigung vom Gnadenhandeln Gottes auf des Menschen ausweglose Sünde.[259] Man könnte auch formulieren: Kann man das Evangelium verkünden, ohne *zuvor* das *Gesetz* zu predigen?[260]

Auf diese Frage sind naturgemäß zwei Antworten möglich, und sie werden auch gegeben. Die erste sagt: Es ist *nicht* möglich, von der Rechtfertigung zu reden, ohne zuvor von der Sünde zu reden. Es ist *nicht* möglich, das Evangelium vor dem Gesetz zu verkünden. Die Vertreter einer solchen verneinenden Antwort übersehen natürlich nicht, daß im Gegensatz zur Zeit Luthers heute ein Sündenbewußtsein nicht mehr vorausgesetzt werden kann – wie sollte es auch, wenn die Wirklichkeit Gottes, gegen den die Sünde sich erhebt, selber zur Frage aller Fragen geworden ist.[261] Man hat demnach ein Sündenbewußtsein nicht nur, wie zu Luthers Zeiten, zu «radikalisieren», die Realität der Sünde genügend ernst zu nehmen, um dadurch den Boden für die Rechtfertigungsbotschaft zu bereiten, man hat dieses Sündenbewußtsein allererst zu wecken. Und man übersieht auch nicht, daß Luthers Begriff vom Gesetz im Zuge der exegetischen Forschung Wandlungen ausgesetzt ist, die es unmöglich machen, mit seinen konkreten Forderungen noch so unbefangen umzugehen, als ob es sich dabei fraglos um höchstpersönliche Gebote Gottes handle. Man muß das Gesetz, das den Menschen seiner Sünde überführt, neu bestimmen, man kann nicht voraussetzen, daß man es einfach habe.

Es versteht sich, daß Vertreter der verneinenden Antwort unser Problem selten reflex erörtern – weil diese Antwort in der Regel eine nicht kritisch gewordene Voraussetzung ist. Aber die Auswirkungen sind greifbar. Man

---

[258] Der Kleine Katechismus gehört zu den lutherischen Bekenntnisschriften. Vgl. BSLK 501–541; die Rechtfertigungslehre steckt sachlich in der Auslegung des 2. Artikels des Glaubensbekenntnisses aaO. 511. Im Großen Katechismus (BSLK 545–733) bemerkt Luther mehrfach bei der Behandlung von Details der Rechtfertigungslehre, das sei nichts für Nicht-Spezialisten; vgl. aaO. 565, 14–16; 653, 11–15: Der Artikel, an dem unser ganzes Heil hängt, ist – der 2. Artikel des Glaubensbekenntnisses; kein Wort von «Rechtfertigung»!

[259] Vgl. w.o. S. 845 f; 878 f.

[260] Vgl. w.o. S. 893 f.

[261] Vgl. w.o. S. 876 f.

hält es dann – auf evangelischer wie auf katholischer Seite in gar nicht unähnlicher Weise – für eine erste Hauptaufgabe der kirchlichen Verkündigung, anzuklagen, die Selbstvergötzung des Menschen zu entlarven, auf
kritische Distanz zum Menschen, wie er ist, und zur Gesellschaft, wie sie ist,
zu gehen.[262] Erst dann könne begriffen werden, welche Befreiung der
Glaube zu verkünden hat. Eine ähnliche nicht kritisch gewordene Voraussetzung scheint beim Gesetz vorzuliegen: Man fragt einerseits nicht, woher
man denn an die Überzeugung kommt, es in den ethischen Weisungen des
Alten und Neuen Testamentes mit dem Gebot Gottes zu tun zu haben, und
andererseits ist man sich stillschweigend einig, daß einiges von diesen Weisungen, die Luther (und die katholische Tradition) noch zum Gebot Gottes
zählte, heute nicht mehr dazugezählt werden könne. Wir können das hier
weder näher erörtern noch im einzelnen kritisch würdigen. Nur soviel: Es
kann selbstverständlich gar kein Zweifel sein, daß die christliche Verkündigung anklagen, entlarven, Kritik üben, des Versagens vor dem Gebot Gottes überführen muß. Das Evangelium ist kein «ideologischer Überbau» zur
Kanonisierung der jeweils herrschenden Auffassungen vom Menschen und
vom Leben. Die Frage ist nur: Muß das *vor* der Verkündigung der «Frohen
Botschaft» geschehen? Darf deren Verkündigung, um zu sein, was sie sein
soll, ihr befreiendes Wort auf eine Unheilserfahrung beziehen, die nur und
erst durch eine solche Anklage ins Bewußtsein treten kann?

Es gibt nun die andere Antwort, das müsse nicht so sein, vielmehr sei die
Erfahrung der Sünde erst eine *Folge* des Glaubens an das befreiende Evangelium, die Erfahrung der *Anklage* durch das Gesetz schon ein Akt des
Glaubens. Wenn nun dennoch das Rechtfertigungszeugnis seiner Struktur
gemäß Freispruch und Gnadenzusage bleiben soll, bleibt zu fragen, von
was denn dann befreit, worüber Gnade zugesagt werden soll, wenn man von
Sünde voraussetzungsgemäß noch nichts weiß. Die Antwort: Es ist die
Unheilserfahrung, die der Mensch konkret macht – nicht das kleine Miß-
geschick des Alltags, sondern die Erfahrung radikalen Unheils, das mit seiner Existenz als Mensch zusammenhängt und das man ihm nicht erst anbeweisen muß. Und nun können wir hier nur noch andeuten: *Die* Unheilserfahrung, die heute – in immer neuen Spielarten – den Menschen wirklich
ankommt und die man ihm nicht erst anbeweisen muß, ist die unbeantwor-
tete Frage nach dem Sinn seines Daseins im Ganzen, nach seinem individuellen Daseinssinn und nach dem Sinn seines Daseins unter Mitmenschen.[263]
Zu dieser Erfahrung der unbeantworteten Sinnfrage gehört übrigens selbst-

---

[262] Wegen der seltenen Eindeutigkeit der Formulierung sei wiederum auf D. Schellongs
Attacke gegen das Neue Glaubensbuch verwiesen (s. Anm. 75): vgl. aaO. 711 f; vgl. auch
ders., Vernunft und Offenbarung: Theologie im Widerspruch von Vernunft und Unver-
nunft. Drei Vorträge (Zürich 1971) 34–57. – Man darf gespannt sein, wie der in Vorbereitung befindliche neue lutherische Katechismus in dieser Frage vorgeht.

[263] Exemplarisch dargestellt im Neuen Glaubensbuch (s. Anm. 126) 72–100.

verständlich auch die Erfahrung nicht wiedergutzumachender Schuld – aber eben nicht der *Sünde* als Verschuldung gegenüber Gott. Dies letztere eben deshalb nicht, weil sich bei näherem Zusehen die Sinnfrage als konkrete Frage nach Gott erweist. Auch die Schuld ist ein Element der *Frage* nach Gott – und wird eben deshalb nicht unmittelbar als Sünde erfahren.

Niemand, der nicht auch noch die Sinnfrage, dieses Schicksal des modernen Menschen, für ein Element in jener anklagenswerten Selbstvergötzung des Menschen hält – nämlich für ihre verzweifelte Kehrseite[264] –, wird leugnen wollen, daß das Evangelium auf diese Sinnfrage des Menschen eine Antwort gibt – eine befreiende, mitten in den Rätseln aufatmen lassende Antwort. Aber ist ein so verkündetes Evangelium noch *Rechtfertigungsverkündigung?* Hier muß die Entscheidung fallen: Wir meinen, sie ist es. Und zwar aus einem einfachen Grunde: Das Evangelium beantwortet die als Gottesfrage gestellte Sinnfrage nicht «neutral» mit der Nachricht, daß Gott ist und lebt. Die Antwort ist auf den Menschen bezogen, wie ja auch seine Frage keine «neutrale» Frage ist. Das Evangelium sagt: *Gott nimmt den Menschen an, wie er ist.*

Das aber ist präzis die Rechtfertigungsbotschaft.[265] Denn «wie er ist» – das schließt auch seine Sünde, seinen Widerstand gegen Gott ein. Aber das muß er ja nicht sofort durchschauen. Es genügt vorerst zu wissen, daß er angenommen ist mit *allem*, ausnahmslos allem, was sein Unheil tatsächlich ausmacht. Es scheint, daß unsere Formulierung: Gott nimmt den Menschen an, wie er ist, auf eine formalisierende Abstraktion der reformatorischen Rechtfertigungsbotschaft hinauskommt: Der Ernst der Sünde wird in das blasse «wie er ist» zurückgenommen. In Wahrheit steht es umgekehrt. Das «wie er ist» steht als Kürzel für die gesamte *konkret erlebte* und gar reflektierte und formulierte Unheilserfahrung. Eine Rechtfertigung von einer «Sünde», die nur Lehre, aber nicht erlebtes Unheil ist, muß sich dagegen ins Wesenlose verlieren. Es kann dann allerdings nicht ausbleiben, daß der Mensch, wenn er erst glaubt, auch sein Unheil mit anderen Augen sieht. Wie ihm überhaupt die Augen aufgehen und er die Dinge neu sieht, wenn er an Gott glaubt,[266] so gehen ihm auch die Augen über seine Schuld

---

[264] Schellongs Rezension des Neuen Glaubensbuches beweist, daß auch das möglich ist, aaO. 711. Zur Ehrenrettung der lutherischen Theologie darf aber etwa auf H. Gollwitzer verwiesen werden: Krummes Holz – aufrechter Gang. Zur Frage nach dem Sinn des Lebens (München 1970); vgl. schon H. Gollwitzer/W. Weischedel, Denken und Glauben. Ein Streitgespräch (Stuttgart o. J. [1963]).

[265] Vgl. w. o. S. 849.

[266] «Was ihm [den Menschen] vorher schon zum Fragen antrieb, das erkennt er von hier aus als Folge und Oberflächenerscheinung derjenigen Infragestellung, die ihm in der Konfrontation mit dem ihm jetzt Begegnenden geschieht – und längst schon vorher geschehen ist; denn der, der ihm jetzt entgegentrit, ist von jeher schon, wie er jetzt erkennt, der Geber und zugleich das Gegenüber seiner Existenz wie der ganzen Welt» (H. Gollwitzer: H. Gollwitzer-W. Weischedel aaO. 278).

auf. Mehr noch, jetzt erst kann er seine Schuld überhaupt anerkennen, kann zugeben, daß er nicht der Mensch nach dem Willen Gottes ist, kann sich selbst verantwortlich machen für das Unheil unter den Menschen – weil er es jetzt ohne Verzweiflung tun kann.

Das also ist der Sachgrund, den wir dafür zu sehen meinen, daß man die Rechtfertigung des Sünders heute verkünden darf und sogar muß, ohne von «Rechtfertigung» und «Sünde» (zunächst) zu sprechen. Keine Rede kann davon sein, daß dabei die eigentliche Zuspitzung der Rechtfertigungslehre auf die Sünde verlorenginge. Nur fallen in der heutigen Verkündigungssituation Befreiung von der Sünde und Entlarvung der Sünde – oder kurz: Gnade und Gericht – stärker zusammen, als es in den Formulierungen der Reformation die Regel ist. Diejenigen lutherischen Theologen verantworten heute das Rechtfertigungszeugnis der Reformation am besten, die nicht im reformatorischen Gedankenduktus und in der reformatorischen Terminologie davon sprechen.[267] Auch katholische Theologen müssen ja seit jeher keineswegs in der Denkweise und Terminologie des Trienter Konzils sprechen, um dem Trienter Rechtfertigungsdekret treu zu bleiben.

Der Sachgrund erfährt überraschende historische Bestätigung. Das paulinische Rechtfertigungszeugnis ist, so wie wir es kennen, formuliert für *Christen*. Wie Paulus missionarisch vorgegangen ist, wissen wir nicht. Tatsache ist, daß seine Einschärfung der *Sünde*, soweit sie uns greifbar ist, im *Rückblick* auf eine abgetane Vergangenheit geschieht.[268] Jesus hat *zuerst* geheilt und dann – denen, die sich der Sünde gar nicht angeklagt hatten – gesagt: Deine Sünden sind dir vergeben, geh hin und sündige nicht mehr. Für Luther ist die Sünde *Glaubensgegenstand* und geht in ihrem wahren Unheil erst im Glauben an Christus auf.[269] Die Formel «Gesetz und Evangelium» ist ihm eine Strukturformel zur Beschreibung christlicher Existenz, aber keine homiletische Anweisung: *Gepredigt* hat er immer nur das Evangelium – und das Gesetz nur vom Evangelium umklammert.[270]

Und wenn auch dies eine Bestätigung ist: Die Umkehrung der sachlichen

---

[267] Diese Bemühung verbindet so verschieden denkende Theologen wie etwa G. Ebeling, Das Wesen des christlichen Glaubens (Tübingen 1961) 149–163; ders., Luther (s. Anm. 105) 10, 24, 124, 178–197, 276; U. Kühn, Neues Glaubensbuch (s. Anm. 126) 568–570; D. Sölle, Atheistisch an Gott glauben (s. Anm. 242) 77–96. Daß das Problem inzwischen weltweit im Bewußtsein der lutherischen Christenheit ist, zeigte der diesem Thema gewidmete Kongreß des Lutherischen Weltbundes 1963 in Helsinki. Vgl. die beiden Berichtsbände: E. Wilkens (Hrsg.), Helsinki 1963. Beiträge zum theologischen Gespräch des Lutherischen Weltbundes (Berlin 1964); Offizieller Bericht der Vierten Vollversammlung des LWB, Helsinki 1963, hrsg. vom Lutherischen Weltbund (Berlin 1965).

[268] Vgl. W. Joest, Paulus und das Luthersche simul iustus et peccator (s. Anm. 29); vgl. die Hinweise in Anm. 201.

[269] Belege bei O. H. Pesch, Theol. der Rechtfertigung 83–85.

[270] In der Lutherforschung hat es darum eine kleine Debatte gegeben. Hinweise und Literatur bei O. H. Pesch aaO. 72 Anm. 29.

Reihenfolge von Entlarvung der Sünde und Verkündigung der Vergebung ist seltsam stimmig mit Erfahrungen der Tiefenpsychologie. Nur wem gesagt wird: Du bist angenommen wie du bist; du darfst sein, wie du bist, der ist auch in der Lage, Schuld einzusehen, auf sich zu nehmen und mit ihr zu leben.

Man müßte das Gesagte nun durchexerzieren an den großen Einzelthemen der reformatorischen Rechtfertigungsbotschaft. Denn was für das Ganze gilt, muß auch für das Detail gelten: Jedes der großen Stichworte der Tradition müßte ohne die Vorgabe eines Sündenbewußtseins zu interpretieren sein – und anschließend auf Sünde hinweisen, der der tödliche Stachel durch Gott schon genommen ist. Wir können auch hier nur noch andeuten. Der *Freispruch* von der Sünde wird zur Befreiung von der Last der Sinnsuche: Gott steht bedingungslos für den Menschen gerade, der Mensch braucht sich nicht selber vor Gott aufzubauen. Die *Vergebung* wird zur Annahme des Menschen, wie er ist, zur Chance einer Zuversicht dem Augenschein der Sinnlosigkeit zum Trotz. Die *Buße* wird zur Umkehr von den ungläubigen Perspektiven und Lebensmaximen, die keinen Platz mehr haben können, wenn ernsthaft mit Gottes Wirklichkeit in dieser rätselhaften Welt gerechnet wird, und wie die Buße ist das eine lebenslange Aufgabe, weil der «alte Mensch», der lieber für sich selber haften möchte, statt Sinn zu empfangen, nicht stirbt. Die *Heilsgewißheit* wird zur Gewißheit der rettenden Nähe Gottes, weil Gott als Sinn finden das Heil finden heißt.[271] Aus dem «*simul iustus et peccator*» wird ein «simul fidelis et infidelis», ein Zugleich von Glaube und Unglaube, das mitten durch den Christen hindurchgeht – auch als sehr konkrete Erfahrung –, zugleich den Kampf um eine immer umfassendere Durchdringung von Denken, Fühlen, Handeln mit dem Licht anzeigt, das der Glaube in das Leben des Menschen bringt.[272] Aus dem uns verklagenden *Gesetz* werden die uns quälenden Zwänge – die von Menschenhand schuldhaft herbeigeführten Zwänge! –, die Selbstentfremdung, die «radikale Wo-Frage»,[273] die nicht durch Menschenmacht eine Antwort erhält. Aus der «*Freiheit eines Christenmenschen*» wird das radikale Befreitsein des Menschen von der Sorge um sich selbst und damit die Freiheit, sich selbst ganz in den Dienst der anderen zu stellen. Aus der «Heiligung» wird das neue Handeln des durch den Glauben frei Gewordenen als anziehendes Zeugnis für die das Leben erhellende, die Welt verändernde, die «heilende»

---

[271] Vgl. w.o. S. 876f.

[272] Vgl. J.B.Metz, Der Unglaube als theologisches Problem: Concilium 1 (1965) 484 bis 492, bes. 487–489. Wir akzeptieren in diesem Zusammenhang gern die Einwände, die U.Kühn: ThLZ 93 (1968) 889, und R.Kösters: ZThK 91 (1969) 593f gegen unsere Interpretation des «simul» in Theol. der Rechtfertigung erhoben haben, insbesondere den doppelten Hinweis, daß Thomas hier wohl zu «offen» interpretiert wurde, und daß er keineswegs die Grenze dessen markiert, was von katholischer Seite aus akzeptiert werden kann.

[273] Vgl. G.Ebeling, Wort und Glaube I, 279–293; ders., Luther, 120–156.

Macht des Glaubens – die trotz aller Mühe und partiellen Fortschritte nie an ein Ende kommt, solange die Geschichte dauert: auch dies die jeden theologischen Optimismus unterbindende Botschaft des Rechtfertigungsartikels.

Auch wer die Entscheidungsfrage, von der wir ausgingen, verneint, wird nicht leugnen, daß all dies jedenfalls Konsequenzen geglaubter Rechtfertigung des Sünders sind und sein müssen. Wer die Frage aber bejaht, wird gleichwohl eine andere, traditionsgebundenere Weise der Rechtfertigungspredigt nicht für falsch halten können. Der Gegensatz kommt letztlich auf die Frage nach der richtigen Einschätzung der Verkündigungs- und Verstehenssituation hinaus – denn auch der «konservative» Lutheraner wird es ja weit von sich weisen, die Rechtfertigung als «Gesetz» zu verkünden. Sollten es also nicht beide «Parteien» analog der Regel von Gal 2,7 halten dürfen?

Vor allem aber: Wer in der gekennzeichneten Form zum Glauben kommt, im Glauben lebt und die Welt bewältigt oder auch gegebenenfalls erträgt – wird der das nicht spontan und unbeirrbar für das Entscheidende halten, wenn er in einen Konflikt mit «der Kirche» kommen sollte? Kann ein «Repräsentant» der «Amtskirche», der «Institution», auf Herz und Nieren gefragt, im Ernst sagen, es komme im christlichen Dasein auf etwas anderes an als auf diesen Glauben? Wird das christliche Gewissen nicht spontan widersprechen, wenn er tatsächlich eine andere Auskunft gäbe? Das sind «Fangfragen» – aber sie sind so etwas wie ein Test, daß in *jeder* Kirche, wofern sie sich wirklich als Zeugin des Glaubens versteht, die Rechtfertigungslehre als «articulus stantis et cadentis ecclesiae» in Kraft ist. Auch in der Kirche, die sich auf dem Tridentinum gegen die Reformation entschieden hat.

Also einig in der Rechtfertigungslehre? Theologen können keinen Konsens am Schreibtisch dekretieren. Sie können nur Denkwege aufzeigen und – noch wichtiger – Denkhindernisse zu beseitigen suchen. Das ist nicht wenig, vor allem, wenn man bedenkt, daß Theologen auf dieselbe Weise auch Einheit verhindern können und – wer weiß! – vielleicht oft genug schon getan haben und tun. Aber handeln, bekennen, gemeinsam bekennen müssen die Kirchen als ganze.[274] Und die Voraussetzungen dafür sind zahlreicher als die, mit denen es der Theologe als solcher zu tun hat. Unter diesen Vorzeichen und in diesen Grenzen also noch einmal: Einig in der Rechtfertigungslehre? Wir sagen getrost: Ja!

OTTO HERMANN PESCH

---

[274] Vgl. F. W. Kantzenbach. Lutherforschung als kontroverstheologisches Problem: Lutherische Rundschau 16 (1966) 335–352, hier 352.

BIBLIOGRAPHIE

Vorbemerkung

Die folgende Bibliographie nimmt der Kürze halber nur solche Titel auf, die
1. nicht in den Bibliographien der Kapitel 11 und 13 aufgeführt sind; 2. ihrerseits
reichhaltige weitere Literaturangaben machen; 3. ihr Thema nicht nur unter einem
speziellen Gesichtspunkt, sondern ausführlich oder doch unter mehreren Aspekten
behandeln oder 4., *wenn* sie nur einen speziellen Gesichtspunkt verfolgen, von besonderer Bedeutung für die theologische Diskussion waren oder sind. Auf Titel,
die sich in den Bibliographien von Kapitel 11 und 13 finden, aber im Zusammenhang des vorstehenden Beitrags einer besonderen Erwähnung wert sind, wird
durch die bloße Nennung des Autors verwiesen. Gleiches gilt für Spezialuntersuchungen, die in der (bis 1967 führenden) Bibliographie bei *Pesch*, Theologie der
Rechtfertigung, verzeichnet sind. Neuere Spezialuntersuchungen und nur gelegentlich herangezogene Arbeiten werden hier nicht wiederholt, wenn sie in den
Anmerkungen angegeben sind. Ebenso sind Quellentexte und deren Editionen an
Ort und Stelle in den Anmerkungen verzeichnet.

1. Allgemeines. Lehrbücher

Althaus P., Die christliche Wahrheit. Lehrbuch der Dogmatik (Gütersloh ⁸1969)
596–654.
Auer J., Das Evangelium der Gnade. Die neue Heilsordnung durch die Gnade
Christi in seiner Kirche = Auer J.-Ratzinger J., Kleine katholische Dogmatik V
(Regensburg 1970).
Barth K., Kirchliche Dogmatik IV/1–2 (Zürich ²1960).
Brunner E., Die christliche Lehre von der Kirche, vom Glauben und von der
Vollendung = Dogmatik III (Zürich 1960) 159–376.
Die katholische Glaubenswelt. Wegweisung und Lehre II (Freiburg/Br. ²1960)
350–393.
Elert W., Der christliche Glaube. Grundlinien der lutherischen Dogmatik (Ham-
burg ³1956) 453–494.
Heppe H.-Bizer E., Die Dogmatik der evangelisch-reformierten Kirche. Darge-
stellt und aus den Quellen belegt (Neukirchen 1958) 295–467.
Kinder E., Die evangelische Lehre von der Rechtfertigung. Ausgewählt und ein-
geleitet (Lüneburg 1957).
Lohse B., Epochen der Dogmengeschichte (Stuttgart 1963).
Ott H., Die Antwort des Glaubens (Stuttgart 1972) 277–331.
Ott L., Grundriß der katholischen Dogmatik (Freiburg/Br. ⁴1959) 266–325.
Premm M., Katholische Glaubenskunde. Ein Lehrbuch der Dogmatik IV (Wien
²1958) 1–324.
Schmaus M., Katholische Dogmatik III/2 (München ⁶1965).
– Der Glaube der Kirche. Handbuch der katholischen Dogmatik II (München
1970) 532–657.
Trillhaas W., Dogmatik (Berlin 1962) 385–404.

Weber O., Grundlagen der Dogmatik II (Neukirchen 1962) 190–456.
Ausführliche Lexikonartikel zum Stichwort «Rechtfertigung» in: DThC, LThK, RGG, HThG, Sacramentum Mundi.

2. Rechtfertigungslehre vor der Reformation

Deman Th.-A., Der neue Bund und die Gnade. Kommentar zur Summa Theol. I–II 106–114 = DThA Bd. 14 (Heidelberg 1955).
Horst U., Gesetz und Evangelium. Das Alte Testament in der Theologie des Robert von Melun [und einiger seiner Zeitgenossen] = Veröffentlichungen des Grabmann-Institutes N.F. 13 (München 1972).
Oberman H. A., The Harvest of Medieval Theology. Gabriel Biel and Late Medieval Nominalism (Cambridge [Mass.] 1963), dt.: Spätscholastik und Reformation I: Der Herbst der mittelalterlichen Theologie (Zürich 1965).
– The Shape of Late Medieval Thought: The Birthpangs of the Modern Era: Archiv für Reformationsgeschichte 64 (1973) 13–33.
Pesch O. H., Das Gesetz. Kommentar zur Summa Theologiae I–II 90–105 = DThA Bd. 13 (Heidelberg 1974).
Riesenhuber K., Die Transzendenz der Freiheit zum Guten. Der Wille in der Anthropologie und Metaphysik des Thomas von Aquin = Pullacher Philosophische Forschungen 8 (München 1971).
Schlüter D., Der Wille und das Gute bei Thomas von Aquin: FZPhTh 18 (1971) 88–136.
Vgl. ferner die Bibliographie zu Kap. 11, besonders die Arbeiten von Dettloff und Seckler, und bei Pesch, Theologie der Rechtfertigung (s. u. 5.), Bibliographie, die Arbeiten von Alszeghy, Auer, Bouillard, Chenu, Congar, Flick, Iserloh, Lais, Oeing-Hanhoff.

3. Reformatoren. Reformatorische Theologie

Althaus P., Die Theologie Martin Luthers (Gütersloh [2]1963).
– Die Ethik Martin Luthers (Gütersloh 1965).
Asheim I. (Hrsg.), Kirche, Mystik, Heiligung und das Natürliche bei Luther. Vorträge des Dritten Internationalen Kongresses für Lutherforschung, Järvenpää, Finnland, 11.–16. August 1966 (Göttingen 1967).
Bauer J., Salus Christiana. Die Rechtfertigungslehre in der Geschichte des christlichen Heilsverständnisses. Bd. I: Von der christlichen Antike bis zur Theologie der deutschen Aufklärung (Gütersloh 1968).
Bauer K., Die Wittenberger Universitätstheologie und die Anfänge der Deutschen Reformation (Tübingen 1928).
Bäumer R., Martin Luther und der Papst (Münster 1970).
– (Hrsg.), Lutherprozeß und Lutherbann. Vorgeschichte, Ergebnis, Nachwirkung. Mit Beiträgen von R. Bäumer, E. Iserloh, H. Tüchle (Münster 1972).
Bayer O., Die reformatorische Wende in Luthers Theologie: ZThK 66 (1969) 115–150.
– Promissio. Geschichte der reformatorischen Wende in Luthers Theologie = FKDG 24 (Göttingen 1971).
Beyna W., Das moderne katholische Lutherbild = Koinonia 7 (Essen 1969).

Bizer E., Fides ex auditu. Eine Untersuchung über die Entdeckung der Gerechtigkeit Gottes durch Martin Luther (Neukirchen [3]1966).

Boyer Ch., Luther – Sa doctrine (Rom 1970).

Brandenburg A., Gericht und Evangelium. Zur Worttheologie in Luthers erster
Psalmenvorlesung = Konfessionskundliche und kontroverstheologische Studien 4 (Paderborn 1960).

Brunstäd F., Theologie der lutherischen Bekenntnisschriften (Gütersloh 1951)
73–113.

Demmer D., Lutherus Interpres. Der theologische Neuansatz seiner Römerbrief-
exegese unter besonderer Berücksichtigung Augustins = Untersuchungen zur
Kirchengeschichte 4 (Witten 1968).

Ebeling G., Luther. Einführung in sein Denken (Tübingen [2]1965).

– Lutherstudien I (Tübingen 1971).

– Luther und der Anbruch der Neuzeit: ZThK 69 (1972) 186–213.

Fagerberg H., Die Theologie der lutherischen Bekenntnisschriften von 1529–1537
(Göttingen 1965) 130–168.

Forster K. (Hrsg.), Wandlungen des Lutherbildes = Studien und Berichte der
Katholischen Akademie in Bayern 36 (Würzburg 1966).

Hennig G., Cajetan und Luther. Ein historischer Beitrag zur Begegnung von Thomismus und Reformation = Arbeiten zur Theologie II/7 (Stuttgart 1966).

Hermann R., Luthers These «Gerecht und Sünder zugleich» (1930) (Gütersloh
[2]1960).

– Ges. Studien zur Theologie Luthers und der Reformation (Göttingen 1960).

– Luthers Theologie = Gesammelte und nachgelassene Werke I, hrsg. von
H. Beintker (Göttingen 1967).

Iserloh E., Luther zwischen Reform und Reformation. Der Thesenanschlag fand
nicht statt (Münster [3]1968).

– Gratia und Donum, Rechtfertigung und Heiligung nach Luthers Schrift «Wider
den Löwener Theologen Latomus» (1521): Studien zur Geschichte und Theologie der Reformation (Neukirchen 1969) 141–156.

Joest W., Gesetz und Freiheit. Das Problem des Tertius usus legis bei Luther und
die Neutestamentliche Parainese (Göttingen [3]1961).

– Paulus und das Luthersche simul iustus et peccator: KuD 1 (1955) 269–320.

– Ontologie der Person bei Luther (Göttingen 1967).

Kinder E.-Haendle K. (Hrsg.), Gesetz und Evangelium. Beiträge zur gegenwärtigen theologischen Diskussion = Wege der Forschung 142 (Darmstadt 1968).

Kroeger M., Rechtfertigung und Gesetz. Studien zur Entwicklung der Rechtfertigungslehre beim jungen Luther = FKDG 20 (Göttingen 1968).

Loewenich W. von, Lutherforschung in Deutschland: V. Vajta (Hrsg.), Lutherforschung heute (s. u.) 150–171.

Lohse B. (Hrsg.), Der Durchbruch der reformatorischen Erkenntnis bei Luther =
Wege der Forschung 123 (Darmstadt 1968).

– Das Evangelium von der Rechtfertigung und die Weltverantwortung der
Kirche in der lutherischen Tradition, bei Luther und in der Reformationszeit:
Die Verantwortung der Kirche in der Gesellschaft. Eine Studienarbeit des
Ökumenischen Ausschusses der Vereinigten Evangelisch-Lutherischen Kirche
Deutschlands (Stuttgart 1972) 143–160.

Lortz J., Die Reformation in Deutschland (1939/40) 2 Bde., (Freiburg ⁴1962).

Manns P., Fides absoluta – Fides incarnata. Zur Rechtfertigungslehre Luthers im Großen Galaterkommentar: E.Iserloh-K.Repgen (Hrsg.), Reformata Reformanda I (Münster 1965) 265–312.

Maurer W., Luther und das evangelische Bekenntnis = Kirche und Geschichte Gesammelte Aufsätze I (Göttingen 1970).

Meißinger K.A., Der katholische Luther (München 1952).

Oberman H.A., «Iustitia Christi» and «Iustitia Dei». Luther and the Scholastic Doctrines of Justification: HThR 59 (1966) 1–26; übersetzt und abgedruckt bei Lohse aaO. 413–444.

– Die «Extra»-Dimension in der Theologie Calvins: Geist und Geschichte der Reformation = Arbeiten zur Kirchengeschichte 38 (Berlin 1966) 323–356.

– Wir sein pettler. Hoc est verum. Bund und Gnade in der Theologie des Mittelalters und der Reformation: ZKG 78 (1967) 232–252.

– Wittenbergs Zweifrontenkrieg gegen Prierias und Eck. Hintergrund und Entscheidungen des Jahres 1518: ZKG 80 (1969) 331–358.

Olivier D., Le procès Luther 1517–1521 (Paris 1971), dt.: Der Fall Luther. Geschichte einer Verurteilung, 1517–1521 (Stuttgart 1972).

Olsson H., Schöpfung, Vernunft und Gesetz in Luthers Theologie (Uppsala 1971).

Pesch O.H., Zur Frage nach Luthers reformatorischer Wende. Ergebnisse und Probleme der Diskussion um Ernst Bizer, Fides ex auditu: Cath 20 (1966) 216–243, 264–280 (Abdruck bei Lohse aaO. 445–505).

Preus J.S., From Shadow to Promise. Old Testament Interpretation from Augustine to the Young Luther (Cambridge [Mass.] 1969).

Rückert H., Vorträge und Aufsätze zur historischen Theologie (Tübingen 1972).

Schlink E., Theologie der lutherischen Bekenntnisschriften (München ³1948) 105–198.

Stauffer R., Die Entdeckung Luthers im Katholizismus. Die Entwicklung der katholischen Lutherforschung seit 1904 bis zu Vatikan II = Theologische Studien 96 (Zürich 1968).

Vajta V. (Hrsg.), Lutherforschung heute. Referate und Berichte des 1. internationalen Lutherforschungskongresses, Aarhus, 18.–23.8.1956 (Berlin 1958).

– Luther und Melanchthon. Referate und Berichte des 2. internationalen Kongresses für Lutherforschung, Münster, 8.–13.8.1960 (Göttingen 1961).

Vgl. bei Pesch, Theologie der Rechtfertigung (s.u. 5.), Bibliographie, die Arbeiten von Andersen, Beintker, Bornkamm, Brandenburg, Bring, Gogarten, Grane, Hägglund, Hirsch, Holl, Iserloh, Iwand, Kantzenbach, Köberle, Link, Lortz, Lohse, Modalsli, Pinomaa, Schloenbach, Schwarz, Seils.

4. Trienter Konzil. Nachtridentinische Theologie

Becker K.J., Die Rechtfertigungslehre nach Domingo de Soto. Das Denken eines Konzilsteilnehmers vor, in und nach Trient = AnGr 156 (B 49) (Rom 1967).

Hasler A., Luther in der katholischen Dogmatik. Darstellung seiner Rechtfertigungslehre in den katholischen Dogmatikbüchern = Beiträge zur ökumenischen Theologie 2 (München 1968).

Jedin H., Geschichte des Konzils von Trient II (Freiburg/Br. 1957).
– Wo sah die vortridentinische Kirche die Lehrdifferenzen mit Luther?: Cath 21 (1967) 85–100.
Oberman H. A., Das tridentinische Rechtfertigungsdekret im Lichte spätmittelalterlicher Theologie: ZThK 61 (1964) 251–282.
Rückert H., Die Rechtfertigungslehre auf dem Tridentinischen Konzil (Bonn 1925).
– Promereri. Eine Studie zum tridentinischen Rechtfertigungsdekret als Antwort an H. A. Oberman: ZThK 68 (1971) 162–194, jetzt: Vorträge (s. o. 3.) 264–294.
Schillebeeckx E., Das tridentinische Rechtfertigungsdekret in neuer Sicht: Concilium 1 (1965) 425–454.
Stakemeier A., Das Konzil von Trient über die Heilsgewißheit (Heidelberg 1947).
Stakemeier E., Glaube und Rechtfertigung. Das Mysterium der christlichen Rechtfertigung aus dem Glauben, dargestellt nach den Verhandlungen und Lehrbestimmungen des Konzils von Trient (Freiburg/Br. 1937).
– Der Kampf um Augustin auf dem Tridentinum. Augustinus und die Augustiner auf dem Tridentinum (Paderborn 1937).

Vgl. ferner in der Bibliographie zu Kapitel 13 die Arbeit von Mühlen.

5. Systematische Reflexion. Evangelisch-katholische Diskussion

Althaus P., Gebot und Gesetz. Zum Thema «Gesetz und Evangelium» (Gütersloh 1952).
– Paulus und Luther über den Menschen. Ein Vergleich (Gütersloh ³1958).
Barth K., Evangelium und Gesetz = ThEx N. F. 50 (München ²1965).
Bavaud G., Luther, Commentateur de l'Epître aux Romains: RThPh 20 (1970) 240–261.
– La doctrine de la justification d'après Calvin et le Concile de Trente. Une conciliation est-elle possible?: Verbum caro 22 (1968) n. 87, 83–92.
Beer Th., Die Ausgangspositionen der lutherischen und der katholischen Lehre von der Rechtfertigung: Cath 21 (1967) 222–251.
Bogdahn M., Die Rechtfertigungslehre Luthers im Urteil der neueren katholischen Theologie = Kirche und Konfession 17 (Göttingen 1971).
Brandenburg A., Martin Luther gegenwärtig. Katholische Lutherstudien (Paderborn 1967).
Brunner P., Die Rechtfertigungslehre des Konzils von Trient: E. Schlink-H. Volk (Hrsg.), Pro veritate. Ein theologischer Dialog (Münster 1963) 59–96.
– Reform – Reformation, Einst – Heute. Elemente eines ökumenischen Dialogs im 450. Gedächtnisjahr von Luthers Ablaßthesen: KuD 13 (1967) 159–183.
Ebeling G., Das Wesen des christlichen Glaubens (Tübingen 1959).
– Wort und Glaube I (Tübingen ²1962), II (Tübingen 1969).
– Wort Gottes und Tradition. Studien zu einer Hermeneutik der Konfessionen (Göttingen 1964).
Feiner J.-Vischer L. (Hrsg.), Neues Glaubensbuch. Der gemeinsame christliche Glaube (Freiburg/Br. 1973).

Gloege G., Die Rechtfertigungslehre als hermeneutische Kategorie: ThLZ 89 (1964) 161–174.

– Die Grundfrage der Reformation – heute: KuD 12 (1966) 1–13.

Hacker P., Das Ich im Glauben bei Martin Luther (Graz 1966).

Joest W., Die tridentinische Rechtfertigungslehre: KuD 9 (1963) 41–69.

Köster R., Luthers These «Gerecht und Sünder zugleich». Zu dem gleichnamigen Buch von Rudolf Hermann: Cath 18 (1964) 48–77, 193–217; 19 (1965) 138–162, 171–185.

Kühn U., Natur und Gnade in der deutschen katholischen Theologie seit 1918 (Berlin 1961).

– Via caritatis. Theologie des Gesetzes bei Thomas von Aquin (Göttingen 1965).

– Ist Luther Anlaß zum Wandel des katholischen Selbstverständnisses? Zur jüngsten Phase katholischer Bemühung um Luther: ThLZ 93 (1968) 881–898.

Küng H., Rechtfertigung. Die Lehre Karl Barths und eine katholische Besinnung (Einsiedeln ⁴1964).

– Zur Diskussion um die Rechtfertigung: ThQ 143 (1963) 129–135.

– Katholische Besinnung auf Luthers Rechtfertigungslehre heute: Theologie im Wandel. Festschrift zum 150jährigen Bestehen der katholisch-theologischen Fakultät an der Universität Tübingen 1817–1967 (München 1967) 449–468.

Lackmann M., Katholische Einheit und Augsburger Konfession (Graz 1959).

Loewenich W. von, Der moderne Katholizismus (Witten ²1956).

Manns P., Lutherforschung heute. Krise und Aufbruch (Wiesbaden 1967).

Maron G., Kirche und Rechtfertigung. Eine kontroverstheologische Untersuchung, ausgehend von den Texten des Zweiten Vatikanischen Konzils = Kirche und Konfession 15 (Göttingen 1969).

McSorley H.J., Luthers Lehre vom unfreien Willen nach seiner Hauptschrift De Servo Arbitrio im Lichte der biblischen und kirchlichen Tradition = Beiträge zur Ökumenischen Theologie 1 (München 1967).

Mühlen H., Das Vorverständnis von Person und die evangelisch-katholische Differenz: Cath 18 (1964) 108–142.

Offizieller Bericht der Vierten Vollversammlung des LWB, Helsinki 1963, hrsg. vom Lutherischen Weltbund (Berlin 1965).

Pesch O.H., Freiheitsbegriff und Freiheitslehre bei Thomas von Aquin und Luther: Cath 16 (1962) 304–316.

– Theologie der Rechtfertigung bei Martin Luther und Thomas von Aquin. Versuch eines systematisch-theologischen Dialogs = Walberberger Studien, Theol. Reihe 4 (Mainz 1967) – in der Bibl. weitere Titel vom gleichen Vf. bis 1966.

– Existentielle und sapientiale Theologie. Hermeneutische Erwägungen zur systematisch-theologischen Konfrontation zwischen Luther und Thomas von Aquin: ThLZ 92 (1967) 731–742.

– Luthers theologisches Denken – eine katholische Möglichkeit?: Die neue Ordnung 23 (1969) 1–19.

– Die Frage nach Gott bei Thomas von Aquin und Martin Luther: Luther, 1970 Heft 1, 1–25; Die neue Ordnung 24 (1970) 1–20.

– Ketzerfürst und Kirchenlehrer. Wege katholischer Begegnung mit Martin Luther = Calwer Hefte 114 (Stuttgart 1971).

Peters A., Glaube und Werk. Luthers Rechtfertigungslehre im Lichte der Heiligen Schrift (Berlin 1962).

– Reformatorische Rechtfertigungsbotschaft zwischen tridentinischer Rechtfertigungslehre und gegenwärtigem evangelischem Verständnis der Rechtfertigung: Lutherjahrbuch 31 (1964) 77–128.

Pfnür V., Einig in der Rechtfertigungslehre? Die Rechtfertigungslehre der Confessio Augustana (1530) und die Stellungnahme der katholischen Kontroverstheologie zwischen 1530 und 1535 (Wiesbaden 1970).

Pfürtner St., Luther und Thomas im Gespräch. Unser Heil zwischen Gewißheit und Gefährdung (Heidelberg 1961).

Rahner K., Schriften zur Theologie, bisher 11 Bde. (Einsiedeln 1954–73).

Schellong D., Polemische Gedanken beim Lesen des ökumenischen «Neuen Glaubensbuches»: Junge Kirche 34 (1973) 710–715.

Schützeichel H., Die Glaubenstheologie Calvins = Beiträge zur ökumenischen Theologie 9 (München 1972).

Söhngen G., Gesetz und Evangelium, ihre analoge Einheit, theologisch, philosophisch, staatsbürgerlich (Freiburg/Br. 1957).

– Gesetz und Evangelium: Cath 14 (1960) 81–105.

Steck K. G. (Hrsg. und Einl.), Luther für Katholiken (München 1969).

Vorster H., Das Freiheitsverständnis bei Thomas von Aquin und Martin Luther = Kirche und Konfession 8 (Göttingen 1965).

Wilkens E. (Hrsg.), Helsinki 1963. Beiträge zum theologischen Gespräch des Lutherischen Weltbundes (Berlin 1964).

Wolf E., Peregrinatio I (München ²1962), II (München 1965).

Vgl. ferner bei Pesch, Theologie der Rechtfertigung, Bibliographie, die Arbeiten von Asmussen, Bellucci, Bläser, Congar, Dantine, Fries, Gerest, Gherardini, Kinder, Lau, Moeller, Mouroux, Pannenberg, Stählin und Volk.

13. KAPITEL

DAS NEUE SEIN DES MENSCHEN IN CHRISTUS

EINLEITUNG UND METHODISCHE VORBEMERKUNGEN

Nach der Darstellung der geschichtlichen Entwicklung der Gnadentheologie (Kapitel 11) ist in diesem Kapitel die Frage zu beantworten: Wie ist in der Theologie das Mysterium der Gnade den Menschen unserer Zeit darzubieten? Wir klammern im Versuch einer Antwort jene Fragen aus, die bereits im vorausgehenden Kapitel besprochen wurden. Gnade wurde dort als Geschehen der Erwählung, der Rechtfertigung und der Heiligung des Menschen beschrieben. Nun fragen wir abschließend: Was besagt Gnade als neues Sein des Menschen in Christus?

Wir halten uns im folgenden nicht an die scholastische Methode, sondern verwenden Kategorien und Denkmodelle, die heute im Westen gebräuchlicher sind, um die menschliche Existenz und Tätigkeit zu beschreiben. Wir sind uns dabei der Verständigungsschwierigkeiten bewußt, die unsere Methode in einer immer enger werdenden Welt für unsere Brüder in Asien, Afrika und anderen Teilen der Welt mit sich bringt. Die Scholastik mochte zwar den Eindruck erwecken, sie sei eine universale, im Westen wie im Osten gültige Theologie. Und doch war sie so westlich wie die unsere. Unsere Darlegung wird sich also in erster Linie mit einer Problematik befassen, wie sie sich im Westen stellt. Wir glauben indes, daß das «allgemein Menschliche» unserer Methode auch im Orient und in Afrika irgendwie ansprechen kann und daß unsere Glaubensbrüder auf diesen Kontinenten daraus Anregungen schöpfen können, um selbst eine Theologie auszuarbeiten, die ihrem Denkklima und ihren religiösen Anliegen entspricht.

Eine zweite Vorbemerkung: Unsere Darstellung folgt nicht unbedingt der Struktur, den Einteilungen und klassischen Themen der theologischen Handbücher über die Gnade. Im dogmengeschichtlichen Kapitel haben wir unsere Reserven gegenüber der in den letzten Jahrhunderten vorherrschenden Schultradition in der Gnadentheologie dargelegt. Darüber hinaus ist zu sagen, daß katholische Autoren oft ein falsches Verständnis der Dogmen-

entwicklung voraussetzen, indem sie diese einfach als harmonische, organische Entwicklung konzipieren, die von einer zentralen «Idee» ausgeht.
So hat es J. H. Newman nicht gemeint![1] Man vergißt dabei, daß es in der
Dogmenentwicklung auch zu fast krebshaften Auswüchsen, zu Regressionen, zu Verschiebungen der Perspektive und so zu fragwürdigen Auffassungen kommen kann.[2] Entsprechend dem Grundsatz der «Ecclesia semper
reformanda» muß man annehmen, daß sich die lebendige Überlieferung der
Kirche durch eine beständige Rückkehr zu ihrer Quelle, zur Heiligen
Schrift, erneuern muß. Sie bedarf auch der Konfrontation mit der Glaubenserfahrung der Vergangenheit und der Gegenwart, mit den Anschauungen anderer christlicher Kirchen, ja selbst mit der echten religiösen Erfahrung der andern Religionen und mit der Erfahrung des Transzendenten und
Humanen, die sogar bei Atheisten besteht. Die Geschichte der Entwicklung
der Gnadenlehre dokumentiert eindrücklich das Wechselspiel verschiedener
Tendenzen und Anliegen. Sie ist eine Geschichte von Verdunkelungen und
Regressionen, aber auch eine Geschichte von echten Erneuerungen.

  Unsere *Methode* beruht auf einem wichtigen Interpretationsprinzip, das von
verschiedenen Seiten her besehen werden kann. Wenn Gott eine Kreatur
«retten» will, wird er sie so retten, wie er sie geschaffen hat. In diesem Sinn
konnte Franz von Sales sagen: «Je mehr die Gnade uns vergöttlicht, desto
mehr vermenschlicht sie uns.» Diese Formulierung ist aussagekräftiger als
das klassische Axiom «gratia supponit naturam», das zu sehr die Unterscheidung von Natur und Gnade hervorhebt. Das Heil, das sich durch die
Gnade verwirklicht, muß unser Menschsein läutern und intensivieren. Wenn
Gnade etwas zerstört, dann nur das, was unser Menschsein gefährdet: das
Übel und die Sünde. Anders ausgedrückt: Je intensiver unsere Vermenschlichung ist, desto radikaler ist unsere Vergöttlichung, und je totaler unsere
Vergöttlichung ist, desto tiefgreifender wird auch unsere Vermenschlichung
sein.[3]

  Manche, auch moderne Christen wehren sich gegen diese Formulierungen, weil sie in einem gewissen Jansenismus aufgewachsen sind und geradezu einen Trennungsstrich zwischen der reinen Natur und der Gnade ziehen.
Und doch geht es hier nicht bloß darum, die Beziehungen zwischen Gott
und dem Menschen richtig zu denken,[4] sondern es geht auch um ein pastorales Anliegen. Im 11. Kapitel haben wir öfters auf das Dilemma hingewie-

[1] Vgl. N. Lash, Change in Focus. A Study of Doctrinal Change and Continuity (London
1973) 83–96.

[2] Ebd. 35 f und 143–182.

[3] P. Schoonenberg in einer ersten, nicht übersetzten Skizze seiner Christologie: De
mensgeworden Zoon van God: Het Geloof van ons Doopsel II (s'Hertogenbosch 1958)
232–235 und 250–255.

[4] Dies ist der Leitgedanke des Buches von P. Schoonenberg, Ein Gott der Menschen
(Zürich 1969).

sen, das sich dem westlichen Denken in der Gnadentheologie stellt: Muß
man in dem Maß, als man sich für den Menschen entscheidet, Gott aus dem
Spiel lassen, und umgekehrt: Bedeutet die Entscheidung für Gott Preisgabe des Menschen? Viele Menschen unserer Zeit, mögen sie innerhalb oder
außerhalb der Kirche stehen, vertreten die zweite Auffassung. Nietzsche
wie Kierkegaard haben dies behauptet.[5] Die humanistischen Marxisten, die
doch für den Dialog mit den Christen aufgeschlossen sind, weigern sich aus
Liebe zum Menschen, ihren Atheismus aufzugeben.[6] Das Postulat der
«Säkularisierung» gründet, zumindest in manchen unbedachten Interpretationen, auf der gleichen Voraussetzung: Der Mensch kann nur in einem
«Christsein ohne Religion» zur Emanzipation gelangen und seine fundamentale Würde bewahren. Die westliche Kultur lebt in einem Denkklima,
in dem die religiösen Werte suspekt sind.[7] Wir können hier nicht den Ursprung, die Motive und die Formen des Mißtrauens gegen alles, was «religiös» ist und von Gott kommt, analysieren. Doch sehen wir in der Entwicklung der Gnadentheologie nach dem Konzil von Trient, zumindest bei
den Gläubigen, einen der Hauptgründe dafür. Entgegen den Absichten der
ersten Theologen der molinistischen Schule hat diese Entwicklung zu einer
Entmenschlichung der Gnade geführt. Eine massive Rückkehr zu einem
abstrakten Supranaturalismus kann die tiefgründige Indifferenz und das
Mißtrauen gegenüber allem, was von Gott kommt, nur noch verstärken.
Und der verbrämte Fundamentalismus, der in gewissen pentekostalischen
und mystischen Strömungen der jüngsten Zeit zu finden ist, vermag nur
vorläufig ein kurzlebiges emotionales Alibi zu verschaffen. Die wirklichen
Probleme werden durch ihn nicht gelöst.

Darum geht es uns in diesem Kapitel um ein grundlegend *anthropologisches*
Anliegen, dem eine ökumenische Bedeutung im weitesten Sinn zukommt.
Christen und Atheisten, Katholiken, Protestanten und Orthodoxe können

---

[5] Vgl. G. Siegmund, Nietzsches Kunde vom «Tode Gottes» (Berlin 1964) und die Bemerkung von K.F. Reinhardt zu Kierkegaard: «Man leaps into a nothingness in which
the abyss of sin becomes the abyss of faith. As long as you despair, you sink; as soon as
you believe, you are carried by the power of God... The weaker a man is, the stronger is
God in him, and the stronger a man is, the weaker is God in him»: The Existentialist
Revolt (New York 1952) 57. Dagegen wendet sich Bonhoeffer: «...ich möchte von Gott
nicht an den Grenzen, sondern in der Mitte, nicht in den Schwächen, sondern in der Kraft,
nicht also bei Tod und Schuld, sondern im Leben und im Guten des Menschen sprechen...
Gott ist mitten in unserm Leben jenseitig. Die Kirche steht nicht dort, wo das mensch-
liche Leben versagt, an den Grenzen, sondern mitten im Dorf»: Widerstand und Ergebung.
Neuausgabe (München 1970) 307f.

[6] V. Gardavský, Gott ist nicht ganz tot (München ²1969) 165–236.

[7] Der Psychiater und Psychologiehistoriker J.H. van de Berg behauptet, er begegne in
seiner psychotherapeutischen Praxis immer mehr Fällen, in denen der gesellschaftliche
Druck, der Gott zu eliminieren sucht, die Ursache einer Neurose ist: Wat is psycho-
therapie? (Nijkerk 1970) 39ff.

sich heute im Einsatz gegen die Gefahren, die das Menschsein bedrohen, zusammenfinden.[8] Vor allem aber möchten wir aufzeigen, daß der Entscheid zwischen Gott und dem Menschen ein falsches Dilemma und eine gefährliche Illusion ist, die unsere westliche Zivilisation gerade in ihren höchsten Errungenschaften bedroht.[9] Selbstverständlich ließe sich eine theologische Gesamtschau der Gnade von anderen Gesichtspunkten her aufbauen. Die Theologie ist aber zutiefst Dienst am Wort und richtet sich vor allem an die Zeitgenossen. Man mache sich keine Illusionen: Es gibt in der Christenheit nur noch eine kleine Minderheit, die sich für die Mysterien der göttlichen Gnade interessiert, wenn wir von denen absehen, für die die «Gnadenlehre» eine Ideologie ist, die dazu dient, sich von den andern Christen entschieden abzusetzen und das Bedürfnis nach soziologischer Identität zu stillen.[10] Wir versuchen deshalb, die Sprache unserer Zeit zu sprechen, ungeachtet der Gefahr, daß einzelne finden, eine solche Theologie sei nicht «wissenschaftlich» genug.

Das Grundprinzip unserer Methode zwingt uns zu einer anthropologischen Interpretation der Gnade. Wir gründen sie auf eine Sicht der menschlichen Existenz, wonach *der Mensch nur innerhalb der Begegnung mit den andern seine Vollkommenheit erreicht und sich selbst zu verwirklichen vermag.* In der Betonung der «horizontalen» Dimensionen des Menschen lassen wir uns nicht einfach von einer Säkularisierungstendenz treiben, obwohl diese Ideenströmung uns zweifellos auf die Fortschritte der anthropologischen Wissenschaften aufmerksam gemacht hat. Ein Großteil dieser Wissenschaften befaßt sich mit den Fragen der Gemeinschaftsbezogenheit des Menschen. Die Biologie entdeckt, daß der Mensch das einzige große Säugetier ist, das fast ohne innere Programmierung auf die Welt kommt. Er muß sie von der Gesellschaft erhalten.[11] Die neue Wissenschaft der Ethologie zeigt, wie wichtig die Gruppe für die psychologische Reifung des Tieres ist.[12] Die verschiedenen Formen der Psychoanalyse gehen vom Grundsatz aus, daß der Mensch von der Empfängnis an in seiner Weiterentwicklung in hohem Maß

[8] E. Schillebeeckx, Das Korrelationskriterium. Christliche Antwort auf eine menschliche Frage?: Glaubensinterpretation (Mainz 1971) 83–109.

[9] P. Schoonenberg, Ein Gott der Menschen (Anm. 4) 9–51. Es ist interessant, die These Schoonenbergs mit J. Oman, Grace and Personality (Cambridge 1917) zu vergleichen. Dieser entdeckt das gleiche westliche Dilemma, doch aufgrund der westlichen Theologie des 19. Jh.s, d.h. das Dilemma zwischen dem abstrakten, allwissenden und allmächtigen Gott und dem Menschen, der nur in der sittlichen Autonomie zu wahrer Sittlichkeit gelangen kann.

[10] J.-P. Deconchy, L'orthodoxie religieuse. Essai de logique psycho-sociale (Paris 1971).

[11] A. Portmann, Zoologie und das neue Bild des Menschen (Hamburg 1956); ders., Biologische Fragmente zu einer Lehre vom Menschen (Basel ²1961); ders., Biologie und Geist (Zürich ²1973).

[12] Wir denken an das Werk der Wissenschaftler, die 1973 den Nobelpreis der Medizin erhalten haben: K. von Frisch, K. Lorenz und N. Tinbergen.

von den Beziehungen zu den Eltern und zu seiner Umwelt abhängt. Der
Aufschwung der Soziologie, den wir heute erleben, wäre undenkbar ohne
die Überzeugung, daß die Gesellschaft im menschlichen Verhalten eine einzigartige Rolle spielt. Man denke ferner an Philosophen wie M. Buber, G.
Marcel und vor allem E. Lévinas, für die der Hominisationsprozeß notwendig mit der Beziehung zum Mitmenschen einsetzt.[13]

Das menschliche Dasein vollzieht sich in einer doppelten Dimension: es
ist sowohl personal wie gemeinschaftsbezogen.[14] Wir glauben auch, daß der
Mensch eine lebendige Einheit von Person und Leib ist – zwei Wesens-
dimensionen, die voneinander unterschieden und doch untrennbar sind.[15]
Indem wir diese beiden Grundgegebenheiten miteinander verbinden, fol-
gern wir, daß man vom Menschen und seinem Dasein nicht sprechen kann,
ohne dabei die Probleme der interpersonalen Kommunikation zu berücksichtigen, die mit unserer leiblichen, gemeinschaftsbezogenen Existenz gegeben sind. Als Kommunikationsmittel dienen die Sprache im weitesten
Sinn,[16] die Verhaltensmuster (patterns of behaviour), welche die Sprache unseres Tuns und unserer Freiheit sind und somit den gleichen Gesetzen gehorchen, sowie die Gesellschaftsstrukturen.[17]

Eine rein geistige Gnadenlehre, an die uns die westliche Theologie gewöhnt hat, und erst recht eine individualistische Gnadenlehre, ist durch und
durch falsch. Die menschliche Existenz wird von Grund auf durch die drei
grundlegenden Beziehungen strukturiert, die bei aller Unterschiedenheit
einander tragen: mein Dasein und Gott, mein Dasein und die andern, mein
Dasein und die Welt, die Verlängerung meines Leibes. Eine dieser drei
Beziehungen aufgeben, heißt die beiden andern verstümmeln und verfälschen. Eine Gnadenlehre, die sich weigerte, diese drei Grundbeziehungen
in ein kohärentes Ganzes zu integrieren, bliebe irrelevant. Wir haben bereits
gesagt, auf welchen wissenschaftlichen Grundlagen diese Sicht des menschlichen Daseins beruht. Sie wird uns durch die Entwicklung unseres geschichtlichen Daseins in der Welt geradezu aufgezwungen. Der Mensch
verspürt heute mehr als früher seine Einsamkeit, seine innere Leere, seine
tiefe Selbstentfremdung, weil er seinen Gott verloren hat. Er hat die Fähig-
keit zur echten Begegnung mit dem andern weitgehend eingebüßt. Er ist
drauf und dran, die Welt, in der er lebt, zu zerstören mit dem Ergebnis, daß

---

[13] E. Lévinas, Totalité et Infini. Essai sur l'exteriorité (La Haye 1961).
[14] MS II, 751–786.
[15] MS II, 584–636.
[16] MS II, 657–706.
[17] P. Fransen, Grace and Freedom: J. C. Murray (Hrsg.), Freedom and Man (New York
1965) 31–69; ders., Grace, Theologizing and Humanizing of Man. Proceedings of the
Twenty-Seventh Annual Convention of the Catholic Theological Society of America 27
(Bronx N. Y. 1973) 55–84.

sich diese Welt gegen ihn wendet und immer mehr zu einer unwohnlichen, verschmutzten und bedrohenden Welt wird.

In Form einer Schlußfolgerung möchten wir ein weiteres Leitprinzip für unsere theologische Reflexion aufstellen: *Was sich nicht irgendwie in unsere menschliche Erfahrung integrieren läßt, ist für die Theologie bedeutungslos.* Dieses Prinzip scheint von zwei Seiten, von oben und von unten her, anfechtbar zu sein. Es ist wahr, daß wir Gott in seiner ihm eigenen Herrlichkeit nicht unmittelbar erfahren, und daß deshalb der lebendige Ursprung der Gnade nicht Gegenstand menschlicher Erfahrung sein kann. Wir stehen zur biblischen und östlichen Überlieferung, wonach man Gott nicht in seinem Ansichsein zu erkennen vermag. Aber man muß dabei doch bedenken, daß dieser Gott ein lebendiger Gott ist, der sich an lebendige Wesen richtet, und daß somit das Heil, um wirklich Heil des Menschen zu sein, sich in irgendeiner Form als Erfahrung der Befreiung in Liebe und Gemeinschaft zu erkennen geben muß. In den Tiefen unseres Menschseins gibt es auch das Mysterium des Bösen, der Sünde und des Leides. Es geht nicht an, die hier anstehenden Probleme dadurch zu lösen, daß man sie durch eine manichäische oder durch eine mehr oder weniger platonisierende Gnadentheologie wegdisputiert. Die Botschaft der Gnade ist eine Botschaft der Liebe, aber auch eine Botschaft des Kreuzes, der Verurteilung unserer Selbstherrlichkeit. Sie ist so ein Anruf zur Bekehrung. Dies ist geradezu die Herzmitte der Botschaft von der Gnade bei den Synoptikern. Die Erfahrung des Bösen, der Sünde und des Leides läßt sich von der Erlösungsbotschaft nicht trennen.

DIE GRUNDSTRUKTUREN DES NEUEN SEINS

1. Hauptperspektiven

a. Gottes Gnädigkeit

Nach der Schrift bedeutet «Gnade» in erster Linie Gott selbst, der sich in liebendem Erbarmen dem Menschen zuwendet. Der Begriff der «geschaffenen Gnade», der sich dem Katholiken zunächst von seinem Katechismus her aufdrängt, muß demgegenüber auf seine untergeordnete, interpretative Rolle verwiesen werden. Dem heutigen Theologen stellt sich die dringende Aufgabe, diese semantische «Bekehrung» in der Gnadentheologie voranzutreiben. Einzelne Theologen hüten sich sogar, das Wort «Gnade» zu verwenden, um nicht mißverstanden zu werden. In der deutschen und holländischen Sprache ist es möglich, den Wortstamm «Gnade» beizubehalten, indem man den damit verwandten Begriff «Gnädigkeit Gottes» gebraucht, der den persönlichen, dynamischen Aspekt der Gnade deutlicher zum Ausdruck bringt.

b. Theologische Modelle

Die modernen Natur- und Humanwissenschaften verwenden heute sowohl für die wissenschaftliche Erforschung wie für die Deutung physischer oder menschlicher Phänomene gern «Modelle».[18] Das Modell besitzt gegenüber der mehr theoretischen oder begrifflichen «Arbeitshypothese» den Vorzug, eine symbolische Funktionalität zu enthalten, die den Reichtümern der Wirklichkeit gegenüber offener bleibt, weil sie einprägsamer ist. Ein treffendes Modell läßt zudem an ein ganzes Strukturengefüge denken, worin die untersuchten Phänomene einander halten und tragen. In diesem Punkt übertrifft das Modell die enger begrenzte Funktionalität des bloßen Sinnbildes. Es geht in der Gnadentheologie also darum, Modelle ausfindig zu machen, die für die Wirklichkeit am offensten sind und Geist und Sinn der Menschen unserer Zeit am stärksten ansprechen.

Wichtige Ansatzpunkte in dieser Richtung finden sich im Alten und im Neuen Testament. Wir denken an die klassischen Modelle der Einwohnung, die sich mit dem Bild des Tempels oder der göttlichen «shekinah» verbindet, der Vergöttlichung, der Annahme an Kindes Statt usw. Augustin und

---

[18] M.McLair, On Theological Models: HThR 62 (1969) 155–188; E.Leppin, Denkmodelle des Glaubens: ZThK 16 (1969) 210–244; Th.Shanin (Hrsg.), The Rules of the Game: Cross-disciplinary Essays on Models in Scholarly Thought (London 1972); G.D. Kaufmann, God the Problem (Cambridge, Mass. 1972).

die Scholastiker haben oft das aktualistische Modell der «Bewegung durch
Gott» mit dem entsprechenden geschaffenen Gegenstück, dem «auxilium
internum», verwendet. Die Mystik hat sich öfters auf die konkrete Person
Jesu als Bild der Gnade des Vaters bezogen, zuweilen unter dem Modell
der geistlichen Ehe. Gegenüber kritischen Einwänden, die J. A. T. Robinson
gegen eine räumliche Vorstellung Gottes als «up there» oder dann «out
there» erhoben hat, erinnern wir daran, daß der Mensch ohne ein Raumschema nicht zu denken vermag. Robinson legt sich übrigens recht unkritisch ein anderes Raumschema zu, das er von Paul Tillich übernimmt: «Gott
als Tiefe des Seins.» Wir kommen somit nicht gänzlich um Modelle herum,
die symbolische Raumvorstellungen enthalten. Es geht für uns darum, aus
dem großen Reichtum der Überlieferung diejenigen Modelle herauszugrei-
fen, die uns heute am besten entsprechen.

c. Die lebendige und schöpferische Gegenwart Gottes

In der heutigen Übergangsepoche ist es unseres Erachtens schwierig, einem
ganz bestimmten Modell den Vorzug zu geben, weil die für die Gnade grundlegenden Wirklichkeiten, die Mysterien der Trinität und der Inkarnation,
eine theologische Verfinsterung durchmachen, die eine eindeutige Orientierung verbietet. Es ist schwieriger als zuvor, die religiöse und theologische
Sprache auf die religiöse Mentalität unserer Zeit abzustimmen, die durch
den säkularisierenden Sog der westlichen Kultur verunsichert worden ist.
Unseres Erachtens entspricht der heutigen Zeit am ehesten das «Präsenz»-
Modell. Es bringt die Reflexion endgültig in eine personalistische Richtung
und läßt die Möglichkeit, verschiedene Raumschemata zu verwenden, offen.
Wir können ja ebensogut von Präsenz reden in der Begegnung mit dem
lebendigen Gott wie in seiner Immanenz zutiefst in uns: Gott vor uns wie
Gott in der Tiefe unseres Herzens. Gleichzeitig ist es ein höchst religiöses
Modell, das den Geist für das Gebet, den lebendigen Ausdruck unseres
Glaubens, aufschließt. Es darf freilich nicht exklusiv verwendet werden.
Wie jede sinnbildliche Funktion ist es durch andere Modelle zu korrigieren
und zu transzendieren. Aber theologisch erscheint es uns als ein einfaches,
sinnreiches Modell, das eine theologische Erneuerung ohne Bruch mit der
Vergangenheit ermöglicht. Wir ziehen es dem statischeren Modell der Einwohnung vor, das in den Handbüchern zumeist dominiert. Zusammenfassend ist zu sagen: Der Primat des lebendigen Gottes als der «ungeschaffenen
Gnade» muß so hervorgehoben werden, daß alles, was als «geschaffene
Gnade» bezeichnet werden kann, ihm unterstellt wird. Dies ist möglich,
wenn wir die lebendige, liebende, schöpferische Gegenwart als Vorstellungs-
modell verwenden. Die «geschaffene Gnade» bringt innerhalb dieser Sicht
den Sachverhalt zum Ausdruck, daß diese göttliche Gegenwart wirklich an
unser Innerstes rührt.

d. Die dialogale Struktur der Gnade

Der Präsenzgedanke erstreckt sich auf alles, was die Gnade betrifft, ja auf jedes Wirken Gottes in der Welt. In unserem Buch über die Gnade haben wir diesen Gedanken oft in einer Formulierung Augustins zum Ausdruck gebracht: «quia amasti me, fecisti me amabilem.»[19] Die schöpferische liebende Gegenwart entspringt zuerst den Tiefen der göttlichen Liebe: «quia amasti me». Doch diese Liebe ist schöpferisch: «fecisti me amabilem» – «amabilem» nicht nur im statischen Sinn von liebenswert oder anmutig, sondern in einem dynamischen Sinn. Die Liebe Gottes erheischt unsere persönliche Antwort, die unsere eigene Antwort ist, aber durch und durch von der Anziehungskraft der Präsenz Gottes inspiriert und getragen ist. Im Licht dessen, was wir in der Einleitung zu diesem Kapitel gesagt haben, ist diese Antwort in Glaube, Hoffnung und Liebe von Grund auf unsere Antwort, nicht *obwohl*, sondern *weil* sie gleichzeitig in Gott gründet. Dem Tun Gottes ist ja gerade eigen, daß es die Kreatur zu dem befreit, wozu sie geschaffen wurde.

Wenn man den Sachverhalt in der Terminologie Karl Rahners ausdrücken will, kann man sagen: Jede Gnade, gleich auf welcher Ebene, ist vor allem «vorgegebene Gnade», und diese selbst (nicht eine andere Gnade) wird in der Annahme von seiten des Menschen «angenommene Gnade». Jede ernsthafte Gnadentheologie hat denn auch irgendwie diese dialogale Struktur anerkannt. Die Frühscholastik unterschied etwas naiv zwischen «gratia in nobis sine nobis» und «gratia in nobis cum nobis». In bezug auf die Sakramente sprachen Augustin und Thomas von «veritas sacramenti» und «veritas simpliciter».[20] Für gewöhnlich wurde in der Scholastik zwischen «gratia operans» und «gratia cooperans» unterschieden. Ein ausgezeichnetes Beispiel für die personalistische und dialogische Struktur der Gnade findet sich in Kapitel 17 des Dekrets über die Rechtfertigung des Tridentinums, wo über das Verdienst gehandelt wird.[21] Das Kapitel zeichnet eine dialektische Bewegung, die für das Verständnis der Gnade grundlegend ist: Alles kommt uns von Gott her zu durch Christus, in dem wir mit ihm vereint sind, und doch sind unsere verdienstlichen Akte wirklich unsere Akte und besitzen vor Gott einen wahren Wert. Das Konzil schließt die Bewegung mit einer

---

[19] «...sed cum transfixa fuerint corda sagittis verbi Dei, amor excitatur, non interitus comparatur. Novit Dominus sagittare ad amorem: et nemo pulchrius sagittat ad amorem quam qui verbo sagittat, immo sagittat cor amantis, ut adiuvet amantem: sagittat, ut faciat amantem»: En. in Ps. 119,5: PL 37,1600. Man könnte noch einen weiteren Text anführen: «Ut enim homo se laudet, arrogantia est; ut Deus se laudet, misericordia est. Prodest amare quem laudamus: bonum amando nos meliores efficimur. Itaque quoniam hoc nobis prodesse novit, ut amemus eum, laudando se amabilem facit: et in eo nos consulit, quia se amabilem facit»: En. in Ps. 144,1: PL 37,1869.

[20] E. Schillebeeckx, De sacramentele Heilseconomie (Antwerpen 1952).

[21] DS 1545–1549.

Rückkehr zu einem wichtigen Aspekt der Gratuität der Gnade: Das Leben in der Gnade ist nie Grund zu Selbstzufriedenheit, denn die Sünde und damit die Zurückweisung Gottes sind immer noch als Möglichkeiten vorhanden. Darin findet sich eine implizite Anerkennung der katholischen Deutung des «simul iustus et peccator». Das Tridentinum beschließt dieses äußerst wichtige Kapitel mit dem berühmten paradoxen Satz Augustins: «cuius tanta est erga omnes homines bonitas, ut eorum velit esse merita, quae sunt ipsius dona».[22]

e. Die trinitarische Struktur

Die Erfassung der trinitarischen Struktur scheint uns für das Verständnis der Gnade am grundlegendsten zu sein. Allerdings werden wir an diesem Punkt mit einer Krise der heutigen Theologie konfrontiert, die der Trinitätstheologie oft ratlos, wenn nicht indifferent gegenübersteht. Wir denken dabei nicht so sehr an die scholastischen Handbücher, die in dieser Frage ja schon von jeher nur die «geometrisch» Denkenden zu interessieren vermochten. Es hat vielmehr den Anschein, daß der Glaube an die Trinität viele Gläubige kalt läßt und nicht wenige Theologen in Verlegenheit bringt. Ein ähnliches Phänomen zeigt sich in der Christologie. Die Erlahmung des trinitarischen Denkens führt aber notwendig zu einer Krise der Theologie des Mysteriums der Gnade, die sich an die Heilige Schrift und die Überlieferung hält. Wir wollen dieser Problematik Rechnung tragen, doch weigern wir uns entschieden, mit der Tradition unserer Väter im Glauben und der großen Mystiker zu brechen. Jede Kultur weist neben Vorzügen für eine positive Interpretation des christlichen Glaubens auch blinde Flecken auf.[23] Die heutigen Schwierigkeiten in der Trinitätstheologie lassen sich indes nicht einfach auf solche blinde Flecken zurückführen, die durch die säkularisierte Kultur bedingt sind. Es gibt vielmehr einige ernstzunehmende Einwände. Wir entscheiden uns deshalb hier für eine heilsökonomische Sicht des Trinitätsmysteriums. Sie entspricht der Schrift, der Liturgie, vor allem der alten Liturgie. Sie ist die Sicht der griechischen Väter und weitgehend auch der Ostkirchen. Sie gehört zur mystischen Überlieferung, vor allem zu der der Rheinlande und Flanderns. Definitionsgemäß hängt sie mit dem Heilsmysterium zusammen, denn das Wort οἰκονομία schließt in der östlichen Theologie all das ein, was das Heilshandeln Gottes an den Menschen betrifft.

---

[22] DS 1548. Vgl. Augustinus, Ep. ad Sixt. presb. 5,19: PL 33, 880 und DS 248.

[23] Wir verweisen auf den mutigen und redlichen Aufsatz über die Auferstehung von H.M.M.Fortmann, Waarvan zijn wij getuigen?: H. van der Linde und A.M.Fiolet (Hrsg.), Geloof in kenterend getij. Peilingen in een secularisend Christendom (Roermond-Maaseik o.J.) 117–135.

Der Entscheid für eine heilsökonomische Trinitätstheologie bedeutet nicht, das Mysterium Gottes in sich selber sei für uns gleichgültig. Wir behaupten also nicht, Gott *werde* trinitarisch in seinem ökonomischen Heilswerk, sondern nur, er gebe sich in diesem Heilswerk als trinitarisch zu erkennen. Aus Respekt vor dem Mysterium Gottes sind wir den spätscholastischen Spekulationen über die Trinität gegenüber zurückhaltender und nehmen eine mehr apophatische Haltung ein, wie sie den Kirchenvätern zu eigen war.

Schließlich möchten wir darauf hinweisen, daß das trinitarische Moment nicht das ist, was die übernatürliche Ordnung von der natürlichen, die Heilsgegenwart Gottes in der Gnade von der Gegenwart Gottes als Schöpfer unterscheidet. Für uns ist die ganze Weltwirklichkeit, wenigstens dem Ursprung nach, trinitarisch. Für den gnadenhaften Aspekt dieser Wirklichkeit ist unsere Berufung zur Anteilnahme am göttlichen Leben charakteristisch. Wir lassen uns in unserer Reflexion durch die Trinitätstheologie des Johannes van Ruysbroek inspirieren, drücken uns aber vorzüglich in Begriffen aus, die ihren Ursprung im Neuen Testament haben.[24]

Wenn wir die trinitarische Gegenwart, wie sie sich in Christus geoffenbart hat, erklären wollen, so besagt Gnade vor allem die verlebendigende Gegenwart des auferstandenen Herrn in unserem Leben und, von uns her gesehen, das Einssein mit ihm im Glauben und die Teilnahme an seinem Leben. Christus, der Gottmensch, ist die exemplarische Verwirklichung jeglicher Gnade. Im Neuen Testament hat sich Jesus als Menschensohn, als Knecht Jahwes, als vielgeliebten Sohn des Vaters zu erkennen gegeben. Durch unsere Vereinigung mit ihm, durch seine Nachahmung finden wir unser wahres Menschsein wieder, wie es vom Vater erschaffen und durch die Kraft des Geistes in Christus wiederhergestellt worden ist. Wir werden im Glaubensgehorsam Diener des Vaters und durch die Liebe Adoptivsöhne des Vaters – nach der Formulierung von E. Mersch: «filii in Filio».[25] Durch die Teilhabe an Christus und dadurch, daß wir ihm nachfolgen, sind wir zugleich mit dem Vater und dem Geist verbunden. Dabei geht es nicht um neue Präsenzweisen Gottes in uns, sondern um die Vollverwirklichung unserer Vereinigung mit Christus. Der Vater vereint sich mit uns als Anfang und Ziel jedes Lebens schlechthin, als Vater des Sohnes, der uns im Sohn den gemeinsamen Geist gibt. Der Geist des Vaters und des Sohnes setzt in uns das unsagbare Wirken fort, das er in Gott vollzieht, ein Wirken, von dem er gewisse Aspekte in seiner Präsenz im irdischen Leben Jesu und in der Kirche seit Pfingsten enthüllt. Im Anschluß an Johannes van Ruysbroek denken wir das besondere Walten des Geistes als Kraft der Verwirklichung

---

[24] Vgl. P. Henry, La mystique trinitaire du bienheureux Jean Ruusbroec: RSR 39/40 (1951–52) 335–368; 41 (1952) 51–75.

[25] E. Mersch, La Théologie du Corps Mystique (Paris ²1946) 9–68.

sowohl nach innen in der Verbindung mit dem in unserem Herzen anwesenden Gott, als auch nach außen im Zeugnisgeben und Glaubensleben.[26]

Wir möchten in die Gnadentheologie auch wieder die grandiose Schau des Johannes van Ruysbroek hineinbringen, wonach das göttliche Leben sich wie die Flut des Ozeans über die Welt ergießt und uns im Zurückwogen des Geistes zu Gott zurückführt.[27] Jedes Leben, vor allem das Leben der Gnade, hat seinen Ursprung im Vater, in der Urtiefe der Gottheit, worin wir in seiner ewigen Gnadenwahl bereits enthalten und geliebt sind. Diese ursprüngliche Liebe des Vaters hat sich in Jesus Christus geoffenbart und mitgeteilt. Sie setzt sich in uns fort, indem sie sich kraft des Wirkens des Geistes durch das Bild des Sohnes schenkt. Dies ist die Bewegung des «exitus» oder, anders ausgedrückt, die «vorgegebene Gnade» in ihrem ewigen Ursprung. Diese Liebe lädt uns ein und zieht uns in einer Bewegung der Antwort und Annahme den Tiefen Gottes entgegen. Das meint das Moment des «reditus» oder der «angenommenen Gnade». Auch sie verwirklicht sich in uns durch das Walten des Geistes. Als Rückbewegung im Glauben, in der Hoffnung und in der Liebe ist sie auch in sich trinitarisch. Es ist der Geist, der uns mit dem Sohn vereint und der uns so durch Teilhabe und Nachfolge zum Ursprung, zum Vater, führt, dem unsere Anbetung, unsere «Eucharistie» und jedes Gebet gilt.

Genau gesprochen ist es eigentlich nicht so, daß wir zu Gott aufsteigen, selbst wenn dies unter dem Antrieb des Geistes geschieht, sondern man muß eher sagen, daß Gott zu uns herabsteigt und gewissermaßen sein eigenes trinitarisches Leben in uns hineinlegt. Es ist ja sein eigener Sohn, den Gott in denjenigen liebt, die nach seinem Bild geschaffen und erneuert sind. Und es ist der Geist Gottes und des Sohnes, der sich in uns mit dem Vater und dem Sohn vereint. Hier gelangen wir wohl an den Punkt, an dem die Theologie der Mystik den Vortritt lassen muß.[28] Man könnte sich die Frage stellen, ob wir mit solchen Reflexionen nicht an die Grenze des menschlichen Denkens stoßen, oder vielmehr, ob wir dabei nicht in einen verschleierten Pantheismus fallen. Wir meinen, dies sei nicht der Fall, doch könnte man wohl diese Form der mystischen Erfahrung «Panentheismus» nennen – eine visionäre Sicht der Einheit Gottes mit der Welt, die nicht häretisch ist.[29]

---

[26] P. Fransen, De Gave van de Geest: Bijdragen 21 (1960) 404–423, ins Engl. übersetzt: Intelligent Theology II (London 1966) 38–66; B. Fraling, Mystik und Geschichte. Das «ghemeyne leven» in der Lehre des Jan van Ruusbroec (Regensburg 1974) 408–441.

[27] Jan van Ruusbroec, Die gheestelike Brulocht. Werken I (Tielt 1944) 185.

[28] Dag Hammarskjöld, Zeichen am Weg (München 1965) 88 sagt: «... so sah ich, daß es die Mauer nie gegeben hatte, daß das ‹Unerhörte› hier und dieses ist, nicht ein anderes, daß Opfer hier und jetzt, immer und überall ist – daß dieses ‹surrendered› Sein das ist, was Gott von sich, in mir, sich gibt.»

[29] K. Rahner bemerkt denn auch: «Panentheismus. Diese Form des Pantheismus will nicht einfach Welt und Gott identifizieren (Gott = das All), will aber doch das ‹All› der

Von einer klassischeren Problemstellung her kann man die Frage aufwerfen, ob wir für eine eigentliche oder für eine appropriierte Einwohnung eintreten. Wir haben die Frage bereits im 11. Kapitel gestreift. Wir vertreten ein eigentliches Innewohnen in dem Sinn, daß die trinitarische Wirklichkeit unserer Überzeugung nach in jedem christlichen Leben einen realen, persönlichen Sinn haben muß. Wir werden durch den lebendigen Gott und nicht durch einen abstrakten Gott der Philosophen gerettet. Andererseits treten wir für eine appropriierte Einwohnung mehr oder weniger in dem im Mittelalter gebräuchlichen Vollsinn ein. Wir sind uns des apophatischen Charakters der trinitarischen Präsenz in uns lebhaft bewußt und somit auch der Distanz, welche die ewigen Tiefen Gottes von unserem irdischen Leben ·weiterhin trennt, in dem wir die göttlichen Mysterien nur in der Dunkelheit des Glaubens und im tastenden Auslangen der Hoffnung und der Liebe wahrnehmen. Darum sagten wir, daß wir uns hier an der Grenze der Theologie und auf der Schwelle der mystischen Kontemplation befinden. Unser Gnadenleben ist ein Leben in Vereinigung, das nie seinen Charakter der Distanz und der Transzendenz verliert. Es wird uns in Teilhabe gegeben, wir besitzen es nie zu eigen, denn es wird uns beständig von neuem geschenkt, ohne daß es aufhörte, uns zu transzendieren. Zurückhaltung ist hier um so notwendiger, als in unserer durch Wissenschaft und Technik bestimmten Kultur Erkenntnis unwillkürlich Besitz oder zum mindesten Manipulationsmöglichkeit bedeutet, was hier um jeden Preis auszuschalten ist. Schon Bonaventura meint: «Habere est haberi»! In Gott leben oder Gott in sich leben lassen bedeutet sich verlieren im göttlichen Ozean, in der dunklen Nacht, in der endlosen Einöde, die uns umgibt, durchdringt und trägt. Jegliche Form eines «Besitzens» kraft der Glaubenserkenntnis, kraft der Liebe und selbst kraft der Aktivität der Gnade ist radikal auszuschließen, denn ein solches Besitzen führte letztlich zur Negation und zur Zerstörung des Gnadenlebens.

f. Schlußfolgerungen

Wir haben an den Anfang unserer Reflexion über die Gnade die Frage nach den Grundstrukturen der Gnade gestellt. Abschließend ist ein Wort zu den Schwierigkeiten zu sagen, die wir eingangs erwähnten. Geht es um

---

Welt ‹in› Gott als dessen innere Modifikation und Erscheinung begreifen, wenn Gott auch nicht darin aufgeht. Die Lehre eines solchen ‹Inseins› der Welt in Gott ist dann (und nur dann) falsch und häretisch, wenn sie die Schöpfung und das Unterschiedensein der Welt von Gott (nicht nur Gottes von der Welt) leugnet (DS 3001), sonst ist sie eine Aufforderung an die Ontologie, das Verhältnis zwischen absolutem und endlichem Sein tiefer (d.h. die gegenseitige Bedingung von in gleichem Maß wachsender Einheit und Unterschiedenheit begreifend) und genauer zu denken»: K. Rahner-H. Vorgrimler, Kleines Theologisches Wörterbuch (Freiburg i. Br. 1961) 275.

eine Entscheidung für Gott oder den Menschen, oder ist dieses Dilemma falsch?

Das Dilemma ist falsch, weil es Gott und den Menschen im Grund auf die gleiche Ebene stellt. Es beruht auf der irrigen Annahme, daß das Tun Gottes das Tun des Menschen konkurrenziere – eine höchst anthropomorphe Vorstellung. Wir haben bereits den Hauptgrund genannt, weshalb wir das Dilemma ablehnen. In der Gnade kommt alles dem Menschen zu, weil alles von Gott herkommt. Alles, was uns in einem echten Sinn vermenschlicht, bringt uns der endgültigen Vergöttlichung näher, und alles, was uns vergöttlicht, läßt uns mehr Mensch werden.

Dieses Paradox beruht auf einem weiteren Paradox, das in der Herzmitte des Mysteriums Gottes und seiner Beziehungen zu den Kreaturen liegt. Gott vereinigt sich mit unserm innersten Wesen. Er ist uns mehr präsent, als wir uns selbst präsent sind. Er umgreift und durchdringt uns mit seiner radikalen Immanenz, die uns an der Stelle erfaßt, wo unser Dasein aus seinen schöpferischen und heilschaffenden Händen hervorgeht. Gerade weil Gott so radikal transzendent ist, vermag er uns so radikal immanent zu sein. Göttliches und menschliches Tun addieren sich nicht, sondern durchdringen sich so, daß das Alles Gottes zum Alles des Menschen wird. Diese richtige philosophische und theologische Antwort wird freilich immer dann dementiert, wenn unser Leben als Christen das Gegenteil beweist. Dies ist der Fall bei jeder Verzeichnung der Religion. Immer dann, wenn wir uns gegenüber der «Unsicherheit» der göttlichen Tiefe absichern wollen, indem wir uns durch Legalismus, Ritualismus, Dogmatismus oder Fundamentalismus an die Form der Religion klammern, verfälschen wir das Zeugnis über die Wirklichkeit der Gnade. Wir setzen in einem falschen Sicherungsbestreben den Menschen herab und präsentieren zugleich, vielleicht unbewußt, das Bild eines dräuenden, grausamen und harten Gottes. Sobald wir aber der Gnadengegenwart inmitten der Dunkelheit des Glaubens ihren Spielraum lassen, indem wir alle Sicherheit, die nicht Gott selbst ist, preisgeben, werden die Gnade und die Liebe in unserem Leben transparenter werden. Wenn die Gnade uns befreit, ist es wichtig, daß wir auch als freie Menschen leben, sonst widerspricht das Zeugnis unseres Lebens unseren Heilsworten.

2. Der begnadete Mensch – Versuch einer theologischen Anthropologie

Die Christen haben sich von jeher gefragt, ob die Wirklichkeit der Gnadengegenwart Gottes an ihrer Existenz etwas ändere und, wenn ja, was. Diese Frage hat besonders Romano Guardini beschäftigt, wie vor allem der Titel eines seiner Bücher zeigt: «Unterscheidung des Christlichen».[30] Es gab eine

---

[30] R. Guardini, Die Unterscheidung des Christlichen (Mainz 1935). Vgl. Vorwort. Brief R. Guardinis an den Herausgeber S. X ff.

Zeit, in der es scheinen konnte, die Frage sei leicht zu beantworten. In unserer Epoche liegt eine Antwort sicher nicht auf der Hand. Auch könnte es sein, daß die Frage schlecht gestellt ist.[31] Wir möchten in diesem Abschnitt eine kurzgefaßte theologische Anthropologie vorlegen, d.h. unser Dasein, wie wir es als Menschen erleben, im Licht des Glaubens analysieren.

a. Eine theologische Vorentscheidung: Wie tief reicht die Verderbnis durch die Sünde?

Während der letzten drei Jahrhunderte enthielten die Gnadentraktate eine Anzahl von Thesen, die die Frage zu beantworten suchten: Inwieweit ist der sündige Mensch noch imstande, ohne die Hilfe der Gnade sittlich gute Akte zu vollbringen? Man nahm dabei eine Mittelstellung ein zwischen dem anthropologischen Optimismus des Pelagius und dem theologischen Pessimismus der Reformation, des Bajus und des Jansenius. Die Diskussion knüpfte an die verschiedenen Daseinsstände des Menschen an: Stand der Integrität, Stand der gefallenen Natur, Stand der gefallenen und wiederhergestellten Natur, Stand der reinen Natur. Nur der an vorletzter Stelle genannte Stand ist geschichtlich im Vollsinn. Die geschichtliche Offenbarung bezieht sich auf ihn. Er ist der einzige Stand, von dem wir eine Eigenerfahrung haben. Der Stand der Integrität kann nur mit Vorbehalt «geschichtlich» genannt werden. Es genügt zu sagen, die Berufung zur Integrität, die gewissermaßen das Idealbild des Gnadenlebens hier auf Erden darstellt, sei an die ersten Menschen wirklich ergangen. Ob ein solcher Integritätsstand während einer gewissen Zeit gegeben war, ist eine andere Frage. Nach den Befunden der ethnologischen Anthropologie scheint eine solche Annahme wenig wahrscheinlich. Im Anschluß an die verschiedenen Stände und vor allem im grundlegenderen Zusammenhang der Unterscheidung zwischen der natura pura und dem Übernatürlichen unterschied man zwischen der «Heilungsgnade», die die durch die Erbsünde in unsere Natur hineingebrachte Verderbnis heilt, und der «Erhöhungsgnade», die ihrem Wesen nach übernatürlich ist und zwar in einem doppelten Sinn: Sie ist unserer Natur in keiner Hinsicht geschuldet, und sie läßt uns am göttlichen Leben teilnehmen.[32]

Bei allen kritischen Einwänden kann man der nachtridentinischen Theologie in dieser Frage nicht jede Logik absprechen. Der Molinismus dachte, daß der Mensch normalerweise seine Natur als solche und deren Verderbtheit durch die Sünde erfahre. Einzelne Autoren betrachteten sogar den

---

[31] Im dritten Teil unseres Buches über die Gnade beantworten wir diese Frage mit mit einem Ja und einem Nein: Genade aaO. 483–520 = The New Life of Grace aaO. 325–350.

[32] Zur ganzen Problematik vgl. G. Muschalek: MS II, 546–557.

Stand der natura lapsa als einen geschichtlichen Stand, der zumindest bis zu dem Zeitpunkt gedauert habe, da die erste innere Gnade den Menschen zum Glauben an Christus hingezogen habe. Es lag somit in der Logik ihres Systems zu behaupten, der Stand der reinen Natur sei als solcher erfahren worden. Doch hat sie diese Frage nicht besonders interessiert, sprach man doch damals in der Theologie sehr wenig über die Rolle der Erfahrung. Unsere Zeit hat jedoch das Recht, ihre Position unter diesem Aspekt zu bewerten.

Für diejenigen Theologen, nach deren Ansicht die reine Natur nie geschichtlich war, oder die sie, wie Karl Rahner, als «Restbegriff» ansehen, d. h. als eine transzendentale Abstraktion innerhalb der konkreten geschichtlichen Daseinswirklichkeit des Menschen, die von Anfang an durch die von der göttlichen Präsenz ausgeübte Anziehungskraft durchdrungen war, haben solche Gedankenspielereien keinen großen Sinn. Wir besitzen keine unmittelbare Erfahrung der reinen Natur als solchen. Und da das menschliche Dasein von Anfang des Hominisationsprozesses an unter der göttlichen Anziehungskraft steht, hält es auch schwer, die Natur und das Ausmaß der von der Sünde herbeigeführten «Verderbnis» zu bestimmen. Der Gnadendynamismus, der unsere Existenz bestimmt, läßt einerseits jede Sünde, sei sie persönlich oder kollektiv, an sich schwerer wiegen; andererseits scheint der Umstand, daß Gott in seiner Treue seine einladende Gegenwart nie zurückgezogen hat, die verheerenden Folgen der Ursünde zu mildern. Man kann deshalb auch nicht die sittlichen Möglichkeiten der reinen Natur und den Grad der sittlichen Verderbnis, die von der Ursünde und den auf sie folgenden persönlichen Sünden herbeigeführt wurde, genau bestimmen, wie dies die nachtridentinischen Theologen versucht haben.

Die Diskussionen dieser Theologen brachten aber in einer Begrifflichkeit und in einem Bezugsrahmen, die ihrer theologischen Herkunft entsprachen, uns heute aber fremd geworden sind, ein tieferes Problem zum Ausdruck, das die ganze Geschichte der Kirche durchzieht. Wir stoßen in einer anderen Form wieder auf das schon öfters erwähnte Dilemma: Gott oder der Mensch? Das Dilemma erscheint in zwei entgegengesetzten Lösungen: Die sittlichen Kräfte des Menschen zur Erfüllung der Gebote Gottes hoch veranschlagen, bedeutet in der Auslegung des Pelagianismus, die Herrschaft der Gnade in unserem Leben schwächen und bis zu dem Punkt veräußerlichen, an dem der Primat Gottes in unserem Heilswerk bedroht ist. Und umgekehrt: Wer die Verderbnis unserer Natur in den düstersten Farben schildert, scheint zwar die Initiative Gottes in Christus zu erhöhen, aber auf Kosten des menschlichen Einsatzes in Glaube und Liebe. Hier stoßen wir auf gewisse Grenzen der Reformation und des Jansenismus. Merkwürdigerweise scheint man auch in dieser Gegenposition zum gleichen Schluß zu kommen: daß die Gnade irgendwie außerhalb von uns liegt.

Wir haben unsere Antwort auf das erwähnte Dilemma bereits gegeben:

Die Gnade Gottes vermenschlicht uns, insofern sie uns die Verderbnis, die wir in der geschichtlichen Vergangenheit uns zugezogen haben, langsam überwinden hilft, und sie vergöttlicht uns, insofern das Leben Christi, die Vollverwirklichung der Gegenwart Gottes in unserer Menschengeschichte, uns mitgeteilt wird und in uns heranreift. Somit lassen sich in der Wirksamkeit der Gnadengegenwart Gottes zwei Aspekte unterscheiden: die «Heilungsgnade» und die «Erhöhungsgnade», aber als zwei Funktionen, die untrennbar zur gleichen Wirklichkeit gehören.

Es bleibt noch ein letzter wichtiger Punkt. Die Thesen der theologischen Handbücher der letzten Jahrhunderte wollten die absolute Notwendigkeit der heiligenden und wiedergutmachenden Gnade für den sündigen Menschen begründen. Die Erhöhungsgnade ist ja von Natur aus absolut ungeschuldet. Die Theologen befanden sich in ihrer Argumentation aber insofern in einer Verlegenheit, als sie die *absolute* Notwendigkeit der Gnade kaum auf eine *physische* Unfähigkeit zum Tun des sittlich Guten gründen konnten, weil diese Position die These von der völligen Verderbtheit des Menschen impliziert hätte. Sie mußten deshalb auf eine *moralische* Unmöglichkeit rekurrieren. Doch konnte dadurch das Problem kaum gelöst werden, weil diese Theologen nur die aufeinanderfolgenden Einzelakte sahen, die je als solche durch einen besonderen Entscheid des «freien Willens» ausgelöst wurden. So gab es denn selbst vor dem Konzil von Trient Theologen wie Bonaventura, welche die Möglichkeit von Ausnahmen zuließen, was logisch ist, wenn man von moralischer Notwendigkeit spricht. Voraussetzung für die Lösung des Problems ist eine andere Freiheitsphilosophie. Erst wenn man die Freiheit als Ganzes ansieht, als einen dynamischen Prozeß, der von einer auf Gott hin oder gegen Gott gerichteten Grundentscheidung getragen ist, wird es möglich, in einem glaubwürdigen Sinn von einer absoluten moralischen Unfähigkeit, das Gute zu tun, zu sprechen.[33] Die damaligen Theologen haben mehr oder weniger erahnt, wie ihre Lösung hätte aussehen können, als sie behaupteten, die gefallene Natur vermöge das sittlich gute Tun «während einer gewissen Zeit» auch ohne innere Gnade fortzusetzen – eine mehr erfahrungsgemäße oder dem gesunden Menschenverstand entsprechende als eigentlich philosophische Antwort.

Man kann sich fragen, ob diese Reflexionen notwendig sind, um die absolute Gratuität der Gnade hervorzuheben. Wäre es nicht besser und für das religiöse Leben hilfreicher, von der realen Existenz des Menschen auszugehen, wie wir sie kennen? Es geht uns vor allem darum, die Geschichte des Menschen im Licht des Glaubens zu bewerten. Selbstverständlich gibt es in der Kirche zwischen den Extremen eines radikalen Pelagianismus und eines radikalen Jansenismus Raum für verschiedene Anthropologien. Unsere Zeit

---

[33] P. Schoonenberg, De genade en de zedelijk goede act. Jaarboek 1950. Werkgenootschap van de Kath. Theologen in Nederland (Hilversum 1951) 203–253.

hat im allgemeinen wenig Neigung, die Sünde ernst zu nehmen, und sie nähert sich diesbezüglich oft einem unbewußten Pelagianismus. Sie interessiert
sich mehr für die psychologischen und gesellschaftlichen Implikationen
menschlichen Versagens, während sie die eigentlich theologische Dimension
des Bösen mit Skepsis oder Indifferenz betrachtet. Aber auch die Heiligen
haben ein verschiedenes Verhältnis zum Bösen. So gibt es im Katholizismus
Raum für verschiedene anthropologische Einstellungen. Wenn wir eine
Haltung ausschließen möchten, so ist es die Haltung, die sich der Sünden-
theologie bedient, um Gott um so heller erstrahlen zu lassen. Gott bedarf
nicht unserer Schlechtigkeit, damit seine Ehre rein dastehe.

Wir selber möchten auf die Frage eine doppelte Antwort geben. Die erste
liegt auf der Linie der Mystik: Nur in der intensiven Liebe zur göttlichen
Majestät nehmen wir das Verwerfliche unserer Rebellion im vollen Sinne
wahr. Die Sünde besteht ja in erster Linie im Zurückweisen der Liebe, einer
Liebe, die wir nur zu erahnen vermögen, indem wir sie bejahen und uns von
ihr einnehmen lassen. Die zweite Antwort ist zugleich theologischer und
pastoraler Natur. Unsere Epoche hat es nötig, den Sinn für die Sünde wiederzufinden und zu vertiefen. Die psychologischen und soziologischen Einsichten in bezug auf die Natur des Bösen im menschlichen Dasein können
ohne jedes Bedenken übernommen werden. Sie werden uns vor kurzschlüs-
sigen, oberflächlichen Urteilen bewahren. Aber wir glauben nicht, daß es
eine wahrhaft christliche Anthropologie gibt, wenn man der radikalen Botschaft vom Kreuz gleichgültig gegenübersteht. Wir möchten in diesem Kapitel die Gnade Gottes zum Leuchten bringen. In diesem Bestreben dürfen
wir aber nicht übersehen, daß das Aufleuchten der Gnade in unserem persönlichen Leben wie im Leben der Kirche durch die Wirklichkeit der Sünde
verdunkelt wird. John Oman charakterisierte einmal den römischen Katholizismus zu Beginn dieses Jahrhunderts als einen kirchlichen Augustinismus
und als einen Pelagianismus des persönlichen sittlichen Lebens.[34] Er hatte
damit gar nicht so unrecht. Wir möchten darum denjenigen Aspekt der
Gnade in den Vordergrund stellen, der nach den Synoptikern im Zentrum
der Verkündigung Jesu steht: die Bekehrung im Hinblick auf das Gottesreich. Diese Sicht hat den Vorteil, daß sie den dynamischen Aspekt der
Gnade hervorhebt. Bekehrung heißt Gesinnungswandel. In ihr finden wir
auch die Botschaft der großen Propheten wieder, für die die messianischen
Zeiten dadurch charakterisiert sind, daß der messianische Geist in unser
Herz gegossen wird, so daß wir fortan den Geboten Gottes nachzuleben
vermögen. Aus allem geht hervor, daß die Gnadenlehre durch eine Vorentscheidung beeinflußt wird: Wie weit nehmen wir die Predigt Jesu über un-

---

[34] J. Oman, Grace and Personality aaO. 39–42. Vgl. K. Rahner, Kirche der Sünder:
Schriften VI (Einsiedeln 1965) 301–320; ders., Sündige Theologie. Zur Geschichtlichkeit
der Theologie: Neues Forum (Wien) 13 (1966) 231–235.

sere Sünde und unsere Heilsbedürftigkeit ernst? Die Theologen, Katecheten und Prediger schulden unserer Zeit eine klare Antwort im Sinn des Evangeliums.

b. Die personale und gemeinschaftliche Struktur
der menschlichen Existenz

Wir halten diesen Abschnitt für wichtig, denn er sucht der Entmenschlichung, der die Gnadenlehre während der letzten drei Jahrhunderte infolge eines abstrakten, rein geistigen «Supranaturalismus» unterworfen war, ein Ende zu setzen. In unserem Buch über die Gnade haben wir bereits einen ersten Schritt in dieser Richtung getan.[35] Dank einer eingehenderen Beschäftigung mit der Soziologie und der Religionspsychologie können wir nun eine gründlichere Argumentation vorlegen. Was wir sagen, ist nicht so sehr neu. Die Ideen liegen in der Luft. Doch begnügt man sich unseres Erachtens oft mit eher vagen, emotionellen Behauptungen.

Wir gehen wiederum vom Grundaxiom aus, nach welchem sich der Mensch nur in den vielfältigen und durch die vielfältigen Beziehungen mit andern verwirklichen kann. Wie wir weiter oben aufgezeigt haben, wird dieses Grundaxiom von den modernen Humanwissenschaften einmütig bestätigt. Ein Mißverständnis ist indes sogleich zu beheben. Wir denken nicht ausschließlich an die Ich-Du-Beziehung, die M. Buber und G. Marcel ins Gespräch gebracht haben. An und für sich ist diese Liebes- oder Freundschaftsbeziehung zweifellos die am meisten erfüllende. Sie ist aber ein Geschenk, das einem selten zuteil wird, und steht als interpersonale Beziehung nicht allein da. Der Mensch hat ebenfalls ein Bedürfnis nach vielerlei andern Beziehungen, die auf Höflichkeit, Hochachtung, gegenseitiger Anerkennung, Solidarität, Zusammenarbeit und Brüderlichkeit beruhen und nicht nur seine soziologische Identität stärken und seine psychische Integration vollenden, sondern ihm zudem die Möglichkeit verschaffen, sich innerhalb der menschlichen Gesellschaft als Person zu behaupten. Wenn das von uns aufgestellte Axiom gilt, müssen diese konkreten Bestimmungen unserer menschlichen Existenz notwendigerweise die Entwicklung der menschlichen Person und der konkreten Gemeinschaft, in der sie lebt, strukturieren. Diese Formen interpersonaler Beziehungen sind somit nicht nur «Phänomene», die sich bis zu einem gewissen Grad von den experimentellen Humanwissenschaften beobachten und sogar bemessen und beschreiben lassen. Sie bilden die notwendigen, universalen Strukturen der menschlichen Existenz als solcher, was vor allem dann deutlich wird, wenn man, wie wir es in den einleitenden Bemerkungen getan haben, auf die existentielle Einheit des Geistes mit dem Leib und mit dessen Verlängerung in den

---

[35] P. Fransen, Genade aaO. 113–153 = The New Life of Grace aaO. 58–86.

Kosmos hinein achtet. Wir sind deshalb überzeugt, daß unsere Erwägungen über das rein Phänomenale hinausgehen und das tiefere Niveau der Philosophie und der Theologie als der wissenschaftlichen Beschäftigung mit der menschlichen Wirklichkeit als solcher erreichen.

Sobald wir die Funktionalität der interpersonalen Beziehungen in die Erfüllung des menschlichen Daseins miteinbeziehen, dürfen wir die konkreten Kommunikationsformen nicht mehr übersehen, worin und wodurch diese Beziehungen sich zum Ausdruck bringen müssen. Wir reduzieren sie auf drei wesentliche Formen: die Sprache im weitesten Sinn, die Verhaltensmuster (patterns of behaviour), welche die Sprache unserer Freiheit sind, und die Mikro- und Makrostrukturen, welche die menschliche Gemeinschaft gliedern. Diese drei Formen menschlicher Kommunikation unterliegen in ihrer geschichtlichen Ausgestaltung dem Spiel des Zufalls, den vielfältigen Determinismen und Gesetzen, welche die Entfaltung der Menschengruppen bestimmen, sowie den persönlichen und gemeinschaftlichen Entscheidungen, die dem Schicksal des Menschen in der Zeit zugrunde liegen. So gesehen, gehen sie nicht unmittelbar die Theologie, sondern die Pastoral und die experimentellen Humanwissenschaften an. Aber an und für sich gibt es beim konkreten Menschen und in der konkreten menschlichen Gemeinschaft keine zwischenmenschlichen Beziehungen, keine Kommunikation außerhalb der Sprache und der Verhaltensmuster innerhalb der Strukturen der örtlichen oder universalen Menschengruppe.

Diese Formen menschlicher Beziehungen haben einen gemeinsamen Grundzug: Obwohl sie vom Menschen geschaffen sind, sind sie in ihrem jeweiligen Funktionieren dem Menschen und jeder konkreten Gemeinschaft praktisch vorgegeben. Sie bilden die «Situation», in der er Mensch wird, und sie dienen der Ausübung seiner persönlichen und gemeinschaftlichen Freiheit. In ihrer geschichtlichen Entwicklung betrachtet, stellen sie die konkrete Kristalisation der früheren Erfahrung des Menschen in seinem «In-der-Welt-Sein» dar. Aus diesem Grund bilden sie zugleich ein Erbe, das wir nicht zurückweisen können. Selbst dann, wenn man den Wert der Vergangenheit bestreitet, wie dies heute oft geschieht, und wenn man sich bemüht, eine «Gegenkultur» zu schaffen,[36] kommt man nicht darum herum, es aufgrund dessen zu tun, was uns die Väter als Erbe hinterlassen haben. Selbst bei heftigster Kontestation scheint es dem Menschen bloß zu gelingen, einen Teil des Urwalds zu lichten, in dem er zur Welt kam, wobei er im Älterwerden oft wieder an Terrain verliert, so tief ist der Einfluß der Vergangenheit auf sein Leben. Das menschliche Leben entfaltet sich im Spiel der aufeinanderfolgenden und einander kontestierenden Generationen auf mannigfache Weise, wenn auch mit unvermeidlichen Regressionen und Widersprüchen.

---

[36] Th. Roszak, The Making of a Counter Culture (New York 1968).

Dieses Erbe ist für unser Menschwerden notwendig. Darum unterzieht sich jede neue Generation einem Assimilationsprozeß, insofern sich der Einzelne und die Gemeinschaft, wenn auch unterschiedlich, mit dem empfangenen Erbe identifizieren. Ohne diesen Assimilations- und Identifikationsprozeß kann man die Freiheit gar nicht konkret ausüben. Der schöpferische Aspekt der Freiheit wird dadurch nicht bestritten. Die Assimilation ist aktiv und sucht die Errungenschaften der Vergangenheit weiter voranzutreiben. Die Soziologen machen uns jedoch darauf aufmerksam, daß hinter diesem Assimilationsprozeß eine große Gefahr für die Authentizität unseres Daseins steckt. Um den Einzelmenschen, der in einer Gemeinschaft aufwächst oder in sie zurückkehrt, wirksamer zu «sozialisieren», entwickelt dieser Prozeß eine Tendenz zur Objektivierung und Verabsolutierung der Kommunikationsformen, von denen wir gesprochen haben: Die Lehren geben sich für ewig gültig aus, die Tätigkeitsformen für notwendig, die Strukturen der Gruppen für unumgänglich, ja gottgewollt. An dieser Stelle erwächst in jeder Generation der «Prophetismus», d.h. der Wille, zu einer neuen Authentizität zurückzukehren, die den neuen Daseinsbedingungen besser entspricht.[37] So kann ein profaner, ja sogar ein wissenschaftlicher Prophetismus auftreten.[38]

Hier mag die Frage gestellt werden, welchen Zusammenhang diese Überlegungen mit einem Traktat über die Gnade haben. Dies sollte aus dem Folgenden deutlich werden. Wir verstehen die heiligmachende Gnade als eine Grundentscheidung, die unter der Einwirkung der Gnade Gottes frei zustande kommt. Nun gibt es aber keine Grundentscheidung, die nicht gleichzeitig unzertrennlich mit der Vielfalt der Einzelakte zusammenhängt, denen sie einen Sinn, einen Wert und eine sittliche und menschliche Ausrichtung gibt. Unsere Alltagsbetätigung ist jedoch, wie wir gesehen haben, von Denk- und Tätigkeitsformen abhängig, die sich nach den Strukturen einer bestimmten Gruppe richten. Um sich zum Ausdruck zu bringen, muß jede Grundentscheidung, auch die Grundentscheidung im Ja zur Gnade, sich von den Formen des Denkens, des Tuns, der Gemeinschaftsstrukturen in-

---

[37] In diesem Teil ließen wir uns vor allem inspirieren von A. Schutz, Collected Papers. I. The Problem of Social Reality; II. Studies in Social Theory; III. Studies in phenomenical Philosophy (The Hague 1962–1966). Vgl. auch A. Schutz, The Phenomenology of the Social World (London 1972); A. Schutz-Th. Luckmann, The Structures of the Life-World (London 1973); P. Berger-Th. Luckmann, The Social Construction of Reality. A Treatise in the Sociology of Knowledge (New York 1966); ders., A Rumor of Angels. Modern Society and the Rediscovery of the Supernatural (New York 1967). Vgl. schließlich auch Th. O'Dea, Sociological Dilemmas: Sociological Theory. Values and Social-Cultural Change. Essays in Honor of Pitirim A. Sorokin (New York 1963) 71–89, der in der Soziologie drei Abstraktionsgrade unterscheidet: die Kultur, die Gesellschaftsstrukturen und den Personalisationsprozeß.

[38] Als Beispiel profaner, wissenschaftlicher «Prophetie» erwähnen wir J. K. Galbraith, The Concept of Conventional Wisdom: The Affluent Society (New York [16]1958) 17–26.

spirieren lassen und auf sie Bezug nehmen. Unsere Freiheit geht nie von einer «tabula rasa» aus. Wir müssen deshalb die konkrete Analyse des menschlichen Daseins im Auge behalten, wenn von den theologalen Tugenden die Rede ist, die nur Ausprägungen unserer Grundentscheidung zur Gnade sind.

Weiter ist folgendes zu bedenken: Wir haben zu Beginn dieses Kapitels den Grundsatz aufgestellt: Wenn Gott uns rettet, *rettet er uns so, wie er uns geschaffen hat.* Wir können weder von der Gnade noch von der Sünde sprechen, wenn wir nicht diesen Aspekten des menschlichen Daseins Rechnung tragen.

aa. Die Wirklichkeit des Bösen ist hier nicht im einzelnen zu analysieren. Wir verweisen diesbezüglich besonders auf die Untersuchungen von P. Schoonenberg,[39] vor allem auf seine Theologie der Erbsünde. Unsere anthropologischen Überlegungen haben uns einen Zugang zu einem Aspekt der Sünde verschafft, den die heutige Moraltheologie wieder entdeckt hat und den man mit der Formel «dämonische Strukturen der menschlichen Gesellschaft» bezeichnen kann. Das Mysterium des Bösen betrifft ja nicht nur die Einzelperson. Es gibt menschliche Strukturen, die so schwer auf unserem persönlichen Tun lasten, daß sie dieses beinahe erdrücken. Eine individualistische Moral hat sich darum nicht gekümmert, zu Unrecht, denn diese «dämonischen Strukturen» können nicht als wertneutral angesehen werden. Sie stehen im Gegenteil in Zusammenhang mit menschlicher Bosheit und bilden die kollektive Dimension der Sünde. Auch wenn es für den Moraltheologen schwierig ist, zu sagen, wie weit der einzelne Mensch dafür verantwortlich ist, darf dieser Aspekt der «Sünde der Welt» von der christlichen Moraltheologie doch nicht übersehen werden.[40] So ohnmächtig sich der einzelne angesichts des beängstigenden Gewichts mancher Strukturen innerhalb seiner – nationalen oder internationalen – Gemeinschaft fühlen mag, darf er sich doch nicht von jeder Schuld freisprechen und vergessen, daß er mit seinen Vätern und Zeitgenossen dafür mitverantwortlich ist, insofern er mit ihnen Lebensstrukturen aufrechterhält, die ein der menschlichen Würde und der Würde eines Christen entsprechendes Leben verunmöglichen. Dem Christen ist es nicht erlaubt, sich angesichts solcher Strukturen einer politischen Verantwortung zu entschlagen und sich in eine Privatsphäre zurückzuziehen in der trügerischen Hoffnung, man beschmutze sich so nicht die Hände. Wenn wir von der Gnade im konkreten Sinn sprechen wollen, müssen wir von der Gnade reden, die sich an den Menschen richtet, so wie er ist. Es ist höchste Zeit, daß die Theologie einen politischen und religiösen Liberalismus aufgibt, der sich nur für die individuelle

---

[39] P. Schoonenberg: MS II, 845–867.
[40] Vgl. A. Auer, Autonome Moral und christlicher Glaube (Düsseldorf 1971); J.F. Gustafson, Christian Ethics and the Community (Philadelphia 1971).

Freiheit des Menschen und für seine persönliche Heiligung interessiert und dem es nur darum geht, sich und seinen Freunden den Himmel zu sichern. Wir haben zuvor die Frage diskutiert, wie tief die Korruption der Sünde reiche, und dabei auf die Notwendigkeit hingewiesen, die Botschaft Jesu über die Sünde und das Kreuz ernst zu nehmen. Was dort als allgemeine Vorentscheidung diskutiert wurde, erscheint nun in einem konkreteren Sinn, wo wir die vielfältigen Dimensionen des Bösen und der Sünde im menschlichen Leben und in der menschlichen Gesellschaft genauer analysieren. Dies alles darf nicht übersehen werden, wenn die Botschaft von der Gnade recht formuliert werden soll.

bb. Was nun die positive Seite der Gnade angeht, möchten wir vom Grundaxiom ausgehen: Der Mensch kann nur in und durch seine vielfältigen Beziehungen zu den Mitmenschen sich selbst in Freiheit und Liebe verwirklichen. Wenn das stimmt, so respektiert der Heilsakt Gottes diese personale und gemeinschaftsbezogene Natur, die er erschaffen hat. Die schöpferische liebende Präsenz Gottes wird uns folglich normalerweise durch interpersonale Beziehungen hindurch zuteil. P. Schoonenberg braucht dafür die glückliche Formulierung: In der Gnade schenkt uns Gott einander.[41] Das will nicht heißen, die andern seien für uns Quelle der Gnade. Unsere interpersonalen Beziehungen sind vielmehr das Milieu, in welchem und durch welches die Gegenwart Gottes sich für gewöhnlich uns kundgibt. In der Schrift wird die Erlösung oft als eine Tat Gottes verstanden, durch die Gott sein Volk, das auserwählte Volk sammelt.[42] Johannes drückt den Sinn des Todes Jesu im wunderbaren Satz aus, er «sollte nicht nur für das Volk sterben, sondern auch um die zerstreuten Gotteskinder zu sammeln» (Jo 11,52). Die neuen, nach dem Vatikanum II verfaßten Hochgebete greifen auf dieses biblische Thema zurück.

Wir dürfen deshalb inskünftig den personalisierenden Aspekt der Gnade nicht mehr aus dem Auge verlieren. Wie wir später sehen werden, ist die göttliche Gnadengegenwart die einzige Kraft, die uns endgültig von der Sünde und von jeder Versklavung durch das Böse befreit. Nur «coram Deo» erwacht unsere Persönlichkeit in Liebe. Der Mensch wird, erschafft und konstituiert sich in seinen Beziehungen zu den Mitmenschen. Das Werden einer Person schließt deshalb stets ein Wachstum, eine Entwicklung und einen Reifungsprozeß in sich. Es verdankt sich andern, weil es wesentlich in der Liebe besteht, die uns irgendwie von andern geschenkt wird. Wenn aber schon die Anerkennung und Liebe anderer Menschen das persönliche Wesen zu wecken vermag, das im Kind unter der Fülle der von Natur aus egoistischen Instinkte schlummert, was ist dann erst von der

---

[41] P. Schoonenberg, Ein Gott der Menschen (Einsiedeln 1969) 40.

[42] L. Cerfaux, La théologie de l'Eglise selon saint Paul = Unam Sanctam 54 (Paris ²1965) 101–112; 153–177.

Gegenwart Gottes zu sagen, der für uns nicht nur durch die uns umgebenden andern hindurch als der Andere in Erscheinung tritt, sondern der an
unser Inneres, an den Ursprung unseres Daseins rührt! Nach P. Schoonenberg versinnbildet die Instrumentalität unserer Begegnung mit dem Mitmenschen in der Gratuität der menschlichen Liebe die viel totalere Gratuität
der göttlichen Liebe.[43] Man könnte dagegen einwenden, unser Axiom führe
im gewissen Sinn zur Position des Bajus zurück. Wenn nämlich unsere Beziehungen zu den Mitmenschen zu unserer persönlichen Vervollkommnung
notwendig seien und wenn Gott sich ihrer bediene, um an uns heranzukom-
men, dann habe die Gnade nicht mehr wirklich Geschenkcharakter, sondern
gehöre dann zu den verschiedenen Funktionalitäten, die die menschliche
Person konstituieren und ohne die sie sich nicht zu verwirklichen mag. –
Hinter diesem Einwand steckt eine anthropomorphe Sicht der Gratuität.
Es stimmt nicht einmal auf der menschlichen Personebene, daß Funktionalität und Gratuität einander notwendig ausschließen. Die Psychologie zeigt,
wie wichtig die Familienatmosphäre, das Klima gegenseitiger Liebe und
Anerkennung für unsere psychische Integration, für unser Glück und die
Ausübung unserer Freiheit sind. Die Familie besitzt somit eine echte Funk-
tionalität für die Konstituierung des Menschen. Und doch wissen wir, daß
die Familienatmosphäre gegenseitiger Anhänglichkeit, Anerkennung und
Achtung Geschenkcharakter hat und aus der Liebe der Eltern, der Familien-
glieder und der Gemeinschaft, in der das Kind aufwächst, ersteht. Diese
Funktionalität ist somit schon auf der persönlichen Ebene menschlicher
Beziehungen funktional und gnadenhaft zugleich.[44] Doch die Geborgenheit
in Familie und Gemeinschaft, die für die menschliche Selbstentfaltung des
Kindes so wichtig ist, spielt auch auf der religiösen Ebene eine Rolle. In
diesem Umkreis beginnt das Kind zum ersten Mal eine größere, tiefere
Gratuität der Liebe zu erahnen, der die Liebe seiner Eltern und Freunde
entspringt. Jemandem, der nie menschlicher Liebe begegnet ist, bleibt die
Liebe Gottes unbekannt; das ganze Gnadenmysterium bleibt dann im
Dunkeln.

Mit diesem Beispiel sind wir bereits über die Explikation des Grund-
axioms hinausgegangen und zu seiner konkreten Anwendung innerhalb der
Kommunikationsfunktionen in Sprache, Verhaltensmustern und Strukturen vorgestoßen. Dies ist nun noch genauer zu entfalten. Wir möchten im
folgenden den vollen, radikal konkreten Sinn der Vorgegebenheit der
Gnade entfalten, nachdem wir bereits von ihrem trinitarischen Ursprung,
von der ewigen Liebe des Vaters in seinem Sohn kraft des Heiligen Geistes

---

[43] P. Schoonenberg, Ein Gott der Menschen 37–43.

[44] Vgl. E. Schillebeeckx in einem Aufsatz über die Bedeutung der Korrelationsmethode:
Een christelijk antwoord op een menselijke vraag?: Tijdschrift voor Theologie 10
(1970) 19.

gesprochen haben. Die Traktate über die Gnade beschränken sich im allgemeinen auf die Darlegung dieses theologischen und trinitarischen Aspekts. Dies geschieht insofern mit Recht, als die Gnade vor allem die erbarmende Liebe Gottes zum Menschen ist, den er geschaffen und der sich in der Sünde von ihm entfernt hat. Doch besteht so die Gefahr, daß diese göttliche Präsenz für den Menschen, vor allem für den Menschen von heute, etwas Fremdes und Äußerliches bleibt. Man muß deshalb betonen, daß die göttliche Präsenz in Jesus Christus in die Welt des Menschen eingetreten ist, daß sie sich *inkarniert* hat.

Es gibt somit einen weiteren Aspekt der Vorgegebenheit der Gnade, der aus der Inkarnation des Gottessohnes hervorgeht. Durch sein Leben, sein Beispiel und seine Verkündigung hat Jesus eine Jüngergemeinschaft, eine Gemeinschaft der Nachfolge ins Leben gerufen. Die Jünger haben im Lauf der Jahrhunderte eine konkrete Nachfolgetradition hervorgebracht, die in einem Lehrcorpus, privaten und liturgischen Gebetsformen, sittlichen Verhaltensmustern und Gemeinschaftsstrukturen zum Ausdruck kommt. Diese Überlieferung ist zweifellos das Werk von Menschen. Jeder Soziologe und Historiker kann ihre Entwicklung studieren. Und doch ist diese Überlieferung auch ein Geschenk der Gnade, denn sie ist erst recht das Werk der Präsenz des Geistes in der Kirche Christi. In ihr drückt sich der Glaube der Jünger aus, der durch den Geist geweckt wird und der treue Gefolgschaft und Erinnerung an das ist, was Jesus gesagt und getan hat. Hier würden wir, wenn wir sie recht verstehen, der Funktion der «memoria Christi», von der J. B. Metz gern spricht, ihre Stelle anweisen. Dieses «Gedächtnis» bildet übrigens einen Hauptaspekt der Kultfeiern, manifestiert sich doch unsere Rückbindung an Christus vor allem in der Anamnese der Sakramente. Es ist ein menschliches, geschichtliches Gedächtnis, das sich in einer Sprache und in Aktivitäts- und Lebensformen vollzieht, die uns erhalten geblieben sind in örtlichen und katholischen oder ökumenischen (im Ursinn des Wortes) Gemeinschaftsstrukturen, die sich auf die gesamte Welt des Menschen beziehen. Gleichzeitig ist es ein Gedächtnis, das durch den Geist verlebendigt wird, der uns in allem zu Christus und so zum Vater zurückführt.

Durch die Taufe oder die Bekehrung treten wir in diese geschichtliche Gemeinschaft ein. Wir vernehmen die Worte der Gnade, lassen uns in die Heilsriten einweihen, vor allem in die Sakramente, in welchen sich die Präsenz Gottes auf Erden kristallisiert, und in die Gemeinschaft der Kirche.[45] Wir werden in ihre communio hineingenommen, in die κοινωνία, die sich im Lauf der Zeit in Strukturen gegliedert hat, deren erster Sinn und Zweck es ist, diese Gemeinschaft mit dem Herrn und unter den Gliedern des Got-

---

[45] K. Rahner, Kirche und Sakramente = QD 10 (Freiburg i. Br. ²1963) 31–67; P. Fransen, Inwoning Gods en sacramentele Genade: Bijdragen 25 (1964) 143–162 = Intelligent Theology I (London 1967) 91–135.

tesvolkes zu bewahren, zu beschützen und zu intensivieren. In der Angleichung an diese Gemeinschaft und in der Identifikation mit ihr werden wir zu Christen, werden wir konkret, real und vor allem menschlich zu Jüngern Christi, zu solchen, die seinem «Weg» folgen. In diesem Sinn können wir wirklich von der Kirche als unserer Mutter, von der *heiligen* Kirche sprechen, zeigt sie uns doch das Antlitz des Herrn. In ihrem Schoß, der durch den Geist befruchtet wird, wie dies beim Schoß ihres Urbildes, der Gottesmutter, der Fall war, werden wir zu einem neuen Leben geboren, das ein Leben der Gnade ist.

Diese Sicht ist nicht so neu, wie es scheinen mag. Die Sakramententheologie der Hochscholastik hat uns auf sie vorbereitet. Wir denken vor allem an die Theologie eines Thomas von Aquin, wie sie in den letzten Jahren neu entdeckt worden ist.[46] Bekanntlich hat Thomas in der Summa den abstrakten, technischen Begriff des opus operatum, der die Wirkkraft der Sakramente zum Ausdruck bringen sollte, durch einen viel theologischeren Begriff ersetzt, indem er von den «mysteria carnis Christi» spricht. Die Mysterien des Fleisches Christi sind der Quell jeglicher Gnade, doch werden sie uns in der Zeit («continuantur», sagen Thomas und mit ihm viele Scholastiker bis G. Biel und Ockham) durch die «fides Ecclesiae» vermittelt. Der Sinn der Liturgiefeiern liegt eben darin, daß sie Ausdruck des Glaubens der Kirche sind, die das unter den liturgischen Zeichen verborgene Heilsmysterium sich zu eigen macht. Um diese Sicht der großen scholastischen Theologen zu verstehen, müssen wir vergessen, daß die Sakramente so etwas wie «Dinge» sind, «welche die Gnade verursachen». Wir müssen sie konkret betrachten und hinter den Abstraktionen der Schultheologie die Feiern der Gemeinde entdecken, die sich durch sie im Glauben Gott naht. Dieser «Glaube der Kirche» ist primär der Glaube unserer Vorfahren, die vor uns die Gebete und Schriftlesungen ausgewählt, die Riten und Gesten des Heils geschaffen und die Feiern zum Ausdruck ihres Glaubens mit Gemeinschaftsstrukturen verbunden haben, entsprechend dem tiefen Heilssinn der liturgischen Mysterien.[47] Aber wenn diese Worte und Gesten in der jeweiligen Feier wiederholt werden, müssen sie jedesmal von neuem den Glauben der jeweiligen Kirche ausdrücken, denn sie werden in Gemeinschaft mit der Gesamtkirche gefeiert, die ihnen weiterhin ihren wahren Heils- und Gnadensinn gibt. In diesem ständig erneuerten Glauben erneuern wir unsere Gemeinschaft mit der Vergangenheit und aktualisieren die Gemeinschaft mit der Gegenwart. Im «Glauben der Kirche» vereint uns jede Sakramentenfeier mit den heutigen Gliedern der

---

[46] G. Geenen, «Fidei sacramentum»: Bijdragen 9 (1948) 245–270; E. Schillebeeckx, De sacramentele Heilseconomie aaO. 403–414 und 647–663; L. Villette, Foi et sacrement II (Paris 1964) 13–79.

[47] E. Schillebeeckx, De sacramentele Heilseconomie aaO. 641–646 und 660f.

Kirche, mit unsern Vorfahren im Glauben und somit in der communio, welche die Seele der Kirche bildet, «mit den Mysterien des Fleisches des Herrn». Die östliche Theologie kann diese existentielle Sicht der Sakramente ergänzen. Sie betont, daß es der Geist ist, in dem sich die communio täglich in jeder Kultfeier verwirklicht und in dem wir in die Mysterien des Fleisches Christi oder, wie Thomas auch sagt, in die «mysteria mortis et resurrectionis Christi» hineingenommen werden.

In dem, was wir soeben ausführten, stoßen wir auf den Vollsinn des Begriffs «angenommene Gnade». Unter Zuhilfenahme von Formulierungen, die denen Luthers sehr nahekommen, betont Thomas, daß die Sakramente nur in ihrer vom Glauben beseelten Entgegennahme zu ihrer vollen Wahrheit, zur «veritas simpliciter», gelangen können. Wir müssen das Gnadenzeichen der von Christus im Geist gewirkten Erlösungstat im Glauben annehmen. In einem Prozeß aktiver Assimilation und Identifikation, wie ihn die Soziologen beschreiben, entsprechen wir der Einladung der Liebe Gottes, treten so in die Heilswirklichkeit ein und werden Christen, weil wir durch den Geist zum Gottesvolk versammelt worden sind.

Wir müssen jedoch unsern Horizont dem Maß der göttlichen Liebe entsprechend erweitern. Das II. Vatikanum hat darauf aufmerksam gemacht, daß die Kirche nicht um ihrer selbst willen da ist. Das Heilszentrum ist nicht die Kirche, sondern Jesus Christus in seinem Geist. Die Kirche ist Bild Christi, sichtbares Zeichen auf Erden für die unsichtbare Gegenwart des auferweckten Herrn. Sie ist für ihn und folglich in seinem Namen für alle Menschen da. Wir haben am Anfang dieses Kapitels auf die Bedeutung einer anthropologischen Sicht aufmerksam gemacht, die den Geist in seine Leiblichkeit und deren Erstreckung in den Kosmos hinein integriert. Gott liebt alle Menschen, so wie er sie erschaffen hat. Infolgedessen ist die göttliche Gnadengegenwart als eine kosmische Präsenz zu verstehen, die alle Menschen aus ihrem tiefsten Innern heraus und innerhalb dieser Welt zu sich zieht. Das ist der «göttliche Bereich», von dem Teilhard de Chardin und gewisse «process theologians» sprechen.[48] Die Kirche hat den Auftrag, in ihrer Lehre und in ihren Lebensformen innerhalb ihrer communio in Glaube und Liebe diese universale Liebe Gottes in Christus zu konkretisieren. Sie steht im Dienst dieser Liebe. So lädt uns die Realität der kosmischen Gnadengegenwart ein, die gleichen anthropologischen Kategorien, die wir auf die Kirche angewendet haben, auch auf andere Religionen, ja auf alle Gruppierungen von Menschen guten Willens anzuwenden, selbst

[48] P. Teilhard de Chardin, Der göttliche Bereich (Olten 1962). Über die «Process Theology» finden sich aufschlußreiche Angaben in: W. L. Reese und E. Freeman (Hrsg.), Process and Divinity. The Hartshorne Festschrift (New York 1964); P. Pittenger, God in Process (London 1967) und Process Thought and Christian Faith (New York 1968); E. H. Cousins (Hrsg.), Process Theology (New York 1971) 191–322; D. Brown, R. E. James and G. Reeves (Hrsg.), Process Philosophy and Christian Thought (New York 1971).

wenn sie aufrichtigen Gewissens atheistisch sind. In dieser Welt, die sich aus vielen geschichtlichen und menschlichen Gründen von der Kirche losgesagt hat, weckt die innere Stimme des Geistes Lehren, Gebetsgesten, Formen sittlichen Lebens sowie religiöse Strukturen, die den Menschen irgendwie den Zugang zu dem in ihrem Innern anwesenden Gott öffnen und sie zu ihm hinführen.[49] Darin besteht die «wahre Religion», die Augustin in der Geschichte der Menschheit erblickt. Sie ist christlich geworden, als die Apostel zu Antiochia sich öffentlich als Jünger Christi bezeichnet haben.[50] Daß diese christliche Kirche eine besondere, «privilegierte» Sendung erhalten hat – ein Ärgernis für unsere heutige egalitäre Welt! –, ist nicht dem Zufall und erst recht nicht irgendeinem Verdienst von ihrer Seite zu verdanken. Ihr Privileg besteht im Dienen. Und zwar ist es im Grunde das Privileg Christi, des menschgewordenen Sohnes des Vaters. Nur darum, weil sie die Worte Christi und seine Heilstaten durch die Jahrhunderte hindurch festgehalten hat und ihre communio durch geeignete Strukturen zu bewahren sucht, teilt sie das einzige Privileg des erhöhten Herrn: Heilswort für die Menschen zu sein. Aber diese besondere Sendung der Kirche darf die Tatsache nicht übersehen lassen, daß der Geist in seiner souveränen Freiheit bei allen Menschen und Gemeinschaften guten Willens Gnadenworte, Gebetsworte, sittliche Lebensformen und eine communio in der Treue zum «unbekannten» Gott weckt und hervorruft. Die Kirche hat den Menschen viel zu geben, weil sie ihnen Christus zu geben hat, aber nur, wenn sie bescheiden und ausdauernd auf das achtet, was der Geist auch außerhalb ihrer gewirkt hat und immer noch wirkt.

cc. Wir können diese Überlegungen nicht abschließen, ohne uns, wie es im Kapitel 7 des Rechtfertigungsdekrets des Konzils von Trient geschieht,[51] daran zu erinnern, daß all das, was wir über die Herrlichkeit der Gnade in uns und in der Kirche gesagt haben, von Gott her zu sehen ist. Wir sind heilig, die Kirche ist heilig, weil der Heilige Geist als beständige Ursache

---

[49] P. Fransen, How can Non-Christians find Salvation? An Bombay Seminar: Indian Ecclesiastical Review 4 (1965) 223–282, neu veröffentlicht in: J. Neuner (Hrsg.), Christian Revolution and World Religions (London 1967) 67–122 = Intelligent Theology III 145–183.

[50] In seinen Retractationes schreibt Augustin über seine Schrift De vera religione: «Item quod dixi: ‹Ea est nostris temporibus christiana religio, quam cognoscere ac sequi securissima et certissima salus est› (De v. rel. 10, 19: PL 34, 131), secundum hoc nomen dictum est, non secundum ipsam rem. Nam ipsa res quae nunc christiana religio nuncupatur, erat apud antiquos, nec defuit ab initio generis humani quousque Christus veniret in carne; unde vera religio quae iam erat, coepit appellari christiana. Cum enim eum post resurrectionem ascensionemque in coelum coepissent Apostoli praedicare, et plurimi crederent, primum apud Antiochiam, sicut scriptum est, appellati sunt discipuli Christiani (Act 11, 26). Propterea dixi: ‹Haec est nostris temporibus christiana religio›, non quia prioribus temporibus non fuit, sed quia posterioribus hoc nomen accepit.» (Retr. I, 12: PL 32, 603).

[51] DS 1545–1549.

von Bekehrung und Heiligung in uns wirkt. Wenn wir die gleiche Wirklichkeit sozusagen von unten her betrachten, sind wir oft skandalisiert, weil wir nichts als Schatten, Dunkelheiten und Sünde erblicken. Wir vergessen, daß die Herrlichkeiten der Gnade Sündern angeboten werden, die sich in langwierigem Bemühen von ihren Sünden befreien müssen. Wir vergessen vor allem, daß die Kirche selbst Kirche von Sündern ist und daß sie in dieser Hinsicht nicht heilig, sondern sündig ist. Diesen Sachverhalt meint die lutherische Formel: «simul iustus et peccator».

Gott liebt uns und weilt bereits in uns kraft seiner Rechtfertigungsgnade, aber um uns total von unsern Sünden zu befreien. Gott liebt auch die Kirche, und der Heilige Geist ist ihre Seele, aber um sie zu erneuern. Beständige persönliche Bekehrung, beständige gemeinschaftliche Reform machen die Wirklichkeit des Heilswerkes auf Erden aus. Es gibt hienieden keine Gnade ohne unablässige Umkehr; es gibt keine Kirche, die nicht ständig der Reform bedürfte: «Ecclesia semper reformanda!» Dabei sollte man gerade heute nicht vergessen, daß die Kirche auch in ihren ehrlichsten Reformbemühungen ihre Reform beständig reformieren muß: «Ecclesia etiam ubi reformatur, semper reformanda!» Wie unsere persönliche Bekehrung, bleibt auch die Bekehrung der Kirche, ihre Selbstreform, nicht unangefochten, sondern ist von Sünde, Spaltungen, Verdächtigungen, Parteigeist, Egoismus und Stolz bedroht. Diese Gefährdung bezieht sich auch auf die verschiedenen kirchlichen Strukturen.[52]

Hier liegt denn auch der Ort für den echten Prophetismus.[53] Wir möchten das Wort Prophetismus in seinem atl. Sinn verstehen. Der Prophet ist der Gläubige, der die konkrete geschichtliche Situation, in der er sich mit seinen Zeitgenossen befindet, mit andern Augen ansieht, mit Augen, die vom Licht der Gnade erhellt sind. Die Deutungen der Situation, die den meisten vernünftig erscheinen und von einem «conventional wisdom» her gegeben werden, verlieren für den Propheten ihren Sinn. Er entdeckt in seinem Innern den kairos der Zeit, den tiefern Sinn, den sie in den Augen Gottes hat. Auch der Prophet bezieht sich auf ein überkommenes Erbe, aber er nimmt zu ihm kritisch Stellung und zeigt neue Lebensformen auf. Er ist in all seinem Tun durch seine Sendung bestimmt, die ihn zum Handeln treibt, auch wenn ihm das den Tod einbringt.

Eine Theologie des christlichen Prophetismus ist unbedingt notwendig, wenn wir die begonnenen Ausführungen über die Gnade im konkreten Sinne weiterführen wollen. Der Prophetismus ist das einzige Heilmittel gegen das, was die Soziologen als Ideologie und Verabsolutierung von Lebensformen anprangern, wie sie bei jedem Sozialisierungsprozeß vorkommen, was eine beständige Ursache von Selbstentfremdung ist – eine

[52] Vgl. Anm. 34.
[53] G. von Rad, Die Botschaft der Propheten (München 1967).

Versuchung, für die der Katholizismus besonders anfällig ist, weil er wegen seiner inkarnationistischen Überlieferung Gefahr läuft, im Leben der Kirche und im eigenen Leben nicht genügend zu unterscheiden, was von Gott kommt und was von Menschen stammt. Der Prophetismus vermag die schon erwähnten dämonischen Strukturen auch innerhalb der Kirche und der sogenannten christlichen Gesellschaft zu entlarven. Ohne ihn wäre die Kirche seit langem in Lehr- und Lebenstraditionen festgefahren, die für die göttliche Gnade kaum mehr transparent wären.

In der christlichen Geschichte gibt es immer wieder Propheten verschiedenster Art, solche, die kraft ihrer Sendung eine weite Ausstrahlung in ihre Zeit haben, aber auch solche, die durch ein Leben des Gebets und der tätigen Nächstenliebe das Mysterium der Gegenwart Gottes in ihrem Leben ausstrahlen.[54] In der Rückkehr zum Ursprung entdecken sie in der Situation, in der sie leben, den göttlichen kairos. Durch ihr Horchen auf die Stimme des Geistes werden sie zu Rufern, die die Kirche den evangelischen Ruf zur Umkehr neu hören lassen. Durch ihr Zeugnis findet die christliche Gemeinschaft immer wieder zu neuer Echtheit zurück. Der innere Ruf, der an die Propheten ergeht, macht sie oft zu großen, packenden Persönlichkeiten. Doch geht ihre Sendung an Überzeugungskraft über das Gewicht ihrer Persönlichkeit hinaus, und es liegt bei ihnen mehr vor als nur die Stimme eines Menschen, der mit Autorität spricht. In ihnen wirkt der Christus der Evangelien, der in der «memoria» der Kirche lebt, sich ihrer Stimme und ihrer Taten bedient, um die Kirche zu erneuern und durch sie jeden gutwilligen Menschen und die menschliche Gesellschaft «auf gefährliche Weise zu befreien».[55]

Ohne den Dienst solcher Propheten, aber auch vieler einfacher Christen, die in der Schlichtheit ihres Lebens das «Antlitz» Christi spiegeln, bleibt alles, was wir über die horizontalen Dimensionen der Gnadengegenwart Gottes in der Geschichte gesagt haben, fragwürdig. Durch die Propheten wirkt die Gnade weiterhin in die Gemeinschaft hinein und wird die communio, die das Wesen der Kirche ausmacht, von neuem lebendig verwirklicht. In diesem Sinn muß jeder Christ etwas Prophetisches, einen Funken des Geistes haben, wodurch er sich von denen abhebt, für die das Christentum eine etablierte, sichere, wenn nicht ganz bequeme Lebensform ist, die keine andere Verantwortung mit sich bringt als die, den Geboten Gottes zu gehorchen und sich so das ewige Heil zu sichern. Wir sollten freilich diese

---

[54] K. Rahner, Das Dynamische in der Kirche = QD 5 (Freiburg i. Br. 1958).

[55] Wir glauben uns hier den Entprivatisierungsbestrebungen von J. B. Metz zu nähern, obwohl wir eine andere theologische Interpretationsmethode vorziehen. Vgl. J. B. Metz, ‹Politische Theologie› in der Diskussion: H. Peukert (Hrsg.), Diskussion zur ‹politischen Theologie› (Mainz 1970) 267–301; ders., Befreiendes Gedächtnis Jesu Christi (Mainz 1970); ders., Freiheit in Gesellschaft (Freiburg i. Br. 1971); ders., Zukunft aus dem Gedächtnis des Leidens: Concilium 8 (1972) 399–407.

Christen, die so ihre menschliche Schwerfälligkeit bezeugen, nicht verach-
ten. Gott liebt sie trotz ihrer Ängstlichkeit, in der sie nach anderen Siche-
rungen Ausschau halten als nach der Liebe Gottes und dem faszinierenden
Risiko, ihn im andern Menschen lieben zu können und so allmählich sein
barmherziges, majestätisches Antlitz zu entdecken.

c. Die eschatologische Struktur der Gnade

Das Wort «Eschatologie» ist ein relativ neuer Ausdruck, der 1804 von Karl
Gottlieb Bretschneider eingeführt wurde und seit A. Schweitzer, K. Barth
und R. Bultmann dermaßen en vogue ist, daß man ihn in allen möglichen
Zusammenhängen und Sinnbedeutungen gebraucht. Bei einem so unbestimmten und vor allem polyvalenten Ausdruck darf man sich nicht davon
dispensieren, genauer zu sagen, was man mit ihm meint. Der Ausdruck
Eschatologie kann als Sammelbegriff dienen, unter dem man alle Probleme
unterbringt, die das Mysterium des Todes und des ewigen Lebens betreffen.
Er kann aber auch die «Dynamik der Heilsökonomie» bezeichnen, gewissermaßen den Inhalt des Begriffes μυστήριον, wie er von Paulus verwendet
wird.[56] Wir gebrauchen den Begriff in diesem zweiten Sinn, in dem ihn auch
Y. Congar[57] und K. Rahner[58] zu verwenden scheinen.

Das Problem der «Dynamik der Heilsökonomie» hat an Aktualität gewonnen durch die Antwort, die J. Moltmann auf die marxistische Problematik der Zukunft der Menschheit gegeben hat.[59] Die Entdeckung der
Dimension der Zeit als der vierten Dimension unseres Daseins hat diese
Reflexion unumgänglich gemacht. Auf einer fundamentaleren Ebene ist das
Problem in der katholischen Theologie nicht neu. Die Theologie des Mittelalters und der Neuzeit hat immer am Grundsatz «gratia est inchoatio vitae
aeternae» festgehalten, den J. H. Newman mit dem berühmten Vers ausgedrückt hat: «Grace is glory in exile. Glory is grace at home.» In der Tat ist

---

[56] J. Carmignac, Les dangers de l'eschatologie: NTS 17 (1971) 365–390; vgl. bes. 380f;
ders., La notion d'eschatologie dans la Bible et à Qumrân: Revue de Qumrân 7 (1969)
17–31.

[57] Y. Congar sagt in einer Besprechung eines Werkes von R. Garrigou-Lagrange in der
RSPhTh 23 (1949) 463: «Die Eschatologie wird wieder ... zur Sinnrichtung der Bewegung der Geschichte, was das ganze Mysterium der Kirche erhellt; sie wird somit zu
etwas, das die jetzige Ordnung bearbeitet und sich eigentlich nur vom Abschluß seiner
Bewegung her verstehen läßt» (zit. im angeführten Aufsatz von J. Carmignac 381).

[58] Vgl. K. Rahner, Eschatologie: LThK III (1959) 1094–1098.

[59] E. Bloch, Das Prinzip Hoffnung (Frankfurt 1959); J. Moltmann, Theologie der
Hoffnung (München 1964). Vgl. vor allem Moltmanns Antwort auf die Kritik der Theo-
logie der Hoffnung in: W.-D. Marsch (Hrsg.), Diskussion über die ‹Theologie der Hoff-
nung› (München 1967) 201–238. Vgl. auch S. Unsfeld (Hrsg.), Ernst Bloch zu ehren
(Frankfurt 1965) und H. Sonnemans, Hoffnung ohne Gott? In Konfrontation mit Ernst
Bloch (Freiburg i. Br. 1973).

die Gegenwart der Trinität auf Erden und im Himmel im Prinzip die gleiche, und die irdische Präsenz ist nur real als Vorwegnahme der himmlischen. Wie Paulus sagt, besitzen wir schon in diesem Leben das Angeld des Geistes (2 Kor 1,22; 5,5; Röm 8,23; Eph 1,13), sei es, daß die Geisterfahrung im Hören auf das Kerygma, das Paulus mit einer geistlichen Salbung vergleicht,[60] uns bereits schon die Gewähr für die Vollendung im Reiche gibt, sei es, daß der Geist selbst, der uns geschenkt wird, uns schon wirklich in das Reich einführt. Unser jetziges Leben besitzt bereits Ewigkeitswert.

In der gleichen Gedankenordnung haben die Theologen des Mittelalters das Gnadenverdienst stets als Frucht des Einwohnens Gottes in uns dargestellt – eine Sicht, die in Kapitel 16 der Konstitution über die Rechtfertigung vom Konzil von Trient übernommen wurde. Durch unser Leben in Glauben, Hoffnung und Liebe treten wir bereits in die göttliche Bewegung ein, die uns ihrer Erfüllung in Gott entgegenführt. Und wenn wir über das ewige Leben, das uns entzogen ist, etwas Gültiges sagen können, dann nur so, daß wir das, was wir im Gnadenleben bereits erfahren, auf dem Weg der Analogie auf das Leben nach dem Tod übertragen.[61] Wir möchten darum eine allzu intellektualistische Auffassung des ewigen Lebens korrigieren, die sich einseitig auf das Moment der «visio beatifica» konzentriert. Gott hat uns als Geist-Leib-Einheit erschaffen. Die Vollendung in Gott läßt sich deshalb nicht ohne leibliche und kosmische Dimensionen denken.

Es kann gar nicht anders sein, als daß die Gnadendynamik, die unser Leben auf Erden bestimmt, auf der vorweggenommenen Präsenz der Trinität in unserer Zeit beruht. Nach dem letzten Weltkrieg haben verschiedene Einflüsse diese theologischen Perspektiven, die vorher oft zu abstrakt und zu platonisch erschienen, zu neuer Entfaltung gebracht. Indem der Mensch seiner Einheit mit dem Leib gewahr wird, entdeckt er tiefer diese Erde, und der Fortschritt der Naturwissenschaften treibt ihn an, die Herrschaft über sie zu übernehmen. Indem er der Rolle ansichtig wird, die der Mitmensch in unserem Leben spielt, wird er wieder inne, daß die Dynamik der Heilsökonomie nicht nur auf das Individuum, sondern auf die Gemeinschaft bezogen ist. Die Entdeckung einer Welt, die von Tag zu Tag kleiner wird, und vor allem der Vorwurf des Marxismus, die Religion lenke von den irdischen Pflichten ab durch die Hoffnung, im Jenseits würden die Dinge dann geändert werden, hat in den Gläubigen den Sinn für die irdischen Verantwortlichkeiten wieder geweckt. Die Entdeckung schließlich, daß das Chri-

---

[60] I. de la Potterie, L'onction du chrétien par la foi: Biblica 40 (1959) 12–69, wiederveröffentlicht in I. de la Potterie et St. Lyonnet, La vie selon l'Esprit, condition des chrétiens = Unam Sanctam 55 (Paris 1965) 107–167.

[61] Wenn Katharina von Genua in ihrem Trattato sul purgatorio so vortrefflich über das Fegfeuer geschrieben hat, so darum, weil sie das Mysterium unserer endgültigen Läuterung in einer analogen Deutung des Reinigungsweges in der mystischen Erfahrung vorweggenommen hat.

stentum vor allem ein Leben, ein konkreter Weg, eine Orthopraxie und nicht so sehr eine abstrakte, dogmatische Orthodoxie ist, hat den Sinn für das, was unmittelbar zu tun ist, noch verstärkt. Man darf sich nicht einfach auf das Heil im Jenseits vertrösten und die Erde ein «Jammertal» bleiben lassen, ein vorübergehendes Exil, das für das Gnadenleben keine andere Bedeutung hätte als die, der Ort zu sein, an dem der Christ Verdienste für den Himmel sammeln kann. Christus ist gekommen, um die Menschen zu retten, und dieses Heil wird schon auf Erden angebahnt.[62] Die großen Vorkämpfer dieser neuen Theologie, J. Moltmann und J. B. Metz, wollen jedoch keinen neuen Mythos aufbringen, die Illusion nämlich, wir könnten aus der Erde einen Himmel machen.[63] Die Botschaft des Kreuzes und die Liebe Jesu zu den Armen, den Verlassenen und den Außenseitern machen seine Jünger darauf aufmerksam, daß jeder Einsatz für die Gerechtigkeit, den Frieden und das Glück von der Sünde bedroht ist. Dieses Wissen darf uns aber nicht von den konkreten Aufgaben auf der Welt ablenken, sondern soll uns in der Überzeugung bestärken, daß unsere Hoffnung letztlich allein auf Gott beruht.

Weitere Aspekte der Dynamik der Heilsökonomie kommen auch in andern Teilen dieses Werkes zur Sprache, so daß wir hier nicht weiter ausholen müssen. Unsere Ausführungen über die kosmische, weltoffene Rolle der Kirche und über den Prophetismus zeigen, daß der Traktat über die Gnade mit den weiteren eschatologischen Reflexionen zusammenhängt. Die Gnade tritt ja in der Geschichte als ein Aufruf zum Menschsein und als Samenkorn der Ewigkeit mit Gott in Erscheinung.

[62] «Nur auf Grund realer Antizipation des Eschaton in der Geschichte Christi kann es zu einer noetischen Extrapolation aus dieser Geschichte in die Zukunft seiner Erscheinung kommen. Die Gegenwart hat kein futurum, wenn sie nicht adventus der Zukunft ist. Nur insofern in ihr etwas ‹angekommen› ist, kann aus ihr etwas werden.» Antwort auf die Kritik der Theologie der Hoffnung aaO. 213. Vgl. J. B. Metz, Gott vor uns. Statt eines theologischen Arguments: Ernst Bloch zu ehren aaO. 227–241.

[63] J. Moltmann, Theologische Kritik der politischen Religion: Kirche im Prozeß der Aufklärung (München 1970) 11–51 (vor allem 35–51) und in seinem neuesten Werk: Der gekreuzigte Gott. Das Kreuz Christi als Grund und Kritik christlicher Theologie (München 1972); J. B. Metz, Freiheit in Gesellschaft (Freiburg i. Br. 1971) 15 f; ders., Zukunft aus dem Gedächtnis des Leidens: Concilium 8 (1972) 399–407.

EINZELFRAGEN ÜBER DIE GNADE

1. Der Gnadenstand

Nach Auffassung der Schrift, der Kirchenväter und der großen Scholastiker stellt die Heilstat Gottes in uns einen Zustand der Gnade her, ein In-der-Gnade-Sein, das unsere Einzelakte des Glaubens, der Hoffnung und der Liebe transzendiert. Um diesen Zustand zu interpretieren, haben die Theologen der Hochscholastik den *habitus*-Begriff eingeführt. Im dogmengeschichtlichen Kapitel haben wir auf zwei Dinge hingewiesen: 1. Die Kirche hat nie in einem offiziellen Akt des außerordentlichen Lehramtes die Interpretation des Gnadenstandes auf den habitus-Begriff festgelegt, obwohl diese Deutung im Westen sich rasch durchsetzte. 2. Die Theologie der heiligmachenden Gnade als eines «habitus infusus» wird mißverstanden, wenn dieser habitus nicht entschieden in seiner unmittelbaren, dynamischen Abhängigkeit von der Gegenwart Gottes in uns gesehen wird. Der Gnadenstand ist von Grund auf ein «Einssein», ein «Mitsein». Sobald der «habitus infusus» aus dieser seiner Bezogenheit und somit aus seinem Daseinsgrund herausgenommen wird, vermag er als bloß geschaffene Wirklichkeit das Mysterium unserer Vergöttlichung nicht mehr zu erklären. Das ist der Einwand, den die Christen der Ostkirche immer wieder erheben, und sie haben darin zweifellos recht. Das Gegenargument, der habitus sei «innerlich übernatürlich», überzeugt nicht, denn als geschaffene Wirklichkeit bleibt er an und für sich, seinem absoluten und nicht seinem relativen Sein nach, außerhalb Gottes. Darum haben wir in unserem Buch über die Gnade die Formulierung geprägt: Der Gnadenstand ist notwendigerweise «*ex* inhabitatione, *in* inhabitatione et *in* inhabitationem». Der habitus-Begriff ist als technischer Begriff typisch aristotelisch. Er kann aber auch eine universalere Bedeutung haben, die über die kategoriale Systematisierung bei Aristoteles hinausgeht und einer allgemeinen menschlichen Erfahrung entspricht. Darum ist er in mehreren Sprachen zu finden, ohne daß er in einem Zusammenhang zur aristotelischen Philosophie stünde.

Dennoch stellt sich die Frage, ob wir nicht den Gnadenstand in einem Bezugsrahmen erklären können, der dem heutigen Denken eher entspricht. 1952 haben wir den Begriff «Grundoption» («option fondamentale») vorgeschlagen,[64] der nach einigem Zögern von mehreren Theologen aufge-

---

[64] P. Fransen, Pour une psychologie de la grâce divine: Lumen vitae 12 (1957) 209–240, dt. zusammengefaßt: Zur Psychologie der göttlichen Gnade: Die Kirche in der Welt 11 (1960) 143–150 und 265–274.

griffen wurde.[65] Der Begriff ergibt sich aus einer tieferen Analyse unserer Freiheit und war schon früher nicht ganz unbekannt. Schon bei Thomas von Aquin finden sich Ansätze in dieser Richtung.[66] E. Brisbois gründete die Moralität des menschlichen Tuns auf das Anstreben des richtigen Endziels («finis ultimus debitus»), entsprechend der scholastischen Metaphysik, die jegliches Leben als Hinbewegung der Natur zu dem ihr gemäßen Endziel auffaßt. Wir haben nichts anderes getan, als diese Grunderfahrung der Freiheit in einen mehr personalistischen Bezugsrahmen versetzt, wie er zu Beginn dieses Jahrhunderts durch das neue Anstöße vermittelnde Werk M. Blondels grundgelegt worden war.[67]

Die Grundoption kommt auf einer tieferen Ebene als der der Willensfreiheit zustande (die nachtridentinischen Theologen achteten fast ausschließlich auf diese Freiheitsform). Sie bestimmt die Wirklichkeit der menschlichen Freiheit qualitativ. Im tiefsten Personkern – vor der Aufspaltung in Denken und Wollen, in Geist und leib-seelische Dynamismen – schließt sich die Person langsam für das Wirkliche auf oder lehnt es ab, indem sie sich in das eigene Ich einkapselt. Der Begriff «Grundoption» wird mißverstanden, wenn man sie als voll bewußten, begrenzten Akt *neben* den Einzelakten unseres Lebens versteht. Sie meint viel mehr eine radikale dynamische Ausrichtung unseres Lebens, die *durch und in* den einzelnen Akten, in denen sie sich realisiert, frei bejaht wird. Sie liegt somit nicht neben unsern Einzelakten oder parallel zu ihnen, sondern beseelt sie von innen heraus. Sie kann nur existieren, indem sie sich in einzelnen Taten äußert. Je mehr sie wächst, desto mehr werden unsere Kräfte integriert und desto mehr wird die Vielfalt unseres Tuns von innen her vereinfacht. In diesem Wachstum erlangt die Person ihre wahre Reife. So gesehen ist unser Personsein uns als eine zu leistende Aufgabe, als eine frei zu verwirklichende Berufung *gegeben*. Die Freiheit ist uns gegeben, um frei entgegengenommen zu werden. Die Grundoption verwirklicht sich frei, indem sie aus der Totalität unseres Seins in seiner Konfrontation mit der Totalität der Wirklichkeit ersteht. Dazu kommt, was wir bereits ausgeführt haben: Die Grundoption verwirklicht sich vor allem in unserer Begegnung mit den andern, denn die Totalität des Realen ist vor allem personal.

[65] M. Flick-Z. Alszeghy, L'opzione fondamentale della vita morale e la grazia: Gr 41 (1960) 593–619, und: Il Vangelo della Grazia (Firenze 1964) 143–167; 191ff; 342–355. Vgl. auch H. Reiners, Grundintention und sittliches Tun = QD 30 (Freiburg i. Br. 1960) 47–74.

[66] S. Th. I/II q. 89 a. 6c.

[67] E. Brisbois, Le désir de Dieu et la métaphysique du vouloir selon S. Thomas: NRTh 63 (1936) 978–989 und 1089–1113; ders., Le Problème moral = Etudes religieuses 43 (Bruxelles 1921); M. Blondel, L'action (1893) (Paris 1950). Ungefähr zehn Jahre vor seinem Tod hat Blondel den Originaltext seiner Dissertation veröffentlicht in: L'action, 2 Bde. (Paris 1936–1937).

Die Grundoption weist verschiedene Eigenschaften auf, die denen entsprechen, welche die früheren Theologen mit dem *habitus*-Begriff zum Ausdruck bringen wollten. Sie macht unsere einzelnen Taten leichter, spontaner, menschlicher und persönlicher. Sie gibt uns Stabilität und versetzt uns in eine bestimmte Lebenshaltung, denn sie verwirklicht sich durch viele Einzelakte, denen sie eine feste Ausrichtung, eine ordnende Sinnmitte gibt. Sie ist ein Tätigkeitsprinzip. So gesehen, läßt sich nichts dagegen einwenden, daß man die heiligmachende Gnade als eine Grundoption auffaßt. Diese Personalisierung des Gnadenstandes bringt freilich auch eine neue Definition des Sündenstandes mit sich, den man als «Todsünde» bezeichnet. Die Todsünde, die mit dem Gnadenstand unvereinbar ist, besteht in einer solchen sündhaften Einzeltat, die von einer der Gnade entgegengesetzten Grundoption inspiriert und getragen ist, in der wir die Liebe Gottes zurückweisen und uns in unser Ich einkapseln. Diese Sicht zwingt die herkömmliche juridische, kasuistische und rein objektive Betrachtung der Todsünde zu einem Umdenken, das nicht leichtfallen mag.[68] Eine neue Sicht der Freiheit wird jedoch durch pastorale Schwierigkeiten, die größtenteils aus einem falschen Sündenbegriff resultieren, nicht um ihre Richtigkeit gebracht.

Aus theologischer Redlichkeit müssen wir jedoch hinzufügen: Wenn auch die Begriffe «habitus infusus» und «Grundoption» der Gnade eine und dieselbe Wirklichkeit der inneren Heiligung durch das Innewohnen Gottes benennen wollen, so drücken sie diese Wirklichkeit doch nicht auf die ganz gleiche Weise aus. Vom «habitus» der Gnade wird ausdrücklich gesagt, er sei «eingegossen». Man betrachtet so also den Gnadenstand formell als «vorgegebene» Gnade, während der Begriff «Grundoption» dieselbe Gnade formell als «angenommene Gnade» bezeichnet. Schließlich möchten wir nochmals unterstreichen, daß der Gnadenstand weder als «habitus infusus» noch als Grundoption von seinem Ursprung und Daseinsgrund, von der schöpferischen und liebenden Gegenwart Gottes losgelöst werden darf.

Die Grundoption, wie wir sie verstehen, unterscheidet sich auch vom «übernatürlichen Existential» Karl Rahners.[69] Das übernatürliche Existential meint bei Rahner nicht eigentlich die frei angenommene Grundoption, sondern eine grundlegende Neigung, die ihrer Annahme vorangeht, einen «wollenden Willen» (Blondel), einen «übernatürlichen Dynamismus» (J. Maréchal), einen in unser Wesen eingestifteten Ruf zum freien Ja zur göttlichen Liebe. Grundoption wie Existential haben indes den gleichen Ursprung: die schöpferische liebende Gegenwart des Heilsgottes. Wir nehmen sie in uns wahr als ein Hingezogenwerden zu Gott, das den Willen ihm ge-

---

[68] P. Schoonenberg: MS II, 854–859 und ausführlicher in: Macht der zonde: Het Geloof van ons Doopsel IV (s'Hertogenbosch 1962) 50–78. Vgl. auch P. Fransen. De Genade aaO. 370–405 = The New Life of Grace aaO. 246–272; H. Reiners, Grundintention und sittliches Tun aaO. 102–135.

[69] K. Rahner, Über das Verhältnis von Natur und Gnade: Schriften I, 323–345.

neigt macht und das sodann durch die einzelnen Akte hindurch in einer liebenden Hinwendung zu Gott formell und frei bejaht wird. Es handelt sich
somit beim übernatürlichen Existential und bei der Grundoption um verschiedene Momente in der Entfaltung der menschlichen Freiheit unter dem
Einfluß der Gegenwart Gottes. Selbstverständlich unterscheidet sich auch
der radikale Dynamismus des übernatürlichen Existentials Karl Rahners in
seiner Vorgegebenheit vom «habitus infusus» der scholastischen Theologie.

Das klassische Problem der *Vermehrung und der Verminderung der heiligmachenden Gnade* läßt sich in unserer existentiellen Sicht leichter lösen. Je
mehr nämlich die Gnade verdinglicht wird, desto schwieriger ist es, ihr
Wachstum oder ihre Minderung zu erklären. Für die Schultheologie stellte
sich eine zusätzliche Schwierigkeit. Sie mußte die heiligmachende Gnade
des Kindes mehr oder weniger mit der Gnade des Erwachsenen identifizieren, obwohl diese Vorstellung kaum nachzuvollziehen ist.

Nach unserer Auffassung ist die Grundoption ein Aspekt unserer Freiheit. Sie kann in einem qualitativen Sinn wachsen oder abnehmen, je nachdem wie man sich dabei engagiert. Sie kann auch erlahmen, absterben und
einer entgegengesetzten, ichbezogenen Option Platz machen, einer radikal
sündhaften Option, die es verunmöglicht, daß Gottes heiligmachende
Gnade in uns zugegen ist. Um Wachsen und Schwinden der heiligmachenden Gnade zu erklären, brauchen wir, wenn wir sie als Grundoption für die
Liebe auffassen, bloß den Grundsatz anzuwenden, der bereits auf dem Konzil von Trient aufgestellt wurde.[70] Wenn jedwede Gnadenstruktur dialogal
und dialektisch ist, hängt das Wachstum der Gnade in erster Linie von der
souveränen Initiative des Heiligen Geistes und erst in zweiter Linie vom
Intensitätsgrad unseres Mitwirkens ab. Was Gott betrifft, wissen wir, daß
er stets «größer ist als unser Herz» (1 Jo 3, 20). Das Schwinden der heiligmachenden Gnade hingegen kann einzig darauf zurückzuführen sein, daß
unsere Hingabe an Gott erlahmt, daß wir uns seinem Ruf entziehen. Das
entspricht ganz der Schilderung, die 853 die Synode zu Quiercy gegeben
hat.[71] Das Wachsen und Schwinden der Gnade ist praktisch identisch mit
dem Rhythmus des Wachsens und Schwindens der Liebe.

In unserer Deutung nähern wir uns der Position des Duns Scotus, nach
welchem zwischen der heiligmachenden Gnade und der *caritas* kein realer
Unterschied besteht (anders als bei Thomas, nach welchem der Unterschied
analog zum Unterschied zwischen Substanz und geistigen Fähigkeiten ist).
Wir haben schon gesagt, daß es durch die Intensivierung unserer Grund-

[70] «... secundum mensuram, quam ‹Spiritus Sanctus partitur singulis prout vult›
(1 Cor 12,11), et secundum propriam cuiusque dispositionem et cooperationem» (DS 1529).
[71] «Libertatem arbitrii in primo homine perdidimus, quam per Christum Dominum
nostrum recepimus: et habemus liberum arbitrium ad bonum, praeventum et adiutum
gratia, et habemus liberum arbitrium ad malum, desertum gratia. Liberum autem habemus
arbitrium, quia gratia liberatum et gratia de corrupto sanatum» (DS 622).

option zu einem Verinnerlichungsprozeß kommt. Es widerspräche zwar der Natur und Leiblichkeit des Menschen, wenn man die Grundoption nicht in den schlichtesten Alltagshandlungen zum Ausdruck zu bringen suchte. Wir wollen jedoch nicht aus übertriebener Angst vor einer «Privatisierung» übersehen, wie sehr die Intensivierung unserer Grundoption uns innerlich integriert, daß sie in einer tieferen Identifikation mit uns selbst zur Reife kommen muß. Wir halten uns hier an die Dialektik eines Johannes van Ruysbroek, der darin den vollkommensten Ausdruck eines christlichen Lebensideals erblickt, das im «ghemeyne mensche» Gestalt annimmt: Wir werden zu dem, was wir sind, nur in der Dialektik zwischen äußerer Aktivität einerseits, indem wir – vor allem durch die «ghemeyne minne» – in der Kirche die Tugenden üben, und innerer Vereinigung mit Gott andererseits, der durch seinen Geist in uns wohnt. Das eine kann nicht ohne das andere sein.[71a]

2. Die theologalen Tugenden als aktiver Dynamismus des Gnadenstandes

Von den theologalen Tugenden ist bei Paulus (1 Kor 13,13) die Rede. Sie werden «theologal» genannt, weil ihr unmittelbares Formalobjekt Gott selber ist. Sie sind eigentlich nur weitere Ausfaltungen unserer Grundoption. Wie der Sonnenstrahl beim Durchdringen eines Kristallprismas in eine ganze Farbenskala zerlegt wird, so nimmt die Einfachheit unserer Grundoption, wenn sie sich unter dem Anstoß der göttlichen Gnade in der Komplexität des Menschseins äußert, zwangsläufig verschiedene Formen an. Die menschliche Existenz öffnet sich auf die Wahrheit, die Werte und die Mitmenschen und hält dies in Mut, Vertrauen und Ausdauer durch die Zeit durch. Die drei theologalen Tugenden lassen sich also normalerweise nicht voneinander trennen. Ihre Lebenseinheit ist so tief, daß es durchaus angeht – wie es Schrift, Kirchenväter und einzelne moderne Autoren tun –, alle drei in einer von ihnen zu sehen,[72] so wie es jeweils der Grundsicht eines Autors oder den geistlichen und pastoralen Bedürfnissen der Gläubigen entspricht. Johannes kannte ein einziges «Gebot» Gottes: «Wir sollen an den Namen seines Sohnes Jesus Christus glauben und einander lieben, wie es seinem Gebot entspricht» (1 Jo 3,23). Im Römer- und Galaterbrief stellt Paulus den Glauben in den Mittelpunkt. Auch in der unmittelbaren Nachkriegszeit richtete man das Augenmerk vor allem auf den Glauben. Die Auseinandersetzung mit dem Marxismus rückte mehr die Hoffnung in das Blickfeld. Der neu erwachte Sinn für die Solidarität unter den Völkern läßt uns vermehrt an die Bedeutung der Mitmenschlichkeit, der Nächstenliebe denken. Thomas von Aquin verwendete zum Ausdruck dieser Einheit den Begriff «fides formata» und verstand darunter den Glauben, der sich in

---

[71a] B. Fraling, Mystik und Geschichte (Anm. 26) 58–206.
[72] K. Rahner, Theologische Tugenden: LThK X (1965) 80.

Hoffnung und Liebe voll aktualisiert. Man darf somit die drei Tugenden nicht zu separat behandeln, wie es oft in einer «verdinglichten» Theologie geschah. Die Vielschichtigkeit des Menschen, der bruchstückhafte Charakter des menschlichen Selbstausdrucks und die Schizophrenie, in die der Sünder gerät, machen es aber möglich, daß jemand einen ersten Anflug des Glaubens hat, wobei er sich aber der Hoffnung und der Liebe noch verschließt.

Zu den drei theologalen Tugenden möchten wir die «Bekehrung» hinzufügen, nicht als selbständige Tugend, sondern als die aktuelle Struktur dieser Tugenden beim sündigen Menschen. Dazu regen uns vor allem die Synoptiker an, die uns die Verkündigung Jesu, wie sie im Gedächtnis der Urkirche weiterlebte, unmittelbar überliefern. Der Tradition der großen Propheten entsprechend bringen sie das Heil und das Kommen des Reiches mit der Herzensbekehrung in Zusammenhang. Die Notwendigkeit der Bekehrung gehört zur Herzmitte der Botschaft von der Gnade. Ein Glaube, eine Hoffnung und eine Liebe, die nicht anfänglich, dauernd und gegenwärtig in einer Bekehrung unseres Innern bestehen, haben mit dem Gottesreich nichts zu tun.

Der Begriff «theologale Tugend» bringt ein Problem mit sich, das die Theologie von jeher beschäftigt hat, heute aber von besonderer Dringlichkeit ist. Die «Gott-ist-tot-Theologie», die eine Reaktion auf eine zu leichtfertige Verwendung des Gottesnamens im Rationalismus und in der «Religion» im unguten Sinn des Wortes ist,[73] hat uns in ein religiöses Dunkel hineingebracht. Einzelne Theologen sind deshalb zurückhaltender geworden, wenn sie erklären sollen, wie wir Gott unmittelbar anzielen können. Auch sind wir uns tiefer bewußt geworden, daß wir Gott nur im Spiegel unserer menschlichen Erfahrungen zu «sehen» vermögen, was die Theologen veranlaßt, nuancierter von dieser «Unmittelbarkeit» zu Gott zu sprechen.[74]

Die Schwierigkeit tritt noch offener zutage in der Lehre des Neuen Testaments über die Einheit der Gottes- und der Nächstenliebe.[75] Zur Lösung dieser Schwierigkeit kann eine echte Erneuerung der mystischen Überlieferung behilflich sein, die einerseits mit dem AT und NT daran festhält, daß «niemand Gott je geschaut hat» (Jo 1,18), «der in unzugänglichem Licht

---

[73] Vor allem im deutschen Sprachbereich bedeutet das Wort «Religion» seit dem 19. Jh. öfters religiöse Fehlhaltungen wie Ritualismus, Legalismus, Dogmatismus, Fundamentalismus. Vgl. dazu RGG V (Tübingen ³1961) 961–984 und LThK VIII (1963) 1168–1172. Es ist zu bedauern, daß viele protestantische Theologen die «Mystik» in die gleiche Kategorie einreihen, da sie ein autonomes Bestreben sei, sich Gottes zu bemächtigen.

[74] Vgl. die Diskussionen über die Natur des Glaubensaktes und sein Formalobjekt in der Zusammenfassung durch J. Trütsch: MS I, 876–891.

[75] Vgl. K. Rahner, Über die Einheit von Gottes- und Nächstenliebe: Schriften VI, 277–298.

wohnt; den kein Mensch gesehen hat noch zu sehen vermag» (1 Tim 6,16),
andererseits aber darum weiß, daß wir den in uns wohnenden Gott unmittelbar zu «berühren» oder zu «verkosten» vermögen.[76] Im Glauben verkosten
wir unmittelbar seine Selbstbezeugung als höchste Wahrheit, in der Hoffnung die Bezeugung seiner Treue und in der Liebe seine unendliche Liebenswürdigkeit, worin er uns an sich zieht.

Unsere Antwort läßt sich von dem inspirieren, was wir über die personalen und gemeinschaftlichen Grundstrukturen ausgeführt haben. Beim
Begriff «Grundoption» haben wir den oft übersehenen Sachverhalt hervorgehoben, daß die Grundoption nie gewissermaßen im Reinzustand besteht,
sondern sich notwendigerweise durch und in einzelnen Akten äußert, aus
denen sich unser Alltagsleben zusammensetzt. Unter dem Antrieb der
Gnade macht sich die Grundoption gewissermaßen auf die Suche nach einer
Sprache, nach Betätigungsformen innerhalb einer strukturierten Gemeinschaft. Darum bedarf jeder Mensch einer Gemeinschaft des Glaubens, der
Hoffnung und der Liebe, in die er durch die Taufe oder eine persönliche
Bekehrung eintritt. In der lebendigen communio der Kirche wird der
Mensch mit einem Glaubens-, Hoffnungs- und Liebeserbe konfrontiert, dem
er sich angleicht, indem er sich damit identifiziert.

Bis anhin haben wir den Weg der Kirche durch die Generationen der
treuen Jünger des Herrn skizziert, wie jeder Soziologe und Historiker ihn
beobachten und beschreiben kann. Die Religionspsychologie bestimmt seine
Gesetze und macht auf die Gefahr von Illusionen, Verfälschungen und
pathologischen Entstellungen aufmerksam. Auch der Soziologe, der vergleichende Religionsgeschichtler und der Kirchenhistoriker beteiligen sich
an diesem Bemühen um Bewußtheit, Echtheit und schließliche Befreiung.
Der Gläubige gewahrt indes, daß innerhalb dieser menschlichen Geschichte
eine Präsenz am Werk ist, und zwar nicht nur im einzelnen Christen, sondern
auch in der communio der Christen mit der Vergangenheit und mit der
Gegenwart auf ihrem Weg in die Zukunft. Gott nimmt den Menschen so,
wie er ist. Die sanfte, diskrete und doch mächtige Gegenwart des Geistes
zerstört nicht das, was wir eben schilderten. Gott braucht keine Gewalt und
keinen Druck. Er muß nicht ständig von außen eingreifen, um das von ihm
begonnene Werk zu korrigieren, zu vervollständigen und sozusagen wieder
von neuem anzupacken. Er setzt sich nicht an die Stelle der von ihm geschaffenen normativen Gesetze der geschichtlichen Entwicklung. Er rührt durch
seine Gegenwart an den innersten Ursprung unseres Daseins, an den Punkt,
wo es beständig aus seinen Schöpferhänden hervorgeht. Er hat die Glau-

[76] Die patristische und byzantinische Theologie sucht das Problem dadurch zu lösen,
daß sie zwischen οὐσία Gottes und seinen ἐνέργειαι unterscheidet. Vgl. z. B. W. Lossky,
Essai sur la Théologie mystique de l'Eglise d'Orient (Paris 1944) und W. Krivosheine,
Die asketische und theologische Lehre des hl. Gregorios Palamas = Das östliche Christentum 8 (1939).

benslehre, die sittlichen Haltungen und die zur Aufrechterhaltung der communio, in der das innerste Wesen der Kirche besteht, notwendigen Strukturen inspiriert. Er ist es auch, der unmittelbar die kirchliche communio der Gegenwart inspiriert, aus der ein Leben in Glaube, Hoffnung und Liebe hervorgeht. Wie wir bereits sahen, wird aber die lebendige Überlieferung beständig durch die Begrenztheit und Sünde der Menschen und der Welt bedroht. Darum sendet er seine Propheten, die für ihre Zeitgenossen und die Zukunft der Kirche die Glaubenslehren und die Haltung der Hoffnung und der Liebe erneuern.

Erst nachdem wir von neuem bekräftigt haben, daß unser Glaube, unsere Hoffnung und unsere Liebe menschlich geprägt sind, können wir durch eine Analyse der Gesamtaktivität des Menschen aufzeigen, daß wir hinter dem Horizont unserer Kenntnisse und Werte, die sich aus unseren menschlichen Erfahrungen ergeben, direkt und unmittelbar Gott anzielen und benennen. In dieser menschlichen Erfahrung birgt sich nämlich die tiefere, nicht in Worte zu fassende, souverän erfüllende und Frieden schenkende Erfahrung, daß wir im Zug der Gnade Gottes Gegenwart «verspüren». Dieses innere Hingezogenwerden und Hinneigen zu ihm und zu allem, was ihm gehört, gibt von ihm Kunde und läßt ihn gewissermaßen «schmecken». Es ist direkt und unmittelbar und insofern an und für sich auch unfehlbar. Erst im Prozeß der Äußerung und des Ausdrucks in Sprache, Lebensformen und Gemeinschaftsstrukturen kann sich die Sünde geltend machen, können die verschiedenen Begierden und Strebungen in uns, die nicht von Gott kommen, mitspielen. Hier wird denn auch die besondere Rolle der communio ersichtlich. Wir haben bereits von der Rolle der Propheten im engern und weitern Sinn gesprochen. An dieser Stelle müssen wir die prophetische Funktion der Gemeinde erwähnen. In der Konfrontation mit unsern gegenseitigen Erfahrungen erneuert und überprüft sich die Kirche und richtet sich in ihrem Dahinpilgern durch die Geschichte immer wieder neu auf Gott aus. Der Mensch kommt zur Erkenntnis der Wahrheit nur in Gemeinschaft mit andern.[77] Die communio in der Kirche bietet Gewähr für unser treues Festhalten an Glaube und Hoffnung, für die Aufrichtigkeit unserer Liebe. Diese Indefektibilität ist nicht frei von Ungeschicktheiten, Irrtümern, Treulosigkeit, Regression und Sünde. Und trotzdem ist sie eine Indefektibilität, weil der Heilige Geist den Leib Christi, dessen Seele er ist, nicht im Stich läßt; er erweckt in ihm Propheten, Heilige, Theologen und Apostel, die unter seinem sanften Wirken immer wieder zur Erneuerung und Reform der Kirche beitragen.

Wenn man die Dinge so sieht, kann man nichts dagegen einwenden, daß man die theologalen Tugenden von Gott als ihrem einzigen Formalobjekt

---

[77] Vgl. K. Rahner, Kleines Fragment über die kollektive Findung der Wahrheit: Schriften VI, 104–110.

her definiert. Es besteht indes die Gefahr eines Rückfalls in einen problematischen, für den Menschen unserer Zeit nicht zu vollziehenden Supranaturalismus, wollte man einzig den «Mechanismus» beschreiben, worin durch die Kreaturen als Materialobjekte Gott als das Formalobjekt angezielt wird. Allzuoft hat man sich in den theologischen Handbüchern, vor allem in der Analyse des Glaubensaktes, mit abstrakten Erörterungen begnügt. Wir müssen deshalb wieder den mystischen Charakter hervorheben, den jeder Akt des Glaubens, der Hoffnung und der Liebe vom Urgrund seiner dynamischen Intention her besitzt. Dieser Sachverhalt ist nicht nur einer zu abstrakten und deshalb «privatisierenden» Theologie gegenüber zu betonen, sondern auch gegenüber dem versteckten Pelagianismus, wie er in manchen kirchlichen Kreisen vorkommt, die – wenn nicht spekulativ, so doch praktisch – allzuviel Gewicht auf die Autoritätsmechanismen zur Wahrung der Glaubensreinheit, auf die Rechtsstrukturen zur Sicherung der communio und auf Verurteilungen und Anathemata legen. In einem solchen Verhalten übersieht man leicht die zentrale Rolle des Geistes und man versäumt, die Gläubigen zur Unterscheidung der Geister im persönlichen Leben und im Leben der Gemeinschaft zu führen.

Abschließend ist ein Wort zur Frage nach der Einheit von Gottes- und Nächstenliebe zu sagen.[78] Im Verständnis der Gnade, das wir entwickelt haben, scheinen sich die Schwierigkeiten leichter als in anderen Deutungen lösen zu lassen. Wir dürfen die Nächstenliebe nicht als zusätzlichen verdienstlichen, religiösen Akt konzipieren, der uns Gott nahebringt. Das wäre geradezu die Verleugnung der Liebe, wie uns gewisse kleinkarierte Formen und Zerrbilder «christlicher Nächstenliebe» zeigen. Liebe richtet sich immer auf den andern als solchen und um seiner selbst willen. Sie nimmt ihn nicht einfach als Mittel zum Heil oder als Anlaß zum Vollbringen verdienstlicher Werke. Man «übt sich» nicht in Liebe auf dem Buckel der andern! Eine solche Fehlhaltung hat die Nächstenliebe oft in Verruf gebracht. Wir sollen den Nächsten lieben so wie Gott ihn liebt, auch in seinen Sünden und Schwächen, der «goldenen Regel» entsprechend, wonach wir den andern lieben sollen, so wie wir selbst geliebt sein möchten. Dem Wort Jesu: «Liebet einander, wie ich euch geliebt habe» (Jo 13,14) entsprechend, müssen wir vor allem die Armen, Geringen und Verlassenen lieben. Johannes geht sogar noch weiter, wenn er sagt: «Wer seinen Bruder nicht liebt, den er sieht, kann Gott nicht lieben, den er nicht sieht» (1 Jo 4,20), denn «Gott ist Liebe» (1 Jo 4,8.16).

---

[78] Diese Einheit wird im heiligsten Glaubensbekenntnis des alten und des modernen Judentums, im «Schema Israel – Höre Israel» zum Ausdruck gebracht. Es setzt sich aus Dt 6,4–9; 11,13–21 und Nm 15,37–41 zusammen und wird, auf Pergament geschrieben, in der «mezuza» aufbewahrt, die jedes jüdische Haus schmückt so wie das Kreuz die christlichen Wohnungen. Christus und die Apostel haben dieses Bekenntnis übernommen und die Einheit so sehr betont, daß man von einem «neuen Gebot» sprechen konnte.

Für gewöhnlich ist es die Liebe zum Nächsten, worin wir langsam lernen, das Mysterium der Heilsgnade Gottes zu entdecken, denn Gott, der die Liebe ist, rührt nicht nur an unser Inneres, sondern kommt auch auf dem Weg über andere uns nahe. Dieses Gesetz bildet geradezu eine der Wesensstrukturen der Gnadentheologie. Weil jedoch die menschlichen Beziehungen vielschichtig und vieldeutig, begrenzt und durch Sünde angefochten sind, erscheint uns das, was der göttlichen Vorsehung entsprechend geradezu zur Struktur unseres Daseins gehört, oft unmöglich. Die Einheit von Gottes- und Nächstenliebe verwirklicht sich in Spannungen, Reibungen und Mißverständnissen, wie selbst das Leben großer Heiliger zeigt. Das, was letztlich das einzige Gebot des Christentums und der Hauptausdruck der Gnade in uns und in der Welt ist, erscheint deshalb oft als dasjenige Gebot, dem am schwierigsten nachzuleben ist und das infolge vielfach falscher Deutung und Anwendung am meisten sinnentleert ist. Es gehört zur Tragödie des Christentums, daß das Wort «Nächstenliebe» so abgebraucht ist, daß man nach Ersatzworten dafür fahnden muß!

3. Die Gaben des Geistes als passiver Aspekt der Begnadigung

Das Mittelalter hat eine Theologie der Gaben des Heiligen Geistes ausgearbeitet, die von Jesaja (11, 1 f), Lukas und Paulus inspiriert ist. Die Vulgata kommt im Jesajatext auf sieben Geistesgaben, indem sie die «Furcht des Herrn» mit den beiden Begriffen «Furcht» und «Frömmigkeit» wiedergibt. Im Originaltext ist – entgegen der Meinung der Theologen des Mittelalters – nicht sosehr von den Gaben des Geistes des Herrn die Rede als von den guten Eigenschaften, die den großen Heiligen des Alten Bundes zu eigen waren: der Weisheit und Intelligenz Salomos, der Klugheit und Kühnheit Davids, der Gotteserkenntnis und Gottesfurcht der großen Patriarchen und Propheten; der Messias wird an dieser Stelle als «der gerechte König» bezeichnet. Diese Gaben unterscheiden sich von den «Geistesfrüchten», von denen Paulus da und dort spricht. Es sind damit auch nicht nur die außerordentlichen Geistesgaben gemeint, die das Mittelalter als Charismen kannte. Die Theologie der Gaben des Heiligen Geistes war im allgemeinen in eine Gnadentheologie integriert. Die Geistesgaben wurden als Vollendung sowohl der theologalen wie der sittlichen Tugenden angesehen. Die meisten Theologen waren der Ansicht, diese Vollendung bestehe in einer größeren Offenheit und Willfährigkeit gegenüber den inneren Anregungen des Geistes. Man kann die Gaben auch als den «passiven» Aspekt der Gegenwart Gottes in uns ansehen. Selbstverständlich sind sie passiv nicht in einem quietistischen, sondern in einem mystischen Sinn: Eine höchst intensive Aktivität geht damit zusammen, daß man sich ganz der Leitung Gottes überläßt. Eine so ausgerichtete Theologie der Geistesgaben führt die Gläubigen in das mystische Leben ein.

Wir machen uns diese mystische theologische Tradition gern zu eigen, möchten sie aber vereinfachen und von müßigen theologischen Fragen befreien. Die Siebenzahl der Gaben hat nur eine symbolische Bedeutung, so wie etwa wie die Apokalypse von den «sieben Geistern» spricht. Es ist auch müßig zu fragen, ob den sieben Gaben sieben geschaffene ontologische Realitäten in uns entsprechen. Innerhalb des Gesamtverlaufs unserer Heiligung durch die Gnade Gottes als einer dialogalen dynamischen Wirklichkeit besagen die Geistesgaben, daß dieser Heiligungsvorgang den tiefen, lebendigen Sinn dafür weckt, daß wir dabei beständig von der Initiative Gottes abhangen. Die Gnade ist nicht etwas Statisches, sondern Bewegung und Leben, die unablässig der liebenden Gegenwart Gottes entspringen.

An diesem Punkt mündet die Theologie des mystischen Lebens direkt in die Theologie der Gnade ein. Jede Regung der Gnade wird immerfort neu empfangen und ist nie unser Besitz. Sie muß irgendwie in uns selbst erfahren werden. Schließlich finden Glaube, Hoffnung und Liebe ihre Vollendung im unmittelbaren Kontakt mit der Einladung und der Anziehung durch Gott, selbst wenn dieser passive mystische Aspekt in der Erfahrung vieler Gläubiger oft sehr rudimentär bleibt.

4. Die aktuelle Gnade

Dieser Abschnitt bildete noch vor fünfzig Jahren eines der wichtigsten Kapitel des Gnadentraktates. Thomisten und Augustinianer disputierten mit den Molinisten über die Natur der aktuellen Gnade: Wird sie von Gott auf dem Weg über die Fähigkeiten hervorgebracht (mehr ontologische Auffassung) oder besteht sie in Erleuchtungen und spontanen Neigungen, die von Gott direkt in unsere Aktivität eingesenkt werden (mehr psychologische Auffassung)? Kernpunkt der Auseinandersetzung bildete die Frage «De auxiliis», in der Bañezianer, Molinisten und Kongruisten ihre Deutung des Verhältnisses zwischen der Vorherbestimmung durch Gott und der Freiheit des Menschen darlegten. Diese Freiheit wurde vor allem als Wahlfreiheit gedacht, wobei man zwischen der «libertas contradictionis» (Freiheit zu handeln oder nicht zu handeln) und der «libertas contrarietatis» (Freiheit dieses oder jenes zu tun) unterschied. Auch wenn uns Denkweise und Argumentation, wie sie in den verschiedenen Gnadensystemen zum Ausdruck kommen, heute in mancher Hinsicht befremden, kann man die echten und auch heute noch aktuellen Anliegen nicht übersehen, die hinter dem ganzen Disput stehen.[79]

Zur Frage der Natur der aktuellen Gnade sei in aller Kürze folgendes bemerkt. Wir haben in unseren Ausführungen über die Natur der Grundoption betont, daß man diese nie von den Einzelakten trennen kann, in

---

[79] Vgl. dazu F. Stegmüller, Gnadensysteme: LThK IV (1960) 1007–1100.

denen sie sich ausdrücken muß. Beim gerechtfertigten Menschen, dessen Grundoption durch die Gnade getragen wird, ist die aktuelle Gnade nichts anderes als das normale Durchdrungensein seiner Akte durch die Gegenwart Gottes, die sich schon in seiner Grundoption aktiv auswirkt. Wir nähern uns damit dem thomistischen Verständnis der Wirkgnade, drücken uns aber in mehr dynamischen Kategorien aus. Die aktuelle Gnade besteht einfach darin, daß die Gegenwart Gottes mittels der Grundoption bis in unsere Einzelakte vordringt. In dieser Hinsicht bringt die Aussage der aktuellen Gnade keine besonderen Probleme. Es sei daran erinnert, daß der Begriff «aktuelle Gnade» formell erst nach dem Konzil von Trient eingeführt wurde.

Die Frage nach der aktuellen Gnade wird indes meistens gestellt im Hinblick auf das Wirken der Gnade bei denen, die noch nicht gerechtfertigt sind, die sich aber nach der Sprechweise des Konzils von Trient auf die Bekehrung und Rechtfertigung disponieren und vorbereiten.[80] Diese Frage ist noch nicht beantwortet, und wir müssen zu ihrer Abklärung etwas weiter ausholen. Das Problem bringt die Schwierigkeit mit sich, eine Erfahrung spekulativ zu klären, die auf der Ebene des Lebens ganz klar zutage liegt. Es war schon immer schwierig zu erklären, wieso ein Mensch im Stand der Gnade läßlich sündigen und wieso ein Mensch im Stand der Todsünde Taten vollbringen kann, die von der Gnade Gottes inspiriert sind. Unserer Ansicht nach gibt es im Menschen infolge seiner Begrenztheit, vor allem infolge der durch die Sünde bedingten Desintegration, gleichsam eine konstitutive geistliche Schizophrenie. Dies bedeutet, daß neben der dominierenden Grundoption sich auch eine gegensätzliche, schwache, noch nicht die Oberhand behaltende, aber doch schon aktive Grundoption herausbilden kann. Diese Auffassung scheint auf den ersten Blick widersprüchlich zu sein, weil man meinen möchte, es könnten nicht gleichzeitig zwei entgegengesetzte *Grund*optionen nebeneinander bestehen. Die Grundoption ist doch ein Entscheid der *Totalität* der Person in ihrer Konfrontation mit der Totalität der Wirklichkeit. Dennoch bezeugt uns unsere Erfahrung, daß unser Herz geteilt ist. Unsere Interpretation ist nicht widersinnig, weil wir die Tugendakte des Sünders und die Sünden des Gerechtfertigten nicht als isolierte, für sich bestehende Elemente ansehen. In Wirklichkeit ist die läßliche Sünde der Beginn eines Vorgangs, der zur totalen Abkehr von der göttlichen Liebe führt, so wie die Tugendakte des Sünders einen wahren Prozeß der Hinwendung zur Liebe Gottes einleiten. In dieser Hinsicht ist die Situation des Gerechtfertigten der Situation des Sünders ähnlich. So kann man denn auch sagen, daß die Akte, die auf die Rechtfertigung vorbereiten, aus der Gegenwart Gottes in uns hervorgehen, aus einer Gegenwart, die noch nicht voll akzeptiert ist, die aber in unserem Innern eine Bewegung

[80] DS 1525 ff.

hin zu Gott auslöst. Wir haben ein ähnliches Problem bei unseren Ausführungen zu den theologalen Tugenden gestreift. Auch diese Tugenden können wegen der Gespaltenheit unseres Herzens bis zu einem gewissen Grad unvollkommen realisiert werden als anfanghafter Glaube und anhebende Hoffnung, als erster Anfang von Liebe, wie das Tridentinum sagt,[81] wodurch wir schließlich zur Rechtfertigung hingeführt werden. Unserer Auffassung nach werden so die aktuellen Gnaden, die die Rechtfertigung vorbereiten, ebenfalls durch die Gegenwart Gottes mittels der keimhaften Grundoption hervorgerufen, die die ersten Schritte auf dem Weg zur Rechtfertigung lenkt. Entscheidend ist jedenfalls, daß immer der Primat und die Wirklichkeit der Gegenwart Gottes als Urgrund aller Gnade festgehalten werden.

5. Die Erfahrung der Gnade

Wir haben schon öfters auf die Bedeutung der religiösen Erfahrung für die Theologie hingewiesen. Dies gilt vor allem für die Gnadenlehre. Die Tatsache der Erfahrung der Gegenwart Gottes in uns wurde während Jahrhunderten im Osten wie im Westen ohne große Kontroversen angenommen. Die Geisteslehrer waren sich allerdings dessen bewußt, daß Täuschungen, Schwarmgeisterei, Sektierertum in dieser Beziehung sich breit machen können.[82] Sie hatten deshalb praktische Regeln zur «Unterscheidung der Geister» ausgearbeitet. Ansätze dazu finden sich schon bei Paulus, vorab in 1 Kor 14.

Gegen Anfang des 17. Jh.s beginnt die Kirche gegenüber der Mystik eine zurückhaltende, ja eher negative Haltung einzunehmen. Die Bewegung der Alumbrados in Spanien hatte die spanische Inquisition veranlaßt, Schriften über die Mystik, vor allem, wenn sie in der Volkssprache verfaßt waren, auf den Index zu setzen. Infolge der Angriffe Gersons wurde die trinitarische Mystik des Johannes van Ruysbroek von einigen Theologen als «gefährlich» beurteilt. Bald war es so weit, daß Rom Molinos, Fénelon und Madame Guyon mit ihrer Lehre über die reine Liebe verurteilte. Der Kampf gegen die Reformation und die Auseinandersetzung um Bajus und Jansenius sowie die durch sie ausgelöste Bewegung war nicht dazu angetan, das Verständnis für die Mystik in der Kirche zu fördern. Am negativsten wirkte sich jedoch das siegreiche Vordringen des Rationalismus aus. Descartes hatte proklamiert, unsere Wirklichkeitserkenntnis käme ausschließlich durch «klare, deutliche Ideen» zustande. Die von Natur aus tieferen und somit

---

[81] «dum peccatores se esse intelligentes ... ad considerandum Dei misericordiam se convertendo, in spem eriguntur, fidentes, ... illumque (Christum) diligere incipiunt» (DS 1526). Die Formulierung «diligere incipiunt» wurde mit Bedacht gewählt, um diese Liebe von der caritas zu unterscheiden, die uns rechtfertigt.

[82] Vgl. R. A. Knox, Christliches Schwärmertum (Köln 1957).

dunkleren Formen der religiösen Erfahrung, die sich nicht in der Sprache der Vernunft, sondern mehr in der Sprache der Symbole ausdrücken lassen, wurden damit problematisch. Der Suarezianismus erklärte bald, das Gnadenleben bringe, von den außerordentlichen Fällen einer eingegossenen Mystik abgesehen, keinerlei Erfahrung der Gnade mit sich. Diese Haltung führte dazu, daß wertvolle geistliche Schätze der Patristik und des Mittelalters in Vergessenheit gerieten.

Während des 19. und zu Beginn des 20. Jh.s wurde die religiöse Erfahrung von denjenigen radikal in Zweifel gezogen, die Paul Ricœur die «Meister des Infragestellens» nennt: Nietzsche, Feuerbach, Marx, Freud und ihre Schüler lehnten die religiöse Erfahrung als bloße Illusion und Selbstbetrug ab, als trügerische Projektion des menschlichen Geistes. Da die Angriffe und kritischen Analysen dieser Autoren oft wirklich vorhandene Fehlformen der religiösen Haltung aufdeckten, verunsicherten sie das religiöse Empfinden des westlichen Menschen zutiefst. Sie machten es unmöglich, sich mit der religiösen Erfahrung zu befassen, ohne dem Rechnung zu tragen, was an diesen kritischen Einwänden stimmt. Nach P. Ricœur müssen wir uns deshalb heute eine «zweite Naivität» aneignen, d. h. eine neue Haltung der Spontaneität und des Vertrauens, die durch das Feuer der kritischen Einwände hindurchgegangen ist.[83] Trotz andauernder Angriffe des Skeptizismus und der Religionskritik ist das Interesse für die religiöse Erfahrung und die Mystik heute neu erwacht. Nicht unbedenklich ist an dieser Tatsache, daß sich viele zu sehr durch oberflächliche Kontakte mit Formen asiatischer Mystik leiten lassen, während andere sich vor allem für außerordentliche Phänomene wie Sprachen- und Heilungsgabe interessieren, die das Walten des Geistes unter Umständen begleiten. Man übersieht so leicht die tieferen Einsichten der großen mystischen Überlieferung.

Auch die Theologie der Gnade muß die Natur der religiösen Erfahrung neu sichten und dabei den Erkenntnissen Rechnung tragen, zu denen die von unserer westlichen Kultur ausgegangene Religionskritik gelangt ist. Sie kann dabei nicht vom «stream of consciousness» absehen, von dem N. A. Whitehead spricht, in dem diese Erfahrung auftaucht. Die religiöse Erfahrung kann aber auch nicht auf die ihr gemäße Bewußtseinsebene

---

[83] «Je penserais volontiers, avec Bonhoeffer et d'autres, que désormais une critique de la religion, nourrie de Feuerbach et ces trois maîtres du soupçon (c'est à dire: Marx, Freud, Nietzsche) appartient à la foi mûrie d'un homme moderne.» P. Ricœur, La critique de la religion: Bulletin du Centre protestant d'Etudes 16 (1964) 10ff, zitiert in M. Xhaufflaire, Feuerbach et la Théologie de la sécularisation (Paris 1970) 17. Die gleiche Idee wird noch ausführlicher dargelegt in: P. Ricœur, Religion, athéisme, foi: Le Conflit des interprétations. Essais d'herméneutique (Paris 1969) 431–457. Ricœur verwendet zwar die Begriffe «erste» und «zweite Naivität» in einem andern Sinn. Vgl. Don Ihde, Hermeneutic Phenomenology. The Philosophy of Paul Ricœur (Evanston 1971) 18f. Vgl. auch J. Shea, Die zweite Naivität – Bemerkungen zu einem Pastoralproblem: Concilium 9 (1973) 56–62.

gehoben werden ohne die Sprache und die Lebensformen, die sie zum
Ausdruck bringen und die zu ihr gehören. Darum ist das Vergessen des
geistlichen und mystischen Erbes für unsere Zeit so verhängnisvoll. Die
religiöse Erfahrung ist von der Art von Erfahrungen, mit denen uns die
modernen Naturwissenschaften vertraut gemacht haben, von Grund auf
verschieden. Mit Gott und seiner Gegenwart lassen sich nicht im Laborato-
rium Experimente anstellen. Diese Art von Erfahrung läßt sich nicht beliebig wiederholen und in Statistiken und andern Formen wissenschaftlicher
Berechnung ausdrücken. Es liegt in ihrem Wesen, daß sie uns ganz und gar
geschenkt ist, daß sie von der Initiative Gottes abhängt und als solche wahrgenommen wird. Wir können sie in keiner Weise manipulieren, denn sie
gehört zu einem Mysterium, auch wenn wir die sie begleitenden psychischen
und leiblichen Phänomene erforschen können.[84] Sie läßt sich nicht herbei-
befehlen, man kann sich auf sie nur einstellen und bereiten, indem man
innerlich ruhig wird. Damit wird nicht bestritten, daß gewisse Gebetsformen, ja selbst bestimmte Körperhaltungen und Konzentrationstechniken
hilfreich sein können. Auch können die Regeln zur Unterscheidung der
Geister, die uns die großen Heiligen als Frucht ihrer Erfahrung hinterlassen
haben, nützlich sein, um eine bessere Disposition zu erreichen und um
Täuschungen zu vermeiden, die sich auf diesem Gebiet leicht einstellen.

Ein Mißverständnis wäre es freilich, wenn man meinte, wir könnten Gott
selber erfahren. Wir vermögen nur die unmittelbare Wirkung der Gegenwart Gottes in uns wahrzunehmen: die innere Neigung, den Gnaden-
instinkt, den «Geschmack» der Gnade, die uns Gott durch seine aktive,
schöpferische Präsenz mitteilt. Die wahre religiöse Erfahrung ereignet sich
im geistlichen *Tun*, worin wir in Glaube, Hoffnung und Liebe Gott an uns
wirken lassen. Nur im liebenden Hinhorchen auf die innere Stimme gewahren wir ihre Übereinstimmung mit dem göttlichen Instinkt, der sie beseelt.
Dies widerspricht nicht einem der Echtheitskriterien, auf das manche Heilige hinweisen: daß sich das Bewußtsein der Gegenwart Gottes zuweilen
geradezu aufzwingt, ohne daß uns etwas darauf vorbereitet hat.[85] Wir wol-

---

[84] Den leibseelischen Phänomenen wie Ekstase, Schweben, Visionen, Stigmen, Sprachengabe, die das mystische Leben manchmal begleiten, messen mehrere große Mystiker
keine große Bedeutung bei. Für Johannes vom Kreuz und andere gehören sie einer Über-
gangsphase, der sog. «geistlichen Verlobung» an. Sie sind vor allem Anzeichen dafür,
daß der Leib und die Seelenkräfte der gewaltigen Konzentration im Gebet nicht gewachsen sind. Zu Johannes vom Kreuz vgl. den Artikel «Extase» in: DSAM IV/2 (Paris
1960) 2162ff. Vgl. auch W. James, The Varieties of Religious Experience (London 1904)
und J. Maréchal, Etudes sur la psychologie des mystiques I (Louvain ²1938) 125–134. Zur
psychologischen Seite der Sprachengabe bei den protestantischen Pfingstlern Amerikas
vgl. die Untersuchung einer Psychologenequipe unter Leitung von J.P. Kildahl, The
Psychology of Speaking in Tongues (New York 1972).

[85] «2. Einzig Gott unser Herr kann ohne vorausgehenden Grund der Seele Trost geben;
... Ohne Grund soll heißen: ohne vorangehendes Fühlen und Erkennen irgendeines

len einer quietistischen Mentalität gegenüber nur sagen, daß Gott uns seine Gegenwart nicht verspüren läßt, ohne daß wir in irgendeiner Weise dabei auch beteiligt sind.

Die religiöse Erfahrung kann verschiedene Formen annehmen, die alle die verschiedenen Aspekte und Äußerungen der Liebe betreffen. Sie kommt in einem tiefen Gefühl der Freude und des Friedens zum Ausdruck, das mit Versuchungen, Zweifeln und körperlichen oder seelischen Leiden einhergehen kann. Sie äußert sich zuweilen als tiefe Erfahrung des Sterbens und Lebens. Gottes Gnade reißt uns aus unserer egoistischen Verkrampfung heraus und lädt uns zu einem totaleren Verzicht ein, was ein beängstigendes Gefühl der Trennung und Einsamkeit und zugleich ein Gefühl des Erfüllt- und Geborgenseins mit sich bringt. Bezeichnend für diese Erfahrung ist auch das intensive Verlangen, sie andern mitzuteilen, was dem Charakter der Gnade als einer Selbstmitteilung Gottes entspricht. Nicht immer hat die religiöse Erfahrung aber den Charakter einer Erfüllung. Sie kann sich auch in einem tiefen Hungern und Dürsten nach Güte und Gerechtigkeit äußern, im läuternden Schmerz darüber, daß wir Gott noch so fern sind. Wir glauben, daß dieser Aspekt der mystischen Nacht eine der häufigsten Formen der religiösen Erfahrung von heute ist. Wir haben Gott aus unserem öffentlichen und gesellschaftlichen Leben verbannt. Einzelne Theologen haben ihn sogar in unsern Gedanken, Sinnbildern, Vorstellungen und liturgischen Symbolen sterben lassen. Hinter manchen Formen einer Theologie des Todes Gottes, wie sie vor einigen Jahren aufgekommen ist, kann freilich das Verlangen stehen, die von uns verfertigten Götzenbilder zu zerstören, um dahinter Gottes Antlitz wiederzufinden.

Die Gefahr der Täuschung steckt in allen Formen der religiösen Erfahrung. Die Geschichte liefert dafür zahlreiche Beispiele. Um auf die Ebene des Bewußtseins zu treten, muß sich diese Erfahrung in Bildern, Symbolen, Lehren und Lebensformen inkarnieren, die sie, während sie auf sie hinweisen, zugleich verfälschen und verdunkeln können. Echte Erfahrung ist letztlich an ihren Früchten zu erkennen. Wenn sie uns von unsern Egoismen befreit, den andern näherbringt, die communio im Glauben wachsen läßt, den Mut der Hoffnung mehrt und unsere Liebe läutert, stammt sie von Gott. Wenn immer aber sie uns in Selbstzufriedenheit, Stolz oder Fanatismus um uns selber kreisen läßt, ist sie illusorisch, pathologisch oder gar sündhaft. Psychisch labile Menschen, Schwarmgeister und Fanatiker werden immer Mühe haben, echte und eingebildete Erfahrung der Gnade zu unterscheiden. Nur bei unverkrampften, reifen Menschen, die von persönlicher oder kollektiver Hysterie frei sind, tritt die religiöse Erfahrung klar und überzeu-

Gegenstandes, der ihr vermittels der Akte ihres Verstandes und Willens eine solche Tröstung herbeiführen würde.» Ignatius von Loyola, Die Exerzitien, dt. von H. U. v. Balthasar (Luzern 1946), Regeln zu dem Zweck, die Geister noch genauer zu unterscheiden (S. 140).

gend zutage. Darum sind die großen Geisteslehrer, ohne daß sie dem Wirken Gottes eine Grenze setzen wollten, bei der Bewertung der mehr äußerlichen, auffälligen Charismen, z. B. der Sprachengabe, der Visionen und Ekstasen – stets sehr vorsichtig und zurückhaltend gewesen. Das beste Vorbild für die Unterscheidung der Geister ist zweifellos Paulus. Er achtet keine Geistesgabe gering, selbst nicht die Glossolalie, auf die die Korinther so stolz waren. Aber er legt den Primat auf das, was die Kirche erbaut und was so der Einheit und communio dient.

Wir haben weiter oben gesagt, daß das Hingezogenwerden zu Gott in den theologalen Tugenden an und für sich unfehlbar ist, weil wir uns in ihnen unmittelbar zu Gott verhalten. Das gleiche Prinzip gilt für jede echte religiöse Erfahrung. Irrtum, Selbsttäuschung, Lüge treten erst in einem zweiten Moment ins Spiel, nämlich dort, wo wir unsere Erfahrung reflektieren und durch Lehren und Taten interpretieren. Auf dieser Ebene stehen wir nicht mehr ausschließlich unter der Einwirkung Gottes, sondern sind auch andern, unter Umständen unlautern und sündhaften Einflüssen ausgesetzt. Die Mystiker machen auch die Erfahrung, daß sie unfähig sind, die Fülle der ihnen von Gott geschenkten Einsichten und Eindrücke adäquat auszudrücken. Darum bevorzugen sie oft die Sprache der Bilder und der Poesie und verstummen schließlich in anbetendem Schweigen.

6. Gnade und Freiheit

Johannes (Jo 8,31–36) und Jakobus (1,25 und 2,12) betrachten unser Leben in Christus als eine Berufung zur Freiheit. Vor allem tritt Paulus für die mit der Herrlichkeit der Kinder Gottes gegebene Freiheit ein (Röm 8,21). Diese biblische Überlieferung ist so eindrücklich, daß Augustin und viele weitere Theologen der Ansicht sind, die wahre Freiheit werde uns erst in der Gnade geschenkt. Sie bestreiten nicht, daß es eine niedere Form der Freiheit gibt, das «liberum arbitrium», das zum Menschen als solchen, zum Sünder wie zum Gerechten, gehört. Doch unsere wahre «libertas» kommt von Gott. Sie besteht in der Teilhabe an und im Nachvollzug der Freiheit Jesu. Die Synoptiker sprechen zwar nicht ausdrücklich von der Freiheit Jesu. Diese Freiheit kommt aber in seinem ganzen Verhalten, das sich sowohl von revolutionärem Fanatismus wie von bürgerlichem Konformismus abhebt, eindrücklich zum Ausdruck.

Wir haben bereits darauf hingewiesen, daß Gnade im Grunde Liebe ist. Damit besitzen wir einen zentralen Gesichtspunkt, der uns von selbst in die richtige Perspektive versetzt. Wir verstehen Freiheit gern als Unabhängigkeit, als Befreitsein von vielen Verpflichtungen und Einschränkungen, die uns von außen auferlegt werden («freedom from»). Unser Freiheitsbegriff ist immer noch stark vom Emanzipationsbestreben des modernen Menschen geprägt. Symbole für diese Freiheit sind im Westen auf geschichtlicher

Ebene vor allem die Französische Revolution und die Konstitution der Vereinigten Staaten von Amerika. Grundlegender aber ist die schöpferische Freiheit auf etwas hin («freedom to be», «freedom for»). Die modernen Wissenschaften zeigen, welchen Determinismen das menschliche Dasein in Natur und Gesellschaft unterworfen ist. Paradoxerweise findet der Mensch gerade durch und in den verschiedenen Formen der Abhängigkeit und des Beeinflußtwerdens zur Freiheit. Deswegen sollte er seine Freiheit mehr im schöpferischen Tun als in Aggression und Zerstörung suchen.

Bevor wir der Frage nachgehen, auf welchem Weg uns die Gnade frei macht, müssen wir eine Vorfrage beantworten, die seit Augustin oft erörtert worden ist: die Frage nämlich, wie sich die *Vorherbestimmung durch Gott* und die *Freiheit des Menschen* in der Gnade zueinander verhalten. Dieses Problem hat seit Jahrhunderten zu nicht wenigen Schwierigkeiten geführt, und zwar nicht nur auf spekulativer Ebene, sondern auch in der Glaubensunterweisung. Die Antwort muß deshalb auf beiden Ebenen erfolgen.

Zunächst eine semantische Bemerkung: Persönlich vermeiden wir den Ausdruck «Prädestination» und erst recht «physische Prädetermination», der von den Bañezianern verwendet wird. Wir sind uns jedoch bewußt, daß zumindest der erste Ausdruck vom Lehramt oft verwendet wurde. Die Vorsilbe «prae» («vorher») legt den Gedanken eines Zeitunterschieds zwischen dem ewigen Ratschluß Gottes und seiner jeweiligen Verwirklichung im Menschen nahe – eine Auffassung, die vom eigentlichen Sinn des Mysteriums wegführt. Wir ziehen den Ausdruck «Primat Gottes» vor, weil er weniger mißverständlich ist. – Im gleichen Zusammenhang begegnet auch der Begriff «Synergismus». Die Theologen des christlichen Ostens bedienen sich seiner gern, um ihre Sicht der Gnade wiederzugeben, während ihn manche protestantische Theologen polemisch verwenden, um den versteckten Pelagianismus der römischen Lehre zu kennzeichnen. Der Ausdruck «Synergismus» ist in der Tat nicht ungefährlich, weil er die Vorstellung einer Zusammenarbeit suggeriert, bei der sich zwei Partner auf gleicher Ebene in einer gleichen Tätigkeit begegnen, wobei jeder das Seine dazu beiträgt. Wenn von Zusammenarbeit die Rede ist, denken wir unwillkürlich an Partnerschaft und Teamwork. So verhält es sich aber nicht bei der Beziehung zwischen göttlicher Vorherbestimmung und menschlichem Tun. Gott transzendiert uns total, und im Gnadenwirken ist die Totalität des Tuns Gottes zugleich auch die Totalität des Tuns des Menschen. Die Gesamtheit des Primates Gottes macht auch die Gesamtheit unserer freien Betätigung in der Gnade aus. Dem Menschen einen wenn auch noch so geringen Anteil an Initiative vorzubehalten, der ihm ausschließlich zu eigen wäre, macht gerade das Wesen des Semipelagianismus aus.

Aus dem geschichtlichen Teil wird ersichtlich, daß eine gesunde Philosophie, die mit Gottes Gottheit, mit seiner *Transzendenz* ernst macht, die Versuchung des Semipelagianismus überwinden kann.[85a] Gott ist in seiner Freiheit absoluter Ur-

---

[85a] Wenn wir von der Notwendigkeit der Philosophie sprechen, so meinen wir damit die Notwendigkeit, von Gott korrekt zu denken und zu sprechen. Wie wir im geschichtlichen Teil gesehen haben, hat sich Thomas von Aquin von seinem unbewußten Semipelagianismus auch unter dem Einfluß des «Liber de bona fortuna» des Aristoteles be-

grund von Liebe und Wirklichkeit. Gottes schöpferisches Tun hat die Eigenschaft, daß es den Menschen, an dem es sich auswirkt, in Freiheit versetzt. Gott bedroht den Gegenstand seiner Liebe nicht durch eine in Beschlag nehmende, zerstörerische Liebe, sondern er erhebt und befreit denjenigen, den er liebt.[85b] Die Freiheit des Menschen hingegen ist wie seine Natur geschaffen und muß deshalb unablässig von neuem erhalten werden. Unsere Freiheit muß sich fortwährend verwirklichen; diese Verwirklichung wird uns indes geschenkt: sie ist Gabe und Aufgabe in einem.

Da Gott uns im freien Mysterium seiner Liebe erwählt hat, ist unsere Befreiung durch die Gnade von Grund auf Gabe. Nur die Zurückweisung der Gnade, die Sünde, ist unser eigenes Werk. Hier mag der Einwand auftauchen: Hätte uns Gott nicht durch eine größere Gnade überzeugen können? Der Einwand geht daneben. Die Gnade Gottes ist nie unzureichend, denn Gott ist «größer als unser Herz» (1 Jo 3, 19). Das Zurückweisen der Liebe kann somit nur auf das «Mysterium der Bosheit» zurückgehen, das in uns allen am Werk ist. Also bleibt, wie die Synode von Quiercy (853) treffend gesehen hat,[85c] kein Raum für eine doppelte Prädestination, für eine Vorherbestimmung zum Heil und eine Vorherbestimmung zum Unheil. In diesem System wird der menschlichen Freiheit und Verantwortlichkeit nicht Rechnung getragen. Es schreibt das Unheil zu Unrecht einem Abgrund in Gott zu, der nicht in schöpferischer und rettender Liebe, sondern in beängstigender Willkür bestünde.

Gottes Transzendenz geht zusammen mit seiner radikalen *Immanenz*. Seine Gnadengegenwart berührt das Innerste im Menschen, den Punkt, an dem unsere Freiheit entspringt. Wie wir sehen werden, verwirklicht sich diese Freiheit in einer Grundoption, die das ganze Leben trägt und durchdringt. Wie Gottes Gnadenwirken unsere Freiheit ermöglicht und trägt, bleibt unserer Erklärung entzogen. Wir kennen die Natur der göttlichen Freiheit nicht aus eigener Erfahrung. Aber auch die menschliche Erfahrung der tiefen Quelle des Bösen und des Risikos, das mit unserer endlichen Freiheit gegeben ist, bleibt zum Großteil undurchdringlich und dunkel. Deshalb ist es unmöglich zu «erklären», wie diese beiden Freiheiten einander durchdringen. Wir können nur dartun, daß das Paradox des Primates Gottes und der Freiheit des Menschen nicht widersinnig ist. Der Rest ist anbetendes, dankbares Schweigen.

Der Theologe müßte versuchen, diesen Gedankengang auch jenen Gläubigen nahezubringen, die spekulative Überlegungen nicht nachvollziehen können. Die eigentliche Wurzel der Schwierigkeit liegt hier in einer anthropomorphen Vorstellung der Interaktion zwischen Gott und Mensch, die nach der Art menschlicher

---

kehrt. In diesem Zusammenhang möchten wir auch die schöne Bemerkung Platos zum berühmten Ausspruch des Protagoras «Der Mensch ist das Maß aller Dinge» anführen: «'Ο δὴ θεὸς ἡμῖν πάντων χρημάτων μέτρον ἂν εἴη μάλιστα, καὶ πολὺ μᾶλλον ἤ πού τις, ὥς φασιν, ἄνθρωπος» [Νόμοι IV, 716c].

[85b] In der biblischen Sicht des Alten Testamentes «heiligt sich» Gott im Leben der Menschen: ThWNT I, 92–96. Das tugendhafte Leben des Menschen bildet somit die «Herrlichkeit»Gottes: ThWNT I, 245. Irenäus hat diese biblische Überlieferung in eine großartige Formel gebracht: «Δόξα γὰρ Θεοῦ ζῶν ἄνθρωπος, ζωὴ δὲ ἀνθρώπου ὅρασις Θεοῦ» [Adv. haer. IV, 20,7].

[85c] DS 622f.

Zusammenarbeit verstanden wird. Unseres Erachtens müßte man im Bereich der Pastoral mit Hilfe einer symbolischen Theologie das falsche Bild durch das richtige korrigieren. Man müßte auf das Paradox der Liebe hinweisen, die einerseits anzieht, bezaubert und in Bann schlägt, anderseits aber doch freies Geschenk bleibt. Man müßte weiter betonen, daß Gott im tiefsten Innern unseres Wesens und nicht durch äußern Druck auf uns wirkt. Vor allem müßte man den Sinn für das Mysterium, für die Grenzen wecken, auf die der menschliche Geist angesichts der Tiefen Gottes stößt. Im Lauf der Geschichte mußte die Kirche öfters auf diese Grenzen hinweisen, wenn die Kontroversen über diese Frage die Einheit der Kirche und selbst das Mysterium des Gottes der Liebe bedrohten.[85d]

Im folgenden möchten wir versuchen, jenseits der Schulkontroversen über das Verhältnis von Gnade (Prädestination) und liberum arbitrium die Frage zu vertiefen, inwiefern die wahre Freiheit uns durch die Gnade geschenkt wird.

In der Beantwortung dieser Frage müssen wir verschiedene Elemente, die wir bis jetzt separat erörtert haben, zu einer Gesamtschau zusammenfügen. Gnade ist Gegenwart Gottes in uns und in der Welt, in der Person und im Kosmos. Diese Präsenz rührt an unser innerstes Sein und gibt uns von Geburt an eine Hinneigung zum andern und so zu Gott. In der Tiefe seines Wollens wird der Mensch von Anfang an von einem radikalen Verlangen, von einem geistigen Instinkt geführt, der auf eine Erfüllung hinzielt, die kein irdisches Gut zu stillen vermag. Das Mittelalter spricht hier vom natürlichen Verlangen nach der Gottesschau, wobei es mit «natürlich» das meint, was mit unserem Ursprung faktisch gegeben ist. Die Philosophie vermag diesen radikalen Dynamismus unserer Natur in einer transzendentalen Analyse unseres Tuns zu artikulieren. In unserem Zusammenhang möchten wir aber nun unterstreichen, daß dieses natürliche Verlangen nach Gott primär durch die göttliche Gnadengegenwart geweckt wird. Auch abgesehen von der philosophischen transzendentalen Analyse können wir behaupten, daß dieser Dynamismus schon an und für sich eine Teilhabe an der Freiheit ist, die der Sohn kraft des Geistes seinem Vater gegenüber hat: «Der Sohn bleibt für immer im Haus. Wenn euch also der Sohn frei macht, dann seid ihr in Wahrheit frei» (Jo 8,36). Ja, «die Wahrheit wird euch frei machen» (Jo 8,32), was nach den Exegeten ein Hinweis auf das konkrete Vorbild des Sohnes ist, der so zu unserer Lebensregel wird.[86] Diese «Wahrheit» Christi und seines Geistes leitet uns als Lebensregel in unserem bewußten Leben. Sie setzt aber voraus, daß die trinitarische Präsenz von Anfang an im tiefsten Kern unseres Wesens bereits am Werke ist, an dem Punkt also, wo unser Wesen noch nicht in Verstand und Willen, in Geist und leib-seelische

---

[85d] Vgl. zum ganzen Thema auch M. Löhrer, Erwählung und Hoffnung: MS IV/2, 825 ff.

[86] I. de la Potterie, L'arrière-fond des thèmes johanniques de vérité: Studia Evangelica = TU 73 (Berlin 1959) 277–294; ders., «Je suis la Voie, la Vérité et la Vie» (Jo 14,6): NRTh 88 (1966) 907–942 (anders R. Bultmann: ThWNT [1933] 242–248).

Dynamismen geschieden ist. Sie besteht in einer ersten Liebesregung, in einem dynamischen Ruf an uns, uns in der Begegnung mit den andern als Person in Christus zu betätigen. Dieser Dynamismus besitzt in sich eine sieghafte Kraft gegenüber der Sünde, die uns verknechtet in Selbstverschließung und im Nein zur Liebe.

Im Lauf dieses Werdeprozesses der Person, der sich in der Begegnung mit dem andern vollzieht, erwacht in uns dieser Dynamismus als eine Grundoption für die Liebe, als eine frei bejahte Wesensrichtung, die unsern Befreiungsprozeß einleitet. Die Freiheit ist ja nicht einfach etwas fertig Vorgegebenes, ein Besitz, über den man verfügt, sondern eine Aufgabe, eine Berufung, etwas, das errungen werden muß. In einer immer intensiveren Grundoption willigen wir frei ein, in Christus und durch die Kraft seines Geistes von Gott selbst befreit zu werden. In der Grundoption für die Sünde hingegen gehen wir aus freien Stücken daran, die Saat der Freiheit, die Gott in uns aufkeimen lassen wollte, in uns zu zerstören, indem wir uns mit den Kräften in uns und um uns verbünden, die uns versklaven.

Wie wir sahen, ist die Grundoption inexistent, solange sie sich nicht in sittlich guten Einzeltaten äußert, die unserer Würde als Gotteskinder entsprechen. In den vielfältigen, unscheinbaren, begrenzten Betätigungen, die das Leben des Menschen ausmachen, verwirklicht und verstärkt sich die Grundoption. In unseren Ausführungen sind wir um der leichteren Verständlichkeit willen bis jetzt auf der rein religiösen Ebene verblieben. Wenn wir erst jetzt an zweiter Stelle von der Gemeinschaftsbezogenheit unserer Freiheit sprechen, so ist dieses Element aber doch nicht zweitrangig. Um uns von Gott befreien zu lassen, müssen wir vielmehr in einem Freiheitsklima weilen, das der Geist geschaffen hat: in der Glaubensgemeinschaft der Kirche als des Gottesvolkes. Wir brauchen eine Freiheitssprache und -lehre, sittliche und menschliche Freiheitshaltungen, wir brauchen communio-Strukturen, die diese Freiheit stärken. Mit J. B. Metz sind wir der Meinung, daß die mitreißende Kraft der «memoria Christi», die der Geist in seiner Kirche lebendig hält, uns zur wahren Freiheit beruft, zu einer Freiheit, die sich im Verlangen nach Gerechtigkeit und Güte, aber auch in kritischer Stellungnahme gegen alles äußert, was die von Christus geschenkte Freiheit in der profanen und religiösen Gesellschaft bedroht.[87] Es ist äußerst wichtig, daß die Kirche, der die «memoria Christi» als heilige Überlieferung anvertraut ist, dem Menschen ein Klima der Freiheit verschafft, das in ihren Lehren und Lebensformen zum Ausdruck kommt und durch freiheitsbegünstigende Strukturen gefördert wird. Dies gehört zur «Vorgegebenheit der Gnade».

---

[87] J. B. Metz, Freiheit in Gesellschaft (Freiburg i. Br. 1971) 7–20. Zu einem Gesamtüberblick vgl. H.-H. Schrey, «Politische Theologie» und «Theologie der Revolution»: ThR 36 (1971) 346–377 und 37 (1972) 43–77, sowie M. Xhaufflaire, La «théologie politique». Introduction à la théologie politique de J. B. Metz I (Paris 1972).

An diesem Punkt stoßen wir auf einen Aspekt der Gnadenfreiheit, den Theologie und christliche Moral oft vernachlässigt haben und der durch eine Autoritätsdoktrin und -praxis behindert wird, welche die in Christus geschenkte Freiheit geradezu negiert. Die Gettomentalität, die in den letzten Jahrhunderten in der Kirche vorgeherrscht hat, die Diasporasituation der Katholiken in gewissen Ländern, die Allianz der Hierarchie mit den «Ordnungskräften» haben in der Kirche den Sinn für die Freiheit der Person und der Gemeinschaft geschwächt und zu einer Übersteigerung der geistlichen und profanen Autorität geführt, indem man sie implizit der absoluten Autorität gleichsetzte, die Gott allein zukommt. In einer religiösen Gesellschaft, die ihr Hauptziel in der Verteidigung gegenüber den Glaubensfeinden und im Schutz der Schwachgläubigen sieht, wird jeder Akt, der von der zuständigen Autorität nicht ausdrücklich gebilligt wird, als Untreue, als Verrat an der Gruppensolidarität, als Abfall von der offiziellen Orthodoxie ausgelegt. Deshalb finden sich in der Kirche allzuoft Haltungen und Spontanreaktionen, wie sie sich sonst bei totalitären Gesellschaften finden. Nach dem Evangelium müßte die Kirche ein Hort der Freiheit sein, nicht nur in der Theorie, sondern vor allem in der Praxis. Das zweite Vatikanum billigte nach harten Auseinandersetzungen den außerhalb der Kirche Stehenden eine gewisse Gewissensfreiheit zu. Leider hat es versäumt, die Freiheit für die eigenen Kinder der Kirche solider zu verankern.

Jesus hat von Anfang an die Bedrohung der Freiheit wahrgenommen und jeden Legalismus und Ritualismus bekämpft. Soweit er sich zum Amt in der Kirche geäußert hat, geschah es fast ausschließlich in dem Sinn, daß dieses Amt ein Dienst sein soll, der den Menschen zu größerer Freiheit führt. Paulus, der Schüler Gamaliels (Apg 22,3), der Sohn von Pharisäern (Apg 23,6), ist entgegen einer Gesetzesauffassung, an der die Judenchristen festhalten wollten, zum großen Apostel der Freiheit geworden. Obwohl nämlich «das Gesetz heilig» (Röm 7,12) und «geistlich» (Röm 7,14) ist, vermag es uns doch nicht als solches zu retten. Gewiß anerkennt Paulus die Bedeutung des Glaubensgehorsams (Röm 1,5 und 16,26), und Johannes betont, unsere Liebe müsse sich darin erweisen, daß wir die Gebote Gottes in furchtloser Liebe annehmen (Jo 4,18). Aber nie haben sie die menschliche Autorität, selbst nicht die Autorität innerhalb der Kirche, mit dem heiligenden Willen Gottes identifiziert, der sich durch seinen Geist bekundet. Die Freiheitslehre, die Paulus im Galater- und Römerbrief vorlegt, hat gewisse Christen von jeher beunruhigt. Manche Abschreiber des Mittelalters, die durch Aussagen des Paulus schockiert waren, haben zuweilen gemeint, den Wortlaut der Briefe «korrigieren» zu müssen.[88] Die Diskussionen über das

---

[88] S. Lyonnet, Liberté chrétienne et loi de l'Esprit selon Saint Paul, in: I. de la Potterie et S. Lyonnet, La vie selon l'Esprit. Condition du chrétien = Unam Sanctam 55 (Paris 1965) 169–195.

Verhältnis von Gesetz und Evangelium sind noch lange nicht abgeschlossen.[89] Hauptanliegen des Paulus war es nicht, der heteronomen Moral gegenüber die autonome Moral vorzuziehen. Es ging ihm um das wahre Heil und um die rechte Motivierung unseres Vertrauens und unseres Glaubens. Wir sollen unser Vertrauen allein auf Gott, auf Christus und seinen Geist setzen. Jede andere Absicherung ist ein Verrat an Christus, unserem einzigen Retter. Legalismus und Ritualismus, das Heilsmonopol, das eine menschliche, und sei es eine religiöse Autorität beansprucht, ist ein solcher Verrat, da wir dann unser Vertrauen nicht auf Christus, sondern auf etwas anderes setzen und Sicherheit bei Menschen suchen, statt es ungesichert mit dem lebendigen Gott zu wagen.

Eine letzte Bemerkung. Die Tendenz zu allzugroßer Spiritualisierung des Glaubens verführt einige zu einer unrealistischen Vorstellung unserer Freiheit «zwischen den Zeiten» vor unserer vollständigen Befreiung durch das Kommen Christi. In dieser Zwischenzeit ist unsere Freiheit beschränkt, bedroht und verwundbar. In dieser Hinsicht sind wir in unserer religiösen Haltung nie ganz mündig. Es gibt deshalb einen Platz für einen echten Autoritätsdienst der Kirche, der zu wahrer Freiheit erziehen soll. Unsere Epoche hat die Autonomie des sittlichen Lebens entdeckt. Radikale Autonomie ist jedoch ein Mythos. Nicht weniger als die Wahrheitsfindung verlangt auch die Eroberung der Freiheit Zusammenarbeit. Eine Funktion der von Menschen ausgeübten religiösen Freiheit liegt gerade darin, das gemeinsame Suchen nach wahrer Freiheit zu unterstützen. Paulus hat dies vorausgeahnt: Das Gesetz ist der Zuchtmeister, der uns zu Christus führt (Gal 3, 22).[90] Diese Bemerkung ist wichtig. Wir verstehen die Freiheitssituation des Christen richtig, wenn wir sie als Marsch ins Land der Freiheit verstehen. Wir sind noch in Ägypten und unterwegs zum Gelobten Land. Wenn man heute die gesellschaftskritische Funktion des christlichen Zeugnisses betont, so muß diese kritische Haltung sehr nuanciert sein. Das gesellschaftskritische Moment richtet sich gewiß auch, wie J. B. Metz und andere betonen, gegen die Idole der Kirche. Aber wir sollten die Idole im eigenen Leben deshalb nicht übersehen. Der gefährliche Aufruf zur Freiheit ist nur dann glaubhaft, wenn wir ihn auch als Anruf an uns selber hören, mit den vielfältigen Formen der Knechtschaft Schluß zu machen, die sich in unserm Leben verbergen. Es gibt kein Gnadenleben ohne ständige Bekehrung, und es gibt keinen Kampf für die Freiheit ohne unablässige Bekehrung zu echter Freiheit. Hier dürfen wir vielleicht an die Schüler von Metz eine brüderliche Mahnung richten: Wenn wir aus Furcht vor «Privatisie-

---

[89] Vgl. oben S. 891–894.

[90] Paulus spricht hier vom Kommen Christi. Mit mehreren protestantischen und katholischen Theologen sind wir der Ansicht, daß sich dieser «ökonomische» Sinn des Gesetzes darüber hinaus erstreckt.

rung» die Kräfte des Gebets und der Kontemplation verkümmern lassen, läuft die «politische Theologie» Gefahr, sich in einem rein revolutionären Aktivismus zu verlieren, der vom Christentum nur noch den Namen hat. Ist es nicht ein tröstliches Zeichen, daß man in eben den Ländern – wie in Lateinamerika –, in denen der Anstoß zur Revolution am gerechtfertigtsten erscheint, wieder zu den Quellen der Mystik zurückkehrt, in denen die einzige Gewähr für eine echte Freiheit auf dem Weg zum Gottesreich liegt![91]

7. Gnade und Verdienst

Wie wir bereits im dogmengeschichtlichen Kapitel ausführten, ist die Lehre vom Gnadenverdienst der kritische Punkt im Gespräch mit der protestantischen Theologie. In geringerem Maß gilt dies auch für das Gespräch mit der orthodoxen Theologie.

Die Schwierigkeit ist z. T. semantischer Natur. Der lateinische Begriff «meritum» und die von ihm abgeleiteten Ausdrücke sowie die entsprechenden Begriffe in den Übersetzungen der westlichen Sprachen – z. B. mérite, merit, Verdienst – haben einen mehr juristischen Beigeschmack als die meisten äquivalenten Bezeichnungen in der griechischen Sprache. In der alten Kirche sprach man lieber von «Gott wohlgefallen» oder «Gottes würdig sein».[92] Selbst «meritum» und «mereri» scheinen bei den Kirchenvätern und in der römischen Liturgie einen weiteren Sinn gehabt zu haben.[93] Andererseits ist zu sagen, daß selbst in den modernen westlichen Sprachen das Wort «Verdienst» verschiedene Bedeutungen hat. «Verdienst» kann soviel wie «Lohn» besagen. In der gesellschaftlichen Bewertung hat diesbezüglich eine Entwicklung stattgefunden. Man legt heute mehr Wert auf die Person als auf die bloße Arbeitsleistung. Man besteht auf dem Recht auf einen Minimallohn, auf einen Familienlohn. Zu diesem Grundlohn kommen Versicherungszulagen (Krankenkasse, Pensionskasse usw.) hinzu, was alles mehr der Personwürde des Arbeiters als der bloßen Arbeitsleistung Rechnung trägt. Auch bei den Honoraren der Ärzte, Advokaten usw. sieht man mehr auf die Qualität als auf die Quantität der Arbeit. Es geht dabei nicht mehr um strenge Gerechtigkeit. Das Wort «Verdienst» kann aber noch

[91] Das Redaktionskomitee der Tijdschrift voor Theologie zu Nimwegen hat im März 1972 einen Kongreß abgehalten über die Frage der Beziehungen zwischen Mystik und politischem Einsatz. Die Vorträge wurden unter dem Titel veröffentlicht: Toekomst van de religie: Religie van de toekomst? (Brugge 1972). Das gleiche Redaktionskomitee organisierte an der kath. Universität Nimwegen eine Vortragsreihe, veröffentlicht unter dem Titel: Politiek of Mystiek? Peilingen naar verhouding tussen religieuse ervaring en sociale inzet (Brugge 1973).

[92] P.-Y. Emery, Le Christ, notre récompense. Grâce de Dieu et responsabilité de l'homme (Neuchâtel 1962) 110–120.

[93] Ebd. 155–159.

einen andern Sinn haben, wie er etwa im Begriff «Verdienstorden» erscheint. In diesem Fall ist es die Volksgemeinschaft, die durch den König oder den Präsidenten des Staates eine hervorragende wissenschaftliche, politische oder militärische Leistung auszeichnet. Von kommutativer oder distributiver Gerechtigkeit kann hier nicht mehr die Rede sein. Die Ehrung gleicht mehr der huldvollen Geste eines Herrschers im Altertum, der die Verdienste von Persönlichkeiten anerkannte, die sich um das Staatswesen besonders verdient gemacht hatten. Den Begriff «Verdienst vor Gott», wenn auch in einem sehr analogen Sinn, auf Beziehungen kommutativer oder distributiver Gerechtigkeit einzuschränken, wie dies einzelne scholastische Theologen versucht haben,[94] ist ganz einfach ein semantischer Irrtum. Darum halte ich es nicht für sehr redlich, wenn einige protestantische Theologen mit Vorliebe den krassesten Sinn von «Verdienst» hervorheben, um die katholische Lehre vom Verdienst zu kritisieren. Ebenso bedauerlich ist es, wenn katholische Autoren aus einer antireformatorischen Haltung heraus den Verdienstbegriff so eng fassen, daß Verdienst den Charakter einer der Gerechtigkeit entsprechenden Belohnung erhält. Viele überflüssige Kontroversen ließen sich vermeiden, wenn man einen geeigneteren Ausdruck fände, um die biblische Botschaft auszudrücken, die uns das ewige Leben und den Eintritt ins Gottesreich verheißt, wenn wir den Geboten Gottes und Christi nachleben.

Wichtig ist die Erkenntnis, daß sich hinter diesem Begriff eine vielschichtigere und andererseits doch auch wieder einfachere Wirklichkeit verbirgt, als viele meinen. Unseres Erachtens ist Kapitel 16 des Rechtfertigungsdekrets des Konzils von Trient, das von der Verdienstlichkeit der guten Werke handelt, eines der am besten geglückten Kapitel dieses Dekrets. Wir verdanken es vor allem dem großen Augustinianer Girolamo Seripando.[95] Wie wir bereits früher gesagt haben, betrachtet das Konzil das Verdienst als eine dialektische Wirklichkeit: alles kommt uns primär von Gott zu, der uns mit Christus vereint, und doch sind unsere guten Werke unsere eigenen Taten. Wir empfangen sie aber andauernd vom Herrn, denn wir bleiben hier auf Erden Sünder.[96] Der Mensch hat somit keinen Anlaß zum καυχᾶσθαι, zum Sich-Rühmen.[97] Die Wirklichkeit der Sünde in unserem Leben, selbst wenn dieses verdienstliche Taten hervorbringt, beweist uns existentiell, daß

---

[94] Z. B. P. de Letter, De ratione meriti secundum sanctum Thomam = AnGr 19 (Roma 1939).

[95] H. Jedin, Geschichte des Konzils von Trient II (Freiburg i. Br. 1957) 158, 239–242, 262 und 487 ff.

[96] DS 1545–1549.

[97] καυχᾶσθαι, καύχημα, καύχησις sind typisch paulinische Ausdrücke, obwohl sie auch bei Jakobus anzutreffen sind. Vgl. R. Bultmann: ThWNT III (1938) 648–653 und die ausgezeichnete Arbeit von G. Didier, Désintéressement du chrétien = Théologie 32 (Paris 1955).

wir «unnütze Knechte» bleiben.[98] Man könnte das christliche Verdienst-
erlebnis, wie es sich vor allem bei den Heiligen findet, kaum besser beschreiben.

Eine weitere Bemerkung. Die großen Scholastiker, z. B. Thomas von
Aquin, haben das Verdienst öfters vom Mysterium des Einwohnens Gottes
her verstanden und interpretiert.[99] In dieser Interpretation geht es mehr um
die Würde der Gotteskindschaft als um ein Gerechtigkeitsverhältnis. Dieser Zusammenhang findet sich selbst in einem der verurteilten Sätze des
Bajus.[100] Bemerkenswerterweise ist Kapitel 16 des Rechtfertigungsdekrets
von Trient das einzige Kapitel dieses Dekrets, das ausdrücklich auf unsere
lebendige Vereinigung mit Christus anspielt: «tamquam membra in corpore
et tamquam vites in palmite»,[101] womit es das Zeugnis des Johannes und
Paulus zusammenfaßt. Johannes spricht in diesem Zusammenhang auch
den Satz aus, der sich seit dem 5. Jh. stark auf die Reflexion über die Gnade
ausgewirkt hat: «Ohne mich könnt ihr nichts tun» (Jo 15,5).

In unserem Buch über die Gnade haben wir versucht, einige Gegebenheiten der alten theologischen Überlieferung neu zu interpretieren. Wir
haben uns auf die Theologie des Bundes und der göttlichen Verheißungen
berufen, um den im Verdienstgedanken implizierten Aspekt einer Gegenseitigkeit zu wahren. Wir haben das Gnadenleben als Bewegung ausgelegt,
die uns zum Himmel führt; das Verdienst erscheint in dieser Perspektive als
Vorgang des Wachsens, der zur vollkommenen Vereinigung mit Gott hin-
tendiert. Schließlich haben wir das in der scholastischen westlichen Theologie allgemein akzeptierte Prinzip: «par caritas, par meritum» neu reflektiert, wobei wir mit dem Hinweis geschlossen haben, daß in der liebenden
Vereinigung jeder Gedanke an ein Verdienst in der Erfahrung des total
gnadenhaften Charakters der Vereinigung mit Gott verschwindet.[102]

Wir halten auch heute daran fest, daß der grundlegende Begriff des Bundes und der göttlichen Verheißungen mit dem Thema der Gnade aufs engste
zusammenhängt. Doch erblicken wir darin nicht mehr das geringste Rechts-
verhältnis, selbst nicht in einem analogen Sinn. Wie vor allem die Propheten
bezeugen, ist der Bund und der den göttlichen Verheißungen entsprechende

---

[98] Lk 17,10. Man vergleiche die Diskussionen über die Tragweite des Gleichnisses von
den Arbeitern im Weinberg (Mt 20,1–16) sowie W. Pesch, Der Lohngedanke in der Lehre
Jesu verglichen mit der religiösen Lohnlehre des Spätjudentums = MthSt(H) 7 (München
1953) 9–12.

[99] «... gratia Spiritus Sancti, quam in praesenti habemus, etsi non sit aequalis gloriae
in actu, est tamen aequalis in virtute, sicut semen arboris, in quo est virtus, qui est sufficiens causa vitae aeternae; unde dicitur esse pignus vitae aeternae.» I/II q. 114 a. 3 c und
ad 3. Vgl. L. Malevez, Histoire et réalités dernières: EThL 18 (1941) 237–267 und 19
(1942) 47–90.

[100] DS 1913.

[101] DS 1546.

[102] De Genade aaO. 327–344 = The New Life of Grace aaO. 215–227.

Rechtfertigungsakt eine Tat reiner Barmherzigkeit und Liebe. Wir haben keinerlei Rechtsanspruch an Gott zu stellen, denn alles, was von ihm kommt, ist Gnadengeschenk: «qui fecisti tua dona nostra merita».[103] Wir verzichten heute auch darauf, das Verdienst als ontologisches Wachstum der Gnade anzusehen. Was bleibt, ist der Gedanke, daß die Gnade ein Leben ist, das sich auf Gott hin entfaltet, so wie die Blume der Sonne entgegenwächst, und daß jede Gnade, die wir aufnehmen, uns durch die Vertiefung unserer Grundoption auf den Empfang weiterer Gnaden disponiert. In diesem Sinn «verdienen» wir durch die Gnade weitere Gnaden, weil unsere Grundoption für Gott verstärkt wird. Dies geschieht freilich nicht durch beliebige Akte, die wir kraft der Gnade vollbringen, sondern nur durch eine Tat, die unsere Grundoption tiefer aktualisiert. Schließlich weisen wir auch heute darauf hin, daß die Seele des Verdienstes unsere *caritas*, d.h. die dankbare, demütige Liebe eines «unnützen Knechtes», eines Sünders, ist, der Verzeihung erlangt hat, eines Menschen, der nie aufgehört hat, an das Erbarmen des Herrn zu glauben und es zu erhoffen. Man hat während der letzten drei Jahrhunderte oft über die Natur des *Aktes* der *caritas* diskutiert, der zum Verdienst notwendig ist, wobei man die Frage stellte, ob eine spezielle caritas-Intention notwendig sei, damit ein Verdienst zustande komme. Die Antworten waren entweder rigoristisch, indem man für jeden Verdienstakt eine spezielle caritas-Intention verlangte, oder laxistisch, indem man sich mit einer virtuellen Intention begnügte. Für uns liegt hier kein besonderes Problem vor. Unsere Grundoption ist ja bereits caritas. Je mehr der Einzelakt durch sie bestimmt ist, je menschlicher er ist und je mehr er Akt der Gnade ist, desto «verdienstlicher» ist er, d.h. desto mehr ist er konkreter Ausdruck unserer Liebe.[104]

Für das geistliche Leben und das ökumenische Gespräch ist die Erkenntnis wichtig, daß der Gedanke an ein Verdienst mit wachsender Gottesliebe mehr und mehr dahinschwindet.[105] Es gibt zwar auch in der Liebe Formen gegenseitiger Verpflichtung. Sie sind aber von ganz anderer Art als in einem Verhältnis der Gerechtigkeit, selbst wenn wir dieses analog verstehen. In der liebenden Vereinigung wird die geliebte Person zum kostbarsten Geschenk. Im christlichen Leben besteht so das Verdienst letztlich in der Vereinigung mit Christus und durch ihn mit dem Vater. Wer diese Wirklichkeit aber konkret erfährt, ist nicht mehr imstande, von Verdienst zu reden!

---

[103] Augustinus, Ep.194 ad Sixtum presb.5,19: PL 33,880.

[104] So finden wir wiederum zur Überlieferung der großen Geisteslehrer zurück. Darnach ist die erste Aufgabe jedes geistlichen Menschen, seine «Meinung» zu läutern und nicht so sehr die, viele spezielle Intentionen zu fassen. Vgl. K.Rahner, Über die gute Meinung: Schriften III, 127–154; ders., Das Gebot der Liebe unter den andern Geboten: Schriften IV, 494–517. Vgl. ferner: Intention: DSAM VII/2 (1970) 1844–1854.

[105] K.Rahner zitiert ein schönes Gebet der hl.Theresia von Lisieux in: Trost der Zeit: Schriften III, 169–188 (Zitat S.172).

Auf zwei Einzelfragen ist noch Bezug zu nehmen. Die Theologie verwendet den abstrakten und nicht sehr eleganten Ausdruck «meritum de condigno». Das Tridentinum hat ihn mit «vere mereri»[106] wiedergegeben, was uns genügt. Das sogenannte «meritum de congruo» besagt nichts anderes als dies: Beim Menschen, dessen Grundoption noch nicht durch die caritas bestimmt ist, widerspiegelt bereits jeder Anfang von Liebe und jede gute Tat das göttliche Erbarmen und wird damit zu einem Hinweis dafür, daß Gott seinen Verheißungen treu bleibt. Anders als die Suarezianer sind wir jedoch der Auffassung, daß wir die Rechtfertigung in gar keiner Weise zu verdienen vermögen. In der totalen Selbstmitteilung Gottes, die in uns die caritas der Gotteskindschaft erstehen läßt, kommt es in uns zu einer radikalen qualitativen Veränderung, die geradezu das Wesen der Gnade ausmacht. Wir können uns, von der uns einladenden Gegenwart Gottes angezogen, darauf disponieren und vorbereiten, wir können sie aber nicht verdienen.

Die Theologen sprechen zuweilen auch vom «Wiederaufleben der Verdienste». Einige verstehen diese Formel in einem sehr juristischen Sinn: Wenn wir wieder zur Gnade zurückfinden, nachdem wir schwer gesündigt haben, restituiert uns Gott die früher gesammelten Verdienste. Eine seltsame Auffassung! Die früheren Verdienste können insofern «wiederaufleben», als wir bei einer neuen Bekehrung uns in einer gleich stark von Liebe beseelten Grundoption wieder von Gott an sich ziehen lassen. Aber auch diese Antwort ist zu vertiefen. Unser Leben bildet ein Ganzes. Das Vergangene lebt in der Gegenwart weiter, sowohl die Gnadenvergangenheit wie die Sündenvergangenheit. Wenn es in der Natur unserer Grundoption für die caritas liegt, die Totalität unseres Wesens auf Gott auszurichten, so verstehen wir das so, daß auch die Totalität unserer Vergangenheit mit dabei ist. Bei der neuen Bekehrung wird unsere Sünde durch die Gnade Gottes zu einer «felix culpa». Wir wenden uns mit unserer Vergangenheit Gott wieder zu, wobei diese Vergangenheit von Gott in Liebe entgegengenommen wird. In diesem Sinn ist für jene, die Gott lieben, alles Gnade.[107]

Abschließend möchten wir sagen: Die Botschaft von der Gnade ist im gewissen Sinn der Inbegriff des ganzen Christentums. Das Gnadenmysterium hat sich vor allem in der Person Jesu Christi, im auferstandenen Herrn geoffenbart. In ihm ist die trinitarische Gegenwart in unsere Geschichte eingetreten. In ihm ahnen wir, was es um Gott ist. Paulinisch ausgedrückt: «In der Liebe verwurzelt und auf sie gegründet, sollt ihr zusammen mit allen Heiligen dazu fähig sein, die Länge und Breite, die Höhe und Tiefe zu ermessen und die Liebe Christi zu verstehen, die alles Erkennen übersteigt. So werdet ihr mehr und mehr von der ganzen Fülle Gottes erfüllt» (Eph 3, 17 ff). Dieser Jesus gab uns, vom Heiligen Geist erfüllt, beim Sterben seinen Geist (Jo 19, 30). Alles, was wir über die Gnade gesagt haben, aber auch das, was ungesagt blieb, findet in ihm seine vorbildliche, ursprüngliche und definitive Erfüllung. Im Mysterium der Gnade erahnen wir die Tiefe unserer Erlösung, denn Erlösung ist Gnade und Vereinigung mit Gott. Diese

---

[106] «vere promeruisse» (DS 1546) und «vere mereri» (DS 1582).
[107] Vgl. K. Rahner aaO. (Anm. 105).

Gnade tritt sichtbar in Erscheinung im Leib Christi, in der Kirche, in der Gemeinschaft des Glaubens, Hoffens und Liebens, die Gott begründet hat, um allen Menschen die Tiefe seiner Liebe zu bezeugen. Diese Präsenz der allerheiligsten Dreifaltigkeit offenbart sich aktiv in den Sakramenten, die keine andere Wirksamkeit besitzen als die Wirksamkeit der Gegenwart Gottes selbst. In der Feier der Sakramente Christi vereint uns Gott mit seinem Christus und untereinander zu seinem auserwählten Volk, um so auf den geheimnisvollen Wegen seiner Vorsehung «alle zerstreuten Gotteskinder zu sammeln» (Jo 11, 52).

PIET FRANSEN

BIBLIOGRAPHIE

Wir führen im folgenden nur Werke an, die die heutige Reflexion über das Gnadenmysterium besonders weitergebracht haben.

Alfaro J., Person und Gnade: MThZ 11 (1960) 1–19.

Baum G., Man Becoming. God in Secular Experience (New York 1970).

Fransen P., Pour une psychologie de la grâce divine: Lumen vitae 12 (1957) 209–240.

– Gods genade en de mens (Autwerpen 1959); dt.: Gnade und Auftrag (Wien 1961).

– De Genade: Leven en werkelijkeheid (Antwerpen 1959) = The New Life of Grace (London 1971).

– Grace, Theologizing and the Humanizing of Man. Proceedings of the Twenty-seventh Annual Convention of the Catholic Theological Society of America 27 (Bronx N.Y. 1973) 55–57.

Gelpi D.L., Pentecostalism. A Theological Viewpoint (New York 1971).

Haible H., Trinitarische Heilslehre (Stuttgart 1960).

Küng H., Rechtfertigung. Die Lehre Karl Barths und eine katholische Besinnung (Einsiedeln 1957).

Lewis H.D., Our Experience of God (London 1959).

Mackey J.P., Life and Grace (Dublin 1966).

Maréchal J., A propos du sentiment de présence de Dieu chez les profanes et chez les mystiques: Etudes sur la psychologie des mystiques I (Bruges 1929) 69–179.

Mersch E., Filii in Filio: Théologie du Corps Mystique (Paris ²1946) 9–68.

Metz J.B., Zur Theologie der Welt (Mainz 1968).

Mühlen H., Una mystica Persona. Die Kirche als das Mysterium der heilsgeschichtlichen Identität des Heiligen Geistes in Christus und den Christen (Paderborn ³1968).

– Gnadenlehre: H.Vorgrimler und R. van der Gucht (Hrsg.), Bilanz der Theologie im 20. Jahrhundert III (Freiburg i.Br. 1970) 148–192.

Oman J., Grace and Personality (Cambridge 1917).

Przywara E., Der Grundsatz «gratia non destruit, sed supponit et perficit naturam»: Scholastik 17 (1942) 178–186.

Rabut O., L'expérience mystique fondamentale (Tournai 1969).

Rahner K., Zur scholastischen Begrifflichkeit der ungeschaffenen Gnade: Schriften I (Einsiedeln ⁵1961) 347–365.

– Sendung und Gnade (Innsbruck 1959).

– Gnade als Freiheit (Freiburg i.Br. 1968).

Rondet H., Essais sur la théologie de la grâce (Paris 1964).

Segundo J.L., Grace and the Human Condition. A Theology for Artisans of a New Humanity II (Maryknoll N.Y. 1973), aus dem Spanischen (Buenos Aires 1968).

Semmelroth O., Gott und Mensch in Begegnung (Frankfurt a.M. 1956).

Sittler J., Essays on Nature and Grace (Philadelphia 1972).

Volk H., Gnade und Person: J.Auer und H.Volk (Hrsg.), Theologie in Geschichte und Gegenwart (München 1957) 219–236.

Williams D. D., God's Grace and Man's Hope. An Interpretation of the Christian Life in History (New York 1949).

– The Spirit and the Form of Love (New York 1968).

Willig I., Geschaffene und ungeschaffene Gnade (Münster 1964).

BETZ JOHANNES

Dr.theol., geb. 1914, Professor für Dogmatik an der Theologischen Fakultät der Universität Würzburg. Anschrift: D-87 Würzburg, Sonnenstr. 15.

DUPUY BERNARD-DOMINIQUE

OP, Dr.theol., geb. 1925, Direktor des Zentrums für ökumenische Studien Istina und Professor der Theologie am Institut catholique in Paris sowie an der Theologischen Fakultät Le Saulchoir. Anschrift: Centre d'Etudes Istina, F-75013 Paris, 45 rue de la Glacière.

DUSS-VON WERDT JOSEF

Dr.phil., Dr.theol., geb. 1932, Leiter des Instituts für Ehe- und Familienwissenschaft, Zürich. Anschrift: CH-8032 Zürich, Neptunstr. 38.

FRANSEN PIET

SJ, Dr.theol., lic. phil., geb. 1913, Professor für Dogmatik und Fundamentalmoral an der Theol. Fakultät der Universität Löwen. Anschrift: B-3030 Heverlee (Leuven), Waversebaan 220.

GROSS HEINRICH

Dr.theol., lic. bibl., geb. 1916, Professor für Exegese des AT an der Theologischen Fakultät der Universität Regensburg. Anschrift: D-84 Regensburg, Agnesstr. 13.

HUIZING PETER

SJ, Dr.iur.can., Dr.iur.civ., lic.phil., lic.theol., geb. 1911, Professor für Kirchenrecht an der Theologischen Fakultät der Universität Nijmegen. Anschrift: NL-6801 Nijmegen, Berg en Dalseweg 81.

KELLER-STOCKER MAX

Dr.theol., geb. 1939, Studienleiter der Paulus-Akademie Zürich. Anschrift: CH-8049 Zürich, Bombachstr. 3.

KÖHLER OSKAR

Dr.phil., geb. 1909, Professor für Universalgeschichte an der Universität Freiburg i. Br. Anschrift: D-7800 Freiburg i. Br., Sickingenstr. 35.

LAURENTIN RENÉ

Dr.phil., Dr.theol., geb. 1917, Professor für Dogmatik an der Theologischen Fakultät der Universität Angers. Anschrift: Couvent des Religieuses «Notre Dame de Sion», Grand-Bourg, F-91000 Evry.

LÖHRER MAGNUS

OSB (Einsiedeln), Dr.theol., geb. 1928, Direktor der Paulus-Akademie Zürich und Professor für Dogmatik an der Theologischen Fakultät der Benediktiner-Hochschule Sant' Anselmo, Rom. Anschrift: CH-8053 Zürich, Carl Spitteler-Str. 38.

PESCH OTTO HERMANN

Dr.theol., geb. 1931, Schriftsteller. Anschrift: D-8031 Gilching, Kreis Starnberg, Römerstr. 36.

SCHULTE RAPHAEL

OSB (Gerleve), Dr.theol., geb. 1925, Professor für Dogmatik an der Theologischen Fakultät der Universität Wien. Anschrift: A-1010 Wien I., Freyung 6.

STENZEL ALOIS

SJ, Dr.theol., geb. 1917, Professor für Dogmatik und Liturgik an Sankt

Georgen, Philosophisch-Theologische Hochschule / Theologische Fakultät SJ, Frankfurt a. M. Anschrift: D-6 Frankfurt a.Main 70, Offenbacher Landstr. 224.

WIEDERKEHR DIETRICH

OFM Cap., Dr.theol., geb. 1933, Professor für Dogmatik an der Theologischen Fakultät der Universität Fribourg. Anschrift: CH-1700 Fribourg, Rue de Morat 235. Case postale 182.

WULF FRIEDRICH

SJ, Dr.phil., geb. 1908, Chefredakteur der Zeitschrift «Geist und Leben». Anschrift: D-8 München 19, Alfred-Delp-Haus, Zuccalistr. 16.

SACHREGISTER